歷代正史研究文獻叢刊

讀二十五史蠡述 一

李澄宇 撰

北京圖書館出版社

圖書在版編目(CIP)數據
讀二十五史蠡述/李澄宇撰. —北京:北京圖書館出版社,2005. 3
(歷代正史研究文獻叢刊)
ISBN 7-5013-2729-7
Ⅰ. 讀… Ⅱ. 李… Ⅲ. 二十五史—研究 Ⅳ. K204. 1
中國版本圖書館 CIP 數據核字(2004)第 140402 號

責任編輯:賈貴榮　　封面設計:邊　靖

ISBN 7-5013-2729-7
9 787501 327294 >

書名　讀二十五史蠡述(全三册)
著者　李澄宇　撰

出版　北京圖書館出版社　(100034　北京市西城區文津街 7 號)
發行　010-66139745,66175620,66126153
66174391(傳真),66126156(門市部)
E-mail　cbs@nlc. gov. cn(投稿)　btsfxb@nlc. gov. cn(郵購)
Website　www. nlcpress. com
經銷　新華書店
印刷　三河弘翰印務有限公司

開本　大 32 開
印張　84. 5
版次　2005 年 3 月第 1 版　2005 年 3 月第 1 次印刷

書號　ISBN 7-5013-2729-7/K·1063
定價　720 圓

《歷代正史研究文獻叢刊》

責任人員

主　編　張愛芳

副主編　王冠　于浩

學術顧問　陳其泰　徐蜀

選題策劃　賈貴榮

序

治中國史學者，不能捨棄歷代正史。究其原因，與正史採取的紀傳體體裁是分不開的。紀傳體史書的開創之作是司馬遷所著《史記》。他參酌古今，發凡起例，創建十二本紀、十表、八書、三十世家、七十列傳。五種體例，各有區分。而且取材廣泛，上自天文，下至地理，舉凡社會政治、經濟、軍事、民族、文化等，無所不包。由於紀傳體本身的特點，所以深受史學家的歡迎。《史記》問世不久，便有劉向、劉歆、馮商、衛衡、揚雄、史岑、梁審、肆仁、晉馮、金丹、劉恂等（見劉知幾《史通·古今正史》）相後撰續。至班固著《漢書》，朝廷組織學者撰《東觀漢記》，也都採用紀傳體，而且體例更爲嚴謹。值得指出的是，自東漢起，紀傳體受到歷代王朝的特別尊崇，被作爲編撰國史的體裁，不管朝代鼎革，體例相沿不改。至乾隆年間，朝廷明令頒佈爲正史的紀傳體史書，自《史記》迄《明史》，共二十四種，渾然一體，系統反映了中國數千年的歷史。顯然，較之私人修史條件遠爲優越而撰成的歷代正史，在資料的佔有、使用，以及史書的規模、系統性和連續性等方面，均是獨一無二的。

歷代正史是研究者必須依靠的文獻，但是，由於歷史內容無比複雜，對事件、人物、制度等諸多問題的認識不能一次就達於完成，而需後人再作探究。因此，自晉代以後，又有許多學者繼續從事正史的補充、整理、校訂工作，積累了大量成果。這些工作，概括起來大致有四類：一是注釋，如《史記》三家注、《唐書釋音》、《五代史記注補》等；二是補作，如《後漢書》、《晉書》、《梁書》等書的補表，《三國志》、《梁書》、《陳書》等的補志、《五代史補考》等；三是校正，如《史記識誤》、《漢書正誤》、《漢書地理志校補》等；四是考訂，如《晉書考證》、《北齊書旁證》、《元史考訂》等。

經過衆多史家的努力，有關二十四史的訂補之作，已具相當規模，僅從歷代史目來看，即不下數百種之多。此類著作的學術價值及彌補原書之功效，學術界亦早有定論。現在的問題是，『正史之缺憾，賴古今學者之努力，受其彌縫者已不在少數，後人盡可利用已有之成績而作進一步的探求，但此已有之成績，將從何而求得之？』換句話說，一般學者如何去搜討、利用那些多爲善本珍藏，又分散於各處的前人成果呢？二十世紀三十年代中期，開明書店出版《二十五史補編》，集二百四十餘種訂補之作於一爐，從而爲學者提供了極大的方便，篳路之功，實不可沒。然《補編》所及，只包括各史之表、志；那麽對於紀、傳等的訂補之作，仍難尋覓。爲此，北京圖書館出版社在一九九六年於《補編》之外，擴大收書的範圍，凡與《二十四史》有關的訂補著作，一九四九年以前編撰出版的稿本、抄本、刻本、影印本等均在選擇的範圍（《二十五史補編》已收之書，不再選入），編輯出版了《二十四史訂補》，共收書一百六十餘種。此書出版後，甚得學界的好評。

在海内外享有盛譽的北京圖書館出版社，素以嘉惠士林、繁榮文教事業爲己任，今爲更好地服務於學術界，又編輯《歷代正史研究文獻叢刊》，收錄明代以來至現代學者撰寫的有關正史的考證、補缺、專論等。爲免重複，凡《二十五史補編》、《二十四史訂補》已收之書，本書不再選入。清代三大名著即錢大昕《廿二史考異》、趙翼《廿二史劄記》與王鳴盛《十七史商榷》，曾爲學界研究歷代正史提供了極大便利，由於多有出版，本書也不再選入。本叢刊採取分批出版的方式，卷帙大者獨立出版，小者合編。先期出版《讀二十五史蠡述》、《二十四史三表》、《二十四史月日考》、《二十二史考論》（輯杭世駿的《諸史然疑》、牛運震的《空山堂讀史糾繆》、盧文弨的《讀史札記》、錢大昕的《諸史拾遺》、沈豫的《讀史雜記》以及劉體仁《十七史說》等六書而成），此後還將繼續編輯刊印。

《歷代正史研究文獻叢刊》包含着歷代正史的多種研究資料，不但具有重要的史料價值，特别是其中的幾種稿本，更是具有很高的文獻價值。將它們彙爲一編，影印出版，這不僅大大便利了人們查閲和收藏，而且對中國古代史、史學史、學術史及文獻學等領域的研究工作無疑多有裨益。

陳其泰寫於北京師範大學史學研究所

二〇〇五年元月

目録

第一册目録

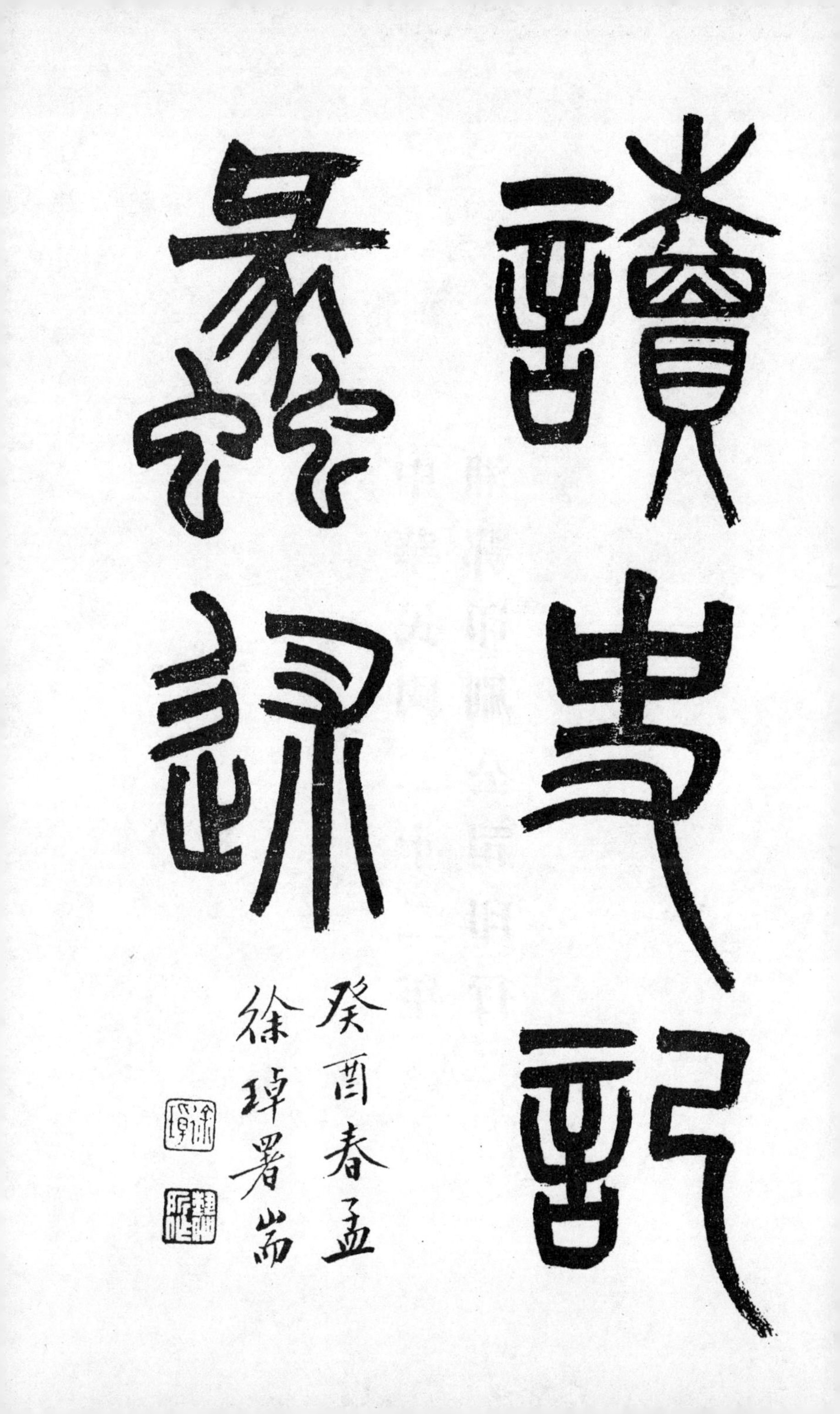

讀史記[illegible]

癸酉春孟

徐璋署耑

中華民國二十二年
湘鄂印刷公司印行

讀史記蠡述目次

卷一

讀史記蠡述卷一

岳陽李澄宇洞庭著

書卷首

古者帝王右史記言左史記事史記之名本此又春秋爲魯史記之名龍門竊義春秋取法左氏化編年爲紀傳仿君子稱史公上自五帝下訖漢武使二千四百一十三年之事燦若星日持中大業雖遜聖尼實並盲左

後以史記名者惟歐陽修之五代史記（或稱新五代史）若班固漢書范曄後漢書房玄齡晉書沈約宋書蕭子顯南齊書姚思廉梁書陳書魏收魏書李百藥北齊書令狐德棻周書魏徵隋書劉昫舊唐書歐陽修新唐書則仿尚書之夏書商書也陳壽三國志則因左傳孟子皆有志曰二字也李延壽南史北史薛居正舊五代史托克托宋史遼史金史宋濂元史柯劭忞新元史張廷玉明史則因古有右史左史遂徑名史也

大學中庸春秋三傳經經傳緯大略相似史記則帝紀經而列傳緯帝紀又年經而事緯列傳人經而事緯蓋其事治尚書春秋三傳國語國策等於一爐其體亦治尚

書春秋三傳國語國策等於一爐也通鑑易紀傳爲編年綱目效之志皆在春秋而取材不能外紀傳就書言化橫爲縱就事言實化整爲散此紀事本末通考通志諸書所由繼作也

雲山讀書記有云魯論微子一篇表三仁以爲後世大臣遭變之式表接輿沮溺諸人以爲後世山林隱淪往而不反之式表伯夷諸逸民以爲後世四皓黃憲陳寔諸人道高身退屈於下僚之式表樂師摯諸人以爲後世大隱金門不夷不惠之式表周公魯公八士諸人以爲後世黼黻治平立德立功之式此皆馬遷世家列傳所由濫觴也遷可謂善讀魯論矣而於微子伯夷兩章獨取裁焉以爲傳贊之體又邱明內外傳所不如也意甚精確附錄於此（雲山讀書記武岡鄧葆之先生著）

書五帝本紀

紀阪泉涿鹿之戰見文治基於武功統觀一部廿四史文治皆基於武功

漢武帝時方士喜言黃帝乘龍上升此但曰黃帝崩葬橋山足解萬代之惑

昌生無澤無澤爲漢市長無澤生喜喜爲五大夫順叙也高辛父曰蟜極蟜極父曰玄囂玄囂父曰黄帝逆叙也

修身而天下服取地之財而節用之足抵大學一書溉執中而徧天下日月所照風雨所至莫不服從足抵中庸一書書曰帝德廣運吾於帝嚳亦云

李商隱謂韓文公平淮西碑點竄堯典舜典字可移評五帝本紀後半也點竄處雖遜尚書然可作註釋尚書之用夏殷周紀采尚書處亦如此

歲三百六十有六日以閏月正四時吾國陰歷最精語蓋陰歷務敬授民時若但使知日不使知月知四時若陽歷然非所謂敬授民時也必使知月知四時則非置閏定大小建無由測晦朔節候寒暑旱潦

薦之於天至而後之中國踐天子位焉堯乃賜舜絺衣至舜復事瞽叟愛弟彌謹舜之踐帝位至然後禹踐天子位皆采孟子而略變化之然文遜孟子

昔高陽氏有才子八人至天下惡之比之三凶采左氏傳

贊自稱太史公。猶左氏自稱君子。或謂稱其父談非也。其太史公自序即司馬遷列傳。雖有談爲太史公。太史公學天官於唐都。太史公既掌天官。太史公留滯周南等語。明稱父談而太史公曰先人有言。至小子何敢讓焉。太史公曰。唯唯否否。不然。至墮先人所言。罪莫大焉。太史公遭李陵之禍。幽於縲紲。乃喟然而嘆曰。至於是卒述陶唐以來。至于麟止。自黃帝始。則皆自稱也。傳既自稱矣。而後人於贊乃疑之。殆未嘗讀史記乎。

書夏本紀

曾大父三字始見於此。

夏紀雜采尙書論孟左傳等書。化散爲整。裁縫滅盡鍼線迹處。即金鍼度與人處。

周紀雜采各書亦然。

書殷本紀

言帝王受生之瑞。自史記簡狄吞玄鳥卵始。誣聖者乃謂此記私生子之始。詩則但云天命玄鳥降而生商。意未章著。或以時序解。謂天命有屬。玄鳥方降。而契適生也。

契卒子昭明立。至主癸卒子天乙立。是爲成湯。又亦順叙法也。

改正朔易服色六字。始見於此。

天子稱帝。自黃帝始。稱王自禹始。稱宗自中宗始。

帝紂資辨捷疾。聞見甚敏。材力過人。手格猛獸。知足以拒諫。言足以飾非。矜人臣以能。高天下以聲。以爲皆出己之下。好酒淫樂。嬖於婦人。可謂千古昏主模範也。一笑。

使男女倮逐。今日海國或以爲新奇可喜。不知殷紂時已行之。史乃以爲罪惡也。漢之王。六朝五代之帝。有效紂者。史亦以爲罪惡也。

九侯以入好女於紂。致醢。文王以獻美女於紂。得賜弓矢斧鉞。

貶帝號爲王之說不可信。蓋漢制沿秦。帝下有王。或遂疑三代不稱帝爲貶也。

書周本紀

大雅生民有履帝武敏歆句。史記乃言見巨人跡。心忻然說。欲踐之。踐之而身動如孕者或謂帝卽帝嚳。履帝武、卽踐帝嚳跡。因祈子與帝同往、履跡而悅。身動如孕也。

后稷者、主稷也、（參看後去稷不務句）舜曰。棄、黎民始飢、爾后稷、播時百穀、與舜曰、皋陶、蠻夷猾夏、寇賊姦宄。汝作士。同例、他如禹汝平水土、伯夷汝爲秩宗等亦同。

號曰后稷、以所職爲號也、

夷秋於所欲爲、惟利是視、於所爲、惟力是視、故不能以情動、然奉公守法。故法治往往有效。我國則王道本乎人情。道德齊禮。特緣情以動之、故有恥且格、有恥且格、無庸乞靈法治矣、故德治往往有效。虞芮之人、如周見耕者讓畔、民俗讓長而慙。此非以法迫之使然也、知此則言法治於我國者、可以已矣。

紂兵皆倒兵以戰、以開武王、武王馳之、紂兵皆崩開、馳崩三字妙、後漢書光武紀乘銳崩之、蓋亦由紂兵皆崩句化出、

厲王好利、近榮夷公、大夫芮良夫諫之、有匹夫專利、猶謂之盜、王而行之、其歸鮮矣。夷公若用、周必敗也。語王不聽、卒以榮公爲卿士。用事、召公諫王、又有民不堪命語。

利之不可專也如此哉。今有國省縣區稅等名。出入實數皆不可究詰。省於國稅。大抵得自爲附加。用益省稅。縣於省稅。亦得自爲附加。用益縣稅。區亦自立名色益區稅。上下交征利。毒展轉逮民。民以區稅事愬縣。縣不理。恐區向縣求益也。以縣稅事控省。省不理。恐縣向省求益也。以省稅事告國。國不理。恐省向國求益也。民不堪命。欲無亂得乎。

天子聽政。使公卿至於列士獻詩。瞽獻曲。詩曲之爲用大矣。豈今所謂詩曲。上媚貴族。下且誨淫誨盜哉。

吾友番禺沈宗畸著共和鈎沈。有古者政權操之君相。故其善惡美刺。但及君相。不及民。獨變雅之詩刺民者多。刺官者少。而刺王之辭寥寥焉。竹書紀年云。共伯和干王位。竊意共伯必假仁義之名。誑惑愚民。盛倡民治之說。徧致羣不逞於一堂。共伯和略如今之議長。諸侯不知其奸。亦姑推奉之。於是蜩螗沸羹。不可終日。羣悟民治有害無益。共伯始歸政周召。後世反謂共和好行仁義。尊之不言。廢之不怒。班氏人、表。且躋之上中之列顛倒黑白矣等語蓋以節南山之國既卒斬桑柔之滅我立王。證變雅爲共和時詩故有此論也後世漫言共和實昧其朔而亂象乃前後一轍亦可異矣。

召公以己子代王太子。開程嬰救趙孤例。

夏亡傳此器殷殷亡又傳此器周比三代莫敢發之非畏龍漦畏變異耳厲王獨不畏。發而觀之且使婦人裸而逐之蓋欲以穢褻制變異也。龍漦竟化爲玄黿入後宮。童妾遭之。既笄而孕。生褒姒。私生子託於變異耶。抑變異待人而著耶。予惡乎辨之。

蘇代爲周說楚王。有周絕於秦必入於郢語。較王孫滿對楚莊王問鼎時大異矣。釋周書而讀左傳。可爲太息。釋左傳而讀國策可爲痛哭。

赧王延立而兩周分治已不國矣。而東周復與西周戰。惡得不亡乎。

百發百中。不以善息。一發不中百發盡息。可與畫蛇添足喻參證。

游說之士。大抵怵以禍而誘以利。怵以禍易聽。誘以利尤易聽。

書秦本紀

秦之先又有女修吞燕卵生大業事。是燕卵一啓殷商。一開秦嬴。作兩朝天子祖也。遂致使御而妻之。自太戊以下。中衍之後。遂世有功。以佐殷國。故嬴姓多顯。遂爲諸侯。連用三遂字不避複。

今陝西有寶雞縣。以秦文公十九年得陳寶故名。得雄者王。得雌者霸。秦得雌雉。而東漢光武乃得雄雉。西漢呂后亦爲雌雉。雉於秦漢。所繫大矣哉。

書初有三族之罪。惡之也。

長子宣公。中子成公。少子穆公。長子宣公立。先平叙後側叙也。

秦不得志於春秋。惟晉之故。蓋殽函在晉。秦自不能越國鄙遠也。至三國分晉。秦得蠶食晉地。東諸侯遂同就破滅。晉誠春秋戰國一大關鍵哉。

以船漕車轉。自雍相望至絳。寫輸粟極有聲勢。

三百人推鋒爭死。以救繆公。竟轉敗爲勝。生獲晉君。生力軍一可當百。信哉。

不聽蹇叔百里傒諫而使百里傒子孟明視蹇叔子西乞術及白乙丙將兵。一可異。孟明視西乞術惟君命是奉。不復詳思父言。二可異。蓋三帥新進喜事。繆公且甚任信。故如此也。

秦獲夷吾。而繆公夫人救之。晉獲三帥。而文公夫人救之。婦女重母家。自古然矣。

由余謂上含淳德以遇其下。下懷忠信以事其上。一國之政。猶一身之治。不知所以治。此眞聖人之治。蓋老氏之要道。霸者惡足語此乎。

秦誓作於殽之役後。非作於報殽之役之後。誓辭具在可覆按也。

秦繆公前未書從死之事。黃鳥之歌。自不能已。然黃鳥僅哀三士。彼百七十四人者果皆宜從死耶。

衛宣公後。復有楚平。女家皆不以亂倫故興師問罪。殆以婦女爲贈品。但恃交鄰。不必復問父子耶。

晉復彊。奪秦河西地。卽奪回晉惠公敗後所獻河西八城耳。

孝公布惠，振孤寡，招戰士，明功賞，上繼繆公之業，下啓始皇之祚，嬴秦第一令主也。惜以商君佐之，恃法恃力，無覆幬宇內之度，有鞭笞六合之意，秦於帝統僅爲閏位，蓋有由也。

戰國時魏惠與齊威先稱王，而秦惠文君六年魏納陰晉於秦，八年納河西地於秦（卽秦出子時晉奪國之河西地），十年復納上郡十五縣於秦。國與强鄰接壤，不能保土地，而竊號自娛，抑何可哂。

惠文君四年書齊魏爲王，索隱謂係齊威王、魏惠王。十三年書魏君爲王，韓亦爲王。正義謂係魏襄王、韓宣惠王。孟子有見梁惠王、梁襄王之文，梁惠王更有西喪地於秦七百里之語，可證。（梁卽魏）

惠文君十三年，張儀伐魏取陝，自是以殽函爲戶，進可戰，退可守，天下無如秦何矣。十四年更爲元年，蓋惠文君始稱王，是爲秦惠王元年也。

張儀相秦後，時而相魏，時而相楚，儀不足怪，諸國信任儀，可怪也。

秦武王元年。與魏惠王會臨晉。惠王蓋襄王之誤。楚不伐蜀。而秦聽司馬錯伐蜀。又因蜀攻楚黔中。白起復攻楚取郢。楚於是不可爲矣。

秦昭襄王五十三年。西周雖亡。東周尚在。而書周初亡者。九鼎已入於秦也。或曰一鼎飛入泗水。其八入秦。

書秦始皇本紀

五帝共爲一紀。略遠也。秦紀外復有始皇紀。詳近也。

戰國時各國無信。常以愛子爲質。故莊襄亦爲秦質子於趙

嬴秦未并天下。而呂不韋已以呂易嬴。天之惡秦亦甚矣。

秦王政四年。書秦質子歸自趙。趙太子出歸國。蓋又一質子也。此歸彼出。蓋解質耳。

秦政遷母咸陽宮。而茅焦於已戮二十七人後進諫。有假父兩弟云云。直稱無忌者。蓋秦承春秋戰國之遺。不諱淫亂也。而秦政竟聽焦自迎太后歸者。以焦有天下盡

瓦解無向秦者二語也彼惟知計利害而我即動以利害茅焦蓋亦善諫哉

秦始以前所傳帝王異表亦多矣史記皆不載即舜之重瞳亦僅於項羽本紀贊見之蓋年代久遠恐不可信故略之茲大梁人尉繚謂秦王蜂準長目摯鳥膺豺聲少恩而虎狼心居約易出人下得志亦輕食人獨載於篇蓋詳近也

令語有自今以來操國事不道如嫪毒不韋者籍其門視此云云蓋深憾二人也自今以來之來與論語來者猶可追之來同猶言自今以後耳

引水灌城自智伯始王賁特效智伯耳

始皇令歷數六國罪皆自取滅亡若初無利天下之心者文亦質勁可喜

楚在戰國時奄有大江南諸省江北鄂豫蘇皖境亦所隸甚廣荊則衰弱後復其始號也（楚於春秋之始曰荊）境愈蹙故距咸陽愈遠

秦廢井田開阡陌廢封建置郡縣此中國言農言政二大事然未可厚非蓋自此人人可得田無孟子所謂餘夫人人可得政無孔子所謂世卿富貴貧賤皆視己德與

力升降盈絀焉。或始貧而後富。或且貴而夕賤。不必曰共產。而產可共有。不必曰平等。而等可平視。奚不可者。若乃任法不德。流爲暴虐。則商鞅李斯誤之也。

始皇泰山之罘碣石會稽刻石皆三句一韻。瑯邪刻石則二句一韻。

秦博士統言湘君爲堯女舜妻。而楚辭有湘君湘夫人。於是有言娥皇湘君。女英湘夫人者。有言舜爲湘君。娥皇女英爲湘夫人者。有言湘君水神。如洛妃。非堯女者。有言湘君男水神。湘夫人乃水神妻者。總之史記所載者近是。

始皇時圖書。與王莽時符命同。

始皇挾雷霆萬鈞之力。焚書坑儒。而聖道終明。後世小人乃復欲效始皇何也。

秦皇漢武皆大聰明。而方士以極淺陋語惑之。詩所謂靡哲不愚也。

盧生謂眞人入水不濡。入火不爇。陵雲氣。與天地久長。蓋竊莊子語耳。

始皇以刑殺爲威。天下畏罪持祿。莫敢盡忠。蓋專任獄吏。勢必至此也。

告以今年祖龍死。又告以游徙吉。蓋不游徙則始皇不崩於沙丘。胡亥且不得立也。

二十八年浮江至湘山祠。聞湘君神爲堯女舜妻。大怒。伐樹赭山。三十七年行至雲夢。乃望祀虞舜於九疑山。於舜亦可謂前倨後恭矣。一笑。

令匠作機弩矢。有所穿近者輒射之。以水銀爲百川江河大海。機相灌輸。上具天文。下具地理。以人魚膏爲燭。度不滅者久之。此蓋求神仙不死藥未得。無可奈何而後出此也。而終被楚軍發掘者。以中有奇器珍怪耳。秦漢迄清帝后陵大抵不免。惟漢文薄葬得完。

二世一再與趙高謀。以黔首未集附。巡行郡縣。以大臣不服及諸公子必與爭。恣行誅戮。無事自擾。諺所謂作虧心事見鬼也。

宗室振恐。黔首振恐。復作阿房宮。用法益刻深。安得不大亂。振通震

趙高說二世常居禁中。有天子稱朕。固不聞聲。二語解稱朕如此。而二世信之。無怪趙高異日指鹿爲馬也。

二世謂堯舜過儉。雖監門之養不觳於此。大禹過勤。臣虜之勞不烈於此。朕尊萬乘

無其實。吾欲造千乘之駕。萬乘之屬。充吾號名。厭惡勤儉。肆意極欲。安得不亡國。而謬解萬乘二字。亦與趙高解稱朕同。

書楚上將軍項羽將楚卒往救鉅鹿。予之也。

趙高用事於中。將軍有功亦誅。無功亦誅。此數語不獨司馬欣章邯等寒心。千古功臣志士往往同此遭遇。念之痛哭也。

趙高謂鹿爲馬。與冒頓射馬及父同一用意。

二世向閻樂言。願得一郡爲王。願爲萬戶侯。願與妻子爲黔首。不圖始皇乃有是子。然趙高立二世兄子嬰爲秦王。以黔首葬二世。可謂如願矣。一笑。

嬰克族誅趙高。尙屬千古快事。

以賈誼過秦作贊。不一刪節。後世無類此者。班固陳勝列傳錄過秦中段。亦史記陳涉世家本如此也。

書項羽本紀

列項羽於本紀。以政由羽出號爲霸王。足爲秦續。故以帝統擬之耳。然不曰楚霸王本紀。而曰項羽本紀。不曰霸王下相人。姓項氏。字羽。而曰項籍者下相人字羽。究非以帝統予之也。

始皇本紀二十四年。王翦蒙武攻荆。破荆軍。昌平君死。項燕遂自殺。玆曰項燕爲王翦所戮。蓋項燕以軍敗自殺。或遂傳爲翦所戮也。然亦無異爲翦所戮也。

吳中有大徭役及喪。項梁陰以兵法部勒賓客及子弟。以是知其能。乃今或擁兵若干萬。於所部能否不甚了了。反謂能爲不能。不能爲能。抑又何也。

項梁志不在小。會稽守通不度德量力。乃欲用項梁爲將。致被斬首。死由自取。觀此益信。

范增說項梁。有秦滅六國。楚最無罪語。秦滅人國。豈待有罪耶。增於是爲失辭矣。至楚憐懷王。以王被秦紿。喪身失國。楚之人皆與有辱。氣不能平耳。非他國當滅。楚最無罪乃憐之也。

懷王爲項氏所立。不德項氏。而忌項氏。以項氏非實心擁戴也。然項梁敗死。懷王亟并項羽呂臣軍自將之。以呂臣爲司徒。呂臣父青爲令尹。沛公爲碭郡長將碭郡兵。親項羽若無物。復以宋義爲上將軍。項羽爲次將。范增爲末將。諸別將皆屬宋義。項羽能不寒心哉。他日宋義以此死。懷王亦以此死。

夫披堅執銳。義不如公。坐而運策。公不如義。是斥羽有勇無謀也。復下猛如虎很如羊貪如狼彊不可使者皆斬之之令。是斥羽且禁羽黨自動也。天下事惟心與氣可以左右之。羽心已寒。氣復被壓。其屬更遠痛梁敗。近恥羽被制。欲無變得乎。將戮力而攻秦至非社稷之臣。皆羽未殺宋義前與素所親信計論之辭。宋義與齊謀反楚。楚王陰令羽誅之。則羽既殺宋義後對衆宣布之辭。諸將皆折服。莫敢枝梧。蓋無足怪。

懷王因使項羽爲上將軍。因字可味。蓋此時已無可奈何也。

項梁起東阿西北至定陶。再破秦軍。項羽等又斬李由。益輕秦。有驕色。及項羽已殺卿子冠軍威震楚國名聞諸侯此皆總上啓下大開大闔處。

史記鉅鹿之戰左傳後所僅有於是至則圍王離與秦軍遇九戰絶其甬道大破之殺蘇角虜王離字少而氣勁有天崩地塌之勢而諸將皆從壁上觀楚戰士無不一以當十楚兵呼聲動天地諸侯軍無不人人惴恐四語尤爲頰上添毫讀史者至今若身預其役也於是已破秦軍項羽召見諸侯將入轅門無不膝行而前莫敢仰視寫餘威亦非俗筆所能及。

陳餘遺章邯書亦可誦不減魯仲廉遺燕將書。

約未成而使蒲將軍日夜引兵度三戶軍漳南與秦戰再破之復悉引兵擊秦軍汙水上大破之因其懈一再急擊遂獲全勝此豈有勇無謀者所能耶。

將軍戰河北臣戰河南然不自意能先入關破秦下接以得復見將軍於此七字如孺子久離母側驟見而泣無怪項王墮其術中不復欲殺漢高也。

馬遷傷項王破秦有大功而終敗滅故於羽紀特詳班固以專史與通史異故於羽

事務省約。然破秦大功。要亦具錄無漏書項王項伯東嚮坐。亞父南嚮坐。沛公北嚮坐。張良西嚮侍。爲與噲遂入披帷西嚮立。瞋目視項王。頭髮上指。目眥盡裂。數語對照耳。

樊噲鴻門之對。先舉懷王之約。繼言守關備盜。終言功高待賞。又激以亡秦之續云云。一若漢高初未嘗欲王咸陽。但望封侯。但項王不宜效嬴氏誅有功之人耳。其辭令之妙。不減漢高烏得以屠狗少之。

前書當是時。項羽兵四十萬。在新豐鴻門。沛公兵十萬。在霸上。後書當是時項王軍在鴻門下。沛公軍在霸上。相去四十里。項氏兵多。又相距近。漢君臣所由恭順惶懼至於此極也。史記此等處。高於衆史。

項紀不可觀者少。惟引兵西屠咸陽。殺秦降王子嬰。燒秦宮室。收其貨寶婦女而東數語。最令讀者失望。然使田榮敗死後。不燒夷齊城郭室屋。坑田榮降卒。係虜其老弱婦女。則齊不再反。事尚可爲。至田橫起。鯨布叛。天下皆敵秦。鹿非楚有矣。

彭城敗後，楚騎追急，則推墮孝惠魯元車下，楚與俱臨廣武而軍，欲烹太公，則曰幸分我一杯羹，置父子不顧，惟務得天下，此漢高所以爲漢高也。噫，楚勝齊而漢入彭城，楚勝漢而齊復故地，楚下滎陽而漢得英布，楚破彭城而漢取成皋，顧此失彼，諺所謂雙手但捉得一魚也，而況楚定梁地而漢敗楚於汜水，楚劃鴻溝而漢迫楚於固陵，衆寡殊勢，客主易位，垓下之困，詎得免乎，龍門嘆其欲以力征經營天下，身死東城，尚不覺寤，蓋篤論也。

信越以有分地而會師垓下，項王固敗，信越旋戮，是名爲漢高滅敵，實爲本身造冢耳，悲夫。

拔山之歌，以力自豪，項王所以爲項王也，然漢高大風之歌，亦僅以威自詡耳，噫，臨死從容，以頭贈友，千古僅見，一死王可易五生侯，亦千古僅見，

漢王以魯公禮葬項王穀城，因魯爲項王守禮義爲主死節，乃有此葬也，他日以太牢祀孔子，亦因魯能爲項王守禮義爲主死節，乃有此祀，欲用孔學勸天下俾忠漢

室也。

贊有三年遂將五諸侯滅秦。分裂天下而封王侯。政由羽出。號爲霸王。位雖不終。近古以來未嘗有也。語列項本紀之旨。昭昭然揭日月以行矣。以滅秦功歸之。以宰天下柄予之。與漢高贊之僅云得天統者異矣。

書高祖本紀

呂公家沛。而沛中豪傑吏聞令有重客。司馬相如客臨卭。而臨卭富人聞令有重客。世固趨炎。而令獨當一面有威權。亦可想也。

始皇因東南有天子氣。因東游以厭之。蓋欲人謂天子氣因己而有。庶定民志也。高祖卽自疑。因呂公及老父言又有斬白帝子事而疑也。疑則恐人告密致鉅禍。故亡匿。隱於芒碭山澤巖石之間。

同鄉有願爲沛公出死力者。蕭曹樊噲等是也。有雖不欲屬沛公者。雍齒是也。貴人同鄉每有此二種人。

羽紀但言秦果悉起兵益章邯。擊楚軍。大破之定陶。項梁死。高紀則言秦益章邯兵。夜銜枚擊項梁。大破之定陶。項梁死。蓋是時羽等方攻陳留。項梁兵力薄。又定陶未下。大敵猝夜襲。敗無足怪也。

章邯等在鉅鹿。懷王令沛公西略地入關。是不使沛公當大敵。而繞道入武關襲秦也。乃復與諸將約。先入定關中者王之。是明知項羽方爲宋義下。救趙前有大敵。無由遽入函谷。故爲約語欺之也。此約詎尙宜守乎。

酈食其謂沛公大人長者。沛公果大人長者乎。

夜引兵從他道還。避宛耳目也。更旗幟。則僞爲秦軍。掩他道耳目也。故黎明圍宛城三匝。事出不意。南陽守齮乃欲自刎。

始皇本紀。子嬰殺趙高前。有吾聞趙高乃與楚約。滅秦宗室而王關中等語。則此所謂及趙高已殺二世。使人來。欲約分王關中。非詐也。沛公以爲詐。殆恐中緩兵之計耳。啗秦將以利。襲破武關。沛公自是先入。遂定關中矣。

於項紀有又惡負約。巴蜀亦關中地。故立沛公爲漢王等語。於高紀則徑曰負約。更立沛公爲漢王。蓋楚既立懷王。有主約權。如約則沛公王關中。關中以外地。惟懷王命宰封之。今皆不然。怨者甚衆。又不自都長安。坐令漢高再起。齊趙復叛。顧此失彼。遂隕厥業。甚可嘆也。

除秦苛法。秦人大喜。持牛羊酒食獻饗軍士。不受。人又益喜。諸故秦苑囿園池皆令人得田之。人益大喜。惠而不費。楚不知。一爲而漢盡爲之。已得民心。復聽三老董公言。爲義帝發喪。正名討罪。士氣作矣。民心得。士氣作。宜其遂成帝業也。

漢與楚相距滎陽數歲。漢常困。袁生乃說漢王出武關。令滎陽成皋間深壁得休。又使韓信等輯河北趙地。連燕齊君。然後漢王復走滎陽。如此則楚備多力分。楚一范增且不用。漢則既聽董公。又從袁生。天下雖未遽定。欲無定得乎。

未用袁計以前。漢常絕食。既用袁計以後。楚常絕食。

漢數羽罪。首負約。蓋痛心疾首。惟此也。其他則傳所謂欲加之罪。何患無辭耳。

漢王幾死者數、而鴻門之飲不與焉。彭城敗後。楚追擊至靈壁東睢水上。漢卒十餘萬人皆死、睢水圍漢王三匝、非大風從西北起。折木發屋揚沙石。窈冥晝晦、惡得遂遁乎。漢軍乏食、時楚急圍滎陽。非紀信乘黃屋車、傅左纛。誑楚稱漢王。又惡得免乎。與項羽臨廣武之間而語、數羽十罪、羽大怒。伏弩射中漢王、傷匈。使弩中心。又惡得不死乎。此其中有天焉、非人力所能爲也、而必劉與罵項胡爲者。

劃鴻溝中分天下後。項羽解而東歸。漢雖追至固陵。以信越不往。被楚擊大敗。可見項羽善戰、非信越、漢終無如楚何。漢異日皆族誅之。誠知項王外惟信越能也。

項王與韓信皆胸中有三代封建之局。故項王衆建諸王、不以天下爲一己產業。而不知彭城非覇王之都。不能控制天下。雖欲效春秋時齊桓晉文不可得。韓信不聽蒯徹之言。以武王待漢高、而不知漢高終忌異姓。雖欲效尙父國於齊。爲周東藩不可得、

善家令言、賜金五百斤。乃尊太公爲太上皇。善田肯言。賜金五百斤。乃封子肥爲齊

王，成敗未可知一語乃高祖心病，信越被族誅以此，張良願辟穀以此，蕭何亦下獄以此。

前置酒雒陽南宮，令言所以取天下，是示驕於羣臣也。後置酒未央前殿，自言所就業孰與仲多，是示驕於老父也。此皆無賴本色，而以天下爲一己產業，尤項王所不屑道。

帝卽位後，不敢復令舊將專征伐，故燕王臧荼反，自將擊之，潁川侯利幾反，自將兵擊之，韓王信反，自往擊之，趙相國陳豨反代地，自東往擊之，淮南王鯨布反，自往擊之。安得猛士兮守四方，蓋欲得少年有材力者用代守夜之犬也。於內忍誅信越，於外苦患匈奴，以天下爲一己產業，惟恐失之，泣數行下，不敢告人，故託爲游子悲故鄉。且以沛爲湯沐邑，復其民世世無有所與耳。此猶戰國時梁王戍周，遂城周以匿事端矣。

五年書使丞相噲將兵攻代、十一年書太尉周勃定代地。茲又書使樊噲周勃將兵擊燕王綰。蓋帝自卽位至崩、奉命出征者、僅噲勃二人也。

高祖於呂后問、一則曰安劉氏者必勃、再則曰此後非而所知。前知若是、而呂后不寤。帝亦弗明言、甚可味也。

呂后與審食其謀盡族諸將。猶秦二世與趙高謀誅大臣及諸公子。

生則屠戮功臣、死則寵姬愛子任人屠戮、天道好還、乃若此乎。

高祖崩後、呂后欲盡族諸將、賴酈商獻言止之、孝惠崩後、呂后又將戮及大臣、賴張辟彊設計止之。

呂雉剛悍淫妒、有大罪十。族韓信、罪一。勸高祖族彭越、罪二、（此二事似爲劉氏謀實則欲盡誅舊將俾高祖崩後呂易起而代之）私審食其、罪三。酖殺趙王如意、罪四。以戚夫人爲彘、罪五。欲酖殺齊王肥、罪六。王諸呂、罪七。詐取美人子爲太子、罪八。幽死趙王友、罪九。令產祿將南北軍、罪十。

呂雉以呂祿女爲朱虛侯章妻。以諸呂女爲趙王友后。以呂須女爲營陵侯澤妻。以呂產女爲趙王恢后。以呂祿女爲少帝后。蓋欲假女色慰諸劉心。且微伺之。爲計亦可謂周矣。乃諸呂欲爲亂。而朱虛侯以妻爲呂祿女。陰知其謀。竟啓滅呂之鍵。是向之所計。非爲呂。直爲劉氏耳。此其中有天焉。非人力所能强也。

呂后前欲盡誅諸將。賴酈商止之。茲諸呂欲爲亂。又賴商子寄與典客劉揭說呂祿歸將印。以兵授太尉。

范增欲項莊擊沛公。謂不者若屬皆且爲所虜。茲諸大臣謀廢立。亦有吾屬無類語。蓋人臣與國共休戚。爲國謀。即所以爲身謀也。

本紀正名呂后。附孝惠事。不復爲孝惠作本紀。蓋政令實操自呂后也。贊平列孝惠呂后。於本紀諸事外別發要論。此龍門過人處。

書孝文本紀

中尉宋昌謂秦失其政。諸侯豪傑並起。劉氏卒踐天子之位。天下絕望。蓋得天時。高帝封王子弟地犬牙相制。天下服其彊。蓋得地利。漢興除秦苛政。人人自安。難動搖。

蓋得人和。

曰丞相以下皆迎。曰丞相陳平太尉周勃大將軍陳武御史大夫張蒼。宗正劉郢。朱虛侯劉章東牟侯劉興居典客劉揭。皆再拜言。是相在將前。宗正且在御史大夫後也。而代王乃曰宗室將相王列侯以爲莫宜寡人。寡人不敢辭。蓋朝列相在前奉宗廟。宗室在前。天子即位。以奉宗廟爲重也。前遣薄昭往見絳侯。茲復以將居相前。殆亦天下安注意相天下危注意將之意耶。

即位後第一詔。有賴將相列侯宗室大臣誅之云云。則就事直指。以功爲次。將謂周勃。相謂陳平。列侯謂灌嬰紀通劉章與居。宗室謂劉揭。大臣謂酈商寄滕公等也。

夜拜宋昌爲衛將軍。鎮撫南北軍。亦猶惠帝崩後呂后必令呂台產祿將兵居南北軍。而後心安也。

漢文喜黃老言。省刑薄稅。與民休息。史稱其專務以德化民。而吳王詐病不朝。賜几杖。張武等受賂。賜金錢以愧其心。尤他帝所弗及。世之謬談法治者。曷不細思此理乎。

令祠官致敬。毋有所祈。所謂敬鬼神而遠之也。

書新垣平事覺。夷三族、幸之也、蓋長命富貴、人所共欲、諺謂作了皇帝想神仙。即此一念擴之耳。文帝早寤。故僅一新垣平。武帝晚寤。故有神君薄忌李少君少翁欒大公孫卿公玉帶等。

三年遣丞相灌嬰擊匈奴、匈奴去。詔罷丞相兵。後六年以周亞夫等備胡。數月。胡人去。亦罷。但備邊不深入。亦馭夷一法。

書孝景本紀

三年書吳王濞楚王戊。趙王遂。膠西王卬、濟南王辟光。菑川王賢膠東王雄渠反。似春秋

七國之變。周亞夫功最多。而此、但言封大將軍竇嬰爲魏其侯者。蓋竇以帝舅爲大將軍。周功即竇功也。

贊深咎晁錯刻削諸侯，爲之不以漸，予亦謂然。

書孝武本紀

書孝武皇帝初卽位，尤敬鬼神之祀，此全紀綱領也。

漢武不尊用董仲舒，而信趙綰王臧公孫弘等，此漢之不幸，亦儒之不幸。

李少君匿其年及所生長，故人異之，又善爲巧發奇中，故人信之，而致物化金益壽不死，僅始於祠竈，故人便之。

漢書紀李夫人事甚詳，此王夫人當作李夫人。

漢書文景武三紀皆詳於史記，

欒大以黃金可成，河決可塞，不死之藥可得，仙人可致，欺帝，帝乃以文成食馬肝死欺，大可笑。

旗自相觸擊，誠小方。童時有請帚神者，帚自立相擊，有請箸神者，箸自相觸擊，有請棹神者，以水一盂置地，反棹以面嚮盂，棹自旋盂上，甚疾，其人但解符咒，無他長，若如欒大言多方略處之不疑則亦必有神仙之名矣。

神未至而百鬼集矣八字可笑。

書十二諸侯年表

晉阻三河。齊負東海。楚介江淮。秦因雍州之固。所謂得地利也。四海迭興。更爲覇主。豈偶然哉。

篇言十二諸侯。而實敘十三。索隱以爲賤夷狄不數吳。列而不數。無此理。且楚亦當時所謂夷狄。不外楚寧外吳乎。蓋鈔胥誤十三爲十二耳。

書六國年表

僭端見矣。君子懼焉。則與齊桓晉文中國侯伯侔矣。三語嘆秦遂盛也。海內爭於戰功矣。六國之盛自此始。二語嘆田齊三晉遂盛也。

書秦楚之際月表

初作難。發於陳涉。虐戾滅秦。自項氏。撥亂誅暴。平定海內。卒踐帝祚。成於漢家。褒貶意甚顯。可作陳涉世家項羽本紀高祖本紀總贊讀。以德若彼、用力如此、蓋一統若斯之難也、可作漢以前史總贊讀、鄉秦之禁、適足以資賢者為驅除難耳。可作秦以後史總贊讀。（班彪王命論方孝孺深慮論可參看）

書漢興以來諸侯王年表

厲幽之後。王室缺、侯伯彊國興焉、天子微、弗能正、非德不純、形勢弱也、可作春秋總贊讀。

既曰非德不純、形勢弱也、又曰形勢雖彊、要之以仁義為本。知此可與言治天下矣。

漢初。天子獨有三河東郡潁川南陽。自江陵以西至蜀。北自雲中至隴西。與內史凡十五郡。而公主列侯頗食邑其中。諸侯大者或五六郡。連城數十。厥後齊分為七。趙分為六。梁分為五。淮南分為三。及天子支庶子為王。王子支庶為侯。百有餘國。又或以謫削地。燕代無北邊郡。吳淮南長沙無南邊郡。齊趙梁楚支郡名山陂海咸納於漢。諸侯大者十餘城。小者數十里。而漢郡八九十。形錯諸侯間。秉其阨塞地利、蓋自是漢室之憂。不在諸侯而在外戚宦豎權奸矣。

書高祖功臣侯者年表

封爵之誓曰。使河如帶。泰山若厲。國以永寧。爰及苗裔。此取詩九如之意而反言之。謂即令河竭山崩而國不滅也。

一則曰漢興功臣受封者百有餘人。再則曰至太初百年之間。見侯五。餘皆坐法隕命亡國。三則曰觀所以得尊寵。及所以廢辱。亦當世得失之林也。知此則有德言功而未王侯者。其祚或反在王侯上。不待言矣。

書建元以來侯者年表

荆荼是徵。詩作荆舒是懲。曰北討強胡。南誅勁越。與謬言黷武者異矣。

書建元已來王子侯者年表

一人有慶。天下賴之。非謂諸侯王子弟賴之。謂衆建諸侯而少其力。天下自此無反

者、民賴以安也、

書禮書

禮嚴車輿衣服宮室飲食嫁娶喪祭之分、俾大小不相踰、履所謂君子以辨上下定民志也、今無是矣、欲如何便如何耳

舊俗祀天地君親師。由天地者生之本、祖先者類之本、君師者治之本、無天地惡生、無先祖。惡出。無君師、惡治、故禮上事天、下事地。尊祖先而隆君師等語而起、君置親前者。以論語君君臣臣。前於父父子子也。

至備情文俱盡。其次情文代勝。其下復情以歸太一。古今言禮者盡此三語。

書樂書

太乙貢兮天馬下之前。書歌曲曰。天馬來兮從西極之前。書歌詩曰。蓋曲以調言。詩以文言。一而二。二而一者也、

汲黯謂王者作樂。上以承祖宗、下以化兆民、今陛下得馬。詩以爲歌、協于宗廟、先帝

百姓豈能知其音耶。此誠直諫。而公孫弘乃曰黯誹謗聖制。當族。小人哉公孫弘也。武帝但默然不悅。不聽弘言罪黯。不失君人之度。

禮以導其志。樂以和其聲。政以壹其行。刑以防其姦。此先聖制治清濁之具也。今四者以夷爲師。痛哉。

因易有履卦。而采繫辭天尊地卑云云以言禮。因易有豫卦。而采繫辭陰陽相摩云云以言樂。且於禮曰別。於樂曰和。是善讀易者。是善言禮樂者。蓋別則知其當然而不相犯。和則視若固然而不相妒也。不相犯。志定也。不相妒。心安也。心安志定。天下太平矣。

聞宮音使人溫舒而廣大。聞商音使人方正而好義。聞角音使人惻隱而愛人。聞徵音使人樂善而好施。聞羽音使人整齊而好禮。此就音之正言也。宮亂則荒。其君驕。商亂則搥。其臣壞。角亂則憂。其民怨。徵亂則哀。其事勤。羽亂則危。其財匱。此就音之變言也。

書律書

二十八宿。十母。十二子。十二律。此言陰曆必不可闕者。古人恃以驗五行八正之氣。今一切廢除。自愚而已矣。（宿一作舍母一作幹子一作枝）

律書之東壁營室須女牽牛。今省稱壁室女牛。又建星。今稱斗。注稱柳。濁稱畢。留稱昴。天官書之觜觿東井輿鬼七星。今省稱觜井鬼星。又柳畢昴不作注濁留。與今同。

書曆書

陰曆有年月日。陽曆有年日無月。何也。陰曆之月。以晦朔弦望與月光合。故可曰月。陽曆不置閏。不問晦朔弦望。但强以二十八二十九三十三十一日爲月。不可曰月也。且陽曆或十二月爲年。或十三月爲年。（蘇俄以四星期爲一月十三月爲一年）於月蓋隨意劃之耳。又陰曆之年。一曰歲。以歲星之行驗之。陽曆無是也。

書天官書

柳爲鳥注。與律書西至於注。可互註。

觀象於天。自古重之。今難其人。

書封禪書

始皇封禪之後。十二歲秦亡。可見封禪與國祚無與。

今天子初卽位。以下大抵與武紀同。然詳於武紀。

秦以前重寶鼎。秦以後重玉璽。五帝時無是也。黃帝采首山銅鑄鼎於荆山下。特方士之言耳。

尙書言巡嶽事甚常。以不雜神仙符瑞之說也。

書河渠書

韓欲罷秦。使水工鄭國說秦鑿涇水。自中山西邸瓠口爲渠。而秦轉富彊。視西門豹引漳水溉鄴。以富魏之河內。利尤大焉。禍之適以福之。此類是也。

田蚡以奉邑食鄃。鄃居河北。河決而南。則鄃無水災。邑收多。乃僞爲正論欺帝。不塞瓠子決。小人與國家大議。往往有此。

河決瓠子後二十餘歲，歲數不登。梁楚地尤甚。武帝親臨河決，作歌。有瓠子決兮將奈何。皓皓旰旰兮閭殫爲河語。誠悼之也。卒塞瓠子而導河北行。功亦不在禹下。

書平準書

入物者補官。出貨者除罪。後世往往效此。

楊可告緡，致商賈中家以上大率破。民偷甘食。好衣。不事畜藏之產業。雖國用暫饒。源自是竭矣。又損下以增不正之入。復損上而益不正之出。是徒損上下，利小人耳。

大農之諸官盡籠天下之貨物。貴卽賣之。賤則買之。如此。富商大賈無所牟大利。則反本。而萬物不得騰踊。此事後世可效之。

讀史記蠡述卷二

岳陽李澄宇洞庭著

書吳太伯世家

我以禮讓爲國。故讓爲美德、歷見載籍。堯舜太伯夷齊季札、或讓天下。或讓國。皆爲聖尼所稱。蓋深嫉春秋篡殺之禍。欲以讓化爭。永爲世範也。太伯讓天下。而子孫卒霸句吳、此中蓋亦有天意。邊女爭桑致吳楚兵連禍結、天下振動、所謂大風起於蘋末也、以太伯之讓。而其後有公子光刺王僚事。蓋太伯之讓以文王、諸樊之讓以季札。季札不上師文王、乃遠效太伯。負諸兄致弟之意。釀闔閭弒兄之禍。未免爲虛名所誤。子胥以報父讎故覆楚國。鞭平王尸。開忠孝不兩全創局。然置費無極尸不問何也。子胥於楚則孝父。於吳則忠君。而事皆慘痛。令人墮淚。子胥殆不祥人哉。越在心腹疾。而王不先而務齊。此亦子胥痛切語。而夫差弗聽者。信越已臣服。不敢復畔也。

書齊太公世家

魯桓與夫人如齊已一誤，又不能暫忍而怒夫人於齊，則再誤矣。齊襄亂倫固可誅。而魯桓被彭生拉殺，未免禍自由啓也。

魯送子糾而管仲將兵遮莒道，計慮亦周，乃小白被射不死，而子糾竟以送糾者行遲致誤。豈非命耶。

曹沫劫盟，反魯侵地，齊未爲有所失，而諸侯以齊不棄信，皆欲附之，所獲滋多，非魯侵地可得而比也。燕莊送齊桓入境，桓公割燕君所至與燕，齊固有所失，而諸侯聞之，皆從齊，所獲又非溝割與燕者可得而比也。

文姜以淫釀殺夫之禍，哀姜以淫釀殺子之禍。

斷丙戎父足而使丙戎僕，奪庸職妻而使職驂乘，懿公可謂自速其死也。

逢丑父恐齊頃公爲晉所得，以頃公爲右，車絓於木而止，乃使頃公下取飲，亡去，事出倉卒而容辭安定，令敵不疑，較紀信代漢高降楚尤難也。

齊莊陳靈皆以淫被殺，而史必書弒其君，與孟子聞誅一夫紂之論不合，與論語君不君臣不臣之論亦不合。

晏子不討崔杼，景公且以崔杼爲右相，足見莊公被弒，齊君臣視爲固然也。

夾谷之會，犁鉏請令萊人爲樂，因執魯君，與鴻門之會范增使項莊舞劍因擊沛公。略同。

簡公使監止爲政，監止果賢，必不誤信田豹，以盡逐田氏之謀相告也。

書魯周公世家

書旦爲子孝，篤仁異於羣子，蓋一篇綱領在是也。

策告三王，不嫌爾我，孰謂周文勝質乎。

因成王少在強葆中，而恐因天下已畔，乃踐阼攝政，此心惟知有國，未暇計身，故不避嫌疑如此，此已難能可貴，洎乎管叔流言，猶不就國，且與師東伐管蔡，無不自安之色，此尤置身於度外，不惟不避嫌疑，且不知何者爲嫌疑而避之也，此誠聖人千

萬世所無也、使任國事者盡如此、國焉得亂乎。强藻通翻譯

史記開金縢書。在周公既沒之後。與尚書異。然以此爲成王命魯郊祭文王。及魯有天子禮樂之由、則史記似無誤也。

平易近民、民必歸之、此古今言政較精之語。然不如民之所好好之、民之所惡惡之。

衛宣楚平奪婦自妻。於傳有之。魯惠奪婦自妻。史記外他書未詳、若可信。則桓母乃隱婦矣。

前有周公攝政。而管叔流言、謂公將不利成王。後有隱公攝政。而羽父獻謀。謂吾請爲殺子允、攝政信嫌疑地哉、隱讓國事予於讀春秋蠡述論之甚詳玆不贅

桓公身死於齊、而莊公復娶哀姜、詩曰彼孟姜矣、姜固若是可說乎。卒通慶父、殺子斑、又殺湣公、九原有知、莊公亦必自悔矣、斑左傳作般

叔牙後爲叔孫氏。季友後爲季孫氏。慶父亦有後。爲孟孫氏。一曰仲孫。皆桓公後。故日三桓、

子斑被殺。一因魯莊公不主兄終弟及，致慶父有異志。一因哀姜不貞，與慶父通。一因斑前說梁氏女，妒圉人犖自牆外與梁氏女戲，怒而鞭之。事甚複，文少克盡，古史所以可貴也。

季文子廉忠，而其後竟專魯政，積漸使然也。

季氏與郈氏鬬雞，季氏芥雞羽，郈氏金距，均欲以詐巧勝也。卒致季氏怒而侵郈氏，郈氏且欲挾昭公殺季氏，叔孫氏復救季氏，敗公師，孟懿子且殺郈昭伯，三家共伐公，公出奔。鬬雞之始，豈意逐君。諺謂小事乃大事根由，信哉。

書燕召公世家

周公攝政，不知避嫌疑，此周公之忠也。召公疑公，公作君奭，乃說。此召公之忠也。

有讓天下之名，而實不失天下，豈堯本懷哉。許由不受，終讓之舜，豈得謂實不失天下哉。魯隱居攝，蓋亦鹿毛壽之見，欲有讓名而弗實踐耳。而卒被弑於羽父。燕噲老不聽政，國事皆決於子之，亦欲幸與堯同行，而實太子用事也。而國破身死，故欲貌爲堯舜者。魯隱燕噲是也、欲强人爲堯舜者。王莽曹丕是也、先從隗始。至今以爲美談、蓋隗誠愛君。以身爲招、不復避妄自尊大之嫌、而心實能容。故樂毅不爲隗所忌。幸建殊績。否則騎刧代毅、豈待燕惠王時哉、

書齊田單伐我。與魯史書伐我同。當日史例如此也、

臣非以自爲、爲王也、將渠此語。足令後世同泣。

趙悼襄王使樂乘代廉頗、豈忘樂乘爲燕將時。實爲廉頗所敗乎。而能代廉頗乎。

書管蔡世家

以臣伐君。夷齊弗善也、故管蔡挾武庚作亂、後人有甚義其所爲者。管蔡列於世家。殆亦此意乎、然史遷此篇、實爲蔡仲作。蔡仲改行率德。受封於蔡。述蔡仲必連蔡叔。且及管叔。故以管蔡名篇也、

景侯爲太子般娶婦於楚、而景侯通焉。太子弒景侯自立。是爲靈侯、景侯無道。楚不以爲罪。而討靈侯。豈眞討靈侯哉。所欲者蔡土地耳。楚靈王固弒君之人。其意何嘗

謂弒君非是哉。

贊前附伯邑考冉季載諸人，贊後附曹世家，又復爲贊，此史記創例。

伯陽立三年，而國人有夢曹叔振鐸止衆亡曹，請待公孫彊事，夢之見於經史亦多矣。而此爲尤異。蓋曹叔不令伯陽夢，而令國人夢，一異也。曹社不能自主，而任衆君子謀亡曹於社宮，二異也。既止衆君子亡曹矣，而請待公孫彊，三異也。公孫彊亡曹事在十五年，距夢時一紀，可前定而不可預禳。四異也。

書陳杞世家

厲公取蔡女，蔡女與蔡人亂，宜棄之矣，而厲公乃數如蔡淫，致奸人誘以好女而殺之，禍由自起，果誰怨乎。

陳敬仲後爲田氏，奄有齊國，不足異。所異者始生於陳而筮知之，始室於齊而卜知之。卜之占有有嬀之後，將育于姜。復云五世其昌，並于正卿，八世之後，莫之與京。果何以知之，而筮易得觀之否，爻辭但有觀國之光，利用賓于王，而其子孫必有國。且

必姜姓。且陳衰乃昌。又何以知之。（龜策列傳可參看）

有人類即有男女之愛。然縱欲敗度。惟貴族爲甚。陳靈君臣淫亂至此。尤所罕有。陳靈無道。徵舒激於愧憤。伏弩殺之。而史以爲弒君。楚莊且以討賊爲名而縣陳焉。法但爲護貴族設。寧勿可痛。

曰無譜者。無史也。史紀某生某、及某卒某立。今氏譜正仿此也。在國曰史。亦曰譜。在家曰譜。不曰史。

贊於舜祀百世不絕。嘆舜至德。且有至禹於周則杞微甚。語此。誠灼見盈虛消息。知傳賢之祚永於傳子也。而世猶篡奪不止。不亦大可哀耶。

書衛康叔世家

衛宣以奪太子伋妻故。蓄意謀殺太子伋。漢惠帝所謂此非人所爲。而太子伋不避死。且與壽爭死。其愚蓋不可及。壽與朔同母。而獨欲免伋於死。則尤難能可貴也。贊以晉太子申生不敢明驪姬之過。惡傷父志相擬。可謂知言。

衛宣以一女子故禍延數世。直至文公始定。古人謂女子禍水。豈不然哉。
康叔示夢於襄公賤妾曰。令君子必有衛名。而子曰元。殆妾與孔成子謀。欲藉是說
立己子爲嗣耳。不然。康叔何取於衛靈公而必令其有衛耶。

書宋微子世家

分敘微子箕子比干。本論語殷有三仁章。

論語曰。君子不黨。鴻範曰。毋偏毋黨。黨爲聖仁所弗喜。由來久矣。後世黨禍常有。或
乃謂海外諸國有政黨。無害於治。我宜效之。甚者主一黨顓政。不知海外諸國政黨。
一國之內。爲類匪一。各以政論相引。可柄政。不可顓政。蓋甲黨當國。則乙丙丁戊等
諸黨爲議士。國大事可否由議士。欲顓政無從也。若上下一黨。則黨無對。無對則黨
名且廢。何取。軒黨若貴族。俾恣睢民。上不復可問耶。故毁黨造黨。黨外有黨。時言也。
毁黨救國。黨外無黨。時言也。黨外無黨。勢必至黨內有黨。不能毁黨救國。勢必至亡
國禍民。

五福一曰壽。二曰富。三曰康寧。卽俗所謂長命富貴常樂永康。而言富不言貴者。古人以貴爲責重任大。非若後世以貴爲安富尊榮也。四曰攸好德。蓋必好德而後壽富康寧爲可喜。否則小人而爲害日久且大。豈福哉。五曰考終命。此福最難。然壽富康寧而不獲此福者多有。攸好德而不獲此福者蓋寡。死得其所者皆宜以考終命論

三多祝言多男子。五福不言多子孫。

華督殺孔父。取其妻。遂弑殤公。而莊公以爲相。蓋德其迎己於鄭。立以爲君耳。噫

信陵君醇酒婦人。宋萬亦醇酒婦人。一笑。

紂醢九侯。衛醢仲由。宋醢宋萬。漢醢彭越。惟宋萬實有罪耳。

宋景公憂熒惑守心。司星子韋謂可移於相。移於民。移於歲。而景公皆不可。此誠君人之言。熒惑徙三度。可與殷太戊之祥桑亡並論。

宋君偃自立爲王。東敗齊。取五城。南敗楚。取地三百里。又西敗魏。而後卒爲齊楚魏所滅。三分其地。已得不善守之過也。

書晉世家

魯季友文在其手曰友。點畫少易辨。晉唐叔文在其手曰虞。點畫多難辨。然魯桓以卜而先知友名。武王以夢而先知虞名。則手文特驗而已耳。

史佚謂天子無戲言。其謬等於叔孫通謂人主無過舉。柳宗元嘗著文辯之。蓋所關甚大。不可無辯也。

太叔段居京而將襲鄭。成師處曲沃而欲入晉。大都耦國。勢必至此。

周釐王受曲沃武公賂。命爲晉君。列於諸侯。與周威烈王命趙韓魏爲諸侯同失。而晉之始末因果具是矣。可勝慨哉。

士蔿勸申生爲吳太伯。亦善策。申生不忍以去彰父過。故不從也。然與其他日被惡名而後自殺。不如未被惡名而早適異國。

重耳不入非僞讓。恐先入而人或與爭也。觀夷吾外許河西地於秦。內許汾陽邑於里克。其爭入也必矣。

晉滅虞虢。荀息主謀。獻公又以愛子託之。其必彊有力且多奇計可想也。顧爲里克所制。殺奚齊卓子如探囊取物。豈兵權在里克手。獻公在時無法奪之。奚齊及卓子立後無法禦之耶。自桓莊以來。未聞里氏繫晉重輕。而里克竟能殺二君一大夫。使人迎重耳。又迎夷吾。既乏曲逆朱虛之助。復無太后日磾可恃。其事蓋難于周勃安劉。而效乃易於霍光廢賀。匪特國爾忘身。實亦力能副志。惜晉乘已佚。末由考其所以。又惠公賜里克死。里克不反不吡不奔。視死如歸。比恭太子亦春秋時未易有也。

惠公殺里克。一誤。不聽慶鄭而用虢射謀。二誤。違卜御右皆不用慶鄭。三誤。

晉侯至國。誅慶鄭。較左傳殺慶鄭而後入。事意並異。不如用左氏原語。

履鞮卽勃鞮。亦曰寺人披。蓋未有印刷以前。傳寫易誤。不獨履鞮然也。

叙晉文遊歷事。遜左傳。而趙衰歌黍苗詩。致繆公有知子急欲反國語。尤與檀弓大異。晉文君臣皆賢。決不若此。

介子被焚綿山事。史記不載。但云聞其入綿上山中。文公環綿上山中。封之以爲介推田。然寒食節傳之至今。豈妄語耶。

從龍之彥。兼資文武者不少。而趙衰別舉郤縠將中軍。可異者一。郤縠敦詩書悅禮樂、千載以爲美談、而於城濮之戰未嘗發一議、可異者二。晉制六卿將中軍爲正卿。而此乃於欒枝將下軍上書趙衰爲卿。豈此時郤縠狐偃欒枝等皆非卿。獨趙衰爲卿耶。可異者三。先軫屢決大計。可將中軍。而屈佐下軍。豈資望不逮郤縠耶。可異者四。（據晉襄六年書趙盾代趙衰執政則趙衰此時蓋正卿也）

平王命晉文侯仇之語。可移贈晉文公重耳乎。史記誤也。

論語謂民無信不立。文公亦以假言毋失信爲萬世功。殆因齊桓不失信於曹沫。遂基霸業。深悟孔氏重信之旨乎。

婦人以泣制勝。故驪姬能殺申生。秦穆夫人能釋晉惠公。晉襄夫人能立晉靈公。晉靈一國之主。宰夫胹熊蹯不熟、而不敢顯然殺之。可見當時重視人命。非法不能殺人。後世但有兵柄。即往往無故殺人。是人人皆顓制魔王也。而漫誣昔之人顓制。

豈知昏暴如晉靈。倘患臣下諫阻耶。噫。

晉靈公使鉏麑刺趙盾。及伏甲攻盾。亦因不敢顯然殺人而後如此。

左傳敘晉師爭渡事。舟中之指可掬也七字甚美。蓋可掬則爲已斫之指也。史記但曰船中人指甚衆。事意並晦矣。

穀先軫子也五字冷甚。殆不異戰國時徒讀父書之趙括。（晉有兩趙括一趙衰子一趙奢子）

晉靈公七年。書晉六卿患隨會在秦。晉景公七年。又書晉始作六卿何也。豈晉文作三軍時。將佐未正名爲卿。故但云命趙衰爲卿。晉靈公時將爲卿。佐未爲卿。六卿乃追紀之辭。直至景公時。將佐始皆正名爲卿耶。（正卿受命於天子故曰命）

其殆有三字可殺郤至。無怪莫須有三字可殺岳飛。

郤稱郤穀郤臻郤缺。皆有聲於晉。而郤錡郤犨郤至竟爲胥童所殺。郤至之言曰。信不反君。智不害民。勇不作亂。其心蓋皎然與日月爭光也。欒書以忌功故設謀陷害。已亦幾與同盡。小人哉。欒書乎。至孫逞滅宗。宜哉。（古無以逞爲名者有之自欒逞始）

平公十四年晉大族趙韓魏外尚有智荀范中行祁羊舌等而季札與趙文子韓宣子魏獻子語知晉政卒歸此三家其前知過於叔嚮也。（叔嚮左傳作叔向卽羊舌肹）智伯欲盡幷晉乃立忌子驕爲君蓋欲挾晉君以令國人終爲莽操所爲耳而被趙襄子韓康子魏桓子所滅算不由人信哉。

書楚世家

楚熊通因隨人代請尊楚而周不聽乃棄公侯伯三等不用而自立爲王蓋怒而以天子自居開楚莊問鼎之漸矣（至今楚諺有自立爲王語）楚武王恃彊兼幷其伐隨尙藉辭興師至文王伐申伐蔡滅鄧成王伐許伐黃滅英滅夔穆王滅江滅六蓼莊王滅庸滅舒靈王滅陳蔡伐徐皆無故徑伐總之所欲者土地耳豈得免乎。齊桓伐楚問諸水濱宋襄召楚遂被執辱自是鄭文南朝楚魯僖且請兵伐齊矣。噫饗江芊而勿敬激使怒言潘崇智矣哉而楚成於是以弑始以弑終矣。

楚莊王問鼎、而靈王求鼎。可謂繼武矣。一笑。

先歸復爵邑田室。後者遷之、以本身利害動之也、故楚衆皆潰。棄疾以靈王入矣、靈王至矣二語驚國人。復以王至矣、國人將殺君。司馬將至矣等語驚王及令尹。蓋必有前二語。而後後數語易以奏績也。楚諺有一聲喊三字。殆始於此耶。

觀從嘗勸子比殺棄疾。棄疾既爲王。乃謂觀從恣爾所欲、蓋但知觀從從師於乾谿。以國有王矣、先歸復爵邑田室等語散楚衆有功。其他未聞也。

費無忌以無寵於太子。藉端構禍、其始不過欲殺太子建及太傅伍奢父子耳。而楚幾以此滅。可畏哉。至楚平王蔑倫。與衛宣比。所謂衣冠禽獸也。噫。

伍奢知楚平必殺已父子。可謂知君莫若臣。知尚至胥不至。胥亡楚國危。可謂知子莫若父。然奢何以不自殺。而必爲平王致二子。豈防守甚嚴。欲自殺不得耶。抑藉是使胥知父已被囚。出奔免死耶。

吳太伯世家謂楚邊邑卑梁氏之處女與吳邊邑之女爭桑二女家怒相滅兩國邊邑長聞之。怒而相攻滅吳之邊邑吳王怒遂伐楚取兩都而去。楚世家則謂吳之邊邑卑梁與楚邊邑鍾離小童爭桑兩家交怒相攻滅卑梁人。卑梁大夫怒發邑兵攻鍾離。楚王聞之怒發國兵滅卑梁吳王聞之大怒。發兵使公子光因建母家攻楚遂滅鍾離居巢（建母卽太子建母）一則以卑梁爲楚邊邑而吳邊邑不能舉名一則以卑梁爲吳邊邑。於楚邊邑實指鍾離。一則謂處女與女爭桑二女家怒相滅未明言所滅爲何。一則謂小童爭桑兩家交怒相攻滅卑梁人。但小童未言男女蓋傳聞異辭。故吳楚世家原本各別。然楚世家較吳世家翔實當以楚世家爲是也（伍子胥列傳可參看）楚誅費無忌遲。未足喜而衆猶喜者。恨之深。故以終被顯戮爲喜也。

吳世家謂子胥伯嚭鞭平王之尸。楚世家謂辱平王之墓以伍子胥故也亦兩世家載筆者因所處之國不同。故措語相異耳。

白公但有力士。無謀臣。縱弒惠王。未必能敵葉公也。

昭王滅頓滅胡。惠王滅陳滅蔡滅杞。簡王滅莒。皆春秋所謂中國地也。

楚懷王四年。秦惠王初稱王。而楚卒爲秦所滅。楚早稱王何益哉。

秦宣言張儀免相。智也。秦宣言復得商於。愚也。張儀謂北弱齊西德於秦。爲秦言也。陳軫謂西起秦患。北絕齊交。爲楚言也。懷王不聽爲楚言者。而悅爲秦言者。惡得不見欺於秦。

靳尚信口開河。欺懷王復欺鄭袖。其言天下見楚無秦必輕王。係欺小兒語。其言楚王重地。秦女必貴。而夫人必斥。則眞欺妬婦語也。尚未必能此。大抵張儀所教耳。儀私於靳尚。尚私此耳。

國策言事甚辯。故史記采錄不少。齊湣王遺楚王書。及昭睢議合齊善韓。揣情審勢。警闢可喜。

合從秦所甚懼。故秦必設法令楚倍齊而合秦。賂之以貨寶。結之以婚姻。要之以盟誓。奉之以土地。救之以師旅。非得已也。迨秦與齊韓魏合。則又摟以攻楚。破軍殺將矣。所謂連衡者以六國亡六國耳。

懷王令太子質於齊以求平。上計也。故秦甚恐。乃因秦王約會武關。而乃欲往。恐見欺。無往恐秦怒。何庸懦至此乎。昭睢謂王毋行而發兵自守。計非不善。而竟聽子蘭之言。就死於秦。冥頑不靈。無過懷王者矣。

屈原諫懷王入秦。後世甚稱之。而昭睢之名弗著。蓋昭睢無楚辭。文采不逮三閭也。聖門重文學。有以哉。

以衆敵一。利害各異。故易間。以一率衆。威福自主。故難破。戰國時六國言從。秦獨言衡。而秦卒勝。寤此理耳。

楚文王始都郢。而楚以强。昭王去郢。北徙都鄀。而楚以弱。頃襄王東走徙陳。而楚以危。考烈王東徙都壽春。命曰郢。而楚以亡。

書越王句踐世家

吳有一太宰嚭貪而受美女寶器。雖百子胥諫勿赦越。無益也。古今事類此者多。可勝慟哉。

越之報吳也。內與百姓同苦樂。信任種蠡。外結齊親楚附晉。以厚吳。復使大夫逢同與吳太宰嚭共謀。讒殺伍子胥。且必俟吳王北會諸侯於黃池。吳精兵盡從王。惟老弱與太子留守時。蓋必勝而後動也。

觀范蠡謀之二十二年之語。可見十年生聚十年教訓。匪虛擬也。論語足食足兵民信之矣可參看

子胥抉目。夫差蔽面。千古極可痛哭事。而以太宰嚭一人始終之。句踐誅太宰嚭矣。未知其美女寶器猶在否。一笑。

前有句踐與齊晉諸侯會於徐州。號稱霸王。後有項羽定都彭城。號爲西楚霸王。

范蠡稱上將軍。殆與韓信稱大將軍等。

朱公長子稱父爲大人。漢高祖亦稱父太公爲大人。蓋當時貴家例如此。

附陶朱公傳於越世家。恢詭可喜。

朱公不前言所以不遣長男之故。殆明知前言無益。遂不復言。姑以慎無與爭事誡

之耶。富者以多金致禍。每有事。託張乞趙。張可任。以富者乞趙。故不欲盡力。卒誤事。或張盡力。而富者以功趙。事中變。此蓋常有。又富者有病。中外醫雜致。甲進此方。乙主他藥。且以電濕。夕用鍼治。於是輕病重。生病死。此亦常有。使細思朱公長男以愛弟而卒殺弟事。或亦稍寤與。

書鄭世家

易左傳夫入將啓之曰武姜爲內應。易闕地及泉曰穿地至黃泉。蓋以當時通俗語點竄舊籍。俾衆易讀也。史記類此者甚多

厲公使祭仲壻雍糾殺祭仲。實大誤。無徒怪雍糾謀及婦人也。然劉章因妻爲呂祿女。知諸呂欲爲亂。卒與絳侯誅諸呂。天下事亦視其人何如耳。豈可概論耶。

書鄭相子產卒。惜之也。

齊秦晉楚皆欲服鄭。而晉楚爭霸。尤以服鄭爲大業。蓋地居河洛濟之交。用兵者所必爭也。卒弱於晉。滅於韓。楚遠。難與晉爭耳。

里克始終惡驪姬。必殺其二子而後快。蓋痛共世子死。且爲晉國求長君也。甫瑕以刦殺鄭子。此里克所羞。而贊徒以厲公忘德殺甫瑕。與晉惠似。遂視里克若甫瑕。抑亦過矣。（甫瑕左傳作傅瑕）

書趙世家

惡來爲周所殺。其後爲秦。而卒滅周。此亦異事。

趙衰未從重耳出亡時。妻生趙同趙括。趙嬰齊。從重耳出亡後。得翟女叔隗。生趙盾。衰既反晉而舊妻固要迎叔隗。且以盾爲適嗣。而盾後奄有趙國。衰舊妻肯如此甚難得。豈有所徵兆而然耶。抑前知同括嬰齊非令器。遂屬望盾耶。古史簡佚。弗可攷矣。（翟通狄）

晉靈公少。趙盾益專國政。與漢霍光略似。匪有他志也。靈公不君。終使盾爲法受惡。事之不幸。過霍光矣。惜哉。

絕而後好。後世亦有之。不獨趙盾然也。

春秋時亂臣賊子固多。而忠臣孝子實不少。即以晉論。孝若申生。忠若程嬰。後世豈易有乎。

詩有奏膚功奏爾能等語。與後世人臣言事稱奏之奏異。趙世家簡子曰。奏之則人臣言事稱奏之奏也。韓王信傳趙相奏斬常山守尉。亦其例也。

烈侯欲貴歌者。公仲謂富之可。貴之則否。烈侯命賜歌者槍石二人田。人萬畝。公仲諾而不之與。此蓋不欲以正折之也。迨進牛畜荀欣徐越三士。而烈侯竟自止歌者田。官牛畜爲師。荀欣中尉。徐越內史。且賜公仲衣二襲。可見君所好固可移易。亦不必以正折之也。孟子於人君好色好貨好勇。皆因勢利導。視此又進一解矣。

趙武靈王胡服騎射。卒拓土疆國。後世以爲美談。其傳國惠文。令主治國。而身胡服將士大夫。西北略胡地。欲從雲中九原直南襲秦。志不在小。而詐自爲使者入秦。尤戰國僅見之舉。使無長子章及田不禮爲變。趙未可量也。惜哉。

蘇厲爲齊遺趙王書。揭秦計甚明。故趙王聽之。不與秦擊齊。

婦人之愛。未暇計深遠。因其愛而導之深遠。且先言他事。和其氣。使言易入。言已入若弗自知。於是惠文太后千肯萬肯、而長安君遂質於齊矣。左師觸龍誠善諫者哉。

趙王遷誅李牧用郭開。國焉得不亡。贊深痛恨之有以也、

書魏世家

魏文侯師事田子方卜子夏段干木。可謂難能、而文侯子擊逢田子方於朝歌。引車避。下謁。田子方不爲禮、不怒。聞貧賤驕人語。且愧而不懌。亦不易得也、

李克對魏文侯問相、有居視其所親、富視其所與。達視其所舉。窮視其所不爲。貧視其所不取等語。觀人之術。大略盡矣。而文侯以是相魏成子。翟璜以是不敢比魏成子。魏成子固賢。文侯與翟璜亦不易有也、

汾水可以灌安邑。絳水可以灌平陽。此二語足令魏桓子韓康子寒心。故韓魏卒與趙合謀。而智氏地分。身死國亡。爲天下笑。秦王寤此。故不爲知氏之續。其後且併六國也。

信陵君諫魏王勿與秦伐韓。於當日利害言之甚審。蓋蘇秦蘇厲蘇代外所僅見。其禮賢下士、尤過於孟嘗平原春申。不爲魏王。而僅以公子終。惜哉。贊謂天方令秦平海內。其業未成。魏雖得阿衡之佐無益。此其中有至理。古今治亂皆若此。不可視爲憤語而忽之也。

書韓世家

韓哀侯滅鄭。因徙都鄭。故戰國策稱韓惠王爲鄭惠王。猶魏徙都大梁。而孟子稱魏惠王爲梁惠王也。

以不爲名者。韓有申不害。趙有田不禮。秦有呂不韋。漢有程不識。直不疑。衛不疑。（衛青子）劉不害。（河間獻王子又淮南王安亦有孽子名不害）趙不虞、蘇不韋。而越王句踐孫名不壽。特異也。

陳軫恐秦韓合兵伐楚。說楚以虛名救韓。可謂極伐交之能事。而秦後伐韓。楚竟不救。名不救韓。實不救楚也。蓋楚救韓。韓無岸門之失。韓救楚。楚豈有丹陽之敗哉。從人不敵衡人。大抵由從人背約不相救。甚可痛恨。

韓公子以蟣蝨爲名可謂絕無僅有。

魏唐雎求秦昭王救魏數語而兵發韓陳筮求秦穰侯救韓亦數語而兵發蓋割地而約從秦所甚懼唐陳皆以此懼之也

贊謂韓厥以紹趙孤陰德與趙魏終爲諸侯十餘世此理甚信

書田敬仲完世家

以小斗受大斗出所損甚微而民德之甚何也蓋此惠實及貧民也貧民多又無望故小惠易徧田釐子知此田成子亦知此齊人歌曰嫗乎采芑歸乎田成子有以哉（田成子非謂田常謂芑歸田而成子也然與田常謚雙關）

六國惟約從爲上計今魏與秦攻韓是自攻也齊不與楚趙同救韓而起兵襲燕是自襲也今日自攻自襲明日復自攻自襲故曰滅六國者六國也非秦也

即墨大夫不事左右以求譽今亦有是人然甚少阿大夫以幣厚左右以求譽今大抵效此安得有如威王者盡取烹之耶

威王時公孫閱爲騶忌謀陷田忌幾死。宣王召田忌復故位。不去騶忌。且不聞罪閱何也。

孫臏弊韓魏而後救韓。卒承魏弊。敗魏馬陵。故秦二世時卿子冠軍奉楚懷王命救趙。亦欲效此。

晉楚合必議齊秦。齊秦合必圖晉楚。一部戰國策。可以此二語爲總贊。

自晉分爲趙魏韓。而秦無近敵。自燕秦楚三晉會師破齊。而秦無遠敵。

今日亡趙。明日患及齊楚。周子之諫亦切矣。而齊王建不聽。致趙有長平之敗。趙自是弱。六國亦自是滅矣。可勝慟哉。

秦與郭開金而趙亡。與后勝金而齊亡。知伯謂始未知水之足以亡人國也。予亦謂始未知金之足以亡人國也。噫。

書孔子世家

聖人宜在帝位。而孔子不然。蓋天以孔子師表萬世。不必南面一時也。贊謂孔子布衣傳十餘世、學者宗之、自天子王侯中國言六藝者。折中於夫子。可謂至聖矣。列孔子世家之意、蓋以此耳、（孔子嘗爲大司寇非布衣而贊必曰布衣者貴布衣也）

要盟神不聽、此其所以爲神也、否則神且爲妄者役矣。

不容然後見君子。君子所以淑身。恥獨爲君子。君子所以淑世。

孔子因魯史記作春秋、史遷因魯春秋作史記、（太史公自序可參看）

自子貢廬墓、遂成孔里。自漢高祀以太牢。遂有孔廟、

書陳涉世家

我以農立國、壟上有輟耕之嘆、則大亂作矣。史遷書此用警萬世。不獨爲涉也。

勝廣起事、且假項燕爲唱、則項梁起事不必立楚懷王亦明矣。而項梁卒聽范增所謂聚六州鐵鑄此大錯也、（唱通倡）

起事未幾。遂有車六七百乘、騎千餘。卒數萬人、人心思亂。從亂者衆也。

周文至戲。軍焉。伐秦先入關者也。然卒以孤軍深入、敗而出關。自刎澠池、可見漢高

南入武關。而函谷關外章邯重兵爲項羽所破。等於鄧艾入蜀。而鍾會在劍閣牽制姜維也。

武臣自立爲趙王。至韓廣自立爲燕王一段。似讀戰國策。蓋陳柱國趙王將相及燕故貴人豪傑所言。皆戰國謀臣策士語也。

章邯破周文。破田臧李歸鄧說伍徐等。破蔡賜張賀等。若摧枯拉朽。而陳勝以死。使無楚項羽鉅鹿之戰。項梁敗後。章邯無敵於天下矣。齊趙韓魏燕無意擊秦。漢無楚亦決難勝秦。秦祚不誠萬世哉。列項羽本紀。有以也。

觀章邯始勝終敗。可見亂易平。而致亂之人未易除。致亂之人未易除。則亂平猶之未平也。子嬰雖嘗誅趙高。已晚也。

書外戚世家

觀外孫女爲子婦。是呂娥姁令孝惠亂倫。宜其無子也。萬方終無子。而詐取後宮人子爲子。卒以族滅呂氏。作僞心勞日拙。信哉。

呂后以外孫女爲孝惠后。欲其生子。而孝惠短祚。子亦無有。竇姬無心至代，而竟爲文帝后。且生景帝及梁孝王，觀此而不安命者。殆非人也。

絳灌慮竇長君少君復效諸呂，乃選長者士之有節行者。與居。而長君少君卒爲退讓君子。有國者儻注意此乎。且非獨外戚宜爾也，

民間娶婦，動貴處女。而秦繆以故子圉妻辰嬴與重耳。臧兒以金王孫婦王美人與孝景。以色不以德，宮掖所以穢于里巷也，

栗姬妒而愚，長公主嫖欲以女爲太子妃不許。而太子遂因長公主被廢。帝屬善視諸子爲王者不應。而已遂不得爲后。且以憂死。蓋長公主有德於景帝。景帝信其言。既以女爲王夫人子妃，必令王夫人爲后，王夫人子爲太子。而後其女大貴也。栗姬儻知此。太子榮惡得廢。已亦惡得不后乎。

陳皇后求子，與醫錢凡九千萬，而竟無子。可見長公主嫖使女爲后無益，衛皇后後以戾太子事致死，可見子爲太子已得后未必爲福，

平陽主寡居而武帝詔衛青尙之蓋古無貴婦必守節之習也自宋儒有餓死事小失節事大之解於是彊人守節或召疾或播醜或釀禍閫內遂以多事矣

尹夫人旣見邢夫人低頭而泣自痛不如美人有自知之明在古罕有見西施自憎其貌不圖尹夫人亦如此也

武帝懲諸呂之亂凡爲武帝生子者無男女其母皆譴死呂雉之遺禍烈矣哉

書楚元王世家

貧家厭賓客而高祖微時乃時時與賓客過巨嫂食食多次矣不懷其德櫟釜一次遂深怨之此高祖所以爲無賴也

書荊燕世家

劉賈燒楚積聚劉章擊斬呂產漢宗室有功者此二人最著

蒯通田生蘇秦陳軫之流也韓信不聽蒯通被貶被誅遂夷三族劉澤悅田生王琅邪王燕稱孤三世

書齊悼惠王世家

劉肥以外婦子食七十城，而其母曹氏未聞入宮，想高祖未貴時已前卒也。

劉章耕田歌有非其種者鋤而去之二語，甚爲呂后所忌，幸明年呂后崩，否則劉章不免誅。功復奚有，謀未發而露，未可也。

召平欲圍齊王，而被魏勃所紿，所謂君子可欺以其方也，而齊哀王又使祝午東詐琅邪王劉澤，請幸臨菑計事，因留澤，并將其兵，齊君臣可謂善欺矣。乃劉澤以帝位餂哀王，願入關與大臣計事，而齊王遣之，卒以齊王母家駟鈞惡戾，立齊王是欲復爲呂氏等語，致哀王徒爲孝文發難，其見欺於澤何如耶。

路中大夫告齊以漢發兵百萬擊破吳楚，方引兵救齊，亦猶晉解陽許楚反言而卒告宋以晉師至矣也，解陽免死，而路中大夫被殺，則所遇異耳。

紀太后以其弟紀氏女爲厲王后，王不愛，乃令長女紀翁主入王宮，毋令後宮得近王，而王不愛紀氏女，乃與翁主姦，主父偃欲以己女充齊後宮，不得，乃自爲齊相治通翁主事。王自殺。己亦被誅。天下事不由人算。往往如此。可鑒也。

書蕭相國世家

淸高謂發蹤指示獸處者功人。是也、而以蕭何爲功人則非也。張良運籌帷幄。決勝千里。乃功人也、漢高不以良功爲第一。良恭謹未如何也。論功則蕭何第一。封國則劉肥最大。一以親。一以故而親又勝於故也。張良辟穀。與范蠡去越比美。智矣哉。

漢高謂蕭何舉宗數十人皆從我。功不可忘。鄂君謂陛下雖數亡山東。蕭何常全關中以待陛下。此萬世之功、較功狗功人說稍允、（山東非謂齊統謂滎陽以東也）

漢高以張良韓信蕭何爲三傑。故疑忌特甚。良以辟穀免。何幾死者數。幸赦而信竟夷三族。史遷極痛之。贊謂淮陰黥布等皆以誅滅。而何之勳爛焉。蓋涕既隕之矣

書曹參世家

曹參破軍殺將。功最多。但謀不及韓信。贊謂功多以與淮陰侯俱。諒哉。

蓋公謂治道貴淸淨而民自定。曹參用其言相齊。齊國安集。用其言相漢。民以寧一。

欲無爲而治者，盡尙黃老乎。然亦秦亂後民苦兵革，乃有效。王道重一張一弛，亦視其時而已耳。

書留侯世家

古人武技不及後人。故重力爲武技者，且號曰力士。然鐵椎百二十斤，運用豈便哉。狙擊不中，不待論矣。

項伯以報張良德，故私見張良。遂使項王不擊沛公。後受張良厚遺，爲漢王請漢中地。遂使項羽失天下。然項伯初不意事乃如此也。此其中殆有天焉。噫。

張良爲漢王燒絕棧道，以田榮反書告項王。於是漢王從容定三秦。張良說漢王捐關以東地於黥布彭越韓信。於是漢王取天下如拾芥。

四人各言名姓，曰東園公、甪里先生、綺里季、夏黃公。惡有自稱如此者。可疑一。又言天下莫不延頸欲爲太子死。注意欲廢太子事太甚。可疑二。四人爲壽已畢，趨去。倉皇若此。可疑三。故吾謂良所言四皓，非僞客呂澤所四人乃僞也。自此以後，四人絕跡，而曰無僞，誰欺乎。

書陳丞相世家

假貸幣以聘，予酒肉之資以內婦。爲鄰里宗族交遊光寵也。今日效張負如此者蓋亦時有。特未遇陳平耳。

陳平謂項王不能信人。其所任愛，非諸項，卽妻之昆弟。雖有奇士不能用。又曰，項王爲人恭敬愛人。士之廉節好禮者多歸之。語意頗矛盾。然不用奇士，而用廉節好禮之士。此項王所以爲項王也。又謂漢王能饒人以爵邑，士之頑鈍嗜利無恥者多歸漢。然不能得廉節之士。高祖固無賴。使貪使詐，蓋以類聚，而竟有天下，意者戰國後以德以力取天下皆不易。惟詐可集大勳乎。高祖自謂鬭智不鬭力。旨哉是言。

捐金行反閒，不惟越於吳，秦於趙用之。卽漢王令酈食其持重寶啗秦將，亦是術也。

陳平以之閒亞父，蓋無足異。

附王陵、審食其傳於陳平世家內。二人事少。且事適與陳有連也。

陳平之對漢文特大言欺人耳。然言固可取。丙吉問牛喘。蓋亦祖此。

書絳侯周勃世家

絳侯誅諸呂，孤身入虎穴不恐。而見獄吏恐。蓋韓彭往事可念也，孫子曰。將在外，君命有所不受。又曰靜如處女。動如脫兎。亞夫深悟此。遂立大功，然非孝景因文帝遺誡，寵任不疑，未必無騎刦代殺之舉也，

高皇帝約。非劉氏不得王；非有功不得侯。後世天子。大抵崇奉斯語，蓋家天下必封建子弟。異姓有功者。特守戶犬耳。功縱大。侯足矣。焉用王。王則誅。然亦有例外。唐之汾陽王。明之中山王。其著者也。

絳侯果餓死下。書死後景帝乃封王信爲蓋侯。明景帝實因阻王信封恨亞夫。迫之至死也。然亞夫不侯王信。爲劉氏計。非爲己計。使漢帝皆悟此旨。何至有外戚之禍。

書梁孝王世家

婦人憐愛少子。適以害之。鄭武姜於共叔段。漢竇太后於梁孝王。〻欲廢長立幼。一

欲兄終弟及、跡雖異。心實近也、

任王后以取罍樽、被漢梟首。可爲貴族愛古物者戒、

書五宗世家

河間獻王以經術通明見忌於武帝。與信陵君見忌於魏安釐王相類。

奪諸侯權。獨得食租稅、俾不反上不虐下、似豚在笠、然屏藩之義亦自此荒矣、

書三王世家

西漢都長安、與齊燕吳相距遠、欲以親貴鎮撫之、自高至武、用意咸類、高祖始封、劉肥王齊。盧綰王燕、劉濞王吳。盧綰以後、此三地靡異姓王者。今立皇子閎爲齊王。旦爲燕王胥、爲廣陵王、廣陵所轄卽吳地、三地得人。則東北南無憂、天子可垂拱關中矣。

讀史記蠡述卷三

岳陽李澄宇洞庭著

書伯夷列傳

伯夷事簡。故前以帝堯許由卞隨務光太伯事引起。後雜論顏淵盜跖作結。若作畫然。烟雲縹緲。山水空靈矣。又夷齊並列。但以伯夷名篇者。以兄統弟。且孟子言伯夷常不及叔齊也。

中庸言大德者必得名位祿壽。夷齊始讓國、終餓死、位祿壽均未有。名雖幸得。亦賴論語序列。龍門於是上下千古。深嘆由光不見稱於孔子。位祿壽固不有。卽名亦甚難。附驥之喻。不第爲顏淵引也。然由光逃名。而龍門重名。逃名近黃老。重名近儒

書管晏列傳

龍門被刑後。無意仕顯。惟欲以史記一書獨立百代。故於伯夷列傳有沒世無稱之懼。於管晏列傳有知己難遇之歎。

俗之所欲。因而與之。俗之所否。因而去之。大學所謂民之所好好之。民之所惡惡之

也、

晏子常有以自下。此其所以爲相也、其御意氣揚揚、此其所以爲御也。一旦不意氣揚揚、御也而大夫矣、觀其妻所言、固非御者妻。而宜爲大夫妻也、

伯夷事簡、將其事置諸羣山萬壑中。管晏事繁。將其事納入太羹玄酒中。又伯夷傳無贊。贊具於傳也。管晏傳有贊、贊中作傳意。且補所未及也。

書老子韓非列傳

孟子謂徒善不足以爲政、徒法不能以自行。故史遷以老子與韓非合傳中。不害學本黃老、而主刑名。韓非喜刑名法術。而其歸本於黃老。殆皆善讀孟子者。

韓文角者吾知其爲牛。鬣者吾知其爲馬。實自烏吾知其能飛。魚吾知其能游、獸吾知其能走句化出。然此無語病、而韓有語病。蓋有角之物多、不必皆牛。有鬣之物多。不必皆馬也。

老子隱於周而道盛於漢。猶龍之嘆。有以也。楚狂以孔子爲鳳。而孔子以老子爲龍。

足見當日南北學者互相引重。而儒與道亦實相濟也

莊周雖師老子。而學實進於老子。蓋儒以正己正人爲務。老子以無爲自化爲務。而莊子以逍遙自適爲務。正己故有誠正修諸事。正人故有齊治平諸事。無爲則不必有誠正修之迹。自化則不必有齊治平之迹。然猶有化之見存也。若逍遙自適。則忘其有己。忘其有人。忘其有己。己適矣。忘其有人。人適矣。夢化爲蝶。則栩栩然蝶也。醒復爲周。則蘧蘧然周也。時而太平。有天下而不與焉。時而據亂。雖窮居不損焉。此其道大於老。不神仙而神仙。便於儒。不理學而理學。

韓非疾儒者用文亂法。俠者以武犯禁。故言法治者盛稱韓子。

韓非說難。字字痛切。然注意人主逆鱗。未注意人臣逆鱗。故秦王悅之。而李斯姚賈害之。終死於秦。不能自脫。

書司馬穰苴列傳

將受命之日。則忘其家。臨軍約束。則忘其親。援枹鼓之急。則忘其身。質言之。即武官

不怕死也，儒者謂國爾忘家，公爾忘私，謂戰陣無勇非孝，謂事君能致其身。與兵家正復相似。

敢斬莊賈，敢謂將在軍，君令有所不受，非不怕死，能若是乎？能是，卽勇冠三軍，而復身自拊循，與士卒平分糧食，化軍隊爲骨肉，戰勝攻取，固無足怪。

鮑氏高國之屬譖害田穰苴，卒致家破國滅，爲天下笑者，一田易害，諸田難去也，

書孫子吳起列傳

孫子武敢斬吳闔閭愛姬，其勇亦等田穰苴。

信賞必罰，治兵要道，而必罰尤重。蓋必能必罰，而信賞始可貴。法行而後知恩，正謂此也。

以君下駟與彼上駟，必不勝也。取君上駟與彼中駟，必勝也，取君中駟與彼下駟，亦必勝也。事甚淺易，而田忌不知，必待孫臏教之者，徒務勝，未暇通計也。兵家以小敗驕敵而後乃大勝。亦若是已耳。

伐魏救趙之計。後世效之。亦常取勝。齊號爲怯。故減竈以示怯。晉素悍勇。料必趨利。故設伏馬陵。暮至必舉火。故斫樹白書。使龐涓自觀。使射者知敵已至。諸葛亮於木門射死張郃。亦類此。

吳起貪而好色。後世效之用兵。司馬穰苴不能過。後世則否。

與士卒最下者同衣食。分勞苦。今有效之者。馮玉祥是也。或言其僞。然即僞亦不易也。至爲卒吮疽。則起後未之聞矣。

吳起在德不在險之語。由王孫滿在德不在鼎化出。而舟中之人盡爲敵國。卽事立論。尤足動人。

吳起有大功於魯。魯人惡之。去之魏。有大功於魏。魏相害之。去之楚。有大功於楚。而楚之貴戚盡害之。此亦柳下惠所謂焉往而不三黜耶。

書伍子胥列傳

子胥過昭關。在與太子建奔鄭。適晉。還鄭後。與建子勝奔吳前。編劇者以置楚殺伍奢伍尚父子後。蓋因昭關隸楚而誤也。忌功臣必曰謀反。自古已然。子胥有大功。不早效范蠡。無宰嚭譖之。亦難免也。贊有向令伍子胥從奢俱死。何異螻蟻。棄小義。雪大恥。名垂於後世等語。與季布傳贊同旨。蓋龍門極不願人徒死無益也。報任少卿書亦此意。

書仲尼弟子列傳

孔子曰。受業身通者七十有七人。後世或稱七十二人。

論語以言語置政事前。蓋以德化。以言感其效神於政事也。史記以言語置政事後。殆因為政不在多言而然耳。然後世十哲之序。則祖論語。

易論語未若貧而樂富而好禮為不如貧而樂道富而好禮。有道字則樂有着落也。

無報人之志而令人疑之。拙也。有報人之意使人知之。殆也。事未發而先聞。危也。此與易繫辭幾事不密則害成同旨。（幾通機）

伍子胥傳謂越破吳後。吳王自黃池歸。與越平。後九年。越遂滅吳。殺夫差而誅宰嚭。

茲謂越王涉江襲吳。吳王聞之。去晉而歸。與越三戰不勝。越遂圍王宮。殺夫差而戮其相。似非是。蓋吳越世家所載亦異也。

子貢一出。存魯。亂齊。破吳。彊晉。而霸越。又好廢舉。與時轉貨貲。其行事蓋類范蠡。

宰我列名十哲。而與田常作亂。澹臺狀貌甚惡。而行不由徑。故孔子曰。吾以言取人。失之宰予。以貌取人。失之子羽。

原憲謂無財者謂之貧。學道而不能行者謂之病。意若有所刺譏也。故子貢慙不懌而去。

樊遲請學稼。與許行言神農意相類。故孔子闢之。否則禹稷躬稼。古所樂道。何獨鄙樊須爲小人。（此小人與孟子小人勞力之小人同）

陳司敗問魯昭公知禮乎。孔子答以知禮。即諺所謂兒不嫌母醜。子不道父過也。司敗舉已事駁之。不可復諱。故受過而不辭。

書商君列傳

彼王不能用君之言任臣。又安能用君之言殺臣乎。此二語寫盡千古庸主。不悅帝王之道。而欲及身張國顯名。秦以後大抵如此。今則不必彊國顯名。但始奪食終戀棧耳。然商鞅亦非眞知帝王之道者。蓋假此自高。且堅秦聽也。民不可與慮始。而可與樂成。作君師者教養下民。宜味此語。然殘民以逞者亦往往恃此語爲護符。

告姦者與斬敵首同賞。匿姦者與降敵同罰。令民爲什伍。必如此乃有效。

徙木予金。信賞也。刑太子師傅。必罰也。信賞必罰。人遂趨令。行之十年。秦民大說。道不拾遺。山無盜賊。若不復待賞罰矣。然民說而巨室不說。故秦獲利而己受禍。

魏割河西地與秦。去安邑。徙都大梁。秦滅六國。以此發軔。

書蘇秦列傳

蘇秦說六國。利害切明。不愧揣摩期年。以距秦較遠之燕趙爲基。然後更說韓魏齊楚。尤屬建橋妙法。約言秦攻楚。齊魏各出銳師以佐之。韓絕其糧道。趙涉河漳。燕守常山之北秦攻韓魏則楚絕其後齊出銳師以佐之趙涉河漳燕守雲中秦攻齊則楚絕其後韓守城皋魏塞其道趙涉河博關燕出銳師以佐之秦攻燕則趙守常山楚軍武關齊涉勃海韓魏皆出銳師以佐之秦攻趙則韓軍宜陽楚軍武關魏軍河外齊涉清河燕出銳師以佐之諸侯有不如約者以五國之兵共伐之苟能永守秦兵不闚函谷關豈止十五年哉然蘇秦但謀共保未有進取策國多利害雜六王又不以是詔子孫持久甚難固無足怪蘇代蘇厲且有時不守合從故說激張儀入秦但冀秦兵暫弗加趙耳功名士謀人家國爭近效往往如此

使我有雒陽負郭田二頃豈能佩六國相印此在蘇秦則然耳世固有以富致貴或毀家救國者不必謂仕宦者皆爲謀食而來也

蘇代謂凡天下戰國七燕處弱焉戰國之稱始此至獨戰不能有所附無不重當日縱人橫人皆爲此二語焦脣竭慮耳

蘇代謂驕君必好利亡國之臣必貪於財目光如炬可照二十四史矣

蘇代是益一齊也、是益二齊也二語。與張耳陳餘傳此又生一秦也同意

或曰秦爲西帝。齊爲東帝、或曰秦爲西帝、燕爲北帝、趙爲中帝、已爲王必欲爲帝。戰國所以爲戰國也。

蘇代止燕昭往秦。而燕昭聽之、復立從約、燕昭固賢。蘇代之言實亦甚辯也、昭睢止楚懷往秦。而楚懷弗聽、客死於秦。楚懷固不賢、而昭睢之說實亦甚略也

書張儀傳

此言俱事鬼谷先生學術。與霍光傳不學無術同。蓋皆以學爲動詞。術爲名詞。非平列。亦非併爲一詞、

由我不盜而壁轉出我顧且盜而城六字。憤甚趣甚、

以鼎與楚。以地與魏。王弗能止也。此司馬錯洞悉敵情過於張儀處、故惠王聽之。

南與楚境。西與韓境、北與趙境。東與齊境。此以名詞代動詞。與境猶言與接壤也。

楚懷絕齊。陳軫諫之是也、而說楚懷割地賂秦。并兵攻齊。是六國爲秦自伐也。此其

智所以終遜蘇秦與軫嘗事秦、豈故爲此說厚秦與。

蘇秦合從自燕始。張儀連横自楚始。從約幸延十五年。横約則以秦惠王卒未成也。

楚彊於韓、故說楚則曰長爲昆弟之國、終身無相攻伐。說韓則曰先事秦則安。不事秦則危。欲鬬楚韓而承其敝、則又曰秦之所欲莫如弱楚、而能弱楚者莫如韓。

張儀說齊王時。尚未至梁趙也、而曰梁効河外。趙割河間。說趙之辭。恫嚇特甚。其時齊未獻地而曰斷趙右臂。至燕時。趙未朝秦。而曰趙王已入朝澠池。趙於秦猶郡縣。展轉欺誘。說客大抵類是。而張儀爲最。

公孫衍（即犀首）與張儀齊名。而亦與陳軫附於儀傳者、事少。且均與儀有連也。

書樗里子甘茂列傳

秦人號曰智囊。又曰力則任鄙。智則樗里。得此於人匪易。惜史策簡略。雖舉其功。未知所謂智者何在。至葬於渭南章臺之東。謂後百歲是當有天子宮夾我墓。則前知也。匪特智矣。意者有智之名無智之迹。乃其所以爲大智與。

甘茂將伐韓宜陽。引曾參殺人其母投杼之喻。秦武王與之盟於息壤。至今言約者效甘茂口吻曰。息壤在彼。盟之裨信亦大矣哉。

貧女謂富女。分我餘光。無損子明。較匡衡鑿壁偷光易行也。

諺謂親顧親好。鄰顧鄰安。爲民言之也。此魯漆室女憂國之意也。若有國者則不然。鄭燭之武說秦穆公曰。焉用亡鄭以倍鄰。鄰之厚。君之薄也。楚范蜎說懷王曰。茂誠賢者也。然不可相於秦。秦有賢相。非楚國之利也。由此言之。民恐鄰不安。非民則往往恐天下不亂。

人習謀詐。至戰國而極。甘羅年十二亦善游說。可慟也。

書穰侯列傳

蘇代爲齊陰遺穰侯書。簡勁可喜。

穰侯魏冉有大功於秦。而范雎以巧說擠之。贊憤昭王薄待勳戚。蓋亦有感於漢事。非但爲穰侯也。

書白起王翦列傳

以彊秦攻弱趙，而去其名將廉頗，一必勝。以白起當趙括，而祕之使不爲備，二必勝。雖無備而猶詐敗設伏，間趙軍爲二，三必勝。趙食絕而益兵遮絕趙救及糧食，四必勝。

白起攻韓魏於伊闕，斬首二十四萬。攻魏拔華陽，斬首十三萬，與趙將賈偃戰，沈其卒二萬於河中。攻韓陘城，斬首五萬。破趙軍於長平，坑殺趙卒四十萬，他役未載者尚不知若干也。後人謂一將功成萬骨枯，萬骨何足數，適令白起竊笑耳。何晏謂白起坑殺趙卒，則後日之戰，死當死耳，何衆肯服，何城肯下，其所以終不敢復加兵於邯鄲者以此。蓋亦確論。

攻人國勝而前進，必留兵守後。愈前進兵力愈薄，故非多不可。李信將兵二十萬，屢破荊軍而引兵西還，蓋兵力已弱，不能再進也。終被敵躡大敗，固無足怪。王翦將兵六十萬，不輕敵，務養士氣，俟敵惰歸而後追擊，遂殺項燕，定荊地，且南征百越，兵多故前進無懼也。

書孟子荀卿列傳

贊置傳首。伯夷列傳外又一法也。後人多效之。而變其貌。

曰利誠亂之始。不惟戰國。有史以來皆若此。孟子於內聖言性善。於外王言仁義。所以上接洙泗之傳也。

天下方務於合從連衡。以攻伐爲賢。而孟軻乃述唐虞三代之德。是以所如者不合。退而與萬章之徒序詩書。述仲尼之意。作孟子七篇。此數語眞足傳孟子。

騶衍所言非閎大不經。今盡知之。而當日怪之。蓋理至數極。解人難索也。

借騶衍論孟子。與伯夷傳借顏淵論伯夷略同。騶衍有牛鼎之意。志在一時。而孔孟持方柄欲內圜鑿。則志在萬世。

吾前見王。王志在驅逐。後復見王。王志在音聲。此正所謂承意觀色也。蓋以色知意。匪逢迎意旨也。

荀卿嫉濁世之政。亡國亂君相屬、不遂大道。而營於巫祝。信禨祥、鄙儒小拘、如莊周等又滑稽亂俗、於是推儒墨道德之行事興壞、序列數萬言而卒。因葬蘭陵。此數語亦眞足傳荀卿。然於孟子則曰述仲尼之意。以孔道正統予孟也。於荀卿則曰推儒墨道德之行事興壞、不以孔道正統予荀也、

書孟嘗君列傳

田嬰有子四十餘人、而顯名當世者乃屬賤妾之子。噫、

孟嘗君客多。才否不克前知、信陵君略能前知。然猶不審客才果居何等也。信陵譏平原君養士爲豪舉、孟嘗何獨不然、然王荆公以雞鳴狗盜少之、則可不必、蓋彼所謂養客、而世謬曰養士也、且當時死士力士皆曰士。豈吾儒所謂士哉。

客笑眇小丈夫、豈辱哉、孟嘗聞之怒何耶、客與俱者、乃因此殺數百人滅一縣、直盜賊不若矣。

孟嘗君中立、第就於諸侯無所屬言耳。與漢書彭越中立魏王豹中立異。

前有魏子爲孟嘗君收邑入事，茲有馮驩收債於薛事。蓋收邑入收債各爲一事也。能與息者與爲期，貧不能與息者取其券燒之。此事亦平平，而馮驩以是得名者，以其不請命而放膽爲之，他人未能耳。漢汲黯矯制發粟，蓋亦類此。

寫孟嘗客。雞鳴狗盜外，惟魏子馮驩，皆保全孟嘗祿位者。於齊奚裨哉。贊謂孟嘗君好客自喜。招致天下任俠姦人入薛中亦萬餘家，蓋鄙之也。

書平原君虞卿列傳

士不外索。平原蓋以此自豪。備員而行。毛遂實以此自奮。曰先生不能，先生留，而平原君竟與毛遂偕者，壯其言，姑試之耳，因人成事亦美辭。自來集羣策羣力以就大事者皆若此。故毛遂舉以相誚，猶後世誚康有爲文聖，張勳武聖，聖固美辭也。

樓昌言橫，故欲趙與秦媾，虞卿言從，故欲趙發使出重寶以附楚魏。然虞卿料事揣情，智不下蘇代陳軫。

曰助秦自攻曰自弱以強秦曰以六城賂齊并力西擊秦何言之痛而計之決也趙郝樓緩雖善辯豈卿之比哉

非李同則信陵兵未至而邯鄲已降非信陵則李同雖勇而趙終無救由此言之存趙豈平原功哉蓋平原與孟嘗等耳贊稱爲翩翩濁世佳公子未睹大體旨哉是言

書魏公子列傳

四公子獨信陵以公子名傳異之世褒之故異之也

觀公子患之數請魏王及賓客辯士說王萬端魏王畏秦終不聽公子云云則後世爲竊符救趙論以罪信陵者可以休矣

侚安事客四字罵盡三千人且罵公子

不曰公子誠請如姬必許而曰公子誠一開口請如姬如姬必許諾古人爲文不取省字也長江大河益一溪不爲多分一湖不爲少也

侯生爲公子謀亦至矣而必北鄉自剄以送公子何爲者蓋古人重知己爲知己死

甚樂也。

使將將其軍歸魏，而公子獨與客留趙。此公子不負魏王，且明己必不奪王魏國也。

救趙即以救魏，救一國即以救六國。何言於趙有功，於魏未爲忠臣哉。

公子於魏得侯生朱亥，於趙得毛公薛公，皆竭誠下交。非歸斯受之平原孟嘗春申所以不如公子也。漢高亦常祀公子，有以哉。

徒聞魏公子，不聞魏王。此秦人效范雎，秦安得王，秦獨有太后穰侯二語，以間魏王兄弟耳。王聽不聰，竟令公子以醇酒婦人卒，國亦遂亡。可慟也。

書春申君列傳

春申雖遜信陵。然賢於平原孟嘗。其上書秦昭，止白起伐楚，言利害甚辯。其遣太子變衣服爲楚使者，御以出關，而自請秦昭賜死，亦甚忠且智。太子既立爲考烈王，春申相楚二十餘年，而一旦誤聽李園，欲效呂不韋，則平原孟嘗所羞也。縱使幸聽朱英，暫免毋望之禍，楚幽王他日亦必有秦政廢呂不韋事矣。利令智昏，惜哉。毋望通无妄

書范雎蔡澤列傳

一則曰秦王之國。危於累卵。得臣則安。然不可以書傳。再則曰語之至者臣不敢載之於書。其淺者又不足聽也。欲望見顏色。此未見前以危詞聳聽也。三則曰秦安得王。秦獨有太后穰侯耳。四則曰處人骨肉之間。欲效愚忠而未知王之心。此既見後以危詞聳聽也。至足下上畏太后之嚴。下惑於姦臣之態。則圖窮而匕首見矣。於是以遠交近攻之說進。遂爲客卿。以固威重權之說進。遂相秦國。

須賈綈袍之賜。非眞有故人之意。賈初至秦。人地生疎。意范叔或有客習於張祿。特以此市恩。使效奔走耳。范叔感之。蓋猶未窺其隱也。

人固未易知。知人亦未易也。侯嬴此語。直刺信陵。故信陵大慙。

秦殺白起。可謂自壞長城。而後有王翦。諺所謂犁轅未斷。曲木先生也。應侯恐懼。亦將請君入甕。而卒薦蔡澤。諺所謂不求柴斷。但圖斧脫也。

書樂毅列傳

燕惠立而齊間至。因燕惠爲太子時不快樂毅也，空穴來風，可畏哉。

未勝齊前。趙惠文王嘗以相國印授樂毅，故樂毅西降趙。

樂毅書有臨不測之罪，以幸爲利，義之所不敢出也等語，蓋燕惠王恐趙用樂毅，乘燕之弊以伐燕。故樂毅剖心示之，俾勿以小人之心度君子之腹也。

燕惠王有遺樂毅書，燕王喜又有遺樂閒書。不責己不宜用騎劫栗腹，而徒怨樂毅樂閒至趙，可謂後先繼武，一笑。

書廉頗藺相如列傳

璧卽有用。何寶之至此。而卞和藺相如且藉璧顯名。噫。

自曹沬刼盟已來。毛遂藺相如效之，皆不辱命。

趙奢以鬬與一戰成名，去國三十里堅壁不行，靜如處女，使秦諜謂己怯也，既已遣秦諜。乃卷甲趨之。動如脫兎，料敵無備，急取之也，然在有宦官監軍時不易如此。有軍機處時亦不易如此。

趙奢固壁不戰猶周亞夫禦吳楚欲待其惰歸而擊之也惜孝成王以趙括代奢若燕惠以騎刦代毅惟譖言是信不克知人善任也

韓信驅市人而戰而廉頗爲楚將無功大將與名將異也

先爲怯以惰敵後佯北以驕敵必使大卒衆來入然後多爲奇陣張左右翼擊之後世爲匪者往往竊效斯法此匪所由蔓延也

郭開多與使者金令毀廉頗秦又多與郭開金令譖李牧金之爲害酷矣哉

書田單列傳

單間樂毅辭頗近理故燕惠信之蓋下齊七十餘城如疾風掃落葉而莒卽墨二城獨固若磐石非知兵機者不解也曰以伐齊爲名實欲連兵南面而王齊誠中燕惠所疑矣

單雖以間去樂毅然尙無力破騎刦故明知飛鳥因飢下食而必假神以行詐如是使燕人劓降者而守益堅使燕人掘壟墓燒死人而衆盡憤猶恐力薄也乃令富豪

遺降書。乘夜縱火牛攻之，蓋出其不意。敵百萬若一夫也，卒破燕軍，復齊國，豈倖也哉。

附君王后及王蠋事於贊後，又孟荀列傳外一法也。

書魯仲連鄒陽列傳

且秦無已而帝。則且變易諸侯之大臣，彼將奪其所不肖，而與其所賢，奪其所憎，而與其所愛數語。最足令新垣衍膽落，而將軍又何以得故寵乎十字，有畫龍點睛之妙。

始以先生爲庸人。吾乃今日知先生爲天下之士也。與吾始以君爲天下之賢公子也。吾乃今然後知君非天下之賢公子也相應。

寧貧賤而輕世肆志，與田子方貧賤驕人意同。

鄒陽遺梁孝王書。往復用典。意简辭複，蓋自楚辭化出。

書屈原賈生列傳

懷王因衆莫不知非我莫能爲二語怒而疏平蓋怒其事前漏泄意猶少怨其恃才輕己意實多也

屈原諫楚懷毋入秦較宮之奇諫虞公勿假道尤爲言略

其所謂忠者不忠賢者不賢也此二語寫盡古今昏主

懷王怒而疏平頃襄怒而遷之視文王亦一怒武王亦一怒何如一笑

漢唐皆都長安故賈誼忌長沙卑濕韓愈忌潮州瘴癘實則此二地爲賈韓增妙文數篇名重千古縱得志富貴當世庸愈乎

忽然爲人兮何足控摶化爲異物兮又何足患小知自私兮賤彼貴我通人大觀兮物無不可此贊所謂同死生也乘流則逝兮得坻則止縱軀委命兮不私與己澹乎若深淵之靜汜乎若不繫之舟不以生故自寶兮養空而游贊所謂輕去就也

書呂不韋列傳

子楚母曰夏姬乃戰國時秦夏姬非春秋時陳夏姬

呂不韋陽翟大賈，往來販賤賣貴，彼其心目中但知有貨耳。故以貨視子楚，且曰此奇貨可居。居者，販賤也；可居者，謂他日賣貴，可握算以待也。奇貨遇大賈，而不韋遂千古矣。

取邯鄲諸姬絕好善舞者與居，知有身，固爲移花接木計也。而復曰呂不韋怒者，不佯怒，恐子楚他日疑之耳。

四公子養客，呂不韋亦養客。荀卿之徒著書，呂不韋亦使客爲著書。客，貨也；書，亦貨也。多財善賈，無呂不韋若者矣。

夏太后（即夏姬）別葬杜東，曰：東望吾子，西望吾夫，後百年，旁當有萬家邑。與樗里子言後百歲是當有天子宮夾我墓略同。

呂不韋獻姬，移花接木也；進嫪毐，金蟬脫殼也。

書刺客列傳

列傳有以人爲主者，伯夷等傳是也；有以事爲主者，東越等傳是也；有類其事而人更分列者刺客等傳是也。全傳以其後如干年而某地有某乙之事貫串曹沫專諸豫讓聶政荊軻其法甚老。蒲松齡聊齋志異效之成念秧一篇有名於世。

智伯無後而豫讓爲報仇無所爲而爲但求不愧死者而已此其心至潔而其意甚哀然不臣襄子而必直刺之謂將愧天下後世之爲人臣懷二心以事其君者則其事益難。

凡正直人心有獨至形氣不足以限之李廣射石沒羽至可信豫讓斬衣出血殆與李類國策載之而史記未載何也。

而嚴仲子乃諸侯之卿相也句聶政鄭重言之實則卿相不德視屠沽往往弗若豈政未知耶。

嚴仲子百金何足道而聶政不計俠累果宜刺與否而但感仲子意氣爲之行刺未知俠累視趙盾何如而聶政又視鉏麑何如也。

俠累國策作韓傀。又國策謂韓適有東孟之會、韓王及相皆在。而此但云韓相俠累方坐府上、國策謂韓傀走而抱哀侯、聶政刺之、兼中哀侯。而此但云刺殺俠累、國策較詳。當可信。

政恐累姊受禍。而姊又恐以己故累弟不成名。此心皆可質天日、視性命蔑如也。此所以爲俠烈也、

荆軻者衛人也、其先乃齊人、徙於衛、衛人謂之慶卿、而之燕、燕人謂之荆卿、連敘三地址。三稱謂。簡勁可法。

句踐報吳。燕昭報齊、皆歷二十餘年、太子丹豈不知耶、乃鞠武請西約三晉、南連齊楚。則謂曠日彌久、荆軻欲待客與俱、然後入秦、則疑其改悔、卒之所謀不遂、身死國滅。欲速則不達、信哉、

沙中椎、中副車、殿上劍、中銅柱。此其中有天焉、毋徒咎張良荆軻也、

始皇惜高漸離善擊筑、乃矐其目。豈知其心尚明耶。

書李斯列傳

由竈上騷除足以滅諸侯成帝業極言其易也諸侯復彊相聚約從雖有黃帝之賢不能并極言其難也

可下以財者厚遺結之不肯者利劍刺之此誠毒計後世多效之者

物不產於秦可寶者多士不產於秦而願忠者衆諫逐客書通體就此發揮故前敘五子四君中敘色樂珠玉後乃云重物輕人藉寇兵而齎盜糧求國無危不可得

醫藥卜筮種樹之書往往與政教有關而李斯弗知書幸免厄

物禁太盛易理也李斯知此何不效范雎功成身退薦賢自代乎

李斯始無廢立之意胡亥亦自謂廢兄立弟不義使無趙高以利害說胡亥李斯則扶蘇剛毅而武勇信人而奮士纘秦緒有餘何至亡秦哉此中有天意特假手趙高耳必俟秦將亡而後子嬰族滅亥可嘆也

胡亥未立時李斯力能誅高而弗誅者恐開罪胡亥耳而豈知他日竟死趙高手同

一死也，早死重於泰山，晚死輕於鴻毛，而況乎斯誅高，斯亦未必有禍哉。

重爵祿三字，乃李斯不治之症，論語所謂苟患失之，無所不至也，然重爵祿者多也」

秦胡亥以趙高爲忠，唐德宗亦以盧杞爲忠。

始皇本紀謂二世死時，欲見趙高，閻樂不可，願爲王，爲侯，爲黔首，閻樂皆弗許，此云高刦令自殺，引璽而佩之，前後兩歧，蓋傳聞異辭，所采書非一也。

書蒙恬列傳

扶蘇似晉恭世子，蒙恬似吳伍子胥。

書張耳陳餘傳

廉藺爲刎頸交，始敵終友，張陳爲刎頸交，始友終敵。又廉范與洛陽慶鴻爲刎頸交，見後漢書

秦詔書購求兩人，兩人亦反用門者以令里中，今共匪藏身各界，豈僅門者比噫。

蒯通說范陽令，說武臣，料事揣情，皆當而不自取富貴，他辯士所不及也。

名爲求趙王，實欲燕殺之，語極近理，兩賢王左提右挈而責殺王之罪，事尤可懼。此

所以能歸趙王也。然厮養卒能歸趙王，而終未顯名居位，何也？豈武臣不賞耶，抑厮養卒自甘隱遁耶。

趙武臣碌碌無奇，李良殺之不足惜，且非此則張耳與趙王歇不走入鉅鹿，項羽震鑠古今之大戰，無由作也，李良信有大造於羽哉。

項羽破章邯，因數絕章邯甬道，王離軍乏食也。他日漢敗項王，亦因彭越常往來爲漢游兵，擊楚，絕其後糧於梁地。噫。

書魏豹彭越列傳

漢高駡詈諸侯羣臣如駡奴，後世亦有效之者。

漢三年，彭越既爲漢游兵，擊楚，絕其後糧於梁地。五年，又下昌邑旁二十餘城，得穀十餘萬斛，以給漢王食，視蕭何轉漕功鉅也。

贊謂豹越智略絕人，獨患無身，得攝尺寸之柄，雲蒸龍變，蓋深察其所以不自裁之意，而慟憤欲絕也。

書鯨布列傳

項王未至咸陽時，布數以少敗衆，常爲軍鋒。既都彭城，後立布爲九江王，都六。布誠驍勇。項王亦信任至矣，而後乃徵兵擊齊，不往。漢敗楚彭城，不救，何也。與項王有郤耶，抑功高驕蹇耶。噫。竟責布未從羽擊齊，未救楚彭城，抉布負疚憂懼之原，使不得不倍楚。竟於楚使者前言九江王已歸漢，楚何以得發兵。絕布首鼠兩端之念，使不得不歸漢，智哉陸賈也。

薛公以布東取吳，西取楚，并齊取魯，傳檄燕趙，固守其所爲上計，蓋與漢平分天下。無後顧之憂也。若東取吳，西取楚，并韓取魏，據敖倉之粟，塞成皋之口，則齊魯燕趙起，與爲難，與項羽戰漢滎陽時頗相似，故爲中計。至東取吳，西取下蔡，歸重於越，身歸長沙，則偏於一隅矣，故爲下計。

書淮陰侯列傳

英雄不能治生。漢高韓信其著者也

韓信將斬而滕公救之。郭子儀將斬而李白救之。韓郭固人傑。滕李亦弗可及也已

數以策干羽。羽不用。數與蕭何語。何奇之。楚漢興亡。定於此矣

觀項王重用黥布。豈不能任屬賢將者。特未能知信爲可惜耳。破秦而後封諸侯甚疾。無沙中偶語者。何謂印刓弊忍不能予。惟不居關中而都彭城。眞大錯也

於項曰天下多怨。百姓不親附。於漢曰秦民無不欲得大王王秦者。於邯欣翳曰秦父兄怨此三人。就人心向背。決勝負。信誠不愧大將哉

信未爲大將前。錄錄無所短長。既爲大將。縱橫掃蕩。似入無人之境。位宜與才稱也甚矣哉。

李左車堅營勿戰。從間路絕輜重之策。古今以此成大功者甚衆。宜韓信師事之也

成安君自稱義兵。不用詐謀奇計。特宋襄之流耳。

李左車不以短擊長。而以長擊短。二語可爲孫子十三篇總註。

引軍半渡。誘敵擊之。而後決壅囊以淹敵。此以兵法所有者示敵。而以兵法所無者勝敵也。趙括馬謖輩惡足與語此。

武涉蒯通所以說信者亦辯矣。而信卒不爲動者。感恩知己四字誤之耳。不知漢王於信。知固眞知。恩乃僞恩也。恩且不可恃。況僞恩乎。

歸楚。楚人不信。歸漢。漢人震恐。大英雄往往如此。可慟。

假令韓信學道謙讓。不伐己功。不矜其能云云。蓋史遷痛極苦語。然唐宋功臣略有此意。幸保首領以沒者不少也。

書韓王信盧綰列傳

同時兩韓信。故一稱淮陰侯。一稱韓王信。

匈奴常敗走。漢乘勝追北。蓋匈奴詐敗誘漢深入也。共匪亦常效此策。

盧綰初無反意。特誤於張勝耳。張勝欲長保富貴。盧綰亦欲長保富貴。一念之失。名裂身敗。惜哉。

書田儋列傳

章邯圍田榮於東阿。項梁引兵擊破章邯。可謂有德於榮矣。而榮以楚不殺田假趙不殺田角田閒。怒不救梁。曲蓋在榮也。梁之死以齊。羽之亡亦以齊。可慟、田儋遇章邯敗死。田榮遇項王亦敗死。田橫則自刎於漢。徒雄桀好亂。不惟無伐秦功。且不堪與勁敵一戰。吾甚不取此三人。

書樊酈滕灌列傳

樊噲排闥見漢高。較持盾撞項王帳尤難能也。

灌嬰販繒。貴至侯相。後世有似之者。曹錕是也。

書張丞相列傳

忽夾敘周昌趙堯任敖曹窋者。因張蒼遷爲御史大夫。而昌堯敖窋皆前任此官也。前曰十四年遷爲御史大夫。追計也。後曰以淮南相張蒼爲御史大夫。遙接也。蒼老無齒。而食乳。女子爲乳母。百有餘歲而卒。蓋人乳大補也。

鄧通文帝弄臣。而不敢不應丞相召。文帝度丞相已困通。然後使使者持節召通。且謝丞相。此漢文所以爲令主也。

申屠嘉附張傳。而陶青劉舍許昌薛澤莊青翟趙周又附申傳。贊後別叙車千秋賢、魏邴黃千秋玄成、匡。雖貴爲丞相。不專立傳。此史記所由卷少也。後世作傳。若繕履歷篇簡浩瀚。固無足怪。

書酈生陸賈列傳

足下欲助秦攻諸侯乎。且欲率諸侯破秦也。此二語乃說士單刀直入法。蓋反言激之。俾承第二語。然後以第二語折之也。

既得陳留積粟。又得敖倉藏粟。酈生於漢。殆上比蕭何。下比彭越。

他佗篆寫相近。故尉佗作尉他。

陸賈轉易帝心。俾事詩書。漢祚四百。賈亦壽終。李斯長君之惡。俾廢詩書。秦祚二世。斯更族滅。

漢高惡儒冠。而賈著新語。帝未嘗不稱善。陳平憂諸呂。而賈爲畫策。漢已危而復安。此二事非酈生所及。

朱建以百金故救審食其命至再。何謂行不苟合耶。戰國有平原君趙勝漢有平原君朱建

平原君後忽附酈生謁高祖及斬陳留令事。而不嫌複者。事詳於前辭亦稍異兩存之也

書傅靳蒯成列傳

上欲自擊陳豨而蒯成侯泣曰始秦攻破天下未嘗自行。今上常自行。是爲無人可使者乎。蓋欲代上出征也。而上卒自行。者。知蒯成未足任此也

書劉敬叔孫通列傳

漢高被困白登。赦劉敬。且封爲侯。袁紹兵敗官渡。乃殺田豐而後快。何也。

劉敬請都關中。與匈奴和親。徙齊諸田楚昭屈景燕趙韓魏後及豪桀名家居關中。皆有關漢祚甚鉅。

叔孫通起朝儀，徵魯諸生，而兩生不肯行。觀其言甚正。蓋眞儒者，惜名姓不傳，徒令後人慕想也，

繼自今。皇帝貴，獄吏尊矣。可嘆，

書季布欒布列傳

以死伍員救生季布。朱家不惟大俠，且辯士也，

曹邱生見季布，以楚諺爲頌。布卽大說，蓋愛諛乃通病也。

欒布爲彭越辯不反，漢高甚愧，故釋布弗烹，若彭越在時有人言此。越不醢矣，惜哉。

吾於是益恨呂雉。

季布重其死，不失爲賢，欒布不自重其死，又實烈士。此史遷教人自審死法也，蓋季布自負其材，欲有所用其未足。不重其死，則死輕於鴻毛矣。欒布哭彭越以報知己，不自重其死。死乃重於泰山也。管仲不死。史遷不死。與季布類耳。

書袁盎鼂錯列傳

袁盎毀絳侯其言似是實非蓋呂后屠戮功臣視若故常太尉名雖主兵大權在呂后手徒死無益未足安劉呂后死時南北軍皆非漢有非絳侯深入虎穴諸呂豈易夷滅而乃一則曰太尉主兵柄弗能正再則曰太尉主兵適會其成功何言之易耶

袁盎稱漢文有高世之行者三一孝過曾參二勇過賁育三讓過許由實則惟侍病三年不交睫不解衣可稱孝餘未足道也

盎諫遷淮南王諫馳下峻阪及引卻愼夫人坐皆可謂有遠慮惟請斬鼂錯謝吳則小人專事報復者所爲也

錯父稱錯爲公蓋憤極以是稱之猶村夫怒而呼子爲爺也

書張釋之馮唐列傳

袁盎請徙釋之補謁者釋之遂自此扶搖直上匪盎始念所及

有李齊而鉅鹿顯有項羽而鉅鹿大顯

馮唐以死李牧救生魏尙可謂善諫

書萬石張叔列傳

萬石君家不言而躬行。乃眞儒敎。儒者文多質少。乃僞儒敎。有譖常蒙其罪。有功常讓他將。今安得復有衛綰哉。

直不疑惟恐人知其爲吏跡。今人則惟恐人不知其爲吏跡。於周文張叔傳。皆以子孫咸至大官矣七字結之。蓋幸其食報也

書田叔列傳

田叔蓋亦學黃老言者。以笞渠率愧魯王。使償民錢物。以暴坐愧魯王。使不大出游。賢乎哉。

書扁鵲倉公傳

以禁方書盡與扁鵲。而必先出懷中藥。令飲以上池之水三十日者。蓋去病不難。對症實難。不能盡見五臟癥結。雖禁方無益也。俞跗華佗之術。西人頗效之。然往往殺人。蓋秦越人所羞也。

詔問淳于意方伎所長及所能治病者有其書無有皆安受學受學幾何歲嘗有所驗何里縣人也何病醫藥已其病之狀皆何如猶今以表式飭下造報意所對則似醫案所謂診籍也然與所問合且言病源脉理至精審雖百世不能改

欲男子不可得則月事不下月事不下者腰背痛且往往死俗謂之乾經癆詩詠摽梅王道本乎人情也晚婚病早婚病及時乃可無病

病得之飲酒且內病得之憂病得之內病得之當浴流水而寒甚已則熱病得之流汗出滫滫者去衣而汗晞也病得之盛怒而以接內病得之酒且內（按前言飲酒且內偶然也此言酒且內常然也）病得之酒病得之汗出伏地病得之欲溺不得因以接內病得之風及臥開口食而不嗽病得之流汗數出炙於火而以出見大風病得之好持重病得之欲男子而不可得病得之於寒濕病得之飽食而疾走病得之墮馬僵石上病得之數飲酒以見大風氣觀此於衛生思過半矣

書吳王濞列傳

皇太子引博局提吳太子殺之，則皇太子師傅亦可想，而必曰吳太子師傅皆楚人輕悍何耶。蓋長安人阿皇太子，特爲是言以罪吳太子。史遂據以書之耳。

已封而削之不以道。皆必反。漢七國明燕王是也。

發二十餘萬人。而遺諸侯書乃曰精兵可具五十萬，虛倍其數以示衆也。

劉濞不知兵。故不聽田祿伯之計。收淮南長沙入武關。又不聽桓將軍之計，據雒陽敖倉。

周丘以一漢節得下邳三萬人，比至城陽，兵十餘萬，亦奇士也。

書魏其武安侯列傳

竇嬰進名將賢士，一可佩，賜金不以入家，二可佩，不掣周亞夫肘，三可佩。

灌夫不好面諛，非病，剛直使酒則病也，貴戚諸有勢在己之右不欲加禮，亦非病。必陵之則病也。

灌夫以田蚡相過告魏其。俾帳具，灌夫多事，魏其彊灌夫俱賀田蚡娶妻，魏其多事

一贊中兩用嗚呼哀哉亦龍門創格

書韓長孺列傳

雖有親父安知其不爲虎雖有親兄安知其不爲狼爲人子弟以此自戒懼則可若至尊而以此疑猜父兄則大亂伏矣

安國幾得相以奉引墮車蹇竟不得相豈命也與然於梁孝王事上解兩宮慍怒下諫王出詭勝（公孫詭羊勝）可謂善處人骨肉之間矣

書李將軍列傳

李廣以百騎遇匈奴數千騎不還走而前進且下馬解鞍蓋使匈奴疑漢有伏虛者實之也

廣廉得賞賜輒分其麾下飲食與士共之已屬難能而乏絕之處見水士卒不盡飲廣不近水士卒不盡食廣不嘗食尤世所稀有

既已知殺降不得侯矣猶復請擊匈奴殆所謂烈士暮年壯心不已耶

龍門雖因李陵事被刑，然於李陵功罪皆直書。不愧良史

書匈奴傳

因蒙恬死。中國擾亂，而匈奴復渡河南。與中國界於故塞。因楚漢相持，而冒頓得自彊。遂侵燕代。外侮與內亂相倚。自古然矣。

中行說謂匈奴所以彊者，以衣食異，無仰於漢也，此誠至言。今我國衣食皆喜外物，歲耗弗可計。而當道視若固然，智豈出中行下哉。噫

自高帝被困白登已來。漢與匈奴和親。孝文時，中行說教匈奴寇虐，迄於武皇乃取河南地。復繕故秦時蒙恬所爲塞，因河爲固。蓋禦侮若斯之難也。漢屢勝匈奴。又通西域，斷匈奴右臂。而匈奴猶數使騎兵侵犯邊，直至匈奴內亂，五單于爭立。始漸臣服於漢。然自是漢與匈奴皆有季世之歎矣

書衛將軍驃騎列傳

衛靑以功讓諸挍尉。有古大將風，

驃騎敢深入，故常有功，而馳入渾邪王軍，與渾邪王相見，斬其欲亡者八千人，遂獨遣渾邪王乘傳先詣行在所，盡將其衆渡河，降者數萬，尤爲一身是膽也。

書平津侯主父列傳

北方豕食草若牛羊。故衞青牧猪，公孫弘牧豕。

公孫弘暮年對策，拜爲博士，後竟正位丞相，封平津侯，以緣飾儒術，且順上旨也。

民困而主不恤，下怨而上不知，俗已亂而政不修，此三者陳涉之所以爲資，痛語也。

武帝好大喜功，此時蓋亦稍倦矣。故主父偃、徐樂、嚴安上書諫伐匈奴，皆召見。

書南越尉佗列傳

番禺負山阻海，東西數千里，可以立國，不惟尉佗時然也，惜世無漢文，去黃屋左纛未易耳。

此贊獨用韻，蓋龍門別調。

書東越列傳

莊助敢詰田蚡天子前甚壯。其持節發兵會稽。克斬司馬諭意指遂發兵浮海救東甌蓋尤可佩。

書朝鮮列傳

兩將不相統屬往往爭功不僅左將軍荀彘與樓船將軍楊僕然也。

書西南夷列傳

西撻大宛北逐匈奴南破南越東定朝鮮復定西南夷東越武帝旌旗。照耀四裔矣。

夜郎自大滇王亦然然實各爲一州主無怪也傳亦曰西南夷君長以什數夜郎最大其西靡莫之屬以什數滇最大也。

夜郎滇皆受王印而滇王乃楚苗裔此亦項紀外差強人意事故贊有欣幸語。

書司馬相如列傳

置相如傳西南夷後者事與西南夷有連也。猶匈奴後有衛霍傳也。

卓王孫聞而恥之正中文君計。蓋文君本欲從昆弟假貸。酤酒當鑪滌器特藉以假貸耳、卓王孫不得已分予文君僮百人。錢百萬。及其嫁時衣被財物。文君奏凱矣。蜀人楊得意、名似美。而爲狗監。果得意否耶。相如本名犬子。而由狗監進。物以類聚矣。一笑。

觀蘇秦朱買臣司馬相如事。勢位富厚所繫大矣哉。可哭也。

書淮南衡山列傳

厲王椎殺審食其、誠快事。而數食其三罪。尤快語。

淮南雞犬皆仙、世所樂道。觀淮南王安自刭、殺王后荼太子遷諸所與謀反者皆族云云。可證其謬

衡山王后姬相妒。子女皆失敎不道。已足隕祚。況乃謀逆。

書循吏列傳

孫叔敖爲楚相。施敎導民。上下和合。世俗盛美。政緩禁止。吏無姦邪。盜賊不起。子產爲鄭相、豎子不戲狎。班白不提挈。僮子不犁畔。市不豫賈。門不夜關。道不拾遺。田器

不歸，士無尺籍，喪期不令而治，必如此乃眞循吏。公儀休奉法循理，使食祿者不得與下民爭利，受大者不得取小，亦可謂循吏。

孟子謂瞽瞍殺人，舜竊負而逃，楚石奢父殺人，而石奢縱之，不與偕逃，且歸死者。奢職同皋陶，較舜所處尤難也。舜可有父子無君臣。奢不可有父子無君臣也。

李離與石奢皆爲法自殺，宜別爲傳，以奬守法，不必列之循吏也。

書汲鄭列傳

置汲鄭列傳於循吏後者。汲鄭均好黃老言，可爲眞循吏也。

黯恥爲令，而嘗爲東海太守，淮陽太守，皆大治，惜阨於弘湯，欲長爲社稷臣未得也。

鄭莊爲太史，誠門下客至無貴賤無留門者，執賓主之禮，以其貴下人。其推轂士及官屬丞史，誠有味其言之也。今能效此者蓋寡。

書儒林列傳

爲治者不在多言。顧力行何如耳。申公眞儒者。故有此語。爲治然。爲學亦然。

諸諛儒疾毀轅固、公孫弘更側目視固。而固乃諭弘無曲學阿世。蓋固亦眞儒者也。故其論湯武事與孟子合。

書酷吏列傳

法令滋章。盜賊多有、以今驗之。益信。既已盜賊多有。則酷吏不可少矣、

寧成好氣、爲人小吏必陵其長吏、爲人上操下如束濕薪。此等人今常有、周陽由暴酷驕恣。所愛者撓法活之、所憎者曲法誅滅之、此等人今更常有。

趙禹爲吏以來。舍毋食客、公卿相造請禹、禹終不報謝。務在絕知友賓客之請、孤立行一意而已。今法吏宜效此、

張湯藉法濟奸。義縱專務屠殺。皆一死未足蔽辜者也。

王溫舒楊僕治盜皆有法。而溫舒好殺伐行威、有勢家雖有姦如山弗犯、無勢者貴戚必侵辱。其爪牙吏虎而冠、他日禍及五族、宜哉。

書大宛列傳

安息以銀爲錢。錢如其王面、王死輒更錢效王面、今我國銀幣有袁項城像。孫中山像。亦若是矣、

畫革旁行。以爲書記、今西人皆若此、

張騫使月氏、往還俱爲匈奴所得。雖天幸得亡。甚艱危、既將身所至大宛月氏大夏康居。及傳聞其旁國烏孫扜罙于窴樓蘭姑師奄蔡安息條枝黎軒身毒（卽印度）等。遠近彊弱風俗土產奏報、又因身毒有蜀物、度身毒去蜀不遠。建議由蜀使大夏於是以求大夏道得通滇國。其事所繫甚鉅且遠、非特漢世也、

匈奴使持單于一信、則國國傳送食。不敢留苦、西域國亦多而畏匈奴若此者、力不集不厚。觀六國畏秦可知也、

贊謂禹本紀山海經所有怪物、余不敢言、可見本紀乃當日原名如此。匪遷所造、

書游俠列傳

治世無俠。亂世乃有俠、蓋有所激而然也、上失政刑、不平之事隨地而有、而游俠赴

人扼困不愛其軀。故甚可貴。若侵凌孤弱，恣欲自快，則豪暴所爲。游俠亦醜之。龍門恐世以豪暴與游俠併爲一談。故特爲游俠列傳。

魯朱家不伐能。不歆德。楚田仲父事之。自以爲行弗及。郭解雖不矜功。而鑄錢掘冢剽攻不休。朱家未必如此也。

書佞幸列傳

非獨女以色媚，而仕宦亦有之。高祖至暴抗。然籍孺以佞幸。此四語痛甚。

鄧氏錢布天下。其後竟不得名一錢。凡文官要錢不怕死。武官怕死又要錢者。讀此傳儻夢醒乎。

李延年父母及身兄弟及女皆倡。而以女弟李夫人故。亦得貴幸。後世若李者豈少也哉。噫。

書滑稽列傳

楚世家載楚莊王即位三年。不出號令。日夜爲樂，伍舉進隱，曰。有鳥在於阜。三年不蜚不鳴。莊王曰三年不蜚。蜚則冲天。三年不鳴。鳴則驚人。與此傳淳于髡齊威王所言無異。豈傳聞有誤耶。抑時異地殊。偶爾巧合耶。未可知已。樂極則悲。萬事盡然。淳于髡能爲是言。蓋知道矣。秦優旃善爲笑言。合于大道。抑其亞也。

賤人貴馬。正諫也。而以滑稽出之。轉易見聽者。有諸侯聞之四字在前。令人耳震也。郭舍人教武帝乳母數還顧。而郭舍人罵之曰。咄。老女子何不疾行。陛下已壯矣。寧當須汝乳而活耶。明季亦有此事。巧合耶。抑效之耶。均未可知也。鄴三老廷掾常歲賦歛百姓。得數百萬。用其二三十萬爲河伯娶婦。今之借美名歛錢者。大抵類是。惜無西門豹治之耳。

子產治鄭。民不能欺。子賤治單父。民不忍欺。西門豹治鄴。民不敢欺。前淸時有人以不忍欺三字欺曾文正。蓋亦善讀褚先生書者矣。

書日者列傳

司馬季主卑𤵸而前云云，劉基賣柑者言所祖也。

書龜策列傳

褚先生所謂能見夢於元王，而不能自出漁者之籠。卽大蘇潮州韓廟碑能開衡山之雲而不能回憲宗之惑之祖也，

書貨殖列傳

善者因之，其次利導之，其次教誨之，其次整齊之，最下者與之爭。後世往往棄前數者不講。惟與民爭利，痛哉。

人各任其能。竭其力。以得所欲，各勸其業，樂其事。若水趨下，味此數語，寧復待教誨整齊哉。

關中自汧雍以東至河華。至則非吾財也。足補禹貢所未及。

書太史公自序

道家無爲無不爲。無成勢。無常形。能究萬物之情。能爲萬物之主。有法無法，因時爲

業，有度無度。因物與合，此數語可作易贊讀，至乃合大道。混混冥冥，光耀天下，復反無名。則道德經之緒論也。

叙目於夏本紀二句一換韻，故每句有韻。於周本紀前四句亦然。於項羽本紀惟第五句無韻，三句已下。韻在第三字。業接立爲一韻。懷非爲一韻，此外或有韻。或無韻，句法更參差變化。各盡其妙。

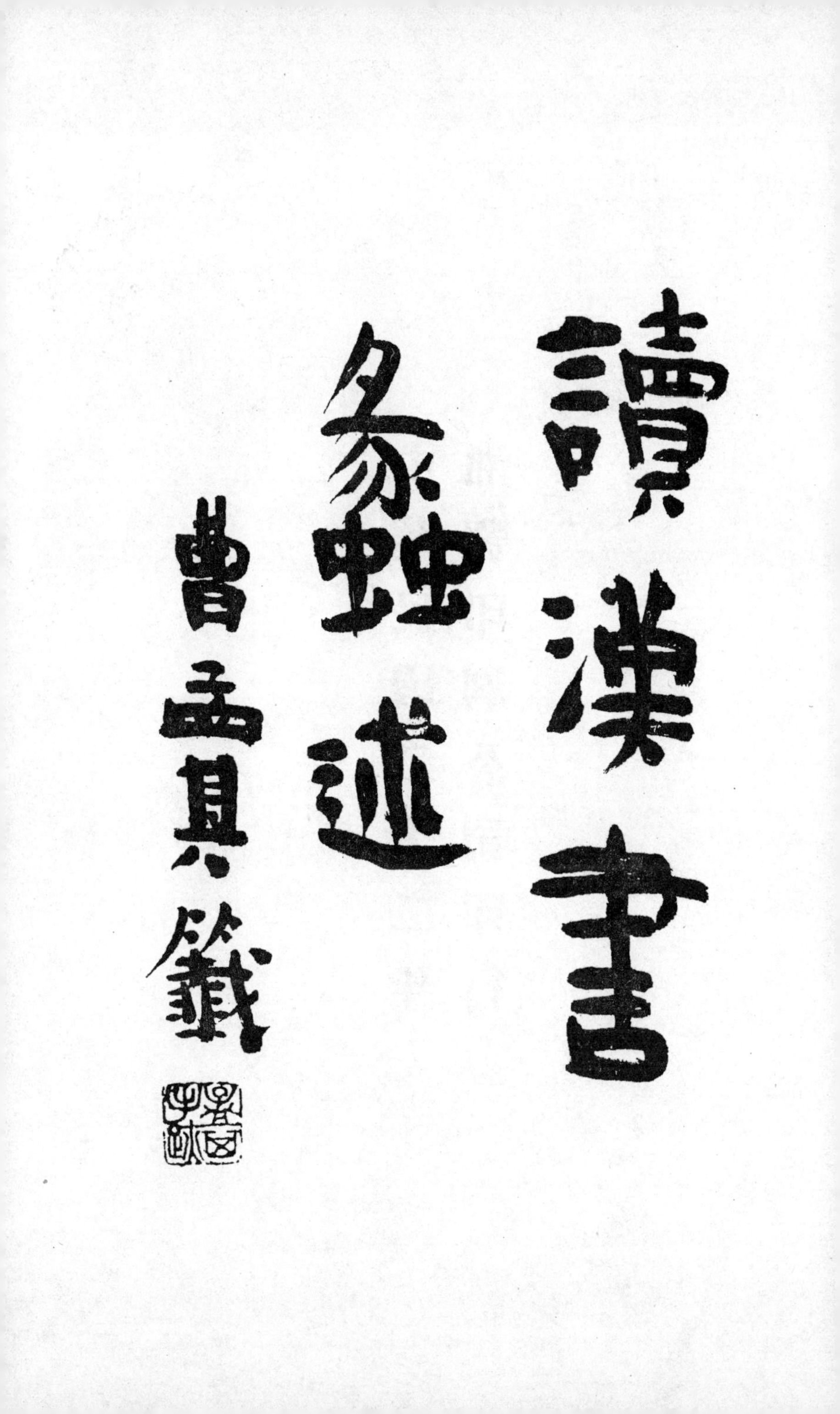

讀漢書蠡述

曹孟其籤

中華民國二十二年
湘鄂印刷公司印行

讀漢書蠡述目次

卷一

卷三

讀漢書蠡述卷一

岳陽李澄宇洞庭著

書高紀

高祖踐阼之日太公健在而史未能舉其名徒與母媼同被老稱蓋當時未有氏譜史官復以天子父母諱名未書也呂后父名史亦未及殆同此

項羽曰彼可取而代高祖曰大丈夫當如此一屋嬴祉一定劉鼎其氣象規模已具二語中古帝巡狩每徧方岳豈無劉項未聞惡聲蓋古尙儉樸天子與平民相距未遠、不足動歆羡之念自不存覬覦之心卑宮室菲飲食夏禹尙然周漸奢秦則侈矣無怪許由務光絕迹於後日而莽操獻闖接踵以起也

古人稱謂簡質稱人汝乃爾自稱朕予我通貴賤尊卑人鬼靡異春秋時或稱人曰子自稱以名戰國時始稱人曰君而自稱臣秦漢之際尙沿此習後世君字泛用臣乃變爲仕者上對九五專詞而稱人自稱例俗目繁不可勝數矣

人生天地間一切與天地有關鍾靈毓秀之說未始妄誕西人不解此理鄙我國命

相等術然命相確有至理確有奇驗非粗淺空論所可闢命或有時日不準相則目視手揣當前卽是呂公與老父所以貴高祖呂后者言不盡傳蓋甚可惜然自有經史以來相論甚夥果輯錄之可得一巨册也

高祖呼徒爲公等亦秦漢之際通習如此觀史記公等碌碌語可見今人以稱公爲榮稱君爲褻去古蓋又加遠矣

或謂高紀所載神怪近說部然經書類此者不少其事固甚可信不得以己所不知上疑古人予最喜始皇東南有天子氣呂后季所居上常有雲氣范增望其氣皆爲龍成五色等語覺一篇煩冗板重文字得此便雲水空靈如讀美畫

蕭何嚮謂劉季多大言少成事曾幾何時乃勸沛令召諸亡在外者遂致高祖藉機起沛成帝業蓋蕭曹事先已與季通特沛令夢夢耳

始起卽鬬智不鬬力終有天下宜也

蕭曹皆文吏自愛恐事不就後秦種族其家盡讓高祖數語寫盡文吏肺肝及伎倆

驕則輕敵輕敵必敗古今一轍不獨項梁

扶義二字新師古解爲以義自助卽杖義二字意也

項羽奪宋義軍沛公奪剛武侯軍皆目無義帝而皆以勝敵可見宋義易取實無將略義帝以私用之事等剛武欲恃宋等自雄轉令劉項輕己可哂抑可憫

踞見酈食其卽是大度信其計將其弟尤大度信計尙易將弟實難

二世能斬楊熊視後世無是非賞罰者尙愈也

南陽守亦若嚴顏願爲斷頭將軍不爲降將軍而卒爲降將軍且導引他人爲降將軍蓋專計利害未嘗計及義利也

不嗜殺人者能一之漢高宋太皆悟此理

有項王北戰鉅鹿虜王離復降章邯故高祖可南由武關入秦亦猶鍾會制姜維劍閣而後鄧艾可由陰平嶺入蜀

若無張良運籌秦將未必懈未必敗

春秋時楚莊入鄭鄭伯肉袒牽羊以逆子嬰蓋法鄭伯耳民但求生命財產安全耳於上無甚奢望也殺人者死傷人及盜抵罪約法所以深入秦民之心者僅此十字而千載以爲美談矣又前後各語要言不煩爲文告者最宜取法

羽兵四十萬號百萬沛公兵十萬號二十萬亦兵家尙詭之一端羽兵數倍于沛公故沛公畏羽如虎羽亦自恃兵衆不意沛公竟能奪己天下

項伯以善張良故欲與俱去張良以救沛公故與伯俱見項伯誠實良有機心矣項伯信沛公甘言始爲沛公向羽緩頰繼且以身翼蔽沛公俾免於死沛公得助於項伯以張良耳項伯竟以此誤羽大事天命有在匪僅人謀不臧但項伯他日任列侯受賜姓則當愧死

沛公使秦民大喜項羽使秦民大失望成敗利鈍已决於此矣况陽尊懷王實不用命革命首功反效纂竊謬復封建宰肉不均棄秦而東自取破滅乎

武官以大將軍三字爲極尊自信始陳餘亦嘗爲大將軍然有名無實

漢自巴蜀并三秦拔隴西地大且險內政克舉可守也有三傑爲輔復爲義帝發喪有名可攻也

羽令其將擊齊而自將三萬人擊漢大破漢軍睢水爲之不流羽勇不減在鉅鹿時奈勝後乏保勝之術卒使漢軍復振馬上得天下不能馬上治之信哉

高紀不諱敗推墮二子及太公呂后被獲皆紀有古史遺意

糧繫三軍生命自古重視故漢築甬道取敖倉粟羽數侵奪漢甬道令漢乏食漢敗後使人佐彭越燒楚積聚復取成皋軍廣武就敖倉食既破楚軍殺龍且而彭越田橫居梁地更往來苦楚兵絕其糧食於是羽自知少助食盡與漢約中分天下割洪溝以西爲漢以東爲楚羽東歸而漢追之遂有垓下之敗食之所繫大矣哉豈獨軍事他事亦往往繫此（按洪溝史記作鴻溝）

漢高起自匹夫以天子爲至榮極貴（舜禹有天下而不與爲後世不信此語）恐他人有此大欲於是誣反以

戮首勳擇險以封子弟不知身後大禍屢屢發所慮以外而安劉氏轉賴異姓功狗也予爲功狗哭

三代以上外王與內聖爲一故天子以德爲本作君作師教養天下三代以後君不務德高語治平棄誠正修齊勿問實則以武力强制一時故視天下爲一人產業既族誅功臣又欲得猛士守四方

署行義年者行猶後世考語所載出身品性義通儀卽後世面白身中無鬚等語年則年齡三者後世或倒稱年貌履歷

狀有反相亂年與地亦復預言而終無以改易刲運此豈西人淺薄科學所能了悟者

自漢高以太牢祀孔子後孔教與帝治關係深切歷數千祀封王頌聖雖歷代君主別有用意而人類倫紀要亦賴以永保較秦築萬里長城功邁百倍蓋長城僅夷夏大防孔教則人禽大防也

預知濞反預知呂禍而任運不餒亦高祖不可及處

書惠紀

我以農立國故古者天子必知稼穡及其制祿代耕爲卒漢興祿以石計尙知此意進則助理退復明農士農相去固未遠也後世士與農離縱令來自田間窮驕極侈惡言粟麥甚者初入塾門已等薦紳旣登仕籍轉厭父母一食罄中人之產一歲黷百萬之貨國以此患貧人以此思亂可勝痛哉

周易及諸經每言龍史言龍更隨代而有西人則力言無此然龍實神物變化不可測必恃所謂科學者鑿鑿求之抑陋矣

治天下不外敎養二字舉民孝弟力田者復其身則所以敎養天下於無形者至矣盡矣民孝弟焉用敎民力田焉用養不敎而敎深不養而養徧此無爲之化恭已正南面而已矣不恭不正大亂用作

書高后紀

婦人重母室往往禍之而呂后禍產祿禍諸呂至族滅與唐武后遺臭萬載矣

書文紀

周勃身入虎穴計誅產祿於劉有再造之勳乃漢文初至渭橋無一語勞勃甫入未央即夜拜宋昌爲衞將軍領南北軍去勃兵權其心蓋若孝宣畏忌霍光也於朱虛東牟則恃爲內援於勃則防比莽操疏戚所繫大矣哉卒之東牟反於濟北勃雖逮詣詔獄而父子盡忠漢室始終不變予爲此哭

漢文舉動法黃老故始則遲遲其行繼則西嚮讓三南嚮讓再今又有楚王季父等語

重廉吏已足爲治更置孝悌力田三老於廉吏前可謂知本

古有如喪考妣三年四海遏密八音事後人不恥德不古若而強天下如喪考妣遏密八音甚無謂漢文薄葬減服洞達死生之故信明主也

累代以孝爲謚惟漢爲然以孝治天下此亦一端

書景紀

民欲徙寬大地者聽之則土地國有明矣否則此疆彼界業各有主天子惡能聽民自徙耶

它物今作他物誤蓋篆文它與也似它加人爲佗佗遂誤爲他也也者女陰安得用以稱謂今妄人於女改爲她直詈女矣又於物改他爲牠不知於馳字更作何解

臧即藏古於贓藏皆用臧

詿誤吏民吏民不得已眞明見萬里之語

磔腰斬淩遲皆過量之刑今已盡廢惟斬首者尚有他日或盡改爲槍斃或電殛然受賄不致死之流弊難免也

腐非人類所宜有禁腐自不能廣聚宮女矣

獄以克厭人心爲務今安得有此今之獄特死善類而活姦宄耳痛哉

高帝時大封子弟欲以同姓鎭壓異姓也景帝劃析封地因異姓已無韓彭輩克奪

帝業而同姓乃有吳楚等謬思取代故又欲以同姓弱小同姓也跡異實同皆私也

白起以有大功死韓彭亦以大功死亞夫亦以大功死有大功者往往死無怪伍員文種日作怒潮也

漢高寧被匈奴圍必不用韓彭文景寧受匈奴害必不用勃與亞夫何其與妒婦心理似也噫

知農爲天下之本不愧有道主使孝景得遇孟子其治必更有進也

書武紀

中仲古通中子卽仲子也

衛綰奏所舉賢良或治申商韓非蘇秦張儀之言亂國政請皆罷導董江都請罷黜百家先路矣

用猗與偉與四字於何行而可以章先帝之洪業休德上參堯舜下配三王三句之上蓋先歎美而後舉稱也

漢與匈奴數寇邊境文景之世國家多事姑與和親至孝武時國力已充帝復雄才大略願雪國恥亦猶宋神宗幸値眞仁之後痒慮契丹必不可已也後人不察謂武帝神宗黷武豈古者征有苗伐玁狁皆謬舉耶

與聞國政而無益於民者斥在上位而不能進賢者退今安得復有是事

藩國始分而子弟畢侯終漢世無封建之患然西漢翦於外戚東漢斬於權奸要出所慮以外也

帝黜黃老進儒術於賢良一詔見之矣禮樂一詔益顯言焉

支體傷則心憯怛君民一體信若此哉果悟此愛民之事畢虐民之事止

高帝求賢武求跅弛之士高曰從我游武曰御之而已高時匈奴盛內多隱憂故詞以戒愼恐懼而近敬武時匈奴敗朝野靜謐故詞亦志得意滿而近肆又高務保業已厭跅弛之士武思闢土正喜跅弛之士

太后在時郎中令王臧以欲立明堂下獄自殺今則祀高祖於明堂以配上帝矣

人重視位與命小人誣陷人以謀反或巫蠱則生者動爲所蔽死者無以自明

書昭紀

贊於孝昭與霍光克舉其要

書宣紀

戾太子孫得爲帝足見冥冥中自有主宰帝父名進避禍冒姓史俗所謂隱姓埋名也曰史皇孫者非名皇孫他人或稱之如此也帝號皇曾孫亦如此故終被收繫遇赦不與父母同死王者自不死耳長安獄中有天子氣天命有在人將奈之何

高祖每酤留飲酒讎數倍而宣帝每買餅所從買家輒大讎亦可謂克繩祖武一笑

諸呂謀亂爲文帝入承大統作楔子也昌邑無道爲宣帝入承大統作楔子也

漢重孝弟故治近古宣帝詔子首匿父母妻匿夫孫匿大父母皆勿坐誠大哉王言

一則曰皆與朕有舊恩再則曰恩惠卓異三則曰無德不報四則曰恩深淺報貴爲天子不諱人有恩德於己不嫌以恩德等字予人亦大哉王言

遣人循行天下存問鰥寡覽觀風俗察吏治得失舉茂材異倫之士後世惟察吏治得失有行之者淸時學使號爲觀風實則衡文察吏治得失舉茂材異倫之士亦職所得及存問鰥寡則變爲表章節義然皆非復漢意也

書元紀

孝宣令辟惜降年不永贊稱其信賞必罰綜核名實推亡固存信威北夷匪溢美也

漢家自有制度本以霸王道雜之此漢治所以近古亦漢治所以止於近古也後世師此幾等十六字心傳矣

詔丞相御史舉質樸敦厚遜讓有行者舉未進之賢也光祿歲以此科第郎從官校已進之賢也

贊惜其優游不斷而美其寬弘盡下寬弘而不優游庶令主矣

書成紀

成帝卽位以王鳳爲大司馬大將軍領尙書事授政軍二權於一手馴致莽竊漢鼎

易戒履霜有以哉

中謁者丞陳臨敢殺司隸校尉轅豐於殿中蓋有所恃而然也不然何王鳳弗過問

帝亦若罔聞知也

贊謂帝湛于酒色趙氏亂內外家擅朝嘻盡之矣

書哀紀

漢詔意在保民語多罪己自孝文以來皆如此

孝成時國事已敗壞哀帝幹父之蠱國運可挽乃痿痺不自振且寵董賢是亦亡國

之主也

書平紀

罷董賢是也乃用王莽爲大司馬領尙書事何耶蓋王莽是時實有聲譽太皇太后

未燭其奸遂爾倚重也洎百官總己以聽於莽竊局以成太皇太后臨朝孝平皇帝

在位皆傀儡耳

封孔子後孔均爲褒成侯追謚孔子爲褒成宣尼公爲後世封孔後爲公封孔子爲王張本

郡國大旱蝗獻田宅以口賦貧民民疾疫者舍空邸第爲置醫藥起官寺市里募徙貧民縣次給食至徙所賜田宅什器假與犁牛種食又起五里於長安城中宅二百區以居貧民此皆莽收拾民心之舉其意固別有在其事要未可非

明禁拘繫犯法者親屬婦女老弱此亦王政

帝崩未央實被鴆弑莽非特以帝春秋漸長懼見誅夷誠欲早踐帝位黃屋自聖也

書異姓諸侯王表

虞夏商周以德秦漢以力而漢收孤秦之弊又較秦力少而效速故曰鐫金石者難爲功摧枯朽者易爲力

訖于孝文異姓盡矣亦隱有兎死狗烹之歎

書諸侯王表

秦以諸侯得天下故懲周弱而廢封建漢以匹夫得天下故鑒秦獨而復封建周封建親賢並重漢封建偏重同姓今日尊王子弟大啓九國又曰矯枉過其正又曰折諸呂之難成太宗之業亦賴之於諸侯可謂有史識矣

書王子侯表

支庶畢侯封建名存實廢矣封建既名存實廢王莽無所忌憚遂生姦心因母后之權不降階序而運天下勢實使然未足爲異或謂郡縣時亦有歷年數百者不知郡縣時方面大員卽古王侯不過不永其位可隨時更調耳

書高惠高后文功臣表

文景之際流民既歸戶口亦息列侯大者先不過萬家今或三四萬戶小者先五六百戶今亦萬餘戶子孫履富厚忘艱難多陷法禁隕命亡國此咎在子孫者也網亦少密致朽骨孤於墓苗裔流於道則政府與有咎焉矣

書景武昭宣元成功臣表

以春秋列國之會爲前例亦完要

書外戚恩澤侯表

申伯爲周宣元舅可謂有外戚之助豈外戚預政之祖耶

書禮樂志

治天下以禮樂則刑罰可不用蓋禮樂治於未有罪之先刑罰治於既有罪之後也志謂樂以治內而爲同禮以修外而爲異同則和親異則畏敬和親則無怨畏敬則不爭揖讓而天下治者禮樂之謂也烏乎盡之矣又曰婚姻之禮廢則夫婦之道苦而淫辟之罪多鄉飲之禮廢則長幼之序亂而爭鬬之獄蕃喪祭之禮廢則骨肉之恩薄而背死忘先者衆朝聘之禮廢則君臣之位失而侵陵之漸起纖微憔悴之音作而民思憂闡諧嫚易之音作而民康樂麤厲猛奮之音作而民剛毅廉直正誠之音作而民肅敬寬裕和順之音作而民慈愛流辟邪散之音作而民淫亂以此論之今日亂象有由來矣

魏文侯喜聞鄭衛禮樂自此喪叔孫通初制禮儀孝武帝乃立樂府雖曰異古要亦可言今禮更無儀詩不入樂以外邦冠履臨民以海國管絃祀聖飲食男女盡伏殺機喜怒哀樂皆爲禍始禮樂二字不復可用矣

書刑法志

用仁智而不恃力故能役物以爲養

稅以足食賦以足兵春秋初稅畝論語可使治賦所言賦稅皆與此同

古者交通阻塞通信法少故管子作內政寓軍令諸侯未嘗注目今則海內外各國軍備彼此互知欲諱匿實狀難矣然德國新敗爲約所制兵廠兵艦盡廢兵額更減至極少不能自衛德唔以警士代兵轉瞬遂爲不可侮之國亦管子作內政寓軍令意也

淸保甲法今挨戶義勇隊法皆頗合管子連其什伍意訓理得人亦可使居處同憂禍福共之緩急相死

漢文時吏安其官民樂其業畜積歲增戶口寖息風流篤厚禁網疏闊信乎成康之治也

漢高約法三章旋作律九章孝武時作見知故縱監臨部主之法緩深故之罪急縱出之誅其後律令至三百五十九章大辟四百九條千八百八十二事死罪決事比萬三千四百七十二事禁網密矣姦吏因緣爲市所欲活則傅生議所欲陷則予死比勢所必然固無足怪今以夷律治夏所謂法院者縱奸匪則等放生之池陷善良則類爲阱之圍自欺欺人謂司法改良更當愧死

今廢止刑訊而斷獄動稱供證確鑿然五聽惟重辭聽犯罪者苟不自承聽者即以色聽氣聽耳聽目聽得其情亦不能强犯罪者自承如供何證又分人證物證案既易翻而難結善者懼惡者他日見害往往證惡者無罪惡者慮善者一旦幸免往往證善者有罪物更易消滅或作僞如證何

書食貨志上

戰國時皆務養兵取於民者多壞井田則土加闢賦入厚富貴者漸肆兼幷秦較他國蓋尤甚雖滅六國海內愁怨終用潰畔漢興輕田租節用衣食滋殖海內寧一孔子曰百姓不足君孰與足百姓足君孰與不足信哉

賈誼患民之背本趨末建議驅民歸農皆著於本今則羨海國工商業欲盡取農財以事工商又工商業屬官辦者利入私囊政府往往虧折屬民辦者巧立名目征取繁重苟有贏利始則官督繼且國有而當道飲食起居恣用外品浮薄士女見異思遷遂慚舊俗加以奸徒壞教誘人入禽獸之塗匪國毒鄰傴我就魚肉之禍孟子有言上無禮下無學賊民興喪無日矣豈不然哉

飢寒至身不顧廉恥常人大抵然也故孟子言王政必使民不飢不寒

商人乘賤買收遇食乏倍價而賣是農人徒勞苦而厚利反讓商人奪取也

計粟予爵開後世計金授官之漸

限田以救兼幷亦善政惜不果行然多田者奢縱取敗終不克守無田者戮力入田

或佗事業終必有田貧富若轉轂吾見亦屢究不必限田也

書食貨志下

上志食下志貨不曰食志貨志者漢志皆二名從同也

高祖令賈人不得衣絲乘車孝惠高后時市井子孫不得爲官吏抑末也今則商人可進執國命矣

放鑄誠不可但政府鑄錢質果佳式果美自無盜鑄者何則欲殺雜爲巧以獲利勢不可能也今以紙爲幣其事亦同果質佳式美作僞者自絕何則僞立辨奸不可售也

氐首仰給之氐與低通故師古謂氐首猶俯首

錢益多而輕物益少而貴自然之勢也清雍乾間錢質美量重物價平咸同間錢質劣量輕物價昂至光緒中錢有平頭典一九典二一八典三三七典四六典之稱蓋典肆革質劣量輕之錢世遂目質美量重者爲典錢平頭典者通緡皆典錢一九典者典

錢十之九二八典十之八三七典十之七四六典則典錢僅十之六矣燕趙秦晉或以制錢百爲千則原爲銅錢百雜鐵錢九百也或以制錢六百七百八百爲千則原爲銅錢六百七百或八百雜鐵錢四百三百或二百也以鐵錢非制乃目銅錢爲制錢其後廢鐵錢乃仍以百爲千或六百七百八百爲千淸季鑄銅圓以一代制錢十利大各省自鑄數不可究詰或稍重以一代二十利益大川人以黃銅代赤銅又稍大以一代五十利極大且各軍自鑄於是湘之代二十者至贛而損值至寧滬弗用川之代五十者越境而損值遠者弗用久之湘之代二十川之代五十者境內亦損值境外轉可用蓋錢已賤物已貴值復其始矣嚮也銀圓一當銅圓代二十者數十今則銀圓一當銅圓代二十者三百餘當銅圓代五十者亦三百餘矣物焉得不貴又況我國銀圓受制于金嚮也金圓一當銀圓五六十今則當銀圓百餘矣物自海外來者以金計故外物尤貴而外物猶可走於各地者則東夷之物式美質劣價較賤貧者嗜之西夷之物式美值巨質不劣貴者以是相勝也

以動物爲幣文海國亦然然龍馬龜三種同時並用則海國未有也

周錢子母相權子猶今所謂輔幣也輔幣過少則値過正幣過多則不及正幣必弗令過多過少乃可子母相權

金幣銀幣自莽始乃令農商失業食貨俱廢然後歎幣値不可鉅古人以業復五銖錢爲美談有以也清末鄂督張之洞因墨西哥銀圓流入內地始鑄銀圓其文龍故一曰龍圓因龍圓而有小銀圓有當十當二十當五十銅圓不數十年四海困窮盜匪蜂起幣値加鉅之禍耳予童時酒每斤十餘制錢肉五六十制錢布每尺十餘制錢費錢百可設盛饌費錢千可得美服今何如乎十百倍未已也民何恃以生哉

贊謂王莽制度失中姦軌弄權官民俱竭果姦軌弄權未有不官民俱竭者今舉國若是矣可奈何（姦軌與奸宄通）

書郊祀志上

三神山卽日本三島今諸仙人及不死之藥已徧神州矣惜始皇已死不可復生也

一笑

始皇諸山刻石有裨藝林即此已是功德

小方可驗大者不驗此類方士世常有而天子惑之詩所謂靡哲不愚也

一人得道雞犬皆仙觀鼎湖之事是黃帝從官不及劉安雞犬也一笑

書郊祀志下

古以衡山爲南嶽武帝以天柱山爲南嶽

書五行志上

外人謂我國五行起於神話不足據然沿用數千年甚驗以生尅之理凡事物莫能外循環無端猶固體可爲液體液體可爲氣體氣體可爲液體液體又可爲固體也

君稱天而治聖人亦以天統君若曰災祥者天所以寄喜怒喜必加勉怒宜自省執事迹一一驗之天亦厭此瑣瑣矣

書五行志中

上言天示警此篇言己取禍及物妖童謠亦言天示警

淫而不父必有子禍庶人且然況人主乎

鄭子臧好聚鷸冠劉向以爲近服妖若使向生今日見男子衣少婦之衣少婦衣流妓之衣以見肘露股爲美觀不知更作何語也

鸜鵒之巢遠哉搖搖左傳作遠哉遙遙均可解而此較勝

一則曰楚有夷狄行再則曰楚橫行中國蓋春秋時所謂中國僅東周及齊魯晉鄭宋衛陳蔡等國於秦楚吳越皆外之顧中國歷代有外禍而轄境日擴清初極盛後雖屢有割讓除俄國外無大於我者俄土寒瘠雖大猶小今遼吉被日本襲奪舉國痛憤不知周伐玁狁至於太原尙鳴得意宋逐金師直抵黃龍更屬虛願也

書五行志下

妖由人與人棄常故有妖古今論災異者以此數語爲最精蓋人與萬物同處天地之中氣類互相感召故聖人在位則風雨山川草木鳥獸罔不逢吉小人道長則天

災地變物妖妖繁興並作

妖孽應行而自見非見而爲害殷大戊修德而祥桑亡可證此語

人死復生今亦時有所言過去未來事咸驗

長安女子有生兒兩頭異頸面相鄉四臂共匈俱前鄉今亦有類此者但尻上有目者未之見

書地理志上

禹貢詳貢賦及水道職方詳土宜及人口

書地理志下

志言孔子悼道不行設浮於海欲居九夷今日本孔子廟極壯麗凡與儒術有關者必盡力羅致美國各大學教授儒學六經四子書等並有譯本是孔子浮海居夷已非虛擬矣外國言工商言法治特覇者之粗迹其流弊必至强弱相并貧富相奪儒重農則家爲國本重王道則身爲家本以孝弟齊家卽以孝弟治國曰無爲而治曰

恭己正南面曰不出家而成教於國所操甚約而所穫極豐故論語道之以政齊之以刑民免而無恥爲覇道言也道之以德齊之以禮有恥且格爲王道言也顏子有言使賜失其辯由失其勇果爾則今日彼所謂爲縱横捭闔之外交家戰勝攻取之軍事家皆儒者所弗重視蓋儒者以濟衆爲修己分內事彼乃以制衆爲利己分內事也

民居近海則文身斷髮以避蛟龍之害足見古時蛟龍常有

書溝洫志

河屢徙易潰故爲患至今乃治河者或利其潰利其徙殆無人心也

書藝文志

秉要執本清虚以自守卑弱以自持此君人南面之術宜與論語雍也可使南面章參看

修六藝之術觀九家之言舍短取長爲學者宜知此掌教者尤宜知此

古稱諸葛亮爲名士僅傳梁父吟一篇可見名士不以歌詩爲專長隆中之對視天下若數黑白斯所謂可與圖事也

讀漢書蠡述卷二

岳陽李澄宇洞庭著

書陳勝項籍列傳

史記於陳項稱字且列涉世家尊羽本紀蓋涉當時實掌各處政令羽當時實掌全國政令也孟堅身爲漢臣自不能於高紀前有羽紀又不能異蕭曹而有涉世家

構火狐鳴史記作篝火狐鳴

禍福生死人極注念旣以魚帛狐鳴動之俾知勝乃王者從反免禍且可獲福故勝廣殺尉衆莫之救復以失期戍死動之俾知事已至此死固其分生乃大貴故徒屬受令罔有異言

武臣自立爲趙王北徇燕地以自廣而韓廣又自立爲燕王我自立人亦自立勢使然也觀秦未亡而誅趙王將相家屬此生一秦楚雖勝秦不敢制趙若不勝秦必重趙趙西憂秦南憂楚其力不能禁我數語古今此類事可預知矣

貴人忌言微時事殺故人者不獨夥涉然也

召平矯陳王令拜項梁上柱國並令引兵西擊秦此誠亡秦一大功否則章邯勢盛項梁不遽渡江大事去矣

嬰母所謂事成猶得封侯事敗易以亡與蕭曹恐事不就後秦種族其家意略同

范增不自求牧羊兒擁爲楚後乃説梁立楚後此大失策果望項氏盡忠復楚耶抑姑從民望後且再議耶無一可者

沛公與羽方攻外黃項梁兵力薄而章邯益兵夜襲故梁敗死然使戒備周密或不至此

梁以驕敗邯亦以驕敗使定楚地乃擊趙羽何自有鉅鹿之捷然趙高顓國章邯欲起日虞淵終不可得也

羽責宋義言極是然先無宋義之不進以懈敵羽後亦未必大捷

漢書於籍傳雖點竄史記羽紀然鉅鹿之戰未沒其績

前有楚雖三戶之言今乃引兵度三戶無心巧應亦一奇也

敍諸侯軍虐待秦卒之由及秦卒所計利害純用史記語事理若燭照數計足見坑秦降卒實不得已而羽竟與白起同受惡名悲夫

范增欲恃三降將距塞漢道而韓信乃因民怨降將謂三秦可傳檄而定即此可見范增計短

羽赦外黄當坑者梁地十餘城爭下羽坑秦降卒至函谷擊關無變此羽仁暴異用處

羽自鉅鹿戰後彭城滎陽廣武諸役均跳躍若龍虎惜僅恃一已未能集衆智自輔終以敗亡也

羽兵食少漢關中兵益出食多羽既東歸漢更追逼劉興項敗復何待言

始引八千人渡江繼帥兵四十萬入秦終以二十八騎戰垓下吾爲羽哭

羽不渡烏江殆恐烏江亭長若前田父紿己耶

以一死王易五侯亦古今所僅有

贊取史記陳涉世家項羽本紀二論幷爲一篇若今人作史如此免世俗非笑難矣

書張耳陳餘列傳

張耳以妻顯名妻名未著相如以妻顯名妻名並著

陳餘亦遇富人公乘氏女富女之有裨於人信矣然亦有幸遇富女無志進取者自甘庸下不得以此爲富女咎也一笑

說陳涉册王陳急引兵而西不愧豪傑之言知陳涉不足與謀假兵自樹立不愧豪傑之行

先立武臣以持趙心持字新言藉此市歡心於趙遂得民也

女子盛騎從最誤事後世貴人不務戒此何也

陳餘謂欲爲趙王張君拒秦非虛言而張耳徒要以俱死曲在耳不在餘餘與耳印綬耳不讓竟收其兵曲又在耳不在餘餘悉三縣兵襲耳曲在餘不在耳漢告趙欲俱擊楚餘乃請漢殺耳曲又在餘不在耳卒之漢斬僞耳信斬眞餘刎項交三字於

茲共驗

赦非孱王所言秋豪皆帝力亦是實事卽高祖對子壻無禮亦無死罪可言何貫高等必欲殺高祖乃可一洗此辱也豈高等果欲藉此謀大事以爲取天下若探囊取物耶觀豪傑並起能者先立之言高等心動已久矣高等且若此漢劉韓彭抑又何怪

貫高能不死以白趙王不反固義士趙王已赦高復自殺尤義士

書魏豹田儋韓信傳

田榮與項氏相怨梁以此敗死羽亦以此敗亡怨毒之害甚矣哉

田榮田橫先後反楚橫敗後楚乃使龍且救齊此猶有霸者氣象然齊滅楚亦危救齊卽所以救楚也

彭越居梁地中立且爲漢且爲楚此非眞中立也眞中立不爲漢不爲楚

漢赦橫非惡意橫亦知漢非惡意而顧以事漢王爲愧以與酈商並事漢王爲尤愧

大丈夫不當如是耶

能令五百餘庸人甘心從死且不易況皆賢者乎起布衣兄弟三人更王豈偶然哉

宜田橫海島亦與千古也世固有極富貴而無一人願與同死者悲夫

書韓彭英盧吳傳

家貧無行不得推擇爲吏又不能治生爲商賈今日此種韓信甚多也

信無蕭何終其身莫得大將然卒死於何手禍福相倚信哉

廣武君策信已預防即使策行信決不輕進或更以他策取勝然信終師事廣武君誠服其謀也廣武君遂教以先聲後實燕自是入漢掌握謀士所繫大矣哉

龍且有勇少謀而楚倚爲大將自非信敵

漢得齊則楚都震動不獨失龍且足令楚懼也武涉謂信足下所以得須臾至今者以項王在項王即亡次取足下眞洞悉利害之語而信不聽意者天憫斯民欲終啓文景之治乎不然魏蜀吳三國之局早見於此陳壽三國志且繼史記而起也

鍾離眛能使漢怨且自言漢所以不擊取楚以眛在其智勇可想信眛若合佐以蒯徹外結豪傑以圖漢漢成敗蓋未可定也

高祖聞信死且喜且哀之喜者喜後患已除哀者哀其實有大功於漢不得保首領以沒也

觀高祖赦信降爲淮陰侯赦越爲庶人徙蜀青衣實未嘗有必殺之心而呂后必一一殺之豈果爲劉氏子孫計哉實亟欲盡去功臣然後以呂代劉耳

黥布六人也當改爲英布六人也而删姓英氏三字

布爲項王前鋒數以少敗衆其勇殆似呂布呂布慕英布勇故亦名布也

楚北憂齊趙西患漢欲親用布不宜數使使者譙讓布且急責布發兵布貴踞發兵非所願而又楚伐齊未往漢敗楚彭城未救正疑懼交集宜隨何之說得入也然布欲長保富貴終失富貴命且不保何若早與楚共利害哉噫

聞隨何自伐其功不復罵爲腐儒且進其職此亦高祖大度也

蕭何謂布不反以布素無大志也薛公料布出下計亦以布素無大志也

書荆燕吳傳

吳王始無反意以子故不朝亦復何害而必繫責吳使以偪其反何也吳使謂察見淵魚不祥文帝亦賜王几杖以是寢反謀三十餘年若無朝錯激之俟吳王老死後分封其子何至有七國之變哉（朝通晁）

彭越往來梁地絕楚糧食而項羽敗條侯使輕兵絕淮泗口塞吳饟道而七國敗

條侯聽鄧都尉而吳王不聽田祿伯不聽桓將軍勝敗已定於此矣

書楚元王傳

漢文薄葬因張釋之中有可欲雖錮南山有隙之言而寤也後世貴者皆聞是言無寤者惟秦始是師然後歎漢文果明主非後世所及

劉向上封事極諫詳盡痛切而成帝不聽蓋重違太后意不欲遽奪王鳳等權亦終不料王莽㬥竊事有必至也向晝誦書傳夜觀星宿豈不知漢祚中斬無可解避而

必言之不已者忠孝之念迫之使然耳

劉歆爲莽國師與華歆仕操何以異

書季布欒布田叔傳

欒布奏事彭越頭下祠而哭之不愧豪士宜其臨刑時頌越舊勳白其不反視高帝若無物也

田叔所言皆持大體使爲漢相必更有可紀惜僅爲魯相也

史記於季布稱其受辱不羞欲有所用其未足蓋藉季布自況故辭旨與報任安書如出一轍孟堅仍之僅於欒布哭彭越下加田叔隨張敖句遂成三賢傳贊

書高五王傳

劉肥已封齊王而史不諱其母爲高祖外婦蓋春秋戰國秦漢之際習本如此且史官尚克盡職不肯爲諱也

呂后極妒以戚姬故不能容趙王而竟能容齊王豈其母已死遂可無妒歟上城陽

郡爲魯元公主湯沐邑故耳婦人愛賂愛女可改素性甚矣哉

劉章非其種者鉏而去之二語傳之千秋幾等高祖大風歌竟敢於呂后前以軍法行酒信有膽也

誅諸呂時齊王首發兵功多故大臣初議立齊王旣恐其母家爲呂氏之續乃迎代王無怪代王卽帝位後盡歸高后時所割齊地也

書蕭何曹參傳

吏送奉錢三何獨以五開後世諂事貴顯公分外復送私分之漸

何不取金帛獨收圖書蓋亦爲吏本色未足異惟勸漢王養其民以致賢人則宰相語也

蕭何薦韓信及轉漕關中給食不乏均第一功然他日無王衛尉何且以有功死矣功第一豈福哉

令後世賢師吾儉不賢毋爲勢家所奪此數語三代後所希有也

參好黃老之學實有所得觀獄市所以幷容擾之姦人安所容二語其化民之術可想截其淸靖民以寧壹豈虛譽哉

或謂史記於蕭曹贊有嬉笑怒罵意今孟堅幷未改易原旨足見古人心地坦白就事立論作者不苟爲異同讀者不謬事揣測若在後人又不免文字獄矣噫

書張陳王周傳

同一事也樊噲諫不聽張良諫則聽一因張計利害明白易曉一因素信張智言未入而意已動也

告漢王以關已東地捐英布彭越韓信卒收破項之績良誠帝者師也其諫立六國後請都長安尤興亡大計惟四皓安劉似良作僞至今莫能明然其人要皆不易有否則高祖目送時僞且敗露矣

解衣羸而佐刺船令船人知已無有予友某君遇盜曾師此意亦幸脫禍

魏無知不辯平行亟稱其能平亦辯而不辯但詡其能蓋是時漢但需能也

韓信謂項王印刓不予平亦謂項王吝賞爵邑意忌信讒此項王根本失敗處使項王能如燕昭信樂毅則陳平所縱反間宣言淺陋以惡草具進楚使計亦平凡何足離間楚君臣乎

平自知誅諸呂功弗如勃以相讓勃勃亦自知其能弗如平讓平顓相此皆大臣風度非後世所及

周勃木強敦厚高帝以爲可屬大事曾文正竊師此意所擢用大抵樸訥厚重卒成大功有以也

勃有大功無反意而文帝竟捕勃治之者功高震主自古危之也雖獄吏教以公主爲證太后更言其不反要由千金予獄吏封地予薄昭始有此助財利足榮辱生死人固如此哉

從理入口者餓死至今驗惜許負未詳言後三歲而侯侯八歲而將相其故安在也」

淸年羹堯以軍中聞將軍令不聞天子詔致族滅袁世凱亦因閱兵日軍令嚴肅被

讒去位然後嘆漢文按轡徐行乃深知孫子遺意者閫以外將軍主之大將不當如是耶若漢高兩奪信軍其心亦類淸主耳然信軍果若亞夫高帝又安得奪之耶

楚兵剽輕難與爭鋒自古已然然春秋時楚向中原爭諸侯戰國時竟爲秦滅楚項羽伐秦有大功卒被漢滅七國反漢吳楚又大敗剽輕不足成大業徒爲人驅除可歎

書樊酈滕灌傅靳周傳

樊噲撞入羽帳時氣甚壯辭甚正郎平日諫帝亦甚切直有遠慮不得以屠狗少之

酈食其之烹於齊也齊責其賣已今酈寄紿呂祿世又謂其賣友食其之賣非食其本意寄之賣亦非寄本謀然酈寄賣友救漢則亦不得不賣也

因灌嬰與絳侯謀屯兵滎陽齊乃不敢有異志此功於漢文亦大矣宜文帝益其封地且以爲太尉以爲丞相也

書張周趙任申屠傳

周昌強力敢直言自蕭曹等皆卑下之卽高帝騎昌項上昌猶曰陛下卽桀紂之主眞可謂敢直言矣至庭爭廢立期期知其不可至今以爲美談也

趙堯計奪周昌御史大夫後世小人欲擠勳望素著重臣往往竊效趙堯

赤帝子斬白帝子謂火剋金也故旗幟尚赤張蒼乃謂漢當水德公孫臣又陳終始五德傳言漢土德五德果不足據乎抑亦推驗未審也

鄧通爲孝文弄臣而申屠嘉能召通困之不愧丞相然非遇孝文嘉亦不得如此也

書酈陸朱劉叔孫傳

沛公時時問邑中賢豪此沛公所以能得天下也食其勸漢王急取滎陽據敖庾之粟塞成皐之險杜太行之道距飛狐之口守白馬之津以示諸侯形制之勢此尤漢王所以得天下也敖庾史記作敖倉

天下安注意相天下危注意將至今以爲名言然將相和三字尤爲切要前觀廉藺可恍然矣

漢書不諱審食其呂后事足證春秋諱魯皆後人妄言

臣衣帛衣帛見衣褐衣褐見此二語可想見婁敬丰采

始因婁劉音近而賜姓後遂不必音近亦賜姓無姓而賜姓禮也有姓而賜之同姓非禮也

因漢王厭儒服而服短衣今之叔孫通比比也

漢治雜王覇用之通朝儀亦采古禮與秦儀雜就之慕五帝三王之盛者於此二事已不勝太息痛恨今則用夷變夏即夷所不屑或欲改者亦亟效之求若漢亦不知去幾千萬里矣噫

周勃有曰吾嘗將百萬軍安知獄吏之貴也高帝曰吾迺今日知爲皇帝之貴也獄吏貴而古先哲王親愛臣下之念絕皇帝貴而古先哲王敬畏臣民之念絕馴至朱明大臣廷杖亦越滿清臣盡奴隸專制之禍一二人啓之千百載未已激爲黨亂致效夷俗痛哉

諸生喜得富貴乃曰叔孫生聖人知當世務儒生若此無怪世人賤之也噫惠帝欲壞復道而通謂人主無過舉教作原廟以飾非此尤小人所優爲者也（復通複）

贊惜朱建不終其節而美陸賈身名俱榮持論甚允

書淮南衡山濟北傳

厲王母恚卽自殺性剛急可想厲王生秉母性克孝椎殺辟陽侯肉袒闕下謝罪甚當使爲布衣卽此已足顯名後世乃世人諂事皇帝謂不諂者驕蹇不知春秋以前大臣親貴可稱天下爲冲人爲孺子厲王與上同輦常謂上大兄骨肉天性有何不可必欲如太公擁篲廢骨肉而言君臣皆賤士諂事皇帝之過也

使使召厲王卽至足證實未謀反張蒼等所奏未必皆實事傳謂欲加之罪何患無辭乃今益信爰盎謂上素驕淮南王不爲置嚴傅相以故至此今暴摧折之恐犯霧露病死陛下有殺弟之名持論甚正惜張蒼等不令孝文有父子兄弟但知媚茲一人致厲王生負美質死被惡名遺恨千古也

劉安斥免郎中雷被何至有死罪而公卿必欲將安棄市可惡審卿既陰求淮南事

搆之劉建復辭引太子及黨與尙安得有信讞哉

古人有天下以敎養民蓋重責非厚業自高帝視天下爲產業欲奪取產業者日益

衆卒令子孫相疑忌屠殺可歎

荆楚剽輕好作亂自古記之至今恥之未改也

書蒯伍江息夫傳

徹言漢智勇俱困楚困京索閒不能進又言信爲漢則漢勝與楚則楚勝皆洞見利

鈍之語

伍被諫劉安反覆詳盡極可聽而竟爲安畫反計何也豈因父母被囚三月姑藉是

免父母死乎

江充以懼太子他日見誅故不惜假巫蠱寃死數萬人以波及太子小人患得失計

生死其害乃至如此可畏哉

贊多駢儷孟堅本色固如此

書萬石衛直周張傳

萬石君殆習黃老之學者不言而教無爲而化宜處惠文之世孝武不重其德而漫以事功責望不知武所謂事功正黃老所不屑言者也

衛綰自初宦以至相終無可言直不疑所臨爲官如故惟恐人之知其爲吏迹此皆後世所難能非眞受黃老之學者未足語此也

書文三王傳

梁孝王城守睢陽三月吳楚以梁爲限不敢過而西吳楚破而梁所殺虜略與漢中分此唐張巡所難能然張巡時不惟李郭未至關以東即哥舒翰守潼關亦爲祿山所敗向使張巡不死守睢陽漁陽鼙鼓早至長安李郭再造殆難爲力故張巡守睢陽雖陷猶存不妨與梁王並論也

濟東王彭離昏暮行剽殺人取財物以爲好後世亦有類此者

書賈誼傳

叔孫所制朝儀得行於漢而賈生所草儀法不得行於漢有幸有不幸也

弔屈賦極力仿騷服鳥賦多道家言彼吳彊大等句又司馬遷報任安書所祖也治

安策則鼂錯削諸侯地所由昉也衆建諸侯而少其力賈死後亦漸見諸行事也

書爰盎鼂錯傳

袁盎稱漢文有高世行三實惟侍太后病可稱孝若從代至長安及西鄉讓三南鄉

讓再而曰勇過賁育讓過許由蓋欲以是寬上耳非由衷之論

正其名分則妾無匹嫡之嫌后有逮下之譽人冢之禍惡自有乎今世漫效夷俗苟

得新寵即棄舊婦舊哭新笑視爲固然乃復自欺欺人謂爲一夫一妻制喪理蔑義

曷以加此

錯才足稱以學申韓流爲小人可惜疏人骨肉以取富貴可恨吳楚已反不以兵屬

大將欲上自將而己居守一若羣臣皆不可信獨己可信可哂

書張馮汲鄭傳

食貨志言漢計粟授爵今釋之以貲爲騎郎則已計貲授官矣

法者天子所與天下公共也廷尉天下之平也此眞得法治精意今日日言法而各置己法外且任意重輕讀此二語應汗下

長陵一抔土猶言一撮土或改一抔爲一坏大誤

留侯爲黃石公納履釋之爲王生老人結韈亦可謂不墜祖風又王生所言與戰國侯生及漢汲黯同蓋皆習黃老術故言動若出一轍也

文帝稱唐父老又稱爲公足見叔孫通制朝儀後朝以外尚敦樸天子無自貴之意後世則否矣

觀文帝恨無頗牧之言則孝武以衛霍破匈奴正文帝所日夜期望者而或乃謂孝武黷武抑何可笑

必軍功爵賞皆決於外然後將、士用命天子曰閫以外將軍制之將軍曰將在外君命有所不受此其所以爲天子此其所以爲將軍後世防將若盜賊一切遥制不惟戰守進退不能自主軍功爵賞不能外決即軍饟亦聽上所爲所愛倍予所疑不予任變潰甚者弗令禦外寇弗令擊盜惟護己是務一旦大事去各鳥獸散是焉得謂國有將乎

黯覩河內貧人傷水旱矯制發粟孝武以爲賢後世能效此者不常有甚且名振民而實振己請振前受民錢得請後以振金予商取利多方制民使不得即受振振又以少冒多以予變貸視民死亡若秋葉自落無毫髮惻愴主振者往往富厚雖受冥罰不一癋可痛哭也更有甚者上棄民弗振異邦代我振而我反藉振利己病民不解愧怍豈尙得謂之人乎

擇丞史任之責大指而已此黯所以能臥治東海也若不擇丞史不責大指而曰吾臥治臥治則所屬許多罪惡皆乘臥治以至矣

持正者士往往不附非獨汲黯時如是也

武帝時所謂儒往往非儒鄉愿與刀筆吏耳

孟子有言行一不義殺一不辜得天下不爲公孫弘請徙汲黯爲右內史冀與貴人宗室相惡有罪然後誅黯號爲儒者顧若是乎漢惟董仲舒可稱儒者耳弘惡足道哉

高帝令諸故項籍臣名籍此無賴本色與以魯公禮葬項王時面目異矣

贊謂孝文親詘帝尊以伸亞夫之軍曷不能用頗牧亦甚允

書賈鄒枚路傳

賈生至言上紹過秦治安下開兩都三都

秦皇帝身在之時天下已壞矣而弗自知也此數語最精淸之乾隆帝亦若是耳

鄒陽諫吳引秦爲諭具見忠智辭更上承國策下開史論

鄒魯守經學齊楚多辯知韓魏時有奇節以三語包舉海內各地目光若炬

公孫獲所論可入國策枚乘諫吳則似諸子

路溫舒尙德緩刑論卓爾儒者

書竇田灌韓傳

景帝貴幸王皇后同母弟田蚡武帝卽位蚡以舅封武安侯用事開異日王鳳王莽等專恣篡竊之漸

沾沾自喜竇嬰所由賈禍剛直使酒灌夫所由召殃而嬰欲倚夫引繩排根生平慕之後棄者夫亦得嬰通列侯宗室爲名高已足爲禍殃府況乃以田蚡見過爲榮無端自擾獻媚權要以田蚡請田爲怨遽爾怒罵開罪權要以田蚡怒解爲幸偏又罵坐激怒權要惡得免乎

魏其謂終不令灌仲儒獨死嬰獨生詞近任俠

前後兩王太后但知有外家不知有漢室可哂

韓安國敎蚡以讓取勝實懼蚡殺己以智自脫然言人毀君君亦毀之譬如賈豎女子爭言何無大體亦正論也

史載蚡疾一身盡痛若有擊者呼服謝罪又言魏其侯與灌夫共守笞欲殺之語近小說然實深惡田蚡故盡錄傳聞之辭弗予删削

或謂田蚡不死且作新莽然武帝有使武安侯在者族矣之語蚡惡得莽哉

安國述梁孝王功不諱出蹕入警不諱用天子車旗而太后與景帝均喜者安國言甚得體也一則曰念太后帝在中而諸侯擾亂壹言泣數行下再則曰欲夸諸侯令天下知太后帝愛之也字字忠孝太后與景帝聞之惡得弗喜

以韓安國之賢處漢武之世尚須以五百金遺蚡始獲起用蚡招權納賄至何等可想也

書景十三王傳

河間獻王所言儒庶幾眞儒蓋身端行治溫仁恭儉非可貌爲也

劉建專爲淫虐與獻王同傳眞乃一猪一龍

諸王往往以淫亂聞蓋男女人之大欲燕處寡營旦夕覿面無嚴傅相以禮敎輔之

遂至此也

詩美文王則百斯男特虛語耳今中山靖王勝有子百二十餘人則實事矣雖曰好內抑所難能一笑

長安高燥故漢唐皆謂長沙卑濕賈誼以謫至劉發以賤封然太傅祠前定王臺畔楚人景仰至今未衰卑濕何病哉

陽成昭信之妒已譖殺十四人燔燒烹煮生割剝人備極酷虐復封閉諸姬無令出敖劉去作歌憐諸姬有上不見天生何益之語而竟任昭信封閉昭信之悍可想異日棄市猶恨晚也（敖通遨）

書李廣蘇建傳

史寫廣若活虎以石爲虎及射虎虎騰等語殆亦烘雲托月耳

禍莫大於殺已降殆王朔借以警世實則李廣數奇不殺降亦未必侯也

陵願以少擊衆步兵五千人涉單于庭卒之鬬力過久管敢復具言陵無後救射矢

且盡軍破身降爲天下笑此由始謀不臧也蓋以少擊衆莫若班定遠以三十六人橫行西域然定遠鬭智非僅鬭力深入異域而僅鬭力兵多且敗況少乎又定遠以使往西域陵乃以將擊匈奴所居之名異所處之勢異固未可相提並論也

書衞青霍去病傳

衞青能得將士心能深入克敵乃以功讓諸校不愧爲大將軍

青與去病皆姦生子皆知兵敢深入皆以功大貴醴泉無源芝草無根殆謂此乎

霍去病有言顧方略何如耳不至學古兵法岳武穆亦云運用之妙存乎一心此特爲趙括徒讀父書輩言也

青懲魏其武安之厚賓客適以召禍乃以和柔自媚於上不欲有稱譽此意郭子儀知之霍去病亦知之

書董仲舒傳

武帝稱仲舒等子大夫且曰明以諭朕是漢時雖效秦稱朕猶見雍容可親之象未

有驕貴至極之色後世則不惟爾汝爲稱臣下語即諭示等字亦爲上告下詞矣

言天人相與之際爲儒者最精之學蓋必知此然後實能誠意正心修身齊家治國平天下也然異於道家神仙之說

重禮樂輕政刑粹然儒者之言乃公孫弘以儒術得志而董仲舒不得志予爲漢惜且爲後世惜

秦欲盡滅先聖之道而顓爲自恣苟簡之治卒自破滅今二三僉壬以域外異說蠱惑士女亦欲盡滅先聖之道藉攘國柄而顓爲自恣苟簡之治可恨

以舜文勞逸所由異釋韶武美善所由判朱子註論語未明此意

誅名而不察實爲善者不必免而犯惡者未必刑今用夷律治區夏亦誅名而不察實甚者名實亂僞故犯惡者不特未必刑反藉法律毒虐良善

粲然有文以相接驩然有恩以相愛惟儒者用王道治天下效乃如此

言行治之大者君子所以動天地盡小者大愼微者著此與易繫辭言行君子之樞

機同旨、

醉心功利之說者於董子正其誼不謀其利明其道不計其功甚訝其謬不知此正與尙書汝惟不矜天下莫與汝爭能汝惟不伐天下莫與汝爭功同理蓋正誼不謀利而利乃無量明道不計功而功乃莫比也堯欽明文思安安允恭克讓而光被四表格於上下彼謀利計功者能有此乎大學重誠意而治平可睹中庸重率性而化育可贊胥此旨也特淺人不悟耳

書司馬相如傳上

北方多以犬子狗兒名子南方則或以和尙道士名子蓋北方恐子疾病名以賤之冀易長養南方亦恐子疾病名以外之冀易成立也

相如慕古人因與同名自勵也今人諂今人因與同字自賤也

因女子重處榮乃僞顯相如爲貴客且車騎雍容閒雅甚都因女子重情感乃投其所好挑以琴心且重賜侍者通殷勤其所以必如此者非獨慕文君之色實甚羨卓

氏之富欲如張耳陳餘娶富人女以利游宦廣聲譽而已相如滌器臨卭市中欲藉是恥卓王孫出其財物耳文君不以當壚爲辱與相如情好極篤特與同謀耳否則窮無所之何必於臨卭置酒舍故令父母昆弟聞見乎子虛賦稱物多而不亂蓋善用其字領之又善用於是字承之耳辭極侈麗論則正大甄騷治策遂聖於賦匪後人所可比擬

書司馬相如傳下

相如諭蜀檄正大有體足令民悅服慙愧此種文漢亦少有況後世哉

諫獵疏切至典勁大人賦力追楚騷

揚雄謂相如騁鄭衛之聲曲終而奏雅雖戲言抑何善譬乃爾

書公孫弘卜式兒寬傳

躬率以正而遇民信此誠聖人所以治天下而弘知之亦可謂克究儒術矣黠以弘布被爲詐而弘引晏子食不重肉妾不衣絲辯而不辯且推重黯此殆效韓

安國教田蚡讓竇嬰之意也

觀卜式非獨羊也治民亦猶是云云則式不願爲郎卑小官耳然毋令敗羣四字與去害馬同旨式固可與天子牧民者也

民惟恐兒寬以負租課殿免大家牛車小家擔負輸租繦屬不絕課更以最此誠得民三代後不易有也

贊淵茂典要蓋亦孟堅本色

書張湯傳

李斯以觀鼠奮迹張湯以磔鼠發業鼠何負於人正恐人常負鼠耳

史記以張湯入酷吏傳誠惡之也然酷吏若郅都伉直爭大體究尙賢於張湯之舞智弄法也

安世小心翼翼匿名迹遠權勢與湯大異信能幹父之蠱生比外戚死諡敬侯有以也

霍光以子禹不如千秋而曰霍氏世衰張氏興矣亦可謂知子莫若父

贊謂張湯酷烈及身蒙咎推賢揚善故宜有後持論亦允

書杜周傳

少言重遲者往往內深次骨不燭杜周然也

自張釋之後大抵皆如杜周專以人主意指爲獄耳

延年論議持平合和朝廷不愧賢者父爲酷吏延年獨寬厚亦可謂幹父之蠱矣異

日爲御史大夫居父官府不敢當舊位坐臥皆易其處尤爲難能

杜子夏謂男子五十好色未衰婦人四十容貌改前以改前之容侍於未衰之年而

不以禮爲制則其原不可救此第爲天子言也今則上自元首下至士夫動棄前婦

別求豔妻相習成風莫或能制矣我國古禮男子三十而有室女子二十而嫁是結

婚之始女少於夫十歲也今少女每憎夫長結婚最重同庚中途離異抑又奚怪

達觀其所舉富觀其所予窮觀不所不爲之觀其所不取近觀其所爲遠觀其所主

此信觀人之術用人者宜知此交友者更宜知此

欽戒王鳳語語切至匪特爲漢亦爲鳳謀也觀天子欲退鳳則勸鳳乞骸骨天子復起鳳則勸鳳固至忠王章言鳳專權蔽主竟致寃死欽不救章反爲王鳳救過欽蓋媢附權要以保祿位者耳

杜業上書哀帝請以義割恩安百姓心果有心安百姓心自易以義割恩矣所患者知有外戚不知有百姓惟恐外戚怨其寡恩不復計百姓陰受其禍耳語謂理智征服情感豈易事耶

書張騫李廣利傳

觀張騫述烏孫王昆莫新生置草中狼乳之烏銜肉翔其旁等語足見詩詠后稷事並非虛僞而左傳鬬穀於菟事亦甚可信也

張騫鑿空西北諸國始通於漢斷匈奴右臂之績亦偉矣史記不爲立傳何也

遮玉門關不許李廣利入免往返費時且墮士氣

轉車人徒相連屬至燉煌蓋猶後世設兵站轉輸也

大宛王毋寡蓋譯音然不譯他同音字而必曰毋寡者夏譯夷名雖譯音往往即義

醜之也漢所譯字尙少若宋元時一名或譯四五字幾不可復讀矣

書司馬遷傳

此傳卽取材史記自序復續以報任安書僅連結加數語而已

贊言遷據左氏國語采世本戰國策述楚漢春秋接其後事可見凡作史者論贊而

外以類纂部割爲能不知者謂漢書錄史記不知史記錄自他書他書司馬氏可錄

班氏豈遂不可錄顧史識何如耳史料衆所同史識則我所獨也貫穿經傳馳騁古

今不虛美不隱惡無史識而能之乎

遷父論六家要指卽重黃老遷纘承前緒先黃老而後六經固無足怪惠文景武之

世黃老學甚盛效亦甚著且董生以前漢幾無儒可言先黃老或亦以此然余謂尊

孔子以世家復爲仲尼弟子列傳孟子荀卿列傳儒林列傳尊儒抑可謂至矣蔑以

加矣老子僅與韓非同傳何嘗先黃老耶
戰國以迄秦漢之際游俠之力上震朝廷下動閭里史記高於他史以往往注意社會潛勢力不專紀帝王興廢也於貨殖尙詳其人況游俠乎然游俠列傳首言俠以武犯禁未必遂奬姦雄也孟堅所論寧足咎遷蓋所處時地與遷異有爲而言非眞以是貶抑前史也

書武五子傳

漢時三老上書言國家大事往往爲公卿所不及壺關令狐茂於戾太子殺江充事歸過武帝謂不宜使江充高塞親戚之路使太子進則不得上見退則困於亂臣獨冤結而亡告不忍忿忿之心起而殺充恐懼逋逃子盜父兵以救難自免尤洞見肺肝當時未有也

本策立子閎爲齊王於廟授策乃曰廟立言廟則有策可知也策仿尙書後漢蜀漢皆如此後世或代以駢體不稱題矣

孝昭時右將軍王莽物故孝平時大司馬王莽篡國莽非美詞尙一代有兩王莽欲名不同難矣哉

虹爲日光反射濕雲而成未嘗有物乃竟下屬燕宮飮井水井水竭何也

孝昭賜燕王璽書有樊酈曹灌從高皇帝耘鉏海內其賞不過封侯宗室子孫曾無暴衣露冠之勞裂地而王父死子繼兄終弟及等語自漢迄淸大抵若此曾左力挽淸祚僅得封侯滿蒙王公䃅褓卽是雖曰滿漢異視亦我國歷代規模未善也

自大風歌以來劉氏子孫往往能歌歌皆祖騷

龔遂持正極諫賀不能聽宜其敗也遂謂賀位爲諸侯王行汚於庶人以存難以亡易當道鉅公可不省覽斯語

兵猶火也弗戢自焚贊引斯語寄慨深矣今我國兵數百萬海內外莫可比肩而竟爲弱國爲亂國可痛也

書嚴朱吾丘主父徐嚴終王賈傳上

春秋時以吳楚爲蠻夷漢時以閩越爲蠻夷蓋交通未便水土不服言語不通禮俗各異也中庸有曰舟車所至人力所通日月所照霜露所墜莫不尊親果若是烏有所謂蠻夷耶異日統一地球統一諸星不可謂無其事而要以中庸券之鄒衍所談猶小言耳

買臣隨上計吏爲卒將重車至長安此將字卽詩毋將大車之將

自買臣衣故衣至皆報復焉皆貧子暴發醜態至愧其故妻致自經死尤可不必若乃怨張湯排陷嚴助告湯陰事己雖被誅可以報故人地下矣

書嚴朱吾丘主父徐嚴終王賈傳下

嚴安上書謂宜爲民制度以防其淫使貧富不相燿以和其心此知治之言而非知本之論也知本者以德化民民自無貧富之見如安所云第使貧富相安不致有階級鬥爭耳然果貧富相安亦可爲治今西人注重物質機械日巧機械日巧則貨物易出而失業者衆貨物易出則利大而富者益富益富則驕奢淫佚失業者衆則老

弱啼飢號寒强壯作奸犯科馴至貧富相嫉相虐而鬥爭起而大亂作使嚴安生後世必痛心疾首以西人爲戒而我乃羨之效之何也

君人者勤於求賢而逸於得人逸字妙詩云濟濟多士文王以寧逸之謂也師古解爲邦國以寧悖詩旨矣

賈捐之與楊興共薦石顯反遭顯譖孟子謂小有才未聞大道足以殺軀以賈觀之益信

書東方朔傳

朔文辭不遜高自稱譽李白上韓荊州書略倣此

隱語猶今謎語也

古嚴後至之誅足見不守時惡習自來如此苟遇讌飲尤爲特甚或故意極後以示高貴衆甚苦之朔因大官丞日晏不來割肉早歸可謂快人快事

上林雖小臣尙以爲大倣孟子

朔諫起上林苑切直忠亮與平日詼諧取容判若兩人

朔以醉小遺殿上劾不敬今違警律小遺市衢則罰金

館陶公主寡居年五十餘而幸董偃恣與偃財帛結士且令偃見天子此誠所謂行

汚於庶人朔數偃斬罪三不許入宣室諤諤有直臣風與平日口諧辭給異而淫亂

之漸其變爲簒尤爲千古至言

武帝時天下侈靡趨末百姓多離農畝朔因上問乃言上爲淫侈難使民獨不奢侈

失農此誠悟化民成俗之理乃者海外淫侈而我以爲師飲食衣飾動糜巨欵不惟

深宮大府通都大邑然也卽下戶小家窮鄉僻壤靡不尙奢而恥儉耕織所獲不足

自給民惡得不逐末乎

書公孫劉田王揚蔡陳鄭傳

古者斬人用斧故被斬者先解衣伏碪上後世用刀被斬者但跪地引領耳

惲報孫會宗書頗類外祖報任安書憤怨過露竟被誅戮惜哉

陳萬年敎子以諂至今譏之然如萬年者常有也

史記酷吏傳謂寗成操下如束濕薪今陳咸操持掾吏郡中長吏皆令閉門自欸不得踰法殆亦似之

書楊胡朱梅云傳

楊王孫厚自奉養生無所不致死則羸葬殆誠知生厚養有益死厚葬無益也然漢文薄葬懼山有隙楊王孫亦曰或迺今日入而明日發與暴骸中野何異蓋亦以己爲富人懼山有隙耳漢文楊王孫皆喜黃老言故此事極相類

精神者天之有形骸者地之有精神離形各歸其眞此了於生死之言

張誹謗之罔爲漢驅除倒持泰阿授楚其柄此梅福刻意鍊句處

福疏遠常譏切王氏一旦王莽顓政福棄妻子去九江幸得免禍誠不異登仙也

吳章弟子千餘莽以爲惡人黨皆當禁錮不得仕宦門人盡更名他師視田橫島五百人當愧死無怪世人不重儒冠也云敞已仕自劾吳章弟子收抱章尸歸欸葬之

信鳳毛麟角哉

讀漢書蠡述卷三

岳陽李澄宇洞庭著

書霍光金日磾傳

光不肯貰丁外人不愧爲國重臣上官桀父子顓爲私謀反怨光而與爭權與弘羊等謀陷光是誠小人之尤也向使孝昭不知燕王書詐光早族矣可懼哉乃桀等不自悛悔更謀殺光廢帝立燕王爲天子爲貴一淫人未遂不惜赤族以殉之甚矣愚亦至此乎

孝宣雖嚴憚霍光若芒刺在背第驂乘時然耳餘時實未忌光光亦實以伊尹自居未敢有他志光病篤上自臨問爲之涕泣可謂君臣一德矣顯等無狀致累盛德惜哉然至今伊霍並稱光亦高步千古矣

何羅袖白刃入臥內之前若不遇日磾則心不慌心不慌必不行觸寶瑟以僵不行觸寶瑟以僵則日磾縱追及無益矣

贊盛稱霍光之功比諸伊周允矣至陰妻邪謀立女爲后湛溺盈溢之欲以增顛覆

之禍信乎不學無術孔子謂五十學易可無大過向使霍光悟消息盈虛之理即不歸政退位亦必裁抑妻子毋俾過盛何至有後禍哉

書趙充國辛慶忌傳

充國常以遠斥候爲務行必爲戰備止必堅營壘尤能持重愛士卒先計而後戰此先爲不可敗而後可勝也

犯法者自相捕斬除罪斬大豪中豪下豪有罪者重賜此以羌殺羌使羌內部攜貳易破滅也今治匪亦宜用此術

充國謂虜見兵至必逐水草入山林隨而深入虜即據前險守後阨以絕糧道必有傷厄之憂今共匪於國軍往往用此術

故臣愚冊之冊字與策通充國釋罕开先擊先零策甚善而公卿議者乃謂不先破罕开則先零未可圖幸充國後書有先零羌虜欲爲背畔故與罕开解仇結約然其私心不能亡恐漢兵至而罕开背之也其計常欲先赴罕幵之急以堅其約先擊罕

羌先零必助之適使先零得施德罕羌堅其約合其黨等語武帝大寤從充國計否則敗矣

武帝性急充國持重相處極難非充國專爲國計不顧身屯田之效寧可睹耶

信威千里從枕席上過師此漢人鍊句最奇者相傳某滑稽信有日行千里足不出戶語殆亦類此日行千里足不出戶蓋茶役也

武帝令充國熟計復奏充國亦心平氣靜詳陳所以卒之武帝大寤議者贊服處國家大事異議多者宜法充國也

充國年雖已老而氣甚壯觀其不用浩星賜之言謂兵勢國之大事當爲後法老臣不以餘命明言兵之利害卒死誰當復言之者不爲身與名計專爲國計爲後世計何其壯也

書傳常鄭甘陳段傳

鄭吉都護西域封安遠侯中西域而立幕府去張騫鑿空時僅數十寒暑耳

甘延壽謂國家與公卿議大策非凡所見事必不從此誠有閱歷之語其後已斬郅支之首揚威萬里石顯匡衡輩尙忌其功不肯封賞則前此必不獲請明矣

書雋疏于薛平彭傳

觀疏廣知足不辱知止不殆及子孫賢而多財則損其志愚而多財則益其過等語疏氏蓋習黃老之學者

于公治獄多陰德自知子孫必有興者今人治獄多隱慝亦自知其子孫必受惡報否

書王貢兩龔鮑傳

先爲叙論而後作傳後人喜用此法

曾子以蒸梨出妻孝也王吉以取棗去婦廉也然後世決無是事

貢禹疏請崇儉語皆痛切而天生聖人蓋爲萬民非獨使自娛樂而已也數語尤與尙書元后作民父母意合

漢武時民產子三歲出口錢致民殺子今丁賦幷於田語以此事殆難相信近聞薊門有結婚之稅厦門有棺歛之捐其事與口錢雖異要皆苛政仁者所不忍言智者所不肯爲也

禹以民棄本逐末耕者不能半貧民雖賜之田猶賤賣以賈窮則起爲盜賊謂宜罷採珠玉金銀鑄錢之官無復以爲幣市井勿得販賣租稅祿賜皆以布帛及穀使百姓壹歸於農此誠救國遠謨惜今人不寤紛紛效夷俗貴異物惟恐穀帛有利也

龔勝以莽故藉老歸隱非徒與夏侯常論議不合也龔舍更以莽故藉疾餓死自言旦暮入地誼豈以一身事二姓潔志苦行不愧高士至老父弔舍有薰以香自燒膏以明自銷之語殆老莊之徒素與舍友者歟

鮑宣古刑人尙服今賞人反惑二語直爲今日言之又民有七亡七死今皆備之又言羣臣幸得居尊位食重祿豈有肯加惻隱於細民助流教化者志但在營私家稱賓客爲姦利而已以苟容曲從爲賢以拱默尸祿爲智何其與今日相類之甚耶

淸有燒車御史漢有沒車司隸

淸節之士多能自治而不能治人匪才短也小人道長獨淸無如衆濁何妄者遂疑其不能治人也

書韋賢傳

傳以韋賢爲主而前錄其五世祖韋孟詩二篇後錄其仲子玄成詩二篇蓋惟史傳可如此

韋玄成陽爲病狂欲讓爵辟兄耳何嘗以讓爲名高懼光曜不宣無以垂榮於後哉

書魏相丙吉傳

遂不去也下此馭吏邊郡人習知邊塞發奔命警備事十六字宜置嘗出適見驛騎持赤白囊邊郡發奔命書馳來至馭吏下因隨驛騎至公車刺取上此書雖宋版乃百衲本故有此誤

書眭兩夏侯京翼李傳

夏侯勝謂諸生曰士病不明經術經術茍明、其取靑紫如俛拾地芥耳後世或鄙斯語然子張學干祿不失爲賢子使漆雕開仕不失爲聖仕何必遽爲儒者醜行哉不過聖以言寡尤行寡悔祿在其中勉子張重言行不第經術也賢以吾斯未信自勉患所以立不患無位也

范雎說秦王能奪太后及貴戚政權京房說漢帝不能損石顯及五鹿豪末蓋所遇之主異所欲去之人異所以說之者亦異也

書趙尹韓張兩王傳

趙廣漢之誅杜建先諷告不改然後收案致法中貴人豪長者爲請無不致終無所聽、其治潁川也教吏爲缿筩（若今告密匭）及得投書削其主名而託以爲豪桀大姓子弟所言其後彊宗大族家家結爲仇讎用是卒誅原褚首惡尤善爲鉤距以得事情郡中盜賊閭里輕俠其根株窟穴所在及吏受取請求銖兩之姦皆知之今日獨無是人爲國誅鉏豪强窮治匪首奈何

尹翁歸爲治緩於小弱急於豪強今大抵反是若韓延壽遇吏欺負痛自刻責吏聞

者自傷悔其縣尉至自刺死民昆弟訟田則閉閤思過於是令丞嗇夫三老皆自繫待罪訟者深自悔皆自髡肉袒謝今更無從有是人

心之精微口不能言言之微眇書不能文本周易書不盡言言不盡意二語

敞治京兆以經術自輔往往表賢顯善不醇用誅罰良吏不當如是耶

王章爲鳳所舉非鳳專權不親附鳳雖念牛衣竟上封事可謂難能也已

觀贊劉向獨序廣漢翁歸延壽馮商傳王尊揚雄亦如之等語可知此傳即錄自劉向馮商揚雄所著也

書蓋諸葛劉鄭孫毋將何傳

次公醒而狂至今以爲佳話卒以高節獲罪自刎闕下惜哉

臣門如市臣心如水鄭崇以一死留此二語哀哉

杜穉季大俠上通朝貴一聞侯文欲取之議遽杜門更戶不敢犯法雖侯文剛直孫寶威殺有以懼之亦異時酷吏誅鉏豪彊先聲奪人乃見此效也

傅太后前欲封從弟傅商惡鄭崇諫阻乃曰何爲有天子反爲一臣所制嗣修馮太后當熊舊卻令馮太后自殺今又賤取官婢尊爲太后行同俚婦可恥甚矣

何並治潁川能誅郡掾鍾威輕俠趙季李款於已逃之後以善用吏耳

書蕭望之傳

霍光因望之譏其露索挾持非周公致白屋之意獨不除用望之殊量小休休有容者豈如是耶光既薨子禹爲大司馬兄子山領尚書一姓擅政而望之以季氏專權卒遂昭公爲言蓋亦意主報復欲以是聳聽耳

前不省謁者召致廷尉爲下獄已一誤矣後明知蕭太傅素剛安肯就吏而竟可顯等之奏致再誤何也洎蕭自殺卻食涕泣責問顯等一謝便已天子之怒顧若此乎

書馮奉世傳

奉世計擊莎車時意頗爲國何嘗計及異日封爵蕭望之不明春秋之義謬責矯制是誠鄙儒惡足與論國事哉異日匡衡竊其緒論用抑延壽而延壽幸封異於奉世

有幸有不幸也

少發師而曠日與一舉而疾決利害相萬此眞奉世老謀深算語文臣不瘖役乃再興可嘆然奉世功名異日僅次充國亦足自豪矣

馮野王謂人皆以女寵貴我兄弟獨以賤然野王是時猶爲大鴻臚也成帝卽位有司竟奏野王王舅不宜備九卿則眞令人浩歎矣野王勢微擠之出外王鳳勢盛柄國輔政尙安得有是非乎野王代鳳徒託空言鳳免野王反開惡例尙安得有賞罰乎

贊極哀馮參之死我亦隕涕

書宣元六王傳

使宣帝不因許后殺死太子蚤失母故罷易儲之議則憲王繼統遠勝元帝何至漢德遂衰余於是益恨光妻旣陷女爲廢后復破家禍國至於此極也

王鳳謂諸子書或反經術非聖人或明鬼神信物怪太史公書有戰國縱橫權譎之

謀漢興之初謀臣奇策天官災異地形阨塞皆不宜在諸侯王足見未有印刷術時書籍難得上亦視書籍若軍用地圖不任窺覽也然鳳非忠於爲漢實因己以外戚擅制朝政懼有賢諸侯王起爲朱虛東牟欲愚諸侯王免發己覆庶幾遂志耳

書匡張孔馬傳

匡衡上疏極戒侈靡今則舉國力崇侈靡一切以多費爲豪某妃一沐百金一浴千金一韈百金一履千金軍饟困匱民用枯竭抑又奚怪

秦漢以前聖以德著有位無德則不可奉以聖名秦漢以後師儒有賢名而無聖名天子與天子父母妻子則無往非聖其端開自儒臣如匡衡聖性聖心聖德云云尤可痛恨若乃阿諛石顯尸位罔上王尊劾其無大臣輔政之義豈不諒哉

成帝病在不斷而禹復謂天變不因王氏老朽昏庸專爲身謀而漢祚斬矣使不早死彼何嘗不可媚事新莽稱臣舞蹈哉馮道自稱長樂老人特遠紹張禹遺緒耳

聖如伊周其訓王之言載在尚書未聞有譏焉者今孔光如有所言乃削草藁謂章

主過以奸忠直人臣大罪謟媚無理令後世人主以是罪直臣良可痛恨哀帝免光策有曰君前爲御史大夫輔翼先帝出入八年卒無忠言嘉謀今相朕出入三年憂國之風復無聞焉可見光未嘗有言特託削藁爲名高耳

光已罷復起非其幸也觀莽以光爲舊相名儒太后所信大臣敬之所欲搏擊輒爲草以太后指諷光令上之是傀儡光且鷹犬光也儒效掃地醜哉太后詔有曰太師光聖人之後先師之子德行純淑道術通明每讀斯語未嘗不爲之汗下浹背霑衣也

漢高用叔孫通孝武相公孫弘阿諛接踵亦固其所

書王商史丹傅喜傳

成帝知王商賢甚敬重商而屢聽王鳳譖言自折鼎足昏孱至此國焉得不亡王商賢王章忠直皆被惡名以死獨任專權蔽主之王鳳國焉得不亡

百萬之衆不如一賢自是確論

書薛宣朱博傳

薛宣爲不其丞而琅邪太守趙貢行縣見宣甚說其能從宣歷行屬縣還至府令妻子與相見戒曰贛君至丞相我兩子亦中丞相史識國相於末僚一不可及知兩子可任丞相史二不可及

朱博行事近俠其薄視儒生不足怪至謂太守漢吏奉三尺律令以從事耳亡奈生所言聖人道何也且持此道歸堯舜則法家無賴語也

博爲人廉儉不好酒色游晏今日亦有是人

其折逆人如此其操持下皆此類也每遷徙易官所到輒出奇譎如此其趣事待士如是皆敘事總括語博以此自立然終用敗則承前開後語也

書翟方進傳

方進爲小史以遲頓不及事病歸汝南欲西至京師受經後母憐其幼隨之長安織屨以給此後母今不易有也

漢時丞相進見天子御坐爲起在輿爲下葢古意猶有存者

翟義擁劉信舉義正言討莽雖敗猶榮劉立乃欲藉莽報私怨誠狗彘弗若也

甄邯亦爲大將軍權輕位降豈得比韓信所爲之大將軍耶

贊惜翟義若鬭哭聲

書谷永杜鄴傳

谷永知鳳方見柄用陰欲自託心地若是文何足觀傳謂永專攻上身與後宮而黨於王氏豈誣也哉

書何武王嘉師丹傳

漢人喜以翁公君爲字如仲翁次公君房等是也然以君公二字爲字者惟何武一人而已又漢喜翁公君等字似自祝富貴壽考淸時則侯伯子丞少幼字多翁公君字甚少豈當時只宜用君公以下字且不便以老自居耶今字翁公君者漸多矣亦人心慕古一驗與

漢儒董仲舒外往往不重實踐無怪宋儒薄其所爲別研性理戴聖爲九江太守行治多不法於何武更前倨後恭私意滿腹輕國重子有愧禮宗傳中禮經號小戴者也七字冷極

欲除吏先爲科例以防請託此誠爲事擇人美法今則不但爲人擇事且爲人設官何武若在可用何法防之乎

其所居無赫赫名去後常見思治行若此似易實難

王嘉爲郎坐戶殿門失闌免戶字由左傳屈蕩戶之來可見漢人善於學古

吏不久於其位中材苟容求全下材懷危內顧壹切營私者多今日知此者蓋有之矣而矯之者少何也

哀帝欲侯嬖人董賢而傅嘉勸因東平事封之帝遂定躬寵告東平本章掇去宋弘更言因董賢以聞此種欽定辦法今人多優爲之

帝以東平事侯董賢反切責公卿無子玉汲黯銷厭未萌漢廷引古往往牽附離本

旨甚遠不圖帝亦擅長斯技、

王嘉奏擧哀帝寵遇董賢諸端語極痛切封還益封詔書迹尤抗直生爲諍臣死謚忠侯惜漢廷諸臣不盡如此也

觀括髮闗械裸躬受笞二語與朱明酷待大臣奚以異、

漢人引經往往迂闊師丹於哀帝即位之始明知王氏僭盛不極力翊贊哀帝有所匡正反引諒闇不言聽於冢宰三年無改於父之道以相阻諫不思殷高冢宰豈若王氏孟莊之父豈若成帝而且載主興師古史弗譏幹父之蠱周易所美果如丹言是武王不宜遽伐商紂懷宗不得早誅魏閹矣夫豈其然然師丹必如是云云殆因王氏雖盛逆謀未顯哀引丁傅亦皆外家故倡是論藉免紛更非實迂闊也

爲人後者爲之子無貴賤一也漢於定陶竟因此異議紛呶者蓋一因傅太后欲恃貴干政一因哀帝欲借徑引丁傅遂去王氏也然丹議要自正切

一則曰忠臣不顯諫再則曰臣不密則失身臣不密豈謂諫草耶果謂諫草則尚書

可廢伊周宜被顯戮矣然乎否耶

忠言嘉謀不見聽納反曰未聞可恥孰甚

孝平時王莽發掘傅太后丁太后冢隳廢共皇廟賜丹爵關內侯挺信正氣蓋恨丁傅壓抑王氏稱心報復耳

書揚雄傳上

淵明五柳先生傳略仿此傳首段

不爲章句訓詁通而已此千古讀書祕訣孔明所謂觀大略淵明所謂不求甚解胥此旨也然擬馬摹屈爲辭賦雄不解章句訓詁者豈克臻此特不以此自囿耳

書揚雄傳下

雄不附丁傅董賢豈附王氏耶年四十餘以王音知遇起又嘗與莽同僚使附王氏貴且富久矣何至專以文章成名哉特投閣以後不宜復爲大夫遂令紫陽以莽大夫相貶耳

贊謂雄作皆斟酌其本相與放依而馳騁云此學文要訣文義至深而論不詭於聖人亦作文祕訣

侯芭爲雄起墳喪之三年孔子弟子後所僅有也

司馬相如揚雄二傳皆分上下篇亦孟堅過好文辭所致

書儒林傳

六藝者王教之典籍先聖所以明天道正人倫致至治之成法知此則儒林非可貌託必經明行修可與圖治者始得謂儒也

孟喜好自稱譽又詐言田生且死時枕膝傳易以此相耀學縱可言行不足稱也

倪寬初見武帝帝謂吾始以尙書爲樸學弗好意蓋謂尙書近黃老也武帝不喜黃老學故云

申公對漢武曰爲治者不至多言顧力行何如耳儒林一傳惟此對最可取蓋於漢武爲對症下藥於儒術爲脚踏實地也

王式以三百五篇爲諫書無諫之迹有諫之效此誠善諫者凡事宜法此意不獨諫然也

王式聞江翁何狗曲之語不屑與較陽醉遏墜此與孟子於禽獸又何難焉同旨

黄生冠履之論雖正實知一不知二之語必如孟子聞誅一夫未聞弑君民爲貴社稷次之君爲輕等論始合尙書天降下民作之君作之師撫我則后虐我則讎正旨

嚴彭祖字公子名字均可異其爲太子太傅時或勸阿事權貴彭祖謂凡通經術固當修行先王之道何可委曲從俗苟求富貴則不愧儒者矣

書循吏傳

吳公文翁之屬皆謹身帥先居以廉平不至於嚴而民從化此其上也董仲舒公孫弘兒寬三人通於世務明習文法以經術潤習吏事此其次也王成黄霸等所居民富所去民思生有榮號死見奉祀亦其次也

孝宣有言庶民所以安其田里而亡歎息愁恨之心者政平訟理也此眞知循吏者

之言蓋必政平訟理始爲循吏也否則非酷吏卽庸吏俗吏耳既眞知循吏又使久於其任又增秩賜金予爵且用爲公卿賢者樂爲循吏其次亦勉爲循吏矣

黃霸力行敎化而後誅罰其治潁川孝子弟弟貞婦順孫日以衆多田者讓畔道不拾遺養視鰥寡贍助貧窮信難得也

張敞與朱邑書有陳平雖賢須魏倩而後進韓信雖奇賴蕭公而後信等語此爲材智之士不遇於時者言也今則牽引弘人誰倘三復斯語

書酷吏傳

直法行治不避貴戚、酷吏亦有足多者若徒恣刑戮則眞所謂屠伯矣

嚴延年母數責延年謂不聞仁愛敎化有以全安愚民蓋恨子不爲循吏也

贊謂酷吏稱位其廉者足以爲儀表其汙者方略敎導一切禁姦今則但有貪吏庸吏不惟循吏無卽此等酷吏亦不易有矣悲夫

書貨殖傳

用有制則俗不奢生者衆則用自足四民不雜處而在上者復道德齊禮世惡得不治嗜欲不制僭差亡極商通難得之貨工作亡用之器士設反道之行篡弑取國者爲王公圉奪成家者爲雄桀世惡得不亂

任氏折節力田非田畜所生不衣食此誠保富之術今農工與士商較衣量食苟過婚葬所耗尤甚而上復巧取民財盜更伺隙爲暴民惡得不困

上爭王者之利下錮齊民之業今西人機器日利工廠日衆致有所謂托拉斯者出此二語可以贈之

書游俠傳

論游俠而引曾子上失其道民散久矣之語可謂探驪得珠蓋上無賞罰下乃自爲賞罰自爲賞罰則生殺之柄下移游俠遂代王者矣始猶以公是非爲賞罰繼乃以己是非爲賞罰終且以己賞罰刦持是非矣

魯朱家專趨人之急甚於己私既陰脫季布之厄及布尊貴終身不見漢時儒者能

是乎

郭解爲人靜悍少時陰賊感概以軀籍友報仇藏命作姦剽攻休乃鑄錢掘冢年長更折節爲儉以德報怨厚施而薄望既已振人之命不矜其功蓋少時俠而盜長乃盜而俠也

萬章不受石顯財物謂此爲石氏之禍萬氏豈以爲福似學黃老言者

樓護執呂寬以取爵位尚得爲俠者耶後所謂有故人呂公無子歸護者豈卽寬父耶

陳遵放意自恣浮湛俗間頗類東方朔未足爲俠也

原涉少慕儒行亡命以後乃效輕俠自謂寡婦始自約敕慕宋伯姬及陳孝婦不幸盜汚遂行淫失此譬蓋甚可悲也然自守儉約專以振施貧窮赴人之急爲務此誠俠者與陳孟公異矣齊田氏以小惠結民俠者皆用此術耳

書佞幸傳

爲佞幸一也而石顯董賢干預政事則元帝哀帝之咎也

石顯沮馮野王爲御史大夫乃曰九卿無出野王者然野王親昭儀兄臣恐後世以陛下度越衆賢私後宫親以爲三公論摯議正足動上聽後世小人往往效此

李延年於武帝曾進女弟董賢於哀帝則並進女弟及妻且旦夕上下並侍左右

書匈奴傳

苟利所在不知禮義凡夷狄大抵如此不獨匈奴也

長城始於秦昭王燕亦築長城昭王所築在西北燕所築在東北始皇時始連其中工亦較鉅世謂始皇築萬里長城禦胡蓋萬里之名實始始皇耳

冒頓以鳴鏑自射善馬射愛妻復射單于善馬射頭曼以射己馬始以弑父終於殺妻由物及人於弑父亦由物及人令共賍以殺人立威始擇衆所共惡者殺之繼忿有仇者報復終乃令自弑父母至自弑父母則人之本性盡失無異機械矣人而機械惟彼所命無惡不可作此術蓋竊諸冒頓也又冒頓於東胡既與寶馬復予愛閼

氏而終不棄棄地遂大破東胡擊走月氏南并樓煩白羊河南王收秦蒙恬所奪匈奴地遂侵燕代始示弱似鄭伯縱段後奮武似楚子圍宋而且自月氏亡歸則盜其善馬弒父自立則先射善馬卽赫赫武功亦始以千里馬爲餌馬誠大有造於冒頓哉噫

善爲誘兵以包敵今共匪亦然

冒頓弒父之先射殺愛妻破東胡之先以愛閼氏予東胡今獨取閼氏之言開圍一角以縱高帝何前後判若兩人也

漢與異族爲兄弟後世乃爲叔姪爲父子

高后報冒頓書有年老氣衰髮齒墮落單于過聽不足以自汙等語與來書兩主不樂無以自虞願以所有易其所無針鋒相對甚可恥也（虞通娛）

强宦者中行說傅翁主說遂大爲漢患甚矣人不可強也

徙關東貧民處所奪匈奴河南地新秦中以實之卽後世所謂移民實邊也

郭吉對主客卑辭好言對單于則直辭正言蓋非是不克見單于非是亦不能讋單于也

夜塹漢軍前深數尺從後急擊之譎哉單于

一則曰匈奴逐衰耗再則曰匈奴大虛弱通西域斷匈奴右臂之效昭昭矣

書匈奴傳下

屠耆單于信西方呼揭王與唯犂當戶讒言殺右賢王父子後知其冤復殺唯犂當戶於是呼揭王恐畔去此與洪秀全殺楊秀淸復殺韋昌輝致石達開獨樹一幟相類也呼揭王自立爲呼揭單于右奧鞬王聞之卽自立爲車犂單于烏籍都尉亦自立爲烏籍單于合呼韓邪單于爲五單于此與晉八王之亂墨西哥七總統之爭相類也

揚雄諫距單于朝書遠慮高論非尋常才士所能有中間稱孝武遠略衞霍殊績謂自是之後匈奴震怖益求和親稱五單于爭立日逐呼韓邪擕國歸死扶伏稱臣自

此之後欲朝者不距不欲者不强稱往者圖西域制車師都護三十六國乃以制匈奴於漢所以威匈奴匈奴所以臣事漢察視甚明又曰六經之治貴於未亂兵家之勝貴於未戰不壹勞者不久佚不暫費者不永寧蓋誠寤古人治天下意也

漢於匈奴剛柔並用數世始定莽以改易印文開釁（易匈奴單于璽爲新匈奴單于章）不聽嚴尤之諫勞師遠伐終喪社稷禍與秦比蓋務勝前人之一念誤之也

匈奴單于皆譯音莽乃欲改匈奴爲恭奴單于爲善于驕妄無謂

本兄弟而稱臣由匈奴內亂今漢亦大亂匈奴亦出兵擊莽令天下騷動思漢而漢復興亦我力也當復尊我此雖匈奴狡論要亦持之有故

書西南夷兩粤朝鮮傳

南夷君長以十數夜郎最大其西靡莫之屬以十數滇最大自滇以北君長以十數邛都最大自嶲以東北君長以十數冉駹最大自駹以東北君長以十數白馬最大

此種敘法於禹貢職方外又樹一幟韓文公贈鄭尚書序亦嘗仿此

牂柯太守陳立藉行縣斬夜郎王興與高帝僞游雲夢縛楚王韓信略似使奇兵絕翁指饟道縱反間以誘其衆與漢高使彭越田橫絕楚糧食用陳平計離間楚君臣略似克定西夷宜哉

莽改鉤町王爲侯其謬與改匈奴印文等

自趙佗以來挾南粤帝制自爲者時有蓋負山阻海足自給且能自守也

爲佗修治先人冢並寵其從昆弟佗意慰矣又明言服嶺以南王自治之佗念定矣然後婉責以兩帝並立爭而不讓佗至此心自怍矣願奉明詔長爲藩臣固其分也帝告佗以情佗亦告帝以情帝誠有王者度佗抑可謂人傑也

書西域傳上

西域今新疆所謂戎狄即回人也匈奴今內外蒙古所謂戎狄即蒙人也蒙人逐水草遷徙無城郭常居耕田之業回人則大率土著有城郭田畜然新疆亦有沙鹵地其民隨畜牧逐水草與蒙古等

樓蘭王謂小國在大國間不兩屬無以自安此猶春秋時鄭所謂犧牲玉帛待於二境也

樓蘭近漢當白龍堆乏水草常主發導負水儋糧送迎漢使又數爲吏卒所寇懲艾不便與漢通後復爲匈奴反間數遮殺漢使此數語凡宦邊省者須切記否則爲淵敺魚爲叢敺爵不獨漢吏卒然也

書西域傳下

楚主侍者馮嫽嘗持漢節爲公主使行賞賜於城郭諸國敬信之號曰馮夫人雖馮嫽能史書習事亦諸國是時目中有漢因畏而敬也漢既以公主和親又使公主侍者馮夫人錦車持節賜烏就屠印綬漢用女子可謂多術矣

漢武輪臺之詔深悔用兵不惟不遠田輪臺且由是不復出軍與民休息其事頗近周穆其意甚類孝文

書外戚傳上

妒惡至支解人前惟呂后後惟陽成昭信（景帝子劉去之妃）然既斷手足復去眼熏耳飲瘖藥使居鞠域中名曰人彘則呂后外古今未有也卒令惠帝大哭謂此非人所爲是呂后以戚姬比彘惠帝亦彘視呂后矣惠帝以此日飲爲淫樂不聽政七年而崩是如意爲呂后酖殺惠帝亦無異爲呂后酖殺也

湘方言有何解二字見此傳

名戚姬爲彘己亦以病犬禍死死若有知何以見高帝地下也

魏豹因許負相薄姬當生天子因背漢中立卒令薄姬爲漢高所幸遂生孝文天命有在豈不信哉

薄姬夢龍據胸可與高祖母媪交龍於上後先輝映

呂太后出宮人賜諸王而竇姬以家在清河願如趙近家請主遣宦者吏置籍趙伍中此亦人情乃因誤置籍代伍中俾過代王夫與子皆踐帝位此則天意非人力所能改也

栗姬以妒失寵蓋年已長也年未長時妒或專寵年已長時妒必失寵失寵者禍小或僅及已專寵者禍大必致及人

李夫人寤色衰愛弛之理終不肯以燕婧見帝遂令孝武思念不已既爲是邪非邪之詩復爲連娟修嫮之賦李夫人信加人一等哉

上官桀爲未央廐令因馬瘦見責乃言聞上不豫日夜憂懼意不在馬蓋詐飾忠悃幸欺武帝免死耳豈知大富貴始此哉然他日卒以詐敗霍光手詐之爲術亦有幸有不幸耶

上官安女始爲倢伃月餘遂立爲皇后年甫六歲立十歲而昭帝崩后年十四五然則爲倢伃時年未六歲也雖爲霍光外孫光爲尙幼不聽安以女入宮實執正有大臣度安父子以此恨光以此謀反以此滅族而此年少不與逆謀之上官皇后異日且爲光行伊周事大助是安父子欲藉后爲已富貴謀無異天假手安父子爲霍光蓋代功名計也冥冥中有主宰信哉

宣帝不欲立霍光小女爲后而詔求微時故劍大臣知指自立許婕妤爲后蓋卽物知人故劍可懷故妻自爾當重也然許后竟以此被女醫淳于衍所毒殺豈非命耶顯造逆謀罪通於天光竟進女爲后罪亦不可逭向使光不進女何至有更毒太子之事何至有因毒太子未遂謀反遭族滅之事語曰姑息養奸信哉

書外戚傳下

許后聰慧善史書自爲妃至卽位常寵於上後宮希得進見蓋彼時色尙未衰也然專寵衆所忌又無子年亦漸長劉向谷永等復以災異歸咎於后致成帝省減椒房掖廷用度此亦醴酒不設之時矣后宜深自歛抑勿復有言日久帝知災異非后之由自必相敬如舊后不出此恃寵騰疏致帝有鳥焚其巢祖宗且不血食等語抑何謬也某乙詠楊妃有江山情重美人輕之句成帝是時實類玄宗后乃不寤何謂聰慧卒用廢死豈不哀哉

成帝欲與班倢伃同輦未嘗無后之之意使效飛燕之娟早正位椒房矣又倢伃侍

者李平亦立爲倢伃帝竟以衞皇后爲比賜姓曰衞使衞倢伃效飛燕亦必正位椒房矣而皆不然殆成帝之不幸哉

班倢伃自悼賦託體楚騷不愧作者

趙皇后與昭儀姊弟爭寵性復淫亂有赤鳳爲誰來之語昭儀尤妒掖廷中御幸有子者輒死於許美人及中宮史曹宮所産子皆死之懟則以手自擣以頭擊壁戶柱從牀上自投地啼泣不肯食此村婦所不肯爲而孝成終寵之致被毒弑甚可痛恨親滅繼嗣咎在昭儀而童謠乃曰燕飛來啄皇孫皇孫死燕啄矢蓋昭儀由飛燕而進也

同時有四太后各置少府太僕古今所未有也

傅太后亟封傅晏師丹諫以親戚何患不富貴而倉卒若是其不久長矣此誠直言抑亦至論

馮倢伃當熊後世傳爲美談而傅昭儀怨之終身必殺馮而後已妒之爲毒甚矣哉

莽長子宇非莽隔絕衛氏恐久後受禍於人欲全母子於己欲保父子此人之所爲

莽隔絕人母子復殺宇無父子恩此非人之所爲

孝平亦被莽謀殺耳史不具詳事蓋甚祕

莽子宇以不直莽所爲被殺莽女亦不直莽所爲發病不肯起簒弑得國欲爲子孫萬世業而效若此人亦何苦欲帝乎

書元后傳

自造宗譜祖古帝王聖賢今尚有其人於莽何責也

諺謂毋喜季子祖愛長孫孝宣因太子御幸政君有身竟生成帝喜而字曰大孫蓋望孫甚切適愜厥願也然漢祚中斬機實自此禍福相倚伏信哉

王鳳辭職成帝宜卽報可以母后故當斷不斷是亦婦人之仁耳王章忠亮非范睢可比哀帝則甚愧秦王也

前不罷鳳已一誤矣今不乘音藉槀請罪商立根負斧質黜退諸王實再誤也惟知

有母不知有宗廟社稷不知有子孫黎民亦愚孝而已矣可憫孰甚焉

成帝已再誤矣哀帝明知王氏驕盛復徵莽還京師是三誤也

太后惟知有外家不知有漢室直至莽奉符瑞始大驚不肯授傳國璽罵莽不顧恩義狗猪不食其餘而自稱漢家老寡婦吾不知其何以見劉氏諸帝地下也

王諫欲諂莽反遭鴆殺張永獻符命竟得封爵小人亦有幸有不幸哉然漢家老寡婦乃爲新室文母太皇太后且禍延王諫福被張永抑亦古今未有之恥也

見孝元廟壞而泣且謂莽慢神必敗元后固心中有漢也特婦人無力惟克守漢家正臘耳然悔已晚矣罪不可逭矣贊謂歷國四世爲天下母羣弟世權更持國柄位號已移猶握璽不欲授莽蓋深痛之也

書王莽傳上

匿情求名四字寫盡莽一生伎倆

孫竦博通士爲陳崇草奏稱莽功德歷引諸書書生爲世所鄙蓋由此輩耳

莽受西漢九錫操受東漢九錫莽有劉歆操有華歆均可謂後先輝映也一笑

霍光法伊周以輔漢王莽學伊周以篡漢

前有孫竦爲陳崇作奏頌莽功德後有張竦爲劉嘉作奏頌莽功德

書王莽傳中

莽執孺子手流涕歔欷諺所謂貓哭鼠耳

因富者驕而爲邪貧者窮而爲姦令天下公田口井其男口不盈八而田過一井者分餘田與九族隣里鄉黨故無田今當受田者如制度此限民田免貧富相遠遂以致亂也然必孝弟力田效乃可睹否則游民惰耕有田亦貧富者力餘或漸奢僭欲制治淸濁蓋亦難矣

假符命致富貴者日夜憂懼卒用誅夷可鑑也

謂莽鴟目虎吻豺狼之聲能食人亦爲人所食此亦善相人者惜失其姓名

王莽有四友袁世凱亦有四友袁竟以莽自處抑何可哂

劉季好大言莽亦好爲大言

課計不可理吏終不得祿各因官職爲姦受取賕賂以自供給可見財用混亂欠薪餉過久釀亂召敗事有固然今之人柰何弗寤也

書王莽傳下

莽一生喜仿書經而左將軍公孫祿有臣恐新室憂不在匈奴而在封域之中也句可謂善仿論語然莽亦有天生德於予漢兵其如予何句則莽亦善仿論語矣

田況言賊情及所以治賊均允而莽反畏惡況陰爲發代天殆已奪莽魄矣

昆陽之戰有大衆崩壞號呼虎豹股栗等句便若與鉅鹿大戰無異

莽至死尙愛財物賜九虎士人僅四千錢可笑

贊謂莽得肆其姦慝以爲篡盜之禍亦天時非人力實善論古

書叙傳上

班嗣謂莊子獨師友造化而不爲世俗所役此誠知莊子者也世嘗以老莊並稱實

則莊賢於老蓋老貴樸下有所爲也莊善逍遙無所爲也果人人無所爲各適其適治之名且無有何有於亂儒曰獨善兼善佛曰自度度人衆名並作諸相畢見而天下紛紛矣彼此較量未能相忘世惡得不亂

班彪王命論應天順民句本周易湯武革命順乎天而應乎人

比天下於逐鹿世所以多亂臣賊子此信可悲之事不獨此也一命之吏百金之子嚮皆以命相詫無或加害自有非命者出而弑殺盜刦遂不可止孔子以死生有命富貴在天定民志復以作善降祥不善降殃勵民行意深遠矣

孟堅幽通賦趨步離騷

書叙傳下

漢書叙目典重華貴信孟堅傑作後世鮮能效者

我德如風民應如草國富刑清登我漢道漢文不愧此語

壼閫忞趙朝政在王炎炎燎火亦允不陽以亡國之罪歸孝成是謂史識

制禮作樂本於履豫二卦而孟堅叙目上天下澤春雷奮作先王觀象爰制禮樂不曰履豫但以觀象二字顯之上下各句自然貫注可寤用典之法

明刑敕法本易噬嗑而叙目雷電皆至天威震耀五刑之作是則是效亦不言噬嗑而威實輔德刑亦助教二語尤得古聖人制刑本意

雲起龍褱化爲王侯二語妙極（褱通驤）

揚雄始爲文士後勉儒修故叙目有輟而覃思草法纂玄等語法謂法言玄謂太玄

讀後漢書蠡述

癸酉春正月

隶埼德題

中華民國二十二年
湘鄂印刷公司印行

讀後漢書蠡述目次

讀後漢書蠡述卷一

岳陽李澄宇洞庭著

書光武紀上 世祖

光武美須眉大口隆準日角雖未如史漢稱龍抑亦隱言龍種也

伯升好俠養士常非笑光武事田業比之高祖兄仲蓋隱以高祖自許也而異日適得其反何耶蓋有志爲聖賢鬼神所甚喜有志爲帝王鬼神所甚忌往古爲帝王者或以德致或以力取其始要無利天下之心必時至事迫不得已而踐阼然後曆數在躬海內可定否則篡弒得國盜賊取食目前成敗雖異到底皆乏善果也

軍中分財物不均欲反攻諸劉可想見衆人初志光武歛宗人所得物悉以與之衆乃悅可想見光武御衆上策

謀臣將士皆遜高祖時而卒集大勳者以光武智勇天授不減高祖也昆陽一役敵兵十萬我僅數千在城諸將憂念妻孥欲散歸諸城而郾定陵諸將更貪惜財物欲分留守之非光武以落落數言剖利害決大計並躬赴諸城發兵大事去矣諸將怒

而光武笑其鎮靜可想，王鳳等於城內向尋邑乞降，而光武自將步騎千餘自城外向尋邑進戰，其神武可想。既經屢捷，直衝中堅，乘銳崩之，遂殺王尋，內外合勢，敵大潰走。與項羽鉅鹿之戰，謝玄淝水之戰，並耀千古，有以哉。（按王鳳與西漢王鳳同名）

伯升為更始所害，光武不敢服喪。當時必有竊議其非者，然既立更始為帝，更始自可生殺人，光武此時何可以伯升事叛更始。且叛更始則討賊力減，敗或如石達開，成亦如楚項羽，於伯升何裨哉。

不伐昆陽功，將士歸心。有漢官威儀，吏士歸心。除王莽苛政，天下歸心。

王莽雖為三輔豪傑所誅，而更始未知為治，故赤眉王郎毒痛海內。呼沱河渡後，光武自起爐竈，所謂雲臺二十八將者，始漸歸命。蓋天下事如此其難也。邯鄲既拔，王郎已誅，更始乃欲奪光武兵權，光武不懼為伯升之續耶。始貳於更始，誠不得已也。

予為光武哭，予為光武喜。

既誅王郎，收文書，得吏人與郎交關謗毀者數千章，光武不省，會諸將軍燒之，曰：令反側子自安此誠上策蓋天下若身反側子及他小人若瘡痏克化毒則血肉復舊無瘡痏可言不化毒則心腹亦賊命之具更何論瘡痏清瑞澂知此寧復有辛亥八月武昌大事耶。

項羽懼降人爲變則坑之。光武知降者不自安則令各歸營勒兵而自乘輕騎按部。雖處勢各殊。而推赤心置人腹中項羽實愧光武也。令反側子自安。則舊人無不可用者令降者自安。則新人無不可用者。克成帝業豈偶然耶。

前孺子劉嬰本不至死。而平陵人方望必立爲天子。至被更始擊斬豈命也歟。

光武謙讓非僞飾。蓋誠恐寇賊未平。正號位太早。大勳難集也。

始起時。軍中分財物不均。則欲反攻諸劉。昆陽戰役前。諸將貪惜財貨。則欲留守之。令勸進。又曰。士大夫從大王矢石之間。其計固望攀龍鱗。附鳳翼。此無他。富貴二字驅迫使然耳。能超然富貴外者幾人哉。噫。

古曰民之父母曰爲人父母今或謬效異俗以公僕二字代父母不知父母愛子無微勿至民賴教養實無異子若僕於主人忠者絶少或奸欺取利或賈禍相賊假民以行民實未主何取是稱有類引盜

更始爲赤眉所敗妻子裸袒流冗道路光武不念舊惡封爲淮陽王必無項羽殺義帝之事也而赤眉他日竟殺更始亦命也哉

光武懲高祖屠戮功臣之失願與功臣長共富貴故於詔有臨深履薄之戒於策有制節謹度之訓

野穀旅生野蠶成繭喪亂後人稀可想衣食易足亦可想

男子八十以上十歲以下及婦人從坐者自非不道詔所名捕皆不得繫恤老幼與婦女也

幸舂陵置酒舊宅大會故人父老與高祖過沛與故人父老讌歌後先輝映

書光武紀下

詔上書不得言聖眞天子語後世具曰予聖聖字遂成例語矣

屢下解放奴婢詔不愧明主

封號以公爲至上不復建王雖曰法古亦莽制有以啓之後又封公爲王甚無謂也

河南尹張伋及諸郡守十餘人坐度田不實皆下獄死注謂多爲詐巧不務實核苟以度田爲名幷度廬屋里落蓋欲藉是多索貨賄耳後世舉清丈田畝事亦宜嚴杜此弊哉

羣盜並起攻刼在所害殺長吏郡縣追討到則解散去復屯結與今日共匪極相似而光武治之之法則聽羣盜自相糾擿五人共斬一人者除其罪是使被脅者得集力殺賊自新無恐也吏雖逗留囘避故縱者皆勿問聽以禽討爲效是使吏不以迹自疑得出計使間別奏奇績也其牧守令長坐界內盜賊而不收捕者又以畏愞捐城委守者皆不以爲負但取獲賊多少爲殿最惟蔽匿者乃罪之是使牧守令長得帶罪立功或欲急故緩欲進故退驕敵誘賊以便聚殲也今日剿匪曷不上師此意

乎。

據皖城之妖巫李廣，與西漢李廣同名。

王莽喜言祥瑞。光武反之。而羣臣乃以孝宣之神爵五鳳甘露黃龍爲言。光武不便非議。故但自謙無德。

光武退功臣而進文吏。蓋亦寤馬上得之不能馬上治之耳。

南頓君生光武。有赤光照室。及嘉禾一莖九穗。貨泉爲白水眞人事。別述於論。不置卷首。與馬班爲高紀異。

論此班贊。贊視班書叙目。但辭旨較繁耳。

長轂雷野。高鋒彗雲。此等句蓋刻意烹鍊者。

書明紀 顯宗

明帝諱莊。故漢以莊周爲嚴周。莊光爲嚴光。

詔引上無天子語。不敢以帝自居也。

書初行養老禮美之也。

天子而尊事三老。兄事五更。安車輭輪。供綏執授。後世豈有此、

三代王者。不名師傅。今日五更桓榮。授朕尚書。失古義矣。

中山王劉焉、與三國時劉焉同名。

帝惡過稱虛譽。詔尚書抑而不省。示不爲諂子嗤。不愧明主

明帝徒恐薄德、久而致怠耳二語。有古聖兢兢業業意。

詔禁送終奢靡。有財力盡於墳土。子孫飢寒。絕命於此。豈祖考之意等語。可謂痛切。

然財力盡於墳土。尚有可言。今則財力盡於宴飲吹鼓。與逝者更無涉也。

吏稱其官。民安其業。遠近肅服。戶口滋殖。文景之治。復見於明帝之世矣。

書章紀 肅宗

克勤克儉。求直言極諫。省刑罰。薄稅歛。殆過明帝。降年不永。惜哉。

祠孔子於闕里及七十二弟子。文廟規模漸具矣。

天子有長者之稱。三代後惟章帝一人而已。

書和殤紀

自竇憲登燕然山刻石勒功。北單于奉奏貢獻。不惟南單于傾誠內嚮矣。詔有醜虜破碎。遂掃厥庭。役不再籍。萬里淸蕩等語。匪誇誕也。惜不徙南廢北。後又屢勞師旅。皇弟可名萬歲。因漢時尙無稱天子爲萬歲爺語耳。故和帝時。尙書以下欲拜迎竇憲。伏稱萬歲。韓棱亦但謂禮無人臣稱萬歲之制。別無他論。

讀和帝詔。其在位犯者。當先舉正。市道小民。但且申明憲綱。勿因科令加虐羸弱等語。先嚴在位。寬於小民。誠得法行自近之意。蓋在位奉憲。民自從化也。今則法令爲小民而設。在位者往往不顧。一切無怪綱愈密而漏吞舟之魚。以和帝寤寐恫矜。而下吏假勢行邪。尙或貨行於言。罪成乎手。爲民上者。可弗懼歟。

和帝自竇憲誅後。躬親萬機。每有災異。輒延問公卿。極言得失。前後符瑞八十一所。自稱德薄。皆抑而不宣。又禁獻龍眼荔支。詔有曰。遠國珍羞。本以薦奉宗廟。苟有傷害。豈愛民之本大哉王言其氣象不減成康矣。

孝殤誕育百餘日。卽踐帝位。鄧太后臨朝。首減太官導官尙方內署諸服御珍膳靡麗難成之物。又免遣宗室坐事沒入宮者及掖庭宮人。皆爲庶民。太后亦賢矣哉。至勅司隸校尉部刺史。有郡國欲獲豐穰虛飾之譽。遂覆蔽災害。多張墾田不揣流亡。競增戶口。掩匿盜賊等語。洞悉民瘼。吏寧敢欺。

書安紀 恭宗

高祖斬白蛇。神媼有赤帝子斬白帝子語。帝在邸第有赤蛇盤於牀第之瑞。亦可與媼語相證。

安帝永初元年十月。倭國遣使奉獻。於匈奴西域諸國西南夷外又來東夷。可謂盛已。而孰知後世匈奴西域諸國西南夷均入我國版圖。而倭乃永爲敵害。近且執亞陸牛耳哉。噫。

詔劉珍及五經博士校定東觀五經。諸子傳記。百家藝術。整齊脫誤。是正文字。可謂善濟前美。

鄧隲鄧遵皆有功於漢，竟以乳母王聖與中黃門李閏等，誣告尚書鄧訪謀廢立，坐訪宗族自殺。女子小人之禍，亦烈矣。東漢亡於宦官，此即履霜之始矣。順帝即位，乳母野王君王聖，乃與大將軍耿寶，中常侍樊豐，侍中謝惲周廣坐相阿黨，或徙或死。王聖殆類明天啓時客氏耶，至順帝時乳母宋娥，靈帝時乳母趙嬈，爲禍俱遜王聖。也，

書順冲質紀

中興後大長秋常用宦者，故閻皇后大長秋江京，竟與安帝乳母王聖相結，譖廢儲嗣。擢害忠勳，

北鄉侯薨，車騎將軍閻顯及江京等，白太后祕不發喪，更徵立諸國王子，中黃門孫程等十九人，遂斬江京等，迎濟陰王，即帝位，定策功歸於宦豎，與李唐後先一轍，蓋由女主屢典朝政，宦者倚伏宮掖，易竊威福，久乃太阿授人，不可復制也。

封還桂陽太守文礱所獻大珠。順帝之儉德可想。

書初聽中官得以養子爲後。世襲封爵。宦官之禍。遂燼炎火。論謂順帝不能矯鑒前違。審識情僞。信哉。

梁太后與兄大將軍冀定策迎質帝。蓋利其幼也。卒以聰慧被冀鴆弑。酷矣。

書桓紀

書初聽刺史二千石行三年喪服。美之也。

帝卽位時。梁冀應誅而未誅者。以梁太后臨朝稱制也。太后崩後。冀又未誅。以梁太后女弟梁后在帝左右也。直至梁后已葬。冀始以謀亂自殺。顯戮久稽。冀亦幸矣。

孫程等十九人。以定策功侯於孝順之世。單超等五人。又以討逆功侯於孝桓之世。宦孽蟠結固厚。抑又何怪。

書靈紀

陳蕃竇武在桓帝時。屢折宦豎。靈帝之立。竇武實與太后定策。且身爲大將軍。而竟被中常侍曹節矯詔。與太傅陳蕃等同日族誅。皇太后亦遷南宮宦豎之禍、尙忍言耶。史以桓靈並稱。而靈帝尤前古未有也。

竇武以謀誅曹節被族。開何進失敗先例。

建寧元年。有中常侍曹節矯詔族誅竇武陳蕃等事。二年又有中常侍侯覽諷有司奏虞放杜密李膺朱㝢巴肅荀翌魏朗翟超等皆爲鉤黨。死百餘人。妻子徙邊。諸附從者錮及五屬。事任宦寺。操天子柄。生殺予奪。靈帝信亡國主哉。

閹宦本雄雞化雌。復干國柄。則雌雞化爲雄矣。

書初開西邸賣官。傷之也。

司徒劉郃等以謀誅宦者。事洩下獄死。雖死猶榮。書官予之也、

帝作列肆於後宮、使諸采女販賣。更相盜竊爭鬬。帝著商估服飲宴爲樂。此種樂殆猶饜珍羞人轉喜蔬食也、

黃巾始起。皇甫嵩朱儁大破波才。南陽太守秦頡斬張曼成。盧植圍張角於廣宗。皇

甫嵩且獲張角弟梁。戮角屍。斬角弟寶。朱儁又斬黃巾別帥孫夏。不及一歲黃巾盡滅。而漢社竟屋者。宦人之爲禍烈也。宦人禍所以烈。帝任之也。

帝自稱無上將軍。開明武宗自稱威武將軍之祖。

諸閹人無少長皆斬之一語。可與唯黨人不赦五字對看。

范書敘事。往往前後不相接。如桓紀先書梁太后徵帝將妻以女弟。妻否。爲后與否。未續書。後忽有皇后梁氏崩。始書封單超等五人爲縣侯。未書超由中常侍進任何官。後忽言車騎將軍單超薨。始書中常侍侯覽諷有司奏虞放等爲鉤黨。未書覽旋加何官。後忽有長樂太僕侯覽有罪自殺語。始書中常侍張讓段珪等殺大將軍何進。無一語及趙忠。趙忠必次於張讓。後忽有趙忠張讓亦給靈帝不得登高臨觀語。

書獻紀

董卓上繼王莽。下開曹操。事雖不就。亦可謂遺臭萬年矣。一笑。

不曰殺皇太后何氏。殺弘農王。而書曰董卓殺皇太后何氏。殺弘農王。明是時董卓生殺自顓也。後書殺書焚冠董卓二字者皆此例。至孫堅殺荆州刺史王叡，又殺南陽太守張咨。特京外目無天子者效董卓所爲耳。

元年書董卓自爲太尉，加鈇鉞虎賁。二年書董卓自爲太師。與史記陳涉自立爲王，貌同而實異。蓋彼時秦已失政，陳涉首義，可自立也。此時卓立漢廷，北面事帝，不可自爲也。

帝爲李傕郭汜所敗，幸曹陽，露次田中，賴楊奉董承率師奉迎，大破傕等，車駕乃得前進。後雖復敗，車駕已幸陝度河矣。楊董此功，蓋過操矣。

興平元年書孫策遂據江東。建安元年書鎭東將軍曹操自領司隸校尉，錄尙書事。曹操自爲司空，行車騎將軍事，百官總己以聽。鼎足之勢，三分有二矣。

建安五年春正月，大書車騎將軍董承、偏將軍王服、越騎校尉种輯受密詔誅曹操，事洩。此春秋後特筆也。繼書壬午曹操殺董承等，夷三族。不書官，仍上文，故不重書。

十三年赤壁之役，紀僅書權將周瑜，不言劉備。直至十八年書劉備破劉璋，據益州。

三分之局始定。三國志吳志則謂瑜普（稽曾）與備俱進。大破曹軍。魏志且謂操與備戰赤壁不利。又魏志謂建安二十年。劉備取益州。蜀志則謂十九年備圍成都。劉璋出降。予於赤壁事從吳志。成都事從蜀志。

二十三年春正月甲子。書少府耿紀丞相司直韋晃起兵誅曹操。不克夷三族。亦春秋後特筆。雖敗猶榮。與董承比。

論天厭漢德久矣。山陽其何誅焉二語。甚允。蓋太息痛恨於桓靈。猶諸葛亮出師表意也。

書后紀上

紀首敘論。辭旨並茂。范氏蓋善爲此類文者。然史記雖紀呂后。實惡代漢。故不曰高后。且不爲孝惠立紀。用顯微意。漢書既爲惠紀。復爲高后紀。亦以政由呂氏耳。又爲元后傳於王莽傳前。特著莽禍所由耳。此外有外戚傳。無后妃傳。范氏獨於帝紀後增皇后紀。懼人非難。故有斯敘。陳壽因之立后妃傳。（古稱天子曰后后妃者后之妃耳）遂成例矣。然列女傳可創。增皇后紀惡得謂非耶。況后妃賢否所繫實大耶。

光武時六宮稱號。惟皇后貴人。又置美人宮人采女三等。並無爵秩。足爲後世法。明帝時登建嬪后。必先令德。內無出閫之言。權無私溺之授。亦可謂善繼。惜孝章以下漸用色授。帝年不永。后位愈崇。外立者四帝。臨朝者六后。閹宦因緣爲害。太阿倒授。卒令漢火不炎。后家共覆也。

親家二字始見於此。

論謂當其接牀第承恩色。雖險情贅行。莫不德焉。及其移意愛析嬿私。雖惠心妍狀。愈獻醜焉。辭雖稍靡。事盡之矣。

仕宦當作執金吾。娶妻當得陰麗華。至今以爲美談。吾讀衙音然陰后以郭有子。固辭尊位。俾郭得立爲后。其賢可知。美如麗華易。賢如麗華難。

陰色美而寬仁有讓。郭寵衰而數懷怨懟。后位移易。復何疑乎。

陰后在位恭儉。少嗜玩。不喜笑謔。信足爲天下母。而七歲失父。雖已數十年。言及未曾不流涕尤爲難得、明帝追慕無已。十七年正月當謁原陵夢先帝太后如平生歡悲不能寐、既薦甘露、視太后鏡奩中物、感動悲涕。蓋母孝子亦孝。諺所謂簷水滴舊窩也。

伏波將軍貴家也、而十歲小女。幹理家事、勑制僮、御內外諮稟、事同成人。前古未有也。生配明主。死獲美謚、豈偶然哉。

明德馬皇后撫育肅宗、勞悴過於所生、可爲世範。

馬后不妒上追太姒、陰太后謂馬貴人德冠後宮知婦固莫若姑哉既正位長秋寵敬日隆、始終無衰。亦三代後所希有也、

馬太后自撰顯宗起居注、削去兄防參醫藥事、曰吾不欲令後世聞先帝數親後宮之家。又固辭諸舅之封。引王氏五侯及田蚡竇嬰事爲戒。雖肅宗謂漢興舅氏之封侯。猶皇子之爲王。亦不聽許。此誠聖德、非三代後人也。

馬太后不肯封舅、曰思令兩善。誠灼見熟慮。惜帝不悟。終封三舅廖防光爲列侯致

太后引恨。年壽不永。養志之難。於此益信。

和帝不以飛書陷竦事黜竇太后。手詔停議。俾得合葬敬陵。但改嬪母梁貴人上尊謚曰恭懷皇后。追服喪制。死而有知。先帝太后母氏均安矣。

鄧貴人之事陰后。夙夜戰兢。衣有與后同色者。卽時解易。並時進見。不敢正坐。帝每有所問。常逡巡後對。不敢先陰后。蓋猶光烈陰皇后之於郭后也。終正位長秋宮。宜哉。

和帝欲官爵鄧氏。后輒哀讓。亦猶明德馬皇后不肯封諸舅侯也。

鄧太后才德具備。詔罷淫祀。后妃所難。親錄寃獄。老吏斯怍。而崇儉克孝。尤合聖論。存亡大分。無可奈何。鄧太后可謂達死生之故矣。而上欲不欺天。愧先帝。下不違人負宿心。誠在濟度百姓。以安劉氏。數語可泣可誦。尤古后妃所未有。

論知安帝不德。深諒鄧太后稱制苦志。可與論古矣。

書后紀下

閻后雖有才色而不德既鴆皇太子母復引諸舅典兵干政譖廢皇太子安帝既崩又欲久專國政貪立幼年致遭中黃門孫程等禍變諸舅伏誅身徙離宮悔已晚矣

梁太后始尚推心杖賢以誤信梁冀及宦者冤殺李固失天下心惜哉

靈帝夢見桓帝有宋氏及悝自訴於上上帝震怒等語如讀左傳

靈帝思王美人作追德賦令儀頌與孝武思李夫人頗相類

王美人欲除胎而不動卒以生子協被何后鴆殺協雖後爲天子（即獻帝）首禍母氏終壞漢鼎蓋不祥人哉

何太后鴆殺王美人天假手董卓亦以鴆殺報之且令皇子協爲帝抑何巧速乃爾

弘農王別姬之歌頗似項王在烏江時唐姬雖未從死而終不辱身李傕亦庶幾不慙弘農王自愛之囑

獻帝謂曹操君若能相輔則厚不爾幸垂恩相捨與昭烈帝謂諸葛亮嗣子可輔輔之不才君可自取之語貌似而實非蓋獻燭操奸懼不相捨昭烈信亮但冀不被曹

取也。

前有王太后不與莽璽，後有曹皇后不與丕璽，亦可謂後先輝映。

讀後漢書蠡述卷二

岳陽李澄宇洞庭著

書劉玄劉盆子列傳

聖公累父被繫、而詐死以出父、父出仍避匿、亦處變一法

聖公卽位淸水。羞愧流汗舉手不能言、升殿長安、羞怍俛首、刮席不敢視、非所據而據。固宜有此。

李松以奉引得丞相趙萌以獻女秉國政無怪羣小賈豎。咸授官爵致貽爛羊頭關內侯之誚也。

爲權首鮮或不及、陳項且猶未與、兒庸庸者乎、此數語足警始禍者

呂母怨宰以小罪殺其子、聚客報仇、卒破海曲、執縣宰斬之、其事雖逆、其志可憫、故吾不罪呂母而罪縣宰。

赤眉衆雖數戰勝。而疲敝厭兵皆日夜愁泣、思欲東歸（凡匪衆往往知此）而卒破長安者、以更始非光武比。未知所以破賊之術、而是時賊營改編、且立劉盆子爲帝。視聽一新。遂

暫相聚也。

以玉匣殮者卒皆如生。徒與呂后屍備賊媟穢耳。然後歎死欲速朽。實聖人之言。

李寶既降。乃與延岑密謀表裏合勢。卒破逄安。可謂智矣。其拔赤眉旗幟立己幡旗。尤爲善學韓信也。

一則曰以要其還路。再則曰以邀其走路。此等處後漢不及史漢。

光武於盆子曰待以不死。於樊崇等曰不欲強相服。絕妄念。抑驕志。天地英雄氣。千秋尙凛然。豈獨蜀先主然哉。

書王劉龐張李彭盧列傳

東南有天子氣。而西漢高祖興。河北有天子氣。而東漢光武興。

攻柏人不如定鉅鹿。定鉅鹿不如拔邯鄲。譬之木。本撥則枝幹委地矣。五代時唐莊宗襲汴梁。蓋亦效此。

光武於盆子曰。待汝以不死耳。於王郎曰。欲得全身可乎。語皆斬截魏武有言。若無孤。不知幾人稱帝幾人稱王。即此傳推之。蓋非謬誕。善赴機而不輕進。必待敵衆疲困糧食乏竭。然後擊之。故破龐萌黃憲皆若洁易。光武殆天錫智勇哉。

蘇茂將萬餘人救張步。而步竟斬茂以降者。帝遣使以相斬間之。乃有此效也。

彭寵既拔薊城。自立爲燕王。北連匈奴。南結張步。其勢方盛。而忽爲蒼頭子密等所殺。豈受漢計而然耶。抑有私憾於寵耶。均未可知也。乘臥縛著牀矣。又僞稱寵命收縛奴婢。且以寵命呼其妻。妻至。寵呼趣爲奴辦裝。蓋疑彼輩意在得財耳。以好語慰小奴。欲解縛。後乃殺子密耳。小奴不敢解。子密不可殺。於是但欲棄財全命。而豈知賊計更高。告城門將軍記令寵親作。而盛頭縑囊。亦令寵妻手縫耶。上爲下殺者有矣。未有奇詭若此者。可哂哉。

書隗囂公孫述列傳

王郎詐稱成帝子。盧芳詐稱武帝孫。亦能號召徒衆。黃屋左纛。而隗囂廟祀高祖太宗世宗稱臣起兵、公孫述詐稱漢使假以印綬。足見漢德在民、莽祚當斬方望前敎囂受命高廟、後諫囂勿朝更始。所見均是。

囂將王元說囂北收西河上郡、東收三輔之地。並自請以一丸泥東封函谷關。語亦甚壯。然不知天命有在。而以南有子陽（公孫述）北有文伯（盧芳）。欲乘濁亂有所貪覬。豈非謬與。

王遵遺書。僅勸牛邯一人降。而隗囂大將十三人屬縣十六。衆十餘萬。皆繼邯以降。此人心思漢也。王元周宗將蜀救兵至。後囂勢復振。與述相倚。亦未易平。而囂遽病死。此天意祐漢也。

論隗囂後再傳公孫述。此又一例也。後漢書常有此。史記管蔡世家於贊後附曹世家。且復爲贊。蓋開此例。

保郡自守。以待眞主。始念甚是。恃其地險衆附。有自立志。則終謬矣。

荆邯謂漢高軍敗復合。創愈復戰。用成帝業。隗囂不推危乘勝。以爭天命。卒就滅亡。

謂述宜令田戎據江陵傳檄吳楚令延岑出漢中定三輔如此則海內震搖語亦近是而吳柱非之者彼輩但欲苟安耳

嚴顏不願爲降將軍公孫述不願爲降天子

書宗室四王三侯列傳

伯升斬甄阜梁丘賜破嚴尤陳茂其用兵頗類項羽終被更始所害惜哉論謂伯升志高慮遠禍發所忽蓋亦甚允

書李王鄧來列傳

帝每征討四方令李通居守京師鎭撫百姓修宮室起學官蓋以蕭何相視也

王常說下江將帥謂舉大事必當下順民心上合天意功乃可成若負强恃勇觸情恣欲雖得天下必復失之此誠偉論

光武謂鄧晨曰偉卿以一身從我不如以一郡爲我北道主人此語與耿弇傳是我北道主人同旨亦與左傳爲東道主相發俗以東道爲主之代詞命爲主曰作東謬

也

來歙智勇忠毅羌隴已定攻蜀甚利惜被賊刺未竟初志豈命也乎

來歷於安帝時證太子無過連日守闕不愧祖風

書鄧禹冠恂列傳

禹不事更始而杖策北渡說光武立高祖之業能擇君也光武知禹深沉有大度中分麾下精兵二萬遣西入關能擇臣也

封禹鄧侯蓋隱以蕭何功第一寵之也（後臧宮亦封鄧侯）禹年僅二十四統大兵克大敵頗類項羽而師行有紀勞來父老則似高祖入關休兵北道就糧觀弊亦似漢王就國然苟非光武相信以心禹何能坦行無忌哉

漢利羌胡相攻美其名曰以夷伐夷夷亦知之故曰漢家常欲鬥我曹鄧訓懷之以德夷亦知之故曰鄧使君待我以恩信可見以人爲愚而愚之者已實大愚也鄧訓卒以是建偉績不曰以夷伐夷而實以夷伐夷淺識者豈能驟寤乎訓死之日夷衆

吼號自割、並爲立祠。恩信之於人甚矣哉。

鄧禹薦寇恂守河內。其功不減取關中。而寇恂不惟上比蕭何輔高祖、且遠效藺相如讓廉頗。鄧禹誠知人哉。

寇榮性矜絜自貴。於人少所與、以此見害於權寵、甚可痛心。今有如寇榮者乎、恐舉世莫容。不獨權寵害之也。

書馮異岑彭賈復列傳

馮異進豆粥。進麥飯。以忠愛得君心。引車避道。獨屏樹下、以謙退得諸將心。皆無足異。所異者光武徇河北時、異說以遣官行縣。理寃結。布惠澤。使百姓識所依戴也。此以得民心爲得天下之本也、非武將所易知也。

光武勑異有曰、今之征伐。非必略地屠城。要在平定安集之耳、與宋太祖誡曹彬語蓋相類。

鄧禹年少氣盛、因光武遣異代將、急欲破賊以自見、非異多謀、垂翅回谿。難復奮翼黽池矣。不戰時以恩信傾誘，戰時更智勇兼用，異誠人傑，過於鄧禹。卒平赤眉，非倖致也。

光武詔異，有義爲君臣，恩猶父子二語，可謂推心置腹。馮異謝帝，有願國家無忘河北之難，小臣不敢忘巾車之恩二語，亦可謂披肝瀝膽。

朱鮪從城下索試彭，彭趣索欲上，蓋眞欲上也，本非挾詐而來，自不慮人懷詐以相接也。鮪見其誠，卽許降，宜哉。

岑彭夜勒兵馬，申令西擊山都，故縱獲虜，俾報秦豐，而潛兵度沔水，擊黎丘，屢破敵軍。蓋聲西而擊東也。

岑彭火攻荆門浮橋，與周瑜破曹相類，不受百姓牛酒，與漢高入關相類，卒與來歙同死刺客手，以一井蛙喪二虎將，惜哉。豈定蜀必待吳漢，亦有數存乎其間耶。

岑熙爲魏郡太守，招聘隱逸，與參政事，無爲而化，蓋亦學黃老術者。然輿人之歌有我有枳棘，岑君伐之，我有蟊賊，岑君遏之等語，則始亦翦盜摘姦，非無爲也。至狗吠不驚足下生氂含哺鼓腹焉知凶災則翦盜摘姦後乃如此耳。堯舜時地小民樸。上儉勤。近民。故堯讓天下於許由不受。讓於舜。靡爭下民視帝力若無有。上亦有天下而不與。蕩蕩巍巍。允稱盛世。禹平水土。玉帛萬國。傳子局定。國事漸非。于是太康失國。少康中興。孔甲淫亂。履癸暴虐。而揖讓不得不變爲征誅矣。湯文始。念務革君非。正難敵枉。忠彌見嫉。夏臺羑里。命幾不保。湯有娀墟之役。武有牧野之師。弔民伐罪。夫豈得已。然其父殺人報仇。其子必至行刦。此言雖小。可以喻大。故湯征葛伯。文伐崇侯。而春秋大國。沿是兼幷。甚至鄭莊射王。楚莊問鼎。無與弔伐。犯上弗忌。然則王業變爲霸圖。亦當日事勢迫之使然耳。五霸以力。三王罪人。而桓文內安外攘。抑亦聖尼所褒。雖挾天子令諸侯。而始終未有代周之意。究與秦楚大異也。至於戰國。秦務東進。齊務西進。楚務北進。餘亦隨勢屈伸。因人禍福。故秦齊楚皆欲帝。韓趙魏燕則未嘗欲霸。吾戲謂堯舜猶燕。處人室。人不忌燕。燕亦不自疑。湯武猶鳩。雖取鵲巢。克安居。若所固有。秦皇若蠱。衆毒互噬。僅餘一毒。備人取用。蓋衆毒郎七國。人乃漢也。若新六國則惟楚項羽以桓文自期。齊趙韓魏燕大抵欲先保境。後逐利。今賈復說漢中王劉嘉有曰。圖堯舜之事而不能至者湯武是也。圖湯武之事而不能至者桓文是也。圖桓文之事而不能至者六國是也。定六國之規而不能至者。亡六國（郎新六國）是也。上自唐虞已來下訖秦楚之際。以四語囊括之。雖不盡符。要具史眼。

光武以賈復敢深入希令遠征。而壯其勇節。常自從之。雖少方面之勳。而南擊更始郾王尹尊。東擊更始淮陽太守暴汜。咸定其地。亦庶幾比於專征也。來歙岑彭有方面大勳。皆以敢深入死刺客手。可與此參看。

賈復知光武欲偃戈修德。不欲功臣擁衆京師。乃與高密侯鄧禹並剽甲兵敦儒學。功臣自處固當如是也。

書吳陳蓋臧列傳

吳漢質厚少文。而勇鷙有智謀。其斬更始幽州牧苗曾。甚見膽識。未可以馬販少之漢裹創而破蘇茂周建勇也。移檄而降鬲縣五姓。仁也。亦智也。賊衆夜攻漢營。軍中驚亂。漢堅臥不動。頗似周亞夫禦吳楚時。光武讓吳漢輕敵深入。料勝負萬里如見。眞英主也。漢卒潛師出圍。定蜀誅述。亦後世所鮮有。

罪當刑而隨意謬赦。啓小人倖免之心。沮賢吏除暴之氣。甚無謂也。後世假大赦以漏吞舟之魚。縱不爲民計。不爲國計。獨不爲身計耶。吳漢臨薨而曰願陛下愼無赦。旨哉是言。

帝勑蓋延直往擣郯。則蘭陵自解。亦伐魏救趙之計。惜延不寤。竟失蘭陵。且負賁休也。

青徐已定。請擊隴蜀。陳俊忠勇。不愧大將。

臧宮勤力少言。若生今日。必以庸謹少之矣。然鋸斷城門限。令車聲回轉出入。越人以漢兵大至。不敢謀畔。矯制取謁者兵。右步左騎。挾船而引。呼聲動山谷。延岑以漢軍猝至。震恐大敗。以虛制實。以少克衆。庸謹者豈解是乎。

黃石公記柔能制剛。弱能制強。老氏旨也

吳公鷙強。實爲龍驤。電掃羣孽。風行巴梁。贊吳漢也。虎牙猛力。功立睢陽。贊蓋延也。宮俊休休。是亦鷹揚。贊陳俊臧宮也。此贊無一字泛設。

書耿弇列傳

更始失政。至令元元叩心。更思莽朝。以今況之。耿弇豈妄語哉。

用軍最忌致於人。費邑自將精兵救巨里。所謂致於人也。耿弇引精兵邀之。遂斬費邑。非倖勝也。

耿弇揚言後五日攻西安。而至期乃攻臨淄。此虛實妙用也。先聽張步與劉歆等合戰。而自引精兵橫突步陣。此奇正妙用也。

光武勞耿弇文。至今傳誦。語駢意儷。以散筆振之。勁質可喜。至謂耿弇獨拔勍敵。功難於信。（韓信）尤屬確論。

耿恭以單兵固守疏勒，當匈奴之衝。連月踰年，鑿山爲井，煮弩爲糧，信可謂節過蘇武。僅拜騎都尉，可嘆。

書銚王祭列傳

銚期破銅馬青犢赤眉不足異。所異者，鄴中豪李熊因弟陸謀反，願與老母俱就死。期乃送熊出城往就陸。致陸愧感自殺也。以誠感人，匪武將所易曉也。自爲將有所降下，未嘗虜掠。及在朝廷，憂國愛主。其有不得於心，必犯顏諫諍。此尤古大臣風，而期能之，可謂難矣。

王霸詭言冰堅可度，而冰竟合。此誠天瑞。虖沱河三字，亦與光武千古矣。

王霸閉營固守，不救馬武。一使賊軍乘勝輕進，一使武軍努力自救，然後出精騎襲賊背，前後夾擊。此誠曉兵。賊挑戰，雨射營中，中霸前酒樽，霸安坐不動，謂賊遠來，糧食不足，可不戰而屈之，又誠曉兵。

祭遵從征河北，爲軍市令。光武舍中兒犯法，亦格殺之。執法如山，今豈有此。洎攻隗囂。遵實主謀。諸將雖敗。遵乃屢勝。蓋克己奉公。賞賜輒盡與士卒。衆自效死也。將士大抵不逞之徒。淫賭難免。古設營妓。冀弗擾民。作圍棋象棋。欲附教虛實奇正。皆可謂有深意也。郤穀敦詩悅禮。祭遵雅歌投壺。亦轉移習尚之一法。今將校或自恣淫賭。而自欺欺人。謂所部恪守紀律。可哂孰甚。

祭彤爲吏能治盜。爲將能破敵。不愧祭征虜弟。而慮匈奴鮮卑烏桓三虜連和。卒爲邊害。先以恩信柔服鮮卑。使擊匈奴。匈奴自是衰弱。烏桓亦與鮮卑並入朝貢。尤得散從之法。

書任李萬邳劉耿列傳

任光以區區信都。爲漢拒邯鄲。光武竟賴此出攻傍縣。遂屠邯鄲。古人動言尺土一民。尺土一民。信不可忽視哉。

光武自薊還。狼狽不知所向。入信都。猶欲與任光俱入城頭子路力子都兵中。而任光不可。欲因信都兵自送西還長安。而邳彤非之。論美邳彤一言與邦。贊稱任邳識

幾有以哉

書朱景王杜馬劉傅堅馬列傳

朱祐侍讌從容曰。長安政亂。公有日角之相。此天命也。而光武乃曰召刺姦收護軍（朱祐時爲護軍）何耶。蓋侍讌時耳目衆多。恐漏言召禍耳。

項羽本紀斬李斯子李由。秦人也。此言使御史中丞李由持璽書招秦豐。漢人也。

河南帝城多近臣。南陽帝鄉多近親。田宅踰制。不可爲準等語。出自帝幄後十二歲東海公之口。（明帝時爲東海公）可見百姓嗟怨聲聞四遠。

堅鐔攻洛陽時。與朱祐乘朝入上東門。有內應。不足異。徇南陽諸縣時。引軍赴宛。選敢死士夜自登城。斬關而入。則難能也。至以孤軍南拒鄧奉。北當董訢。一年間道路隔塞。糧饋不至。與士卒共勞苦。卒全其衆。則尤後人所弗及。

帝雖制御功臣。而每能回容宥其小失。遠方貢珍甘。必徧賜列侯。有功輒增邑賞。不任以吏職。故皆保其福祿。終無誅譴者。二十五年讀此。可竊待功臣之道。論謂光武

鑒漢高葅戮信越及宰輔公侯之失志在矯枉。所見甚灼

書竇融列傳

竇融圖出河西謂此爲遺種處諸葛亮躬耕南陽謂苟全性命於亂世仕隱雖異意皆甚慟今味其語益用涕下

隗囂使張玄游說河西。有當各據土宇與隴蜀合從高可爲六國。下不失尉佗等語。足見囂所夢想不出秦漢之際

竇融不爲隗囂所動全挈河西五郡置光武掌中外擊封何內攻隗囂功亦甚偉。而論甞其徼功趣勢未免過苛至爵位崇滿小心翼翼而兄子林長子穆等多不法。雖曰家教未謹亦年耄不易周顧也

竇憲於章帝時奪沁水公主園田和帝時遣客刺殺劉暢。幾被誅戮後以北伐匈奴勒銘燕山。遂垂令名抑何倖耶既負重勞陵肆滋甚弟篤景瓌女壻郭舉。並皆驕縱卒致和帝震怒迫憲自殺禍福倚伏。觀是益信

論謂竇憲功茂後世莫稱蓋范氏作史時或然耳自有此傳靡不知有燕山竇氏而五代周竇禹鈞五子儀儼侃偁僖世且稱爲燕山竇氏五龍不嫌遙遙華胄矣有班固燕然山銘而竇憲流譽有韓愈平淮西碑而裴度垂休文字之有裨勳貴亦甚矣自古立德立功非言不顯竇憲裴度其小焉者也然文人不免爲世詬病則文人往往浮薄卑劣之咎耳

書馬援列傳

馬援僻處西州於東未詳故爲囂使蜀欲有所觀既見井蛙乃勸囂專意東方而光武恢廓大度適愜擇君始願故說囂事漢且將家屬隨恂歸洛略不猶豫也光武不遽委以重任者蓋恐援或尙爲囂耳

援與囂將楊廣（隋楊廣與同名）書情文並美言利害亦明白切至而廣不答廣其庸人乎

援於帝前聚米爲山谷指畫形勢開示衆軍所從道徑往來於是帝曰虜在吾目中矣蓋古時交通不便印刷未興測製軍用地圖甚難故以米代圖乃能分析曲折昭

然可曉也。

援定隴西。平嶠南。功皆不小。而建議復鑄五銖錢以便天下。功尤不小。

馬援老不肯息。志在報國。而卒有壺頭之困。薏苡之禍。豈亦所謂畫蛇不得添足耶。

論謂其戒人之禍智。而不能自免於讒隙。誠慟之也。而光武待援寡恩。抑可疚已。

馬廖請永儉德。馬防平定西羌。並纘洪緒。伏波不死矣。

書卓魯魏劉列傳

馬續博觀羣籍。善九章算術。九章算術周公所作一方田二粟米三差分四少廣五均輸六方程七傍要八盈不足九句股卓茂亦習詩禮。及曆算。當日風尚可想。

卓茂不辯亡馬。與劉寬不辯失牛事同。及爲密令。舉善而教。口無擇言。教化大行。道不拾遺。儒效若此。抑難能矣。光武擢爲太傅。封褒德侯。誠欲守令皆如卓茂以德化民。遂致太平耳。

秦人號樗里子爲智囊。漢人號魯匡爲智囊。魏人號桓範爲智囊。

魯恭以德化民。而螟不入境。雉不避人。是化及蟲鳥矣。蟲鳥且然。況童子乎。又魯恭爲樂安相。以羣盜爲患。重購賞。開恩信。降其渠帥。餘遂自相捕擊。盡破平之。柔以克剛。更非貌效循吏者可比。

魯丕沈深好學。杜絕交遊。不答候問之禮。士友常以此短之。而丕欣然自得。遂兼通五經。以魯詩尚書教授。爲世名儒。處今日而言。好學丕殆可法。

魏霸簡樸寬恕。劉寬溫仁多恕。皆循吏。但必進察其效。恐庸吏貌襲無實也。

書伏侯宋蔡馮趙牟韋列傳

王莽時。伏湛爲平原太守。天下驚擾。湛獨晏然教授。且悉分奉祿以賑鄉里。斬門下督以定民志。不愧儒者。光武以湛爲大司徒。每出征伐。留湛居守。誠知人哉。

自伏生已後。世傳經學。而其要不外清靜無競。可見孔老相用。乃爲眞儒。（論語周易可參看）

宋弘止繁聲。戒淫色。孟子所謂格君心之非也。

漢萬石君有三。一景帝時石奮爲諸侯相。四子皆二千石。一宣帝時馮揚爲弘農太守。八子皆二千石。又茂陵秦彭六世祖襲爲頴川太守。與羣從同時爲二千石者五人。三輔號曰萬石秦氏。亦可稱萬石君。

韋著於梁冀之辟。桓帝之徵。皆不就。可謂高蹈。而靈帝時以詔書逼切。任東海相。身敗名裂。爲識者笑。蓋始終判若兩人矣。古人入山惟恐不深。正慮此耳。

書宣張王王杜郭吳承鄭趙列傳

此傳與前傳所列。大抵名儒隱居。才德具備。既登大位。陳善敷化。才位郎次。亦咸有德。

王丹載酒勸農。邑聚殷富。今宜復有是人。

隗囂於杜林有杜伯山天子所不能臣。諸侯所不能友云云。而杜乃臣事光武。蓋薄隗囂畔漢。不立僞朝耳。

吳良每處大議。輒據經典。不希旨偶俗。趙典遇有咨問。據經正對。無所曲折。必如此乃爲經明行修之士。

書桓譚馮衍列傳

異哉光武之於桓譚也。進鄭聲則好之。陳時政則不省。田邑報馮衍書頗近龍門。而君臣大義。母子至恩。今故主已亡。義無誰爲。老母拘執。恩所當留數語。更斬截可喜。

馮衍顯志賦行勁直以離尤兮。羌前人之所有。內自省而不慙兮。遂定志而弗改。韓盧抑而不縱兮。騏驥絆而不試。獨慷慨而遠覽兮。非庸庸之所識等句。上逼楚騷。而沈孫武於五湖兮。斬白起於長平。流蘇秦於洹水兮。幽張儀於鬼谷。非惜身之埳軻兮。憐衆美之憔悴云云。奇論異采。抑亦後所難有。

歐陽修五代史論。皆以嗚呼二字起。而范氏論馮衍。獨以嗚呼二字結。亦創格也。

書申屠鮑郅列傳

申屠剛說囂囂不納。諫光武光武不聽。質性方直。常慕史鰌汲黯之爲人。而效乃若此。可慟也。

鮑永守義於故主。可敬。然不圖更始乃有此臣也。

郅壽爲冀州刺史。藩國畏懼。冀土肅清。洎尹京兆。彊豪震悚。各自檢勅。此亦所謂先聲奪人也。（此例，古今常有）

書蘇楊郎襄列傳

覽蘇竟楊厚郎顗襄楷所云。可補天文五行志也。

郎顗言災異於順帝時。具見忠悃。而卒爲孫禮所殺。抑亦褚先生所謂神龜能見夢於元王。而不能自解於刀鋒也。與

秦趙高爲中車府令。遂滅嬴祀。漢世宜用爲戒。武帝數游後宮。竟置宦臣。涓涓不塞。流爲江河。讀史至東漢晚唐五代明清之季。未嘗不追恨秦皇漢武也。

書郭杜孔張廉王蘇羊賈陸列傳

郭伋爲太守。治賊禦胡。親民。眞不愧賢能二字。

杜詩格殺蕭廣。擊斬楊異。非尋常循吏所能。後世但知杜母。豈知母實嚴君耶。

孔奮從劉歆受春秋左氏傳。而歆乃曰吾已從君魚受道矣。奮字君魚 此殆與論語啓予者商也相似。

姑臧富邑。孔奮在職四年。處脂不潤。至今美之。今未嘗無是人。然使無貨賄流布。讒毁必衆。小或奪職。大且危命。廉吏亦貴遇時。甚可慟也。

張堪聞吳漢糧少。具船欲遁。說漢示弱挑敵。遂誅述定蜀。張堪可謂知兵矣。後守漁陽。大破匈奴。抑無足怪。漢太守往往知兵。豈亦時會使然與。

廉范衛侍鄧融。收斂薛漢。智深義盡。古所罕能。其守雲中。以疑兵勝敵。尤不愧廉氏子孫。

王堂敎掾吏。謂古人勞於求賢。逸於任使。此誠名言。詩所謂濟濟多士。文王以寧也。

果痦此可爲天子。可爲宰相。豈特爲太守哉。

蘇章摧拆權豪。似西漢時酷吏。非後世所謂酷吏。

蘇不韋邀刺李暠未得。鑿地達暠寢室。殺暠未得。乃掘暠父冢。斷頭祭父。國無政刑。

孝子無所洩恨。不得已出此。誠可痛哭。郭林宗謂其優於伍員。豈謬譽哉。羊續守盧江時破黃巾賊。破戴風。守南陽時。破趙慈。在今甚難。在漢不足異。而入南陽界先羸服間行。觀歷縣邑令長貪潔。吏民良猾。悉知其狀。則在漢亦鮮。在今殆未有。（陸康守盧江亦擊破黃穰有功）

交趾以多珍產致貪吏。民不聊生。聚為盜賊。而賈琮為交趾刺史。招撫荒散。蠲復徭役。誅斬渠帥。簡選良吏。歲間蕩定。百姓以安。今則非交趾亦致貪吏。亦有盜賊。安所得賈琮為刺史乎。即得亦焉能獨行其意乎。

書樊宏陰識列傳

孟嘗焚券。非出本懷。樊重一南陽老農耳。其素所假貸人間者數百萬。遺令焚削文契。雖債家爭往償之。諸子竟不肯受。不惟父過孟嘗。其子亦邁馮驩矣。

樊儵與任隗請誅廣陵王劉荊。明帝怒謂諸卿以我弟故。欲誅之。即我子。卿等敢爾邪。而樊儵乃引周公誅弟。季友鴆兄事。且謂臣等以荊屬託母弟。陛下留聖心。加惻

隱故敢請耳如令陛下子臣等專誅而已理嚴膽壯與平日謹約大異然必如此始無愧謹約也

樊準請進儒雅崇節儉不愧儒者而爲鉅鹿太守外禦寇虜內撫百姓尤屬盡職

陰興與張宗鮮于褒不相好知其有用猶稱所長而達之友人張汜杜禽與興厚善以爲華而少實但私之以財終不爲言此誠可爲後世法今人與某不相好雖才不舉或設計困辱之甚且死之其所厚善者盡力汲引視吏職若瓜李至囊中黃白物則吝弗畀友讀此或且笑古人拙也

婦不孝姑者常有予甚痛之雜五行志有宜市豬肝泥竈令婦孝之語若信願戶戶如是也

書朱馮虞鄭周列傳

朱浮年少喜事彭寵很强負功皆足取咎然浮始意欲厲風迹收士心寵始意謂不宜多置官屬損軍實均尙善也卒致結怨相讎則意氣誤之耳然浮遺寵書甚可誦

而凡舉事無爲親厚者所痛而爲見讎者所快二語尤警。

朱浮疏諫數易守宰有二千石及長吏迫於舉劾、懼於刺譏。爭飾詐僞以希虛譽等語。帝納其議。自是牧守易代頗簡。此誠可紀之事。今日上不擇吏、未任用前視吏若貨寶、鬻贈任意、既任用後防吏若盜賊。細瑣請命、甚至民願借寇恂反以爲罪、民願殺子產反以爲是。黑白殺亂。甚願其亟讀此疏也。

光武更試博士五人、唯取見在洛陽城者、蓋以名額既少、無事遠徵也。而朱浮必請廣求詳選者、一欲得眞才、二欲使四方學者有所勸樂、意亦甚善。然城人不爲跋涉所苦、又密邇宮掖、易伺上意、動貴請託亦較便。以四方學者與角、殆難勝也。

馮魴救申屠季、不愧俠者。爲政敢殺伐、以威信稱。乃近酷吏。而赦降賊延褒等使爲耳目、則循吏亦鮮能之也。

虞延休遺徒繫。後世有效之者、然未可爲訓。至收考陰氏客馬成、陰氏屢請。獲一書、輒加箠二百、雖光武親臨錄囚、馬成呼枉、陛戟郎以戟刺延。猶執法如山、弗稍顧忌。

成竟伏誅。外戚歛手。後世安得復有是人乎。

虞放爲師楊震訟罪由是知名。鄭宏爲師焦貺訟罪由是顯名。

鄭宏爲大司農二年。所息省三億萬計。蓋節流之效也。今則不節流而開流。一人可治之事。或十人治之。一署應治之事。或十署治之。司農仰屋。不敢正言。徒損下歛怨。亦捧土以塞孟津耳。噫。

書梁統列傳

梁統疏有仁者愛人。義者政理。愛人以除殘爲務。政理以去亂爲心等語。必知此始可與論刑罰。今法院務爲寬縱。實熟視豺虎食人不一救止也。彼豈知刑罰源於仁義哉。惠加姦軌而害及良善。痛哉。

梁冀鳶肩豺目。洞精矘眄。口吟舌言。與楚穆王蠭目豺聲。鬭越椒熊虎之狀豺狼之聲。秦始皇蜂準長目。摯膺豺聲。王莽鴟目虎吻。豺狼之聲。大同小異。蓋人與萬物並生。善惡貴賤。以類相感。故觀人者就形聲揣測。往往不爽也。

觀梁冀刺殺呂放事。可見人家有壞子弟。其父兄之好友亦甚危險。

梁冀於父未死前刺殺洛陽令呂放。於父既死後酖弑質帝。枉害太尉李固前太尉杜喬考死。扶風富士孫奮兄弟。鴆殺荊州刺史吳樹。腰斬遼東太守侯猛。笞殺郎中袁著。誣陷南郡太守馬融。江夏太守田明考死。太史令陳授。刺殺鄧貴人姊壻邴尊。此外誅殺及他罪惡甚衆。雖族滅。殊恨晚也。

論咎梁商傾側孽臣。傳寵凶嗣。以致破家傷國。甚允。

書張曹鄭列傳

戴涉竇融因張純奏請除今親廟。於是議以宣元成哀平五帝四世代今親廟。宣元尊爲祖父。可親奉祠。成帝以下有司行事。別爲南頓君立皇考廟。其祭上至舂陵節侯。羣臣奉祠。以明尊尊之敬。親親之恩。此誠可爲後世法。故光武從之。宋呂晦呂大防等於濮議力主稱濮王爲皇伯。致興大波。甚無謂也。

曹充定封禪禮。傳慶氏學（前漢慶普）子褒尤好禮事。章帝勅褒條正叔孫通漢儀十二篇。

褒依準舊典。雜以五經讖記之文。撰次天子至庶人冠婚吉凶終始制度百五十篇。詳備可想。和帝時太尉張酺等奏褒擅制漢禮。破亂聖術。漢禮遂不行。惜哉。

曹褒葬無主停棺。爲病徒致醫藥。皆可法。

鄭玄師事京兆弟五元先。始通京氏易。公羊春秋三統歷。（劉歆所作謂夏殷周歷也）九章算術。又從東郡張恭祖受周官禮記。左氏春秋。韓詩古文尙書。又西入關因涿郡盧植事扶風馬融。可見鄭無常師。在馬融門下。三年乃得見。因從質諸疑義。融後謂門人曰。鄭生今去。吾道東矣。（宋楊時歸去程明道先生亦謂吾道南矣）可見鄭誠好學。所注周易尙書毛詩儀禮禮記論語。孝經尙書大傳中候乾象歷。又著天文七政論魯禮禘祫義六藝論毛詩譜駁許愼五經異義答臨孝存周禮難。凡百餘萬言。可見鄭能述聖論。美其括囊大典。網羅衆家。刪裁繁誣。刊改漏失。有以哉。

書鄭范陳賈張列傳

鄭興日食疏春秋以天反時爲災。地反物爲妖。人反德爲亂。亂則妖災生。數語可入

五行志

鄭興自更始敗亡隗囂虛心禮請稱疾不起既仕洛陽數言政事嗣屯成都坐私買奴婢左轉蓮勺令方欲築城郭修禮教又以事免蓋春夢至此大醒矣客授閿鄉連辟不應宜哉（闓鄉實闅鄉之誤）

鄭衆（與宦者傳鄭衆同名）持節使匈奴不拜意氣壯勇誠類蘇武而疏諫明帝謂北單于所以要致漢使欲以離南單于之衆堅三十六國之心又當揚漢和親誇示鄰敵令西域欲歸化者局足狐疑懷土之人絕望中國於虜情燭照數計尤類充國

陳元疏請立左氏傳博士辭理甚辯而諫令司隸校尉督察三公有陛下宜修文武之聖典襲祖宗之遺德勞心下士屈節待賢誠不宜使有司察公輔之名數語諸葛亮出師表誠宜不宜云云頗祖斯調

東漢極重圖讖故賈逵有五經家皆無以證圖讖明劉氏爲堯後者而左氏獨有明文五經家皆言顓頊代黃帝而堯不得爲火德左氏以爲少昊代黃帝即圖讖所謂

帝宣也。如令堯不得爲火。則漢不得爲赤。其所發明補益實多等語。

鄧騭聞張霸名行。欲與爲交。而霸逡巡不答。此霸所以不愧儒者也。子楷避客隱居。徵辟不就。亦有父風。

楷好道術。能作五里霧。裴優亦能爲三里霧。優後爲賊。被考引楷言從學術。儒者有異能。豈幸事哉。

張陵一尙書耳。而能呵叱大將軍梁冀。並勅羽林虎賁奪冀劍。冀跪謝不應。即劾奏冀請廷尉論罪。此誠有膽。

張玄說司空張溫（與三國時吳張溫同名）於祖道時誅中貴有罪者。引兵還屯都亭。翦除中官。實上計。溫不能用。可惜。

書桓榮丁鴻列傳

桓榮不負本師朱普。何湯亦不負本師桓榮。

榮大會諸生。陳其車馬印綬。曰今日所蒙。稽古之力也。可不勉哉。語意與其族人桓元卿豈意學之爲利乃若是哉。同蓋宋儒所不屑道也。

書張法滕馮度楊列傳

張宗肯爲後拒。非暴虎馮河也。蓋素與士卒共甘苦。且多權謀。故能以數千之衆當百萬之師。一則曰諸營既引兵。宗方勒厲軍士。堅壘壁以死當之。再則曰宗引兵始發。而赤眉卒至。與戰卻之。乃得歸營。是未發前不使賊知大軍已去。始發時且使賊疑我誘敵也。此亦所謂虛者實之也。

法雄行部錄囚。察顏色多得情僞。後世未嘗無是人。

安帝時姦人詐作璽書。譴責幽州刺史馮煥玄菟太守姚光。賜以歐刀。又下遼東都尉龐奮使速行刑。雖曰膽大。亦知龐奮心麤氣躁。而後敢爾也。

度尚因士卒破卜陽潘鴻等三屯。多獲珍寶。莫肯再擊。設計盡焚珍積。卒定陽鴻。此信馭兵士驕富一法。然今日軍中上中下三級官出身武校爲士卒者雖有功不復可得官。是斷其上進之路也。又陣亡或受傷例得邺。往往被長官沒抑若敗降於賊。

不惟無死法且賞遺之是士兵死傷無所勸而敗降無所患也斷上進之路士兵已不與長上共甘死傷無所勸敗降無所患士卒更不與長上同苦矣長此不改雖士女盡爲兵無益也故士卒不可使驕富亦不可使絕望

長沙賊胡蘭作難荆州餘黨南走蒼梧而度尙反上言蒼梧賊入荆州界致交趾太守張磐徵下廷尉甚可鄙張磐遇赦不出乞傳尙詣廷尉面對曲直以免生爲惡吏死爲㩻鬼甚可敬

楊璇燒馬尾布索以突賊陣蓋亦效田單火牛遺意

書劉趙淳于江劉周趙列傳

世士干祿動以家貧親老爲言蓋隱以毛義自處也然毛義修己以致祿非崇養以傷行世士蠅營狗苟惡足與毛義比更惡可令張奉見哉

劉平爲母求榮遇賊涕泣求免此人所能旣食母訖詣賊就死此人所不能始所以涕泣求免謂母老待彼爲命耳繼乃詣賊就死豈此後老母不待彼爲命乎抑逆料

賊必免之乎、萬一不免、是棄老母野澤中。與棄其子道旁不顧等也。行險以徼幸。孝子何忍出此哉、瞽瞍殺人、舜竊負而逃。固不冀皋陶哀其孝子、或宥老父也、至趙孝求米糒不得。復往就賊、則親不待養。更與此大異也、

王望行部道見飢者裸行草食。因以便宜出所在布粟。與汲黯以便宜發河南倉粟相類、而鍾離意必遠引華元子反擅平宋楚者。蓋當時極重經義、非是難折衆議也。

淳于恭見人盜果。輒助爲收采。見偷刈禾者。念其內愧、自伏草中、蓋采果事簡、盜可託辭俯拾。刈禾事繁、偷者無術掩飾。故一則助爲收采、不慮其愧。一則自伏草中。惟恐彼見也。觀此可悟德化之妙。范氏謂恭善說老子清靜。信哉。

我國倫理始於孝弟。而孝尤大本、在上者以孝治天下。親親而仁民。仁民而愛物。至庸無奇也。以迹言。刑于寡妻。至于兄弟。以御于家邦。是由父子推之夫婦。推之兄弟推之國人也。在下者以孝自治。入則孝。出則弟。謹而信。汎愛衆而親仁。亦至庸無奇也。以迹言。順乎親。信乎朋友。獲乎上。是由父子推之朋友。推之君臣也。自蔡元培廢

庠序之敎不讀經史。恣睢異說。胡適衍異說爲白話欲盡焚歷代典籍陳獨秀昌言共妻共產。謂百善淫爲首。萬惡孝爲先。於是男女惟縱欲攘利不惟無君臣。且不欲有父子。不欲有夫婦。無父子自無兄弟無夫婦焉論朋友。於是父子兄弟夫婦朋友皆可殺。於是家自毀。國自伐。於是東亞大亂作。於是世界大禍起。一二僉壬。假異說蠱惑士女。求吾大欲。其害乃至此。可畏哉。鄧太后詔長吏以下不爲親行服者。不得典城選舉。衆不謂便。而劉愷獨持正議。蓋誠知制治淸濁之源非徒以孝立名節者可比也。曾子傳一貫之道。著孝經與大學並傳千古有以哉。有以哉。

趙咨爲吏淸簡。近老儉節近墨。勅子薄歛。其言亦出入老墨而大司農陳奇舉咨至孝有道。殆儒而行兼老墨者與。

書班彪列傳上

史記漢書皆父子世業。故遷於自序詳記談言固於遷傳恪守彪議。今左氏國語國策史記漢書幸傳千古。而世本一十五篇楚漢春秋九篇。其原書未可復覩。惜哉。

刻人遺著。或比諸掩骼埋胔。因有左氏國語而晉乘楚檮杌遂闇。竊謂可方滅國也。固所學無常師。不爲章句。舉大業而已。竊願效之。性寬和容衆。不以才能高人。尤竊願天下效之。

人告固私改作國史。而明帝反除固蘭臺令史。雖因弟超上書。亦由固本書不愧良史也。

一則曰與前睢陽令陳宗長陵令尹敏司隸從事孟異共成世祖本紀。再則曰固又撰功臣平林新市公孫述事作列傳載記二十八篇。是則後漢書有固所作。猶漢書有遷所作。史記有左氏陸賈等所作也。史記託始黃帝。下訖漢武。二千四百一十三年。漢書起元高祖。終於孝平王莽之誅。二百三十年。後漢書肇自光武。蕆孝獻建安庚申。一百九十五年。采摭古今。貫穿終始。成一家言。信未易也。

孟堅兩都由相如子虛化出。太冲三都則並效子虛兩都。

書第五鍾離宋寒列傳

第五倫自言昔人有餽吾千里馬者吾雖不受每三公有所選舉。心不能忘吾兄子常病。一夜十往退而安寢吾子有疾雖不省視而竟夕不眠。省察至此與大賢何以異。自爲司空以來奉公盡節言事無所依違。匪偶然也。

鍾離意疏有百姓可以德勝難以力服二語可作二十四史總論讀

馬援征五溪蠻以賊拒阨不得前遂卒於師且軍士病死者太半。此誠危急之會。宋均獨運智勇矯制降賊轉禍爲福。前代罕比蓋是時賊未知伏波已逝。呂种卒奉詔入營。且有大兵隨後賊匆遽不知所措。故震怖也。若上請朝命而不矯制。則時日延誤。賊悉虛實。必至片甲不返矣。苟利於國專之可也。正謂此類事耳。世祖嘉其功宜哉。

書光武十王列傳

東海恭王彊因母氏郭后已廢。寤子以母貴之義。謹避儲位。願備藩國。生保令名。死獲美謚。行方泰伯智邁中生。蓋善處骨肉之變者也。

河間獻王以經術通明見忌於武帝。而沛獻王以作五經論見重於明帝。蓋所遇之主異也。若乃東平憲王蒼少好經書。長修禮樂。明章二世貴寵無比。其學其德誠甚過人。明帝手詔舉爲善最樂之言。孝章葬策揚率禮不越之美。兩漢諸王一人而已。雖琅邪孝王亦以好經爲明帝所喜。然遜憲王遠矣。

任城貞王安（與前漢淮南王安同名）貪客。取官屬車馬刀劍。下至衛士米肉。皆不與直。而安帝乃令以一歲租五分之一贖罪。較與直所超遠甚。此亦懲貪吝一法也。其子節王崇。於順帝在時數上錢帛佐邊費。於順帝崩時復上錢三百萬助山陵用度。雖朝廷嘉而不受。而父子不同性。抑亦可謂幹蠱矣。

書朱樂何列傳

朱暉行年八十。願以死報國。不肯順旨雷同。此所謂老當益壯也。

觀朱穆崇厚論。蓋兼習孔老之術。而於老尤信之甚篤也。

武帝數游後宮。爰置宦臣。然侍中中常侍黃門侍郎參選士人。不悉用宦者也。悉用宦者自光武始。而和熹太后以女主稱制。更增置常侍小黃門。閹餤愈熾。洎孝順時中黃門孫程等十九人以定策功封侯矣。孝桓時中常侍單超等五人以討逆功封侯矣。孝靈時中常侍曹節矯詔族誅大將軍竇武太傅陳蕃等矣。中常侍張讓段珪等殺大將軍何進矣。始基不愼。漢社用屋。惜哉。

何敞六世祖名比干。想亦如司馬相如慕藺相如之爲人。遂名相如也。

樂恢何敞於竇憲兄弟專朝。上疏極言。誠上忠兩宮。下愛諸竇。而竇太后和帝屢不聽納。竇憲且風厲州郡。迫恢自殺。出敞爲濟南王傅。欲遂借刀殺敞。不解憲等何冥頑很厲若此也。

書鄧張徐張胡列傳

太傅張禹（與前漢張禹同名）請以廣成上林空地假貧民。與蕭相國爲民請苑同也。高祖下相國廷尉。幾不免死。而鄧太后從善如流。不聞罪禹者。高祖懼相國市恩圖己。鄧太后以殤帝初育。正宜及時惠民也。

徐防疏有發明章句始於子夏。諸家分析。各有異說。今不依章句。妄生穿鑿。以遵師爲非義。意說爲得理。輕侮道術。寖以成俗等語。若生今日。見人斥周易爲僞。誣孝經爲逆。必更痛心疾首也。

東漢亡於桓帝亡於宦官。而胡廣定策立桓帝。又與中常侍丁肅婚姻。即有百善莫減二惡矣。一則曰歷事六帝禮任甚優。再則曰胡公庸庸飾情恭貌。誠惡之也。

讀後漢書蠡述卷三　　　　　　　　　　　　岳陽李澄宇洞庭著

書袁張韓周列傳

袁安爲楚郡太守時。於楚王英獄所連。理其無明驗者條上出之。不懼阿附反虜大禍。不可及者一。爲太僕時。於武威太守孟雲上書請還北虜生口。力議當還。雖太尉鄭弘司空第五倫恨之不改議。不可及者二。爲司徒時。竇憲弟景擅發邊兵。驚惑吏人。有司畏憚莫敢言。安獨劾奏。不可及者三。竇憲欲立左鹿蠡王阿佟爲北單于。安與任隗力排衆議。又與憲更相難折。雖憲險急負勢。言辭驕訐。安終不移。不可及者四。

張酺以尙書教授章帝。及酺辭郡。章帝卽以康王之誥雖爾身在外乃心罔不在王室語相詔。是誠能讀尙書者。後帝巡幸東郡。帝先備弟子之儀。使酺講尙書一篇。然後脩君臣之禮。其敬師殆亦若明帝之於桓榮也。然至和帝時始遷守魏郡。徵尹河南。遷爲太僕太尉。何耶。觀酺庭叱司隸校尉晏稱。老猶尙氣。則其諫正章帝時。誾誾惻惻。必有非所能堪者矣。史稱以嚴見憚蓋紀實也。

書郭躬陳寵列傳

陳咸於王莽篡位後。閉門用漢家祖臘。謂我先人豈知王氏臘乎。今廢夏時弗用。歲時伏臘迫民用外曆而美其名曰國曆。是外貨亦可曰國貨也。讀此或亦內疚與。

詩云不剛不柔。布政優優。此則深文周內固非。務爲寬恕亦非也。然陳寵值永平嚴切之後。寬可以濟猛。諸葛亮值劉璋闇弱之後猛亦可以濟寬。要視其時而已。

書班超梁慬列傳

叙班超投筆之歎。與陳涉輟耕之歎類。而超激怒吏士語。與陳涉召令徒屬語亦頗類。又燕頷虎頸一作燕頷虎頭。

超於鄯善夜殄虜使。於于窴給斬妖巫。於疏勒刦縛兜題。皆出其不意。先發制人。至破姑墨。擊莎車。敗月氏。服龜茲。定焉耆。雖往往以夷制夷。而奮奇計。敢深入。智勇實不可及。詔稱其踰葱領。迄縣度。出入二十餘年。不動中國。不煩戎士。而致天誅。蠲宿

恥。非溢美也

任尙代超都護西域、不聽班超寬小過總大綱之言、卒致西域反亂、超少子勇奮議於西域就棄之後、受任於匈奴復熾之際、擊走匈奴伊蠡王、而車師前部通、破斬車師後部王軍就及匈奴持節使者、而索班大恥報、並數敗匈奴呼衍王、至呼衍王徙居枯梧河上、車師無復虜跡、其勳蓋不減定遠、乃以與敦煌太守張朗會攻焉耆王元孟後期被徵下獄、何漢待功臣之薄乎、勇尙如此、兄梁㦤哉

書楊李翟應霍爰徐列傳

漢文爲天下守財、與鄙夫爲子孫守財異、

桓帝因爰延有尙書令陳蕃任事則化、中常侍黃門豫政則亂之語、比延朱雲、可謂能受盡言、而終任宦官。其負爰延、亦與成帝負朱雲等耳、

書王王仲長列傳

王充著論衡、閉門潛思、戶牖牆壁各置刀筆。與左思著三都賦時相類

王符著潛夫論、譏當時失得。仲長統著昌言。刺時俗行事。與黃蔾洲著明夷待訪錄以詔後世、用心頗同、然蔾洲所言關繫較大。

書明八王列傳

陳愍王寵善弩射、十發十中。中皆同處。使爲漢將、必可顯名、惜爲諸王。僅得小試其才於黃巾賊起時。後且爲袁術刺客所賊也。

書李陳龐陳橋列傳

李恂能於資憲屯武威時無所禮遺。故能於持節領西域副校尉時不受諸國侍子及督使賈胡所遺宛馬金銀香罽之屬。

度遼將軍陳龜既到職。州郡重足震慄。鮮卑不敢近塞、省息經用歲以億計。而梁冀譖其阻毀國威。挑取功譽。不爲胡虜所畏。此梁冀之所以爲梁冀也。龜後爲尙書。見冀暴虐日甚。疏請誅冀。桓帝不省。龜自知必爲冀所害。不食七日而死。此陳龜之所以爲陳龜也。

橋玄窮案陳相羊昌姦惡。可謂剛亦不吐。而不容上邽姜岐隱居。則非敬賢下士之節矣。至賊徒刼質其子。不以子故縱賊。並詣闕謝罪。乞下天下。凡有刼質皆幷殺之。不得贖以財寶。開張姦路。則誠保天下不顧己私。非常人所及也。近年匪徒往往刼質。以有贖以財寶者耳。愈贖愈刼。愈刼愈贖。於是非匪亦匪。非匪區亦匪區矣。嚴防未刼。不贖已刼。則民知贖刼且獲罪。見匪必盡力格殺。匪知刼質不得財。非大股亦不敢深入矣。又三國志載夏侯惇被賊刧質。其將韓浩不顧質。幷擊之。卒斬持質者。曹操獎之。著以爲令。由是刧質者遂絕。可與此參看也。

書崔駰列傳

陳仲子兄戴蓋祿萬鍾。仲子辟兄離母。處於於陵。而孟子非之。則崔篆兄發以佞巧幸於莽。位至大司空。母師氏能通經學百家之言。莽寵以殊禮。賜號義成夫人。篆不得已爲建新大尹。或亦孟子所許乎。自言生無妄之世。値澆羿之君。上有老母。下有兄弟。安得獨潔己而危所生。所著慰志賦亦同此旨則仲子潔己易。崔篆潔己難。所處之時視戰國又異矣。噫。

崔篆著周易林六十四篇。用决吉凶。多所占驗。又方術傳載許曼亦著易林。今但傳焦氏易林（漢焦延壽著）何也。

章帝謂竇憲愛班固而忽崔駰。此葉公之好龍。而身爲天子。不卽時擢駰朝右。反任鬱鬱權門。莫展驥足。恐尙有愧葉公也。

閻顯不乘閻太后稱制時廢北鄉侯復立濟陰。致中黃門孫程等十九人以定策功侯於孝順之世。開天子門生惡例。庸人誤國。禍甚奸雄。每用痛恨。陳禪不足責。而崔瑗有策不見用。可歎也。

崔寔政論以理身爲譬。謂以德敎除殘。是以粱肉理疾。以刑罰理平。是以藥石供養。信可謂言辯而确。（确通確）

崔烈冀州名士。因傅母入錢五百萬得爲司徒。不惟天下失望。子亦諷其銅臭。出處進退。可不愼哉。

書周黃徐姜申屠列傳

未敘劉平孝行。先敘毛義祿養。未述周燮隱居。先述閔仲叔荀恁高蹈。以弁論代附傳。蓋自史記游俠等傳濫觴也。

周燮少通詩論。長專禮易、不仕季世、且不著述、已屬難能、而黃憲汪汪千頃、似顏實老。言行鮮迹、此傳第一人也。徐穉姜肱、言行有跡、而終身不仕。學雖近老。儒修自適、申屠蟠博貫五經、兼明圖緯。與姜肱同。而歎范滂等處士橫議、恐有阬儒燒書之禍。與徐穉謝郭林宗大樹將顛、非一繩所維語、亦相類。蓋非厭富貴。誠知時不可爲也。

書楊震傳

古人以立身揚名顯父母爲孝。故楊震亦以使後世稱淸白吏子孫爲慈。名之所繫大矣哉。

安帝時乳母王聖中常侍樊豐等傾亂橫肆。豐等且詐作詔書。調發司農錢穀。大匠見徒材木。可見馮煥傳所云姦人詐作璽書譴責幽州刺史馮煥玄菟大守姚光。賜以歐刀。亦此輩所為。無怪靈帝時有中常侍矯詔族誅陳蕃等事也。楊震屢疏切諫。安帝不省。是東漢宦官之禍成於安帝。亦若西漢外戚之禍成於成帝也。

楊秉三不惑（酒色財）與楊震四知（天知神知子知我知）並傳佳話。而秉能疏免中常侍侯覽於桓帝之世。震不能疏免樊豐等於安帝之世。尤出意外。

靈帝於楊奇問以朕何如桓帝。於楊賜所奏孤弱張角黨羽策亦感悟。似非冥頑不靈者。比而卒為宦官宮妾所惑者。蓋無道之主大抵自恃聰明。以為女子小人易與。必不敢欺我。且不能欺我也。

書章八王列傳

勃海王悝不知安命。乃因中常侍王甫求復國。一謬。許謝錢五十萬。又以復國非甫功不肯還錢。結怨宦豎。身敗國滅。二謬。

宋貴人病思生菟。而竇后誣以欲作蠱道。與馬伏波薏苡之禍相類。

太子慶以母故廢為清河王。而長子祐後為安帝。此其中有天焉。蓋慶於和帝小心恭順。故帝誅竇氏令慶求外戚傳。左小娥有才色賜慶爲宮人。遂生安帝竇氏誅而宋貴人瞑目。安帝立而宋貴人含笑皆若天假手和帝以爲之也。

淸河王蒜爲人嚴重。太尉李固等歸心。又中常侍曹騰謁蒜。蒜不爲禮。蒜果得立。必能親賢臣遠小人與桓帝之親小人遠賢臣大異惜爲梁冀所持。不克踐阼也。梁冀豺狼不足責而梁后誤聽梁冀。致漢火熄於孝桓未免罪同元后矣

河間王政傲狠不奉法憲。順帝擢侍御史沈景爲河間相奏治王傅因捕諸姦人上案其罪。殺戮尤惡者數十人出冤獄百餘人。政遂改節。悔過自修。可見諸王不道非盡諸王之咎。上不擇良傅相實無異鄭莊之於叔段也。

書張王种陳列傳

順帝以寵梁后故。雖張綱條奏梁冀無君之心十五事不忍加誅帝年不永冀竟鴆質立桓。顚覆社稷。冀肉不足食。恐帝亦時恫地下矣。

冀以廣陵賊張嬰等衆數萬人殺刺史二千石。寇亂揚徐間十餘年乃諷尙書以綱

守廣陵而綱徑造嬰壘盡降其衆在郡一年遂卒郡所綱前諭嬰等轉禍爲福余謂綱爲冀陷。而克生立異功死留遺愛是誠轉禍爲福也

种嵩爲益州刺史時永昌太守治鑄黃金爲文蛇以獻梁冀糾發逮捕馳傳上言猶人所能爲度遼將軍時。誠心懷撫信賞分明由是羌胡龜茲莎車烏孫等皆來順服晏然無警。乃人所難而薨後幷涼邊人咸爲發哀匈奴舉國傷惜單于每入朝賀望見墳墓輒哭泣祭祀。此非畏威。而實懷德。尤弗可及也

陳球謀誅中常侍曹節等手無斧柯欲司徒劉郃表徙衛尉陽球爲司隸校尉以次收節等誅之而反被陽球小妻中常侍程璜之女漏言致遭鉅禍陽球無識機事不密。雖與同死甚可痛恨

書杜欒劉李劉謝列傳

劉陶除順陽長募得剽輕劍客之徒過晏等十餘人責其先過要以後效使各結所厚少年得數百人皆嚴兵待命於是覆案姦軌所發若神後世效此者亦常收效

靈帝宿聞陶名而陶請購募張角等不悟方詔陶次第春秋條例蓋但以腐儒待陶也。洎張角反亂。復信宦官讒譖。致陶自殺靈帝之靈乃至此哉。可哭

論於李雲責其絞訐摩上。歎其未信而諫贊乃以成仁喪己與弼（謝弼）並褒言雖有異。理實共貫。蓋論示五諫所尚爲引君當道者闢坦途也贊憐雲等憤不顧身爲以言救國者仲浩氣也

書虞傅蓋臧列傳

虞詡孝養祖母縣舉順孫相國欲以爲吏詡謂祖母九十非詡不養晉李密陳情表臣無祖母無以至今日。祖母無臣無以終餘年即本此意而李密事較著言之無文。行而不遠。即此可悟

詡於鄧隲棄涼說太尉李脩二策。於是四府（太傅太尉司徒司空）皆從詡議。辟西州豪傑爲掾屬。拜牧守長吏子孫爲郎。此所謂曲突徙薪而隲反欲中傷之特以詡爲朝歌長而豈，知槃根錯節正以別利器。朝歌賊甯季等數千人。竟被詡破散。鄧太后且信詡有將

帥之略遷武都太守大勝羌衆耶禍之適以福之鄧隲應亦自哂覩孫程張賢等力救虞詡且直叱張防爲姦臣可見閹寺未必盡小人特攻者不別涇渭令彼輩有兎死狐悲之懼反致愈益固結耳

傅燮謂黄巾賊雖盛不足爲廟堂憂此宋人所謂治河北賊易也趙忠忿惡其疏雖破張角功多猶訴譖之靈帝既識燮言竟不加封何也此靈帝之所以爲靈歟

傅燮不屈志於趙忠不苟免於漢陽皆後世所當效法（漢陽即前漢天水郡故城在今伏羌縣南）

代左昌爲隴右刺史之宋梟續漢書作梟似是蓋以梟爲名自古未有也

靈帝於蓋勳有恨見君晚之語似可有爲然聽蹇碩等言拜勳京兆尹不令爲卿則固善善而不能用惡惡而不能去也噫

書張衡列傳

張衡作渾天儀已難而候風地動儀尤難蓋非難其動難其應地而動且遠地動亦克應之也

書馬融蔡邕列傳

武帝時相如有諫獵疏而安帝時馬融有廣城賦蓋所値之主異也然廣城賦實脫胎子虛

馬融留意戎機究心星象預料馬賢必敗戎狄必反此誠通儒

儒者居亂世有大名至不幸故馬融有爲梁冀草奏事不露文章上也早日焚硯次也寧辱身不降志又其次也（揚雄蔡邕罹皆受大名之禍）

論有事苦則矜全之情薄生厚故安存之慮深原其大略歸於所安物我異觀亦更相笑等語此誠蔚宗達識

靈帝因災變特詔問邕乃覽後不卽施行又弗密置致曹節竊視已屬昏庸而程璜使人飛章誣邕反詔下尙書召邕詰狀雖邕具言誣陷所由終與叔父質下獄論死雖中常侍呂強救邕終與家屬髡鉗徙邊誠不解靈帝何冥頑至此也（呂強救蔡邕與孫程救虞詡比美）

書左周黃列傳

左雄疏請守相長吏惠和有顯效者。可就增秩勿使移徙，非父母喪不得去官。其不從法禁。不式王命。錮之終身。雖會赦令。不得齒列。若被劾奏亡不就法者。徙家邊郡。以懲其後。果若是則賢者久於其位。績用有成。不賢者永不叙用。末由肆毒。吏治澄清。亦易易耳。雖然仕途雜則吏治萬無澄清之望也。蓋彼輩來不以正。凡可以得官者無不爲。充其所至。清白吏皆將被彼輩擠迫去職。始則彼輩擠迫非彼輩。繼則彼輩復擠迫彼輩。終且被擠迫之彼輩復擠迫彼輩。蛆在矢國。展轉顛倒。往復上下。而世猶視爲官吏慟哉

捶撲九卿。開朱明廷杖之始。左雄一言而順帝改之。可謂上幹孝明之蠱矣

觀周舉說朱倀救孫程等。可見孫程實宦官中僥佼者。不過不宜封侯耳

周舉於北鄉侯加謚事。引春秋王子猛不書崩。魯子野不書葬。衆議自折。惟於葬周公以天子禮。卽有反風之應云云。未據尚書金縢辯正。而漫曰皇天動威。以章聖德。一若洪範五行傳所言至可憑信。殊爲失辭。

李固遺黃瓊書有處士純盜虛聲願先生一雪此言云云瓊自順歷桓諫疏屢上誠欲引君當道而不阿梁冀切齒五侯（單超等）尤爲正色立朝未辜世望厥孫琬與司徒王允誅董卓亦庶幾上繩祖武

論美東京得人之盛而恨孝順鮮終桓帝失道且謂所以傾而未顛決而未潰豈非仁人君子心力之爲蓋與孟子不用賢則亡例何可得歟同旨

書荀韓鍾陳列傳

論於荀爽以濡迹匡時相許狄仁傑蓋亦類此

僞亂俗私壞法放越軌奢敗制荀悅所謂四患今皆備之興農桑審好惡宣文教立武備明賞罰荀悅所謂五政今亦備之然名興農桑而農會稻局蠶校織廠皆與民無與名宣文教而廢經非聖名立武備而外不禦侮內不靖亂是何也僞也名審好惡而好惡違衆名明賞罰而賞罰顛倒是何也私也僞則行政惟其名不惟其實私則用人惟其暱不惟其才至政惟其名人惟其暱越軌亡禮敗制肆欲亦事有必至

理有固然矣痛哉

悅謂人不畏死不可懼以罪與老子奈何以死威之同人不樂生不可勸以善與孟子奚暇治禮義同家給人足庶幾樂生樂生斯畏死矣畏死斯懼罪懼罪斯勸善矣否則饑匱兵變食乏之民亂奚所懼奚所勸哉

榮辱者賞罰之精華也此語甚妙蓋君子以情用一字之榮高於賞一語之辱過於罰也此不賞罰而賞罰也若乃賞而天下榮之罰而天下辱之其賞罰亦當矣否則賞而天下以爲辱罰而天下以爲榮矣至賞而天下以爲辱罰而天下以爲榮則君子在野小人在位天下大亂欲不亡得乎

敎化之廢推中人而墜於小人之域敎化之行引中人而納於君子之塗此眞知敎化之言也蓋敎化爲中人設也所謂惟上智與下愚不移即此旨也小人不惟與君子異且與中人異危則謀亂安則思欲故非威强無以懲之有武備以戒不虞以遏寇虐安居則寄之內政有事則用之軍旅此又眞知武備之言也蓋武備爲小人設

也。（此就對內而言對外又當別論）所謂大刑用甲兵亦此旨也。

疾之已甚。古人所戒。張讓父死。陳實獨弔。蓋悟此也。及後復誅黨人。多所全宥。宜哉。然此爲君子在野時言也。若以此咎陳蕃等則謬矣

范氏於左雄周舉黃瓊傳謂傾而未顚。決而未潰。由仁人君子心力之爲。可謂灼知賢者濡迹匡時之隱績。於陳實傳謂據於德故物不犯。安於仁故不離羣。行成乎身而道訓天下。故凶邪不能以權奪。王公不能以貴驕。所以聲教廢於上而風俗清乎下。可謂灼知賢者默回刧運之大效。於儒林傳謂權彊之臣息其闚盜之謀。豪俊之夫屈於鄙生之議者。人誦先王言也。下畏逆順勢也。可謂灼知儒士稽古議今之實力。

書李固杜喬列傳

李固謂古之進者。有德有命。今之進者。惟財與力。願今日當道諸公諦聽。又言先聖法度。所宜堅守。政敎一跌。百年不復。尤願今日當道諸公諦聽。

李固欲立清河王。爲國求治計也。梁冀欲立蠡吾侯。爲己懼誅計也。冀雖冤殺李固。而蠡吾侯（即桓帝）他日亦卒誅冀。冀以一念之私。上熸漢火。下赤已族。誠可痛恨。而胡廣趙戒任冀立桓。不敢正言。致固孤立無助。尤可痛恨。

李固杜喬均被梁冀陷死獄中。暴尸城北。家屬故人莫敢臨視。而固弟子汝南郭亮（今共匪亦有同名者已伏誅）年始成童。乞收固尸。不許。因往臨哭。南陽董班亦往哭固。殉尸不肯去。喬故掾陳留楊匡。著故赤幘。託爲夏門亭吏。守衛尸喪。積十二日。梁太后義諸人所爲。聽得襚斂歸葬。蓋與胡騰殯斂竇武。朱震收葬陳蕃。趙戩營埋王允。脂習哭臨孔融。相類也。

論以義重於生。捨生可也。生重於義。全生可也。四語定生死之衡。本於孟子。故於李固無間然。至今誦雖機失謀乖。猶戀戀而不能已。至矣哉。社稷之心乎。其顧視胡廣趙戒猶糞土也云云。爲之神王。蓋蔚宗史論此篇。乃抗馬班也。贊亦甚美。

書吳延史盧趙列傳

吳祐二千石子、牧豕行吟、初志蓋已過人。其後歷相侯王。因救李固與梁冀忤。灌園教授。晚節尤爲卓爾。

延篤知止、似習老氏、然尙累於黨錮、苟全亂世難矣哉。

史弼爲平原相時、詔舉鉤黨。獨無所上。活人千餘。爲河東太守時、以舉孝廉考殺侯覽所遣諸生、雖皆獲罪。九死不恨、今焉得有是人耶。

盧植上强幹弱枝之計於竇武不用。以八事陳靈帝不省。其後連破張角。復以不賂送小黃門左豐被譖論罪。植誠蹇蹇。漢事詎可復問乎。

有志無時。命也奈何。亂世抱此痛者多。不獨趙嘉墓前當刻此石也。

書皇甫張段列傳

皇甫規還督鄉里。無它私惠。而多所舉奏。又惡絕宦官。不與交通。此實奉職循理。而中外並怨。誣規貨賂羣羌令其文降。所謂羣陰搆難也。

皇甫規願附名黨錮。卽越界弔王旻喪。意蓋誠知世亂宜隱。欲藉微罪退身避第耳。

安坐帷中。講誦自若。而能濳和烏桓。使斬屠各渠帥。襲破其衆。此張奐所以不愧名將也。

段熲詐璽書誘敗鮮卑有大功。而坐論司寇。當日朝政可想。

段熲用兵與士卒共甘苦。又善用奇。敢深入故前平西羌。後定東羌。能絕其本根。谷靜山空也

段熲曲意宦官得保富貴。後陽球奏誅王甫。幷及熲。熲飲鴆死。黨宦官保富貴已辱。因黨宦官失生命尤辱。死生有命。富貴在天。人何不信斯語哉。

書陳蕃王允列傳

陳蕃當掃除天下安事一室之語。與張綱豺狼當路安問狐狸意略同。

蕃於桓帝知其昏暴而切諫不已者。猶冀萬一見聽國運可挽也。論謂以遯世爲非義。故屢退而不去。以仁心爲己任。雖道遠而彌厲。誠知言哉

論謂王允推董卓而引其權。伺其間而敝其罪。不爲失正。不爲狙詐。蓋甚嘉其討卓

大功也、贊謂功全元醜。身殘餘孽、時有隆夷、事亦工拙、蓋深惜其不赦卓部。致羅厚殃也。

書劉李杜劉魏夏宗巴范尹蔡羊張岑陳孔范檀劉賈何列傳（卽黨錮傳）

去就之節重正也。激而爲婞直之風、則變矣。異黨既互相譏揣、同黨復共相標榜、君子欲以黨自張、小人亦以黨相陷矣。始自甘陵（周福房植）海南、（范滂岑晊）成於李膺張儉、海內塗炭二十餘年、痛哉黨之爲禍烈。非諸賢始慮所及也。吾於是益歎黃叔度汪汪若千頃陂、在亂世尤難、能可貴也。

李膺將相大才、遭世危亂、執法不撓、（如破柱取張讓弟朔大赦後案殺張成子）履禍不悔、彼其心蓋惟知有國。不復顧身後、人以黨禍哀之、亦所謂焦明已翔於寥廓之表、而羅者猶視乎藪澤也。

陳蕃過信竇武、竇太后故已亂、不隱謀去宦官、諸賢亦過信陳蕃竇武、故既隱復起冀延漢祚、執意陳蕃竇武、幾事不密、不挾太后與天子、反致太后天子爲宦官所挾耶、郭林宗謂夜觀乾象、晝察人事、天之所廢不可支也、豈信然耶。

贊有徒恨芳膏煎灼燈明語。非責諸賢而恕宦豎。蓋深惜諸賢而宦豎宜誅自在言外也。

書郭太符融許劭列傳

處亂世爲黃叔度爲郭林宗。皆上品也。而林宗使惡者自新。善者益奮。消禍於無形。造士於不覺。尤今日急務。

此傳但云劭謂曹操君淸平之姦賊。亂世之英雄。而世語（書名）乃云劭謂曹操子治世之能臣。亂世之奸雄。何也。

書竇武何進列傳

古戒幾事不密。又曰需者事之賊。竇太后既有但當誅其有罪之言。武宜收曹節等與管霸蘇康同日誅之。而謬分先後。致事中變。所謂需也。不面白太后收節等。乃使劉瑜內奏而已。出宿歸府。致奏被朱瑀盜發。誣以廢帝。所謂不密也。於是桓帝竇太后先後被彼輩所挾。武雖欲避反名而不可得矣。痛哉。

與胡騰共救竇輔之張敞。與前漢循吏傳張敞同名。各有千秋。不慙媲美。

竇武未敗前。太白犯房左驂。上將星入太微。劉瑜謂宮門當閉。將相不利。姦人在主傍。何進未敗前。望氣者以爲京師當有大兵。兩宮流血。可見刼數前定。未容强挽。特君子身當其任。宜盡人事耳。噫。

進收蹇碩時。將蹇黨同日誅之。易易耳。乃既聽袁紹欲盡誅中官。致太后懷疑（女主以有中官爲天經地義故竇何二太后皆不肯盡廢中官）。事久不決。又聽袁紹召外兵脅太后。外兵已至。太后悉罷中常侍小黃門使還里舍。可即誅之。復優容不斷。卒令死灰復燃。喪身覆族。亡國爲天下笑。蓋進視竇武猶庸下也。可勝慨哉。

何太后妹爲張讓子婦。母舞陽君與何苗又數受諸宦官賂遺。進欲誅宦官。舞陽君與苗數白太后爲其障蔽。諸常侍小黃門已罷。舞陽君更白太后詔復入直。吳匡等必欲殺苗。宜也。太后及舞陽君後皆被董卓迫殺。亦宜也。

書鄭太孔融荀彧列傳

自性寬容至皆信服之。皆紀融善。而路粹乃枉狀奏融下獄棄市。後世無識。不察枉狀二字。漫引父之於子。本意爲情欲發。子之於母。如寄物瓶中云云。追詆昔賢此痛蓋甚於棄市也。論謂山有猛獸。藜藿不採。移鼎之迹。事隔於人存。可謂知言。

荀彧說操先定兗州。徙都於許。皆大計。此其所以爲王佐才也。至說操先定徐州。後謀河朔。拒紹官渡。卽鴻溝堅壁用奇。緩征荆南。急定冀土。亦操成敗所繫。而操表但重後二事者。以袁紹大敵。非呂布劉表可比也。

論於荀彧。一則曰仁爲己任。再則曰殺身成仁。蓋諒其初志。愍其晚節也。贊謂功申運改。迹疑心一。亦預計後世有求全之毁。而先以此曉之耳。

書皇甫嵩朱儁列傳

波才兵衆。嵩乘夜以火攻破之。張梁衆精。嵩閉營休士。俟懈破之。此誠知兵。惜回翔儒林。不敢建非常於靈帝之時。不克討董卓於獻帝之世。竟任後漢變爲三國也。

朱儁已斬趙弘。而餘孽韓忠復據宛拒儁。韓忠敗降被戮。孫夏又據宛叛變。直至孫夏破滅。黃巾始盡。儁功與皇甫並稱。有以哉。

書董卓列傳

孫堅說周愼假萬人斷賊運道。實上計。而愼不從。反被賊斷運道。可歎。

賈詡一言。長安浩刦。讀史者至今恨之。然李傕等乞赦不許。直至傕衆入長安。始大赦天下。並封傕等爲將軍。詡固桀犬吠堯。王允亦實乏應變之略也。噫。

李傕刼天子。郭汜質公卿。均自謂理直。而獻帝且先後遣大尉楊彪僕射皇甫酈和傕汜。自有天子及公卿以來。未有此盛舉也。一笑。

左傳舟指可掬事。乃於此傳復見之。可歎。

何進欲誅宦官。而召董卓。董承欲謀韓暹。而召曹操。庸人誤國。拒狼進虎。何相似耶。

書劉公孫陶列傳

劉虞爲幽州牧。政績卓爾。拒袁紹等推戴。尤不愧宗室長者。乃積忿公孫瓚。致遭寃殺。非瓚智勇。亦虞過效宋襄。自致厥禍也。

瓚志掃滅烏桓。而劉虞欲以恩信招降。由是與虞相忤。此因公也。止劉虞遣兵就袁術。不從。乃使從弟越將千餘騎詣術自結。且陰勸術執虞子和。此則私矣。因此而越隨孫堅擊紹。爲流矢所中死。因此而怨紹。攻紹。因此而虞瓚相攻。虞敗被陷。因此而鮮于輔劉和爲虞報讎。因此而紹遂滅瓚。私之爲害烈矣哉。

曹操以父讎擊謙。殺男女數千萬人。雞犬無餘。三輔遭李傕亂。百姓流移歸謙者皆殲。遷怒至此。酷矣哉。然亂世無樂土。卽此可想。

笮融督糧。耗金媚佛。而謙任之。及操擊謙。融走廣陵。乃殺趙昱。此等事亂世蓋常有。

書袁紹劉表列傳上

沮授說紹西迎大駕。挾天子以令諸侯。而紹不從。郭圖等誤之也。沮授諫紹攻許。謂曹操非公孫瓚比。而紹弗聽。又郭等圖誤之也。旣決計攻許。又不攻於操擊劉備之時。而攻於操已破備之後。旣喪顏良文醜。猶不納沮授利在緩師之謀。旣穀食盡被操焚。猶不信沮授別遣蔣奇掩護淳于瓊。北迎糧運。一敗塗地。亦固其所。

書袁紹劉表列傳下

譚告急於尚。尚自將助譚。可謂兄弟急難矣。使無郭圖等搆之。何至自相鷸蚌。俾曹操坐獲漁翁之利哉。而譚始以尚不追操相怨。後乃求救於操。暱父讎而敵骨肉。尤非人之所爲。無怪紹不立爲世子也。

尚欲因見擊康。遂據其郡。不知康乃設伏待己。頭顱且行萬里也。噫。

劉表乘袁曹相爭。起乘其敝。固上策。然表謀臣將士皆不及操。終難得志。若謂遣子入侍。操他日不奪荆州。亦恐未必。至假劉備重權。協力謀操。備亦難永居表下。總之表非人傑。無論如何。所謂南接五嶺。北據漢川。地方數千里。帶甲十餘萬者。皆他人物耳。

表勸譚尚息爭。書辭並美。而異日己子亦等譚尚。特操兵已至。琦走琮降。未暇鬩牆耳。輕嫡重庶。信亡徵哉。

書劉焉袁術呂布列傳

劉焉於靈帝時建議改刺史爲牧。選重臣居其任。於是焉以太常爲監軍使者領益州牧。太僕黃琬爲豫州牧。宗正劉虞爲幽州牧。皆以本秩居職。原欲內外無壅易制寇亂。然他日自稱州牧者不少。又焉所不及料也。（焉到益州後遣作乘輿亦與始念相反）宦豎濁亂。百度解紐。不能格君非淸君側。徒欲變法以挽之。抑末矣。

袁術前與公孫瓚書。謂紹非袁氏子。今乃歸帝號於紹耶。冢中枯骨。亦何可哂

勇而無謀。輕於去就。呂布平生。二語斷盡。陳登亦可謂知人矣。贊以叨貪翻覆四字分評術布。尤見勁質。

曹操攻鄴。引漳水灌之。而袁尚破滅。攻下邳。壅沂泗灌之。而呂布敗亡。操誠善效智伯哉。

謀則陳宮。戰則高順。呂布諸將所共知也。故侯成叛布降操時。與諸將共執二人以往。

書循吏列傳

觀光武長於民間。見稼穡艱難。百姓病害。務用安靜云云。可見書陳無逸。詩列豳風。關係王業甚鉅。孟子論政。不外農桑。斯誠欲與小民共安樂者也。

衛颯守桂陽十年。理郵民事。居官如家。其所施政。莫不合於物宜。誠不愧字子產也。

駱越之民。無嫁娶禮法。各因淫好。無適對匹。不識父子之性。夫婦之道。此今日所謂自由戀愛。而任延乃令男年二十至五十。女年十五至四十。皆以年齒相配。而民樂從。可見徒男女。無夫婦。旦求夕棄。甲摟乙奪。實大苦也。（桂陽與交州接境風俗脆薄衛颯許荊皆爲修庠序之教設婚姻之禮）諺謂無六親者爲豬狗。恐尚不若豬狗也。豬狗交有時。人無時也。（古以父子兄弟夫婦爲六親一曰六戚）

延爲武威太守。紺父子賓客伏法。而豪暴除。匈奴諸羌不敢寇抄。而邊患絕。民於是得安居矣。又修理溝渠。皆蒙其利。而衣食贍。造立校官。自掾吏子孫。皆令詣學。而教化行。民於是樂業矣。必使民安居樂業。乃眞循吏也。循吏豈可冒爲哉。

孟嘗以嘗爲名。想因慕孟嘗君爲人也。其爲合浦太守。珠徙復還。至今以爲美談。桓帝時尚書楊喬。且薦嘗匿景藏采。耽樂道德。是則孟嘗君尚不及嘗也。

侯覽居官居家。皆務德化。信鸞鳳哉。

書酷吏列傳

董宣格殺湖陽公主奴。光武大怒。欲箠殺宣。蓋怒其開罪公主也。宣謂陛下聖德中興。而縱奴殺良人。何以理天下。語語足令光武慙悚。故光武但令宣謝主也。宣彊項不謝。主乃謂文叔爲白衣時藏亡匿死吏不敢至門。今爲天子威不能行一令乎。此誠婦人之見。不知文叔今日正不願天下有藏亡匿死之白衣也。

陽球奏收中常侍王甫太尉段熲時。不將曹節等同時奏收。甚爲失策。甫已考死杖下。復磔屍道次。致曹節等觸目生變。去己司隸。未免以酷自誤。又前以獨力誅王甫有餘。後以合謀去曹節不足。獨力可密。合謀易洩。於此可想。

書宦者列傳

天子有後宮。廣田易荒。慮其穢亂。故用宦人給事於內。加以女主稱制。更不得不親近宦人。宣達詔命。然使始終以宦人待之。有宦人何害。奈西漢亡於外戚。天子往往以外戚爲慮自和帝親鄭衆而誅竇憲桓帝盟單超而誅梁冀宦人非宦人矣又東漢女主迭興天子廢立往往由太后自孫程定立順之功。曹騰參建桓之策。宦人更非宦人矣。既非宦人而又日在君側故大臣謀去宦官難而宦官謀去大臣易也。故東漢竟亡於宦官也。

蔡倫造意用樹膚麻頭及敝布魚網爲紙。不圖宦官中乃有此人。又呂强於靈帝時固辭侯封已屬難能黃巾賊起。請先誅左右貪濁者大赦黨人。料檢刺史二千石。尤與外廷正議不謀而合。此外如鄭衆不附竇憲一心王室。曹騰進達名賢。不念舊惡。亦皆鐵中錚錚。不得謂一爲宦官便皆可殺也。

書儒林列傳上

董卓移都。致辟雍東觀蘭臺石室宣明鴻都諸藏典策文章。縑帛圖書。散失甚衆。其爲王允所收而西者。又以李傕之亂焚蕩泯盡此蓋秦火後二大刦。而餘燼流傳。今且重譯徧海國。則典籍眞値可想矣。

楊政伏候車駕泣救范升，升牀把臂。强友馬武皆非恒儒所爲。

孫期牧豕養母，從學者皆執經壠畔以追之，而黃巾賊起。相約不犯孫先生舍。則與鄭公鄉並傳佳話矣。又廣武周黨勑身脩志，賊至廣武。過城不入，見逸民傳。廣武姜詩妻大孝，赤眉經里弛兵而過，見列女傳。三國時潁川胡昭躬耕樂道，孫狼等自相約誓。不犯胡居士部落。見魏志。

書儒林列傳下

包咸爲赤眉所得。誦經自若，賊異而遣之，若遇今日赤匪。恐晨夜誦經，遭禍益慘耳。

讀書必先識字，故許慎說文解字於形聲義三者並詳。其後段玉裁說文解字注，王筠說文釋例，朱駿聲說文通訓定聲。繼許有作。皆治小學不可少之書。

書文苑列傳上

除說經外無事功可紀者入儒林傳，馬班皆然。若未嘗說經而文采斐然，雖不及相如子雲。要亦一時之俊。乃立文苑以統之，則范氏特識也。

雖有仁義猶設城池爲杜篤論都極精之語後世妄人將舊有城池毀棄一旦寇至反乞靈石塹與電網霈費鉅且未易持久可歎也

蔡邕見王延壽（王逸子）靈光殿賦輟翰李白見崔顥黃鶴樓詩擱筆非不能作也雖作無以勝人遂不作也若故意打翻案後人所優爲古人不屑也

梁冀宜誅非可諷諫者而崔琦既作外戚箴復作白鵠賦孔子所謂失言也雖刺客告以亟逃琦卒被冀捕殺可愍哉

書文苑列傳下

前漢韋賢傳鄒魯諺遺子黃金滿籯不如一經就後效言也此傳趙壹詩文籍雖滿腹不如一囊錢就急效言也

李白詩欬唾落九天隨風生珠玉本趙壹勢家多所宜欬唾自成珠然趙羨勢家憑藉李贊才人吐屬語雖同而意異也

袁逢羊陟稱薦趙壹名動京師位竟不顯豈誠如相者所謂仕不過郡吏與

黃祖善待禰衡、衡爲作書記、輕重疏密。各得體宜、祖長子尤善於衡。衡爲作鸚鵡賦、此實萬無死理也。而竟以言不遜順爲祖所殺。然後歎杜甫不見殺於嚴武特幸而免耳。武人性急、豈易處哉。

書獨行列傳

范氏不忍沒人一善。創獨行傳、此其意可使南面矣、

公孫述帝蜀以毒藥迫譙玄李業作公卿終不可得。可見述妄自尊大。無君人之度、不獨馬援哂爲井蛙也、

李業飲毒死。王皓王嘉伏劍死。費貽漆身爲厲陽狂以避之。任永馮信託靑盲以避世難、述乎述乎、何令人恥坐塗炭一至於此乎。

張卲雖死。停柩以待范式金彥巳葬。飄被以報王忳事皆可異。而涪令亡妻夜中稱寃。不假夢寐。面述多語。尤可異也。

李充寧逐富妻。不與母兄別居。家盡如此。何患不孝弟乎。又言大丈夫居世。貴行其

意。何能遠爲子孫計哉。人盡如此。何患不正直乎。

陳重償袴。與直不疑償同舍郎亡金相類。至密還同署郎債。事後不承。反謂將有同姓名者。則自古未有也。

張邵母撫柩呼元伯。趙苞母對陣呼威豪。母呼子字。前漢未有。

鮮卑寇鈔。苞母被刦。此時苞爲國計。自宜棄孝盡忠。後世或著論非之。謬也。

王彥方遺布感盜。而盜卒爲善士。下以德感。效且若是。況居上位者乎。有恥且格。今乃益信。

書方術列傳上

史記有扁鵲倉公傳。有日者傳。龜策傳。故范氏立方術傳。（三國志易爲方伎）又傳中如李郃指星示使。唐檀論芝非瑞。可補天文五行志。

謝夷吾郭鳳及李南女。皆自知死期。不足異。今亦有此。又逸民傳矯慎自知死期。三國時吳陸績趙達。皆自知死期。

樊英含水西漱。遂救蜀火。與郭憲含酒三潠。以救齊火同。而辯駁順帝能生殺貴賤貧富云云。尤足令以權利驕人者俯首。

書方術列傳下

熹平靈帝年號五年黃龍見譙。建安獻帝年號二十五年春。黃龍復見譙。其冬魏受禪。讀此可知數有前定。人世擾擾。徒自苦耳。然君子以理自守。亦人定勝天一法也。

涪翁著針經診脉法授之程高。書雖未見。厥術猶在人間也。華佗刳破腹背。斷截腸胃。今醫亦有能之者。惟飲蓱虀以吐蛇。激瞋恚以吐血。匪夷所思。不可復得。然五禽之戲。除疾於未病之前。果恒習之。勝所燒書抑又遠矣。

觀徐登費長房薊子訓左慈事。覺古今所傳怪異。皆若可信。韓文公謂左氏浮誇。曷不細讀此傳乎。

書逸民列傳

此傳昉自論語逸民章。故名逸民。獨行無分仕隱。逸民則專紀隱者。

一則曰臣每卽禽虎亦卽臣再則曰湯卽桀于鳴條武王亦卽紂於牧野淺言之無異黃雀螳蟬之喩深言之實洩陰陽消長之祕

向平旣已知富不如貧貴不如賤則生不如死可斷言矣何言未知耶

五倫造端夫婦有夫婦然後有父子有兄弟有朋友有君臣後世以君臣父子兄弟夫婦朋友爲序者由國及家以統治權爲主故忠孝孝弟連類並及也然孔子言君君臣臣父父子子意重對待無君爲臣綱父爲子綱等說至王莽殺子宇逢萌謂三綱已絕則是時三綱二字已等金科玉律矣

公孫述毒死李業而光武不强周黨等受祿卽此一端光武亦宜有天下也

懷仁輔義天下悅阿諛順旨要領絕子陵贈侯霸言若此其志意可想僅除諫議大夫惡足令子陵相助爲理乎然富春山嚴陵瀨至今有耀較漢室一統江山祚永矣此亦所謂富不如貧貴不如賤也

范曄父泰著高鳳行事而論之可與司馬遷父談班固父彪比美范曄卽以其論附

於高傳亦可與史記自序詳記談言漢書遷傳恪守彪議並論

苦樂不可以迹論刺史以臺終穴居采藥爲苦猶妄人以鳥獸野處血食爲苦而思以人所樂者豢養之不知鳥獸轉以此爲苦也今之欲平民衣食住概效胡賈者其愚蓋亦類此耳而況乎假是說以殺平民哉

法眞謂若欲吏之眞將在北山之北南山之南矣較閔子騫如有復我者則吾必在汶上矣尤縹緲不可測

漢陰老父對張溫數語已爲黃蓼洲原君導先路矣

陳留老父謂龍不隱鱗鳳不藏羽網羅高縣去將安所蓋惜張升露名氏於亂世羅者可因鱗得龍因羽獲鳳也

龐公遺之以安校韋氏以一經遺子尤高唐孟浩然嚮慕鹿門獨發高詠有以哉

書列女列傳

增獨行逸民文苑方術諸傳而男子行事備增皇后紀列女傳而女子行事備皆范

氏特識蓋至是而紀傳堂廡始大也

男以地繫故曰不知何許人也女以氏繫故曰不知何氏之女也

班昭女誡與唐宋若昭女論語明成祖文皇后內訓清王節婦女範共稱女四書極闢女教故范氏全錄於傳今女校不誦此或以自由平等相詔或以戀愛革命相競或爲妓爲妾爲匪無所不至日日言提高女權竟任其墮入九淵萬刦不復痛哉

樂羊子妻斷機勗夫與孟子母斷機勗子同然若今日有此婦必疑其在家不貞不利夫歸矣至泣雞感姑刎頸全節其事皆丈夫所難號曰貞義信無愧也

繼母難爲以子於繼母異視之繼母於子亦異視之也然苟如程文矩妻以義相導子何嘗不可遷善耶故凡謂繼母難爲者其咎仍在繼母也至閔子騫大孝感母非後世所常有安忍用是相望哉

女報父讎十餘年不懈孰如趙娥殺讎自首不肯逃避更孰如趙娥

皇甫歸後婦盛年美容不爲董卓所辱大罵求死信所難能蓋後婦憎夫年老夫死

改嫁視爲幸事，以節自矢者甚鮮也。

荀采立志與陰瑜同穴，而父爽逼嫁郭奕。此爽之過也。郭奕知其志堅，不即送還，遂志致采自縊，又奕之過也。

孝女叔先雄於百日後投水覓得父尸，較曹娥事尤難。而曹娥名章章在衆口，叔先雄反若無人稱道者，蓋曹娥碑邯鄲淳作，蔡邕題爲黃絹幼婦外孫齏臼，非若叔先雄碑文采不著也。文之力偉矣哉。

此傳所載蔡文姬詩第一首，杜甫北征所祖也。

書東夷列傳

王莽名高句驪爲下句驪。亦猶改匈奴爲恭奴。單于爲善于耳。

叙東夷以倭爲殿。今東夷盡隸於倭。叙倭以徐福童男女爲殿。今倭種獨此稱盛。昔人謂書終秦誓，若有先見。予於此傳亦云。

書南蠻西南夷列傳

詩言蠻荊。乃以蠻與荊並舉。非一名也。此傳蠻與羅子共敗楚師。及自是遂屬於楚。鄢陵之役。蠻與恭王合兵擊晉云云。皆可證也。又南幷蠻越。句與詩言蠻荊同例。蓋蠻乃黔中及湘黔接壤各縣。越乃今兩粵也。

西南夷屬今雲南。而當日哀牢夷乃有雲南縣。

書西羌列傳

西羌屬今甘肅。段熲始殄西種。卒定東寇。厥功甚偉。論咎趙充國遷先零於內地。馬文淵洗當煎於三輔。蓋惜其未若熲之所為。致貽後患也。

書西域列傳

西域屬今新疆。自王莽貶易侯王。西域怨叛。雖明帝時于寘諸國遣子入侍。明帝既崩。焉耆龜茲乃攻沒都護陳睦。至和帝時班超復定西域。於是五十餘國納質內屬。條支安息諸國亦重譯貢獻。故班超之功。較馬援征蠻。段熲平羌。有過之無不及也。後超以老病召還。都護任尚弗克纘緒。西域復叛。安帝時超子勇破車師。降焉耆。而

龜茲等十七國皆來服從、自建武迄延光、西域三絕三通、視班氏父子爲轉移、此亦古所未有也

書南匈奴列傳

漢元帝以王昭君賜呼韓邪單于爲閼氏。而昭君子知牙師後被孝單于輿所殺。於是右薁鞬日逐王以爭立故、貳於北庭、欵塞內附、自立爲呼韓邪單于、所謂南匈奴醢落尸逐鞮單于比也。自是北虜懼漢見伐。爭欲歸義、肅宗時北虜衰耗。黨衆離畔。南部攻其前、鮮卑擊其左、西域侵其右。不復自立、遠引而去。是王昭君立大功於無形、較衛霍竇耿（夔耿）有過之無不及、後世不頌其大功、而徒恨畫工毛延壽、相與嗟詠。可謂明察秋毫而不見泰山矣、

論咎竇憲不乘北單于遁走烏孫時、還南虜于陰山、歸河西于內地。而乃更立北虜。反其故庭。致釀晉懷愍北狩之禍、目光如炬、

書烏桓鮮卑列傳

餘類保烏桓山因以爲號焉。二語。陶淵明五柳先生傳宅邊有五柳樹因以爲號焉本此。

東胡謂死者神靈歸赤山。中國謂人死者魂神歸岱山。自佛教盛行。中國乃謂人死者靈魂歸西方淨土。且謂不修行者不能歸淨土必入地獄。

精金良鐵。皆爲賊有。漢人逋逃。爲之謀主。此蔡邕議鮮卑事最痛心語也。後世亦有類此者。噫。

書補志首

漢書十志。併史記禮樂二書爲禮樂志。律歷二書爲律歷志。變天官書爲天文志。封禪書爲郊祀志。河渠書爲溝洫志。平準書爲食貨志。增刑法五行地理藝文四志。後漢書則各志並去。而光武十王傳有語在禮樂輿服志。蔡邕傳有事在五行天文志云云。殆先有志後亡逸耳。今所傳劉昭註補後漢志三十卷。則天文與五行分志。天文在前。有輿服志。無禮樂志。

書律曆志上

度量衡曆雖有變遷尚未失攷惟律實亡雖各書間有記載等於木牛流馬依其尺寸亦不能用矣（木牛流馬尺寸見諸葛亮集）京房作準以代截管庶乎復古後竟失傳良可痛恨漢後絲竹大抵胡音今更以西人軍樂爲典禮所必需不復問樂所由作矣悲夫

書律曆志中

古人於曆不徒考堯典月令春秋小正也候驗弦望確定閏朔並上據歷代晦朔甲子近證物候星度必盡合無謬然後班示今西曆一切不顧但以日出入計歲月曆之用豈僅如此耶

近人王之平著曆法新紀元一書論世界歷法甚詳摘附如下王君謂太陰歷以月繞地球一周爲一月十餘周爲一年與地球公轉之現象不符如回歷土耳基歷波斯歷唐伯勒歷祕魯歷瑞典那威之舊歷印度之乏斯里歷皆屬此類而以用回歷者爲最廣太陽歷以地球公轉繞日一周爲一年與月繞地球無關如基督歷（即今所謂西歷）

久利安歷墨西哥歷埃及歷印度之孟加拉太米爾諸歷皆屬此類而以基督歷之行用爲最廣陰陽合歷以月繞地球一周爲一月以地球繞日數周或十數周爲一閏周一歲之時間雖不能適合地球繞日一周之時間而一閏周之時間則能與地球繞日數周或十數周之時間相合如猶太歷希臘歷羅馬歷巴比倫歷印度之撒母微特力苟諸歷皆屬此類而以猶太歷爲最著複合歷惟我國舊歷屬之以地球公轉一周爲一年分十二月二十四氣而以立春爲歲首者太陽歷也於農事祭典用之其月及閏周與猶太歷同而以寅正朔旦爲歲首者陰陽合歷也於農事祭典外皆用之實爲夏時太陽歷寅正陰陽合歷二歷法並行無以名之名之曰複合歷又王君主張以甲子紀年紀日而以民國十三年第六十八周之甲子元年爲歷元謂吾國歷法雖始於黄帝修於顓頊而其完備實以堯命羲和欽若昊天敬授人時據尙書孟子左氏竹書紀年堯四十九年之甲子（竹書紀年堯元年丙子）即可爲世界公元之始元自始元數至民國十二年癸亥適得甲子六十七周故民國十三年甲子乃甲子

六十八周之元年也。

書律歷志下

夏小正以雨水置啓蟄後。今歷以驚蟄即啓蟄置雨水後，與漢同，

與天合，惟日較易，月難。星更難，

書禮儀志上

禮意不易復，因儀以見禮，所謂是儀非禮也，故名曰禮儀。

書祭祀志

光武告天文，王莽簒弒竊位，秀發憤興義兵，下未言討莽不合。應改爲秀發憤誅討用殛厥命，然後叙破王邑王郎等事。至稱引讖語尤陋。又泰山刻石文雖仿尚書。亦未典重，

論謂始皇孝武石檢印封由於好僊，世祖欲因孝武故封，實繼祖宗之道，大哉議乎，梁松固未足語此。

書天文志上

秦燔詩書，而星官之書幸與醫藥卜筮種樹等書全而不毀，故後世上觀乾象者有所祖述。然自讖緯說興，星官書漸成廢紙，今則惟李淳風、袁天綱推背圖、劉伯溫燒餅歌尚傳於世。日蝕月蝕外，知二十八宿者亦難其人矣，可勝慨哉。

書五行志一

我國男子喜用西服，服所需皆來自海西，大利外溢，弗計也。而女子反效舊時男裝長袍窄袖，此皆服妖。報載德國女子近多男裝，履跟高者殆三寸，亦服妖也。

童謠自古有之，甚驗。不驗者蓋不傳也。其調大抵似古歌，語則若可解若不可解。

書五行志二

草生而莖似鳩雀龍蛇鳥獸之形，五色各如其狀，毛羽頭目足翅皆具，雖曰草妖，亦奇觀也。

書五行志五

周厲王時黿化爲女。而周滅于褒姒。漢靈帝時婦化爲黿，而漢亡於宦官

書郡國志一

變漢書地理志爲郡國志，開後世一統志省府縣等志之祖，

書百官志一

古今官制或名異而職同。或名同而職異。故范氏本周公周官及班固百官公卿表作百官志，用備考覽。

太傅雖上公。尊而無權，不如太尉，大將軍雖僅比公，而實有兵權，太尉且不如遠甚。

書百官志五

官俸半錢半穀，以斛計，蓋猶是祿足代耕遺意也，漢治近古。豈偶然哉，

書輿服志

上志言輿。車馬飾附之下，志言服，實詳冠制，其他附之，別上下，辨等威，豈若今日除軍服有胸徽肩章外，其他車服，莫問貴賤哉，

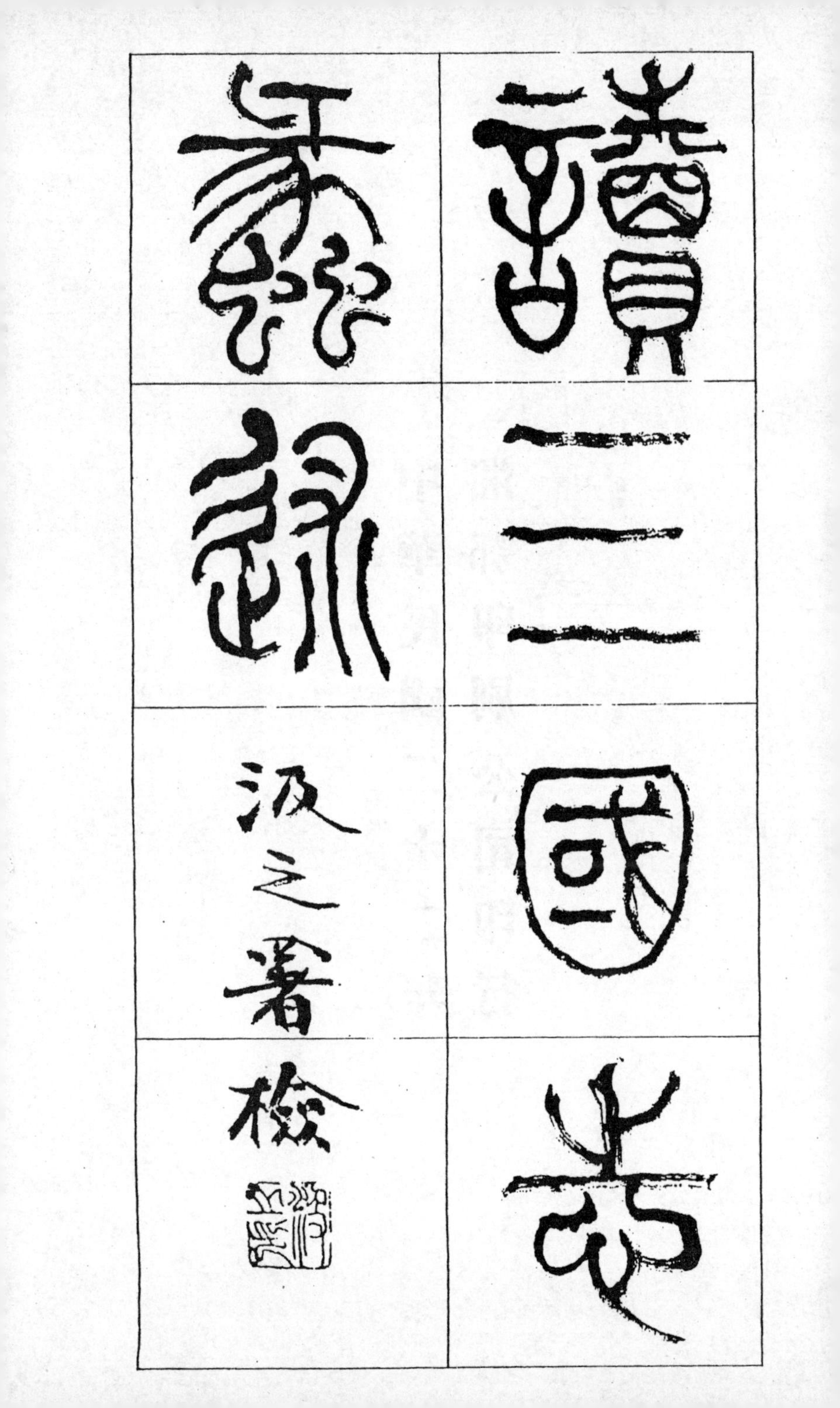

讀三國志[illegible]訓

汲之署檢

中華民國二十二年
湘鄂印刷公司印行

讀三國志蠡述目次

卷一 魏志

讀三國志蠡述卷一

岳陽李澄宇洞庭著

魏書

書武紀

志名三國則三國國主均不宜曰傳而曰紀。今獨魏主有紀。蓋以正統予魏也。又魏武身爲漢相雖執國命不過挾天子以令諸侯則紀宜自文帝始於文紀內追叙父操數百字否則以漢天子年號叙曹丞相事安得目爲魏之帝紀哉意者效史記呂后本紀例。（史記有呂紀無惠紀）特立武紀以著奸雄簒奪之罪乎。是未可知也。既曰漢相國參之後。又曰養子嵩莫能審其生出本末則所謂太祖武皇帝者是否姓曹不可復問矣。此陳氏之微意。亦卽陳氏之直筆也。而或猶詈爲袒魏蓋未察其所處耳。

周末六國不能勝秦唐九節度潰師相州則袁術等討卓無功亦其例耳。同床異夢。孟德豈猶未寤耶孫策始據江東爲三國最大關鍵蓋劉項興亡未定時韓信若與楚和秦後卽有三國矣又光武時隗囂若能并有河西則隴西可守隴西可守則蜀未易滅西漢後卽有三國矣操於漢鼎本欲獨有若非孫氏在吳劉備卽欲有爲敗後無與共謀是無孫且難有劉無吳更安有蜀耶

以太祖爲大將軍封武平侯以前（建安元年事）皆稱太祖後乃稱公爲魏王後（建安二十一年事）乃稱王亦猶史記高紀乃立季爲沛公以前稱高祖後乃稱沛公項羽負約更立沛公爲漢王後乃稱漢王也所異者高祖未爲沛公前連稱劉季者十一五年未卽帝位前稱高祖者一稱皇帝者二稱漢王者四卽帝位後或稱皇帝或稱上或稱高祖耳

董承受詔圖操范史已載陳氏蜀先主傳亦載而此傳必謂劉備陰與董承等謀反且書董承等謀泄皆伏誅何耶事已隔代尙不敢直書亦何貴有史耶

孫策聞袁曹相持謀襲許與劉表不同蓋劉表庸才其下亦非操比不假權劉備卽襲許未必勝孫策若襲許則勝可必也竟爲刺客所殺豈天意耶

項羽敗以彭越爲漢高燒楚積聚。袁紹敗以荀攸教曹操燔紹糧穀。收紹書中得許下及軍中人書皆焚之。孟德蓋善學光武也。

急之則幷力。緩之則自相圖。處同床各夢之敵。必熟誦孟德此語。

作玄武池肄舟師。意在江南矣。

書公至赤壁與備戰不利。備遂有荆州江南諸郡云云。可見赤壁之役。劉備實爲主力。荆州乃所應有。孫氏日謀取荆州。謬也。

僞許和以懈馬超。與韓遂交馬笑語以疑馬超。又點竄與遂書以深疑馬超。雖非同床異夢之敵。至此亦同床異夢矣。可畏哉。

潘勗九錫文甚美。然與揚雄劇秦美新同被後人鄙視。文之不可妄作也如此哉。

建安十五年。曹令有得無盜嫂受金而未遇無知一語。十九年曹令又有陳平豈篤行。蘇秦豈守信。而陳平定漢業。蘇秦濟弱燕等語。蓋孟德用人與漢高同。故所稱如是也。雖利在一時。而流弊遠矣。

曹以中女爲獻帝后。蓋懲伏后事以此制之。使獻帝不敢復動圖己之念也。已受九錫稱王。設天子旌旗出入稱警蹕矣。而猶不篡帝位者。以大敵尚在。不敢徑授以討賊之名。而自取滅亡爲天下笑也。其他云云。特欺人語耳。有赤壁之役而孫氏固。有陽平之役而劉氏固。評有總御皇機。克成洪業云云。不言篡逆而實言篡逆也。

書文紀

曹丕篡位後。首崇孔祀。蓋亦欲以聖教制御天下耳。己雖不忠漢。欲人忠魏。其意可誅。其事固未可非也。

防外戚亡國。而不知司馬氏乃效汝父。天道好還。丕豈未知耶。

本魏志也。而追稱司馬懿曰宣王。司馬師曰景王。司馬昭曰文王。亦可不必。

書明紀

書追謚母甄夫人曰文昭皇后。立文昭皇后寢廟於鄴。改葬文昭甄后於朝陽陵。嘉其永懷前母也書追諡山陽公爲漢孝獻皇帝葬以漢禮嘉其遠念舊君也。

書三少帝紀

讀太尉體道正直盡忠三世南禽孟達西破蜀虜東滅公孫淵功蓋海內等語。不啻

讀魏公九錫文也一歎

高貴鄉公封司馬昭晉公加九錫。猶不得免死。視孝獻時何如耶。一歎。

孝獻由陳留王爲帝而曹奐乃由帝爲陳留王豈天假手司馬爲漢報讎故同此三

字以著其跡耶。一歎

書后妃傳

文帝母本倡家。而不爲諱。亦可謂直筆。然怒不變容喜不失節卞氏固具母儀也。

郭后寵而愈謙。後宮諸貴人有過失常彌覆之。此可謂有后度甄后不及也。史稱后

有智數。信哉

書董二袁劉傳

此傳多同范書亦猶漢書往往采錄史記也。

董卓袁紹本皆可爲孟德。袁術劉表亦皆可有江東。而皆敗者。非所處地不及孫曹。智勿若耳。諸傳首此。殆有微意不然評引項羽背范增之謀何耶

書呂張臧傳

卓愛信布。誓爲父子。及拔戟擲布。布與卓侍婢私通事。大抵與范書同三國志演義有貂蟬連環計云云。非盡虛擬

臧洪答陳琳書。辭義鬱勃陳琳未能過也掘鼠煮筋角以食殺愛妾以食將士張巡守睢陽蔑以尚也。城陷被執。嗔目責紹。禰衡罵曹操亦相類也

書二公孫陶四張傳

瓚被紹圍。欲自將突騎直出西南山擁黑山之衆。陸梁冀州橫斷紹後。亦善策。惜關靖諫止致未果行。

李敏恐爲公孫度所害。將家屬入海。度乃掘其父冢。剖棺焚屍。誅其宗族。蓋度亦公

孫述之流耳。

書諸夏侯曹傳

夏侯惇斷水作陂。身自負土。雖在軍旅。迎師受業。後世亦有此將帥。惟不治產業。有餘財輒以分施則所罕見

夏侯淵急救姜叙不先白操。得苟利於國專之可也之旨。不攻與國氏。而擊長離諸羌。亦伐魏救趙之計。

操誡淵勇以爲本。行之以智計。可謂名論。蓋徒勇暴虎馮河。無勇雖有智計亦終於紙上談兵也。

曹仁率麾下壯士（即親兵）數十騎救部將牛金。竟解敵圍。蓋所謂麾下壯士者。誠壯士也。若徒衣履鮮明。實非屢經戰陣。材勇具備之壯士。則率數十騎以衝大敵。直以肉擲虎口耳。奚益哉。（清鮑超最重此等親兵）

曹洪有大造於曹丕父子。而丕記求假不稱之過。非卞太后力救。幾不得免。無君人

之度至此。孟德所羞爲也。

明帝重用曹爽父子。未嘗不防司馬氏。（觀高堂隆傳鵲巢之對及口占疏可知）明帝崩後。爽轉懿爲太傅。計亦甚得。惜器小易盈。妄作威福。又兄弟皆輕離京邑。致被奸黨誣陷。雖謂爽族滅之日魏已亡可也。

桓範有智囊之目。挾天子幸許昌。招外兵。雖非上計。（以司馬挾太后可廢立天子也）亦不至遽遭族滅。惜爽竟不能用也。

曹爽誅而魏一亡。夏侯玄誅而魏再亡矣。

書荀彧荀攸賈詡傳

荀彧以兗州比高祖關中光武河內。心目中殆無獻帝。然於勸操勤王有雖禦難於外。乃心罔不在王室。是將軍匡天下之素志也等語。蓋猶以桓文相期耳。

彧稱操度勝謀勝武勝德勝。而其要在輔天子扶義征伐。此亦以桓文相期也。又賈詡亦謂操明勝紹。勇勝紹。用人勝紹。決機勝紹。

暫和韓遂馬超，然後南破張繡，東擒呂布，然後與袁紹相拒。蓋不多樹敵，乃可克敵，所謂采各個擊破之策也。

官渡即古鴻溝，故彧以楚漢在滎陽成皋間相擬。先退者勢屈，故楚退而漢追之，與亡遂決也。紹雖未先退，爲操奇兵所敗，猶之退也。

操必死彧而後受九錫稱魏公，彧亦無愧漢臣哉。後漢書以彧與孔融同傳，且獎爲殺身成仁，有以也。

荀攸與鄭泰謀殺董卓，有據殽函輔王命以號令天下，此桓文之舉等語，足見荀氏叔姪咸慕霸業。攸言亦似彧言也。

操謂攸外愚內智，外怯內勇，外彊內弱，不伐善，無施勞，智可及，愚不可及，眞知攸也。

賈詡策繡追操專比較兵將料揣敵情，若燭照數計，兵法所謂知己知彼也。又曹丕篡位，欲伐吳蜀，詡謂劉備有雄才，孫權識虛實，竊料羣臣無權備對，雖以天威臨之，未見萬全之勢，亦可謂知彼知己也。

書袁張涼國田王邴管傳

袁渙爲梁相每勑諸縣務存鰥寡高年表異孝子貞婦蓋知王政所急也爲政效此民自戴之若父母矣

破賊文書舊以一爲十漢時且然況後世乎國淵謂封域之内雖克捷有功竊以爲耻願後世將帥細味斯言

田疇祭劉虞墓哭發章表與欒布哭彭越頗相類

疇忿烏丸（烏丸即烏桓）多賊殺其郡冠蓋欲藉操力討之故教操退軍無終嘿出盧龍以達柳城遂破烏丸此可爲無力救國者法

管寧於魏明有德侔三皇化洽有唐語蓋刺之也

諸葛亮字孔明而潁川胡昭亦字孔明蓋亮昭二字與明同詁也古人名字義訓往往相貫如顏回字子淵言偃字子游班固字孟堅張衡字平子不可勝數

北海管寧年八十四潁川胡昭年八十九鉅鹿張臶年一百五歲大年亂世遂志泉

石在古甚難在今蓋尤未易

書崔毛徐何邢鮑司馬傳

毛玠與崔琰典選舉所舉用皆清正士由是天下莫不以廉節自勵雖貴寵之臣。輿服不敢過度。可見轉移習俗亦非甚難。惟在上者有以正之耳。今仕途穢雜。安得有玠琰其人出而正之乎

曹操性嚴掾屬公事往往加杖近人馮玉祥亦有此事。鮑勛以剛直爲不所戮。亦猶崔琰以威重爲操所戮。

書鍾繇華歆王朗傳

偉人二字始見此傳。後世以匪徒爲偉人。亦猶才子二字見左傳後世乃以淫士爲才子也。

王朗謂吳濞之禍萌於子入隗嚚之叛亦不顧子可謂深達事理

書程郭董劉蔣劉傳

程昱說操勿遣家與紹連和。謂袁紹據燕趙之地。有幷天下之心。而智不能濟。兗州雖殘。尚有三城。能戰之士不下萬人。以將軍之神武。與文若(荀彧字)昱等收而用之。霸王之業可成。不以地之大小。計目前强弱。而以人之濟否。計日後成敗。此眞能斷大事者。評紹數語。似權權物而以己與文若並提。略不謙讓。尤見誠篤

膽生於識。膽小者識不足也。程昱以七百兵守鄄城。料紹衆十萬不屑來攻。蓋識定耳。操美其膽過賁育。不如謂識過孟德。

程昱料權不殺備。必資之以禦我。難解勢分。備資以成。又不可得而殺也。灼見幾似孔明隆中對。蓋隆中對預料鼎足之勢。此亦預料鼎足之勢也。此吾所謂識過孟德也。較備失徐州投操時請殺備。尤爲有識也。其後自表歸兵。闔門不出。識又遠過文若矣。

袁紹效周公下士。而未知用人之機。多端寡要。好謀無決。而郭嘉去之。歸心孟德。蓋徒欲與共濟天下之大難。而定霸王之業也。其爲奸雄與否。非所問也。然要可謂擇

主與其事庸奴。固不如奸雄也、

嘉料孫策輕而無備、雖有百萬之衆。無異獨行中原、必死於匹夫之手、爲大將者當鑒此語。

嘉於呂布勸操急攻之。而布遂授首。於譚尚勸操緩攻之。而譚尚遂爭。必如此乃可謂知緩急。

移駕幸許。諺所謂昇菩薩就豬首、蓋必如是。而後天子確在操勢力範圍內。挾以令天下。罔不如志也、

劉曄坐鄭寶從人於中門外、爲設酒飯、而自與寶宴飮於內、後世效此計除暴者常有。至乘寶馬詣寶營、喻以禍福、撫慰安懷、咸悉悅服。則後世不常有也。

漢光武時。隗囂死而隴平。隴平而公孫述勢孤、蜀似易取也、然來歙岑彭皆以攻蜀死刺客手、今何遽如劉曄所云可傳檄而定乎、操之不從、一因隴乃幸勝。不敢復冒蜀險。二恐吳或北伐、道遠難以回救也、備爲關羽報讎時、曄勸丕襲吳。其意亦與勸

操攻蜀同而丕不從者才本遜操且懲赤壁覆轍未敢輕試也此三國所以竟爲三國也否則魏或統一三國也後滅蜀吳名魏實晉

諸葛亮曰以和吳爲事而羽與吳有隙司馬懿蔣濟謂劉備孫權外親而內疎關羽得志權必不願此正亮所慮及者而羽未洞悉此中利害致蹈大動惜哉操懿曰恐吳蜀合亮曰恐吳蜀離而知此者吳惟魯肅蜀或法正其他皆以吳蜀自鬭爲勛績者而不知乃魏功臣耳荊州失先主崩吳蜀乃和此亦三國所以竟爲三國也否則蜀或統一三國也

孫權與諸葛亮連和欲共伐魏而劉放改易孫權與亮書往往換其本文而傅合之與征東將軍滿寵若欲歸化封以示亮此離間之妙用蓋使亮疑權眞有二心於魏特封送有誤而已

書劉司馬梁張溫賈傳

張既爲涼州刺史敢渡河深入潛師以救武威復進軍擊胡設伏陽退以寡勝衆皆

所謂兵貴神速也不謂此勛非但破胡乃永寧河右使吾長無西顧之念諒哉

賈逵與東漢賈逵同名彼以儒著此以吏顯

書任蘇杜鄭倉傳

麴演將步騎三千迎蘇則實欲爲變而則誘與相見斬以徇軍其黨散走諺所謂蛇無頭不行也後世亦常有此事

杜畿爲河東太守身入虎口計糜衛范使善人陰爲己援惡人各還其家卒定河東息辭訟舉貞孝課畜牧興教化不圖魏有循吏河東竟成樂土也

杜恕疏若使法可專任則唐虞不須稷契之佐殷周無貴伊呂之輔矣主法治之說者或不樂此言又誠使今朝任職之臣皆天下之選而不能盡其力不可謂能使人若非天下之選亦不可謂能官人操用人之柄者宜深味此言

書張樂于張徐傳

張遼軍中有謀反者夜驚亂起火遼令不反者安坐自將親兵數十人中陣而立親兵

二字始見此傳有頃定卽得首謀者殺之此由親兵確可恃故能若此否則親兵或通反者或怯弱不任戰皆無濟也

吳人大抵脆弱赤壁之役以火攻取勝且有劉備兵助之也荆州之役以詐襲得志非恃勇也猇亭之役亦以火攻也後世或恃江浙兵圖大業曷不思孫權率十萬衆圍合肥幾爲張遼八百人所窘乎

于禁與張遼樂進張郃徐晃皆操名將每有征伐咸遞行爲軍鋒還爲後拒故陳氏以之同傳樊城一役三十年英名付諸流水禁何始勇而後畏死若此耶至畫像陵屋愧辱于禁則曹丕刻薄無君人之度操不如是也

書二李臧文呂許典二龐閻傳

李典與張遼不睦不以私憾忘公義又不與諸將爭功蓋由典好學問知古有閫相如馮異其人也

操將北渡先渡兵獨與許褚及虎士卽親兵百餘人留南岸斷後雖馬超將步騎萬餘

人來奔操軍操終得渡此猶張郃屯廣石時劉備夜以精卒萬餘分十部急攻郃郃率親兵搏戰備不能克也從褚虎士後以功爲將軍封侯者數十人諺所謂强將手下無弱兵也典韋壯武所將親兵數百人皆選卒每戰鬭先登陷陣亦其亞也親兵所繫重矣哉

閻溫許馬超反告無救而向城大呼大軍不過三日至此亦晉解揚也卒被超殺與漢路中大夫告齊以漢破吳楚方引兵救齊被殺同

書任城陳蕭王傳

於丕植爭立事直書不諱於彰暴死乃曰疾薨何耶

植疏微才弗試沒世無聞徒榮其軀而豐其體生無益於事死無損於數此徒圈牢之養物等語意極哀愴與楊修書亦云建永世之業流金石之功豈徒以翰墨爲勳績辭頌爲君子而孰知後世高視植詩奉爲不祧之祖丕雖爲帝未能以彼易此耶

植疏權之所在雖疏必重勢之所去雖親必輕取齊者田族非呂宗分晉者趙魏非

姬姓臣死之後事或可思云云蓋預計司馬代曹之禍陳此苦言也丕竟不察徒優文答報植死不瞑目矣評有楚則失之齊亦未爲得也二語蓋薄責植而深惡丕也

書王衛二劉傅傳

粲謂袁紹好賢而不能用故奇士去之表於儁傑不知所任故國危而無輔曹操收豪傑而用之以横行天下就用人定三人成敗可謂知言

粲與北海徐幹廣陵陳琳陳留阮瑀汝南應瑒東平劉楨及曹植皆好文學世稱建安七子故徐陳阮應劉皆附此傳且錄曹丕與吳質書以代總論

書桓二陳徐衛盧傳

操卒於洛陽或言可易諸城守用譙沛人而徐宣厲聲謂遠近一統人懷效節何必譙沛而沮宿衛者心但知有同鄉者黨亦細味此言乎

書和常楊杜趙裴傳

楊俊異司馬懿於少時知司馬芝於未著贖王象於僕隸拔審固衛恂於兵伍是亦

漢之郭林宗也

操以杜襲爲留府長史。謂釋騏驥而不乘。焉皇皇而更索。襲諫操勿伐許攸。謂千鈞之弩不爲鼷鼠發機。萬石之鐘不以莛撞起音。皆善引古。而襲從容數語。遂回主聽。尤爲難得。

書韓崔高孫王傳

丕以宿嫌不能容植彰二弟。況鮑勛乎。司馬竟執國命。有由來矣。

孟子有殺其麋鹿者如殺人之罪。是以方四十里爲阱於國中等語。今曰殺禁地鹿者身死。財產沒官。是較殺人者死尚加一等也。是魏明之惡浮於齊宣也。

焦子文殺竇禮事。高柔初不知本末。乃於禮妻稱寃。究禮有無讎怨交財事。於文色動。徑言汝已殺禮。此所謂察言觀色也。又子文坐小事繫獄。殆故犯此以避耳目。狡矣哉。非柔案未易破矣。

書辛楊高堂傳

魏明營洛陽宮殿、楊阜上疏、有堯尙茅茨而萬國安其居、禹卑宮室、而天下樂其業。楚靈以築章華、而身受其禍、秦始皇作阿房而殃及其子等語、今則無論何人、但有力卽大興土木、且笑不興土木者爲拙矣、縱不如易傳所云、上不儉、下不節、孽火燒其室。而念及民窮財盡。盜長冠深、雀嬉燕息、忍乎哉

陵霄闕始構、而鵲巢之事。亦尋常、而魏明乃以問高堂隆、隆竟以鵲巢鳩居爲言、蓋司馬勢盛、是時已章章在人耳目矣、口占疏有宜防鷹揚之臣於蕭牆之內。可選諸王使君國典兵。（魏制諸王無尺土一民）往往棊跱。鎭撫皇畿。翼亮帝室等語、所指尤切、習鑿齒嘆爲忠臣。且引詩聽用我謀。庶無大悔、會是莫聽、大命以傾、有以哉

書滿田牽郭傳

于禁之敗、操欲遷都以避、而司馬懿蔣濟諫之、或勸曹仁棄樊城、而滿寵止之、而皆見聽。此天未欲關羽遂集大勳也、而況呂蒙陰躡其後乎

田豫前自託於備。後乃以母老求歸。豈不能迎母耶。抑不足於備耶。備涕泣與別。有

恨不與君共成大事之語、而豫後勸鮮于輔歸操。謂終能定天下者必曹氏。輔從其計。豫亦入仕。蓋以備寄人籬下、操已得政柄。故其去就如此耳。豈眞知操備者哉。牽招心不忌紹、紹卒事尙、尙破、又勸高幹迎尙、惜幹庸才、反驅令事操也、

書徐胡二王傳

徐邈以酒人自處、而爲涼州刺史時能破賊足民立學明訓進善黜惡。致西域流通。荒夷入貢。豈以酒廢事者所能藉口哉。

東莞士盧顯爲人所殺、胡質謂此士無讎而有少妻、所以死乎、可見老夫得其女妻。眞禍水也。蓋其始以利財肯來。其繼以縱欲思去、去不遂則殺機啓矣、可懼哉。

王昶爲兄子及子作名字。皆依謙實以見其意。並爲戒一篇。遠追馬援誡姪之書。後啓蘇洵名子之說、意主謙實、行取中庸。殆亦兼習孔老之術者與、

昶陳治略五事、其一欲崇道篤學、今學校廢經學而授白話、導淫則惟恐厥心不禽獸、誘爭則惟恐厥志不盜賊、惡有所謂崇道篤學者乎、卽有亦豈能獨存乎、其二欲

用考試。今考試雖用。而必合筆試口試以定去取。是彌封等於自欺。請託轉見實效。名爲考試。不過借以拒絕無力者耳。其三欲令久任。今吏之來源。不論男女能否。但論私誼及保薦或賄賂何若。任免久暫高下在心。一若吏爲我設。非爲民設。亦非爲國設也。但期我久任耳。何患無吏哉。其四欲約官實祿。今多置部會。多建師旅。文武大小官幾等恒河沙數。祿則此折彼扣。甚且無有也。其五欲絕侈靡。今舉國以侈相尚。男女貴賤。靡人弗侈。衣食住行。靡事弗侈。不侈且不得齒於人類矣。噫。

王基策孫權不能出攻。謂昔孫權再至合肥。一至江夏。其後全琮出廬江。朱然寇襄陽。皆無功而還。今陸遜已死。而權年老。內無賢嗣。中無謀主。權自出則懼內釁卒起。癰疽發潰。遣將則舊將已盡。新將未信。此不過補定支黨。還自保護耳。於敵情面面勘透。策毌丘儉文欽必敗。宜進討。謂儉等舉軍足以深入。而久不進者。是其詐僞已露。衆心疑沮也。今不張示威形。以副民望。而停軍高壘。有似畏懦。非用兵之勢也。若或虜略民人。又州郡兵家爲賊所得者。更懷離心。儉等所迫脅者。自顧非重。（非重猶言罪重）

不敢復還。此爲錯兵無用之地。而成姦宄之源。吳寇因之。則淮南非國家之有。譙沛汝豫危而不安。此計之大失也。軍宜速進。據南頓。有大邸閣。計足軍人四十日糧。保堅城。因積穀。先有奪人之心。此平賊之要也。於賊。況民情兵勢地利軍食皆燭照數計。今果多此等人。何患外寇。更何憂內匪。

書王毌丘諸葛鄧鍾傳

王淩毌丘儉等皆以討司馬氏被惡名而死。亦若董承等以討曹操被惡名而死。雖敗猶榮。雖死猶生也。（儉表數司馬師十一罪可論）諸葛誕先不助儉。後殺文欽。雖舉大事。意實自保。殊未足取。至鍾會矯太后遺詔以反。本非爲魏。更無論已。

鍾會檄蜀將吏士民。於先主不加惡聲。且稱爲命世英才。於孔明伯約。亦但曰勞動我邊境。侵擾我氐羌。此足令蜀人心平氣靜也。至謂巴蜀一州之衆。難禦天下之師。段谷侯和沮傷之氣。難敵堂堂之陳。蜀相牡見禽於秦。公孫述授首於漢。則下稱近事上推往例。和顏悅色以告也。末引吳將孫懿及唐咨文欽子鴦虎以勸降。猶一則曰巴蜀賢知。見機而作再則曰投跡微子之蹤。錯身陳平之軌、辭令之善。彷彿春秋、後世殆未易有也。

丘建感胡烈舊恩愍烈獨坐啓會內一親兵出取飲食而烈紿語親兵及疏與其子。謂丘建密說消息云云、促成巨變。鍾會姜維。遂爾同盡、蟻穴潰堤、信哉。然司馬昭所言若蜀已破。遺民震恐。不足與圖事。中國將士各自思歸。不肯與同。若作惡祇自滅族耳。實切事理。卽無胡烈鍾會焉能有成哉。而况姜維別有所圖哉

操愛曹植。幾蹈袁劉覆轍、以臣下匡救幸免。此三國所由定也。曹丕篡國以後。司馬懿祖孫父子世濟其凶。而曹劉孫三姓子孫漸不振。此三國所由替也、此其中有天焉。非人力所能強。非特鄧艾等輩爲天傀儡。操懿亦天傀儡也。

書方伎傳

良醫本可爲相、華佗士人、志在康民、而乃以醫見業、宜其意常自悔也、不屑治病。乃被操殺。且使伎不得盡傳。此非華佗之不幸。而天下萬世之不幸也、而操殺佗之罪。

實較纂漢爲尤鉅也
今西醫亦能刳割但往往不治病而徒殺人卽不殺人亦令成廢予甚痛華佗不可復有而惡西醫以紫奪朱以鄭亂雅也嘗爲醫鐸序一篇節附於下藉章微意序云
淸季予習陸軍長沙癤生左膝寓西醫院二月不愈憤出院市國肆膏藥治之數日愈易朔後嘗至嶺南見軍士被西醫剉手足殘廢者比比是而予姪育民六歲時自樓絓梯墮左脛骨折欲出同里汪乾萃取柳皮夾脛骨飲以藥踰月愈今二十四歲矣二足長短大小同荷百觔日行八九十里靡所苦妹壻方和淸嘗同四人舁神像左右舞像座重有石和淸近座偶不愼座擊右脛折骨突出血湧不可止有童粟者治以水血止亦取柳皮夾脛骨飲以藥不踰月步履如常時後且造油日與十數壯夫撞鉅榨聲震數里外歲己未予病春溫西醫誤藥幾殆莫南鳳適自湘至燕候予見狀大驚診脉具藥翼日愈鄰舍郭玉成溺不利入西醫院二月割睪丸者再遂卒法部宋子厚首熱足畏寒西醫冠以冰冪足熱水中病加劇予介莫南鳳治之卽日

愈。綜是以觀。西醫匪特內科不明陰陽五行之理。不足與言氣化也。即外科亦不明氣化。不足與言生理暨病理。而世或震其化驗剖解。抑知中醫固有不化驗而聖於化驗。不剖解而神於剖解者乎。不必高論扁鵲華佗也。予所身歷目覩者。效已若是矣。予既痛西醫以內外科殺人。莫或禁戢。又甚憾倚附西醫匃餕餘以食者。代西醫毀前哲舊籍。始不過變亂黑白。極其禍。亡國滅種弗自恤。欲迹自黃農以來迄於今。成醫史記一書。設醫校。擴醫舍。集海內俊彥。益進厥技。勤厥職。救人類無極。愧才力未逮。重困物役。蹇蹇艱底績。（下略）

北鷄集樹。故輅傳有射鷄作食。箭從樹間激中數歲女子手等語。

書烏丸鮮卑東夷傳

曹操斬烏丸蹋頓。出其不意。善用田疇潛出盧龍以達柳城之計也。至明帝聽王雄遣劍客韓龍刺殺鮮卑大人軻比能。遂令種落離散。互相侵伐。彊者遠遁。弱者請服。此雖收效。未可爲訓。王者無外。務以德化。其次力征。乃不得已。若夫刺殺。盜所爲耳。

讀三國志蠡述卷二

岳陽李澄宇洞庭著

蜀書

書劉二牧傳

魏豹因許負相薄姬當生天子。而背漢中立。袁術因名字近讖。而僭號揚州。劉焉因益州分野有天子氣而謀作牧，是皆有志爲帝王者也，而後效不然。徒爲人驅除抑何可哂，

書先主傳

於昭烈不書帝而改稱先主。不以正統予蜀也，於甘后等及諸王。統名二主妃子傳亦此意。但傳中仍正名曰某皇后，與吳志徑稱某夫人者異。且吳志妃嬪傳在劉繇太史慈士燮傳後，更非后紀直連帝紀例。是於蜀猶隱以正統予之。於吳乃顯以藩屬待之也。

舍角有桑樹高五丈餘。童童如車蓋，不足異，舍中兒於樹下戲言必當乘此羽葆蓋

車實可異。與項羽曰彼可取而代。高祖曰大丈夫當如此。語氣相近。然彼皆英年。此則髫齡也。

少語言。善下人。喜怒不形於色。此所謂帝者氣象。

於先主傳大書漢景帝子中山靖王勝之後。與魏武紀養子嵩莫能審其生出本末者異矣。雖未以正統相予。庸損乎。況於先主受衣帶詔討操事。及羣下上先主爲漢中王表。譙周許靖等勸進表。辭皆黜魏。不憚詳載。實勝以正統相予也。

一則曰別遣關羽乘船數百艘使會江陵。再則曰過表長子江夏太守琦衆萬餘人與俱到夏口。則是時昭烈軍勢已振可知也。至先主遣諸葛亮自結於孫權。下大書權遣周瑜程普等水軍數萬與先主并力。又吳主傳亦謂瑜普各領萬人與備俱進。則昭烈水步俱有。而權僅有水軍。且非軍多於昭烈可知也。曹公引歸。下詳書先主表琦爲荆州刺史。南征四郡皆降。琦病死。羣下推先主爲荆州牧。治公安。權稍畏之。進妹固好。則昭烈於荆州乃所應得可知也。

昭烈得荆州。三分所以遂成。孫權取荆州。三分所以難久。

昭烈卽位祭文較光武卽位祭文雅馴。

陳氏於昭烈崩書殂，蓋亦別於魏志，不以正統予蜀耳。然司馬光未爲通鑑以前，杜甫詩有蜀主征吳幸三峽崩年亦在永安宮之句。曰征曰幸曰崩。純以正統相待。可見萬世自有公論。一手不能掩盡天下目也。

評謂昭烈有高祖之風。英雄之器。且謂折而不撓。終不爲操下。蓋因揆彼之量必不容己。非惟競利。且以避害。其史識何嘗不逮班范哉。所處時地不同。義例變易。亦苦心也。

書後主傳

書宦人黃皓始專政。痛之也。然後主自昭烈崩後。始終信任諸葛亮蔣琬費禕姜維。與桓靈親小人遠賢臣大異。雖不幸失國。與曹奐被奸賊篡奪亦異也。

後主降日。書北地王諶傷國之亡。先殺妻子。次以自殺。壯之也。向使後主短祚北地繼統。蜀亦未必遽亡。而乃不然。殆數定耶。

書二主妃子傳

穆后終歸昭烈，與薄姬終歸漢文同。魏豹劉焉不知天命，妄覬非常，可憫也已

附魯王永梁王理太子璿於傳末。故名曰二主妃子傳。永憎黃皓。其人亦必有爲惜係庶出，未得主器。又策文三首均甚美。不讓西京。

書諸葛亮傳

管仲尊周。樹撥亂之雄圖，樂毅存燕，揚繼絕之偉烈。諸葛自比管樂。蓋亦以撥亂繼絕自勵耳。而其品其學。有非管樂所能望其項背者。用兵則少年之呂望。輔主則異姓之周公。出處則漢室之伊尹，豈第李嚴廖立之泣。更奇於伯氏無怨言。後主事之猶父。迥異乎燕惠信讒間哉。雖然。羣雄僭竊。勢殆於列侯無周。漢火不炎。局窘於燕灰就燼。生諸葛於春秋戰國。諸葛不必僅管樂之勛。生管樂於漢末三國。管樂亦或猶諸葛之志。所憾者，諸葛欲撥亂而不權。終僭尊號。欲繼絕而劉禪竟作降王耳。管

仲之於齊也天王孱弱未如漢獻諸侯跋扈亦殊曹魏所以九合一匡厥功聿煥諸葛則非其時矣先主孤窮籬下屢寄漢歸曹握特起彌艱即管仲處此舍聯孫拒曹未容更有奇略也隴蜀一隅藉延漢脉關張無命吳魏方彊安能禁不權之僭尊號耶至於子之醢燕噲殺燕爲齊取昭王新立樂毅所處似與諸葛同然自赧王三年燕昭踐位至赧王三十一年歷二十八年之久臨淄之入五國會師諸葛則甫出即遘當陽之敗持危定傾間不容髮非若新燕可以數十年心力從容締造也又壯繆荆州人地並爲吳翦秭歸白帝昭烈且以吳崩雖赤壁石亭前後兩役吳若助蜀究大異於秦魏韓趙並起伐齊也漢賊不兩立不得已以戰爲守而天不祚漢不遺一老方且畀晉闓運又安能禁劉禪之作降王耶夫黃皓與豎刁易牙開方相似非諸葛所遺之禍而蔣琬費禕之代諸葛亦非騎刼代毅之比縱爲時地所限撥亂繼絕未副初志而武擔有偏安之王業綿竹有殉國之子孫亦庶幾爭光日月矣

湯三聘伊尹原未親至先主草廬三顧出師表已正言此傳亦云凡三往乃見誠古

今所僅有哉。

於操曰此誠不可與爭鋒，於權曰此可與爲援而不可圖也，於荊州曰其主不能守此殆天所以資將軍，於益州曰智能之士思得明君，鼎足之局已預定矣，所惜者昭烈不忍於劉表父子，未能早跨荊益，致荊州屢釀禍端，竟被吳奪，而所謂命一上將將荊州之軍以向宛洛者，僅關羽禽于禁一役。而將軍身率益州之衆出於秦川者。備乃未嘗一舉也，然但曰霸業可成，漢室可興，與偏安一隅，蓋顯言矣，

程昱嘗料權不殺備，必資以禦操，難解勢分，備資以成，又不可得而殺也。亮以田橫激權，然後舉關羽水軍萬人，劉琦戰士萬人，告權見備實力尚彊，又言操軍遠來疲弊，不習水戰，荊州之民附操非心服，見操有三可敗，又言誠能命猛將統兵數萬與豫州協規同力，破操軍必矣，操軍破必北還，如此則荊吳之勢彊，鼎足之形成，見有荊州乃屬必然，與昱言蓋遙遙相印，

曰權遣周瑜程普魯肅等水軍三萬。（周瑜傳亦有瑜請得精兵三萬人之語惟吳主傳則曰瑜普各領萬人）隨亮詣先主。并力

拒曹公。是赤壁之役昭烈實主其成。非俯取進止於周瑜也。又傳末陳壽疏亦謂權遣兵三萬人助備。備得用與武帝交戰。大破其軍。乘勝克捷。江南悉平。關羽傳亦云孫權遣兵佐先主拒曹公。

事無巨細。咸决於亮。略不避嫌。與伊尹輔太甲。周公輔成王無異。蓋但知有漢。但知有先帝。不知何者爲嫌。且不知何者爲避嫌也。

亮始計跨有荆益。北伐之師。一向宛洛。一出秦川。今荆州已失。先帝已崩。益州疲弊。後主庸懦。前所云云。盡成畫餅。於是以攻爲守。藉固殘局。其隱痛蓋非衆人所易喻。曰臨表涕零。不知所言。(一作臨表涕泣不知所云)豈僞飾哉。

屢以糧盡退。於是以木牛運。以流馬運。且分兵屯田。爲久駐之基。耕者雜於渭濱居民之間。百姓安堵。使不遽卒。滅魏雖難。保蜀有餘。星隕自天。謂之何哉。

策尾連用嗚呼哀哉二句。蜀誠視喪亮如天傾地陷也。痛哉。

於傳叙司馬懿天下奇才之嘆。而於上亮集疏乃一則曰治戎爲長。奇謀爲短。再則曰理民之幹。優於將略、蓋皆爲司馬懿回護耳。故下曰所與對敵或值人傑。然觀衆寡不侔。攻守異體、天命有歸、不可以智力爭等語。則陳壽直筆。似晦益顯、何嘗軒懿而輕亮哉。至歷引管仲蕭何召公子產周公咎繇以比擬亮、服仰之忱、蔑以尙矣。

書關張馬黃趙傳

說部以關張趙馬黃爲次。而正史以關張馬黃趙爲次。

於羽傳一則曰恩若兄弟。再則曰誓以共死。於飛傳又曰羽年長數歲、飛兄事之。故說部桃園三結義云云、傳聞有自、非盡虛擬。

觀曹公待我厚、立效以報、受劉將軍厚恩、不可背之數語、忠義之氣、凜烈萬古。而不忘舊恩、不負新惠、報如其分、言必可踐。此乃所以號爲武聖與

羽禽于禁、斬龐德後。梁郟陸渾羣盜或遙受帥號。爲之支黨、威震華夏、與宋岳飛破金兀朮拐子馬、殺兀朮壻夏金吾等後。梁興等會太行忠義及兩河豪傑等、累戰皆捷。中原大震同。而操欲徙都。司馬懿蔣濟等諫阻。亦與兀朮棄汴。有書生叩馬勸其

毋走同。

張飛義釋嚴顏。不愧與羽並稱。

羽善待士卒。而驕於士大夫。飛敬愛君子。而不恤小人。均以取禍。糜芳傅士仁之內不足食。張達范彊之皮又豈足寢乎。噫。

馬超足勇少謀。故前為曹操所間。後為楊阜姜叙梁寬趙衢所算。

斬一夏侯淵而漢中遂為蜀有。後失荊州。尚能延祚數十載。以有漢中耳。昭烈擢忠後將軍。與馬超並列。不慮關羽不悅。（時羽為前將軍飛為右將軍馬為左將軍）蓋知定軍山一役。所繫誠鉅也。

趙雲於長阪一役。抱後主保護甘夫人。皆得免難。又孫夫人還吳。雲與張飛截江奪後主。此兩事至今赫赫在人耳目。卒與關羽張飛馬超龐統黃忠同獲美謚。有以哉。（羽謚壯繆侯飛桓侯超威侯統靖侯忠剛侯雲順平侯）

書龐統法正傳

龐統宏獎善類。欲以崇邁世教。意深遠矣。其慕郭林宗之為人乎。

三國志演義所載統事大半與此傳無異使統不早卒亮得久鎮荊州何至有呂蒙襲取荊州事哉先主痛惜言則流涕蓋所繫誠鉅也

古以荊襄爲天下要膂而荊州東接巴蜀西控吳會南達交廣北瞰中原關繫三國尤鉅故曹操失荊州自此不敢征權劉備失荊州自此不復討操

法正說先主取蜀知劉璋不能用衆也而鼎足以成說先主取漢中知夏侯淵張郃不勝國之將帥也而蜀圉以固卒謚翼侯先主且爲之痛哭流涕累日宜哉章武二年猇亭之敗孔明謂法孝直若在必能制主上令不東行就復東行必不傾危矣正誠別有智術匪亮所及耶

書許麋孫簡伊秦傳

陳國袁徽與荀彧書稱許靖自流宕已來與羣士相隨每有患急常先人後已與九族中外同其饑寒蓋有俠士遺意也此其所以譽流海內與

簡雍以滑稽見寵常爲談客往來使命其說璋降璋與雍同輿而出殆彷彿陸賈與

秦宓才辯並時無兩解詩乃眷西顧尤妙

書董劉馬陳董呂傳

觀先主傳附載徐庶事及此傳武侯與羣下教有苟能慕元直之十一幼宰之殷勤有忠於國則亮少過矣等語是徐庶先與武侯同事昭烈後因母被操執乃去耳庶雖薦葛非母被操執後事若三國志演義所云也

先主稱尊號昭告于皇天上帝后土神祇凡諸文誥策命皆劉巴作巴蓋琳粲之匹也

鄧通爲孝文弄臣而申屠嘉召通困之黃皓便僻佞慧而董允上則正色匡主下則數責於皓皓畏允不敢爲非允所處視申屠嘉難矣孝文明主後主庸材固未可同日語也

陳祗代允爲侍中與黃皓互相表裏皓始預政事而後主以祗爲忠此所以爲後主也與

書劉彭廖李劉魏楊傳

劉琰失志慌惚加妻胡氏久留宮中謬致疑妒亦固其所竟以撾妻棄市惜哉然卒非撾妻之人面非受履之地此判甚佳傳誦千古淸有妻被誘逃於路殺雙自首縣爲轉詳被駁縣復詳有竊負而逃到處皆爲姦所邂逅相遇乍見卽是登時等語庶可並美

此傳諸人才皆可任惜忠欵未足靡克有終豈大廈將傾固不宜多材支拄耶噫

書霍王向張楊費傳

霍峻頭可得城不可得與嚴顏但有斷頭將軍無降將軍語可並傳

馬良傳謂馬謖下獄物故亮爲之流涕王平傳且云丞相亮旣誅馬謖而向朗傳乃曰後主建興五年隨亮漢中朗素與馬謖善謖逃亡朗知情不舉亮恨之何耶豈謖先逃亡後始下獄耶

向朗自去長史潛心典籍年踰八十猶手自校書刊定謬誤積聚篇卷蓋惟藏書是

務也至開門接賓誘納後進但講論古義不干時事則俯仰優游藉以遠禍耳

張裔書與所親有近者涉道晝夜接賓不得寧息人自敬丞相長史男子張君嗣附之疲倦欲死等語寫官場趨勢惡習可謂入微蓋彼輩認官不認人去官卽無人過問矣然此究非裔所宜言蓋亮既擇人而任則居其職者非藉官以重敬其官者實爲人非爲官也

書杜周杜許孟來尹李譙郤傳

杜微少受學於廣漢任安（與西漢任安同名）嘗爲劉璋從事及先主定蜀以聾自晦雖諸葛亮敬待懇到不欲任職蓋甚惡備取成都之事也

周羣解春秋讖代漢者當塗高謂當塗高者魏也蓋重讀當高二字袁術字公路謂己名字皆應讖則意中但有塗字矣可哂（魏者魏闕隱魏國號）

張裕曉占候謂歲在庚子劉氏祚盡先主得益州九年之後寅卯之間當失之卽枝幹爲預言可見枝幹所伏五行生尅確有至理然舉鏡視面自知刑死而卒不能自

免。則亦所謂數定也、數已定者卽知之、亦無如何。此杜瓊所以不視天文也。此君子所以任理而行。莫肯問數也。芳蘭生門。不得不鉏。昭烈誠忿裕漏言。恐遂灰志士忠義之氣。無與討賊。然亦可愍矣。

譙周謂先主諱備。其訓具也。後主諱禪。其訓授也。如言劉已具矣。當授與人也。等語。附會穿鑿。不幸言中。究未可爲訓。否則草澤將軍破我國居下不願上不得諺語。亦可以此例揣矣。而豈其然。

鼎革之際。可大赦。蓋視前代刑罰爲不中。且與天下更始也。遇親貴及有大勳勞者犯罪。可特赦。蓋罪不定無以振法紀。罪不赦亦難處至戚。且勸有功也。延熙九年。大赦孟光責費禕謂赦者偏枯之物。非明世所宜有。誠以非常之恩。徒惠姦宄耳。吳漢臨薨。對光武曰。願陛下愼無赦。亦此旨也。故深達治體者主明刑不主大赦

後主有此間樂不思蜀之言。蓋張裔所謂陽愚耳。爲太子時。郤正稱其奉親虔恭。夙夜匪懈。有古世子之風。接待羣僚。舉動出於仁恕。爲天子時。譙周稱其天姿至孝。喪

踰三年言及隕涕雖曾閔不過敬賢任才使之盡力有踰成康皆確論非溢譽也

書黃李呂馬王張傳

先主伐吳之時若聽黃權以權當寇先主必不至敗諸葛瞻拒艾之時若聽黃崇速進據險瞻亦必不至敗而皆不然豈數定耶可歎也

李恢呂凱馬忠皆能伸威信於南夷故蜀得偏安數十載非獨諸葛亮平蠻爲可稱頌也

先鋒二字始見王平傳舊稱軍鋒或前鋒後世稱先行或前衛

王平生長戎旅手不能書所識不過十字而口授作書皆有意理蓋識充也至使人讀史漢諸記傳聽之備知其大義此亦讀書捷法凊袁海觀嘗效此

張嶷識斷明果可爲大將襄武之役與徐質交鋒臨陣隕身惜哉

書蔣琬費禕姜維傳

龐統非百里才蔣琬亦非百里才龐宰耒陽蔣籍湘鄉皆吾楚佳話也

蔣琬病卒。費禕又爲魏降人郭循所害。天不祚漢。可歎。

維得母書令求當歸。而維答以良田百頃。不在一畝。但有遠志。不在當歸也。殆感武侯知遇。欲有以報。不復思歸耳。儻亦所謂移孝作忠乎。

蔣費咸承諸葛成規。而姜維乃改漢中實兵諸圍以禦外敵之制。致被鄧艾敗於侯和。鍾會且攻圍漢樂二城。遣別將進攻關口。關口既下。陰平不守。然後還保劍閣。而大事去矣。亮謂維深解兵意。而乃有此。天乎人耶。可爲痛哭。

諸葛瞻若有將才。艾必成禽。譙周若不勸降。禪或固守。而皆不爾。艾於是徼幸成功。會於是糧匱不退。維於是忍辱暫降矣。痛哉。

姜維欲先附鍾會叛魏。後殺鍾會復蜀。事雖敗於胡烈。其志可質千古。

書鄧張宗楊傳

鄧芝臣今來亦欲爲吳。非但爲蜀也。二語與毛遂合從者爲楚非爲趙也同。故楚吳以利害切膚。終見聽納。

大王命世之英諸葛亮亦一時之傑此就孫權蜀主幼弱一語答之也蜀有重險之固吳有三江之阻合此二長共爲唇齒進可幷兼天下退可鼎足而立此就孫權國小勢偪爲魏所乘數語答之也而魏奉辭伐叛蜀必順流而進云云尤足令孫權膽落使乎使乎吾於鄧芝亦云

張翼爲庲降都督雖被黜退以代人未至運糧積谷統攝不懈故馬忠得因其成基破殄劉胄此誠以國事爲己事後世未易有也。

楊戲性簡惰省略未嘗以甘言加人過情接物書符指事希有盈紙然篤於舊故居誠存厚今以甘言加人過情接物者比比是而篤於舊故居誠存厚者甚鮮蓋以甘言加人過情接物者必不篤於舊故居誠存厚也

自有蜀以來據蜀務王霸之業較著者前有公孫述後有孟知祥惟劉備諸葛亮上與三代兩漢英辟哲相頡頏無怍至今祠廟陵墓猶令人懷古流涕此豈曹氏父子司馬氏父子所能料及哉魏力注篡竊故上承王莽下啓司馬爲千古僞託禪讓者

不祧之祖，吳意存觀望，故於魏時服時叛，於蜀忽敵忽友，爲千古偏安江左者不祧之祖，蜀志在討賊，故備受獻帝密詔，幾勝重耳勤王。亮表後主出師，無異少康復夏也

讀三國志蠡述卷三

岳陽李澄宇洞庭著

吳書

書孫破虜討逆傳

張溫若聽堅語數董卓三罪。而斬之則三國無自始矣庸人誤國亦若有天意存焉。可歎

堅以赤罽幘著祖茂。茂又以幘冠冢間燒柱而堅茂皆免此種叙述。左傳後未易有也。

堅單馬行峴山爲黃祖軍士射殺與策單騎出爲許貢客擊傷致死略同。

策絕袁術書舉九事相責。甚可誦而陳氏不錄入本傳何耶

書吳主傳

袁術於策謂使術有子如孫郎死復何恨曹操於權謂生子當如孫仲謀。劉景升兒子若豚犬耳。子之所繫大矣哉自古在昔堯舜以子不肖而禪讓夏禹以子賢而世

及。天與賢則與賢、天與子則與子。聖帝明王原無容心於其間。若後世則非獨家事、乃一國治亂所關。苟有變動。幸則如世民與唐、咸祖祚明。不幸則如胡亥喪秦、楊廣亡隋矣。袁劉之敗。特其小焉者耳。

赤壁未戰以前、權獨力不能拒操。縱不降操、亦敗於操耳。赤壁既戰以後。權與備宜并力北規。得寸則寸。得尺則尺。乃君臣旰食。惟奪備荊州是務。何耶。是則操雖漢賊。非權未易終爲漢賊也。權者操之功臣。而獻帝罪人也。而且荊州失而蜀衰。蜀衰而魏盛。苟無鄧芝來聘。吳蜀早被魏滅矣。故吾謂諸葛亮使吳而吳一存。諸葛亮和吳而吳再存也。亮誠有大造於吳哉。

此傳有權以備已得益州。令諸葛瑾從求荊州諸郡。備不許。曰吾方圖涼州。涼州定乃盡以荊州與吳耳。權曰此假而不反。而欲以虛辭引歲等語。又呂蒙傳有魯肅勸借玄德地語。魯肅傳亦有備求都督荊州。惟肅勸權借之云云。是說部所謂借荊州討荊州非盡虛搆。

蜀臣宗預謂吳不可無蜀蜀不可無吳。吳臣周瑜呂蒙陸遜皆不寤此。肅雖始有同仇之意後亦爲蒙論所蔽。今詳載陳震慶權踐位。權乃參分天下。豫青徐幽屬吳。兗冀并涼屬蜀。又全錄盟書於傳。蓋深幸二國所以尚得苟延者賴此而已。至今讀戮力一心同討魏賊。若有害漢則吳伐之。若有害吳則漢伐之。各守分土。無相侵犯。傳之後葉克終若始等語。猶爲神王也。

三國時不吃力而受實惠者孫權也。雖吃力而名位兩得者劉備也。甚吃力而生稱漢賊死號奸雄者曹操也。操最智而效遜權備。蓋作僞心勞日拙耳。

書三嗣主傳

孫休偏安庸主耳。其詔且有廣開田業。輕其賦稅。差科彊羸。課其田畝。務令優均。官私得所等語。後世以民治標榜。乃荼毒農氓。使就死地。抑何謬與。

孫皓昏暴。三國所僅有亡國之主也。晉即不伐。亦必自亡。而況蜀亡以後。晉以全力相薄。如泰山壓卵哉。

書劉繇太史慈士燮傳

劉備不留太史慈。劉繇更不欲用太史慈。宜慈之傾心吳氏也。操後以當歸遺之，晚矣。

士燮爲交趾太守，保全一郡三十餘年，陳國袁徽比之竇融保河西，陳壽亦美其震服百蠻，尉佗不足踰。蓋交州偏在萬里，燮久於其任，又曉政理，故其效若此也。洎士燮卒，權分合浦以北爲廣州（廣州之名始此），呂岱爲刺史；交趾以南爲交州，戴良爲刺史，又遣陳時代燮爲交趾太守。燮子徽、祗、幹、頌等遂以反叛伏誅矣。

書妃嬪傳

后妃傳外立妃嬪傳，蓋以藩屬處吳，不令上與魏同也

吳夫人謂親戚曰：何愛一女以取禍。蓋知堅既愛其才貌，終不相捨，必越軌行暴，上累親戚也。

謝承撰後漢書百餘卷。今不見，惟范書獨傳。此事有幸有不幸，自古然也。韋曜亦撰

吳書不知陳氏吳書采錄幾何也。

曹丕納袁熙妻。是爲甄后。孫權納陸尙妻曰徐夫人。皆有始靡終。步夫人生二女。長曰魯班。（孫峻傳峻與公主魯班私通卽此）字大虎。前配周瑜子循。後配全琮。少曰魯育。（孫峻傳孫儀等自殺并及公主魯育卽此）字小虎。前配朱據。後配劉纂。名字並奇。且皆前後兩配。何相類至此耶。又當時習俗不薄再醮。故其事如此。予嘗爲吳母劉宜人節孝軒序。主守志不主守非其志。自謂執中之論。錄附於下。序云。古無所謂節孝也。有男女。無夫婦。無夫婦節奚有。節不有。孝奚有。自嫁娶禮設。男女始有別。有別然後有夫婦。然後有父子。然猶不必有節。不必有孝也。無不節。節奚著。無不孝。孝奚顯。是何也。節孝始於不幸也。書紀有鰥而孝。非大舜所忍言。詩美柏舟而節。又共姜所感也。古不禁再醮。而甚惡奪志。奪志不可。斯守志貴矣。守志貴。斯守非其志者不貴矣。自宋儒重言節。守非其志者往往而有。守非其志。弱者若待死之囚。否者禍水罪藪耳。節若是。節奚貴。若乃貧婦早寡。親老子幼。殉既不可。守又靡恃。而卒以夫故。以親故。以子故。席棘履冰數十載不渝志斯誠所謂苦節矣節若是親無子若有子。子無父若有父不期孝孝附。不責慈慈寓矣。是何也。方寸中厥夫未死也吾邑吳漢仙君兩歲喪父其母劉宜人。年二十四。在貧矢志。養親克孝。課子成善士。既歷五十載。漢仙君述母德徵聯壽母。且築軒以奉榜曰節孝。非徒以是悅親也。將使覩鷄犬若神仙者知徒男女無以異禽獸。夫婦大倫終不可廢也。節孝與否視其志。預擢其志使不節不孝。是自淪於禽獸也。自淪於禽獸。勢必强淩弱衆暴寡男女之道。若人奚貴

步夫人以美麗得幸。而性不妬忌。多所推進。故久見愛待。與徐夫人以妒忌見廢。潘夫人以陰妒被宮人縊殺者異矣。

步夫人不妒忌。而其女全公主（即後配全琮之大虎）反憎權妃王夫人何耶。及權寢疾而譖王夫人有喜色。此正權所深忌。蓋老夫得其女妻。平日已處愛薄。寢疾更懼不貞也。一笑。

論因孫權嫡庶不分。上引齊桓並稱詩易。蓋誠知修齊治平之要也。而不責皓者。皓不足責耳。

書宗室傳

王朗拒策於固陵孫靜建取查瀆之策且率衆爲軍前隊不愧文臺季弟孫瑜好樂墳典雖在戎旅誦聲不絕孫奐愛樂儒生復命部曲子弟就業蓋皆有郤穀遺風也

孫皎遣兵候獲魏邊將吏美女更服送還並下令曰今所誅者曹氏其百姓何罪可謂知大體蓋必如是然後能得民心也至與甘寧忿爭終相結厚亦庶幾廉藺之風

書張顧諸葛步傳

張昭以嚴見憚故權曰孤與張公言不敢妄也顧雍亦以嚴見憚故權曰顧公在坐使人不樂然雍於公朝有所陳及辭色較順與昭之數於衆中折權者異故雍位至丞相而昭幾不免禍也至諸葛瑾與權談說諫喻未嘗切愕微見風采粗陳指歸如其未合則捨而及他徐復託事造端以物類相求權意往往而釋實可爲後世法

書張嚴程闞薛傳

三國志無儒林傳而嚴畯少耽學善詩書三禮又好說文程秉逮事鄭玄博通五經爲時名儒闞澤究覽羣籍兼通歷數刋約禮文及諸注說又著乾象歷注亦庶幾史漢儒林傳也

書周瑜魯肅呂蒙傳

大橋小橋一作大喬小喬巴陵今岳陽有小喬墓亦稱二橋墓瑜卒巴丘實巴陵而巴陵未有瑜墓者以瑜喪還吳也

周瑜謂操托名漢相其實漢賊又言操冒兵忌禽操宜在今日不愧俊傑惜未寤孫劉合則兩美離則兩傷之理他日僅以奪荊州爲事謬策遺傳幾成國是終不能爲漢家除殘去穢也

魯肅知操不可卒除權無由爲桓文惟有鼎足江東以觀天下之釁剿除黃祖進伐劉表竟長江所極據而有之然後建號帝王以圖天下此雖未窺鼎足全局不若程昱之彷彿諸葛亮隆中對然高衆人一等矣至說權拒操與周瑜同計尤不愧識時

俊傑。

操聞權以土地業備。方作書。落筆於地者。因孫劉不以荊州事自殺。必并力討彼也。故操日以離孫劉爲務。吾嘗謂三國時灼知天下大勢者。魏有曹操司馬懿蔣濟程昱。蜀惟諸葛亮耳。吳之孫權魯肅。始頗知之。後皆爲周瑜呂蒙等瞽說所蔽。可惜也。

關羽單刀會肅事。肅傳與說部所載略同。惟曰諸將軍單刀俱會。則非僅羽一刀耳。湘潭王湘綺（闓運）江南關廟聯云。匹馬斬顏良。河北英雄齊喪膽。單刀會魯肅。江南名士盡低頭。或譏未避說部。不知字字皆正史所有也。又善化黃木父（逢元）湖南關岳廟聯云。同讀聖賢書。孔氏之經。左氏之傳。古來征戰地。益陽一瀨（益陽有關羽瀨見甘寧傳）岳陽一湖。（破楊么事見岳飛傳）亦雅切可誦。

呂蒙襲奪荊州。致蜀蹉跌。不能遽討曹操父子。東漢遂滅。此實漢之蟊賊。魏之功狗也。說部謂其被羽殛死。以史記所載田蚡被竇嬰灌夫笞殺事例之。蓋亦可信。

書程黃韓蔣周陳董甘凌徐潘丁傳

赤壁之役、黃蓋建策火攻、遂大破操。此誠一快。而長石城時、以文書委兩掾、敎以若有姦欺、不加鞭杖。後竟殺之。亦一快也。

蔣欽在貴守約。已屬難能。而不念徐盛舊嫌、尤庶幾廉藺之風。

權討黃祖。祖橫兩蒙衝挾守沔口。以栟閭大紲（即大棕繩）繫石爲矴。上有千人。以弩交射。此蓋東吳鐵鎖橫江之祖也。

甘寧知操終爲簒盜、而說權早圖荆州。漸規巴蜀。於是先攻黃祖。盡獲其士衆。亦恢恢乎有大將之略矣。

董襲淩統皆餘杭人。而襲攻黃祖。有斷紲之勳。統救孫權。有陷圍之績。浙人不皆脆弱。即此可想。

潘璋博蕩嗜酒。居貧好賖酤。債家至門。輒言後豪富相還。今效璋此語者不少。特未知將來如何耳。一笑。

書朱朱呂朱傳

朱然臨急膽定故呂蒙稱其膽守有餘。子績亦以膽力稱。可謂克纘厥緒。

孫策在時。呂範典主財計。權私從有求。範必關白不敢專許。權守陽羨長有所私用。策或料覆。功曹周谷輒爲傳著簿書使無譴問。而權後以範忠誠厚見信任。以谷能欺更簿書。不用。此亦所謂納婦取詈已者也。範守職可法。權用人更可法。

凡兩軍交對。勝負在將不在衆寡。此朱桓名言也。故赤壁之戰。劉備周瑜以精兵五萬破曹操水步八十萬。淝水之戰。謝玄以精銳八千破苻堅兵百萬。皆以少勝衆。魏延請兵萬人與亮異道會於潼關。如韓信故事。而武侯不許。朱桓請將所部斷夾石挂車兩道。以禽曹休。而陸遜不許。蓋皆謹慎不欲行險耳。

蜀關羽護前。而吳朱恒亦護前。唐張巡守睢陽士卒萬人。城中居人戶數萬。巡一見問姓名。其後無不識者。（見韓愈集）而吳朱恒亦與人一面數十年不忘。部曲萬口妻子盡識之。

書虞陸張駱陸吾朱傳

于禁糜芳皆以降將軍爲虞翻所呵。不顧斷頭。固宜有此辱。

權欲殺翻。大司農劉基（明劉基與同名）抱權諫阻。謂孟德輕害士人。天下非之。大王躬行德義。欲與堯舜比隆。何得自喻於彼。所謂善爲說辭也。

虞翻以狂直見放。張溫以名盛遭廢。暨豔以狷厲致殺。吾粲以執正被誅。權尙若此。他復何論哉。

稷思天下有飢者。猶己飢之也。而駱統乃曰。士大夫糟糠不足。我何心獨飽。雖遜稷思。亦庶幾君子語也。

統常勸權以尊賢接士。勤求損益。饗賜之日。可人人別進。問以燥濕。加以密意。誘諭使言。察其志趣。令皆感恩戴義。懷欲報之心。雖非以至誠相與。亦用衆之術也。

統以徵役繁數。重以疫癘。戶口損耗。上疏有民以君安。君以民濟。百姓虛竭。嗷然愁擾。愁擾則不營業。不營業則致窮困。致窮困則不樂生。故口腹急則姦心動而攜叛多。方今長吏親民之職。惟以辦具爲能。取過目前之急。少復以恩惠爲治等語。後世

爲民上者宜亟誦千遍

陸瑁以丞相遜弟而好學篤義。於陳融濮陽逸蔣纂袁迪等割少分甘。與同豐約。徐原臨死遺書。託以孤弱。爲起立墳墓。收導其子。從父績早亡。二男一女皆數歲以還。爲攝養至長。此皆東漢美行。不圖於東吳見之也。至諫權遠討公孫淵。詞理端切。雖殫忠欵。抑餘緒耳。

書陸遜傳

遜謂腹心未平。難以圖遠。此雖常談。而智者往往不寤。何耶。至討治渠魁。部伍精鋭。則先剿後撫。非漫云剿撫兼施者所得藉口。

起自西北者。周秦漢唐也。起自東北者。遼金元淸也。雖地域廣狹。國祚修短。互有同異。要皆可謂成功也。起自西南者。吳三桂洪秀全也。起自東南者。劉濞明太祖也。劉吳洪未集大勳。明幸一統。而成祖仍定鼎北京也。若乃孫權偏安建業。本無囊括宇內之志。東晉宋齊粱陳亦大抵力絀智索。局促東吳舊壤。至南宋小朝廷自汴移杭。

視六朝抑又風斯在下矣。噫。

陸遜不寤漢賊宜討。同盟宜固。而乃貌爲謙下。包藏禍心。既敗關羽。吳亦降魏。於漢爲賊。於吳亦豈功臣哉。洎先主敗於猇亭。於是一虎一龍。咸被此威名未著之小夫所算。悲夫。

孫權刻己印置遜所。每與禪亮書。常過示遜。輕重可否有所不安。便令改定。以印封行之。蓋已得荆州。心滿意足。又曹丕方有南下之師。故極願與蜀求好也。

諸葛恪氣陵其上。意蔑乎下。後人每有此病。

遜嘗言西陵國之西門。若有不守。非但失一郡。荆州非吳有也。其子抗他日亦謂吾寧棄江陵而赴西陵。况江陵牢固乎。蓋誠知西陵重於江陵也。

書吳主五子傳

宣太子孫登遺疏。辭意並美。而觀其稱述諸臣及竊聞郡縣頗有荒殘。民物凋弊。姦亂萌生。是以法令繁滋。刑辟重切。宜減刑輕賦。均息力役。以順民望等語。使不短祚能知人安民。賢於孫亮遠矣。

登慮（孫峻從弟慮與同名）和皆賢而登慮蚤卒、和更讒廢。此吳之不幸也。亮休以後、和子皓乃爲吳末帝。昏暴逾恒。此更吳之不幸也。

因嫡庶無別而後和霸不睦。因和霸不睦而後全寄吳安孫奇楊竺等黨霸搆和。因寄等黨霸搆和。太子（卽和）以敗。霸亦賜死。而後流竺尸於江。又誅寄安奇等。嫡庶無別過在權。黨霸搆和罪在竺等也。

豫章太守張俊。（宋張俊與同名）因民間訛言皓死。奮（東漢扶風富士亦有孫奮）與上虞侯奉當有立者。遂掃除奮母仲姬墓。蓋欲藉此謀他日富貴也。竟致車裂之禍。且夷三族。並累奮及奮五子被誅。鄙夫一念之差。百殃總集。可鑒也夫。

書賀全呂周鍾離傳

林歷山之役。賀齊陰募輕捷士。以鐵戈密於隱險賊所不備處。拓斬山爲緣道。夜令潛上。多縣布以援下人。得上百數人。四面流布。俱鳴鼓角。賊夜聞鼓聲四合。謂大軍悉已得上。驚懼惑亂不知所爲守路備險者皆走還依衆。大軍因是得上。大破黟帥陳僕等。可見無論何地。皆有破賊之術。惟在細心研索耳。

呂岱南定交州。徼外奉貢。後又討定武漢蠻夷。擊斬廬陵李桓。使權永無南顧之憂。馬援銅柱。殆足相方。而不嫉吳郡徐原直言。號爲益友。尤古將帥所難也。（年九十六乃卒亦古將帥所未有）

周魴以七牋誘楊州牧曹休。語語欵至。並切事理。所謂欺以其方也。

招降納叛。古昔所惡。不忠厥主。寧復忠我。可慮者一。我以不忠獎人。事我者或亦他適。可慮者二。不忠者但計利害。易反覆。如孟達是也。可慮者三。詐降者甘言詭狀。往往設阱陷人。如黃蓋周魴是也。可慮者四。惟順逆較顯。成敗已著。有棄逆輸誠知敗歸命者。庶乎可耳。

魏於幷蜀後。遣郭純入蜀遷陵界。誘致五谿諸夷。鍾離牧率所領衆。晨夜進道。緣山險行。垂二千里。從塞上斬惡民懷異心者魁帥百餘人。及其支黨凡千餘級。純等散。

五谿平。殆無異鄧艾度陰平也。

書潘濬陸凱傳

校事呂壹操弄威柄。會奏按丞相顧雍左將軍朱據。濬大請百僚。欲因會手刃殺壹。以身當之。爲國除害。氣何壯也。終以進見陳壹姦險。致壹誅戮。權且引咎責躬。誚讓大臣。是濬此行較討五溪蠻功更鉅也。

孫皓不好人視己。凱說以君臣若不相識。卒有不虞。不知所赴。皓乃聽凱自視。可見說之近理。雖昏暴如皓。亦以爲是。說難。說易。亦視所以說之者何如耳。

寧飲建業水。不食武昌魚。寧還建業死。不止武昌居。童謠若此。是孫皓徙都武昌。實失民心。而倘書盤庚遷殷誥語。反復良有以也。

凱諫皓二十事。未知果上與否。乃鈔列傳左。此作史處疑事一法也。

武侯出師表動言先帝。凱一疏中稱先帝者三十四。庶幾媲美。

書是儀胡綜傳

儀本姓氏。以孔融嘲氏字民無上，遂改爲是。孔融可謂妄言。是儀可謂妄聽。

儀不以怖畏吳壹，故妄言刁嘉謗訕國政。壹姦不行。嘉亦得免，此人所難。而事國數十年。未嘗有過，卽呂壹亦無以誣白。尤人所難。

傳稱自權統事，諸文誥策命。鄰國書符略，皆綜之所造。觀黃龍大牙賦及所爲與蜀連和盟文。辭義雅正。綜之在吳，蓋若蜀有劉巴也。

陸遜假作答逯式（魏江夏太守）降書，辭簡而意懇達。胡綜詐爲吳質降文，語詳而骨雅勁。蓋皆合事肖人。贋可亂眞也。而魏使靑州隱蕃詐叛如吳，綜謂其上書大語有似東方朔。巧捷詭辯有似禰衡。而才皆不及。未可以治民。則綜又實能別眞贋於事前也。

書吳範劉惇趙達傳

此傳所列，大抵與蜀志杜周杜許孟來尹李譙郤傳相類。

每有災祥，範輒推數言狀。其術多效。而明年戊子（獻帝建安十三年）荆州劉表身死，歲在甲午。（建安十九年）劉備當得益州。皆卽枝幹爲預言。與蜀張裕言歲在庚子。劉氏祚盡同。至見風氣而賀權必破祖且謂必生禽祖。羽在麥城請降而知羽有走氣見有風動帷而曰羽至權與魏爲好而以風氣察魏有謀權爲將軍時而白江南有王氣（趙達亦謂東南有王者氣）亥子之間有大福慶則兼枝幹風氣以事占候也。

範治歷數知風氣悖於諸術皆善尤明太一而達治九宮一算之術常笑謂諸星氣風術者曰當廻算帷幕不出戶牖以知天道而反晝夜暴露以望氣祥不亦難乎蜀杜瓊亦謂欲明此術甚難須當身視識其形色不可信人晨夜苦劇然後知之蓋諸術惟九宮一算較逸也。

吳範祕惜其術不以至要語權劉惇雖著書百餘篇亦寶愛其術不以告人趙達寶惜其術名儒善士屈節就學皆祕而不告蓋術本神祕苟非其人不可以授授亦弗驗也至吳錄術亡身棄云云則揣測語耳生死榮辱早已預知術不亡無加術亡何損哉蜀張裕自知刑死卒不能免術豈亡耶雖然君子貴道不貴術達以道善天下窮以道善身焉事術也。

書諸葛滕二孫濮陽傳

恪於丹陽以久圍梏之。以絕糧困之。以降首出之。卒梟元惡。蕩滌山藪。今治共匪或師此法。濟否在人。非僅迹也。

恪與陸遜書。有克己不能盡如禮。而責人專以正義。己不如禮。人不服。責人以正義人不堪。相怨一生。則小人得容其間。浸潤之潛。紛錯交至。久久至於家戶爲怨。一國無復全行之士等語。痛切事理。韓愈原毀可並觀也。

恪因東興堤之捷。而有新城之挫。與姜維因洮西之勝。而有段谷之敗。同然。其志實皆耿耿。顯國威。謀一統。非爲身也。坐而待亡。孰與伐之。諸葛亮亦若是已耳。衆不欲戰。自難有功。讒賊搆之。長城遂壞。悼之不暇。忍復以輕敵論耶。又恪著論諭衆意。可與武侯出師表參看。

滕胤不知孫峻陰計。勸恪入宮。致恪赤族。後欲與呂據共廢孫綝。又以未引兵向宮。被綝赤族。始誤人。後自誤。可歎。

滕胤傳有頭無尾因其事已分見諸葛恪孫峻孫綝等傳也實則滕胤不必立傳附孫綝傳中足矣

吳主亮被廢於孫綝魏主亮被廢於司馬師此蜀所無吾於是益歎諸葛亮能進蔣琬費禕姜維而劉禪久任勿疑抑誠良主也

孫休誅綝後發峻棺並除峻綝屬籍又下詔諸葛恪滕胤呂據以無罪被峻綝兄弟殘害促皆改葬各爲祭奠蓋至是是非始白也峻綝固罪通於天而孫亮昏庸亦復何減桓靈耶

書王樓賀韋華傳

王蕃樓玄賀邵生於亂世並宜韜晦而竟危言危行遭皓顯禍甚可痛惜而玄既遠徙廣州以戰自效歆奕（交趾將張弈）見勅還便自殺君命不可違竟若此耶至於韋曜主撰吳書本可杜戶亦以不附瑞應不作和（皓父孫和）紀不酒後難拆公卿被收付獄雖華覈疏救辭義慘怛竟見寃殺智不卷懷跡非共濟耄猶在刲謂之何哉若乃覈因蜀

滅憤懼上表與日偕亡未遑計害雖嘗譴免卒以壽終則又鼎鑊之餘生塗炭之幸士也

書卷尾

史記凡百三十篇分十二本紀十表八書三十世家七十列傳漢書凡百篇分十二本紀八表（惟既名漢書古今人表非所宜有若史記有此則可）十志七十列傳而闕書及世家蓋書改爲志世家且變爲傳也後漢書凡百二十卷分十帝紀八十列傳而無表有補志三十卷三國志則魏書三十卷分四帝紀二十六列傳蜀書十五卷卽十五列傳吳書二十卷卽二十列傳而表志皆廢此大異前史者也若乃龍門於紀傳尾加論稱太史公曰而自序內總列各贊蘭臺於紀傳尾論稱贊曰而敘傳內亦列各贊蔚宗於紀傳中後置論而贊附論尾承祚於紀傳後改論爲評不復作贊此小異前史者也又史漢多附傳或附紀傳首或附紀傳中或附紀傳後或附傳中又有附傳後漢書亦然三國志則附傳甚少又史記有自序漢書有敘傳後漢書卽采自序爲司馬遷傳漢書卽采

敘傳爲班固傳附彪傳後後漢書無自序敘傳等作三國志亦乏是篇亦小異前史者也至於史記若大瀛海漢書若東海後漢書若雲夢三國志若燕京三海史記若阿房宮漢書若建章宮後漢書若未央宮三國志若銅雀臺史記若天子漢書若諸侯後漢書若卿三國志若大夫則又彼此互異者也

三國以前無正僞之辯自有三國而帝蜀者僞魏吳帝魏者僞蜀吳矣陳壽三國志帝魏司馬光通鑑帝魏而朱子綱目則帝蜀此其著者也

志名三國魏書蜀書吳書並列殆上仿國語國策而正僞以授受爲辨抑又下開南北朝史五代史遼金元史先例矣

三國志與史記前後漢書並稱四史一以時代相連二以文筆略近雖曰附庸信殿軍也厥後惟歐陽修唐書五代史爲世推重然未得上比四史矣

讀晉書蠡述

丙子夏五月

袁贊陀題

中華民國二十五年
湘鄂印刷公司印行

讀晉書蠡述目次

卷一

卷三

卷四

附正誤

卷三第一九面第六行遂斬顏延以叛誤爲遂斬顏延以降

卷四第一二面第六行因謠與夢誤爲因謠夢而

讀晉書蠡述卷一

岳陽李澄宇洞庭著

書卷首

四史雖談緒遷纘固書惠續范志昭（劉昭）補壽遺裴（裴松之）拾要成一家之言允荷載筆之任晉書以降史或御纂論有制曰與史臣曰他可想巳舉賴衆擎采迷五色此與前史異者一遷史本紀外有世家故春秋戰國時五伯七雄皆入世家厥例不亂晉書於五凉四燕三秦二趙夏蜀等十六國無地位置別編載記三十卷附後名殊未正似不若歐陽修五代史記上法遷史徑稱某世家也此與前史異者二史記有外戚世家漢書有外戚傳呂后元后外后事每附於此至范氏創皇后紀陳壽立后妃傳則后家父兄與諸臣等不復別爲外戚矣晉書后妃傳外復傳外戚不獨有悖馬班抑匪范陳史例此與前史異者三至廣范氏獨行傳爲孝友忠信二傳變范氏逸民傳爲隱逸傳方術傳爲藝術傳則其異之小焉者耳若乃史記分本紀表書世家列傳漢書分紀表志列傳志卽書闕世家范氏但有紀傳補志出劉昭手三國志亦

惟紀傳。晉書紀傳載記外有志無表。所關頗大。又凡年日遇丙以唐諱皆易曰景。亦晉書以前所未有。或謂晉金行忌火。然姚思廉梁陳二書李百藥北齊書亦皆如此。豈關金行耶。

書宣帝紀　高祖

周雖追王。而周書始泰誓西伯戡黎載入商書。漢書有太上皇亦不聞班馬爲立太上皇紀。民無二王。懍古訓也。陳壽魏書首列武紀。始終稱操太祖。於漢帝則稱天子。是豈春秋明王道辨人事別嫌疑明是非之意乎。晉書效尤。武紀之上竟有宣景文三紀。且史漢於高祖未帝前猶稱沛公漢王。魏書於武帝爲大將軍以後猶稱公稱王。而晉書於懿師昭始終稱帝。雖以天子予魏。誠不解帝與天子同時大書特書何以無愧史筆也。又史記本紀於漢前者舉名或及字。於漢紀但高祖舉姓字。漢書帝紀更僅高祖舉姓。後漢書乃於光武帝紀書諱秀字文叔。三國志於武帝紀乃書姓曹諱操字孟德。晉書於宣紀舉諱舉字舉姓。於景紀以下舉諱及字。蓋祖陳范二史耳。

前曰聰朗多大略。後曰猜忌多權變。又魏武驗懿狼顧。及夢三馬同食一槽事皆載之。則謂武紀上有宣景文三紀。正以著典午篡奪之罪。亦可也。

呂蒙襲取荊州事。三國志關羽本傳。有南郡太守麋芳在江陵。將軍傅士仁屯公安。權陰誘芳仁。芳仁使人迎權等語。茲云權遣呂蒙西襲公安。拔之。羽遂爲蒙所獲。豈舉公安足該江陵耶。所謂語焉不詳也。

以唐人修晉史。而必以諸葛亮出師爲寇。通鑑且從而寇之。縱正僞之議各有異同。亦與春秋書侵書伐者刺謬矣。且鄭莊取麥取禾。亦未書寇也。

五丈原之役。三國志諸葛亮傳。有分兵屯田爲久駐之基。耕者雜於渭濱居民之間。而百姓安堵。軍無私焉。相持百餘日。亮疾病。卒於軍。及軍退。宣王按行其營壘處所。曰天下奇才也。等語。焉有遣奇兵掎亮之後。斬五百餘級。獲生口千餘。降者六百餘人之事。此蓋懿詭報。而魏據以入史。唐不暇考。遂仍之也。然於受巾幗婦人之飾。及死諸葛走生仲達之諺。悉詳於册。則當日畏蜀如虎亦可見。

公孫文懿距水而守。司馬懿乃直指襄平以致敵。公孫文懿退保襄平糧垂盡。司馬懿乃故示無能以安敵。此誠老謀。公孫文懿請降而司馬懿斬其使。且謂後使曰。軍事大要有五。能戰當戰。不能戰當守。不能守當走。餘二事惟降與死耳。實激其走而擊之。此更深算

王導陳懿創業之始及文帝末高貴鄉公事、而明帝以面覆牀、爲人祖父者當愼所爲。勿令子孫惶愧至此哉。噫。

書景帝文帝紀 世宗 太祖

舜禹伊周後人托以篡逆。則懿死師嗣、議者咸云伊尹既卒伊陟嗣事。固無足怪。

司馬師之於張后。亦猶曹操之於伏后也。因果循環、可懼哉。

司馬師潛謀廢立、已密諷永寧太后矣。乃召羣臣會議。忽流涕曰。太后令如是、諸君其謂王室何、欲蓋彌章。此類是也。

文鴦三譟而欽不能應。蓋因內乖外叛。氣早餒耳。然文鴦來攻師（司馬師）竟驚而目出。鴦信有萬夫不當之勇哉。事之不濟。殆有天命。不僅人謀也。

司馬昭奉天子及皇太后東征。蓋懲曹爽被族之事。恐人挾天子或皇太后圖己也。

陳泰謂腰斬賈充。以謝天下。微字妙。至但見其上不見其次。則明言昭實罪魁矣。當日有此語。亦大快事。

書殺尚書王經。則告密之王沈王業當愧死。書夷濟三族。則助逆之賈充當愧死。

古云民無二王。後世乃以王爲臣爵。古云撫我則后。後世乃以后爲妃號。今曰進王妃爲王后。尤可哂。

論有事殷之迹。空存翦商之志彌遠。贊有反雖討賊終爲弑君等語。口誅筆伐亦云至矣。

前雖有宣景文紀。而改元實始武帝。故史家但以武惠懷愍歷年五十四爲中朝。四帝元明成康穆哀廢簡文孝武安恭歷年百有二。爲江左十一帝。

書武帝紀 世祖 泰始 咸寧 太康 太熙

吳恃水爲固。蜀亡則敵據長江上游。險非我有。唐劉禹錫金陵懷古云。王濬樓船下益州。金陵王氣黯然收。千尋鐵鎖沉江底。一片降旛出石頭。言非王濬東下。雖琅邪王伷出涂中。王渾出江西。王戎出武昌。胡奮出夏口。杜預出江陵。難操勝算也。然唐彬與濬同爲將軍。東下有功。彬傳述載甚詳。詔亦有濬彬東下。掃除巴邱二語。而後人知有王濬不知有唐彬。殆讀詩者多。讀史者少之故與。

蜀亡吳必亡。然蜀以魏景元四年亡。中歷咸熙二年。晉泰始十年。咸寧五年。至太康元年吳始亡。偷息江左。後蜀亡十有八年。吳亦幸矣哉。

武既平吳。怠於政術。耽於游晏。寵愛后黨。親貴當權。無外患必致內憂。信哉。制謂元海當除而不除。惠帝可廢而不廢。全一人者德之輕。拯天下者功之重。棄一人者忍之小。安社稷者孝之大。亦確論。

書惠帝紀 永熙 元康 永康 永寧 太安 永興 光熙

武紀明載太熙元年四月己酉帝崩於含章殿，惠紀亦明載太熙元年四月己酉武帝崩。是日皇太子卽皇帝位，大赦，改元爲永熙。是一年之中，父改元一次，子又改元一次也。按春秋魯桓十八年書夏四月公薨於齊。明年乃爲莊公元年，未聞卽以是年爲元年也。通鑑綱目去太熙而書永熙元年，意者以是彰惠帝過歟，至近人世界大事表，謬以太熙爲惠帝年號。則未免失考矣。又惠紀明載永平六年氐帥齊萬年僭號稱帝。而載記第二十，乃云元康中氐齊萬年反。通鑑綱目晉惠帝元康六年亦書氐齊萬年反。惠紀有永平無元康。通鑑綱目有元康無永平。殊不可解。惠紀與載記不合。更不可解。

賈后弒楊太后於金墉城，趙王倫亦矯詔害賈后於金墉城，賈后可矯詔，趙王倫亦矯詔。惠帝之爲惠也固如此哉。

書懷帝愍帝紀（永嘉建興）

有惠帝而八王（汝南王亮楚王瑋趙王倫齊王冏長沙王乂成都王穎河間王顒東海王越）之亂極。有懷愍而五胡（匈奴鮮卑羯氐羌）之亂極天之所以報司馬氏者蓋如此。

古云罪人不孥。而後世動誅三族。不仁甚矣。若云斬草除根。根豈可盡哉。書除三族刑。美之也。

紀末有繼惠帝擾亂之後，東海專政。無幽厲之釁。而有流亡之禍等語。足令懷帝墮淚。

孝懷遇弑年三十。孝愍遇弑年十八，不早出奔。又不自裁。蓋特爲司馬懿祖孫父子出盡諸醜也。厥後南都定鼎。歷十數君。豈武帝餘蔭耶。牛繼馬後。抑當別論。

論有效賈生過秦處甚佳。餘亦鍊冶繽紛。上追范氏。觀又況我惠帝以放蕩之德臨之哉。非命世之雄才不能取之矣等語。稱我殆出東晉史臣。非唐房玄齡等手筆也。

書元帝紀　中宗　建武　太興　永昌

白豪生於日角之左。隆準龍顏。目有精曜。顧眄煒如也。與前史叙高祖光武頗相似。

秦時望氣者云。五百年後金陵有天子氣。四百三十七年孫權自立爲帝。未足當之。

直至五百二十六年元帝渡江始應此數天命有在豈必以智力爭哉童謠謂五馬浮渡江一馬化爲龍不知一馬早化爲牛也噫

書明帝紀 肅宗 太寧

數歲兒能爲長安近日近之對難矣而爲皇太子以至孝稱雖王敦欲誣以不孝不可則更難矣即帝位二載微行湖陰察敦營壘旋討敦罪克翦大憝年甫二十六抑尤難也

書成帝康帝紀 顯宗 咸和 咸康 建元

懷紀有平陽太守宋抽康紀有後蜀僞主李勢名並怪異

成帝沖齡踐阼受制舅氏蘇峻之亂神器阽危及長親政亦克恭儉不幸短世崩時年二十二在位十有八載康帝嗣統建元二載丘山遂傾康帝諱岳郭璞讖云立始之際丘山傾立始即建元也贊有康后天資居哀禮褥隆典方興降齡奚促崩時年二十三等語蓋惜之也

書穆帝哀帝廢帝紀 孝宗 永和 升平 隆和 興寧 太和

穆紀兩書帝講孝經。美之也。廟號孝宗。宜哉。崩時僅十九歲。可惜。

哀帝詔尚有搜揚隱滯。蠲除苛碎。詳議法令。咸從損要等語。以今視昔。能勿汗下。

元帝以後。明帝年二十七。成帝年二十二。康帝年二十三。穆帝年十九。哀帝年二十五。五世短祚。晉運可知。

始猶東海王。後乃海西公。杜塞聰明。耽於內寵。廢帝亦善效信陵君哉。贊謂彼異阿衡。我非昌邑。誠痛之也。

書簡文帝孝武帝紀 太宗咸安 寧康太元

史稱簡文神識恬暢。無濟世大略。甚允。謝安以比惠帝。靈運用方赧獻。則頗不類。

孝武紀書帝初奉佛法。立精舍於殿內。引諸沙門以居之。刺之也。

加太保謝安大都督揚江荊司豫徐兗青冀幽并梁益雍涼十五州諸軍事。古所未有。又安帝義熙元年。劉裕都督中外諸軍事。據宋書先都督揚徐兗豫青冀幽并江九州諸軍事。後改授都督荊司梁益寧雍涼七州。并前十六州諸軍事。二年加督交廣二州十二年加劉裕中外大都督。據宋書凡都督二十二州。晉地盡隸之。尤古所未有。然通鑑綱目於劉裕不書加而書自加。則著篡逆之漸矣。惡得與謝安同日而語乎。

寧康三年書帝釋奠於中堂祀孔子以顏回配。太元十一年書封孔靖之爲奉聖亭侯。奉宣尼祀。皆美之也。始雖佞佛。終重儒宗。國不遽亡。蓋以此耳。

張貴人年近三十。寵冠後宮。以孝武戲言老當廢黜。遂使婢以被蒙帝面而弒之。妒之爲禍烈矣哉。王者戒戲言。此亦一端也。

書安帝恭帝紀（隆安 元興 義熙 元熙）

安帝諱德宗。復字德宗。若廟號然。古未有也。

桓溫幸死。而桓玄必上篡帝位。使劉裕乘時討賊。遂啓宋祚。異哉。

書禪位詔而帝欣然。此其所以爲恭也。與裕竟弒帝。豈猶慮其有他乎。魏於山陽。晉於陳留。皆俾保首領以歿。何宋於零陵不然也。宋爲已甚。他日齊弒汝陰。且夷其族矣。悲夫。

書天文志上

周髀言天似蓋笠，地法覆槃，亦知天地俱圓，但曰笠曰槃，是猶以半截圓形擬之也。至天圓如張蓋，地方如棋局，更屬非是。宣夜之書云，天了無質，仰而瞻之，高遠無極，眼瞀精絕，故蒼蒼然也。此與莊子逍遙篇天之蒼蒼其正色耶，其遠而無所至極耶同。虞聳穹天論云，天形穹隆如雞子，幕其際，周接四海之表，浮於元氣之上。其理甚是。但天不若是小耳。渾天儀注云，天如雞子，地如雞中黃，孤居於天內，天大而地小。天表裏有水，天地各乘氣而立，載水而行。黃帝書曰，天在地外，水在天外，水浮天而載地者也，其理亦甚是，但皆不知天爲大氣包舉，地乃行星之一，繞日而行，故徒斷斷於日出入星見沒也。今言地理者，分天文地理、地文地理、人文地理。天文地理謂日系行星九，曰水星，曰金星，曰地球，曰火星，曰木星，曰土星，曰天王星，曰海王星，曰冥王星。九星皆繞日行，謂之公轉。至地球對日自轉一周，則晝夜所由判，自轉軸之兩端爲赤道南北極。其由南極至北極大圈。謂之赤道。日出入就中國論。初升於東偏南。而上。至日中而最高。日昃復偏北而下。終沒於西。春秋二分升於正東。沒於正西。晝夜均。夏至升於東北。沒於西北。晝長夜短。冬至升於東南。沒於西南。晝短夜長。實則地球自轉。向日之面爲晝。背日之面爲夜。向日時多則晝長。背日時多則夜長。冬至日在赤道南最低處。地球自轉時。人但見日升東南沒西南。其線不及半圓。故晝短。夏至日在赤道北最高處。地球自轉時。人但見日升東北沒西北。其綫過於半圓。故晝長也。若乃堯典日中星鳥。以殷仲春。日永星火。以正仲夏。宵中星虛。以殷仲秋。日短星昴。以正仲冬。月令孟春之月。日在營室。昏參中。旦尾中。仲春之月。日在奎。昏弧中。旦建星中。季春之月。日在胃。昏七星中。旦牽牛中。孟夏之月。日在畢。昏翼中。旦婺女中。仲夏之月。日在東井。昏亢中。旦危中。季夏之月。日在柳。昏火中。旦奎中。孟秋之月。日在翼。昏建星中。旦畢中。仲秋之月。日在角。昏牽牛中。旦觜觿中。季秋之月。日在房。昏虛中。旦柳中。孟冬之月。日在尾。昏危中。旦七星中。仲冬之月。日在斗。昏東壁中。旦軫中。季冬之月日在婺女。昏婁中。旦氐中。則皆以人目所見之中星定日躔度。實則定地球一年繞日一周之軌道也。

漢順帝時。張衡制渾象。具內外規。南北極。黃赤道。列二十四氣。二十八宿中外星官。及日月五緯。以漏水轉之於殿上室內。星中出沒與天相應。因其關戾又轉瑞輪蓂莢於階下。隨月盈虛。依歷開落。今泰西尚無此器也。竟爾失傳。惜哉。

北斗七星。婦孺皆識。魁四星爲璇璣。杓三星爲玉衡。以杓所指辨四時最便。至第一星曰天樞。二曰璇。三曰璣。四曰權。五曰玉衡。六曰開陽。七曰搖光。樞爲天。璇爲地。璣爲人。權爲時。玉衡爲音。開陽爲律。搖光爲星云云。則知者少矣。

書天文志中

地球繞日。而月繞地球。古以日月並稱。就地球上人目所見言也。地球繞日軌道之平面曰黃道。月繞地球軌道之平面曰白道。二道逢朔望若一致。必生蝕象。朔時月居日與地球之間。日光爲月所掩。不能達地球。人見月魄不見全日。是爲日蝕。故日蝕之象各地所見不同。望時月居地後。與日隔地相望。日光爲地所掩不能達月球。人見地影不見全月。是爲月蝕。故月蝕之象各地所見皆同。又黃道與白道約傾斜五度。故全地球上每年見日月蝕至多不過七次。最少亦有二次。而以三四次爲常。

書天文志下

月及五星犯列舍。而日不犯列舍者。日系九行星均繞日。日大且高。星即晝見日無由犯之也。

書地理志上

凡僑置或志在呑併。示必得也。如劉聰以洛陽爲荊州是也。或志在光復。示不棄也。如元帝渡江僑置司州於徐是也。（武帝太康元年初置司州。蓋以司隸所統郡置州。遂名爲司也。南渡後以司州淪陷於趙。復僑置焉。）或志在追溯。示勿忘也。如以弘農人流寓尋陽者僑立弘農郡是也。

書地理志下

荊州以荊山得名是也。荊強也。亦曰警也云云。謬說耳。漢置十三州。荊州統南郡南陽零陵桂陽武陵長沙江夏七郡。魏武得荆州。分南郡以北爲襄陽郡。南陽西界爲南鄉郡。則統九郡。赤壁敗後。南郡以南屬吳。吳蜀分荆州後。南郡零陵武陵以西爲蜀。江夏桂陽長沙三郡爲吳。而南陽襄陽南鄉三郡爲魏。荆州之名。南北雙立。蜀又分南郡立宜都郡。先主崩後。宜都武陵零陵南郡復屬吳。是魏荆州僅三郡。蜀荆州四郡。吳荆州始三郡。後乃七郡也。嗣是魏荆州分七郡。吳荆州分十五郡。要皆荆州舊域。至晉武時。以荆州新立之始興始安臨賀三郡屬廣州。又以揚州之安成郡屬荆州。則與舊域大異矣。

書律歷志上

永嘉之亂。中朝典章沒於石勒。禮容樂器。掃地皆盡。於是所謂審聲以知音。審音以知樂。審樂以知政者。僅得於史册想象而已。可勝歎哉。

律之始造。以竹爲管。後或用玉。漢王莽乃以銅爲之。京房則作準代管。準狀如瑟。十三弦。晉泰始時。荀勗以五聲十二律還相爲宮之法。奏造新笛。與伶倫取竹嶰谷之

意亦甚合。惜今皆不可更得也

書禮志上

我以農立國。帝耕后蠶。視爲大典。晉武之詔且謂國之大事在祀與農。今不上復此典。異哉。

書禮志中

魏明帝詔。後嗣萬一有由諸侯入奉大統。則當明爲人後之義。敢爲佞邪導諛君上。妄建非正之號。謂考爲帝。妣爲后。則股肱大臣誅之無赦。此不以私親亂大宗也。晉武帝詔。三年之喪。自古達禮。神靈日遠。無所訴告。雖薄情食旨服美。所不堪也。此不以時制廢古禮也。皆可爲後世法。

書樂志上

荀勗作新律笛十二枚。以調律呂。正雅樂。自謂宮商克諧。阮咸妙達八音。常心譏勗新律聲高。勗以咸異己。出爲始平相。後得周玉尺。以校己所造鐘鼓金石絲竹皆短一米。於此服咸之妙。復徵咸歸。足見古人雖有異同。匪爭意氣。既明是非。可共肝膽也。

書樂志下

拂舞歌詩白鳩篇。翩翩白鳩。再飛再鳴。再與載通。獨祿篇一作獨漉。獨獨祿祿一作獨漉獨漉。而我欲射鴈。念子孤散。我心何合。與之同并。空牀低帷。誰知無人。獸欲齧人。不避豪賢。皆美句。龜雖壽之驥老老一作驥伏櫪。志在千里。烈士暮年。壯心不已。一作未已尤膾炙人口。

書職官志

後漢殤帝延平元年。鄧騭爲車騎將軍。而加儀同三司四字者。謂車騎將軍儀制可與太尉司徒司空共稱三公卽三司從同也。魏黃權爲車騎將軍。而加開府儀同三司六字者。謂儀制與太尉司徒司空從同。且可別建府署也。後雖屢見此六字於史。究非實官。清之賞戴花翎賞穿黃馬褂頗似此。

食俸以斛計猶漢遺意加給絹緜則由食及衣矣今曰薪水亦但就食言耳

書輿服志

靑蓋黃爲裏謂之黃屋於戟之杪以犛牛尾大如斗置左騑馬軛上是爲左纛在昔非天子不敢用今則以汽車爲大駕不必用此矣

自二千石夫人以上至皇后皆以蠶服爲朝服尙婦職也

書食貨志

王赧貸於百姓無以償乃上層臺以避其責周人謂王所居爲逃責臺今曰避債臺債舊爲責猶價舊爲賈也債價皆後起字也

俾知稼穡之艱難王祚用永使有菽粟如水火民德以基八政首食論語足食胥此旨耳劉馥之於揚州賈逵之於豫州顏斐之於京兆鄭渾之於沛郡或興陂堨或贍車牛允號循良然此猶內地也若乃徐邈之於涼州廣開水田皇甫隆之於敦煌教作耬犂利溥遐荒更屬難得至鄧艾以壽春田良水少議開河渠下盡地利上積軍

糧尤足與趙充國諸葛亮屯田並論。

昔使男不通畝，女不下機，後世則驅男發冢，誘女倚市矣。悲哉。

書五行志上

人君大臣見災異，退而自省，補過消禍，以此言五行，庶乎有裨於治。舊唐書房玄齡傳謂李淳風深明星曆，善於著述。所修晉書天文律曆五行三志最可觀采。諒哉。

末嬉（即妹喜）冠男子之冠。何晏服婦人之服。今日又如此矣。又孫休後衣服之制，上長下短，積領五六，裳居一二，干寶以爲上饒奢，下儉逼，上有餘，下不足之妖。今日衣服，上下束體，務急雖盛寒，以服薄爲尚，此殆上下儉逼，上下不足之妖與。髮被於額，目出而已。今亦有此。又烙鐵炙髮，若簾有浪，惜髮黃不逮異種，且乏碧眼也。

書五行志中

良田百頃，不計一畝，但見遠志，無有當歸。三國志姜維本傳作良田百頃，不在一畝。

但有遠志不在當歸。

海西公不男使左右向龍與內侍接生子以爲己子而百姓有鳳凰生一雛天下莫不喜。本言是馬駒。今定成龍子之歌。較以牛易馬四字何止上下牀之別。

書五行志下

龍漦化爲玄黿。周遂有褒姒之禍。則魏文帝時清河宋士宗母化爲鼈入水。吳孫皓時丹陽楊宣鸞母因浴化爲黿。抑無足怪。

書刑法志

刑罰不務苟輕。務其中也。此粱統名論。然務中實難。不入於酷。即近於縱。至廷尉獄吏范洪受囚絹二丈。附輕法論之。獄吏劉象受屬偏考囚張茂物故。附重法論之。則因貨因人爲法重輕。更不足與言制法始意。

讀晉書蠡述卷二

岳陽李澄宇洞庭著

書后妃傳上

范曄後漢書創增皇后紀於帝紀後、陳壽三國志則降列后妃於傳。晉書以后妃列之傳首、蓋法壽耳。

司馬懿詈宣穆爲老物、司馬師鴆景懷於妙年、可謂世載凶德。

高貴鄉公事。賈充躬贊弒逆。似爲司馬氏盡力。而不知賈女後歸惠帝、顚覆晉祚。竟若爲曹氏報讎也。此中有天意、可勿懼耶。

武帝廢賈妃。以其妒忌、恐釀後禍也。而武悼楊皇后必懇留焉。且數誡厲妃。誠欲妃改行。免釀後禍。而司馬氏亦庶幾不負賈充也。豈知善意成惡意、異日躬受酷毒無盡哉。可哀也已。

讀左貴嬪傳如讀司馬相如楊雄傳。此前史后妃紀傳所無也。

賈南風密致少年。穢亂宮禁。後世有效其所爲者。

賈母宜城君郭槐以妒忌殺賈充二子。今乃誡女慈愛太子。謂趙粲及午（后妹賈午）必亂汝事。我死後勿復聽入。深憶吾言。妒婦忽若賢母。可異哉。

羊后在晉。躬經四廢四復。劉曜僭位。又立爲后。甚愛寵之。賈羊二后。殆皆爲司馬氏出醜而生歟。又趙王倫矯詔賜賈后死。竟死。而河間王顒矯詔賜羊后死。以司隸校尉劉暾不奉詔。竟不死。亦賈醜出盡。羊尚有醜待出之故耶。

書后妃傳下

元敬虞皇后名孟母。康獻褚皇后名蒜子。孝武定王皇后名法慧。安僖王皇后名神愛。皆古所未有。

庾后雖美姿儀。而以德行見重。後爲皇太后。以成帝幼冲。不得巳臨朝攝政。有司請追贈父母爵號。三請不從。信賢后也。

賢哉褚后。於穆帝時臨朝稱制。帝冠歸政。於孝武時又臨朝稱制。帝冠歸政。不辭不戀。庶幾有天下而不與焉矣。

路經太廟，停輿慟哭，何后早置死生於度外，豈毀貶降耶。

賈后醜而短黑，李后則形長而色黑。賈后無子，李后則數夢兩龍枕膝，日月入懷，遂生孝武帝及會稽文孝王。賈后顛覆帝室，李后則啓嘉祚於將盡。賈后不得其死，李后則生榮死哀，古所謂一薰一蕕者，不圖此傳亦有之。

論追罪武元楊后甚允。贊以末升夷癸，褒進亡幽，罪賈氏，亦與論同。論有褒后戚周，妹妃傾夏云云

書王鄭何石歐陽孫傳

孝子義士，漢魏不鮮，晉王祥孝於繼母朱氏，誠不愧二十四孝之一人。惟高貴鄉公即位，與定策功，封關內侯，拜光祿勳，轉司隸校尉，從討毋丘儉，增邑四百戶，遷太常，封萬歲亭侯。天子幸太學，命為三老，南面几杖，師道自居，天子北面乞言，可謂尊榮已至。而高貴鄉公遇弒，祥雖號哭，未能引退，反疊受司空太尉侍中睢陵侯等好爵。晉武踐祚，復連被太保睢陽公等顯命，似尚未得為忠也。其遺令有云，揚名顯親，孝之至也。豈但欲揚名顯親乎。揚不忠之名，又豈可顯親乎。噫嘻。

王覽見祥被母楚撻，輒涕泣抱持。母以非禮使祥，覽輒與祥俱。母虐使祥妻，覽妻亦趨而共之。此誠孝母不獨恭兄，蓋不忍彰母之惡，又不忍不救正其失也。覽不可及，其妻亦賢婦哉。至母欲鴆祥，覽起取酒，祥疑有毒，爭而不與，則難弟難兄，可共生死。讀之令人隕涕矣。祥及身爲三公，覽後世爲三公，孝弟獲報，豈他善所可比論耶。

史稱鄭冲起自寒微，卓爾立操。乃高貴鄉公講尚書，既執經親授。高貴鄉公遇弒，不聞與王祥同哭，而且魏帝告禪，使冲奉策，晉武踐祚，拜冲太傅。此殆馮道之圭臬，卓爾立操者固如是乎。

阮步兵詠懷，於魏晉之際多微辭。蓋步兵乃心魏室，薄晉所爲，雖負才放誕，亦竊比信陵醇酒。何曾於昭爲晉王，則致拜，於炎竊魏業，則勸進，安能復曉步兵深意耶。帷帳車服，窮極綺麗，食日萬錢，猶曰無下箸處。人以小紙爲書者，敕記室弗報。無怪劉毅等奏其侈汰無度也。至黨附賈充，杖罰劉享，皆小人之爲。舊德老成，固如是乎。

何邵爲晉惠司徒，趙王倫纂位，復爲太宰。及三王交爭，邵以軒冕游其間，無怨之者。

此亦馮道流亞也。至衣裘服玩新故巨積。食必盡四方珍異。一日之供。以錢二萬爲限。則驕奢殆過乃父矣。永嘉之末。何氏滅亡無遺。可勿戒哉。

石苞鄧艾躬爲御隸。而謁者郭玄信謂二人後當至卿相。玄信蓋善相術也。

高貴鄉公留石苞語盡日。既出白文帝曰。非常主也。數日而有成濟之事。是高貴鄉公以苞一言而死也。然高貴鄉公留苞語盡日。未必無寵用才傑深意。司馬昭固甚疑之。苟不直白。苞卽不附高貴鄉公。亦難免爲昭所忌。遂遘奇禍。苞殆懼此而然也。苞固晉臣。不得以不忠責之。高貴鄉公欲討昭而露鋒鋩於晉臣。抑何不智乃爾。

石苞臨終分財物與諸子。獨不及崇。謂此兒雖小。後能自得。及崇爲荊州刺史。竟劫遠使商客。致富不貲。後拜衛尉。復與潘岳諂事賈謐。財產豐積。貴戚王愷倘遜其富。直至倫（趙王倫）秀（孫秀）見逼。綠珠墜樓。身詣東市。然後歎奴輩利吾財。抑何晚耶。悖入悖出。且以族殉。泉下有知。應悔向薄顏回原憲。謂士當聲名俱泰。何至甕牖者。實乃齊奴妄語也。

書羊祜杜預傳

羊祜與王沈俱被曹爽辟。祜不就。及爽敗。沈以故吏免。因謂祜曰。常識卿前語。祜曰。此非始慮所及。其先識不伐如此。可佩者一。晉武帝時都督荊州。開設庠序。綏懷遠近。甚得江漢之心。與吳人開布大信。降者欲去皆聽之。可佩者二。以詭計罷吳石城守。戍邏減半。分以墾田八百餘頃。軍有十年之積。可佩者三。步闡之役。祜雖坐貶平南將軍。而進據險要。開建五城、石城以西盡爲晉有。自是前後降者不絕。增修德信。懷柔初附。可佩者四。祜與陸抗相對。使命交通。抗病饋藥。而抗不疑。華元子反復見於今。可佩者五。祜以伐吳必藉上流之勢。表留王濬監益州諸軍事。加龍驤將軍。密令修舟楫爲順流之計。可佩者六。祜歷職二朝。任典樞要。勢利之求。無所關與。嘉謀讜議。皆焚其草。凡所進達。人皆不知所由。可佩者七。嘗與從弟琇書。旣定邊事。當角巾東路歸故里。爲容棺之墟。以白士而居重位。何能不以盛滿受責乎。疏廣是吾師也。可佩者八。旣面陳伐吳之計。復謂張華曰。成吾志者子也。武帝欲使臥護諸將。乃舉杜預自代。可佩者九。卒之日。南州號慟罷市巷哭者聲相接吳守邊將士亦爲之泣。其仁德所感如此。可佩者十。若乃緩帶輕裘。峴山墮淚猶細事耳。

杜預常言德不可以企及。立功立言。可庶幾也。細味此二語。預畢生所爲。可得而論矣。襲吳西陵督張政。大破之。政故名將。恥以無備取敗。不以所喪之實告於孫皓。預欲間吳邊將。表還所獲於皓。皓果以劉憲代政。功一。遣牙門管定周旨伍巢等率奇兵八百。泛舟夜渡。以襲樂鄉。多張旗幟。起火巴山。吳都督孫歆震恐。旨巢等伏兵樂鄉城外。歆遣軍出距王濬。敗還。伏兵隨歆軍入。遂虜歆。功二。進逼江陵。吳督將伍延僞請降而列兵登陴。預攻克之。沅湘以南至於交廣。望風歸命。預仗節稱詔綏撫之。功三。譬如破竹。數節之後。迎刃而解。此正預所謂數節也。以後指授羣帥。徑造秣陵。所過城邑。莫不束手。又預所謂迎刃解也。其平吳大功既如此。而立言則注解律令。議皇太子諒闇終制。爲春秋左氏經傳集解及釋例等。亦皆壽世之作。至司隸校尉石鑒先以宿憾奏免預河南尹。後鑒爲安西將軍。預爲秦州刺史。領東羌校尉。鑒使預出兵擊虜。預以虜乘勝馬肥。而官軍懸乏。宜并力大運。須春進討。陳五不可。四不須。鑒大怒。奏預擅飾城門官舍。稽乏軍興。徵詣廷尉。幾遭不測。洎預拜度支尚書。石鑒自軍還。論功不實。爲預所糾。遂相讎恨。言論諠譁。並坐免官。使羊祜處此。必不復糾鑒。預德不惟弗逮古人。抑亦遜祜遠甚矣。

晉杜預前身爲大蛇。清曾國藩前身亦大蛇。

書陳騫裴秀傳

騫子費敢與騫弟忿爭。騫平日不友可想。騫弟稚因忿爭遂說騫子女穢行。稚平日不恭可想。騫知有子女不知有兄弟。竟表徙弟。不惟不友。且不孝矣。其獲譏於世也固宜。

裴秀作禹貢地域圖十八篇。以晉十六州與古九州校驗。此疆域沿革圖所祖也。以分率準望道里高下方邪迂直爲制圖六體。此形勢一覽圖所祖也。

杜預武庫。裴頠亦號武庫。觀其所爲讓表及崇有論。深見事理。亦甚難得。惜廢賈后之議被張華賈模所阻終遘禍敗也。

裴楷品鍾會如觀武庫森森但見矛戟在前。蓋言會陰很有殺氣。與世比杜預武庫言其無所不有者不同。

裴憲以商容自況而爲石勒撰朝儀。商容固如是乎。漢晉之際。舜禹伊霍往往而有。不圖復見商容也。噫。

書衛瓘張華劉卞傳

鍾會遣衛瓘收鄧艾。實欲令艾殺瓘。因加艾罪。瓘乃夜至成都。檄艾所統諸將。稱詔收艾。其餘一無所問。來赴爵賞如先。不出誅及三族。以是諸將赴瓘。艾父子俱被執。其智一。艾諸將圖欲刼艾。整仗趣瓘營。瓘輕出迎之。僞作表章將申明艾事。諸將信之而止。其智二。會欲殺胡烈等。瓘不許。乃如廁見胡烈故給使。使宣語三軍言會反。其智三。會逼瓘定議。經宿不眠。各橫刀膝上。在外諸軍已潛欲攻會。瓘既不出。未敢先發。會使瓘慰勞諸軍。瓘心欲去。僞言不行以堅其意。其智四。既出僞病。及暮門閉。

檄告諸軍。遂共誅會。其智五。鄧艾本營將士追破檻車出艾還向成都。瓘遣田續至綿竹襲艾。三造亭斬艾及其子忠。其智六。朝議封瓘。瓘以剋蜀之功羣帥之力。二將跋扈。自取滅亡。雖運智謀。無搴旗之效。固讓不受。其智七。瓘都督幽平。離間務桓力微二虜。於是務桓降。力微以憂死。其智八。此皆以智建烈身名並泰者也。每欲啓廢惠帝。而未敢發。後託醉跪武帝床前欲言而止者三。以手撫床。但曰此座可惜。其智九。後賈后以此怨瓘。竟至被害。此則以智開罪。身名並蹇者也。然瓘實忠晉。雖武帝未聽瓘言。自促國祚。寧得謂瓘不智乎。爲人臣者不當如是乎。

汲縣人發魏襄王冢。得策書十餘萬言。爲盜而有裨於儒。與莊子物外篇儒以詩禮發冢者異矣。一笑。

衛恆所爲四體書勢。如日處君而盈其度。月托臣而虧其旁。雲委蛇而上布。星離離以舒光。禾卉苯䔿以垂穎。山嶽峨嵯而連岡。蟲跂跂其若動。鳥似飛而未揚。蓋分就日月雲星禾山蟲鳥等篆書字形言。餘亦就各體書勢言。

漢末上谷王次仲始作楷法靈帝好書遂多能者而師宜官爲最大則一字徑丈。小則方寸千言。今方寸千言者屢見其人。一字徑丈者則未嘗一有。蓋小特目力大特腕力。目力可竭。腕力難至也。

衛玠以人有不及。可以情恕。非意相干。可以理遣。故終身不見喜慍之容。此殆黃憲汪汪之量王濟歎爲珠玉謝鯤哭曰棟梁。有以哉。

張華（燕慕容德之黃門侍郎亦與同名）鷦鷯賦。當與禰衡鸚鵡賦對讀。阮籍見此。歎爲王佐之才。蓋誠有取於不懷寶以賈害。不飾表以招累。靜守性而不矜動。因循而簡易。任自然以爲貲無誘慕於世僞等句也。然華後不聽劉卞之言。廢賈后於金墉城。不堅持不廢太子之議。太子既廢。又不敢引退。亦所謂靜守性而不矜動因循而簡易也。張華所以遂止於此也。

馮紞之譖張華。但言鍾會。言在此而意在彼。吾畏其人。

劉卞忠於愍懷太子。以廢賈后計干張華。雖不見用。其志偉矣。特爲立傳張後。誠憫之也。

書宗室傳

以魏武父子所爲。誠不宜有純臣。然孚以純臣自居。且係司馬氏尊屬。要爲難得。觀其於魏武薨時。諫文帝勿效匹夫之孝。且厲聲於朝。謂當早拜嗣君。於議魏明悼后。引春秋逆王后於齊於高貴鄉公枕尸於股而哭之慟。於陳留王就金墉城。執王手流涕歔欷。不能自勝。不謂之純臣亦似不可也噫。

泰性廉靜。不近聲色。雖爲宰輔。食大國之租。服飾殺膳如布衣。亦甚難得。

騰性儉嗇。無所振惠。臨急乃賜將士米可數升。帛各丈尺。是以人不爲用。而爲李豐所害。後世與騰相似者。豈少也哉。

王敦在武昌。閔王承以湘州唱義、實處高屋建瓴之勢。惜王導周顗等爲敦所敗。元帝聽敦自爲丞相都督中外諸軍錄尚書事。而平南將軍陶侃在江州。安南將軍甘卓在荆州。均未能直薄敦壘。致閔王援絕遇害也。然自古有死。得所實難。忠蹇若王。

庶不朽耳。他日烈王欲手刃王者之敬王劾桓溫大不敬。亦不愧乃父乃祖遺風。

晉武受禪習陽亭侯司馬順歎曰。事乖唐虞而假爲禪名。遂悲泣。由是廢黜往武威姑臧縣。雖受罪流放。守意不移而卒。此誠魏氏純臣司馬孚未可同日而語也。史臣以棲情塵外希蹤物表美之。諒哉。

書宣五王文六王傳

前謂幹簡於情欲。後謂幹淫穢死妾。未免矛盾。然觀其以百錢賀齊王冏。誠以大勢難居。閉門拒東海王越而自於門閭窺之。蓋亦有心人也。史臣美其遠害全身。愚不可及。旨哉是言。

琅邪王伷有平吳之功。而克己恭儉。無矜滿之色。寮吏盡力。百姓懷化。甚難得。扶風王駿鎮關中。善撫御。有威恩。勸督農桑。與士卒分役。己及寮佐幷將帥兵士等人限田十畝。又好學。有孝行。更難得。

新野王歆始不聽嬖人王綏。而從參軍孫洵。遂與齊王冏同建討倫大勳。後不用孫洵出軍之謀。而信王綏坐視之說。遂爲逆賊張昌所害。成敗利鈍。豈不在己哉。

齊王攸爲文帝所愛。幾爲太子者數。是誠武帝所忌。以攸素有賢名。秉禮無慝。故漢淮南魏陳思故事未遽發也。然一旦荀勗馮紞構之。遂屢詔攸就國矣。歐血而薨。年僅三十六。惜哉。使攸不遇此難。他日武效殷之兄終弟及。傳位於攸。何至有賈后之禍。八王之亂乎。若徒光輔嗣君。有賈后在。恐亦不免爲汝南王亮之續耳。

書王荀荀馮傳

王沈受知高貴鄉公。而賣主求榮。似有功於晉。然其子浚承賈后旨。與黃門孫慮共害愍懷太子於許昌。罪一。趙王倫篡位。三王（齊王冏成都王穎河間王顒）起義兵。浚擁衆挾兩端遏絕檄書。罪二。與鮮卑攻克鄴城。士衆暴掠。死者甚多。鮮卑大略婦女。沉於易水者八千人。黔庶荼毒自此始。罪三。以父字處道爲當塗高應王者之讖。謀僭號。罪四。是父爲魏之奸。人子又晉之逆賊也。

荀顗荀勗作晉心膂。而與馮紞合謀。使賈后正位東宮。所以報晉者厚哉。噫嘻。

勗謂省吏不如省官。省官不如省事。省事不如淸心。後世正宜悟此。又云。勿使微文煩撓爲百吏所黷。二三之命爲百姓所饜。後世正宜戒此。

荀勗嘗修律呂。勗子藩又受詔成父所治鐘磬。藩子邃復解音樂。祖孫父子並嫺雅樂。信難得也。

馮紞贊立賈妃於東宮。譖齊王攸使憤怨薨殞。讎毁張華解其重任。皆滅晉之要策。贊謂紞之不臧。交亂罔極。紞殆爲魏而非爲晉者哉。

書賈充楊駿傳

漢重孝弟之選。故賈充弑君之賊。微時亦以孝聞。蓋非是未易與衆賢並起也。

平吳之役。王濬已克武昌。充猶謂吳未可悉定。方夏江淮下濕。疾病必起。蓋前懲赤壁之敗。且懼吳滅遂成張華大名也。

讀楊駿傳后父始封。而以臨晉爲侯。兆於亂矣。如讀左傳師服論成師命名。卜偃論畢萬賜魏等事。

武帝疾篤駿輒改易公卿。樹其心腹。帝詔中書以汝南王亮與駿夾輔王室。駿從中書借詔。得便藏匿。此駿大謬。楊后奏帝以駿輔政。帝頷之。使召中書監華廣令何邵口宣帝旨作遺詔。此后大謬。蓋無宗室無勳舊。犯呂后產祿之嫌。必不克見諒於中外。即無賈后。亦難免夷滅之禍也。

書魏李劉高傳

舒未遇時。不修常人之節。不爲皎厲之事。每欲揚才長物。終不顯人之短。此公度也。後爲相國參軍。府朝碎務。未嘗見是非。至於廢興大事。衆人莫能斷者。徐爲籌之。多出衆議之表。此公才也。此舒所以克躋司徒也。

劉寔知會艾必破蜀已難。知其皆不還更難。客問其故。笑而不答。則尤難。

劉寔崇讓論。如讓道興。賢能之人不求而自出矣。爲一國所讓。則一國士也。天下所共推。則天下士也。推讓之風行。則賢與不肖灼然殊矣。推讓之道興。則賢能之人日見推擧。爭競之心生。則賢能之人日見謗毀。能否混雜。優劣不分。士無素定之價。官職有缺。主選之吏不知所用。但案官次而舉之。其所舉必有當者。不聞時有擢用。不知何誰最賢故也。所舉必有不當。而罪不加。不知何誰最不肖也。等語說理警闢。與孟子國人皆曰賢章可互相發。惜文頗繁複耳。

書王渾王濬唐彬傳

王渾諫出齊王。謂攸今之國。適足長異同之論。以損仁慈之美。而令天下窺陛下有不崇親親之情。此言遺有害而無利也。攸爲太子太保。與太尉汝南王亮衞將軍楊珧共爲保傅。幹理朝事。三人齊位。足相持正。此言留有利而無害也。嘉謨不納。大亂遂伏。晉武不足惜。負齊王耳。

王濟豪侈俊爽。自是晉人本色。於諫出齊王不惜忤旨左遷。不愧乃父。而答武帝尺布斗粟之謠。常爲陛下恥之。他人能令親疏。臣不能使親親。以此愧陛下耳數語。尤不得以好以言傷物少之。

孫楚驢鳴。僅娟死王濟。尙不如戰國時雞鳴狗盜能救生孟嘗也。

王渾爲豫州刺史。與吳接境。宣布威信。前後降附甚多。王濬爲益州刺史。懷輯殊俗。待以威信。蠻夷徼外多來歸降。羊祜在江陵。前後降者不絶。更增修德信懷柔初附。晉武用賢若此。無怪其統一宇内也。

濬上疏謂天變難預。令皓卒死。更立賢主。文武各得其所。則强敵也。可見吳本强敵。以主不賢。文武不得其所。遂可破滅。又云臣作船七年。日有朽敗。可見欲伐人者時未至不可輕舉。時已至刻不容緩。又云臣年已七十。死亡無日。可見以平吳爲己任。不再屬望他人。

武紀載孫皓窮蹙請降。送璽綬於琅邪王伷。三月壬申。王濬以舟師至於建鄴之石頭。孫皓大懼。面縛輿櫬。降於軍門。濬杖節解縛焚櫬。送于京都。收其圖籍。琅邪王伷傳載孫皓奉箋送璽綬。詣伷請降。詔書亦有賊震懼遣使奉僞璽綬二語。濬傳則云吳送降文於濬。奉所佩璽綬。委質請命。壬寅。濬入于石頭。皓乃備亡國之禮。素車白馬。肉袒面縛。銜璧牽羊。大夫衰服。士輿櫬。率其僞太子瑾。瑾弟魯王虔等二十一人。

造于壘門。濬躬解其縛。受璧焚櫬。送于京師。收其圖籍。封其府庫。軍無私焉。又三國志孫皓本傳。前云王濬順流將至。司馬伷王渾皆臨近境。皓分遣使奉書於濬伷渾。書尾皆有奉所佩印綬委質請命等語。後云壬申王濬最先到。於是受皓之降。解縛焚櫬。延請相見。伷以皓致印綬於己。遣使送皓。皓舉家西遷。統覽詳按。司馬伷得皓所送璽綬。王濬以舟師先到受降解縛。均無異辭。惟送皓至都。晉書皆曰王濬。濬表且有云臣屯聚蜀人。不時送皓。欲有反狀等語。而吳書乃云司馬伷。當以晉書爲是。雖何攀傳有攀勸濬送皓與渾。由是事解二語。似未足信。又武紀三月壬申吳書皓傳亦作壬申。則濬傳壬寅誤也。

堯克讓而蕩蕩則天。禹不伐而有國不與。下至范燮後入。欒郤讓功。藺氏引避。廉頗負荊。讓之所繫大矣哉。渾不如此。欲分濬功。不惟不逮古人。視杜預與濬書。足下既摧其西藩。便當徑取秣陵。度量相越。不已遠乎。况濬乘勝長驅。實係爲國。渾所瑣瑣。亦匪節度。甚至誣濬得吳寶物。又密結有司奏濬赦後違詔大不敬。直與鍾會陷鄧艾相似、向使濬不上書自理。族且不保。安能角巾私第耶。至晉武詔渾。嘉其督率所統。遂逼秣陵。令賊孫皓救死自衛。不得分兵上赴。以成西軍之功。又摧大敵。獲張悌。使皓塗窮勢盡。面縛乞降。於濬不聽有司所奏。封爵進官日益尊信。庶幾將將之才。不愧君人之度。

唐彬與濬伐吳。爲衆軍前驅。應機制勝。所向有功。未至建鄴二百里。稱疾遲留。以示不競。此殆足愧渾濬。然濬苟顧護嫌疑以避咎責。亦非濬之所以爲濬也。

書山濤王戎樂廣傳

山濤與盧欽論用兵之本。以爲不宜去州郡武備。而武帝不用其言。蓋但防州郡謀叛耳。

愍懷太子爲賈后所誣。王衍懼禍。表離女婚。後爲元帥。敗於石勒。復勸勒稱尊號。祖述老莊者固如是乎。老莊自有眞。馮道之流豈得僞託乎。

王澄本不知兵。而刺荊州。領南蠻校尉。見紿于王如。被敗于杜弢。受戮于王敦。理有固然。非不幸也。

樂廣値世多虞。朝章紊亂。淸己中立。任誠保素。蓋在位而不謀政之徒耳。不得託名老莊也。卽欲爲黃叔度。亦不宜竊位。

書鄭李盧華石溫傳

鄭袤聞司馬師惟不見鄭光祿爲恨之語。追送師於近道。蓋懼禍不得不爾也。師謂故知侯生必來。遂與共載。且問計焉。亦疑與毋丘儉通。特先以言餂之也。袤竟云深溝高壘以挫其氣。此亞夫之長。在袤雖藉此脫禍。在師甚感其助己矣。

鄭默開倉振荒。自表待罪。前有汲黯。未足褒歎。至遭母喪。葬不還職。自陳懇至。久而見許。遂改法定令。聽大臣終喪。則誠孝子不匱。永錫爾類者矣。

盧志勸齊王穎應冏起義。喜事者能之。至前鋒失利。勸穎選銳用奇。不愧謀主。功成之後。勸穎還藩。委重於冏。尤爲上計。其後張昌亂平。勸穎弗討長沙王乂。不從。王浚攻鄴。勸穎奉天子還洛陽。不從。皆穎失譽致敗之由。穎不足惜。負此心膂可惜。

華嶠以漢紀煩穢、慨然有改作之意。及爲臺郎。遂就其緒。起於光武。終於孝獻。一百九十五年。爲帝紀十二、皇后紀二。典十。傳七十。及三譜序傳目錄。凡九十九卷。改外戚傳爲皇后紀、以次帝紀、名漢後書。永嘉喪亂。經籍遺沒。嶠書存者五十餘卷。今嶠漢後書不傳。而范氏後漢書幸傳。後漢書百二十卷。分十紀。八十列傳、有皇后紀無外戚傳。與嶠書同。則范氏殆纘嶠緒也。又司馬彪撰有續漢書。起世祖。終孝獻。爲紀志傳凡八十篇、謝沈袁山亦各著後漢書百卷。袁弘撰後漢紀三十卷。今皆未見。

書劉和武任崔郭侯何傳

劉毅言議切直。武帝克容。庶幾令辟。至毅疎九品八損。較賣官錢入私門語更見詳盡。然毅後爲青州大中正。清濁區別。殆亦所謂有治人無治法也歟。又何攀爲梁益二州中正。亦克爲巴西陳壽閻乂犍爲費立申明曲直。

任愷惡賈充爲人。不欲令久執朝政、會秦雍寇擾。奏遣出鎭。此實大晉之福。而荀勗以一己富貴計。必欲留充。遂至南風烈烈。宗社爲墟。此殆天奪司馬氏魄。非任愷一人之咎也。

馮恢以父愛弟淑。乃還鄉里陽瘖不能言。使淑得襲父爵。而己不尸讓名。泰伯至德。復見晉代。崔洪斥曰微善。豈公論哉。

書劉頌李重傳

劉頌使蜀。表求振貸。不待報而行。亦有汲黯之風。雖除名益彰其美耳。至趙王倫既害張華。而頌哭之。孫秀等議加倫九錫。而頌爭之。置死生於度外。豈復慮人害之邪。

書傅玄傳

玄云。王人賜官冗散無事者。不督使學則當使耕。無緣放之使坐食百姓。此殆制治之術。咸咸傳云先并官省事。靜事息役。上下用心惟農是務。抑亦弭亂之略。

書向雄段灼閻纘傳

向雄哀哭王經。收葬鍾會。與漢脂習哭臨孔融。胡騰殯殮竇武相類。

向雄諫出齊王。段灼請推恩諸王。閻纘上書理太子冤。皆可謂乃心晉室。然均不見聽納者。司馬氏世載凶德。宜弗永祚。固不得以逆取順守冀之也。

書阮嵇向劉謝胡毋畢王羊光傳

阮籍有濟世志。屬魏晉之際。天下多故。名士少有全者。遂酣飲爲常。於是文帝欲爲武帝求婚。以醉不得言而止。鍾會問時事。欲致之罪。亦以酣醉獲免。酒國信亂日桃源哉。貌爲不拘禮敎。而事母竭孝。抑所謂不能測也與。

阮孚未知一生當著幾量屐。幾量猶幾何也。或作幾兩。意頗異。謂幾何雙也。

阮修傳至或無言。但欣然相對。與莊子相視而笑。莫逆於心同。蓋以不言言。無言實無不言。是誠善言者也。

阮修卽莊子逍遙游作大鵬贊。有超世高逝莫知其情語。而死於賊。惜哉。

阮裕爲王敦主簿。終日酣醉。以酒廢職。得步兵。酣飲遺意。羊曼在王敦時亦然。又裕云不能躬耕自活。必有可資。曲躬二郡。豈以騁能。私計故耳。陶淵明爲彭澤令。正同此旨。

古之君子交絶不出惡聲。嵇叔夜與山巨源書。平心靜氣。出肺腑相示。實無惡聲。其所以絶交者以不相知耳。不相知卽宜絶交。交豈易言乎。

鍾會造康。康不爲之禮。而鍛不輟。與桀溺耰而不輟。丈人植杖而芸。頗似。然鍾會匪子路比也。以此憾之。譖以臥龍。被害東市。廣陵散絶。哀哉。

向秀思舊賦。踐二子之遺迹兮。歷窮巷之空廬。歎黍離之愍周兮。悲麥秀於殷墟。蓋慟亡二子若亡二國。非謂二子仰思魏都也。又昔李斯之受罪兮。歎黃犬而長吟。悼嵇生之永辭兮。顧日影而彈琴。則謂李斯仕亂世罹殃害。嵇生不仕亂世亦罹殃害。且深美嵇生就死從容。不似李斯臨死憤恨。度量相越甚遠也。

劉伶雞肋不足以安（一作容）尊拳之語。得老氏柔下之旨。其酒德頌。坦步漆園。勝嵇生矣。

王敦逆迹已著。謝鯤陽爲不知。勸朝天子。蓋欲以大義戢篡奪之謀。縱難爲桓文。庶幾以桓溫終耳。其態閑定。心抑苦矣。

王孝孫以尼名甚怪。然孔聖可字仲尼。孝孫何必不名王尼。一以尼山故。一以慕孔故也。滄海橫流。處處不安。亦孔聖所謂滔滔者天下皆是也。

知王敦不臣。則終日酣醉。諷議而已。值蘇峻作亂。則勒衆不動。以死報國。羊曼若此。庶幾不愧名士。

胡毋輔之方詣某令。望見光逸。識爲奇才。便呼上車與談良久。後與客閉室酣飲。光逸窺叫狗竇中。遽呼入與飲。吾不奇光逸。而奇輔之。蓋有才難。解憐才尤難也。

書曹庾郭庾秦傳

庾峻疏謂山林之士。淸邵足以抑貪汙。退讓足以息鄙事。節雖離世。而德合於主。行雖詭朝。而功同於政。此言重視山林之士有裨當世也。又謂文士競智而務入。武夫恃力而爭先。官高矣而意未滿。功報矣其求不已。此言徒重朝廷之士弊每如此也。

郭象爲太傅主簿。未能匡正東海。而任事專勢。熏灼內外。已屬可鄙。至竊向秀莊注。但易馬蹄一篇。補秋水至樂篇。尤爲行同發冢。事等篡國。後世盜人著述者。大抵效象所爲耳。

讀庾純傳如讀灌夫傳。所異者純有羊琇王濟佑之。未被縛被殺。純事後執謙引罪。深自奏劾。齊王攸劉斌龐札等據理力爭。幸免譴累耳。又詔謂疑賈公亦醉。若其不醉。終不於百客之中責以不去官供養。尤晉武異於漢武處。蓋是時賈女僅爲太子妃。不若蚡女兄爲皇太后。故晉武易伸乾斷也。

秦秀議何曾謚曰繆醜。議賈充謚曰荒。雖皆未從。不悖周公作謚初意。至王濬爲渾所譖。秀上言切直。齊王攸之國。秀又以議留忤旨。諤諤不改。信忠直哉。

書皇甫摯束王傳

皇甫謐謂生爲人所不知。死爲人所不惜。至矣。以無名。名不愧有道之語。貴城陽太守而賤梁柳。世俗大抵然也。謐獨不然。所謂君子之所爲。衆人固不識也。又三國志張裔傳。人自敬丞相長史。男子張君嗣附之。疲倦欲死等語。可與此對勘。謐年四十。喪所生後母。遂還本宗。似恝然。二十歲時因後母任氏流涕訓勉。帶經而農。遂作高士。亦可謂克奉母志矣。其篤終論謂唯賫孝經一卷。示不忘孝道。蘧篨之外。便以親土。土與地平。還其故草。使生其上。此與喜黃老言之楊王孫同調。不過非裸葬耳。未知謐葬後母任氏如是否。

皇甫方回諫陶侃勿詣王敦。而己乃不知避王廙。卒被收斬。殆亦神龜能見夢於元王而不能自出漁者之籠乎。噫。

摯虞思游賦。治楚騷漢賦於一爐。局亦開張。至東堂對策。說理誠當。而意近諛。無怪乎後作太康頌。有備僭岷蜀。度逆海東。穆穆宮廟。歌雍詠鑠等語也。

今尺長於古尺。潘岳謂不宜復改。虞主改今從古。且謂樂府用之律呂不合。史官用之曆象失占。醫署用之。孔穴乖錯。而豈知後世樂府惟外樂是好。安論律呂。史官惟外曆是遵。安問曆象。醫署惟外藥是投。安計孔穴耶。

束皙玄居釋。翟璜不能迴西鄰之寇。平勃不能正如意之立。此就不能言也。干木臥而秦師退。四皓起而戚姬泣。此就能言也。故下有何舍何執何去何就等語。

書郤詵阮种華譚傳

以策問取人。雖始西漢。實古者詢事考言遺意。今觀郤詵爲雍州刺史。威嚴明斷。甚得四方聲譽。阮种爲平原相。爲政簡惠。百姓稱之。華譚爲郟令。兵亂之後。境內饑饉。傾心撫卹。甚有政績。皆匪純盜虛聲者比。足見以文衡士。未可厚非也。

書愍懷太子傳

愍懷師傅大抵名臣。而竟長不好學。惟與左右嬉戲。使不遇害。決非令主。然使無賈謐讒構。不得廢。無孫秀反間。亦不得遽死也。謐欲藉賈后除太子。長保一己富貴。秀欲藉趙王倫除太子。大啓一己富貴。太子焉得不廢。焉得不死哉。

書陸機陸雲傳

士衡辯亡論上篇尾效過秦。下篇首效子虛。尾亦效過秦。至豪士賦。庸夫可以濟聖賢之功。斗筲可以定烈士之業。廣樹恩不足以敵怨。勤興利不足以補害。政由甯氏。忠臣所以慷慨。祭則寡人。人主所不久堪等語。誠憤誠痛。惜冏（齊王冏）不悟。終致敗滅。機雖將門子孫。實非將才。觀其列軍。自朝歌至於河橋。鼓聲聞數百里。無異昭烈伐吳之師也。況盧志毀之於始。孟玖譖之於終。而欲負其才望遂匡世難得乎。士龍爲浚儀令。能發姦獄。爲吳王宴郎中令。愛才好士。多所貢達。匪尋常才士可比。惜後仕穎、（成都王穎）亦與兄同時遇害。

陸喜謂龍蛇其身。沈默其體。潛而勿用。趣不可測。此第一人。避尊居卑。祿代耕養。玄靜守約。冲退澹然、此第二人、體國思治。心不辭貴。以方見憚。執政不懼。此第三人。斟酌時宜。在亂猶顯。意不忘忠、時獻微益、此第四人、溫恭修愼。不爲諂首。無所云補。從容保寵。此第五人。蓋第一人不仕亂世、而實有濟世安民之略者也。第二人爲貧而仕。而實潔身事外者也。第三人治亦進。亂亦進。而實欲轉移世運者也、第四人雖仕亂世、不願素餐尸位者也、第五人則僅不長君之惡。逢君之惡耳。

制於二陸。有遠超枚馬。高躡王劉。百代文宗。一人而已等語。未免溢量、

書夏侯湛潘岳張載傳

孝若抵疑。謂道學貴游。閭邑搢紳。皆高門之子。世臣之胤。又云不知士者無公誹。不

得士者不私愧刺世憤時。可謂極矣。至噏風飲露不食五穀。登太清游山嶽。靡芝草弄白玉。不因而獨備無假而自足。不與人路同嗜欲。不與世務齊榮辱等語。則亦莊子藐姑射之山有神人居焉。不食五穀。吸風飲露。乘雲氣。御飛龍。而游乎四海之外。其神凝。使物不疵癘而年穀熟之遺旨也。

潘岳能文。而與石崇等諂事賈謐。而爲搆愍懷太子之辭。無行至此。何怪文人爲世所輕耶。卒與石崇同死孫秀之手。雖受誣枉。匪不幸也。

潘岳作閑居賦。不甘閑也。潘尼著安身論。知所安也。今觀尼論天下猶我。故與天下同其欲。己猶萬物。故與萬物同其利。達則濟其道而不榮也。窮則善其身而不悶也。用則立於上而非爭也。舍則藏於下而非讓也。榮之所不能加。利之所不能勸者。害之所不能嬰。譽之所不能益者。毀之所不能損等句。皆見道語。非岳賦退求己而自省。信用薄而才劣。奉周任之格言。敢陳力而就列云云所可比。

張載榷論有時平則才伏。世亂則奇用等語。未嘗無意功名。後雖仕宦。以世亂稱疾

告歸。亦庶幾知止不殆者也。張協出處亦與載同。所作七命、嘉遯龍蟠、超世高蹈。游心於浩然、玩志乎衆妙。不慙自贊、

書江統孫楚傳

王者無外。天下一家、中國一人。寧復斷斷彼此耶。況外無止境、昔外夷。今外國。他日或且外行星外世界、何能盡滅衆有、惟我獨住耶、雖然。各處其宇。有害不害。徙令雜居。不害亦害。江統所謂徙。乃徙令不雜居。非徙令雜居也。雜居相讎。不雜居或相侵。相侵害在藩籬。相讎害在堂奧。害在藩籬。我可爲漢唐。害在堂奧。我難免爲晉宋矣。噫嘻。

書羅滕馬胡陶吾張趙傳

馬隆與勇士三千西度溫水。虜樹機能等衆萬計。或乘險以遏隆前。或設伏以絕隆後。今共匪於國軍亦每每如此。然馬隆能斬樹機能、遂平涼州。而國軍數十萬。會剿江右共匪數年。未嘗斬一巨匪。且屢被匪敗。喪師折將甚衆。蓋智勇不及馬隆也。

胡奮聞女爲貴人而哭。楊駿以后父驕傲自得。卒之奮善終。駿赤族。禍福自召。諒哉

書周處周訪傳

氏寇齊萬年謂周處才兼文武。若專斷而來。不可當也。如受制於人。此成擒耳。何知處之深耶。孫秀欲處以老母辭。陳準請詔孟觀以精兵萬人爲處前鋒。皆知梁王彤必置處於死地。欲於事前救之耳。處明知必死而不避。矢盡援絕。力戰以殉。可謂烈也已矣。

周玘彊毅沉斷。名重一方。故能以在野之身。卒合鄉里義衆。三定江南。今赤焰猖獗。我輩未能爲周玘。抑可愧恨。

周玘與王恢謀誅執政。事泄未舉。玘子勰與徐馥起兵。又以叔父札不同而罷。亂世豪宗有此兩衅。欲免禍難矣。札始開門應敦。（王敦）後竟爲敦所殺。好利內荏。適自禍耳。

周訪器兼文武。屢建勳庸。與李矩郭默相結。慨然有平河洛之志。王敦若無逆謀。以中原之事任訪。晉豈以南渡終耶。

書八王傳

亮昔爲東中郎將。討諸葛誕於壽春。失利。其無用一也。都督雍涼軍事。遣將劉旂救胡烈不至。其無用二也。後遇楊駿匿詔。不敢聲討。其無用三也。楚王矯詔。不敢拒戰。其無用四也。惟無用故受禍。惟亮無用故啓八王之禍。

瑋性很戾。賈南風藉以殺亮殺瓘。（衛瓘）復藉殺亮殺瓘之罪殺瑋。是八王之禍雖自賈啓。實發難於瑋也。瑋既發難。縱聽岐盛之謀。匡正王室。恐亦與趙王倫等耳。何能遂安天下乎。

秀等忌冏。不先殺冏。乃出冏鎭許。此所謂養虎自貽患。然使倫不篡竊。冏亦未敢遽起也。即冏等起。倫所遣將許超張泓始亦勝利。若非孫輔徐建軍亂自走。亦未必一誤再誤。遂遭覆敗。

冏既立大勳。不知歸國。反受九錫輔政。大築第館。沉於酒色。此與趙王倫何異。蓋不如是晉亂不極。晉亂不極。晉祚不斬也。天之惡晉。抑尤甚於惡魏與。

八王中惟長沙王乂小心忠孝。有大功無一罪。乃河間王顒包藏禍心。名爲唱義。實欲令乂死冏手。然後討冏廢惠立成都王穎。己爲宰相。既爲宰相。必更殺穎。始計未符。乃與穎稱兵犯闕。東海王越庸妄闇虐。不知顒將張方將退。反潛與殿中將收乂。送金墉城。且密報張方就金墉收乂。顒肉不足食。越罪可逭乎。綱目書東海王越使張方殺長沙王乂。一使字嚴於斧鉞矣。

穎始與冏討倫。黄橋之役。轉敗爲勝。過河長驅。遂入京都。何其壯也。有功克讓。覲訖歸鄴。冏卽馳送。住車流涕。不及時事。但念母病。抑亦遠矣。厥後冏被乂誅。穎乃與顒犯闕。乂既遇害。穎爲皇太弟。僭侈日甚。有無君之心。竟致大失衆望。身喪名敗。又何劣耶。

河間王顒反覆小人。始附趙王倫。不奉冏檄。嗣聞冏等兵盛。乃更討倫。其反覆一也。後檄乂討冏。又令李含等潛圖害乂。其反覆二也。先廢皇太子覃。立穎爲皇太弟。後又廢穎。以豫章王爲皇太弟。其反覆三也。既與張方刼遷車駕。復令方親信將郅輔夜斬方。且咎輔殺方因斬輔。其反覆四也。

越昔密報張方就金墉收乂。致被炙殺大罪一。後恐淸河王覃終爲儲副。矯收付金墉城害之大罪二。又疑朝臣貳已誣帝舅王延等爲亂。收付廷尉殺之。大罪三。

石勒焚越柩。並以騎圍射越衆王公士庶死者十餘萬。雖曰異種相讎。抑亦爲越所累而後然也。

書解孫孟牽繆皇甫張李張閻索賈傳

趙王倫孫秀以夙憾害解系解結。結女當嫁而禍起。願從坐謂家既若此。我何活爲。與孔融子覆巢之下安有完卵同一哀音。

趙王倫篡位。孫旂子姪受署僞朝。旂制之不可。但慟哭而已。旂後坐斬。幷夷三族。甚可喟惻。古云罪人不孥。又曰予則孥戮汝。意者常罪不孥。非常乃必孥戮乎。觀唐廢武后未斬三思五王備受酷毒。國幾顛覆。則族誅亦未可厚非也。

周處受制梁王。以身殉國。未能生擒萬年。威懾氐羌。實處遺憾。而孟觀藉陳準張華等力專征萬年克奏此績。抑何幸耶。後冏討倫。覩屯苑。以紫宮帝坐無他變。謂倫應之。竟爲倫守。倫敗被戮。不知紫宮帝坐乃應惠帝。是解天文適以自誤也。何不幸耶。

河間王顒反覆。大抵李含敎之。是李含尤反覆小人也。夏侯奭合衆應冏。而顒誅之。冏檄至。而顒執冏使送之於倫。又遣張方率衆赴倫。皆含之謀。後聞冏等兵盛。含統鐵騎至潼關。並迴遣張方軍以應義師。雖反覆猶卽於正。洎乎內仕。懼見搆陷。矯詔赴顒。說以討冏。且欲借冏殺乂。以重冏罪。計極毒很。卒之乂克誅冏。含志未肆。雖尹河南。見戮於冏。是亦孟子所謂盆成括也。可不戒哉。

懷帝蒙塵。索琳與賈疋梁綜麴允等糾合義衆。擁立愍帝。以匡復晉室爲己任。亦旣五載。顯烈壯猷。甚爲難得。洎後愍將降曜。琳乃遣子向曜求官。必無是理。意者以是緩師。將乘懈背城借一耶。年遠不可考。惜哉。

書周成荀華劉傳

周浚隨王渾伐吳。旣破張悌。俘馘萬計。遂欲渡江直指建鄴。誠以王濬已至武昌。吳又衆叛親離。進必得志也。渾闇於事機。徒欲愼己免咎。何怪濬他日譏其不早縛皓臣至便得乎。

成公簡果不求榮利。潛心味道。何至因位在馥下而以王莽董賢誚馥耶。晉史不可信往往如此。

荀晞以諫殺閻亨。而明預更輿病諫之。預誠賢士哉。

書劉琨祖逖傳

劉琨與石崇歐陽建陸機陸雲等爲賈謐二十四友。本浮薄喜事之徒。雖後屢遇艱險。幸而獲濟。似亦有功於國。然謬信徐潤之譖而殺令狐盛。不聽箕澹之諫而遽討石勒。躁妄如此。豈能爲國柱石乎。卒被縊於段匹磾。非不幸也。

祖逖渡江。使黃河以南盡爲晉土。逖亦能矣哉。觀其獲駿馬。徑與李頭。獲子女皆令歸本。僞爲豐飽以紿桃豹。且潛襲石勒饋豹之糧。不愧古大將也。又劉琨素奢豪。嗜聲色。逖克己務施。不畜資產。此亦二人優劣最顯處。

書邵李段魏郭傳

石勒不害邵續、一則曰忠於其君者吾所求。再則曰此眞高人、不如是安足貴。孔子謂夷狄有君、以勸觀之益信。

李矩破石勒。破長安羣盜、破劉元海。已不易。復破劉暢。破劉粲。遂使劉聰憤恚發病死。靳準（劉粲將）起兵殺粲、發聰冢斬尸。扶送梓宮。歷年積恨。得準一洩、非矩曷克致此哉。後矩爲石勒所敗、暫降劉曜。竟爾道卒。可閔也已。

疾陸眷若聽文鴦諫言、不贖末波。何至他日石勒厚賂末波、匹磾爲末波所敗。文鴦爲石季龍所執、匹磾爲石勒所害哉。噫。

書武十三王元四王簡文三王傳

淮南王允知倫有逆志。密養死士、而未有謀主、故雖有太子左率陳徽勒東宮兵爲內應、而東掖門爲王輿所閉。不能赴宮奉天子討倫。倫子虔反得遣伏胤舉空版紿允。致允開陣下車。爲胤所害也。否則誅倫何待三王會師以後哉。

道子少以淸澹爲謝安所稱。及爲揚州總錄。乃與孝武帝酣歌爲務。親暱姏姆尼僧。蓬首昏目爲長夜之飮。官以賄遷。政刑謬亂。人誠不易知哉。

張法順說元顯令劉牢之殺桓謙兄弟。一去桓玄耳目。二使劉牢之離貳於我。計亦甚譎。然牢之必不受命。元顯亦未肯逆爲其所也。其後牢之竟降桓玄。元顯與道子悉死桓玄之手。法順固有刀筆才。所遇非主。抑可憫已。

讀晉書蠡述卷三

岳陽李澄宇洞庭著

書王導傳

元帝徙鎮建康。吳人不附。導乘帝上巳觀禊。與王敦及諸名勝（謂名士勝流）騎從。以肅觀聽。於是吳人紀瞻顧榮拜帝道左導又勸帝優禮顧榮賀循紀瞻周玘。由是吳會風靡。百姓歸心。可見資望爲事功之母。而禮又資望之母也。

古者學必明倫明倫必實踐。禮者實踐之節文。故周易於履謂君子以辨上下定民志。蓋實踐而效乃如此也王導上書汲汲以興學正倫爲言。可見晉去三代遠。猶庶幾三代遺意。後世雖有學。不言倫。更不及禮。則學爲造亂之源。制罪之藪。抑又何恠。蔡謨以短轅犢車長柄麈尾相戲。而導大怒。庾亮遙執朝權。趣向者多歸之。而導內不能平。皆學養未到之驗。

書劉弘陶侃傳

劉弘既破張昌。進斬張奕。兵貴神速。此類是也。既督荊州。叙功銓德。隨才補授。勸課農桑寬刑省賦文武兼資不其諒哉。至以零陵米三萬斛給益州刺史使國無西顧之憂。給田種糧食與在荊流人并擢其賢才。隨資敘用使不復爲盜賊深慮遠猷於是乎在。又不斬張光不疑陶侃。皆所謂大丈夫行事磊磊落落也。

陶侃至洛陽數詣張華華初以爲遠人。不甚接遇。楊晫與侃同乘見顧榮。而溫雅謂晫奈何與小人共載蓋晉重中原人。又重門望。故所見如此。孤寒起家信不易哉。

王敦於侃再破杜弢。表爲荊州刺史。於侃坐張奕叛免官表以白衣領職於侃三破杜弢奏復侃官可謂知侃矣。然欲引爲己用耳。大功屢建。敦復忌侃徙刺廣州蓋憚侃忠正。必不贊彼逆謀。且勳望日隆。或遂於彼不利也。此王敦所以終爲王敦也。

蘇峻作逆侃與溫嶠庾亮等俱會石頭。侃既從李根謀於查浦立白石壘。又從殷羨言舍大業而急攻石頭。於是斬峻及峻弟逸。從善如流。宜其有成功也。梅陶與曹識書有曰陶公機神明鑒似魏武。忠順勤勞似孔明。雖曰過譽而侃之爲侃可想已。

書溫嶠郗鑒傳

嶠爲中書令。王敦忌之，因請爲左司馬。當是時。嶠命制於敦手，他人處之。鮮不殆者。乃嶠諫敦以正。不納。不得已謬爲設敬。綜其府事。干說密謀以附其欲，深結錢鳳爲之聲譽。此誠游於羿彀也。卒得入尹丹陽。奏敦逆謀，事定論功。開國建寧，豈非所謂易危爲安轉禍爲福者耶

官寡材精。蓋嶠名論，後世不寤，官愈多。事愈廢，事愈廢。官愈多，材美者不得盡其長。劣者有恃以肆惡。欲天下不亂得乎。

義軍屢戰失利。嶠軍食盡。侃欲西歸，此誠危急存亡之秋也，若非嶠以大義留侃，詳陳利害，建廟讀祝。以忠憤動三軍。安能轉敗爲勝，遂斬蘇峻乎，史謂侃雖盟主處分規略一出於嶠，信哉，無怪綱目書溫嶠以陶侃入討峻也，至峻黨首亂。中道歸順。王導將褒顯之而嶠力爭。尤具遠識，

郗鑒以德望致通顯。其不黨趙王倫。不應苟晞之召。不附和王敦謬論。特立不懼。皆人所難。至王敦次逼京都，衆議大駕拒戰，鑒謂可以算屈難以力競祖約蘇峻之變，

鑒鎮廣陵。流涕誓衆。遣夏侯長等告溫嶠屯據要害。斷賊糧運、靜鎮京口。淸壁待賊。實有智略。非徒大言。都督八州。進位太尉。宜哉。

書顧紀賀薛傳

晉八王之亂。是非功罪禍福。瞬息百變。顧榮爲齊王主簿。恒慮禍及。見刀與繩。每欲自殺。後轉中書侍郎。仍縱酒自掩。望士仕於亂世。苦竟至此。周易所以貴潛龍也。

榮說甘卓反正。遂與周玘紀瞻謀討陳敏。羽扇一麾。敏衆潰散。兵不血刃。蕩平六州。不愧南州冠冕。

書劉刁戴周傳

劉隗彈奏不畏彊禦。後乃携妻子及親信二百餘人奔于石勒。爲勒從事中郎太子太傅。答王敦書所謂竭股肱之力。效之以忠貞。豈不在晉而在趙乎。噫。

傳稱刁協久在中朝。諳習舊事。凡所制度。皆稟於協。雖然。技亦止此。試觀王敦搆逆。協出督六軍。王師敗績。元帝勸令避禍。協不能死守。終被人殺。皆庸夫之歸耳。

戴若思刲陸機感機知已流涕就之機遂與定交機憐才不可及若思克改過尤不可及。

周顗樹犯而不校之風勵視死如歸之節宜別爲傳不宜與劉隗刁協並列。

書應甘卞劉鍾傳

應詹與陶侃破杜弢於長沙賊中金寶溢目詹一無所取惟收圖書與漢蕭何入咸陽略似。

甘卓討敦若不猶豫雖王師已敗尚可進取旋軍襄陽坐待襲害卓誠庸人也哉。

卞壼於庾亮徵蘇峻雖嘗固爭然實未有取峻之策峻既稱兵壼督王師亦乏堅守之算不謂之庸不可然平日力戒放誕臨事以身死國視當日諸臣固加一等也。

劉超以忠謹淸愼爲元帝所拔後雖貴顯處身淸苦其居母喪哀感路人侍成帝於幽厄之中猶啓授孝經論語又與懷德令匡術建康令管旆等謀奉帝出事泄蘇峻害之忠孝蹇蹇古未易有況後代乎。

書孫熊王陳高傳

陶侃表陳頵爲梁州刺史。綏懷荒弊。甚有威惠。而梁州大姓互相嫉妬。說頵年老耳聾。侃召頵還。不訟其他。但言老病。抑亦小人去君子祕法之一也

書郭璞葛洪傳

傳稱郭璞受青囊書於郭公，洞五行天文卜筮之術，禳災轉禍。通致無方。然渡江避難。終被王敦所害。安所謂禳災轉禍哉，惟通致無方乃璞所能耳通致無方與一已死生大局成敗無關故君子循理不問數。

晉尚老莊，大抵在官而淸談。葛洪不樂仕顯，煉丹羅浮。此殆得老子修道養壽莊子游戲汚瀆之意者與

書庾亮傳

庾亮懼爲漢氏外戚之續，辭讓懇惻，可謂能見其大。惟元帝任刑法。以韓子賜明帝。亮諫以申韓刻薄傷化，而他日輔政，反任法裁物以失人心。殊爲可惜。又急徵蘇峻。

未知所備非得嶠侃挽救建鄴且成瓦礫。意者雅量有餘雄略不足乎。亮後欲率衆黜導且因石勒新死有開復中原之謀。迺心王室抑亦不愧忠亮也。

書桓彝傳

桓彝不降蘇峻辭正志堅。如其不濟此則命也八字至今讀之氣王。

恒冲以謝安爲羣情所歸自求外出。外內相維。共濟國事有古大臣風。

書王荀范劉張韓傳

王湛能析易理。能馴馬。且辨馬優劣若秉國鈞。或有可觀。僅以汝南內史終。惜哉。

王述不答王導米價之問。且不隨衆贊美導言。可取者一。庾翼鎮武昌。欲移鎮樂鄉。述箋庾冰止之。立論警偉。可取者二。述爲揚州刺史。主簿請諱。述報以亡祖先君名播海內遠近所知。內諱不出門。餘無所諱。可取者三。述每受職。不爲虛讓。其有所辭。必於不受。可取者四。述令宛陵。頗受贈遺。王導諷以不患無祿。述不與深辯。但答足自當止。後屢居州郡。清潔絕倫。可取者五。述本性急。既躋重位。每以柔克爲用。可取者六年。迫懸車、上疏乞骸骨。雖不許不起。可取者七。知桓溫議遷都爲虛聲。且止移洛陽鐘虡。可取者八。

坦之與沙門竺法師甚厚。每共論幽明報應。便要先死者當報其事。今人亦常有此戲言。然非所論於坦竺二人也。故竺師死後。確報以貧道已死。罪福皆不虛。惟當勤修道德以升濟神明等語。

國寶邪佞不足異、所異者孝武惡國寶。而國寶竟以諂媚孝武有寵、道子怒國寶。而國寶復惑道子。且爲心腹耳、貪縱聚斂。不知紀極、後房伎妾以百數。天下珍玩充滿其室。而卒不免賜死。亦何益耶。

王彌入洛。荀崧與百官奔密。未至而母亡。賊追將及。同旅散走。崧獨披髮從車、守喪號泣。此時寧復計生死哉。賊至。棄其母尸於地。奪車而走。崧被四創。氣絕、蓋抵死抗拒。乃遭此禍耳、至夜竟蘇、匪崧始願所及也。後議元帝廟號、不惜忤敦。繼值蘇峻肆虐。險而不懾。其志嚼然。其氣抑可謂浩然矣。虞預與王導箋。謂崧生有三槐之望。沒無鼎足之名。抑知行苟若菘固不必以得台司與否爲輕重乎。

范汪弱冠至京師。蓋將有爲也，屬蘇峻作亂，王師敗績，不得已遁歸，而是時庾亮溫嶠屯兵尋陽。莫知峻虛實，咸訪汪決進止。遂解褐參護軍事，一已出處與世事相應。大抵如此。求未必得。不求未必不得也。

書王王王虞顧張傳

王允之聞敦逆謀。陽爲大醉。於臥處大吐，衣面並汚。此信免死之法。無怪他日隨父舒之會稽。竟能以精銳三千輕邀賊於武康。轉危爲安。一勝再勝，遂以功封番禺縣侯。除建武將軍錢塘令。領司鹽都尉也。

王彬數敦抗旌犯順殺戮忠良，敦大怒。王導無一語悟敦。而但勸彬起謝。彬竟不謝。敦亦未敢殺彬。吾於此服彬。吾於此惡導。

桓溫屢請北伐不許。輒下武昌。殷浩震懼將告退。王彪之言於簡文。謂浩自爲計。非保社稷爲殿下計。又曉浩以禍福。浩不去職。溫亦旋旆。孝武即位。太皇太后令溫居攝、彪之將令封還溫病求九錫、彪之謂溫病日增。不復支久、可小遲迴、溫之所以未爲王敦劉裕者。蓋彪之之力耳。猗與偉哉。

書陸何褚蔡諸葛殷顧蔡傳

巍巍蕩蕩唐帝所由大哉。斷斷休休、秦相所由、若有陸玩開府。屢表冲讓、後爲司空。所辟掾屬皆寒素有行之士。所謂無能名如有容者非耶。

庾亮以石勒新死。欲移鎮石城爲滅賊之漸。蔡謨議賊之强弱在季龍之能否。可謂一語破的。蓋石勒在時。恃季龍爲爪牙。季龍不死。猶之石勒未死也、復就地就人就時詳舉所疑。可謂知己知彼。後石季龍死。朝野謂當太平復舊。謨謂順天奉時濟六合於草昧、若非上哲。必由英豪。度德量力。非時賢所及。必將經營分表。疲人以逞志、才不副意。略不稱心。財單力竭。智勇俱屈。可謂先見。又謨遷侍中司徒、疏讓有上虧聖朝棟隆之舉。下增微臣覆餗之釁。惶懼戰灼。寄顏無所等語。且謂所親曰。我爲司徒。將爲後代所哂、義不敢拜。可謂克讓、諸葛誕以忠魏被禍。子靚逃吳。吳亡不仕。雖晉武與靚有舊。以爲侍中。固辭歸里。終身不向朝廷而坐。志抑苦矣。孫恢乃爲晉名臣。意者父仇不共戴天。祖仇又當別論乎。

姚襄殺魏憬而并其衆。自非良懦。殷浩既惡之遷之。且謀誅之。何他日又使爲前驅。啓寇機而速己禍耶。又蔡裔聲若雷震。嘗有二偷入室。裔拊牀一呼而盜俱隕。此亦有勇未必有謀之人也。浩委裔以軍鋒。其擇將抑可想已。

書孔愉丁潭陶回傳

蘇峻之反。孔坦與陶回白王導。及峻未至。急斷阜陵之界。守江西當利諸口。彼少我衆。一戰決矣。若峻未出。可往逼其城。導然之。而庾亮不謂然。峻將至。回復謂庾亮。峻知石頭有重戍。不敢直下。必向小丹陽南道步來。伏兵要之。可一戰而擒。亮又不聽。蓋亮本不知兵也。

書謝尚謝安傳

殷浩不能撫用姚襄而襄反於山桑。謝尚不能綏懷張遇。而遇據許昌叛、此其同焉者也、浩遣劉啓王彬擊襄並爲襄所殺。尚討遇亦爲遇所敗。此又其同焉者也。桓溫上疏罪浩。浩坐廢爲庶人。尚已收付廷尉。以甥康獻皇后令但降號建威將軍。此其異焉者也、溫將以浩爲尚書令。怒浩達空函而止。尚譎得傳國璽於蔣幹。（與三國時蔣幹同名）襲破苻健將楊平於許昌。遂復顯赫。此又其異焉者也。

殷浩傳有深源不起當如蒼生何之言。謝安傳亦有安石不肯出當如蒼生何之言。而後人但高談安石不出云云。蓋安石有肥水之捷。深源有山桑之敗。是以異耳。盛名不終可懼哉。

通鑑據晉書敘肥水之戰。於安遂游陟至夜乃還下刪指授將帥各當其任八字、使後人疑安石不曉戎機、但矯情鎭物此通鑑疵謬處

謝琰與從兄玄破苻堅於淮南、後乃敗於逃竄海島之孫恩、蓋苻堅係建號之主、陣堂旗正且堅輕敵而琰等危懼。莊子所謂哀者勝矣此類是也孫恩由海寇陸詭秘

飄忽。琰不持重嚴備。分兵設伏。而但欲輕決一戰。左傳所謂舉趾高心不固矣。無怪父子俱死也。

苻堅既西陷襄陽。東陷壽春。而又急攻彭城。江左岌岌矣。謝玄救彭城。次於泗口。遣田泓沒水潛行告救至。蓋惟恐彭城復陷也。賊既得泓而不殺。反厚賂泓使反言。泓明知不反言必遇害。而先僞許。後實告皆以彭城繫秦晉勝敗故也。而田泓不愧解揚。尤爲可敬。忠義傳載周琦爲譙王承求救。被魏乂偵執。僞許反言。亦與泓似

謝玄揚聲向留城。使敵還保輜重。而實馳解彭城圍。此誠知兵。自是疊次破敵殺將。晉勢大振。苻堅憤部將敗績。傾國進犯。自率兵次項城。衆號百萬。而涼州之師始達咸陽。蜀漢之軍順流而下。幽冀之衆至於彭城。視訶頭沼吳隋氏滅陳聲勢殆相彷彿。而謝玄以八萬距百萬。且先遣劉牢之以五千人直指洛澗。陣斬梁成及其弟雲。玄更親率精銳八千渡肥水。陣斬苻融。堅亦中流矢。衆崩潰。自相蹈藉。投水死者。不可勝計。以少克衆。自孫劉赤壁破曹以來未嘗有也。玄復乘勝取河北。朝廷亦加都

督徐兗青司冀幽并七州軍事。君臣吐氣。猗與偉已。玄住彭城北固河上。西援洛陽。內藩朝廷事不中變。晉豈局促吳會哉。而朝議使玄還鎮淮陰。致有翟遼據黎陽反泰山太守張願舉郡叛之事。玄奉送章節。引咎辭職。其痛心疾首何如也。

書王羲之許邁傳

羲之患殷浩與桓溫不協。以書與浩戒之。浩將北伐。知其必敗。復以書止之。浩圖再舉。又遺浩書有願思弘將來。令天下寄命有所。力爭武功。作非所當。疲竭根本。各從所志。竟無一功可論。一事可記等語。羲之殆以保境息民為務者乎。然與蔡謨順天奉時濟六合於草昧。若非上哲。必由英豪。度德量力。非時賢所及。必將經營分表。疲人以逞志。財單力竭。智勇俱屈云云。似同一別有隱痛也。

殷浩與桓溫不和。羲之嘗為書戒之。而己與王述竟輕啓相輕之釁。豈工於謀人而拙於謀己耶。抑大臣宜和。而廁大臣末行者不必盡和耶。殊不可解。

老莊流為清談。羲之所恨。故蘭亭序有夫人之相與俯仰一世。至亦將有感於斯文云云。其志蓋與孟子闢楊墨同也。否則宴集之時，何遽作死生之感。羲之誓墓，非不樂仕，顯恥位在王述下，難與力競。不如退處林泉，反得附潛龍爲乾初九，託高尙爲蠱上九也。然千載下婦人孺子知有王羲之，不知有王述，則又非述與羲之始料所及矣。

許邁好道。嘗候鮑靚探其至要，謂餘杭懸霤山近延陵之茅山，是洞庭西門，潛通五嶽。陳安世茅季偉常有游處，於是立精舍於懸霤，而往來於茅嶺之洞室，放絕世務。以尋仙舘，初餌朮於桐廬桓山，後茹芝於臨安西山，雖家世士族，自始生至羽化，不慕仕進，蓋視羲之又別開生面者也。

書王蔡羊劉桓朱毛劉鄧朱傳

徐龕部將賨斬周撫。及論功，轉後劉遐。龕遂背叛。此等事古今常有。益信賞尤要於必罰也。

桓伊使奴吹笛而已撫箏。歌怨詩以寤孝武，且明謝安。於是孝武有愧色。安泣下沾

矜。音聲之感人也如是夫。然非推心輔王政二叔乃流言二語亦未必有此顯效也。樂固不可有聲無辭哉

朱伺答楊珉謂兩敵共對。惟當忍之。彼不能忍我能忍。是以勝耳。此言鬬力也。鬬力誠無以易此語。法皇拿破倫謂勝負在最後五分鐘亦祇能忍與不能忍耳然鬬智之忍又當別論。陸遜之忍辱負重庶乎近焉

蘇峻饋祖約米萬斛。約遣桓撫等迎之。毛寶設變力戰。悉獲其米。約用大飢。此大功一也。陶侃加寶督護使斷賊糧。寶於是燒峻句容湖孰積聚。峻頗乏食此大功二也

劉遐嘗爲石季龍所圍妻邵氏單將數騎拔遐於萬衆之中。遐妹夫田防等欲爲亂邵氏止之不從。乃密起火燒甲杖都盡。智勇具備若此殆女將之冠冕哉

苻丕之攻襄陽也。朱序母韓知西北角當先受弊領百餘婢並城中女子於其角斜。築城二十餘丈。遂固襄陽此亦女將冠冕也惜序後不謹備。督護李伯護又與賊應。致襄陽竟陷於賊耳

苻堅不殺朱序。南犯之頃乃遣說謝石。於是序敎石乘堅兵未集擊之。且於肥水戰作、在軍後大呼堅敗、堅衆崩潰、序用南還。序始終爲晉而堅不察其用心、抑何昏憒乃爾。又堅陷襄陽時。殺內應李伯護以徇。亦大失策。蓋天下未定以前、不宜效漢祖斬丁公故事、使晉臣不復爲我內應也。故苻堅之敗。非謝玄敗之、朱序敗之也。且非朱序能敗之。實苻堅自敗之也。

書陳王虞司馬王虞孫干鄧謝習徐傳

陳壽於父喪因使婢丸藥被貶議、沈滯累年。於母喪因遵遺令不歸葬被貶議。廢辱數歲、中正權重、雖不免藉端黜陟、然詗事察行甚嚴。亦可以轉移世道也。

壽以晉臣爲諸葛亮傳、有將略非長云云。特迴護司馬懿而然耳。既曰衆寡不侔。攻守異體、天命有歸、不可以智力爭。又歷以管仲蕭何召公子產周公咎繇況亮、壽何嘗以父被髡故譏貶亮哉、至丁儀丁廙不必立傳、史家翦裁固應爾爾、謂諸葛瞻名過其實。以事觀之亦確、未容執以咎壽也。

張華嘗謂陳壽當以晉書相付。其後從事茲役者。如束晳撰晉書帝紀十志。王隱撰晉史。虞預著晉書四十餘卷。孫盛著晉陽秋。干寶著晉紀自宣迄愍凡三十卷。鄧粲著元明紀十篇。謝沈撰晉書三十餘卷。習鑿齒著漢晉春秋起漢光武終晉愍。以蜀爲正。魏晉爲篡。凡五十四卷。徐廣撰晉紀四十六卷。而今二十四史所列者。厥惟唐太宗御撰。諱淵稱元海。諱虎高祖祖名虎稱季龍之晉書一百三十卷。甚矣傳之匪易也。

綱目以正統與蜀實祖漢晉春秋

書顧袁江車殷王傳

成帝欲假保母周氏名號。顧和疏諫。謂惟漢靈帝以乳母趙嬈爲平氏君。末代私恩。非令典。明人若知此。何至有客氏之禍哉。

袁喬勸桓溫決計伐蜀。謂天下之難。二寇而已。蜀雖險固。方胡爲弱。若以精卒一萬。輕軍速進。比彼聞之。我已入其險要。李勢君臣不過自力一戰。擒之必矣。可謂賊在掌中。洎師次彭模。議者欲兩道並進。喬謂分軍軍力不一。萬一偏敗。大事去矣。不如全軍而進。棄去斧甑。齎三日糧。勝可必矣。深入死地。固宜如此。及去成都十里。與賊大戰。前鋒失利。喬軍亦退。矢及馬首。左右失色。喬麾而進。聲氣愈厲。遂大破之。長驅至成都。此亦朱伺所謂兩敵共對。惟當忍之也。

書王庾劉殷楊傳

王恭以伯舅之重。執忠貞之節。一怒而誅王國寶兄弟。晉陽之甲。信不可再。乃劉牢之以諫恭不從。遂斬顏延以降。並遣人因恭曜軍輕騎擊恭。且閉兗城。險很若此。可爲世道人心一哭。又觀牢之本傳。牢之未叛前。恭參軍何澹之以牢之叛謀告恭。恭置酒拜牢之爲兄。精兵利器。悉以配之。使爲前鋒。恭本傳。恭謂牢之事尅。即以卿爲北府。是亦可謂推心置腹矣。而竟賣恭。無怪他日其參軍劉襲謂將軍往年反王兗州。（王恭）近日反司馬郎君。（司馬元顯）今復欲反桓公。（桓玄）而牢之竟以是失敗自縊而死。且被桓玄斲棺斬首暴尸於市也。

書劉諸葛何檀魏傳

列傳第十五有劉毅字仲雄東萊掖人。而列傳第五十五又有劉毅字希樂彭城沛人。蓋武帝時一劉毅。而安帝時又一劉毅也。

有桓玄簒位。自有劉毅與劉裕等起義討賊。就晉論之。謀簒位者有成都王穎河間王顒。及王敦桓溫陶侃蘇峻。已簒位者有趙王倫桓玄劉裕。而劉裕最後起。與曹氏於漢司馬氏於魏不同。蓋曹氏於漢。尚顯顯有君臣二字在胸。不敢逆取。其簒也往往臨崖勒馬。雖天下熟視莫敢誰何。猶僞讓再三。上飾堯舜。司馬氏於魏。尤而效之。視爲固然。自內翦曹爽夏侯玄王經。外除王淩毋丘儉文欽諸葛誕後。其簒也若探囊取物。且隱然以爲漢復讎自負。至晉八王禍起。五胡亂作。天下以神器非天命有在。可任意盜奪而莫予禁。故晉之謀簒位及已簒位者。獨衆。而前者爲後者驅除。最後者遂泰然九五矣。自是訖隋。君臣道墜。彼輩不足責。且不足哀。惟小民水深火熱甚爲可痛耳。

毅討桓玄有大功。而後討盧循乃敗績于桑落州。蓋憤且驕也。

劉牢之面紫赤色。劉毅面如鐵色。此劉家天然紅黑二淨也。一笑。何無忌請一小縣。桓玄不許。於是密結二劉。（裕毅）共起討玄、竟集大勳。何其壯也、貴盛以後。距盧循別帥徐道覆。不聽鄧潛之之諫、輕決成敗於一戰、竟至握節殞難、又何劣耶。蓋人未得志、遇事周慮殫力。既得志、予智自雄。往往慮絀而力亦萎也。已成名之將、若是者比比、可弗戒哉。可弗懼哉。

魏詠之初在布衣。不以貧賤爲恥。及居顯位。亦不以富貴驕人、此誠六朝不可多得之人。

書張軌傳

張軌明敏好學。定霸河西。內撫遺黎。外攘逋寇。此亦晉之竇融也、子寔嗣位、克纘父績。惜被左道劉弘所害。（列傳第三十六亦有劉弘 都督荆州車騎將軍開府）寔弟茂暨子駿。世執忠順。不負晉室。然駿威行西域後。所置官僚府寺。擬於王者。頗異乃祖乃父所爲矣。

書涼武昭王李玄盛傳

玄盛無心富貴。索嗣逼之。遂啓霸圖。坐定千里。所謂轉禍爲福者非耶。其誡諸子令式洽古訓。甚屬難得。而述志賦悠悠涼道。鞠焉荒凶。杪杪余躬。迢迢西邦。非相期之所會。諒冥契而來同。跨弱水以建基。躡崑墟以爲墉云云。亦紀實也。沮渠蒙遜前以詐降誘士業。設伏蓼泉。士業聞而引還。蒙遜逼之。士業雖幸獲勝。可謂已承雅教矣。何後率步騎三萬東伐蒙遜。一敗再敗。竟於蓼泉爲蒙遜所害耶。猶是人也。猶是地也。不戒而進。哀哉。

張李雖霸河西。未嘗黃屋左纛。且運貢赴援。乃心晉室。故置諸列傳之中。雖與後涼南涼北涼目爲五涼。而不下入載記。

書孝友傳

孝友忠義。舊無專傳。後漢獨行。所舉略備。世衰道微。視孝友忠義爲迂闊者不少。分傳詳列。庶亦政教一助乎。

或謂讀諸葛亮出師表而不流涕者。其人必不忠。讀李密陳情表而不流涕者。其人必不孝甚矣。文章貴託體倫紀之上也。密本傳所載表語。與世本頗異。如躬見撫養世本爲躬親撫養。苟狥私情世本爲欲苟順私情。尫羸之極世本爲特爲尤甚。更相爲命世本爲相依爲命。但臣無祖母無以至今日。祖母無臣無以終餘年。臣密今年四十有四。祖母劉今年九十有六。是臣盡節於陛下之日長。而報養劉世本或作報劉之日短也。等語。實足動天地感鬼神。

密答張華語。以蜀後主擬齊桓甚爲得體。其東堂應詔詩。人亦有言。有因有緣。官無中人。不如歸田。明明在上。斯語豈然。意雖怨望語尚回護。不圖竟以此免其漢中太守也。早知若此。不如弗仕。反得以逸民抗美前代。噫。

王裒以父無罪爲司馬昭所戮。未嘗西向而坐。廬於墓側。三徵七辟皆不就。此誠子道應爾。至洛京傾覆。寇盜蜂起。猶戀父母墳壠不去。遂致遇害。父母九原有知。恐亦責其但知墳壠弗念宗祧也。張泓等肆掠陽翟。庾袞率同族及其庶姓保于禹山。視裒有進矣。

疫癘相染之說。由來久矣。西夷之人尤篤信是說。於是身未病而心已病、欲不相染。自非易易。觀庾衮扶持兄病。兄愈已亦無恙。足破大惑。蓋衮心中但知有兄。不憂不懼。病自無從得入也、

眞孝子無不友者。然以孝聞者常有。以友聞者不常有。蓋兄弟才性不一。加妯娌彼此。縱不隙起細微、難免漸相疎異也、顏含於兄幾復活。絕棄人事、躬親侍養。足不出戶者十三年。於嫂樊目疾。每日嘗省藥饌。察視息耗。且有靑鳥致蛇膽之異。友于至此。古所未聞、及後立朝、守道不貳、孝友忠義本一貫耳。

桑虞雖仕僞朝、而不豫亂。此處亂世不得已之一法、何琦親死不仕、耽玩典籍。此處亂世可以止之一法。

書忠義傳

王豹爲齊王冏建分陝大計。實晉忠臣。而被誅戮。其機蓋啓於長沙王乂離間骨肉何不銅駝下打殺之語。他日乂應顒檄斬冏。顒將張方又炙殺乂。乂乎乂乎。復憶當

日斯語乎。骨肉相殘。至毒極很。豈亦被王豹離間乎。

劉沈奉詔襲顒。顒敗退長安。急呼張方回救。當是時。沈若與皇甫瀶衛博繼進不誤。張方救顒不及。大事定矣。不知以何事遲違。致博父子陣亡。瀶被擒不屈見殺。沈亦旋遘腰斬之禍。可勝慨哉。

麴允才不副職。致愍帝北狩被辱。雖發憤自殺。未足深惜。惟焦嵩擁衆雍州。以素侮允故。不急救允。洛陽傾覆。己亦爲寇所滅。甚可痛恨。

羅企生已與殷仲堪同走。其弟遵生必强留養母。致死桓玄之手。是亦不可以已乎。噫。

張褘不受劉裕密令鴆弑恭帝。而飲鴆自殺。雖無他謀救帝。要亦自得死所也。悲夫。

書良吏傳

胡質爲荊州刺史。子威自京往省。驅驢單行。及告歸。質但賜絹一匹。今豈見是父子耶。威後爲徐州。勤於政術。風化大行。對武帝問有臣父清恐人知。臣清恐人不知二語。雖曰謙順，要亦辨良吏優劣一法也。

去如初至。今人亦聞是言。然未見有眞若建寧令杜軫者也。

曹攄宰臨淄，能平寡婦寃獄。令洛陽，能詰行馬所在。爲齊王記室督，能諷冏高揖歸藩。才可大用。蓋不獨良吏已也，

喬智明愍張兌爲父報仇，母老單身無子。停其獄歲餘。令兌將妻入獄，得產一男。此誠善事，可爲後法，

鄧攸棄子。朝棄暮及，是此子已不勞父力矣。任其行乞，亦必免難。何必明日繫之於樹哉。又他日過江納妾。不詳訊家屬於未納之先，而乃使憶父母姓名於甚寵之後。致誤甥誤己，徙呼恨事。亦不可解。

書儒林傳

懷帝詔於臨海任旭會稽虞喜有志操足以勵俗博學足以明道二語，此殆宋人所謂道學也。後世但以考據爲儒林。匪其舊矣。

王歡通儒。而爲慕容暐國子祭酒。其妻昔日焚毁其書而求改嫁。蓋亦未謬。

書文苑傳

左思爲三都賦。構思十年。門庭藩溷皆著筆紙。遇得一句。即便疏之。未成以前。詣張載訪岷卭之事。既成以後。造皇甫謐請序。慘澹鄭重。作者不當如是耶。思自以其作不謝班張。張華亦歎爲班張之流。謐序且謂班固兩都理勝其辭。張衡二京文過其意。又張載爲注魏都。劉逵爲注吳蜀。衛瓘爲補作略解。人之有技。若己有之。其斯之謂歟。陸機初欲爲此。聞思作之。撫掌而笑。及思賦出。機絕歎伏。以爲不能加。遂輟筆。此與李太白擱筆黄鶴樓何以異。世謂文人相輕。眞才人殆又當別論乎。

趙至與嵇蕃書。雞鳴戒旦。則飄爾晨征。日薄西山。則馬首靡託。與朝霞啓暉。則身疲而遄征。太陽戢曜。則勤劬而夕惕嫌複。

王沈釋時論。公門有公。卿門有卿。賤有常辱。貴有常榮。此重世祿。致寒素不易貴顯也。奔集勢門。求官買職。官無大小。問是誰力。此長鑽競。致寒素更難拔擢也。

士貧賤其常，而富貴其分。要視相遇如何耳。殷末亂世，呂望漁釣遇文王而起。三國亂世，諸葛躬耕。遇昭烈而起。否則或始終不仕。或先仕後隱，既未以一身繫天下安危。何必以小草進支大廈哉，張翰蓴鱸之思，蓋不獨避禍已也。

文士爲世所輕。蓋號稱文士者耳。若眞爲一時文宗。則桓彝陶侃，尙借重袁宏一賦。而桓溫聞風鑒散朗。或搜或引。身雖可亡，道不可隕。宣城之節，信義爲允等語而泣然，陶胡奴聞精金百汰。在割能斷。功以濟時。職思靜亂。長沙之勳。爲史所贊等語而止怒，文士果可輕乎哉。

袁弘三國名臣頌，於孔明有初九龍盤。雅志彌確二語。不曰龍潛而曰龍盤。蓋盤通蟠。潛則必蟠也。又易文言確乎其不可拔。潛龍也。故繼以雅志彌確。

顧愷之每食甘蔗，自尾至本，蓋預留佳境於後。使心不絕望。即不甘亦若甚有餘味也。處己不可使絕望。絕望非所以養生，處人尤不可使絕望。絕望非所以制治。

書外戚傳

褚裒不言而四時氣備、此其所以有皮裏陽秋也、後值石季龍死、慷慨北征、以督護徐龕師敗代陂。遠圖不就。憂恨病卒。蓋亦口不言而心先瘁也。

明帝時。王濛美姿容。嘗覽鏡自照。稱其父字曰。王文開生如此兒耶。子伐於父。非晉人不能有此事。孝武帝時。伏滔預會西堂。還。甫下車。呼子系之謂曰。百人高會。天子先問伏滔在不。此故未易得。爲人作父如此。定何如也。父矜於子。亦非晉人不能有此事。

書隱逸傳

孫登撫一絃琴。猶有聲也。陶潛畜琴一張。絃徽不具。則竟無聲矣。故曰但識琴中趣。何勞絃上聲。然孫登不恚怒不言語。其高似過五柳也。

范粲至孝。故忠於魏。齊王芳被廢。粲素服拜送。哀動左右。自是稱疾。闔門不出。洎乎詔爲侍中持節使雍陽。狂臥車。足不履地。不言者三十六載。遂終於車。年八十四。如此逸民。天下所稀聞。古今所未有也。子喬一舉孝廉。八薦公府。再舉清白異行。又舉寒素。一無所就。年七十八乃卒。非粲孰能復有是子哉。

董養深藏。莫知所終。庶合周易潛龍之義。霍原雖居山中。門徒百數。致有大名。卒爲王浚所害。蓋見而未潛也。楊軻養徒數百。後亦遇害。錢至今猶神特其式異耳。魯褒所論。尤古今中外所同。終身不仕。莫知所終。賢于霍原遠矣。

沈無忌去官還家。散家財五十萬。柴門灌園。琴書自適。貴而能貧。似可免矣。而張軌徵爲府司馬。固辭不赴。遂以病卒。門一杜不可復開。軌曷爲特促其壽哉。

人無害獸之心。則獸亦不害人。此非郭文之虛言。蓋天地萬物皆以心感。無足異也。觀猛獸張口向文。文探去猛獸口中橫骨。猛獸明旦致一鹿於其室前。文與猛獸豈不親若家人父子哉。溫嶠謂文有賢人之性。無賢人之才。而不知文預知淨土前定死期。其才固非尋常人可企也。桓嶠何由知之。又獸卽虎字。避唐諱也。

庾翼以帝舅之重。躬訪郭翻於道。以翻船小狹。欲引就大船。翻曰。使君不以鄙賤而辱臨之此固野人之舟也至今如聞其聲翼俯屈入其船中終日而去至今如見其狀。翻不可及。翼亦可謂難能也已。

陰澹謂索襲棄衆人之所收。收衆人之所棄。味無味於慌惚之際。兼重玄於衆妙之內。宅不彌畝。而志忽九州。形居塵俗。而棲心天外。雖黔婁之高遠。莊生之不願。蔑以過也，所言非誇。眞隱者往往如此。

戴逵以放達非道。著論正之。謂儒家尚譽。本以興賢。其弊至於末僞。道家去名。欲以篤實。其弊至於本薄。皆切到之語。

今是昨非。是陶潛大解脫。乘化樂天。是陶潛大受用。

書藝術傳

藝術卽史記所傳日者龜策。及後漢書方術三國志方伎也。有僅顯占候之驗者。如陳訓卜珝鮑靚麻襦等是也。有附示趨避之道者。如戴洋步熊隗炤黃泓等是也。有別擅厭勝之伎者。如韓友淳于智嚴卿佛圖澄等是也。僅顯占候之驗者。休咎聽諸數。附示趨避之道者。吉凶繫乎人。別擅厭勝之伎者。則禍福屬於彼。彼誠可恃耶。詐僞所由伏。不可不察也。

鳩摩羅什專以大乘爲化。姚興以國師禮待。使譯衆經。宜別爲傳。不得以藝術統之。

書列女傳

辛憲英謂魏文得立爲太子。宜戚而喜。何以能久。此深知治理之語。於晉宣閉魏城門。謂此舉不過誅爽。於鍾會在事縱恣。謂非持久處下之道。將有他志。察事知人。獨具慧眼。又嚴憲女爲傅玄繼室。論何晏鄧颺必敗。及許傅咸爲千里駒。察事知人。殆亦辛氏之亞也。

此傳或以德右。或以才顯。或以節重。或以烈炳。蓋德足致福。才足濟事。節足正倫。烈足禦變。皆女範之大者也。

書四夷傳

日本縣琉球。倂朝鮮。奪滿洲。晉書所謂東夷。今已盡在旭日旗幟之下矣。噫。

肅愼氏野處相盜竊甚易故罪至死吐谷渾隨逐水草廬帳爲屋殺人盜馬甚易故亦罪至死。

此傳所謂西戎。卽漢書西域傳。北狄卽漢書匈奴傳。

書王敦桓溫傳

孔子作春秋而亂臣賊子懼。言編年之史以書法示褒貶也。晉書固紀傳。置王敦桓溫桓玄蘇峻等於四夷傳後。十六國載記前。所謂屛諸四夷不與同中國也。所謂中國而夷狄者。從而夷狄之也。視春秋豈多讓哉。然漢書置外戚元后王莽傳於西域傳後。實開此例。蓋誠深惡而痛絕之也。後漢書置董卓於皇甫嵩後則未知此。

洗馬潘滔目敦爲峰目已露。豺聲未振。若不噬人。亦當爲人所噬。此數語頗近左傳。

敦辭江州牧疏。杜漸防萌。語甚正大。若元帝不引用劉隗刁協。疏間王氏以激之。未必遽有問鼎之事也。

敦既得志。但樹同姓。且不處京師而鎭姑孰。皆必敗之道。

自古有天下者。堯舜以朱均不肖而讓賢。禹以啓賢而傳子。已成之局尚然。而魏武魏文。晉宣景文武世濟其凶。始能篡竊者。更無論矣。王敦無子。以兄含子應爲子。應年少庸劣。敦亦知之。故以我死之後解衆放兵歸身朝廷保全門戶爲上計。惜不力疾入覲。因而謝事。王導在內必可相保。而乃有及吾尚存悉衆而下萬一僥倖。計之下也等語。致錢鳳以下計爲上計。敦於是身受惡名。尸被慘戮也。

王導遺含書。告以人心不附。天命未改。轉禍爲福。意實詳懇。含雖不答。導有寧忠臣而死不無賴而生二語。不愧大義滅親矣。

敦旣病死。顧颺說沈充決破柵塘因湖水灌京邑之謀。卽行。亦不過如賈詡教李傕郭汜陷長安。徒忝破壞。不能有成也。

敦尚武帝女襄城公主。溫亦尚明帝女南康長公主。敦以討杜弢功開府。溫亦以滅李勢功開府。敦辭牧之疏可誦。溫辭鎭之疏亦可誦。

溫平蜀後。自江陵北伐。伊水一役。大敗姚襄。遂謁先帝諸陵。修復陵園。若使穆哀二帝克聽其言還都洛陽晉室復興未必不可計日而待也或以曹操迫漢獻遷都相擬。未免文致然操主東遷爲便南征。溫主北遷爲便北伐。亦頗相似。屢疏不納痛闇主未足有爲。起代之心於焉動矣。溫乎溫乎。殆所謂爲人臣而不知春秋之義者乎。噫嘻。

肥水之役。苻堅遠來。兵力未集。且甚驕。故謝玄以少擊衆。竟獲全勝。枋頭之役。我軍屢勝。而深入。客主異勢。且軍輜竭盡。故桓溫以衆急退。不免敗績。非謝玄能桓溫不能也。時與地異也。

書桓玄卞範之殷仲文傳

楊佺期欲襲桓玄。殷仲堪恐尅玄之後復爲己害。又慮玄跋扈。與佺期結婚爲援。卒之仲堪欲兩存桓楊不能。玄竟先伐仲堪敗之。佺期赴援。復被玄敗。且先後並死玄手。此可爲不同心協力者戒。

在昔三國鼎峙。荆襄爲天下樞紐。故始則周瑜關羽呂蒙。繼則羊祜杜預陸抗。皆悴精竭慮於此地。西晉奄有三國。以控制吳蜀。故都督荊州者。大抵宿將重臣。東晉定都金陵。荊襄處國上游。所繫尤鉅。而不軌之徒。亦必既督荊州而後逞。桓玄其著者也。然必固爭江州者。以是時武昌屬江州。而荊州僅有夏口。不能全制大江以扼揚州耳。現某巨頭駐節江右。而兵力實控湖北。暨蘇浙皖豫。是亦東晉時江湖荊揚徐豫六州都督與。

王敦初次以討隗協爲名。王導心思外濟。敦將杜弘有謀勇。周札且開城納弘。故敦克入金陵。至二次犯順。實在病中。衆疑其已死。非若桓玄自統軍旅也。王導欲保全門戶。不贊敦計。非若玄兄石生在內。兄偉從兄謙在外。協力助玄也。錢鳳王含皆非將才。非若玄有馮該苻宏等可用也。王導蘇峻爲國討逆。幸無貳心。非若劉牢之遣子敬宣降玄也。故敦二次犯順竟敗。而玄一次作亂遂篡。

桓玄費盡九牛二虎之力。僅得篡盜八旬。而自劉裕起義以後。所受憂懼苦辱。多非常人所克堪。果何事而雌雞化爲雄乎。安帝反正。桓氏並滅。九原有知。應亦悔恨。

殷仲文傳言何無忌欽遲仲文。遲者俟也。後世以欽遲爲欽慕誤矣。王彌傳亦有遲望將軍及敬待將軍語可互證。

書王張陳王杜杜王祖蘇孫盧譙傳

王敦蜂目巳露。豺聲未振。王彌更豺聲豹視。好亂樂禍。然敦謀簒逆不成。彌雖肆毒洛陽亦被石勒襲殺。

杜弢益州秀才。素有淸望。以巴蜀流人汝班蹇碩等數萬家布在荆湘。爲舊百姓所侵苦。加湘州刺史荀眺因蜀賊杜疇等擾亂。欲盡誅流人。於是班等懼死。擁弢應疇。遂走荀眺。破嚴佐。敗王機。死郭察。害崔敷杜鑿鄭融等。其遺應詹書極思內順。文理亦美。詹爲轉呈朝廷。乃受弢降。後以諸將殉功者攻擊不巳。復起爲亂。陶侃使鄭攀邀擊。大破之。衆黨散潰。弢乃遁逃。不知所在。可見一經作賊。人固以是不相恕。已亦以是不自安。必至相激相敗滅。可痛也。

祖約以怨望故與蘇峻謀亂。後降石勒。勒薄其爲人。不見者久之。竟被勒族誅。亂臣賊子不爲夷狄所容。死已晚矣。

蘇峻挾天子據石頭。戰又屢勝。溫嶠等憚之。若非峻輕舍其衆。與數騎突陣。何至授首白木陂乎。天討有罪。於斯益信。

孫恩因叔父泰被誅。逃海聚亡命。始纔百餘人。既襲會稽。有衆數萬。後乃衆數十萬。蓋世亂民不聊生。一夫夜呼。亂者四應也。今又其時矣。痛哉。

讀晉書蠡述卷四

岳陽李澄宇洞庭著

書載記第一（前趙劉元海劉和劉宣）

自西漢孝宣東漢光武許戎狄內居以來。北徙之議。久而未果。五胡亂起。河朔淪爲異域。懷愍北狩遠啓徽欽。割據十六。下開元滿。易曰履霜堅冰至。可不懼哉。

劉元海（元海名淵以犯唐高祖廟諱稱字）生有自來。未建號前。自無死理。齊王攸雖欲除之。奈王渾主表信殊俗懷遠以德何哉。

元海爲任子於洛。王濟欲武帝任以東南之事。李熹欲武帝任以西北之事。誠所謂錐處囊中脫穎而出也。雖阻於孔恂楊珧。未克得志。他日父豹卒。元海代爲匈奴左部帥。遂如蛟龍得雲雨。而五部大都督。而大單于。而漢王。而光文皇帝矣。僭竊亦有命存焉。噫嘻。

元海子名裕與受晉禪之劉裕同

書載記第二（前趙劉聰劉粲陳元達）

劉元海母呼延氏夢服日精。寤而告豹。豹曰吉徵。十三月而生元海。劉聰母張氏夢日入懷。寤而告元海。元海亦曰吉徵。十五月而生聰。元海幼好學。師事上黨崔游。習毛詩京氏易馬氏尚書。尤好春秋左氏傳。孫吳兵法。略皆誦之。史漢諸子。無不綜覽。聰聰悟好學。博士朱紀大奇之。年十四。究通經史。兼綜百家之言。孫吳兵法。靡不誦之。天命若彼。人事若此。其興之暴也宜哉。

匈奴故俗。父死妻母。昭君漢人。不免斯辱。聰烝單氏。而劉乂屢以爲言。致單氏慙恚而死。蓋既居內地。漸染華風。深以上淫爲恥。與昔視爲固然者異矣。

昔劉聰敗還。元海素服迎師。今劉粲害南陽王模。劉聰責其殺降。皆所謂夷狄而中國者也。

劉聰東平洛邑。西定長安。南人言之痛心疾首。而北人以爲功高周成。德超夏啓。蓋所處異也。

劉聰既假懷帝儀同三司，封會稽郡公。且以小劉貴人賜帝。拜劉爲會稽國夫人。而他日忽逼帝青衣行酒。遂鴆帝且復以賜帝劉夫人爲貴人。意者聰實疑帝以小劉貴人刺探秘息。至是乃借端辱帝鴆帝乎。不然。聰何愛於己覆之水。小劉貴人亦何顏復處僞宮也

聰嘗謂六劉姿色超世女德冠時。觀密遣中常侍勑左右勿斬陳元達手疏諫聰。則劉后亦信有女德哉。聰盛怒之下。忽解謝元達。且易逍遙園爲納賢園。李中堂爲愧賢堂。疏辭之美。必有大過人者。而史不載。可惜也。

永嘉五年。洛京傾覆。劉曜遷懷帝於平陽。建興四年。長安陷沒。曜又送愍帝於平陽。六年之間。兩辱乘輿。曜乎曜乎。殆專爲懷愍北狩出世乎。後爲石堪擒送石勒。雖亦見殺。何太晚乎。

聰惑於女子小人。屠害忠良。且信劉粲讒搆。致太弟乂橫死。而彼得保首領以沒。抑何幸耶。他日靳準掘墓。累及元海。殆亦所謂報施不爽也。

粲繼僞位。上烝羣后。而不知二靳之父靳準方謀作亂。執己而殺之也。粲自宜死。天

特假手於準。巧矣哉。

書載記第三 前趙劉曜

元海與聰世都平陽。國號漢。曜徙都長安。國號趙。史不予元海漢。乃曰前趙。而以曜爲後趙。焉蓋元海與曜皆匈奴種。曜且元海族子也。又南燕慕容鍾檄青州諸郡。有曹嶷跋扈見擒於後趙語。是前趙後趙當時已有此稱。

劉曜克納游子遠忠諫。以子遠都督雍秦征討諸軍事。卒賴降定氐羌。又追念舊恩。封贈崔岳曹恂王忠劉綏等公侯之位。且立大學於長樂宮東。小學於未央宮西。簡百姓年二十五已下十三已上神志可教者千五百人入學。夷狄有君。不其諒哉。

曜既陷長安。因以形聲下涼州。此襲漢韓信破趙降燕故智耳。

書載記第四 後趙石勒

石勒羯也。而生時赤光滿室。白氣自天屬於中庭。意者五胡亂華。氣數使然。不盡關人事與。

勒始顛沛流離。既歸元海。始獲奮翮。古稱同惡相濟。此亦一例與。勒豕突江西。回寇江夏。進陷許昌。旋聚殲東海王越軍。又陷洛陽。雖攻城不有其人。略地不有其土。翕爾雲合。忽復星散。亦可謂海內無敵矣。劉琨招之不至。彼誠薄晉骨肉相賊。臣主相斫。欲別有所造。南面而嚮天下耳。豈知南面而嚮天下亦不免寇盜之號哉。

勒能屢聽張賓之計。而於不殺末柸以結好鮮卑。獨抒己見。亦不可及。

勒業未成。而季龍篡奪之萌已兆。所謂螳螂捕蟬。黃雀在後也。世人不悟。日種惡因。亂與亂續。何日已耶。

勒卑辭厚幣。媚事王浚。復示弱示誠。俾浚信悅。襲浚之計密矣。張賓復勸勒修牋于琨。（劉琨）送質請和。謂琨喜浚滅。終不救浚而襲我。揣琨之情抑審矣。卒數浚罪而斬之。遂定幽州。譎哉勒。智哉賓也。

季龍棄營設伏。以敗張平。石勒設伏僞北。以敗姬澹。父子皆善用兵如此。無怪縱橫一時也。

漢文西嚮讓三。南嚮讓再。勒更西面而讓者五。南面而讓者四。

書載記第五 後趙石勒石弘張賓

勒憚祖逖。因修祖氏墳墓。此襲漢文服南粵趙佗故智。復拒降誅叛。爲春秋諸國所不願爲。亦所謂夷狄而中國也。

勒叱程遐等出。赦徐光而問計。決救洛陽。遂擒劉曜。此英雄舉動也。巡行冀州諸郡。引見高年孝弟力田文學之士。班賜穀帛有差。此王者舉動也。

勒如鄴。有流星大如象。尾足蛇形。自北極西南流五十餘丈。光明燭地。墜于河。聲聞九百餘里。勒將死。星隕於鄴東北六十里。初赤黑。黃雲如幕。長數十匹。交錯。聲如雷震。墜地。氣熱如火。塵起連天。亂天下者如此。治天下者何如耶。

石勒自況高光。張賓亦自比子房。賓謂惟勒可與共成大事。勒亦謂天欲不成吾事耶。何奪吾右侯之早也。可見智謀相若者。其共事樂甚魚水。

書載記第六 後趙石季龍

劉淵以犯唐高祖廟諱稱元海。石虎又以犯唐太祖廟諱稱季龍。此殆開後世以字行之例與。

季龍荒耽內游。威刑失度。邃更荒淫酒色。驕恣無道。可謂是父是子。季龍後克誅邃。與宋文被弑於劉邵異。

季龍以吏部選舉斥外耆德。而勢門童幼多爲美官。免郎中魏奐爲庶人。今求如季龍其人者且不可得。痛哉。

季龍立私論之條偶語之律。聽吏告其君。奴告其主。後世有慕而效之者。噫。

書載記第七 後趙石季龍石世石遵石鑒冉閔

季龍親耕籍田。妻杜氏祠先蠶。此亦所謂夷狄而中國者也。然發掘曩代帝王及先賢陵墓。則依然夷狄耳。

石邃石宣之惡。皆季龍縱之使然。若平日臨之以禮。且擇賢師傅敎督之。何至視弑逆若兒戲哉。然使季龍有賢子孫。亦豈復有天理。噫。

胡亂華刼也。胡自殘亦刼也。刼刼相續。於是昔日老死不相往來者。皆漸次加入刼運以相殺。天地不仁。竟至此乎。誠可痛也。而石閔躬率趙人誅諸胡羯。無貴賤男女少長皆斬之。死者二十餘萬。尸諸城外。悉爲野犬豺狼所食。屯據四方者。所在承閔書誅之。于時高鼻多鬚。至有濫死者半。特此等刼運中之一痕耳。噫嘻。

自暴秦以來。皆欲以力征經營天下。爲子孫帝王萬世之業。而不知未成功前。殺人盈城。殺人盈野。實爲天下大刼。既成功後。子孫與子孫相殺。甚至父子兄弟亦相殺。實爲骨肉大刼。而石氏盡殲。又此等無數大刼中一痕耳。世人猶夢夢不寤。何耶。

季龍傳所謂石閔。今卽皇帝位。且復姓冉氏。國號大魏矣。季龍有知。應悔以純灰三斛洗腹腸穢惡太晚。且已實未嘗洗。而讓他人代洗也。

冉閔不納王泰之諫。爲姚襄等所敗。死者十餘萬。幸得逃歸。頹勢漸振。及破劉顯。顯殺石祗自效。冉再入襄國誅顯。勢已張矣。使聽董閏張溫。暫避鮮卑。何至終被慕容恪擒送薊門。且被慕容儁怒鞭三百。殺諸龍城耶。雖然逆取順守。本不易言。同歸於盡。適見天理。後人讀史。奚暇爲此輩一動哀念哉。

書載記第八 前燕慕容廆裴嶷高瞻

慕容氏鮮卑舊族。向號東胡。魏初入處遼西。遂近中國。廆以命世之器。貌恭晉室。劉氏亂。亟通使瑯邪。勸承大統。後更寓牋陶侃。約討石勒。事雖未果。其言蓋亦可取焉。

書載記第九 前燕慕容皝慕容翰陽裕

成帝時皝表請勿用庾冰。並與冰書謂宜讓賢。書表並美。帝與冰均弗痞。可惜。

封裕爲皝記室參軍。尚以善藏者藏於百姓爲言。今附加超過正供數倍矣。誰復爲封裕乎

權利所在無骨肉。翰昔爲皝所忌。不得巳遠遁異國。洎歸效忠。復被讒搆賜死。命也奈何。此四字信翰哀音哉。

書載記第十 前燕慕容儁韓恒李産

儁以晉穆帝永和八年卽皇帝位。適朝廷遣使詣儁。儁謂使者曰。汝還白汝天子。我承人乏。爲中國所推。已爲帝矣。曰汝曰我。皆乃祖乃父所未嘗有者。蓋自此視入寇爲分內事。不復有所顧忌矣。

書載記第十一　前燕慕容暐慕容恪陽騖皇甫眞

暐克察慕容根之讒。使侍中皇甫眞護軍傅顏收根等於禁中斬之。豈得復云庸弱乎。

前後趙爲晉禍最大。而秦次之。燕又次之。是時趙亡。惟秦晉在燕目中耳。故常有秦吳二虜等語。吳卽晉也。晉以彼爲虜。彼亦以晉爲虜也。

慕容恪既不永年。而慕容垂文武兼才。管蕭之亞。暐與評又忌其枋頭大功。欲遂殺之。致垂奔秦。此前燕所以遽亡。而後燕所由特起也。

書載記第十二　前秦苻洪苻健苻生苻雄王猛

苻洪以略陽臨渭氐人。際亂崛起。家有蒲長如竹之瑞。故始氏蒲。讖有草付應王之文。故後氏苻志不在小。即此可見。

冉閔勸季龍除洪。季龍不聽。洪他日反謂冉閔慕容儁可指辰而殄。姚襄父子克之在吾數中。羣雄僭竊之世。我不殺人。人且殺我。不手辣心狠得乎。然晉武弗疑元海。季龍厚待苻洪。要不愧君人之度。天命有在。殺亦豈能遂願乎。

健密圖關中。時繕宮室於枋頭。課所部種麥。示無西意。既盡衆西行。已與弟雄入潼關。兄子菁入河東。執菁手謂事若不捷。汝死河北。我死河南。比及黃泉。無相見也。事前之愼如彼。臨事之果如此。有成功也宜哉。

健既濟盟津。而焚橋。與項羽既渡黃河而沉船。用意相類。盟津即孟津

健懷遠人。與百姓約法三章。薄賦卑宮。優禮耆老。修尙儒學。此未可以僭竊少之。又蝗蟲爲災。猛獸食人。健自蠲百姓租稅。減膳徹縣。素服避正殿。亦未可以僭竊少之。後世自命非僭竊者。往往未能如此。亦顏汗否耶。

苻生傳。生無一目。有語病應作生而一目

苻生不念强懷忠烈。而射殺懷妻樊氏。罪一。因星變殺妻梁氏及大臣毛貴梁楞梁安以塞之罪二。聽嬖臣之譖殺侍中丞相雷弱兒。及其九子二十七孫。罪三。殺司空王墮以應日蝕罪四。饗羣臣怒辛牢典勸不强酒射而殺之罪五。程肱謂營渭橋妨農時生怒殺之罪六。元旦日蝕强平諫請修德鑿其頂而殺之。罪七。逼兄妹同行者爲非禮。不從殺之。罪八。讌羣臣後至者皆斬之。罪九。鑿出太醫程延之目。然後斬之。罪十因謠夢而殺侍中太師錄尚書事魚遵。及其七子十孫。罪十一。言陛下聖明者以媚殺言刑罰徵過者以謗殺罪十二遣宮人與男子裸交殿前罪十三。剝死囚面皮。令其歌舞。引羣臣觀之。以爲嬉樂。罪十四。因少一目諱不足不具少無缺傷殘毀偏隻等言忤旨死者不可勝紀截脛刳胎拉脅鋸頭者千數。罪十五。太史令康權告星變以爲妖言撲殺之罪十六。在位二年惡積如此苻法苻堅等廢而殺之。猶恨晚也。然乃祖謂此兒狂勃。長大必破人家。至此驗矣。又諺有曉兒不知法仰不見天星語法卽苻法

書載記第十三 前秦苻堅

苻堅背有赤文。隱起成字。曰草付臣又土王咸陽。與左傳有文在其手異。殆亦史記相君之背貴不可言者乎。舉燕定蜀。平代吞涼。跨三分之二。居九州之七。遐荒慕義。幽險宅心。匪偶然也。

堅母苟氏以苻法長而賢。又得衆心。懼終爲變。殺之。苟氏亦手辣心很哉。

堅修廢職。繼絕世。禮神祇。課農桑。立學校。鰥寡孤獨高年不自存者。賜穀帛有差。其殊才異行孝友忠義德業可稱者。令在所以聞。又信任王猛。俾得裁抑貴戚强豪。百寮震肅。豪右屏氣。路不拾遺。風化大行。此亦所謂夷狄而中國也。

前有王猛請除慕容垂。後有張孟請誅慕容暐及其子弟。皆遠慮也。堅雖不聽。亦不愧君人之度。

王猛爲堅舉燕。功高。爲堅治秦。功尤高。然非堅不能知猛。且不能盡猛才也。十六國前秦爲盛。而前秦尤以堅爲盛。得人者昌。豈不信哉。惜猛不壽。踰艾便卒。堅乃以驕侈致敗也。

書載記第十四 前秦苻堅王猛苻融苻朗

王猛爲堅治秦。頗類孔明治蜀。士報知己。固宜若此。且亦濟世安民事也。或因猛臨終勸堅不圖晉。漸除鮮卑羌虜。以爲悔事僞朝。特贅論耳。猛武功惟伐燕一役。於晉未嘗以兵戎相見。猛卒之歲。東盡燕趙。西至西域。南暨荆徐寧益。盡隸苻氏版圖。惟東南一隅。尙奉司馬正朔。天不祚秦。遽奪猛去。後事將敗。猛蓋預知。未便明言。故但略舉。然肥水之敗。慕容垂姚萇之亂。不啻燭照而數計矣。言難見聽。而又不能不言。猛其如天命何哉。

堅在五胡中實有帝王雅度。既已四方略定。晉土自難去懷。然使先淸內賊。後謀一統。或可如志。而乃事前愎諫寵諛。臨事輕進謬遣。遂致朱序洩機。師徒棄甲。慕容復盛。姚氏旋叛。長安破於鮮卑。殘命斃於羌虜。死而有知。何面目見王猛哉。

曹孟德司馬仲達父子欺孤兒寡婦。狐媚以取天下。石勒鄙之。姚萇遣尹緯說堅爲堯舜禪代之事。堅責緯曰。禪代者聖賢之事。姚萇叛賊。奈何擬之古人。夷狄有君如此。自新莽暨宋太祖自命中國人先後言禪讓者數十輩。皆所謂一文不值何消說也。噫嘻。

苻融盡孝竭忠。足智具勇。惜爲堅誤。竟至陣亡。然堅始若聽融。師且不興。更何言敗。後不聽融。堅不出項。亦可不敗。此中殆有天焉。非關聽與否也。噫。

書載記第十五 前秦苻丕苻登索泮徐嵩

堅涼州刺史梁熙不聽楊翰守高梧谷口及伊吾關二計。而守酒泉。蓋不欲軍隊遠出也。不聽張統奉苻洛爲盟主之計。且殺洛於西海。蓋恐洛奪己土地也。熙愚若是。爲呂光所殺也固宜。

史稱苻丕博綜經史。堅與言將略。嘉之。命鄧羌敎以兵法。文武材幹亞於苻融。僭位二年。殊無可紀。乃不若少而雄勇。不修細行。長而折節謹厚。頗覽書傳之苻登載主東征。所向無前。在位九年。屢敗姚萇何耶。

苻登屢敗姚萇。及萇已死。登謂姚興小兒。吾將折杖笞之。豈知後竟爲興所敗。且被殺耶。成敗利鈍不可逆料如此。可爲一歎。

書載記第十六 後秦姚弋仲姚襄姚萇

姚弋仲以南安赤亭羌人東徙榆眉。戎夏襁負隨之者數萬。劉曜以爲平西將軍平襄公。石勒以爲安西將軍六夷左都督。石勒死後。弋仲率部衆數萬遷于淸河。季龍以爲奮武將軍西羌大都督。季龍已簒。弋仲正言責之。季龍戮子。弋仲復正言責之。又爲季龍滅梁犢。討冉閔。此誠難得。又弋仲常戒諸子曰。吾本以晉室大亂。石氏待吾厚。故欲討其賊臣以報德。今石氏已滅。中原無主。自古未有戎狄作天子者。我死汝便歸晉。當竭盡臣節。無爲不義之事。乃遣使請降于晉。尤爲難得。使胡人用心皆若弋仲。何至有亂華之禍哉。不特姚襄姚萇爲弋仲罪人。遝金元淸諸主皆弋仲罪人也。

苻堅怒殺龍驤長史趙都。致姚萇懼而奔叛。慕容東至。姚更西起。此前秦所由不振也。堅既走五將山。爲萇將吳忠所執。慕容冲又因高蓋敗降於萇。棄長安而率衆東下。秦弊燕回。卞莊得二。此後秦所以幸建也。

時諸營既多。故號萇軍爲大營。大營之號自此始。此亦兵書一辭典也。然必如萇權略無方。信賞必罰。乃不愧大營二字。後世璅璅。何足以云。

姚萇不憂六十里苻登。而憂六百里魏褐飛。竟以千六百人破氐胡三萬衆。陣斬褐飛。其智勇殆足推倒羣雄也。

姚萇臨終。謂興曰。汝撫骨肉以仁。接大臣以禮。待物以信。遇黔首以恩。四者既備。吾無憂矣。今自命爲中國者。撫骨肉何如。接大臣何如。待物何如。遇黔首何如。思之亦汗下否乎。

書載記第十七 後秦姚興

姜龕淳于岐郭高耆儒碩德。教授長安。興每于聽政之暇。引龕等東堂講論道藝。錯綜名理。此亦有帝王雅度者也。其長子泓受經於淳于岐。岐病。親詣省疾。拜于牀下。亦亂世所難得。

始平太守周班。槐里令李彰。皆以贓貨誅。於是郡國肅然。是夷狄尙有政刑也。今自命爲中國者何如乎。噫。

書載記第十八 後秦姚興尹緯

姚興以弼才兼文武。欲廢太子泓而立之。而弼讒害姚文宗招衆忌嫉。咸請減弼威權。加興疾時篤時起。弼乘興死不利於太子之謀既露。致興力疾臨前殿。怒賜弼死。弼死固有餘辜。興亦幾自釀篡弒之禍。過庭無訓。愧於四海。然哉然哉。

書載記第十九 後秦姚泓

是時晉劉裕伐秦。已克洛陽。夏赫連勃勃奄有嶺北諸郡縣。故後秦有吳寇內侵。四州傾沒。西虜擾邊。秦涼覆敗。朝廷之危有同累卵等語。夷狄以寇目中國。亦猶赤匪以官軍爲白匪也。噫。

王鎭惡已克長安。姚泓不聽佛念之言。早自裁決。必待劉裕送于建康斬之。果智不逮幼子耶。抑姚萇縊殺苻堅。姚興陣斬苻登。天固以是爲報耶。

書載記第二十 後蜀李特李流李庠

李氏巴西宕渠人。秦時謂之賨人。漢末遷漢中楊車坂。號楊車巴。魏武時遷略陽。又號巴氐。晉惠帝元康六年。（惠紀作永平六年通鑑綱目則與此傳同）氐齊萬年反。百姓流移入漢川者數萬家。特隨流人入蜀。至劍閣。歎曰。劉禪有如此之地而面縛於人。豈非庸才耶。保蜀自大。不能出劍閣一步。蓋已定於此語矣。

趙廞爲李特發難於前。辛冉又爲李特驅爵於後。自是蜀非晉有矣。

李特李蕩李流先後皆死。而李雄猶可帝蜀。後人剿匪未嘗獲一渠魁。輒云匪勢已蹙。可哂。

書載記第二十一 後蜀李雄李班李期李壽李勢

劉媪夢交龍而有身。遂生漢高。羅氏夢大蛇繞身而有孕。遂生李雄。龍與蛇相去亦遠哉。

特與蜀約法三章。雄又約法七章。今但知漢高約法三章耳。事以人重。且溯其始也。

雄謂起兵之初。舉手扞頭。本不希帝王之業。此誠肺腑之言。進思爲晉室元功之臣。退思共爲守藩之將。亦肺腑之言。與學校置史官簡刑約法。百姓富實。海內大亂。而蜀獨無事。豈偶然哉。

自特以惠帝太安元年起兵。至穆帝永和三年勢亡。凡四十六年。亦小朝廷槐安一夢。較晉惠懷愍遺羞尙少也。

書載記第二十二 後涼呂光呂纂呂隆

呂光略陽氏人。苻堅太尉呂婆樓子也。目重瞳子。左肘有肉印。胡人有此異表。僅帝涼州何耶。

胡人奢侈。厚於養生。家有蒲桃酒。或至千斛。經十年不敗。此言西域龜茲然也。今歐美亦見此風。

身爲僭竊。其子孫往往互相屠戮。紹念呂光遺命。不聽超言殺纂。而弘告纂廢立大計。竟殺紹。紹讓纂。纂讓弘。皆不受。而後皆叛逆。權利所在。日釀殺機。人亦何苦以僭竊虛榮貽子孫，俾受實禍。覆轍相尋，不自悔悟。哀哉。

書載記等二十三 後燕慕容垂

王猛以勸堅除垂不聽，乃於伐洛時引垂子全爲參軍，使垂父子不相見，又令人詭傳垂語，使全叛秦歸燕。於是堅不誅垂，垂亦當去。此何等苦心，而堅不悟。何哉。堅蓋欲攻暐，惟恐垂與暐合。我遂不能滅燕耳。猛誠苦心，堅亦可謂有遠略。

慕容垂用兵常勝，惟圍苻丕於鄴，晉龍驤將軍劉牢之率衆來救，垂逆戰敗績，遂徹鄴圍。然五橋澤一役，晉師又敗。五丈橋一役，非苻丕救至，牢之幾被擒害。垂智勇信加人數等哉。苻堅愛重垂，蓋深知垂也。

書載記第二十四 後燕慕容寶慕容盛慕容熙高雲

蘭汗既殺慕容寶篡位，乃信寶子盛，舍之宮內。盛使慕容奇起兵於外，反以此間殺蘭提。汗將誅盛，未果。盛潛結李旱、衛雙等，竟得斬汗誅穆。汗子 汗固愚凡，盛誠很辣。

盛論伊周，以小人之心度君子之腹。亦堯幽囚、舜野死之類也。

盛去皇帝之號稱庶人大王與今日國民政府可謂天然巧對。熙於苻氏悲號躃踴若喪考妣。大歛既訖復啓其棺而與交接服斬縗食粥。尊而親。親而尊。至矣盡矣蔑以加矣。一笑。他日雲葬熙於苻氏墓可謂從殉。

高雲高句驪之支庶。寶以襲敗慕容會功賜雲姓慕容。封文陽公。今既弒寶篡燕。復姓高氏。當如冉閔例稱高雲。不復稱慕容雲。

雲自以無功德爲豪傑所推。常內懷懼。不勤政愛民禮賢下士。乃寵養死士以爲腹心。卒死離班桃仁之手。與自殺何以異乎。然不如是。北燕馮跋何由斬班殺仁遂僭大位乎。

書載記第二十五 西秦乞伏國仁乞伏乾歸乞伏熾磐北燕馮跋馮素弗

乞伏雖隴西鮮卑。而國仁知苻秦跨僭八州。勤遠必敗。乾歸知楊定窮兵逞欲。不戢自焚。皆屬難得。

兵不厭詐。而詐敗詐降詐走尤易誘敵。秦王乾歸衆潰東奔成紀云云。詐走以誘呂延耳。延引師輕進。竟爲乾歸所殺。延勇而愚。信哉。

馮氏之在北燕。譬諸蜂蟻有王耳。乃跋所居上常有雲氣若樓閣。誰謂亂世帝王不必天命有在耶。觀跋勤政勵農。省徭薄賦。抑可謂令主矣。

書載記第二十六 南涼禿髮烏孤禿髮利鹿孤禿髮傉檀

禿髮烏孤河西鮮卑耳。而能務農桑。修鄰好。討諸叛。謝呂爵。啓霸河右。匪偶然也。熾磐爲質而逃。傉檀勸利鹿孤不殺。可取者一。新牧涼州。問懷遠安邇之略於宗敞。可取者二。兵敗於蒙遜。不效袁紹戮田豐而封太史令景保安亭侯。可取者三。傉檀不聽忠言。屢致挫敗。舊會姑臧。見剋於蒙遜。新邑樂都。又陷於熾磐。好戰之禍烈矣哉。

書載記第二十七 南燕慕容德

慕容德母公孫氏夢日入臍中。與劉元海母呼延氏夢吞日精。劉聰母張氏夢日入懷又別。

德於垂討慕容永能決疑。於韓諄諫擊退次新城之魏師能從善。
德自鄴將徙滑臺而流澌凍合以濟師、頗似漢光武渡滹沱河時。德既至滑臺。而景
星見於尾箕。頗似漢高祖入關中時。僭竊亦非偶然。治亂信關氣數、
德雖西平苻廣。而李辯殺慕容和以滑臺降魏。德退無所託。不得已聽潘聰及沙門
朗公之言。闢土齊魯。與禿髮傉檀西破乙弗。其子武臺失樂都。傉檀徒痛四海之廣
無所容身者大異。蓋傉檀君臣不逮慕容、涼地亦遠遜燕壤也、
人但知王勃落霞與孤鶩齊飛、秋水共長天一色。出庾信落花與芝蓋齊飛、楊柳共
春旗一色、而不知庾信落花與芝蓋齊飛、楊柳共春旗一色、又出慕容鍾奮劍與夕
火爭光。揮戈與秋月競色也。然青出於藍、皆勝於藍。又駱賓王以此制敵、何敵不摧。
以此攻城、何城不克、亦本鍾檄以此攻城、何城不剋、以此衆戰、何敵不平。
韓諄疏有關西爲豺狼之藪。揚越爲鴟鴞之林。關西謂秦、揚越晉也。蓋尊己斥敵、以
作士氣。自古如此。今憤日本襲遼侵滬、聲罪致討、而自名抗日。抗者下反上之辭。何

不思乃爾。且舉國上下文牘報紙皆用日辭。日人視之不啻早已歸化矣。何抗之有哉。

書載記第二十八 南燕慕容超慕容鍾封孚

超害慕容鍾等權逼。出鎮方州。又憾慕容法昔有成方遂詐稱衛太子語。遣使讓責。遂致蕭牆釁發。戎馬生郊。奔魏奔秦。去之若浼。何乏君人之度如此也。終被劉裕所滅。宜哉。

書載記第二十九 北涼沮渠蒙遜

沮渠蒙遜臨松盧水胡人。其先世爲匈奴左沮渠。以官爲氏。至蒙遜僭竊北涼。則一由呂光枉殺羅仇麴粥。使蒙遜有建義之機。二由段業信讒多忌。又謬戮男成。使蒙遜有報仇之目也。南娟劉裕。至宋無恙。子茂虔立始被魏滅。南柯好夢。蓋亦久矣。

書載記第三十 夏赫連勃勃

赫連勃勃劉元海族。僭位朔方。自以匈奴夏后氏之苗裔。國號大夏。亦猶元海稱漢。

恥出身夷狄。欲藉中國舊名相號召耳。

勃勃未都統萬以前。自知兵少。不專固一城。而主遊食。西破傉檀。南敗姚興。雲騎風馳。殺掠無藝。此亦流寇伎倆也。

勃勃料劉裕伐秦必尅。又旋尅必速返。且料裕留子弟諸將守之。取若拾芥。王買德料裕返謀篡事。無意中原。斷靑泥上洛。杜潼關塞嶢陝。一旬之內。義眞面縛。後皆如言。胡人豈可輕視哉。

勃勃刻石頌功。其秘書監胡義周作頌。遠祖夏禹。大煥高文。蓋悟蔦蘿施於松柏之理耳。晉書將畢而有此。庶幾曲終奏雅乎。

勃勃名南門曰朝宋。東曰招魏。西曰服涼。北曰平朔。顧名思義。可謂壯矣。而凶暴好殺。無順守之規。羣臣忤視者毀目。笑者決脣。諫者截舌。抑何劣耶。得保首領以沒。天殆夢夢。

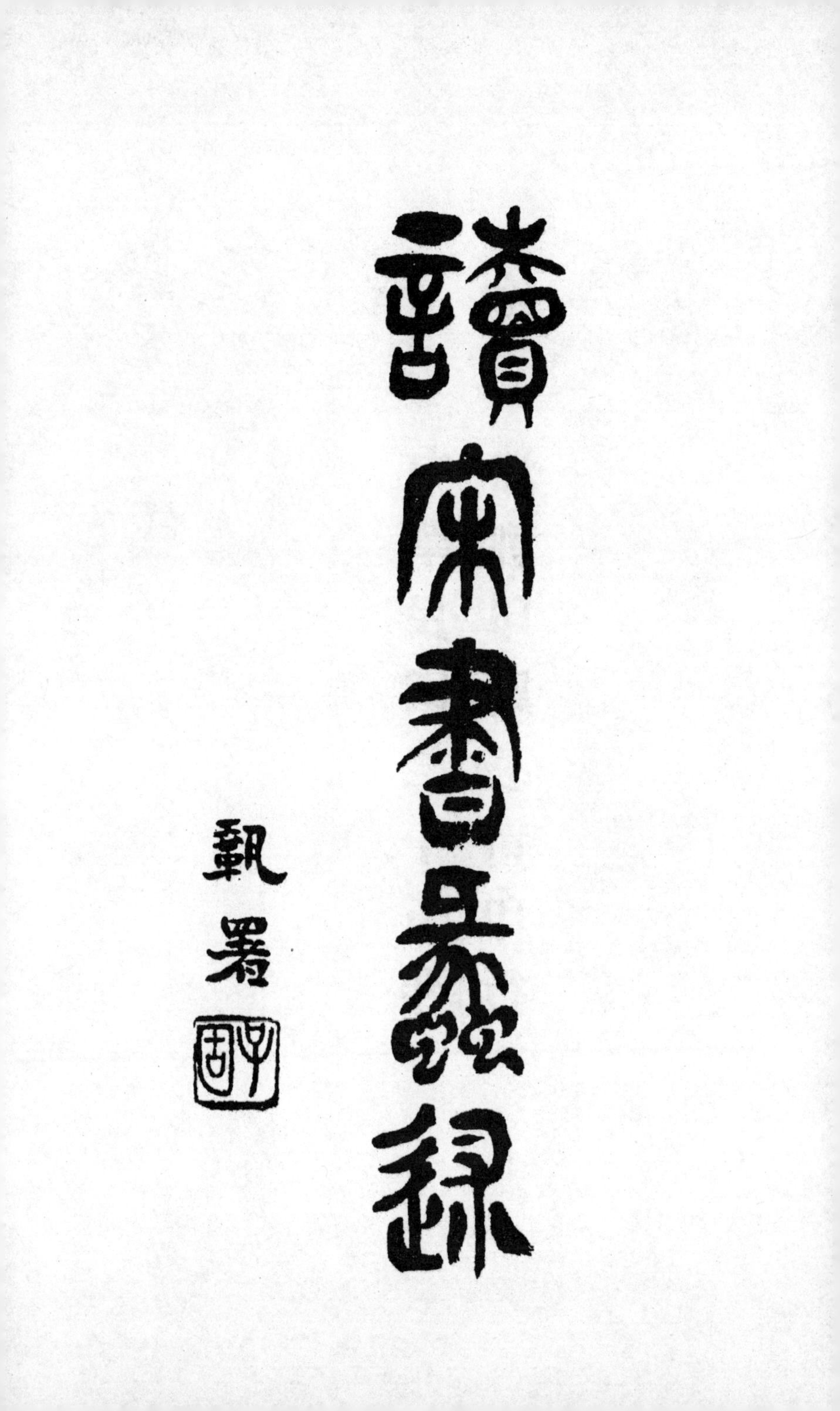

讀宋書蠡録

乾署

中華民國二十五年
湘鄂印刷公司印行

讀宋書蠡述目次

卷一

讀宋書蠡述卷一

岳陽李澄宇洞庭著

書武紀上 高祖

沈約撰宋紀有高祖以晉哀帝興寧元年歲次癸亥三月壬寅夜生云云。古所未有。豈古不知生日耶。非所必書。略之耳。又凡稱裕或劉裕處。書諱或劉諱。亦古所未有。賊謂當走反停。疑猶有伏。高祖因呼更戰。氣色甚猛。下賊衆以爲然。乃引軍去九字。宜作賊衆愈疑。乃引軍去。四史以後。史才甚難。繁辭謬語。所在常有。不獨沈也。可歎。

桓玄欲任劉裕平定關隴。然後除之。裕欲起義討玄。然後平定關隴。其跡異。其志一也。一者何。玄已篡。藉裕去敵。裕將篡。藉玄得政也。

桓玄既篡。非裕討之。晉已不祀。盧循何道覆同反。非裕討之。晉亦絕緒。裕誠有大造於晉也哉。滅燕幷蜀覆秦。功在境外。猶弗論也。君臣之分已定。必欲取天下爲己有。蹈魏晉覆轍而不悔。則彼時以篡逆爲禪讓。喜名利兩獲。不知後有良史。難逃斧鉞之誅故耳。文之以禮樂。範之以詩書。其庶永盡臣節歟。然非所望於晉世也。

書武紀中

劉毅諸葛長民等與裕俱舉大義。而皆被戮。所云毅不能居下。終爲異圖。長民將謀作亂。司馬休之宗室之重。又得江漢人心。疑有異志。皆與宋岳飛莫須有三字等耳。名奉琅琊王北伐。實挾帝嗣爲質。名任世子府事。實等太子監國。蓋已有異志。恐人見圖。騎虎勢成。不得不爾。謀信孔周。情抑甚苦。

晉書載赫連勃勃大敗王師于青泥北。此云義眞（劉裕子）既還。爲佛佛虜所追大敗。不稱王師而舉義眞。庶幾實紀。又佛佛卽勃勃。譯音異耳。

晉書載裕將爲禪代。以讖云昌明（晉孝武帝名昌明）之後有二帝。密使王韶之縊帝。而立恭帝以應二帝。此但云天子崩。大司馬琅琊王（恭帝）卽帝位。蓋諱之也。恭帝立年餘卽遜位。旋被弒。

書武紀下（永初）

作策告天。辭甚矜伐。古所未有。雖晉武帝亦有實賴有晉匡拯之德。用獲保厥肆祀。

弘濟于艱難。此則晉之有大造于魏也等語。然追敘乃祖乃父勞勩。與諱雖地非齊晉。衆無一旅。仰憤時艱。俯悼橫流。投袂一援。則皇室克復。及危而能持。顛而能扶。姦宄具殲、僭僞必滅。正朔所暨。咸服聲教。皆係自述功德者有別。

晉書載恭帝元熙二年夏六月壬戌。劉裕自壽陽至於京師。傅亮承裕密旨。諷帝禪位。草詔。請帝書之。帝欣然謂左右曰。晉氏久已失之。今復何恨。乃書赤紙爲詔。劉裕以帝爲零陵王、帝自是之後。深慮禍機。褚后常在帝側。飲食所資。皆出褚后。故宋人莫得伺其隙。宋永初二年九月丁丑。裕使后兄叔度請后。有間。兵人踰垣而入。弒帝于內房。時年三十六。此但云帝禪位。九月己丑（一言丁丑一言己丑俟考）零陵王薨。皆諱之也。然如綱目大書宋王裕還建康。稱皇帝。廢帝爲零陵王。以兵守之。宋主劉裕弒零陵王於秣陵。何哉。

躬蹈篡弒、難逃史鉞於後世。實則自永和元年六月至三年五月。不過在位二年耳。

變深謝晦同異、之慮。儉貽文帝田舍之哂。均甚無謂。何如王導謝安輩生死兩榮。名重千古哉。

書少帝紀 景平

武帝臨崩。詔誡詳密。而少帝居帝王之位。好皁隸之役。淫慢苛虐。人神怨怒。大負付託。死而有知。應亦自悔篡逆也。

書文紀 太祖 元嘉

古不以萬歲目天子。故晉有晉寧大守周萬歲。隋有上大將軍史萬歲。劉武周起兵時。亦有張萬歲。爲武周斬王仁恭。

武帝在位僅二年。而文帝在位三十年。諺所謂牛種田馬吃穀也。一笑。

兩漢魏晉大抵喜改年號。文帝歷年較久。終始元嘉。可法。

興學聽訟減租賜穀。史不絕書。庶幾君德。惟大赦屢舉。啓小人僥倖之心。殊失愼刑本意。至遙制兵略。延敵蹙境。則猜忌將臣者往往如此。豈徒文帝也哉。噫。

書孝武紀 世祖 孝建 大明 景和

孔聖建廟始於有宋詔稱仲尼體天降德維周興漢經緯三紀冠冕百王抑亦至矣。惟尙未廟遍州郡春秋二祭外朔望奉謁且晉王號耳。

前書孝子順孫義夫節婦賜粟帛各有差後書孝子順孫義夫悌弟賜爵一級慈姑節婦孤老六疾賜帛五匹穀十斛皆美之也。

書前廢帝紀 永光

乙亥詔既曰磻溪讚道傅巖毗化自當竭誠訪聘位以師相而乃有務加旌舉隨才引擢等語何耶前廢帝昏悖不足責擬詔者未免語無倫次也。

免逋租減歲租二事在前廢帝時且屢書何今日欲求一如前廢帝者且不可得也。不特不免不減且多方加重尙美其名曰已免已減甚至催徵吏役所得較納諸國庫者有過之無不及民果何所託命耶。

已爲山陰公主置面首左右三十人而主見褚淵貌美更就帝請以自侍淵侍主十日備見逼迫誓死不回寫主淫恣至此古所未有。

書明紀 太宗 泰始 泰豫

以車駕代帝。古無是也、古或曰上 但車駕幸某如某猶可、今乃曰車駕爲戰亡將士舉哀較他處車駕云云尤不成辭。非即位改元甚無謂、以疾患未痊改元尤無謂。泰豫元年書四月己亥上大漸。是日上崩于景福殿。改元有利於疾乎否乎。至諱禍遂改騧爲邊瓜。誠不意帝王有此事。親近讒慝。剪落皇枝、凡篡弒得國者皆如此。不獨宋氏然也。豈冥冥中有迫之自滅者耶。

書後廢帝紀 元徽

豫兗司徐。開口待哺、西北戎羌。裸身求衣、極言彼甚飢寒也。故下云委輸京都、蓋爲寡薄天府所資。唯有淮海。

阮佃夫於前廢帝時以密結壽寂之等謀廢立。致貴於後廢帝時以與申伯宗等謀廢立下獄死。然兩廢帝昏暴淫荒。皆所謂善無細而不違。惡有大而必蹈者。殺之誠是也。惜殺之未能以道且非其人耳。

蕭領軍潛運明略。幽顯協規。後廢帝固死。而宋未幾遂爲齊有矣。噫。

左右衛我者也。而前廢帝爲壽寂之姜產之所殺。後廢帝爲楊玉夫楊萬年所殺。又後廢帝常着小袴褶夜開承明門出入省。內諸閣夜皆不閉。陳奉伯提後廢帝首呈蕭領軍。亦稱敕開承明門出。蕭領軍亦戎服率左右數十人稱行還。開承明門入。無人禁詰。自衛自殺也。自便自殺也。可弗懼哉。

書順紀 昇平南史作昇明

順帝卽位。政在齊王。十歲小兒。三載遇害。亦可憫矣。書荆州刺史沈攸之舉兵反。司徒袁粲據石頭反。吳郡太守劉遐據郡反。臨澧侯劉晃謀反。臨川王劉綽謀反。美之也。何美之皆反齊王。非反順帝也。沈沈約論於齊王有媚辭。烏得爲良史乎。

自魯三桓齊田氏晉趙魏韓篡竊得志。莽操效尤。丕炎恣毒。六朝五代胥奉典則。其所以前車既覆後車不戒者。一則以功高或勢逼。常有赤族之慮。一則以大志或異衰。雖抑取代之氣也。然不纘征誅之緒。而必襲揖讓之迹。則又有故。蓋彼輩祖若宗既未積德累仁。已更非生有聖德。天與人歸。夙揣無分。以征誅起。徒令史冊大書某反某伏誅已耳。惟揖讓可徐徐僞造。始廢立。繼討叛。終受禪。水到渠成。瓜熟蒂落。假我數年。躊躇滿志矣。顧天道好還。子孫每每受慘報。是不啻特造大禍貽子孫。且豫於數十年前取子孫自蹂躪之自滅絶之也。是亦不可以已乎。可哀也已。

書律志

伶倫造律。本取嶰竹。京房作準。非管莫正。荀勗制笛。合十二律。是古樂大抵聽命於竹也。豈以竹中空圓直而有節。四時不彫。秉賦特異與。

漢至魏。尺度漸長於古四分有餘。魏協律都尉杜夔依爲律呂。故致失韻。晉部佐著作郎劉恭依周禮積黍起度。以鑄新律。得周時玉律比之。不差毫氂。是生物雖新。不變於古。而用物非舊。閱時每變也。後人妄更度量衡長短多寡重輕任意。甚且舍已從人。欲遂益直以增稅。豈知度量衡出自律。律所關至鉅。固不可離異錯亂。不復相正哉。又志謂掘地得古銅尺長勗尺四分。似與魏尺亦合。

書曆志上

曆重晦朔弦望。故定月大小置閏遲早。皆極費研討。今舍己從人。强號西曆爲國曆。甚且以談晦朔弦望爲恥辱爲罪惡。可痛也哉。西人事事主機械。我國事事主氣化。主氣化故天人相與萬物一體。必求所以息息通屬之故。主機械故天地萬物宰割由我。不必求所以息息通屬之故。言學言政皆如此。曆特其一端耳。此王霸所由分。抑華夷所由判也。

我國重孔。孔主夏時。故漢武不取殷丑周子秦亥。而以建寅之月爲正朔。迄清未改。民間更守之至今。雖魏明帝景初元年亦嘗建丑。明帝崩後復用夏正。今日謬從西曆。與改正朔無涉。蓋無所謂建寅建丑建子建亥。且民間仍但知夏正。未慣西曆也。

書曆志下

宋世祖欲用祖冲之新曆未果。而宮車宴駕。其法具在。戴法興議於古曆冬至月在建星十九年七閏二事辯之尤善。雖千古不刊可也。

書禮志一

任己而不師古。秦氏以之致亡。師古而不適用。王莽所以身滅。凡事可如此論。非獨禮也。

宋志記魏以來。足補陳壽之闕。此志后婚帝冠郊祀朝賀耕藉親蠶鄉飲釋奠治兵校獵等禮。並可采覽。

書禮志二

後人動言闕白。闕路具此志。白則昭明文選亦屢見。

古者三月上巳祓于水濱。自魏以後。但用三日不以巳。今此事廢矣。一二韻士尚有藉此行樂。與九月九日登高避災等視者。

晉武於文帝之喪。遵漢魏制。既葬除服。然猶深衣素冠。降席徹膳。雖司馬孚等屢諫。竟守此禮三年。居太后喪亦如之。於古合否不具論。要亦世主所難能也。書稱高宗亮陰。（一作諒闇）三年不言。殷當日天下無故。或可如此。春秋則晉襄墨絰從戎。弗以爲罪矣。孔子言三年之喪。自天子達於庶人。而金革毋辟。亦禮所許。又君薨冢宰聽政。孟子韙之。然漢魏以來相國篡位者衆。必如所云。孤兒寡婦恐益無所託命也。至泣血廬墓。似可與割股療親並視。不必議其不然。亦不必彊其必然。惟喪服三年不婚不仕不食旨聞樂。公卿大夫士庶宜就此共勉。庶幾不死其親耳。

書禮志三

魏明帝晉武帝宋太祖世祖皆有意封禪。以世難未果。此秦皇漢武所由躊躇滿志也。然秦皇漢武果遂因此上齒聖帝無怍乎否耶。

書禮志四

宋所謂蒸嘗禘祫。不必悉合於古。然已慰情勝無矣。至博士江邃謂始不迎尸。明在廟也。卒事而送。節孝思也。不送而辭。是舍親也。辭而復送。是遺神也。孝子不忍違親。又不忍遺神。是以祝史送神等語。實發古人所未發。

書禮志五

輼輬車四輪。頗似今之汽車。

車服有等。不依等者非僭制卽微行。皆非禮也。今戎服以夷爲師。餘服華夷紛紜。采章莫辨。靡貴賤。靡男女。惟妖冶是好。曷由語以古禮乎。

佩玉佩刀制皆已廢。今雖佩刀。佩日本刀耳。亦惟武人如此。否則盜匪暗藏匕首耳。

書樂志一

韶舞至漢猶存。不過改名文始耳。漢末大亂。衆樂淪缺。魏武平荆州。獲杜夔。使掫定雅樂。號爲復古。然所謂古者。漢而已耳。晉遭胡亂。樂人散沒。及破苻堅。獲揚蜀等閑練舊樂。於是四箱金石始備。然所謂舊者。魏而已矣。今則西樂徧國。欲求漢之古魏之舊亦不可得矣。豈不哀哉。

此卷載樂器頗詳。惜無圖。嘗於他處見各器及圖。亦未知與古盡合否。

書樂志二

此卷樂章多見晉書樂志。惟宋四箱樂歌以下新輯。又皇聖膺嘉祐帝業凝休祥等句。已啓唐詩戶牖。與晉歌玄化參自然至德通神明有別。

書樂志三

古詞善哉行。來日大難。口燥脣乾。今日相樂。皆當喜歡。似今日白話詩。然極清勁。魏文折楊柳行。西山一何高。高高殊無極。上有兩仙僮。不飲亦不食。與我一丸藥。光耀有五色。似從古詞善哉行經歷名山。芝草翻翻。仙人王喬。奉藥一丸化出。

書樂志四

吳鼓吹曲關背德。以稱兵北伐圍樊城襄陽爲壯。繆罪近忘魏武伐吳之辱。遠愧孫堅討操之志。

書天文志

沈約自謂記魏文帝黃初以來星變。爲天文志。以續司馬彪。可見司馬彪續漢書當日已盛傳。孰知數千年後二十四史僅有范曄後漢書。不見司馬彪續漢書乎。傳與否有幸有不幸。可奈何。

書符瑞志上

自宓犧以來王者受命皆有符瑞。可見天與之說非出意揣。逐鹿謬念庶乎可息。然世竟又有僞造符瑞者。噫

書符瑞志中

此卷言四靈。而虎象熊鹿馬貉等動物形色特異及甘露附之。

書符瑞志下

此卷言玉璽玉鼎朱草醴泉嘉禾嘉瓜並蒂花連理木及白燕赤烏白烏白鳩白雉等。與中卷所載皆在位符瑞。非受命符瑞也。

書州郡志一

禹貢九州因山川自然之勢。雖或犬牙錯接。非有意割裂險要。蓋當日人心尙古。不必預防割據也。周宅鎬京。靑豳較僻。合以徐梁。冀壤夙廣。分置幽幷。與禹制相去未

遠。西漢仍置徐梁。加朔方交趾。改雝曰涼梁曰益。凡十三州。司隸部三輔三河諸郡不立州名。東漢去朔方。凡十二州。餘如故。三國時吳得揚交荆。蜀得益。先得荆後失魏得冀兗幽幷青徐豫涼雍。及荆之南陽襄陽南鄉三郡。又以司隸所部置司州。滅蜀後更分益爲梁。吳亦分交爲廣。晉既平吳。天下一主。凡十六州。後又分涼雝爲秦。分荆揚爲江。分益爲寧。分幽爲平。凡二十州。蓋割裂險要。魏啓其端。晉踵其緒。後世省制所由立也

自司冀雝涼秦青幷兗豫幽平十一州陷於胡虜。晉遂南渡。分荆爲湘。有揚荆江湘梁益交廣寧九州之地。及徐州之半。豫之譙城。宋又分揚爲南徐。徐爲南兗。荊爲雝爲司。荆湘爲郢。廣爲越。青爲冀。梁爲南北秦。明帝時青冀徐兗及豫州淮西皆陷於索虜。於是南北對峙。至隋始一。蓋分易而合甚難也。噫。

讀宋書蠡述卷二

岳陽李澄宇洞庭著

書后妃傳

文帝以武帝儉。有田舍之哂。袁后家貧薄。就上求錢帛。不過三五萬三五十匹。蓋亦哂武帝意耳。後袁后因潘淑妃求三十萬錢。信昔便得。遂憤恚成疾。至死不言所欲。且引被覆面。雖曰后妒。而帝之厚薄過顯。要非婦女所能堪。及顏延之爲哀策文。帝自益撫存悼亡感今懷昔八字。帝固悼痛。后豈瞑目哉。

明帝疾諸主嚴妒。湖孰令袁慆妻以妒忌賜死。又使近臣虞通之撰妒婦記。且因江斆當尚孝武女。使人爲斆作讓婚表。創舉奇動。殆欲拯男子於婦人之手也。一笑。表中有王敦懾氣。桓溫斂威語。則尚晉主者已如此矣。豈獨宋主哉。

明帝常於宮內大集。贏婦人觀之以爲懽笑。明恭王皇后以扇障面。獨無所言。及帝怒其寒乞。乃正言責帝。可敬者一。後廢帝時。后已爲太后。於廢帝失德。每加勗譬。幾被酖弒。可敬者二。順帝卽位。齊王秉權。太后欲救宋室。與劉晃劉綽卜伯興等謀討齊王可敬者三。

後廢帝爲李道兒之子。每自稱李將軍或李統。順帝又係桂陽王劉休範子。宋子孫如此。視以呂易嬴以牛易馬者何如耶。

書劉穆之王弘傳

劉裕始召穆之爲府主簿。不過欲以一時簿書相委耳。以穆之能處分大事。遂見倚重。贊裕入輔。尤具深計。從征廣固。還拒盧循。策畫咸中。又復閭里言謔塗陌細事一一以聞。朝野異同親暱短長陳奏無隱。裕焉得不視穆之爲己心腹哉。

史稱穆之內總朝政。外供軍旅。決斷如流。事無擁滯。賓客輻湊。求訴百端。內外諮稟。盈階滿室。目覽辭訟。手答箋書。耳行聽受。口兼酬應。不相參涉。皆悉贍舉。此誠諺所謂五官並用者與。

此傳載裕欲頓駐關中。經略趙魏。以穆之既卒。京邑任虛。不果。與晉書赫連勃勃傳載勃勃料裕克秦必速反謀簒。頗異。然皆可信。蓋穆之未卒。無內顧憂。得隴望蜀。事

所可有穆之既卒。後事多變，早就逆謀。亦屬情理也，

劉裕倚重穆之，穆之亦竭節盡誠以心腹自處，不意猶以王弘銜使請九錫一事致穆之愧懼發病也。噫。

書徐羨之傅亮檀道濟傳

羨之廢立後遜位還第。致受顯禍。齊王廢立後攝政受禪。遂啓南齊。成敗利鈍如此。無怪魏武有騎虎不能下背之痛也，

裕有受禪意而不明言。但曰欲奉還爵位。歸老京師。蓋不角巾還里而歸老京師。則歸老京師四字可味也，傅亮悟旨。亦不明言。但曰臣暫宜還都蓋亮先還都爲裕圖簒，與裕欲歸老京師四字心心相印且先以一臣字點題。如畫龍點睛破壁飛去也。

亮雖自此大富貴。而他日實爲文帝所誅。演愼著論果何裨耶。

武帝時討玄破循。定燕滅秦。檀道濟戰功極著。而入洛不聽戮俘之議。尤當時大將所難能。文帝時討謝晦敗元魏。道濟戰功亦鉅。而左右腹心如薛彤高進之世人以

比飛羽。更當時大將所難有。文帝將死。自壞長城。魏宇坐大。南北劃隔。讀史至此。未嘗不太息痛恨也。

書謝晦傳

謝瞻因晦年三十三爲荊州。甚有自矜之色。乃曰昔荀中郎年二十七爲北府都督。卿比之已爲老矣。少年得志者。應亟讀此傳。

謝晦反表。以淸君側自任。而卒不勝者。檀道濟尚在夢中。不知已與徐羨之傅亮謝晦同屈末日。而欲以討晦自顯忠順也。晦後表以未知征北將軍臣道濟存亡爲言。且與故司徒臣羨之左光祿大夫臣亮橫被酷害並論。豈亦欲動其兎死狐悲之念耶。抑彼時實未知其尚在耶。（史言晦聞羨之等死。謂道濟必不獨全。然晦未上後表前。參軍劉和之已有檀征北尋至東軍方彊語）覽晦各表及悲人道篇。心實耿耿。然廢立事大。自霍光以來。鮮不及禍者。否則往往簒逆。於是君日畏簒逆。不得不討殛。臣日懼討殛。不得不簒逆。利害相還。數百年一轍。可痛也哉。

沙橋之役。周超大破劉道濟(益州刺史劉粹弟)沈敬之、江陵無恙、抑何壯也。洎晦敗歸、超卽夜舍軍詣到彥之降。賣主求活。又何劣耶。卒與晦等並戮。亦自悔未與晦患難終始。逞困獸猶鬬之勇。尙爲較得死所否。

書王檀向劉劉傳

劉毅有疾。求遣從弟兗州刺史藩爲副貳。不知王鎭惡卽僞爲劉兗州以襲江陵城。未及鬬而軍已入大城矣。無備之患。竟至此哉。毅旣逃出。忽縊佛寺。殆恐終被擒戮不如自死爲愈耳。

潼關之役。姚紹病死。讚代紹守。怯懦引退。此殆天滅後秦也。鎭惡出奇履險。率水軍自河入渭。使僞鎭北將軍姚彊能軍。涇上豈可飛越乎。然旣至渭橋。非鎭惡竊取項羽沉舟破釜故智。棄船登岸。示以必死。亦惡能遽潰數萬敵卒哉。

姚泓輦飾金銀。能有幾何。而鎭惡以貪故。藏輦剔取。幾致滅族。抑何可哂。

自沈田子害王鎭惡。而秦壤失。自文帝殺檀道濟。而燕壤失。此南宋二大事。將之所繫大矣哉。

向靖治身儉約。不營屋宇。無園田商貨之業、勇將克廉。不易得也。劉懷愼名位愈優。恭恪愈至、特賜班於宗族。家無餘財。亦勇將所未有。

諺云請人哭不出眼淚。然劉德願爲孝武哭殷貴妃號慟撫膺。擗踊。涕泗交流。則諺語抑未足據矣。一笑。

書趙到王張傳

到彥之傳闕可惜。宜就各傳有關者輯補。

盧循寇逼建業。衆議遷都。王懿獨正色闢之。此誠可佩。至長安平後。劉裕欲遷都洛陽。衆以爲宜。懿獨主歸建業、關洛不守。職此之由。則未可與前事並論矣。

永嘉二十七年。魏主托跋燾南征。已逼近彭城。魏主且登城南亞父冢於戲馬臺立氈屋。而不急攻彭城者。以城內兵多。不知其乏食欲棄城走也。其所以送還蒯應。求甘蔗及酒。復送駱駝。幷致雜物。又使尚書李孝伯與城上張暢語。又求酒及甘橘。又稱魏主有詔借博具及他種種皆欲藉窺城中動靜若何以決進止耳張暢隨宜應答。若無事然故彼不敢遽逞。

書劉孟劉檀傳

宋武伐廣固孟龍符爲前鋒軍達臨朐與賊爭水。龍符單騎衝突應手破散即據水源。賊遂退走。軍行以糧爲命尤以水爲命。龍符此役雖以乘勝奔逐被圍見害其功要未可沒也

劉敬宣與父牢之謀襲桓玄。期以旦日。而屆時忽還京口迎家。且不先白。致牢之謂謀已泄。且疑敬宣已爲玄所擒。遂自縊死。此誠怪事。豈鬼神實惡牢之。不如是不足死之耶。

書朱齡石毛修之傳弘之傳

朱齡石伐蜀。以大衆自外水取成都。疑兵出內水向黃虎。得虛實奇正之妙。而慮此聲先馳。賊審虛實。別有函書至白帝乃開。尤後世用兵者所宜效法。否則出分中路

左翼右翼守分第一道二道三道防綫。若畫平面圖。一目了然。亦太可哂矣。

劉裕既取關洛。不即遷都。反以付諸義眞。致王鎭惡朱齡石超石蒯恩等皆死於虜。是得地未受一益。而折將反遭大損也。惜哉。

書孫蒯劉虞邱傳

孫季高卒衆三千汎海襲番禺。晉時僅有樓船。建此大功實不易。既拔番禺。復平始興。致盧循徐道覆退無所歸。遂爾同滅。宜劉裕之不忘也。

蒯恩起自馬士。身經百戰。位列五等。與人語常自稱鄙人。誠自抑損。今則以鄙人爲亢辭矣。世殊事異。可勝嘆哉。

劉鍾於討盧循時。因霧覘賊。賊鉤得其舸。不謀遁逃。而反進攻。賊閉戶距之。鍾乃得還。此蓋以攻爲遁也。智一。於伐蜀時主急攻彭模。謂前揚聲大軍向內水。譙道福不敢舍涪城。今重軍自外水卒至彭模。蜀人已破膽。盡銳攻之必克。智二。

書胡劉垣張傳

胡藩以殷仲堪不信其諫。改事桓玄。既爲玄盡節。復因劉裕之召再出任事。其從征鮮卑。效韓信破趙之計以克臨朐。從討司馬休之。以刀頭穿馬頭岸劣容脚指。徑上死戰。遂大破賊。智勇俱備之士。一時盡集於裕。藩特其一耳。裕安得不成大事乎。

書宗室傳

道憐素無才能。言音甚楚。擧止施爲多諸鄙拙。高祖雖遣將軍佐輔之。而貪縱過甚。畜聚財貨。常若不足。凡史所謂宗室者。大半此種。不獨道憐也。而核其戰功治行者。劉道規者。鐵中錚錚。固未易有。

書庾王謝袁褚傳

東堂之事。劉毅先至。且婉請見讓。而庾悅特貴不答。一可鄙。悅厨饌甚盛。毅非俗客。何妨共坐而悅。竟不相留。卽請子鵝殘炙亦不答。二可鄙。他日爲毅所扼。疽發背卒。非不幸也。

三代以上。國與國倂。三代以下。人與人倂。惟其國與國倂也。故會塗山者萬國。會孟津者八百國。戰國時乃僅七國。惟其人與人併也，故劉項並起而漢高興。劉隗並起而光武興，李劉竇並起而唐祖興，朱陳張並起而明祖興，劉毅諸葛長民等與劉裕建義討玄而毅與長民皆死劉裕手。亦人與人併之例耳。不必待王誕輩教之始然也。譬之造蠱。後存者最毒，天下事大抵若此。悲夫。

書張庾謝江傳

張永爲將。用違其才。敗也固宜，然必屢用俾屢敗何耶。

才人輕薄多尤累。不獨謝惠連然也，可歎。

書孔季恭羊玄保沈曇慶傳

孔季恭治會稽，敕止浮華。翦罰游惰。由是寇盜衰止。境內肅清。今不敕止而獎勵之。不翦罰而顯榮之，使多數不浮華不游惰之良民，其生命財產悉操縱於浮華者游惰者之手。寇盜焉得衰止，境內焉得肅清乎。

宋文帝有曰。人仕宦非惟須才。然亦須運命。與曾文正不信書信運氣語相發。與論

語死生有命富貴在天亦相發

羊玄保自少至老謹於祭奠。四時珍新未得祠薦者。口不妄嘗。此事似易實難。蓋終身無一時不念昔先人也。

書臧燾徐廣傅隆傳

徐廣兩値篡竊。既慟安帝出宮。復哀恭帝遜位。世荷晉德。眷戀故主。誠不宜復爲宋吏也。

書謝瞻孔琳之傳

謝瞻不以謝晦干豫時事。靈運臧否人物爲然。蓋處亂世遠識。萬一欲撥亂反正。亦非其時不可遽露頭角。

書蔡廓傳

謝晦豫人密謀。不惟謝瞻弗善也。宋武臨終誡子。且甚以晦以慮。後廢少帝而立太祖。已亦懼不免禍。可見豫人密謀。無異自入陷阱。

書王惠謝弘微王球傳

王鑒謂無田何由得食。王惠則謂亦復何用食爲。惠意蓋與孔子去食孟子所欲有甚於生闇合。

謝弘微孝義人。其度抑汪汪若千頃陂。亂世有此。豈易易哉。

書殷張何江傳

張暢事已詳趙到王張傳。此乃重出。且頗有同異。論發仁者有勇之義尙精審。

書范王王荀傳

范泰上表。有大宋雖揖讓受終。未積有虞之道。先帝登遐之日。便是道消之初等語。語近笑罵。意切悲憤。凡篡弒得國者讀此當亦汗下。

王准之父納之祖臨之曾祖彪之四世爲御史中丞。且皆以之爲名。可異也。

王韶之嘗撰安帝陽秋。而於安帝之崩密加酖毒。此豈宜居史職者乎。沈約謂韶之善敘事辭論可觀。史豈徒重辭論乎。

書武三王傳

劉裕旣定關洛。若遂還都。則將士自泯歸志。而乃聞三秦父老長安十陵是公家墳墓。咸陽宮殿數千間是公家屋宅。捨此欲何之之語。徒爲愍然。不決大計。欲恃義眞小兒。與不同志諸將鎭撫其地。致沈田子殺王鎭惡。王修殺田子。義眞殺修。又因戰敗喪朱齡石超石蒯恩等。是不獨爲赫連勃勃開疆創業。且自翦良將幾盡也。以劉義眞之庸劣。而文帝詔有道心內昭微風遐被等語。可見當日公文大抵虛僞。

書羊欣張敷王微傳

張敷求母遺物。惟得一畫扇。每至感思。輒開笥流涕。亦古慟棬棬之意也。

書王王殷沈傳

宋文入奉大統。因少帝見害而疑。此與漢文帝入纘漢統時相似。王華決徐羨之傅亮謝晦等不敢頓懷逆志。與宋昌爲漢文決策相似。羨之等後皆被戮。與周勃下獄亦相似。昔晉惠謂里克曰。子弑二君與一大夫。爲子君者不亦難乎。此種殺機已開於千載以上矣，君不君。坐視身不保。國且必亡。廢立國幸存。身終不易保。果如何而後可耶。後世憎君主。此亦一端。

孔寧子陳損益有云。才實拔羣。進宜尙德。才均以資。資均以地。將使公路日淸。私請漸塞等語。今私人徧國。羣小肆毒。公路濁穢。私請紛紜。誰與讀此也乎。

王曇首不就兄弟分財。惟取圖書。與蕭何入咸陽略似。世有同氣爭產者。讀此亦知愧否也。

曇首與王華到彥之勸文帝東下纘大統。又贊討徐羨之傳亮謝晦而克。謙以自牧。可云慮遠。

曇首辭封。謂豈可因國之災以爲身幸。文帝哭曇首。謂非王家欲衰。眞是我家衰耳。不圖三代以下得聞君臣一體語。

劉湛與殷景仁素善，皆被遇於武帝。文帝時湛尙外任。景仁引還共參政事。是景仁本以君子待湛也。湛憤景仁居前。深結司徒彭城王義康以傾景仁。景仁稱疾辭職。

表疏累上不許使停家養病。而湛議遣人若刼盜者於外殺之。是湛始終以小人自處也。收湛之日景仁雖豫密謀。豈得已哉。

書鄭鮮之裴松之何承天傳

裴松之註三國志。鳩集傳記。增廣異聞。可謂發皇昊劉。不獨羽翼承祚也。

何承天固謝晦所重。且爲畫策草檄。留治州事。乃到彥之至馬頭。承天即自詣歸罪。人情險薄至此。可慨也已。

元魏全據燕趙。跨帶秦魏。庶幾苻秦舊壤。宋欲進討。自非俟衅不可。承天進安邊論。意在安民保境。可采也。

書吉劉杜申傳

漢文思廉頗李牧。馮唐謂陛下雖得頗牧弗能用。宋文思金日磾。杜坦亦謂日磾假生今世。養馬不暇。然漢文因此赦魏尚。復爲雲中守。而宋文徒以嘿然聞。則以唐言爲人而發。且驗以事。坦言爲己而發。未驗以事也。

杜驥以洛城不治。久且無糧。欲棄城走。慮爲文帝所誅。乃誑姚聳夫共守。因以嫁禍。此種小人極可恨。

書王敬弘何尙之傳

王敬弘屢讓高位。亦甚難得。蓋軒冕中有山林氣者。

江左僅禹貢荆揚二州。揚自廬蠡以北。臨海而極大江。荆括湘沅。跨巫山而掩鄧塞。揚擅財賦。爲畿甸。荆處國上流。屢見異動。分荆弱枝。固自有說。然禪讓之局每起於內。抑又莫可如何也。噫。

書謝靈運傳

以謝玄爲父而謝瑍生而不慧。以謝瑍爲父而靈運幼便穎悟。此殆生理學不可解之事。然此就三世論也。若論二世。則以堯爲父而有丹朱。以瞽瞍爲父而有舜。古亦有此。固無足怪。

靈運永嘉。子厚柳州。皆若天爲佳山水、要好文章。特阨之使如此。異哉。

靈運勸伐河北。蓋懼才以文掩。欲立功立事。上同厥祖。而竟以疾東歸。遊娛宴集。以夜續晝。此亦何異信陵醇酒婦人之意乎。

論宮羽相變。低昂互節。前有呼聲。後須切響。一簡之內。音韻盡殊。兩句之中。輕重悉異。妙達此旨。始可言文。云云。此文重聲調之說也。非好學深思心知其意者。豈易與於此哉。

書武二王傳

義康委任劉湛。在藩多有善政。及後輔政。銳意國事。文帝有疾。衛奉忠恪。自謂兄弟至親。不復存君臣形迹。此心耿耿。寧減周公。乃劉湛因文帝病危。義康將預顧命。遽發天下艱難詎是幼主所御之謬議。致開大釁。湛既伏誅。義康亦終不免。可痛也已。然自古帝王兄弟。大抵慘死。况劉裕之子哉。

義宣陰納臧質邪說。欲攘大位。而孝武復與義宣諸女淫亂。所謂帝王之家者竟如此哉。人皆欲爲帝王。抑又何也。

書劉湛范曄傳

劉湛自比管葛。不惟愧才。實亦慚度。觀其於王弘不平。於殷景仁謂爲間己。且欲因義康之力以傾黜景文。又推崇義康。於文帝無復人臣之禮。則上爲義康啓大衅。下爲一己搆異禍。此種人疑忌滿腹。加以很悖。無論何時何地。禍己禍人。必無幸也。至生女輒殺。試問無女那得男乎。湛母果何自來乎。

曄以左遷不得志。乃删衆家後漢書爲一家之作。赫然爲四史之一。其史論且開數代文體。向所謂不得志者。孰知卽莊子所謂躊躇滿志哉。至母亡不時奔赴。及行文携妓妾自隨。無行至此。殊令人廢書一歎。

義康被黜。孔熙先密懷報效。何取於范曄。而必結爲腹心。恃舉大事。其敗宜也。然義康死於熙先。而曄僞造義康與徐湛之書。暨孔熙先所爲檄文。則藉此永傳千古矣。哀哉。

范曄罪狀已顯。而文帝遺問無惡聲。孔熙先望風吐欵。辭氣不撓。而文帝奇其才。遺人慰勞可謂有君人之度而詰責前吏部尚書何尚之謂使孔熙先年將三十作散騎郎那不作賊更與唐武則天讀駱賓王之檄惜其不遇而曰宰相之過也相似

書袁淑傳

袁淑不爲章句之學辭采遒豔雖意誇誕而秉尚貞慤劉劭弒逆懷忠隕難豈尋常才士可比哉詔予美謚忠憲史列專傳抑可謂不死也已

書徐湛之江湛王僧綽傳

文帝欲廢劭立宏而徐湛以女爲隨王誕妃故欲立誕江湛以妹爲平王鑠妃故欲立鑠各爲身計不與文帝同憂文帝亦既知之矣不深味王僧綽蚤斷之議及裁弟義康不能裁兒之諷而猶與徐湛之屏人言論連日累夕安得不謀泄遇弒耶

書文九王傳

南平王鑠之妃江氏不受前廢帝逼迫宋室所僅見可敬

齊既受禪劉璡上書訟故建平王劉景素寃舉十事相明辭義遒茂頗似鄒陽遺粱

孝王書。而今日王亡明日宋亡。王何負於社稷。何愧於天下哉等語。尤足令逝者墮淚、

前廢帝無道、囚諸父於殿內。毆捶淩曳、無復人理、號太宗爲猪王、休仁爲殺王、休祐爲賊王、褘爲驢王。皆古所未有。而以木槽盛飯、內諸雜食。攪令和合。掘地爲坑穽。實以泥水。裸明帝內坑中。令以口就槽中食。尤古所未有。至使左右淫逼休仁所生楊太妃於休仁前。則直非人所爲。不特古所未有也。

明帝賜休仁死。與文帝之於義康同。地屬密親。位居台重。焉得不死乎。噫。

書顏延之傳

延之始以洛陽道中詩。爲傅亮所賞。後以負其才。辭不爲亮下。爲亮所疾。此事後人常有、延之作五君詠以述竹林七賢、而山濤王戎以貴顯黜。蓋憤怨劉湛、視濤戎亦湛比也、而湛怒其詞旨不遜。此事後人亦常有。文足賈禍。可弗戒歟

得鳥者羅之一目。而一目之羅無時得鳥、可見一人一時一事之成功。互有因果。不

得漫歸功於一人。

不以所能干衆。不以所長議物。此二語宜書紳。

延之庭誥有捐情反道合公屛私。尋尺之身以天地爲心。數紀之壽以金石爲量等語。而買田不肯還直且疾釋慧琳才學何耶。

孝武時延之以子竣權傾一朝凡所資供。一無所受。常語竣曰。平生不喜見要人。今不幸見汝。蓋惡其子嘗爲劉劭用也。（要人二字始此）

書臧質魯爽沈攸之傳

臧質自謂一世英傑。而劉湛之於質計以萬人取南州。萬人殺玄謨。（王玄謨）質浮舟外江直向石頭則曰質求前驅此志難測。顏樂之於質既克西壘。欲攻東城則曰質若再拔東城大功盡歸之矣。附逆不遇主。反被小人忌疾。庸可濟乎。

魯爽小名女生。與張玄字黑女異。蓋黑與玄皆本老子女生無他義。但恐男子不易成人。特呼女生冀易成人耳。

義宣舉事秋以爲期而魯爽春日起兵。且板有丞相劉補天子名義宣云云躁謬至此古所未有

前謂沈攸之自至夏口便有異圖。後謂元琰既至江陵。攸之便有異志。詞複且事始未能確指。非史筆所應爾

書王僧達顏竣傳

孟子謂盆成括小有才未聞君子之大道。足以自殺其軀。況僧達徒有辭采。卽論才亦小之小焉者乎吏部郎庾炳之斥其不堪涖民孝武詔且有輕險無行暴於世談之語匪苛論也

顏竣諫爭懇切無所回避。自非僧達可比乃以所諫不從。內懷猜懼。終致於獄賜死。與僧達同則亦未聞君子之大道耳。然孝武殺大臣不以罪。於僧達以高闍事陷之。於竣又以竟陵王誕事陷之抑左氏所謂失政刑者矣。

書朱脩之宗慤王玄謨傳

論語有之。好勇疾貧亂也。宗慤願乘長風破萬里浪。叔炳謂汝不富貴卽破我家。亦論語意耳。卒以將帥顯名。蓋好勇而富貴。無所疾。自不至爲亂也。

書柳元景顔師伯沈慶之傳

柳元景屢建殊勳。有大將才。而菜園守者賣得菜錢二萬。元景責其奪百姓利。尤可謂有大臣度。

元景幸免於孝武嚴暴異常之日。而竟橫死於前廢帝凶德始著之時。蓋前懼禍歛抑而後不懼禍恣肆也。

沈慶之辭官家居。自謂效張子房。實開郭汾陽之風。惜逢前廢帝。不納忠諫。反賜死也。然使壽不八十。則孝武之世決無此禍。洪範五福以考終命殿之。有以哉。有以哉。

書蕭思話劉延孫傳

蕭思話將才也。而勝吏事。傳稱其所至雖無皦皦清節。亦無穢黷之累。蓋未嘗有心立譽。所有興革。順事理之常軌。乃能如此也。

書文五王傳

竟陵王誕討元凶。有奔牛塘之捷。卒被孝武猜疑。以反見誅。亦與義康前例略等耳。總之反亦誅。不反亦誅。功高震主。鮮克令終。況親貴乎。讀先經何福。同生皇家。今有何愆便成胡越等語。爲之淚下。

書孝武十四王傳

何邁尙文帝女新蔡公主。而前廢帝納公主於後宮。詐云主薨。殺宮人代之。顯加殯葬。廢帝固不君。色之爲禍亦烈矣哉。皇室兄弟每自相殘害。子鸞臨死謂左右曰。願身不復生王家。此大悟語也。

書劉秀之顧琛顧覬之傳

賒市百姓物不還錢。市道嗟怨。此事大吏極易犯。蓋僚屬所爲。或不敢上聞。大吏遂致代人受過也。而且以賒市始者。往往以刼掠終。以嗟怨始者。亦往往以叛貳終。勿察禁可乎。秀之切陳。而穆之竟不從用。甚矣其悖也。

顧覬之爲山陰令理繁以約縣用無事。嗚乎。此殆得老氏之旨也。天下事大抵可以約理之。彼晝夜不得休事猶不舉者。庸人自擾而已。

書周朗沈懷文傳

一婢之身。重婢以使。一豎之家。列豎以役。商販之室。飾等王侯。傭賣之身。製均妃后。見車馬不辨貴賤。視冠服不知尊卑。周朗所言。後世彌甚。可歎也。

周朗上書孝武所主興革陳義過高。且有不可必行者。然尊古重民。其大體固未可非也。沈懷之卽事納練。義正詞婉。雖數忤旨。不敢畏咎。此亦宋廷難得之臣。竟先後與周朗死孝武手。惜哉。

書宗越吳喜黃回傳

宗越殺掠成性。而孝武之於廣陵。使越悉殺城內男丁。前廢帝之於羣公及何邁等。更恃越等爲爪牙。竊凶極暴。竟歷兩朝。雖後誅死。死已晚哉。

書鄧琬袁顗孔顗傳

劉子勛討前廢帝既露頭角。縱俯受官號。終必不免。惟史稱鄧琬鄙闇貪吝。賣官鬻爵。酣歌博奕。日夜不休。賓客到門。歷旬不見。羣小橫恣。內外離心。則琬非王佐才。子勛何恃踐天子位哉。義始逆終。可哀也已。

劉胡棄袁顗夜走求活。終見殺於陳懷眞。鄧琬欲賣劉子勛求活。亦見殺於張悅。小人枉自爲小人。可哂也。

竟陵郡丞陳懷眞率數十人道邀劉胡。既得胡首而已。首反被人斬。胡首且被人送。鵲頭戍主薛伯珍且見袁顗既得顗首而已。首亦被人斬。顗首且與併送。世亂貪功。抑可鑒已。

晉孝惠爲太子將廢。以荀勗譽之得不廢。宋前廢帝爲太子將廢。以袁顗譽之得不廢。天討晉宋。假手二主。更假手二臣。酷矣。抑巧矣。

龍驤將軍有阮佃夫。彊弩將軍又有任農夫。名皆特異。

書謝莊王景文傳

謝莊上孝武啓。賊劭自絕於天云云。辭義兩勝。而他日以孝武所賜劍送魯爽別。爽既反叛孝武問劍所在。意實難測。莊竟以竊爲陛下杜郵之賜一語。幸霽上顏。尤爲辭義兩勝也。

馬以舞稱。失馬德矣。莊不納諫。從而賦之。竊所不取。

明帝爲身後計。正宜效漢高留周勃陳平備非常。或效漢武託霍光金日磾輔幼主。何得但以屠戮爲務乎。其答景文詔有吉凶大期正可委之理運。安危在運何可預圖等語。明於諭人而闇於諭己。抑又何也。自時厥後後廢帝被弑順帝禪位。宋遂爲齊有矣。明帝九原有知。能勿慨悔。

王蘊密與荆州刺史沈攸之司徒袁粲結厚以圖齊王。此正宋之忠臣。沈約作史何得謂連謀爲亂乎。

書殷孝祖劉勔傳

劉勔駮賈元友北攻懸弧書。料事揣情。甚可誦覽。

書蕭惠開殷琰傳

惠開謂湘東（即明帝）太祖之昭。晉安（即子勛）世祖之穆。當璧皆可。自是公論。

惠開既歸順明帝。而蕭寶首欲以平蜀爲功。獎賊使亂。卒被惠開執送。小人無聊。亦可鑒矣。

以廐馬六十匹爲到希微償債。又資財二千餘萬悉散施道路。此誠惠開意趣不常處。

書薛安都沈文秀崔道固傳

薛安都單騎斬董爽。勇等關羽。然舉兵淮北以應子勛。乃委付子姪。不專任智勇。以致破滅。後且以地引魏。殊不足取。至傅靈越臨難不屈。視安都子道智等敗降乞活。曷啻霄壤

青州爲魏所陷。沈文秀靜坐待死。不肯苟免。其被圍三載。士卒用命無離叛者。宜哉。

書袁粲傳

袁粲妙德先生傳有混其聲迹。晦其心用。故深交或迕。俗察罔識。修道遂志。終無得而稱焉等語甚可誦味。殆亦善究莊老者也。

周旋人解望氣。且爲袁粲望石頭氣。周旋人信善周旋哉。一笑。

袁粲見齊將簒宋。密結劉秉王蘊沈攸之等討賊。事雖未就。志極可閔。寧爲袁粲死。至今以爲美談。死日生年。豈誣也哉。

書明四王傳

明帝殺諸弟殺文武大臣。蓋恐謀反也。豈知蕭齊開國。明帝子翽高禧等乃皆以謀反賜死耶。噫嘻。

書孝義傳

賈恩遇火。身殉母棺。郭世道瘞兒顯養繼母。皆人所難能。

郭原平世道子也。生事死事皆克孝。且多義行。足爲世範。

世人欲仕輒曰家貧親老。何子平不假母老求縣。直令此輩愧死。

書良吏傳

宋武克儉。戎車歲駕。邦甸不擾。文帝時府庫尙充。雖嘗動師役。不及民。可見知稼穡艱難者。必不忍竭四海以奉一人。宋武且然。周書無逸所云信不虛矣。近世起自匹庶者。每窮奢極欲。日惟損匹庶是務。若恐人以田舍見誚者。此宋武之罪人也。噫。

宋武以王鎭之爲廣州。謂必將繼美吳隱之。知臣莫若君。信哉。

杜慧度爲交州。嘗督水步軍破斬盧循。而布衣蔬食。頗好莊老。歲荒民飢。賑以私祿。由是威惠沾洽。姦盜不起。城不夜閉。道不拾遺。漢代循吏。不圖於劉宋遇之。

食祿之家。豈可與農人競利。宋時尙有此語。（江秉之語）今則官吏可工商。工商復可官吏矣。噫。

書隱逸傳

南陽宋炳不應徵辟。每游山水。往輒忘歸。妻羅氏亦有高情。與炳協趣。南郡劉凝之慕老萊嚴子陵爲人。采藥衡山。妻郭氏克屏榮華。與共儉苦。此與冀缺梁鴻夫婦曷

以異乎。會稽朱百年高蹈克孝妻孔氏固辭郡米亦有梁孟之風

王弘之嘗爲烏程令。陶淵明嘗爲彭澤令。而皆不愧隱遯者。既退之後。遂絕宦情也。

淵明命子詩。既見其生實欲其可。人亦有言斯情無假。此正言勗之也。夙興夜寐願爾斯才。爾之不才。亦已焉哉。此既正言勗之。復反言激之也。然道盡古今爲父母者無限苦心。

淵明傳與晉書略同。惟義熙以後文章不書年號。唯云甲子。及誡子書命子詩。則晉書所未詳。

書恩倖傳

周漢以智役愚。魏晉以貴役賤。言其大較耳。春秋世卿。漢貂七葉。豈皆以智役愚乎。惟魏晉九品。憑藉世資。用相陵駕。劉毅斥爲下品無高門。上品無賤族。則眞以貴役賤矣。

孝武不任大臣。而寄腹心耳目於戴法興巢尚之戴明寶。凡選授遷轉誅賞大處分。

皆與法興尙之參議。內外諸雜事多委明寶。太阿倒持。宋運自此衰矣。哀哉。

前廢帝賜法興死。甚是。惜親政以後。昏暴乃過桀紂耳。明帝詔曰。法興小人。專權豪恣。雖虐主所害。義由國討。不其諒與。

有阮佃夫傳。而明帝誅前廢帝事。乃詳壽寂之謀。廣或泄不煩多人二語。尤爲密舉大事者龜鑑。

既名佃夫。而豪奢比於晉世王石何也。

後廢帝若往江乘。阮佃夫之謀必得逞。是前後兩廢帝皆由阮佃夫處分矣。

楊運長質本廉正。治身甚清。不事園宅。不受餽遺。惟與寒人潘智徐文盛厚善。其後且與沈攸之謀討齊王。不得以恩倖少之。

書索虜傳

既詈爲虜。復就譯音以索頭二字醜之。可謂無聊已極。又託跋一譯拓拔。又作託跋。魏書謂託跋故黃帝裔。黃帝以土德王。北俗謂土託。謂后跋。故氏託跋云。

李陵敗降匈奴而其後以北魏啓祚南面數州丕揚前人耿光亦可異也。託跋開滅清河一郡且欲手殺人滿萬藉免暴禍而不知愛妾名萬人與子清河王通竟協力殺已也。此與秦始皇築萬里長城防胡。而不知亡秦者胡乃其子胡亥相似。

司州刺史毛德祖於滑臺陷沒後固守虎牢檀道濟至彭城。以青司二州並急先救青州。皆可謂知地利。

毛德祖守虎牢將一年。以救師淹緩終至陷沒託跋嗣且重其固守之節勸衆軍生致之。雖未斷頭實不降敵沈約不爲立傳僅附詳生平於此傳何也。又竺夔守青州有功宜與德祖合傳。

長沙王義欣出鎭彭城告司兗有司哀良民復蹈非所周鄭遺黎。重隔王化構難西虜結怨黃龍等語蓋是時託跋燾西定隴右。東滅黃龍。北有沙漠。南暨河南疆域已廣也。

燾悉歛河南一戍歸河北，俟河冰冬合南渡，復取洛陽滑臺虎牢，如入無人之境。可見尹沖等匪毛德祖比。不勝守險重任，後燾攻懸瓠四十二日盡銳竭智，終未能拔。且以彭城及壽陽先後救至敗退。陳憲固守，或可無愧德祖與。燾一出而破南兗徐兗豫青冀六州。自彭城至盱眙，遂至瓜步，但未渡江耳。魏强宋弱。竟無謝安子弟起破苻堅。抑何可憫。

魏主卒後。國內幾亂。青州刺史劉興祖建議伐河北，意氣甚壯。惜文帝志在河南，不克及時而動。然他日託跋弘之乘明帝初立，子勛爲逆。謀納叛人義陽王劉昶，汔未有成。雖獲四州，宋室無恙、則興祖所議亦未必竟操左券也。

書鮮卑吐谷渾傳

若洛廆以馬門相傷讓吐谷渾，渾遂西去萬里，永不接壤，此誠夷狄弟兄也，然中國兄弟相訟相害者豈少也哉。是又渾之罪人矣。

書夷蠻傳

訶羅陁國及呵羅單國闍婆娑達國師子國天竺迦毗黎國所上表辭美意謹蓋中國譯原表語粉飾成之。或刋中國人代爲之

沙門慧琳均善論有道之以仁義者服理以從化帥之以勸戒者循利而遷善等語。服理惟中人以上能之循利則中人以下皆能之中人以上少而中人以下多故儒教亦往往言禍福而佛說天堂地獄焚香拜禱者徧天下。

書氐胡傳

仇池亦號百頃四面斗絕高平地方二十餘里羊腸蟠道三十六回山上豐水泉煮土成鹽視桃花源翠微峯不知何如要爲避亂佳處也楊駒以此啓祚都落託庇亦未易也哉。

書遂有秦州之地遂有漢中之地見據仇池者竟易開疆拓土非徒避亂而已也。

大且渠蒙遜（晉書作沮渠蒙遜）與兄男成謀殺段業男成不許蒙遜反譖男成於業業殺男成。然後蒙遜以報讎爲名舉兵殺業諺謂無毒不丈夫可畏哉。終爲涼州牧河西王。

宋詔且稱其才兼文武、勳濟西服。但論成敗。不問成敗所由。天下事大抵如是耳。噫。

書二凶傳

二凶傳置氐胡傳後、亦漢書王莽傳置西域傳後。晉書王敦傳置四夷傳後遺意。

文帝使宮內皆蠶。而東陽公主乃以善蠶紿召女巫嚴道育。致啓巫蠱異禍。可見婦女之言不可用。劭濬始意但祈過不上聞而後遂成弒逆大變。可見欺上之念不可起。王鸚鵡養陳天與爲子、旋與淫通、後嫁沈懷遠。處事泄。請劭殺天與。可見男女之事不可苟。慶國與天與預巫蠱、以爲殺天與滅口。勢必及己、遂告密。可見連類之毒未易去。文帝既窮治巫蠱、且因天變、於上慮有竊發、而乃加劭兵衆。可見溺愛之根未易拔、又掩得道育二婢。將於檢覈後廢劭、賜濬死。而乃以語濬母潘淑妃。使劭濬弒己。可見牀第之私未易祕。潘淑妃不忍其子之死、而忍文帝之死、而己竟被劭殺。可見自取之災未易免。

劭欲殺三鎮（謂孝武帝及南譙王義宣、隨王誕）士庶家口。而江夏王義恭設辭止之。蕭斌勸劭勒水軍自上決戰或保據梁山。義恭亦設辭止之。陰助孝武。可謂至矣。

書自序

起處摹史遷自序。靖子戎字威卿以後。則不及遠甚。

師貴用奇。不必在衆。沈田子此語。今日豈得聞乎。

田子與傅弘之譖王鎮惡。又與弘之擅殺鎮惡。罪甚大。而自序回護之。子孫不得不然耳。然不如弗道其事。

沈林子獻捷。每以實聞。謂王者之師。有征無戰。豈可復增張虛獲以自夸誕。今日安得有此人乎。

史遷自序雖詳父談。以史記肇造於父也。孟堅叙傳。父彪以上。世傳頗詳。然叙目典重華貴。史遷叙目不得專美。今沈約但詳世傳。竟缺叙目。殊失自序本義。

宋著作郎何承天始撰宋書紀傳。止於武代。南臺御史蘇寶生著作郎徐爰踵成前作。沈約因之。補造大明之末及永光以來。是猶席祖父遺產以富人名也。約誠幸運兒哉。

丙子初夏徐琸署检

中華民國二十五年
湘鄂印刷公司印行

讀南齊書蠡述目次

讀南齊書蠡述卷一

岳陽李澄宇洞庭著

書高紀上 太祖

道成篡位後、尊父爲宣皇帝。今但有高紀無宣紀、賢於晉書抑遠矣。

蕭道成屯石梁澗北、薛索兒夜遣千人來斫營、道成臥不起。與周亞夫壁昌邑時相類、議於石梁西南高地築壘通南道斷賊走路。索兒來爭道成率軍擊破之。與耿弇致費邑事相類。

劉休範戰時不騎馬而乘肩輿、蓋前史所未有。宜其不轉瞬遂爲張敬兒所斬也。

蕭道成與袁粲褚淵劉秉號四貴而作史者乃强引秦昭王時宣太后（昭王母）穰侯（宣太后弟）涇陽君高陵君（皆昭王同母弟）作陪、文非史法、事亦弗類、

既稱蒼梧王。又書帝史筆不宜如此然此紀所載陳奉伯將蒼梧首與王敬則送道成。及道成乘常所騎赤馬。入殿內驚怖等事、與宋書略異、蓋宋書謂陳奉伯提蒼梧首呈道成。稱敕開承明門出。道成率左右稱行還開承明門入。無人禁詰也。

書高紀下 建元

汝陰王本遇弑，而此以薨爲辭。諱之也。（南史書汝陰王殂齊志也似諱未諱）至陰安公劉燮等則直書伏誅矣。殺人子孫者人亦殺其子孫，劉裕有知，應亦悔恨。

道成謂使我治天下十年。當使黃金與土同價，蓋以儉率天下。不以金爲飾。其效固可如此也，今各國以金爲幣。金制銀，銀制銅。與昔時蓋又大異矣。然果天下不以金爲飾，金價亦未必不賤。

書武紀 世祖 永明

詔內外臣僚各舉朕違。肆心規諫，又詔王公卿士各舉所知。隨方登敍，求言若此。求才若此，不愧明主。

窆枯掩骼，卹老哀癃。南齊時尚若此。今則不禁毀墓。反藉口人鬼爭地。將負郭義山發掘淨盡，賣充屋基。不卹無告。反藉口收容乞丐。歲括各戶捐貲別飽私橐，可勝慨哉。

宣尼誕敷文德峻極自天。而寢廟鞠爲茂草。在昔有然。今爲特甚。然每歷衰歇。後益崇隆。聖敎有眞。自不磨滅。皃東國聖廟。視中土舊制。猶偉。遠西講座。於我國經史獨尊洙泗之主。萬無是理。

俗競奢靡。致不克奢靡者。班白不婚。露棺累葉。匪細故也。明爲條制。嚴勒所在。悉使畫一。此誠明主遠慮。

書鬱林王紀 隆昌

不曰廢帝。直以王紀。此亦新例。蓋廢帝太多。不可以前後廢帝爲別也。

鬱林以奢淫致廢。宜也。然此外未聞失德。且深宮事祕。安知非明帝蓄謀得國。造作醜語。先行廢立。然後取代乎。觀後假黃鉞進爵爲王及誅諸王等事。可想也。

書海陵王紀 延興

太傅宣城王由輔政而踐阼。亦用皇太后令行之。嗣主幼冲。庶政多昧。早嬰尫疾。弗克負荷。皆所謂欲加之罪何患無辭也。其所以先不患其幼冲與尫疾者。正爲此日取代計耳。又此事果出太后意。何至歸老別館乎。噫。直書十一月稱王有疾。數遣御師占視。乃殞之。而明帝之所以爲明帝章章矣。漢靈帝中平六年。獻帝即位。宜踰年改元。而遽改爲光熹。於是誅宦官。後改昭寧。董卓輔政。改永漢。竟一歲四號。晉惠帝太安二年。既改永安。又改永興。亦一歲三號。齊鬱林即位。踰年改元隆昌。至七月被廢。海陵嗣位。改元延興。至十月又廢。而明帝建武元年冬十月癸亥。即皇帝位。遂大書特書矣。故亦一歲三號。其實獻帝宜仍中平。惠帝宜仍太安。海陵明帝宜仍隆昌也。

書明紀　高宗　建武　永泰

覩明帝詔斷遠近上禮。詔自今彫文篆刻。歲時光新。可悉停省。詔今商旅稅石頭後渚及夫鹵借倩。一皆停息。詔京師二縣有毀發墳壠。隨宜修理。詔南徐州僑舊民丁多充役旅。蠲今年三課。詔雍豫司南兗徐五州遇寇之家。悉停今年稅調。其與虜交通不問往罪。詔修理晉帝諸陵。幷增守衛。詔車服有金銀飾者。皆剔除。詔民產子者蠲其父母調役一年又賜米十斛新婚者蠲夫役一年詔詳復仲尼祭秩使牢餼備禮飲饗兼中等事蓋亦可謂逆取而順守者也惜猜忌多慮肆行殺戮竟致後有東昏侯也論謂貽厥不昌終覆宗社諒哉

書東昏侯紀 永元

五更就臥至晡乃起後世亦常有此所謂晨昏顛倒也

明帝尚儉而東昏極奢父子異性世固常有然危城就破尚惜金錢不肯賞賜則東昏抑又極嗇也

書和紀 中興

梁王蕭衍擁立十三歲小兒和帝不過爲他日禪位二字計耳噫

書禮志上

嗣君卽位應廟見蕭琛議謂祗見厥祖義著商書朝於武宮事光晉册並引周成王及漢西京七主東都四帝嗣位謁廟事爲證可爲萬世鐵案

書禮志下

以南齊之時。海陵王之喪。何佟之議百官會哀，尙謂理不容以兵服臨喪。而今竟以有兵服臨喪爲大榮何也

書樂志

旣曰亙地稱皇。罄天作主，至矣盡矣。復曰月域來賓，日際奉土。只可作上二語小註耳。

碣石辭日月之行若出其中，星漢粲爛若出其裏。格調蒼老。非魏武固不能有此。

書天文志上

日月蝕古有同度相掩之說。與後世天文學暗合。

月暈常見日暈不常見則謂之災異也固宜。

書天文志下

流星常見大如月者不常見，大如數升器者亦不常見。

書州郡志上

古無輪舟。秦皇漢武。望海興嗟。魏文至廣陵。尚歎天限南北。廣州濱際海隅。蕃戚未有居者。固無足怪。

書州郡志下

蘇軾赤壁賦有西望夏口東望武昌語。蓋以今漢口爲夏口也。此志既曰夏口地居形要控接湘川。邊帶湞沔。又曰夏口城據黃鵠磯世傳仙人子安乘黃鵠過此上也。邊江峻險瞰臨沔漢是漢口武昌在古皆爲夏口也。而所謂郢州鎭夏口。吳置督將爲魯口屯。則實漢口。蓋魯口以魯山得名。魯山卽今龜山也。

郢州今湖北省。而襄陽別置雍州。安陸郡屬司部。湘州今湖南省。而武陵巴陵二郡皆隸郢版。臨賀始興二郡不歸桂粵。古今異勢。此亦一端。

書百官志

國子祭酒。一曰國學祭酒。國學重經學。實惟重儒。國學廢後置總明觀。亦有祭酒。而玄儒文史四科各置學士十人。玄在儒前。實重黄老。

書輿服志

輿冕服印古皆有别。今惟印然耳。軍警冠服以夷爲師。輿更任意。此皆亂端。未可忽也。易曰天澤履。君子以辨上下定民志。上下不辨。民志奚由定哉。

書五行志

文惠太子作兩頭纖纖詩後句云。磊磊落落玉山崩。自此長王宰相相繼薨殂。二宫宴駕。又作七言詩後句輒云愁和諦。後果有和帝禪位。皆所謂詩讖也。

讀南齊書蠡述卷二

岳陽李澄宇洞庭著

書皇后傳

史記高紀謂季所居上常有雲氣。今高昭劉后幼每寢臥。家人亦常見上有雲氣。大貴早定。妄人乃欲以力征經營何也。

書文惠太子傳

敬爲盡其在我之事。奉上接下。敬以將之耳。故爲臣止敬。而南面尤必居敬。太子不欲敬下。雖聞王儉奉先思孝接下思恭等語。猶必斷斷致辯者。蓋王儉資敬奉君必同至極。移敬待下不慢而已。實未能正言無不敬之義也。

書豫章文獻王傳

魏晉以來。大抵同氣相阨。禍逮宗社。不圖齊武之於蕭嶷。乃能終始友恭。靡所猜忌雖曰忘功竭敬。嶷實賢王。而武帝開誠殫恩。究爲難得也。

書褚淵王儉傳

寧爲袁粲死。不作褚淵生。此就宋言也。若就淵言。則初爲丹陽。與從弟炤同載出道逢道成。指車謂炤曰。此非常人也。後爲吳興。道成餉物別淵。又謂此人材貌非常。將來不可測也。宋明顧命之際。竟引道成豫焉。可見淵雖在宋。乃心早在齊室矣。傳諸臣以淵置首。淵信洽從龍之願哉。於道成廢蒼梧。特書淵默然歸心。於齊臺建特書淵白太祖引何曾自魏司徒爲晉丞相。求爲齊官。史亦尚有南董遺意也噫。

附東陽徐嗣事於褚澄後。如讀華陀傳。

儉察道成雄異。與褚淵用心一也。固宜合傳。

儉寡嗜慾。惟以經國爲務。車服塵素。家無遺財。盛年貴寵而至死若此。抑亦難得。

書柳世隆張瓌傳

柳世隆激沈攸之攻城。攸之不焚夏口舟艦。順流而東。而竟留攻郢城。不知齊武別世隆時。正諭世隆如此。然後坐承沈敝也噫。

世隆大將而好涉獵書史。晚年在朝。不干世務。垂簾鼓琴。南齊時此種人亦豈易有。

書垣崇祖張敬兒傳

垣崇祖智勇兼備。自比韓信白起。眞其人也。乃武帝謬見疑忌。遽加誅殺。致崇祖未克平殄殘醜。豈特宋戮檀道濟爲自壞長城而已耶。庸主難與共功名千古類此者不少可恨

張敬兒詐降劉休範。奪取休範防身刀斬休範首。休範左右數百人皆驚散。敬兒固能。休範左右數百人竟無用至此哉。變起倉卒勇者不及防。智者不及慮也。沈攸之與蕭道成往復書翰。附於敬兒傳內。蓋宋史既無蕭傳。齊書又乏沈傳。不得不變例如此耳。

武帝既戮崇祖。又殺敬兒。國祚不永固無足怪。史臣謂平世武臣若非愚以取信。則宜智以自免。痛哉言乎。

書王敬則陳顯達傳

王敬則爲暨陽令。引神爲誓。以致刼帥。殺牛祭神。并斬諸刼。此亦治盜一術。至後爲

吳興太守。錄得一偷。令掃街路。久之乃令舉舊偷自代。諸偷皆逃。境內以清。此又治竊一術。

敬則以太祖有威名。至誰敢作同異者云云。與宋蒼梧紀南齊高紀互有同異。且較詳。可參看。

敬則早死。何至有遭忌見殺事。乃必壽過七十何也。然自古篡弒得國及助人篡弒得富貴者。受報皆酷。豈獨敬則也耶。噫。

陳顯達在江州遇疾不治。不死必壽七十餘。梟首於朱雀。豈亦論語所謂老而不死是爲賊與。兎死狗烹。古且常有。况身歷數世。主猜政亂。豈易免乎。

書劉懷珍李安民王玄載傳

劉懷珍於道成微時推懷投欵。李安民於道成在淮遙相結事。（崔祖思時亦聞風自結見祖思傳）人心去宋。即此可想。又懷珍卒時年六十三。安民卒時年五十八。（劉善明卒時年四十九蘇侃卒時年五十三垣榮祖卒時年五十七）使皆如王敬則陳顯達壽過七十。亦未必不以猜迫致禍也。

蕭道成不恨王玄邈他日遂收聲破李烏奴之效。玄邈固不負恩遇。而道成抑可謂有君人之度。且知人也。

書崔劉蘇垣傳

崔祖思啓陳政事有三載無考績之效。九年闕登黜之序。國儲以之虛匱。民力為之彫散。能否無章。涇渭混流等語。今當道亟宜誦此。

劉善明家有餘粟。躬食饘粥。開倉以振荒飢。多獲全濟。百姓呼其家田為續命田。此事可法。有田者宜共知之。

道成在淮陰崔祖思聞風自結。元徽初蒼梧新立。劉善明獨結事道成。委身歸誠。亂世人心若此者多矣。可勝慨哉。

善明所陳事十一條皆當時要務。而除宋大明太始以來諸苛政細制。權停諸土木費。帝子王姬宜崇儉約三者。尤後世所必取法。

書呂周周王傳

附全景文於呂安國傳後。且載相者君等（沈攸之與文最）皆方伯人。行當富貴語。足見立事立功。大抵前定。卽論語死生有命富貴在天意。

周奉叔與父盤龍友曹道剛俱以勇聞。此亂世最易賈禍者。盤龍幸以老病前死。而奉叔既與道剛同爲鬱林心膂。獨於衆中攘刀厲目。開罪明帝。身死無名。抑何不智乃爾。然奉叔與道剛不死。明帝逃死不暇。何敢廢鬱林而奪其位。二人固不愧鬱林心膂哉。

書薛戴桓焦曹傳

道成敕齊郡太守劉懷慰僞爲薛淵書與魏將薛道標。示購之之意。使魏疑惑。追道標還。遣他將代之。與吳陸遜假作答逯式降書。胡綜詐爲吳質降文。別是一種間法。

蒼梧昏暴。人皆自危。乃深夜微行至領軍府。左右有何不緣牆入之語。蒼梧又有今夕欲一處作。適待明日之語耳。屬於垣。欲終免弑禍得乎。此可與宋蒼梧紀齊高帝紀參看。

沈攸之大衆至夏口。將直下都、留偏兵守郢城。以不忍焦度罵辱。改計攻城。兵敗身死。與項王大司馬曹咎謹守成皋、勿與漢戰、不忍漢軍罵辱。渡兵汜水。兵敗身死相似。而焦度於敵衆登城之際。令投穢器。尤自古守城者所未有。度固健將。抑智矣哉。又度傳可與柳世隆傳參看。

書江謐荀伯玉傳

荀伯玉夢上廣陵城樓、有二青衣小兒語伯玉云、草中肅。九五相追逐。又夢道成乘船在廣陵北渚、有六龍出兩掖下云云。大抵伯玉知道成謀篡。特造夢兆藉弋富貴耳。曷足信哉。

書王張褚何王阮傳

王琨爲廣州刺史、張岱爲益州刺史。俱以淸著、可入宋循良傳。不幸琨年八十四始卒。岱年七十一始卒。乃復覥顔南齊也、

書王僧虔張緒傳

王僧虔於兄僧綽被害。泣願從死。於兄子儉道病。爲廢寢食。天性之厚。信爲難得。而不曲意禮接阮佃夫。雖坐免官不悔。固辭左光祿大夫開府儀同三司。謂君子不憂無寵。守正戒滿。抑又加人數等也。至於好文史、解音律、星文、善書。特餘事耳。

張緒忘情榮祿。朝野皆貴其風。此未仕時也。緒每朝見、武帝目送之。謂王儉曰。緒以位尊我。我以德貴緒。此既仕時也。風不可及、德不可及也。

書虞劉沈庾王傳

虞既之表。有爲治不患無制。患在不行、不患不行。患在不久等語。此患殆古今一轍、

劉休爲南康相。善言治體、而在郡無異績、殆已得黃老遺意者。

書高十二王傳

宋氏若不骨肉相圖。他族豈得乘其衰弊。此二語即孟子家必自毀之意、而蕭道成能以此誡其子。意深遠矣。

道逢乞人、脫襦與之。蓋曄自傷貧薄、不覺於乞人有同病相憐之感也。

明帝以疎族當國。鬱林不及制而被廢。鄱陽（鏘）未能討而被害。卒窮神器。并賊諸王。此豈武帝所料哉論引陳思王權之所存雖疎必重云云。誠慟其事也。

書謝超宗劉祥傳

袁彖在宥方驕處恩彌戾二語。足死超宗而王逡之復有悖議爽眞囂辭犯實云云。詔書更有超宗釁同大逆罪不容誅等語。超宗將于何所逃死耶。實則超宗未有罪。不過言語失檢耳。悲夫。

超宗門生王永先於超宗死後。告超宗子才卿死罪二十餘條。不實。於獄自盡。超宗而有此門生。好爲人師者可弗戒與。

劉祥迎兄整喪。而與整妻孟爭計財物。孤舟貿反。遂令暴客掠奪骸柩。此實不弟大罪。而敕謂無關他人。可見彼時不解德化爲何事。至於誼議朝廷。不避尊賤。此宜獎勵。而反罪之。殆亦效周厲監謗也乎。

書到劉虞胡傳

到撝以不舍愛妓陳玉珠。故幾從石崇於地下。惜玉珠不能爲墜樓綠珠。未免負撝厚意耳。

劉悛於蕭齊創業。先致誠節。齊既受禪。尤能悅附人主。承迎權貴。此種人後世多有。

虞悰於明帝即位之日稱疾。旋稱疾篤還東。又性敦實。與人知識。必相存訪。親疎皆有終始。與劉悛爲人大異。而竟列爲一傳何也。

書蕭景先蕭赤斧傳

蕭穎冑行南兗州事。會敵動。揚聲當飲馬長江。明帝懼。敕穎冑移居民入城。穎冑以敵勢尚遠。不即施行。魏亦尋退。蓋能靜且能料敵也。

穎冑與梁王定契。斬梁王使王天虎首。送示劉山陽。山陽竟單車白服從左右數十人詣穎冑。被穎冑伏兵殺之。送首梁王。世亂以詐相取若此。而美其事曰機變。吾不暇爲山陽哀。然不得不爲天虎惜也。

書劉瓛陸澄傳

劉瓛不作中書郎。而願爲彭城郡丞。辭尊居卑。此亦處亂世一法。

書武十七王傳

竟陵王以臺使朝辭禁門。情態即異。暮宿村縣。威福便行。脅遏津埭。恐喝傳郵。呵蹙行民。侮折守宰。陳請罷遣。不愧賢王。而詔折租布二分取錢。王啓又有守長不務富民。而惟言益國。豈有民貧於下而國富於上等語。與論語百姓不足君孰與足同意。更屬難得。

鬱林慮竟陵有異志。及薨甚悅。而他日竟爲明帝所廢。蓋不務修德。惟夙夜防輔相不利於我。此念即是殺機。殺機一發。輔相危懼。懦者逃死。很者篡竊。有必至也。

建武以來。高武王侯居常震怖。朝不保夕。蕭道成地下有知。應悔當年篡竊也。

明帝輔政。謀害諸王。不過欲自作天子耳。然天子子孫易被謀害。自作自受。爲其子孫者亦危甚矣。噫嘻。

巴陵王（子倫）被害時謂先朝昔滅劉氏。今日之事。理數宜然。青年（時十六歲）有此快論。亦自難得。

武帝夢金翅鳥下殿庭。搏食小龍無數。乃飛上天。金翅鳥蓋卽武帝遺詔使知尙書事之明帝也。事皆前定。異哉。

書張融周顒傳

融不知階級。階級亦可不知。融此誠名言。進不辨貴。退不知賤。兀然造化。忽如草木。尤爲名言。

顒於鍾山西立隱舍。孔稚珪作北山移文讓之。然淸貧寡欲。終日蔬食。殆亦所謂大隱隱朝市者。一則曰長於佛理。再則曰兼善老易。有以哉。有以哉。

書王蕭蕭江傳

王晏武帝所親信。鬱林卽位。明帝謀廢立。晏便響應推奉。明帝踐阼。晏又自謂佐命惟新。言論常非薄武帝。反覆輕淺。卒致被誅。是誠小人之爲哉。

蕭諶爲武帝所信至矣爲鬱林所信尤甚後竟回附明帝勸行廢立。且與明帝殺高武諸王。何險很一至於此。卒被誅戮。匪不幸也。

蕭坦之亦武帝舊人。鬱林所極信。後竟改附明帝。密爲耳目。且促蕭諶早就逆謀。險很若此。他日被戮。固宜。

江祏欲廢東昏而立始安。蕭遙光事雖未就。而跡近王晏。二蕭。故與同傳。雖始安屬當鼎命。匪明帝比。然既處伊霍之地。復效莽操。不謂之逆不可也。明帝之逆。正以此耳。明帝逆。始安亦逆矣。始安逆。江祏更無待論矣。

書江何謝王傳

江斆於庶祖母王氏老疾。視膳嘗藥。七十餘日不解衣。事母如此。尚難。況祖母乎。況庶祖母乎。至累居內官。每以侍養陳情。亦庶幾令伯之風。後人共稱李密。罕頌江斆。則以陳情表見錄於史。遂爾行遠也。文之不可以已也如是夫。

何昌寓不以臨海王昭秀付徐玄慶。謝瀹於明帝卽位屬疾不視事。皆頗有正氣。不過未能以死赴義耳。

書徐孝嗣沈文季傳

鬱林之廢。孝嗣戎服隨明帝後。鬱林既死。孝嗣於袖中出太后令。建武之世。孝嗣恭己自保。東昏失德。孝嗣不敢諫諍。此皆小人取巧畏禍之爲。而卒不免華林之誅。則小人枉自爲小人也。

沈文季見世方昏亂。以老疾不豫朝機。而兄子昭略乃謂阿父年六十爲員外僕射求自免豈可得乎。由是觀之。富貴不祥物。而世人日夜求富貴。至死不寤。可慟也已

書宗室傳

遙光生有躄疾。本不可踐阼。而乃始假手明帝。盡誅高武子孫。使他日莫或與己爭帝繼輔東昏。潛與江祏兄弟謀自樹立。謂己年長。屬當鼎命。卒以疑沮畏葸。延誤事機身死東府。爲天下笑。亦可愍矣。

書王王蔡陸蕭傳

王裕仕時。不與徐羨傅亮來往。王瓚之歷官至五兵尚書。未嘗詣一朝貴。王秀之爲

尙書不與令王儉欵接三世不事權貴古今所難吾竊慕之。

陸慧曉終身常呼人位。未嘗卿士大夫謂貴人不可卿。而賤者可卿。人生何容立輕重於懷抱此亦可爲後世法。

書王融謝朓傳

王羲之蘭亭序傳誦千載。而王融曲水詩序知者蓋鮮。亦有幸有不幸也。

融以父官不通弱年便欲紹興家業屢求爲將未得。乃圖擁立竟陵。（蕭子良）事與願違。禍翻及己。鬱林忿恨賜死獄中。可知富貴不可强求。事功未容倖致也。

謝朓妻爲王敬則女。而朓上敬則反謀跡近險薄。況明帝篡國敬則擧義。所謂反者非反耶死愧寡妻亦可醜矣。

書袁彖孔稚珪劉繪傳

檀超欲立處士傳而袁彖謂栖遁之士。排斥皇王。陵轢將相。此偏介之行。故遷書未傳班史莫編不知論語於接輿沮溺荷蕢諸人表章甚力。已開處士傳之先河。至排斥皇王，陵轢將相游俠滑稽尤爲特甚。而史公皆傳之，孟堅亦有游俠傳。豈必以此遂擯處士乎，蓋二人作史之時。漢業尙盛。二隱淪已見他傳。無事專撰。非若東漢之季。道在草野。逸民一傳竟不可闕耳。

稚珪言和表可與魏絳和戎論並讀。

劉繪事兄悛恭謹，悛坐罪將誅，繪伏闕請代。遭母喪去官。持喪墓下三年。此誠孝弟之行。聽警有文義者能此鮮矣。贊謂士章繪字機悟，立行砥名，蓋重之也。

書王奐張沖傳

奐無學術，以事幹見處。固宜有潛害寧蠻長史劉興祖。及授兵登陴逆捍王命事。詔謂外飾廉勤。內懷凶慝天下如奐者豈少也哉。奐不足患。患在用人者每乏知人之明耳。

沖事父孝。故爲東昏拒梁王，克盡臣節。雖天不祚齊。沖病死。與沖共結盟誓分部拒守之房僧寄亦病死。致死守二百餘日之郢城終降義師。其忠要不可及也。論謂沖未達天心守迷義運彼爲梁臣惡得不云爾乎。

書文惠二王明七王傳

東昏時崔慧景舉兵明帝第三子江夏王寶玄應之。慧景敗收得朝野投寶玄及慧景軍名東昏令燒之謂江夏尙爾豈可復罪餘人此舉似光武非昏主所能爲也。光武旣誅王郎收文書得吏人與郎交關謗毀者數千章會諸將軍燒之曰令反側子自安

明帝殺人子多矣殺人子者人亦殺其子曷足怪乎。

書裴叔業崔慧景張欣泰傳

裴叔業爲明帝領軍掩襲諸藩鎭屢矣。明帝崩東昏卽位叔業亦以懼掩襲憂死壽春天道好還特恨晚耳。

吾邑方竹字君山或用爲議。不知崔慧景早字君山也。湘鄉羅澤南字羅山亦相似。

慧景在宋傾結道成。鬱林既立。送誠明帝。東昏卽位。又以懼誅起兵謀廢立。爲臣桀黠若此豈得以功名終。況與崔恭祖合奉江夏王寶玄。後又移情巴陵王昭胄。竹里

之捷。恭祖力多。任覺爭勳。致彼怨望。而且恭祖勸射火箭燒北掖樓不從。勸遣二千人斷西岸軍不聽。請擊義師又不許。何怪恭祖出降。已亦終被漁父所斬耶。至恭祖與覺。後皆伏誅。兩敗俱傷。更無足論。

張欣泰雖不樂武職。而曉暢兵機。運籌帷幄。抑亦上選。東昏失德。欣泰謀廢立不就。蓋天命不在寶夤。不特欣泰倉卒也。

書文學傳

聖門以文學殿四科。實函後世儒林文苑二義。茲列文學傳而無儒林。殆知此也。南史有儒林復有文學。則直以文苑爲文學矣。何輕視文學至此耶。

左傳賦詩。論語引詩。皆摘句之漸。洎乎六朝。池塘春草入靈運之夢。高殿寒霜。（丘靈鞠詩）動孝武之歎。由是詩以句重。歷千餘載。至淸季世王湘綺始南面詩城。以成章相詔命。此亦詩教一大關鍵也。

丘公仕宦不進。才亦退矣。雖王儉忌疾語。才人末路固亦往往有此。

丘巨源屢以撰符檄事望賞此文士之鄙情非儒者所應爾。

武帝謂袁粲自是宋家忠臣。又於孝武事迹力主諱惡不愧帝者之度。

袁炳著晉書未成。崔慰祖著海岱志四十卷半未成。王智深撰宋紀三十卷雖成未獲傳。古來類此者多矣。豈亦有命也乎。

書良政傳

捐華反樸。恭己南面。導民以躬。意存勿擾。今當道安得有此乎。或疑堯舜不必有其人。蕭道成豈亦不必有其人乎。

縣豈不可治。但用不得其人耳。武帝此語可謂破的。後世謂縣難治。任曲士設實驗縣。藉以欺世盜名者。盍誦斯語乎。

書高逸傳

褚伯玉獨居絕嶺。年八十六未嘗出仕。非眞隱者豈能如此。

王裒痛父爲司馬昭所殺廬墓悲號讀詩至哀哀父母三復嗚咽門人爲廢蓼莪篇

顧歡早孤、讀詩至哀哀父母。輒執書慟泣。學者亦廢蓼莪篇。顧世人盛稱王裒。而顧歡則未聞、道及蓋類書有王裒事。無顧歡事。考類書者多。讀正史者少也。

傳首有若今十餘子者、全身幽履。服道儒門等語。實則褚伯玉傳一則曰滄霞之人。再則曰談討芝桂、顧歡傳一則曰刪撰老氏、再則曰事黃老道、劉虯傳一則曰精信釋氏。再則曰自講佛義宗測傳一則曰齎老子莊子自隨。再則曰尋山采藥。杜京彥傳一則曰專修黃老再則曰學遍玄儒徐伯珍傳一則曰伯珍好釋氏老莊。再則曰樓惠明有道術。大抵出入釋道、匪僅儒術惟明僧紹臧榮緒何求庾易沈驎士吳苞則庶幾服道儒門耳。豈釋道近隱。雖邦有道而亦然。儒不近隱。必邦無道而始遯邪。是亦三教異同之一斑也

書孝義傳

余嘗謂忠孝為不幸之事。非忠臣孝子所忍言。蓋必所遭君不君父不父。或君父身際禍變而後忠孝大顯也。今此傳有情澆世薄方表孝慈二語、則謂父子天性孝慈

本不足異惟情澆世薄不孝不慈者多孝慈乃覺難能可貴耳語意雖異可互相發

崔懷愼聞父邪利陷沒。卽日遣妻。布衣蔬食。如居喪禮。時生死吉凶未悉。懷愼所爲雖太過。固孝子之用心也。惟邪利後仕元魏。書戒懷愼不許如此。懷愼得書更號泣。則宜喜反悲。未免有其父不可仕魏之意。不知南北對峙。各君其國。旣無正僞可言。何必不可仕魏哉。

孫淡事母孝。母疾不眠食。以差爲期。此亦孝子之用心。然因此而母哀之。後有疾不使知。是使其親遇疾益受諸苦也。欲孝親而使親益受諸苦可乎。又孝子所宜深念也。嗟乎。

華寶因父歿於魏。年至七十不婚冠。不知不孝有三。無後爲大。其父九原有知。未必樂有此孝子也。

孝友節義難能可貴。而或不以上聞何哉。事越恒情。恐反導人以僞耳。雖然。終宜上聞也。

書倖臣傳

蕭生斷流。流謂劉也。道成篡宋。處心積慮。蓋久矣。何必紀僧眞有蒿艾滿江之夢。而後問鼎輕重哉。

六朝時所謂倖臣。大抵與春秋時嬖人等。蓋春秋重世卿。六朝計門戶。彼等以寒族起在君側。人遂以嬖倖目之耳。論謂窺盈縮於望景。獲驪珠於龍睡。賄賂日積。苞苴歲通。則勢在使然。未足怪也。若乃武帝崩而紀僧眞號泣思慕。明帝取武帝刀帽而茹法亮歔欷流涕。褚淵輩直當愧死。豈必倖臣遂皆小人哉。

書魏虜傳

宜如陳壽三國志曰魏主傳。不宜效當世。乃詆語稱虜也。

佛狸已來。稍僭華典。胡風漢俗。雜相揉亂。久遂同化。反失故步。勢所必至。未足云異。遼金元淸後亦若此。

河北淮南。先後入魏。齊竟僅長江一帶稍可迴旋耳。南宋後亦如此。

書蠻東南夷傳

蠻依山谷布荆湘雍郢司等五州界。今共匪窟穴。每跨省爲之。殆亦效此與。東夷倭獨後大。今既得滿洲舊壤。由海國變陸國。指顧間事耳。彼其意且過元清。豈特遜金云爾乎。

書芮芮虜河南氏羌傳

芮芮卽今回回。蓋譯音異耳。元魏闢地南齊。而芮芮南徙。內逼元魏。此亦所謂禍福倚伏。不可不察也。至金因蒙古克燕。不得已而遷汴遷蔡。以避蒙古。則又未可與此同年而語矣。

歷代正史研究文獻叢刊

讀二十五史蠡述

三

李澄宇撰

北京圖書館出版社

讀二十五史蠡述

第三册目録

讀五代史記蠡述

徐琸署

中華民國二十五年
湘鄂印刷公司印行

讀五代史記（世稱新五代史）蠡述目次

卷一

卷二

卷三

讀五代史記（世稱新五代史）蠡述卷一

岳陽李澄宇洞庭著

書梁太祖紀上

亂世帝王起自無賴。最長人儌幸之心。朱溫父誠以五經敎授鄉里稱朱五經。豈有隱德耶。何興之暴也。

謝曈不以章邯背秦歸楚事說溫。則溫終與賊同盡。何至有太祖神武元聖孝皇帝云云。更何至啓五十餘年（自開平訖顯德實五十三年）之大亂。曈於溫爲功臣。於生民則罪人也。此其中有天焉。豈曈始念所及與。

因朱瑾朱宣（舊五代史作朱瑄）來援而置酒軍中。因置酒軍中而陽起如厠。以輕兵襲張晊。所謂出其不意也。兗鄆之兵從而合擊之。蓋密計已協定於前矣。

設伏以敗張晊。而秦宗權精銳盡矣。宗權復怒而斬晊。何異自殺耶。

李克用大敗黃巢。而溫夜襲克用上源驛。都統時溥殺黃巢有功。而溫上書論溥激起兵端。朱宣朱瑾助溫破宗權。而溫移檄兗鄆。誣其誘汴亡卒。發兵攻之。又假道於魏以攻河東。反責魏軍須。（須同需）以爲兵端。志在兼并而行比瘈狗。嬴秦之暴尚不過此。崔胤召梁兵誅宦官。蓋何進召董卓覆轍。朱溫請天子遷都洛陽。亦曹操挾天子故智。已弑昭宗而殺朱友恭氏叔琮。又司馬昭討成濟舊例。蔣玄暉本宜早與朱友恭氏叔琮同受成濟之戮。而所以留之至今始殺而焚之者。殺德王裕等九王。殺司空裴贄等百餘人。皆須假手於蔣也。朱溫蓋慮之熟矣。

書梁太祖紀下

升汴州爲開封府。建爲東都。汴名開封自此始。不沒其實以著其罪。此誠春秋之意。否則甲以此爲僞。乙以彼爲僞。亦奚益乎。

書梁末帝紀

友珪弑父自立。而殺友文以弑罪歸之。名討賊。實去敵。計亦巧矣。而卒被末帝友貞所誅。天眼恢恢。諒哉。

廬陵不僞梁。故不以討賊予唐。然徐無黨註必謂書梁亡見唐莊宗之立速。則非史義。蓋朱溫於濟陰王於德王裕等九王。早已弒淨殺絕。無可再立。則唐莊宗以討梁爲辭。何必待梁亡始可爲帝耶。

書唐莊宗紀上

朱邪本非李宗。後唐於唐。與蜀漢於漢不可同日語。又昭烈實受孝獻密詔討賊。莊宗無是也。不過以志報父仇幸勝。遂爾相代。何正僞之足云。此廬陵微意。故於其世系及國昌恃功拒命。特詳紀之。

鴉兒軍至。巢黨大驚。足證獨眼龍先聲奪人。一敗黃鄴於石隄谷。再敗趙璋尙讓於良田坡。三敗賊於渭橋。四敗賊於望春宮。足證獨眼龍功實第一。

黃巢大敗南走。至蔡得秦宗權而勢復熾。遂攻陳州。使非克用一敗尙讓於太康。再挫黃鄴於西華。三迫黃巢於中牟。四破黃巢於封丘。黃巢何至脫身東走泰山狼虎谷。爲時溥追兵所殺乎。克用於唐有再造功。朱溫所最嫉。恐其不利於篡奪。故於上源驛伏兵縱火以圖之。天不祚溫。任克用父子始終與梁爲敵。且使後唐滅梁。天不冒。天罰顯矣。

克用入朝無他意。而都押衙蓋寓乃云勤王而已何必朝哉。克用亦云蓋寓猶不信我。況天子乎。足見當日藩鎭無一可信。天子更無異驚弓之鳥也。

春秋時晉於河西奄有韓城大荔。於河南奄有陝州華州。故能西扼秦。南制楚。唐時河東道雖河南河西無地。然畫河而守。亦足自固。至梁盛時。河東之晉絳河中河北之邢洺磁鎭定。皆入於梁。晉遂在梁三面威脅中。澤潞汾慈隰嘗不守。太原且被圍。其不亡者幸耳。若不聽存勗之計。燕晉合勢。爲燕出兵攻破潞州。救亡且不暇。何能亡梁滅燕。遂纘唐祚乎。

書唐莊宗紀下

善騎射。膽勇過人。此亞子所以爲亞子也。喜音律歌舞俳優之戲。此亦亞子所以爲亞子也。

納賀德倫之叛。而誅其亂首張彥。以其兵五百自衛。此亦納叛一法。

滅燕以後。又得魏博。於是渡河破楊劉。軍德勝。而帝業就矣。使無魏博。他日無從取鄆。安論襲汴哉。

自李繼韜以潞州（上黨）叛附於梁。梁更取澤州。晉根本震動。使非出奇襲汴。晉室危矣。

書李繼韜伏誅。蓋深罪之也。

唐以宦官之禍致朱溫弒君簒國。存勗不以爲戒。反求宦者。敗亡甚速宜哉。

蜀主王衍（王建子與晉王衍同名）已降而晉殺之。且滅其族。此後不復有降者矣。噫。

書唐明宗紀

嗣源襲鄆。斷梁右臂。既擒彥章。遂請襲汴。梁晉存亡。實繫於此。其智勇五代所罕有。

明宗時大理少卿康澄疏謂賢士藏匿深可畏。四民遷業深可畏。上下相徇深可畏。廉恥道消深可畏。毀譽亂眞深可畏。直言不聞深可畏。今日六者咸備矣。康澄復起。當更痛哭。又舊五代史賢士作賢人。不聞作蔑聞。

書唐愍帝廢帝紀

功高致忌。忌則禍不測。自古叛逆往往由此。李嗣源因郭崇韜朱友謙以讒死而自疑。李從珂以安重誨見殺而自疑。石敬瑭亦以徙鎮而自疑。可歎也哉。

書晉高祖紀

石敬瑭以見疑而反。不惜求援契丹。約爲父子。留惡名萬載。釀外禍數百年。小人不明義利。其弊乃至此哉。噫嘻。

有石敬瑭而耶律德光入自雁門。有吳三桂而清太祖入自山海關。敬瑭斷送十六州。三桂且斷送十八省。

書晉出帝紀

勝契丹屢矣。而瀛州滹沱兩役忽書敗績。張彥澤既叛降契丹。直犯京師。殺桑維翰。而契丹遂滅晉。張不足責。桑維翰結局若此。亦自悔引狼入室否乎。

書漢高祖隱帝紀

契丹不能有中國。以未知以中國治中國也。至元不然矣。至清更不然矣。噫。

書周太祖紀

劉知遠以承祐（隱帝）託郭威史弘肇等。而承祐後乃謬信讒搆殺史弘肇。且使郭崇殺威。致威遂反。是承祐迫周代漢也。周得天下雖不以正乎與世之處心積慮以成乎篡者抑亦異矣。

書周世宗恭帝紀

梁於前蜀吳楚吳越閩南漢外。尚有晉燕岐未入版圖。至唐亡梁。乃滅燕臣岐。石晉繼唐。忽割幽涿薊檀順瀛漠蔚朔雲應新嬀儒武寰十六州與契丹。漢同石晉。周至柴世宗。始西定秦隴。（伐蜀克秦鳳階成四州）南拓淮右（南唐江北十四州盡爲周有）北取三關（瓦橋益津草橋）版圖視漢大異焉。然北漢劉崇仍踞晉陽。與其他六國並峙。蓋一統若斯之難也。

五代時惟唐明宗周世宗可謂賢主。故廬陵於兩紀詳論之。而世宗尤不可及。

書梁家人傳

元貞皇后張氏富家子。不憎朱三貧賤無賴。一不可及。朱三已貴。后更能制其剛暴。

二不可及。出兵大事。雖朱三行至中途。后能召令返。三不可及。朱三必欲殺友裕。后以一語解盛怒。四不可及。朱三納朱瑾妻。后對瑾妻泣下。謂不幸汴州失守。妾亦如此。使朱三自愧。五不可及。惜降年不永。朱三失此賢匹。竟以荒淫爲子所弒也。然朱三若得善終。亦豈復有天理耶。

太祖紀謂全昱無他材能。然爲人頗長者。此傳謂太祖將受禪。全昱顧太祖曰。朱三爾作得否。後與太祖飲博。全昱酒酣謂朱三爾碭山一百姓。遭逢天子。用汝爲四鎮（宣武宣義天平護國也不數淮南者以淮南實歸吳王楊行密也觀本紀天復元年十月王以宣武宣義天平護國兵七萬至於河中可知）節度使。於汝何負而滅唐家三百年社稷。信皆長者語也。

友裕善戰。能以寬厚得士卒心。其知許州。且能招撫流散。增戶三萬餘。使得永年嗣統。梁社或不遽覆。朱三孽重。殃及冢嗣。殆有天意。

友珪親吏馮廷諤既弒太祖。未受成濟之誅。他日友珪復使廷諤殺妻及己。廷諤亦自殺。是冥冥中以逆旅一婦人生逆子。以逆子婦啓弒端。復假手馮廷諤討簒賊討逆子也。噫。

大舜重瞳爲聖帝。項羽重瞳爲霸王。北漢劉崇重瞳爲僭僞。康王友孜重瞳爲逆賊。同一重瞳而相異若此。可歎。

不列友珪於本紀。所以伸末帝討賊之志。廬陵此論。信得春秋遺意。

書唐太祖家人傳

本紀附太祖於莊。此忽附莊於太祖。有悖史例。

不曰唐家人。而分爲唐太祖家人唐明宗家人唐廢帝家人者。以太祖姓朱邪。明宗無姓。廢帝姓王。宜各爲一家也。周分郭與柴亦然。

唐太祖正室秦國夫人劉氏於上源驛之難。神色不動。立斬告者以滅口。陰召大將謀保軍以還。一不可及。太祖既遇救得還。欲擊梁。夫人勸歛軍還鎭。自訴於朝。二不可及。梁圍太原。太祖將亡入北邊。夫人以王行瑜棄邠州事相諫。卒保太原。三不可及。知晉國夫人曹氏有貴相。當生貴子。勸太祖善待之。遂生莊宗。雖曹氏專寵而勿妒。四不可及。莊宗册母爲皇太后。而以嫡母爲太妃。太妃無怨言。五不可及。莊宗迎太后於洛。而太妃獨留晉陽。其卒也。太后悲哀不飲食。逾月亦崩。是太妃之德已入太后骨髓也。六不可及。

莊宗以劉氏爲后。悅其色。非以門望。而后不認父。笞諸宮門。一可殺。莊宗滅梁以後。宦者伶人亂政。后不諫阻。二可殺。民苦水災。后不知振。反與莊宗荒於畋游。軍食不給。后吝庫物。反謂天命有在。三可殺。郭從謙反。莊宗中流矢傷重。后不省視。四可殺。莊宗崩。后與莊宗弟存渥焚殿載寶出。且與存渥姦於道。五可殺。雖已爲尼於太原。而明宗遣人賜死。宜哉。

克寧爲人仁孝。故克用以亞子託之。惜不辨義利。不明禍福。竟爲李存顥等兇徒所惑。試問兄託孤而弟殺之。於義得乎。我內亂而敵外乘。於禍免乎。事成失計。況不可成乎。

莊宗伐蜀。不專任郭崇韜。而以魏王繼岌爲都統。以宦官李從襲爲監軍。致郭崇韜忠而見殺。宜其敗亡。從襲不足責。劉后魏王亦不足責也。尸其咎者莊宗也。

書唐明宗家人傳

淑妃王氏雖專寵不攘后位。且事后謹。可謂難能。至蕭翰迫許王從益知南朝軍國事。妃知非福。卒與許王爲劉知遠所殺。亦可謂先見。

從榮已誅。而明宗愧憤致死。蓋忿已反莊宗而子復反已。從榮若代莊宗報復也。噫。

書唐廢帝家人傳

石敬瑭反。劉延皓迫廢帝北征。重美居守。聽民出城避竄。謂國家多難。不能與民爲主。不宜禁其避禍。此誠明敏。又劉皇后欲焚宮室。重美謂新天子必不露坐。但他日重勞民力。取怨身後耳。此尤明敏。而後人往往不悟此。何重美之不若耶。

書晉家人傳

太后與出帝自焚死。較死建州榮幸多矣。乃謬聽薛超之勸。偷生降虜。范質且爲草降表二首。表辭卑下。至不忍覽。廬陵宜擯棄不錄。而乃不然。豈惡石敬瑭引狼入室。

不妨令其妻若子於晉懷愍宋徽欽外留一汚史。永爲後戒耶。出帝悅寡嬸馮氏。父喪在殯。卽納爲后。此豈有天子氣象。契丹數其惡有納叔母於宮中亂人倫之大典等語。此誠諺所謂見笑外人也。

書漢家人傳

李氏雖農家子。高祖起兵太原時。能勸高祖出後宮所有。勿歛於民。亦不可及。惜隱帝縱母弟李業譖害大臣。激變鄴都。遂至亡滅。致太后亦不得辭咎也。贇已自徐至宋。所謂調虎離山也。而郭崇是時以兵七百騎至周太祖且以書召馮道先去。贇必不免。亦何待言。李太后封贇湘陰公誥有曰。雖誥命已行。而軍情不附。天道在北。人心靡東。適當改玉之初。俾膺分土之命。亦可謂善於立辭矣。噫。劉信好行殺戮。軍士有犯法者。召其妻子對之刲剔支解。使自食其肉。酷毒不近情理。古所未有。

書周太祖家人傳

淑妃楊氏以色選入趙王宮事王鎔。鎔爲張文禮所殺。嫁里人石光輔。光輔亦死。郭威已貴。猶娶此不祥寡婦爲繼室。謂爲有色而賢。賢不可考。其色殆實有過人者。又德妃董氏曾爲劉進超婦。亦早寡。豈太祖固喜寡婦耶。

書周世宗家人傳

世宗於柴守禮殺人事不問。論美其知權。蓋誠慟人子遇不幸事無可如何也。補無使瞽瞍至於殺人一層。用意尤密。

李守貞有異志。謂吾婦猶爲天下母。吾取天下復何疑哉。頗與三國時劉焉同。而宣懿卒歸世宗。亦頗與穆后卒歸昭烈同。

讀五代史記蠡述卷二

岳陽李澄宇洞庭著

書梁臣傳第九

昭宗欲誅朱三。顧使結鞋。而左右竟不敢於朱三結鞋時擒之。豈昭宗未以目示意耶。抑左右投鼠忌器耶。均未可知也。

劉氏爲尙讓妻。又爲時溥妾。爲朱三幸姬。又爲敬翔妻。爲敬翔妻仍爲朱三幸姬。彼不復知有羞恥。而世亦熟視無怪。非大亂之極焉得有此。

敬翔於朱三有知己之感。故終爲梁死。

朱三疑朱珍功多有異志。遣李唐賓伺察之。而朱珍乃以細故斬李。宜朱三效漢祖僞游雲夢故智。且終不貸其死也。

龎師古喜戰。屢立大功。而淸口之役不慮淮人決水淹之。兵敗身死。猶曰守太祖命。抑愚甚矣。

由西北攻東南。敗績江淮之間者衆矣。非特龎師古朱溫也。南雖輕弱。恃水爲阻。梁兵卽殭。未與水習。故師古初渡淮攻孫儒。爲儒所敗。繼出淸口攻楊行密。爲行密所敗也。至壽春（今壽縣八公山在縣北正陽關在縣西南）當淮肥二水合流處。扼南北水陸樞紐。戰國之楚漢之淮南。實曾都此。朱溫攻之而敗。尤未足異。

監軍貽誤戎機。蓋常有之。葛從周不聽蔣暉之言。竟獲大捷。雖謀勇過人。亦忠於事主。不因有監軍而自疑。乃克若此也。與朱珍龐師古齊名。而獨以壽終。殆世所謂福將哉。

梁攻潞州。築夾城。爲蚰蜒塹以圍之。李亞子竟攻破夾城。顯名定霸。蓋已退復進。出其不意也。

寇彥卿隆準方面。語音如鐘。善伺朱三意。與劉捍所謂有威儀者相若。其迫脅昭宗遷都。悉驅徙長安居人以東。雖何皇后有娠。昭宗不可一日留華州。罪蓋不減魏之華歆也。

五代極亂。朱溫至暴。寇彥卿好誅殺。而於前驅捽死平民。梁現事。彥卿必自首。朱溫必詔彥卿以錢償現家。御史司憲崔沂必劾請論彥卿如法。朱溫且不得已必貶彥卿官。可見彼時猶不敢草菅民命也。後世何如乎。噫。

書梁臣傳第十

朱三不斬康懷英於攻潞大敗之後。託詞釋之。以為右衛上將軍。蓋念其叛朱瑾以兗州降。舊功甚大也。

劉鄩為王師範斬盧從坐上。遂破張蟾。一可取。遣人負油竊兗州城中視虛實出入之所。遂以步兵五百從水竇襲破之。二可取。優禮葛從周家屬。親拜其母。欲以致葛。三可取。副使王彥溫踰城降梁。鄩不得已陽語以疑梁人。偽令以安守者。四可取。惜王師範無能、反令鄩他日為梁效死也。噫。

鄩始降時。朱三賜飲。辭以量小。朱三謂取兗州量何大乎。蓋深敬其才。非哂鄩也。鄩屯華縣。諸將欲戰。飲以河水一杯。諸將或辭。鄩謂一杯之難猶若此。滔滔河流可盡乎。蓋深知不可輕動。非畏晉也。

鄩不遽戰。亞子知其欲示弱以襲已。而陽爲西歸以致之。此未戰而先勝者也。

張存敬子仁愿有孝行。存敬卒事兄仁穎如父。劉鄩兄遂淸性至孝。居父喪哀毁。迎母爲母執爨。不意五代時猶有此等人。

牛存節擇主而竟歸朱三。可歎。然朱不忠唐。牛則甚忠於梁也。救徐州澤州二役。實難能也。

爾在喪軍何足計乎。奈何使我得濮州而失重師乎。此二語足令張歸厚王重師涕下。朱三善將將。此亦一端。

書梁臣傳第十一

楊師厚在晉無所知名。亦若韓信在楚時。而入梁常爲招討使。悉領梁勁兵。朱三死後遂爲天雄軍節度使。友珪伏誅。又封爲鄴王。其遇視韓信亦略等。雖末帝忌之。終獲善終。福殆遠過韓信也。

自魏博降晉而梁失河北。晉他日且恃此襲鄆襲汴。師厚所繫亦大矣。而末帝乃以師厚死賀宮中。為梁賀耶。抑為晉賀耶。可哂。

王景仁智勇兼備。性復忠亮。楊渥孺子。攻令走梁。可恨。然景仁為吳將能斬朱友寧。敗朱溫。及為梁伐趙。大敗於柏鄉。殆亦與康顏為趙將屢勝為楚將無功同也。

因大風揚沙蔽天而盡殺降卒三千人。復因朱瑾不降斬何懷寶等十餘人。蓋深知賀瓌材勇。欲用為將。託詞去其舊部耳。賀瓌不痞。反感不殺之恩。抑何可哂。然他日伏甲殺謝彥章孟審澄侯溫裕。梁遂失三騎將。離與晉敵。此中亦若有天意焉。

舊唐臣傳第十二

郭崇韜築壘博州以致王彥章。而彥章竟被致。蓋所謂必爭之地也。既疲復還楊劉。而莊宗迎擊。以逸待勞。是一舉而彥章兩被致也。

梁兵掠澶相。取黎陽。李繼韜又以澤潞叛入於梁。（澤潞在唐等梁魏傳）契丹且數犯幽涿。此晉室危急存亡之秋也。分兵守魏。固楊劉。而自鄆長驅擣梁開封。此晉人轉危為勝之上計也。崇韜建策。莊宗納之。嗣源適亦請襲汴。於是梁社遂屋於三人之手矣。嘻。

崇韜感恩圖報。有統一宇內之志。以恐宦者馬紹宏圖已。不惜援立劉后以自固。而孰知他日反死劉后手哉。此非崇韜之不幸。而實莊宗之不幸也。

崇韜以讒見忌。思立大功爲自安之計。不知莊宗蔽於小人。不肯任崇韜專征。皇后劉氏宦官李從襲復內外搆煽。於是崇韜前立大功身危。後立大功身死矣。慟哉。或因此遂少崇韜。則甚非是。文王被囚。不失爲聖。比干見殺。無害於仁。事雖殊異。厥理一也。

安重誨傳情事極複。廬陵乃以重誨自爲中門使至其勢傾動天下數語作一總綱。下分盡忠補益。威福自出。獨見生釁三層。以臣主俱傷一語總斷。然後將威福自出盡忠補益獨見生釁各事錯落敘出。俾功罪大小不相掩。此亦馭繁一法。又篇中已加論斷。故篇尾但論樞密使職掌沿革。而以郭崇韜作一陪客。

書唐臣傳第十三

周德威雖騎將。有大將才。而事君忠謹尤難能。傳稱莊宗以父喪及叔父克寧之難告德威。且召其軍。聞命即還軍太原。徒步入哭。復從莊宗擊梁軍。破夾城。與李嗣昭歡如初。至今讀之。猶令人太息流涕也。至追軍鄗南。以破王景仁。先據臨淸以困劉鄩。雖古大將蔑以加茲。若乃胡柳陂之役。德威勸莊宗按軍無動。以騎擾之。俟敵勞乏而後乘之。莊宗不聽。致德威父子戰死。則莊宗之咎耳。悲夫。

胡柳陂晨敗而土山暮勝。於敗見德威料事明。於勝見存審赴機捷。遂取德勝。築夾寨。梁晉興亡繫此矣。存審與德威齊名。有以哉。

存審忠亮。若郭崇韜與之協力同心。天下事尚可爲。何至以孤身陷婦人宦者中。殺身破家。莫或援手哉。噫。

存審子彥超殺永王存霸。於明宗有功。於莊宗則有罪矣。其後乃被主藏奴王希全誘殺。殆亦天意。

白奉進殺王彥饒犯法之卒。固非。既已謝過。亦可已矣。而彥饒竟縱兵殺奉進。是人一失而已百咎也。既殺奉進。復不戒備。致被馬萬等擒送京師。以反伏誅。蓋自取耳。

史建瑭名並周符。下博橋之役。率百騎爲梁旗幟雜其芻牧者暮叩梁營。殺其守門卒。縱火大呼。斬擊數十百人。與甘寧夜率百騎刼魏營無異。其子匡翰不以醉罵斬闞澈。亦不愧儒將。

周德威之勉衆也。謂梁兵一甲直數十千。擒之適足爲吾資。此以未得之利鼓畏敵之士也。王建及之呼衆也。謂今日所失輜重皆在山西。盍往取之。此以已失之利鼓畏敵之士也。利之所繫大矣哉。

建及以家貲散士卒。得古大將遺意。而宦官韋令圖乃謂其得士心懼有異志。不可令典牙兵。（即天子親兵）小人巧於進讒。可畏哉。

莊宗雖死。莊宗之子是時尚有存者。元行欽出奔。蓋亦欲有所爲也。豈必逃死哉。盧陵乃責其不死於莊宗遇弒之時。抑太苛矣。

王檀襲晉太原。與明宗襲汴略同。安金全以百餘人夜出北門。擊潰檀軍。厥功甚偉。莊宗不錄其功。豈監軍張承業未以上聞耶。而明宗即位。遽令金全位至將相。雖曰有舊。蓋亦深服其功也。

袁建豐病廢。而明宗召還京師。親幸其弟。撫慰甚厚。加檢校太尉。遥領鎮南軍節度使。明宗信可謂篤於勳舊哉。

書唐臣傳第十四

孔謙於戰爭之時。調發供饋。未嘗闕乏。民雖不勝其苦。或尙諒之。莊宗既有天下。而孔謙仍專事聚歛。令民怨苦。抑何愼耶。郭崇韜知其未可居大任。不欲令主租庸。而孔謙設法去張憲去豆盧革去王正言。必主租庸而後快。卒禍莊宗。且自召顯戮。予於是嘆崇韜前以謙爲租庸副使。用其長而不使露其短。實愛之也。

書唐臣傳第十五

安重誨以朱弘昭厚己。酒酣。具言蒙天子厚恩。及所以讒間之端。因泣下。此非怨望也。而弘昭既奏重誨怨望。復遣人馳告石敬瑭使拒重誨。何耶。蓋弘昭先以重誨爲天子重臣。欲謟以自結。後知重誨爲天子所忌。又欲陷重誨以徼寵於天子也。可恨哉小人也。

劉延朗任事。諸將當得州者。納賂多得善州。少及無賂得惡州。或久不得。此誠可謂至公。雖積錢三十萬。及晉兵入。延朗不攜一錢入土。抑亦可謂甚廉矣。一笑。

明宗軍變。康義誠前陳莊宗過失。勸明宗南嚮。大罪一。秦王從榮謀襲位。諸大臣懼禍思自脫。義誠獨心結之。大罪二。從榮已舉兵。明宗涕泣召義誠。使自處置。而義誠卒不出兵。大罪三。朱弘實擊從榮。而義誠他日藉端誣弘實反。遂斬弘實。大罪四。三司使孫岳嘗言從榮必敗。義誠不悅。及從榮死。義誠乘亂殺岳。大罪五。從珂反。義誠請盡將禁軍以西。名爲扼守。實則迎降。大罪六。從珂既入。斬義誠。夷其族。宜也。

書唐臣傳十六

自孔子刺世卿。戰國及楚漢之際。將相無種。後雖漢有金張。晉有王謝。要未嘗第問門閥。莊宗崛起五代。欲復唐規。以門閥二字誤相豆盧革韋說盧程。笑史流播。至今醜之。諸人不足惜。後唐竟坐是不振。悲哉。

任圜勸李嗣昭堅守潞州。一可取。張處球欲降不決。圜告以拒守經年傷吾大將。[嗣昭]難免。然坐而待斃。曷若伏而俟命。二可取。知北京留守事。爲政有惠愛。三可取。明宗時圜同中書門下平章事。兼判三司。選辟才俊。抑絕僥倖。公私給足。天下便之。四可取。安重誨矯制殺圜。圜受命怡然。聚族酣飲而死。五可取。惜前爲張彭所賣。後爲李琪致禍。然其心實可質諸天地也。

張彭爲任圜謀隱公廨錢。圜不罪之。彭以前所隱公錢簿書獻郭崇韜。崇韜又不罪之。彭萬能乎。錢萬能乎。吾於是不能爲圜與崇韜恕矣。

劉后命作箋上張全義。以父事之。而趙鳳極言其不可。一可取。全義養子郝繼孫犯法死。宦官伶人冀其財。請籍沒。而鳳力諫。二可取。安重誨誣殺任圜。鳳號哭責重誨。三可取。諫明宗弗召術士周玄豹。免傾國之人奔走吉凶之說。轉相惑亂。四可取。明宗幸汴。已誅朱守殷。又詔幸鄴。宰相率百官請罷幸不聽。鳳手疏責重誨。竟得罷幸。五可取。託辨佛牙眞僞。以斧碎之。六可取。惟貶流于嶠。失君子處友之道耳。

蕭希甫傳。書宰相豆盧革等希宦官旨共排斥之。宰相於宦官而曰希旨。自古無此斧鉞。雖紀實可謂酷已。

書晉臣傳第十七

主司惡桑維翰姓桑事。惜在柳宗元作諱辨後。不然。亦好文料也。

不肯臣於契丹。而乃稱孫。且徒以大言賈禍。甚無謂也。況景延廣從出帝北征。不敢見敵。又無策畫。此輩庸懦若是。何足與人家國事乎。

邵珂前欲以城降契丹。以王令溫質其子未果。吳巒既代令溫守貝州。復推心信珂何耶。貝州終被此賊所賣。巒一人之咎也。縱投井死。於事奚補哉。

書漢臣傳第十八

蘇逢吉無一善可稱。史弘肇雖殘忍輕躁。而裁抑太后親族。及李業等。尙屬乃心漢室。因蘇逢吉李業等譖。竟與楊邠王章同被族誅。惜哉。

楊邠謂爲國家者。帑藏實甲兵完而已。禮樂文物皆虛器也。後世號爲新人才者。不知制治清濁之源。但日日冒富强。其陋正與邪等耳。

劉銖以年數杖人。年愈大則受杖愈多。酷矣。至兩杖俱下謂之合歡杖。尤古所未有。

書周臣傳第十九

王朴獻平邊策於世宗。首言道。次言民心與天意。次言攻取從易者始。蓋窺見本原之論。不圖五代時乃有是人。其校定大曆考正雅樂。均屬難能。

古以材喻人。不如廬陵以棊喻人。蓋材本萬殊。棊則猶是此物。但易置其處卽勝。所謂知人善任也。世有言無人可用者乎。常置愚不肖於上。而彊其不能以暴其短。置賢智於下。而汨沒其材能。使君子小人皆失其利。則其日言無人也亦宜。

書死節傳第二十

三國時東吳以鐵鎖沉江被斷。五代時晉以鐵鎖亘德勝口被斷。淸時太平天國以鐵鎖橫江被斷。恃險不恃人可乎。

豹死留皮。人死留名。至今以爲美談。王彦章三字照耀千古。信不死矣。

一州易得。約難得也。李亞子能爲是言。不負約矣。裴約亦可謂不死。

梁太祖攻壽春無功。周太祖攻壽春亦無功。

周制有劉仁贍盡忠所事抗節無虧等語。足證降書實孫羽等所爲。

書死事傳第二十一

河以北。山以東。四面千里。大鎭數十州之地皆歸晉。獨貝一州圍之踰年尚不可下。向使晉王入魏時。依諸將言先擊貝州。恐頓兵堅城之下。城未破而救至。敗績難免。安望奄有河北哉。

三千人皆義士。已降而晉盡殺之。不仁甚矣。

夏魯奇能擒王彥章不足異。還河陽節度使爲政有惠愛。徙鎭忠武。河陽之人遮留不得行。乃誠可異。徙鎭武信。閉城拒董璋旬月。救兵不至。食盡自刎。尤可異。

張敬達何不殺我而降一語。蓋憤極謂己決不降耳。豈眞勸人殺己耶。薛史作救軍在近。旦暮雪恥。諸君何相迫耶。待勢窮則請殺吾擕首以降亦未晚。較合事理。

孫晟每食不設几案。使衆妓各執一器。環立而侍。號肉臺盤。時人多效之。輕玩女子至此。蓋亦作俑無後之類也。然感李昪知己恩。以死報之。抑亦不慙烈士哉。

書一行傳第二十二

鄭遨遭亂世。不汚於榮利。棄妻子不顧。信高士。至飲酒奕棋爲詩章。以玆自適。非爲名也。楚狂有鳳兮之歌。孺子有滄浪之歌。劉伶亦飲酒。橘叟亦奕棋。皆非爲名。

張薦明通老子莊周之說。謂一者萬事之本。守一可以治天下。果如此。庶與處士純盜虛聲者異。

書唐六臣傳第二十三

唐宰相裴樞不肯以太常卿畀梁王嬖吏張廷範。卒召白馬驛之禍。唐末清流爲之一空。盧陵謂使樞不死。尙惜一卿。其肯以國與人乎。慟哉此言。

張文蔚楊涉張策趙光逢等。盧陵所謂庸懦不肖者也。薛貽矩蘇循等。盧陵所謂傾險獪猾趨利賣國之徒也。而正其名曰唐六臣。果臣乎。愧之也。

朋黨之禍。在宋甚烈。故盧陵於此傳痛哭流涕論之。

書義兒傳第二十四

李嗣昭生而林中。鬱鬱有氣。克用遂取以爲子。其力求英傑自輔之意。可謂至矣。梁圍太原。克用將出奔。賴嗣昭及劉太妃止之。復晝夜出奇兵擊梁軍。解圍。守潞州時。梁築夾城圍潞。並招降嗣昭。嗣昭斬其使。拒守踰年。望都之役。莊宗陷於契丹重圍中。嗣昭以三百騎決圍取莊宗以出。其有功於晉甚大。信亦足報克用矣。其子繼韜爲魏琢中蒙所誤。叛晉降梁。弗克上纘洪緒。惜哉。

繼韜母楊氏善蓄財。平生居積行販。致貲百萬。嗣昭守潞時。軍用乏絕。賴是給軍。子繼韜叛後朝京師。賴是賂宦官伶人。賂劉皇后免罪。繼忠於石敬瑭。賴是助賂契丹以取刺史。較劉皇后積財雖多守而召禍者。何啻天壤。

李存信能四夷語。通六蕃書。不圖武將乃中有是人。

克用於養子稱公。蓋怒後語如此耳。漢鼂錯父稱錯爲公。亦憤極語。可互證。

晉得澤潞。僅可自固。得邢洺磁。乃可進取。故梁晉戰役多在澤潞。其次邢洺磁。存孝救澤州取潞州。攻晉州絳州。功甚偉。以存信之譖憤且懼。遂附梁致車裂。可慟。

書伶官傳第二十五

廬陵伶官傳序前一段仿邱遲與陳伯之書。然有勝藍之美。

伶人傳所記周匝引伶人爲刺史。亂國紀。景進最居中用事。讒殺皇弟存乂及朱友謙。史彥瓊於趙在禮之亂不給孫鐸兵禦賊。賊至乃棄鄴走京師。郭門高從謙以拜崇韜爲叔父事存乂爲義父故。憤二人寃死謀亂。遂弒莊宗。罪惟郭門高爲大。史彥瓊次之。景進又次之。周匝爲輕。而敬新磨無罪。其救中牟縣令。亦足與史記滑稽傳楚優孟比美。

書宦官傳第二十六

宦者傳有張承業。足愧殺五代諸臣。莊宗在魏。與梁戰河上十餘年。軍國之事皆委承業。承業盡心不懈。凡所畜積金粟。收市兵馬。勸課農桑。而成莊宗之業者。承業之功爲多。此已不可及。而自貞簡太后韓德妃伊淑妃及諸公子在晉陽者。承業一切以法繩之。權貴皆歛手。此益不可及。莊宗設計索庫錢賞伶人。承業寧死不與。此更不可及。莊宗將卽皇帝位。承業諫以大王父子與梁血戰三十年。本欲雪家國之讎。而復唐之社稷。今元兇未滅。而遽以尊名自居。非王父子之初心。且失天下望。不可。莊宗不聽。肩輿歸太原。不食而卒。此尤不可及。予謂承業事宜敘於傳首爲引。或另爲傳。免與宦官傳垂戒意相混。又張居翰改誅衍王衍一行爲一家。活與衍俱東者千餘人。亦可謂有善無惡。

論所舉皆漢唐宦者之禍。然馬紹宏啓明宗二心。李從襲致崇韜族滅。固亦與漢唐宦者等也。

讀五代史記蠡述卷三

岳陽李澄宇洞庭著

書雜傳第二十七

雜傳不宜立也。泥迹論古。不特伊尹五就桀五就湯爲非。禹皐稷契且喪臣節矣。朱三極橫暴。而兄事羅弘信。常卑辭厚幣以聘魏之使者至且北面拜而受幣。蓋誠恐魏入於晉。爲患孔大也。他日魏博降晉。梁社用屋。朱三若早見及矣。李應之妖妄人耳。而王處直以爲行營司馬。軍政無大小咸取決焉。殆亦師田單所爲。別有深意乎。

書雜傳第二十八

唐昭宗討李茂貞。頗類魯昭公討季平子。崔胤欲借朱溫力誅宦者。亦類何進欲借董卓力誅宦者。

昭宗爲韓建所欺。謬幸華州。軍衛被解散。諸王被殺。已亦幾遭不測。後還長安。乃復自畫建像。賜以鐵券何耶。

楊崇本妻不能以死拒朱溫。反責崇本不能庇伉儷。雖曰愧恥。曷足貴乎。

書雜傳第二十九

朱溫效曹操挾天子以令諸侯。故趙匡凝兄弟輕車重馬歲輸於梁。反自謂世爲唐臣歲時職貢非輸賊也。

書雜傳第三十

朱宣不救朱溫。朱溫或被秦宗權破滅。猥善兄事之恭。遂遭引火之禍。溫故不仁。宣抑不智。

齊克讓愛朱瑾爲人。以女妻之。而瑾藉親迎奪取兗州。亂世往往以婚媾自寇。此其一也。他日瑾出掠食。瑾將康懷英等乃以城降梁。易得者易失。信哉。

楊行密能厚遇趙匡凝。深信朱瑾。可謂有英略。而朱瑾爲楊行密破梁軍於濤口。斬龐師古。爲楊隆演殺徐知訓。亦實於吳有大功。隆演不寤。反以殺知訓爲罪。噫嘻。

王師範以好辭紿盧洪。使入吾阱。並識劉鄩於僕役。使斬盧洪。伏大剛於至柔。殆寤黃老之術者與。

師範聞昭宗被圍而泣。奮然遣張居厚刲殺朱溫。功雖未就。其志抑可謂壯矣。他日戰敗。不能慷慨自刎。而降於溫。終被族誅。何死之晚耶。前後判若兩人矣。

李罕之始終無賴。以潞降溫。而溫乃遣丁會守潞。調罕之還河陽。蓋亦知其難制。不欲以潞畀之。行至懷州以疾卒。已究何益。而必以怨報德。令晉受意外大損。可恨。

石元佐教安全俊攻磁州。致孟方立。信晉兵多智。然抑何以對故主乎。

王珂欲降溫自活。竟被殺於華州。可爲不明生死去就者戒。

趙犨與弟昶珝皆有謀勇。竭忠梁室。而犨子巖乃分相魏爲兩鎭。致梁失河北。黜王彥章用段凝。致梁破滅。何前後人大異乃爾。至厚待溫韜。而韜斬巖首以獻。素善段凝。而凝請誅巖家屬。韜凝固小人。巖亦宜食此報哉。

馮行襲陰選勇士伏江南。獨乘小舟紿孫喜渡江。固奇策。然使不遇喜。亦未必輕身深入若此也。

書雜傳第三十一

朱溫陰遣敬翔告李彥威與氏叔琮等使行弑逆。氏李既以龍武兵中夜發難。而持劍逐弑昭宗者實爲史太。史太是朱溫假手氏李。氏李又假手史太也。氏李後皆被殺。而史太無被殺明文何耶。成濟必誅。例亦舊矣。惜氏李不早寤耳。

李振乃華歆之流。而當時稱爲一代奇才。亂世輿論未足據蓋如此。

蔣玄暉張廷範柳璨等甘與弑君賣國之謀。欲以保富貴於新朝。而卒被誅殺。後世有類此者。可夢醒矣。

崔胤藉孫德昭等力已誅劉季述。即可乘勢盡誅宦官。而必交梁以爲恃。致宦官亦以李茂貞爲扞蔽。梁岐交爭。唐社遂屋。昭宗固冥頑不靈。崔胤亦實庸奴哉。

蔣殷與蔣玄暉有隙。誣玄暉私侍何太后。致玄暉被戮。且親弑何太后於積善宮。可謂窮凶極惡。他日舉族自燔。雖曰有報。亦何晚耶。

書雜傳第三十二

劉知俊於梁功高。以王重師無罪見殺。懼而臣於李茂貞。又以功高致忌而奔於蜀王建。自意可幸無罪。而卒以功高見殺。亂世擇主難。欲以功名終尤難。可痛哭也。

朱溫不信李罕之。以丁會守潞。他日晉攻潞州。會乃降晉。以爲難信者往往可信。以爲可信者往往不可信。天下事大抵如是。豈獨潞州然哉。豈獨罕之與丁會然哉。

張彥舉魏博降晉。而莊宗乃斬彥於臨淸。而後入魏。叛國者可以鑒矣。

康延孝謂梁兵既分。以鐵騎五千自鄆趨汴。而梁卒以此滅。謂乘王衍破膽。得百騎過鹿頭關。彼將迎降。而蜀亦以此滅。亂世有大功若此。謙退尙未易免禍。況其氣洶洶乎。噫。

書雜傳第三十三

朱溫宜斲棺戮尸。以張全義一言而不果。李亞子三矢之痛。蓋漸濟矣。

因寃殺郭崇韜。而朱友謙康延孝皆不自安。康延孝反而後死。朱友謙不反亦死。任劉氏及伶人宦官羣陰搆難。不一省察。莊宗信亡國之主哉。

袁正辭於晉高祖時獻錢五萬緡拜雄州刺史。憚其在吐蕃（吐蕃今西藏也）界。不欲行復獻錢數萬乃得免。此殆晉人致富新法與。一笑。

段凝在梁依附趙巖張漢傑等爲姦。梁亡乃奏梁姦人趙巖張漢傑等十餘人侮弄權柄。殘害生靈。請皆族之。貌若去惡。實則己多醜行。懼彼等揚播。欲族之以滅口耳。

書雜傳第三十四

皇甫暉作亂。徒爲明宗作前驅耳。趙在禮積財。徒爲契丹作外府耳。噫。

霍彥威於淳于晏終始信任。得少過失。足爲武將法。

莊宗以得魏博而勝梁。而破家亡身之禍。亦即在是。前由張彥逼賀德倫降晉。後由皇甫暉刼趙在禮反唐。禍福倚伏。皇甫暉豈張彥化身耶。何憾晉之甚也。

王晏球於梁末帝時聞李覇亂。不俟命率部破賊。一不可及。於唐明宗時反攻王都。擊敗禿餒。追擊惕隱。（禿餒惕隱皆契丹遣救王都者）使國威大振。二不可及。攻定州久不克。偏將朱弘昭張虔釗驅兵急攻致敗。而圍師不以此潰。終拔定州。三不可及。

廬陵於王建立傳。謂法制先壞而亂從之。亂與壞相乘。至蕩然無復綱紀。則必極於大亂而後返。誠見微之論。後世有蕩然無復綱紀。比踪五代者。其念諸。

康福素無功效。而安重誨遣鎮靈威。轉以襲擊吐蕃。威聲大振。因禍得福。可謂名實克副矣。一笑。

五代史記無循吏傳。郭延魯傳可作循吏傳讀。於延魯父饒爲泌州刺史。曰爲政九年有惠愛。州人思之。於延魯爲復州刺史。曰以廉平自勵。民甚賴之。不啻若何惠愛。而州人思之。不啻若何廉平。而民甚賴之。斯眞循吏。非巧宦塗飾要譽之爲也。

書雜傳第三十五

萇從簡好食人肉。所至多潛捕民間小兒以食。此與豺虎何異。而唐莊宗明宗廢帝晉高祖皆優容之。竟獲保首領以沒。天道茫茫。可復問耶。

張筠張籛世以貲爲商賈。宜其但嗜貨寶。愈富貴愈刼掠不已也。論於張籛斷咸陽浮橋拒繼岌事。疑爲明宗所使。或籛好亂望風響應。予謂後說近是。

李周能與士卒同甘苦。故雖已絕糧三日。能保楊劉以待莊宗。今亦有是人否耶。噫。張希崇雖貴而事母至孝。朝夕母食必侍立左右。徹饌乃敢退。不圖五代時有此人。又馬全節爲人謙謹。事母亦至孝。

張廷蘊能斬劉皇后所縱下人。可敬者一。李繼韜叛於潞州。廷蘊率兵百餘騎踰濠登城。遂破潞州。雖明宗爲招討使忌其功不顧也。可敬者二。蓋此二事皆非置死生禍福於度外者不能也。

皇甫遇傳。廬陵責遇不能奮然攘臂殺杜重威於坐中。信爲高論。

書雜傳第三十六

李存矩課民出馬。致民以十牛易一馬。又強求盧文進幼女爲妾。致文進因亂相殺。遂奔契丹。不圖亞子乃信任此弟。然文進敎契丹以中國織紝工作無不備。致契丹益彊。爲中國患甚久。文進之肉亦豈足食乎。

明漢榮殺龐令圖。酖賈仁沼。又紿李金全使叛。未遭顯戮。亦不聞冥誅。讀史至此殊令人掩卷而嘆也。

劉審交不檢民田以益租、而民賴以不擾、可永爲後世法。

高行珪貪鄙。所爲多不法。副使范延策爲人剛直。數規諫之。而行珪他日誣奏延策

與戍兵謀叛。幷其子見殺、亂世正不勝邪。往往若此。可哭。

白再榮貪而無謀。他日軍士旣奪其財。復賊其命。可謂天眼恢恢。

安叔千狀貌堂堂、而不通文字。所爲鄙陋。人謂之沒字碑。不圖乃善夷言也。然後世

善夷言而實爲沒字碑者。又豈少也哉。

書雜傳第三十七

翟光鄴生亂世。而事繼母以孝聞。一不可及。雖貴不營財產。雍睦親族。麤衣糲食。與

均有無、二不可及、臨政以寬靜休息爲意、三不可及、病亟戒左右以尸歸洛。無久留

以煩軍府。四不可及。

馮暉鎭靈武。能推以恩信。使部族懷惠。信邊將之雄。而二次還鎭募兵爲衛。乃能計

斬首領。藉奪衆魄。較始之厚待彥超用安衆志。尤爲難能。

古無電訊王進疾足善走。自屬難得。然不過足備驅使耳。遂秉旄節則小人而乘君子之器矣。故廬陵特痛論之。

周太祖少依常思。以思爲叔及即帝位。思欲責宋民絲息十萬兩以券上進。太祖乃焚其券。詔宋州悉蠲除之。此信英主舉動。

書雜傳第三十八

王殷起自軍卒。而事母以孝聞。雖爲刺史。猶受杖母前。母亡又克終制。五代時有此人。古聖人敎孝之遺澤遠矣。然殷他日以聚歛致忌卒被誅戮。孝而不廉。又何劣耶。

書雜傳第三十九

朱守殷失德勝南城。明宗請以守殷行軍法。而莊宗不聽。已可痛恨。後有二心於明宗。明宗德之。位至將相。是小人頭頭是道也。尤可痛恨。

董璋與孟知祥相結。石敬瑭師久無功。洎璋疑知祥賣己。以兵攻知祥。遂爲王暉所殺。同起而互猜。未有不敗滅者。故欲破賊當留意此等事使自戕害。

石敬瑭父事契丹。安重榮憤其詘中國以尊夷狄。困已斂之民而充無厭之欲。遂懷異志。此亦未可厚非。至寃殺賈章父女。則武夫故態復萌。未足與人爭天下矣。史言契丹利晉多事。幸重榮之亂。期兩斃之。欲因以窺中國。此非特契丹然也。後日夷情大抵如此耳。

和凝請以空名宣勑數十通授鄭王。有急則命將以往。卒以此大敗從進。兵貴神速。此亦一證也。

出帝聽竇儀之謀、遣李守貞皇甫遇以兵萬人沿河而下。遇契丹於馬家渡。急擊之。契丹大敗。遂與楊光遠隔絕。於是耶律德光復敗。楊光遠亦終授首。兵家所謂各個擊破也。

書雜傳第四十

杜重威以晉軍十萬降契丹。始則軍士解甲大哭。聲振原野。終則市人蹴詬其尸。支裂蹈踐。斯須而盡。此可見當日眞民氣。與後世僞飾而然者異也。

張彥澤驍悍善戰。故晉人重用之。若杜重威李守貞不先降契丹。彼亦未必不始終爲晉盡力。觀中渡橋戰役可知也。後爲契丹所用。遂前後判若兩人。可恨。

書雜傳第四十一

僞爲蜀救兵至。致王景崇潰圍出應。此亦袁紹破公孫瓚之術耳。

周兵犯京師。開封尹侯益謂隱帝曰。北兵之來。其家屬皆在京師。宜閉門以挫其銳。遣其妻子登陴以招之。可使解甲。此計實可用。惜慕容彥超徒爲大言。致隱帝遇弑北郊也。

書雜傳第四十二

將傳馮道而先叙王凝妻李氏。辱丈夫無恥。雖貴不足與旅婦比。痛哉。而被服儒者以學古自高。其忠義之節。往往出武夫戰卒下。蓋尤可愧也。雖然馮道能自刻苦。居軍中不設床席。臥一束芻。與僕廝同器飲食。意恬如也。一不可及。諸將掠美女遺之。

置別室訪主還之。二不可及。歲飢。出所有以賙鄉里。而退耕於野。躬自負薪。三不可及。有荒其田不耕者。與力不能耕者。夜往潛爲之耕。四不可及。觀其名道字可道。庶亦讀老子有得者乎。其戒明宗有蹈危者慮深而獲全。居安者患生于所忽二語。信與老子合也。其爲俳語對契丹以止殺機。受周太祖拜如平時以沮逆謀。又庶以柔制剛以靜制動也。更事四姓及契丹。視喪君亡國未嘗以屑意。則尤老子所謂芻狗萬物也。後世詈其無恥。予亦詈其無恥。實則無恥非道所恥。特學老而不幸有道之無恥。是則老子所恥耳。噫。

吳兵圍杜洪。梁太祖遣荆南成汭等救洪。李珽勸汭以勁兵屯巴陵。壁不與戰。謂吳兵糧盡圍自解。可謂知兵。

李愚於劉季述幽昭宗東內時。以書說韓建使圖興復。一可取。梁末帝時不拜衡王友諒。二可取。後唐伐蜀。衆議緩師待變。而愚勸郭崇韜速進。三可取。相明宗時。敗氈敝席。四壁蕭然。四可取。

潞王從珂自鳳翔犯京師。盧導不肯草牋勸進。亦可取。

書雜傳第四十三

劉昫判三司。句稽文簿、覈其虛實。殘租積負悉蠲除之。往時吏幸積年之負、蓋而不發。因以把持州縣求賄賂。及昫一切蠲除。民間歡然以爲德、而三司皆沮怨。亂世財不易理、眞能理財者且往往得罪。讀此可恍然其故矣。

盧文紀因工部郎中于鄴之名與父嗣業同音。不肯見之。致鄴醉忿自經。諱嫌名之禍酷矣哉。又崔居儉以祖諱蠡不肯爲禮儀使。亦父名晉子不得爲進士之類也。諱嫌名若此。可笑甚矣。

書雜傳第四十四

王玫請率民財以佐用。盧質與玫等共議配率。貧富不均。怨訟並起。囚繫滿獄。後世欲率民財佐用者。觀此或亦悔悟與。

唐廢帝時。呂琦建議與契丹通、和如漢故事。歲給金帛。妻之以女。使彊藩大鎮顧外無所引援。可彊其亂心。此固一策。然使內政不綱。處彊藩大鎮不以道。契丹惟利是視。安見不可引援耶。

王權不肯稽顙於穹廬。而晉高祖乃甘心父事契丹。可歎。

龍敏以兵送東丹王自幽州入西樓。使契丹有內顧憂。不敢助晉。實一奇計。惜廢帝不能用也。

書雜傳第四十五

李崧無排劉知遠意。而知遠誤以爲排己。雖崧後日惕惕謙謹。卒致族誅。可憫哉。

馬重績趙延義二傳。蓋古方術方伎之續也。

書司天考上

占者非常之兆。以驗吉凶。以求天意。以覺人事。其術藏於有司。曆者有常之數。以推寒暑。以先天道。以勉人事。其法信於天下。蓋占之爲術用於已有變象之後。曆之爲法施於未有變象之前也。

王朴能撰顯德欽天曆於周世宗之世。而後世但解廢中曆用西曆。且彊指西曆爲國曆。無謂至此。予欲無言。

書司天考下

絕天於人。則天道廢。以天參人。則人事惑。此二語至精。必悟此始可與論天人之際。自開平（梁太祖年號）二年至顯德（周世宗年號）三年。書天變甚詳。今不具書。遜五代抑又遠矣。

書職方考

得其要。雖萬國而治。失其所守。雖一天下不能以容。此二語亦至精。合中國所有二百六十八州。而梁有天下。西至涇渭。南逾江漢。北據河東。濱海。實僅七十八州。唐東至海。南至淮漢。西逾秦隴。北盡燕代。一百二十三州。最大。而晉一百九州。（以十六州予契丹而取金州於蜀且增置威州故一百二十三州變爲一百九州）漢一百六州。（增置一解州而秦鳳階成四州入蜀故一百九州變爲一百六州）周一百一十八州。（取蜀四州淮南十四州契丹二州又增置五州廢三州而并汾十州爲北漢所有故一百六州變有一百十八州）不逮天下之半。而史必以此爲五代者。匪特宅中繼統。視彼以數州十數州數十州爲國者。氣象固亦大異也。

讀五代史記蠡述卷四

岳陽李澄宇洞庭著

書吳世家

亂世羣盜互賊，若造蠱然。是非成敗。皆未足論。但觀其若何鬬智。若何鬬力已耳。袁襲敎楊行密殺高覇。幷其衆數千。攻趙鍠奪其宣州。戴友規劉威敎行密背城堅柵。以不戰疲孫儒而後擊之。王茂章乘安仁義之怠。穴地道入潤州而執之。行密陽爲目疾以致朱延壽殺之寢門。抑亦鬬智鬬力者所宜取法與。

徐溫有立渥功，而渥惡溫典牙兵。反召陳璠范遇等自衛。卒被溫弑。溫固可誅。渥實謀之不臧也。

朱瑾爲楊隆演殺徐知訓。而隆演不以爲是。致瑾自刎。米至誠欲殺朱瑾。因瑾死而止。而徐溫反疑助瑾。紿斬至誠。亂世此種事多矣。皆從何處訴寃耶。噫。

書南唐世家

朱瑾殺徐知訓。自謂爲吳除患。而不知實爲南唐李昪（卽徐知誥）創業也。不特此也。凡徐溫所爲。皆若天假手爲昪創業也。楊行密奇其貌。貌竟若是可恃哉。盧陵謂吳暨南唐。姦豪竊攘。不愧史筆。

昪女聞人呼公主則嗚咽流涕。蓋於父之篡竊不便非議。於舅禪位夫失國隱痛難白。惟有嗚咽流涕而已。人處此境。苦過地獄。昪抑何忍使其女至此乎。噫。

宋齊丘贊李昪篡吳。終不免放還靑陽賜死。誰謂亂世遂無天理耶。

李煜爲人仁孝。豐額駢齒。一目重瞳子。與昪之身長七尺。廣顙隆準。爲人溫厚有謀。氣象又異。

書前蜀世家

俗以王八爲詈人詞。而王建少無賴。以屠牛盜驢販私鹽爲事。里人謂之賊王八。後爲壁州刺史。攻閬州利州。田令牧乃曰王八吾兒也。可見當日王八非詈人之詞。賊乃詈人之詞也。北人謂鼈王八。龜鼈同類。故以王八爲詈人詞。必自以龜爲詈人詞之日始。宋以前無此。其元代之遺俗乎。

李昪爲徐溫養子。王建爲田令牧養子。而王宗弼又王建養子養子。乎養虎自噬耳。王衍以王承休妻嚴氏故幸秦州。甫至綿谷而唐師入其境。衍懼遽還。唐亦可謂打鴨驚鴛鴦矣、一笑。

書後蜀世家

李克用宴三垂岡、指亞子曰。二十年後。其能代我戰於此乎。其氣甚壯。李亞子宴孟知祥。謂繼岌前日乳臭兒爾。乃能爲吾平定兩川。吾徒老矣。孺子可喜。然益令人悲爾。其氣已餒。且平兩川者實郭崇韜。何得以全功歸繼岌。即此可見亞子憒憒。

王全斌遣偏將史延德分兵出來蘇小路。北擊劍門。（山名亦曰大劍山在四川劍閣縣北即古梁山又有小劍山與大劍山相連絕險武侯相蜀鑿石架空始爲飛閣以通行道）與全斌夾攻王昭遠趙彥韜等而大勝。可見奇正並用、實兵家上計。

五代時李昊先爲王衍草降表。後爲孟昶草降表。與三國時譙周先爲劉璋草降表後爲劉禪草降表同。

書南漢世家

劉龔僭號，懼王定保不從。而定保他日乃獻南宮七奇賦。亦揚雄劇秦美新之意歟。

書楚世家

呂師周自言五世將家，懼不能免。常與酒徒聚飲。醉則起舞悲歌。慷慨泣下。致楊行密疑其有異志。諺所謂無故見鬼也。

馬援平蠻有銅柱，馬希範平蠻亦有銅柱。而世人但知前馬不知後馬何耶。

希範不能聽拓拔常諫，不加賦於劉勍平蠻之後。安能聽丁思覲諫，倡義於契丹滅晉之日乎。

劉言輕信王進逵。使何景眞朱全琇往會。致二人見殺。已亦敗滅。此可鑒者一。進逵輕信左右讒言。面罵潘叔嗣。致武陵爲叔嗣所襲，兵敗見殺。此可鑒者二。叔嗣不兼武陵何愛潭州。乃亦輕信周行逢。至府受命。遂以見殺。此可鑒者三。

書吳越世家

錢氏奄有兩浙幾百年。重歛其民以事奢僭。而民不敢稱亂者。固由其性怯弱。抑亦地實足財。可任求取也。

書閩世家

王潮軍行整肅。而泉州耆老相率遮留。曾國藩謂行軍以不擾民爲本。卽此可驗。

李氏妒尙妃之寵。欲圖曦而立其子亞澄。卽此可見妒者寧作寡婦。不願與第二人共事一夫。可笑

書南平世家

郭崇韜諫莊宗勿留高季興。謂季興以身逃職。爲諸侯率。宜加恩禮以諷動來者。此誠大臣之言。惜所事非主。冤死西蜀。否則上可相莊宗爲宋太祖。次亦可輔莊宗爲周世宗也。

宋命慕容延釗假道討周行逢。遂滅荊南。此計甚平。不必李景威始知之。然高氏以荊歸峽三州偷息數世。暮氣已深。亦焉能久抗宋命乎。

書東漢卽北漢世家

劉崇美鬚髯目重瞳子。葢所謂帝王之表也。雖曰僭僞。抑豈偶然。

劉旻不聽李驤以兵下太行控孟津之言。雖似過愚。然不欲割據一方之意固昭然若揭也。不知贇死。尚奉書郭威求之。但知有漢耳。何嘗有皇帝夢哉。內部攘竊。外乃爲契丹作前導。此中國數千年積病至今未愈也。哀哉。

劉旻不聽楊袞王得中之言輕敵致敗可哂。

書四夷附錄上

自古外患皆由內有人引之。否卽相寇不敢深入。李克用聘契丹阿保機。約爲兄弟。欲恃契丹制梁。而阿保機乃奉表稱臣於梁。此阿保機通中國之始。後盧文進引契丹數十萬圍周德威幽州。莊宗遣李嗣源閻寶李承審等救之。契丹敗遁。此阿保機犯中國之始。王處直遣其子都說契丹入塞以牽晉兵。晉敗契丹於新城。此阿保機與中國帝王鬬力之始。至石敬瑭父事德光。特易所謂堅冰至耳。

耶律德光以幽州爲燕京。更國號曰大遼。置百官。皆依中國。且參用中國之人。自後外人入主中國。皆效此意耳。

晉出帝時。尚能數敗契丹。後世言及外人卽膽落者。讀此應亦汗下。

德光入京師（汴州）諭衆曰。我本無心至此。漢兵引我來耳。至臨洛。見其井邑荒殘。笑謂晉人曰。致中國至此。皆燕王（趙延壽）爲罪首。又顧張礪曰。爾亦有力焉。後世漢人亦有引外力以禍中國若此二人者。讀此應亦汗下。

書四夷附錄下

周世宗北定三關。亦値齊王述律不恤國事。實爲睡王。故能兵不血刃奏此殊績耳。

天於大地必欲一之。老子所謂老死不相往來。後世萬無此事。中庸所謂舟車所至。人力所通。天之所覆。地之所載。日月所照。霜露所墜。凡有血氣者。莫不尊親。後世必有此事。試嘗論之。五帝三王。中原與中原爭。周衰洎秦。中國與中國爭。秦訖趙宋。中國與外國爭。中原與中原爭。外中國。故中原必一。中國與中國爭。外外國。故中國必一。中國與外國爭。外諸天。故中外必一。大地皆人類。人類不可無人道。禮運大同人道之極軌也。故大同亦人類必臻之治。

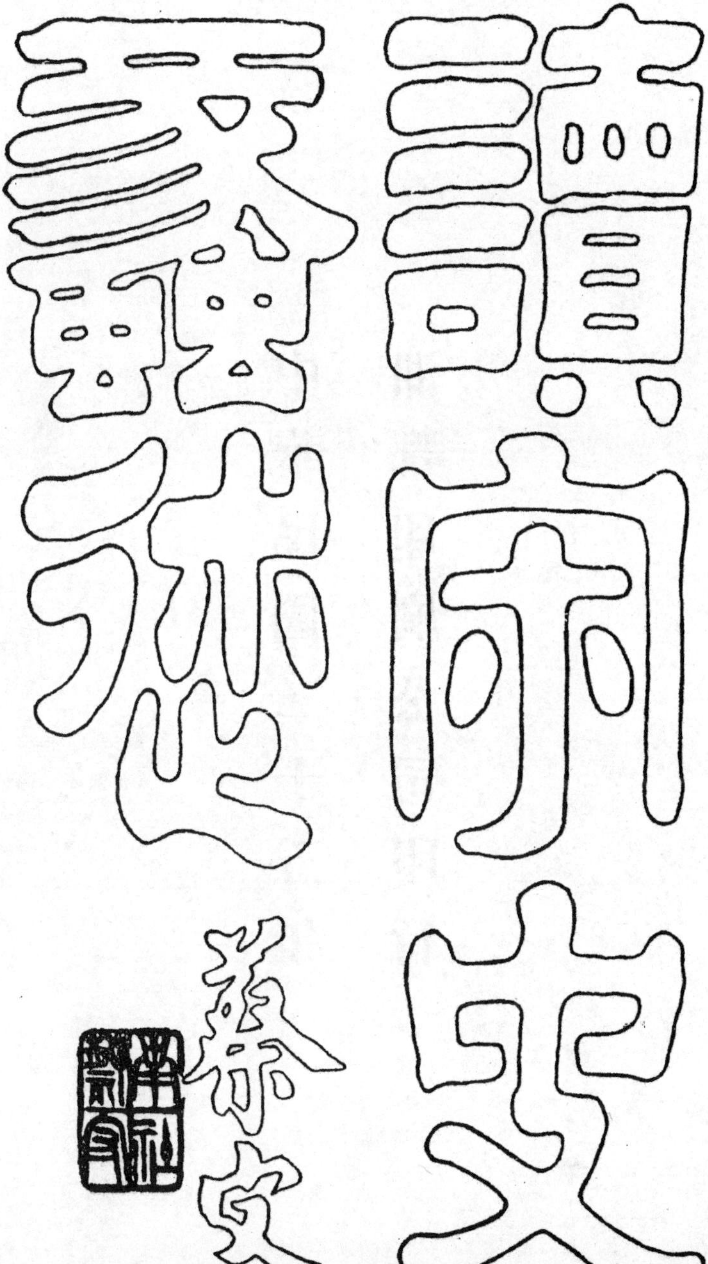

中華民國二十五年
湘鄂印刷公司印行

讀宋史蠡述目次

卷一

卷三

卷五

附正誤

一　卷五第二十三面第九行殆亦張六郎之流與上句脫云云守忠四字

讀宋史蠡述卷一

岳陽李澄宇洞庭著

書太祖紀一 建隆 乾德

古得天下惟揖讓征誅二局。至魏晉則揖讓變爲篡弒矣。至五代則篡弒外又有擁立一局矣。擁立外且有由外國册立一局矣。至元乃有外國入主諸夏一局矣。此蓋世運升降之辨。抑亦中外勢力消長所繫也。

恭帝甫卽位。書北漢結契丹入寇。命太祖出師禦之。次陳橋驛。太祖甫卽位。書鎭州郭崇報契丹與北漢軍皆遁。前入後遁。殆皆僞局。蓋前誑恭帝。後乃掩衆人耳目也。

南唐李景死。子煜嗣。請追尊帝號。從之。蓋是時荆楚蜀尙在。形格勢禁。固無如南唐何也。閱十年。煜且表乞去國號。呼名矣。又四年。曹彬潘美等且將兵十萬伐江南。遂平之矣。

書太祖紀二 乾德 開寶

乾德三年詔婦爲舅姑喪者齊斬。四年詔蜀郡敢有不省父母疾者罪之。以孝治天下。此亦大端也。

書大祖紀三 開寶

李煜俘而錢俶請朝。懼討也。

書太宗紀一 太平興國　雍熙

開寶九年十月卽位。而遽改元。非古。而父子效魏太武唐武氏以四字紀元更非古。

書太宗紀二 雍熙　端拱　淳化　至道

贊謂俘馘日至而民不知兵。水旱螟蝗徧天下而民不思亂。似溢美。惟於太祖之崩。不踰年而改元。涪陵公之貶死。武功王之自殺。宋后之不成喪。均不諱言。庶猶有南董遺意也。

書眞宗紀一 咸平

書減天下冗吏凡十九萬五千餘人。美之也。冗吏上蠹國。下毒民。不減必釀亂。

書眞宗紀二 咸平　景德　大中祥符

寒甚而卻貂帽毳裘。謂臣下皆苦寒。朕安用此。有此一語。衆亦溫比挾纊矣。至預料契丹多詐。雖許和而備之。遂斃其大帥撻覽。（據遼史乃蕭撻凜）不愧英主舉動。

邵曄上邕州至交阯水陸路及控制宜州山川等圖。帝曰祖宗闢土廣大。惟當愼守不必貪無用地苦勞兵力。蓋帝是時惟務保境息民。暫作太平天子。亦上策也。

書眞宗紀三 大中祥符 天禧 乾興

有司請違法販茶者許同居首告。帝謂以利敗俗非國體。大哉王言。以義爲利。不以利爲利也。

改謚玄聖文宣王爲至聖文宣王。至字甚合。元於至聖上加大成二字更合。

費於澶淵既盟封禪事作有微辭。且舉契丹陋習以測宋廷隱衷。謂欲假是動敵聽聞。潛消窺覦。可謂洞垣一方。

書仁宗紀 天聖

二年書幸國子監謁孔子。五年書西域僧法吉祥等來獻梵書。八年書賜信州龍虎山張乾曜號澄素先生。足見當時極尊孔教。釋老亦重。

書仁宗紀二 明道 景祐 寶元 康定

自乘輿服御及宮掖所須。從簡約。吏兵祿賜毋概裁減。此誠省所當省。後世反是召亂而已、

詔諸致仕官嘗犯贓者毋推恩子孫。此亦杜貪一法。

景祐三年詔戒百官越職言事。康定元年乃許中外臣庶上封章言事。蓋彼時天下無事、漸厭直言。此時趙元昊稱帝內犯。頗思聽納也。

鑄當十錢權助邊費、須見錢多。且銅乏也。此鑄當十錢之始。而當日財困可想。

書仁宗紀三 慶曆 皇祐

屢爲元昊所敗。足見當日將不知兵。向使契丹渝盟。並時內犯。北狩之辱。豈俟金人也耶。

謁孔子特再拜。視肅揖加重矣。清世祖躬謁闕里。乃改用三跪九叩首禮。至聖萬世

師。實亦當之無愧焉。

契丹遣使來告伐夏國。非助我。特藉機拓地耳。

書仁宗紀四 皇祐 至和 嘉祐

書封孔子後爲衍聖公。美之也。不書名。蓋許世襲也。故神宗時卽有孔若蒙襲封。

書英宗紀 治平

契丹改國號爲遼。以吾華自五帝三王以來國號皆一字。慕而效之耳。其志已不在小矣。

士大夫之子尙帝女。升行以避舅姑之尊。唐制不爾。蓋宋陋習也。革之甚是。神宗卽位。卽詔公主下嫁者行見舅姑禮。亦以孝治天下之一端。

書神宗紀一 熙寧

隆準龍顏。動止皆有常度。而天性好學。此誠可與有爲之主哉。

書神宗紀三 元豐

神宗年三十八。在位僅十八年。嚮使得有中壽。則元祐紹聖之紛紜可免。而竟不然。天豈未欲宋治耶。

書哲宗紀一 元祐

自元祐元年至八年。皆太皇太后聽政。所罷所復。大抵反安石所爲。自紹聖元年至元符三年。皆哲宗親政。所罷所復。又大抵託安石新政而別有用意。要之司馬黨與王黨爭勝負而已耳。故哲紀分二卷。前後判若兩人。實卽王馬二黨還魂錄也。

章惇等進新修敕令式。其間有元豐所無而用元祐敕令修立者。帝曰元祐亦有可取乎。足見哲宗於元祐時太皇太后所爲甚不謂然。一旦親政。反其所爲。固無足怪。

書徽宗紀一 建中靖國 崇寧

章惇欲立帝母弟簡王似。使國有長君。未嘗不善。而太后必欲立端王何耶。

詔黨人子弟毋得擅到闕下。詔毀呂公著司馬光呂大防范純仁劉摯范百祿梁燾王巖叟景靈 宮名 西京繪像。未免已甚。而詔毀刊行唐鑑 范祖禹著 幷三蘇秦 觀 黃 庭堅 等文集。尤可不必。蓋書籍苟有可傳。萬難禁絕。不獨唐鑑三蘇等集也。此日令天下監司長吏廳各立元祐姦黨碑。無怪他日蔡確邢恕呂惠卿章惇曾布安惇蔡京趙良嗣等竟入姦臣傳也。蓋兩黨互讎。惟力是視。最後史筆且操在馬黨手也。

詔王珪（與唐王珪同名）章惇別爲一籍。如元祐黨。所謂歧中有歧也。羊焉得不亡乎。

書徽宗紀二（崇寧 大觀 政和）

書鑄當二夾錫鐵錢。痛壞錢法也。

詔求直言闕失。毀元祐黨人碑。復謫者仕籍。除黨人一切之禁。庶幾與天下更始若不約金滅遼。何至遽有靖康之禍哉。

書徽宗紀三（政和 重和）

自童貫使遼。以李良嗣來。良嗣獻取燕之策。而大禍伏。自馬政由海道使女眞（遼史作女直）約夾攻遼。而大禍起。

書徽宗紀四 宣和

金人破遼中京。遼主北走。則是時金有朝氣遼乃暮氣可想。然使我不夾攻。致遼將郭藥師等以涿易二州來降。則蕭幹等顒禦金師遼未必遽失燕京。遼不失燕。金隔燕豈能取我汴京乎。故約金攻遼。無異自徹藩籬也。

金以燕京涿易檀順景薊州來歸。又許朔武蔚三州。則遼人張覺以平州來附。不宜謬受。致金人攻取平州。而我反縊殺張覺。函首送之也。棄信示弱。豈亦不可以已乎。不早置名將重兵於燕雲。嚴備外患。而臨事張皇。故斡離不（金史作宗望）黏罕（金史作宗翰）分兩道入攻。郭藥師以燕山叛。北邊諸郡皆陷。又陷忻代州圍太原府。且犯中山府也。至是而彼先以歸我者。無異老氏欲取故與之說矣。悲夫。

書欽宗紀 靖康

主戰最難。必力足左右全國。使朝野上下一意以赴之。否則異議横生。必勝之局可使必敗。此關人心。不可專以理勝也。史册具在。若是者豈少也哉。宋是時氣已餒甚必遷地。使天子無恐。然後將備戰。相格君。庶可望唐德宗。而竟不然。徽欽所由不免北狩也。

書金人渡河。金人犯京師。所謂如入無人之境也。非李綱血戰二次。金人早入汴京矣。何復有退師議和云云哉。

觀李綱罷而復用。用而復罷。罷又復用。當日諸事兒戲可想。

徽欽北狩與晉懷愍北狩頗同。惟懷狩以永嘉五年。洛京傾覆。愍狩以建興四年長安陷沒。中間相距蓋六年。地異時異。此則均以靖康二年汴京不守而北狩。時同地同。又劉曜一人兩次脅懷愍北狩。而斡離不黏罕則二人一次分脅徽欽北狩也。徽宗以紹興三年崩於金欽宗以紹興二十六年崩於金

以軍士擁立天子。五季蓋已三見。故太祖即位以後。常恐軍士復有陳橋之事。天下粗定。即杯酒罷諸將兵柄。意謂馬上得之。固不必馬上治之也。務農興學。愼罰薄歛。與世休息。在位十七年。庶幾太平天子。亦云盛矣。然自是鮮重將勁卒。不足備緩急。

實開國一大誤也。太宗繼起。幸平北漢。遂欲北取幽薊。致有高粱河莫州岐溝關三次大敗。自此不敢正眼北視。雖他地屢告勝捷。無補大局。蓋無故伐遼。不免再誤也。眞宗纘緒。數敗契丹。乃尋舊盟。各保疆土。及是時。使不謬事封禪。移厥費治軍勸農。兵食既足。他日契丹衰敗。以自力撥之。亦易易耳。而竟不然。此又眞宗大誤也。仁宗在位四十二年。恭儉仁恕。漢文蔑以過。雖嘗夏人犯邊。契丹渝盟。皆未爲大害。英宗嗣統。恪守前謨。惜濮議紛紜。開數代朋黨之禍。而未能加意戎備。則亦與仁宗同病。神宗奮發有爲。得安石輔相之。宋治之隆。似可翹待。而新舊不相容。且新舊二黨皆有小人與君子。君子皆不免爲小人所鼓弄。卒致相嫉互讎。兩敗俱傷。新黨欲足食足兵以雪國恥而復舊物不可得。舊黨欲保境息民以結人心而厚風俗亦不可得。此甚可爲痛哭流涕也。哲宗前爲太皇太后所持。而舊黨倚之。後爲章惇等所持。而新黨倚之。恩怨外無言語。報復外無政事。黨人固快一時意氣。而國脈不絕如縷矣。洎乎徽宗。黨禍漸息。金既坐大。遼可吾圉。使徽宗與左右文武灼知大勢。何至約金滅遼哉。既滅遼矣。更何至貪一區區平州。開罪於金。使金人有所藉口哉。欽宗聽李綱不幸襄鄧。不劃太原中山河間三鎮。汴京力戰。金遂退師。此蓋魚游斧中燕巢幕上。而乃遠迎徽宗於南京。直待黏罕斡離不他日俱至京師。戰守和無一可言。而後父子北狩。此王船山所由痛恨李綱也。此雖諸臣誤國。而亦徽欽未能量力之咎也。

書高宗紀一 建炎

帝前使金。爲斡離不所留。幾不得還。而二次奉使。被命卽發。足見急君父之急。嗣黏罕斡離不相繼圍京師。帝盡起河北兵入衛。乃不用宗澤之言。直趨澶淵。而乃移軍東平。復如濟州。致徽欽被虜而北。豈慮兵不可用。不敢見敵耶。信和議可定。二帝必不遇險耶。抑但爲己謀。有變庶可踐阼耶。噫嘻。

既書耿南仲主和誤國。南雄州安置。又書用張浚言罷李綱。用黃潛善議殺陳東。則是主戰者更誤國也。平心論之。金滅遼後氣甚盛。我師無赫赫功。氣甚餒。而平州之役曲又在我。是宜議和以緩師。不宜空言怒敵。貽君父以大辱。故與其謂主和誤國。

毋寧謂主戰誤國也。

書高宗紀二 建炎

漢唐不諱和戎。宋人獨以爲恥。蓋不量力之過也。自石敬瑭割燕雲十六州與遼。至周世宗始取三關。瓦橋益津草橋 宋承周舊。四面討伐。幸皆如志。及破北漢。力益疲矣。而遼人又未內犯。太宗何事一再北征耶。亦越徽宗。遼金互鬨。我於遼和歷數世。金又崛起方熾。以遼盾金。計亦甚便。而徽宗竟約金攻遼。意在雪恥。不知我武不揚。大辱在後。抑何謬與。金奪燕薊。和局定矣。乃復貪取平州。自隳大信。衅端既啓。和戰反覆。不幸徽欽北狩。高宗轉徙。尙未肯正官議和。遣使大抵以祈請通問爲名 蓋當日趙宋諸臣皆爲主戰論所刼持。卽不能戰。亦必以戰博一時贊美。甚可閔也。於是西至關陜。東及淮揚。一任金人燔剽。死節者衆。莫濟時艱。嚮猶選應天作都。後乃遁杭州。開國卒之南京。告陷。臨安不守。大江以南。幾遍狄迹。御舟在海。駐蹕無方。不早定和議。而禍至此。可勝慟哉。

書高宗紀三 建炎 紹興

漢李陵不幸降狄蒙詬衆盡知也。宋高宗時乃亦有戶部侍郎與之同名。可怪。

金人立劉豫爲齊帝。僭位北京。蓋但欲以漢人治漢人。尚未知以漢法治漢人也。若元與清。則弗爾矣噫。

金於大河以南土地不敢盡有。故先立張邦昌。後立劉豫。此金所以止於金。而亦南宋所以得爲宋也。

書高宗紀四 紹興

秦檜已用。尙起李綱。足見當日主戰論尙盛。檜未敢遽以和議進也。

吳玠吳璘和尙原之戰。兀朮僅以身免。閱一歲金人再至。而我乃以將士乏食自潰。可嘆。

宋之於金。以遼爲盾之上也。謹守燕薊。不貪平州。次也。釁端既啓。早定和議。極其量不過失太原中山河間三鎭。又其次也。金兵已渡河。仍遣重臣行成。亦不過失大河以北。則又次也。蓋彼於入主中國始無是志。他日尙以河南畀齊。必不踰河拓土也。至秦檜主和。則又勢殊事異矣。然猶東以淮水中流畫疆。西以大散關爲界。旣和之後。歷世七歷年百五十。較東晉歷世十一歷年百有二。猶過之。則和亦何負於宋哉。又況宋不助元以滅金。蒙古卽不能越金以犯宋。靈長之祚更未艾耶。

書高宗紀五 紹興

宋儒尊孔孟。而孔孟門戶轉狹。蓋視聖道爲彼等專有。於古人則孟子後無傳。於當世則五子外非學。不知孔子重庸言庸行。孟子重良知良能。卽尙書聖罔念作狂。狂克念作聖之意。未嘗高深也。如此則人人皆聖道中人矣。宋儒務爲高深。屛古今不知幾千萬人於道外。於是所謂聖道者。不過別儒林而創道學一傳耳。是豈聖人設教始意乎。如此則人人非聖道中人。卽不免驅爲異道中人矣。陳公輔乞禁程氏學。詔士大夫之學以孔孟爲師。有以哉。有以哉。

張浚前屈殺曲端。今又搆陷岳飛。此豈君子之過乎。噫。

書高宗紀六 紹興

秦檜主和。不必殺岳飛。而竟殺之。以飛主戰最力也。而先以王俊告張憲據襄陽爲變。以飛實無罪。不借端未由引之也。此則檜所以爲姦臣也與。又檜構張浚趙鼎亦非姦臣不至此。

書高宗紀七 紹興

心欲和而貌備戰。徒苦我民耳。不特不能救國。而反誤國。檜固姦臣。而顯主和議。庶幾克定國是。故終得苟延宋祚。若後世偏地僞岳飛。求一眞秦檜亦未可得。此吾所爲仰天痛哭也。

觀帝書一德格天之閣。賜秦檜。仍就第賜宴。則其早欲議和不敢昌言可想。此檜所以能盜權十有八載與。

書高宗紀九 紹興

和後能戰。古人所貴。特不可輕舉妄動耳。詔以王全語（求淮漢地）諭諸路統制帥守監司隨宜應變。毋失機會。殆亦敵來即禦。非欲進討也。故下於西有金人犯黃牛堡守將李彥堅拒卻之。金兵遂扼大散關。吳璘駐靑野原。遣將高松援之等語。於東有詔劉錡王權李顯忠戚方嚴備淸河潁河渦河口等語。

金主亮背盟來攻。臨江築壇。刑馬祭天。期以翼日南渡。虞允文督舟師拒於東采石敗之。又遣盛新以舟師襲金人於楊林河口敗之。金主亮遂焚舟而去。與晉謝玄肥水破苻堅略似。

金主亮被弒。潁壽二州巡檢高顯以壽春府來降。吳璘又遣楊從義等攻拔大散關。分兵據和尙原。宋局蓋自此振矣。而遽倦勤內禪何耶。

書孝宗紀一 隆興 乾道

太宗於太祖。雖兄終弟及。有斧聲燭影疑案。南渡以後。高宗備歷諸艱。與金行成。金更犯邊。兩淮失守。不勝憤恨。而昔者婁寅亮上書。有昌陵太祖葬永昌陵之後。寂寥無聞。藝祖太祖在上。莫肯顧歆。此金人所以未悔禍也云云。此高宗所由於國勢既振後決意內禪。使太祖七世孫早纘丕緒。冀遂以是默弭金禍與。

制有尋澶淵盟誓之信。仿大遼書題之儀。正皇帝之稱。爲叔姪之國。歲幣減十萬之數。地界如紹興之時等語。蓋是時金不能滅宋。宋亦未能伐金。兵連禍結。固不如各保疆土。尚可與民休息也。

書孝宗紀二 乾道 淳熙

書幸太學祗謁先聖。退御敦化堂。命國子祭酒林光朝講中庸。美之也。

書孝宗紀三 淳熙

謝廓然乞戒有司毋以程頤王安石之說取士。懼復啓朋黨之漸也。

書立郴州宜章桂陽軍臨武縣學以教養峒民子弟。美之也。

高宗孝宗之內禪。皆出誠意。匪他代內禪可比。又贊謂宋之廟號若仁宗之爲仁。孝宗之爲孝。其無愧焉。亦他代所未易有。

書光宗紀 紹熙

孝宗內禪後。補畢高宗三年喪制。於古人諒闇三年冢宰攝政外別闢一徑。孝宗疾棘，而光宗不侍疾。孝宗上賓。而光宗不成服。不圖孝宗乃有此子也。噫。

書寧宗紀一 慶元

留正等請立嘉王爲太子。光宗許之。旋奉御批。歷事歲久。念欲退閑。蓋頗欲內禪而未遽決也。正懼獲罪。稱疾逃歸。使非趙汝愚以此意展轉達於太皇太后。內禪之局豈能遂耶。內禪之局不遂。皇后李氏或更有他事未可知也。皇后李氏外更有他人有他事亦未可知也。汝愚奏寧宗謂天子以安社稷安國家爲孝。韙哉。吏部侍郎彭龜年疏請黜韓侂胄而詔罷龜年。進侂胄一官。此寧宗所以甘爲寧宗。而亦侂胄所以敢爲侂胄也。噫。

書寧宗紀二 嘉泰 開禧

書幸太學謁大成殿。遂幸武學謁武成殿。美之也。不曰謁先聖謁某。而曰謁某殿。敬之至也。

武學生華岳諫朝廷不可啓邊釁。而韓侂胄以爲罪。此南宋所以亡。而亦侂胄所以誅也。

書寧宗紀三 嘉定

書金人歸大散關。金人歸濠州。既和而疆理復舊也。

眞德秀奏罷金歲幣，蔑約啓衅在我矣。未爲得計也。

太學生何處恬等伏闕上書。以工部尙書胡榘欲和金人。請誅之以謝天下。和而曰欲。是不惟不許人有此事。且不許人作此想矣。視陳東蓋又過之矣。此風一長。凡言和者皆可殺。以空論刼持當軸。使不敢遽定國是。不獨宋然也。於是國尙可救者亦不得不亡。甚可慟也。

書理宗紀一 寶慶 紹定 端平

濟王與史彌遠有違言。遂致失帝。且死於彌遠之手。小人可畏固如此。噫。

馮杰進士也。而魏峴抑爲鑪戶。致杰一家慘死。罪亦大矣。峴僅罷職何耶。

夏屢請夾攻金人不許。而乃與元兵合圍汴京。（金時在汴）是終蹈約金伐遼覆轍也。已實不競。賴他人以逞。拒狼進虎而已。庸有幸耶。趙葵對金事有云。兵力未贍。姑從和議。金亡後洪咨夔亦言。殘金雖滅。鄰國方强。益嚴守備。猶恐不逮。二人固灼知當日實象者與。

書理宗紀二　端平　嘉熙　淳祐

詔以周惇頤張載程顥程頤朱熹從祀孔庭、後世所由稱聖宋五子也。

書理宗紀三　淳祐　寶祐

外患孔棘。而潭州民林符三世孝行。一門義居。福州陳氏笄年守志。壽逾九袠。詔皆表門。可謂灼知治本矣。故特書以美之。

書理宗紀四　寶祐　開慶

元與我倡和。且未必免禍。況入洛之師輕啓衅端哉。王埜疏稱趙楷全子才劉子澄輩喪師誤國。陳大方亦言劉子澄入洛之師賈勇贊決。北兵方入唐州界。子澄已率先遁逃。一敗塗地。宜投四裔。實皆公論。

書理宗紀五（景定）

元世祖以歸正大位撤兵。而賈似道自詭有再造之功。且諱言歲幣及講和事。不使元使郝經入見。玉帛不將。玉步旋改。可恨甚矣。

書度宗紀（咸淳）

宋以顏淵曾參孔伋孟軻配享孔庭。至今未改。蓋得人心之所同然也。

呂文煥以襄陽降元。元於宋已似吳晉相持。而羅鑑更建先取全蜀議。則促成王濬樓船下益州之局也。

書瀛公（即恭帝）紀（德祐）

巴陵縣南十里有黃沙灣。大元兵駐巴陵縣黃沙。想即此地。又巴陵今曰岳陽。

陸秀夫等至元軍求稱姪納幣不從。稱姪孫不從。又遣劉岊奉表稱臣歲奉銀絹二十萬。乞存境土以奉蒸嘗。與留郝經不遣時情事大異矣。賈似道之肉豈足食乎。

上傳國璽拜表稱臣獻兩浙福建江東西湖南北二廣兩淮四川（南宋全土止此）見存州郡。此中國降夷第一次醜史也。誰爲爲之。孰令致之。慟哉。

贊謂宋以仁傳家。仁失於弱。中世有欲自强以革其弊。用乖其方。馴致棼擾、可作北宋總論讀。建炎而後。土宇分裂。猶能六主百五十年而後亡。豈非禮義足以維持君子之志。恩惠足以固結黎庶之心與、等語可作南宋總論讀、

書二王附紀（景炎祥興）

福州僻處海隅。萬難舉事。陸秀夫張世傑文天祥等竭忠趙家。竟開此局。功雖未就、志抑苦矣。

廣州趙佗故地。固可黃屋左纛。荊棘始披。而昰（端宗）殂於碙州。天蓋已不祚宋矣。帝昺繼立。黃龍見於海中。卒葬魚腹。卽其兆與。

廣州失。厓山亦失。無可爲矣。而世傑以舟師碇海中。棊結巨艦千餘艘。中艫外舳。貫以大索。四周起樓棚如城堞、居昺其中。軍不可攻。火不能爇。亦空前未有之壘守也。

大星墜海。檣旗盡仆。天時人事。兩可知矣。楊太后聞昺死。撫膺大慟曰。我忍死間關（本詩閒關車之舝兮引申爲道路艱澀）至此者。爲趙氏一塊肉爾。今無望矣。遂赴海死。史臣亦於秀夫世傑俱死後。大書特書曰。宋遂亡。蓋於故國猶有不忍遽亡之意也。悲夫。贊亦絕佳。

書天文志一

志言渾儀渾象甚詳。惜今不可復見。否則取較泰西機械。豈不令彼驚嘆也耶。

書五行志一

五行惟述災眚。休祥闕焉。欲人主恐懼修省。轉禍爲福。不欲姦人藉符瑞欺罔人主。反啓咎徵。此蓋善法廬陵處。

書地理志一

此云宋受周禪。有州百十一。建隆四年取荆南。得州府三。平湖南。得州十五。監一。乾德三年平蜀。得州府四十六。開寶四年平廣南。得州六十。八年平江南。得州十九。軍三。太宗太平興國三年。陳洪進獻地。得州二。錢俶入朝。得州十三。軍一。四年平太原。

得州十。軍一。十五年李繼捧來朝。得州四。東南際海。西盡巴僰。北極三關。未入職方氏者惟燕雲十六州而已。與五代史記職方考所謂合中國所有二百六十八州。周一百一十八州二語不符。豈廢置時有附載離一與。又燕雲十六州去瀛莫（周世宗北取三關即此）止十四州。仍曰十六。蓋亦未考。

熙寧時种諤取綏州。韓絳取銀州。王韶取熙河。章惇取懿洽。謝景溫取徽誠。熊本取南平。郭逵取廣源。李憲取蘭州。沈括取葭蘆米脂浮圖安疆等砦。蓋安石務復中國舊壤。先從易者入手。然後用兵燕雲也。元祐更張。竟以葭蘆等四砦賜夏。亦可哂已。

徽宗時金盛遼衰。金隔遼未能爲宋害也。此時當留遼爲外蔽。而乃約金滅遼。建燕山雲中兩路。僅閱三歲。禍變旋作。中原陝右盡入於金。東畫長淮。西界散關。所存者兩浙兩淮江東西湖南北西蜀福建廣東廣西十五路而已。然非行成尚不能守此。拒狼進虎。有國者可弗鑒與。

書河渠志一

敘河源星宿海云云。足補禹貢及史記之闕。而虎牢迤東距海口三二千里。恒被河害。姦臣建議。必欲回之俾復故流。屢塞屢決。由不能順其就下之性以導之數語。尤足抵治河百疏。

書禮志一

陳襄等謂宋禮大率循唐。至於壇壝神位法駕輿輦仗衛儀物。兼用歷代之制。其間情文訛舛。多戾於古。蓋有規摹苟略。因仍既久而重於改作者。有出於一時之儀而不足爲法者。可作禮志總評讀。

書樂志一

史記樂書有曰。禮以導其志。樂以和其聲。汲黯亦曰。王者作樂。上以承祖宗。下以化兆民。此曰樂以和民心而化天下。信知樂之大原哉。

書樂志六

蔡元定有黃鐘爲律本。度量權衡於是受法。十一律由是損益等語。後世謬改度量衛者。讀此亦汗下否乎。

書儀衛志一

文謂之儀。武謂之衛。釋儀衛所由名也。一以明制度示等威。一以愼出入遠危疑。釋儀衛所由設也。

書輿服志五

魚袋始曰魚符。左一右一。左者進內。右者隨身、刻官姓名。出入合之。蓋本古兵符意取以愼門禁。後世符號證章尙未如此周密也。

士庶人車服有制。喪葬有等。杜踰僭也。必如此民志乃定、豈可忽乎哉。又輿服志載臣庶室屋制度頗詳。亦卽此意。

書選舉志一

古昔選舉、今未易復。惟孝弟力田實隱護國家元氣。且人人可勉。似可效之、經明行修則非可責諸人人矣。詩賦策論。尙華而不問實。專習經義。抑又託之空言不如見諸行事也。後世學校。竭髦士心力於數學化學及外國語言文字。此習專門技藝。或游學海外者所須。而亦責諸人人。論語所謂賊夫人之子也。至於選舉。大抵內定。就迹論之。抑亦何裨。

書食貨志上一

仁宗之世。契丹增幣。夏國增賜。養兵兩陲。費累百萬。以帝性儉。不至掊克。知此者可與論食貨矣。否則流不節而漫開源。欲弗病民。豈易言哉。然宋至高宗始印賣田宅契紙。爲契稅之祖。視後世開源。固異也。噫。

書食貨志上五

役之爲害。至令孀母改嫁。親族分居。棄田與人。以免上等。或非命求死。以就單丁。此見韓琦之疏者。韓絳亦言京東民有父子二丁。將爲衙前役者。父告子曰。吾當求死。使汝曹免凍餒。遂自縊而死。又江南有嫁其祖母及其母。析居以避役者。又有鬻田減其戶等者。田歸官戶不役之家。而役并於同等見存之戶。役法宜改。益彰彰矣。范仲淹執政。謂天下縣多。故役蕃而民瘠。首廢河南諸縣。而王逵爲荆湖轉運使。率民輸錢免役。此皆首改役法者。而王逵之法且甚與安石合也。舊法但役平民。安石募役法則令凡當役人戶以等第出錢。名免役錢。其坊郭等第戶及未成丁單丁女戶寺觀品官之家舊無色役者亦出錢。名助役錢。是當役者出錢不必執役。不當役者亦必出錢助募也。如此則役之痛苦減而役之擔負均矣。人皆便之。豈虛語哉。而楊繪乃詭以五難爲言。試讀曾布辨詰之疏。其亦慙悚交至乎。

我國由徵兵而募兵。由力役而免役。不擾民而事舉。庶幾善變矣。而後世竟有變募兵爲徵兵。變免役爲徵工者。擾民甚而大亂伏焉。豈特不善變已耶。

讀食貨志下八。

行者齎貨謂之過稅。蓋卽後世產銷稅。居者市鬻謂之住稅。蓋卽後世營業稅。然當日不稅五穀。不算販夫販婦細碎交易。視後世無一不稅且無一不重稅者。固猶判若霄壤也。

書兵志六

禁軍暮氣已深。且無宿將。不足備征戍。荆公取管子及周官意。變募兵而保甲。其始但期捕盜。不犯盜。不居停盜者。就衆所同犯爲辭也。欲勝此任。勢不得不習武技。既習武技。自可番上。番上則兵。故隸兵部。始名保甲。後實徵兵。此後世所以更有效法荆公者也。果辦理得人。攘外不足。安內有餘。豈可厚非哉。雖然得人蓋亦難言矣。

書兵志七

募兵而黥面爲字。今日固不必若此。至先度人材。（即量身長）次閱走躍。（即測呼吸）試瞻視。（即驗目力）則今日可與古同也。又募兵歐美目爲志願兵。當其無事。有爵賞衣廪之費。較保甲不糜國帑者異。一有征討。義無反顧。諺所謂養兵千日。用在一朝。與保甲尤異焉。故吾論兵。與其舉保甲。務多而但可安內。不如練募兵。貴精而更可攘外也。

書刑法志一

慮囚務底明慎。而以忠厚爲本。三代恤刑。亦不是過。靈長之祚。竟踰三百。匪偶然也。

書刑法志二

太祖自斷。輕重取舍得法外意。不愧元后。而詔繼母殺傷夫前妻子。及姑殺婦。同凡人論。尤爲大哉王言。

書藝文志四

隋經籍志道釋平列。以仙附道。此惟重道。附以仙釋。蓋六朝逮隋。釋教大行。宋雖釋盛。匪道比也。又漢書藝文但志九家。此步班塵。故不復蹈魏（徵魏）轍。

書宰輔表一

宰指居相位者。輔指位執政者。前九朝始太祖建隆庚申。終欽宗靖康丙午。凡百六十七年。居相位者七十二人。位執政者二百三十八人。後七朝始高宗建炎丁未。終恭帝德祐丙子。凡一百四十九年。居相位者六十一人。位執政者二百四十四人。郎年考事。功罪炳炳。信紀傳之羽翼。而編年之寶筏也。表之爲用大矣哉。

讀宋史蠡述卷二

岳陽李澄宇洞庭著

書后妃傳上

吾兒素有大志。今果然。杜太后此語。無異爲太祖陳橋之變寫一供狀也。他日疾棘。又言使周氏有長君。天下豈爲汝有乎。汝百歲後當傳位於汝弟。蓋恐他人效陳橋所爲而預防之。亦無異爲太祖寫供狀也。

眞宗郭后惡奢靡。族屬入謁禁中。服飾華侈。必加戒勗。可敬者一。有以家事求言於上者。后終不許。可敬者二。二兒子出嫁。以貧欲祈恩賚。但出裝具給之。可敬者三。

劉后曉書史。才不下武后。而不效武后。非德勝武后也。以魯宗道嘗以武后唐之罪人幾危社稷對劉后。隱戢異志也。然於李宸妃之喪。納呂夷簡言用一品禮殯洪福院。實不愧史稱警悟。否則異時燕王所云妃死非命。仁宗信之。劉家豈復有幸耶。

楊淑妃能奉順劉后無所忤。仁宗在乳褓。劉后使妃護視之。劉后將崩。又遺誥尊淑妃皇太后。與皇帝同議軍國事。蓋劉后愛信淑妃。幾合兩人爲一人。恐有人發己以仁宗爲子黑幕。不得不厚結淑妃早爲之所也。然以是益歎淑妃之才不易測度。御史中丞蔡齊白執政。毋使女后相繼稱制。意深遠矣。意深遠矣。

仁宗郭后以閻文應謀見廢。而仁宗乃遣文應挾醫診視。欲后弗暴薨得乎。又后廢後嘗奉密令入侍。不於此時求復舊位。而乃出俟册命。亦實死由自取也。

衛卒夜亂。越屋叩寢殿。曹后克遣宦侍禽滅之。才弗可及。英宗時以皇太后垂簾聽政。帝疾既愈。即命撤簾還政。德弗可及。

宣仁聽政。不肯復從父高遵裕官。姪公繪公紀當轉觀察使亦過之。蓋鑑漢外戚之禍。預防厥漸也。可不謂賢哉。

書后妃傳下

神宗向后不私后家。亦同宣仁。可謂上合姑德。異時徽宗泣請聽政。不御正殿。不避家諱。不立誕節。六月即還政。尤弗可及。

哲宗孟后以與劉婕妤爭寵被廢。信爲薄福。然他日高宗事之克孝。抑亦可謂晚福矣。又劉婕妤後雖得爲皇后皇太后。以不謹聞。自縊而崩。其福薄蓋又甚於孟后也。

高宗母韋賢妃於金人設還三梓宮（徽欽二帝及徽宗妻鄭后）恐其反覆。侯役者畢集。然後啓攢。又貸金犒衆。使不憚暑。明於事理若此。豈尋常妃嬪所能企及。

孝宗夏后不欲弟執中被用。謝曰他日無累陛下保全足矣。蓋亦深懍外戚之禍也。執中才且然。彼不才而以外戚貴盛者盍鑑諸。

光宗李后妒悍。高宗不懌。謂是婦將種。然漢明德馬后亦將種。而竟不妒。抑又何耶。

光宗欲朝孝宗。出至御屏而被李后挽入。非畏后也。謬信后離間之言。恐至重華宮卽不幸遭廢立大禍耳。宦者懼誅而離間以始。李后懼廢而離間以深。光宗日處五里霧中。甚可憫歎。

寧宗楊后已立爲后。而追怨韓侂胄不贊立已。引史彌遠殺侂胄。後遂爲彌遠所迫。廢竑立昀。小人豈易引也哉。楊后固任權術者。奈彌遠小人何。

理宗謝后不妒。蓋有婦德。而宋亡時以疾留杭。年已六十七矣。竟不崩殂。必越七年乃終於元。是又有壽非福也。噫。

書宗室傳一

此傳於廷美之死歸罪趙普。可謂直筆。然趙普亦因太宗實有不肯傳弟之意。始贊密策誣告種種耳。

德昭從太宗征幽州。軍中嘗夜驚。不知上所在。有謀立德昭者。上聞不悅。蓋胸中早懼有此也。早懼有此而竟將有此。所由激德昭自殺也。雖然亦忍矣哉。

書宗室傳二

廷美遷涪陵。元佐獨申救之。廷美死。元佐遂發狂。足證廷美罪狀。皆太宗趙普信口開河。無一實事。元佐不以爲然。無可如何也。

宗肅兄宗諤嘗亡寶器。意宗肅家人子竊之。未疑宗肅也。而宗肅立償其直。宗諤愧不取。乃施諸僧。但知有家人子。而不知有兄。果悌弟豈若此乎。

元儼事母王德妃孝。每有疾侍藥。晨夕盥潔。焚香以禱。至憂念不食。母喪。哀戚過人。

此在士庶可稱。況王也耶。執政議禮。而皇太后以手詔亂之。非是蓋宋人於國家大事每喜假手婦人。杜衆口以行己意。元祐諸政。盡反熙豐。亦假手婦人。不特濮議然也。宗祐幼失怙恃。將終身悲慕。不忍爲人後。亦甚難得。

書宗室傳三

鎮王竑好琴。史彌遠卽買美人善鼓琴者納諸御。而矚動息焉。此小人所以可畏也。然使竑喜慍不見於辭色。彌遠廢立之謀。固亦可已。而竑不然。欲不死。非命得乎。且安知潘壬兄弟强以黄袍加竑。非亦彌遠敎之使爾耶。

書宗室傳四

子崧於高宗有功。而高宗乃信御營統制辛道宗之譖。追究靖康末起兵檄文。豈不知子崧奏隆祐太后有乞速下明詔。諭四方以迎立康王之意。庶幾人心慰安。姦宄自銷等語耶。噫。

海寇路通郡胥而子瀟乃以禮延土豪。俾率郡胥分道入海。蓋惟胥知賊處。而土豪又力足制胥也。告之曰用命者有厚賞。不則殺無貸。胥衆震恐。爭指賊處。蓋生死念切。且命在土豪掌握中。不得復顧賊賂也。

不怠性篤孝。生七歲遭父北遷。每思慕涕泣。一可取。錄靖州獄。辯出寃者數十百人。二可取。知開州。爲民興學。俾知孝義。有鹽井舊長吏必遣所親監之。私其利。不怠罷遣。鹽利倍入。郡計用饒。以羨餘代民輸夏秋兩稅及天申節銀絹。在開二年。民絕鬬爭。夜戶不閉。三可取。永康軍歲治都江堰以灌數郡田。吏盜金減役。堰不固而圮田失水。不怠躬操板築。繩吏以法。四可取。

叔近與王淵初無他隙。徒以汴倡周氏歸叔近爲淵所妒。致被淵殺。周氏固禍水。叔近不自愛抑亦甚矣。

彥倓爲溧陽尉。能自守。斬潘氏三虎。一可取。攝揚州獄掾。有告主藏吏盜錢。吏泣請死。彥倓察其情。屛人問。則諸吏共貸也。乃許自首免罪。二可取。猺人羅孟傳反。累歲不能平。彥倓謂帥臣曰。猺人讎殺。乃其常情。況主斷不平。是激之使叛也。能遣諜者離其黨與。俾還自相讎。破之易矣。帥從其計。遂降孟傳。三可取。知紹興府。會旱飢民聚陂湖中。彥倓取死囚幕首刖足。徇於衆曰。此刼菱藕者也。遂散其衆。乃第民高下。損其稅有差。免輸湖籍田米。舉緡錢四十萬以助荒政。民賴以濟。四可取。

書公主傳

宋公主惟秦國大長公主初適米福德。再適高懷德。餘無再適者。邠國大長公主則終身爲尼。

公主而有謚號。且稱帝姬。皆非也。謚始於周。而太任太姒無謚。又王姬之車。姬乃姓耳。與齊姜宋子從同。猶王風與齊風唐風從同也。何得謬仿王姬。不曰公主而稱帝姬耶。

荆國大長公主幼不好弄。未嘗出房闥。既嫁。謁舅如禮。夫李遵勗守許州得疾。主馳視不待命。居夫喪衰麻不去身。服除亦不御華麗。主仆地喪右肱。不罪左右。誡諸子以忠義自守。可謂賢主矣。而晚乃喪明。豈慟夫過甚所致與。

書范質王溥魏仁浦傳

君臣相拜見於虞書。而宰相見天子議大政事。必命坐面議之。唐及五代猶遵此制。范質乃每事具劄子進呈。致廢坐論之禮。甚可痛恨。又記注官與講讀諸儒皆得侍坐。石揚休修起居注。竟奏史官記言動當立侍。遂廢侍坐之例。亦可痛恨

太宗有言。宰輔中能循規矩愼名器持廉節無出質右者。但欠世宗一死。爲可惜爾。吾謂質之不死。與馮道等。不過道不幸早相。故於五代欠數死。質自唐歷漢。至周始相。故止欠世宗一死耳。

王溥諫周祖盡焚朝貴及藩鎭相交結等語。以安反側。蓋效漢光武燒吏人與王郎交關謗毀書。令反側子自安之意耳。

魏仁浦教周祖易詔激怒衆將。周祖納其言。倒用留守印爲之。與段秀實倒用司農印。李崧倒用都統印。鼎足而三。抑亦異矣。豈當日印大小大抵相類耶。

高平之役。周師不利。東偏已潰。仁浦勸世宗出陳西殊死戰。遂克之。蓋敵主力在我東。而西出殊死戰。不特攻瑕且出其不意也。

書石王高韓張羅王傳

石守信等已解兵權。而苻彥卿亦因名位已盛。不可委以兵權。此太祖太宗所以有事每須親征也

古者僚屬自辟。在上者但課本官功罪。故僚屬功罪卽本官功罪。而本官可隨時黜陟僚屬。後世一官受命。其僚屬有由上交用者。有由各地薦乞者。於是功罪不盡屬本官。而僚屬功罪有時亦不能明定。賞罰此文武各事所以日壞也。邑令自斥黠吏。而王審琦以爲可嘉。殆深悉此中利弊乎。

審琦不能飲。而太祖祝天使飲。自此侍宴常引滿。而歸家卽不能飲。豈如後世催眠術所云耶。事有不宜錄入正史者。此類是也。

王克臣知鄆州。河決澶淵。亟築堤鄆城下。堤成水大至。不沒者才尺餘。復起甬道屬

東平王陵埽人得趨以避水。蓋平日於地勢水患研討精密。故不爲澶去鄆遠八十年不知有水患之說所撓也。

建隆四年。或譖韓重贇私取親兵爲腹心。太祖大怒。蓋得天下不以正。日夜懼有人效己所爲圖己也。趙普雖救重贇。而拒重贇不敢見。亦懼太祖疑己交通重贇也。次年即出重贇爲彰德軍節度。蓋終疑重贇不利於己也。

太祖征太原。謂重贇曰。契丹知我是行。必率衆來援、彼意鎭定無備。必由此路入。卿爲我領兵倍道兼行。出其不意、破之必矣。連用三必字。太祖信知彼知己哉。

宋史紀後有贊。傳後則論。今范質等傳有贊。石守信等傳始稱論。蓋質傳誤耳。

書韓令坤慕容延釗苻彥卿傳

太祖雄猜。而於令坤延釗不奪兵權。蓋相信有素。且未嘗如石守信等以黃袍加己也。又延釗於建隆四年卒。在守信等釋兵前。令坤則建隆六年卒。在守信等釋兵後。

契丹圍晉師於陽城。軍中乏水。人馬多渴死。又晉師居下風。弓弩莫施。此誠萬死一生之秋也。而苻彥卿能與張彥澤皇甫遇潛兵尾契丹後。順風擊之。大敗契丹。其勇可敬。其智尤可敬。

書王王郭李武楊侯傳

王景雖封郡王。朝廷使至必降階送迎。周旋盡禮。謂人臣重君命固當如是。又初封郡王。時吏部尚書張昭（與三國時吳張昭同名）將命。景以萬餘緡送昭。且言張尚書使於我。是朝廷厚我也。此二事足證謙謹。

王晏盜也。而鄉里恃以安。此豈他盜可比哉。晉開運末。以小校首謀殺劉愿歸漢。遂領節鉞。其勇可取。周祖以晏家彭城。授武寧軍節度。晏乃悉召故時同爲盜者。遺以金帛。令不復爲。由是境內安靜。其智尤可取。

李洪業已奉漢少帝密詔殺王殷。而反泄之。周祖起兵。少帝又詔洪義扼河橋。何少帝不知人若此乎。其亡也忽焉。宜哉。

武行周一樵夫耳。建功定亂。遂鎮河陽。嗣守西京。又能以鹽襆辨村嫗冤。斬僧及吏。

使部下畏若神明。古稱版築魚鹽。於茲益信。

書折馮王李孫傳

折德扆以素得蕃情遷內地不許。亦若班超老護西域。不得遽入玉門也。蠶以絲縛。亦可閔哉。

折御卿於契丹入寇。截去路縱兵大擊。蕃將韓德威僅以身死。智勇皆可取。御卿被病。德威復至。御卿力疾出戰。德威不敢進。御卿疾甚。毋召不歸。謂邊寇未滅。宜死軍中。其忠勇更皆不可及。

書侯張扈薛趙李藥趙傳

諸軍推戴明宗。而侯益獨脫身歸洛。蓋深感莊宗舊恩。不忍一旦背之也。使無郭從謙之變。益必有以報莊宗。何至向明宗面縛請罪哉。

虎牢之役。侯益以禁兵數千破張從賓軍萬餘。汜水為之不流。從賓亦乘馬入水溺死。此事繫晉室安危。晉祖以將相寵之也固宜。

耋年八十。雖卒於宋代。而周顯德元年已告老。奚必入宋史列傳耶。傳其子孫可耳。又薛懷讓亦周季致仕。雖卒宋初。亦非宋臣不必立傳。

叛卒劉渥嘯聚亡命爲寇。而侯延廣挺身與渥鬭大樹下。斷渥右臂。此在昔可謂驍勇。後世則不免暴虎之誚矣。噫。

陽城之役。苻彥卿傳謂彥卿與張彥澤等潛兵尾契丹後。順風擊之。大敗契丹。藥元福傳則云元福率麾下騎出戰。諸將繼至。契丹大敗。勝同而所以制勝不同。其詳不可得聞。要之出其不意也。又跖拔彥超等衆數萬。布爲三陳。扼要路。據水泉。以待馮暉軍。暉求和。彥超許之。而列陳如故。元福知其詐。率衆進擊。彥超大敗。蓋亦出其不意耳。

書郭楊宋向王張王康傳

郭崇追感周室恩遇。時復泣下。固常情。監軍陳思誨密奏其狀。亦職所宜。爾宋祖諒崇篤於恩義。有所激發。猶復遣人覘之。有天下者。抑又不可不愼也。

徙揚州之師。併力攻壽春。向拱此策、可爲兵少者法。至封庫付揚州主者。復遣本府牙將分部案巡城中。秋毫不犯。尤不愧大將風度。

王彥超七十致仕。盡斥去僕妾之冗食者。居處服用。咸遵儉約。信知止哉。而自知累爲統帥。殺人多。必無陰德及後。戒諸子勉爲善事。尤武將中所難得。

張永德登隴發伏以奪吳砦。效韓信誘趙故智耳。至使習水者夜沒吳船下。縻以鐵鎖。引輕舸急擊。遂奪巨艦數十艘、則因三國時魏船以連纜被燒、略法其意也。

蜀人斷閣道。軍不能進、王全斌由羅川趣深渡。崔彥進康延澤則治閣道進與大軍會。所謂奇正并用也、劍門之役、諸帥協力攻關。命一偏將由來蘇徑達清強店與大軍夾攻。亦所謂奇正并用也、用力甚多。成功甚偉。他日太祖詔乃有畏威納欵望風歸命等語。蓋將罪其違戾約束、侵侮憲章、故於前勞不復詳論耳。

田欽祚欲遁、慮賊尾追、乃紿高彥暉獨進、致喪老將。此種人後世常有、甚可痛恨。

書趙普傳

陳橋之變。太祖被酒臥帳中。普與太宗排闥入告。太祖欠伸徐起。字裏行間。不啻將太祖太宗及普種種黑幕揭穿。蓋事前密議已定。然後由普與太宗教石守信等爲之也。否則黃袍豈倉卒可得。即受禪亦孰敢居佐命功耶。而他日太祖必欲罷石守信等。太宗必欲早得帝位。趙普必欲置德昭廷美於死。其根皆由此預伏也。噫。

太原北漢當西北二面。遼夏太原既下。則我獨當之。此趙普見到語。惜北宋約金伐遼。南宋助元滅金。不悟此理。

彼謂國家事皆由汝書生爾。此太祖恨錢俶語。實即恨趙普語。他日因事逐普。終太祖世不復眷寵。皆此十瓶瓜子金爲祟耳。太宗即位。普乃始終受福。論謂太祖之於普云云。與事未合。然普於太祖究有大功。一旦見猜。遂若行路。普非君子。他日假手太宗洩恨。抑無足怪。

書吳李王楚李傳

吳延祚謹厚寡言。性至孝。好學。治家嚴肅。第四子元扆性謹讓。在藩鎮有憂民心。待賓佐以禮。喜讀春秋左氏。可謂是父是子。世祿之家。果盡如此。豈獨身臧。抑實邦達。

賊開城僞遁。李繼昌不隨雷有終等入城。未遇伏。不足異。他日入城。戒部下毋擾民。獲婦女童幼。置空寺中。俟事平。遣還其家。乃足異。蓋前近智。而後乃仁也。爲將而智固不易。爲將而仁則至難也。

理財而多取於民。甚不可也。理財而杜剔中飽。則利國而不病民。抑快事也。太宗於近臣戚里私市秦隴竹木者。嚴譴不貸。蓋所過關渡矯制免算。藉獲厚利。無異中飽也。於王仁贍領邦計。恣吏爲姦。亦嚴譴之。蓋諸場院官隱沒官錢。舊獲千緡者實爲一二萬緡。萬緡者實爲六七萬緡。其利確歸中飽也。世固有不加賦而用足者。此類是也。

李繼和謂鎭戎軍爲涇原儀渭北面扞蔽。爲環慶渭儀秦熟戶所依。正當回鶻西涼六谷吐蕃咩逋賤遇馬臧梁家諸族之路。於城守利害言之特詳。不愧處耘令子。惜遇下少恩。不能得其死力。是其一短。

書曹彬潘美傳

六經及四子書屢言敬。讀曹彬傳。益歎敬所繫大。非特道學輩宜爾也。

兵忌內制。李繼和傳既言之矣。而此傳太祖據圖謂吳人必夜寇北砦。令曹彬速成深溝自固。遂大敗吳人。則兵固亦不妨內制也。然亦必如太祖知兵。乃可如此。

彬令諸將共焚香爲誓。不妄殺一人。江南卒賴保全。實古今所難能。無怪論推爲良將第一也。

太宗意在先取山後諸州。已如願矣。而曹彬徇部將意。違詔貪利。致有岐溝關之敗。甚可歎恨。蓋彬德有餘才固不足也。

祁奚舉午。而曹彬亦舉璨瑋。並云璨不如瑋。賢父固宜如此哉。

瑋沉勇有謀。善用間。故屢有功勛。遼夏畏伏。而渭州有告卒叛入夏國者。瑋遽曰吾使之行也。一言靖內。且以間敵。智哉瑋乎。既假手斬叛。後遂無敢叛者矣。

潘美爲宋勳臣。而戲曲於幽州一役目美姦臣。且謂有心置楊業（遼史作楊繼業）於死。今考美業二傳。蓋亦有因。非盡誣也。美傳云。雍熙太宗年號三年。詔美及曹彬崔彥進等北伐。美獨拔寰朔雲應等州。詔內徙其民。會遼兵奄至。戰於陳家谷口不利。驍將楊業死之。美坐削秩三等。輕描淡寫。一若同戰同敗。而業不幸獨死也者。及讀業傳。則云業在北漢號爲無敵。太宗於業賜予甚厚。契丹望見業旌旗。卽引去。主將戍邊者多忌之。雍熙三年。潘美爲雲應路行營都部署。業副之。王侁劉文裕護軍。連拔雲應寰朔四州遼史亦有楊繼業來侵攻陷城邑語會曹彬之師不利。諸路班師。詔遷四州之民於內地。令美等護之。時契丹國母蕭氏領衆十餘萬。復陷寰州。業議但護數州民內遷。侁與文裕逼業戰。業不得已願死於敵。且指陳家谷口。請美等爲左右翼以援。美與侁陳於谷口。旋去。業力戰至暮。至谷口無援。拊膺大慟。力戰被禽。子延玉亦沒。業太息曰。上遇我厚。期討賊捍邊以報。而反爲姦臣所迫。敗績。何面目求活耶。乃不食三日死。又云朔州之敗。麾下無一生還者。可見降將負大名荷異寵。最易招忌。美與侁等忌之。無足怪。本有善策。護數州民。而必違詔使戰。戰又棄約不援。謂非有心置之於死可乎。業自謂爲姦臣所迫。詔亦云羣帥敗約。援兵不前。與戲曲何嘗大異耶。又契丹憚延昭。目爲楊六郎。亦與戲曲從同。

書張郭尹劉袁崔張皇甫傳

張美傳前有以彊幹聞。後有常以幹敏稱。殊複。又前有糧餽不乏。深委賴焉。後有經費無闕。美有力焉。亦複。

郭守文鎭常山。得俸祿賜賚。悉犒士卒。死之日家無餘財。此蓋效李牧在雁門所爲。使不遽死。必終能大破契丹也。楊業以衆忌殉難。守文又不幸無壽。未收奇效於後日。人之云亡。國不殄瘁。亦幸矣。奈契丹何哉。

觀此傳夔州有鏁江爲浮梁。上設敵棚三重。夾江列礮具。太祖指圖謂劉廷讓曰。我軍至此。愼勿以舟師爭勝。當先以步騎陸行。出其不意擊之。俟其勢卻。即以戰櫂夾攻。取之必矣等語。則淸史羅澤南傳所載田家鎭居大江北岸。與半壁山斜對。賊爲鐵鏁扼水師。以重兵屯半壁山。夾江而守。澤南夜奪半壁山。彭玉麟水師復蔽江下。

斷橫江鐵鏁。燔舟四千餘。遂克田鎮。羅功實高於彭也。玉麟傳云湘軍水師以是名聞天下。盍取宋史對讀乎。

壽春之役。張瓊以身蔽太祖。矢中瓊股。死而復蘇。此事可貸十死。後入譏言。竟令寃死。太祖亦寡恩也哉。

書曹楊黨李劉李米田劉崔傳

此傳總論尚允。然使馬遷執筆。此輩可附見他傳。不必人人爲之立傳也。

書李郭陳李白王陳焦劉袁祁傳李傳

李瓊與周祖等十人同應募。約爲兄弟。瓊知周祖非常人。既申盟誓。復任教授。而他日終周祖世官僅刺史。足見瓊不躁進。周祖用人亦不惟其暱而惟其賢。

矯制事常有。而僞造制書則不常有。李玉與白重贊有隙。乃欲以僞制謀害之。性固凶狡。計實謬劣。伏罪棄市。匪不幸也。

劉謙責王仁鎬貴爲藩侯。不能勤恤百姓。而孜孜事佛。宋人當以此書紳。不獨仁鎬然也。

書李昝竇李王趙張張邊劉劉邊劉程傳

晉少帝蒙塵。舊臣無敢候謁。李穀獨拜迎於路。相對泣下。傾橐以獻。可取者一。白再榮圖李崧等宅求賂。既得。復欲殺之。穀以卽日中原有主。責公專殺宰相。何辭以對懼之。竟免崧等。可取者二。周祖因漢政紊亂。潛貯異志。屢以諷穀。穀但對以人臣當盡節奉上。可取者三。

李濤在晉請殺張彥澤。在漢請出楊邠郭威等。皆若先見。甚可異。而他日敢謁見彥澤。且仕周歷刑戶二部尚書。尤可異。

劉溫叟與張昭（與三國時張昭同名）同修漢隱帝及周祖實錄。二代終始。下筆蓋難。劉張正人。庶幾秉直。又竇儼亦嘗與賈緯等修晉高祖少帝漢祖實錄。

書張竇呂劉石李傳

周世宗鎭澶淵。張美爲澶州糧料使。世宗每有求取。美必曲爲供給。他日世宗在位。

以此薄美。美亦自愧。顯德中太祖克滁州。世宗遣竇儀籍其府庫。太祖復令親吏取藏中絹給麾下。儀謂今既著籍。非詔不可取。後太祖屢對大臣稱儀有執守。欲相之。可見人遇明主。愈持正愈重視。斷不可不效竇儀而效張美也。

竇儼疏陳六綱。一明禮。二崇樂。三熙政。四正刑。五勸農。六經武。實卽禮樂政刑四字。政可統農。八政一曰食也。刑可統武。大刑用甲兵也。約言之卽至聖所謂足食足兵民信也。禮使人別。樂使人和。信在其中矣。

論於呂餘慶劉熙古石熙載李穆有數賢雖當創業之始。而進退之際。藹然承平多士之風焉。宜宋治之日進於盛等語。由一二人進退上察國運。可謂知言。上果息奔競之風。下自有熙皞之象也。

書薛沈盧宋傳

薛居正能誅史弘肇吏。能不寃殺朗城諸僧。他日固不愧監修國史宋史及五代史。蓋史筆褒貶予奪。亦若是焉已耳。

讀沈倫國家以虞粟濟民、自當召和氣致豐稔。豈復有水旱耶等語。竊歎後世藉振牟利重苦我民者、旱潦洊臻、固無足怪。

起家不由文學。不能諡文、在宋已然。無怪淸左宗棠貴爲侯相、尙欲應進士試。後竟欽賜翰林。諡爲文襄也。

杜太后兄終弟及之訓。普與太祖聞之。盧多遜未聞。秦王亦未聞。多遜何至無故遣堂吏趙白交通秦王、咒詛君父。此蓋趙普遠恨太祖。近怨多遜。媒孽百端、藉圖報復耳。否則普傳胡爲有廷美多遜之獄。大爲太宗盛德之累。普與有力等語乎。

書李呂張賈傳

讀李昉河南之民素習農桑。罔知戰鬬。一旦括集。必致動搖。若因而嘯聚。更須翦除等語。可見召募已慣、不可徵兵。後世欲變保甲爲徵兵。亂必立至也。

李昭述城澶州。以治隄爲名。調兵農八萬。逾旬而就。欲禦契丹而先諱其迹。可法也。

呂蒙正不究漫己者姓名、謂知則終身不能忘。不若毋知之爲愈也。一不可及。太宗論征討。蒙正對以治國之要在內修政事則遠人來歸。二不可及。太宗論繁盛。蒙正對以乘輿所在。士庶走集。故繁盛如此。都城外不數里飢寒而死者甚衆。三不可及。眞宗詢諸子孰可用。而蒙正但薦姪夷簡可爲宰相。四不可及。

太宗時張齊賢請緩伐幽薊。有自古疆埸之難。非盡由敵國。亦多邊吏擾而致之。及民既安利。遠人歛衽而至等語。眞宗時。齊賢請封潘羅支爲六谷王。斷李繼遷寶馬之路。有朝廷信使得達潘羅支。則泥埋等族西南遠蕃。不難招集。西南既禀命。而緣邊之勢張，則鄜延環慶之淺蕃。原渭振戎之熟戶。自然歸化等語。皆未聽納，此西北二患所由日棘也。此宋負齊賢。抑實宋之不幸也。

書錢蘇郭李辛王溫王傳

錢若水陳備邊五策，一曰擇郡守。此趙李牧漢李廣所由垂譽史册也。宋忌將彊。豈克效此。

李至於遼不贊親征。且主緩征。於夏亦請勿絕鹽禁粒。蓋誠不欲疲內以務遠也。彼謬為主戰論者禍宋甚矣。幸毋更禍後世哉。

部民被刼殺。而賊魁卽捕盜吏。此事後世亦有之。惜不遇郭崇辛仲甫。莫肯與雪冤憤耳。

書張趙陳劉張李傳

趙普於趙昌言竟勸太宗誅之。妒賢害能，視譖搆盧多遜出於報復者抑尤甚矣。

張洎紿陳喬同死。而已竟降宋。且謂煜（李煜）曰。臣與喬同掌樞務。國亡當俱死。又念主在誰能為主共白其事。不死將有以報也。一若特效貫高白趙王不反者。抑何狡耶。

洎誣寇準退後謗上。致準罷相。未幾已亦罷知政事。且因是病卒。諺謂害人終害己。洎信然矣。

太宗有言。韓彭雖古之名將。以彼時之見制今之敵。亦恐不能成功。今縱得人。未可便如古委之。嗚乎此太宗謬論。抑亦太宗所以不得志於遼夏也。夫韓彭為將。因時因地。自有奇略。斷不至以彼時之見制今之敵。特恐不如古委之。不克展其驥足耳。

楊業朔州之敗。可不爲之痛心乎。

書柴張楊趙周王王傳

柴禹錫楊守一趙鎔等。均太宗晉邸舊人。而皆以告秦王廷美陰事致位通顯。可見秦王本無陰事。禹錫等因太宗不欲傳弟。希旨誣搆。以便誅戮耳。嗚乎太宗。嗚乎禹錫等。

書陶扈王王楊魚張高傳

陶穀以避石敬瑭諱改姓陶。蓋以陶唐二字舊固相聯也。然與漢諱莊光爲嚴光者異矣。彼諱二名。此諱嫌名也。要之皆與古悖也。

陶穀附李逢吉誣告李崧。又於太祖受禪時獻禪文。有才無行。至可痛恨。

書顏劇趙蘇高馮邊王許楊叚侯李魏董傳

衎聞父病風痹。棄官侍養。不復有仕宦意。人子信宜如此。晉祖聞衎能孝。必欲令在廊廟。人主亦宜如此。

太祖言馮瓚有奇材。趙普即設法搆陷之。金帶珍玩之物。蓋即普屬闕吏栽陷者。否則在路預題受賂人姓名。愚者不爲。而有奇材者顧爲之乎。迹普所爲。實宋姦臣。特以普於太祖太宗兩預逆謀。修太祖太宗實錄者投鼠忌器。遂令生逃憲綱死免筆誅耳。

書馬杜張吳蔡周張石張陸解李王郭趙輔傳

張勳（與三國時張勳同名）殘忍好殺。每攻破城邑。但揚言曰且斬。於是世稱曰張且斬。此種武人而任以州牧。恐未能爲天子牧民也。

張藏英能爲父母報讎。禽賊孫居道刳心以祭。不愧燕薊間目爲孝子。卒爲名將。於古所謂戰陳無勇非孝者。尤有合焉。視張勳殆判若霄壤也。

王晉卿爲漢州。劇賊無敢窺境。所保全者大矣。雖以賄聞。太祖置而不問。有以哉。

書楊荆曹張司傳

太宗於楊業既知其在北漢號無敵。在宋嘗大敗契丹。則雍熙三年大兵北征。宜令業獨當一路。而乃使業副美。潘美且使王侁劉文裕護其軍。是責騏驥千里而反豫絆其足也。彼等固素忌業者。他日能不置業死地耶。太宗可謂不善將將矣。又業與子延昭孫文廣三世爲宋邊帥皆獲知於上。且已建功。實則皆未盡其才。甚可哀歎。故吾常謂韓彭葅醢。猶可含笑於地下。以漢高眞知二子。且盡其才也。

王貴年七十三。猶能轟轟烈烈戰死疆場。潘美王侁等當愧死。

葭蘆川之役。曹光實傳明言被繼遷紿受降遇害。而克明傳乃云光實擊敵葭蘆川戰歿。歧異若是。殊可哂歎。

書李楊何李郭李姚董賀馬傳

何繼筠雖數奇。纔領節制便卒。然前後備邊二十年。善揣邊情。邊人畏伏。多畫像祠之。則事功已立。固猶未爲不幸也。

李漢超在關南。初有强民女爲妾及貸而不償等事。後竟政平訟理。吏民愛之。以周世宗御之有方。足以愧其心。且激發其志氣也。居上者知法此意。人才不可勝用矣。

太祖視郭進不減兒女。有此胸臆。何患衆不效死哉。後世有視天下奇才異能不逮戚里者。盍亦細讀此傳耶。

李謙溥能獨備追寇不足異。能以舉宗四十口保劉進。俾太祖知進被拜入反間。乃可異。蓋揣敵固難。知人尤難也。

太祖於董遵誨不念舊惡。委以方面。歷太祖太宗恩遇不替。在上者克法此意。人才亦不可勝用也。又馬仁瑀嘗與李漢超王繼勳交惡。太祖能兩容之。亦用人一法。論於太祖注意謀帥。拒北敵。禦太原。備西夏。皆恃數虎臣宣力。以是二十年無西北之憂。蓋東南主攻。西北主防。雖大計早定於先。要亦到處非人不辦也。而太祖優於太宗。於此可見一斑矣。

書王張趙盧王丁張梁史田侯王翟王劉傳

梁迥貪冒。外務矯飾。雖饋食亦不受。此等人後世多有。又史珪爲太祖廉得數事。驗之皆實。後乃漸肆威福。此等人後世亦多有。

書劉安孔譚元常尹薛郭田劉傳

安守忠在蜀嘗出私錢給用。太祖喜其律己以正。每遣他使。必諭令效守忠爲人。守忠自是益奮。此亦御人一法。

既備戎行。則與主帥同生死可也。常思德此語。後世軍中豈易聞哉。噫。

契丹將于越過尹繼倫軍。不顧而去。繼倫激衆躡之。竟獲大捷。自是契丹不敢侵邊。且曰當避黑面大王。可見人貴自奮。

田仁朗將破李繼遷。先示閒暇。縱兵摴博。而太宗不知兵機。遽召仁朗下獄。向使趙李牧亦遇此主。豈能大破匈奴乎。噫。

韓信受胯下之辱。而劉謙毆殺惡少。一能忍。一不能忍也。此優劣所由判也。

書劉滕劉孔宋袁樊臧徐張陳張王尹王安傳

青城縣民王小波謂其衆曰。吾疾貧富不均。今爲汝輩均之。後世共產黨亦竊此意以愚民而已耳。

徐休復與王延範不恊。誣奏反狀。致延範於死。他日瘍生於腦。見延範索命。號呼稱死罪。與田蚡病專呼伏謝罪。見魏其灌夫共守欲殺之同。

書張姚索宋盧鄭王劉卞許裴牛欒袁韓何愼傳

益王元傑於邸中爲假山。費數百萬。姚坦目爲血山。且云在田舍時見州縣催科捕人父子兄弟送署鞭笞。流血被體。此假山皆民租稅所爲。非血山而何。不愧直諫。但他事有意暴揚。未免賣直取名。如太宗所云耳。

鄭文寶請棄靈州。劉綜則謂棄靈州中賊姦計。宜固守以爲扞蔽。然後於浦洛河清遠軍城屯兵積糧。爲之應援。此誠制夏要策。否則我愈退。彼愈進。原渭等州且須設防。可盡棄耶。

書馬全義雷德驤王超傳

馬知節卓著勞勣。而喜賓友儒者。所與善厚。必一時豪傑。此蓋可爲大將。契丹已盟。中國無事。大臣方言符瑞。抑又安所用武乎。

王德用爲邢洺磁相巡檢。（捕盜專員故後代沿稱但前大後小耳）以氈車載勇士。詐爲婦人飾過邯鄲。誘盜張洪霸來邀。勇士奮出。遂禽之。此亦捕劇盜一法。

書王傅戴王王張魏陳許張李呼延劉耿周傳

傅潛前與契丹戰甚勇。後乃恇怯不如一嫗。蓋前未甚貴顯。爲功名之念所驅。後已領節鉞。但欲保全性命也。此種人後世蓋常有。

書田王楊錢徐王李白張李王傳

武夫悍卒。皆有一傳。此史策所以甚多也。班馬不若是。陳范亦豈若是耶。然略短用長。抑亦可想見當日用人雅量。

書呂端畢士安寇準傳

畢士安力薦寇準可相。他日且爲準力辯交通元傑之誣。此蓋無異鮑叔牙也。澶淵之役。宋賴以安。準亦庶幾管仲乎。然非士安頡頏下上之。準豈能遂成此功哉。吾讀此傳。竊歎準尚易有。士安難得。

王欽若譖寇準。謂澶淵爲城下之盟。其實不然。春秋所謂城下之盟。大抵敵圍我都城。不得已與盟。去降僅一間耳。澶淵非都城。且未被圍。又撻覽陣亡。契丹懼而請盟。許不許權在我。何得謬以爲恥乎。至孤注之說。亦似是而非。孤注一擲者。勝負未可知。此則明曉敵勢。以氣攝之。且實有王超領勁兵屯中山以扼其亢。李繼隆石保吉分大陣以扼其左右肘。四方征鎮赴援日至。與輸錢欲盡者絕異。豈可竟謂孤注乎。惜當日無人向眞宗辯解。致準恩顧頓衰也。悲夫。

眞宗得風疾。劉后預政。準欲太子監國。信安危大計。而丁謂竟藉此搆準。此小人所以可畏也。噫嘻。

折竹植地。挂紙錢以祭。今尙有此。亦何異屈原角黍乎。準可謂不死矣。

書李沆王旦向敏中傳

論語有云。居敬行簡。李沆內行修謹。居位愼密。終日危坐。未嘗跛倚。可謂居敬矣。識大體。動遵條制。中外所陳利害。一切報罷。可謂行簡矣。至節用愛人。使民以時。則亦自居敬行簡四字來耳。故道千乘之國首貴敬事而信。沆固常讀論語者。世稱聖相。有以哉。

王欽若以恥激帝。遂進封禪之說，且縱力諍。未必有濟。蓋眞宗欲藉封禪滌恥。內鎭海內。外誇外國也。必詳辯澶淵北征。異春秋城下之盟。晉漢和戎。實自古英主之事。恥念潛銷。庶幾正辭可入耳。旦竟不然。豈亦不慊於準。與抑實智有未及。與可異也已。

王旦薦賢惟恐人知，惡惡不爲已甚。此誠大過人處。至議事救人。輕輕一二語抵人千百。亦不易及。

向敏中於禁卒藉儺爲亂。伏甲殲之。若無事然。於特除僕射。對李宗諤但唯唯。若無事然。其度亦汪汪若千頃陂也哉。

書王欽若丁謂夏竦傳

王欽若丁謂皆以傾陷寇準得志。皆假徑道教以售其姦。論謂封禪之議成於謂。天書之誣造端於欽若。誠歎息痛恨於若人也。然非眞宗謬恥澶淵之盟。二鬼決不至有此（時以欽若丁謂林特陳彭年劉承珪爲五鬼）。書重啓沃。孟貴格非。有以哉。

書陳堯佐宋庠傳

韓愈祭鱷魚文。至今傳誦。陳堯佐烹鱷魚文。則無人道及。蓋其文不幸不傳也。又堯佐時潮州尚有鱷食人。則韓云鱷已遠徙者。抑亦虛語。

宋祁請去三冗。一曰天下有定官。無限員。二曰廂軍不任戰而耗衣食。三曰僧道日益多而無定數，今天下亦有三冗。一二較宋有甚焉。三則僧道外又加學生矣。雖然。孰與去之哉。又謂與賢人謀而與不肖者斷。重選大臣而輕任之。大事不圖而小事急。爲三患。今天下亦正患此。

書陳劉馮賈梁傳

劉沆言近臣保薦陳匄二弊，今號民主。弊且益烈。可歎。

議者欲以金繒啗契丹使攻元昊。此引狼入室也。賈昌朝力止之甚是。其論削方鎮太過。及用親舊恩幸爲將各弊。語尤扼要。

書魯薛王蔡傳

狄仁傑於武惡貫盈之後。默致旋挽。世或以反周予之。魯宗道薛奎於劉志始萌之日。正色折沮。而世或未曉其大勳。蓋仁傑雖不必焦頭爛額。而宗道與奎誠有類曲突徙薪也。

書揚宋王李趙陳傳

詩貴天籟。限何韻或若干韻。皆甚無謂。故律詩非古。排律更非古。李昌齡獻金明池百韻。旆晉郊以示衆。何異詩界草賊乎。

王旦於眞宗天書未敢顯訟其非。而於陳彭年文則瞑目不覽。曰是不過興建符瑞圖進取耳。推是語也。其心固甚鄙天書。且深惡王欽若等作僞也。特眞宗意別有在。旦固無可如何耳。

書任周程婁范趙任高孫傳

程琳於王蒙正子齊雄捶死老卒事。雖明知蒙正連姻章獻太后家。且爲言齊雄非殺人者。而竟論如法。可謂不阿太后矣。而他日乃上武后臨朝圖於章獻。欲使效武氏篡宋耶。抑諷令以武氏爲戒耶。可異也已。

程琳爲三司使。或請併天下農田稅物名。琳謂合而爲一。易於句校可也。後有興利之臣。復用舊名增之。是重困民無已時也。觀租庸調併於田賦。而後世復有督徵工者。益信陳琳遠慮。又任中正爲江南轉運副使。歲大稔。民出租賦平糴皆盈羨。發運使王子輿欲悉調餉京師。中正謂歲輸五百餘萬。而江南所出過半。今固有餘。或歲少歉。則數不登。患及吾民矣。中正亦誠遠慮。

玉淸昭應宮災。范雍謂先朝以此竭天下力。遽爲灰燼。非出人意。如將葺之。民不堪命。非所以畏天戒也。使淸慈禧太后時有抗言如雍者。圓明園被焚後。何至以海軍費造頤和園。致有甲午之敗哉。

高繼勳伏兵以誘契丹。得以少擊衆之法。而知滑州時河水暴漲齧隄岸。繼勳已老。

躬自督役。露坐隄上。暮夜不輟。雖未至死。庶幾以死勤事之遺風。武臣若此。蓋未易也。又張觀知潭州。河壞孫陳埽。及浮梁。或請趨北原避患。觀謂太守獨去。如州民何。躬率卒徒增築之。亦與此同。

書曹張楊夏狄郭傳

小范胸中有數萬甲兵。以知古今耳。今以左氏春秋授狄青。亦欲使知古今耳。青折節讀書。悉通秦漢以來將帥兵法。所讀者雖不僅左氏春秋。然正小范所謂知古今也。博覽後可專經。專經後可博覽。豈必一轍哉。

邕州今廣西。儂智高既陷邕州。進圍廣州。是將奄有二廣也。狄青以一戰定之。勳業爛焉。豈有他術哉。斬陳曙袁用等似孫武宮中教戰。頓甲休兵。似趙奢救閼與。麾騎兵左右擊。出賊不意。似韓信破趙。而行師先正部伍似程不識。與士同飢寒勞苦又似吳起也。陳迹已矣。我皆活用之。將所以貴知古今也與。

書吳宋李王王傳

吳育料事揣情。克見其大。復持正嫉惡。始終若一。果爲將相。未必不與狄靑比烈也。論謂育設施無聞。才不逮志。謬矣。

書李程夏盛丁張鄭明王孫田傳

徙召首領犒以牛酒。無益。然後世多效此者。不徒宦者王昭明等於四路蕃部然也。

夏侯嶠巡撫江南。疏理刑訟。存問耆老。此蓋培養元氣。且與素好道留意養生同一大效也。賢哉嶠乎。

明鎬知并州。以邊任多紈袴子弟。取尤不職者杖之。疲軟者皆自解去。其智一。軍行倡婦多從之。有忿爭殺倡婦者。吏執以白。鎬不治。倡婦皆自散走。其智二。討王則於貝州。卽南城爲地道。而日攻其北。牽制之。其智三。

王堯臣論西賊不患不能入。而患不能出。極爲有見。果能擇要扼其來路。賊固不能入。而以精兵扼險設伏。斷其去路。賊更何自出乎。

和議未決。中外惶擾。不知爲計。和議既定。又復恬然若無事者。此種國家。不但遜越。

抑且巽蜀。無怪田况言之若有餘痛也。

書田錫王禹偁張詠傳

太宗時田錫爲諫官。首陳軍國要機朝廷大體。王禹偁爲諫官。亦請上效漢文。外任人內修政。皆庶幾知本之語。

禹偁疏請眞宗與遼通好。赦李繼遷。不謬爲主戰論。深識遠慮。蓋匪易及。而減冗兵。併冗吏。親大臣。遠小人云云。尤萬世所當取法。未獲大受。徒令後人想見讜論風采。甚可歎也。

太宗委張承德邊任。乃以一部校故。摧辱主帥。豈不啓部衆輕上之心。而必如此。正因用將不專而疑之。惟恐下不輕上。惟將是聽也。以此一念自誤。不善將將。宋事幾不可爲。徒改容以勞張詠奚裨乎。又眞宗時。詠抗論近年虛國帑藏竭生民膏血以奉無益之土木。皆賊臣丁謂王欽若啓上侈心之爲也。不誅死無以謝天下大聲疾呼。庶幾天地正氣。

讀宋史蠡述卷三

岳陽李澄宇洞庭著

書掌蘇王胥柳聶馮趙張張楊傳

楊安國講周官至大荒大札則薄征緩刑。因言古所謂緩刑乃貰過誤之民。今衆持兵仗取民廩食。一切寬之。恐無以禁姦。固具深意。而仁宗乃云天下皆吾赤子。迫於饑莩。至起爲盜。州縣既不能振恤。捕而殺之。不亦甚乎。抑見帝德。

書尹孫謝葉楊傳

交子始若匯票。已啓紙幣之緒。轉運使以造交子多犯法。欲廢不用。而孫甫折以錢亦私鑄。私鑄有犯。錢可廢乎。可謂快論。

葉清臣對仁宗謂不患無人。患有人而不能用。因歷舉富弼范仲淹韓琦田況劉渙王德用龐籍狄青范仝蔣偕張亢劉貽孫王德基等所長。可與馮唐對漢文語參看。

書韓師張梁楊呂王呂潘杜查傳

梁顥嘗以疑義質禹偁。禹偁不答。蓋學淺疑所不必疑。遂不答也。既發憤讀書。復有所質。禹偁大加器賞。蓋業進疑所可疑。遂乃器賞也。

查道冬日母病思鱖不得。禱河鑿冰得鱖尺許。與王祥臥冰事同。而道名不甚赫赫者。以二十四孝圖有祥無道耳。事貴宣揚此亦一端。然孝子大抵不幸者。忍有名哉。

查道微服單馬數僕。不持尺刃。間關林壑百里許。招降愚民何彥惠等。事甚可褒。蓋毫不挾惡意以往。即著匪劇盜亦將諒之。况愚民懼罪為變者乎。

書孔鞠劉曹郭段傳

孔道輔以笏擊蛇。蓋以眞武殿雖祀龜蛇。蛇果神奚事活現。活現非神可想也。使契丹而優人以文宣王為戲。正色折之。亦以宴客無禮。曲在彼。且方為黑水所破。勢甚蹙。彼實未敢辱我也。明事理若此。無愧聖裔。

劉太后聽政而權幸用事。且仁帝已習天下事。而太后靳不歸政。向使太后多壽。未必不為武氏也。曹修古等遇事輒言。無所囘撓。意深遠矣。論謂山有猛獸。藜藿為之不采。信然。

修古不能歸葬。賓佐賻錢五十萬。而其季女白母拒之。非特女與母賢。益可想見修古平日也

趙元昊僭號。表尙稱臣。蓋氣餒也。郭勸謂可漸以禮屈。實見到語。而竟落職。能聽言難哉。

書彭乘梅司馬李燕蔣劉馬陳傳

彭乘進士及第。念親老奏乞侍養。司馬池將試殿廷。念母疾號慟而歸。此誠孝行。讀書人當共效之。

司馬朴有言。下吏而陷長官。不惟亂常。人且不食吾餘矣。後世安得復聞此言乎。噫。亡命卒剽攻爲患。而鄉人自謀殺之。蓋亂世在上者未嘗爲民捕之也。而乃罪殺者以死。則惡彰已過。特以擅殺目之耳。馬亮謂此非法意。賢哉亮乎。後世不許民殺匪。恐挾恨相賊。然鄉官豈皆有私恨。不可治匪。必展轉上解耶。匪毒民以逞。不一偵緝。自殺爲擅。展轉上解。殺又未可必。民果何所託命也。

陳希亮知長沙縣，有僧海印國師出入章獻皇后家，恃勢據民地，莫敢正視。希亮捕僧寘諸法，爲吏者固當如是。後爲宿州，跨汴爲橋，水與橋爭，常壞舟，亮作飛橋無柱，以便往來，爲吏者又固當如是。前似難而實易，後似易而實難，前猶賢吏所能爲，後則至今未傳其法也。雖史稱詔下其法，自畿邑至泗州皆爲飛橋，橋不存，法亦失，考奈何。

書狄郎孫張石祖李張李李胡薛許鍾離孫崔田施傳

張洞惡諫官持諫以震人主，不數年至顯仕，謂當重其任而緩其遷，使端良之士不亟易，而浮躁者絕意，所見甚是。又言唐宗室多賢宰相名士，知學使然，國家本支蕃衍，無親疏一切厚廩之，不使知辛苦，至滅禮義，極嗜欲，宜因品秩立制度，更選老成教授之，所慮尤遠。

李溥私役兵爲姻家林特起第，附官舟販竹木，後世效此者甚衆，未或以爲異也，噫。

書楊王杜楊周徐姚陳李張俞陳周傳

元昊反。楊偕知河中府。僞爲書馳告延州曰。朝廷遣救兵十萬至矣。命旁郡縣大具芻糧什器以俟。賊遂解去。此以虛聲懾之。而理若可信者也。夏竦請增置士兵。偕謂徒耗國用。詔選三路民爲兵。偕復言兵多不練。勢易敗。且困國難供。此以實情爭之。而識有獨到者也。

王沿論河北地方數千里。十三爲契丹所有。餘出賦者七分而已。魏史起鑿十二渠引漳水溉田、河內饒足。唐至德（肅宗年號）後。渠廢。相魏磁洺之地。並漳水者。累遭決溢。斥鹵不可耕。故沿邊郡縣。數蠲租稅。而又牧監芻地占民田數百千頃。是河北之地雖十有其七。而得賦者四分而已。宜罷諸坰牧。復十二渠。始多未信。後竟大效、使言利者盡若此。何必損下乃能益上哉。

張傳七爲監司。所至審覈簿書。擿奸隱。州縣憚之。傳曰。奚爲我憚哉。吾所以事事致察者。正所以愛州縣也。吏不敢慢。則州縣不復犯法矣。此言甚可敬。又術士自言數百歲、歷見肅宗代宗朝。由是出入禁中。見尊重。傳訊以唐事。術士語屈。此事甚可快。

釋一切皆空。而僧貴寧積財甚厚。致被徒殺何耶。俞獻卿一語見疑。罪人遂得。情虛者畏審。信然。

書邊梅馬薛寇楊李章陳李張張鄭郭趙高袁徐張齊鄭傳

徐起知兗州。有都巡檢虐所部。部兵百餘持兵至庭下。州人大恐。起以禍福開諭之。衆感泣聽命。因按致其首。奏罷都巡檢。蓋都巡檢理宜去職。爲首者以兵挾上亦不能謂爲無罪也。後世事有類此者。俗稱陪罪云。

書王魚賈李呂吳范李何沈傳

晏子薦司馬攘苴。文能附衆。武能威敵。蓋必文能附衆然後武能威敵也。否則鬭將非大將。曷足貴耶。

狄青爲樞密使。得士卒心。而議者憂其爲變。雖文彥博力言無他。呂景初猶謂靑雖忠。如衆心何。蓋舉國上下常有陳橋兵變一事橫梗胸臆也。可歎。

書張魏滕李趙唐張黃胡陳范田傳

滕宗諒與范仲淹同年舉進士。仲淹甚稱其才。且素相厚。故宗諒謫守岳州時。岳陽樓記必屬范爲之。顧後世不能爲文者每句人代爲。宗諒本能文而不自爲。且不敢范文爲己作。足見古人虛己無僞。不漫藉古蹟標榜姓氏。又范記前人之述節寫形勝。感極而悲節寫風雨。其喜洋洋節寫晴和。皆用擲筆。他人以爲正面者。范不以爲正面。後乃用不以物喜不以己悲慰謫居。用進憂其民退憂其君勵奮好。用先天下之憂而憂後天下之樂而樂明素志。愈唱愈高。萬古擱筆。不獨辭美實意巧也。有王序而滕閣益彰。有范記而岳樓愈顯。地以文重。信然。

書周渠范劉王方曹劉楊趙劉王仲傳

周渭避難北上。妻莫荃守節鞠子。凡二十六年。渭爲廣南轉運副使。始還里復見妻子。朱昂爲作莫節婦傳。是夫存婦亦稱節。匪未亡人專號。旣爲人婦。固無時可以不節也。

漢文不騁志匈奴。於南粵但使去帝號。而國大治。古貴安內豈漫攘外哉。范諷謂元昊不可擊。獨以兵守要害。捍侵掠。久當自服。倘內修百度。躬節儉。疆事不足憂。徵之漢益信。

書楊晁劉薛傳

虞夏商周之世。東不過江黃。西不過氐羌。南不過蠻荊。北不過太原。地小易治。秦漢以降。地愈大難治。然則帝王圖治。地不務廣亦明矣。況疲內以事外。外不必永守而內旋失哉。此賈捐之所以請棄朱崖。楊億所以請棄靈武也。

晁迥服道履正。雖貴勢無所屈。歷官臨事。未嘗挾情害物。蓋一切以自然出之而已若無與焉也。治儒釋老於一鑪。取精而用弘。豈易易乎。

書謝孫朱戚張樂柴傳

古者六卿分職。四海九州之大。若網在綱。唐中葉始於戶部外有度支鹽鐵。天子惟聚斂是獎。識者慟之。然猶未若後世院部會局創置無藝。一廨可理者。政必多門。一人可主者事須衆議。旨聚歛然。督交通言建設言教育及他種種莫不皆然也。噫。

柴成務知河中府。以街陌隘狹。奏徹民廬廣之。蓋恐車駕臨幸不便也。後世讓街築路動毀民屋。衆用咨怨。不知古人已有行之者。何弗一讀此傳乎。

書喬張董魏盧宋凌楊陳李陳傳

賊詐見老弱設伏伺我。張雍知之。未足異。賊治攻具城西北隅。雍給軍士謂將開東門擊賊。並陽遣步騎五百臨東門。俟賊伏精兵東隅待我。乃縋敢死士焚賊西北隅攻具殆盡。實足異。而一日北風晝晦。賊乘風縱火急攻北門。雍與盧斌等領兵據門。立矢石間。固守不動。尤足異。

一傳之中。人以類聚。史例然也。董儼鄙屑。魏廷式傾險。何可入此傳乎。

書上官盧周裴李張張張傳

太宗戒上官正曰。夫遇事輒發。悔不可及。儻自恃無瑕而好面攻人之短。豈謂喜怒不形於色耶。字字深至。君待臣若此。庶幾近古。

書王常程王魏張楊秦謝閻靳傳

此傳兩王延德。皆庖膳庾庫之材。雖後貴亦碌碌無所短長。不必立傳。

書李王張杜傳

亳州亡卒羣剽城邑莫能捕。李迪悉罷所發兵。陰聽察。知賊區處。部勒驍銳士禽斬以徇。蓋出其不意也。曹瑋與唃斯囉戰秦州。迪料瑋必勝。眞宗問所以。則曰瑋勒兵不動。坐待敵至。是以逸待勞也。迪可謂知兵矣。竟不獲樹功邊境。可嘆。然正色立朝。使權幸女主之禍潛銷默沮、亦庶幾補天浴日矣。寧非幸與。

王曾力薦呂夷簡爲相。而他日議論閒有異同。蓋國事竟見相左。未足異也。曾因而求罷。且謬及王繼明納賂事。不徒慚量。未免愧德。

杜衍封還內降詔旨至十數。而仁宗不以爲罪。衍固難能。仁宗亦不可及。

書晏龐王章呂張傳

晏殊請罷內臣監兵。不以陣圖授諸將。使得應敵爲攻守。蓋必如此乃得古人閫以外將軍主之之意。爲將者亦竭智盡力。不致誤機。且無所逃責也。呂夷簡以罷相銜郭后。他日復相。竟主廢后。且先敕有司無得受臺諫章奏。此豈君子所爲耶。噫。

書韓曾陳吳王傳

韓琦相三朝。立兩帝。自視若無與。甚可敬。而英宗疾時。左右離間兩宮。琦但就天倫自然之愛。以正理感動之。遂爲母子如初。諺所謂大題小做也。尤可敬。

論於曾公亮陳升之吳充王珪（與唐王珪同名）以安石故。皆肆詆諆。一若安石誠大姦慝。靖康之禍。皆安石致之者。黨同伐異。爲史詎宜若是乎。

書富弼文彥博傳

呂夷簡不悅富弼。而薦弼使遼。其用心與盧杞薦顏眞卿使李希烈正同。宜歐陽修起而救弼也。夷簡爲相所爲若此。甚可痛恨。然弼竟以是行成大名。則禍之適以福之。又豈夷簡與修所能逆料乎。

富弼謂君子與小人並處。其勢必不勝。君子不勝。則奉身而退。樂道無悶。小人不勝。則交結搆扇。千歧萬轍。必勝而後巳。嗚呼。一部廿四史。此數語盡之矣。豈獨宋事哉。

仁宗不豫。彥博叱內侍史志聰疾勢增損必以告。且與富弼藉啓醮留宿殿廬伺察非常。卒制武繼隆輩。使不妄動。此功較出入矢石尤難也。

書范仲淹范純仁傳

章獻未嘗不欲爲武后。以直臣屢折其萌。已亦旋老。遂作罷耳。觀其將以冬至受朝。天子率百官上壽。此何等氣象。而泰然安之。獨何心哉。仲淹謂奉親於內。自有家人禮。顧與百官同列南面朝之。不可爲後世法。且上疏請太后還政。兵家伐謀。庶幾近之。世謂小范胸中有數萬甲兵。於此益信。

仲淹執政若久。宋人必以惡安石者惡仲淹。請罷遽去。仲淹之幸。而宋之不幸也。

司馬光將盡改熙豐法度。純仁素與光同志。謂光去其太甚者可也。差役一事尤當熟講而緩行。不然滋爲民病。可見安石新法。除青苗保馬方田奉行不善未免致弊。

餘如保甲市易均輸。未必皆害。而免役尤利在萬世。光概反其所爲。直等於小人務勝而已耳。

純仁爲蔡確車蓋亭詩申正論。吳安詩劉安世卽交章擊純仁黨確。可見宋人囂張。好作他人黨與。而反以朋黨誣蔑異己。其實動直等一犬吠影百犬吠聲。甚可痛恨。純仁自謂平生所學得之忠恕二字。觀傳所紀。不愧斯言。何必道學傳中人乃爲先賢哉。

書四韓傳

億掌臺務。秉直不撓。似滿腔都是秋意。觀天下太平聖主之心雖昆蟲草木皆欲使之得所。奈何錮之於盛世云云。則又滿腔都是春意。蓋必眞有春意而後眞有秋意也。論語哀矜勿喜。與此理正同。

維不喜安石新法。而於元祐時乃有小人議論希意迎合。不可不察。安石經義當與先儒之說並行等語。不以意氣相勝。視司馬君實蓋高一等矣。

書包吳趙唐傳

包拯解官歸養父母。世所難能。至廬墓終喪。猶徘徊不忍去。大舜之慕亦不是過。又他人論廉但卻財賄。拯知端州弗私一硯。尤屬僅見。若乃立朝剛毅。雖甚嫉惡。未嘗不推以忠恕。則更君子之用心。匪尋常賢吏可比。

吳奎疏有陛下言之雖切而不能行。行之雖銳而不能久。毋為人所測度。而取輕於天下等語。凡處大位者當書諸紳。不獨為天子言也。

趙抃為政。善因俗施設。猛寬不同。必如此乃眞良吏。

書邵亢馮京錢惟演傳

亢於吏牘反覆閱之。且謂初雖煩後乃省也。凡治事者宜味此言。蓋不詳閱或有誤決。誤決以後必再詳閱。是欲省而反煩也。

惟演始附丁謂逐寇準。後復擠謂。小人患得患失。無所不至。信然。

書張王張趙胡傳

兵出無名。吏士不直其上。難以決勝。張方平此語最要。元昊未降方平言陛下猶天地父母。豈與犬豕豺狼較乎。願因郊赦開其自新之路。此即孟子處橫逆法。而亦老子自下法。

太祖不勤遠略。如靈夏河西皆因其酋豪許之世襲。此漢待南粵王意也。環州董遵誨西山郭進。關南李漢超。皆優其祿賜。寬其文法。諸將財力豐而威令行。間諜精審。吏士用命。故能以十五萬人而獲百萬之用。此趙任李牧意也。太宗豈克若是哉。

胡宿謂今搢紳中有恥燕薊外屬者。天時人事未至而妄意難成之福。願守兩朝法度。以惠養元元。此誠憂國。與空言主戰者大異。

書歐陽修劉敞曾鞏傳

欲廣害良善。指爲朋黨。欲動搖大臣。誣以顓權。歐陽此論。蓋至明白。而歷代帝王往往不寤。必使羣邪相賀於內。四夷相賀於外。何耶。

修恐太后有廢立之舉。逆折其意。故曰太后一婦人。臣等五六書生耳。非仁宗遺意。

天下誰肯聽從。太后默然。自此英宗與太后遂無異議矣。

鞏文章後世尚傳。鞏政事當時共見。欲變黑白。蓋亦難之。惟行義靡定質恒式。雖實孝友。究便譽毀。呂公著告神宗鞏行義不如政事。政事不如文章。不毀而毀。何善毀乃爾乎。

書蔡呂王余彭張傳

蔡襄任諫非難。聽諫爲難。聽諫非難。用諫爲難數語。甚警切。而於邪人造禦諫之說曰好名曰好進曰彰君過者。一一剖闢。尤足令人主大悟。

王德用進二女子。王素論之。仁宗乃云朕眞宗皇帝之子。卿王旦子。有世舊。非他人比。德用實進女。然已事朕左右。奈何。蓋甚不欲出女乃爲是言也。素曰臣之憂正恐在左右爾。仁宗於是竟出女。素雖苦口。仁宗亦實明主哉。

汲黯謂平津多詐。張昭謂魯肅粗疏。漢皇吳主熟聞訾毀。兩用無猜。豈損令德。余靖此昔。足爲後法。然必知臣莫若君而後可耳。

彭思永幼不匿釵於門外。不以小人自處也。長不索釧於過客。不以小人處人也。

書鄭陳錢孫豐呂劉劉錢鄭傳

鄭獬疏謂求諫貴用其言。無令徒挂牆壁爲虛文。與蔡襄聽諫非難用諫爲難同一用意。

襄謂某廟鐘能辨盜。犯者捫之輒有聲。餘則否。而陰塗以墨。帷蔽之。命自捫。獨一人手無汚爲眞盜。蓋不敢捫也。此以物測心。較用刑訊者巧而甚確。憶某令鞫殺人犯。卒衆犯禱城隍。命袒宿廟內。謂神將書背。而陰塗墨廟壁。及曉。獨一人背汚甚多爲眞犯。蓋背倚壁不敢少睡也。其用意與此正類。

蘇洵集舊無辨姦論。蓋呂誨作也。其劾安石疏。大姦似忠。大佞似信。外示朴野。中藏巧詐。誤天下蒼生者必斯人也等語。實卽辨姦論藍本。不過後加潤飾耳。

書何吳陳王孫周齊楊劉朱傳

何郯謂誠與疑治亂之本。不可以一臣詐而疑衆臣。一士詐而疑衆士。否則宰相用吏。疑其從私。將帥專事。疑其異圖。大臣見士。疑其請託。賢士進類。疑其朋黨。君臣交疑。欲天下無否塞之患難矣。然唐宋以後大抵如此。甚可歎恨。

書蔚高周閻孟劉趙張范馬安向傳

自陝西用兵。諸將多不利。而周美前後十餘戰皆勝。誠以所得祿賜多分戲下。戲下願盡死力也。

書石張許李張劉趙傳

李允則自陳武藝非所長。不可以當邊劇。然在河北二十年。設施方略。匪夷所思。其智實不可及。張元以書生守邊。琉璃堡兎毛川之捷。史盛稱之。豈必善騎射然後可以爲將哉。後世競勝負空中。或猶以拳勇相訓勉。觀李張已事。倘亦自嗤其謬與。

書劉平任福傳

劉平攻守策有五代之末中國多事。惟制西戎爲得之。未嘗遣一騎一卒遠屯塞上。但任土豪爲衆所伏者。封以州邑。征賦所入。足以贍兵養士。由是無邊鄙之虞。太祖懲唐末藩鎭之盛。削其兵柄。收其賦入。自節度以下。第坐給奉祿。或方面有警。則總師出討。事已兵歸宿衛。將還本鎭。彼邊方世襲。宜異於此。而誤以朔方李彝興靈武馮繼業一切亦從內地。自此靈夏仰中國戍守。千里運糧。兵民並困。其後靈武失守。趙德明懼王師問罪。願爲藩臣。于時若止棄靈夏綏銀。與之限山爲界。則無今日之患。而以靈夏兩州及山界蕃漢戶幷授德明。故蓄甲治兵。漸窺邊隙。鄜延環慶涇原秦隴所以不能弛備也等語。於西事具見本末。不愧將家子。而他日孤軍輕入。竟以黃德和不援致敗。毋亦平日言之太易。未能臨事而懼耶。

宋忌大將。所用大抵非才。故於西北二寇。常以有勇將無大將致敗。觀楊業王貴劉平郭遵等之死。孰不爲之痛心哉。

曹景王蔣張郭張張史盧李王郭田侍康張傳

康德輿不聽張岊計。殺乜羅。致乜羅爲賊嚮導。又蕃漢避賊入城。德輿閉門不納。致降賊。或爲賊所殺。此種將校。後世蓋常有可恨。

書王安石王安禮王安國傳

安石始意固欲不傾駭天下之耳目。囂天下之口。爲之以漸。期合於當世之變。而後竟難然。蓋一則眞仁英三世粗安。上下偷惰。忽聞變法。以爲新進喜事。甚惡之。二則言皋夔而行管商。且未能如管商之善推無害。未免才不副志也。一之咎在人。二之咎在己也。

新法如青苗均輸免役市易皆後世所習爲。未或以爲非。蓋有其實無其名。且不必皆自上爲也。如保甲保馬方田。後世惟保馬方田（後世丈田與方田異）不爲。保甲則時爲時輟。甚且欲厲行周代秦西兵制也。然皆不以是爲堯舜之道。孟子言必稱堯舜。堯舜之道孝弟而已。安石以管商冒堯舜。豈足關司馬光蘇軾等口哉。噫。

管仲得君。商鞅遭衆忌。與安石似而收效則安石不逮管商十二三。蓋齊秦地小易爲力。宋地大難爲功也。

治無古今中外可同。治術則往往有異時異地之辨。安石所言者術耳。取古籍以治宋代。亦猶清末康有爲梁啓超取外法以變諸夏也。雖甚忠亮。不免失敗。況復有宵小雜出其間哉。噫。

老子有言。弊去太甚。烏乎此誠聖人之言也。冬祁寒而可至夏。夏暑雨而可轉冬。由是理耳。否則冬日火熱。六月霜飛。鮮不以爲災異也。安石務富彊。而不祖論孟節用足食謹教中義諸說。遽欲變風俗。立法度。失弊去太甚之旨矣。

書李安張蒲黃蔡王薛章傳

新法罷而王黨廢。新法復而馬黨逐。此靖康之禍所由致也。非法之咎。黨之咎也。范純仁勸司馬光於熙豐法度但去太甚。李清臣請哲宗勿盡去元老。其意蓋深遠矣。

安燾疏有熙寧元豐之間。府庫無不充衍。所積錢米亦二十萬緍。紹聖以還。傾竭以供邊費。使軍無見糧。吏無月俸。公私虛耗。未有甚於此時云云。足見安石時實屬力圖富彊。章惇時不過藉口紹述耳。此則君子小人之辨。不可併爲一談也。

薛向乞戒將帥。裁溢員。汰冗卒。省浮費。節橫賦。此亦富彊之術。苟力行之。厥效綦鉅。

書常鄧李舒蹇徐王王胡陳傳

常秩仕安石時。史譏其俯仰隨人。如挈皐居井上。蓋無可爲貶。而漫造作官語如此也。可歎。

書李郭傳張賌張孫許盧錢韓杜杜謝王王傳

李參（字清臣與李清臣名同）令民自隱麥粟之贏。先貸以錢。俟穀熟還之官。號青苗錢。經數年廩有美糧。地小用人少。無弊故也。王安石青苗錢實效此法。而被惡聲。地廣用人多。易致弊故也。

民被酒夜與仇鬬。既歸而所親殺之。因誣仇。以迹肆也。謝麟知死者無子。所親利其財。一訊得實。以情揣也。折獄誠貴得情哉。

書孫周李羅馬王孫張蘇馬沈李呂祖程張苗韓楚張盧傳

殺弟以顯財。反以誣人。財之爲害酷矣哉。謹庠序之敎。申之以孝弟之義。不可緩矣。孫長卿雖善發奸。抑末也。

沈括謂以免役爲不便。特士大夫與邑居之人習於復除者爾。無足恤也。獨微戶本無力役。而亦使出錢。則爲可念。此信公論。前者善議。後者錢困。且戶多怨聲載路。抑又奚怪。此非法不善。而所以行之者未善也。括主弛後者。其庶乎。

讀滕李陸趙孫游穆傳

司馬光欲棄河湟。不過反安石所爲耳。豈知其地所繫有如孫路云云哉。既訪而罷。抑光所以異於小人與。

讀楊李沈張張俞劉閻葛張榮李姚朱李朱盧單楊余潘傳

盜得財物逾十萬。而官逮平民搒掠。時盜乃附吏耳語。蓋盜與吏結。誣民自免。其慣技也。余良肱亟捕詰之。而贓盡得。不愧能吏。

讀徐高沈劉熊蕭陶林傳

兵不得已而用。蕭注謂四方有事。將兵數萬。鼓行其間。戰必勝。攻必取。豈不快哉。即令能是殺人多矣。漢文所甚不忍。而注乃以爲快乎。

書种世衡傳

奴訛屈彊。世衡欲有以服之。故但言明日至帳往勞。未定遲早。而次曉緣險踏雪。直抵臥所。與漢祖入韓信壁何異。奴訛能勿大驚耶。卒其衆羅拜聽命。亦固其所。慕恩最彊。世衡欲有以結之。故夜飲出侍姬佐酒。自起入內。而潛伺遽掩。使自慚懼。然後以姬贈之。與賈充不罪韓壽相似。慕恩能勿感奮耶。討貳殛叛。得死力。抑又奚怪。世衡以蠟書間元昊君臣。剛浪唛執人幷書歸元昊。亦可明志矣。而元昊竟爲所間。此元昊所以僅爲元昊與。

种諤善馭士卒。臨敵出奇。戰必勝。此將豈可多得。綏州之捷。陸詵忌嫉。幾致不免。橫山之事。依諤始謀。銀宥夏鹽次第修築。未必不可制勝。而徐禧等必移銀州城永樂。以召禍。是豈諤咎哉。史但責諤。不允甚矣。

童貫伐遼。師道謂此舉譬盜入鄰家不能救。且分其室焉。無乃不可乎。此猶就情理言也。遼使謂女眞之叛本朝。亦南朝之所甚惡也。今射一時之利。棄百年之好。結豺狼之鄰。基他日之禍。可乎。則進就利害言也。遜於後事。蓋已明若觀火矣。貫獨不寤。哀哉。

師道於遜請許和。籍以盾金也。於金請扼擊。必勿貽患也。惟知此乃可與言和。可與言戰。

師道請緩給金人金幣。使彼惰歸。扼而殲諸河。且欲俟弟師中至併力擊之。計亦萬全。而姚平仲慮功名獨歸种氏。主速戰以及於敗。平仲不足責。李綱憒憒。負趙氏矣。

金師退。忽罷師道。後雖屯滑。實無兵。此蓋李邦彥輩惟恐師道得志。或壞和局也。請合關河卒屯滄衛孟滑備金兵再至。不聽。語幸長安亦不聽。天豈必欲徽欽二帝北狩耶。噫。

書司馬光呂公著傳

光幼時喜左氏春秋。故長著資治通監。（原名通志又監即鑑鑑乃後起字）且論事每引史事。比附精密。

光謂國家當戎夷順附時。好與計較末節。及其桀驁。又從而姑息之。自宋以後歷代對外每有此失。

出錢貸民而歛其息。富者不願取。使者以多散爲功。一切抑配。此散青苗錢時之弊也。苟不抑配。何至波逮也。蓋立法始意非累富者也。恐其逋負。必令貧富相保。貧者無可償。散之四方。富者不能去。代償他負。此收青苗錢時之弊也。果係逋負。不責代償亦可也。蓋立法始意務濟貧者也。

光謂邊計以和戎爲便。史贊其賢。而他日秦檜和戎乃入姦臣傳。蓋和戎可諒。殺岳飛罪不可恕也。飛已釋兵不殺飛和固可就也。

書范鎭傳

鎭因中書主民。樞密主兵。三司主財。各不相知。財已匱。樞密益兵無窮。民已困。三司取財不已。請使二府通知兵民大計。與三司同制國用。雖未如周以冢宰制國用。唐以宰相領度支鹽鐵。要亦救時一術也。至言備契丹莫若寬三晉之民。備靈夏莫若寬秦民。備西南莫若寬越蜀之民。備天下莫若寬天下之民。兵以衛民而反殘民。恐異日之憂不在四夷而在冗兵與窮民。則非但救一時。而實後世所當法效者也。

嘗聞法吏舞法矣。未聞禮官舞禮也。趣語實痛語。願以臣章示大臣。使其自擇死所。

痛語抑趣語。

漢唐常有宦官定策事。而宋無之。則范鎮韓琦等請上早定儲嗣。幸開善例之故也。

范祖禹請勿竄蔡確。勿治蔡黨。實朝廷大體。宜爾。非於蔡有所私。亦非於蔡黨有所愛護也。

書蘇軾傳

自唐楊炎爲兩稅。租調與庸既并之矣。彼時卽宜自上顧役。弗復擾民。而乃至宋猶有差役弊害。是已出役費。又役民力矣。安石改爲免役。不役民而更取役費。是疊費也。且擾及苦弱。是疊費又成苛費也。其召怨也固宜。然司馬光欲罷免役而復差役。軾謂免役歛財。差役妨農。二害略等。且唐改府兵以來。農養兵。兵衛農。天下便之。免役之法。實大類此。則亦通論。

軾不見容於介甫。復不見容於君實。此柳下惠所謂無往而不三黜也。史必右君實而貶介甫何居。

書蘇轍傳

轍謂出納之際。吏緣爲姦。雖有法不能禁。錢入民手。雖良民不免妄用。及其納錢。雖富民不免踰限。又引劉晏語使民僥倖得錢。非國之富。使吏倚法督責。非民之便。雖未嘗假貸而有賤必糴。有貴必糶。以此四方無甚貴甚賤。安石不言青苗。殆有意復常平乎。後乃不然。爲下所誤與。抑果執拗與。可歎也已。

轍論黃河北流鄉差衙前等事甚允。史謂大臣恥過。終莫肯改。司馬執拗。殆過安石矣。噫嘻。

久議不決。先易後難。爲對外二大弊。後世往往若此。不獨宋人然也。

蘇元老（自名元老甚奇）謂招降茂蠻。威不足以服。則恩不足以懷。與諸葛亮法行而後知恩意同。

書呂大防劉摯蘇頌傳

大防歷舉祖宗事親事長治內待外戚尙儉勤身尙禮寬仁等家法以告哲宗。蓋誠恐哲宗一旦親政或反元祐所爲。特先以家法壓倒新法耳。可謂深慮。一笑。

劉摯陗直有氣節。不爲利怵威誘。宣仁后所素知。乃一旦有箋釋休復二字爲復子明辟者。竟怒而罷摯。蓋此讒實足深入宣仁后耳也。鄭雍楊畏信善讒也哉。

書王孫趙傳傳

正人者衆邪之閑也。王存謂去一正人。天下失望。忠讜沮氣。讒邪之人爭進矣。此姤所以爲坤。此履霜所以堅冰至也。可弗愼與。

諫官有言責也。郡知守法而已。傳堯俞此語可與禹稷顏子易地皆然互勘。

書梁王鄭孫傳

王巖叟釋洪範乂用三德。於正直則曰明是非於朝廷之上。判忠邪於多士之間。不以順己而忘其惡。不以逆己而遺其善。私求不徇於所愛。公議不遷於所憎。竭誠盡節者任之勿二。罔上盜寵者棄之勿疑。惜紀綱。謹法度。重典刑。戒姑息。於剛則曰遠聲色之好。絕盤游之樂。勇於救天下之弊。果於斷天下之疑。邪說不能移。非道不能悅。於柔則曰居萬乘之尊而不驕。享四海之富而不溢。聰明有餘而處之若不足。俊傑並用而求之如不及。虛心以訪道。屈己以從諫。懼若臨淵。怯若履薄。較唐魏徵十思疏尤切至。

書允許鄧林蔣陸吳溫傳

許將於哲宗問發司馬光墓。但言發人之墓非盛德事。於問漢唐誅戮故事。但言本朝遠過漢唐。以未嘗輒戮大臣。絕不作祖庇司馬光及元祐諸臣語。可謂善格君非。

書孫李孔李鮮于顧李王馬傳

新舊二黨已足禍國。而舊黨復分洛蜀二黨。此司馬光之咎也。蓋光務盡反熙豐。軾但欲去其太甚。取徑略異。遂成二黨也。

書劉鄒陳任傳

劉安世投荒七年。章惇蔡卞必欲置之死而竟不死。死生有命。信然。又蔡京蔡卞欲死陳瓘。亦竟不死。

爲諫官者每以焚諫草爲美談。而鄒浩乃因此被姦人造僞疏。可歎。

劉安石鄒浩皆恐爲諫官貽母憂。將固辭。而母以報國勉之。子意可嘉。母意尤可敬。

書陳陳彭呂張龔孫陳江陳常傳

常安民應經試不宗王氏。而安石稱其文。且命學者視以爲準。可見安石於經義實未固執己見。彊人從己。

張商英上呂公著詩求進。諛佞無恥。後乃乞毀司馬光及公著神道碑。周秩爲博士。親定光諡爲文正。後乃乞斲棺鞭尸。小人反覆若此。患得患失。一念爲之耳。可恨。

書孫吳李吳王黃朱張盛章顏孫韓龔鄭席喬傳

王渙之謂乘車常以顚墮處之。乘舟常以覆溺處之。仕宦常以不遇處之。人以爲意外。我以爲意中。夫何憂何懼。

書傅沈徐張黃石毛洪鍾陶毛王張趙傳

徐勣（與唐徐勣同名）謂無邊事朝廷之福。有邊事臣下之利。可作自周歷宋邊患總論讀。

書郝賈竇劉盧燕姚楊劉宋傳

盧政不附黃德和而力辯劉平非降。且不言平愎諫致敗於主將。若是。於君可知。吾敬其人。

書苗王張王周劉王李和劉曲劉郭賈張張王楊趙傳

張守約勸高道裕襲靈州。進取也。勸護糧餉防抄掠。保守也。皆不見聽。高殆固敗是求與。

書趙張劉何鄭張朱劉林管侯傳

比鄰夜火。何執中拊母柩號慟。誓與俱焚。與梁徐普濟慟伏棺上。以身蔽火相似。

約金伐遼。鄭居中安堯臣皆論其害。足爲此傳生色。

書唐李余薛吳王王趙曹耿傳

唐恪於宣和（徽宗年號）間事請勿深論。可謂能顧大體。洎金騎再來。要割三鎮。毅然許之。計亦未失。特和戰相倚。不可遽止。援師使敵得尺進丈。復欲畫河爲界乘虛更逼耳。若乃金兵薄城。勢將不守。請帝幸洛。速雍號召四方。此實上計。何㮚沮之。甚可痛恨。天子古稱萬乘。亦曰乘輿。今徽宗微行乘小轎子。（轎子二字見史始此）前所未聞。

書何孫陳張聶張張鄭宇文許程龔崔蒲傳

孫傅倚郭京妖法。欲以退敵。與清西后倚義和團事頗相類。張叔夜建西安州以固蘭州。降宋江於海濱。破羣盜於濟南。不愧名將。金兵再至。請暫詣襄陽以圖幸雍。策亦甚是。徽宗不決。遂致北狩。叔夜不得已餓死。以報上與首陽爭烈矣。

書沈路謝陸黃姚樓李汪何葉時霍俞蔡傳

蔡蘗游太學則挾詭計以鉗諸生。居侍從則抉私事以脅宰輔。處門下則借國法以快私忿。此種人後世蓋多有。

書賈董上官來葉楊崔楊呂李董虞郭傳

賈易上書。謂天下大勢可畏者五。一曰上下相蒙。而毀譽不得其眞。二曰政事苟且。而官人不任其責。三曰經費不充。而生財不得其道。四曰人材廢闕。而敎養不以其方。五曰刑賞失中。而人心不知所向。至爲切直。而史譏爲老生常談。蓋囿於黨派之故耳。

書劉錢許吳吳劉宋强蔡劉蔣賈崔張任周傳

任諒別立耶律氏。使散爲君長。我有存亡繼絕之義。彼有瓜分輻裂之弱云云。視約金伐遼之計。判若霄壤。而當道不寤。天豈已厭宋德乎。

書何李王譚梅程劉傳

何灌對西北邊事。以笏畫御榻。指坐上花紋爲形勢。與馬援聚米爲山谷。指畫形勢。更屬利便。宜光武曰虜在吾目中。徽宗亦曰敵在吾目中也。

讀宋史蠡述卷四

岳陽李澄宇洞庭著

書李綱傳上

肅宗靈武之事。若於長安爲之。必難破賊。蓋潼關既失。蔑險可守。利在遷地。不在建號也。況建號不俟父命。去簒奪僅一間耳。曷足爲訓哉。綱不贊巡幸。謬主內禪。且引肅宗事。殆讀書不求甚解之過與。蓋自是宋事愈棘矣。

善戰者以和備戰。勾踐事吳是也。善和者以戰求和。齊桓伐楚是也。欽宗日畏金兵之至。屈意就和。既和而金兵再至。又欲一戰。和戰靡定情。不惟主戰者易失良機。卽主和者抑亦難符始願矣。臣未必皆亡國之臣。而君實亡國之君。可勝歎哉。

綱以十事要說高宗。二曰議巡幸。蓋至是始知死守都城非善計也。噫國已有君。徽欽在宋爲父兄。在金二匹夫耳。遣善辯者往迎。未必不可得返。綱不贊奉迎。但主通問。以堯舜孝弟之道相其君者。固如是而已乎。噫。

綱請置招撫經制二司。以料理河北河東。並請駐蹕襄鄧。以便還都汴梁。計誠未謬。

而高宗後皆反汴。此南宋所以僅得爲南宋也。與

書李綱傳下

高宗南渡後。綱請於淮東西及荆襄置三大帥。屯重兵分遣偏師進守支郡。加以戰艦水軍。上連下接。此誠進可以戰。退可以守。他日兀朮南犯。一自蘄黃入江西。一自滁和入江東。綱蓋早見及矣。金兵旣退。宋乃置韓世忠楚州。楚州爲南北襟喉長淮二千餘里河道通北方者五淸汴渦潁蔡也通南方以入江者惟楚州運河耳置張俊盱眙。置岳飛鄂州。蓋猶用綱舊計耳。又張守傳有神武中軍專衛行在。而以餘軍分戍三路。一駐淮東。一駐淮西。一駐鄂岳或荆南云云。亦與李綱意合。蓋兩淮外蔽而荆岳上游也。

書宗澤趙鼎傳

宗澤請直趨澶淵。次第進壘。以解汴圍。爲將者自當如是。汪伯彥等縱欲議和。亦必使宗澤先爲可以戰之勢。然後敵有所憚而就範。否則坐以待和。直坐以待斃耳。曷足以言主和耶。厥後澤以孤軍猛進。屢敗金師。金且憚澤不敢出。嚮使諸軍聽澤節

度汴圖定解。何至二帝北狩哉。

巡幸乃暫避敵鋒。久幸不歸非計也。周東遷而弱。晉南渡而削。與唐玄宗德宗僖宗皆甚異。而高宗儼然步趨周晉焉。無怪宗澤引眞宗澶淵事振之。望其早還舊都也。趙鼎勿恃其不來恃吾有以待之二語。可與論語不患無位患所以立不患莫己知求爲可知也互勘。

論謂宗澤儻得信志。反二帝。復舊都。特一指顧間耳。及趙鼎爲相。則南北之勢成矣。就時揣事。所見蓋確。

書張浚傳

趙鼎傳鼎疏有張浚出使川陜。國勢百倍於今。浚有補天浴日之功。（指討苗傅劉正彥事）陛下有礪山帶河之誓。君臣相信。古今無二。而終致物議。以被竄逐等語。讀之憤慟。咸有一德。自古難之。故浚鼎二人皆被秦檜構陷。

趙鼎傳劉豫遣子入寇。劉光世棄廬而南。趙鼎謂張浚曰。上詔浚有不應命者聽以軍法從事。光世大駭。乃復進。此傳亦云光世舍廬州而南。淮西洶動。浚馳至釆石。令其衆曰。有一人渡江者斬。蓋浚鼎內外協力。故同時有是詔。是令不謀而合也。浚遣人持手榜問劉豫。致金人疑豫而廢之。此蓋大功。又岳飛傳亦有因兀朮（金史作宗弼）諜者以問劉豫事。

書朱呂范范呂傳

秦檜欲傾呂頤浩而擅朝權。而他日檜乃罷相。呂獨秉政。此豈檜始料所及耶。

范宗尹請稍復藩鎭之法。裂河南江北數十州之地付以兵權。俾藩王室。南宋果用斯策。金與元並不足懼矣。

書李許許張張陳蔣傳

李光本意暫和爲自治計。此吾所謂善戰者以和備戰也。而檜竟撤淮南守備。奪諸將兵權。則直自願處小朝廷求活耳。此檜之失計。而南宋所以終於南宋也。

書韓世忠傳

世忠謂敵至必登金山廟觀我虛實。遣兵百人伏廟中。百人伏岸滸。約聞鼓聲。岸兵先入。廟兵合擊之。厥後廟兵違約先出。遂致五騎逸三。而絳袍玉帶既墜復馳者竟赫然兀朮也。天不祚宋。留此勁敵。此南宋所以止於南宋與。

世忠襲破劉忠。蓋師韓信拔趙幟立漢幟意。賊方迎戰。我伏兵巳入彼中軍。奪望樓。植旗蓋。傳呼如雷。賊衆驚潰。忠欲不授首得乎。

武侯遺司馬懿巾幗。欲激令與我戰也。而世忠遺將士巾幗。則欲激令與敵戰。世忠信善學古人哉。

書岳飛傳

竹蘆渡之役。選精銳三百伏前山下。令各以薪芻交縛兩束。夜半爇四端舉之。金疑援至驚潰。此蓋法古人曳柴增竈二意而變通焉。亦所謂運用之妙。存乎一心也。

張浚傳有浚以建康東南都會。楊么據洞庭。居上流。恐滋蔓爲害。請因盛夏乘怠討之。至醴陵。釋邑囚數百。皆楊么諜者。給以文書。俾招諭諸砦。囚驩呼而往。至潭。賊衆二十餘萬相繼來降。湖寇盡平云云。頗疑寇何易與。今讀此傳。飛袖小圖示浚。浚欲俟來年議之。飛曰。已有定畫。八日可破賊。且謂因敵將。用敵兵。奪其手足之助。離其腹心之託。使孤立。而後以王師乘之。卒之黃佐招降楊欽。牛皐禽斬楊么。果八日而賊平。然後知此非浚功。實飛功也。且幾費智勇而後奏績。非如浚傳云云之易也。又韓世忠傳於曹成事亦言之甚易。宜參觀此傳紿成諜以敗成處。

徒恃戰。國危。徒恃和。國危。是何也。戰可暫不可久。久則疲。故宜及其未疲也。以和消息盈虛之。然必愈言和愈備戰。否則坐以待和。人刀俎。我魚肉矣。岳飛屯襄陽以窺中原。戰勝攻取。大功垂就。雖未必遂復兩河。大河以南固可囊括。不必金人歸地於我也。檜議和而必奪大將兵權。且殺飛。使敵相賀。不知和與戰相反相成。自古已然。是主和非爲一國計成敗。實爲一己爭勝負。甚可痛恨。靖康以前新舊黨起。只知有一己勝負。靖康以後和戰派起。亦只知有一己勝負。夫謀國而至爭一己勝負。其心尚可問乎。不謂之姦臣可乎。

高宗於飛。一則曰不中制。再則曰不遙度。而後乃有一日十二金牌事。君子是以痛恨秦檜。尤痛恨高宗也。

書劉錡吳玠吳璘傳

錡因暴風拔坐帳。知有暴兵。又詢陳規城中有米數萬斛。乃决守計。又鑿舟沈之。示無出意。置家寺中。積薪待焚。示必死意。又募土人爲間探。且嚴繕守備。信孔子所謂臨事而懼。好謀而成者也。其克出奇制勝宜哉。

夜、欲雨。電光四起。錡募百人折竹爲嘂。直犯金營。電所燭則皆奮擊。電止則匿不動。敵衆大亂。終夜自戰。退軍老婆灣。與吳甘寧夜率百騎襲魏營相似。

兀朮聞敗。即索韡上馬。憤甚也。錡募間造僞語。使彼輕己。故兀朮有以吾力破爾城直用鞾尖趯（或作踢）倒耳云云。蓋又驕甚也。憤且驕。欲不敗得乎。然皆錡以術顛倒之使如此也。錡智豈他人所易幾及也。

兀朮拐子馬一敗於劉錡順昌之役。再敗於岳飛郾城之役。可見軍無長勝。惟恃我智力何如耳。

撒離喝（金史作杲本名撒里喝）攻饒風嶺（金史作饒峯關）六晝夜。死者山積。終不得上。會玠小校得罪奔金。導以祖溪關間路。出關背。乘高以瞰饒風。諸軍不支。玠乃敗退。與五代時王全斌遣偏將史延德分兵。出來蘇小路北擊劍門與全斌夾攻王昭遠趙彥韜等大勝相類。

李綱宗澤韓世忠外。金於東路遇劉錡。於中路遇岳飛。於西路遇吳玠吳璘。皆出意外。故不復輕視漢人。有南北分治之意。秦檜議和有成。蓋實諸將力耳。嚮使相有謝安主爲柴世宗。宋事未必不可大有爲。朝野上下。偷安意多。負諸將苦心。抑又何怪。

徽欽不早巡幸。高巡幸又非地。此兩宋大誤。雖曰天命。豈非人事哉。

玠選用將佐。視勞能爲高下先後。不以親故權貴撓之。嗚乎。後世豈易有是哉。有是固亦可禦外侮矣。

二吳保蜀功高。璘遺表且有願陛下毋棄四川等語。蓋定東南者北恃淮以蔽江尾。

西恃蜀以據江首。而首尤重於尾也。

書李楊郭楊傳

趣李顯忠代王權。遂有采石之捷。知人善任。虞允文不愧儒將哉。

郭浩楊政左右二吳。保全川蜀。宜附二吳傳。

書王王魏張楊牛胡傳

邵青將用火牛。王德笑謂古法可一不可再。蓋法古人者法其意。不可但泥其迹也。

魏勝獲金諜者。犒以酒食。厚賂遣還。有自北方來歸者。與之同臥起。共飲食。周其窶貧。使之感激。自是山東河北歸附者衆。得金人虛實。悉以上聞。又第其忠義士功能。假授官資。其意蓋近岳飛也。而功僅著於海州。惜哉。

張憲楊再興牛皐胡閎休皆宜附岳飛傳。

書張張劉王解曲傳

張俊屢有戰功。而後世名不逮韓岳者。以首贊和議也。贊和議猶可恕。而其所以贊和議。實深忌岳飛成功。則不可恕也。

解元（後世以舉人第一爲解元此則自名解元）事宜附韓世忠傳。而入此傳何也。

曲端不欲屬王庶。遂違節制。且欲殺庶。誠跋扈將軍。然有將略。其不救吳玠。前軍已敗。不得不據險以防衝犯。不爲無見。又按兵據險。出偏師擾敵耕穫。計尤甚妥。而張浚信玠庶先入之言竟使曲端死康隨手。宜綱目以張浚殺前威武大將軍曲端書之深。致貶責也。

書王李成趙劉呂胡鄭傳

李寶以舟師破浪。遂獲膠西之捷。實出意外。孰知亮怒諸酋。激成內變。亮竟授首。其大功更出意外乎。天下事大抵如此。可笑也。

張浚宣撫川陜。若堅守五載。出師之計。恢復中原。未必無望。輕出致敗。幾誤大局。賴劉子羽建議駐興。（興州）召集諸將。分守險隘。頹勢復振。此大功也。又子羽力薦二吳。西蜀門戶幸免無恙。亦大功也。是張浚不損盛名實由子羽也。而他日御史常同疏論子羽高宗竟批白州安置。爲君若此。欲中興宋室。還於舊都。豈可得耶。

酈瓊與王德不協、初無叛意。德已他調。瓊亦就範。呂祉何必奏罷瓊兵。激成事變耶。

書白徐馮王宇文湯傳

毛遂自薦。克定楚盟、王倫自薦。不辱宋命。並皆佳話。而倫寧冠帶就死。恥作金都轉運使。視宇文虛中更爲可敬。又朱弁懷印臥起。寧餓死不仕劉豫。亦難得。

書朱王尹王徐沈翟王辛傳

高宗自建康回鑾、有內禪意、朱倬密奏靖康之事。正以傳位太遽。李綱不寤此。可歎。

書朱鄭張洪傳

朱弁使金。密疏黏罕等相繼死滅事。且謂時不可失。及歸述北方所見聞忠臣義士朱昭史玩張忠輔高景平孫益孫谷傅偉文李丹五臺僧寶眞婦人丁氏晏氏小校閻進朱勣等死節事。請加褒錄。皆有心人所爲。可敬。又張邵不拜撻攬。且以書縱論曲直。亦甚可取。

洪皓能馭賊降賊。不徒可使絕域也。既歸不獲大用。徒以上比蘇武。於國抑何益耶。金已困於蒙元。然後息南犯之念。許和固墮彼計中。然留金盾元。抑亦甚利。此時以和爲是否。則助元滅金。其事早見於高宗之世。南宋豈能百五十餘載乎。

書張胡廖李趙傳

李沆誡王旦勿與虜和。謂出則無敵國外患。國常亡。實遠慮也。王旦且不瘖。於秦檜何誅焉。雖然經費不支。而又兵驕官冗。當局欲藉和息肩。蓋亦久矣。檜之說安得不入乎。又神宗欲戰契丹。而先理財。故安石進。高宗以經費不支。欲與金和。故秦檜進。其故皆可深思。不必遽罵安石與秦檜。

廖剛子四人。遲過遂遽。皆秉麾節。號萬石廖氏。足與漢萬石君媲美。

書鄧李滕張富馮傳

鄧肅言金人不足畏。但其信賞必罰。不假文字。故人各用命。朝廷則不然。有同時立功而功又相等者。或已轉數官。或尚布衣。輕重上下。只在吏手。又言外夷之巧在文書簡。簡故速。中國則文書煩。煩故遲。又言太祖太宗之時。法嚴而令肅。事簡而官清。未嘗旁徵曲引而稽賞罰。故能以十萬精兵混一六合。後世宜深味此言。

詔問宰執方略。李邴條上戰陣守備措畫綏懷各五事。皆可取而不報。此非他人咎而高宗咎也。噫。

張守悔於秦檜。謂觀其趨向。有患失之心。嗚乎。自古姦臣蔽賢忌功。皆患得患失一念故耳。苟患失之。無所不至。信然。

高宗謂臺諫好以朋黨論士大夫。如罷一宰相。凡所薦引。不問才否。一時罷黜。乃朝廷使之爲朋黨。非所以愛人才而厚風俗。不愧王言。

書常張薛陳魏潘呂傳

常同謂先振國威。則和戰常在我。一意議和。則和戰常在彼。此語極是。蓋南宋之失不在和。而在一意議和。一意議和。和戰固常在彼也。渝盟進犯。抑又奚怪。

魏矼以劉光世韓世忠張俊三大將權均勢敵。各懷私隙。莫肯協心。乃論光世等爲國雪恥。釋去私隙。有不獨有利於國。亦將有利其身。而有利其身四字尤足動聽。所謂以利害說之也。

呂本中奏求人才。卹民隱。講明法度。詳審刑政。然後練兵謀帥。增師上流。固守淮甸。使江南先有不可動之勢。伺彼有釁。一舉可克云云。所謂安內然後攘外能守然後可戰也。雖似老生常談。實亦無以易之。

書向陳季盧陳李李王王傳

劉錡傳但有陳規見錡問計。錡曰城中有糧則能與君共守。及陳規與錡議歛兵入城爲守禦計數語。是功皆在錡。此傳規告錡城中有粟數萬斛。勗與死守。躬擐甲冑巡城督戰。且獻濳兵斫營計。既而兀朮自來。規主死守弗去。又獻更隊易器以逸待勞計。是規實主謀。宋史各傳互有出入。大抵類此。蓋匪一人手筆也。

季陵言和糴借賦之弊。無異奪取。又言詭名虛劵隨在批請。枉費官物。蓋財政紊亂時。制用者但計得財。治軍者每思竊饟。自昔然也。

宣和三年廷議取燕。李瑒謂不得燕雲何關於漢。此通人之論。徽宗若寤。何至約金滅遼。自取北狩之辱哉。

李朴不見蔡京取富貴。而自認其墓有以天爲心以道爲體以時爲用云云。其學殆出入孔老也。

書衞劉胡沈劉胡綦傳

劉一止疏謂天下之治。衆君子成之而不足。一小人敗之而有餘。君子雖衆道則抓。小人雖寡勢易蔓。甚合易理。

書章韓陳張胡曹李韓傳

韓肖胄奏有大臣各循己見。致和戰未有定論。然和乃權時之宜。他日國家安彊。軍聲大振。誓當雪此讎恥。此數語無異和戰指南。勾踐知此。吳燕昭知此。故能破齊。豈徒以主戰博一時美譽者所可比似哉。

書何王范楊樓句龍薛羅蕭傳

何鑄辨岳飛之寃。謂鑄非區區爲一岳飛者。强敵未滅。無故戮一大將。失士卒心。非社稷之長計。蓋誠知能戰然後能和。不可坐而待斃也。而檜必殺飛。使和議速諧。豈但知有金不知有宋耶。

鑄傳言金皆已厭兵。欲和難自己發。紹興以後。我師屢捷。金欲和益堅。可見主戰者謂夷情難測。和不可恃。與當日實狀不合。主和者謂敵勢方熾。戰不可恃。與當日實狀亦不合。總之國是不定。忽和忽戰。乃天子自誤。非但諸臣誤也。

匡衡鑿壁偷光。所業殊也。王次翁就舍借燈。所業同也。

次翁爲檜擊趙鼎。竟徙惡地。爲檜謀岳飛。竟置死地。知有檜不知有國。無非爲一己成敗利鈍計也。小人可恨。蓋大抵如此。

觀此傳小人璅璅。不惜爲天下後世所深惡痛絕。如王次翁楊愿句龍如淵輩。特以一時利祿耳。苟患失之。無所不至。聖書於此益信。故史論及之。

書范吳王晏黃程張洪趙傳

豐財者政事之本。而節用又豐財之本。後人以損下爲益上。盍誦洪擬此語乎。

書張黃孫曾何李傳

昔者堯相舜。舜相禹。湯相伊尹。桓相管仲。昭烈相諸葛。始終一人。勳業爛然、其他或周召夾輔。或蕭規曹隨。其政策要歸一致。故亦可與有成。否則長安似弈。牛李於唐。新舊冰炭。馬章於宋。其禍患有不可勝言者矣。張燾謂高宗一紀之間。十四命相。執政遞遷。無慮二十餘。此蓋前所未有。而況一相進退。親知坐累。戰和相反。國是用搖。無怪名將相比肩接武。卒不能興復宋室還於舊都也。此高宗之咎。非諸賢之咎也。

書陳俊卿虞允文辛次膺傳

俊卿謂士大夫風俗大變。向奔曾覿王抃之門者十纔一二。尚畏人知。今則公然趨附已七八。不復顧忌矣。此誠善於詗俗。蓋始尚有恥。後乃無恥也。始何以有恥。小人尚少。慮爲君子所棄也。後何以無恥。小人已多。且不信世有君子也。

金主亮已得兩淮。宋室蓋岌岌矣。允文奉命犒師。實無一兵。且王權已去。李顯宗未來。庸人當此。犒且未能。矧以戰乎。允文招諸將勉以忠義。曰金帛告命皆在此待有功。蓋既獎以名。又歆以利也。於是部分爲指揮。爲以一萬八千人破敵四千萬衆。與晉謝玄肥水之戰後先輝映。猗與偉哉。又勝而益愼。再敗敵軍。猶不敢驕。亟繕戰具。瓜洲變起。逆亮隕命。此宋室垂危而獲安。金事將成而突壞也。非允文智勇兼具。惡克有此乎。

既曰朕之裴度。而奏收兩淮三策不報何耶。豈高宗讓允文獨爲裴度。而已不勉效憲宗耶。噫。

書陳梁汪葉蔣葉葉傳

梁克家秉政。雖近戚權倖。不少假借。而外濟以和。此等處極可法。

葉顒謂兵多則有冗卒虛籍。無事費財。有事不可用。雖曰汰之。旋卽招之。欲足國用。當嚴於汰。緩於招。後世兵額甲萬國。而尙日日務益兵。曷不一誦斯語乎。

書葛錢魏周施葉龔傳

明金哨字聖歎。或竊怪之。不知宋施點字聖與。己同厥意。

宰執奏事、自相可否。至面相切責。退不相銜。如此乃爲近古、蓋面相切責不易。退不相銜更難也、秦檜輩烏足語此哉、

書劉王黃王金王李范傳

金主亮犯淮。劉汜敗王權走兩淮遂失。此國法必誅、黃祖舜乃云劉錡病殆。若誅權汜錡必因此愧忿至死、是一敗而殺三將、適以快敵。實謬論也。抑知周世宗伐劉崇。嘗一敗而殺樊愛能何徽等七十餘將。頽勢因之大振乎。

王十朋謂自建炎至今、金未嘗不內相殘賊、然一主斃。一主生、曷嘗爲中國利。要在自備。如何此語極要。必知此乃可言戰言守言和、否則徒幸災樂禍無益也。

書周王陳李陳胡唐李傳

蠹民之本、莫甚於兵。周執羔此語、可與兵猶火也不戢自焚互勘。內視不足。何暇事外邇者未懷、豈能綏遠、陳良祐此語。亦可與內安外攘近悅遠來互勘。

孝宗知李浩直諒，命權吏部侍郎。而怙寵竊權者嗾諫議大夫姚崇（與唐姚崇同名）論浩以彊很之資，挾奸詖之志，置之近列，變亂黑白。浩竟未及正謝而罷。於此見孝宗用人不專，且非眞知人。而怙寵竊權者足左右一切，諫官更甘作鷹犬也。

李燾謂陸贄雖相德宗，其實不遇。雖然，豈獨贄然哉。南宋將相大抵與贄同耳。君子不得盡其才，小人轉亟肆其惡，可痛也已。

書尤袤顏袁李劉張傳

伊尹於湯，傳說於武丁，終始一德。孝宗喜伊尹傳說，謝諤謂非成湯武丁信用之，安能致治。偉哉言乎。然較馮唐對漢文雖有頗牧不能用，婉而易入。

李燾倣資治通鑑例，斷自建隆，迄於靖康，爲長編一書，續通鑑所未編也。袁樞喜資治通鑑，區別其事而貫通之，爲紀事本末一書，變通鑑所已編也。皆可謂涑水功臣。

書李王家張張蔡莫周劉沈傳

李衡博通羣書，而以論語爲根本，庶幾折衷於聖也。至周必大潛心釋氏，乃達生死。

衡非逃儒入釋者而臨終超然云云。不知死生有命。論語固早言之。不獨朝聞夕死二語也。

張綱（與漢張綱同名）奉詔按問王進。而進擁甲騎數百突至綱前進。剽悍恣睢可想。綱叱進階下。卽按問罪立具。綱剛斷勇決亦可想。

御史論劉章使胥長買絹。高宗謂必無是事。御史執不已。竟罷之。曾參殺人。三告而母投杼。信哉。

書周必大留正胡晉臣傳

孝宗練兵圖恢復。而將數易。擇人守郡國。而守數易。不知人。且用人不專。與高宗蓋同病也。

古先哲王。未爲以前。詢謀僉同。既爲以後。從諫則聖。斷無有以堅執爲得計者。光宗批有成命已行。朕無反汗云云。不惟異古。亦與漢高鑄印銷印不類矣。

書趙汝愚傳

世有割股割臂療親而致愈者。然毁體或亦戕生。未足爲訓。趙汝愚父善應刺血和藥。事較易行可法。

汝愚定策。誠費盡移山氣力。然非得趙彥逾韓侂胄之助。實難集事。事後賞功。果平心靜氣處之。未必不可使趙韓就範。而竟弗能然。遂致小人道長。已被竄逐以死。國事亦從此大壞。雖曰此中有天命。人事實猶未善與。

書彭黃羅黃林陳黃詹傳

孔子以顏淵不遷怒不貳過爲好學。學不徒在讀書也。彭龜年謂人君之學與書生異。惟能虛心受諫遷善改過。乃聖賢中第一事。豈知人君如此。非人君亦當如此哉。

書胡何林高陳鄭京謝許梁傳

京鏜仗義秉禮。仲於敵國。實可與爲善之材。後附侂胄取富貴。且發僞學之目。則竟敢於爲惡矣。惜哉。又王淮不喜朱熹。嘗擢陳賈爲御史以攻道學。不過未正名爲僞學耳。

書樓李任徐莊王王陸方王傳

王阮謂臨安利休息。建康利進取。力主都建康。可謂有猷。其知濠州。日講守備。向邊民親訪北境事宜。終阮在濠。金不南侵。可謂有爲。侂胄夜遣密客詣阮。不答。且以柳宗元失身匪人爲戒。可謂有守。

王質奏孝宗有李牧在雁門。主守。守乃有戰。祖逖在河南。主戰。戰乃有和。羊祜在襄陽。主和。和乃有守。今陛下心志未定。規模未立云云。蓋深㾇和戰守相反相成之意。

陸游有志中原。而但傳詩文。世且但賞其詩文。此游極痛心事。

山東初附。方信孺言豪傑不可以虛名駕馭。武夫不可以弱勢彈壓。宜選威望重臣將精兵數萬。開幕山東。以主制客。以重馭輕。可以包山東。固江北。而兩河在吾目中。蓋嘉謀也。而坐責降秩。宋事尚可問哉。噫。

書史王趙權程陳張傳

權邦彥謂人事盡。則天悔禍。不可獨歸之數。此信名言。然亦人定勝天之說也。

韓侂胄欲倚羣盜攖金人。陳謙非之。後世亦有效侂胄者。可無陳謙痛揭其謬乎。

書徐吳項薛劉楊劉傳

徐誼奏光宗。謂三代聖王有至誠而無權術。嗚乎。此世運升降所由判也。後世顯尙權術。且不信古有至誠。可勝歎哉。

項安世有今天下之費最重而當省者兵也。其次莫如宮掖。兵以待敵國。常畏而不敢省。故省兵難。宮掖以私一身。常愛而不忍省。故省宮掖難云云。後世兵以備內爭。亦常畏而不敢省。雖非宮掖。亦常愛而不忍省。可哂抑尤可痛。

規模果定。則乘五單于爭立之機。規模不存。則恐成五胡迭起之勢。自漢迄今。論外侮而幸災樂禍者。當熟誦薛叔似此語。

書余李邱倪宇文李傳

宇文紹節謂方誅吳曦。安丙一搖足。全蜀非國家有。顧不以此時爲利。今乃有他耶。與絳侯周勃世家太后以冒絮提文帝曰。絳侯綰皇帝璽。將兵於北軍。不以此時反。

今居一小縣顧欲反耶同。

牛皐免冑大呼曰。我牛皐也。嘗四敗兀朮。可來決死。蓋明知彼衆我寡。難力勝。而欲以氣攝之也。然非眞有奪人之先聲不可。蜀漢張飛傳可參看。

書王汪袁吳游李王宋楊傳

韓侂冑始望節鉞。趙汝愚靳而不畀。迨激成姦相。鼎祉且付之矣。噫。

書辛何劉劉柴李傳

僧義端謂辛棄疾我識君眞相。乃青兕也。力能殺人。蓋謂棄疾前身青兕。雖已轉世。眞相可覩也。後世動言眞相。其字始此。然於本義抑又變矣。

田野之民。郡以聚斂害之。縣以科率害之。吏以乞取害之。豪民以兼幷害之。盜賊以剽奪害之。民不爲盜。去將安之。望陛下思致盜之由。求弭盜之術。無徒恃平盜之兵。烏乎。此棄疾痛哭流涕語也。後世於賦斂煩苛外更徵工焉。於兵多病農外更練壯丁焉。曷不一讀此傳乎。

書陳張畢安楊李傳

高宗時陳敏以金人精兵在淮。汴都空虛。說成閔由陳蔡徑擣大梁。而閔不聽。閔殆後世惟保全實力是務者歟。孝宗時。敏以盛夏興師非時。且金人重兵皆在大梁。諫張浚暫緩北伐。而浚又不聽。浚抑後世以外攘爲名高者歟。

安丙誅吳曦。奏功於朝。以楊巨源第一。始何嘗有意負之。既誅曦。巨源更爲丙取關（散關）外四州。（四和成階鳳）亦誠願長共富貴也。而後不克然。則以巨源與人書。述當日與丙定計密語。有非先生不足主此事。非巨源不足了此事二語耳。此最遭忌。而謂丙能忍之乎。然丙失巨源。亦曷能自立乎。噫。

李好義謀誅吳曦。夜授衆甲。訣於家廟。且囑妻馬氏曰。出無耗。卽自爲計。忠義若此非可及。曦誅。更建議取關外四州。遂破西和。其智勇蓋尤難能也。雖死於王喜。凜凜猶生矣。

書趙賈扈孟張傳

催科不擾。是催科中撫字。禮記無苛政。卽此意。刑罰無差。是刑罰中教化。尚書刑期無刑。卽此意。不過古語質重。未若趙方所云。智愚並曉耳。

趙方帥邊。以戰爲守。合官民兵爲一體。通制總司爲一家。儒生解此。甚可法。又王居安亦書生。於兵事不學而能。賞厚罰明。吏盡力。

滁濠之捷。賈涉知用李全等殺賊。金不敢窺淮東者六七年。蘄州之遁。涉克斬余暉以徇。諸將畏懾。無不用命。淮西之勢大振。成敗利鈍。豈不在人哉。

孟宗政於有功者。怨必賞。有罪者。親必罰。此制勝之本也。而好賢樂善。更本之本也。

張威御軍嚴整。兵行常若銜枚。罕聞其聲。每與百姓避路。買食物。則賈倍於市。不擾民若此。戰勝攻取宜哉。

書汪張柳李孫章扈劉徐傳

金犯汴京。汪若海謂當用河北以掎金人之後。計誠甚善。然高宗未克勝。鎭撫河北之任也。又曰天下者常山蛇勢。秦蜀爲首。東南爲尾。中原爲脊。將圖恢復。必在川陜。

然張浚亦終不勝宣撫川陝之任也。人不勝此任。而已又無法代勝其任。所以終成畫餅也。至以成敗逆順說李允文。而允文感悟。以書招張用而張用效順。則奏績於口舌紙筆。不藉他力也。又夜宿王林軍帳。以計得林軍印。遂奪其衆五千人。亦事皆自主。不必候令進止也。語曰。寧爲雞尸。毋爲牛從。信哉。

若海謂國家當化盜賊爲我用。不可失英雄爲國患。所見極大。然若僕固懷恩之於唐。以河北豢稔惡巨盜。遂釀藩鎭之禍者。要未可併爲一談也。

書李袁劉王傳

李宗勉謂欲人謀之合。莫若通下情。欲財計之豐。莫若節國用。欲邦本之固。莫若寬民力。又言守公道以悅人心。行實政以興治功。謹命令以一觀聽。明賞罰以示勸懲。後世皆反是。曷不一讀此傳乎。

鄭淸之以國用不足。履畝使輸券。袁甫謂避貴虐賤。有力者頑未應令。而追呼迫促破家蕩產悲痛無聊者。大抵皆中下之戶。後世苛取於民。靡不似此。而猶自以爲功。

可勝慨哉。

書崔洪許陳劉傳

崔與之納金叛。優加爵賞。且鏤板邊關。開諭招納。使金上下相疑。多所屠戮。人無固志。以至於亡。此事後世可效之。

金亡。元盛宋運以終。而理宗乃以金亡爲幸。何可哂乃爾。洪咨夔況之以抱虎枕蛟。事變叵測。殆亦心所謂危不敢不告與。

陳居仁謂孝宗規模未立。始欲恢復。繼乃通和。和戰守三者迄今未定。直繪出一無定識定力之人。

因告羅殺人者。雖赦必誅。居仁此舉。他人所未易及。

書杜楊張呂傳

黃金不行於反間。而以探刺朝廷。厚賜不優於士卒。而以交通勢要。後世類此者衆矣。有杜範爲之一一舉數乎。噫。

書吳汪陳王傳

汪綱謂淮地西有鐵冶。東富魚稻。足以自給。淮右多山。淮左多水。足以自固。合兩淮爲一家。兵財通融。聲氣合一。雖不假江浙之力可也。此數語簡要可喜。

王霆謂士大夫當以世從道。道可轉移世運也。不可以道從世。道不隨世運轉移也。

書高高張唐傳

齊崔杼雖戮史官。終不敢易史一字。晉趙盾爲法受惡。更無論已。故孔聖有所藉以成春秋。而亂臣賊子懼焉。後代則亂臣賊子或豫以私人掌史事。或俟史成而剿入邪說。故修史者靡所藉以成信史。而是非或謬於聖人。觀史嵩之有改高斯得所草寧宗紀末卷事。不禁廢書而歎也。

書婁沈曹范徐傳

曹彥約病夫議。有今廟堂之上患士大夫不奉行詔令。惡士大夫不恪守忠實。雖用之以人參之。雖付事權。又從中御以繫維之。致使知事者不敢任事。畏事者常至失事。卒有緩急。各持己見云云。實後世所當深戒。

書梁蔣牟朱歐陽傳

牟子才於理宗時首言大臣不公不和六事。次陳備邊三策。後又極陳時政得失。且請蚤立太子。又言今日有徽欽十證。請爲濟王立後。皆犖犖大端。而徽欽十證尤人所不敢論及。

子才李白祠記。謂白令力士脫鞾。非直以氣陵亢而已。蓋以爲掃除之職固當爾。所以反其極重之勢也。太白地下有知。讀此應亦首肯。

書孟杜王楊張陳傳

孟珙屢立戰功。不愧名父之子。破蔡滅金。厥功尤著。後守江陵。障沮漳而東之。俾繞城北入漢。三海遂通爲一。三百里間渺然巨浸。蓋以水限蒙古馬足。與破蔡滅金時決柴潭使涸。實以薪葦。惟恐我師莫濟者。其用智雖異。而欲勝敵一也。蓋攻守之勢異也。又元史張柔傳。有遺張信據其內隍。諸軍齊進。金主自殺等語。速不台傳亦有進圍蔡州。蔡州破。金主自焚死等語。然則珙特助元破蔡。用力獨多耳。不可謂爲一人之功也。

余思忠徐制幾讒王登於馬光祖。謂京湖知有王景宋（字登）不知有馬制置。蓋學范雎秦安得王。秦獨有、太后穰侯二語而變化之耳。

張惟孝一則曰朝廷負人。再則曰朝廷負人。此四字實足令英雄短氣。寇盜生心也。

書七趙傳

趙汝談巴蜀一人。荆襄一人。兩淮各一人。一切便宜行事。不從中御。庶幾伸縮由己。機用出心云云。計誠未謬。然宋懲藩鎮之禍。列祖列宗不敢如此。而以望理宗得乎。

書史鄭史董葉馬傳

史彌遠疏晉邊事。遂翦侂胄。處相位十七年。觀其復和局。而謹邊備。正誣史而直僞學。於益國利人之言。似亦克踐。迨寧宗崩。乃廢濟王。立理宗。獨處相位又九年。欺天罪大。不僅臧文仲竊位之譏矣。

書傳葛曾黃袁危程羅王傳

袁韶父不以趙知府女爲妾。且贈金俾得葬父。此善人。且韶父也。而名竟不傳。何哉。

書吳余汪向胡冷曹王馬傳

吳淵知隆興府。會歲大祲。講行荒政。全活七十八萬餘人。知鎭江府。歲亦大祲。因淵全活者六十五萬餘人。知平江府。歲亦大祲。因淵全活者四十二萬餘人。可謂生佛。而所至嚴酷。好羅織。致有蜈蚣之謠。何也。憫凍餒而嫉豪橫。殆天性與。（淵有退菴文集清吳士鑑亦號退庵）

余玠優禮冉璡冉璞。遂得徙合州以保蜀地。聽楊成言夜斬王夔。遂去夜叉（夔有夜叉之稱）以安蜀人。此可法者也。遣都統金某帥三千騎代姚世安。內無密應。世安又未去虎穴。是迫世安負嵎。且令其下不得不擁護世安也。此可戒者也。

汪立信上策中策皆不用而不怨。元兵大舉。宋垂滅而亟以死報國。伯顏歎爲忠臣也宜哉。有人請戮其孥。不解是何肺腸也。

胡穎殺蛇毁寺並罪僧。甚是。蓋僧輩藉蛇神寺俾便惑衆歛香火貲耳。

書喬范游趙謝傳

仁宗始雖多事。乃以憂勤致治。此乾三所以貴夕惕也。徽宗始雖無事。餘患至於今日。此坤六所以戒履霜也。

趙范謂揚州國之北門。一以統淮。一以蔽江。一以守運河。不可無備。今若設寶應天長二屯以扼其衝。復建二三帥閫以張吾勢。賊將不知所攻。而敢犯我揚州哉。此先爲可戰而後其守乃固也。

謝方叔未相以前。所論大抵責難於君。或邊事。未敢有所攻擊。蓋惟恐得罪小人也。既相以後。相業無稱。於洪天錫論宦者盧允升董宋臣事。噤不一言。是始終以祿位爲念。非眞欲引君當道。望天下長治久安也。而卒被允升宋臣斥逐以去。祿位果遂無恙耶。早知如此。悔不當初。可哂也已。

書吳程江王章陳文傳

江萬里鑿池備沉。毫不猶豫。可謂從容就義矣。與文天祥同傳固宜。

宋事至文天祥時。誠不可爲。然果如所陳。分天下爲四鎭。以廣西益湖南。建閫長沙。以廣東益江西。建閫隆興。以福建益江東。建閫番陽。以淮西益淮東。建閫揚州。使其地大力衆。足以抗敵。敵未必無備。多力分疲於奔命之事。而陳宜中等不克從。大勢遂終不可支矣。噫。

苗再成謀先以淮西兵趨建康。使敵悉力扞吾西兵。然後指揮東諸將。以通泰兵攻灣頭。以高郵寶應進安兵攻揚子橋。以揚兵攻瓜步。而自以舟師直擣鎭江。同日大舉。灣頭揚子橋皆敵脆兵。攻之卽下。更合攻瓜步三面。而自以舟師自江中一面薄之。瓜步既舉。卽以東兵入京口。西兵入金陵。要浙歸路。敵大帥可坐致云云。天祥大稱善。而亦不幸未由見諸行事。天殆久厭宋德矣。

方石嶺之敗。監軍趙時賞詭稱姓文。以脫天祥。頗似紀信代漢高。而臨刑叱劉洙勿辯。尤與張巡呼南霽雲南八男兒死耳語相類。

宋史成於元臣。而極力褒贊天祥。雖曰爲胡元計。以忠義勸來者。要亦不愧良史。

書宣薛陳曾鄭李鄒余許林徐別劉金李陳傳

趙與莒乃金保長外孫、一變爲齊王後、再變爲宋理宗。雖曰姓趙。於太祖太宗何與。史彌遠懼他日爲濟王所誅。密謀廢立。指鹿爲馬。宋事至理宗遂不可救。此眞姦臣。而史未以彌遠入姦臣傳何耶。

書王鄭應徐李王蔡張馬朱饒戴皮沈傳

王伯大對理宗、有搢紳之論、始期太平。繼言危亂、繼置危亂不言而以亡言。後且置亡不言、嗚呼。此豈獨宋末然耶。三復此傳。不知涕之何從也。

書楊姚包常陳常家李傳

家鉉翁以亡國大夫爲諸生談宋故事及宋興亡之故。不若顧亭林王船山輩著述垂後、猶可使萬世知所法戒也。

李庭芝守揚。國亡不降。糧盡不降。被執不降。足與文天祥比烈矣。

書林劉許應曾徐度牛程梁李傳

史彌遠廢濟王而立理宗。程珌乃與同惡相濟。一夜草矯詔二十有五。小人往往有才。可恨也。

遇歲凶飢。閉糴强糴。事所恒有。實亂端也。陳仲微在莆田戮首亂者。籍閉糴。抑强糴。一境以肅。甚可法。

書吳徐李王史陳趙李黃楊傳

楊大異爲安遠尉。有峒寇擾民。積年弗獲。大異以一僕負告身自隨。肩輿入賊峒。傳呼尉至。賊露刃成列以待。大異諭以禍福。皆伏地叩頭。願改過自新。留告身爲質。借渠魁數輩出降。此誠不愧民父母也。

書陸徐趙趙孫洪黃徐孫李傳

盜刼吳大椿而官諱盜。誣大椿與兄子爭財自刼。且編置大椿千里外。因諱盜一念而顚倒黑白至此。可歎可恨。孫子秀克平反之。蓋甚難得。

書劉潘洪趙馮徐徐危陳楊謝傳

焦山僧乃爲丁大令致意馮去非。不惟有玷佛門。且辱焦山矣。雖然。僧之若是者豈少也哉。

謝枋得謂江南無人。求一王倫且無之。雖曰怒罵。實極痛心。

郭少師自北歸與謝枋得論時事。謂胡元無意江南。屢遣使使頓兵毋深入。待還歲幣卽議和。兵交二年。無一介行李之事。乃挈數百年宗社而降。因相與痛哭。可見國弱宜和。不宜以戰爲名高。轉受不必遽得之禍也。況胡元以前。未有統一九州者。恐其力未足下江南。卽下。德亦未足以服之。故始意但慕元魏遼金也。

讀宋史蠡述卷五

岳陽李澄宇洞庭著

書循吏傳

宋法吏犯贓遇赦不原。後世所當法。而或不然。是縱吏虐民。適賊邦本也。

陳靖之言多泥古。其治行又不可考。不宜入循吏傳。

張逸知益州。而華陽騶長殺人誣道旁行者。縣吏受賕具獄。且使殺人者守囚。逸察囚色寃。守者氣不直。乃曰豈守者殺人乎。而守者果服。聖門重察言觀色有以哉。

書道學傳一

論語謂夫子之道忠恕而已矣。又謂事父母能竭其力。事君能致其身。與朋友交言而有信。雖曰未學。吾必謂之學矣。道不遠人。學自近人。初何嘗別創道學之目以自矜寵哉。書曰惟聖罔念作狂。惟狂克念作聖。聖狂止爭一念耳。又曰天降下民。作之君。作之師。師爲民作。非爲一二人或數十人作也。抑何必別創道學之目以爲此外無道哉。

周子著太極圖說。爲道學開山祖。故以冠此傳。

孔子明言易有太極。而周子乃云無極而太極。蓋此句而字宜輕讀。卽老子恍兮忽兮其中有物。忽兮恍兮其中有象也。非無極一境界。太極又一境界也。孤陰不生。獨陽不長。故自有太極以來。無孤陰孤陽之時。乾純陽用九。坤純陰用六。卽此理也。夏至一陰生。冬至一陽生。亦此理也。今曰太極動而生陽。動極而靜。靜而生陰。靜極復動。一若動未極之時無陰。至靜乃生。靜未極之時無陽。至動乃生。而實非也。惟動中有陰。故動有極時。靜中有陽。故靜有極時。物極必反。故又曰一動一靜。互爲其根。

大程學養兼到。故能遇事優爲。雖當倉卒。不動聲色。

哲宗盥而避蟻。伊川謂推此心以及四海。帝王之要道。蓋卽孟子以羊易牛是心足王之說也。

張子西銘與周子太極圖說並美。然西銘但言旣有天地以後。太極圖說則上溯未有天地以前。

邵康節遇事前知。伊川以爲其心虛明。自能知之。蓋即中庸至誠前知之說。

書道學傳二

凡程朱門人皆入道學傳。所謂顏淵雖篤學。附驥尾而名益顯也。

夏禹不矜。就事功言也。謝良佐去矜。就學業言也。果能於學業去矜。於事功自亦不矜矣。

楊時請詔有司條具祖宗之法。宜於今者舉行。當損益者損益。元祐熙豐姑置勿問。一趨於中而已。甚得化除黨派之法。

今日之事。當以收人心爲先。人心不附。雖有高城深池堅甲利兵不足恃也。此楊時深達治理語。古云天視自我民視。天聽自我民聽。民之所好好之。民之所惡惡之。胥此旨耳。

羅從彥令李侗靜中看喜怒哀樂未發前氣象。而求所謂中者。久之而於天下之理該攝洞貫。以次融釋。各有條序。與釋氏由定生慧說頗同。

朱子對孝宗有羣少相挺。人人皆得滿其所欲。惟陛下了無所得。而顧乃獨受其弊。等語。深切著明。可謂盡言。又六事疏以正心爲綱。亦扼要。

書道學傳三

宋人之排擠道學。可笑可恨。始而劉德秀目爲僞學。而胡紘有僞學猖獗。圖爲不軌等語。繼而劉三傑目爲逆黨。而姚愈有道學權臣結爲死黨。窺伺神器等語。信口誣謗。殆若訟師漢黨錮後。又一奇觀也。

正使彼實可圖。懼我未足以圖彼。張栻此語最警切。木雖易伐。我非斧斤奈木何哉。

眞道學類能治事。蓋萬事莫不有理。得其理自無不治之事也。豈獨張栻然哉。

書道學傳四

黃榦丁母憂。與學者講學墓廬。亦守服一法。

李燔謂洞寇作亂。豈必皆惡。誠以吾有司貪刻者激之。及將校之邀功者逼成之耳。

反是而行則皆民矣。古今寇盜皆若是。安得常有李燔其人乎。噫。錢荒楮涌、子母不足以相權。宋時已有此弊。可歎。然無論何時。錢實不荒。以楮涌而匿錢。或別有聚錢者。顧縱楮虐民。而自射利。錢遂不得不荒也。是亦西人所謂惡貨幣驅逐良貨幣也、

朱子謂陳淳所學已見本原、而闕下學之功、夫下學無非爲上達計耳。既已上達。而必無書不讀。無物不格。日積月累。然後義理貫通。洞見條緒。是嚮所謂已見本原者殆虛語矣、惟狂克念作聖、一日克己復禮。聖學固不若是艱阻也。以艱阻爲聖學。倡道學者之過也。

弟子入則孝。出則弟。謹而信。汎愛衆。而親仁。行有餘力。則以學文。此至聖教人之言也。事父母能竭其力。事君能致其身。與朋友交言而有信。雖曰未學。吾必謂之學矣。此大賢勉人之言也。由是觀之。學豈僅在讀書格物哉。夫顏淵好學。必曰不遷怒。不貳過。曾子傳道。必曰誠其意。正其心。畔倫常綱紀非學。舍身心性命無學。此儒教所

由可獨善可兼善。可小康可大同也。

書儒林傳一

清曾國藩嘗以義理考據詞章言學。蓋義理卽宋史道學。考據卽宋史儒林。詞章卽宋史文苑也。儒林而僅僅考據。此道學所由分傳歟。經明而行修。通經以致用。庶幾卽儒林卽道學耳。

田敏篤於經學。而好爲穿鑿。至改盤庚若網在綱爲若綱在綱。可哂。然此殆經生通病。無怪言道學者斥爲玩物喪志也。又道學如朱子。亦有改在親民爲在新民事。

書有板本。始於宋太宗刻唐李穎達五經正義。故言板本者以宋爲準的。然當時有由田敏删去者。太宗命李覺孔維更詳校之。蓋不以敏所删去爲是。因詳校而一一補入也。蓋至是而宋板乃眞可貴也。

書儒林傳二

胡旦能上平燕議。且著將帥要略。亦可謂通經致用。惜狂躁黷貨。於經明行修四字未免有愧耳。

石介慶曆聖德詩。頗效韓愈平淮西碑。雖皆以是得罪當世。而文益傳播。文之不可掩也如是夫。

王回敦行孝友。質直平恕。告友一篇。尤得論語以友輔仁意。經明行修。不愧儒林也。

書儒林傳三

楊萬里上孝宗書。懇切洞達。不圖儒林傳乃見此作。韓侂胄屬爲南園記不應。寧槁臥至死。不圖楊萬里乃有此勇。（陸游猶爲賈似道作半閒堂記）

書儒林傳四

呂祖謙以寬大忠厚建立規模。以禮遜節義成就風俗。宋實遠過前代。然文治可觀而武績未振。名勝相望。而幹略未優等語。可作宋史總論讀。

蔡元定朱子所敬服。其爲學要旨與朱子甚類。不解何以未同邵康節移入道學傳。

陸子宜入道學傳而未入者。宋史元修。元重程朱。而陸學實異程朱也。陸不必他求之說。即陽明良知論所祖也。雖陸王並出孟子。而陸固王近祖也。

薛季宣謂齊威之覇。不在阿即墨之誅賞。而在毀譽者之刑。實發前人所未發。善論古者不當如是耶。

書儒林傳五

新修之史果良。舊文自就湮滅。不必如魏收撰魏書。悉焚崔李舊書也。范冲修神宗實錄。爲考異一書。明示去取。舊文墨書。删去者黃書。新修者朱書。世號朱墨史。蓋甚可法。

胡安國謂高宗建都未有必守不移之居。討賊未有必操不變之術。立政未有必行不反之令。任官未有必信不疑之臣。高宗面目肺腑以數語畫出之。蓋甚難得。

胡寅上高宗書。責高閌書。皆入木三分。

書儒林傳六

陳亮上書孝宗。有今世儒士自以爲得正心誠意之學者。皆風痺不知痛癢之人。舉一世安於君父之讎。低頭拱手。以談性命。不知何者謂之性命云云。蓋深惡道學傳諸人。然君相主和。手握兵柄者且皆召回。儒士無拳無勇。豈能遽以筆舌救國乎。孔子作春秋。程朱談性命。意別有在。固無足怪。

鄭樵甘枯淡。何至切切於仕進乎。即切切於仕進。與古人三月無君則皇皇等耳。識者何至以是少之乎。宋史若此類者往往而有。可怪也。

書儒林傳七

程迥所爲。大抵循吏事。然不入循吏傳而入此傳者。能以經義斷獄。且經史著述甚富也。又劉淸之所爲。頗類迥。亦入此傳。

南渡諸帝用人。每爲權要所左右而不自知。前之用人不疑之明。後又徒有用才不盡之恨。讀史者豈徒爲魏了翁一哭哉。

書儒林傳八

何基師事黃榦。實朱子再傳弟子。而王柏師事何基。乃云大學致知格物章未嘗亡。

還知止章於聽訟之上。謂中庸古有二篇。誠明可爲綱。不可爲目。定中庸誠明各十一章。卓哉獨見。顯與朱子立異。豈必入道學傳也。

書文苑傳一

朱昂雖能文。而署所建二亭曰知止曰幽棲。史亦稱其純厚有濟節。澹於榮利。匪尋常文士可比。宜入諸臣傳。不宜置此傳。

書文苑傳二

柳開有文武才。雖嘗仕宦。猶未遇也。宜與儒林傳陳亮輩入諸臣傳。夏侯嘉正洞庭賦有傑立而孤。廓然如無區。其大無徒。含陽字陰。玄神之都。太陽望舒。出沒其間。東湊海門。一浪千里等語。甚切。

書文苑傳三

徐鉉臨終署道者天地之母六字。蓋黃老要義。又說文解字韻譜序有考先賢之微旨。暢許氏之玄旨。正陽冰之新義。折流俗之異端云云。亦妥。

書文苑傳四

穆修有言。吾寧糊口爲旅人。終不以匪人汚吾文。又母死自負櫬以葬。日誦孝經喪記。不用浮屠爲佛事。均非尋常文士所爲。

石延年與劉潛造王氏酒樓對飲。終日不交一言。至夕無酒色相揖而去。此莊子所謂莫逆於心者。宜都下以爲仙來也。

劉潛以哭母死。其妻以哭夫死。宜分入孝義傳列女傳。不宜附此傳。

尹源唐說謂唐之弱以河北之彊。唐之亡以河北之弱。極有史識。又叙兵謂唐之失失於諸侯之不制。非失於外兵之彊。故有驕將。罕聞有驕兵。宋之失失於將太輕而外兵不足以應敵。內兵鮮得其用。故有驕兵不聞有驕將。亦甚透闢。

書文苑傳五

梅堯臣論詩。謂必能狀難寫之景如在目前。含不盡之意見於言外。然後爲至。非眞詩人不能作此語。亦非眞詩人不能味此語。

蘇洵心術篇。士以義怒。可與百戰。凡將欲智而嚴。凡士欲愚。古之賢將。能以兵嘗敵。而又以敵自嘗云云。後世大將所宜讀。又遠慮篇曰經者天下之民舉知之可也。曰權者羣臣知之可也。曰機者腹心之臣知之可也。聖人之任腹心之臣也。尊之如父師。愛之如兄弟。百人譽之不加密。百人毀之不加疏。後世大君所宜讀。

持縑索文同畫者。足相躡於門。同厭之。投縑於地罵曰。吾將以爲韈。蓋同未嘗立潤例。難免此苦也。

書文苑傳六

黃庭堅母病彌年。晝夜視顏色。衣不解帶。母亡廬墓。哀毀得疾幾殆。篤孝若此。不圖於文苑見之。又陳師道高介有節。安貧樂道。劉恕家貧。一毫不妄取於人。皆匪尋常文士。

李廌喜論今古治亂。條暢曲折。辯而中理。當喧溷倉卒間。如不經意。睥睨而起。落筆如飛馳。與王勃腹稿頗類。

晁補之字無咎。而王無咎字補之。一則王安國一見奇之。一則從王安石學。是二人實同時而顛倒名字者也。亦可異矣。

書文苑傳七

陳與義不妄言笑。雖謙以接物。內剛不可犯。朱敦儒有文武才。而志行高潔。皆匪尋常文士。

書忠義傳一

曰進思盡忠、曰義以制事、就常時言也。曰忠不怕死。曰舍生取義。就變時言也。有常時忠義、國可不至亂、有變時忠義、國卽亡、正氣不與之俱亡。

蘇緘誓死守城。或竟致賊囊土傳城。可恨。

金邀欽宗、李若水實贊其行。直至金人逼帝易服。然後抱持而哭、何見之晚耶。雖曰忠臣效死、死未必遂無咎也。噫。

楊震（與漢楊震同名）守建寧、砦兵不滿百。矢盡力乏。闔門殉難。甚可敬仰。又朱昭守震武城。

城且破、殺妻子納屍井中。然後與戰、中矢以死、更爲難能。

書忠義傳二

李涓陣亡。而上官忌涓者、尙脅亡卒誣涓遁、可恨。

書忠義傳三

池凍而金人藉冰梯城。不攻可入。郭永在大明府。乃先弛濠漁之禁。人爭出漁。冰不能合。可謂智矣。使宗澤不遽死。倚澤必有所建樹。不僅死爲義鬼也。天奪澤去。永乃與張益謙裴億爲伍。此非永之不幸。而宋之不幸也。噫。

崔中斬張忠輔、然後以崞縣降敵、蓋忠輔不死、城可破。斷不自開也、而事後卹典忠輔不與。則朝廷之咎耳。忠輔魂魄有知。寧復恨此哉。

李彥仙保陝以固蜀。大小二百戰。金人不得西。而曲端疾彥仙威名出己上。不肯援。甚可恨。又趙立守楚州。張俊劉光世皆不肯援。蓋亦忌立有功也。

書忠義傳四

吳安國我首可得我節不可奪云云。可與嚴顔有斷頭將軍無降將軍語並傳。

金將大用滕茂實。而茂實自爲哀詞。且篆宋工部侍郎滕茂實墓九字以授董詵。此志何減文山耶。

曹友聞智勇兼具。屢建奇勳。展其驥足。可任閫帥。惜彥吶不曉兵計。不諳地勢。必令友聞去沔陽而控大安。遂致戰歿也。然亦非友聞不幸。實宋不幸也。

陳元桂知臨江軍。以死守城。謂時事如此。與其死於飢饉。死於疾病。死於盜賊。孰若死於守土之爲光明俊偉哉。可謂能擇死所矣。

李芾守潭州。闔門殉難。（帳下沈忠亦殺妻子自刎）烈烈轟轟。信非易事。幸早遣裕孫出險。留以奉祀。否則以身許國。君臣之義。以家許國。獨不念宗祖血食乎。

趙卯發守池州。夫妻同死。自書几上曰。君不可叛。城不可降。夫妻同死。節義成雙。可與文天祥孔曰成仁。孟曰取義。而今而後。庶幾無愧。並傳。

唐震守饒州。城已破。僕請急遁。震謂城中民死。我何面目生耶。能爲此語。不愧民父。

書忠義傳六

民豈樂爲盜哉。時艱歲旱。故相率剽掠苟活耳。趙良淳此語。足令良善愧悔。故諭以禍福即散。良善去矣。不良善者孰與爲盜乎。古貴釜底抽薪。此類是也。

馬塈守靜江於宋亡之後。虎死不僵。無所爲而然。甚可欽異。其部將婁鈐轄擧二百五十人一炮燼之。無一生降。更古所未有。惜其名不傳。至今但稱其姓也。豈豹死不必留皮。人死不必留名與。噫。

南渡已是小朝廷。況厓山絕島。而望中興耶。然張世傑陸秀夫竟以是炳炳萬古。蓋知其不可而爲之。較新朝佐命銘鐘鼎而紀竹帛者。其難易相去霄壤。非有天地正氣者必不克如此。且不願如此也。此其所以可敬也。

徐應鑣與子琦崧女元娘共焚不死。更投井中。父如此難能。況子若女乎。

書忠義傳七

高宗時翟興鎭撫河南。劉豫不敢都汴。金人不敢犯諸陵。可謂虎視。而裨將楊偉乃爲豫殺與。不知於彼究有何利。而甘受千載罵名如此也。

吳楚材以不錯答婁南良。辭嚴義正。足令爲敵任事者愧死。而南良僅僅語塞。顏抑厚矣。

書忠義傳八

張玘忠勇克副厥謚。然死以流矢。且敵已解圍。與見危授命者有別。當入諸臣傳。不宜置此傳。

劉晏（與唐劉晏同名）援宣城。未立營壘、直擣戚方帳下。方大驚。卻走。晏軍騎追之。雖手殺敵數十人。終被賊害。此蓋恃勇輕敵。不足爲訓。亦宜入諸臣傳。

書忠義傳九

劉子俊劉沐孫栗彭震龍蕭燾夫張汴呂武鞏信蕭明哲林琦蕭資徐臻金應何時均宜附入文天祥傳。

劉士昭太和一鍼工耳。而亦血指書帛云。生爲宋民。死爲宋鬼。赤心報國。一死而已。

因以帛縊。甚難得。可與文天祥孔曰成仁孟曰取義並傳。

書忠義傳十

陳東請復李綱職、而罷李邦彥等。且勿割地議和。未必非是、然率數萬人撾壞登聞鼓。欝磔中人。迹近叛亂。則實未可爲訓。與初請誅蔡京梁師成李彥朱勔王黼童貫時僅僅上書者異矣。二帝北狩。高宗即位。東更激於義憤。一再高論。卒爲黃潛善所害。死固自甘。於國果何所裨耶。噫。

馬伸請張邦昌速迎高宗。易服待罪。邦昌氣沮謀喪。終不敢南面而聽天下。雖曰伸妙辭令。要亦邦昌尙有人心。不若豫逆甘作虎倀也。

書孝義傳

呂昪剖腹探肝以救父疾。王翰抉右目睛以補母目。事駭聽聞。未可爲訓。然猶於父母有裨也。而劉孝忠乃以親故於佛像前割雙股肉注油創中。然燈一晝夜。不識與親何涉。此種孝行。與論語孟子禮記孝經所言皆大異。不必入傳。

書隱逸傳上

史但言陳摶每寢處多百餘日不起。而小說乃有陳摶一睡千年語。何耶。种放母誡放。有身既隱矣。何用文爲。果爲人知。而不得安處。我將棄汝深入窮山矣。等語。賢哉母乎。介推母不足專美於前矣。

書隱逸傳中

張愈妻蒲芝爲文誄夫。可與柳下惠妻誄夫事並傳。

松江漁翁養志者忘形。致道者忘心。心形俱忘。視軒冕如糞土云云。蓋莊襟老帶之流也。可與荷蕢接輿事參看。又順昌山人但知有熙寧紀年云云。可與陶淵明桃花源記參看。

南安翁歷典州郡。而忽隱逸。蓋宦海中傷心人。入山惟恐不深也。

書隱逸傳下

人有八行。分所應爾。未可矜異。故徐中行有人而無行。與禽獸等。使吾以八行應科目則彼不被舉者非人類與云云。

書卓行傳

卓行傳即范氏獨行傳。蓋不忍沒人一善。良史固當若此也。

未婚妻喪明而不改娶。已難能。既生數子而死。不肯復娶。更難能。劉庭式有此卓行。取以冠首宜哉。

徐積以父名石。終身不用石器。且不踐石。母亡悲慟嘔血。廬墓三年。宜入孝義傳。

書列女傳

女不幸墮入娼家。自潔誠萬難。若郝節娥則幼鬻良家爲養女。實早脫火坑。斧而奪歸。逼令世娼。紅顏無命。奈之何哉。而娥竟投江保節。可敬。

已爲人婦。誓殉誓守。尙非易易。況在室未嫁。爲賊所迫。從容就死。以保厥家。且克全節。若貝州趙氏。乎張寅有趙女詩。詩固宜爲此等事作也。

張氏女以死明母冤。極難得。然官吏憒憒。至令張氏女以死明母冤。抑誠可殺。

謝枋得妻李氏克爲夫死。不足爲異。所異者慷慨就俘。從容就義。不以己故累衆也。

毛惜惜身爲妓女。寧死不事叛逆。不圖天地正氣。遽鍾此輩、可敬也已。

書方技傳上

斧聲燭影。太宗有弒兄之疑。茲云馬韶既夕造程德玄。謂明日乃晉王（太宗）利見之辰。詰旦太宗入謁。受遺踐阼。筆意閃鑠。殆亦傳疑也與。

書方技傳下

賀蘭棲眞柴通玄甄棲眞僧志言僧懷丙魏漢津王老志王仔昔林靈素莎衣道人均宜依舊史入老釋志。賀蘭尤無一字近方技。

書外戚傳上

無外戚之禍。且有后妃傳。此傳本可不作。有必紀錄者入后妃傳或諸臣傳可也。

李飛雄詐稱密使巡邊。縛周承瑨田仁朗王侁梁崇贊韋韜馬知節劉文裕。而文裕能察李詐。且與仁朗禽李。其智勇實甚難得。然視淸丁寶楨之戮安得海。抑又似易。

蓋李詐而安匪詐。且有西后可倚也。

書外戚傳下

外戚盛雖或爲禍。然亦足隱制權貴。當寧宗崩時。楊谷楊石若與名郡或在大位。何至懼禍而爲賈似道白后廢濟王立理宗乎。絶患於此。患乃伏於彼。天下事往往然也。噫。

書宦者傳一

唐虞夏商未聞閹寺之名。而君臣往往一德。蓋君臣與同室兄弟等。閹寺固可有可無也。秦漢唐宋皆有宦豎之禍。而君臣往往異體。蓋君臣與逆旅主客等。宦豎乃最暱最近也。

周懷政謀奉眞宗爲太上皇。傳位太子。名爲內禪。實卽廢立。此事果成。何異唐禍哉。

江東有僧請修天台壽昌寺。且言寺成願焚身以報。衛紹欽卒焚此僧。雖曰少恩。抑亦快事。

書宦者傳二

劉惟簡請併賜病軍。極爲有見。未可以宦官少之。

書宦者傳三

章惇誣元祐諸臣結陳衍謀廢立。獄未能具。乃奏衍疏隔兩宮。並翦除人主腹心羽翼。意在動搖。大逆不道。周內至此。衍烏得不死乎。噫。

宋仁宗號爲明主。而閻文應能廢郭后。且潛弑之。又擅出楊尙二美人。並毀陳子城女使。不得爲后。宦者之勢力可想。呂夷簡乃暗結此輩。悲夫。

任守忠傳前有章獻后聽政。守忠與都知江德明等交通請謁。權寵過甚。後有守忠久被寵倖。用事於中。人不敢言其過。殆亦張六郎之流與。

童貫以宦者典兵。不幸有功。敗則諱之。徽宗不察。厚見信任。遂致約金滅遼。遠取北狩之辱。漢唐宦者之禍。何嘗至是哉。司馬光通鑑謂漢宦官不握兵。唐握兵。故漢宦官假人主之權以濁亂天下。唐宦官制天子如嬰兒。廢置在手。絳王及文武宣懿僖昭六帝皆其所立。可參勘。

梁師成竄名進士籍中。又自稱蘇軾出子。且以翰墨爲己任。四方俊秀名士必招致門下。蓋以徽宗重書畫。多方冒託。庶售其奸也。

書宦者傳四

苗傳劉正彥等切齒中官。共起殺之。遂謀廢立。蓋深悉高宗庸闇。未足中興宋室也。事敗書反。且列名叛臣傳中。向使事前得太后密令。事後有大臣力助。何至是耶。噫。

書佞幸傳

太宗既令中使殺侯莫陳利用。復遣使貸其死。而後使馬乃旋濘而踣。致前使先至。竟誅利用。此中殆有天焉。非人力所能彊也。

王黼促童貫取燕。朱勔藉花石綱擾民。一開邊釁。一失民心。已以是誅。宋亦以是滅。蟻穴潰隄。可勝歎恨。

明魏忠賢徧建生祠。而宋王繼先乃先有此事。足見佞幸與宦寺用意相類。

書姦臣傳一

蔡確詐使吏爲使者慮問囚。稱寃輒苦辱之。蓋料神宗必遣使審直。而先以此試之。使不敢復有所言也。趙高於李斯獄亦嘗若此。確可謂善學趙高者哉。

蔡確以起獄奪位。以故制掠權。信皆小人之爲。入此傳宜也。

司馬光於安石有安石賢而愎。不閑世務。惠卿爲之謀主。而安石力行之。故天下幷指爲姦邪云云。此安石所以不入姦臣傳。而惠卿末由避免也與。

書姦臣傳二

蔡京権江淮七路茶。官自爲市。盡更鹽鈔法。凡舊鈔皆弗用。大罪一。擢童貫爲節度使。大罪二。倡豐亨豫大之說。啓帝侈心。累朝所儲。遂若糞土。大罪三。事無巨細。故作御筆密進。匄徽宗親書以降。大罪四。大興工役。敺兩河之民。愁困不聊生。大罪五。有此五罪。靖康之禍所由烈也。

蔡京以中旨用童貫爲陝西制置使。蔡卞謂不宜用宦者。異時必誤邊計。且因此求去。卽此觀之、卞愈於京也遠矣。

庸闇若趙良嗣。卽建滅遼之議。未足爲罪。可罪者宋廷君相不宜謬信此議耳。況事定請退、又爭納張覺事。其人豈姦臣比哉。又張覺藉防蕭幹爲名。不肯降金。且欲爲遼復讎。亦與歷史所謂姦臣者弗類。皆宜附其事於外國傳。不可入此傳。

郭藥師降金。非姦臣。乃叛臣耳。不宜入此傳。

書姦臣傳三

軍士殺黃潛善。而黃鍔以同姓故。李代桃僵。殆亦死生有命耶。可歎。

汪伯彥庸臣耳。未足爲姦臣也。入此傳何耶。

秦檜上兵機四事。有金人狙詐。守禦不可緩語。且不贊割三鎭議。可見檜亦非一味主和者。

檜既知屈己議和。人主之孝。懷憤不平。人臣之忠。則和戰二說。皆不可謂罪明矣。而他日乃必殺岳飛父子。與始見剌謬何耶。

書姦臣傳四
秦檜以議和入姦臣傳。韓侂冑賈似道又以不議和入姦臣傳。蓋檜侂冑似道皆以小人賊君子。非盡關議和與否也。
元世祖遣郝經等申好息兵。而似道密拘其使。不以上聞。遂致元兵深入。宋祚永終。似道肉不足食。而理宗寵任似道。信亡國之主也。

書叛臣傳上
命張邦昌爲河北路割地使。此種事前所未有。既正名割地。後又變議。致邦昌爲敵所立。此種事亦前所未有。
邦昌始欲引決。後不許王時雍稱陛下。終聽呂好問言奉迎元祐皇后歸位康王。此眞高宗御批所謂原其初心出於迫脅者也。李綱必欲置諸死地。史氏且復目爲叛臣。實皆過苛。雖然。邦昌前不死於受册之日。後不死於復辟之時。抑亦爲人臣未知春秋之義。遂受惡名者與。噫嘻。

劉豫河北種田叟。（徽宗語。又史稱李全北海農家子）知濟南時。金啗以利。卽畜反謀。殺其將關勝。納欵於金。金旋册豫爲大齊皇帝。此與邦昌者大異者一。豫册母翟氏爲皇太后。妾錢氏爲皇后。且尊祖父爲皇帝。改元阜昌。此與邦昌大異者二。劉長孺勸豫反正。豫囚之。且大索宋宗室。此與邦昌大異者三。豫都汴京。曲赦汴人。發掘兩京冢墓。此與邦昌大異者四。豫屢入寇。且引金人分道內犯。此與邦昌大異者五。由是觀之。叛臣傳必去張邦昌。而首列劉豫。次吳曦李全等方允。

書叛臣傳中

張惠望槍及李全若有縶其馬足而止者。全得不死。小人不義之富貴。鬼神且豫呵護耶。可歎。

書叛臣傳下

李全妻楊氏獻媚夏全。轉仇爲好。遂逐劉琸。夏反見拒。後乃歸金。婦人可顛倒衆生。信哉。然李全死後。楊氏有二十年梨花槍天下無敵手。今欲歸老漣水云云。婦人若此亦豈易有哉。

書南唐李氏世家

景失淮南。畫江爲守。而周世宗以外國禮待之不復深入者。北有北漢與契丹。不宜僅疲國力討南耳。宋太祖斬杜著。配薛良。用意亦同。

樊若水獻策造浮梁濟江。可與鐵鎖沈江事並傳。

書西蜀孟氏世家

昶不違母言。擇將未善。致失舊物。而昶卒後母乃不食而卒。賢哉母乎。見孟祥地下無怍矣。

西蜀之亡。高彥儔獨能死難。可敬。

書吳越錢氏世家

杭州災。俶爲民請命而災頓止。亦庶幾至誠感神矣。

書南漢劉氏世家

嶺南蕞爾地。而鋹有中官七千餘。有內三師三公。女官亦有師傅令僕之號。羣臣小過。及士人釋道有才略者。皆下蠶室。令得出入宮闈。且作燒煮剝剔刀山劍樹等刑。或令罪人鬭虎抵象。又賦歛煩重。桀紂之惡尚不至是。割據時民不堪命可勝究耶。太祖曰吾當救此一方民。信王言哉。

書北漢（五代史記作東漢）劉氏世家

太祖以汾水灌晉陽時。契丹援絕。城內氣沮。若不班師。破之必矣。何必待太平興國四年太宗親征哉。殘喘苟延。殆亦劉祚未戳與。

抱腹山人郭無爲始謁周祖。固將有爲。左右譖沮。遂拂衣去。他日乃爲北漢相。死繼元手。有才無命若此。何如終無爲哉。

書周高留陳世家

馬氏專有湖南二十州之地。苟非兄弟爭國。何至邊鎬劉言王進逵紛紛爲周行逢驅除。使行逢遂霸湖南哉。槐柯一夢。亦若冥冥中有主之者。未可僥倖也。噫嘻。

行逢臨終雖有諸公善佐吾兒無失土宇之言。蓋恐失於張文表耳。故又曰必不得已。當舉族歸朝。無令陷於虎口。張從富汪端乃於文表已誅後擁保權。拒王師不早納土。忠則忠矣。與行逢始意蓋未合也。

陳洪進修貢入覲獻地（漳泉二郡）皆自動。信曉事機。富貴壽考宜哉。

書周三臣傳

傳首以智氏之豫讓許周三臣甚允。

閭邱仲卿。勸李筠西下太行。直抵懷孟。塞虎牢。據洛邑。東向而爭天下。他日太祖遣石守信高懷德討筠。亦敕勿縱筠下太行。急進師扼其隘。破之必矣。可見閭邱上計。太祖亦料及之。嚮使筠早聽用。縱難大成。未必不可割據一時也。

周世宗定三關時。師武臣力。若遂進取幽州。外患熄矣。世宗適病。功止於斯。非特世宗不幸。宋之不幸也。且非特宋不幸。直諸夏之不幸也。

李重進遣翟守珣陰結李筠。而守珣乃遵太祖言勸重進持重。俟筠既敗然後舉事。

重進固愚。而守珣賣主求榮抑甚可鄙。

書外國傳一　夏國

遼册李繼遷爲夏國王。與前立石敬瑭爲晉帝頗同。又金册張邦昌爲楚帝。劉豫爲齊帝。用意亦同。

元昊定衣冠制文字。且譯孝經爾雅爲蕃語。舉動固自不凡。然巳築壇即皇帝位。而又上表稱臣。求册爲帝。所謂英雄當王霸者固如是耶。可哂也。

夏旣設伏。復以懸哨家鴿爲號。俾宋兵到時自發。詭哉夏人。愚哉宋人也。

書外國傳二　夏國

宋自熙寧用兵以來。凡得葭蘆吳保義合米脂浮圖塞門六堡。而靈州永樂二役。官軍熟羌義保死者六十萬人。神宗痛哭。夏亦困弊。戰之爲禍烈矣哉。

夏境方二百里。而宋屢爲所敗。則宋自杯酒釋兵權後。甚乏將才可想。

書外國傳三　高麗

王女不下嫁臣庶。必歸之兄弟宗族。貴臣亦然。信高麗怪俗。然較匈奴子可妻母者尙爲有別。

高麗尙知遼兄弟之國。存之足爲邊捍。女眞狼虎不可交。而宋之君相必結金滅遼。何智出高麗王下哉。

書外國傳四　交趾　大理

交趾蕞爾地。而曲承美丁部領黎桓李公蘊等先後建節開國。甚且爲帝。是亦槐柯一夢耳。

書外國傳七　流求　定安　渤海　日本　党項

日本國主先皆曰尊。至周僖王時神武天皇。始以天皇爲號。殆聞中國有天王而特效之。天皇即天王也。遼主亦曰天皇帝其后且稱地皇后太子稱人皇王其國有五經佛書。故儒釋並盛。王陽明之學且大興。陽明固援釋入儒者也。

書蠻夷傳一

書云通道於九夷八蠻。蠻夷之不梗化。由來舊矣。然漢勞馬援之征。蜀致武侯之討。歷代叛服不常。大抵羈縻而已。厥後改土歸流。謹庠序之教。申孝弟之義。蠻夷故俗。變十七八。然在宋時尚未足語此。故曰樹其酋長。使自鎮撫。始終蠻夷遇之。斯計之得矣。

讀遼史蠡述

黃兆枚署

中華民國二十五年
湘鄂印刷公司印行

讀遼史叢述目次

卷一

讀遼史蠡述卷一

岳陽李澄宇洞庭著

書卷首

中國正史有外國羼入。自元魏始。中國正統有外國羼入。自胡元始。遼深入雖不逮魏。而立石敬瑭爲晉帝。册李繼遷爲夏王。與金建張邦昌劉豫頗類。金深入雖不逮元。而視魏過之。且下啓元緒。故元撰遼金二史。不知者謂效魏書。其知者謂比五代。實則意別有在也。元人以外族主諸夏。恐滋後議。撰遼金二史列諸正史。使元遞爲正統。亦猶宋人以篡竊得天下。恐滋後議。創資治通鑑。帝魏寇蜀。使宋遞爲正統也。或問綱目亦宋人作。何以帝蜀。則應之曰。通鑑北宋人作。綱目南宋人作也。北宋一統。避篡竊之名。南宋偏安。附中興之義也。時異故用意亦異也。

奏有怎生奏呵。聖旨有那般者。此亦白話入公牘之祖也。一笑。

書太祖紀上 神册

太祖爲將時。即有伐女直宋史作女眞事。遼金似爲世讎。然此後女直修貢甚勤。至天祚失馭。金主始叛。

李克用借兵以報劉仁恭木瓜澗之役。與太祖易袍馬。約爲兄弟。（猶漢俗同盟兄弟）朱全忠謀篡唐社。遣人浮海奉書幣衣帶珍玩來聘。可見外力內侵。大抵起於求助。稱元年而不建號。甚是。九年後忽改元。且號神册。神册六年後又曰天贊。天贊四年後又曰天顯。何不守商周之舊。而學漢唐之陋耶。

詔建孔子廟佛寺道觀。儒釋道三教並重也。然最重儒。故下卷有謁孔子廟。命皇后皇太子分謁寺觀語。意謂非此不足引諸夏就範。而不知他日反就諸夏範。若東語所謂同化也。

書太祖紀下（神册　天贊　天顯）

道聞皇太后不豫。一日馳六百里還侍。病間乃復返軍中。此蓋孔道教孝之力。然亦見太祖在遼不慙令主。又太宗紀亦有聞皇太后不豫馳入侍湯藥云云。有是父固宜有是子哉。

書始製契丹大字。美之也。雖重儒教。弗棄本也。

前日夢日墮懷而有娠。茲曰大星隕於幄前。是前爲日乃人君之象。茲復爲星實人臣之象也。遼固未帝諸夏也。

書太宗紀上 天顯

卽位不改元。仍稱天顯歷八年之久。非是。

册石敬瑭爲大晉皇帝。而曰宜受茲南土。世爲我藩輔。自有皇帝以來未聞斯語。後更有酒酣執手約爲父子云云。更不堪矣。

石敬瑭命桑維翰爲文紀遼太宗功德。敬瑭無恥。維翰更無恥。

書太宗紀下 會同 大同

已有伐晉意而猶遣使賀晉帝嗣位。且遣使如晉致生辰禮。靜如處女。然後動如脫兎。豈若後世自命欲雪國恥者。毛羽未豐。徒肆無禮。賈禍哉。

書世宗紀 天祿

周祖爲兵士擁立。五代史詳紀之。此特書曰漢郭威弒其主自立。國號周。詞嚴義正。視春秋釜鉞無讓矣。又穆紀於宋祖亦書周殿前都點撿趙匡胤廢周自立。國號宋。書官與郭威異。蓋未弒君也。

四年書泰寧王察割來朝留侍。五年書察割反帝遇弒。履霜堅冰至。可弗愼與。

書穆宗紀上 應曆

穆宗暴虐。好飲酒田獵。不問國政。蓋桀紂主也。身弒而國未亡。抑亦天幸。

書穆宗紀下 應曆

穆宗不君。而忽有立水中禱雨事。亦可異也。

書景宗紀上 保寧

書遣五使廉問四方鰥寡孤獨及貧乏失職者振之。美之也。

書宋主匡胤殂。其弟炅自立。蓋遼視宋若元魏視南朝。自居正統。而謂他國僭僞也。

書景宗紀下 保寧 乾亨

景宗竭國力以助河東。破軍殺將。無救滅亡。非遼力未克助夏實夏未克自助耳。

書聖宗紀一（統和）

有司請以生日爲千齡節。蓋彼時尚未有天子萬歲太子暨諸王千秋語也。

有孝於父母三世同居者旌其門閭。誠欲以孝弟治天下也。重儒固宜如是也。

書聖宗紀二（統和）

此但云宋將楊繼業（宋史作楊業）至狼牙村。惡其名不進。左右固請乃行。遇伏被禽。不食三日死。而不及王侁劉文裕逼楊出戰。與潘美違約不救等事。蓋於宋軍當日實狀未能盡曉。非爲侁等諱也。又楊繼業之羊遇狼牙。與竇建德之豆入牛口（谷名）相類。

書聖宗紀三（統和）

馬得臣諫擊毬疏。文雖不逮相如。所言三不宜。可與相如諫獵書互勘。

書聖宗紀四（統和）

書詔諸道舉行察貪酷。撫高年。禁奢僭。有歿於王事者官其子孫。美之也。所謂夷狄而中國者。此類是也。

魯受齊女樂而避。卻高麗妓樂。以中國自負而內作色荒者。直當愧死。

書聖宗紀五 統和

甫許宋和。即詔解嚴。蓋遼亦厭兵久矣。終聖宗世無犯宋事。孰謂夷狄無信哉。

書聖宗紀六 統和 開泰

以公主賽哥殺無罪婢駙馬蕭圖玉不能齊家。降公主爲縣主。削圖玉同平章事。罰不避親。抑甚明允。

書聖宗紀七 開泰 太平

大風飄四十三人飛旋空中。良久乃墮數里外。而一酒壺在地乃不移。人較高大。當風。雖重。輕也。壺小且低。不當風。雖輕。重也。

西南招討奏党項部有宋犀旋輸貢不時。常有他意。宜以時遣使督之。而詔有邊臣驕縱。徵斂無度。彼懷懼不能自達。第遣清慎官將示以恩信。毋或侵漁。自然效順等語。明燭萬里。不愧南面。

書聖宗紀八 太平

如長春河魚兒濼。（較鴛鴦濼名尤雅。可與鴨子河對。又稱綠淀。名亦雅。）而有聲如雷。其水且一夕越沙岡四十里別爲一陂。是水能自徙也。黃河亦常自徙。特上流衝盪而然。與此潛移默運者異。

燕民以年穀豐熟。車駕臨幸。爭以土物來獻。上禮高年。惠鰥寡。賜酺飲。至夕六街燈火如晝。士女嬉游。上亦微行觀之。此信太平景象。不愧年號太平也。

書興宗紀一 景福 重熙

龍顏日角。著其表也。豁達大度。言其量也。善騎射。好儒術。通音律。舉其行也。殆合漢高祖唐太宗後唐莊宗爲一人與。

書興宗紀二 重熙

聞宋設關河。治壕塹。恐爲邊患。遂議伐宋。蓋我以彼爲外。彼亦以我爲外。猶北魏斥南朝島夷也。

書興宗紀三　重熙

詔有朕與宋主約爲兄弟。歡好數歲。久欲見其繪像等語。可見宋遼鄰誼。而他日宋乃約金滅遼。致金人有詔諭江南事。甚可哂歎。

書道宗紀一　淸寧

踐阼既求直言。故初政可觀。他日判若兩人。殆唐玄宗開元後乃有天寶之比歟。

書道宗紀二　淸寧　咸雍

書置佛骨於招仙浮屠識之也。釋敎自此大盛。國以微矣。

書道宗紀四　大康　大安

詔僧尼無故不得赴闕。始猒之也。

書道宗紀五　大安

甘露降而祠佛飯僧。諺所謂文不對題也。

書道宗紀六　壽隆

道宗將崩。而有白氣如練自天而降。黑雲起於西北疾飛有聲。北有青赤黑白氣相雜而落。與凡書星隕雷震者蓋異。

書天祚紀一 乾統

天祚知阿骨打雄豪。不誅必爲後患。而蕭奉先乃謂殺之恐傷向化之心。與晉司馬攸欲除劉淵。而王渾欲表信殊俗懷遠以德頗同。然亦所謂王者不死也。

蕭奉先不澄諭誅阿骨打。猶可說也。以弟嗣先軍潰奏赦潰軍。不可說也。

書天祚紀二 乾統

册封他國。而先持册稿以往。未聞此例。受册封於他國。而可持册文副本以請。更無此例。遼敝金很。於此可想。

書天祚紀三 保大

次子晉王賢而有望。此時天祚若竟內禪。以余覩等輔之。或可轉禍爲福。而乃謬聽奉先。賜晉王死。衆既解體。孰與戰乎。

李處溫父子奉皇叔秦晉國王淳（金史作揑里）僭位。改元建福。降封天祚爲湘陰王。淳死又奉淳妻蕭德妃爲皇太后。迎天祚子定爲帝。改元德興。又復南通童貫。欲挾德妃納土於宋。北通金人。欲爲內應。此種國賊。人神共憤。蕭氏數其罪而戮之。不愧南面稱制也。

德妃以勁兵守居庸。而史云金兵臨關。崖石自崩。戍卒多壓死。不戰而潰。豈天厭遼德耶。抑守將不守。故造此語欺世耶。皆未可知也。

淳既死。德妃亟以地還天祚。使遼復合縱金宋。并力於燕。天祚外得林牙陰山兵。或尙可以馳救。計不出此。但哀金許立秦王。誤矣。無怪天祚戮之也。

淳與雅里大石皆建號天祚之世。淳與雅里皆曇花一現。獨大石崎嶇萬里外。祚延子孫九十載。號曰西遼。抑亦涼夏之比哉。

書營衛志上

并營以北。歲無寧居。營衛之設。以爲常然。居有宮衛。出有行營。（行營二字始此）蓋無時有異行軍也。敢戰樂爭。固無足怪。

書營衛志中

遼國盡有大漠浸包長城之境。秋冬違寒。春夏避暑。故四時各有行在之所。可見彼誠不得巳而爲此。非若漢族慕夷。雖有城郭宮室以居。猶作違寒避暑之舉。若後世巨人顯宦也。

書兵衛志上

城不可攻。引兵過之。恐敵出城。鼓譟詐攻。使閉城固守。智一。分兵抄截。使隨處州城隔絕不通。孤立無援。智二。

書兵衛志下

遼在隋世分十部。兵多者三千。少者千餘。共兵二萬餘耳。至唐大賀氏分八部。亦惟勝兵四萬三千耳。及太祖以兵三十萬。會李克用於雲中。總兵四十萬。伐代北。可謂盛矣。太宗更滅唐立晉。獲燕代十六州。自是二帳十二宮一府五京有兵一百六十四萬餘。諸部族及屬國之衆不與焉。積小以成高大。匪一朝一夕之故矣。又遼起鮮卑舊墟。南黃龍。北潢水。右冷陘。左遼河。方數百里耳。其後乃東至於海。西至金山。曁於流沙。北至臚朐河。南至白溝。幅員萬里。盛衰豈不在人哉。

應天皇后夢黑兎入懷而生太宗。與他帝王言龍言日者蓋異。

書曆象志上

賈俊進新曆。固宋武帝大明六年祖冲之所謂大明曆也。可謂之舊。何新之有乎。

書曆象志下

遼漢周宋俱行夏時。而各自爲曆。閏朔多異。考古者惑焉。此閏考朔考所由並作也。

化不齊以爲齊功抑偉矣。

書百官志一

志謂事簡職專。遼所以興。而漢族反是。無怪宋化爲元。明化爲淸也。後世其鑒諸。

書百官志二

遼境東接高麗。南與梁唐晉漢周宋六代爲勍敵。北鄰阻卜朮不姑大國以十數。西制西夏党項吐渾回鶻等强國以百數。虎踞其間。莫敢與攖。固由太祖太宗之雄圖。亦由所任得人。乃能戮力同心。內安外攘也。否則予智自雄。欲不分崩離析以底於亡也得乎。

書百官志三

南面諸官用漢制。史謂有志帝王之盛制。亦以招徠中國之人。二意蓋確。

書禮志一

禮無不敬。遼禮尙質而甚肅。信得禮意哉。

書樂志

太宗喜得晉樂。聖宗設宮懸於殿廷。皆貴漢樂也。漢人後乃用西樂。曷勝今昔之感。

書儀衞志一

自太宗入晉後。皇帝與南班漢官用漢服。太后與北班契丹臣僚用國服。各從其便。

無取晝一。一國數族者當以是爲法。

書食貨志上

皇祖喜稼穡。太祖課樹藝。太宗勸農桑。聖宗詔且云五穀不登開帑而代民稅。遼主若是。民焉得不富。國焉得不彊。

書刑法志上

聖宗時有刑措之風。庶幾漢文。豈得以夷狄輕之。

書世表

有世表而太祖以上之事顯。不必若北魏書紛撰帝紀。有皇子公主二表而諸帝子女傳可略。有皇族表而宗室原委明。有游幸表而朔漠習俗見。後世撰史可取法也。

書外戚表

小漢賜姓名曰蕭翰以從漢俗。蓋取音近譯之。亦由後世有李佳白等也。凡外戚皆一姓。古無此事。

書遼史叢述卷二

岳陽李澄宇洞庭著

書后妃傳

太祖慕漢高而耶律兼稱劉氏。盡與劉淵同。至以后族乙室拔里比蕭何爲蕭氏。則古所未有。然史筆從此但書蕭氏。簡且雅馴矣。又述律氏後亦爲蕭。李克用與太祖約爲兄弟。而李存勗以叔母事述律后。蓋猶兄克用而弟太祖也。述律后能禦敵襲。名震諸夷。一不可及。勸太祖禮用韓延徽。二不可及。若乃太祖葬。欲以身殉。親戚百官力諫。因斷右腕納於柩。則志烈而事未可爲訓。又遣少子李胡逆擊世宗。愛共叔段而惡鄭莊。賢母更不宜若此。

聖宗母蕭氏小字燕燕。甚雅。彼俗所未有也。明達治道。聞善必從。聖宗稱遼盛主。母教爲多。尤古來太后所難。

仁德后蕭氏養興宗爲子。亦猶宋劉后養仁宗爲子也。劉后不使仁宗自知母而安。蕭后任興宗自知母而危。諺所謂非東風壓倒西風。卽西風壓倒東風也。噫。

欽哀后蕭氏誣仁德后謀亂。弒於上京。而他日乃效武姜所爲。欲廢興宗而立少子重元。是自謀亂也。興宗悔而返母。弗俟人言孝邁鄭莊矣。

宣懿后蕭氏戒重元妻勿豔冶。而已乃以好音樂故暱近。伶官致被宮婢誣陷。此莊子所謂臧與穀亡羊一也。可歎。

天祚妃蕭氏瑟瑟（亦名雅）以女直亂作帝畋游不恤。作歌諷諫。可謂賢妃。且生晉王敖盧斡有人望。何負於天祚。而聽奉先誣譖。遽爾賜死乎。噫。

書宗室傳

耶律倍知尊孔子。喜藏書。又有武功。非不可主遜者。以太祖屬意太宗。（即大元帥耶律德光）效伯夷之讓。更效泰伯之逃。可謂難矣。謚曰讓國皇帝。廟號義宗。於禮雖未合。倍抑當之無愧與。

唐莊宗后夏氏不爲尼於莊宗遇弒之日。而爲尼於慴耶律倍刲灼之日。晚矣。

書四耶律蕭傳

外戚表有云。漢外戚有新室之患。晉宗室有八王之難。遼史耶律蕭氏十居八九。宗室外戚、勢分力敵、人惟求舊。材不外用。雖曰遼創新制。抑亦時地限之使然。與耶律曷魯（耶律吼亦字曷魯）兼資文武不足異。而不忍須臾離太祖。能斷大事。臨終言不及私。是三者皆人所難也。太祖二十一功臣皆有所擬。（如蕭敵魯爲手阿古只爲耳）而獨以曷魯爲心。諒哉。

書耶律蕭康韓韓傳

蕭痕篤事親孝。爲政尚寬簡。蓋得孔老遺意。

康默記能折衷一切蕃漢相涉事。又能推析律意。論決輕重。使諸部新附罹憲網者不冤。皆人所難。而復有武功。眞不愧佐命功臣之一。

韓延徽請樹城郭。分市里。以居漢人之降者。又爲定配偶。教墾藝。以生養之。此但爲降人計也。至營都邑。建宮殿。正君臣。定名分。則爲遼國計也。吾道蓋自此北矣。爲遼室佐命功臣之一。宜哉。子德樞爲遼興軍節度。亦能勸農桑。興教化。不愧令子。

書三耶律王傳

太宗討石重貴。(卽晉出帝)欲渡滹沱橋(卽中渡橋)不得。議退。而耶律圖魯窘獨獻選精騎絕餉道。策晉遂以亡。遼盛衰繫此一舉。功抑偉矣。又五代史有王凊奪橋開路。契丹小卻。杜重威猶豫不進等語。想係太宗議退前事。又耶律朔古傳趙延壽傳有帝由他渡濟。朔古與趙延壽據中渡橋等語。則濟不必由中渡。亦事理所有。

書五耶律趙高趙張傳

太宗嘗許趙延壽滅晉後帝中原。延壽於是求爲皇太子。實則欲效石敬瑭作兒皇帝耳。太宗弗寤。中原卒爲劉智遠所有。就遼言之。蓋甚失策。就漢言之。抑大幸也。趙延壽實盡氣力。只贏得中京留守大丞相虛榮。錄尙書事都督中外諸軍事有文武實權者。太宗皆靳而弗畀。延壽短氣可想也。殷鑒不遠。後人其念之。

高模翰在縲絏之中。而太祖貰之。太宗且大用之。求賢若渴。任賢勿貳。其盛也宜哉。

張礪謂遼始得中國。宜以中國人治之。雖爲遼謀。意在趙延壽耳。太宗不聽。猶延壽傳所云張礪進擬延壽中京留守大丞相錄尙書事都督中外諸軍事而上塗錄尙書事都督中外諸軍事。不欲假延壽大權也。然他日金冊張邦昌劉豫爲帝。無異釆礪前策。則礪實忠於遼。非漫爲延壽作說客也。

書六耶律傳

屋質於李胡拒世宗。實弭其禍。於察割弑世宗。實戡其亂。古所謂社稷臣者其庶幾乎。又論於世宗之立。稱安搏叱哇謀而能斷。甚允。

書耶律四蕭傳

蕭思溫怯戰寡謀。穆宗更湎酒廢事。而周世宗英略冠時。此益津瓦橋淤口三關易瀛莫等州所由易主也。

書室二耶律女里郭傳

女里貪猥。與室昉郭襲等不類。不宜入此傳。

書張邢馬蕭耶律傳

張儉（與漢張儉同名）爲相。無赫赫功。而從容諷議。克轉君志。雲中節度譽爲一代之寶。信哉。

書耶律王二蕭陳傳

虎將犯蹕。陳昭袞捉虎兩耳騎之。虎軼不墮。且伺便殺虎。勇過卞莊矣。

書三耶律二蕭武傳

宋幷僭僞。惟河東未下。而復講武習戰。則意在北漢明矣。此等事三尺童子知之。而景帝與韓匡嗣弗知何耶。

書四耶律傳

休哥善戰。且有治行。甚難得。而戒戍兵無犯宋境。雖馬牛逸於北者悉還之。遠近向化。邊鄙以安。尤晉羊祜之亞。戰勝讓功士卒。樂爲之用。身更百戰。未嘗殺一無辜。又漢馮異宋曹彬之比也。

景宗時。宋下河東。乘勝襲燕。耶律奚底與蕭討古逆戰敗績。非斜軫再敗宋師。燕不守矣。聖宗時又從太后敗宋軍。且獲楊繼業。宋自是不敢深入。斜軫在遼。殆長城哉。

書四耶律蕭傳

耶律善補與抹只海里等不類。不宜置此傳。

書四蕭四耶律高奚傳

耶律題子善射工畫。破賀令圖時。繪宋將因傷而仆狀以示宋人。古貴好整以暇。此尤別開生面者矣。

漢高斬蛇。其事甚著。蕭柳斷蛇。世鮮論者。蓋馬班二史誦習者多。漢高且係帝者也。

論謂蕭撻凜中弩。我兵失倚。和議始定。可與宋史寇準傳互勘。

書四耶律劉劉牛杜蕭傳

耶律合住久任邊防。雖嘗有功。不妄生事。鄰壤敬畏。屬部乂安。亦有羊叔子遺風。

書二蕭耶律夏傳

論贊蕭孝穆諫興宗南侵甚允。

書二蕭五耶律高大傳

耶律琚質能料高麗詐降。又能以計使高麗眞降。此才亦未易得。

書三耶律二楊傳

耶律庶成善遼漢文字。譯方脉書。於是遼始知醫。此醫利之溥於人者也。後世謬重西醫。醫院徧內地。歲殺人無算。此醫害之中於我者也。

庶成弟庶箴以契丹姓氏惟耶律與蕭。請使諸部各立姓氏。庶男子婚媾有合典禮。此誠必爲之事。而道宗不聽。所以終成夷俗也。

楊佶爲相。以進賢爲己任。事總大綱。此眞能爲宰相者。

耶律和尙（與蕭和尙同名）雖詼諧。未嘗有一言之過。頗類東方朔。又沈湎於酒。謂人生如風燈石火。不飮將何爲。頗類劉伶。

書三蕭二耶律傳

蕭革於耶律義先不怨訴己。反云義先天性忠直。此革之姦訣過人處。甚可懼也。又耶律阿思欲陷蕭陶隗。請擇重臣鎭撫西圉。智等慮杞。亦甚可懼。

聖宗徵行遇耶律八。與語。知有長才。遂試以事。君人者固當如是也。

書三蕭三耶律傳

蕭普達深練邊事。能以悅使人。有所俘獲。悉散麾下。由是大得衆心。雖遜羊祜。抑近李牧。

書三蕭耶律傳

蕭惠未堪將帥。而好言戰。竟致數敗。蓋遼自聖宗以來。治平日久。文恬武嬉。非復太祖太宗之舊矣。盛極必衰。固無足怪。

書六耶律蕭傳

論責化哥利俘獲而諸蕃不附。阿魯掃古誤繫磨古斯而阻卜叛命。甚允。

書七耶律蒲蕭傳

耶律仙童名近老。耶律大悲奴名近釋。將帥而老釋。雄武替矣。不得謂爲細故也。

書四耶律四蕭姚傳

耶律良請道宗召涅魯古以卜謀亂與否。是誠一策。然良茍小人。抑豈不可問涅魯古使弗敢來耶。

書三耶律孩里竇楊趙王傳

論於孩里耶律引吉不阿乙辛。贊爲歲寒松柏。信然。

書蕭二耶律劉傳

蕭兀納忠純而天祚惡其直言。天祚所以終爲天祚也。不用賢則亡。何不讀孟子與。

書四蕭三耶律傳

道宗倦勤。用人不自擇。令各擲骰。以采勝者官之。此極可哂。或以比淸代抽籤。不知淸代抽籤。恐邊遠無人願往。不得不然。與擲骰畀官者似同而實大異也。

蕭巖壽奏逐乙辛。乙辛更遠竄巖壽。誣而戮之。此非正不勝邪。實道宗庸闇有以致之也。而同傳諸人之死。皆以乙辛。尤可悲歎。

書三耶律二蕭傳

蕭得里底於女直初起不贊往討之策。罪一。諸路飛章告急。不卽上聞。罪二。天祚議殺晉王。唯唯不一申理。罪三。

耶律辛奴耶律朮者因天祚敗遁夾山。而立耶律淳。與唐人舍明皇而帝肅宗相類。論責其大逆。蓋但就成敗言也。雖然。肅宗自立實亦未可爲訓。

書三蕭耶律傳

蕭陶蘇斡謂用才未盡不若閑。此極痛心語。雖然。豈獨陶蘇斡然哉。

書蕭李張耶律傳

張琳於立淳事謂王雖帝胄。初無上命。攝政則可。卽眞則不可。此實正論。唐肅宗事亦然。

遼以國舅皇族分執國柄。欲使勢均力敵。互制以相濟。而蕭奉先乃恐耶律余覩立晉王不利己甥。（秦王）誣譖余覩謀亂。致余覩懼罪奔金。自此政由奉先。國命以絕。此天祚自誤。非奉先能誤之也。

書文學傳上

蕭韓家奴對策主以恩結諸部而備南方。北宋約金伐遼事殆已先見。鐵中錚錚信未易得。

書文學傳下

歐陽修置遼四夷傳。沿舊例也。孰知他日元主諸夏。乃爲遼金修史。俾躋魏齊之列哉。劉輝謂修妄加貶訾。時地各異。亦何足怪。

書能吏傳

此傳六人皆勤政惠民。然惟太公鼎有建孔子廟學事。故以冠首。

書卓行傳

此三人席可進之資。而退然自足。信非易易。遼史有此。蓋尤難也。

書列女傳

列女名古。凡賢婦淑女咸可入傳。不專表節烈也。兄此傳有賢女二。烈女三。惡可不效後漢書正名列女哉。

常哥遺乙辛回文。雖有所諷、不如已也。與姦人文翰往還、大禍所基。可不慎與。

論稱三蕭氏之節、雖烈丈夫有不能者、遼婦若此。豈得以夷狄視之。

書方技傳

周世宗伐燕。而魏璘有周姓柴也、燕分火也、柴入火必焚等語。亦唐諺豆（訓竇建德）入牛口必不得久之類也。

璘知有不測禍、不及食魚。而無術避免。可見趨吉避凶、特世人妄語耳。

書伶宦傳

併伶官宦官爲一傳。前無此例。而伶官羅衣輕能以諧謔寓規諷。宦官王繼恩好清談、不喜權利。惟載書自隨。亦他史所未有。

書姦臣傳上

乙辛令查刺誣告謀立皇太子。此何等事、既詔按無迹。當立坐告者。而乃聽事外之人遺辭誣首。道宗昏憒至此。可歎。

道宗以乙辛孝傑比仁先化葛。自慶得人。唐德宗之於盧杞。蓋亦似之。

燕哥得保首領以歿。天討何在。天祚時獨不發冢戮屍。人罰何在。

乙辛謀搆太子。燕哥誣奏太子。皆蕭十三所教。是此傳諸人之惡。實此一人成之也。

天祚時亦剖棺戮屍。宜哉。

書逆臣傳下

蕭特烈聞金兵將至。諭士卒以君臣大義。實匪逆者所爲。天祚既遁。擁梁王雅里爲帝。效唐肅宗靈武舊事。未足爲逆。後人世界大事表於宋徽宗宣和七年大書遼亡。西遼建國。有以哉。

書國語解

遼字不傳於世。所譯又大抵重音而略義。使脫脫不作此解。元後更難索解矣。他日淸史滿蒙囘藏語效此連類併解。其庶幾乎。

讀金史蠡述

丙子夏六月

汪恩玉題

中華民國二十五年
湘鄂印刷公司印行

讀金史蠡述目次

卷一

讀金史蠡述卷一

岳陽李澄宇洞庭著

書卷首

阿魯圖表國可滅史不可滅。善吾師惡亦吾師二語。可作廿四史總論讀。以滿蒙之衆橫行天下。不十年之久專制域中二語可作金史太祖紀總論讀。

書世紀

白山黑水。金清兩太祖發詳地也。元雖滅金。而內外二蒙古皆見併於清。先盛不如後起。萬事類然。可勝歎哉。

完顏部賢女六十未嫁。始祖納之。乃生二男一女。古所未有。

生女直至始祖始爲完顏部人。（中經德帝安帝）至獻祖始有居室。至昭祖始有條敎。至景祖始爲節度使。有官屬。紀綱漸立。兵勢亦稍振。至世祖基業始大。（中經肅宗穆宗康宗）至太祖乃登帝位。若如魏書序紀外有太宗世祖高宗顯祖諸紀。則金史世紀外亦必有始德安獻昭景世肅穆康諸紀矣。併始祖以下十主於世紀。惟以太祖以下九主爲專紀。

蓋效史記秦本紀秦始皇本紀而然也。

書太祖紀（收國　天輔）

世祖肅宗穆宗兄終弟及。（皆景祖子）康宗太祖太宗亦兄終弟及。（皆世祖子）兩世六主。未嘗奪倫。不惟足令吳闔閭宋太宗汗顏。卽殷商亦難比跡。盛哉。

遼道宗時。太祖阿骨打生。天以象告。可見此衰彼盛有數存焉。譬諸易象互爲消長。聖人亦無如之何也。

太祖躍馬過高岸。頗與漢昭烈躍馬過檀溪吳大帝躍馬過逍遙津相類。

師出有名。乃可勵衆。金伐遼而以不歸阿疏告天。亦猶淸太祖伐明而以七大恨告天也。

詔除遼法省賦稅。與漢高入關詔頗類。不愧王者舉動。

北宋約金伐遼。冀得燕代。自是實情。但彼時尙未弱如南宋。安得有五代時陷入契丹漢地願畀下邑之語。蓋金人謬自誇大乃云爾也。

太祖了契丹事即逝。亦所謂爲一大事出世也。

書太宗紀 天會

書張覺奔宋。書貽宋書索俘虜叛亡。爲伐宋張本。且明曲實在宋也。書宋上誓書地圖稱姪大宋皇帝伯大金皇帝。諸軍解圍。時圍汴京和局已定也。書姚平仲兵四十萬襲宗望營。敗之。復進師圍汴。宋李綱主戰時事明曲又在宋。且宋兵雖衆不可一戰也。

書熙宗紀 天眷 皇統

詔罷來流水混同江護邏地與民耕牧。以禁苑隙地分給百姓。命盧彥倫營建宮室。止從儉素。又奬廉吏杜道晦等百二十四人。罷貪吏張軫等二十一人。又與韓昉論明皇治亂之故。熙宗固亦守成令主哉。惜末年酗酒嗜殺。與明皇之有始無終頗相類也。

五月詔元帥府復取河南陝西地。命都元帥宗弼以兵自黎陽趨汴。右監軍撒離合即撒離喝出河中趨陝西。是月河南平。六月陝西平。是金於宋地如探囊取物。不過一舉手之勞耳。宋之不競亦太甚矣。

書親祭孔子廟北面再拜美之也

皇統二年（宋紹興十二年）宋許歲幣銀絹二十五萬兩匹。畫淮爲界。金以袞冕圭册册宋康王爲帝。歸宋帝母韋氏。（即宋高宗母韋賢妃）及故婦邢氏。（即高宗妻）天水郡王并妻鄭氏喪於江南。（綱目書金人歸徽宗皇帝顯肅皇后鄭氏懿節皇后邢氏之喪皇太后韋氏至自金）并以臣宋告中外。（宋高宗嘗表有臣構世世子孫謹守臣節云云）此秦檜議和結果也。弱國無外交。我爲宋人一哭。

南齊有東昏侯。金熙宗被完顏亮弑。亦降封東昏王。遙遙相對。

書海陵庶人紀（天德　貞元　正隆）

完顏亮因熙宗以太祖嫡孫嗣統。已亦太祖長子遼王宗幹之子。遂懷覬覦。蓋與吳公子光蓄謀弑僚事相類。以讓始者以爭終。自古然矣。噫嘻。

亮殺太宗子孫七十餘人。周宋國王宗翰（宋史作粘罕）子孫三十餘人。諸宗室五十餘人。無異爲宋報讎也。一笑。

唐括定哥殺其夫烏帶而事海陵爲貴妃。甫逾歲。坐與舊奴姦賜死。淫婦可恥。昏主亦可恨。

海陵罪浮桀紂。天厭蓋久。然使不遽伐宋。世宗未必遂敢稱帝也。楊廣以巡幸揚州爲宇文化及所弒。海陵亦以進取揚州爲完顏元宜所弒。同諡曰煬。（楊廣諡曰煬帝海陵諡曰煬王）輕出者可弗戒與。

書世宗紀上（大定）

體貌奇偉。美須髯。長過其腹。胸間有七子如北斗形。不愧帝表。性仁孝沈靜明達。不愧帝德。處昏暴之世。天與人歸。遂永金祚。有以哉。

世宗觀稼。禁扈從人蹂踐民田。且令詢問民間失物償直。重農恤民。意深遠矣。魏有孝文。遼有聖宗。金有世宗。皆庶幾漢文帝宋仁宗。未容目爲夷狄之主也。

世宗命歌者歌女直詞。顧謂皇太子諸王毋忘本。又禁女直人譯漢姓學南人衣裝。（章宗時亦申此禁）蓋惟恐同化於漢也。同化則純實之風不可保。而國微矣。然外族入主中夏。始皆忌漢卒乃同化於漢。習俗移人。若土遇陶而金在治。亦可懼哉。

孤子養親。例得免死。然小人或以是敢於殺人。世宗諭尚書省鄧州民范三可論如法。其親官與養濟。慮遠患周。不愧英主。

一則曰萬幾之繁。豈無一失。卿等但言之。朕當更改。必無吝也。再則曰朕年老矣。恐因一時喜怒處置不當。卿等當執奏。毋爲面從成朕之失。欲寡其過若此。豈尋常帝者所能。

書世宗紀下　大定

以女直字孝經千部分賜護衛親軍。又頒譯經所所譯易書論語孟子等。蓋極重儒敎。又不欲忘本意。深遠矣。

賞罰不濫。即是寬政。可謂名論。蓋於賞罰無容心於其間。庶幾天賞天罰矣。大舜登十六族去四凶。而孔子贊爲無爲而治。抑此旨與。

兎懷孕時禁射兎。與古禮合。又詔豺未祭獸不許采捕。冬月雪尺以上不許用網。澤及禽魚豈得以夷狄少之。

世宗謂西夏小邦。崇尚舊俗。猶能保國數百年。後世自命中國。惟舊是屏。飲食起居遠師海西。制度云爲近效朔荒。何智出西夏下乎。噫。

遼主聞民乏食。謂何不食乾腊。與晉惠帝何不食肉糜語。遙遙相對。

世宗謂古來宰相率三五年而退。此則失言。湯於伊尹。高宗於傅說。桓公於管仲。昭烈於諸葛。皆未嘗易相也。所貴者能擇相耳。若如宋高宗孝宗好易相而不能擇相。國必病矣。

書章宗紀一 明昌

書詔修曲阜孔子廟學。詔賜棣州孝子劉瑜錦州孝子劉慶裕絹粟。旌其門閭。復其身。皆美之也。

詔臣庶名犯古帝而姓復同者禁之。周公孔子之名亦令回避。始諱聖名。重儒可想。此他日所以釋奠孔子廟北面再拜也。

書章宗紀二 明昌 承安

久於其職。中材勝於新人。若止淸廉。此乃本分。務行德化者擢而用之。非道求進者加之糾劾。此皆王言如綸也。章宗信賢主哉。

上尊號非古也。章宗屢辭不許甚是。

書章宗紀三 承安 泰和

宋夏遣使賀正旦。諭有司凡館接伴幷奉使者。毋以語言相勝。務存大體。此亦睦鄰要術。

勑尚書省舉風俗奢僭之禁。杜亂萌也。

勑御史臺京師拜廟及巡幸所過州縣。止令洒掃。不得以黃土覆道。違者糾之。此亦不擾民之一。

聞宋將北侵之言。而怒答完顏阿魯帶。足見章宗實願永固鄰好。南北無事四十餘載。而宋姦臣韓侂胄不度德量力。竟敢首禍。喪師失地。辱國殺身。可恨孰甚焉。

書章宗紀四 泰和

泰和四年宋兵入蔡州。始命樞密院移文宋人。依約徹兵。毋縱入境。並以平章政事僕散揆爲河南宣撫使。籍諸道兵以備宋。足見宋已開釁。金猶欲化干戈爲玉帛也。

詔有姪宋皇帝云云。蓋宋姪而金叔也。侂胄敗後乞和。乃稱金伯。

詔彰德府宋韓侂胄祖琦墳毋得損壞。仍禁樵采。不愧王者之師。

書衞紹王紀 太安 崇慶 至寧

諸叔兄弟多在。而章宗乃利衞王柔弱無智能而傳位焉。生防篡竊。死豈尙防篡竊耶。殊不可解。元太祖聞衞王立南面唾曰。我謂中原皇帝是天上人做。此等庸懦亦爲之耶。國無令主。大敵生心。此金所由遂危也。噫嘻。

書宣宗紀上 貞祐

甫卽位卽求直言。亦有志中興者。當金末運。又不能自擇賢相。庸可濟乎。

書宣宗紀中 興定

宋伐金。金伐宋。爭爲胡元造機會耳。雖勝於己何裨乎。噫嘻。
軍務之速動關機會悉從中覆則或稽緩自今有當亟行者先專後聞此宣宗諭皇
太子語也庶幾得古者閫以外將軍主之之遺意

書宣宗紀下 興定 元光

資明夫人祕宣宗喪。鑰后妃於他室。而後召大臣傳遺詔。立皇太子。智深勇沈。尋常
大臣且不逮。况巾幗哉。甚可敬也。
贊責宣宗不能擇相。且遷汴之後。南開宋釁。西啓夏侮。兵力既分。功不補患。蓋甚允。

書哀宗紀上 正大 開興 天興

有男子服麻衣望承天門且笑且哭。詰之則曰吾笑笑將相無人。吾哭哭金國將亡。
此始有才而欲及時一試者。宜亟禮延。問以救亡策。安出有才用之。無才遣之何得
以軍門非笑哭之所遽爾重杖乎。
遣樞密判官移剌蒲阿至光州。榜諭宋界軍民。更不南伐。且與夏國修好。蓋悟四面

受敵。不可以國。欲息肩宋夏。顯禦元侮也。夏人議定。以兄事金。而宋獨助元滅金。惟恐元不統一。可歎。

書哀宗紀下 天興

汴不能守。又遷於蔡。諺所謂鼠鑽牛角也。噫。

哀宗諭使有大元滅國四十。以及西夏。夏亡及於我。我亡必及於宋。脣亡齒寒。自然之理。宋若與我速和。爲我亦爲彼也等語。意極警切。宋竟不寤。哀哉。

哀宗羞伍亡國之主。且自縊於幽蘭軒。與明思宗自縊於萬歲山頗類。

書世紀補

太祖以後子孫有追王者。宜入諸子傳。不得目爲世紀。奚補焉。補則自亂史例矣。

書天文志

金宋角立。慶雲環日。未必爲金。而史臣鄭重論之曰。終金之世。慶雲環日者三。皆見於世宗之世。誠以世宗令辟。或有斯瑞。宋孝宗固非其人也。

書地理志中

遼以燕京爲南京。而金以汴京爲南京。蓋金自海陵庶人遷燕以燕爲中都。汴在燕南。故曰南京也。宣宗後又遷汴。哀宗且遷歸德遷蔡州。

書河渠志

世宗諭禁推排災戶。又云河決衛州。有司何故不令朕知。皆甚有憂民之意。

書禮志一

世宗修明禮樂。而以宰相通學術者統其事。誠知制治淸濁之源在禮樂。而不通學術者又決不能審訂禮樂也。

書樂志上

本曲瞻戀慨想。祖宗舊宇。屬屬晉容。宛然如睹。童嬉孺慕。歷歷其處。壯歲經行。恍然如故等語。字字親切。宜世宗幸上京時歌此泣下也。

書兵志

金之初年。壯者皆兵。無事佃漁習勞。有警仗糗皆備。由是兄弟子姪。才皆良將。部落保伍。技皆銳兵。志一力齊。霸圖大啓。此國小民少舉國尚武之效也。豈必多兵哉。後犯諸夏。假力漢族。土宇既廣。族屬益盛。兵多將雜。漸非其舊。蒙古迫之。遂殄厥祀。殷鑒不遠。務多兵者其念諸。

書刑志

置刃於杖。虐於肉刑。蓋酷吏以私意行之。匪國法也。然待宗室少恩。待大夫士少禮。則亦申商毒燄。失古人作法始意矣。

讀金史蠡述卷二

岳陽李澄宇洞庭著

讀后妃傳上

獻祖爲昭祖擇婦。取性剛毅者。昭祖爲景祖擇婦。取有識度者。皆就子性情着想。甚可法效。

婦貴有子。自后妃以至民婦。莫不皆然。太子濟安生而熙宗大喜。濟安薨。繼嗣未立。而熙宗竟殺悼后。子之所繫大矣哉。噫。

海陵嫡母徒單氏賢。與海陵生母大氏相得歡甚。而海陵以大氏事徒單謹。心常不平。後遷中都。獨留徒單于上京。大氏在中都常思念徒單。與後唐莊宗嫡母劉太妃生母曹太后事頗相類。然莊宗雖弗克善養母志。猶未若海陵上弒嫡母也。噫。

海陵淫暴。罕有倫比。而世宗夫人烏林答氏獨不爲海陵所亂。以死自完。歲寒松柏。其庶幾乎。宜世宗追諡爲昭德皇后。章宗時改諡明德在位二十九年。不忍復立他氏爲后也。

書后妃傳下

顯宗孝懿皇后徒單氏。畏其家世崇寵。見父母流涕而言。戒以高明鬼瞰。善自保持。可敬者一。嘗誡諸姪勿以小善爲無益而弗爲。小惡爲無傷而弗去。與漢昭烈訓後主相似可敬者二。世宗服未終不肯受册寶。可敬者三。雖喜老莊學而造次必於禮。可敬者四。蓋昭德皇后而後。一人而已。

書始祖以下諸子傳上

麥子原之戰。金以二萬人破宋兵十萬。兵豈貴多乎。後世惟務多兵者。曷不一讀此傳乎。

良弼救璋。謂璋爲將大破宋軍。宋人讎之久矣。今若殺璋。或墮計中。信善於辭哉。

書始祖以下諸子傳下

勗諫追索入高麗女直。謂特彼我之敝。非一視同仁之大。所見極卓。太宗克從。不愧令主。

勗采摭遺言舊事。自始祖以下十帝成實錄三卷。又成太祖實錄二十卷。篳路藍縷。以啓山林。有功於金史大矣。

書石顯桓赧烏春臘醅鈍恩留可阿疎奚王闍離保傳

我軍屢敗。敵已驕。而世祖又非肅宗比。且棄旗提劍。身爲軍鋒。有必死之志。古所謂哀者勝矣。此類是也。

書歡都冶訶骨赧訛古乃蒲查傳

取官舍材木搆私第而論死。金法未免過重。後世有由工師贈搆私第而後承搆官舍者。以金法論。不知又當如何也。

書太祖諸子傳

冶訶傳有阿魯補。冶訶子也。此傳宗敏本名亦曰阿魯補。蓋與冶訶同名。又列傳第八有撒改。而思敬本名亦曰撒改。

海陵欲弒熙宗。而先假手熙宗以殺胙王元及阿楞兄弟。譎哉海陵。愚哉熙宗也。

書撒改宗憲習不失宗亨宗賢石土門忠習室思敬傳

君臣相拜。見於虞書。古禮也。金主答拜。闇合古禮。而此乃云天輔後始正君臣之禮。蓋謬以答拜爲非禮。而不答拜爲禮也。噫。

撻懶宗雋唱議以河南陝西與宋。意在息民。而宗憲宗弼必欲復取河南陝西。亦不過意在保境。宋人或因此謂金不可和。豈知金者哉。

思敬以東有巨海薄錢塘江不觀可也。薄錢塘江潮而不觀則不可。蓋此觀重在潮不重在江。而此潮實他地所未嘗有也。

書斡魯斡魯古婆盧火吾札忽闍母宗敘傳

太祖釋東京渤海人。留備後用。而此輩竟執高永昌以城降。孟子謂不嗜殺人者能一之。此亦一端與。

太祖詔斡魯。有遼主戚屬勿去其輿帳。善撫存之。遼主佮傳去國。懷悲負耻。恐隕其命等語。不愧王言。此正所謂夷狄而中國者也。自命中國人而行弗逮此者當汗下。

闍母為張覺所敗。太宗使宗望（宋史作斡離不）問敗狀。宗望遂以闍母軍破覺。闍母得赦。太宗伐宋。使闍母副宗望。宗望以闍母尊。請以為都統。己監戰事。宗望此種舉動在華罕見。況乃夷狄。甚可敬也。

書婁室活女謀衍仲海里銀朮可彀英麻吉拔里速習古迺傳

軍重糧。尤重水。糧被截或被燔者。多敗。而樵汲路絕。井不得水者。敗尤速。賽里知晉寧無井。決渠泄河水。使城內宋軍無地取飲。計實很毒。

耀州之役。彀英設伏襲宋軍。拔城上宋幟。立金幟。可與史記淮陰侯傳破趙事參看。

南步北騎。步利險。騎利平原。吳玠不守險而戰平原。撒離喝又能聽彀英拔離速之計。此關陝所由遂入金手也。

書阿里合懣晏宗尹宗寧宗道宗雄阿鄰按答海希尹守貞守能傳

太祖即位。阿離合懣以耕具為獻。及己將卒。請禁良馬殉葬。並獻所乘戰馬。此二事實全國富強所繫。較平日立功尤要。

宗尹請罷雜稅。請輸粟賑饑。後世自命爲中國者或尙愧此何耶。

按答海以謙退敎子。蓋得孔老遺意者。未可以夷狄目之。

書宗翰宗望傳

宋納張覺之叛。甚爲金所藉口。顧小利而棄大信。自命爲中國者詎宜若是乎。

宗翰宗望以徽欽北狩。在金爲大勳。在宋則大讎。視若劉曜而已耳。況金人爲元驅除。元人又爲淸驅除。於彼族究亦何利哉。噫嘻。

自春秋吳楚僭王。戰國遂皆爲王。秦漢之際。王號更夥。兩漢帝子。大抵得王。此王之常也。皆國王也。至唐乃有郡王。如郭子儀汾陽郡王李光弼臨淮郡王之類而北齊遼金乃有二國國王。如北齊有趙郡王琛遼耶律淳封秦晉國王金宗翰封周宋國王宗望封遼燕國王郡王小於國王。二國國王則又大於國王矣。此王之變也。若乃淸有成親王。太平天國有翼王忠王等號。與謚無別。又變之變也。雖然。此就名言也。若論其實。三代之王乃天子。春秋戰國皆諸侯。漢七國晉八王亦諸侯。其他或帝子或大將。無土地人民政事。爲諸侯不得。何言王耶。

宗望兵少。被圍數重。勢難取勝。而余睹教諸將萃薄避主。遂以得志。讀史至此。曷勝楚材晉用之嘆。

自郭藥師降。益知宋之虛實。請以爲燕京留守。自董才降。益知宋之地里。請任以軍事。不殺降且克用降。宗望勳業爛然也宜哉。

宋不納張覺之叛。金決不遽爾攻燕。何至有汴京被圍。遂割三鎮。（太原中山河間）書稱伯姪事既已和矣。若不以蠟丸書誘余睹使爲內應。何至有宗望宗翰克汴京以二帝及宗族四百七十餘人北徙。事不度德量力。謬冀倖勝。孽由自作。復誰咎哉。噫。

書盧毛二李孔沈二左虞傳

毛子廉在臨潢十餘年。吏民畏愛如一日。信難得。宗幹必欲處以節度。實圖賞功匪私意也。

書太宗諸子傳

蕭玉諫亮代宋。引苻堅伐晉事。而亮以爲大辱。實則苻堅在秦。不愧英主。亮固未足與比也。

太宗雖舉宋而有中原。宜爲金百世不遷不廟。然於徽欽及宋宗室苛虐不以禮遇。乏君人之度。天假手完顏亮殄絕厥祀。抑無足怪。

書宗弼亨張邦昌劉豫撻懶傳

宗弼（宋史作兀朮）自鎭江泝流西上。韓世忠襲之。宗弼循南岸。世忠循北岸。且戰且行。世忠軍出宗弼軍前後數里。世忠以輕舟挑戰。一日數接。將至黃天蕩。宗弼因老鸛河故道開三十里通秦淮。一日一夜而成。乃得至江寧。蓋至是宗弼始幸出險也。宗弼能。而世忠困宗弼至此。抑亦可謂英勇矣。又世忠舟上五緉着火箭自焚。舟師殲焉。世忠僅能自免云云。可與宋史世忠傳參看。

宗弼順昌郾城二役。先後爲劉錡岳飛所敗。而此傳未詳。蓋金史諱之。元史臣亦未攷宋史補之也。

宋高宗晝界誓表。有世世子孫謹守臣節語。較徽宗書稱伯姪時又大異矣。可歎。又金册宋帝文有世服臣職永爲屏翰語與表相應。贊謂宗弼蹙宋主於海濱。卒定畫淮之約可見南宋和局實出于萬不得已。又謂熙宗舉河南陝西以與宋人。宗弼矯而正之。宗翰之後惟宗弼一人可見金無宗弼南宋亦不至遂奉誓表也。

詔立劉豫爲子皇帝親之且尊之矣。一笑。

劉豫請先攻取昌國船糧。還趨明州。奪取宋主御船直抵錢塘江口。計極很毒。而金弗聽。殆天未欲遽殄宋祚也。

撻懶倡議以廢齊舊地與宋。偷安無進取意。就金論之亦一秦檜也。宗磐爲相贊撻懶議。又一秦檜也。特金人未殺宗幹宗弼後且殺宗磐撻懶。與宋殺岳飛大異耳。

書五劉時韓傳

金議於館陶築三城。有警卽令北軍居之。劉筈謂天下一家。孰爲南北。當嚴武備以察姦。無示彼此。所見甚卓。他日清八旗駐防各省。別築滿城居之。竟無若筈者諫阻何耶。

韓企先爲金相幾二十年。典章制度多出其手。信不可及。而關決大政。與大臣謀議。不使外人知之。尤不可及。

書酈李孔徐施二張宇文王傳

酈瓊謂江南諸帥才能不及中人。每當出兵。必身居數百里外。或督召軍旅。易置將校。僅以一介之士持虛文諭之。制敵決勝。委之偏裨。智者解體。愚者喪師。幸一小捷。露布飛馳。增加俘級以爲己功。縱或親臨。亦必先遁。而又國政不綱。微功厚賞。有罪不誅。後世筦軍事者。竊願深味斯言。

酈瓊謂秦檜老儒。兢兢自守。惟顚躓是懼。吾以大軍臨之。彼君臣方且心破膽裂。可與宋史秦檜傳互勘。

李成號令甚嚴。衆莫敢犯。臨陣身先諸將。士卒未食不先食。有病親視之。不持雨具。此誠將才。而宋但以淮南招捉使任之。致他日爲金戮力。宋軍政可想矣。噫。

太原之役。張中孚率部曲十餘人入金軍中。迹獲父尸。雖未如劉健（見元史劉潛傳）結死士百人詐為工商流匄入賊營。夜半發火大譟擾賊。遂手斬殺父者。抑亦庶幾克孝矣。而後竟降金何耶。蓋功名之士。鬱鬱不得志。必北走胡南走越。自古然也。噫。

因劉豫連歲伐宋無功。撻懶乃唱和議。宗磐宗雋贊之。傳稱三人皆跋扈嗜利。陰有異圖。與宋罪秦檜目為姦臣頗類。三人皆以謀反誅。與岳飛莫須有三字獄亦頗類。蓋檜殺岳飛、乃主和者譖害主戰者。宗弼殺撻懶、則主戰者謀害主和者也。

書熙宗二子斜卯突合速烏延赤盞大磐阿里補傳

斜卯阿里再中流矢。力戰不退。卒破敵衆。難能、遇伏不驚。去馬搏戰。伏兵敗死。尤難能。又烏延蒲盧渾槍已中手。而戰益力。赤盞暉兩臂數中流矢。七戰皆勝。皆難能。大臭謂臨戰不捷、雖死猶生。與馬伏波以馬革裹尸語頗類。屢建勛勣。宜哉。

書鶻謀琵迪姑迭阿徒罕二夾谷阿勒根黃摑蒲察王高溫迪罕伯德耶律蕭田趙傳。

金宗室部屬多虎將。而王伯龍起自盜。高彪起自兵。異日皆入金以功至節度使。可見金不排外。且確能論功行賞。克盛一時也宜哉。

伯德特里補（一作特離補）有文武才。而爲人孝謹。爲政簡靜。且不積財。蓋深得孔老遺意者。可敬也。

書二郭二耶律二烏延三蕭完顏紇石烈烏孫顏盞僕散鄭烏古論移剌高海陵諸子傳

耶律捏里（即遼史耶律淳。）僭號。改怨軍爲常勝軍。擢郭藥師諸衛上將軍。亦榮寵矣。而後乃降宋以伐金。更降金以伐宋。惟利是視。不復知恥。甚可痛恨。

世宗饌不適口。召移剌溫嘗之。蓋將罪庖人也。溫乃以味非不美邊事未息聖慮有在爲解。不諫而諫。可謂智矣。

海陵以子光英改鷹坊爲馴鷙坊。英國爲壽國。應國爲杞國。宋亦改光州爲蔣州。光山縣爲期思縣。光化軍爲通化軍。諱嫌名。且諱二名。何昏謬一至於此耶。

書五張耶律納合祁傳

宋高已奉誓稱臣。而於詔諭江南使欲使北面。致張通古有大國之卿當小國之君云云。適取辱耳。又此云西面受詔。拜起如儀。而宋人諱而不言。蓋甚可哂。

世宗誠意求賢。當效殷高宗周文王。而但恃宰輔薦達。豈能得傅說尙父乎。

祁宰一太醫。使耳。疏諫海陵伐宋。以人事天時地利爲言。意極切直。可謂非常之人。賜謚忠毅。其誰曰不宜。

書撒離喝二耨盌溫敦奔睹高白張傳

列傳第十四有杲本名斜也。此傳又有杲本名撒離喝。列傳第三有昂本名吳都。此傳又有昂本名奔睹。後名雖同。本名固各異也。故此傳但稱本名。

撒離喝以熙宗比建成。海陵比太宗。音婉意忠。蓋幾經審愼而後出口者。卒以此遭忌被戮。暴主前豈易言事哉。

遙設學撒離喝手署及印文。詐爲契丹小字家書。誣以謀反。族其家。而他日遙設在博州。亦以與蕭裕謀反伏誅。天道好還。可懼也哉。

耨盌溫敦思忠力諫海陵北伐。極有膽識。向使不以私隙譖害贊謨。蓋亦無愧大臣矣。既以黷貨無厭見鄙。贊謨復以奪妻取財自獲陰報。小人哉思忠也。何實不副名乃爾。

宋高在會稽。若不單舟入海。幾蹈徽欽覆轍。故異日不敢言戰。蓋實驚弓之鳥也。

據此傳岳飛以兵十萬攻東平。東平尹奔睹兵才五千。張旗林間爲疑兵。自以精兵陣於前。飛不敢動。相持數日退。似怯。然飛至清口。泛舟逆水去。欲誘敵追而敗之。則又非怯。又飛以兵十萬圍邳州。（下邳）城兵才千餘。穴地以攻。不可入。奔睹舉兵爲聲援。飛遂退。則又似怯。此等處可與宋史岳飛傳互勘。毋漫云直抵黃龍也。

在海陵時。縱飲以自晦。世宗卽位卽不飲。若奔睹者。庶幾不負酒也哉。

奔睹善施予。或以子孫計爲言。答曰。人各有命。但使其能自立耳。何至爲子孫奴耶。不圖於金史遇漢二疏也。

高楨甚暑未嘗緩帶。對妻孥危坐終日。不談笑。蓋儒者主敬工夫。不得但曰簡默也。

書世宗諸子傳

永功之子璹於哀宗時有兵勢不支。宜降全完顏氏歸吾國中。使女直不滅云云。實亦長慮。蓋已無他路可走也。

書二李完顏獨吉三烏延尼厖古孛朮魯二夾谷蒲察傳

李石勸世宗先除爲海陵伺察動靜之高存福。然後舉事。又勸勿赴上京（臨潢）而赴中都（燕京）。據腹心以號令天下。所謂定大計決大疑也。至他日山東河南軍民爭田。石謂當明其疆理。示以法禁。北鄙歲警。欲發民穿塹。石謂深塹必置戍。且多風沙。塹易平。不可疲中國爲此無益。特其小小者耳。

獨吉義謂海陵多行無道。殺其嫡母。阻兵虐衆。必將自斃。而後竟然。蓋阻兵弱衆尤易速禍。可燭照而數計也。

書紇石烈僕散徒單傳

世宗釋紇石烈志寧不殺。遂得其力以討窩斡。志寧釋稍合住不殺。遂得其力以執窩斡。不殺之效大矣哉。

北定契丹。南服趙宋。志寧實建大功於世宗之世。不愧宗弼愛壻。一則曰先朝舊臣惟秦宋二王（宗翰宗望）功大。餘不及也。再則曰自太師梁王（宗弼）未有如此人者也。世宗信深知志寧。且不忌志寧哉。

囚徒謀反獄。以夕陰晦也。僕散忠義使守吏撾鼓鳴角。若將曉者。亦以夕陰晦也。悍哉囚徒。智哉忠義。

姪宋皇帝眘（孝宗）謹再拜致書于叔大金聖明仁孝皇帝（世宗）闕下。易表爲書。代臣以姪。視高宗時。固已較勝一籌矣。可歎。

書紇石烈完顏石唐括移剌傳

紇石烈良弼（清季亦有良弼）於世宗時請封賞祖宗以來未錄功賞者三十二人。可敬者一。居位幾二十年。上所詢訪。盡誠開奏。可敬者二。薦舉往往得人。私門請託絕然無之。

可敬者三。居家淸儉。而親舊貧乏者周給之。可敬者四。

完顏守道必欲親愛莫若厚與之祿俾勿事事等語。蓋取孟子帝舜封象意而變化之也。他所諫陳。動關治亂。皆甚可佩。

城破不掠。則未破者易下。石皋雖爲百姓。亦爲金人也。閤母感悟。抑甚難得。至王八爲亂。書從亂者姓名於籍。其黨發之。皋抱籍佯仆。覆籍爐火中。盡焚之。不可復得姓名。止坐爲首者。則更皋獨力所爲。未易幾及。

書蘇翟魏孟梁二移剌傳

牛馬皆有功於人。而以祭。嘗竊疑之。金世宗亦有牛盡力稼穡等語。可見疑此者古尙有人也。大抵古人重家畜。牛馬較羊豕犬。以祭天地宗廟。示特敬耳。後世改用殺果。豈得遂謂非禮哉。

唐有孟浩然。金孟浩亦字浩然。蓋亦司馬相如慕藺相如之意也。

世宗與移剌子敬論宋主反覆無信。有彼以詭詐我以誠實云云。不愧王言。

書趙二移剌二高馬完顏劉賈阿勒根張楊丁傳

君使臣以禮、杖大臣非禮也、他帝不足責。世宗亦不免有此何耶。此亦明廷杖前例。

劉徽柔熟視楊遠。謂汝利姪財而殺之。蓋以遠號訴無淚耳。與趙元指田中釋耒而來者爲殺人賊謂於眉睫間得之略同。又鄰人欺錢。斡里朶以刼案懼之。遂爾得實。蓋刼案罪重。欺錢罪輕、舍重就輕固人情也。知此者可聽訟。豈如後世專究物證哉。

書完顏龐漚迪罕神土懣二移剌二石抹楊蒲察蕭孛朮魯趙敬傳

龐迪孝弟人也。父病刲股。昆弟析財一無所取。孝弟爲仁之本。在官有善政宜哉。

窩斡之亂、漚迪罕移室懣尹臨潢、出戰被執、迫至城下。厲聲囑妻子官屬將士勿降。毋以己故敗國事。臨難不苟免。甚可敬也。

書毛二李曹大二盧徒單傳

毛碩每見古人行事有益於時者。書置座右。甚善。惜未編集成帙便後人考覽也。

曹望之梁肅均覬執政、肅欲進反退、欲速反緩、終幸參知政事、望之則至死不克執政。得之不得曰有命。豈關人力哉。

世宗頗信神仙浮圖。克寧則曰神所佑者正。報應由人事。章宗頗好辭章。而疆場方有警。克寧則曰習辭藝忘武備於國弗便。託事納規。贊所謂又其次也。而況討窩斡以定遼亂。克楚州以迫宋成。立太孫以弭金禍。不伐不矜。更匪餘臣所易幾及乎。

書顯宗章宗衛紹宣宗諸子傳

僕射撲爲將。賞罰必行。與士卒同甘苦。有古名將風。其克戰勝攻取宜哉。

宗浩覆張巖書。步步緊逼。使宋無所藉口。雖曰强辭奪理。要亦持之有故。宋人卒易叔爲伯。增歲幣。備犒軍銀。且函獻韓侂胄蘇師旦首。蓋已力理兼屈矣。

書二夾谷襄完顔璘里傳

清流關之役。襄卒騎二千分二道。一由衝路。自以千兵間道潛登龍駒河之役。東道支軍被圍。襄由西道乘夜直馳以救。即夾谷清臣所云正奇二軍。臨敵制變。以正爲奇。以奇爲正也。他日紇石烈志寧舉襄自代。有智勇兼濟他人莫及等語。諒哉。

百姓足君孰與不足。有若嘗言之。烏有民足而兵不足者。則惟裹言之。後世慮軍食不復念民。盍亟讀此傳乎。又張萬公奪民而與軍。得軍心失天下心。其禍不可勝言云云。可互勘。

書移剌張蒲察粘割程劉董王二馬楊尼龐古傳

正心著於大學。明目載在尚書。董師中謂宰相要在知人。振綱紀。一心正。兩目明。蓋爲相與君略。等言行繫天下治亂。必若是乃可勝任愉快也。

書黃三李王許梁路傳

盜已欵伏。死於杖或死獄中。似與死於法等也。而黃久約惻然曰。民雖爲盜。而不死於法可乎。嗚乎。此誠知立法始意者。夫人命至重。死於法者。法當罪與否。衆共知。獄庶不敢寃。獄不寃。死者服。生者戒矣。死於杖或死獄中者。審錄官尚未審錄。法究至死與否未可定。曷足使死者服而生者戒也。死者不服。生者不以戒。豈尚得謂法歟。法治已然者刑之迹。刑期無刑者法之意。泥迹而忘意。古之人固不如是也。

貧富不均。或欲令富民分貸貧者。而久約以爲歛怨。蓋當日所謂貸。實與焉耳。否則富民權子母苟匪赤貧。或貸而不償。孰不樂與往還哉。若名貸實與。而又由上迫爲之。貧者不惟不德富民。且以財可倖獲。益增惰肆。富民不惟怨上。且自此不務勤儉。同陷寒窶矣。近代猶太人唱共產。顛覆俄羅斯。始屠皇室。繼戮貴族。殺富民。罄所有入於黨。令國中曰。欲得食者必事事。否則縱餓死莫恤。然事事而怠。所在多有。不得已許財不踰若干。可自享。然後不怠者勸而怠者競。是借徑共產。而仍以生衆食寡爲疾用舒爲彼輩生財大道也。不知者猶漫言共有共享。適爲彼輩所笑耳。

李晏所上十事。如杜奢僭禁游手興禮樂輕租稅減鹽價等事。後世尚當采納。況當日乎。

梁襄疏諫世宗毋幸金蓮川。慮患懇到。說理詳盡。雖中及隋煬海陵。世宗不悅而北幸竟以此疏而罷。可見此疏亦奏議中有數文字也。

書裴滿斡勒二張韓鄧巨賀閻焦二劉李馬楊康移剌傳

裴滿亨以進賢退不肖信賞罰薄徵歛奏世宗。雖似老生常談。要亦無以易也

書三完顏傳

宋錢象祖力爭川陝關隘。有東南立國。吳蜀相依。不能保蜀。何以固吳。斥逐奴隸。引咎謝過。前嫌可釋。奚必較錙銖毫末。反傷骨肉之恩等語。亦善辭令。雖書中乞憐意多。戰敗求成。要非得已。

章宗賜吳曦詔。胎息漢魏。甚可誦覽。而乃祖武安公玠捍禦兩川。洎武順王璘嗣有大勳。岳飛威名戰功。暴於南北。一旦見忌。遂被參夷之誅等語。尤足與宋史參證。又徒單克寧傳謂章宗頗好辭章。觀此益信。

吳曦被安丙殺。金遂不能有蜀。不能有蜀。遂難取吳。他日胡元外迫。南渡未可。宋更乘危入蔡。剿絕金祚。是完顏綱不據仙人關。致曦不保首領。直金宋元三國成敗興廢所關。豈細事哉。或謂金與宋和。川陝關隘。倘肯還之。豈必有蜀。不知此特曦死蜀失乃然耳。册曦始計。固不僅在蜀也。又綱不聽徒單鎰之言。敗績緡山。亦金元二國

成敗興廢所關。

贊謂韓侂胄心彊智疎。蘇師旦謀淺任大。函首燕薊。南北皆曰賊臣何哉。可見侂胄主戰。厥心可諒。不必遂爲姦臣。卽實姦臣亦別有所以也。事固不可徒論成敗也。

書徒單貢二孫李傳

徒單鎰論爲政之術。一曰正臣下之心使明禮義。二曰導學者之志使習經史。此二事在今蓋尤急。國人儻采其論乎。

後唐明宗詔有曰。太宗時臣有世南。(虞世南)官有民部。靡聞曲避。止禁連呼。蓋不諱二名不諱嫌名也。而孫卽康乃云唐太宗諱世民偏旁葉作蓁。泯作汦。不知何所據而云然。贊鄙卽康爲斗筲之人。信哉。

書孟宗二完顏路朮虎張高李傳

完顏伯嘉謂人臣有忠國者。有媚君者。忠國者或拂君意。媚君者不爲國謀。有國可以有君。有君未必有國。意甚精警。在上者盍味此言。

書承暉抹然僕散耿李孛朮烏古論傳

承暉貨聚於上怨結於下二語本聖人財聚則民散意。又元兵入燕時。承暉從容就義。謂五經皆經師授。謹守而力行之。不爲虛文。若承暉者。庶幾不愧讀書哉。

宣宗恃近侍禮察外事。是以近侍爲耳目也。以近侍爲耳目。塞聰蔽明。禍可勝言哉。

李英（明史亦有同名）收義軍數萬。所謂烏合之衆。而以督護糧運。甚危事也。戒懼猶恐隕越。況被酒乎。英敗死而烏古論慶壽永錫皆潰。中都遂不守。英之罪可復論哉。用英者之罪又豈可逭哉。

書僕散田完顏蒙古必蘭傳

徐汝賢以萊州降楊安兒。懼死耳。卒爲僕散安貞所斬。試問何所逃死乎。

撒離喝奪饒峯關。僕散安貞奪黃土關。皆以潛兵陟關後。俯瞰取勝。可見奪險守險在人。徒險不足懼。且不足恃。

宣宗信近侍而僕散安貞以功大被誣。宣宗蓋與明熹宗等耳。可歎。

書七完顏二烏古論石抹蒲察奧屯夾谷朮甲臣紇石烈納蘭傳

金攻襄陽。完顏鐵哥爲前驅，獲生口。知江渡可涉處，陰植標識之。大軍以濟。蓋竊穿窬識路遺智也，竟用立功，亦莊子不龜手之藥，或以封，或不免於洴澼絖之說與。

書納坦鄒高孟烏林答郭溫迪罕王移剌奧屯二蒲察紇石烈完顏斡勒傳

宋被金迫南遷。金被元迫亦南遷。螳螂捕蟬。黃雀在後。自古然矣。可懼哉。或惜納坦謀嘉諫阻不聽。不知李綱於宋亦嘗諫阻矣。不還究何利耶。

斷獄出罪。王擴歎謂生者既讞，地下之冤云何。不知此猶淺論也。刑當其罪，實願後無再冤者。卽實願無再殺人者。且實願無再因殺人償命者。書曰刑期無刑。意在此耳。豈徒爲不可復生之死者理冤哉。

贊謂宣宗急於求賢。而使小人間之。悅於直言。而使邪說亂之。蓋若扁鵲視病。洞見五臟癥結。

書程二任孔范二張劉王楊蕭溫迪罕傳

王脩剛嚴。臨事果決。而後每出罪徼福。何也。及其老也。戒之在得。徼福尤得之大者也。可弗戒與。

官多事愈不治。張翰（與晉張翰同名）併縣之說。省官即以省事。後世宜亟效之。

書二張賈劉朮虎塔不也傳

爭獻爭納。宋人以爲大功。信可哂也。然章宗戒張行簡。旣謂宋人行禮好事末節。又云苟有非是。皆須正之。舊例所有。不可不至。是亦屑意末節矣。又諭行簡語宋使不宜爭細故傷大體。抑又重在責人而未嘗責已矣。有君人大度者。豈必若此耶。

書高汝礪張行信傳

汝礪諫榷油。謂油者世所共用。利歸於公。則害及於民。誠哉是言。或謂鹽亦世所共用。不諫榷鹽。何也。蓋鹽利視爲歲入已久。一旦不榷。別謀抵補頗難。油則斷本不榷。未可便開惡例也。

張行信謂奉使者自專議和。將兵者惟當主戰。蓋亦各盡厥職耳。若一味違異。致中樞國是不定。究亦非福。至備戰則和局易成。古今往往若此。實卽以戰求和也。否則坐以待斃。何國之云。

書胥傒把師傳

金南渡後。胥鼎以書生負方面重任。甚難得。嘗薦把胡魯自代。而宣宗謂駕馭人材處決機務不及鼎。知臣莫若君。於鼎蓋庶幾焉。然終未能專任鼎可歎。

傒摯謂兵多而民不足。使蕭何劉晏復生。亦無所施其術。後世養兵數百萬。不可一戰。復藉口外侮。變保甲爲徵兵。致畎畝壯丁廢時失業。曷不一讀此傳耶。噫。

把胡魯有言。盜賊之多以賦役多也。賦役少則盜賊息。後世於田賦房捐貨稅有加無已。更復徵工稅地。其智殆皆在胡魯下與。悲夫。

書完顏素蘭陳規許古傳

完顏素蘭以多置軍官不恤妄費爲無謂。後世乃往往若此。可歎。

歲寒然後知松柏後彫。君子猶恨其晚。況歲寒而不知乎。劉從益見陳規所上八事。

歟爲宰相材。而宣宗但任以補闕。尙得謂爲知人乎。

許古於高琪指摘備切。於胥鼎完顏弼從坦必蘭阿魯帶可任方面贊許備至。與空言以諫者迥別。惜宣宗未能盡聽也。

書楊趙韓馮李雷程傳

楊雲翼諫南伐。就治亂彊弱勝負兩兩比較。可爲言事者法。而卒不能動宣宗之聽。此金事所由大壞也。

馮璧攝牙吾塔入獄。兵士譁譟。璧不責兵士。但責牙吾塔。極是。蓋璧係制使、挾天子以令諸侯。牙吾塔自不敢抗。牙吾塔不敢抗。兵士何由多語哉。

李獻甫折夏使、謂宋以歲幣餌君家而賜之姓。岸然以君父自居。夏國君臣無一悟者。誠快論。足爲宋人解嘲。

書古里甲訛可撒合烏林答思烈紇石烈傳

贊謂金自胡沙虎高琪用事。風俗一變。朝廷矯寬厚之政。好爲苛察。將帥鄙儒雅之風。好爲粗豪。皆所謂不善變也。金祚遽斬。豈無故哉。

書完顏合達移剌蒲阿傳

凡亂必有首惡。凡首惡必挾衆以逞。完顏合達討田瑞。諭以罪止瑞一身。餘無所問蓋破其挾衆之勢。使衆各爲己計也。各爲己計。則皆欲轉禍爲福。首惡欲不授首得乎。書曰殲厥渠魁。脅從罔治。合達竊師此意耳。

元人攻汴。揚言汝家所恃惟黃河與合達耳。是以合達與黃河等量齊觀也。是檀道濟萬里長城外又一新語也。合達爲我殺。黃河爲我有。而金遂亡於元矣。噫嘻。

移剌蒲阿不肯半渡擊敵。一誤。不肯速追敵。二誤。領密旨後不肯再議。三誤。有此三誤。安得不敗。惟後爲敵擒。自云我金國大臣。當金國境內死。庶尚知與國共存亡耳。

書完顏賽不白撒赤盞合喜傳

元兵圍汴十六晝夜。內外死者以百萬計。知不可下。乃託和議而退。平心論之。雖哀宗數出慰勞。人爭效命。赤盞合喜要不爲無功也。特未可以此爲賀耳。

書白華斜卯愛石抹世勣傳

括粟給軍。甚擾民。民心去。國命焉託乎。且有太倉米在何。事括粟乎。

哀宗謂我不出則軍分爲二。一軍守。一軍出戰。我出則軍合爲一。石抹世勣謂陛下出則軍分爲三。一守。一戰。一中軍護從。蓋哀宗自信能將兵。故曰軍合爲一。世勣知哀宗未能將兵。故曰一中軍護從也。

書完顏崔聶赤盞傳

崔立亂。隨駕官吏家屬。括汴中金銀。而他日元兵先入其家。取其妻妾寶玉以出。天道好還。信哉。且他日以淫李琦妻不得。被李伯淵所殺。更爲孽由自作。

李先生（失名而史稱李先生其人可想又元順帝紀亦有闕先生）請徒單兀典北取衛州。使元分兵不渡。以寬汴京。計實未謬。而兀典斬之。可恨。他日兀典竟爲元追騎所斬。李先生有知。亦長歎於地下乎。

決河灌城。而城反倚水爲固。蓋元人不知城外有濉水。故道可以行水也。行軍不可不熟地理。此亦一端。

書徒單粘哥王國時傳

論謂金季之亂。軍士欲代其偏裨。偏裨欲代其主將。卽羣起而僨之。無復忌憚。凡兵久用而紀綱不立者。往往如此。不獨金然也。可弗戒與。

哀宗旣遷歸德。復幸蔡州。徒欲遠敵耳。我能往。敵亦能往。庸可遠乎。國用安諫以六不可。語簡事明。而竟弗聽。蓋以人廢言也。

書苗王移刺武二張靖郭胡燕傳

宣宗遷汴以後。河北士人往往團結爲兵。苗道潤因此撫定五十餘城。使不爲賈瑀所害。所成就何止如山東李全哉。後雖有九公封建。地剖力分。上無統帥。與道潤時抑又大異矣。

書粘葛二完顏烏古論張傳

烏古論鎬忠而見忌。至足寒心。城破被執。竟克死國。故論亟獎之。

妖人烏古論先生。佯爲狂態。裸顚露足。綴麻爲衣。至人號爲麻帔先生。此誠怪狀。而宣宗時出入大長公主家有穢迹。哀宗時又與烏古論鎬妻通。豈果別有祕術耶。噫。麻帔先生自詡能使軍士服氣。不費糧。哀宗將效田單故事。假其術以駭敵。張天綱力辯以止之。可取者一。石抹虎兒獻策於完顏仲德。竊田單火牛意。用馴騎百餘飾獅子狀以駭敵。天綱亦辯止之。可取者二。蔡陷。天綱爲宋所執。抗節不屈。且於供狀不肯書虜主。但書故主。可取者三。

完顏仲德文武忠亮。爲金南渡後一人。哀宗若不聽白撒而聽仲德。早決西遷大計。金事尚可爲也。後幸蔡州。更謀西幸。見兔顧犬。抑猶未晚。而竟君選室女近侍娶妻。燕安酖毒。惡可爲哉。以死殉國。從死者五百餘人。讀史者墮淚。況當日耶。

書世戚傳

遼於蕭氏世爲甥舅。他代莫比。可謂世戚。然天子娶后于是。公主下嫁不必于是也。故表稱外戚。不曰世戚。金於徒單拏懶唐括蒲察裴滿紇石烈僕散。則天子娶后于是。公主下嫁亦于是。族本貫顯。女爲帝后何加。婦得王姬非泰。外戚禍無自作。公主驕念亦無自萌矣。此誠世戚。故併他史外戚公主二傳而爲此傳。

書忠義傳一

元史明修於遼金宋忠義詳書弗諱。雖彰前美。亦欲爲明臣民者效其所爲。無負於己耳。慮遠思深。不愧爲天下主。

夾谷守中佯許夏人招降平涼。至城下卽大呼曰。外兵矢盡。且遁矣。愼勿降。至今如聞其聲。庶幾晉解揚之流亞與。

高守約於郭邦獻招降。但曰吾不汝識。得絕交不出惡聲意。和速嘉安禮被執。自承刺史不諱。得臨難毋苟免意。皆甚可敬。又王晦於王臻勸降將射未射。李演被執。答是應奉。（官名演曾除應奉翰林文字）與此略同。

書忠義傳二

馬驤爲濟陰令。被元兵害。自云得死爲大金鬼足矣。書生慷慨若是。甚可敬也。

書忠義傳三

第一傳有伯德梅和尙陣亡臨潢。第二傳有奧敦醜和尙成仁代州。此傳又有完顏陳和尙就義鈞州，號和尙列名忠義，可敬。又安州刺史徒單航一名張僧擧家殉難，斜烈縱歐陽子孫，併其族屬鄉里三千餘人不殺，是誠義行，得之於夷狄更非易易。不得漫以黃巾鄭公鄉事擬之也。

烏古論黑漢，蓋失名而以黑漢傳，非名黑漢也。夫權刺史行帥府事，非小官。與聶都統執議不降宋，且殺鎭防軍馮總領，非細事，而名莫之知，亦可異哉。

馬肩龍不識從坦，而上書力辯其寃，後且未嘗有所干，其賢可想。愛申未嘗識肩龍，一見許爲知己，後且招與守德順，賢亦可想。兩賢相得，愛申死，肩龍豈忍獨生哉。於愛申傳曰慕生致肩龍，不知所終。於肩龍傳曰愛申深器重之，同死於難，事誠可信。不必傳疑也。

書忠義傳四

蕭何薦韓信可爲大將。而高祖拜信大將。此漢業所由建也。許古薦啇衡可任宰相。而哀宗但任衡經歷。此金統所由墜也。

金恃潼關拒元。而朮甲脫魯灰揣元將由散關入興元。下金房。繞襄漢北入鄧鄙。元卒以是取勝。英雄所見蓋略同也。

楊達夫詩酒自娛。了無宦情。不異陶潛。而亦被害於横嶺。哀哉。

烏古論仲端謂人生似巢燕。或華屋或茅茨。及秋皆當逝去。意超達而詩不傳。可惜。

無事時自家人爭彊。有事則他人盡力。自古逮今大抵然也。豈獨金代哉。長公主云云。未免所見不廣矣。

完顏絳山一奉御耳。不避萬死。瘞哀宗骨。然後再拜赴水。正氣凛然。死誠義鬼也。即不知所終。生亦義士也。

畢資倫爲宋將時青所執。抗駡不屈。繫鎭江獄十四年。後聞蔡州破。哀宗縊。設祭大哭。乘不備投江以死。其忠何減文天祥。世皆知天祥。而資倫道及者少。則天祥正氣歌獲傳於世。且貴爲丞相也。噫嘻。

郭蝦蟆神射。並世無比。既得哀宗凶耗。死守孤城。矢盡援絕。無一降者。忠勇且得將士死力。並世殆更無比。

書文藝傳上

蔡松年事繼母以孝聞。而導金人言利。且與許霖搆田獄黨事。何不忠乃爾。語曰。求忠臣於孝子之門。豈其孝僞與。

王競博學能文。善草隸書。此誠文士。與黨懷英能屬文工篆籀同也。而能設方略盡得盜。覈實隄費減幾半。則不僅文士。庶幾良吏傳人物矣。

世但稱連中三元。謂鄉試解元會試會元殿試狀元也。而孟宗獻發解第一。後府試省試廷試皆第一。號孟四元。蓋彼時考試與他代略異耳。

書文藝傳下

烏乎。李純甫豈尋常文士哉。喜談兵。慨然有經世心。章宗南伐。兩上疏策勝負多驗。

作矮柏賦以諸葛孔明王景略自期。上萬言書援宋爲證甚切。世莫我知。縱酒自放。嘯歌袒裼。出禮法外。有酒見招。不擇貴賤必往。往輒沈醉。此蓋自憤不得爲諸葛孔明王景略。不覺遂與阮嗣宗陶淵明近也。可勝浩歎。至於著述繁富。歸宿在儒。故以論性理及闢佛老二家者爲內稿。而亦爲名教所貶。何不幸至此與。

元德明宜入隱逸傳。以子好問故附此傳。殊不幸也。

元好問金亡不仕。以詩文爲一代宗工。且以作金史爲己任。雖金國實錄未獲盡讀。而野史亭所述金源君臣百二十年（起太祖收國元年乙未盡哀宗天興三年甲午恰百二十年）遺言往行。元纂金史尙多采摭。亦庶幾不朽盛業矣。

書孝友傳

百二十年中孝友見旌表載史册者僅六人。殆尙有不及旌表未入史册者。然卽此六人正氣已在天地間。豈必多乎。

廬墓刲股。請代父死。以舌舐目等事。他史嘗有而不忌雷同者。心同理同。凡忠孝節義皆然。但問虛實。不可以同異議也。

書隱逸傳

併孝友隱逸二傳爲一卷。雖就篇幅計。然亦以此見不克孝友者未足與於隱逸也。

論語逸民首夷齊。豈不以此耶。

贊盛推褚承亮杜時昇宋可。甚允。然如郝天挺之落魄困窮不謁豪富。高仲振之安貧樂道不入城市。張潛之夫婦相敬負薪行歌。實皆不愧高隱。

書循吏傳

世宗務休養生息。而民物滋殖。循吏迭出。宣宗尙刀筆之習。嚴考核之法。能吏不乏。而豈弟罕見。必知此者乃可與言吏治。必知此者乃可與言循吏。

王政釋饑民爲盜繫獄者。發倉廩賑貧乏之者。治外而待民恕也。明會計。嚴扃鐍。金帛山積。而出納無錙銖之失。治內而遇吏愼也。恕若此或不敢爲。愼若此或不屑爲。此循吏所以難得與。

趙鑑發守將姦迹近能吏至出城視禾蟲乃自死事或偶值未足據信王浩愛民有善政而宣宗南渡以後莠民錢大亨等北降元竟殺浩亂世循吏抑豈易爲哉雖然浩至今固尙若生也

書酷吏傳

此傳所謂酷吏非漢酷吏乃唐酷吏也觀傳首熙宗迭興大獄海陵翦滅宗室二語可知矣噫嘻

書佞幸傳

併酷吏佞幸二傳爲一卷蓋皆凶國禍家之小人不類亦類也

張鈞草罪己詔有惟德弗類上干天威及顧玆寡昧眇予小子等語而蕭肆誣爲漢人託文字詈主熙宗竟因是醢鈞雖曰奸人善毁亦見厠身異族之可哀然使熙宗若章宗究意辭翰毁言抑豈易入哉噫

海陵與張仲軻言欲得宋劉貴妃其驕殆過楚靈王驕極必敗無怪他日伐宋不得

反蹕也。

蕭裕承反不諱且詳舉所以欲反之故。而不乞哀直爽若此。小人中亦豈易有。

經童作相。（謂胥持國）監婢爲妃。（謂海陵李妃）在海陵蓋佳話。而胥門竟有十哲。又佳話中佳話。

書列女傳

傳首遇不幸能自樹立。有烈丈夫之風。君子與之等語。就節烈言也。列女僅及節烈與劉向始意有悖。

阿魯眞守上京。衣男子服。與子蒲帶督衆力戰。非尋常節婦所能。又完顏仲德妻守蔡州。率諸命婦自作一軍。親運矢石。城破自盡。非尋常烈婦所能。

姜乃姓耳。許古妻劉氏與二女自盡于蒲城。金謚劉氏貞潔。而謚二女曰定姜肅姜。不如易姜爲貞之爲合也。

蘇嗣之母白氏年七十餘而自縊。人生亂世不幸。婦女生亂世尤不幸。可嘆也。

書宦者傳

粱珫勸海陵伐宋，在海陵誠罪人，在金則功臣也。去海陵乃得世宗，得世宗乃綿金祚也。

宋珪意切諷諫，士大夫所難，不幸爲宦官，至與粱珫同傳，可歎。

書方伎傳

併宦者方伎二傳爲一卷，蓋專就篇幅計耳。

置醫於術者前甚是，蓋醫治現在，人固可活，術究未來，數不可逃也，不可逃，術卽驗何補哉。

書逆臣傳

熙宗杖唐括辯不殺，且直言爾與亮（完顏亮卽海陵庶人）謀何事，將如我何，是迫亮等弒逆也，可哂。

海陵剔徒單貞。凡人富貴而驕，皆死徵也。語極警闢，第剔人而不已，剔抑猶未免予聖乎。

皇統（熙宗年號）逆黨九人。無一幸免。而秉德唐括辯僕散思恭（本名忽土）徒單阿里出虎以疑見戮。尤可爲助逆者戒。

完顏元宜先以去馬渡江紿衆。然後議舉大事。蓋使衆無地逃死。乃可聽吾所爲也。

胡沙虎（元史作忽沙虎）弑衛紹王後。意不可測。以憚徒單鎰威望。聽其言而立宣宗。是宣宗實徒單鎰所立也。不德鎰而德胡沙虎。拜胡沙虎太師尚書令。直待高琪謀亂。胡沙虎乃授首焉。若宣宗者。尚足與言政刑哉。噫。

書叛臣傳

宋不足與有爲。而張覺棄金投宋。果忠於遼耶。抑眞欲乘時徼利耶。己既授首宋亦以納叛被禍。可歎也已。

耶律余覩遼之宗臣。而降金。雖曰蕭奉先迫之。余覩之罪亦大矣。既降金又謀反。胡爲者。豈懼禍而然乎。抑未反或誣以反乎。均未可知也。

移剌窩斡故遼人。在金雖曰叛逆。在遼庶幾殷頑也。

書外國傳上

夏祖爲托跋思恭。蓋元魏苗裔也。唐僖宗時實節度夏綏銀宥四州。故他日建國曰夏。又嘗與李克用等破黃巢復京師。賜姓李。故子孫以李爲氏。槐柯一夢。抑豈偶然。唯（或作佳）兵不祥。古人不得已而用之。太祖宗望等知此。故滅遼敗夏而後於西遼暫置弗問。於西夏賜地修好。於北宋以燕京涿易檀順景薊反之。誠欲與民休息。嚮使宋不東納張覺（平州留守）之叛。西奪乾順之賜。（金賜李乾順地有在山西者宋奪之）何至結禍金源。獨受酷毒。卒致二帝北狩哉。噫。

李仁孝時任得敬雖專夏政。固夏臣也。而竟附表進禮。就金言之。是以陪臣上達天子也。世宗卻不受。嚴天澤之分。卽以杜篡竊之圖。意深遠矣。

傳稱自天會（太宗年號）議和。八十餘年。與夏人未嘗有兵革之事。及貞祐（宣宗年號）之初。小有侵掠。以致搆難。十年不解。一勝一負。精銳皆盡。而兩國俱弊。嗚乎。此蓋爲蒙元造機會耳。卒之夏金皆被元滅。哀哉。

贊謂南界橫山。東距西河。境雖小而富彊。夏又崇尙儒術。尊孔子以帝號。立國二百餘年。抗衡遼金宋三國。蓋有由也。

書外國傳下

保州逼近高麗。屏蔽遼瀋。就金言之。無異平州不可入宋也。故終弗以保州賜高麗。王晧弒兄晛而自立。世宗弗討。卒册晧爲高麗王。雖晛臣趙位寵反晧請援。世宗亦弗助。蓋地遠且險。國威難達。姑羈縻之已耳。

書國語解

釜曰闍母。刃曰斜烈。珠曰銀朮可。罐曰活女。而金有此人名。猶漢人名有鼎彝金珠劍戟壺盤等字也。

完顏漢姓曰王。烏古論曰周。乙石烈（一作紇石烈）曰高。徒單曰杜。蒲察曰李。移剌曰劉。裴滿曰麻。僕散曰林。傳中此等姓甚多。皆未直書漢姓。蓋不效遼史凡后族曰蕭。而效其耶律未嘗稱劉也。

讀元史蠡述

黃士衡著

中華民國二十五年
湘鄂印刷公司印行

讀元史蠡述目次

卷一

卷二

卷三

讀元史蠡述卷一

岳陽李澄宇洞庭著

書卷首

魏書遼金二史雖號正史而王業實偏安也自有元史則誠夷狄而中國者中國之矣長城內外周秦漢唐宋未能統一者皆假元手統一之天固有意發皇漢族使聖道東漸西被納萬國於軌物不必以尋常外侮比論也

本紀事實與言辭並載兼尚書春秋二義自屬正軌新唐書本紀全倣春秋貌似謹嚴意實窘澀凡例謂元史本紀上準兩漢庶幾知去取者哉

紀傳論贊蓋畫龍點睛之處龍門最擅此技蘭臺次之元史不作論贊（邵陽魏源元史新編曾廉元書柯劭忞新元史皆有論）豈懼立言失慎藉此藏拙與後世載筆未宜則倣

書太祖紀

世祖上有太祖太宗定宗憲宗紀與晉書武紀上有宣景文三紀異蓋晉至武帝始篡位此則太祖時已自建大號也

自孛端叉兒至海都將絕而後大。自海都至太祖已弱而後彊。雖曰天命。要皆克盡人事也。

太祖遣阿里海責汪罕。理直過於晉絕秦。惟阿里海辭令不及呂相。史筆亦未如左傳耳。然在元紀固亦不可多得之文字。

汪罕爲子所誤。不念烈祖太祖舊德。雖形勢盛彊。卒爲太祖所敗。左傳所謂師直爲壯曲爲老也。

乃蠻（魏源元史新編作乃滿）部長太陽罕誘敵深入之計。未可厚非。而其將火力速八赤竟以先王戰伐勇進不回。馬尾人背不使敵見等壯語激之。遂致一戰而敗。人亡國殄。豈天眷有在。有廢然後有興。乃蠻君臣無形中已不能自主耶。

太祖但建元無年號。甚與古合。

金伐遼以不歸阿疎爲辭。元伐金又以殺咸補海罕（元史新編作俺巴海汗）爲辭。師忌無名。此則其名也。

未得燕京前。分三道略定河北山東郡縣。未攻汴京前。由西夏趨關中遂越潼關。拔汝州等郡。蓋先枝葉而後本根也。太祖崩時。遺命謂金精兵在潼關。南據連山。北限大河難以進破。若假道於宋。宋金世讎。必能許我。則下兵唐鄧。直擣大梁。（卽金南京亦曰汴京）金急必徵兵潼關。數萬之衆。千里赴援。雖至弗能戰。破之必矣。則又晉獻公假道滅虢之計。且兵家所謂避實擊虛也。史稱太祖用兵如神。信然。（宜與宋史參證見宋助元攻金無異自攻）

書太宗定宗紀

太宗詔以孔子五十一世孫元楷襲封衍聖公。且敕修孔子廟。欲治中國。不能不尊孔重儒。其勢然也。

書憲宗紀

憲宗親起詔草。更易數四。然後行之。蓋極愼也。然不如還任儒臣。口授大意。從而核定之。庶可有恒也。

書世祖紀一 中統

元自世祖卽位建元中統始有年號蓋效漢制而然也。卽位詔有務施實德不尙虛文雖承平未易遽臻而飢渴所當先務等語不愧王言。長江天塹每限戎馬故遜金於宋見可而止雖嘗深入不望統一世祖遣使通和與遜金二代用意略同奈宋姦臣賈似道密拘元使郝經等不遣致世祖興師問罪國祚旋隕甚可痛恨。

書禁以浮掠婦女爲娼美夷狄尙有仁政也。

書世祖紀二　中統　至元

一帝數元漢武以後往往有之然實悖古世祖改中統五年爲至元元年不如淸十帝皆止一元不必稱謚可徑以年號呼之也。如順治帝宣統帝

書世祖紀三　至元

遣使日本不稱詔諭而曰奉書且云冀自今以往通問結好以相親睦蓋暗仿漢文帝賜南粵王書意。

書勅修曲阜宣聖廟。又書敕上都重建孔子廟。皆美之也。或曰宣聖。或曰孔子。豈彼時名稱未一。任意書之耶。

書世祖紀四 至元

劉整用兵襄陽。而宋荆湖制置使李庭芝忽遣人賫金印牙符授整盧龍節度使。封燕郡王。其間蓋顯而易見。世祖不爲所動。固無足異。

書世祖紀五 至元

襄陽樊城、隔漢對峙。故阿里海牙因襄陽久圍不下。請先攻樊城。斷其聲援。樊城既拔、襄陽知府呂文煥遂以城降也。徒單公履有言。乘破竹之勢。席捲三吳。此其時矣。是樊城繫襄陽重輕。襄陽又繫宋重輕也。地利庸可忽乎哉。又史權傳有襄陽乃江陵藩蔽。樊城乃襄陽外郭。我若先攻樊城。則襄陽不戰自降矣等語。又郭侃亦主先取襄陽。

孟子有言。不嗜殺人者能一之。世祖諭伯顏曰。汝能不殺。是吾曹彬也。何其意與古合耶。夷狄而中國者中國之。胡元所由不愧正統乎。

宋兵十餘萬當郢。夾漢水城萬勝堡。（伯顏傳 號爲新郢）兩岸戰船千艘。鐵絙橫江貫大艦數十。遏元師不得下黃家灣有溪經鶻子山入唐港可達江。亦爲壩築堡其處。駐兵守之。繫舟數百。與壩相依。守亦固矣。而竟不克守焉。孟子所謂地利不如人和也。後世有不擇將而高談防禦工事者。盍讀此傳乎。又宋都統王達守陽羅堡。荊湖宣撫朱禩孫以游擊軍扼中流。元師不得進。用千戶馬福言自漢口開壩引船會淪河口。徑趨沙蕪。遂入大江。可與此役參勘。

於權臣賈似道尚無罪之之心。況肯令趙氏乏祀乎。此世祖諭張晏然語也。雖似仁厚。實待亡國君臣以不死之意。非即與約和之意。故後諭伯顏。亦有宋君臣相率來附。趙氏族屬可保。宗廟悉許如故云云。

書世祖紀六 至元

元遣郝經至宋議和。賈似道不以上聞。且擅留不遣。必使宋喪師滅國。齎玉璽及降表稱臣乞哀。不度德量力。而但知主戰者。其肉抑豈足食乎。

文士多死。而武官降。宜世祖薄宋武官。以言折之也。噫。

宋史於度宗紀後。列瀛公紀二王附紀。蓋宋史元修。不予帝㬎（即瀛國公）端宗帝昰（即益王衛王）以帝統也。續綱目嚴夷夏大防。不忍宋亡。則於帝㬎端宗帝昰。皆予以帝統。故至元十七年。始大書元世祖年號。近人世界大事表。於恭帝（即帝㬎）予以帝統。於端宗帝昰弗予帝統。故至元十四年。即大書元世祖年號。意謂徽欽北狩而北宋亡。恭帝北狩而南宋亡也。然要以綱目爲是。蓋趙氏一塊肉尚存。固猶赫然天下共主也。噫嘻。

書世祖紀七（至元）

凡大小政事。順民之心。所欲者行之。所不欲者罷之。果如是。民之所好好之。民之所惡惡之。無愧王政矣。

此書張弘範將兵追宋二王。（端宗已崩而元史猶曰二王者蓋是時元未知端宗崩也）至崖山寨。張世傑來拒戰敗之。世傑遁去。廣王昺（帝昺原封廣王後封衛王）偕其官屬（有陸秀夫在內）俱赴海死。一若世傑未能死節者。續綱目大書張世傑與元張弘範戰於崖山。世傑兵潰。陸秀夫負帝赴海死之。世傑復收兵至海陵山。舟覆而死。則炳焉與秀夫比烈矣。可敬也哉。

書世祖紀八 至元

元征日本船壞失利。蓋古無鐵艦。欲征服海國至難。而竟東征。敗由自取也。

書世祖紀九 至元

福建賊有陳吊眼。蓋綽號。與元魏楊大眼傅豎眼同。其黨有張飛。殆慕蜀漢張飛而與同名耳。

耶律鑄言官吏以采室女害民。可見滿清一代漢不選妃。實爲善政。或云漢不選妃。滿不點元。皆出洪承疇護漢愚滿意。

書以中山薛保住上匿名書告變。殺宋丞相文天祥。著元殺天祥之由。且嘉天祥不負宋主也。

書世祖紀十 至元

西州趙和尚自稱宋福王子廣以誑民。民有信者。蓋宋民猶念故主。不意爲趙和尚所愚也。磔裂以徇。亦弭亂一法。然不以此禍連宋裔。亦見元代之厚。

書世祖紀十一（至元）

以日本孤遠島夷。重困民力。罷征。不愧王度。楊廣於高麗。痞此。曷致有亡國之禍哉。

敕禽獸字孕時毋畋獵。不悖古意。亦所謂夷狄而中國者也。

書世祖紀十二（至元）

父兄雖死事。子弟不勝任者安可用之。世祖此語。可爲法於後世。

貴人末路往往爲僧。蓋盛衰興廢之感。正可藉佛說掃之也。瀛國公趙㬎學佛法于土蕃。有以哉。

書大同民李伯祥蘇永福八人。以謀逆伏誅。柳州民黃德清叛。潮州民蔡猛等拒殺官軍。並伏誅。（此外甚多）足見當日人心念宋。無間朔南。而元人於漢族。究不免有征服者對於被征服者之行爲。激令相嫉相恨也。世祖時如此。他復何論焉。噫嘻。

賑饑免賦。疊見於史。後世自命中國者。讀此或當汗下。

書世祖紀十三 至元

麥述丁崔彧言桑哥當國四年。諸臣多以賄進。親舊皆授要官。唯以欺蔽九重。朘削百姓爲事。可見主雖圖治。臣乃別有用意。而異族內蒞諸夏。胸有彼此。尤易有桑哥輩也。噫。

書世祖紀十四 至元

河南福建行中書省（或省稱行省 或徑曰省）臣請詔用漢語。蓋欲黎首易曉也。有旨以蒙古語諭河南。漢語諭福建。蓋以河南近。福建遠。且福建素不習北語。不獨蒙古語也。然或蒙或漢。未免歧異。不如滿淸凡上諭滿漢文字並列也。

月兒魯等言納速剌丁滅里忻都王巨濟黨比桑哥。恣爲不法。楮幣銓選。鹽課酒稅。無不更張。變亂之。銜命江南。理算者皆嚴急。輸期民至嫁妻賣女。禍及親鄰。維揚錢塘受害最慘。無故而隕其生五百餘人。小人當道。蠹國殃民。往往若此。而異族入蒞諸夏。尤易若此。爲君者可勿明目達聰。親君子而遠小人乎。

世祖度量弘廣。知人善任使云云。蓋贊語。而不以贊曰別之者。元史凡例不作論贊。

不便破例。姑附數語於末焉耳。

書成宗紀一 元貞

成宗諱鐵穆耳。或作鐵木耳。蓋皆譯音也。

書詔中外崇奉孔子。美其以中國治中國。且以夷狄進於中國也。

書成宗紀二 元貞 大德

一帝一年號。最便。忽改元貞爲大德。豈學漢人之謬耶。

聚斂之臣。昔人所甚惡。阿里海牙改江南兩稅舊法爲門攤。但冀增課。已屬病民。張

國紀又請於門攤外復科夏稅。不惟病民。直殺民矣。國紀漢人。職爲宣慰。而竟如此。

可恨孰甚焉。

書成宗紀三 大德

春霜殺麥。秋雨傷稼。元尙以爲重事。後世則聽之而已耳。噫。

書成宗紀四 大德

河間民王天下奴弑父。磁州民田雲童弑母。皆磔裂於市。罪不孝若罪叛逆。從重也。

書武宗紀一 至大

即位詔旣曰謙讓未遑。至於再三。又曰姦臣乘隙。謀爲不軌。讓固虛文。抑成宗后伯要眞（魏源元史新編作伯若吾氏）氏稱制。衆實不欲也。

孛羅鐵木兒以國字譯孝經。詔刻板賜諸王以下。誠知崇儒。且欲以孝治天下也。是豈可以夷狄少之耶。

書武宗紀二 至大

昔用錢。以緡計。後用銀。以錠計。至大銀鈔一兩準至元鈔五貫。（貫即緡一作串俗作吊）白銀一兩赤金一錢。則又錢銀金互權也。

書仁宗紀一 皇慶

書英宗紀一 至治

仁宗不豫。帝憂形於色。禱天請代。仁宗崩。帝哀毁過禮。素服寢於地。日歠一粥。皆孝子之行。仁宗事皇太后。終身不違顏色。固宜有是子也哉。諺謂屋簷水滴舊窩。益信

法者天下之公。徇私而輕重之。非示天下以公也。英宗知此。可與言法治矣。

斥近臣未嘗薦賢。而爲人進七寶帶。不愧令主。

書英宗紀二 至治

帝幸柳林。駙馬許納之子速怯訴曰。臣父謀叛。臣母私從人。帝惡其有過不諫。乃復告訐。命誅之。蓋於事親宜有隱無犯。否則深悖禮意也。

詔畫蠶麥圖於鹿頂殿壁。而不及魚稻者。魚稻南俗。圖但就北俗詳之也。

惡人屢赦。反害善良。何福之有。自古帝王多不寤此。而帝灼察其弊。不愧令主。

書泰定帝紀一 泰定 致和

鐵失謀逆。密遣斡羅斯來告。因囚斡羅斯。遣人告變。未至而英宗遇弒。猶可曰前未

同謀。既即帝位。乃以鐵失知樞密院事。不討賊而獎逆。抑何心哉。律以春秋大義。難免南董直筆矣。後納諸王買奴言。誅也先鐵木兒。（元史新編作耶先鐵木爾）完者（鐵木迭兒之子）鎖南（鐵失之弟）禿滿（衛士元史新編作圖滿）於行在所。誅鐵失失禿兒（元史新編作失禿爾）赤斤鐵木兒脫火赤章台於大都。庶幾司馬昭克斬成濟與。雖然。猶病其晚也。欲蓋未免彌章也。

泰定即位詔甚不雅馴。蓋僻處龍居。靡儒臣修飾潤色也。而泰定平日爲人可想。

曾易元致和而史不曰致和帝者。從始號且宮車即以是歲晏駕也。又文宗以泰定與弑英宗不爲立諡。故史但曰泰定帝。

書明宗紀

成宗之崩。武宗入繼大統。立弟仁宗爲皇太子。（宜曰皇太弟）命以次兄終弟及。仁宗爲鐵木迭兒邪說所誤。不傳弟明宗而傳子英宗。於是明宗遜荒朔漠。明宗弟文宗更出居海南。（詳見文紀）英宗遇弑。泰定篡位。泰定既殂。文宗先入京師（一曰大都即燕京）爲燕迭木兒擁立。改元天曆。旋以明宗即位和寧之北。不得已歸帝寶。奉迎而泰定子阿速吉八又即位上都，改元天順，蓋同時異地稱帝者已三人矣。雖明宗曾立弟文宗爲皇太子，（亦宜曰皇太弟）名既不正，實亦未副，而明宗且因宴皇太子於行殿以暴崩聞，可慇孰甚焉。其事始末頗類春秋吳國，以此知兄終弟及迭爲禍亂，殷商之後不可行也。

續綱目以明宗事及文宗元年事均附泰定帝致和元年內，且大書皇太子即位於上都，蓋以明宗雖即位，草草就道，年號未改，文宗雖改元又稱太子，皆不必以帝統予之也，此史之變也。

書文宗紀一 天歷

燕鐵木兒率諸王大臣請早正大位，文宗辭以大兄在朔方，朕敢紊天序乎。未正位而稱朕，不合，豈史追書如此耶。又即位詔有云謹俟兄至以遂固讓，是即位亦同居攝耳，而下乃有中外文武臣僚協心相予，輯寧億兆，以成治功等語，未免司馬昭之心路人皆見矣。

就文宗論，伯顏蓋功狗耳，燕鐵木兒乃功人也。御史言伯顏宜與燕鐵木兒一體論功行賞。試問發縱指示者伯顏乎。抑燕鐵木兒乎。

書文宗紀二 天曆

明宗已即皇帝位、而文宗尙御大明殿、册命皇后寶璽已送明宗行在所。而文宗猶改潛邸所幸諸路名。果欲讓國者固如是乎。噫。明紀言明宗暴崩。而文紀但言明宗崩。蓋諱之也。名奉迎而實弑逆。不可正告天下後世。且彼時固未易得一南董也。雖然。此又燕鐵木兒之功也。噫。

書文宗紀三 至順

个臣斷斷。以保子孫黎民。見於秦誓。而文宗乃云吾建寺爲子孫黎民計。極可哂鄙。國用皆百姓所供。當量入爲出。朕豈以鷹坊失所重困吾民哉。此則無愧王言。

書文宗紀四 至順

唐武后鼎銘上玄降鑑。方建隆基。薛讓以爲玄宗受命之符。蓋事近足資附會耳。姚崇表賀、請宣示史官。頒告中外、而宋儒司馬光以爲侮君。誠恐啓讖諱之端。使亂民別有杜撰因而大逆慮甚遠也而元翰林諸臣遂引此以正司徒香山之謬謂陶弘景胡笳曲負扆飛天曆終是甲辰君二語雖於文宗生年紀號偶合不足爲受命之符可見史論權威有時可旁及百國遠逮萬載也可弗愼哉

孔子廟碑可曰建不可曰賜書賜上都孔子廟碑見當日尙未能北面至聖奉爲萬世師表也又順帝後至元五年亦有勅賜曲阜宣聖廟碑事

書文宗紀五（至順）

此卷有後至元（順帝年號）六年以帝謀爲不軌使明宗飲恨而崩詔除其廟主等語蓋順帝乃明宗長子爲父復讎也

書寧宗紀

文宗后舍己子燕帖古思而立明宗次子寧宗蓋后與文宗俱好佛惑因果說欲藉此解於地下已弒之兄嫂（明宗及明宗后）耳燕鐵木兒必欲立燕帖古思雖與宋趙普豈容再誤意同實則顯爲一己利害計恐寧宗及順帝爲父復讎耳他日寧宗不祿順帝

當立燕帖木兒實定策之恩不得特延其事昊天降罰燕帖木兒殞命然後順帝幸踐大位文宗后猶諄諄以萬歲之後傳位燕帖古思爲屬其心豈嘗須臾忘己子哉不知者以宋杜太后有周氏國有長君天下豈爲汝有二語謂后意正與杜同亦思后曾弒嫂何愛於姪后之意固謂解於兒嫂天下終屬己子也

書順帝（新元史作惠宗）紀一（元統 後至元）

文宗謀爲不軌燕帖木兒實左右之是殺父之讎文宗外莫燕帖木兒若也文宗崩後帝至京數月爲燕帖木兒所忌幾不得保首領是帝於燕帖木兒不惟父讎私憾抑亦甚鉅也乃於燕帖木兒死後以其女伯牙吾氏爲后甚不可解他日帝報父讎文宗去廟主文宗后弘吉剌氏被遷於東安州文宗子燕帖古思被放於高麗旋殺之而燕帖木兒獨未聞斲棺戮屍殆以后故耳至后與燕帖木兒子唐其勢後皆見殺實因逆案與殺父讎無與也

詔亟稱伯顏迎立之功豈知伯顏實因文宗后必欲立帝不得不順水推舟耶噫嘻

改元統爲至元。遠紹世祖年號。仍稱元年。至史家不得已以後至元別之。甚無謂也

書順帝紀二 後至元

謚唐杜甫爲文貞。嘉其不被安祿山所浼。亟赴行在也。

武陟縣尹張寬因縣有蝗。仰天祝曰。寧殺縣尹。毋傷百姓。此意與商湯禱雨頗似。竟有魚鷹羣飛食蝗。天處高而聽卑。信然。

書順帝紀三 後至元 至正

已復父讎。追上尊號。然後改至元七年爲至正元年。與天下更始。殆竊取春秋正始之意也。

書順帝紀四 至正

詔有詢民疾苦。疎滌寃滯。蠲除煩苛。體察官吏賢否。明加黜陟云云。不愧王言。

通州密邇京城。而亦盜賊蜂起。當日吏治之壞可想。

書順帝紀五 至正

自湖廣燕南山東沿江一帶兵起於是由無名之賊變有名之賊而方國珍劉福通赫然矣由有名之賊變建號之主而徐壽輝稱天完帝張士誠號大周韓林兒稱宋帝陳有諒號大漢朱元璋遂代元焉星星之火亦克燎原其所由來者漸矣豈一朝一夕之故哉

吏治日壞干戈四起至是乃徙瀛國公子和尚趙完普及親屬於沙州禁勿與人交通藉杜人心思趙不知撫我則后黔首類然不反求諸己而錮人是務抑末矣

書順帝紀六　至正

亂已如麻而哈麻及禿魯帖木兒等尚疊進西僧誘帝以房中祕術有臣若是國欲不速亡得乎

京師大饑加以疫癘民有父子相食者而帝尚於內苑造龍船自娛不憂民之憂自絕於民矣自絕於民卽自絕於天矣悲夫

書順帝紀七　至正

劉福通迎立韓林兒。國號宋。亦猶項梁迎立楚懷王孫心。國號楚。不過從民所望。藉繫人心耳。蓋彼輩謂林兒乃宋徽宗九世孫也。

是卷大書大明皇帝起兵。蓋元史明修。史筆應爾。且天厭元德。紅巾妖寇（即劉福通）糜爛南北。自宜有爲民除亂之眞人起而還我河山也。

書順帝紀八（至正）

天壽節以盜賊未息。萬姓荼毒。堅拒朝賀。甚是。

書順帝紀九（至正）

樞密副使李士瞻疏陳時政二十條。苟盡聽納。庶猶未晚。而帝充耳不聞。天殆早奪其魄矣。

秦尙近攻。遂兼六國。後世謀國者每師其意。明祖起兵。志復區夏。而必首殲陳友諒。次禽張士誠。次降方國珍。而後北定燕京。蓋肘腋之患未除。萬不可投袂外騁。其勢然也。

書順帝紀十 至正

書大明兵至通州。知樞密事卜顏帖木兒力戰被擒死之。獎其見危授命也。

帝將北行。宦者趙伯顏不花慟哭諫曰。天下者世祖之天下。陛下當以死守。奈何棄之。臣等願率軍民出城拒戰。願陛下固守京城。不意宦者有此人。雖亡國之局已成。其言固可質諸天地鬼神也。

書天文志一

因元室版圖式廓。而當時四海測景之所二十有七。得以東極高麗。西至滇池。南踰珠崖。北盡鐵勒。是亦外族入主諸夏有裨於我之一端。

簡儀仰儀等原制具在。後世可倣為之。較泰西各器為確也。

書五行志上

天子建中和之極。身為神人之主。而範圍天地之妙。其精神常與造化相流通云云。言天人相與蓋精。又云春秋紀災異。不著事應。此志效之。亦賢於執類以求者矣。

書曆志一

定曆必驗氣。元時尙然。是亦夷狄進於中國也。後世自命中國者。謬廢舊曆。彊目外曆爲國曆。視元亦有愧色矣。噫。

書地理志一

元起朔漠。併西域。平西夏。滅女眞。臣高麗。定南詔。而其地北踰陰山。西極流沙。東盡遼左。南越海表。蓋漢隋唐宋中國也。能一中國。未能一夷狄。故雖盛而幅員視元狹。元夷狄也。能一夷狄。且能一中國。故旣王而幅員視漢隋唐宋廣。

中書省猶淸直隸省。行中書省猶淸各省。

書河渠志一

元以外夷主中夏。能令國受水利。民免水患。而後世自命中國者。一任水患連年。莫或興利。可歎也已。

書禮樂志一

元値禮壞樂崩之餘。尚有禮樂可志。後世則但有軍禮西樂耳。（軍禮亦效西人）噫。

書輿服志一

後世惟有汽車西服等等耳。無輿服可言。視元蓋又弗如遠甚矣。

書食貨志一

夫果取於民有制。節用而愛人。財用豈有匱乏之患。世祖立法一本於寬。其用之也。於宗戚有歲賜。於凶荒有賑恤。大率以親親愛民爲重。而尤惓惓於農桑。信希世之令主。後世自命中國者。於漢告緡算舟車。唐借商稅間架外。更舉辦一切惡稅。其用之也。惟崇僞獎亂是務。取之盡錙銖。用之如泥沙。讀此卷或亦悟而改轍乎。

書后妃表

有事可書者入后妃傳。但有氏名可錄者入后妃表。是亦省文一法也。

書諸王表

宗室駙馬通稱諸王。與他代異。

書諸公主表

古者帝女曰公主。而元諸王女概號公主。亦與他代異。

書三公表

三公表前未有。以政柄屬中書。以軍權屬樞密。三公僅榮名。與治亂無與也。元史列此殆亦以備一格耳。

書宰相年表

古者相惟一人。中書令實古宰相也。此外右丞相左丞相平章政事。則漢唐以後所謂宰相耳。至右丞左丞參知政事。宋史目爲執政。入宰輔表。與元史概名宰相者異。

讀元史蠡述卷二　岳陽李澄宇洞庭著

書后妃傳一

世祖昭睿順聖皇后諫割京城外近地牧馬。而先陽責太保劉秉忠。即借責秉忠語寤帝。可法者一。卷謂后不可支太府監物。后即率宮人練縕諸舊弓絃爲紬。可法者二。不忍取宋遺物。且因此納諷。可法者三。胡帽舊無前簷。射時日色炫目。后乃爲帝益前簷。可法者四。（西帽大抵有前簷蓋仿元製）至不忍宋全太后不習北方風土。奏令回南。世祖諭以若使南還。浮言一動。即廢其家。非所以愛之。則帝慮實遠於后也。

書睿裕顯順四宗傳

四宗皆追謚稱帝。雖其妻皆入后妃傳。要不可於本紀外作本紀。乃於后妃傳第一後羼附此篇。然甚悖史例。故魏源元史新編曾廉元書柯劭忞新元史皆不如此。

金恃黃河潼關。而降人李昌國教睿宗出寶雞入漢中以達唐鄧。蓋如是則黃河潼關直若由也失其勇。賜也失其辯矣。險不險在人。豈有定哉。

睿宗北行。金將完顏合達等合步騎十五萬躡其後。此在他人實甚危事。而睿宗兵僅數萬。不肯以大敵遺君父。（謂太宗）奮擊於三峰山。金精銳盡於是役。遂以亡國。勝負豈在兵多寡也哉。至太宗不豫。睿宗禱天地請以身代。蓋尤匪諸王所及。

裕宗爲太子時。親賢遠佞。使得踐祚。政績或過成宗。無端而江南行臺有禪位之請。致世祖震怒。裕宗不祿。甚可痛惜。

顯宗之鎭北方。撫部曲以恩。不使擾民。可敬者一。世祖升遐。聞訃奔赴。不自爲帝。獨唱議以母弟成宗嗣統。可敬者二。藩邸屬官年老。請以子代。而顯宗但曰惟天子所命。可敬者三。

書后妃傳二

世祖出獵。道渴。至一帳房。見一女子緝駝茸。世祖從覓馬湩。而女子辭以父母諸兄皆不在。我女子難以與汝。已甚知禮。乃世祖欲去。女子又謂我獨居此。汝自來自去。於禮不宜。我父母即歸。姑待之。則尤知禮。卒爲裕宗之后。宜哉。

書別里古台朮赤禿剌。牙忽都。寬徹普化。帖不兒不花傳

將舉大事於天下。不可先生釁隙於部族。此信別里古台遠見。

書特薛禪孛禿。阿剌兀思剔吉忽里傳

太祖旨。弘吉剌氏生女。世以爲后。生男世尚公主。古所未有。後竟踐言。元之報功厚矣哉。又於孛禿妻以皇妹。皇妹薨後妻以皇女。更古所未有。

書木華黎。博爾朮。博爾忽傳。

創業尚武。故華木黎與博爾朮博爾忽赤老溫以勇著。雖然。勇易耳。而忠實難。是四人者勇而且忠。元之興也宜哉。

金之降者皆言其主璟殺戮宗親。荒淫日恣。而太祖以爲出師有名。蓋與湯誓有夏多罪。天命殛之。泰誓殷王紂自絕於天。今予發恭行天罰同意。後世爲民上者。尚勿獲罪於天。俾敵人有所藉口哉。

木華黎聽史天倪言。令禁剽掠。匪尋常將帥所可及。

書察罕。札八兒。火者。朮赤台。鎮海。肖乃台。吾也。而曷思麥里傳

甘州之役。察罕有殺父之讎。而不還怨於百姓。不意牧羊兒乃能若此也。

玄智理威爲政嚴明。豪民猾吏縮手不敢犯。然亦無刑戮而治。可與鄭子產火烈水懦說相證。

居庸關北口至南口四十里。金恃其險。冶鐵錮關。守以精銳。且布鐵蒺藜百餘里。守亦愼矣。而札八兒得其間道。銜枚夜趨。旦至南口。金鼓之聲若自天下。遂破此關。金用還汴。險不險在人。可漫恃乎。

肖乃台不肯屠眞定。謂民爲賊所脅。無罪。屠之適堅他城不降之心。信善揣情量事。不徒忠勇也。

吾也而武功甚多。年至九十六乃卒。信難得。卒之前夕。星隕帳前。光數丈有聲。匪偶然也。

書速不台。按竺邇。畏答兒。抄思傳

速不台善騎射。以驍勇聞。而異日有潼關之敗。蓋常勝長驕。驕必敗。未足怪也。太宗責之。而睿宗請令立功自效。於是敗合達於三峰山。而金不復振。斃哀宗於蔡州。而金祚遂絕。蓋受挫之後。智勇兼奮。失之東隅。固可收之桑榆也。將將者尚其知此乎。

速不台子兀良合台攻烏蠻國都押赤城（即今雲南省城。城際滇池。三面皆水。惟北無水）不克。乃大震鼓鉦。進而作。作而止。使不知所爲。如是者七日。伺其困乏之夜。五鼓。遣其子阿朮潛師躍入。亂斫之。遂大潰。至昆澤。擒其國王段智興。及其渠帥馬合刺昔。蓋亦所謂攻其無備出其不意也。然非阿朮奮不顧身。即勝未必至此。

按竺邇不肯恣殺戮。不愧大將。而於破會州時。保金將郭斌遺孤。尤可頌仰。又國寶於窮寇不主速戰。惟據險相持。久乃出其不意破之。不愧按竺邇之子。

博羅歡（畏答兒之子）諫毋俾無藉之徒成軍。謂彼一踐南土。掠人貨財。俘人妻孥。仇怨益滋。叛者愈衆。後有欲主中國者。其亦以此爲鑒耶。噫嘻。

別的因（抄思之子）謹受母教。爲元名臣。蓋其母張氏知畏懼成人。知羞恥成人。知艱難成人三語實與經訓有合也。

書巴而朮阿而忒的斤。鐵邁赤。按札兒。雪台不。唵木海。昔里鈐部。絜直腊魯華。昔里吉思。哈散納傳。

不可罕生於樹癭。與伊尹生於空桑同一神話。

自秦失鼎而作璽。逐鹿中原者遂不問鼎而問璽。於是有奪璽者焉。有匿璽者焉。彼視璽所在爲正統。固無足怪。然文爲受命於天既壽永昌。則始皇祚已意深。與禹鑄九鼎意在象物除害者異矣。此亦世運升降之一端也。

此卷雪不台卽第八卷之速不台。因譯音變速不台爲雪不台。且變其兒忽魯渾爲虎魯渾。變其遠祖揑里必爲揑里弼。幷變地名兀良合爲兀良罕。遂致一人兩傳也。

書布智兒。召烈台抄兀兒。闊闊不花。拜延八都魯。阿朮魯。紹古兒。阿剌瓦而思。抄兒。也蒲甘卜。趙阿哥潘。純只海。苫徹拔都兒。怯怯里。塔不已兒。直脫兒。月里麻思。揑古剌。阿兒思蘭。哈八兒秃。艾貌傳布智兒身中數矢。拔矢而血流滿體。悶仆幾絕。太祖命取一牛剖其腹。納布智兒牛腹浸熱血中。移時遂甦。蓋因布智兒流血過多。體將冷。不得已亟以此法治之也。此豈醫經所有耶。醫者意也。諒哉。又郭寶玉胸中流矢。太祖亦命剖牛腹置其中。少頃乃蘇。（見本傳）

太宗以月里麻思使宋議和。從行者七十餘人。蓋鄭重其事。甚冀宋與通好。無必得江南土地意也。宋不禮而囚之。終殄厥祀。宜哉。

書塔本。哈剌亦哈赤北魯。塔塔統阿。岳璘帖木兒。（一作帖穆爾）李楨。速哥。忙哥撒兒。孟速思傳。

太祖西征乃蠻。獲塔塔統阿。始知出納錢穀。委任人材。一切事皆用印章。其開創草昧可想。而乃蠻竟被元滅。天下事後起者勝。信然。

李楨謂襄陽乃吳蜀之要衝。宋之喉襟。得之可爲取宋基本。信知地利。且彼夏人與宋讎敵。固不得漫以漢奸目之也。

書賽典赤贍思丁。布魯海牙。高智耀。鐵哥傳。

賽典赤與宋將咎萬壽對壘爲守。一以誠意待之。不爲侵掠。後且赴萬壽飲不疑。萬壽歎服。不圖於此傳復見羊祜陸抗之風也。

宗王脫忽魯先懼賽典赤奪其權。後乃政令一聽賽典赤所爲。蓋賽典赤以恭讓嚮王。王遂推誠共濟也。抑有合於老氏以柔克剛之旨。與清胡林翼之於官文頗類。此安撫雲南已難能。而乃善化其俗。俾貴賤長幼有禮。婚姻喪祭有制。農桑水旱行旅險阻皆有備。且建孔廟。購經史。授學田。不圖賽典赤行王道於蠻夷。懇至若此。無怪交趾王爲文致祭。有生我育我慈父慈母之語也。又征羅槃不以兵服而以德感。蓋甚得古者攻心之意。其子忽辛招撫河南諸盜。亦克類父。

布魯海牙爲斷事官。愼於用刑。一可取。性孝友。不念叔父阿里普海牙宿憾。二可取。

高智耀對憲宗儒教何如巫醫之問。謂儒以綱常治天下。豈方技所得比。後見世祖又力言儒術有補治道。蓋直揭儒教大用。使夷主不得復輕儒士也。

鐵哥方四歲。捧賜雞不食。將以遺母。性孝可想。孝爲仁本。故後於食尚食餘餅者救之。於射兎誤中名駝者救之。於盜鑿秔米者救之。於盜割駝峰者救之。且飢民鬻子女爲食。奏以官帑贖之。皆孟子所謂仁端也。仁必有勇。故於叛王塔不台率兵奄至請世祖設疑以退之。而塔不台懼有伏。竟退。

書安童廉希憲傳

安童母以安童年十三能近老成人。決其爲公輔器。世祖以安童年少能作老成語驚而深重之。以此觀人。以此用人。元所以克一區夏也。後世棄老成而取年少。國事欲不敗壞得乎。

宗王乃顏叛。世祖親討平之。宗室詿誤者命安童按問。多所平反。他日諸免罪者迎謝安童。而安童毅然不顧。非徒弗敢居德。且恐後有他故。己不免交通宗室之禍也。而或以此進讒。豈知適令世祖益重安童哉。

希憲讀孟子。遂以性善義利仁暴之旨陳世祖。蓋內聖外王之道具此矣。世祖目爲廉孟子。無愧也哉。

世祖卽位。劉太平霍魯海謀反。渾都海且已反。使非希憲亟捕太平霍魯海及其黨置獄。且分命汪惟良八春出師。制渾都海不得東。元事蓋未可知也。希憲信元柱石哉。後更停赦先絞太平霍魯海弟於獄。以絕後患。釋紐鄰與魯官不殺。且遣使諭戒兩川。以安反側。戰雖失利。力持勿退。卒梟渾都海阿藍答兒二叛首於京兆市。元祚繫於苞桑矣。復請恩待宋將劉整。整建取襄陽策。遂以亡宋。此尤有大造於元也。希憲被讒。幾陷於罪。而他日奉命推覈阿合馬事不少憚。有內侍傳旨入朝堂言某事當爾。希憲謂此爲閹宦預政之漸。奏杖之。且力救丞相史天澤四川帥欽察古稱薑桂之性。於希憲見之矣。病危戒子。有丈夫見義勇爲禍福無預於己語。信無愧色。至行省荊南。興利除害。以學化民。近者畫像建祠。遠者越境納土。在他人難能。在希憲抑餘事耳。

書伯顏傳

世祖嘉廉希憲不嗜殺。且以曹彬不嗜殺諭伯顏。得主諸夏。匪偶然也。

伯顏不以渡江期告阿里海牙。必阿朮自來乃潛告之。戎機貴密也。後世大將動靜兵士得知。與此異矣。噫。

伯顏命阿朮夜趨上流。且襲南岸。所謂攻其無備出其不意也。南岸既得。陽羅堡在北。氣奪易破。亦猶阿里海牙既拔樊城。旋下襄陽也。更納阿朮之計。緩赴下流先取鄂漢。又清胡林冀羅澤南欲圖江寧先定武漢之前導也。

伯顏不納呂師夔所獻二女可敬。師夔爲宋大臣。靦顏降敵。復飾宗室女媚敵可恨。

伯顏叱帳前軍先登常城。竪赤旗城上。諸軍見而大呼曰。丞相登矣。師畢登。學左傳以鄭伯之旗蝥弧先登。君登矣。鄭師畢登等語恰合。

陽羅之捷。不追夏貴。俾告宋人。常州之捷。不追劉師勇。俾告所過城守者。此誠伯顏得意語。然亦以此見當時郵電未設。消息難達也。

將效錢王納土。平李主出降乎。蓋就宋已事冷諷。昔得天下於小兒之手。今亦失於小兒之手。蓋就宋現事熱嘲。

伯顏讓功阿朮、不愧古人。然因阿合馬玉桃盞一譖、幾遭不測。則胸中早有鳥盡弓藏之懼可想也。讓以免禍、豈得已耶。噫。

書阿朮阿里海牙、相威土土哈傳

軍重糧糧道斷者敗。阿朮於漢東白河口築鹿門新城等堡、又築臺漢水中、與夾江堡相應、自來宋兵援襄者不能進、而襄樊幷拔、此宋元二代興亡所繫、非尋常勝負可比也。阿朮後克揚州、亦先斷糧道。

滅宋之謀、阿里海牙發之、阿朮贊之甚力。且戰績疊著、他日賈似道請和、阿朮獨執不可。有事若有失罪歸於我等語。由是論之、伯顏讓功阿朮、蓋亦甚允。

宋沿江九郡精銳盡聚鄂江東西兩城、元若伐之、舟師出其間、騎兵不得讓岸、信危道也。而俘民乃告阿朮取黃家灣堡、拖船入湖、轉以下江、民不愛國若此、豈果欲與偕亡耶。金兀朮時有叩馬書生。元阿朮時又有此俘民。宋欲不亡也得乎。

伯顏傳載伯顏密謀於阿朮曰。彼謂我必拔此堡方能渡江。此堡甚堅。攻之徒勞。汝今夜以鐵騎三千泛舟直趨上流爲擣虛之計。詰旦渡江襲南岸。等語。而此傳乃云阿朮謂伯顏曰。攻城下策也。若分軍船之半。循岸西上。對青山磯止泊。伺隙擣虛。可以得志。事同而發謀者一彼一此。豈傳聞異辭耶。

宋張世傑孫虎臣以舟師萬艘。駐焦山東。每十船爲一舫。聯以鐵鎖。而阿朮以火矢破之。與赤壁破曹事同。所異者。彼以南人燒北船。此以北人燒南船耳。

阿里海牙舍耒而歎。與陳涉輟耕太息異。蓋彼因秦亂欲革命自王。此因元盛欲立功朝廷也。又讀書逾月。即棄去。與項羽學書不成而學劍頗類。

元用西域人亦思馬因新礮法破宋軍。開滿清用美國人華爾戈登（華爾死戈登繼之）洋槍隊破洪楊之祖。又元伐宋以阿里海牙戍鄂。無後顧之憂。與清討洪楊以胡林翼撫鄂無後顧之憂同。至阿里海牙戍鄂。遂上定荊南廣西。功大於胡者。則所席之勢與胡特異。當別論也。

宋經略使馬堅守靜江。以水爲固。阿里海牙乃築堰斷大陽小溶二江。以遏上流。決東南埭以涸其隍。此亦攻城一法。宋孟珙攻金哀宗於蔡州。決柴潭水令涸。亦頗類、六經註我。而史又大抵註經。相威喜延士大夫聽讀經史。論古今治亂。其能臨大事決大議也固宜。後世以歌舞爲大業者。豈邉效此。

世祖命范文虎等征倭。遇颶喪師。復命塔海征之。蓋恥挫威而然也。相威諫以倭不奉職貢。可伐而不可恕。可緩而不可急。預修戰艦。訓練士卒。俟其疲怠。乘風疾往。等語。一張一弛。高下在心。養威雪恥。於是乎在。不言不可伐。且不言不必伐。而世祖不覺怒息矣。相威信善諫也哉。

書來阿八赤。紐璘。阿剌罕。阿塔海。唆都。李恒傳

憲宗時元得蜀地三之二。惟巴江以下未附。朮速忽里謂城重慶合州二城間。命將守之。然後水陸東下。破忠浩萬夔諸小郡。俟水涸出荆楚。與鄂州渡江諸軍合勢。可一舉定東南。重慶合州孤危無援。不降即走。而諸將迂其計。不用。蓋但貪近功。不曉

遂勢也。

都元帥阿答胡死。宋逼元師急。若非諸王阿卜干與諸將議。推紐璘爲長。衆軍無主。勢必敗潰。安能大破宋軍耶。宋處勝勢而竟敗。元處敗勢而終勝。皆由人事。不得以天命論也。必不得已以天命論。但可效左氏於元謂天誘其衷。於宋謂天奪其魄耳。

李恒有戰功不足異。而禁軍毋得虜掠。平反富民通敵案。不發文天祥祖墓。皆甚可取也。

書徹里。不忽朮。完澤。阿魯渾薩理傳

以世祖爲君。而前後有阿合馬桑哥二姦。知人則哲。不其難乎。

徹里陳桑哥姦貪誤國害民狀。帝已怒而辯愈力。卒得誅桑哥。此誠難能。

不忽朮請立學校。一可取。請勿納盧世榮生利邪說。二可取。請誅阿合馬奴張散札兒等無俾嫁禍善良。三可取。上問桑哥罪狀。具以實對。四可取。請遣使諭交趾不復用兵。五可取。請法漢文帝遇災而懼。六可取。罷遺獻嘉禾書。七可取。請勿因佛事釋罪人。且力諍奴告主以主官與奴，八可取。母死號痛嘔血。九可取。爲學先躬行而後文藝。十可取。

完澤爲相，處之以安靜，吏民守職樂業，蓋漢曹參之流亞也，世稱賢相宜哉。

阿魯渾薩里請勿聽小民言捕宋宗室，一可取。請治天下用儒術，并招致山澤道藝之士。二可取。請勿治謗己者罪，三可取。

岳柱不阿宰相意妄徵富民爲上斂怨，一可取。不肯興兵討桂陽叛民張思進等，但遣千戶王英諭以禍福，使復業，一方以寧，二可取。天性孝友，三可取。有欺之者恬不爲意。或問之，則曰彼自欺也。我何與焉，四可取。

書速哥。襲加歹。忙兀台。奥魯赤。完者都。伯帖木兒。懷都。亦黑迷失。拜降傳

成宗崩，襲加歹贊諸王禿剌速立仁宗，且以事貴速成，後將受制於人。對仁宗信能定大計決大疑。仁宗以姜太公比之。雖曰過譽，就此一端言，亦無怍也。

滅宋一事，以春秋擬之，世祖本紀經也。伯顏兀朮阿里海牙張弘範等傳。傳也。阿剌

罕阿塔海李恒䞇加歹忙兀台哈剌䚟等傳則註也。類註者史漢不書。故傳少。晉書以後類註者愈益加詳。故傳多。

書杭忽思。步魯合答。玉哇失。麥里。探馬赤。拔都兒。昂吉兒。哈剌䚟。沙全。帖木兒不花傳

此卷有拔都兒傳。而杭忽思賜名拔都兒。是一傳有二拔都兒也。故傳仍稱杭忽思

昂吉兒以信陽南直九里武陽平靖五水等關。宋經諸關以入河南。信陽實其咽喉。請城信陽以扼宋。可謂遠謀。於兩淮請屯田給餉。於日本請罷兵息民。可謂深慮。

書塔出。拜延。也罕的斤。葉仙鼐。脫力世官。忽剌出。重喜。旦只兒。脫歡。完者拔都。失里伯。孛羅奚。怯烈。嗒伯也速䚟兒。昔都兒傳。

今日之事。上賴皇帝洪福。下賴將士之力。吾何功焉。此塔出答懿州老幼語也。謙讓得體。豈得以夷狄目之。文亦善學左傳。

書撒吉思。月乃合。昔班。鐵連。愛薛。闊闊。闊闊禿忽魯。唐仁祖。朶兒赤。和尚。劉容。迦魯納答

思。闊里吉思。小雲石脫忽鄰。斡羅思。朶羅台。也先不花傳

月乃合慨然以治道自任。舉海內賢士分布諸郡。又鑄農器二十萬事。蓋欲以中國之道治中國。故重儒重農如此也。信有心人哉。元外族尙如此。自命中國者何如哉。

阿里不哥之叛。世祖命昔班督糧運。還至西京北聞萬戶阿失鐵木兒等將應阿里不哥。矯制召其軍赴行在。且諭以皇帝兄也。阿里不哥弟也。從兄爲順。卽便宜以西京錢糧給其軍。昔班可謂得春秋大夫出疆苟利於國專之可也之義矣。

秃忽魯治獄嘗暮歸愀然若有求而未獲者。家人問之曰。今日所議死案也。於我心有疑。欲求所以活之未得其方耳。此何異歐陽修父崇公耶。而治湖南北盜賊但戮盜首喬大使。尤得尙書殲厥渠魁脅從罔治意。

唐仁祖議政不回。屢忤桑哥。信難能。桑哥欲因事致於法不懼。更難能。嘗奉命籍桑哥家。桑哥得釋。衆懼而仁祖獨不爲之動。尤難能。

觀漢文帝欲殺人。而張釋之執法不允。是生殺之柄繫于法。不繫于天子明矣。朶兒

赤阻帖木迭兒勿殺法花魯丁。謂生殺之柄繫于天子汝以方面專殺意將何爲蓋隱以謀反二字制壓之俾毋敢暴也。然於法理究未合。

諸將利虜略。和尙謂拒我師者宋將耳其民何罪且列城多未附降。而殺之是堅其效死之心也。此人豈得以夷狄目之耶。又鐵哥朮請主將不屠德安亦與此頗類。

劉容忠直。不肯剝民賂權貴終不得榮寵宜也。雖然吾願天下後世有效此人者。

脫歡（朵羅台之子）疏請停罷修寺仍減省供佛飯僧之費。又請禁回回諸色人等齋寶中寶以虛國用。違者罪沒。皆不愧直言。

書鐵哥朮。塔出。塔里赤。塔海帖木兒。口兒吉。忽都孛兒。速月舉連。赤海牙。阿答赤。明安。忽林失。失刺拔都兒。徹里。曷刺。乞台。脫因納。和尙傳

此卷塔出與第二十卷同名。彼功在東北。此則功在東南。徹里與第十七卷同名。彼以除桑哥顯名。此則以從征海都獲譽。又和尙與第二十一卷同名。彼從伯顏立功於南。此則從燕帖木兒立功於北。

書哈剌哈孫阿沙不花拜住傳

發湖湘富民萬家屯田廣西。以圖交趾。疲近事遠。民卽不叛。亦甚無謂。況必叛乎。哈剌哈孫密奏罷之。方面大員固當如是也。又請勿征西南夷八百媳婦。謂不足煩中國。所見亦遠。

哈剌哈孫爲相。斥言利之徒。以節用愛民爲務。有大政事必引儒臣雜議。後世自命中國者。亦知上師此意乎。又列傳第三十六卷移剌捏兒之孫元臣別名哈剌哈孫。

成宗崩。奸臣謀擁成后垂簾聽政。哈剌哈孫不動聲色。密遣使北迎武宗。南迎仁宗。幸弭內難。而禿剌譖而逐之。遠戍和林。雖曰譖言易入。抑亦功高震主使然耳。噫。

阿沙不花說納牙等勿應乃顏。乃曰乃顏遣使自歸。與戰國縱橫家口吻相似。而與同知通政院事察乃謀作先日署文書給馬脫脫。又頗類後世舞弊吏心膽。

安西王阿難答謀以三月僞賀仁宗千秋節舉事。阿沙不花乃與哈剌哈孫謀。先二日白仁宗。詐稱武宗遺使召安西王計事。至卽執送上都。蓋彼謀泄而此先發。此謀未泄而彼無備也。謀之不可不密也如是哉。

阿沙不花奉仁宗命迎武宗。仁宗並自率羣臣迎武宗而讓國焉。與後燕鐵木兒文宗。惟務速弒明宗者大異。

拜住每退食。必延儒士諮訪古今禮樂刑政治亂得失。故能引君當道。振立綱紀。修舉廢墜。國富民足。遠夷咸貢。古所謂大臣也。鐵失作亂殺拜住。遂弒英宗。元祚自此衰矣。亂臣之肉。豈足食乎。

書察罕。曲樞。阿禮海牙。奕赫抵雅爾丁。脫烈海牙傳

此卷察罕與列傳第七之察罕同名。彼以武著。此以文顯。

江西寧都蕘民構害仇家。詭言某鄉有玉璽。不以兵取。恐爲居人所有。可謂想入非非。察罕克辯其妄。前後從輿魯赤出入湖廣江西二十一年。多著勳績。宜哉。

阿禮海牙與列傳第十五之阿里海牙同音。彼以滅宋成大名於世祖之世。此亦以拒靖安王顯譽於文宗之世。

書康里脫脫燕鐵木兒伯顏馬札兒台脫脫傳

利害所在。骨肉成讎。古今中外大抵然也。成宗既崩。武宗與仁宗勢將爭立。非康里脫脫奔走彌縫。後禍恐有不忍言者矣。噫嘻。

三寶奴難脫脫。謂今日兄授弟。他日叔當授姪。能保之乎。脫脫但云在我不可渝。彼失其信。天實鑒之。而不云今日兄不授弟。他日叔不自取。能保之乎。蓋不忍竟言也。然他日英宗明宗文宗事亦不啻已先見及矣。噫。

泰定帝崩。燕鐵木兒不忘武宗舊恩。自宜以明宗入纂大統。而乃阿於文宗。致文宗有弒兄之事。（即明宗）甚可痛恨。雖輔文宗勘定叛亂。適益罪耳。寧足功乎。傳有明宗之崩實與逆謀八字。畫龍點睛。庶幾破壁飛去矣。

此卷伯顏與列傳第十四之伯顏同名。彼為將相於世祖之世。此為將相於文宗之世。富貴似同。而所以得富貴不同。可嘆也已。

伯顏有無君之心。欲倚姪脫脫伺察順帝。而脫脫忘家報國。（實懼赤族欲去伯顏救家耳）僅黜伯

顏俾保首領以歿。亦云幸矣。而猶以子殺父事問眞定父老。致父老反脣相稽。謬哉

書乃蠻台。朶兒只。朶爾直班。阿魯圖。紐的該傳

朶兒只少時事母孝。喜讀書。於古君臣行事忠君愛民之道多所究心。大本立矣。他日歷相內外。民受其賜。宜哉。

朶爾直班爲中書平章政事。以言事忤丞相脫脫。被出爲陝西行臺御史大夫。路聞商州武關皆陷。兼程以赴。至卽視事。此人所難。後平章湖廣。路聞江陵已陷。不可往。亦竟履任。雖脫脫使彼專供給軍食。將尋隙罪之。亦不畏避。尤人所難。

書別兒怯不花。太平。鐵木兒塔識。達識帖睦邇傳。

脫脫罷相。出居西土。後太平嘗請順帝許脫脫歸葬父。有德於人不言。卽被擠得罪弗自明。君子哉太平。足愧脫脫矣。而脫脫終未痦何耶。又太平有德於搠思監。搠思監後亦以怨報德。

鐵木兒塔識謂果日本有刺探。正可令覩中國之盛。歸告其主。使知嚮化。不愧大臣

語。又世祖有古先哲王之資。王文統不以王道告君而尙覇術。實世祖罪人。及隱士無求於朝廷。朝廷有求於隱士云云。皆至論。

書太不花、察罕帖木兒傳

太不花以與太平有隙故。縱賊禍國。信宜譴戍。而他日求解於部將劉哈剌不花。反被劉哈剌不花縛送京師。殺之於路。則非太不花始料所及也。世有上抗朝命而下倚故部者。盍鑒此也乎。

察罕帖木兒以書生殺賊。定河北。定關中。定河東。定河南。屢立大功。於是分兵鎭關陝荆襄河洛江淮。而重兵屯太行。營壘旌旗相望數千里。將遂蕩滌海內。可謂一世之雄矣。後定山東。乃爲降賊田豐王士誠所圖。成敗利鈍。豈可逆睹耶。雖其子擴廓帖木兒襲職討賊。幸取田王二賊心祭父。九原怒目未必可瞑也。悲夫。

李思齊張良弼等不肯居擴廓帖木兒下。遂致成讎不解。卒敗元事。嚮使察罕帖木兒尙在。羣龍有首。豈戰野耶。噫嘻。

書答失八都魯。慶童。也速。徹里帖木兒。納麟傳

答失八都魯之克襄陽。相視形勢。內列八翼。包絡襄城。外置八營。軍峴山楚山以截賊援。自以中軍據虎頭山。瞰城中。且結城人爲應。剋期垂繩引軍。慮已密矣。而更陰募善水者鑿賊船底。伏兵於路。使賊水陸皆不得遁走。何異天羅地網哉。爲將若是。可法也已。

賊詐爲答失八都魯通和書。遺諸道路。以間答失八都魯。竟使答失八都魯憂憤死。不得謂賊中無人也。噫。

慶童於盜起無錫。不肯以重兵殲之。而諭以禍福使降。可敬者一。於方家奴刼掠財貨。謂我師無律。何以克敵。必斬方家奴。乃可出師。可敬者二。於輔淮王帖木兒不花監國。克與俱死。可敬者三。

伯顏謂科舉雖罷。士之欲求美衣美食者能自向學。將士看得小。許有壬謂士不以衣食爲事。其事在治國平天下。將士看得大。要之士二者皆有。此所以使人輕又使

人重乎。噫。

納麟總制江浙江西湖廣三省。（實令江蘇浙江江西湖北湖南五省）會江浙杭城失守。失列門引兵往援。納麟使止之。謂杭賊易破。不足憂。而調脫火赤與失列門大破賊于岡下門。以救未失之宣城。可謂克權緩急。

書馬祖常。巙巙。自當。阿榮。小雲石海涯。泰不華。余闕傳。

祖常嘗議國族及諸部既誦聖賢之書。當知尊諸母以厚彝倫。重儒以孝爲首。要言不煩。可與論道。

巙巙在經筵務引君當道。甚可敬。

阿榮博究治亂得失。謂忠臣孝子爲國家之寶。論理不論數也。逆推事成敗及人禍福壽夭貴賤多奇中。論數不論理也。日與韋布之士游所至山水佳處。鳴琴賦詩。日夕忘反。則又超然理與數之外。而惟自適其適也。

小雲石海涯嘗疏條六事於仁宗。固亦欲立功立事。後乃依隱玩世。殆自傷曲高寡和不得已而出此也。至視死生若晝夜。脩脩然欲遺世而獨立。抑誠有得於莊子歟。

泰不華初名達普化。蓋晉近字異。初譯如是耳。且與第二十八卷之太不花音近。彼弘吉剌氏。不忠於國。死哈剌不花手。此伯牙吾氏。克忠於國。死方國珍手。

余闕守安慶。闔家殉節。不愧儒將。而城中民亦誓不從賊。相率俱死。平日克以德化民可想。

書答里麻。月魯帖木兒。卜顏帖木兒。星吉。福壽。道童傳

答里麻治獄得法外意。甚可頌。仰而山東盜起。答里麻以爲官吏貪汚所致。先劾去之而後上擒賊方略。尤爲克治盜源。

卜顏鐵木兒性孝。幼養於叔父阿朮。事之如親父。大本立矣。其爲將。所過不受禮遺宴犒。民不知有兵。又淸曾國藩所謂行軍以不擾民爲本也。卒破徐壽輝。勳業爛然。宜哉。

星吉性廉介。所至搏貪猾無所貸。庶幾古酷吏之風。至面責威順王聘獵宣淫。買怨

於下。掩捕胡僧小住持。得妻妾女樂婦女十有八人。獄具。罪而籍之。尤後世所難能。星吉械賊魁佚命。而同僚受賂釋之。以致城陷。星吉入見。具陳賊本末。而時宰不悅。奏置死地。順帝時內外若此。欲不亡國也得乎。

書亦憐眞班。廉惠山海牙。月魯不花。達理麻識里傳

此卷有二神話。惜無左氏潤色之。一廉惠山海牙負母喪渡江。而風濤作。舟人以神龍忌屍爲言。廉惠山海牙仰天呼曰。吾將祔母於先人。神奈何阨我也。風遂止。一哈刺章夢太祖語以愛猷識理達臘不肖。天命不可保。達理麻識理知而不言。我將先殛之等語。而達理麻識理竟無疾而卒。

書耶律楚材粘合重山。楊惟中傳。

治弓尚須用弓匠。爲天下者豈可不用治天下匠耶。此楚材名言。太祖聞而重之宜哉。又與一利不如除一害。生一事不如省一事。亦楚材名言。

楚材從太祖下靈武。諸將爭取子女金帛。楚材獨收遺書及大黃藥材。與蕭何入咸

陽帷收律令圖書同一用意。而此兼治病。則楚材知醫故也。又張柔入汴。獨入使館取金寶錄幷祕府圖書。亦可與楚材並論。

燕薊留後長官石抹咸得卜貪暴。及留後親屬與勢家子爲賊。燕市皆元室失民心之大者。非楚材出而奏禁之捕戮之。元能統治諸夏與否。未可定也。太宗將立宗親會議未決。非楚材言於睿宗。即日定策。幷告親王察合台拜太宗。太宗得立與否未可知也。察合台稱爲社稷之臣。觀此二事。信然。他如奏勿屠汴梁。召名儒進講東宮。置編修所於燕京。所關皆甚大。子鑄克濟其美。爲元名臣。更匪偶然。

楊惟中爲河南道經略使。樾擧總管劉福。後遷陜右四川宣撫使。戮郭千戶。皆爲天子痛除害民賊也。後世豈亦有此大吏乎。予日望之。

書張柔史天倪傳

柔生亂世。俠而重儒。且不嗜殺。信雖得。雖以毀以戰。屢瀕於死。百折不撓。竟殄金祚。其子弘範後更迫宋帝昺赴海死。天生張氏父子爲元如此宣力。殆必欲異族入主諸夏乎。噫嘻。

史天倪屢立武功不足異。而言於木華黎謂所過鈔掠非王者弔民伐罪意。則信非儒將不能也。

此傳有史樞敗宋舟師於漢水鴛鴦灘云云。灘名甚雅。而不及禰衡鸚鵡洲之著。自古才名重於武功。卽此可想。

宋立劍州僑治於苦竹崖。前阻絕澗。深數百尺。恃險不備。而史樞率健卒縋而下。得其致師處攻之。遂降。而李璮據濟南時。西南有大澗。亘歷山。樞一軍獨當其險。夾澗而城。豎木栅於澗中。淫雨暴漲。木栅盡壞。樞知賊必夜襲。作葦炬數百於城上擲之。竟敗賊。可見險不險在人。不可恃抑又可恃也。

殺一人無損於敵。適驅天下之人爲吾敵。此史天祥名論。攻之恐戮及無辜。不如先往諭之。亦天祥名論。

書董俊嚴實傳

俊雖農夫。事母孝。事上忠。且誡諸子力田讀書。雖曰未學。吾必謂之學矣。其在斯人與俊子文蔚亦事母至孝。

樊城南據漢江。北阻湖水。卒不得渡、而董文蔚夜於湖狹險處爲橋、伐木立水。實以薪草。竟得全渡。地利不如人和。此亦可證。

董文用愛君愛民。置一己禍福死生於度外。而阿合馬桑哥皆無如文用何。所謂君子落得爲君子也。

嚴實適種德。且以德報怨。不圖元代有此人。

書耶律留哥劉伯林郭寶玉石天應移剌揑兒耶律禿花王珣傳

劉元振受劉整降。飲燕至醉。已難能。俞與引兵圍瀘。元振與整死守數月。卒退敵。尤難能。

郭寶玉見太祖。謂中原勢大不可忽。西南諸蕃勇悍可用。宜先取。藉以圖金。此定用兵次第也。又請頒出軍。不得妄殺。刑獄惟重罪處死。僧道有損於民悉行禁止等新令此定開國規模也。又孫侃疏請世祖建國號。築都城。立省臺與學校等二十五事。及平宋策先取襄陽。且云揚廬諸城置勿顧。直趨臨安江淮巴蜀不攻自平。亦定用兵次第與開國規模也。

王珣謂世故如此大丈夫當自振拔。否則爲人所制。人人作此想。所以不知幾人稱帝幾人稱王也。然珣竟仕元。則亦良禽擇木。與陳涉斬木發難異矣。

書石抹也先何伯祥李守賢耶律阿海郝實趙瑨石抹明安張榮劉亨安傳

石抹也先之祖庫烈兒誓不食金祿。與伯夷叔齊誓不食周粟頗類。也先匹馬歸太祖與張良仕漢志報韓讎亦相似。而也先獨與數騎路殺新留守懷其誥命入東京視事。金遂失根本。較張良相漢滅秦。尤難能也。

爲敵所遏。反出其不意深入爲攻取勢。使敵不敢偪。天將明速去。又伏兵破敵追軍。使不敢再追。此信何伯祥大過人處。世祖南伐。參預軍事。多所獻納。宜哉。

完顏延壽以兵十餘萬保少室山太平寨。正月望夕擊毬爲嬉。李守賢潛遣輕捷者數十人緣崖蟻附以登。殺其守卒。遂大縱兵入破之。此石抹也先所謂兵貴奇勝也。耶律阿海擇主而事。且謂太祖開創之始。願止殺掠以應天心。蓋誠有所見而云然。非苟爲慈祥而已也。

何實武人。知天之歷數在朔方。且叱張致等恣爲不軌。徒自斃。不可及者一。克邢嚴禁剽掠。且戍邢多善政。不可及者二。

石抹明安於元太祖定雲中東西兩路後。請亟南進。勿休兵。智一。徇景薊檀順諸州請勿屠。以勸未附者。智二。永淸之戰。佯敗以誘金。追。廻擊大破之。智三。

破張盤二山寨。俘獲萬餘。阿朮魯欲盡殺之。張榮力爭而止。及攻睢陽。議殺俘虜烹油灌城。榮又止之。城既下。榮單騎入城撫民。武人能不嗜殺者。此多壽（壽八十三）多子（子七）宜哉。

書薛塔剌海高鬧兒王義王玉趙迪邸順王善杜豐石抹孛迭兒賈塔剌渾奥敦世英田雄張拔都張榮趙天錫傳

古以弧矢制勝。故步騎重。至元乃以礮立功。而礮手重。武器日進。無怪潛艇飛機紛紛未已也。

金將武仙攻東鹿。謂兵少無糧。一日可拔。而王義隨機應拒。積月無恙。以義善守攻者惰也。而義更夜擣仙營。獲其資仗。死中求活。勇自倍也。

趙迪幼孤。事母孝。王善亦以孝行稱。皆爲名將。有壽且子貴。孝爲天祐如此。天可知。

此卷張榮與列傳第三十七卷同名。彼降太祖。授金紫光祿大夫山東行尙書省兼兵馬都元帥。此亦降太祖。賜名兀速赤。陞鎭國上將軍礮水手元帥。

書張晉亨王珍楊傑只哥劉通岳存張子良唐慶齊榮顯石天祿石抹阿辛劉斌趙柔傳

張晉亨王珍。一則諫包銀制病民。（又王玉汝亦嘗議此事病民）一則請免徵大名逋糧。皆懇懇有愛民意。又楊傑只哥不贊屠大名議。謂怒一人（太守蘇椿）而族萬家。非招來之道。亦可取。

書劉敏王檝王守道高宣王玉汝焦德裕石天麟李邦瑞楊奐賈居貞傳

淮西賊檄淮東四郡守爲應。此常事。而元帥帖哥卽械郡守許定國等四人使承反狀何耶。非焦德裕力爭。賊反間蓋已得行矣。噫。

楊奐爲河南路徵收課稅所長官減元額四之一。不踰月政成。蓋民力得紓。輸將自速也。後世理財賦者尙其鑒此哉。

鄭萬戶誣鄂六姓與傳高通。欲盡殺之。蓋利虜掠耳。而他日鄭戰敗溺死。賈居貞於鄂於江西活人不少。且常恐擾民。而他日頌聲載道。考終有後。由是觀之。惡固不可爲善猶可爲也。可弗鑑與。

書洪福源鄭鼎李進石抹按只謁只里鄭溫傳

漢有事於匈奴西域甚久。故正北西北二方目中國人爲漢人。至今中國人亦自以漢爲五族之一。唐有內地人遠適異國。故高麗有唐城。海西有唐人街。英舶且有唐人房。蓋皆誤以朝名爲國名也。

鄭制宜（鄭鼎子也）縛顧盼異常者數人入獄。問之無驗。復捕貌服殊異者一人。訊實皆盜。

此亦窮盜黨一法。又譚計龍聚惡少匿兵器爲姦。既捕獲。其家納賂緩獄。制宜悉所賂勞軍。亟斬計龍。此更受盜賂一法。

書汪世顯史天澤傳

汪德臣（世顯子也）於濟師繫舟爲梁。一夕而成。師行利速也。於攻險不主建天橋。而曰臣惟知先登陷陣而已。勝敵恃勇也。

汪惟正以不戰殪火都。其要在欲戰不得休。則撓之。後世剿匪者知此。豈至師老無功耶。

韓信破趙。以背水陣顯名萬世。而撒吉思不花背水薄歸德。竟全軍覆沒。何也。蓋彼有拔趙幟立漢幟之奇兵。故能死地得生。此惟正兵。故遂進退失據也。

史天澤屢懋武功。而於治國安民之道。亦有立省部以正紀綱。設監司以督諸路。霈恩澤以安反側。退貪殘以任賢能云云。不愧兼資文武。

李璮據濟南。天澤笑謂豕突入笠。蓋流寇難制。城賊易困。自古然也。

天澤慎密謙退。而臨大節論大事毅然以天下之重自任。故能出入將相五十年。上不疑下無怨。人以比郭子儀曹彬也。然非折節讀書。熟於資治通鑑。亦未必遽爾臻此。學之有裨於人顧不大哉。

書董文炳張弘範傳

文炳爲令。因徵歛日暴以私穀數千石與縣藉寬民。又以田廬計直償前令貸。免困民。非尋常循吏所爲。蓋下惟知有民。上惟知有國也。異日勳業爛然。皆充此一念而致耳。偉哉。

弘範朝廷儲小倉不若儲大倉之說。即有子百姓足君孰與不足意。而以事證之。故極動聽。

世祖以弘範統蒙古軍進平嶺海。不別以蒙古信臣爲首帥。且無中貴監軍。極得古人命將。閫以外將軍主之之意。

李璮突諸將營。獨不向弘範。弘範不恃險。亟築長壘。內伏甲士。而外浚濠使深廣。遂終敗璮。可法者一。戍萬山時。宋師奄至。遣偏將李庭當其前。他將攻其後。親帥二百騎爲長陣。令曰聞吾鼓則進。未鼓勿動。前後奮擊。宋師奔潰。可法者二。攻三江寨時。寨中持滿以待。弘範令我軍下馬治朝食。若將持久者。忽麾軍連拔他寨。廻擣三江。盡拔之。可法者三。至漳州。軍其東門。遣別將攻南門西門。乃乘虛破其北門。可法者四。崖山之役。分軍四面迫之。下令聞吾樂作乃戰。宋將以爲且宴。少懈。而弘範舟師犯其前。衆繼之。宋師大潰。帝昺水死。可法者五。

書劉秉忠張文謙郝經傳

秉忠上書世祖。注重禮樂綱常。且云教令宜簡。縣宰宜擇。孔子宜祀。金史宜修。利徒宜罷。皆儒者之言。元所以有開國規模。此書蓋與有力焉。

秉忠辭賜金不允。乃散遺親故。庶幾賢兄秉恕謂無功不可冒恩。終不受兄所遺。庶幾賢弟。

文謙數以堯舜仁義上陳。蓋欲引君當道。世祖征大理伐宋二役。文謙與秉忠姚樞等請勿嗜殺。所關尤大。

郝經謂圖天下之事於未然則易。救天下之事於已然則難。已然之中復有未然者。使往者不失而來者得遂尤難。果知此。可與言事也已矣。又謂攻其無備。出其不意。而後可以用奇。豈有連百萬之衆。首尾萬餘里。竭天下。倒四海。大極於遐徼之土。細窮於委巷之民。如是用奇乎。果知此。可與言兵也已矣。

憲宗既崩。郝經爲世祖決歸計。反覆詳盡。可大用。而卒以國信使被幽於宋七年而後反。世祖負經蓋甚矣。噫。

書姚樞許衡竇默傳

樞以二帝三王之道陳世祖。爲八目曰修身力學尊賢親親畏天愛民好善遠佞。大本立矣。復爲制三十。如立省部云云。無愧王佐。視王猛蓋將過之。然樞終未得爲宰相。則以世祖重樞。不若苻堅重猛。舉國以聽也。雖然。樞豈以是有所加損哉。噫。

衡從姚樞得程朱書。相與講習。故其上世祖疏亦極以二帝三王之道相勗。而治中夏必行漢法乃可長久一語。尤爲萬古不易之論。或因衡仕元。詆爲曲學阿世。豈知造次必於義。顛沛必於義。彼固確守程朱矩矱哉。

遼金元相繼崛興。元且混一區夏。雖曰天厭宋德。抑亦華夷一統大機也。夷不務禮義。嗜殺。少倫紀。若非以聖道隨時誘掖救挽之。生民受害豈易有已耶。衡願教蒙古子弟。謂置之善類中涵養數年。必爲國用。視引君當道。用意抑又深遠矣。

竇默隱於大名。與姚樞許衡朝暮講習。世祖遣使召之。變姓名自晦。蓋夷夏之見未泯。不欲仕異族。避之若浼也。迫不得已而仕。首以三綱五常爲對。且言帝王之道在誠意正心。是豈枉道求合者所可同日語哉。使君爲堯舜之君。民爲堯舜之民。莘野固亦有此轉念耳。

李俊民嘗仕於金。雖後棄官隱遯。實非以異族故。憫世將亂。欲效古人守先王之道以待後學而已。嚮使世祖即位。斯人猶在。未必不出而仕也。

書宋子貞商梃趙良弼趙璧傳

宋子貞對世祖有曰。本朝威武有餘。仁德未洽。庶幾直言。然但以投降不殺脅從勿治爲仁德。則與古人所謂修文德以來之抑亦異趣也。

商挺遇讒引咎。世祖念功弗究。庶幾君臣皆得也。一則曰商孟卿（字挺）古之良將。再則曰商孟卿老書生。文武兼資。且得上知若此。其克立功立事也固宜。

日本以兵威脅使者非是。後於滿清李鴻章赴日議和時尚有此舉動。抑何可哂。

憲宗問天下何如而治。趙璧對以請先誅近侍之尤不善者。此即本諸葛亮親賢臣遠小人意。痛切言之耳。憲宗不悅憲宗所以止於憲宗與。

書王磐王鶚高鳴李治李昶劉肅王思廉李謙徐世隆孟祺閻復傳

西域大賈稱貸取息。置獄于家。有不時償者輒拘繫榜掠其人。且恃勢干官府。直來坐廳事。指麾自若。此蓋與滿清季世海西教士在我國恣爲不法相似。清亦有克懲教民者。但未聞徑治教士勇比王磐也。

阿合馬致重幣求文而磐弗與。與陸游爲賈似道作半閒堂記異。凡能文者甚宜以磐爲法。而以陸游爲戒也。

王鶚因始生有大鳥止庭而名。與岳飛始生有大禽飛鳴室上。遂名飛字鵬舉相似。

雖不能救已然之失。尚可弭未然之禍。此李昶告嚴忠濟語也。知此者放下屠刀立地成佛。安不忘危。治不忘亂。此昶諫世祖語也。知此者明鏡勤拭。免得塵着。

李謙侍裕宗於東宮。陳十事。以正心爲首。仁宗卽位。疏言九事。以正心術爲首。蓋皆本孔門大學立言。且本程朱章句立言也。此四書所由尊逾五經。範圍宋元以後世道人心。永永無已也。學說所繫大矣哉。

孔子對衛靈謂軍旅之事未學。蓋是時不可言。此婉辭拒之耳。實則有文事必有武備。智仁勇兼重。禮樂射御更素所備習。何至如後世文弱書生乎。伯顏謂孟祺不意書生乃能知兵若是。抑何輕量天下士乃爾。至以計安宋帝使弗遷閩。免宋三百年所積焚蕩無遺。取宋國璽十二枚。止伯顏勿親封。謂管鑰自有主者。恐與時姦人妄相染汚其智更高出伯顏遠甚也。

世祖命翰林撰桑哥輔政碑。而翰林承撰不敢諫。所謂君臣皆失。他日免閣復等官。竟未聞罪己何耶。

書楊大淵劉整傳

憲宗遣宋降臣招大淵。大淵殺之。始意固忠於宋也。而後以閬州降元。且建言取吳必先取蜀。取蜀必先據夔。何不一念殘宋旦夕之祚。乎功名之士不足以義理相責。自管仲來已然。可勝慨哉。

唐李存孝率十八騎拔洛陽。宋劉整將十二人取信陽。皆甚難得。而他日皆以被小人所搆而叛。蓋功名之士計一國成敗利鈍重。計一己成敗利鈍轉輕也。噫嘻。

劉整請攻襄陽。與大淵建議取蜀同。蓋蜀未取宜先蜀。蜀既取宜先襄陽。不如是不足滅宋也。至造戰船。習水軍。奪宋所長。整尤很於大淵矣。

劉整爇草牛禽張貴。與田單縱火牛破騎刼。同一不測。

大淵不先據蟠龍山則夔不破。夔不破蜀不可取。整不先拔樊城則襄陽不破。襄陽不破吳更不可取。是非元人亡宋。實宋人亡宋也。殆洪承疇吳三桂等之先導也。噫劉整駐正陽夾淮而城。南逼江。斷其東西衝。既破夏貴水軍於大人洲。將兵出淮南。銳欲渡江。與晉王渾不敢徑趣建業者蓋異。首帥止之。致伯顏先入鄂。此時伯顏無異晉之王濬哉。整憤惋而卒。不及與伯顏爭功。目不瞑矣。噫。

書李忽蘭吉李庭史弼高興劉國傑傳

李忽蘭吉功甚多。單騎追楊大淵。大呼入城下馬執大淵手。遂與偕來。尤可謂武官不怕死。蓋勇而以智濟之。以忠幹之。乃克若此也。

李庭於萬山堡於襄陽樊城於黃家灣堡於沙洋新城屢瀕於死。壯烈彌厲。武官不怕死。以庭觀之尤信。後功甚多。固無足怪。

史弼驍勇。能遠定爪哇。破葛郎可喜。而發米十萬石平浙西糶。事後不肯增價失信。尤可喜。

劉國傑戰功甚多不足異。而諫世祖毋盡戮征東將校、勸福建行省左丞忽刺出毋搜殺黃華潰衆。破湖南盜詹一仔不殺降。皆大可異。馬革裹屍還本壯語。而國傑乃云身棄草野不恨。何必裹屍還葬哉。較伏波更進一解矣。

書李德輝張雄飛張德輝馬亨程思廉烏古孫澤趙炳傳

于公治獄有陰德。知子孫必貴。嘗高大其門令容駟馬高車。李德輝父亦曰、吾治獄不任苛刻、天或報之。是兒其大吾門乎。事同而李不若于著。則以于事在前。宋入類書。李事在後。未入類書也。又德輝恥錄書與班超投筆亦頗似。

德輝策重慶可降。以武將利剽殺。懼而不下。甚近理。惜無權制將。城民未被其澤。後於合州力能受降。不避將怒。單舫赴之。遂活合州。其智勇皆可敬。

書楊恭懿王恂郭守敬楊恒楊果王構魏初焦養直孟攀鱗尚野李之紹傳

楊恭懿謂從事實學則士風還淳。民俗趨厚。國家得才。誠至論。而王恂謂民至愚而神。變亂之餘吾不之疑。則反覆化爲忠厚。尤至論。有國者宜幷誦之。

許衡謂人心如印板。板本不差。雖摹千萬紙不差。善喻若此。可與言義理矣。又尙野誨人。先經學而後文藝。謂學有未得。徒事華藻。如持錢買水。所取有限。能自鑿井及泉而汲之。不可勝用。亦善喻。

元以異族主諸夏。尙任楊恭懿王恂郭守敬等精究舊曆。後世漢人建國。乃彊遵外曆而廢舊曆。抑何可哂。

一則曰瑶無子以初爲後。再則曰帝雅重瑶名。詢知初爲瑶子。歎奬久之。是魏瑶竟以從孫爲子也。此失蓋與武宗爲帝立弟仁宗爲皇太子甚類。

書張禧賈文備解誠管如德趙匣剌周全孔元朱國寶張立齊秉節張萬家奴郭昂
　綦公直楊賽因不花鮮卑仲吉完顏石柱傳

張弘綱直入父獄。獄卒幷繫之。始佯狂詭笑。繼與父逸出。此救父一法。

書王綧隋世昌羅壁劉恩石高山鞏彦暉蔡珍張泰亨賀祉孟德鄭義張榮實石抹

狗狗楚鼎樊楫張均信苴日王昔剌趙宏偉傳

石高王瘦而善戰。世祖忘其名。以問伯顏。是世祖注意戰將也。伯顏既以名對。且盛稱其功。是伯顏注意戰將也。如此將焉有不奮者乎。

吳以鐵鎖斷江。宋以巨索截淮。號混江龍鐵鎖且不可恃。況索也耶。

書張立道張庭珍張惠劉好禮王國昌姜彧張礎呂𡌴譚資榮王惲傳

元時雲南尚未知尊孔子。而祀王逸少爲先師。蓋蠻夷所都。至晉始漸開化也。子誠齊人知管仲晏子而已。卽此理耳。

李璮叛據濟南。姜彧預請哈必赤於城未拔時嚴禁諸軍入城。及璮就禽。城中按堵如故。此事甚可爲後世法。

書陳祐劉宣何榮祖陳思濟秦長卿趙與票姚天福許國楨傳

陶侃母湛氏截髮延賓。陳祐母張氏翦髮易書。不圖賢母一髮有如此大用也。

前爲盜跖。今爲顏子。吾以顏子待之。前爲顏子。今爲盜跖。吾以盜跖待之。陳祐此論極是。可以開惡者自新之路。可以建善者日新之的。

廣邀增羨之功。不恤顚連之患。視民如讎。爲國歛怨。如盧世榮者。後世常有。惜無陳天祥疏舉姦惡。詳實動聽。卒令其人伏誅也。噫。

天祥嘗被誣繫獄。遇赦得出。亦有赦者小人之幸君子之不幸等語。赦之害民長盜可想巳。

天祥杖妖婦劉金蓮。所見甚遠。後世善堂徧國。扶鸞惑衆。安得有如天祥者起而盡禁之。豫杜白蓮教禍哉。

布惠以柔其心。畜威以制其力。天祥此語。馭遠要術也。

書賀仁傑賈昔剌劉哈剌八都魯石抹明里謝仲溫高觽張九思王伯勝傳

賀賁得白金七千五百兩。乃持五千兩獻世祖。已得總管子仁傑亦終得上柱國。嚮使擁金自殖。極其至不過富翁耳。賁誠不負此金哉。

仁傑與忽刺忽耳因事廷辨。爭引咎歸己。世祖嘉之。置勿問。君臣皆得。

劉哈剌八都魯割羊裁遺母。可與穎考叔以君羹遺母事並傳。

阿合馬留守大都。王著與高和尚等乘夜搆變殺之。而必僞稱皇太子來者。蓋不如是闕不得啓也。高觽張九思克究其僞。而他人不若是。豈阿合馬惡貫已盈。天固不令幸免與。

書尚文申屠致遠雷膺胡祗遹王利用暘師文張炤袁裕張昉郝彬高源楊湜吳鼎梁德珪傳

胡祗遹按察山東。抑豪右。扶寡弱。敦教化。厲士風。蓋合古酷吏循吏爲一人。匪後世所謂酷吏循吏也。又王利用按察四川。土豪有持官府短長者。問得其實。當以罪。亦庶幾古酷吏。

書劉因吳澄傳

因謂邵至大。周至精。程至正。朱子極其大。盡其精。而貫之以正。言宋五子者當知此。因上宰相書語婉而氣正。校李密陳情表殆猶過之。歐陽玄贊其於裕皇之仁而見不可留之四皓。以世祖之略而遇不能致之兩生。信然。

澄候母寢。然火復誦習。余少時亦每若此。愧德業不逮古人耳。又張養浩夜閉戶張燈竊讀。不令父母知。亦與澄似。

澄謂道之大原出於天。蓋由易一陰一陽之謂道悟出。

書程鉅夫趙孟頫鄧文原袁桷曹元用齊履謙傳

程鉅夫請興建國學。搜訪遺逸。在他代且爲急務。況元世祖以異族入主華夏乎。他日滿淸代明而起。亦師是術耳。桑哥輩烏足與語此也哉。

趙孟頫不肯受笞於桑哥。謂古者刑不上大夫。自是所笞惟曹史以下。其氣甚勁。可取。勉徹里捐一旦之命爲萬姓除殘賊。於是徹里數桑哥罪於世祖前。卒誅桑哥。其心甚忠。更可取。

書崔斌崔彧葉李燕公楠馬紹傳

世祖問爲治何先。崔斌對以任相。蓋相賢乃可任也。否則若阿合馬立制國用使司。

弑不當云與其有聚歛之臣寧有盜臣。且於帝前屢斥阿合馬姦惡矣。又張珪傳亦有國之安危在乎論相。唐玄宗前用姚崇宋璟則治。後用李林甫楊國忠幾致亡國等語。可參看。

葉李請許臺臣實封言事。請勿徙江南宋宗室及大姓於北方。請不伐交趾。皆大有裨於治。而謬舉桑哥。實其一罪。

書姚燧郭貫夾谷之奇劉賡耶律有尙郝天挺張孔孫傳

許衡戒姚燧曰。非其人而與之。非其人而拒之。鈞罪也。蓋慮燧以文章賈禍耳。他日國朝名臣世勳。顯行盛德。多燧所書。每來謁文。必其行業可嘉。然後許可。庶幾克謹於此哉。

書張珪李孟張養浩敬儼傳

卒殺民豕傷主。橫暴可想。張珪先斬卒而後討賊。清曾國藩所謂行軍以不擾民爲本也。

珪謂爲治之要。莫先於安民。安民之道。莫急於除濫費。汰冗員。後世日言爲民造福。而濫費無藝。冗員日滋。民卽凍餓死不易供上。抑何不細味珪語乎。

李孟以講學輔導仁宗。於綱常深致意焉。厥後仁宗入淸內難。敬事武皇。（仁宗大兄）篤孝母后。端拱以成太平之功。文物典章。號爲極盛。一若未嘗有爲者。堯舜之道。孝弟而已矣。然哉然哉。

孟勸仁宗入淸內難。謂危身以及其親非孝。遺禍難於大兄非弟。此誠善言孝弟者。

又謂以科擧取人。先德行經術而後文辭。此尤善言科擧者。

孟於仁宗時屢乞解政。知止也。於英宗時降授亦起。杜讒也。

書曹伯啓李元禮王壽王倚劉正謝讓韓若愚趙師魯劉德溫尉遲德誠秦起宗傳

李元禮謂佛以慈悲方便爲敎。不與物競。雖窮天下珍玩奇寶供奉不爲喜。雖無一物爲獻。而一心致敬。亦不爲怒。如此言佛。視闢佛者更高一着。蓋不與信佛者意氣相抗。彼自不致倒行逆施也。

書張思明吳元珪張昇臧夢解陳顥傳

選曹銓注有私其鄉里者。吳元珪謂此風不可長。川黨朔黨之興。宋所由衰也。後世用人大抵重鄉里或姻亞宗族同學。欲朝政不日弊吏治不日壞得乎。

臧夢解爲廣西肅政廉訪副使。按問賓州藤州兩路達魯花赤。與凡貪官姦吏置於法者無慮八十餘人。又平反兩反獄。後世安得復有是人乎。卽有亦豈易徑行其志乎。噫。

書梁曾劉敏中王約王結宋衜張伯淳傳

梁曾兩使外國。以口舌息兵戈。世祖優寵之。與孔子重專對。漢武重可使絕國者同。

王結非聖賢之書不讀。非仁義之言不談。蓋宋五子之遺風。三代後未易有也。

書賀勝楊朶兒只蕭拜住傳

賀勝傳將張弼家奴毆人至死云云敘於至大(武宗年號)三年後。若此事在武宗時。楊朶兒只傳始將其事敘於仁宗卽位後。此修史者未以兩傳參勘之咎也。

書耶律希亮趙世延孔思晦傳

世祖嘗戲言漢人盜鈔六文者殺。實未著爲令式。而脫兒察遽傳旨。致囹圄囚多。可見當日政權不在中書。百務棼亂。使無耶律希亮面白此事。不知更寃死若干人也。

書元明善虞集揭傒斯黃溍傳

元明善勸董士選毋妄殺人。足報知已。而士選勸明善勿摧折虞集。尤可謂克規友過。又平勃交驩由陸賈。廉藺相驩由相如。士選似陸賈。明善亦頗似相如。（明善友必俟虞集觀然後入石集亦竟爲明善删百二十字不客氣皆後人所難）

古者自天子至庶人皆必有師。故治易成。後世皆不欲以師道事人。卽學校教授亦不敢以師道自居。欲治之成也得乎。虞集謂宜使守令求經明行修者身師尊之。此第就守令求學官言也。實則天子以下皆宜求師若是也。

集欲獻可替否有益時政。而文宗乃令以祖宗明訓古昔治亂得失日陳於前。若軍國機務。自有省（中書）院（樞密）臺（御史）任之。非卿等責。蓋但以儒士待之。故終不獲大用也。生不遇時。爲集一哭。

巫遺黨與縱火神己說。然後謀亂計甚毒很。集弟槃克揭其姦急治之。可爲後世法。

揭徯斯孝弟於家。忠謇於朝。可大受而僅得修史。且不享立言之名。悲夫。

書張起巖歐陽玄許有壬宋本謝端傳

張起巖廉訪燕南。搏擊豪强不少貸。蓋古酷吏之爲。至於立朝決議。意所背嚮。屹若泰山。尤甚難得。又許有壬傳亦有凡勢官豪民人畏之如虎狼者。有壬悉擒治以法云云。亦古酷吏甚難得也。

書王守誠王思誠李好文孛朮魯翀李洞蘇天爵傳

復以至元紀元者。順帝也。李好文傳於泰定四年後有時復以至元紀元云云。一若事屬泰定帝。未免籠統。

文宗親祀天地社稷宗廟。孛朮魯翀記行禮節文於笏。遇至尊不敢直書。識以兩圈。後世公文稿於長官名作圈。殆卽法此。

書王都中王克敬任速哥陳思謙韓元善崔敬傳

王都中捕繫餘姚豪民。痛繩以法。庶幾古酷吏。宣慰荊湖北道。躬履山谷。以振民飢。總管郴州。大治學舍。變其蠻俗。又庶幾古循吏。

任速哥疏財尚氣。似俠。然勇於報故君大讎。事後恂恂。無幾微自伐之意。則非服膺儒敎者不能。與其謂俠。無寧謂儒。

書呂思誠汪澤民干文傳韓鏞李稷蓋苗傳

呂思誠道民孝弟。且毀淫祠。蓋儒而不惑異端者。可敬。又韓鏞亦克毀淫祠以儒道敎民。

汪澤民已致仕。年且七十矣。寇至不避。殉難宣州。後世豈易有此人。

使民不以時。或能諫之。使臣不以禮。未聞能諫者。蓋苗因文宗以建康潛邸爲佛寺。令御史大夫督役。痛諫非禮。不圖元代有此人也。至文宗弒兄得國。自知罪大。欲藉佛力禳禍求福。以一佛寺故毀民居七十餘家。則與尋常信佛者蓋異。

書張楨歸暘陳祖仁成遵曹鑑張翥傳

鬼憑七歲女訴寃。而縣尹理之。凶人伏罪。當日以爲神明。若在後世。人訴未易直。況鬼訴乎。噫。

吾甚惡肅宗即位靈武。或以爲謬。而張楨傳竟有唐肅宗流播之中。怵於邪謀。遂成靈武之篡等語。與古人不期而合。同此心同此理耳。

書烏古孫良楨賈魯逯魯曾貢師泰周伯琦吳當傳

蒙古俗父死妻其從母。兄弟死收其妻。父母死無憂制。信所謂犬羊之族。烏古孫良楨以綱常說進。夷狄而中國。必由之路也。

待人以誠。人亦以誠遇我。此良楨訓子語也。雖然。待人以誠。盡其在我而已。人是否以誠遇我。豈必復念哉。復念則人未必誠。已亦先不克誠矣。

書董摶霄劉哈剌不花王英石抹宜孫傳

董摶霄守濟南有功見嫉。調令他往。卒致濟南不保。摶霄陣亡。此等事後世蓋亦常有之。

讀元史蠡述卷三

岳陽李澄宇洞庭著

書儒學傳一

併儒林文苑二傳爲一，正名儒學。甚是。蓋離儒而文者不足輔教傳後，可不錄也。雖然此傳大抵恪守程朱學說者。與宋史道學傳頗類。

趙復不忍伐宋。且以江漢自號。意深遠矣。而作傳道圖師友圖。俾程朱之學遂播朔方。意更深遠。

金履祥通鑑前編。以尙書爲主，下及詩禮春秋。旁采舊史諸子。表年繫事。得作史法。

許謙自省編書所爲。夜必書之。不可書則不爲。實淑身嚴制。其教人嘗曰。己有知。使人亦知之。豈不快哉。尤淑世洪度。又宇文公諒亦有手記一册。識其首曰。晝有所爲。暮則書之。其不可書。卽不敢爲。

世無久亂不治之理。道更無久絕不續之理。聖經者道所由寄也。黃澤謂聖經興廢上關天運。信哉是言。

稱字而不名者有之。稱某先生不名者有之。稱先生而不姓。則惟元縉紳於同恕然也。夐乎異哉。

書儒學傳二

由善折獄。列於政事之科。故此傳於胡長孺折獄錄之頗詳。置麥合掌中。謂盜衣者麥當發芽。欲察其開掌視否也。伏吏案下。縛姦者東西楹。而僞空縣迎詔。欲察其相謂何語也。匿珠步搖不得贖。而嗾盜誣賊。欲察其究有是物否也。諺云作賊心虛。長孺即因其心虛設事誘之。庶幾神明矣。又瞻思傳亦有歷官臺憲所至以理寃澤物爲己任。平反大辟之獄先後甚衆等語。

書良吏傳一

世祖時譚澄建言民年四十無子聽娶妾爲宗祀計。遂著爲令。此非一時良吏實萬世良吏也。

書忠義傳一

曳柴必揚塵無待言。故左傳欒枝使輿曳柴而僞遁。不言揚塵。此有攸哈剌拔都令騎曳柴揚塵云云。古今文不相及甚遠。此亦一端也。

殉節者每自戮家屬。況肯以愛子被擒故降敵。耶任志曰我爲大朝之帥。豈愛一子。親射其子殪之。至今如聞其聲。如見其人。

耶律忒末與妻石抹氏陷賊。密令子天祐毋以己故虧忠節。可與王陵母並傳。合剌普華已遇害。而軍中往往見其乘騅督戰。古稱爲厲殺賊。固宜有之。又王伯顏罵賊則云我死當爲神以殺汝。

書忠善義傳二

李黼總管江州。陸戰水戰皆勝賊。而九江(即江州)卒不可保者。西自荊湖。東際淮甸。守臣皆遁。勢孤援絕。無可爲計也。殺我毋殺百姓。此語可動天地泣鬼神矣。噫。褚不華守淮安五年。數十百戰。糧盡援絕。被賊臠害。其事信可與張巡比。而後代知巡者衆。知不華者少。以巡事曾入類書。且有韓愈張中丞傳後序張之也。又伯顏不花的斤傳亦有與巡相似處。

書忠義傳三

桂完澤呼妻弟金德曰。金舅男子漢。即死不可聽賊。與張巡呼雷萬春曰。南八男兒死耳。不可爲不義屈。相類。

書忠義傳四

趙弘毅夫婦皆死甚可敬。子恭亦死尤可敬。女官奴年十七。以未適人不肯避。亦自縊死。更可敬。

元以異族主中夏。而漢人爲之死節者不少。蓋尊孔重儒之效也。

書孝友傳一

張道卿與弟佐卿俱被賊執。爭死。不愧爲孝祖義重四世孫。而道卿子廷煒扶護父疾。一夕鬚盡白。亦可謂孝子。

甯猪狗名甚俚。而能割股愈母疾。雖謂之麟鳳可也。

徹徹坦古思氏夷族也。年四十餘。思慕父母如孩童。自矜爲中國人者。對此汗下否。

文公家禮。後代有行之者。而元時鄭大和（文嗣從弟）不奉浮屠老子教。冠昏喪葬。必稽朱熹（即文公）家禮而行。程朱學風之盛可想。

王薦福避雪樹下。得瓜奉母。與孟宗泣竹事類。而薦福之名。弗若宗顯者。蓋以宗事幸列二十四孝。而薦福未爾也。

甞汝道孝友。而樂善不倦。亦論語所謂孝弟爲仁之本也。

書孝友傳二

宋書有賈恩遇火。身殉母棺事。梁書有徐濟慟伏親棺（原傳未載父棺或母棺）以身蔽火事。此傳又有祝公榮哭伏母棺。其火自滅事。火乎火乎。殆藉災以顯孝子乎。

周文予子三齡。禮記載之。黃道賢願減己算一紀益父。而後獲驗。固亦可信。

書隱逸傳

孔子以足食足兵民信爲言。而杜瑛告世祖。則曰漢唐以還。人君所恃以爲國者。法與兵食三事而已。其意蓋上本孔子。不曰民信而曰法。信以法著也。曰信賞必罰。曰徙木立信。卽是理耳。孔子謂民無信不立。杜瑛謂國無法不立。可互勘矣。

張嫗取三國時事撰漢本紀列傳。附以魏吳載記。爲續後漢書。蓋竊取朱子通鑑綱目以正統與蜀意。更效唐撰晉書列趙燕秦涼於載記例也。其書若存。後人或將以新三國志目之。

書列女傳一

婦女守貞。而或爲彊暴所迫。貌美故耳。崔氏自爬毀其面。彊暴絕念。況權貴乎。此蓋釜底抽薪一法。又霍榮妻段氏引鍼刺面墨漬之。李如忠繼室馮氏爪面流血。並同。

楊氏舅不欲子鰥處地下。將求里人亡女骨合瘞。此蓋冥婚惡習。而以此致楊氏自經。尤可歎悼。

劉平妻救夫殺虎。王氏女救父殺豹。可與楊香搤虎事並傳。

割股刲臂。自古難之。而秦氏女乃鑿腦和藥以愈父病。蓋誠絕無僅有矣。雖然不可爲訓。

鄭伯文妻丁氏終事舅姑。以報亡夫。可敬。而太原白氏夫棄家爲僧。且迫白氏他適。白氏以奉姑故誓死不貳尤可敬。

夷俗子可妻母脫脫尼獨能以貞操聞。是亦蓮生泥中也。

臺叔齡臨危但呼急救母。則平日孝母可知。妻劉氏屬妹救母。自投火中。與叔齡相握死。則平日敬夫可知。孝母敬夫而皆不得其死。天乎命耶。言之痛矣。

書列女傳二

任仲文妻林氏年二十八而寡。而壽至百有三歲豈孝養病姑之報與。可異也已。

高郵張氏女懼賊害父母。僞從賊行。過橋投水死。蓋不如是難保父母也。又高氏婦脫金纏臂與女。令夫疾行。而已自經死。蓋不如是恐己累夫也。

徐彩鸞舍身救父。題壁詩有惟有桂林橋下水千年照見妾心淸之局。不幸世亂負此才女。

李讓女順兒必不辱李氏。讓豈不知。而讓必曰吾家以詩禮相傳。此女必累我。殆激令速死與。

秦閏妻柴氏舍已所生子以救夫前妻子。而柴氏子竟就死如歸。皆甚難得。官得其情。爲之言曰。婦執義不忘其夫之命。子趨死而能成母之志。此天理人情之至也。此官亦難得。

袁氏孤女抱雛母嚴氏共焚死。天負孝女矣。

書釋老傳

宋舊史志老釋。不曰釋老。以老前也。魏書志釋老。元史且傳釋老。皆不曰老釋。以釋盛也。

世祖命八思巴製蒙古新字。以諧聲爲宗。蓋外國字大抵如此。惟漢字乃別有象形指事會意轉注假借。合諧聲爲六書也。又凡有璽書頒降用蒙古新字。仍各以其國字副之。滿淸亦效其所爲。

武宗時有必蘭納識里代帝出家。視梁武帝舍身同泰寺令公卿贖之。又添一花樣。可笑。

世祖以西域地廣而險遠。民獷而好鬭。思有以因其俗而柔其人。特重釋教。亦猶以中國地大民衆。去綱常不易治。特重儒教也。又釋教徒有橫行無忌者。而儒教徒無之。儒教有君臣一倫。其徒大抵自謹天澤之辨也。

邱處機勸太祖不嗜殺人。且以敬天愛民爲治本。與儒教甚合。蓋孔老精義本相出入也。

孔子將卒。歌有泰山其頹乎。梁木其壞乎。哲人其萎乎三語。邱處機將卒。亦有山其摧乎。池其涸乎。吾將與之俱乎三語。類而不類。殆其徒效孔子事爲之。

祈志誠以修身治世之要告安童。故安童相世祖以淸靜忠厚爲主。及罷還第。退然若無與於世者。由此可知老敎至志誠。尙自有眞也。又張留孫與世祖論黃老治道貴淸靜。吳全節答成宗謂洛陽太守盧摯平易無爲。民以安靜。可參證。

書方技傳

田忠良有言輒驗。而奏征海都不吉將有叛者。世祖不悅。蓋前所言悅耳。而此奏甚不悅耳也。人大抵喜諛惡直。於方技亦然。可歎。

李杲傳方證互錄。可史記倉公扁鵲傳後漢書方術傳三國志方伎傳媲美。

孫威善爲甲。嘗以意製蹄筋翎根鎧。太祖親射之不能徹。孟子所謂函人惟恐傷人也。亦思馬因善造砲。世祖時嘗置砲襄陽城東南隅。所擊無不摧陷。宋安撫呂文煥懼而以城降。亦孟子所謂矢人惟恐不傷人也。有惟恐傷人者。而不避矢石爲國立功者氣王矣。有惟恐不傷人者。而抗拒我師爲敵宣力者膽裂矣。元遂混一區宇。豈偶然哉。

書宦者傳

閹宦之禍。歷代常有。而秦漢唐明最烈。元以貴臣子弟給事內廷。又以四大功臣世爲之長。天子前後左右皆世家大臣及其子孫之生而貴者。宦者欲擅權竊政。難於他代蓋百倍。然順帝時猶有與權姦同惡相濟如朴不花者。宦官之事。可不引爲大戒也與。

書姦臣傳

或言王安石相神宗甚得君。蓋揣知上欲北伐。甚須費。故以言利進。吾謂阿合馬盧世榮桑哥因世祖欲混一區宇。以言利蠱之。其事蓋與或言同。雖安石賢者。與阿合馬盧世榮桑哥迹近而心別。不可併爲一談。而神宗與世祖心理要宜互勘也。

哈麻與禿魯帖木兒皆薦西僧於順帝。授房中術。順帝於是廣取女婦。惟淫戲是樂。即此一端。亡國有餘。況不止此耶。噫。

搠思監未爲相前。才足濟事。既爲相後。乃以貪敗。嚮使討賊淮南。面中流矢時。即已身死。後世讀史。猶當頌其忠勇。況當日哉。卒與朴不花內外結構。諱盜誣逆。遂斬國祚。元固可哀。抑亦搠思監之大不幸。與周公恐懼流言日。王莽謙恭下士時。假使當年身便死。一生眞僞有誰知。可爲搠思監誦之也。

書叛臣傳

世祖不聽竇默之言相許衡。而相王文統。蓋信文統才愈於衡也。而豈意文統後爲叛臣哉。知人則哲。世祖有愧斯語矣。

書逆臣傳

孛羅帖木兒奉命守石嶺關以北。而忽欲得冀寧。遣兵圍其城三日。不臣之迹顯矣。他日即無皇太子搠思監朴不花擴廓帖木兒等迫之。未必遂免爲逆也。

書高麗耽羅日本傳

高麗唐以前頗彊。唐以後漸衰。至元則愈弱。蓋地日近我。兵力可及。彼漸無法自存也。

日本元以前常來貢。至元忽崛强。元以前皆漢族爲帝。日於我有所法效。故來。元北狄耳。日於彼靡所法效。故不來。況世祖璽書驕而恃力。曷足使彼心服哉。

書安南傳

元討占城。必令安南開路備糧。蓋恐安南援占城。特以此二事卜之耳。然要非柔遠之道也。

陳日烜不與元戰。棄都而遁者。明知元兵不能久據。他日不徒土地無恙。或且可以追擊取勝也。

書緬。占城。暹。瓜哇。瑠求。三嶼。馬八兒等國傳

元於漠北東北西北諸地。不能郡縣其民。化以孔教。使國本日固。而於南服西南東南諸屬勤遠略。使國力日疲。甚爲失策。歸馬放牛。示天下不復用。此武王所以爲聖也與。

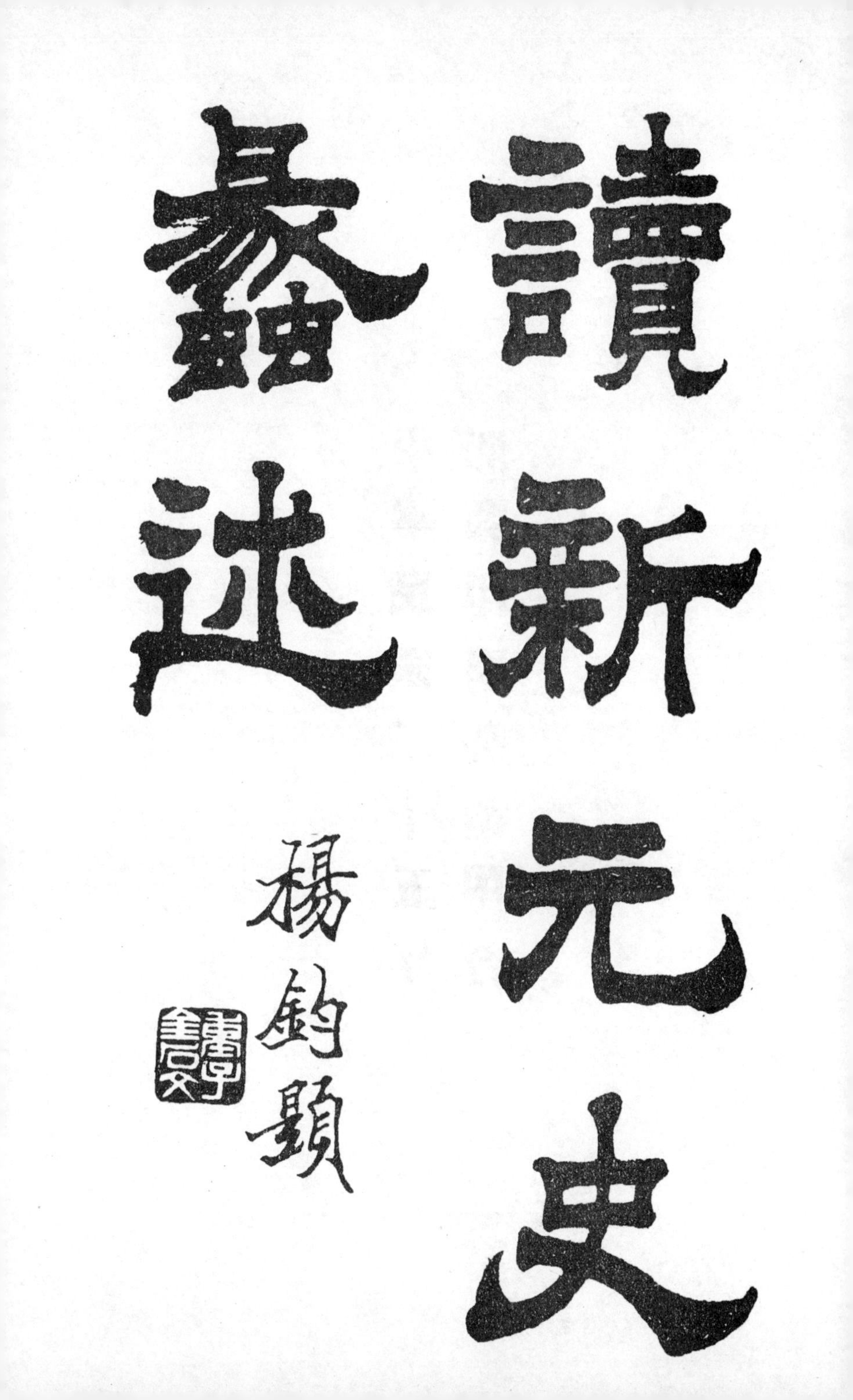

讀新元史蠡述

楊鈞題

中華民國二十五年
湘鄂印刷公司印行

讀新元史蠡述目次

卷一 讀魏源著元史新編

卷二　讀曾廉著元書

讀新元史（卽邵陽魏源著元史新編）蠡述卷一　岳陽李澄宇洞庭著

書卷首

明柯維麒合宋遼金三史爲一。以宋爲主。遼金附之。且列益衛二王（卽端宗帝昺）於本紀。名曰宋史新編。魏源元史新編蓋祖此。又是編之前有仁和邵遠平元史類編。是編之後。有邵陽曾廉元書。膠州柯劭忞新元史。可參看。

元史明修前後集三十史官八月成書。卒謬複漏固無足怪。如諸志有同案牘。開國元勳無傳。一人兩傳。順帝一朝之事。采補不詳等等。誠如魏源表所云。不有更新曷徵文獻。

魏源表有太祖太宗開創之初。卽以耶律楚材爲相。世祖混一南北。復相史天澤而劉秉忠參贊大計。趙璧姚樞許衡並入中書輔政。初無內蒙古色目外漢人南人（元以遼金新附者爲漢人宋人爲南人）之見。惟中葉以後始分畛域。凡臺省長官皆用蒙古舊人。及其判署不諳文誼。不得已取漢人南士佐之。中原財賦。耗於僧寺佛事者十之三。耗於藩封勳戚者十之二云云。則魏氏當淸中葉。鍼對淸弊立言。蓋欲藉史諷諫也。以元史列傳名字侏僞。文武錯雜。特創新例。分類相從。俾便考覽。淸史似亦可以此爲法。

書太祖紀上

蒙古部人下加金世所謂韃靼國也。至太祖先世居漠北斡難河源之布爾山下。詳舊所無。卽此已勝藍寒水矣。

取法左傳屢用時金章宗承安三年。太祖年三十有六矣。時金章宗泰和元年。太祖年三十有九矣。時金泰和三年。太祖年四十有一。時帝年四十有四。金泰和六年也等句。以便金元二史互勘。甚是。

書太祖紀下

舊史太祖紀一卷。此劃爲二。舊史世祖紀十四卷。此併爲二。順紀十卷亦併爲一。凡例謂本紀世祖以前四朝失於荒陋。世祖以後七朝失於繁冗。特以此救正之也。又舊史成紀四卷。武紀二卷。仁紀三卷。英紀二卷。泰定紀二卷。文紀五卷。皆併爲一。曾廉元書與此同。惟太祖紀曾止一卷。柯劭忞新元史則太祖紀前有序紀。頗類魏書。又此劃太祖即位後爲一卷。宋齊梁陳書並如此。匪創

書金主某卒。某立。宋主某殂。某立。以正統自居。而以僭僞處人。專史蓋往往如此。魏氏仍之是也。

二十一年舊史但曰帝以西夏納仇人赤臈喝翔昆及不遣質子自將伐之。而此乃有帝既定西域。遂回軍討西夏。初。夏主僞乞盟請納質子。且言願助兵討回紇。及徵兵不至。且不遣質子等語。所謂事增於前也。又紀末舊作滅國四十。遂平西夏。此易爲滅國四十。遂平夏。克金。有中原三分之二。使舍其攻西域之力從事汴京。不俟太宗而大業定矣云云。亦可謂事增於前。

書太宗紀 附定宗

二年帝自將征金。下詔曰云云。舊史所無。蓋詔語質而事多。錄之可代敘述也。又四

年補敍震天雷飛火槍二物。及帝不豫拖雷禱神請代事。使紀不枯寂。此取法史漢。與歐陽修必以本紀學春秋者異。

九年始制軍符驛券。給諸王百司印。大事也。舊史未書。此補之。甚是。又十二年補敍帝自言四善事四過失。紀末且有知諸子不材。憲宗克荷。而儲位不早定。致身後政擅宮闈。大業幾淪等語。皆遠勝舊史。

論責金宣宗不殺胡沙虎高琪。且南侵宋。哀宗不黜白撒蒲阿。不專任胥鼎陳和尚等。乃金人自亡其國。皆甚有見。

書憲宗紀

拖雷代太宗死。而子蒙哥乃紹帝統。此中殆亦有天焉。非人力所能爲也。彼忿切纂奪者。豈足與語此也乎。

元巳無心江左。而宋殺元使五次。必拒和挑釁。竟殄趙氏而後巳。蓋中主戰論之餘毒。欲以此迎合衆志。幸立邊功也。而豈知勢固不可哉。論切責宋人。垂涕而道其意蓋亦欲諫淸且預諫後世也噫。

書世祖紀上

蓋有關中河南地本出憲宗意而讒入便疑。是憲宗於帝忽動殺機矣。用姚樞計盡遣妃主歸朝。自見憲宗於六盤山。蓋隱以妻孥爲質且束身歸命俾可疑之迹自然淨絕也。然非帝實無妄念。亦豈敢遽納樞計如此哉。至伐宋之際。憲宗上賓。帝不亟圖大位。而渡江圍鄂。與宋搆和然後歸。亦足證貴爲天子富有四海帝始願固未嘗及此也。不及此竟及此。所謂天命有在也。

舊紀於帝自鄂至燕。下有脫里赤方括民兵民甚苦之。帝詰其由。託以憲宗臨終之命。帝察其包藏禍心。所集兵皆縱之。人心大悅。此但云縱新僉民兵。人心大悅。一若遽反憲宗所爲者。是則省文之過也。文果可若是其省乎。

書世祖紀下

帝諭諸路按察使。有名成則利隨之。徇利必失其名。而身命且不可保等語。後世官吏並當諦聽。

書福建參政魏天祐執宋江東制置使謝枋得至燕不屈死。予枋得且罪天祐也。宋亡已十載。枋得事母葬母而後死。雖似太晚。然五聘不就。未嘗一日忘宋。則固猶是宋臣也。故特書宋官。至天祐已爲元臣。知有元不知有宋未足責。然不先以枋得書陳世祖。遽執枋得北行。若惟恐枋得不死。有何舉動累已。死則已可藉此畬信於上者。是則其意可誅也。

論謂世祖延攬姚樞竇默劉秉忠許衡之徒。以漢法治中夏。變夷爲華。蓋不獨奄有我土地。且同化於我政教也。天命既已有在。爲夷齊比干者固宜有人。爲周召箕子者亦宜有人。或咎姚竇劉許臣事異族。豈知納異族於軌物。功在國。德更在民耶。是未可一概而論也。

奸民冒稱趙民作亂。不以累及宋後。昌黎縣民生男。夜中有光。或請除之。而曰天生好人。奈何妒忌。此二事實世祖盛德。他代帝王所難能。不得以夷狄目之。

書成宗紀

但曰得玉璽於故臣之家。不曰得秦璽於何人家。則璽果爲漢玉莽時已缺一角之秦璽與否未可定。安知非就世所共傳之秦璽文僞造。藉奪帝位乎。且得璽早。何不呈世祖而上之成宗母乎。

書武宗紀

成宗紀注有大德（成宗年號）十一年加上孔子尊號。制詞宏雅。古今傳頌等語。而制乃載於武紀。蓋武宗卽位卽加封孔子。而年號實仍成宗大德。踰年正月始改至大也。

論舉陶九儀元氏掖庭記。且云自帝大濫其觴。亦英雄酒色之通病歟。造語淺陋。去馬班論贊何啻萬里。至曾廉元書。力學古史。而論武宗乃曰惟麴糵鄰澤之爲樂。求雅傷靡。則又喜用代語之過也。二史不盡愜衆意。此亦一端。可歎也。

書仁宗紀

論贊仁宗在位九年。仁心仁聞。有漢文帝之風。而責其上悖武宗初約。不傳位明宗。

武宗子而傳位英宗。仁宗子致他日英宗明宗皆被弑國亂甚亢。始立太子時。帝謁太后固辭。且曰和世㻋在宜立。太后不許。使是時帝效泰伯異日禍亂其庶幾免乎。

書英宗紀

論謂英宗不誅鐵木迭兒。而復任用其子。釀成梟獍。足正舊史英宗紀第二果於刑戮奸黨畏誅遂搆大變之謬。而除奸莫要於奪兵權。乃以宿衛新兵掌於鐵失之手二語。尤可見英宗不惟不果於誅戮。且未嘗疑忌奸黨也。

書泰定帝紀

世祖崩時。泰定帝之父甘麻剌以冢孫當立。而讓於弟成宗。似古伯夷。英宗遇弑。泰定帝有主謀大嫌。而竟踐祚。類吳闔閭。

論以靖難討賊為泰定功。蓋以弑前有囚斡羅思及遣使赴上都告變未至而難作云云也。然亦思內史倒剌沙本泰定幸臣。常偵伺朝廷事機。又以其子哈散事英宗丞相拜住。且入宿衛。知鐵失與拜住不和。欲傾害之。特歸告泰定。倒剌沙復興英宗宣徽使探忒心深相要結。鐵失密遣斡羅思來告。更有我與哈散耶先鐵木爾禿爾謀已定。事成推王（即泰定時晉王）爲皇帝等語乎。囚斡羅思遣使上聞。未至。特掩耳盜鈴耳。豈遂足欺天下後世乎。至燕帖木爾助懷王（即文宗）弒明宗爲逆。予於讀元史蠡述已論之。然所見與此略異。可參看。

書明宗紀

丙戌皇太子（即文宗）入見。是日宴皇太子及諸王大臣於行殿。庚寅帝暴崩。蓋晏之翼日遇弒也。斧聲燭影。其事亦類宋祖兄弟乎。

書文宗紀 附寧宗

古無一代諸帝皆稱宗者。苟非其人。即在位久亦但曰帝某無謚。或某帝有謚耳。寧宗七歲踐祚。匝月而殤。立謚已顯悖古禮。況稱宗乎。論但引春秋未踰年之君稱子闕之。一若踰年可稱君。即踰年可稱宗也。者殊有語病。特爲正之如此。

書順帝紀

唐其勢憤柏顏（舊史作伯顏）專政。而必謀立諸王晃火帖木爾。蓋因彼父獲罪明宗。不欲明宗子爲帝。將遂弑之也。弑而有所立。彼乃一躍執國命。視父燕帖木爾佐文宗有過之無不及。亦大丈夫得志之秋矣。而豈知竟爲柏顏所誅耶。噫。

順帝未立時。太史言帝不可立。立則天下亂。而他日竟有劉福通徐壽輝等作亂。以殄元祀。太史之言蓋驗矣。

紀曰明兵入京城。國亡。就元代一統言也。故亡速。註引朔漠圖考宣德（明宣宗年號）九年阿魯台爲瓦剌所敗。走死。部落盡離散。瓦剌遣使入朝。獻傳國璽。元始亡。就北元割據言也。故亡遲。

書后妃傳

序有前代宮閫之禍。必宦官外戚表裏揚煽。乃能助虐階亂。元法內庭給事多用貴臣子弟。又統以大臣。而宦豎無權。外戚惟守藩封。食租賦。奉朝請。故中宮間掌國柄。

而皇綱不墜云云。能見其大。況舊史無序。新編有序。愈益可寶哉。

太祖后弘吉剌氏之妹耶速干。已有寵。而勸帝求姊。讓以后位。未聞相妒。漢趙飛燕趙合德地下有知。亦愧此否。

傳謂元自世祖創業。宮闈氈酪。不染華風。成宗繼體。佚游尚簡。武宗效金明昌（章宗年號）故事。頗侈游宴。順帝日以荒娛。遂至亡國。垂戒深矣。蓋新編作於遜清中葉。託以諷諫。抑史職也。

順帝后弘吉剌氏。簡重節儉。動中禮法。待妾媵太子皆有恩。且不與第二皇后奇氏爭寵。皆難能。而從帝巡上都。次中道。帝欲臨幸。使內官馳告后。不可。曰暮夜非至尊往來之候。尤難能。

順帝第二后奇氏。作糜粥振飢。置冢瘞遺骼。且必使太子愛猷識理達臘讀儒書。皆可取。而以順帝惑女色。暱番僧。國事日壞。亟謀內禪。挾帝失。以匡國計。心抑甚苦。不得以夷女少之。惟因后族被殺。搆怨高麗。乃其一失。老的沙與太子有隙。奔暱孛羅帖木爾所。而竟以是討孛羅。是其二失。才而好動。未克盡軌於正。果得志。殆亦武后之亞與。

書皇子諸王傳

太祖併漠南北及回鶻遼東後。封諸弟東北。諸子西北。既平葱嶺以西。又封駙馬西域。封建而類聚。與成周同。異姓封地犬牙相錯者有別。此其所以弗克永守與。

合薩爾猿臂善射。實天生虎將。助太宗取天下。非令管百姓也。而帖卜騰格里乃假神語譖之。謂初令鐵木眞（即太祖也）管百姓。再令合薩爾管百姓。萋斐貝錦。可畏也哉。

太祖異母弟別里古台與從叔爭馬。被斫傷重。太祖大怒。欲攻之。而別里古台力諫。謂將舉大事。奈何以臣故仇族人。此甚可取。不得以塔爾部事漏言薄之。

耶速皇后請太祖預定嗣位者。太祖會諸臣問長子朮赤何如。而次子察合台竟有我母爲蔑里吉部所虜。歸而生朮赤。何可令承大統。以疑衆心等語。蓋言朮赤非太祖子也。子於父母質直至此。抑太甚矣。

順帝太子愛猷識理達臘陰與皇后謀內禪。而丞相太平不可。欲效唐肅宗自立靈武、而擴廓帖木爾不可。欲總天下兵討賊。而順帝不可。蓋天命已屬大明。固未容太子改弦更張。展其驥足也。噫。

書太祖平服各國傳

本宋史南唐西蜀諸世家意作太祖平服各國傳。使疆域顯明。卽本紀所書兵事亦得攷其道里方位。信足補舊史所闕。又以東北諸部。漠北諸部。東西契丹。東西夏等分敘。眉目易醒、亦史家馭繁一法。但東契丹耶律留哥自願效順。未煩兵力。實不可以平服論。似不如效晉書作載記也。

附西契丹傳之北印度欽察各國。有阿羅斯。（一作峨羅斯）卽俄羅斯。今所謂白俄也。白俄欲西出得一不凍港。不得志。竭全力經略遠東。既得旅順大連灣。為日所敗。歐洲大戰時。赤俄（實猶太人）以共產主義覆白俄。進攘我外蒙古新疆等地。勢欲併東亞全部。日人大恐。亟攫我滿洲等地。謀抵制。於是此傳各國。昔為元氏所有號曰藩輔者。今竟謂他人父。謂他人母。且近釀日俄戰爭。遠釀世界戰爭。而我國轉燕巢危幕。魚游沸鼎焉。豈非至可恥至可痛之事耶。

書太宗憲宗兩朝平服各國傳

元太祖不先幷金夏。必滅乃滿（舊史作乃蠻）定西域。而後南向以爭中原。亦猶明太祖必討平陳友諒、張士誠。而後北伐中原也。不安內不可攘外。易地皆然。固無足怪。此傳敘賽馬爾罕禽土耳其汗。恢復白西亞諸國。其子孫遂幷五印度及英吉利假通商霸領五印度事頗詳。足補舊史之漏。又駁南取大理旋師湖南以出荊鄂之背之說。謂不如移伐日之師由海道南下。一入揚子江取建康。一入錢塘江擣臨安。足顯顧論（謂顧祖禹方輿紀要）之謬。

書中統以後累朝平服叛藩傳

世祖親征乃顏。前鋒既敗。而塔不台率兵犯駕。甚迫。諸將欲退。幸鐵哥及博羅歡以計疑賊。賊懼有伏引去。我師乘之。竟得轉敗爲勝。可見戰貴鬭智。不徒力也。

海顏誘海都深入。已七戰七卻矣。而忽還軍擊之。致失海都。蓋上有廷臣之譖。下有諸將之疑。無可奈何。不敢堅持初計也。噫。

書勳戚傳

闊里吉思追耶不干討海都。篤哇二役。皆以勇於見敵大捷。而他日乃被敵執。蓋深入遇覆。未免莽敖狃於蒲騷也。

書開國四傑傳（舊史赤老溫無傳）

太行之北。朕自經略。太行以南。一以付卿。此太祖諭木華黎語也。可與閫以內寡人主之閫以外將軍主之參看。深信專任。克有成功也宜哉。

元以完顏合達與黃河並論。（據金史）則金視合達勝負定安危可想。而敵人詐敗輒追。竟致遇伏。則合達為大將。才不副任。亦可想。

木華黎臨危。猶以汴京未下為憾。可敬者一。威權侔人主。而親將士如兄弟。可敬者二。子孫襲國王為名將。相次亦以忠孝顯。百餘年無一墮業者。其家範蓋莫與比。可敬者三。

四傑子孫事少者移幷此傳。甚是。

太祖嘗曰。我有博爾朮及木華黎。猶車之有轅身之有臂。史亦云博爾忽與赤老溫晚年戰功不著。是四傑中幾僅二傑也。論謂赤老溫父子保全太祖於孤危。博爾忽脫睿宗太宗於患難、平漠北、戰金。戰西夏。授拖雷於河南。事功磊磊軒天地。蓋自是四傑比肩竹帛矣。但曾廉元書柯劭忞新元史於木華黎皆別爲傳。

書開國四先鋒二部長傳

哲伯元書作哲別。忽必雷作忽必來。赭勒蔑作者勒蔑。畏答爾作畏答兒。惟速不台朮赤台與此同。蓋譯音之故。又舊史哲伯事散見紀傳。或作柘柏。或作闍別。或作鷀博或作赭孛、或作遮別、或作者必那顏、或作折不那演。或作折那顏、音既略異。字遂各殊。且以哲伯本名與號那演連稱。無怪一人遂若數人也。

書薈渾河功臣傳

譯名不易記憶。就事分類爲傳。較便考覽。此新編所由不妨有誓渾河功臣一傳也。蓋自是而散者整矣。

從行者十九人。與晉重耳從亡者十九人適同。而太祖仰天誓曰。使我克定大業。倘不與諸人同甘苦者。有如河。亦與重耳投璧河中曰。若反國所不與子犯共者有如河略同。

書開國武臣傳

郭德海通天文兵法。郭侃上平宋策。有宋要地在荆襄。先取襄陽。置揚廬諸城勿顧。直趨臨安等語。皆可謂文武兼資。而亦列爲開國武臣者。武功大。從其大者耳。

書開國相臣傳

土地人民政事。國所寶也。有平服各國平服叛藩及開國四傑平金平宋功臣等傳。土地人民所由得。固已瞭如指掌。然馬上得之。不能馬上治之。則開國相臣文臣尤不可不亟爲立傳。俾一國政事所由來。燦然並曉。傳以類從。化侏㒧爲雅馴。而又闇就土地人民政事攷論開國中葉及季世得失。此元史新編所由遠勝舊史也。

後世動詈人漢奸。一若異族得志。漢人當皆不與共戴一天者。觀元太祖時州郡長吏生殺任情。至孥人妻女。取貨財。兼土田。耶律楚材奏請禁州郡非奉璽書不得擅徵發。囚當大辟者必待報。違者罪死。於是貪暴稍戢。且盡捕留後親屬及勢家子爲盜者下獄。戮其首惡。是則漢人（元以遼金新附者爲漢人宋人爲南人後世則統曰漢人）臣事異族者。固可有大功德於諸夏。不必概以惡聲相向也。惟爲虎作倀。毒痛我民。斯乃漢奸耳。

楚材請太宗弗屠汴。謂得地無民。將焉用之。於是居汴者得全活。其後伯顏下江南。因以爲例。傳曰。仁人之言。其利溥哉。吾於楚材亦云。

楊惟中於太宗時慨然欲以道濟天下。可敬者一。於憲宗時梃擊在汴貪虐之萬戶劉福至死。可敬者二。

書開國文臣傳

契丹人中夜挾弓矢掠民財。官不能禁。此等事後世亦有之。惜無若劉敏其人者戮渠魁以令諸市耳。

書平金功臣傳

序謂元之平金自拖雷木華黎速不台外皆驅金臣以攻金。卽用金臣以守金。明明金臣也。而元能驅之用之。元所由興也。明明金臣也。而被元驅之用之。金所由敗也。後世於此可勿深思乎。

石抹耶先邀殺金北京新留守。懷其誥命履任。遂得北京。此以詐勝也。元將屠東京。耶先謂王師拯人水火。降而復屠。人將死守。奏請赦之。此以義勝也。能詐能義。吾敬其人。

驅羣羊使東西者牧人也。羊何知哉。殲渠魁足矣。釋此輩遷之近縣。強者從軍。弱者爲農。此天所以畀我也。何以殺爲。王檝此語。化逆爲順。化死爲活。化無用爲有用。願天下後世人共三思之。

書平蜀功臣傳

阿巴赤議築城重慶合州之間。命宿將守之。與成都舊兵相犄角。牽制援師。然後水陸東下。破忠涪萬夔諸小郡。出峽。與鄂州渡江諸軍合勢。本可迅奏膚功。而諸將以爲迂。謂攻城功在頃刻。豈知他日竟頓兵釣魚山二十載乎。舍遠勢而覬近利。譽奕者不爲。諸將殆未知奕與。

書平宋功臣傳

删併舊史百餘傳爲九篇。而宏綱偉略已無所不舉。不愧史才。至詳劉整呂文煥留夢炎夏貴蒲壽庚方回等功罪。尤不愧史識。

書世祖相臣傳

一代名臣。大抵惟開國中興亡國時可屈指數耳。今列世祖相臣文臣言臣。中葉相臣文臣言臣。元末相臣文臣言臣。化散爲整。極便考覽。而於元史尤宜。

書平叛藩諸臣傳

元叛藩與國終始。多以傳位未得同意故。然同種自攻。以召衰弱。實亦蒙古最不幸事。祚不百年。豈不以是哉。

書中葉相臣傳

哈喇合孫善騎射。而重儒術。其爲相一以節用愛民爲務。有大政事。必引儒臣雜議。嗚呼。此其所以屢立武功。不以名將終。而以名相終也。後世有土苴儒術專尙武力者。曷不一讀此傳耶。

學者學爲人而已耳。爲人必明倫。故儒者極重綱常。仁宗敬事武皇。篤孝母后。正所以明倫也。而其效乃端拱以成太平。無怪握拳示羣臣有所重乎儒者爲其握持綱常如此。其固之語也。李孟信善教。仁宗亦善學也哉。

李孟於大局已定。武宗將至時。忽爾高蹈。非徒恐功高召忌身危也。誠逆料異日必有勸皇弟（謂仁宗）自取之讒。禍且及于仁宗也。已既高蹈。則仁宗側無他謀士爲天下指目。仁宗心亦易白矣。遠慮至此。吾敬其人。

拜住謂學有本原。施于事業。非俗吏所知。此誠善言學者。不圖夷狄中有是人。

鐵木迭爾貪濫譎險。鬻獄賣官。而拜住不發其奸。聽其自斃。蓋服膺儒教而厚於仁。且不欲大臣有相擠之跡也。鐵木迭爾已死。又厚其子鐵失。聽掌宿衛親兵。致英宗遇變南坡。己亦同時被害。是則己不忍人而人忍己。雖曰以德報怨。未免迂矣。

書中葉文臣傳

世固有遇而不遇者。虞集亦其一人也。集能處軍國機務。而文宗但任爲奎章閣學士。蓋始終以書生視之。謂但可講學作文耳。悲夫。

書天曆交兵諸臣傳

許倒剌沙爲苟息。稱襲加台（舊史作蠻加歹）等爲泰定忠臣。足正舊史及胡粹中續通鑑之謬。然謂倒剌沙與泰定未預弒英宗逆謀。則不可信。予於讀元史蠡述已詳論之。可參勘。

書元末相臣傳

脫脫本周公大義滅親意。逐伯父伯顏。代其相位。誠非常人。而他日其弟耶先帖木爾喪師辱國。爲言官所劾。脫脫乃意存袒庇。不復大義滅親。抑又何耶。
脫脫於哈麻以德報德。而哈麻於脫脫乃以怨報德。是脫脫爲君子。而哈麻小人也。
然脫脫以天子祿位報私德。抑亦未能去私。難曰君子之過也。

書儒林傳

一儒林耳。而分宋金遺逸。諸儒制作。諸儒傳經。諸儒特立獨行。諸儒。心細法周。後修清史似宜效之。

書文苑傳

舊史無文苑傳。姚燧等大抵散在諸臣傳。自此編出。而曾廉元書柯劭忞新元史皆有文苑。又舊史無氏族表藝文志此編補之。而元書有藝文無氏族。新元史則氏族藝文皆無是亦同異得失之林。不可不察也。

讀新元史（卽邵陽曾廉著元書）蠡述卷二

岳陽李澄宇洞庭著

書卷首

曾廉元書力學史漢。而所就乃似歐陽修新唐書。蓋亦所謂法上得中也。然元史有此。足列二十四史之林矣。豈必詳諸所無。如膠西柯劭忞新元史然後爲美哉。

書太祖紀

此言蒙古隷於韃靼。故又稱爲韃靼。與新編徑書爲金世所謂韃靼國也蓋異。舊史新編於此紀皆無論。而元書有論。且美其立賢無方。不慚史識。

書太宗紀

書禁長吏專生殺。據耶律楚材傳補之也。此等處勝舊史及新編。又三年據傳補金降人李昌國金遷汴將二十年。恃潼關黃河耳。若出寶雞以侵漢中不一月可至唐鄧云云。九年書始給官府符印定驛令。皆勝舊史及新編。

書定宗紀

舊史新編皆以定宗附太宗。而此列爲專紀。蓋本漢書孝惠本紀意。不欲以母后柄國故略之也。

書世祖紀上

三年春正月修孔子廟。當如舊史作修宣聖廟。蓋彼時實稱宣聖。不稱孔子也。

至世祖至元八年始建國號曰元。以前但號蒙古。蓋與匈奴契丹無異耳。

書世祖紀下

十五年首書詔買賣江南良家子爲賤及倡者兩罪之。仍沒其直。人復爲良。美之也。且文省於舊而合史體。勝之。

論謂世祖崇儒重道。而三進言利之臣。殆以自我作則。將上下均足。堪爲後世經制庶幾眞知世祖者。

書英宗紀

至治元年。禁日者無交通諸王駙馬。掌陰陽五科者毋泄占候。恐本部有人謀叛。預防於微也。二年禁漢人執兵器出獵及習武藝。恐他族有人謀反。特杜其漸也。英宗在位三年崩時二十一歲。則即位已十八歲矣。論有幼冲二字。殊不合。然謂漢昭能誅燕王上官桀。專任霍光。英宗不能誅鐵木迭兒諸權倖。獨任拜住。則亦甚允。

書泰定帝紀

此紀許泰定討賊不以簒奪為言。蓋據舊史諱之。然汲汲以太牢祀孔子。逆取之後。實欲順守也。

二年書皇后受佛戒於帝師。帝復受戒於帝師。皆譏之也。故論有梁武帝之儔云云。然以此益見泰定實主逆謀。自知罪大惡極。欲徼福佛國。一逭之也。

書天順帝紀

舊史新編及柯氏新史皆不立天順本紀。而此特立之者。蓋不以泰定為簒而閔其祚斬。且深惡文宗與燕鐵木兒也。

當遼東軍克通州。遂趨大都。(即燕京)燕鐵木兒募壯丁乘城守禦。大都危在旦夕。而燕鐵木兒乃能犯遼東軍於通州。可怪者一。又忽剌台克紫荆關。大都將士皆潰。忽剌台進逼大都南城。是大都更危在旦夕。而燕鐵木兒乃能敗忽剌台於蘆溝橋。可怪者二。又八剌失里馬札罕克冀寧。遼東軍克古北口。而燕鐵木兒乃能乘上都（郎開平府）（今察哈爾多倫）空虛。以師陷之。遂殄天順。可怪者三。

書文宗前紀

仿明史英宗前紀爲文宗前紀。著文宗前已自立之實也。前已自立。而復僞讓以致明宗。因遂弑之。此誠燕鐵木兒之惡謀。抑實文宗之逆志。讀史者可爲此輩所欺耶。

書明宗紀

明宗年已三十。而乃爲文宗所紿。安在其能好學術習故事耶。論謂唐明皇不敢以望肅宗。父子且然。況兄弟哉。誠痛極語。知有天位不知有天倫。古今一轍。可哭也已。

書文宗寧宗紀

前改元天曆。意謂天之曆數在躬也。後改元至順。恐人議己大逆。以此預杜其口也。

書帝及皇后皇子並受佛戒識之也。蓋自知手弑兄嫂。罪大惡極。恐罹天罰。且殃厥嗣。食不甘味。寢不安席。欲託佛門爲庇也。

書寰宇志

寰宇統地球全體。似不如仍曰地理也。至論南漸弗逮禹。而西被倍蓰班超。本雖先撥。技葉相嬗。數傳而後亡。則亦能觀其大。

書選舉志

此志與河渠食貨二志均好。蓋於古今異同沿革所由。好學深思心知其故也。而論主辟除薦舉制科任子並行。尤極有合。

書始祖以來諸族傳

此傳極要。於奇渥溫斷爲太祖祖父八里丹之氏。尤有特見。新元史不錄此傳。雖詳抑略矣。

書耶律留哥蒲鮮萬奴張鯨石珪李全嚴實傳

留哥故遼族屬。窺金政不綱。且金人素疑遼。不得已潛歸方盛之元。殆保族深意。於金無所謂不忠。於元更無所謂效順也。然太祖卒恃留哥討定遼金受益抑誠匪尠矣。

留哥死。妻姚里氏權領其衆。太祖將使留哥次子善哥襲遼王位。而姚里氏必欲立薛闍。且曰薛闍者留哥前妻所出嫡子也。宜立。善哥者婢子所出。若立之。是私已而蔑天倫也。婢子竊以爲不可。夷婦而肯爲是言。蓋自五代以還。遼人屢入中國。且居漢土。習聞孔子綱常大義。非復舊日契丹矣。同是圓顱方趾。願爲人不願爲禽獸。於此驗之。後世抑惡能異哉。

蒲鮮萬奴以金祚就翦。亟圖割據自立。藉復故國。其志亦未可厚非。惜留哥不與協力。致所就終爲夢幻也。論以羅藝方之。非其類矣。

書列祖四王傳

太祖誓渾河有使我克定大業所不與諸人同甘苦者有如河水語。而哈撒兒爲帝親弟。急難鴒原。他日竟以讒譖忌之。俾閑居憂悶以死。豈懲宋太宗燭影斧聲舊事耶。不然何食言至此。

書博爾朮者勒蔑忽必來赤老溫博爾忽朮赤台畏答兒傳

合新編開國四傑四先鋒二傳爲一卷而總稱爲太祖披荊斬棘草萊之臣蓋論由開國二字脫胎也。於此見元書實以新編作藍本。而力求勝之。今觀者蔑勒忽必來二人事蹟。新編尙曰無考。而此克補之。不愧勝藍之譽矣。至四傑之首木華黎。別爲專傳。則因事蹟較多。且奕葉桓繡。世澤過於諸人耳。又柯氏新元史於此數人傳。亦多據元書補之。

太祖攻金西京不克。欲休兵於北。而明安諫以兵貴神速。與漢高劃鴻溝後將西歸而張良陳平敎以急追項羽略同。諸將欲屠景薊檀順諸州。明安謂此輩當死。今若生之。則彼未附者聞風自至。與漢高圍宛三匝時。陳恢說漢高約降。引宛甲卒與西。

書耶律楚材劉秉忠傳

論於二子獨贊其欲救斯民於水火。務導君心於仁。就大處落墨。庶幾上侶史漢。

書王檝郝經傳

兵不得已而用。自古然也。故孔子愼戰。而孫子尤貴不戰。愚者侈言禦侮。一若德不必度。力不必量。苟有外釁。惟速戰是務。雖不幸如晉懷愍宋徽欽明莊烈無所於悔。果若是。不特宋高宗秦檜爲罪人。而明莊烈陳新甲亦萬死未足蔽辜矣。莊烈密論陳新甲與清謀和見明史不知敵國外患。何代蔑有。勾踐沼吳。燕昭破齊。皆始和而後戰。即漢於匈奴。唐於突厥。亦始和而後滅之也。否則暴虎馮河。禍一已。如賈似道不足惜。禍國禍民如宋變爲元。屠城令下。百族同盡。抑何慘耶。而猶曰主戰爲禦侮計也。寧玉碎不顧瓦全也。至死不寤。悲夫。

論謂世祖無滅宋之心。賈似道不冒功。宋元通好。亦元魏宋齊梁之續。庶幾知言。後世漫倡戰議者。宜三復之。

書姚樞許衡竇默傳

天命已歸有德。空言救國無裨也。惟救民爲急。若姚樞許衡竇默者。其庶幾克知此意乎。揭聖人大道示夷主。格其心焉。上但有一毫之仁。下即被萬分之澤。何必若父讎不共戴天。而後以忠義相矜無怍哉。微子箕子克並比干爲三仁。其故可三思也。

書速哥月里麻思石天麟鐵連昔班張庭珍粱曾傳

論謂使不可懦。無遠慮。怵於死生。而以之持節萬里。是委天下於悠悠也。速哥諸人皆能不愛其軀。其庶乎。此誠善論。使才者。無中外無古今一也。

書賀勝楊朵兒只蕭拜住拜住脫脫傳

無論何官廨何隊伍。不能離世獨立。故必不虐民不擾民。乃能自存。土匪設寨。流寇行軍。亦大抵克解斯理。故有時小民怨政府不怨土匪。恨官軍不恨流寇。以土匪流寇爲自存計。尚或假仁假義。而政府與官軍或但虐民擾民也。傳稱上都地寒。賴商賈懋遷。而吏或强取。不時予直。此非徒商賈受害。直足令官吏坐困也。賀勝力反所爲市肆遂盛。信知自存之道哉。

賀勝子太平力足辦賊。而順帝太子以太平不贊內禪。展轉搆逼。必欲死之而後快。人亡國殄。亦固其所。

楊朶兒只力救納麟。一則曰臣非愛納麟。誠不願陛下（即仁宗）有殺御史之名。再則曰魏徵之直由太宗。太宗不聽。徵雖直將焉用之。無形中以明王令辟譽仁宗。而仁宗自然聽納。庶幾善諫。

鐵木迭兒以太后倖臣擅權亂政。而仁宗乃以太后故不加誅戮。是奬父（世祖）大讎。成母（昭聖太后）大惡。直不仁孝之尤。史惡得謬譽仁孝耶。

脫脫不知太平助己。而聽讒擠太平。致他日爲將在外。孤立無援。身死合麻之手。脫脫個人不足惜。而使垂滅倘可救之元。內失太平。外喪脫脫。則甚足爲大局悲慟也。

書察罕帖木兒陳友定傳

察罕帖木兒既克汴梁。威聲振天下。明太祖且自遣使通書。元大局已將中興。而察罕帖木兒忽爲降賊田豐王士誠所圖。致明太祖有天下無人矣之歎。此殆天眷有德。元必化。明有廢然後有興歟。噫。

書權倖傳

舊史謬以阿合馬桑哥哈麻搠思監爲姦臣。是不惟不知阿合馬桑哥等未足爲姦。且不知曹操司馬懿等之所以爲姦也。此正名曰權倖。庶幾名實克副哉。又此以燕鐵木兒入亂臣傳。（舊史在姦臣傳）亦誠特筆。

書自序上

東西洋各國以通商傳敎深入我土也久矣。欲一旦閉關自保蓋甚難。然逮清中葉洪楊發難。彼時清政實不綱。使洪楊奉聖道伐罪弔民。不以天父天兄相號召。曾左胡彭未必願異軍特起。使漢土復歸於外族。且彼時無清季失地辱國諸戰役諸條約。大邦新造。與各國周旋。抑亦千載一時也。而竟不然。不謂之一誤可乎。民治奠基。袁氏在位。使不帝制自爲。彼時人心厭亂。已就統一。發憤爲雄。未必不可與各國別開新局。而乃冥頑不靈。薄華盛頓不爲。而欲效石敬瑭。不謂之再誤得乎。至若康梁變法。似亦可取。然王安石之事足爲前鑑。而況新舊內鬨。滿漢密搆。孱王不武。淫后多謀。百日維新。尙未及安石萬一也。自序於康梁甚不謂然。蓋匪苛論。

書自序下

序目力學史漢。庶幾錦篇。至朔漠諸國無傳。不知國之所以開西域諸國無傳。不知國之所以拓等語。蓋就魏氏元史新編之意引申之。韓徐羣賊無傳不知國之所以亂一語。則就新編之意擴充之。

讀新元史（卽膠州柯劭忞著新元史）蠡述卷三　　岳陽李澄宇洞庭著

書卷首

晉宋以來。史每官修。非一家之言。其勉强成爲一家之言。如李延壽南北史。歐陽修新唐書五代史記。則大抵就前史刪竄補苴之。冀有合於史漢體例而已。雖所就醇疵互異。要亦史家禹稷也。元以外族主諸夏。開往古未有之局。且言文異我。地名人名展轉迻譯。侏𠌯難讀。風俗別我。穢蹟祕事諱莫如深。眞象難得。舊史明修倉卒成帙。重雜碎漏。亦固其所。遜清欲爲李延壽歐陽修起而改撰者。蓋不乏人。而書幸傳世。實惟魏源曾廉柯劭忞三氏。徐世昌序。獨推柯作可列正史。且贊其贍而不蕪。義例尤嚴。未免視魏曾若無物。譬之室。舊史竹籬茅舍。在荆棘中。魏氏新編已披荆斬棘。大厦連雲。曾氏元書更峻宇雕墻。重門洞闢。柯氏新元史改造無多。苟美苟完。特如衛公子荆善居室而已。與其但列柯作。無寧三氏鼎足也。

余於史有三恨事。一魏收修魏書成。悉焚崔李舊書。使是非同異靡可考正。余讀魏書蠡述。雖將爾朱榮等傳極力平反。要亦萬分之一而已耳。一元史重雜碎漏。非魏曾柯三氏新書迅與舊史並行。莫顯胡元眞象。而今日猶未變二十四史爲二十七史。甚不可解。一清史茅葦彌望。未聞有起而改撰者。上總百王顓制之成。外闢萬國會同之局。皆前史所無。而滿漢廢興。日俄盛衰。歐亞局勢。新舊政論。以暨民情丕變。學說互攻。亦皆其犖犖大者。安得馬班復出。大書特書。使此史遂放異彩乎。

書太祖紀一

舊史但曰蒙古部人。新編增金世所謂韃靼國云云。元書則有其先本室韋也。室韋有西室韋。大室韋。蒙兀室韋。蒙兀者蒙古也云云。新元史更有蒙古之先出於突厥。本爲忙豁侖。譯音爲蒙兀兒。又爲蒙古。金人謂之韃靼。又謂之達達云云。後詳於前。此亦一端也。

徐序謂柯氏新史於太祖奇勛偉績。舊史失載者。具詳其事。兼紀與傳言之也。世祖以來綱紀法度。粲然畢舉。凡丁賦稅則鈔法海運河防刑制等舊史所略而未備者。

悉著於篇。兼紀與志言之也。至於宗潘懿戚。下逮當時之士以功名文學節義顯者。補爲列傳。則專就列傳言之也。

書憲宗紀

論責憲宗於失列門諸王既宥而復誅之。隳成吉思汗睦族固本之訓。蒙古內亂自此始。甚允。

書世祖紀六

重儒則治。自古然也。論因世祖崇儒嚮學。進用姚樞許衡竇然等。爰以唐太宗黜封德彝而用魏徵爲比。不慚史識。

書英宗紀

論謂南坡之禍由於帝之失刑。非由於殺戮。蓋本魏氏新編意。

書惠宗帝即順紀

論責惠宗淫湎於上。姦人植黨於下。戕害忠良。隳其成功。蓋君實亡國之君。臣更亡國之臣也。

書耶律楚材傳

論極贊楚材委贄讎邦。救護遺黎。卓識高談。實獲我心。蓋天命已有所歸。惟斯民水益深火益熱是懼。古君子悲天命而憫人窮。正謂此耳。君子之所爲。衆人固不識也。

書許衡劉因吳澄傳

許衡一聘卽起。謂不如此則道不行。其意蓋亦近耶律楚材。自貶損以行權而已耳。

書忠義傳一

序謂世祖責宋降將負主。王者一言之予奪。人心習尚爲之轉移。故元之亡也忠義多於遼金。蓋世祖重儒。所見已大。不可復以夷主視之也蓋亦久矣。

讀明史劄述

經農署檢

中華民國二十五年
湘鄂印刷公司印行

讀明史蠡述目次

卷一

卷二

卷三

卷五

附正誤

卷三第七面第四行後脫書陶陳丁王葉伍毛林郭張傳一行

卷四第三三面書馬賀沈張曾秦龍傳曾誤爲魯

讀明史蠡述卷一

岳陽李澄宇洞庭著

書太祖紀一 高皇

太祖父世珍始徙濠州之鍾離鍾離鳳陽也故後於太祖父母葬有里人劉繼祖與之地乃克葬即鳳陽陵也等語

羣盜皆欲爲帝而太祖始謀惟避兵是不獨不首禍且實無心富貴也無心富貴天乃令富有四海貴爲天子天殆爲民擇君必太祖乃可救民水火與

郭子興被孫德崖趙均用械繫將殺之太祖發屋出之破械負歸乃得幸免厥後未聞子興於孫趙有他舉動豈畏其彊不敢罪之耶觀子興傳有元師圍濠乃釋故憾共城守云云殆懲李密殺翟讓事不欲遽爾內裂也

已設伏誘敗元兵而猶以計綏師知衆寡不敵姑保六合縣名俟機耳脫脫既破張士誠中讒解兵江淮亂益熾於是元事不可爲而明祚於茲託始矣雖曰天命有在而人謀抑豈可忽哉

先以剖決如流之才震諸將。俾自知弗如。繼以甓城後期之罪怵諸將。俾不得不謝。終以搜軍中所掠婦女還民愧諸將。俾自然聽命。此太祖所以克佐子興。亦卽太祖所以克啓明祚也。

善用兵者避堅擊瑕。瑕破堅必動。觀太祖不向釆石而向牛渚。牛渚拔而釆石兵亦潰。緣江諸壘悉附。可悟此理矣。

擇降衆驍健者五百人入衛。解甲酣寢達旦。與光武令降將歸營勒兵。自乘輕騎按部。同一用意。召諭官吏父老。我來爲民除亂。賢士禮用之。舊政不便者除之。吏毋貪暴殃吾民。與漢高約法三章。同一用意。（又太祖破陳友諒亦告諭父老除陳氏苛政罷諸軍需存恤貧無告者）

書如鎭江。謁孔子廟。遣儒士告諭父老。勸農桑。尊孔重農。大本立矣。

凡遇敵二以上。貴常令離。毋令合。鄭遣燭之武說秦師。秦師退。晉師亦退。例一。曹操與韓遂交馬笑語。且點竄與遂書。以疑馬超。而超卒爲操所敗。例二。陳友諒約張士誠合攻應天。太祖令康茂才紿友諒速來而先破之。例三。

舟師每憚火攻。曹操敗於赤壁。陳友諒敗於鄱陽湖。其著者耳。

太祖如濠省墓。置酒召父老飲。除租賦。且屬父老教子弟力田。毋遠賈。祝漢高過沛未聞省墓。未聞以力田爲屬。蓋又勝之

太祖不嗜殺人。故謀取浙東未下諸路。戒諸將有每聞諸將得一城不妄殺。輒喜不自勝。爲將能以不殺爲武。豈惟國家之利。子孫實受其福等語。此次討張士誠誓師又有城下之日毋殺掠。毋毀廬舍。毋發邱壠。士誠母葬平江（今吳縣一曰蘇州士誠都城也與遼隸括州之平江異）城外無侵毀等語。而野史乃有太祖發陳氏祖墓骨已成龍云云。殆不可信。

先平陳友諒張士誠。然後北伐。必內安乃可外攘也。用兵次第。每由太祖自決。且喜自將。其諸唐太宗宋太祖之流匹與。

書太祖紀二（洪武）

諭府州縣官曰。天下始定。民財力俱困。要在休養安息。惟廉者能約己而利人。勉之。寥寥數語。父母斯民之意。昭昭然揭日月行矣。安得後世復有斯諭耶。

諭徐達等毋肆焚掠妄殺人。元之宗戚，咸俾保全云云。與宋祖諭曹彬相似。

九月癸亥，詔簡勁質厚，庶與西漢求賢詔媲美。

賜租免稅。歲不絕書。後世有弔民伐罪者乎。固當如是也。

元帝崩於應昌。諡曰順帝。（元自諡曰惠宗）且於買的里八剌不獻俘。封爲崇禮侯。不愧王度。

五年五月書徐達及元兵戰於嶺北敗績。七月又書湯和及元兵戰於斷頭山敗績。

戒黷武。且見時無李靖也。

元無如日本何。至明洪武四年乃入貢。殆欲藉此覘國也。自後屢貢。庶幾有事大意。而十三年入貢忽無表。後且不至。豈不善太祖晚歲所爲。料其將亂與否。則何成祖時又復入貢耶。

書太祖紀三（洪武）

書詔天下通祀孔子。美之也。厥後滿清代明。遂沿爲例。

五代前高麗王姓高氏。都平壤。五代時王建代起。徙松岳。至明洪武二十五年李成桂廢其主瑤，自立，易國號曰朝鮮，訖淸遂亡於日本，自後日與我接壤，外患棘，滿洲亦不可守矣。噫嘻。

二十三年賜李善長死。陸仲亨等皆坐誅，昭示姦黨錄，佈告天下，二十六年藍玉又以謀反，幷張翼（三國時蜀亦有張翼）陳桓曹震朱壽柯榮詹徽等皆坐誅，頒逆臣錄於天下。是太祖屠戮功臣。不幸至再。而燕王善用兵。久典戎旅。他日削藩變起。惠皇莫與謀戰守。所由來者漸，豈一朝一夕之故哉。悲夫。

書恭閔帝紀（惠皇　建文）

太祖旣驅元，不定鼎燕京，控朔漠，一失也。太子標薨，不擇賢子爲皇太子，俾新造邦有長君。二失也，屢戮功臣，不效漢高祖藉周勃安劉，三失也，此屬於創業垂統者也，

惠帝以皇太孫踐阼。諸王皆父行。宜賢賢親親尊尊。而聽齊泰黃子澄詭謀，假遺詔禁諸王奔喪，使自疑懼。一失也。諸王始未有反謀。卽有亦未必皆反。而遽廢周代湘齊岷五王，且汲汲弱燕，若惟恐燕不反。二失也，旣不能效漢文賜几杖弭變，復不能

效景帝任亞夫定亂。三失也。此屬於繼志述事者也。

討燕而有征虜大將軍。是以燕王棣爲異族也。齊泰黃子澄不足責。惠帝何亦不思乃爾乎。

徐輝祖何福平安等已屢勝。且斬燕將陳文李彬。燕兵懼。將北歸。而帝信訛言。謂燕兵已北。不令諸將追。反召輝祖還。可哂。又帝詔諸將毋使負殺叔父名。致他日夾河之戰。燕王被圍。得從容自去。更可哂。

書成祖紀一 文皇 永樂

燕王稱兵三年。雖常幸勝。亦屢瀕於死。所克城邑。兵去旋失。力克據有者。僅北平保定永平三府。若不悉師南下。終不免若元李瓊在齊成禽耳。安能有金川門之捷。遂踐帝位乎。

書成祖紀二 永樂

都城始陷。大索齊泰黃子澄方孝孺等五十餘人。榜其姓名曰奸臣。蓋痛恨削藩之議發自齊黃、之孺亦密贊是謀也、至耿炳文李景隆盛庸、雖先後帥師討燕、在成祖視之、較齊黃當末減矣、故盛庸至永樂元年九月始奪爵、炳文至永樂二年十月始籍家、景隆至同年十二月始下獄、

詔有安南皆朕赤子、惟黎季犛父子首惡必誅、罪人既得、立陳氏子孫賢者、毋養亂、毋玩寇。毋毀廬墓、毋害禾稼、毋攘財貨、掠子女、毋殺降云云、庶幾王師。

四年詔建北京宮殿、欲遷都北京、特先經營也、七年營山陵於昌平、欲都北京、必使皇陵在彼。以堅後人固守之念也、閱十二載(永樂十九年)而都用北遷、更閱三載(永樂二十二年)而昌平十三陵遂有一陵、(成祖長陵)可謂思深慮遠矣。

書成祖紀三 (永樂)

成祖謂六經無封禪之文、且云四方多水旱疾疫、非太平、不愧王言。

犯贓必論如法。冀官吏潔己愛民也。後世言法者、曷亦細味斯語乎。

太祖嚴杜宦官干政之漸。而成祖乃設東廠、命中官刺事。無怪他日有王振汪直劉

瑾魏忠賢等巨蠹也是則成祖顯違父敎之咎也司馬光通鑑謂唐宦官之禍始于明皇盛于肅代成于德宗極于昭宗吾亦謂明宦官之禍始于成祖盛于英憲成于武宗極于熹宗

野史有太祖夢陳友諒入宮遂生燕王棣及燕王幼時嘗與惠皇侍太祖宴太祖以風吹馬尾千條綫命對惠皇對以雨灑羊毛一片氈燕王對以日照龍鱗萬點金太祖大驚成祖回蹕榆木川有美女至行宮次日啓視御幄僅血數點惠皇遺有幼子成祖命世子育爲嗣卽宣宗云云是朱祚再傳爲陳陳祚再傳乃又爲朱也然未可信故正史不錄又世宗嘉靖二十年九廟災僅燬成祖仁宗二木主可參勘

書仁宗紀 昭皇 洪熙

成祖申誹謗之禁以己有慚德懼人議己也仁宗除誹謗之禁以己未嘗有慚德不懼人議己也

書宣宗紀 章皇 宣德

錦衣指揮鍾法保請采珠東莞。帝惡其欲擾民求利。下之獄。不愧爲天下父母。道見耕者。下馬問農事。取耒三推。又遣官捕近畿蝗。諭戶部曰。往年捕蝗之使。害民不減於蝗。宜知此弊。重農若此。宣宗信守成令主哉。

書英宗前紀 睿皇 正統

晉懷愍宋徽欽後。又有英宗北狩。可見諸夏外患。每在朔漠。後世備東備西。皆大謬。

書景帝紀 景泰

英宗回鑾。景帝宜反政。退就藩服。而乃令英宗入居南宮。若唐肅宗之於明皇。何耶。他日肅宗遂弑明皇。英宗則殺景帝。蓋亦但知天子可貴。而不解天倫可樂也。不如此則如彼。事有必至。悲夫。

胡濙請令百官賀上皇（即英宗）萬壽節。不許。恐有謀復辟者因賀舉事耳。又亟廢皇太子見深（英宗子）爲沂王。而立己子爲皇太子。何以慰上皇之心。更何以服天下之心耶。

書英宗後紀 天順

亟殺于謙王文，籍其家，且榜于謙黨人示天下，蓋深恨謙等，與成祖恨齊黃相似也。

書憲宗紀一 純皇 成化

書始以內批授官，譏之也。

黎淳追論景泰廢立事，而帝切責之，此景帝所以遂復尊號也。淳不務導君親親，獨何心哉。

書憲宗紀二 成化

英宗時王振擅權，憲宗時汪直竊柄，其機皆啓自成祖以中官刺事也。履霜堅冰至，可懼哉。

書孝宗紀 敬皇 弘治

仁宣孝爲有明守成三令辟，仁宗年僅四十八，宣宗年僅三十八，孝宗年僅三十六。惟天降年不永，豈未欲斯民復覩成康之盛與。然孝宗於張天祥、滿倉兒事，信宦寺以撓廷議，究未足爲令辟也。又中官李廣（與漢李廣同名）以燒鍊齋醮獲寵，亦非令辟事。

書武宗紀 毅皇 正德

兵部郎中黃鞏等諫巡幸被杖先後死者十一人。蓋深恨諫者。自信巡幸無害也。豈知他日漁於鎭江積水池。舟覆救免。竟致不壽耶。（年三十一）地下抑何面目見死者耶。

書世宗紀一 肅皇 嘉靖

御極之初。力除弊政。使如孝宗恭儉愛民。盛治庶幾可望。有初靡終。惜哉。

書世宗紀二 嘉靖

倭屢入寇。是北狄外東夷又甚爲患矣。內政不綱。外侮洊侶。明祚欲勿終否也得乎。

書穆宗紀 莊皇 隆慶

穆宗躬行儉約。減賦息民。庶可爲治。而年僅三十六。在位僅六載。豈天命已別有在。不欲朱氏長治久安與。噫。

書神宗紀一 顯皇 萬曆

禁奪情。舊制也。而吳中行等論張居正奪情。乃被杖。罷黜謫戍有差。何以服天下耶。

禮部主事盧弘春疏請謹疾亦被杖削籍。可怪。

書神宗紀二 萬曆

織造中官孫隆擾民激變。而僅參隨數人被殺。蘇州民懦可想。否則所謂變者不實。上深居二十餘年。未嘗一接見大臣。天下事敗於冥冥者何可勝道。況清勢漸偪。百官請視朝聽政不報。是臥榻之側將任人鼾睡不顧矣。謂顯皇非亡國之主可乎。

書光宗紀 泰昌

光宗不死於張差之梃擊。竟死於李可灼之紅丸。在位一月。顧命皇皇。熹宗嗣位。國祚遂殄。豈果天厭明德乎。何熹宗得立之速也。

書熹宗紀 悊皇 天啓

此紀特爲魏忠賢傳作註耳。悲夫。

外患棘矣。而戮熊廷弼。而設各邊鎭監軍內臣。且令太監劉應坤鎭守三海關。欲不亡得乎。

浙江巡撫潘汝楨請建魏忠賢生祠。許之。（自是建祠徧國）監生陸萬齡請建魏忠賢生祠於太學旁。歲祀如孔子。許之。實則請乃忠賢所嗾。非汝楨等。許亦忠賢所冒。非熹宗也。噫。

書莊烈紀一（愍皇 崇禎）

帝即位。亟誅魏忠賢客氏。並詔內臣非奉命不得出禁門。戒廷臣交結內侍。其他皆力反熹宗所爲。宜可轉危爲安。而卒不免萬歲山之禍者。於將相不克知人善任。且重用太監張彝憲等。雖飢民徧地。增賦且催逋賦也。

以賊聚陝西。詔河南兵入潼華。湖廣兵入商雒。四川兵由興漢。山西兵出蒲州韓城合剿。後世治匪亦有類此者。克奏績與否。則視將士何如耳。噫。

書莊烈紀二（崇禎）

李邦華等請南遷。及太子撫軍江南。亦唐宋已事。而帝皆不許。蓋誤於國君死社稷一語耳。不知天子以四海爲家。與國君異。國君社稷建自天子。其死社稷。猶後代、土官與城共存亡耳。天子豈得以此自囿哉。

莊烈後有福王唐王永明王而紀不列。蓋明史淸修。謂明已亡於莊烈。天命有屬。不可復以帝統假人也。

書天文志一

明神宗時西人利瑪竇入中國。精天文歷算之學。而我采其說入史。甚是。

書五行志一

春秋紀異而不云某異爲某事之應。誠慮天道遠。人道邇。不可逐事而比之。一或不驗。反失古聖垂戒深意也。此志削事應不載。甚可法。

書歷志一

觀黃帝迄秦。歷凡六改。漢凡四改。魏迄隋十五改。唐迄五代十五改。宋十七改。金迄元五改。則歷久必改。固無待議。觀明設欽天監分四科。曰天文。曰漏刻。曰大統歷。曰回回歷。則同時二歷並行。亦不相悖。觀漏刻博士朱裕請令欽天監官生半推古法。

半推新法兩相交驗回回科推驗西域九執歷法仍遣官至各省候土圭以測節氣早晚往復參較則交食可正而七政可齊等語則改歷必上合七政下合節氣更爲一定不易之理

書歷志二

漢太初歷起數鐘律唐大衍歷造端蓍策元授時歷則以測驗算術爲宗惟求合天不牽及卦爻律呂嗣後知歷者大抵法元蓋理既截斷衆流術尤有器可驗也

書地理志一

元代疆域北踰陰山西極流沙東盡遼左南越海漢隋唐宋莫能比盛明驅元後棄地不少然東起朝鮮西據土番南包安南北距大磧倘東西距一萬一千七百五十里南北距一萬零九百四十里惜成祖棄大寧（大寧在喜峯口外東連遼左西接宣府）徙東勝宣宗時又徙開平棄交趾世宗時復棄哈密河套卒僅東起遼海西止嘉峪南至瓊崖北抵雲朔東西萬餘里南北萬里而大寧之棄東勝開平之徙與石敬瑭割燕雲十六州

同一大錯。明外患與國終始。淸遂起而代之。蓋有由也。

書禮志一

古云道德齊禮。德禮皆就五倫驗之。自史有禮志。以儀代禮。而禮之亡也久矣。然卽儀考禮。亦庶幾告朔餼羊。若後世則儀且廢焉。遑問禮哉。噫。

書禮志四

世宗設聖師之祭。奉三皇爲皇師。二帝爲帝師。三王爲王師。九聖南向。左先聖周公。右先師孔子。東西向。蓋合君師政教而一之也。太祖建太學。於太學東建大成殿。祀孔子。幷詔天下通祀孔子。則尊孔重儒。而欲以師貳君。以教翼政。與世宗異也。唐玄宗開元二十七年。追謚孔子爲文宣王。而宋光宗紹熙四年。尊孔子爲文宣帝。元成宗大德十一年。加孔子號爲大成至聖文宣王。明世宗嘉靖九年。尊孔子爲至聖先師。淸世祖順治二年。易爲大成至聖文宣先師孔子。十四年。又易爲至聖先師孔子。蓋元以前。禮以帝王。後乃質言聖師也。

書樂志一

禮主別所以定民志。樂主和所以協民志。定且協。天下自然太平矣。太祖成祖世宗皆志復古樂，而卒乃雅俗雜出。豈天未欲斯民復覩五帝三王之盛與。抑制禮作樂尚有待於異代與。噫

書輿服志三

文武官命婦內外官親屬士庶樂工軍隸冠服皆各異。所以辨上下定民志者蓋嚴且備矣。有國家者不當如是耶。

書輿服志四

臣庶室屋器用皆有制。甚是。惜後世不解斯意。啓僭長奢。爲患遂大也。

書選舉志一

學校但以儲才。非應試未易出身。故學校雖衆不爲害。且科目因之極盛。後世言學校者尚其瘖此乎。

書職官志一

高祖罷丞相不設。折中書省之政歸六部。其糾劾則責之都察院。章奏則達之通政司。平反則參之大理寺。立制尚善。而宣宗時內柄無大小悉下大學士。致部權日輕。世宗時閣臣且壓制部臣。致大權由內閣移內監。遂以禍國。此則天子始不信部臣而信閣臣。繼又不信閣臣而信宦官之過也。

書食貨志

明初勸農務本。藏富於民。又開屯田中鹽以給邊。上下交足。軍民胥裕。蓋彊本節用。得理財之道也。甚願後世效之。

書河渠志三

古無火車輪舟。海陸二運皆窘。故運河南極江口。北盡大通橋。長三千餘里。爲我國兩大工程之一。西人謂長城運河爲中國兩大工程若在今日。縱不淺阻。豈復過問耶。

書兵志一

唐宋以還鑑歷代權姦篡竊起自掌兵故常欲將與兵分然將與兵分日久往往驕惰不可用又不得不改兵制使將與兵合於是天子欲將將且假手內官以將將而大監監軍內臣典禁旅等事接踵以起而天子臣庶均在閹宦手中廢立生殺任意而國遂無兵坐是以亡矣豈非大惑而可哀者耶

書刑法志一

憲章漢法損益唐律垂爲定制本可無弊而後人因律起例例又生例則非不知律殆不慮例多生弊耳若乃英憲以後巨惡大憝詔縱不問或本無死理而片紙付詔獄則大抵閹豎爲祟不得復謂之法矣

未聞用商韓之法可致堯舜之治也此太祖名論而後世乃有用夷狄之法者噫

讀明史蠡述卷二

岳陽李澄宇洞庭著

書后妃傳一

太祖論治。以正家爲先。內官既少定制。尤嚴。終明一代無后妃禍。匪偶然也。先貧賤後富貴。夫婦相保不易。可共患難。難共安樂。君臣相保更不易。而馬后因太祖不妄貧賤。乃有夫婦相保易。君臣相保難云云。蓋慮有屠戮功臣事。特借此豫諷之也。

妃嬪宮人被寵有子者厚待之。不以爵祿私外家。此皆甚難。而在馬后若餘事。蓋厚德載物。未易一二數。故他人所難。而后但行其心之所安耳。臨終有言。願陛下求賢納諫。愼終如始。子孫皆賢。臣民得所。富哉言乎。果如是。天下太平無疆。惟休矣。

漢呂后父善相人。以女歸沛公於未貴。郭妃父亦善相人。以女侍太祖於微時。

徐后言南北每年戰鬬。兵民疲。宜與休息。又言當世賢才皆高皇帝所遺。不宜以新間舊。又言帝堯施仁自親始。皆切中成祖隱病。而作內訓及勸善書頒行天下。尤有禕王化不悖。

張后操婦道謹。仁宗得不廢。及爲后周知中外政事。而未有司晨之失。洎乎宣英二世。裁決軍國大議。而不踐垂簾之跡。才如唐武氏。而德比漢馬后。此其所以難能也。

周后不欲錢后祔葬裕陵。是其一失。而使弟彧歸地於官。謂不可以我故亂皇帝法。則亦難得。

紀后前謂兒去吾不得生。未嘗自縊。後移居永壽。數召見。更不必自縊。而一旦暴崩。則實萬貴妃致之死。匪自縊明矣。（萬貴妃傳亦云紀淑妃之死實妃爲之）嚮使孝宗不居周太后所。命亦未必可保也。

憲宗年十六踐天子位。而寵冠後宮者乃爲三十五歲之萬貴妃。甚可怪歎。

書后妃傳二

世宗陳后傳有張方二妃進茗。帝循視其手。后恚投杯起等語。而下即有張方二后傳。蓋即當日進茗者。色之惑人也甚矣哉。

楊金英以組縊世宗。若不誤爲死結。暴崩必矣。方后果何從救之。此其中有天焉。非人力也。况走告后者張金蓮。卽曰救帝亦金蓮救之耳。后貪天功以爲己力。又誣族曹妃。蓋妒婦之行。豈宜有祇天衞聖等尊謚乎。

神宗已卽位。而生母孝定李太后敎之甚嚴。且使長跪。太后剛正至此。前所未有。熹宗時魏忠賢客氏亂國。封殿崩聖母之李選侍爲康妃。幽張裕妃至死。李成妃亦幾死。天子昏懦至此。更前所未有。

書興宗睿宗傳

觀興宗傳。太祖所以敎太子者至矣。極欲得守文令主。而太子不得假年。奈何。

書諸王傳一 宗室十五王及太祖諸子

汧陽王誠洌事父及繼母以孝聞。輔國將軍秉樺亦克孝父母。不愧帝王子孫。

晉恭王棡始驕。而後以恭愼聞。可謂善改過矣。

太祖後裔爲王者。忠孝義烈所在多有。而晉王棡子濟熿幼以很戾失愛於父。乃追憾厥父。且弒嫡母謝氏。囚長兄濟熺。烝父侍兒吉祥。是蓋帝室梟獍也。他日僅廢爲庶人。未論死。抑何幸與。又仁宗子荆憲王瞻堈孫見瀟亦有錮母至死。出柩於竇。殺弟見溥。逼淫其妃等事。

周定王橚第八子有爌嗜學。作道統論數萬言。又采歷代公族賢者。自夏五子迄元太子眞金百餘人。作賢王傳。可見有才德生長帝室僅以賢王終者不少。未若唐宋任宗室爲官。倘或展其驥足也。

明代經學一稟宋儒。未免自隘。鎭國中尉睦㮮慮古人經解殘闕放失。訪求繕寫。信有心人。所撰有五經稽疑六卷。惜未得讀。

書諸王傳二 太祖諸子

蜀獻王椿以禮教守西陲。且請定常貢。絕一切宣索。使蜀人安業。二百年不被兵革。又自椿以下四世七王。幾百五十年。皆檢飭守禮法。能學能文。視漢河間獻王東平憲王，殆猶過之。

觀燕王棣救永平遂自劉家口間道趨大寧寧獻王權邀燕王單騎入城居數日不爲備北平銳卒伏城外吏士稍稍入城陰結朶顏三衛部長及諸戍卒燕王辭去權祖之郊於是伏兵起擁權行三衛彍騎及諸戍卒一呼畢集隨歸北平云云可見成祖陰鷙其下多能不惟惠皇未足與敵同時諸王實無一人可與並驅爭先也然因此遂棄大寧召邊禍亦豈計之得也耶

寘鐇因相者言其當大貴巫王九兒教鸜鵒妄言禍福遂謀反反十有八日而被禽宸濠因術士李自然等言其有異表又謂城東南有天子氣亦謀反反四十三日而被禽是二人死於相者術士輩手也然亦寘鐇狂誕宸濠輕佻故此輩邪語得入耳

書諸王傳三 太祖諸子及興宗惠帝成祖諸子

谷王橞開金川門迎降成祖德之而他日無故欲反且謂建文帝在邸中抑思已果足敵成祖乎惠皇尚可號召天下乎可哂也已

有錦衣官校過境而典楧詭召官屬迎詔遂大選民女七百餘留其姝麗者九十人

不中選者令以金贖不圖帝子有此妙策布政司持部牒入見而典楧曰牒何爲者。可用障櫺耳尤不圖帝子有此妙語。

太祖定江西。從子文正（靖江王守謙父也）守洪都八十餘日城完。且焚絕陳友諒糧舟。友諒以敗。此誠有大功而太祖錫功有待。遂致怨望。可見爵賞先私親固非。後私親亦未得爲是也。論功不論人。庶幾可以服衆乎。

高煦有勇少謀。欲反者屢。而不敢出樂安一步。徒取辱耳。聞宣宗親征而懼。聞人欲執獻而懼。甚可哂也。

書諸王傳四（仁宗諸子及英宗景帝憲宗孝宗子）

英宗北狩。襄獻王瞻墡上書太后請立皇長子。令郕王監國。甚是。英宗還京師居南內。王又上書景帝請省膳問安。率羣臣朔望見無忘恭順。尤是。蓋此心惟以宗廟社稷爲重。不惟己無得國之念。卽景帝踐阼不悌厥兄。王亦甚不謂然也。他日英宗比二書於金縢有以哉。

書諸王傳五（世宗諸子及穆宗神宗光宗熹宗莊烈帝諸子）

神宗以鄭貴妃故。欲立常洵爲太子。賴中外交章論諫。得寢其事。而後封常洵福王。使洛陽富於大內。邊餉且由此絀。焉不知常洵特爲李自成作守財虜耳。眞知愛子者顧如是乎。

書公主傳

寧國公主駙馬梅殷忠事惠皇。匪過失。而成祖躬蹈篡逆。他日賜公主書乃有駙馬殷雖有過失。語無怪。成祖起兵假道淮安時。殷割使者耳鼻。縱之謂留此口爲殿下言君臣大義也。

太祖女臨安公主下嫁李祺。執婦道甚備。英宗女重慶公主下嫁周景。事舅姑甚孝。皆難得。然以此益見明代家法之美。

書郭子興韓林兒傳

子興（韃靼傳徐達遇郭子興等雖破元兵與此同名）始生郭公卜之吉。可見天命有定。不獨爲劉項難。爲陳吳亦甚不易也。噫。

子興梟悍善鬪、而婞直少容。蓋頗與西楚霸王相似。而欲據滁自王、則不及霸王都彭城抑又遠甚。

當時劉福通徐壽輝郭子興等號紅軍。蓋皆以紅巾爲號也。豈知蹈明越淸復有共產黨作亂亦號紅軍耶。

書陳張方明傳

附徐壽輝於友諒傳。與史記陳涉世家有吳廣略似。友諒信間殺驍將趙普勝。與項羽本紀疑范增與漢有私云云亦略似。

太祖通好於士誠。以隗囂爲比。蓋顯然光武自處也。士誠是時不信太祖可爲光武。故得書不報。

彊如友諒。以喜進取而敗。富如士誠。以不進取而敗。實則皆以不能知人善任敗耳。

福基於至誠。禍生於反覆。太祖諭國珍語也。天下事大抵如是。而國珍弗克謹受教奈何。又邱楠惟智可以決事。惟信可以守國。惟直可以用兵云云。爲國珍計亦甚熟。所遇非主。惜哉。

明玉珍亦重瞳子。殊令舜項羽減色。一笑。

孫皓以鐵鎖沉江禦晉師。恐其自上游至也。明昇引鐵索爲飛橋置礮拒明師。恐其自下游入也。卒皆無效。豈不在人哉。

書王保保陳友定把匝刺瓦爾密傳

王保保（即擴廓帖木兒）李思齊同心協力。平定江淮。蓋易易耳。保保忿思齊不奉命西攻關中。厥失實與思齊等。讒間乘之。國命遂促。保保雖奇男子。抑猶不免爲元罪臣。與明師敗於和林。而太祖益奇保保。帝者之量。信包天地。而於蔡子英不肯仕明。竟令有司送出塞。俾從故主於和林。尤古所未有。

此傳三人皆竭忠元代者。故於友定傳附記爲元死節者甚衆。

書徐達常遇春傳

爲明發難者。爲元死節者。皆傳如前矣、此傳至列傳二十二、則皆爲明開國者也、開國之要在不嗜殺人。太祖不嗜殺、紀已詳之、而徐達不嗜殺、則於此傳詳之。赫然爲一代勛臣。弁冕有以哉。

太祖知友諒可破、而即夜遣達還守應天。於此見達之能。於此見帝之愼。又達力主征吳。卒奏大捷。而尙遣使請事。太祖敕勞有軍中緩急吾不中制云云。於此見帝之明。於此見達之謹、

前曰大軍平齊魯、掃河洛、王保保逡巡觀望、後曰擴廓帖木兒（即王保保）引兵出雁門、將由居庸攻北平。（即燕京）一傳之中、一人之名、前後互異、不逃厥由、未可爲法、

達傳云遇春剽疾敢深入、觀其兩拔釆石、三破呂珍、益信、而平陳友諒、尤功莫與比、

觀太祖敕勞徐達及親諭遇春諸語。足見帝之將將、遠邁漢高、

書李鄧湯沐傳

李文忠（名似謚號）屢破敵立功不足異。所異者禁焚掠。示恩信。有大將風範。且與太祖不

嗜殺人之意隱合也。

文忠遣胡德濟救諸全。復揚言徐右丞（達）邵平章（榮）將大軍剋日進。蓋以虛震敵。且作我城守銳氣也。而敵竟懼而謀遁。而德濟竟與守將謝再興帥死士夜半開門突擊破敵。知此者可與言軍聲。知此者可與言士氣。

文忠令曰。彼衆而驕。我少而銳。以銳遇驕。必克之矣。此就理勢獎勵之俾氣勿餒也。又曰彼軍輜重山積。此天以富汝曹也。此就貨利誘掖之俾氣彌王也。

文忠入杭州。一卒借民釜。斬以徇。與呂蒙入荆州一卒借民笠斬以徇蓋相類。

亞夫周勃子也。而能勘七國之亂。蓋細柳軍容早有可觀。非若李景隆紈綺少年素不知兵也。燕王人傑。景隆竭智慮圖之。猶懼弗勝。況瞿能攻北平張掖門垂破。景隆更忌能功止之。甘待燕王自大寧還師。敗我乎。

友諒撫州守將鄧克明僞降以緩師。而鄧愈卷甲夜馳二百里。比明入其城。不易及者一。其徇安福也。禁掠民子女。已掠者盡出之。護還於民。不易及者二。至守洪都夜不解甲者三月。戌襄陽威惠甚著。雖曰難能。在愈抑亦其次矣。

太祖春秋高。不欲諸將久典兵。誠恐異日太孫踐阼。諸將鞅鞅非少主臣也。湯和首請於故鄉爲容棺之墟以待骸骨。適中上懷。故禦倭以後。晝錦之榮。諸功臣莫得比。蓋帝又誠欲諸將效和所爲不待屠戮也。諸將不寤。先後麗法。抑亦冥頑不靈矣。噫曲靖之役。沐英嚴陳若將渡。而奇兵從下流。濟出敵陳後。張疑幟山谷間。人吹一銅角。敵兵驚擾。英乃麾軍急渡。而又以善泅者先之。長刀斫敵。愼而益愼。奇而又奇。不愧名將。而好賢禮士。撫卒伍有恩。未嘗妄殺。尤不愧大將。

書李善長汪廣洋傳

善長一見太祖。卽勸以漢高豁達大度知人善任不嗜殺人爲法。無怪他日勳業上比蕭何也。又章溢對太祖亦以不嗜殺人爲言。

書劉宋葉章傳

劉基曾祖濠焚廬以毁元使者籍。獲免多人。匪獨陰德也。其智蓋不可及。

基始願爲元用。而元不能用。致棄官歸青田著郁離子以見志。一二人之進退。天下之治亂繫焉。豈必將相大吏哉。有用人之權者觀此傳可鑒矣。

太祖問征取計。而基以先陳友諒後張士誠然後北向中原爲對。與諸葛亮隆中對相似。世以葛劉並稱。固宜。

友諒驍將張定邊直犯太祖舟。舟膠幾殆。而常遇春射中定邊。所謂王者不死也。飛礮擊太祖舟立碎。友諒乘高見之大喜。而劉基早趣太祖更舟。抑又王者不死也。此朱陳興敗所關。雖曰人事。可證天命矣。

基言夫宰相者持心如水。以義理爲權衡。而己無與者也。可與張釋之廷尉天下之平也。一傾而天下用法皆爲輕重。二語互勘。蓋必如此乃可言法治。亦必如此乃可言德治。

基以王道道君。而性剛未足爲相。不獨基恨事也。明治弗克逮古。亦以基未相耳。噫。

基子璟謂燕王殿下百世後逃不得一簒字。一語可敵方孝孺百簒字。

宋濂得天下以人心爲本一語。足該十三經二十四史。

書馮傅廖楊胡傳

古人讀書大抵達政事通兵法。而三代後往往不然。所以教之者非也。重考據不過儒林。重辭章不過文苑。欲求於大學中庸孝經周易所云。其必自義理始乎。然亦不必效宋道學。但無愧經明行修通經致用二語。卽聖賢豪傑同在杏壇矣。馮勝與兄國用喜讀書。通兵法。庶幾通經致用者耳。

國用對太祖謂勿貪子女玉帛。天下不足定。而弟勝他日乃因子女玉帛失大將軍。由是觀之。子女玉帛信不祥物哉。誤盡古今多少人。可懼也。

傅友德先從友諒無所知名。與韓信在楚略同。既歸太祖屢克大敵。而平蜀一役尤足與鄧艾頡頏。

鄱陽湖之戰。廖永忠以七舟載葦荻乘風縱火。焚友諒樓船數百。與黃蓋赤壁事略似。不過永忠未僞降友諒耳。

永忠以奇兵出敵上流。而瞿塘關橫江鐵鎖斷。遂入夔府。此大功。未足異。而明昇既降。永忠嚴禁侵掠。卒取民七茄。立斬之。則誠可異。蓋必如是。乃無愧爲太祖大將也。楊璟攻靖江。決西濠隄岸。使涸。且築土隄五道。傳於城。可與宋孟珙攻蔡州事互勘。胡美請無散部曲。殆廉頗思用趙人意。不必有他腸也。既降以後。忠實無過。且有方面勳。豈偶然哉。

書吳康丁耿郭華韓仇張吳胡張華張何傳

吳良一沒水偵探。而守江陰十年。屢敗士誠兵。使太祖無東顧憂。得一心與友諒角勝負。豈有他巧哉。聲色貨利無所好。夜宿城樓。訓將練兵。常如寇至。暇則延儒生講論經史。大開屯田。均徭省賦。耳亦廉恥將。亦循良吏。甚可敬也。又耿炳守長興亦十年。以寡禦衆常勝。

康茂才通經史大義。事母孝。亂世有此。已可傳。況復爲明功臣。功自孝出耶。

先鋒值中秋不設備。爲燕王所襲。雖敗於戰局。尙無大損。而惠皇遽聽黃子澄言以李景隆代將，其謬殆同燕惠王以騎刼代樂毅也。

書顧吳薛郭陳王梅金唐陸費陸鄭黃葉傳

薛顯擊敗五太子，（張士誠養子也）湖州遂下，進圍平江，蓋湖州屏蔽平江，失湖州，即偪厥都遂圍之也。

郭興一名子興，而後但稱興，蓋因與滁陽王郭子興同名，遂去子字耳，至鄱陽湖之役，獻計火攻，可與三國時黃蓋並美。

黃彬說歐普祥貳友諒而嚮太祖，一則曰公與友諒比肩，奈何下之，以過去激之也，再則曰友諒驕恣，非江東敵，以現在懼之也，三則曰保境候東師，當不失富貴，以未來動之也。

書朱周王藍謝李傳

朱亮祖已降復叛，太祖親征，始幸獲之，不念其惡，復以爲將，豁達大度可想。

善戰大抵自學來，而史稱亮祖勇悍善戰，不知學，蓋亮祖戰將，實匪大將也，孔子有曰。好勇不好學。其蔽也亂。所爲多不法宜哉。

周德興功多年已高。而一旦以子驥亂宮坐誅。太祖未免寡恩矣。無怪讀史者每以漢高屠戮功臣爲比也。

藍玉有大將才、數總大軍。多立功。本在遭忌之列。而驕蹇自恣。是自求禍也。然謂爲謀反。且坐是族誅者萬五千人。則誠有意屠戮。視漢高且過之矣。嚮使帝無此獄。何至惠皇伐燕。乃以耿炳文李景隆等下駟爲將哉。噫嘻。

先挫敵銳而後守。張溫（與吳張溫同名）可謂知兵。蓋敵遠來。未知我虛實。乘暮擊之。自易得志。既得志。敵不敢輕我。守乃易固也。

贊責諸將志滿氣溢。近之則以驕恣啓危機。遠之則以怨望扞文網。且謂草昧時法疏。承平日法密。似亦平情之論。可與漢唐宋各史參勘。

書廖俞胡耿張趙桑茅胡孫曹濮傳

自廖永安與俞通海以舟師自巢湖來歸。太祖始有水軍。既破元中丞蠻子海牙於馬場河。遂渡江破采石取太平入集慶。此誠創業功臣。至永安以舟膠被執於吳。不屈而死。尤可敬。

治軍嚴不易。嚴而有恩尤不易。通海能是。無怪巢湖諸將皆善水戰而通海爲最也。

不殺人。不掠婦女。不焚毀廬舍。胡大海能有是。冒不愧名將。而太祖能有是將。不愧王師。

張子明爲友諒所獲。令誘南昌守將降。子明教解揚故智。佯諾。至城下乃大呼己見主上救且至。如聞其聲。如見其人。又于光被王保保所執。以徇蘭州城下。光大呼徐將軍（達）旦夕至。亦同。

將南昌先後戰死者十四人。康郎山戰死者三十五人。均附趙德勝傳。化散爲整。可作豫章（郎南昌）康山兩忠臣廟碑記讚。

書何葉繆蔡王甯金花丁郭傳

李克用多義子。歐陽修五代史記爲立義兒傳。太祖初起亦多義子。而明史不爲立義兒傳者。其後大抵復姓也。

王銘守溫州。繕城濬壕。加築外垣。使溫州屹然爲東浙巨鎭。甚可嘉歎。

書陳葉范宋郭楊孔傳

陳遇終不受官。而寵禮之隆。勳戚大臣無與比者。蓋天子不能臣。太祖亦不覺自忘其貴矣。其計畫多祕不傳。而論保國安民。每以不嗜殺人薄斂任賢復先王禮樂爲首務。則誠聖人之徒。後世未易常有也。又葉兌但陳一書。而一綱三目於削平天下次第言之極詳。太祖欲留用之。力辭竟去。抑尤所謂神龍見首不見尾者與。王者氣象定於遇。用兵次第決於兌。偉哉夐乎。無二人焉有太祖耶。

太祖咎漢文不制禮作樂。謂有時而不爲。不知漢文尙黃老。以無爲爲治。於禮樂實不屑言也。此儒老之大别也。可謬議乎。

書陶詹朱崔陶曾任李樂傳

陶安先入幕府。而於後至之劉基宋濂章溢葉琛。乃曰臣謀略不如基。學問不如濂。

治民之才不如溢琛知己知人匪特不忌嫉己也世有是人爲之執鞭所忻慕焉。此傳多制禮作樂之彥而劉基公卿有罪盤水加劍等語終不克上回帝聽君使臣以禮者固如是耶噫。

書劉安吳吳桂宋趙李劉羅傳

朱善論婚姻律謂姑舅及兩姨子女古可爲婚任亨泰論旌表孝行謂割股割肝不在旌表之列皆所關甚大不愧通儒。

書陳楊周楊單薛唐開傳

傳稱陳修爲浙東理官援引律令悉本寬厚盡改元季弊政爲濟南知府撫治有方。兵民相安流亡復業看似尋常實得天下後極重大事所謂馬上得之不能馬上治之也。

資格爲常流設耳有才能者當不次用之太祖此言誠是也然亦視所値之時何如耳苟非其時則資格特以限有才能者而常流反不次用之矣可勝歎哉。

詹徽剛斷嫉惡。胥吏不得肆其貪。謗訕滿朝。唐鐸重厚。又謂懦而無爲。太祖時且然。況後世乎。噫。

書錢韓蕭馮茹李葉鄭周王傳

錢唐於孔子不通祀孟子不配享。皆抗疏直諫。殆亦儒門龍象與。

太祖於錢唐韓宜可周觀政蕭岐等直諫。皆不加罪。且用其言。孰謂雄猜主遂不可諫哉。故敢諫者不患不遇唐太宗。但患己非魏徵耳。

既欲崇朱氏學。而又好釋氏敎。蓋朱氏尊君。與太祖惟恐人反之隱衷有合。釋氏說因果。亦與太祖自愧殺功臣不少之隱衷有合也。

葉伯巨上書謂分封太侈。用刑太繁。求治太速。實太祖當日藥石。而伯巨竟以是死獄中。太祖所以終不可與唐太宗比論也。噫。

周鼎沉乃有秦璽。秦璽焚乃有晉璽。（石敬瑭因後唐潞王攜傳國璽自焚不得已改製璽）而周敬心乃有陛下連年遠征。北出沙漠。爲恥不得國璽耳云云。蓋太祖猶誤以晉璽爲秦璽也。秦璽可改作。況晉璽乎。王孫滿對楚子謂在德不在鼎。周敬心則曰三代不知有璽。仁爲之璽。果知此者。寧復問鼎與璽哉。

書魏陶劉王王道盧青傳

名饋瓜與石榴。而實皆黃金美珠。前淸時尚聞有類此者。非異事也。惟未聞常有如徐均不受此餽者。則均乃誠異人耳。

王與宗陛辭時。太祖有爾老矣我鬚亦白語。庶有古者君臣一體意。

道同抗朱亮祖。歐陽銘抗常遇春。皆愛民一念驅之使然。非藉强項自高也。銘無恙而同竟被戮。雖曰所遇之人異。抑亦天下事有幸有不幸與。

書齊黃方練茅卓陳景胡王傳

齊泰黃子澄建議削藩。是甘效鼂錯所爲。務去國患。一已生死禍福不計。然詔諸王臨國中毋奔喪。則實大謬。任李景隆爲大將。則尤大謬。蓋諸王入京制甚易。觀爾朱榮事可知。景隆紈袴必喪師。觀趙括事可知也。

子澄等於命李景隆襲執周王後。復請襲燕。而惠皇不從。此晉厲公所謂不忍也。豈知他日人將忍君乎。然燕王智勇天授。且有姚廣孝爲謀主。襲之亦未必得志耳。

成祖發北平。姚廣孝以方孝孺爲託。且謂殺孝孺天下讀書種子絕矣。可見傳稱孝孺末視文藝。以明王道致太平爲己任。實匪誇辭。而成王安在。何不立成王之子。何不立成王之弟云云。成祖語塞。可見蜀獻王名孝孺讀書之廬曰正學。亦誠特見。

卓敬請徙燕王於南昌。惠皇不聽。他日燕王踐阼。敬曰惜先帝不用敬言。姚廣孝亦曰敬言見用。寧有今日。實則惠皇即用敬言。燕王亦未必奉詔。滿淸徙封吳三桂竟反。可互證也。

景淸欲爲故主報讎。慷慨自承。不愧豫讓。而因此有瓜蔓抄。較野史所傳方孝孺誅十族尤酷。無怪野史謂成祖卽友諒轉世也。

戴德彝以不屈死不足異。其嫂項聞變。令闔舍逃去。匿德彝二子山中。毀戴氏族譜。獨身留家。是以一女子而合程嬰公孫杵臼爲一人。所全且不止趙武也。是誠可異也。

書鐵暴陳張宋馬瞿張顏王姚陳傳

謝貴張昺以兵圍守燕宮時。可殺燕王。而貴昺受紿。反被燕殺。白溝河之戰。平安槊幾及燕王。而竟不得殺。（據平安傳）又是役燕王且幾爲瞿能所及。（據瞿能傳）會旋風起。能反被殺。燕王攻濟南。鐵鉉遣人詐降。候王入城下鐵板擊殺之。而板下太驟。王驚走。得不殺。東昌之戰。盛庸鐵鉉圍燕王數重。張玉戰死。朱能救王潰圍出。得不殺。夾河之戰。燕王被圍。可殺。以惠王詔不肯負殺叔父名。遂不得殺。淝河之戰。平安部將火耳灰挺槊刺燕王。而馬反蹶。王不得殺。金川門啓。御史連楹叩馬欲刺殺燕王。不遂。楹反被殺。燕王既踐阼。景清早朝懷刃欲刺殺燕王。亦不遂。被殺。古云王者不死。顧不信哉。

此云鐵鉉磔死。邱濬續通鑑綱目則云烹死。蓋據野史而異也。滿洲柴文杰著明史雜詠。有立不跪。脛可折。罵不止。吻可裂。鐵椎夾屍轉不得。沸油百鍊堅於鐵。赫然如山南面立等句，卽爲鐵尙書詠也。

黃子澄傳謂子澄欲善航海乞兵，善不可，一若善難共歲寒者，姚善傳則云公朝臣當行收兵圖興復，善守土與城存亡耳。子澄去，善爲麾下許千戶者縛以獻，不屈死。天地正氣，千載凜然，以是知史筆不可簡略，列傳尤貴參勘也。

書王廖周程黃王黃王陳程高高王周半傳

人生必死，無可避免，故古人不患死，但患死不得所，王艮可謂得所矣，胡廣不爲已謀死所，而屬家人謹視豚，蓋視已直豚不若也，李貫迎附成祖後，終坐累死獄中，而曰吾愧王敬止（艮字）至死乃寤，亦晚矣哉。

陳瑛一再請追戮殉難諸臣，成祖乃謂彼食其祿，自盡其心，足令小人氣沮顏汗。

黃鉞知鎭江重於蘇常，且知鎭江指揮童俊狡不可任，蘇州知府姚善有國士風，不足定亂，明不可及，既聞國變，杜門不出，後乃赴召，半路投水死，藉免族坐，智不可及。

每部使者涖漳，陳思賢參謁必請曰聖躬安否，凊制欽使出京方面大吏率屬出郭三十里跪問聖安。殆本此意廣之也。

隱者不仕。於君臣之義似當別論。而二樵乃聞京師陷。皆水死。則子路所謂欲潔其身而亂大倫。恐猶未足爲荷蓧者告也。

高巍請勿行鼂錯削奪之謀。而效主父偃推恩之策。且云在北諸王子弟。分封於南。在南子弟。分封於北。計似可行。然必前有七國之變。後乃有衆建諸侯之效。况燕王棣更匪吳王濞之比哉。總之封建不可復行於後世。行則不爲漢七國。卽爲晉八王不爲晉八王。卽爲明燕王已耳。

韓郁疏責齊黃激變。請惠皇釋代王之囚。封湘王之墓。還周王於京師。迎楚蜀爲周公。興滅繼絕。撥亂親親。較高巍策似尤可行。然惠皇爲太孫時卽忌諸藩。安能一旦信郁所言。廓然大公乎。故專罵燕王不臣。而不知惠皇實早失君人之道者。謬也。專罵齊黃激變。而不知惠皇實首釀靖難之禍者。亦謬也。

高賢寧作周公輔成王論。射濟南城外。而燕王悅其言。嚮使金川門啓時。惠皇不自焚死。安知不藉口淸君側。戮齊黃而後輔政。如南齊明帝所爲。以海陵處惠皇也乎。又降榻勞方孝孺時。有予欲法周公輔成王語。蓋亦自讀賢寧周公輔成王論來耳。惠皇爲僧。續通鑑綱目亦載其事。果焚死與否。蓋疑案也。淸時或爲惠皇祠聯云。僧爲帝。帝亦爲僧。（僧爲帝見太祖紀帝亦爲僧見牛景先傳）一再傳衣鉢相沿。回頭可證叔負姪。姪不負叔。（祇使朕負殺叔父名見恭閔紀）三百載（明自太祖至思皇共二百七十八年而此當三百載舉成數耳）河山依舊。到眼皆空。明史雜詠亦附錄惠皇貴州題壁詩有惟有羣烏早晚朝等句。又程濟從亡事。續通鑑綱目亦載。劇曲更演爲程濟趕車。

書盛平何顧傳

燕王輕平安爲豎子。而後幾爲安槊所及。且幾爲安步將火耳灰所刺。燕驍將多被平斬。諸將莫敢嬰其鋒。孔子謂臨事而懼。老子亦曰哀者勝矣。以此傳觀之尤信。平安屢勝。而卒以糧運被阻致敗。雖曰人事。而燕王屢瀕於死不死。若有天焉。安其如天何哉。

書姚張朱邱譚王陳傳

太祖未崩時。姚廣孝住持北平慶壽寺。常出入燕王府中屏人語。蓋廣孝早與燕王有異謀也。至練兵後苑。日夜鑄軍器。則舉事但待時日矣。以一僧旋轉天地。而視富貴若相浼。不謂之異人得乎。

張玉歿於東昌。譚淵歿於夾河。王眞歿於淝河。而燕業卒就者。以從姚廣孝計毋下城邑。疾趨京師（金陵）也。勝負無常。亦視大計如何耳。

朱能於東昌夾河淝河諸戰。轉危爲安。轉敗爲勝。而漢高十戰九敗。終有天下云云。尤足斷諸將歸心。鼓燕王銳氣。

邱福謀畫智計。遜張玉。敢戰深入。亦但與能埒。而成祖他日論功。第福爲首。能乃次福者。（時玉已死）每戰勝。諸將爭前效虜獲。而福獨後。有契上心也。而福後以出塞討本雅失里。一軍皆沒者。則又以福樸戇勇而少謀畫智計致敗也。凡事大抵由人。豈偶然哉。

書張陳孟鄭徐郭張徐李孫陳陳張陳王傳

小河敗後。諸將皆欲北還。惟鄭亨與朱能不可。卒集大勳。不愧名將。

崇禎初。李國禎嘗被召對。指陳兵事甚悉。奉命總督京營。闖賊犯京。三大營兵乃大潰。國禎且降賊世之有口辯而實無他能者。豈僅一國楨也哉。可以鑒矣。

書解黃胡金胡傳

燕師入京。解縉未死節。世或以此薄之。然觀其揣事言政。實甚可取。嚮使太祖惠帝能聽縉言。靖難之變或可不作。縉亦依日月末光。高朗令終。何至有迎附燕王一事哉。噫。

書楊士奇楊榮楊溥傳

士奇事君以忠。此臣難得。而仁宗念其孤立。惟恐爲呂震輩中傷。此君更難得。

士奇於漢王奪嫡。不言。但屢言太子孝敬。使成祖意解。此善處人骨肉者。一漢王之亂已平。將襲趙王。士奇力言趙王無罪。當保全。使宣宗不惑衆議。此善處人骨肉者二。楊榮嘗短士奇。而士奇請宣宗以曲容己者容榮。誠以榮能知邊將賢否。阨塞險易遠近。敵情順逆。朝廷不可無此人也。而榮後亦以此愧士奇。相得甚歡。庶略同廉頗負荆哉。

自洪武至正統初。朝政淸明。不幸中官王振有寵於英宗。漸預外事。此機一啓。近兆土木之變。遠釀甲申之禍。可勝痛歎。

成祖五出塞。前代所無。蓋是時將材已盡。求衞霍不可復得矣。噫。

事君有體。進諫有方。以悻直取禍。吾不爲也。此楊榮最可取語。爲臣者果盡解此。君免愎諫之愆。臣亦身名並泰。顧不懿與。此外如征阿魯台。不調民兵。聽許民復業。不可棄信。浙閩山賊起。不以兵討。謂愚民苦有司。不得已相聚自保。兵出益聚。當遣使招撫。皆不愧宰相語。

楊溥僅以雅操與西楊士奇學行東楊榮才識鼎立。三楊既卒。溥勢孤。靡助王振更挾天子以臨之。無怪閹餤遂熾。土木變起也。贊以宋璟方溥。溥豈能持正若璟乎。噫。

書蹇義夏原吉傳

司馬光務反熙豐之政。且及其人。章惇亦務反元祐之政。且及其人。趙宋所由有靖康之禍也。成祖務反建文之政。而蹇義從容納諫。帝意爲解。功抑大矣。而傳之未甚章。章者。其諸曲突徙薪之類與。

原吉居戶部。而疏止益賦。可敬者一。籍家時賜鈔外。惟布衣瓦器。可敬者二。至於事上忠愼。輔政協恭。犯而不校。過則歸己。則尤庶幾大賢。不惟可敬已也。

書郁趙金李師古陳劉劉楊虞湯傳

金忠於高煦奪嫡事。始終持正。以護太子。（卽仁宗）庶幾社稷臣。不得以戍卒卜者少之也。

陳壽（與晉陳壽同名）以高煦譖下獄。貧不能給朝夕。官屬有饋之者。拒不受。竟死獄中。此介而過者與。不然。何孟子有周之可受之說也。

虞謙於法司及四方所上獄再四參復。必求其平。曰彼無憾。斯我無憾。可與歐陽修瀧岡阡表崇公語參勘。不愧仁人之言。不愧仁宗之臣。

書茹嚴張王鄭郭呂李方吳劉傳

李景隆訐鄭賜罪亞齊黃。乃小人無恥圖媚於上之爲。而賜劾孫岳擅毀太祖所建寺。劾李景隆陰養亡命謀不軌。劾耿炳文僭侈。劾康孔高省母九閱月不行。更小人無恥圖媚於上之爲。

書董儀鄒周陳王錢周柯孔傳

國子監本周辟雍。漢曰太學。晉曰國子學。北齊曰國子寺。至隋乃曰國子監。歷代沿之。逮明未改。然入監肄業必諸生學行優者。未聞重粟也。且明初監生有奉使采訪民事平理訟獄或遂授以布按兩司者。自景帝開納粟入監之例。而世乃薄監生不爲矣。噫嘻。

讀明史蠡述卷三

岳陽李澄宇洞庭著

書宋禮陳瑄周忱傳

宋禮濬會通河。以會通之源必資汶水。乃用汶上老人白英策築壩城及戴村壩。橫亘五里。遏汶毋南。以水濟水。庶幾善治水者哉。

周忱久任江南。其治以愛民為本。政績更章章在人耳目。而朝廷猶為奸民尹崇禮彭守學等言所動。忱幾得罪。三代兩漢後循吏豈易為也哉。噫。

書張黃劉陳李柳梁王傳

自唐之亡。交阯淪於蠻服者四百餘年。故黎季犛恃險自大。敢弒故主。敢抗朝命。張輔代朱能討賊。深入猛擊。獲季犛父子、以其地內屬。庶幾功邁伏波矣。況後重討簡定陳季擴。禽送京師。尚有餘勇可賈哉。惜交人所畏惟輔。而輔屢被召還。致有王通(與隋王通同名)以交阯與黎利之事也。

凡邊遠文武。大抵能撫綏以德者少。而恣貪暴為民怨苦者眾。此邊患所由常劇也。

觀黃福傳賊羅拜泣曰。公交民父母也。公不去我曹不至此。黎利亦曰。中國遣官吏治交。使人人如黃尚書。我豈得反哉。邊患癥結所在可想矣。吾嘗謂一國邊遠或一省邊遠。其文武官吏皆須第一等人。缺亦陟列第一等。否則賢有力者不願久於任。或願久於任而亦他調不得久於任。是終以邊遠爲不肖官吏淵藪。爲叛賊驅除莫知所底也。豈不大可哀也耶。

王通於寧橋遇伏大敗。遂若驚弓之鳥。後雖幸勝。不敢急擊。視張輔殆鸞鳩之於鯤鵬也。可憫甚矣。

書宋薛劉朱費譚陳蔣任趙趙劉傳

成祖以宋晟舊臣鎮涼州久。威信著絕域。專任以邊事。奏績輒報可。而御史乃劾晟自專。御史若此。不如無也。

薛祿不知書而有勇好謀。紀律嚴明。善撫士卒。靖難諸功臣張玉朱能及祿三人爲最。就成祖言。亦子夏所謂事君能致其身者。雖曰未學。吾必謂之學矣。又蔣貴亦不識字。而天性朴實。與士卒同甘苦。出境討賊。衣糧器械身自齎負。臨陣輒身先之。所向有功。

成祖既以宦官協鎮諸邊。（即後諸傳所稱鎮守中官也）自必恣睢專軍務。而乃以璽書責費瓛不宜受制於宦官。何異右手畫圓左手畫方耶。

書吳薛吳金李毛焦毛和羅傳

太祖戮功臣不少。而於諸蕃部內附如薛斌李英等。賜姓授職。惟恐或後。殆亦知四摘抱蔓不得不借材異域也。

書金張郭郭鄭柴劉張周楊黃胡陳林潘夏傳

潞州盜起。詔發兵討捕。鄭辰奏謂民苦徭役耳。請無發兵。於是屏騶從入山撫諭。盜皆感泣。後世豈易有此人。噫。

書黃顧段章吳魏魯耿軒黃傳

魏驥端厚祗愼。而好別白君子小人。恒曰無是非之心非人也。蓋不如是不能獨善。

且不能兼善也。

書熊陳李陳李賈王崔劉李原彭牟夏高楊傳

陳泰乞量增祿廩，俾足養廉。然後治贓汚，所見極是。而事格不行，蓋主戶部者恐以此遂增歲出也。然如後世增祿廩不治贓汚，又豈泰意所許耶。噫。

賈銓以貌寢不擢戶部尚書，而以巡撫山東。不惟軒貌輊才，抑亦重內輕外也。天下不愛錢者惟楊繼宗而已。嗚乎。此天下所以多亂而少治也。

巡撫之設始明，後代因之。於國政省政所關皆鉅，故此傳詳列諸臣，備考鏡焉。

書王魏金石羅羅張張李傳

史稱王彰公而不恕，劉觀私而不刻。然與其私而不刻，無寧公而不恕。

往者澄宇里人阮景元以阮元名應試，學使爲改景元，蓋不欲其徑與芸臺同名也。然清時如張勳、魏源輩與前代同名者實不少。而魏源號有學問，著述甚富，而竟近與明魏源同名。殊未可解。

書周李陳應林兕陳彭夏黃楊劉陳夏陳張宋傳

周新發奸摘伏如神。而成祖信錦衣衛指揮紀綱誣奏戮之。可謂不君矣。去武宗嵩宗殆僅一間耳。

孔子謂子路衣敝縕袍與衣狐貉者立不恥。而周新妻赴同官妻內讌。荊布如田家婦。竟使諸婦盡易衣飾。是不惟己不恥。且使人恥。視子路更上一層矣。猗與偉哉。惜史未詳其氏也。

書尹耿戴陳劉陳鍾章廖倪楊傳

此傳大抵直諫遇禍者。非諸臣之不幸。實諸帝之不幸。蓋諸臣死職。死得其所。雖不幸幸也。諸帝不君。既失諫臣。且負惡名。而丕緒亦因之敗壞。眞大不幸也。

書李陳劉邢林謝魯傳

或但言李時勉得罪仁宗。而不舉其由。致宣宗震怒。幾殺時勉。或其小人哉。幸前後兩使不相値。時勉猶得見鞫於宣宗。所陳各事。又實忠臣所應言。乃得赦而復職耳。

否則又枉殺忠諫之士矣。噫。

時勉致仕得請。朝臣及國子生餞都門外幾三千人。或遠送至舟。視漢二疏有過之無不及也。

謝鐸力學慕古。講求經世之務。其志固將使君爲堯舜之君。使民爲堯舜之民也。而僅爲國子師。明事可知矣。

書鄒弋黃范聊左曹劉單張高傳

觀鄒緝疏。成祖建北京。而小人於材料多派牟利。於基地驅迫移徙。爲害於民蓋甚酷。視後世藉修汽車路馬路虐民者似尚過之也。噫。

成祖時宦寺已用事。宣宗寖以親幸。且設內書堂。使得通書曉文義。而宦寺遂自此大盛。此二君皆太祖罪人也。黃澤以十事諫宣宗。而首言遠嬖倖。可謂藥石。奈宣宗不能聽。何哉。

范濟年八十餘。詣闕言八事。甚警切。而呂震多方沮抑。使不得大用。可恨。又聊讓所陳亦可取。

英宗復辟。欲遣馬雲使西洋。（四洋二字見史始此）未詳何事。大抵欲結西夷以制北狄耳。張昭（與吳張昭同名）疏諫引漢光武閉關謝西域。唐太宗不受康國內附為比。意極深遠。蓋明是時已不足與言外攘矣。

何驥單騎詣賊壘諭以禍福。歸附者千七百餘戶。惟賊首李宗政負固不服。乃深入破之。蓋散其脅從而後殲厥渠魁易易也。

書韓山蕭方李王彭歐張傳

王信疏言湖廣諸蠻實無能為。久不靖者由我將士利其竊發以邀功也。乞選公正仁惠守令加意撫綏。此數語可作千載治蠻準繩。

書曹鄺王孫袁傳

也先入寇。英宗為王振所挾。屢次拒諫。甚可痛歎。然使敗報踵至時。從郭登言趣紫荊關以入。尚可免蒙塵大難。而王振乃欲邀帝至蔚州幸其第。致有土木之變。振萬死固不足蔽辜。而曹鼎張益不能轉移帝意。實亦未足爲帝藎臣也。

書陳王江許陳萬劉劉尹傳

史稱萬安貪狡。劉吉陰刻。劉珝狂躁。於憲宗失德皆無所規正。時有紙糊三閣老之謠。蓋亦孔子所謂危而不持顚而不扶則將焉用彼相矣之意也。

書高穀胡濙王直傳

景皇監國。縱不卽位。亦難免叔武之戮。其勢然也。然上皇北狩。喪君固宜有君。與明皇幸蜀而肅宗卽位靈武其跡近篡者有別。特上皇旣歸。宜效肅宗迎上皇故事。且恪事之。俾共知弟兄親厚。自絕搆煽耳。不此之務。夙夜惟復辟是懼。致他日竟有復辟事。身且不保。可慼抑亦可哂。

胡濙始奉成祖命。徧行天下州郡鄉邑。隱察建文帝安在。繼官南京。廉太子（仁宗）監國被謗事。皆弭禍無形。後於英宗北還。更力主景皇躬迎。且朝賀正旦及萬壽節。是誠善處人骨肉之間者。可敬也。

也先遣使議和請還上皇。視金人不還徽欽二帝用意更毒。蓋明知明已有君上皇在彼一匹夫。還則連雞不共棲。一伸一屈久自相讎。彼可乘機圖利或內犯也。觀王直傳。景皇極不願上皇得還其報也先書就令楊善迎歸蓋逆料也先不許聊以是一飾天下耳目耳。而善竟奉還上皇。豈景皇始念所及哉。然異日不藉躬迎行弒逆。如元文宗之於明宗。則景皇宅心尚較仁厚也噫。

書于謙傳

謙於土木變後。力主守燕勿南遷。一可取。請皇太后立郕王。（即帝）使喪君有君。二可取也。先卽挾英宗來破紫荆關直入窺京師。謙帥衆力戰卻敵。三可取。而督戰之令有將不顧軍先退者斬其將。軍不顧將先退者後隊斬前隊云云。使將士不得不致死於敵。四可取。上皇之歸。謙不效元燕鐵木兒勸景皇行弒於路。五可取。惟東宮之易。甚傷上皇意。謙不舉宋穆不負宣公事以諫。是其一失。得主專。蹇蹇匪躬。而未克謙謙終吉。是其二失。

英宗親征也先。但爲王振增色。而復辟則又特爲曹吉祥等增色。可哂。

書王徐楊王傳

徐有貞克平水患。實一有用才。惜厥心不正。終爲小人之歸也。大學重正心。有以哉。

有貞欲裁抑石亨曹吉祥。而反被亨吉祥搆陷幾死。小人鬬智以互噬。可畏也哉。

楊善先後媚王振曹吉祥。王越先後結汪直李廣。皆躁進一念爲之耳。贊惜其譽望隳損。諒哉。

書羅侯楊王孫朱楊張焉程白張孔鄧王劉傳

孔鏞單騎至賊庭。諭以禍福。索食止宿。賊感其誠。以次盡降。此以誠化頑。柔克剛也。而戰敗廖婆保。計擒阿溪。則又鬬力鬬智。剛柔並用也。

書楊石鄧朱孫范傳

石亨德勝門之功。出自于謙。而後乃以私憾殺謙。小人之爲。固無足怪。而恃功橫恣。卒亦自殺其軀。是亨亦不幸因功致死也。且無異謙蚤以功殺亨也。伊尹聖人。戒以寵利居成功。況亨也耶。

郭登武將。而事母孝。居喪秉禮。其晉郤縠之流與。

書史巫許周歐王魯劉彭姜安杭傳

史昭居寧夏十二年。劉昭鎮西寧二十年。巫凱在遼三十餘年。李達鎮洮州四十年。邊將久任如此。後世亦知效之否耶。

書衛董何劉仇神曹馮張楊傳

衛青（與漢衛青同名）以安邱被賊攻。將陷。急救之。而總兵官柳升怒其不待己。捽之。蓋惡功未己居也。後世此等事蓋常有。

書李呂岳彭商劉傳

徐有貞謂頒振多中飽。李賢謂慮中飽而不貸。坐視民死。是因噎廢食也。振貸二字古義通用。非若後世所云。改振爲貸。責償於民。且倍所振也。

賢謂若郕王（即景帝）果不起。羣臣表請陛下復位。安用擾攘爲。此輩又安所得邀陞賞。

老成耆舊依然在職。何至有殺戮降黜之事。此論最允。英宗詔自今章奏勿用奪門字。併議革冒功者四千餘人。蓋已不勝內疚矣。噫。

岳正欲以縱橫之術間石亨曹吉祥。而其術乃似小兒欺騙之爲。抑何可哂。正有時不敵邪。況欲效其邪以勝之耶。

商輅等脣焦舌敝。幸得罷西廠。而御史戴縉乃敢顯頌汪直功。請復西廠。蓋直嗾之使言也。直所以敢嗾御史。則又恃憲宗寵幸如故而然也。噫。

書王年王李姚王林葉傳

王翺典銓部。不肯移壻官京師。人所難也。孫以蔭入太學。不使應舉。曰勿妨寒士路。更人所難。

年富好疑惡干請。而屬吏故反其意以嘗之。欲事行。故言不可。即不行。故言可。富輒爲所賣。此事後世亦常有。總之當局宜就事當行與否計。不宜以人言爲進止也。

明廷杖臣工非是。而臣工於殿廷捶擊人亦非是。王竑擊斃馬順。捶殺毛貴王長隨。

而名震天下。豈投鼠不必忌器。君前固可叱狗耶。

傳謂貧民稱貸富室。倍稱還之。收穫甫畢。遽至乏絕。是貧民遇凶年饑。豐年亦饑也。今富室摧毀殆盡。農民即倍稱以還。靡所貸。大抵收穫甫畢。賤值售與市賈。未幾價長。大利遂歸賈槖耳。是亦凶年饑。豐年亦饑也。而預備倉則固無恙也。噫。

書項韓余朱秦傳

朝議慮項忠兵少難滅賊。必欲益兵。忠則慮多益兵。必更遣大將。權不一。愈不可滅賊。蓋勝敗在將。不第論兵多少也。後世剿匪者曷不一讀此傳乎。

邱濬言賊在廣東者宜驅。在廣西者宜困。又言宿兵大藤峽。（在廣西桂平縣西跨潯柳二府間延廣六百餘里後改名斷藤）扼其出入。期一二年盡賊。蓋不敢深入也。韓雍謂當全師直擣大藤峽。巢穴既傾。餘迎刃解耳。蓋決計深入也。濬計固不足滅賊。雍謀若他人用之亦未必滅賊。蓋非如雍用兵奇正相輔不可也。後王守仁蔡經亦嘗討平斷藤峽。可參勘。先必有韓雍之大剿。而後朱英之大撫有功。事有因果。未可執一而論也。

書羅章黃莊鄒舒傳

羅倫諫起復李賢。章懋諫元夕張燈。意忠義正、縱不聽納、豈宜罪貶、君子於是歎憲宗不君。亦如武宗世宗之於舒芬也。

書張王毛邱李魏强王李汪湯姜姜曹彭龐葉胡張屈王傳

李鈞等疏陳宦官預政交結及子姪任職等弊。詳顯易曉。而憲宗竟勿聽納。且罪謫之。甚可痛恨、後世雖無宦寺。而護弁之預政交結及子姪任職。其弊亦無異宦寺、或加甚焉。小人難養。邇言必察。聖人之垂戒遠矣。至李俊等疏陳近倖干紀。大臣不職。爵賞太濫。工役過煩。進獻無厭。流亡未復等事。憲宗優詔答之。且黜革方士李孜省鄧常恩釋繼曉。等則因懼天變求言。不得不改一二事冀囘天意。耳然於近倖干紀大臣不職進獻無厭流亡未復。固猶未肯斧斷燭照也。

曹璘因直諫弗聽。引疾山居。讀書三十年。不入城市。可謂高隱。惜後世盜匪徧地、求爲璘乃亦未易也。奈何。

太監苗逵成國公朱暉糜京帑及邊儲共一百六十餘萬兩。而首功止三級。所上有功將士乃至萬餘。憲宗時軍務若是。君若臣尚得復謂之人乎。

張天祥獄。孝宗已命大理丞吳一貫會勘得實。而更密令東廠廉其事。蓋明自成祖以來。大抵以宦寺爲腹心。視朝臣疆臣概若外人也。噫。

書徐邱劉謝李王劉傳

徐溥力行孝義。以聖道輔導孝宗。可謂賢相。惜孝宗未能盡從其言。中官漸歛而復盛。李廣且以齋醮燒鍊獲寵也。

邱濬修英宗實錄。於于謙之死。不肯以不軌書。且曰。巳巳之變。微于公。社稷危矣。蓋亦孔子微管仲吾其被髮左衽意。史識若此。宜其續通鑑綱目獲傳於後也。

武宗聰明而好逸樂。蓋桀紂之資耳。然亦爲太子時未有賢傅。未早去東宮舊竪劉瑾等。遂致武宗誤用其聰明耳。此則孝宗未讀文王世子之咎也。而臨崩乃顧命劉健等勸子讀書。抑已晚矣。

劉健與謝遷李東陽（金章宗時亦有李東陽俱北京副留守）等力諫武宗。以去瑾（劉瑾）爲務。誠知瑾不去上惑不解。卽諫靡裨也。然使武宗欲安置瑾等（劉瑾馬永成谷大用魏彬張永邱聚高鳳羅祥）南京時。健不堅持誅瑾。則瑾等離上左右。後未必不可以他事戮之。而竟操之過急。迹近要君。致武帝憤而反汗。甘爲桀紂。計抑左矣。

焦芳附瑾。欲罪劉健謝遷而無辭。乃以浙江應詔所舉懷才抱德士餘姚周禮徐子元許龍上虞徐文彪皆遷同鄉。而草詔由健。誣爲徇私援引。小人若是。信可畏哉。

健遷力欲誅瑾時。李東陽縱同健遷所爲。不過與健遷並逐耳。於瑾等奚損。於國事奚裨。留而默佑善類。功不在狄仁傑下矣。論心不論迹。此箕子所以無愧微比與。

書王恕馬文升劉大夏傳

王恕巡撫雲南。劾鎭守中官錢能私通外國。且盡發其貪暴狀。而能竟急屬貴近請詔恕還。可見憲宗時宦寺力大。

孝宗眷劉大夏。而不能用其言以革鎭守中官。此豈眞眷大夏哉。各省有鎭守中官。

皇城京城有守視中官。是無一地可不中官也。是內外諸大小文武無一可恃。而中官則帝腹心也。孝宗且若是。武宗抑惡足論乎。

書何彭周耿倪閔戴傳

鄒魯爲御史。而黨於劉吉。且誣何喬新受賕。可恨。受賕事窮治無驗。而魯但奪俸。喬新反致仕。蓋吉擠喬新之故。尤可恨。

周彧爲太后弟。而奏乞民田。太后之不德可想。彭韶不忍奪小民衣食附益貴戚。蓋上爲憲宗宗社計。非爲一己名位計也。而詔責韶等邀名。方命。豈知諫但直臣。而從諫則聖君。名固甚厚於臣名耶。

書周楊張傅張吳傅劉吳顧劉傳

明英宗以來。諸臣與宦官宮妾爭勝負。儒教與僧侶道流爭勝負。而勝負所由實繫於君之一心。楊守陳上孝宗疏。首及人心惟危道心惟微。誠恐得於內者未深。無以爲出治之本。而宦官宮妾僧侶道流聚而蠱之。不可復治也。

書李賈黃張侶曾梁徐李黃王叢吳傳

漕糧折銀上下交便惟以漕爲業者弗便之蓋漕固利藪也。北稅折銀自李敏始而吾湘各縣滿漕時尚有以呈請折銀下獄者甚可歎恨。

黃紱誅淫盜惡僧毀其寺且計捕奸豪張綱（與漢張綱同名）庶幾古酷吏之爲。

書韓張楊許雍陳樊熊潘胡張張王朱傳

同一太監也。王岳剛直而不容。劉瑾狡很（據宦官傳）而大用。而且帝驚泣不食。無如八虎何。八虎環泣帝前。則岳與韓文劉健謝遷皆獲罪。是武宗不惟不君。抑實非夫。

許進結小列突以攻土魯番。亦以夷制夷舊策。然能帥彭淸劉寧等冒雪遠襲。遂拔哈密。此功固不讓李愬襲蔡也。

陳壽（與晉陳壽同名）擊火篩獲勝。不肯註子弟名冒賞。史特美之。以此見當日捷籍惟此獨實耳。雖然。豈獨明代若此哉。軍勢不振。有由來矣。

書何馬陸洪陳俞周馬傳

山東賊不及萬。官軍奚啻十倍。緣勢要私人營充頭目。撓律攘功。失將士心。何鑑此語。後世負剿匪重責者宜三復之。又鑑於河南山東賊平後請量免田租。多方振贍。黜貪殘長吏。停不急工役。有訐舊事及怙惡者並置於理等語。亦宜三復。

剿撫不定。明所以亡也。非賊能亡明。明之君自亡之也。馬中錫冤死。特事之小小者耳。後世負剿匪重責者盍亦戒此乎。

劉寵劉宸楊虎齊彥名等捕盜有功。而劉瑾家人梁洪誣盜逼反。可恨。(據馬中錫傳) 劉六七等(即劉寵劉宸) 衆號數萬。精銳不過千餘。自兵部下首功令。官軍追賊。賊輒驅良民前。急則棄所掠逸去。官軍所殺。皆良民。可哭。(據陸完傳) 劉六中流矢。與子仲淮赴水死。劉七亦中矢赴水死。齊彥名則中槍死。賊結局大抵若斯。可笑。

賊如梳。軍如篦。土兵如鬀。此謠可作數千載吾民被兵慘史讀。又土賊猶可。土兵殺我。亦同。

書劉趙戴陸蔣周湯許徐張張范張周石傳

一二人之進退。君子以之卜治亂焉。劉菃於劉健謝遷之去極言請留。意深遠矣。而武宗竟不寤何哉。

蔣欽以請戮逆瑾故三受杖。至死不悔。至今讀其疏有七十二歲老父不顧養矣語。移孝作忠。可爲痛哭。

武宗不君。惟瑾言是用。致天下知有瑾不知有君。懼禍者往往自盡。讀許天錫傳曷勝浩歎。

贇謂批鱗者尚獲生全。投鼠者必陷死地。蓋閹寺竊柄。下獄予杖。恣其所爲。武宗固日在夢中未嘗知聞也。

書李孫胡羅葉戴黃陸夏何傳

李文禕少登進士。萬安重之。使稍與俯仰焉。公卿可企踵致也。而直言極諫。務遠佞退不肖。雖被譴不悔。此誠有大過人者。年僅三十。渡冰陷死。惜哉。

黃鞏舉五事疏諫武宗。得罪幾死。後乃潛心著述。謂人生富貴不過三四十年。惟立身行道千載不朽。蓋直欲立德。不徒立言也。夐乎偉哉。

書楊梁蔣毛石傳

楊廷和於武宗時鮮所匡正。及武宗崩。定策立世宗。遂戮江彬。去正德蠹政。實有明再造之臣。視狄仁傑委蛇僞周。卒反唐祚。雖不甚同。厥心抑亦相近與。

書毛汪吳朱何豐徐薛傳

後世元首或兼大元帥。無譏焉者。武宗自稱總督軍務威武大將軍總兵官太師鎮國公朱壽。詎足爲怪。不過大將軍下有總兵官太師鎮國公。且不徑稱朱厚照而別改朱壽爲可哂耳。

書楊王張劉安張張毛王鄭張楊張郭傳

楊愼以議大禮獲罪投荒。而記誦之博。著作之富。爲明代第一。可見素患難行乎患難。亦猶司馬遷所云文王拘而演周易。仲尼阨而作春秋。屈原放逐。乃賦離騷。左邱失明。厥有國語。詘於彼者申於此。天固未能限我也。人可不自勉乎哉。

張漢卿東南洊饑。民骨肉相食。而搜括之令頻行等語。後世理財者宜亟誦之。

書費翟李顧嚴李陳趙高傳

費宏於大禮不彊諍。亦不阿順。誠以事尚有大於此者。不宜以此一時同敗。適中小人一網打盡之計也。與李時俯仰取容蓋有異。

書喬孫林金秦趙鄒梁劉蔣王傳

宸濠之變。世但知王守仁平亂有功。而不知喬宇以楊銳守安慶。制賊東下。斬鎮守中官劉瑯所伏壯士三百人。絕賊內應。厥功尤大。王守仁傳有賊若出長江順流東下。南都（金陵）不可保。吾欲以計撓之。稍遲旬日無患矣等語。亦足證喬宇功大。

廷杖爲有明最可恨事。始猶雄主暴君逞怒。乃然。繼則宦官宮妾矯詔肆毒矣。始猶重氈疊裹。僅傷體膚。繼則去衣受杖。死者比比矣。上視臣犬馬不如。而亦歷年三百。歷世十七。抑何幸耶。林俊病中上書特及此事。將死哀鳴。讀之隕涕。

書王守仁傳

知左右多賊耳目。乃呼老黠隸詰之。俾爲我用。蓋此輩貪利畏罪。其趨固可轉易也。智一。去横水三十里先遣四百人伏賊巢左右。進軍逼之。賊方迎戰兩山舉幟。賊大驚。謂官軍已盡犂其巢。遂潰。蓋效韓信拔趙幟立漢幟意而變化之。智二。以桶岡險固。移營近地。諭以禍福。賊喜。約降。復遣軍冒雨奪險出奇。敗賊。遂破桶岡。兼師李左車說韓信以先聲下燕。張良說漢高啗秦將以利。因襲破武關二事也。智三。池仲容僞降。而守仁下令散兵。大張燈樂。且賜仲容物。誘入謝。悉其黨。厚飲食之。留觀燈樂。伏甲戮之。蓋竊鴻門上源驛遺意而很酷過之。智四。後世剿匪者苟若此。何致匪愈剿愈盛哉。噫。

盛虛聲以震之。更洩僞書以疑之。蓋變出倉卒。不欲宸濠遽爾東下。遂入南都也。旬日之間。我軍既集。則又惟恐其不東下。故聞宸濠出南昌。襲下九江南康。進薄安慶。而大喜。蓋不如是。未易蕩其巢穴也。而不救安慶。直擣南昌。抑又孫臏伐魏救趙之計也。

勝外賊易。勝內賊難。宸濠猶外賊。而武宗諸嬖倖則誠內賊也。勝外賊智力兼鬬。勝內賊則但可鬬智。以宸濠付太監張永。厚撫京軍。且言宸濠約京師要人爲內應。籍可按。又命居民巷祭。已上冢哭。使京軍泣下思歸。皆鬬智顯迹。而得永密信。馳赴上召。易捷奏。入諸嬖倖名。尤鬬智妙訣。

守仁前後平賊。歸功王瓊。事固如此。非以此媚瓊。而楊廷和不喜。豈休休有容之度哉。嬖倖如彼。大臣復如此。甚矣功不可立也。

紫陽格物。弊或喪志。陽明良知。迹近頓覺。然日本尙陽明之學。國用强大。我國囿紫陽之說。國遂貧弱。蓋一則卽知卽行。不假修飾。一則行與言異。日就虛僞也。未學吾必謂學惟狂克念作聖。豈必格物哉。贊有標異儒先語。蓋明史淸修。尙朱學。意別有在。非定論也。

書張桂方夏傳

蔡圻錢潮等揣桂蕚必復召用。先後市德。藉弋富貴。而世宗一怒幷下于吏。圻等始意豈復及此哉。可哂。

夏言遇嚴嵩。所謂君子遇小人。欲不受禍甚難。未必志驕氣溢也。贊以成敗論人。殊未足取。總之世宗喜怒不常。賢姦雜用。無論爲君子爲小人得罪皆易耳。

書席霍熊黃黄傳

席書以父死子繼兄終弟及。破漢宋選立皇子之非。可謂兩言而決。於獻帝顯陵（卽世宗父與獻王墓）遷葬天壽。以高皇帝不遷祖陵文皇帝不遷孝陵止之。亦可謂兩言而決。隨全錢子勛請遷顯陵。何淵請建世室。皆小人見璁萼驟貴希旨效尤之爲。而世宗之重視虛榮。不能事父母如禮。且不以天下社稷爲重。抑亦可想。

霍韜議大禮二疏。情禮兼盡。蓋誠知禮。嘗薦王守仁王瓊。亦甚知人。

書楊王彭毛翁傳

楊一清教張永去劉瑾。妙在苟得請卽行事。毋須臾緩。漢竇武何進未能誅宦官。皆緩之咎也。語曰。需者事之賊。讀後漢書竇武何進傳。能不爲之浩歎哉。

王瓊厚事錢寧江彬等。因得展其驥足。所奏請輒行。蓋亦大臣不得已之一法。若乃忌彭澤平流賊聲望出己上。構於錢寧。中澤危法。則君子所羞爲。雖功大罪小。後世豈復相諒耶。

書李王胡李王范王鄭傳

李鉞長軍旅。料敵多中。且屢有功。若久任諸邊巡撫。何異長城。世宗用違所長。近倖復因事嫉忌。於是鉞鬱伊莫可訴語。乞休遂卒。鉞何不幸乃遇世宗耶。噫。

胡世寧於武宗時疏論宸濠。志靖亂源。蓋曲突徙薪之類也。而得禍幾死。於世宗時疏乞早定追崇大禮。并極言顯陵遷祔不可。蓋準情酌理。非苟同亦非立異也。而帝用永眷。猶是人也。所言之事異。所言之時異。而效不效殊焉。雖有幸有不幸乎。抑亦或遇或不遇而已。

書姚張伍蔡詹劉楊張郭趙傳

李瑾以浚天城左孤店壕四十里趣工急致亂。可謂大風起於蘋末。詹榮祭判卒馬昇楊麟無逆志。藉以討賊。竟禽首惡黃鎭等九人戮之。可謂以無厚入有間。

世宗以災變求言。而下趙時春於詔獄掠治。黜爲民。去桀紂亦豈遠也哉。噫。

書陶王李吳方王王徐張韓周吳傳

吳廷舉以辭官疏引白居易張詠詩。語多詼諧。且用嗚乎字。被世宗勒致仕。王軏以乞罷疏有享年若干語。被世宗勒爲民。挑剔文字。遇臣不以禮若此。前所未有。

張邦奇不移孝作忠。誠以嚴嵩在位。難與有爲。或不幸貽母憂。不如孝事老母。尙可獲天倫至樂也。嵩不顧世宗召之。或攙己權。故亦以母老不樂北來語相沮。帝信其言。不知嵩豈知邦奇哉。噫。

書廖王周唐王周闞劉孫聶李周賈張胡趙傳

劉訒傳有王聯知帝喜告訐云云。李默傳又有趙文華稔帝喜告訐云云。世宗所喜惟此。是不恤禍人禍國。且自甘桀紂也。噫。

趙炳然謂福建之亂。由將吏撫馭無術。民變爲兵。兵變爲盜。後世將吏宜細味斯語。

書鄭劉汪寇唐潘李歐陽陶潘歐陽朱陳孫王曾傳

唐胄諫討安南疏。有七不可云云。而唐衰自明皇南詔之役。始宋衰自神宗伐遼之役始數語。後世任天下之重者亟宜三復。

潘塤平賊有功。而河南大饑不以時振。且歸罪振者何耶。豈不知饑民不振勢必爲盜。他日更不易剿撫耶。

書陳翟孫曾丁楊商王楊傳

翁萬達議撤山西內邊兵。并力守大同外邊。孫繼魯抗章爭之。謂紫荊居庸山海諸關。東枕漠渤。雁門寧武偏頭諸關。西據黃河。天設重險。藩衛國家。豈可聚師曠野。洞開重門。以延敵。並遺書萬達。欲止其事。此其心實爲國慮寇。縱所言非是。何必逮下詔獄哉。又曾銑請復河套。輔臣夏言主之。爲嚴嵩所搆。言銑俱斬。自此俺答歲入寇。疆事大壞。甲子虜更犯都畿。等甲申之變。世宗若是。謂非桀紂主可乎。

書朱張胡曹李唐傳

閩越在昔亦異域。而後乃莫非王土。倭佛（佛郎機即今法國）在明禁互市。而後乃並爲我鄰。蓋交通日便。隔萬里若戶闥。不惟九州萬國勢必相接。即中庸所謂天之所覆地之所載。日月所照。霜露所墜。凡有血氣者莫不尊親。亦必有實現之一日也。

張經有石塘灣王江涇之捷。而世宗乃信趙文華嚴嵩之譖。謂經養寇冒功。逮而斬之。文華與嵩固罪不勝誅。要亦天子任將不古若之過也。嚮使若漢景帝任亞夫。譖奚自起哉。閫以外將軍主之。後世徒有斯語耳。噫。

胡宗憲獻白鹿白龜。告廟受賀。李遂獻白兎。亦遣官告廟。世宗喜祥瑞至此。可哂。

書馬程張鄭唐杜葉解陸邵劉魏傳

世宗以大禮異議。積忿諸臣。藉事肆戮。至再至三。桀紂不如是暴也。在帝或自詡英斷。豈知皆爲小人快一日報復哉。噫。

書鄧朱楊劉薛楊郭劉張包謝王楊傳

世宗但知有本生父母。不復以禮事昭聖太后。深可痛恨。而拒諫飾非。視諸臣如草芥。十桀紂爲一人。化龍比而千百。尤可痛恨。

劉安（與漢劉安同名）疏有略繁文而先急務。簡細故而弘遠猷。不以一人之毀譽爲喜怒。不以一言之順逆爲行止等語。實世宗藥石。奈昏暴不納何哉。

書張汪蕭齊袁許顧章余韋黎彭鄭戚劉錢洪周顏傳

余珊疏諫世宗。謂獻帝（卽世宗本生父）好賢下士。容物恕人。今議禮諸臣一言未合。輒以悖逆加之。謫配死徙。朝宁爲空。此豈獻皇帝意。苟非其意。雖尊以天下無當也。意痛而語順。蓋誠欲帝耳易納也。

贊有傳稱未信而諫。則以爲謗已然志節之士惓惓忠愛。何忍以不信自外其君哉云云。庶上接龍門遺韻。

書楊馮楊周劉沈沈楊楊傳

已欲求長生。而無故下人詔獄。杖死。天下豈有此黑心神仙耶。暴哉世宗。愚哉世宗。

俺答犯都。沈鍊請以萬騎護陵寢。萬騎護通州軍儲。而合勤王師十餘萬擊其惰歸。

實善策。未可以小吏之言忽之也。而世宗弗省。其不遽爲莊烈者幸耳。

鍊縛草爲李林甫秦檜嚴嵩。琛子弟射之。此草代姦臣也。保安子弟以一帛署鍊名爵持入市。觀世蕃斷頭。此帛代忠臣也。宛哉草。幸哉帛乎。

楊繼盛奏外賊惟俺答。內賊惟嚴嵩。猶約言之。至十罪五奸。則詳陳矣。而卒莫回帝聽。豈果忠言逆耳耶。他日鄒應龍疏世蕃（嵩子）居喪淫縱事。帝竟勒嵩致仕。抑又何歟。蓋言公事帝與嵩共之。言私事帝不與嵩共之也。凡欲去小人者。當細味此理。

書桑謝何徐厲王周趙吳張董鄒林傳

嚴世蕃戍雷州不赴。林潤馳疏告變。有江洋羣盜竄入逃軍羅文龍嚴世蕃家。招集勇士至四千餘人云云。蓋顯以謀反爲言也。故世蕃竟伏誅。

書馬梁王周馬何沈石傳

沈希儀駐柳州。距城五里卽賊巢。賊耳目徧官府。閨閫動靜無不知。乃求與猺通賊易者數十人。持其罪而厚撫之。使詗賊。賊動靜希儀亦無不知。又厚賞熟猺使爲諜。

且漸令猺婦見其妻。賚以酒食繒帛。其夫常以賊情告者。則陰厚之。諸猺婦利賞。爭勸其夫輸賊情。或自入府言之。以故賊益無所匿形。後世將吏苟若此。何至耳無聞目無見。剿匪而被匪敗者比比哉。

書兪戚劉李張傳

兪大猷從張經大破賊於王江涇。而趙文華胡宗憲攘其功。一可恨。大猷先後殺倭四五千。賊幾平。而宗憲利其去。陰縱之。比爲李瑚所劾。則委罪大猷。二可恨。大猷爲將廉。馭下有恩。而巡按李良臣劾其奸貪。三可恨。

戚繼光所練浙兵陣郊外。大雨自朝至日昃。植立不動。東西各國練兵每貴此種。而繼光早能之。無怪至今稱道弗衰也。

傳稱繼光在鎭十六年。邊備修飭。薊門宴然。繼之者踵其成法。數十年得無事。亦賴當國大臣徐階高拱張居正先後倚任之。信有史識。姦臣在內。大將不能成功於外。自古然也。

讀明史蠡述卷四

岳陽李澄宇洞庭著

書徐階高拱張居正傳

淸袁枚少入詞林，奉旨歸娶。有慙愧少年貧裏過玉堂春在洞房先之句，世甚榮之。而徐階傳亦云授翰林院，予歸娶。可見科名早達事固前有，未足異也。

階被嵩擠，幾不測，而陽事嵩謹。且漸格君心，遂代嵩爲首輔。反嵩所爲，以威福還主上。以政務還有司。以用舍刑賞還公論。卓然爲一代名相，非富權略且志在匡時救國者。豈易語此乎。偉乎偉已。

階反嵩所爲，衆喜。拱反階所爲，衆弗喜。蓋階公而拱私也。又階薦拱而拱與階隙。拱譽居正而居正賣拱。君子而有小人之行，抑亦賢者罪人也。

世或以張居正比王安石，實則安石主變法，居正主守法。安石爲神宗所重，出於本懷。居正爲神宗所重，半由母志。然則神宗於居正，其亦哲宗於司馬乎。母在如初，母不在靡終矣。噫。

書楊馬劉王葛靳傳

馬俊晚得子。珍護可想、家人抱之墜殞焉。痛惜可想、而乃紿其妻曰我誤也。何其厚於仁若是耶、蓋事已無可奈何、卽罪家人於子罔裨也、然知之而克行之匪易也。踰年舉森、天之爲報亦大矣、

去冗吏冗費財自豐、此探本之論、後世日日歎財匱、何但損下不亟讀劉體乾傳歟、

書王歐陽周詹駱鄭陳汪劉傳

高拱再相而言官歐陽一敬卽日告歸、半道以憂死、胡應嘉丁艱在籍。亦驚怖而卒。卽此以觀、拱之爲拱可想矣、尙得列於君子之林乎。

言官能規切人主、糾彈大臣。而言官之短、莫或指之、汪文輝獨以傾陷紛更苛刻求勝四弊責言官。可謂別開生面。

書吳陸瞿田黃余馮王翁劉唐李蔡公羅姚許顧傳

神宗嗣位、卽家拜陸樹聲禮部尙書。且將相之。而樹聲落落難合。雖張居正推重甚

至。不屑共濟。蓋衡泌自高。視當日君相無一當意者。然未免伯夷隘矣。

馮琦疏諸中使銜命而出。所隨奸徒。動以千百。陛下欲通商。而彼專困商。陛下欲愛民。而彼專害民云云。指事痛陳。宜見察納。而卒不報。可歎。

書王陳沈于李吳傳

沈鯉致仕。既抵家。疏謝。猶極陳怠政之弊。拳拳忠愛。豈悻悻爲懟者所可同日語哉。

書申王沈方沈傳

傳稱王錫爵性剛負氣。蓋對諸臣然也。至請神宗早定國本。詞警而意婉。則非養氣十年者不能。豈得謂之負氣乎。

崔文昇用洩藥。（傷寒用大黃）而光宗自此委頓。李可灼進刦藥。（即紅丸）而光宗翼日上昇。蓋洩藥不可輕用。刦藥更不可輕用。無怪論者紛起也。

書張馬許趙張朱傳

贊謂言路勢張。恣爲抨擊。非公論。而張四維等亦不能光明磊落。有大臣之節。觀此而明事之壞可想。

書萬王吳劉王畢舒李曾辛溫趙李傳

趙世卿請罷礦稅疏。有聚悖入之財。斂蒼生之怨。鹿臺鉅橋足致倒戈之禍云云。若使身生後世。見種種苛捐雜稅。不知更作何語也。噫。

書袁王郭耿王魏郝趙孫李丁傳

耿定向譏高拱褊淺無大臣度。而拱乃以考察謫定向橫州判官。是無異爲定向語作註脚也。噫。

顧憲成疏論時弊。盡言責也。縱執書生之言。徇道旁之口。不知執政苦心。亦不過弗聽而已。何至謫官哉。王錫爵云云適自暴其褊淺無大臣度耳。

張孟男遺疏。謂臣以催科爲職。臣得其職而民病矣。後世以催科自賢者不少。曷不細味斯語乎。

書譚王方吳鄭張殷淩傳

張居正悉以薊鎮兵事委譚綸，而諭巡撫劉應節等無撓，得任將之法。

俺答納判人趙全等爲邊患數十年。而王崇古亦以納降得把漢，他日以把漢易趙全等十餘人，邊患遂息。可見凡事在人，苟非其人，敵情不可得，而軍中動靜敵輒知。無怪失利得罪，靡有寧歲也。然非高拱張居正力主崇古議，崇古固無如廷議紛呶何。吾於是才拱，益才居正。

方逢時與王崇古定計挾把漢以索判人趙全等，大功一。設盤道之險，自龍門黑峪以達寧遠，經行三十里，南山獨石皆可朝發夕至，大功二。議者爭言貢市利害，逢時疏以貢非和親，市非賂遺，既貢且市，無征戰數語決之，俾國事弗搖，邊患弗生，大功三。

把漢以妻三娘子見奪來降，爲俺答納款張本。又吳兌厚贈三娘子，鄭洛說三娘子歸辛愛，說撦力克寵三娘子，蓋皆欲三娘子常主貢市。是三娘子在我，克靖數十載邊患，不啻萬里長城也。異哉。

書盛朱潘萬吳王劉徐傳

王宗沐疏饑民相聚爲盜。招之不可。勢必撲殺。小則支庫金。大則請內帑。與其發帑以賞殺盜之人。孰若發帑使不爲盜云云。賦歛煩苛。年豐亦饑之世。當亟念此。否則已饑已盜。卽念何裨哉。

書嚴宋陸孫陳孫蔡楊傳

自宋纁陸光祖爲吏部尚書。政權歸部。孫鑨守益堅。而閣臣張位等以私憤故必欲將廷推大權散諸九卿。穆宗且因鑨京察。力杜請謁。嚴旨責部臣專權結黨。是蓋知有閣臣不知有部臣。遠悖周官設吏部始意也。如此烏足圖治哉。

孫丕楊爲吏部。患中貴請謁。創掣籤法。大選急選。悉聽其人自掣。弊固杜矣。欲選賢能抑豈得乎。然使後世掣籤典籤者必又舞弊甚工。弊奚由杜哉。

書張王粱楊李趙鄭傳

李戴疏有按丁增調。履畝加租。及指屋而曰有礦則家立破等語。後世宜三復之。

書海邱呂郭傳

自古有天下者重儒則世治。重釋道則世亂。蓋儒務齊家治國。不敢荒。寧釋道惟禮佛求仙。事終叢脞也。

世宗專意齋醮。海瑞疏諫甚辨。亦欲引之儒門。庶幾堯舜耳。雖是瑞言。終不自悔。此世宗所以甘爲桀紂與。

呂坤疏有無聊之民無行之民邪說之民不軌之民云云。今無聊無行者隨地有。而邪說不軌者且視昔有進。誰秉國鈞。曷不三復此疏乎。

書龐宋張李陸蕭賈李朱蕭孫謝郭萬鍾吳傳

龐尚鵬疏列鹽政二十事。鹺利大興。而諸御史督鹽政者以事權見奪。欲攻去之。蓋利於國庫。遂不利於私橐也。噫。

塞外風緊。沙每飛揚。遇城而止。故城外積沙及城。孫維城命卒除之。而廝承恩以食不宿飽。塞沙可盡乎。給卒使譟。欲維城遂死卒手也。維城曉以除城沙防寇。非謂塞上沙。而卒。即散。特幸焉耳。然維城竟坐是得疾。是猶以承恩死也。小人可畏如此哉。

書魏學曾李化龍傳

自唐虞以來。苗數爲患。大抵皆不肖官吏虐抑使然。非若北狄狡悍。有意鞭扑諸夏也。以苗地險惡。易守難攻。歷代平苗者。爛焉與衛霍比烈。蓋所謂焦頭爛額爲上客耳。安得綏撫有方。不待韓雍李化龍輩用武哉。噫。

書劉傳王吳趙艾沈傳

贊責張居正聞謗不懼。忿戾怨毒。務快己意。甚是。蓋居正才有餘而德不足也。嚮使犯而不校。劉臺輩亦何至論之過當哉。激之使然。非一朝一夕之故矣。

書蔡萬饒湯遂楊姜馬汪傳

大臣貴休休有容。蔡時鼎謂申時行貌退讓而心貪競。外包容而中忮刻。蓋誠意正心之學。筆舌外未實踐。三代後大臣類然。不獨一時行也。此則儒效之衰。甚可念也。遂中立謂所斥非正人。則斷自宸衷。固陛下去邪之明。即擬自輔臣。亦大臣爲國之正。若所斥果正人。出於輔臣之調旨而有心斥逐者爲妒賢。卽出於至尊親裁而不能匡救者爲竊位。專就所斥是否正人立論。可謂警闢。而論相臣專重此事。一則進賢退不肖實大臣以人事君之道。一則當日相臣惟日以排去異己爲務。舍此固別無可論也。

書顧顧錢于史薛安劉葉傳

爲善無近名。顧憲成講學東林。而曰居水邊林下志不在世道。君子無取焉。與古所謂隱居求志遯世無悶蓋異矣。毋乃近名爲累乎。名大著而忌者多。固禍之原。而名大著附麗者多。尤禍之媒。區區一東林書院。而救李三才者。爭辛亥京察者。衞國本者。發韓敬科場弊者。請行勘熊廷弼者。抗論張差梃擊者。爭移宮紅丸者。忤魏忠賢者。率指目爲東林。而小人遂因是一網打盡之。漢黨錮唐淸流之禍。不是過也。昔孔孟亦嘗講學矣。豈有是哉。

錢一本論相建儲二疏。盡情痛論。筆挾風霜。匪諫草所宜。然世人讀之則甚快。蓋其文有類於檄也。諫草類檄。明主雖受。而謂昏主受之乎。

書魏王余李傳

贊謂朋黨始於矜名。成於惡異。名盛附者衆。附者不必皆賢。而背引之。樂其與己同也。名高毀者衆。毀不必不賢。而怒斥之。惡其與己異也。同異之見歧於中。而附者毀者爭勝不已。則黨日衆而爲禍熾。可作漢唐宋明黨禍總論讀。

書姜陳羅李孟朱王王張樊謝楊何傳

姜應麟疏請建儲雖得罪。而旨有立儲自有長幼六字。神宗鄭妃常洵遂終無如此六字何。失敗中有成功。天下事大抵如此也。君子可不自勉與。

應麟從子思睿陳天下五大弊。首曰加派病民。後世田賦附加踰正供五六倍而未有已。曷不一讀此傳乎。

書盧李李雒馬劉戴曹翁徐傳

劉綱疏君臣有數載之隔。堂陛若萬里而遥云云。此蓋前所未有。而神宗若是。諫者詎能復忍乎。贊責諸臣忠厚之意薄。銜沽之情勝。豈知君旣桀紂。臣固但可龍比哉。

書王余張孟何王蔣鄒傳

張養蒙疏陳三輕（部院之體漸輕科道之職漸輕撫按之任漸輕）二重（進獻之途漸重內差之勢漸重）四好。（好逸好疑好勝好貨）簡明懇至。而神宗弗聽。蓋章奏實未嘗省覽也。至攻閣臣者往往得罪。則閣臣特以面呈致然耳。

何士晉父被族子所害。繼母吳氏匿士晉於外家。讀書稍懈。輒示其父血衣。士晉感厲。與人言未嘗有笑容。後舉進士。持血衣愬之官。罪人皆抵法。是子難能。是母尤難能也。

士晉疏謂袞職有闕。廷臣言雖逆耳。每荷優容。獨論及輔臣。必欲借主威以洩憤。是陛下負拒諫之名。輔臣收固寵之實。天下所以積憤輔臣而不能平也。明言官獲罪。史不絕書。明輔臣獲罪。史亦不絕書。讀此可寤其故矣。

書李江湯金王孫丁李夏傳

言官而有齊楚浙三黨。可恨。言官而深結戚畹近待威制大僚。尤可恨。李朴謂此輩皆可斬。語雖過激。要亦不平之鳴也。

書傅姜包田馮吳吳華傳

稅使四出。海內騷然。後世更甚於明也。取古今中外各稅目。同時并舉。層見疊出。正傅好禮所云。頭會箕斂。括細民續命之脂膏。奸徒所得千萬。輸朝廷者什一耳。可奈何。又田大益陳礦稅六害。有財聚必散。怨極必亂。亂政亟行。不可枚舉。而病源止在貨利一念云云。皆可作後世龜鑑。

書李成梁麻貴傳

傳稱成梁大修戎備。甄拔將校。收召四方健兒。給以厚餼。用為選鋒。此軍聲所由遂振也。又云速把亥率弟炒花子卜言兔入犯義州。成梁禦之鎮夷堡。設伏待之。速把亥被射中脅。遂斬之。寇大奔。此遼患所由遂減也。其他功在塞外。易為緣飾。姑不具論。總之其始銳意封拜。師出必捷。其後貴極而驕。覯望蒙蔽。則凡為將者往往若是。

固不獨成梁一人也。

書張董杜蕭達官柴李傳

寇環攻膳房堡。欲生得守備張臣。臣召麾下酌水爲酒。歡呼歌飲。寇莫測所爲。不敢登。與李廣下馬解鞍。令士皆縱馬臥。以示不走。匈奴數千騎疑廣誘敵。不敢擊。用意蓋同。

達雲於重九節不敢暇逸。伏兵待寇。夾擊獲勝。既勝不驕。備寇益愼。寇雖大至。旋復敗去。後世爲將者當以此爲法。

尤繼先眇一目。習兵敢戰。時稱獨目將軍。可與李克用獨眼龍並傳。

書葉劉韓朱何孫傳

葉向高以廊廟空虛。上下否隔。士大夫好勝喜爭。多藏厚積。風聲氣習日趨下。五者爲必亂必危之道。不愧相言。惜神宗徒縻其身。不用其言也。

熹宗踐阼。魏閹竊柄。葉向高委曲匡救。魏尙憚之。楊漣不瘖遽劾魏閹二十四大罪。

致與大獄。善類一空。明祚用隕。蓋漣等於魏閹所以能挾天子以令天下之故未嘗平心靜氣究討之。而徒欲以激昂動聽之文字爭一朝勝負於不才少主之側也。豈不大可哀耶。

劉一燝於李選侍匿新天子時。與東宮伴讀王安盡力翼衛熹宗始獲踐阼。可謂有大功於明室。嚮使一燝不因言官論劾堅臥求去。則內雖已失王安。（安爲魏閹排死）外尚有葉向高韓爌戮力同心。或尚可爲。而歸志浩然。任熹宗終爲宦官宮妾所把弄。身固潔矣。如國事何。自難進易退之說張。而世遂無伊尹諸葛亮以天下爲己任者。悲夫。莊烈時國已殆哉。而吏部尚書王永光尚言清兵之入由袁崇煥殺毛文龍所致。且藉此興大獄盡傾東林黨人。可恨。

書周張汪王孫鍾陳傳

周嘉謨請以六事注考。曰守曰才曰心曰政曰年曰貌。各注其實。毋飾虛詞。蓋清四柱（守才政年）考語所本。

鄭貴妃欲害皇太子。（卽光宗）謀及鄭國泰寵保劉成。遣張差闖宮梃擊未中。及太子卽位。又據乾清宮邀封皇太后。將效武則天所爲。未遂。復進侍姬八人致帝疾。（見周嘉謨傳）且命崔文昇投涼藥。李可灼進紅丸。斃之。蓋自福王不得爲太子。鄭固無一日而忘光宗也。雖然。神宗不庇鄭。光宗曷至竟死鄭手哉。噫。

書陳畢蕭白程翟洪陳董林朱張傳

程紹得秦璽。滰瀯不獻。而以惟賢是寶爲諷。（可與韃靼傳孛來欲獻傳國璽英宗敕云璽已非眞。卽眞亦秦不祥物耳參勘）且云在朝之忠直。勿事虛拘。在野之老成。亟圖登進。果若是。熹宗曷至釀亡國之禍哉。噫。

書趙鄒孫高馮傳

張居正奪情。縱有萬不得已之苦衷。宜置毀譽於度外。不宜罪言官而杖之。貶之。胡爲哉。此亦所謂未聞君子之大道也。

天啓元年。鄒元標首進和衷之說。有今日國事。皆二十年諸臣醞釀而成。往者不以進賢讓能爲事。日錮賢逐能。而言事者又不降心平氣。專務分門立戶等語。可謂然犀照渚。蓋好勝喜爭乃有黨。有黨乃有黨禍。諸臣互鷸蚌。而閹宦坐爲漁翁矣。悲夫。

書楊左魏周袁顧王傳

移宮分二次、一光宗病時、趣禮部封鄭貴妃爲皇太后。楊漣左光斗共詰責鄭養性令貴妃移宮。貴妃即移居慈寧宮也、一光宗崩。熹宗尚未即位時。周嘉謨左光斗楊漣先後上疏請李選侍移宮。選侍遂移居噦鸞宮也。

內官本附骨疽、不易去。況魏忠賢與客氏句結保持。更等膏肓二豎乎。然熹宗昏懦至此、抑豈有豪髮丈夫氣也哉、

左光斗與阮大鋮心性迥異。既曰同里。豈不素知、而乃招之入京。上爲國禍、下爲己禍。毋乃爲鄉誼所誤耶、噫嘻、

汪文言以縣吏爲監生。而能用計破臺諫、齊楚浙三黨。與東宮伴讀王安傾心結納。光熹之際。劉一燝王安外內相倚。以次行諸善政、文言交關力爲多。是文言亦非常之士。不得漫以智巧任術相輕也。葉向高用爲內閣中書。魏大中韓爌趙南星楊漣

左光斗皆與往來有以哉。

張差梃擊案。得王之寀一問而大明。皇太子且藉是緩死須臾。得踐帝位。雖他日畢命紅丸。較斃於慈慶宮門棗木梃猶愈也。噫。

書周繆周周黃李萬傳

熹宗不君。魏忠賢挾以害善類。始尙不敢肆意。自楊漣劾忠賢二十四大罪。激水逆流而禍以大。自魏大中惡魏廣微結納忠賢。劾之偪鹿走險。而禍以酷。蓋羣陰搆難之日。實衆正在位之秋。泯意氣而竭悃誠。格君未必無路。遽鳴鼓攻之。彼輩羞極成怒矣。聖人有言。人而不仁。疾之已甚。亂也。意深遠矣。

萬燝疏有忠賢自營墳墓。擬於陵寢。而於先帝（光宗）陵工略不厝念等語。足動帝聽。而竟不然。魏大中傳所謂漣之疏陛下未及省覽也。史特書曰疏入。忠賢大怒。矯旨廷杖一百。（杖後四日卽卒）斥爲民。執政言官論救皆不聽。當是時。忠賢外豈尙復有熹宗哉。噫。

書滿江侯王傳

江秉謙謂今日之事非經（經略熊廷弼）撫（巡撫王化貞）不和。乃好惡經撫者不和。非戰守之議論不合。乃左右經撫者之議論不合。入木三分。快論亦痛論。

客氏出而熹宗思念流涕。至日旰不食。遂宣諭復入。與申生所謂君安驪姬頗類。無怪侯震暘疏竟曰么麼里婦。何堪數昵至尊。柴文杰明史雜詠更有不愛乾娘（李選侍）愛阿嬭（客氏）之句也。

書劉李陳鄧馬傳

劉綎攻婁山關。分奇兵爲左右路。間道趨關後。而自督大軍仰攻奪其關。追至永安莊。兩路軍亦會。蓋賊既後方動搖。關雖百險俱備。亦若無險可守也。奇兵之爲用大矣哉。

書梅劉李耿顏李方徐傳

梅之渙巡撫甘肅。大破套寇。而後乃英雄無用武之地。率健兒助吏捕盜於故里。悲哉。觀此而明之爲明可想已。

邏卒以方震孺精忠陷獄。僞報魏璫某病革某瀕死。俾弛厥防。邏卒之妻更時時治酒饌屬夫轉獻。此足愧朝廷不救震孺者。雖姓名不傳。隔千載猶可想見其人也。

書朱李王蔡傳

朱燮元官陝西時。遇老叟載與歸。盡得風角占候遁甲諸術。將別。語燮元曰。幸自愛。他日西南有事。公當之矣。此事與張良受書黃石公略似。叟蓋隱于術者。既前知西南將亂。且前知定亂之人。以術授之也。他日燮元一出而永寧奢崇明敗走蜀中。遂靖。再出而水西安邦彥及崇明皆授首。貴州亦靖。叟言驗矣。而不郡縣水西地。但裂疆域衆建諸蠻。抑亦漢賈誼衆建諸侯而少其力之遺意與。

李櫄乞休得請。以奢崇明已反重慶陷遵義。貴陽大震。遂留視事。一可取。城兵不滿三千。倉庫空虛。而與巡按御史史永安貸雲南湖廣銀四萬有奇。募兵儲米治戰守具。且援四川屢捷。二可取。安邦彥圍貴陽三百日。城中食盡。至親屬相噉。櫄盡焚書籍冠服。預戒家人急則自盡。三可取。

王三善以二萬人破賊。（安邦彥）十萬。（解貴陽圍）有輕敵心。所謂既勝而驕也。故後有陸廣之失。至他日復勝。深入賊巢。以食盡援絕。功敗垂成。不屈遇害。忠勇要亦可取。

書孫承宗傳

使天啓元年即任承宗邊事。瀋遼初失。固尚可爲。迨廣寧不守。邊患棘。承宗督師山海關。以重兵守關外。已修復大城九。堡四十五。練兵十一萬。拓地四百里。開屯五千頃。歲入十五萬。而兵部閹宦言官羣陰搆難。致承宗去位。前功盡棄。此熹宗不能專任承宗之咎也。莊烈即位。清兵取遵化。將薄都城。詔起承宗。都城以安。且定祖大壽之變。克復灤州遷安永平遵化。更移鎮山海。據右屯大凌河。漸圖進取。以長山之敗。被論去位。致清兵自是深入。此又莊烈不能專任承宗之咎也。贊謂天眷有德。氣運將更。有莫之爲而爲者。寄慨深矣。

書李劉錢成何徐文蔣方傳

祖宗朝設廠衛。爲致亂致亡之總因。莊烈不寤。而曰邊情危急。遣旂尉偵探。不遺法閫以外將軍主之之遺意。專任大將。而恃此輩偵探。不知兵貴詭密。此輩何由洞知。卽盡心偵探。所得未必眞象。況此輩意別有在哉。李養冲以爲不賂。恐毀言日至。賂之則物力難勝。爲帝任事者難矣。蓋明諸帝皆善疑。而帝尤甚。疑則不信内外諸大臣。而信閹宦。閹宦遂執國命。内外諸大臣生死禍福。惟閹宦愛憎喜怒是憑。欲不亂且亡。惡可得也。

冲人孺子。見於尙書。老臣於新主。固可耳提面命。若父母於子。或師於弟子也。劉鴻訓輔莊烈。銳意任事。帝有所不可。退而曰。主上畢竟是冲主。雖退有後言。意實忠耿。而帝深銜之。欲置之死。無君人之度若此。無怪他日亡國也。又錢士升獻四箴。謂寬以御衆。簡以臨下。虛以宅心。平以出政。皆與聖經賢傳相表裏。而周禮荒政十二。保富居一。不肯籍沒江南富戶。召亂云云。遠慮讜言。尤可頌仰。帝乃曰。前疏沽名已足。毋更汲汲。是亦無君人之度也。

傳有帝曰。漫則糾之以猛。濫體仁益導帝操切天下。遂大亂等語。於莊烈亡國之故。

可謂洞垣一方。

蔣德璟有謂遼餉練餉并舊餉二千餘萬。（舊餉五百萬新餉九百餘萬練餉七百三十萬）而兵反少於往時。加派日增。軍民兩困等語。明所由亡。此亦大端。楊嗣昌傳亦云神宗末增賦五百二十萬。崇禎初再增四十萬。總名遼餉。至是復增剿餉練餉。可參看。

南遷固不幸事。然不得已而遷。亦救亡一策。歷代舊史可覆按也。莊烈不寤。而乃效國君死社稷。不知天子四海爲家。與昔諸侯及後代督撫有別。固不必以殉爲高也。

莊烈在位十七年。輔相至五十餘人。用人若此。行政可想。而曰朕非亡國之主。皆諸臣誤朕。不自引咎。抑何謬耶。

書楊嗣昌吳甡傳

嗣昌所謂因糧。後世曰附加。所謂溢畝。後世曰丈田。皆不免擾民。然値國艱危。民被擾可諒。至誤引熊文燦撫賊無效。而始終右之。則悖以人事君之道矣。毋亦恐文燦獲罪。己亦同譴乎。而莊烈謬用嗣昌。亡七十餘城。而寵眷不衰。則亦諱章己過而然耳。可參看王應熊傳帝亦知應熊不協人望。特己所拔擢。不欲以人言去之等語。

莊烈採楊德政議。府設練備。秩視守備。州縣設練總。秩視把總。專練民兵。與後世訓壯丁事頗相類。但當日民兵不他調而後世壯丁他調耳。

嗣昌督師。張獻忠敗而入川。平賊將軍左良玉與陝西副將賀人龍李國奇夾擊獻忠於瑪瑙山。大破之。此嗣昌軍聲所由大振也。而嗣昌嘗因良玉驕。欲貴人龍抗之。至是以瑪瑙山功不果。人龍慍。以情告良玉。良玉亦慍。此嗣昌軍聲所由不振也。禍福相倚伏。信然。然瑪瑙山之捷。以不遙制而得。而左良玉之離。則以尙權術而致。有將將之責者。亦知所法戒哉。若乃不從間道扼歸路待賊。而檄諸軍躡賊疾追。致張賊入襄陽殺襄王。則尤謬事遙制之咎也。

書王張薛程陳魏傳

莊烈欲任程國祥爲閣臣。而假策試以行。與後世各署辟用人每假考試爲名頗同。

書喬曹孫曹陳鄭李張傳

獄因以清兵薄都城破械出。旋被獲。提牢主事雖有罪。尚可輕議。而莊烈乃欲將刑部尚侍俱置之死。刑不當罪至此。豈足爲天下主哉。

書劉宗周黃道周傳

宗周疏有陛下所擘畫。動出諸臣意表。不免有自用之心。臣下救過不給。讒諂者因而間之。猜忌之端遂從此起等語。蓋求治太急。窺見莊烈病源也。

唐玄宗德宗禧宗皆嘗外幸。不聞有以宗廟山陵在此固守外無他計相諫者。蓋事已危急。固守必失。惟以不守爲守。守乃可固也。天子四海爲家。豈必以諸侯守社稷疆吏與城共存亡。爲比哉。此信宗周未能三思者也。至以簡要出政令。以寬大養人臣以忠厚培國脈。還內廷掃除之役。正懦帥失律之誅。字字藥石。而莊烈怒其歸過朝廷爲名高。則莊烈自乏君人之度耳。

天下雖乏才。何至盡出中人下。而陛下每當緩急必委以大任。此宗周最痛心語。抑莊烈所以確爲亡國之主也。

大鋮進退係江左興亡。此宗周最痛心語。而大鋮竟進。此南都所以踰歲而亡也。黃道周疏沉痛明白。而莊烈惡其刺大學士周延儒溫體仁遽斥爲民。此莊烈所以爲亡國之主也。而以少正卯比道周。直可謂無目天子。

書崔黃畢李劉傳

魏閹欲倚崔景榮爲助。特起爲吏部尙書。是魏閹起之。非熹宗起之也。非熹宗起之。而天下皆曰熹宗起之。已可歎。景榮不附魏閹。而御史倪文煥門克新先後劾景榮陰護東林。得旨削奪爲民。是魏閹劾之削奪之。非文煥等劾之。且非熹宗削奪之也。非文煥等劾之削奪之。而天下皆曰文煥等劾之。熹宗削奪之。尤可痛。蓋愛則加膝。憎則墜淵。天子與言官一以魏閹之愛憎爲愛憎。而國事眞不可復問也。

書張董趙王梁熊張陳馮傳

王化貞固庸才。而張鶴鳴以惡熊廷弼故令化貞無受廷弼節度。是亦庸才也。水濟塗附。彊事欲不大壞得乎。

莊烈欲和。不敢昌言。而密諭陳新甲圖之。蓋恐言官見攻。和局難定。且懈將士守禦志。甚不可也。而新甲竟以洩機死。此宋高宗所由以咸有一德寵檜乎。宋以後大都爲主戰論所刦持。戰實未能和。又不敢。可哀也已。

書許華魏毛吳章黃傳姜熊詹湯成陳傳

李曰輔諫莊烈。有天下多故。擇將爲先。陛下不築黃金臺招頗牧。乃汲汲內臣是遣。曾何補理亂之數等語。意甚忠耿。而莊烈罪之。所以確爲亡國之主也。

書楊袁熊袁趙傳

陳寅已破二敵柵。第三柵垂拔。而楊鎬以李如梅未至。不欲寅功出其上。遽鳴金收軍。但崇友誼。不顧國事。如此。曷足經略朝鮮乎。且奔敗可以捷聞。不若任寅成功。詭稱如梅功在寅上。尚爲上不負國。下不負友也。而清勢方熾。廷議更起鎬經略遼左。殆惟恐國不速亡耳。噫嘻。

蒙古諸部大饑。多入塞乞食。袁應泰謂我不急救。彼必歸敵。是益之兵也。言亦近理。

惟不練之爲兵。而使與民雜居。甚爲失策耳。遼瀋以內應失守。已亦以是死。國可歎。熊廷弼於開原鐵嶺皆失後。抵遼。肯乘雪夜赴撫順。祭諸死事者而哭之。所至招流移。繕守具。分置士馬。人心遂固。信可謂有膽知兵。而給事中姚宗文以請託未遂。騰謗於朝。必去廷弼而後已。此種言官。狗彘不若。豈足爲天子耳目哉。至廷弼二次經略遼東。巡撫王化貞以沿河設六營之謬計不行。改援遼爲平遼之謬舉。旋革甚與廷弼有隙。而經撫不和。議起。此種撫臣。無異蛇蝎。又豈足任天子爪牙哉。觀廣寧有兵十四萬。廷弼關上無一卒。經撫不和。恃言官。言官交攻。恃樞部。樞部佐鬪。恃閣臣等語。可爲廷弼痛哭。又徐爾一之爲廷弼訟寃。韓爌之請葬廷弼。持論並允。

袁崇煥與清議和。以便增築錦州中左大凌三城。清亦欲與崇煥和。以便南討朝鮮。兩皆如願。而後之成敗迴殊。則以清事權一。而明事權不一也。熹宗既崩。魏璫伏誅。莊烈特以遼事委崇煥。宜可有爲。而莊烈竟爲清人所間。坐崇煥謀叛棄市。則又莊烈之信崇煥。未如燕昭之信樂毅也。噫。

書楊陳熊練丁鄭邵余高張傳

逃軍饑民。久聚成寇。遂屋明社。贊謂禍始於楊鶴。成於陳奇瑜。而熾於熊文燦丁啓睿。疆場則剿撫乖方。廟堂則賞罰不當。蓋誠人謀不臧。未可委諸氣數也。

李自成張獻忠誤入興安車箱峽。四山巉立。中亘四十里。路塞乏食。可盡殲。而以僞降得出棧道。遂肆毒。後世亦有不殲賊萬山中而縱使他往者。曷不讀陳奇瑜傳乎。又奇瑜爲賊僞降所愚。尚可恕。而委罪他人。誣劾寶鷄知縣李嘉彦及鳳翔鄉官孫鵬等撓撫局。則甚不可恕。

熊文燦以酒後大言棄總督兩廣美職而總理中原。可謂自投羅網。而僨空隱落落數語。使文燦不敢主戰而主撫。尤爲催命符勅。蓋剿或幸勝。撫必終敗也。豈空隱爲賊游說耶。可異也。

書盧象昇劉之綸邱民仰傳

盧象昇才足辦賊。莊烈亦屢使象昇辦賊。且屢獲大捷。而卒爲楊嗣昌所扼。以疲卒五千人抗大敵援絕矢盡而死何耶。蓋莊烈用人每以小人雜君子。且以小人制君子。但畀君子空名。不問實際。而耳目復被小人壅蔽也。此莊烈所以爲亡國之主也。

書傳汪楊孫傳

莊烈以寵任楊嗣昌故。不聽傅宗龍。且欲置之死。賊陷河洛。乃使宗龍任秦督出關討賊。一戰陷伏。殉難項城。然後莊烈有可謂樸忠之歎。讀論語歲寒松柏章。不禁爲宗龍隕涕也。

柴文杰明史雜詠洞庭穴云。陳氏祖瘞洞庭穴。帝發其骨成龍形。蓋詠明太祖發陳友諒先冢也。皇來兒云。鐵燈欻欻生旋風。赤蛇呑日角已龍。蓋詠邊大受發李自成（自成小名皇來兒）先冢也。傳云。深山大澤。實生龍蛇。豈謂此也耶。噫。

楊文岳與傅宗龍屯火燒店時。夜奔項城。致宗龍孤軍敗歿。異日汝寧之役。文岳亦死賊手。嚮使早置死生度外。與宗龍協力同心。賊雖盛。勝負未可知。豈必先後罵賊終不免此一死哉。噫。

孫傳庭亦足辦賊。嘗設方略親擊高迎祥（前部闖王）於盩厔禽之。復屢敗羣賊。而李自成（後部闖王）又爲洪承疇所逐。盡亡其卒。嚮使無楊嗣昌熊文燦壹意主撫。天下固可無賊矣。而竟寵小人以制君子。使不得盡行其志。讀史者能勿痛恨莊烈哉。傳曰傳庭死而明亡。信然。

書宋馮林蔡衛朱陳龍劉傳

蔡懋德等四十六人死太原甚烈。而藺剛中首墮復躍起丈餘。畢拱辰睨新刀曰欲得此斫頭。尤他史所未有。贊責懋德不守河。抑知以疲卒三千當百萬狂寇。必死遵晉王手教還省。衞之亦死。與其守河而死。固不如衞王而死也。監視中官帝所倚信。而通賊恐後。且居然有面目見帝。盛稱自成。莊烈至是亦悔謬用中官否。噫。

書賀南周呂王焦李宋厤王田傳

尹如翁恐師賀逢聖遘難。走三百里持僧帽袈裟來。始意欲逢聖爲僧以免也。而逢聖曰子第去毋憂我。盍殉義之志決矣。如翁後亦殉義。豈以師不爲僧。已不忍獨爲僧乎。師固賢。弟子亦甚可取也。

書范倪李王孟施淩傳

范景文不贊南幸之說。而但曰固結人心。堅守待援。抑知莊烈時人心已壞。靡與堅守乎。雖然。以莊烈之疑忌。卽南幸亦任羣陰制君子。莫能保邦耳。幸豈有幸耶。

倪元璐頌德不已。必將勸進。建祠不已。必且呼嵩。而人猶且寬之曰無可奈何不得不然。充此無可奈何不得不然之心。又將何所不至哉。等語足令附逆璫者無以自解。足令天下後世與附逆璫相類者皆無以自解。

書馬吳周劉汪吳王陳陳申成許金傳

使兵不虐民。民不苦兵。則亂可弭。此馬世奇名言。後世當亟誦之。又世奇盡節。而二妾朱李盛飾從死。則平日克修身齊家可想。

明被閹宦之毒。而亡國時乃有王承恩從莊烈游地下。福王監國。建旌忠祠於正祀文臣正祀武臣下有正祀內臣焉。爲宦官生色蓋不少。

書馬張宋范高徐鹿傳

莊烈中流言。疑羣臣有私。於是信中官不信羣臣。而以中官察羣臣制羣臣。且爲中官杖羣臣。殺羣臣。甚至任中官杖羣臣殺羣臣。用人行政莫不乖戾。而其總因不外一疑字。疑之爲害烈矣哉。後人以種族之痛。憐帝又喜帝誅姦。踐阼之日。殉國改步之際。思之至今。殆不忍復就君德論之也。

沈迅請以天下僧人配編爲里甲。三丁抽一。可得兵數十萬。當日僧尼之盛可想。

贊謂士大夫致政里居。無封疆民社之責。可遜迹自全。而冒白忍不悔。湛宗覆族。蓋明史淸修。史臣不敢以種族爲言。而但矜名義所在。故云爾也。

書曹文詔周遇吉黃得功傳

文詔討賊秦晉有大功。而至豫乃被御史劉令譽論訐獲罪。一可歎。後已立功自贖末由得節鉞專辦賊。而以數千人馳驅關隴殆遍。遇伏湫頭。遂殉節。二可歎。

李自成圍寧武不下。傷四驍將。欲退。而賊將勸以用十攻一。寧武雖破。自成以大同陽和宣府居庸皆有重兵。將遁。而大同宣府忽相繼降。居庸更開門延賊。此中殆有天焉。非但亡明。假賊手下啓清祚。且遠創五洲會同之局也。

書艾李瑒陳侯張猛虎孫姜尤侯劉傳

張獻忠陷瀘州。其地三面阻江。惟立石站可北走。實絕地也。監軍萬元吉將遣大兵南擣其老巢。而伏兵旁塞玉蟾寺。蹙賊北竄。永川逆而殄之。亦善策也。而永川知縣竟先遁。猛如虎覓嚮導不得。抵立石站時。賊已先渡。可見策雖善。須人以行。無人則賊無往不利。無所謂絕地也。噫。

書馬賀沈張魯秦龍傳

秦良玉以石柱巾幗。歷建勛勣。未足異。而專辦蜀賊時。知督師楊嗣昌以蜀為壑。知川撫邵捷春遣張令守黃泥窪失地利。乃足異。而事急見捷春。請盡發溪峒卒二萬辦賊。願自廩其半。亦足異。張獻忠將復入蜀。良玉圖全蜀形勢。先後上巡撫陳士奇巡按劉之勃請發兵守十三隘。更足異。言不見用。全蜀盡陷。約所部弗附賊。賊遍招土司。無敢至石柱者。尤足異。

書賀童羅滿趙官何黃金傳

孫祖壽遘疾。妻張氏割臂以療。絕飲食者七日。祖壽生而張氏旋死。遂終身不近婦人。此妻難得。此夫更難得。部將以五百金遺其子於家。卻不受。後子來省。賜卮酒曰。卻金一事善體吾心。否則法不汝宥也。此子難得。此父更難得。

張神武奉命守遼陽。疾馳未至而遼陽已失。獨率所部渡河奮救。盡歿於陣。何可綱守大凌河。糧盡援絕。不肯降淸。被祖大壽所殺。顏色不變。亦不發一言。皆人所難。

書金國鳳曹變蛟劉肇基傳

國鳳守松山。力抗强敵。可敬。而揚振救松山遇伏被執。令往松山說降。振乃遣李祿告城中人堅守。是振祿皆晉解揚也。亦可敬。

內亂與外侮相倚伏。自流賊張李起。力竭於內。而遼左事棘。自淸兵內犯。召討賊軍衛京師。而流賊死灰復然。自李賊入燕。吳三桂乞師討賊。明社遂屋。溯厥禍因。不外宦官與朋黨互激互釀而然耳。噫。

曹變蛟討賊有功。而松山之役竟被清執。蓋是時清勢甚張。有朝氣。明局正危。有暮氣。持重尚虞他變。速戰焉得不敗乎。

書左良玉高傑祖寬傳

良玉雖目不知書。而驍勇多智。撫士卒得其歡心。使遇漢高。固亦布越之儔也。莊烈既不假專閫重任。且以中官監軍。而爲大帥者如熊文燦楊嗣昌。其智每出良玉下。觀獻忠僞降。良玉請擊之。文燦不許。嗣昌料獻忠不入川。令良玉駐興平。良玉不從。遂有瑪瑙山之捷可想。而欲良玉屏息低眉惟命是聽。惡可得耶。況嗣昌欲以賀人龍代良玉。馬士英阮大鋮更築板磯城防良玉。則良玉固武人。未可以聖賢責之。於獻忠瀕死復縱。於馬阮願清君側。抑無足怪。又賀人龍亦能戰。以駕馭非人。負罪被斬。可惜。

書史可法高弘圖姜曰廣傳

明知福王有七不可。（貪淫酗酒不孝虐下不讀書干預有司）潞王賢明當立。而可法乃不能事前定策。致馬士英等擁立福王。此南都所由不永也。此可法所以僅爲可法也。一着棋錯他復何論哉。

書張徐解高左祁傳

左懋第乃有降賊復降淸之弟懋泰耶。曰此非吾弟也宜哉。

書朱張張曾朱余王路何熊錢沈傳

有偏沅巡撫而湘與鄂分。有安慶巡撫而皖與蘇別。此他日內部十八省所由建也。

史可法傳稱潞王賢明。而潞王後乃以杭州降淸。賢明者固如是乎。噫。

書袁金邱沈陳侯楊陳沈林鄭傳

古之欲治天下者。但擇大吏數人而已。不必習天下之人才不才及才長短。一一程量不爽。如金聲所云也。有禹皋稷契。佐禹皋稷契者聽自辟用可也。

贊有事雖無成。亦存其志而已矣等語。誠痛金聲等爲種族死。不可明言也。

書楊萬郭詹陳王曾揭陳張陳蘇傳

萬元吉謂莊烈始寬中嚴。嚴後復寬。而終嚴。雖宵小乘間使然。亦每激於諸臣之玩。又云議者求勝於理。不審勢之重輕。於莊烈諸臣及言官所以誤國之故。洞垣一方。實則莊烈諸臣及言官。皆暫作宵小傀儡。而宵小又羣盜傀儡。羣盜又滿清傀儡耳。天實爲之。尙何言哉。

蘇觀生謬任粱鎣。謬招海盜。謬信僞報。而得死所。且附名此傳。實大幸。至鎣僞縊以欺觀生。且獻觀生屍降清。狗彘不若。固無待論。

書呂文樊吳王堵嚴朱楊吳傳。

高必正以自成妻弟同破京師。自謂逼死先帝。滔天大罪。勸孫可望同心報國。洗去賊名。庶幾放下屠刀者。而可望終迫永明王。封已秦王。且圖禪代。賊心不改。視必正亦猶梟獍之於麟鳳也。噫。

莊烈可巡幸。幸皆王土也。而死社稷。實大謬。永明不可巡幸。幸則異域也。而不死社稷。尤大謬。

書何騰蛟瞿式耜傳

南京有北來太子。中外以爲眞。而朝臣皆曰僞。蓋馬士英阮大鋮僞之。他人遂不敢不從而僞之也。僞之則可殺。而騰蛟力言不可殺。無怪與當國者大忤也。良玉以太子事舉兵。不得謂反。而騰蛟寧死不與良玉偕。是旣忤當國者。又見忌於良玉。進退皆靡所可也。竟獲神祐。入水不死。良玉云亡。南都亦覆。於湖南別啓一局。流芳百代。豈非大幸哉。然撫賊過多。成尾大之勢。卒以此誤國。誤已抑又可鑒矣。

傳上瑞與劉承允降淸。踰年並被誅死。小人枉自爲小人。可哂。

永明王時已無可爲。而朝士尙植黨相角。黨之爲害遠矣哉。

式耜明知無可爲。而必蹇蹇匪躬。死而後已。誠以就君臣大義言。就夷夏大防言。皆惟一死易於自處耳。總督張同敞願與偕死。有以哉。有以哉。

讀明史蠡述卷五

岳陽李澄宇洞庭著

書循吏傳

古重教養。而教養尤賴循吏。故太祖詔有司考課。首重學校農桑諸實政。傳謂神宗末年。徵發頻仍。礦稅四出。海內騷然。煩費郡縣。不克修舉厥職。後世徵兵徵工。附加抵借捐派。及一切複稅新稅。大抵假手牧令。肆虐黔首。縱有循吏。不知難而退。即獲罪以去耳。求如陳灌方克勤等垂譽史册。豈易也哉。

成祖賜璽書勞汶上知縣史誠祖。徵易州同知張騰下獄。猶太祖於濟寧知府方克勤賜宴。於日照知縣馬亮黜之也。吏循否。驗諸民。又久任信賞。吏治不變。亦固其所。

書儒林傳一

儒林貴經明行修。不獨以考據重也。傳稱范祖幹學以誠意爲主。謝應元潛心性理。以道義名節自勵。薛瑄修己教人。以復性爲主。葉儀亦云聖賢言行。盡於六經四書。由其言以求其心。涵泳從容。久自得之。可見眞儒林必道學。宋史分傳。隘且陋耳。

陳眞晟謂大學誠意爲鐵門關而程子主一二字乃其玉鑰匙蓋主一自誠也

書儒林傳二

賀欽專讀四書六經小學期於反身實踐謂爲學不必求之高遠在主敬以收放心而已偏主格致之說者宜味斯語

書儒林傳三

太祖褒崇聖裔俾襲衍聖舊封且立尼山洙泗二書院蓋亦知馬上得之不能馬上治之必效漢高帝尊孔重儒太平乃可幸致也

書文苑傳一

楊維楨已成進士擢江西儒學提舉而後遭世亂決志高蹈雖爲太祖纂禮樂書白衣往返不復受職蓋自知狂直莫容立功立事不易且年老不必漫嬰世網也

危素宋元史稿失傳可惜據徐一夔傳宋重史事日歷之修諸司必關白歐陽修且奏請宰相監修者於歲終檢點修撰官日所錄事有失職者罰之如此則日歷不致

訛失此宋史所以精確也。元不置日曆。不置起居注。獨中書置時政科。遣一文學掾掌之。以事付史館。一帝崩。則國史院據所付修實錄而已。至順帝一朝之事無實錄。且無所參稽。惟憑采訪。足成之。事未必覈。言未必馴。云云。則宋史稿失傳尚無害。而元史稿失傳。實史家大損也。今宋濂元史外。有魏源元史新編。曾廉元書。柯劭忞新元史。精確恐皆未逮。素稿可奈何。

書文苑傳二

觀王紱丈夫宜審所處。輕者如此。重者將何以哉。數語。紱殆有經世才。未遇。姑託畫以隱者歟。傷心人別有懷抱。而但以高介絕俗譽之。猶淺之乎視紱也。

李夢陽詩文上規秦漢盛唐。而東陽萎弱之習不變。是無異韓愈起衰也。而世或譏其模擬剽竊。得史遷少陵之似。而失其眞。蓋附東陽者詆爲斯論耳。曷足辯乎。

才子八人。見於左傳。蓋經世才也。祠是若建安七子。若大歷十子。則但以詩鳴。而明乃有閩中十才子。林鴻居首。景泰十才子。劉溥爲冠。弘治十才子。七才子。夢陽主盟。

雖曰互相標榜。抑何才子之多也。然才子而但文苑焉。抑又才子之不幸也歟。

日本東京芳野有梅林。號梅花源。極幽勝。而王圻種梅松江之濱。亦曰梅花源。果不謀而合耶。抑圻未爲梅花源記。使淵明獨步千載。日本且若不知我有斯地耶。

書文苑傳三

文徵明主風雅數十年。與之遊者王寵陸師道陳道復王穀祥彭年周天球錢穀之屬亦皆以詞翰名世。蓋非徒藝重。抑節高也。

壽詩自天保閟宮以降極罕佳搆。可不作。卽作亦寥寥數語。不可喜。多謝榛賦壽詩八十餘首。竟致永逝。俗事瓌瓌。竭慮殫精。可歎。抑亦可哂。

自灌夫以來以罵獲禍者衆矣。盧枏開罪邑令。幾死寃獄。而後不改厥非。良可怪歎。

予嘗爲黃鶴樓聯云。題詩難。解擱筆尤難。異曲同工。臺上鳳凰猶第一。罵人誤。喜露才更誤。回頭是岸。洲中鸚鵡。莫成雙。枏如可作。當亦誦之。若乃張巡顏杲卿罵賊求死則與禰衡罵人異。未可併爲一談。

書文苑傳四

徐渭知兵好奇計。嘗佐總督胡宗憲禽徐海。誘王直。匪尋常文士可比。又陳仁錫亦講求經濟。有志天下事。

張溥集郡中名士相與復古。而復社之名以顯。雖聲氣通朝右。所品題甲乙頗能爲榮辱。然視東林則尚不逮遠甚也。而獲禍亦視東林少。士君子處季世。尚其爲諸葛亮王通。勿爲顧憲成張溥哉。

書忠義傳一

父忠子孝。殺之不祥。賊中尚得聞此語。不惟彥達（王綱子）得生。王綱亦若未死矣。

孫燧許逵死甚烈。傳稱逵猿臂燕頷。沈靜有謀略。若燧聽逵計先發。安知討宸濠功不遂屬燧哉。噫。

書忠義傳二

王冕鑒鄱湖戰不利。密白王守仁以小艇實葦。就賊艦乘風舉火。宸濠敗遁。冕部卒掉漁舟追執之。此功視黃蓋高。而姓名不甚赫赫者。蓋事見小說及戲曲。冕事但見正史也。正史固不如小說戲曲。易於徧達也。

朱萬年受降被執。乃曰執我無益。盡以精騎從我呼守者降。以紿報紿氣甚鷙。計亦甚巧。至城下大呼曰。我被禽必死。賊精銳盡在此。急發礮擊之。毋以我爲念。而守將楊御蕃不忍發礮。蓋不知萬年志決身殲。而猶欲出萬年於死也。

書忠義傳三

張銓奏謂加賦選丁。騷擾天下。恐識者之憂不在遼東。後世恣意附加高唱徵兵者。盍誦斯語乎。又袁應泰納降。銓力爭曰。禍始此矣。後世納赤匪降者。亦宜三復斯語。

劉廷訓語守者曰。守死。逃亦死。盡死於守爲忠義鬼乎。蓋通盤打算。遂乃確得死所也。衆泣諾宜哉。

書忠義傳四

史記言叱賊曰。有死知州無降知州也。可與嚴顏有斷頭將軍無降將軍語並傳。

書忠義傳五

不貪財。不好色。不畏死。三語皆衆所難。而劉振之立志如此。克死鄢陵之難。宜哉。

書忠義傳六

忠義傳諸人多以罵賊死。甚烈可敬。然亦有不降而不罵賊。如郝瑞日者。乘賊萬朝動醉臥。潛入室殺之。視徒罵者。別創一格。抑甚可喜。又許文岐不罵賊。陰結賊所掠數萬良民殲賊。以柳圈爲信。功雖未就。亦可喜。

王揚基自岳州奔長沙。蔡道憲請還駐岳州。謂并力守岳州。則長沙可保。而衡永亦無虞。揚基從之。賊入蒲圻。即遁去。後王聚奎不用道憲謀。棄岳不守。賊陷岳。即直犯長沙。地利繫兵家勝負如此。顧可忽乎哉。今蔡忠烈（即道憲諡）墓尚在長沙城南醴陵坡。（後改里仁坡）懷古者每過而弔之。

都任等殉難榆林。未卹。而史臣亟稱之曰。榆林爲天下雄鎮。兵最精。將材最多。然其地最瘠。餉又最乏。乃慕義殉忠。無一屈身賊庭。其忠烈又爲天下最。連寫五最。字足令死者瞑目矣。

書忠義傳七

李建泰以大學士督師。而竟降賊、且令中軍爲賊內應。致死守保定之何復邵宗元等胥被賊禍。建泰固狗彘不若。而莊烈不知擇將。尤可歎恨。

北都之變。布衣湯文瓊等諸生許琰等殉義恐後。足徵數百載養士之報。

書孝義傳一

序謂至性所激感天地。動神明。水不能濡。火不能爇。猛獸不能害。山川不能阻。觀歷代史籍所載。良信。

鄭濂以謹守祖訓不聽婦言對太祖。非惟家也。治國亦如是焉耳。

周琬年十六。請代父死。太祖以斬試之。旋宥其父。且官琬。蓋亦教孝之一端。

書孝義傳二

傳稱鄒魯貪暴狡悍。不以法死人。而以非法死人。則何競誅魯。爲父復讎。與讎法者大異。而猶擬絞擬徒。以孝治天下者似不宜若是。繼母每薄待前兒。可恨。而歸鉞乃以德報怨。蓋不徒重父。且將使天下爲繼母者從此大悟不更爲虐也。又此事見歸有光集。傳。卽節歸文成之賢者著述有裨政教。可忽乎哉。

書隱逸傳

明置不爲君用之罰。蓋本戰國策於陵仲子何爲而不殺意。匪創。

書方伎傳

周顚蓋託於顚以隱者。其言簡。莫測所以。然甚驗。又不可死。故太祖仙之。若張中則卜人舉動耳。然狷介寡合。言涉倫理。輒亂以他語。殆亦習老莊者與。袁珙相程徐。謂冷笑無情。非忠節相。而後竟降明。似相旣前定。未可改也。而傳又云珙相人知其心術善惡。人不畏義而畏禍患。往往因其不善導之於善。從而改行者甚多。意者中人可改。非中人未可改。與惟上智與下愚不移之理有合與。

書外戚傳

不錄太祖御製揚王行實。而錄宋濂揚王墓碑。豈御製遜於宋作與。而以碑文代敘事。固明淨可喜。

父名榮貴。而女稱榮貴妃。若在唐代。則賀父名晉肅子不得舉進士矣。一笑。

北都之變。劉文炳張慶臻闔門殉國。自古外戚未嘗有。甚可敬仰。

書列女傳一

序謂劉向傳列女不主一操。范氏兼采才行高秀者。不獨貴節烈。極得古人作傳深意。蓋內行咸秩。太平可期。否則際患難顛沛。殺身殉義。皆大不幸。不惟非國家盛事。抑豈婦女始願所企哉。

孝義節烈。婦女所貴。蓋人禽大防在此也。而石門丐婦知之。足愧天下生長名門自裂帷薄者矣。

書列女傳二

歐陽氏以鍼刺額爲誓死守節四字。非獨明志。蓋毀色乃可全節也。與岳飛背涅盡忠報國四字。似同實異。

王許二烈婦皆以夫無行脅作非禮事不從自殺。其遇甚可憫。而傳於兩夫未詳究竟。豈當日未罪其夫。竟任逍遙法外耶。

烈婦之死。遇害外大抵自經自溺自焚自墜自毒自刎。而自刎若謝烈婦玉華斷頸未絕。左手從斷處探喉出之。右手引刀一割。尤震愕可泣。民國奠基後二十一年。桂東郭典則妻羅香蘭之死。亦頗類此。余嘗作郭烈婦詩張之。附錄於此。詩曰。蘭生幽谷中。芳非人未知。一旦被燔灼。遠近爲悽悲。桂東羅氏女。在室美容儀。大坪地名桃李華之子。瀧頭地名歸敬夫。孝舅姑。郭家無異辭。孟夏赤熖張。縣官棄城池。獸跡徧城鄉。屠虜惟所施。傷哉郭氏婦。鞭撻何能支。罵賊不受辱。激昂愈男兒。就死一何慘。乘賊進餐時。碎碗作利刃。刺喉死患遲。箸攪所刺孔。血潰管未斯。纖手搦管號。管斷外引之。管埀五寸餘。伊古無此屍。非求亂後名。惟淨刦中肌。死誠重泰山。九死志不移。上爭日月光。萬年神永怡。

書列女傳三

張阿官緣梯入鄰室。欲犯劉烈女。被執。而張之從子倡言劉女誨淫。縛人取財。世固有是事。又迹似。故烈女不得不以死自明。且爲厲白之。或謂室女可驗。不必死。不知女果烈。豈肯以父母遺體靦顏受驗也。

周彥敬妻莊氏以男女無別。不肯竄山穴。引刀自裁。懷寧劉氏以避亂男婦雜走。慨然曰。保姆不在。義不出帷。遂投江死。禮敎之入人邃矣哉。然後世則目爲禮敎殺人。

書宦官傳一

太祖置鐵牌宮門曰。內臣不得預政事。預者斬。此儆宦官也。敕諸司不得與文移往來。此儆諸臣交通宦官也。而他日成祖竟以宦官出使專征監軍分鎮刺臣民隱事。使後代效尤。屢有宦寺之禍。遂以亡國。野史謂成祖卽陳友諒後身。觀此蓋信。

憲宗令汪直易服伺察。又設西廠興大獄。且令巡邊。是汪直已無異魏閹。憲宗亦甚同熹宗也。噫。

武宗好遊。而劉瑾等卽以王岳結閹臣欲制止上出入譖之。誣矣哉。

書宦官傳二

穆宗不終任李芳而謬悅滕祥孟冲陳洪等。此穆宗所以不君也。

馮保有主上冲年不可以異物啓玩好語。又約束子弟使不爲惡。與他宦者大異。傳於保貶語甚多。殆因惡張居正遂兼惡保與。然高拱荐陳洪孟冲史無譏焉。而居正與保內外一心。惟明室復興是圖。修史諸臣反視爲罪大惡極。誠不解用意奚在也。

鑛在後世。視爲貨棄於地。而神宗時鑛稅竟甚擾民。蓋稅之之法未善。非鑛之咎也。然天下自此多事。可勝慨哉。

熹宗若永任王安。魏閹之禍可不作。而乃以寵客氏故寵忠賢。客氏又以魏朝被逐事怨安。以李選侍移宮事畀安。羣陰搆難。獨夫被愚。安竟死。國亦竟亂且亡。天殆已厭明德歟。異已。

太祖制內臣不許讀書識字。而宣宗設內書堂教之。憲宗更聽忠賢冒選武閹鍊火器爲內操。是內臣不惟可讀書識字。直冀經文緯武也。嘻。

監生陸萬齡請以忠賢配孔子。以忠賢父配啓聖公。此誠儒教亘古未有之敗類。然視後世不配孔子而徑代孔子者。抑猶有間。噫。

書閹黨傳

忠賢不過一人耳。外廷諸臣附之。遂至於此。此莊烈痛恨諸臣語也。而序推若輩之隱。斥爲患得患失之鄙夫。誠以若輩甘心黨閹。不過爲富貴計耳。富貴事小。名節事大。而竟以旦夕虛榮。受萬古唾罵。毋亦得不償失乎。

傳稱焦芳陰結言官。使抨擊素所不快。及在己上者。芳固可恨。言官甚可鄙。芳又深結閹宦以自固。日夜謀逐劉健謝遷。代其位。宦官固可恨。而芳更可鄙。又韓文將率九卿劾劉瑾。以告芳。而芳陰洩其謀於瑾。瑾遂激武宗逐文及健遷。令芳輔政。明事自此大壞。芳固萬死不蔽辜。而文不徑劾瑾。必率九卿爲之。致芳與謀。亦可哂。芳由瑾貴亦由瑾敗。瑾從子二漢謂吾家所爲皆焦芳與張綵耳。綵與我處極刑而芳獨晏然。豈非冤哉。瑾黨固必誅。而芳以幸免使天下萬世皆切齒視斧鉞尤酷。

張綵說瑾曰。公亦知賄入所自乎。非盜官帑卽剝小民。彼借公名自厚。入公者未十一。而怨悉歸公。此數語眞令受賄者氣短。

忠賢謀結外廷諸臣。而顧秉謙魏廣微率先諂附。遂參機要。洎楊漣劾忠賢二十四大罪。遂謀盡逐正人。充欲富貴之一念。卽亡國破家不惜。若輩信狗彘不若哉。

崔呈秀求入東林不得。乃言諸賢皆東林黨人。忠林固恨諸賢者。於是恨諸賢幷恨東林。而大獄起矣。大獄起而天下遂大亂矣。崔之罪可勝誅乎。

莊烈定逆案。持之甚堅。而他日乃復用宦官。可歎一。福王時阮大鋮冒定策功。起翻逆案。使魏璫遺毒訖淸乃止。可歎二。

易有同人。五倫有朋友。孔子且云吾黨之士狂簡。黨奚足罪哉。雖然黨與朋異。論語周而不比。和而不同。羣而不黨。辨之至嚴。蓋一以義理合。一以勢利暱也。夫治天下非一手一足之烈。拔茅連茹。勢所必爾。惟天子任賢勿貳。惟君子舉不避親。咸有一德。無黨之一字。橫梗胸臆。天地所由交泰也。否則君疑臣有黨。臣不敢有黨。而小人反得植黨。且以黨目君子。作一網打盡之計。而君子危矣。而天子孤矣。此漢唐宋明朋黨之禍所由亂天下有餘而國命隨之也。然朋黨禍成。君子固無幸。小人亦終與同盡耳。又豈小人之幸哉。噫。

書佞倖傳

漢文於鄧通不假以權。而成祖於紀綱假以大權。此事亦上愧漢文。遑他論乎。成祖且然。況他帝乎。

李孜省僧繼曉以淫邪方術蠱惑憲宗。江彬則兼以軍旅女色二事惑武宗。皆預政肆毒。而彬尤甚。且彬進以錢寧。寧進以劉瑾。羣陰搆難。明祚用絕。坤初六一陰甫進。而聖人大書特書曰履霜堅冰至。可懼哉。

書奸臣傳

胡惟庸始以曲謹當上意。後乃謀反。頗類王莽所爲。

成祖知陳瑛殘刻。所奏讞不盡從。此成祖所以猶號英主也。

盛名敗於富貴。豈獨嚴嵩哉。然魏武父子。尙克以詩文高步千古。而嵩詩文竟永爲士林所棄。蓋嵩作於魏武父子本未能爲役。而忠奸順逆之辨。宋後益嚴。尤未肯絲毫假借也

一則曰自是益務爲佞悅。再則曰無他才略。惟一意媚上竊權罔利。三則曰欲有所救解。必順帝意痛詆之。而婉曲解釋以中帝所不忍。卽欲排陷者。必先稱其媺。而以微言中之。或觸帝所耻與諱。世宗英察自信。而嵩竊政二十年。恃此術耳。

嚴世蕃於世宗手詔。一覽了然。答語無不中。聞推官郭諫臣以寃殺楊繼盛沈鍊爲罪。喜謂其黨曰。無恐。獄且解。聞徐階手削讞草。有世蕃用彭孔言。以南昌倉地有王氣。取以治第。制擬王者。又結宗人典楧。陰伺非常。多聚亡命。羅龍文招汪直餘黨五百人謀爲世蕃外投日本。先所發遣世蕃班頭牛信。亦自山海衛棄伍北走。誘至外

兵。共相響應等語。詫曰死矣。有才若此。而未聞君子大道。徒濟父惡以死。是亦盆成括之類。可恨亦若可惜也。

一則曰外曲謹而中猛鷙。機深刺骨。再則曰所欲推薦。陰令人發端。已承其後。欲排陷。故爲寬假。中上所忌。激使自怒。三則曰流寇蹦躪。畿輔擾中原。邊警雜沓。民生日困。未嘗建一策。惟日與善類爲仇。溫體仁作相若此。殆守嚴嵩衣鉢哉。

莊烈最忌臣有黨。喜體仁孤立。而不知體仁實蔽賢植黨。所謂適得其反也。體仁欲死錢謙益。且密請並坐曹化淳。而化淳竟盡得張漢儒等奸狀及體仁密謀上之。體仁以逐。亦所謂適得其反也。

福王常洵鄭貴妃出也。梃擊紅丸移宮三案皆與鄭妃福王有關。且皆與東林有關。而阮大鋮即因是貢讒南都。用傾衆正。且翻逆案。蓋彼南面而帝之福王由崧。實常洵世子也。小人手辣。才抑可想。

太子決非僞。其南來亦非欲爲帝。不過福王懼其帝。馬士英等與福王共利害。遂亦誣太子以僞倖便處死耳。左良玉移檄討馬。詞義嚴正。而史以反書。後人讀史。亦惡其平日跋扈。不屑左袒。毋亦作檄者非陳琳駱賓王。文采未足動遠所致與。噫。士英以南渡之壞。半由大鋮。而已居惡名。頗以爲恨。蓋士英特庸臣誤國耳。尚未足爲奸臣也。果奸臣。必常左右人。不爲人所左右也。

書流賊傳 李自成張獻忠

魏閹黨喬應甲朱童蒙貪黷不詰盜。盜由是始。蓋閹實盜源也。會京師戒嚴。勤王兵潰。與盜合。蓋兵又化盜也。是時秦地所徵。曰新餉。曰均輸。曰間架。其目日增。吏因緣爲姦。民大困。又裁驛站。山陝游民仰驛糈者。無所得食。俱從賊。蓋民亦化盜也。陝西略定。而山西賊大盛。山西三大盜俱敗。而賊竄河南。偪湖廣四川。所在告急。蓋賊已化整爲零也。自成等困處興安車箱峽。詐降陳奇瑜。檄諸將按兵毋殺。所過州縣具糗傳送。甫度棧。即變。而略陽賊數萬亦來會。蓋賊又化零爲整也。十三家大會滎陽。自成謂官兵無能爲。宜分兵定所向。利鈍聽之天。蓋賊又化整爲零也。孫傳庭銳意滅賊。禽高迎祥。於是賊黨推自成繼爲闖王。蝎子塊過天星俱來會。蓋賊又化零爲整也。梓潼原之敗。自成盡亡其卒。獨與十八騎竄伏商雒山中。獻忠降。自成勢益衰。蓋賊以剿將絕也。傳庭下獄。洪承疇他調。剿賊乏人。而總理熊文燦主撫。獻忠反。自成展轉入河南。饑民從者數萬。蓋賊以撫復振也。淸兵南侵。京師告急。不暇復討賊。自成他日遂亡明。蓋外患迫。內憂愈大也。自成前忌羅汝才善戰。殺之。後又聽讒殺雄武有大略之李嚴。（與蜀李嚴同名）自斷股肱。賊衆解體。歸西安。不能守。屯武昌。不能戰。身死通城九宮山。爲天下笑。蓋流賊末路大抵如此也。

崇禎三年。陝西賊大起。王嘉允據府谷。陷河曲。獻忠以米脂十八寨應之。自號八大王。明年。嘉允死。其黨王自用復聚衆三十六營。獻忠及高迎祥羅汝才馬守應（即老𤞤𤞤）等皆爲之渠。而自成無名。蓋是時自成附迎祥。第稱闖將也。故下有八年滎陽會議。自成不敢與獻忠並。及是遂相頡頏云云。

羅岱射獻忠中額。左良玉追及。刃拂獻忠面。馬馳以免。蓋刦毒未了。賊不死。與所謂王者不死大異。

羅狹山之役。羅岱中伏死。良玉大敗。蓋追擊狃勝輕敵也。瑪瑙山之役。賊據山拒我。良玉先登。賀人龍李國奇夾擊。大敗之。禽獻忠妻妾。蓋進擊恥敗出奇也。又獻忠以瑪瑙山大敗有懼心。而後屢勝。以襄樊等地屢勝有驕色。後又大敗。可參勘。

獻忠欲渡洞庭湖。卜於神不吉。投珓而詢。及破重慶。無雲而雷。發巨砲與天角。亦後世所謂破除迷信之急先鋒也。一笑。

不嗜殺人者能一之。李張二賊皆嗜殺。但知逆取。不順守。雖與之天下。不能一朝居也。國號大順。（自成國號元曰永昌）年號大順。（獻忠年號國曰大西）奚裨哉。

書湖廣土司傳

陳友諒據湖湘間。啗以利。諸苗尚爲盡力。序所謂撫綏得人。恩威並濟。則得其死力。豈不信哉。終明之世。溪洞蠻獠。雖常梗化。旋即戡定。蓋明亦實有威德可畏可懷也。

書四川土司傳一

嗜利好殺。蓋苗通性。非獨川苗也。故雖以苗治苗。亦必設立文武。爲之鈐轄。否則失恩威並濟之旨。轉煩撻伐。然文武貴愼選。免激亂。

書四川土司傳二

播州自唐入楊氏。傳二十九世八百餘年。至應龍始亡。抑亦靈長之祚也。地險民悍。再不剷剖。應龍後豈無應龍哉。屬蜀者曰遵義。屬黔者曰平越。朝廷釋西顧之憂。播人且自此安枕矣。

書雲南土司傳一

大理在宋爲外國。而明爲府。緬甸在元爲外國。而明爲土司。德威南被。卽此可想。

書貴州土司傳

貴州地皆崇山深箐。鳥道蠶叢。種類嗜淫好殺。蓋交通素梗。初民舊態尚存也。今已公路四達。漸澄聲教矣。

書廣西土司傳一

廣西在明蓋猶羈縻之清則已同內地矣今自治爲西南各省冠此編之存視若土苴可也

書外國傳一 朝鮮

袁崇煥殺毛文龍致文龍舊將孔有德耿仲明率士卒二萬效力於清朝鮮與明背被毒世謂小人爲福不足爲禍有餘觀孔有德耿仲明益信

書外國傳二 安南

蕞爾安南即交趾僻處災荒自曲承美竊據後黎桓簒丁氏之位李公蘊又簒黎氏之位黎季犛又簒陳氏之位此廢彼興亦無異六朝五代雖明代討黎大捷郡縣其地遠未遑守加以王通駑下於張輔未能爲役喪師棄地爲天下笑宣宗不得已許黎利權署安南國事旋册利子麟爲安南國王誠未欲疲內事邊重苦我民反致得不償失也若漫以掩耳盜鈴哂之謬矣至廣東按臣余光謂莫登庸之簒黎猶黎簒陳但當責以修貢不必遠征此意甚與宣宗合而世宗始欲效成祖興師問罪繼乃改安

南國爲安南都統使司。授莫登庸都統使。蓋亦闇宋光策也。厥後黎莫互讎。明置不問。但以服叛爲順逆。猶前志耳。

書外國傳三 日本

日本夙通中國。朝貢不絕。至元忽否。明初且內犯濱海州縣。蓋已岸然自尊。非復昔日遠弱倭奴矣。後雖稱臣奉貢。而表語有時不遜。成祖務德。日亦效順。洎世宗時。奸人負其物直。邊患乃作。蓋彼以互市爲利。殘掠實非初志也。

自漢以來。西北諸國與我通。故西北諸國每稱我漢人。自唐以來。東南諸國與我通。故東南諸國每稱我唐人。傳言明季日彊。欲侵我國。滅朝鮮。召問故時汪直遺黨。知唐人畏倭如虎。唐人謂我也。厥後日軍雖嘗入朝鮮王京。以我遣李如松討之而退。至淸乃竟滅朝鮮。侵我國自明迄今。侵我未已。蓋南進北進之說。使我版圖易色者非一所。（南如台灣北如滿洲）化島爲陸。近益甚囂塵上也。噫。

書外國傳四

琉球今但爲日本一縣。命曰冲繩耳。其舊事未忍復論。南洋諸島亦多屬日。爭太平洋霸權者甚嫉之。又雞籠卽台灣。以台灣有雞籠山也。

書外國傳五

安南於元時與占城婚。至明遂滅占城。蓋藉婚以謀人國。自古有之也。然安南後隸於法。是亦螳螂捕蟬黃雀在後與。

書外國傳六

南洋羣島後忽列巴喇西。（巴西）佛郎機（法蘭西）和蘭（荷蘭）三國。蓋彼時實不知三國果在何許。故一則曰去中國絕遠。一則曰近滿剌加。一則曰近佛郎機也。其始皆意在互市。而他日佛郎機竟奪我安南。

書外國傳七

鄒衍九州說、在利瑪竇五州說前。然尙不如佛說大千世界也。又中庸舟車所至。人力所通。天之所覆、地之所載。日月所照。霜露所墜。實統此三說。

書外國傳八　韃靼

北元自脫古思帖木兒（元順帝孫即太子愛識理達臘之子）後。部帥紛拏。五傳至坤帖木兒咸被弑。不復知帝號。有鬼立赤者篡立。爲可汗。去國號稱韃靼。此韃靼所由爲明外國之一也。英宗時。阿羅出潛入河套。（赫連勃勃之統萬唐張仁愿築三受降城處也）憲宗時。韃靼郭長孛来與小王子（馬古可兒吉思）毛里孩等繼至。以謹人爲鄉導。抄掠延綏。此韃靼所由爲明外患也。自王越搜套。疆圉得靖。而孝宗弘治十三年。復有小王子（小王子有三一麻兒可兒一馬古可兒吉思一即此史闕其名）入套。此韃靼所由續爲明患也。穆宗時封俺答爲順義王。神宗時又封俺答妻三娘子爲忠順夫人。宣大至甘肅不用兵者二十年。及嗣順義王撦力克西行。套部莊秃賴卜失兎火落赤等數犯甘涼洮岷西寧。東部炒花更數寇遼東。此韃靼所由久爲明患也。

書外國傳九　瓦剌　朶顏

馬哈木欲獻故元傳國璽。成祖卻之。脫歡請獻玉璽。宣宗亦卻之。蓋璽由秦造。二世而亡。實於國祚無關。況璽非秦舊。人人可造。更於正統無涉也。

也先驕悍。入寇固不易制。英宗既不密諭邊將設伏邀去路。復以宦官監軍。使諸將不得展驥足。而貿然效澶淵之行。召土木之變、豈謂王振遠勝寇準乎。嘻。

書西域傳一

西棄哈密。與南棄交趾頗類。而桂蕚張璁必欲藉此興大獄。所謂項莊舞劍。意在沛公也。噫。

書西域傳四

哈烈之人以布裹屍而葬。今天主耶蘇敎徒皆如此。此至無干支朔望。每七日爲一轉。則竊取周易七日來復意耳。海西各國亦如此。

歷代正史研究文獻叢刊

讀二十五史蠡述 二

李澄宇撰

北京圖書館出版社

第二册目録

讀梁書蠡述

徐楨文題

中華民國二十五年
湘鄂印刷公司印行

讀梁書蠡述目次

讀梁書蠡述卷一

岳陽李澄宇洞庭著

書武紀上 高祖

史記高祖紀。謂季所居上常有雲氣。今武紀亦云所居室常若雲氣。晉世家謂唐叔虞文在其手曰虞。今武紀亦云有文在右手曰武帝。可異也。

明帝輔政。起蕭衍爲寧朔將軍。已尙未篡。而繼己以篡者。已由己豫爲之地。此與魏未篡漢。而司馬懿已見重於孟德何異哉。逝者已矣。來者不寤。奈何。

正名魏主、不以虜稱、史家固宜如此。

蕭衍使從舅張弘策詣郢、說長兄懿共圖大事。以昔惠時諸王爭權。內難九興。外寇三作爲比、且豫料六貴爭權、東昏不肯虛坐主諾。必大誅戮。始安欲爲趙倫不可得。江祏怯而無斷。劉暄弱而不才、蕭坦之胸懷猜忌。徐孝嗣聽人穿鼻。於人於事。燭照數計。抑何審耶。至謂郢州控帶荆湘。西注漢沔。雍州士馬。呼吸數萬。代化則竭誠本朝。時亂則爲國剪暴。於地於事。虎視龍躍。又何壯耶。而懿弗心許。非常之謀。固非常人所得而共哉。前遣王天虎（唐諱虎。梁書唐撰。故虎視其間曰獸視。其間遣參軍王天虎曰遣參軍王天獸）詣江陵。徧與州府書。後遣王天虎詣江陵。僅與行事蕭穎胄兄弟兩空函。云天虎口具。而天虎實無所說。以此間州府。使人人生疑。卽以此間劉山陽。使聞而亦疑。於是穎胄以見疑懼禍。與蕭衍定契。（據齊書）斬天虎以信山陽。卽以天虎首餌山陽。荊雍既合。大事遂定。心戰之用大矣哉。

起義伊始。人心未固。食絕力分。覆亡立至。蕭衍命王茂曹景宗諸軍濟江。與荊州軍會夏首。逼郢。而築漢口城。圍魯山以通沔漢。謂漢口路通荊雍。（荊治江陵　雍治襄陽）控引秦梁。糧道資儲。聽此氣息。今若併軍圍城。又分兵前進。（時蕭穎胄謂不併軍圍郢定西陽武昌取江州爲失機）魯山必阻沔路。（時房僧寄爲東昏守魯山被圍）所謂搤喉。糧運不通。自然離散。又西陽武昌取便得耳。得應鎭守。守兩城不減萬人。賊攻一城。兩城勢不得相救。若我分軍應援。則首尾俱弱。如其不遣。一城既沒。諸城土崩。若郢州既拔。西陽武昌自然風靡。皆眞能逆覩利鈍之語。終啓梁祚。雖曰天命。豈非人事哉。

既誅王咺之等四十一人。下令大赦天下。又除蕩昏制謬賦。淫刑濫役。又令訊辨東昏時諍訟失理、及主者淹停不時施行者。又以義師臨陣致命及疾病死者。並加葬斂。收恤遺孤。又朱爵之捷逆徒送死者。特許家人殯葬。若無親屬。或有貧苦。二縣長尉卽爲埋掩。建康城內不達天命自取淪滅、亦同此科。又令斲雕爲樸禁絕衆費。皆釐然有當於人心。然不以和帝詔行之。而以己令。善則歸己。意深遠矣。和帝曷能久乎。侯景篡梁事與此相反無一善可錄故敗

固辭九錫。而陰嗾府僚一再勸進。於是始受相國梁公之命。蓋彼時以此等事爲受禪以前所必經。不得不僞示謙讓。藉掩衆目也。

書武紀中天監

分遣內侍周省四方。觀政聽謠。訪賢舉滯。而不以此責方州何也。豈方州不可信。而內侍乃盡可信耶。至詔於謗木肺石旁置函。俾各得投書。詔斷遠近上慶禮。則庶幾王言可爲法於後世。

不曰車駕親祠南郊。而曰輿駕。甚無謂。不如徑書上親祠南郊也。梁武於掩骼埋胔屢降明詔。今號民主。乃掘已掩已埋者闢地作室。而官取直焉。是誠梁武之罪人也。噫。

書武紀下

普通　大通　中大通　大同　中大同　太清

梁武改元普通。蓋隱有統一南北之意。觀屢次攻克魏城。且擢用魏臣元法僧可知。後世引申。義與常類。則非始料所及也。

詔謂主非堯舜。何得發言便是。自今尙書中有疑事。前於朝堂參議。然後啓聞。爲人上者當熟誦斯語。蓋倚立求决。乃臣下取巧不負責之爲。宜深惡痛絕。而或予智自雄。一切顧人請示。堯咨舜問。無論已。其亦有愧梁武也乎。

守宰游軍。並皆厲民。良人命盡。富室財殫。梁武尙知此。何後世知此者鮮耶。或謂宋之治世在元嘉。（文帝年號）齊之治世在永明（武帝年號）梁之治世在天監普通。詎偶然也。

梁武宵漏未分。躬勞政事。白日西浮。不遑飱飯。退居猶如布素。含咀匪過藜藿。克勸克儉。蓋幾幾矣。後世晏然。民上以海市爲樂國。窮奢盡麗。若讀此紀。應亦愧死。大通元年書輿駕出同泰寺捨身。中大通元年書輿駕幸同泰寺設四部無遮大會。因捨身。公卿以下以錢一億萬奉贖。太淸元年書高祖幸同泰寺。設無遮大會捨身。公卿等以錢一億萬奉贖。極意佞佛。與秦皇漢武求仙略似。蓋秦皇漢武富貴已極。惟患死亡。諺謂既作皇帝想神仙也。漢明以後。佛敎入夏。富貴已極者以神仙不可接。死不可避。於是上焉者欲成佛作祖。次焉者欲免輪廻生淨土。下焉者欲不墮入畜生道。而佛敎所謂經咒。又大抵有錢便行。且拜佛不諱死。輪廻與否。衆莫知聞。非若方士求神仙不至。求不死之藥無驗。便須授首。故方士絕迹。而僧侶遍天下。雖然。日中則昃。月盈則虧。是日月有生死。山崩川竭。是山川有生死。木落草枯。是草木有生死。有生必有死。本無足怪。更無足懼。死後魂升魄降。反一身爲萬物。謂已爲神仙可也。謂已入輪廻亦可也。況萬物各遂其生。各樂其天。何必畜生道爲人所不願。人不克遂其生。安其天。或尙不若畜生也。若謂畜生有屠割苦。人不幸受屠割苦者豈少哉。畜生道且然他道無論矣。以此自懼。豈得謂智。以此愚人。豈得謂仁。不智不仁。言佛教者可以休矣。卽有一二深義。亦儒籍所已具。非彼教所獨有。奈之何棄楚玉於故山。而但謂趙有和璧也。

梁武逆取順守。恭儉多能。可謂令主。惜太清以後。誤用侯景。竟被反噬以死。爲天下笑。然在位四十有八載。得壽八十有六歲。南超萬里。西拓五千。魏晉以降。信未有也。

書簡文紀 太宗 大寶

梁武著述數百卷。昭明太子以文選負千古盛名。簡文帝元帝皆著述甚富。魏武父子蔑以加此。自後王室未嘗有也。

二邦是競。黎元何罪。簡文此語。不愧王言。後世爲民上者。亦知之乎。

簡文始立而陳霸先已嶄然露頭角。履霜堅冰至。可懼哉。

書元紀 世祖 承聖

王僧辯等勸進表有喪君有君。春秋之茂典。以德以長。先王之通訓。軒轅得姓。存者二人。高祖五王。代實居長、南面即可居尊、西向無所讓德。吳楚一家、方與七國俱反。管蔡流言。又以三監作亂、等語。元帝答令有甫闢伯升之禍。彌切仲謀之悲。赤泉未賞劉邦、尚曰漢王、白旗弗懸。周發猶稱太子。國賊則蚩尤弗翦。同姓則有扈不賓等語。隸事精妙。言盡由衷。可見上下以誠相與。與魏晉以來貌襲謙讓者不同。

項羽自稱西楚霸王。蓋欲反秦郡縣。歸於封建若春秋桓文時而已耳。始終無自利天下之心。豈若漢高以未王關中為言。既定三秦。復東嚮爭天下乎。後世以成敗論人、齒項羽於亂臣賊子之列。故元帝答令有赤泉未賞云云。可痛甚矣。史公為撰本紀、深嘆其欲以力征經營天下。蓋漢高約法三章。為義帝發喪。皆霸者假仁假義之為。項羽自命為霸、而不知出此。徒恃力征。卒亡其國。為天下後世所戮笑。至可惜也。

元帝即位前、謙讓數矣。即位日猶不升正殿。畏天之威。誠弗獲已。不圖六朝時有此人。惟謬信讒間、即安荆楚、不還舊都。西魏軍至。（時張纘告密謂河東王譽將襲江陵）江陵遂陷。身且被戮、良可歎恨。

書敬紀 紹泰 太平

王僧辯職居太尉。兼任揚州刺史。欲立長君。宜早決計。乃既與陳霸先迎晉安王蕭方智（卽敬帝）爲太宰。復以齊故納貞陽侯蕭深明（魏書作淵明唐諱淵以深或泉代之）爲帝。而以晉安王爲太子。致陳霸先藉機舉事。遂屋梁社、可勝痛哉。

侯景之反也、機動於蕭深明。陳霸先之篡也。機亦動於蕭深明。蕭深明誠不祥人哉。

齊納蕭深明主梁、嗣旋敗、梁納元顥爲魏主、亦旋敗、可參看。

陳霸先襲殺王僧辯。挾十四歲小兒令天下。司馬昭之心。路人皆見。故杜龕韋載任約徐嗣徽蕭勃李寶藏等先後反。非反梁。實反陳也。世有良史。未宜書反。自陳壽三國志以來。沿誤久矣。然陳壽於魏書書王凌毌丘儉等反。尚可說也。沈約於宋書書沈攸之袁粲等反、姚思廉於梁書書杜龕韋載等反、不可說也。

陳霸先未篡之先、克建勝齊大勳、復搜舉孔子聖後、繕廟備祀、五霸假之。中外動色。奄有南土。亦固其所。

讀梁書蠡述卷二

岳陽李澄宇洞庭著

書后妃傳

梁之諸帝長秋曠位。他代所無。雖有妃嬪。未聞女禍。亦他代所無。

郗后生時赤光照室。本貴徵。而巫言將有所妨。巫之不可信也類如此。

書太子傳 昭明 哀 愍懷

昭明天性仁孝。喜慍不形於色。明曉萬機。愛士勤學。若獲永年。定爲令辟。然亦未必遂勝簡文也。

哀太子不肯北逃。終被侯景所害。雖曰不忍離父。志不圖生。何若別起義師爲父殺賊也。

姚察者思廉父也。歷任梁陳史官。譔二代史未就而國亡。思廉繼業。至唐始成。與馬遷父子之於史記頗相似。惟於察論宜稱前史臣曰。不宜稱陳吏部尚書姚察曰。蓋察論非一。不如是且若史非父作也。

書王茂曹景宗柳慶遠傳

茂傳所書、大抵武功、然曰性沉隱不妄交遊、曰性寬厚。居官雖無譽。亦爲吏民所安。曰居處方正、僕妾莫見其惰容。皆庶幾大臣器度、而魏侵漢中以還、敵勢方盛、梁武信仗文雅、茂心頗怏怏。侍晏醉後、每見言色。深念先知、尤未易有。

曹景宗每讀穰苴樂毅傳。放卷歎息、曰丈夫當如是。其志亦惟大將耳。然馬圈之克。陳顯達論功不平。而景宗退無怨言。魏衆大至、顯達宵奔。景宗導入山道、用全顯達。亦非武人所易能。若乃好內嗜酒、躁動則與王茂大異。

自古開國必有從龍之彥。今蕭衍龍飛、僅此世爲將家之王曹柳三人。配迹方邵。勒勳鐘鼎。欲卜世巽乎宋齊。皇祚於焉永永。不亦難乎。

書蕭夏侯蔡楊鄧傳

齊書但言穎胄與梁王定契、梁紀亦但詳兩空函定一州語、今此傳有穎胄計無所出。夜與席闡文柳忱等閉齋定議。殺山陽。與雍州舉事。立天子以全諸侯。斬送天虎以信山陽、至而圖之囧不濟。及閹文勸兵於門。山陽車踰。限門閫。因執斬之、等語。然後當日情事乃得盡曉、史公嘗有語在某紀或某傳云云。誠慮及此、作史者所宜效法也。

穎胄有罪見原、復任方州。後爲通直散騎常侍。遂恣聲色。飮酒過度。蓋亦魏信陵醇酒婦人之意也與。

夏侯詳獻議。有量我衆力。度賊樵糧。窺彼人情。權其形勢。賊衆食少。宜計日而守之。食多力寡。宜悉衆而攻之。糧力俱足。非攻守所屈。宜散金寶。縱反間。使彼智者不用。愚者懷猜。若三事未可。宜觀於人情。計我糧穀。若德之所感。萬里同符。金帛素積。糧運又充。乃可列圍寬守。引以歲月等語。可謂曉暢兵機。梁武圍郢二百餘日。守者乃降。殆隱采列圍寬守引以歲月之議也。

蔡道恭之在司州。衆少食寡。而竭誠守禦。奇謀間出。魏軍憚之。其志定也。身死援絕。久而後陷。今豈復有此人。今豈復有此事。

楊公則爲將。嚴明慈惠。勇決鎮靜。信難得。雖居軍旅。手不釋卷。豈晉郤縠之類與。

馬榮沿江寇抄。田孔明附魏寇掠。鄧元起能討平之。一可取。蕭穎胄招會義師。部曲勸其還郢。元起以母在西。故決赴江陵。二可取。道中絕糧。聽李膺諫。不罰山民以濟師。而富者自上軍米。三可取。在蜀。以州事任庾黔婁蔣光濟。有善政。四可取。口不論財色。且斷酒。五可取。不記庾蓽舊嫌。而厚遺之。六可取。

書張庾鄭呂傳

張弘策孝弟人。其遭母憂。三年不食鹽菜。幾至滅性。兄弟友愛。不忍暫離。雖各有室。常同臥起。鄭紹叔少失父。事母及祖母以孝聞。事兄恭謹。及居顯要。祿賜所得。及四方貢遺。悉歸之兄室。今安得復有此耶。

天地人皆氣耳。氣與氣感。靡弗通者。故往往人事未形。而天地已表厥兆。今梁武夜觀緯象。謂漢北有失地氣。浙東有急兵祥。而後皆驗。蓋人謀動天。荊軻將爲燕丹刺秦王。而白虹貫日。皆此類也。

弘策詣郢說懿。此傳與高紀略異。蓋高紀所謂陳計於懿。乃梁武語由張轉述。此傳所謂因說王曰。則弘策陳計後更自進斯語也。嚮使蕭懿早寤。雍郢協力。何至他日懿被誅害。郢幾難拔乎。

庾域封題空倉以安衆心。與檀道濟唱籌量沙同一妙用。

東昏遣鄭植刺梁武不足異。所異者紹叔已密白其事。而梁武於紹叔處宴植。既不疑紹叔與植協謀。亦不與紹叔圖植。且不勸植留襄陽助己也。明知彼兄弟各爲其主。推赤心不復他言。孫權之於諸葛瑾。蔑以過此。

呂僧珍守白板李居士。覘知衆少。率銳卒萬人薄城。僧珍戒勿遙射。俟敵越塹拔柵。然後分人上城。矢石俱發。自率馬步三百人出敵後。守隅者復踰城而下。內外齊擊。居士應時奔散。此蓋僧珍兵精。且素得衆心。乃有此捷。否則衆不效死。或且有開門延敵者矣。

僧珍不私親戚。從父兄子求官。令速反葱肆。不可及者一。不肯徙督郵廨以益己宅。

不可及者二。常導從鹵簿省姊市西小屋。不以爲恥。不可及者三。有大勳。任總心膂。而甚恭愼。不可及者四、

書柳惔席闡文韋叡傳

柳忱以數歲小兒侍父母疾。不解帶經年。前所未有。至勸穎胄以荆同雍。語皆破的。抑亦所謂識時俊傑與、

韋叡嘗謂崔慧景懦而不武。今觀叡拔魏小峴城。克合肥。及邵陽洲之捷。謀勇兼具。信非慧景所能及。幹國家成功業。匪偶然也。至梁武銳意釋氏。天下從風。叡自以信受素薄。不欲與俗俯仰。所行略如他日。特立不倚。尤未易有。

邵陽洲之捷、曹景宗與羣帥爭先啓之。叡獨居後。而史歸功於叡。且將當日讓德備載。惟恐或漏、汝惟不伐。天下莫與汝爭功。信哉。

書范雲沈約傳

梁武納東昏余妃、因范雲王茂迭諫。遂納雲言。以余賚茂、茂不辭。武亦弗靳。均後世

所未易有。

范雲昔爲沈攸之所執。以老母弱弟懸命沈氏。甘心就戮。及貴事寡嫂盡禮。家事必咨而後行。是亦張弘策之流也。梁多孝弟人。殆儒術盛昌之驗與。

約爲齊臣而勸梁武乘和帝未至急篡齊。且惟恐范雲他日位在己前。紿雲外待而已先入出懷中詔書幷諸選置。遂得尙書僕射。約誠小人哉。梁武心薄其人。故約雖有志台司靳而弗畀。洎乎齊和入夢。赤章奏天。中使譴責。遂殞厥命。伊戚自貽。抑何可哂（梁武欲徙和帝南海沈約謂不可慕虛名受實禍梁武頷之乃使鄭伯禽詣姑孰弒之無怪和帝入夢也）

書江淹任昉傳

江淹於東昏末固辭秘書監衛尉。不獲免。梁武師至。微服奔之。雖亦富貴。未嘗效沈約所爲。故別爲傳。

任昉性孝。居父喪盡禮。服闋。續遭母憂。常廬墓側。哭泣之地。草爲不生。孝可知矣。其爲齊明帝草表。引咎自責。有徒懷子孟社稷之對。何救昌邑爭臣之譏等語。殆欲藉此直辭。戕彼逆圖。忠抑可想。雖時移勢易。後且竭誠梁臺。禪讓文誥多昉所具。與沈約實大異。故但與江淹同傳。

劉孝標論談交。有叙溫燠則寒谷成暄。論嚴枯則春叢零葉。飛沈出其指顧。榮辱定其一言云云。後世亦常有此。

書謝朏傳

蕭道成借石苞事諷朏勸進。朏卽借司馬昭事。諷道成終身北面。齊受宋禪。朏又不肯爲齊解璽。此與江淹任昉蓋大異。雖道成不殺朏。朏亦未嘗仕於建元之世。故獨爲傳。既不義道成所爲。更不義明帝所爲。建武以後。遂不復仕。（梁武時雖强授侍中司徒尚書令中書監司徒衛將軍一等職實未任事一日）朏於是偶乎遠矣。

謝覽因齊明帝及父瀹徐孝嗣並爲吳興。號稱名守。遂變聚斂爲廉潔。名宦之有益於世也如此。用人者亦知之乎。

書王亮張稷王瑩傳

王亮諂事江祏。協附梅蟲兒茹法珍。梁武璽書所指。並非苛論。而范縝竟謂頗有治實豈協同凶黨作威作福皆爲治實耶。

稷所生母遘疾歷時稷年十一夜不解衣而寢。及母亡毁瘠過人。後頻居父母憂六載廬於墓側信可謂孝。在官俸祿頒之親故。家無餘財。亦可謂義。而竟與亮瑩同傳者。蓋稷害東昏而後降不得與微子去殷比既不得與微子比。則但宜與亮瑩比矣。

書王珍國馬仙琕張齊傳

義師起東昏召珍國以衆還京師。而珍國密遣郗纂奉明鏡於梁武。且潛結張稷腹心張齊首謀弑逆東昏所恃者如此欲不敗亡得乎。

張仙琕戮使斷運乃眞齊臣。建康陷後號哭經宿何嘗欲仕於梁哉。宜別爲傳。不與王珍國張齊同。

仙琕自爲將及居州郡。能與士卒同勞逸。身衣不過布帛。所居無帷幕衾屏。行則飲食與厮養最下者同其在邊境。常單身潛入敵庭伺知壁壘村落險要處所張齊手不知書。目不識字而在郡有清政、吏事甚修。其居軍中。能身親勞辱。與士卒同苦。自晝頓舍城壘皆委曲得其便。調給衣糧資用。人人無所困乏。此二人亦後世所難得。

書張馮康昌傳

張惠紹擊斬沈離當。盡獲其軍器。故終能斷郢魯二城糧運、俾梁武義師有功。馳斬燒神虎門之東昏餘黨數十級。故衛尉張弘策雖被害而京師無恙。此立大功於內者二也。與馮道根裴邃攻斷魏連橋、短兵接戰。魏兵大潰。遂有邵陽之捷、魏宿預淮陽二城內附。惠紹撫納有功。此立大功於外者亦二也。

馮道根年幼傭賃。而克孝母。可異者一。年十六匹馬救蔡道斑。可異者二。怯防勇戰。善以少禦衆。更善以少擊衆。可異者三。能檢御部曲。所過村陌。將士不敢虜掠、可異者四。每所征伐。默不言功、有大樹之風。可異者五。處州郡和理清靜。為部下所懷。可異者六。雖貴顯而性儉約、肅然如賤士。可異者七。

梁武詔有馮道根奉上能忠。有功不伐。撫人留愛。守邊難犯、祭遵馮異郭伋李牧不能過也語。得君知若此。未易能保此令譽至死尤未易。

堰淮水以灌壽陽。歷三載堰乃成。長九里下闊一百四十丈。上廣四十五丈。高二十丈。深十九丈五尺。軍人安堵。列居其上。此何等鉅工。而張豹子以己未尸其事。譖康絢使被召還。且不修堰使壞決。豹子豈尚有人心哉。

昌義之之守鍾離。以三千人抗魏數十萬。又值中山王元英及楊大眼皆人雄善攻。歷時半載。卒幸全城敗敵。可謂難能。雖韋叡曹景宗援救有功。非義之善守。城早陷矣。救焉及乎。

義之性寬厚。爲將能撫御。得人死力。及居藩任。吏民安之。梁多此等人。他代所難也。

書宗史劉坦樂藹傳

劉坦自請行湘州事。忠誠不下趙充國。而湘境人情易擾。難信專用武士。則百姓畏侵漁。若遣文人。則威略不振云云。至今尚然。俗殆有不可易者耶。

劉坦旣聞鍾玄紹反謀。僞爲不知。因理訟至夜。而城門遂不閉以疑之。使自投羅網。

以靜制動。已屬難能。既斬玄紹於坐。遂焚所收文書。不問餘黨。使衆愧服。不殺之殺。意更深遠、

書劉季連陳伯之傳

劉季連以宋室近屬幾被齊誅。無何齊敗。季連又赫然在梁。世局滄桑。一轉眼遂歷三朝。季連亦竊嘆於室否耶、

鄧元起誤聽朱道琛之言。致偪季連復反。可爲用無賴小人者戒。季連兵敗不死。他日卒爲藺道恭所殺、可爲偷生畏死者戒。

陳伯之既以江州降梁武。猶懷兩端逼而後伏。既抵京師。猶喚降人耳語。鄭伯倫懼以刺客始絕異志此人不可遣還舊鎮亦明矣。而梁武卒遣之豈欲其成就邱遲一書耶伯之不識書而暮春三月江南草長雜花生樹羣鶯亂飛等語。竟使伯之自魏還梁文之感人亦甚矣、

書王王王王王張柳蔡江傳

既云王瞻獨不視伎。又云瞻幼時輕薄好逸游。爲閭里所患。則嚮之獨不視伎。特矯情之爲耳。然數歲卽矯情若此。亦非常兒所能。

愚人易動。不足窮法。此王瞻雅論。明帝聽之。所全活萬數。後世宜深念此。

百僚署名送東昏首。獨王志掇服樹葉僞悶不署名。而梁武嘉之。志固可嘉。出自梁武更難得也。

王羲之書名。後世小兒皆知之。王志雖號書聖。後世無稱焉。蓋羲之蘭亭序黃庭經幸傳後世。而志無之也。

王峻嘗與謝覽約。官至侍中。不復謀進仕。覽自吏部尚書出爲吳興郡。平心不畏強禦。峻爲侍中以後。亦淡然自守。無所營務。由此觀之。知足者必不致患得患失。終其身爲小人也。

梁武問羣臣朕爲有爲無。此讀老後語。非信佛後語。王份對以陛下應萬物爲有。體至理爲無。似學易後語。亦讀老後語。

張充守義興爲政清靜。民吏便之。柳惲守吳興。亦爲政清靜。民吏懷之。皆學老之效。江蒨方雅有風格。僕射徐勉因蒨門客翟景爲第七兒繇求蒨女婚。蒨嚴拒。雖忤勉被擠。弗悔。不愧梁室名士。

書太祖五王傳

臨川王宏孝母。雖逃難猶遣使參問起居。又在州二十餘年。未嘗以吏事按郡縣。皆難能也。安成王秀鄱陽王恢始興王憺桂陽嗣王象。亦孝在州並有惠愛。

梁武未克郢魯前。若非南平王偉與始興王憺擊破裴師仁顏僧都會襲雍州之師。則本根既拔。大事去矣。用兵重後方留守。有以哉。又偉克孝母。侍疾衣不解帶。及母薨。毀頓過禮。水漿不入口累日。梁武每臨幸譬抑之。何梁多孝弟人如此也。

蕭恭豈如臨清風對朗月登山泛水肆意酣歌等語。殆蘇子瞻赤壁賦所祖。

簡文與蕭恭手令。有顧充實邊戍。無數遷徙。諜候惟遠。箱庾惟積。長以控短。靜以制躁等語。後世藩輔。具應遵奉。而恭到雍多取官米贍給私宅。於箱庾惟積四字尚不置意。他可想已。免官削爵。竟不叙用。宜哉。

書四嗣王傳

蕭懿寧被東昏酷害不肯叛走。與梁武異。蓋亂世所難。子業襲封所在留惠。懿亦可謂不死矣。

蕭藻年未弱冠。自擊亂民數萬。斬首數千級。遂平之。難能者一。性恬靜。獨處一室。嘗以爵祿太過。每思屏退。門庭閑寂。賓客罕通。難能者二。侯景之亂。或勸奔江北。藻謂既不能誅翦逆賊。正當同死朝廷。安能投身異類。欲保餘生。難能者三。

書蕭景傳

景亦孝弟。故在外州內淸蕭。在朝衆所瞻仰。孝爲百行之本。信然。景弟昱晚守晉陵。嚴於姦吏。優養百姓。旬日之間。郡中大化。亦可取。

書周捨徐勉傳

詔稱捨奉親能孝。事君盡忠。可謂王言如綸。

徐勉既嫻尺牘。兼善辭令。雖文案塡積。坐客充滿。應對如流。手不停筆。雖曰難能。世亦嘗有。至門人夜集。有客求官。而勉正色答云。今夕止可談風月。不宜及公事。則今日殆無此人也。

徐勉疏曰。禮記問喪云。三日而後斂者。以俟其生也、三日而不生。亦不生矣。此誠孝子不忍死其親。又不忍久褻其親也、且既死復蘇。事常有。久褻致尸變、事亦常有。三日而後斂。先王制禮。意深遠矣。

書范傳蕭陸傳

范岫早孤、事母以孝聞、親喪之後、蔬食布衣以終身。每所居官。恒以廉潔著稱。傳昭六歲而孤。哀毀如成人、其後淡於榮利。所涖官。常以淸靜爲政、孝爲百行之本。於玆益信。

陸杲在臺、彈不避親。不獨不畏彊禦也、及後爲郡。寬惠有聲、抑所謂柔亦不茹者乎。

書陸到明殷陸傳

陸倕借人漢書失五行志四卷。暗寫還之。略無遺脫。以五行志瑣屑難讀。而能暗寫至四卷。此眞彊記之雄也。

到洽爲御史中丞。彈糾無所顧望。宜與陸杲同傳。而竟別置何也。

殷鈞年九歲以孝聞。後爲臨川內史。閉閤臥治。而百姓化其德。劫盜皆奔出境。陸襄哀痛父兄之酷。（以遙光之亂誅死）服釋後猶若居憂。及遭母喪。年已五十。毀頓過禮。後爲鄱陽內史。生獲亂首鮮于琛。案治黨與。枉直無濫。在政六年。郡中大治。孝之爲效大矣哉。古聖王以孝治天下。豈虛語哉。

書裴邃夏侯亶韋放傳

邵陽洲之役。魏爲長橋斷淮。裴邃以淮水暴溢。乘汐突艦。徑造橋側。魏衆驚潰。追擊大破之。與黃蓋破操赤壁大略相似。壽陽之役。魏守將長孫稚率衆五萬出城挑戰。邃勒諸將爲四甄待之。令李祖憐僞遁誘稚。大敗魏衆。與韓信破趙井陘大略相似。

裴之高以弟之橫縱誕。爲狹被蔬食以激厲之。不愧父兄之教。極可感。之橫乃有大丈夫富貴必作百幅被之歎何耶。始不過一時憤語。他日貴顯。竟爲斯被。直自著不弟之罪而已。何成初志之足云。

夏侯亶居喪盡禮。廬于墓側。遺財悉推諸弟。此亦孝弟人也。居州有威惠。邊人悅服。宜哉。

魚弘爲郡。自謂四盡。（水中魚鼈盡山中麞鹿盡田中米穀盡村里民庶盡）未遭顯戮。而丈夫生世如輕塵栖弱草。白駒之過隙。人生懽樂富貴幾何時等語。竟藉以傳。抑亦異矣。

渦陽之役。魏師至韋放麾下止有二百餘人。從弟洵雖屢折魏軍。而馬被傷。放冑叉三貫流矢。此誠至危之秋。他人處此。但成擒耳。免冑下馬。據胡牀處分。遂以退敵。幷降其城。軍事勝敗。豈專以衆寡論耶。

韋放友于諸弟。每將遠別。及行役初還。常同一室臥起。雖有側室。猶復如此。此誠後世所難。至與張率指孕論婚。後弗改易。亦後世所難、

書高三王傳

南康王績丁母董淑儀憂。毀瘠過禮。且平日約儉。廬陵王續英果。其在雍州。多聚馬仗。蓄養驍雄。金帛內盈。倉庫外實。皆可謂梁武令子。邵陵王綸始攝南兗州。坐事奪爵。後爲揚州。侵漁細民。匿凶人戴子高。坐免爲庶人。與績續蓋異軌矣。然他日與元常書。有骨肉之戰。愈勝愈酷。自相魚肉。是代景（侯景）行師等語。將討侯景。又先後爲元帝侯景西魏所敗。遇害汝南。亦庶幾忠孝之林與。

正階侯確知侯景乞盟必貳。欲不入城。其父邵陵王綸中景姦計。必令確入。豈知一入遂不可復出耶。噫。

書裴顧徐鮑傳

裴子野九歲亡祖母。泣血哀慟。後遭父憂。每之墓所哭泣。一可取。與任昉爲從中表。知其能薦達人。不至昉所。二可取。

裴子野以沈約所撰宋書既行。更刪撰爲宋略二十卷。其叙事評論多善。約亦歎爲弗逮。今宋書至今。而宋略竟未留隻字。不得與新唐書新五代史比。甚可惜也。

又欲撰齊梁春秋。亦草創未就。

梁武召讓徐摛。以應對明敏。遂問五經大義。歷代史。及百家雜說釋教。商較縱橫。甚加歎異。此秋霜變爲春露也。既被親狎。朱异擠之。謂摛愛泉石。意在一郡。遂出爲新安太守。此又春露幻爲秋霜也。

徐摛爲太子左衞率。當侯景舉兵上殿時。侍衞奔散。莫有存者。摛獨侍立。簡文側不動。徐謂景曰。侯公當以禮見。何得如此。侯景乃拜。此豈尋常儒士所能耶。向使早荷權重。何至有侯景之變哉。

書袁昻傳

袁昻以父顗誅死。號痛嘔血。制服廬墓。後丁內憂。哀毀過禮。又丁所生母憂。以喪還遇風浪。縛衣着柩。誓同沉溺。此皆難能。

書陳慶之蘭欽傳

慶之既非將種。又非豪家。而潯梁之役。進薄敵壘。斷澗之戰。破敵前軍。渦陽之守。敵衆大潰。滎陽之拔。一鼓踰堞。蓋慶之善弈。兵機弈勢。理實相通也。

慶之射不穿札。馬非所便。而善撫軍士。能得其死力。今出身軍校者不務撫士。而但以顯貴相抑。無論戰略戰術本不過人。即過人亦誰與戰守哉。

范桃棒率部歸降事若成。梁武何至受侯景之辱。乃梁武敕即受降。而簡文累日不決。豈天必欲假手於景耶。噫嘻。

書王張劉王傳

任昉贈王僧孺詩有覩行視言要終如始二語。後僧儒爲南海太守。謂吾欲遺子孫者不在越裝。爲御史中丞。以母昔被中丞鹵簿驅迫溝中。引騶淸道。悲感不自勝。庶幾不愧昉贈也。

僧孺致何炯書。亦仿司馬遷報任安書。辭儷言靡。於古人未能爲役。蓋司馬若梅而儒孺乃若桃杏也。

張率在新安遣家僮載米三千石還吳宅。既至遂耗大半。率問其故。答曰雀鼠耗也。

率笑而言曰。壯哉雀鼠。竟不研問。此於家事寬恕可也。史稱其事事寬恕。則在公亦然。未可爲訓矣。

劉孝綽少有盛名。而仗氣負才。多所陵忽。有不合意。極言詆訾。此徒能文。實未蓄道。無怪爲廷尉正時。攜妾入官府。其母猶停私宅也。

王筠有孝性。毀瘠過禮。服闋後疾廢久之。此與孝綽大異。而昭明太子乃以筠與孝綽比。何第就文論之耶。

書張緬傳

緬年十歲。每聞軍有勝負。憂喜形於顏色。以父在軍也。厥後父死於賊。痛父之酷。喪過於禮。既爲郡。所得祿俸不敢用。乃至妻子不易衣裳。但供母賑贍親屬。此皆孝行。其爲政任恩惠。不設鉤距。吏人化其德。不敢欺。親親而仁民。緬其庶幾乎。昭明太子與緬弟纘書。惟盛稱倚相墳典。郤穀詩書。惟今望古。蔑以斯過。殆亦舍本論末哉。

張纘以河東王譽檣上水。將襲荊州。紿湘東王。杜岸亦以岳陽王必不容纘。可入山聚義紿纘。紿人禍國。受人紿禍。己可懼也。論責纘値太淸版蕩。不能叶和藩岳。成溫陶之舉。苟懷私怨構隙瀟湘。江陵淪覆。實萌於此。信斧鉞哉。

書蕭子恪傳

梁武謂子恪子範等。有或疑有天命而不能害。或不知有天命而不疑。有天命非人所害。害亦不能得云云。統觀二十四史。實是如此。又卿若在建武永元之世。撥亂反正。我雖起樊鄧。豈得不釋戈推奉。亦是眞語。披肝瀝膽相詔。六朝豈易有此人。

蕭子顯撰後漢書不傳。而齊史獲傳。蕭子範與周興嗣皆有千文。亦一傳一不傳。猶是此人。猶是此書。而亦有幸有不幸。何哉。

梁武謂我造通史若成。衆史可廢。宋司馬光作通鑑。蓋因此語奮筆耳。然衆史卒不可廢者。衆史詳。通史略也。

梁武謂郊廟歌辭。應須典誥大語。不得雜用子史文章淺言。此誠知文之言。知此則相題弄翰。自解取材。何至舛謬乎。

書孔休源江革傳

休源年十一而孤、居喪盡禮。見父手所寫書。必哀慟流涕。不能自勝。其孝如此。故後爲御史中丞。正色直繩。無所回避。行荆州府事。甚有治績。請託不行。監揚州。割斷如流。旁無私謁、卒之日。梁武流涕、稱其奉職清忠。當官忠直。蓋忠自孝出。與以小忠小信上結主知者有別也。

江革十六喪母。以孝聞。故後彈奏豪權。一無所避。嗣被魏囚。誓不爲魏執筆。詔稱其在朝正色。臨危不撓、允矣。至武陵驕縱。革克匡正。吳郡多盜、革能靜息。又豈尋常儒效可比哉。

書謝舉何敬容傳

謝舉爲豫章內史。爲政和理。甚得民心。爲晉陵太守。在郡清靜。境內肅然。長於玄理。有斯效宜哉。

江革傳有何敬容掌選。序用多非其人。革性彊直。每至朝宴。恒有褒貶等語。而敬容本傳乃云銓序明審。號爲稱職。前後矛盾。抑何可哂。

秦始皇防胡。不知有二世胡亥。何敬容防何姓。不知有河東王譽。諺所謂是禍避不脫也。

敬容知侯景翻覆叛臣。終當亂國。知晉代喪亂由尙玄虛。今宜爲戒。亦難得。

書朱異賀琛傳

納侯景降。謝舉等以爲不可。朱異獨探旨贊議。侯景啓絕魏和。並致書與異。辭意甚切。而異但述敕旨以報。致激景反。此罪蓋甚於侯景也。非異景禍固無自起也。史稱異居權要三十餘年。善窺主意。阿諛承旨。梁武喜此等人。欲不敗亡得乎。

賀琛條奏有云。每有一使。屬所搔擾。駑困邑宰。則措聽其漁獵。桀黠長吏。又因之而爲貪殘。今措聽漁獵者少。而因之而爲貪殘者實多。民不堪命。所以倍於曩時也。又言宴醑所費。破數家之產。歌謠之具。侯千金之資。乃更追恨向所取之少。如復傳翼。增其摶噬。今亦惟淫侈是尙。惟貪黷是競。愈淫侈愈貪黷。愈貪黷愈淫侈。哀哉。又言不息費無以聚財。不休民無以聚力。蓄其財所以大用之。息其民所以大役之。今駢枝不急之官吏日益加多。而費皆取自賦稅、修汽車路。築飛機場。練義勇隊等事。一時具舉。而力皆出自農夫。財曷由聚。力曷由蓄乎。

梁武責賀琛有卿可分明顯出某刺史橫暴、某太守貪殘、某官長凶虐、尚書蘭臺主書舍人某人姦猾。某人取與。明言其事。得以黜陟等語。凡上書言得失及爲御史者。宜熟誦此。

侯景之亂。賀琛被槍未死。賊舉至闕下。使勸王克朱異開城納賊。而琛竟貪生畏死。白克等勸降。此等人亦撰三禮講疏五經滯義、可恥孰甚。

書元元王羊羊傳

招降納叛。每易反覆。不獨侯景然也、法僧年已耄邁。幸無他變、其子景仲竟被景誘、向使無霸先討之。南事益不可問。雖景敗陳興、梁社遂屋。然霸先假義、愈於景但爲暴也遠矣。

羊侃父祉雖貴於魏。每有南歸之志。常謂諸子曰。人生安可久淹異域。汝等可歸奉東朝。此侃所以卒爲梁臣也。侃將入南。士卒竟夜悲歌。侃乃謝曰。卿等懷土。理不能見隨。幸適去留。於此別異。此士卒所以拜辭歸魏也。南人歸南。北人歸北。趙宋時檜倡此語。和者不少。固無足怪。

侯景反時。梁武若納侃策、急據采石。令邵陵王襲取壽春。使景進不得前。退失巢窟。何至有滔天之禍、惜爲衆議所誤。竟斬梁祚。豈天厭梁德、必遂假手於景乎。噫。

羊侃南人。故於侯景之亂。竭智盡力。誓死報國。與他南降者大異。使不遽卒。善守若彼。城未必陷也。惜哉。

羊鵾密圖侯景。迫海師使向京口。遂於船中以矟刺殺景。此誠大功。不愧侃子。然後世大盜挾手槍迫海師向盜窟。便肆刦掠。似亦學此。一立功。一造惡。其爲智一也。噫。

書司馬到劉劉許傳

到溉遭母憂。居喪盡禮。服闋猶蔬食布衣。累載。可取者一。所蒞以清白自修。性又率儉。不好聲色，可取者二，家門雍睦。兄弟特相友愛。可取者三。

沛國劉顯與河東裴子野南陽劉之遴吳郡顧協連職禁中。遞相師友。此甚可法。蓋師者崇德修慝辨惑之資。有可以崇吾德者吾師之。有可以修吾慝者吾師之。有可以辨吾惑者吾師之。有一卽可。無俟全也。否則世無仲尼。不當在弟子之列。與聖人無常師之旨悖矣。卽以友論，以友輔仁者。崇德也。他山攻錯者。修慝也。疑義與析者。辨惑也，友之效何遽不如師。此朋友所以列於五倫歟。

劉之遴就班固所上漢書眞本參校異同。有今本外戚在西域後。古本外戚次帝紀。今本高五子文三王景十三王武五子宣元六王雜在諸傳中。古本諸王悉次外戚下。在陳項傳前云云。余謂當從古本。范曄作後漢書。皇后紀次帝紀。陳壽作三國志。后妃傳次帝紀。卽古本漢書外戚次帝紀遺意也。又三國志蜀書二主妃子傳次後主傳。吳書宗室傳次妃嬪傳。亦卽古本漢書諸王悉次外戚下遺意也。蓋以類連及。便於考覽，非故與他傳異也。

許懋性孝。居父憂執喪過禮。梁時能此者不鮮。至云封禪乃緯書曲說。詳考博辯。破千載大惑。則不特梁時無第二人。直可謂古今第一人也。

書王王褚蕭褚劉劉殷蕭傳

梁雖多孝弟人。而如王規稱孝童者蓋寡。黃香九齡溫席不得專美於前矣。

梁武盛時。陳慶之克復洛陽。是南人兵力至河也。孝元之敗。江陵陷於西魏。是北人兵力至江也。其他江北河南各地。晉宋以來。一彼一此。不勝指數。蓋南北各釀內憂。各長外患。內憂外患迭爲乘除。莫能一統也。

梁武以餞元景隆詩。擢王規侍中。可謂失賞。以芮珍宗譖罷王規吳郡太守。可謂失罰。

劉孺年十四。居父喪。毀瘠骨立。可謂難能。既長性通和。雖家人不見其喜慍。抑更難能。後爲吏部尚書。以母憂去職。居喪未期。以毀卒。諡曰孝子。則尤難能。

劉覽以所生母憂。廬墓再期。口不嘗鹽酪。冬止著單布。此雖孝豈亡母所望。聖人謂

過猶不及。此類是也

書臧盾傳岐傳

盾喪母。服制未終。而父又卒。居喪五年。不出廬戶。形骸枯顇。此實難能。然是時梁重孝行。勉彊而行。或亦可至。至同泰寺馴象狂逸。衆皆駭散。惟盾與裴之禮嶷然自若。則所謂泰山崩於前而色不變者。尤難能也。

傳岐謂魏高澄欲更通好。必是設間。故令蕭深明（紀曰深明傳曰淵明陳高紀亦曰深明）遣使。令侯景自疑。當以深明易景。景意不安。必圖禍亂。若許通好。正墮計中。可謂燭照數計。而武帝不寤。於是景反。而武帝簡文帝皆死景手。景敗。而魏人陷江陵。元帝又死魏人手。實不異死景手。使無陳霸先起而討賊。且挫魏鋒。則高氏坐收餘燼。南北一統。豈待隋氏哉。然梁祚竟以是遂隕於陳矣。甚矣。澄計之毒也。梁武昔以兩空函定一州。自詡心戰。高澄此計。蓋亦所謂心戰也。噫。

書韋江張沈柳傳

韋粲誓死國難，正氣凜然。惜柳仲禮調度乖方。乃使畏懦不敢進之劉叔胤助粲。致有青塘之敗，粲死而國亦隨之也。又臺城沒後，仲禮與弟敬禮俱見於景，景遣仲禮經略上流，留敬禮爲質，並餞仲禮於後渚。敬禮密約乘會殺景。仲禮見備衛嚴，不敢動。計遂不果。是仲禮貪生畏死，亦與劉叔胤等耳。上誤國事，抑又何怪。然他日竟被景害。泉下有知，應悔前不以殺景死也。

書太宗十一子世祖二子傳

鄱陽王範棄合肥而頓柵口，待援兵總集，無智勇可想。潯陽王大心處範湓城，廪饋甚厚。欲與戮力，共除禍難。而範反聽劣子之謀，援叛擊順，以致人心離貳，逆燄滔天。尤可痛恨。不亟救君父之難，而密有自爲之意。力散易敗，同歸於盡耳。他日遇害，雖悔何裨。

南海王大臨少遭母憂，哭泣毀瘠，可敬者一。後值景亂，都督城南諸軍事，不收財物。取牛饗士，可敬者二。張彪起義，不肯往投，謂彪若成功，不資我力，如其撓敗，以我說爲可敬者三。

忠壯世子謂魚鳥飛浮。任其志性。吾之進退。恆存掌握。舉手懼觸。搖足恐墮。若使吾終得與魚鳥同游。則去人間如脫屣耳。誦此而有苦六道輪回者。其愚殆不可治也。

忠壯世子以自危故願死戎陣。元帝不以爲慼。反曰不有所廢。其何以興。爲人君父者豈宜若此。卒之貞惠世子貽誤國事。梁社遂屋。忠壯苟在。或不至此。可歎。

書王僧辯傳

僧辯以竟陵部下未盡來、不足制河東王、不肯即前。雖被收繫不悔。此與王翦伐楚兵少不行。蓋甚相似。然以此益見元帝宜反舊都。而舉江陵畀河東。蓋河東足任西藩也、

僧辯守巴陵。先示弱以驕賊。後固守以敗賊。賊既敗退。沿流電掃。郢鎭江州。一時俱下。遂趨建業。雖陳霸先別有謀策、亦誓同心共事。不相欺負。石頭一役。賊走朱方。京都以定。社稷以復。向使孝元不都江陵。而宅建業。何至有西魏掩襲之禍。無西魏掩

釁之禍。何至有貞陽反國之禍。無貞陽反國之禍。更何至有霸先篡梁之禍哉。論責僧辯受脅齊師。旁立支庶。自致殲滅。僧辯固病在游移。孝元實禍由猜忌。豈不可哀也與。

書胡徐杜陰傳

以僧名者如呂僧珍。王僧孺。元法僧，王僧辯。胡僧祐。層見疊出，當時佛教之深入人心可想。又周捨滕曇恭劉曇靜庾沙彌。亦與以僧名者等。

僧祐每在公宴必彊賦詩。鄙辭被嘲。矜伐愈甚。今亦往往有此等人。

任約不知僧祐由別路西上圖己。反謂畏己而退。卒被僧祐擒送江陵。此等人令當前敵。無怪侯景終敗也

徐文盛以侯景還妻之故。密通信使，蓋聽妻言報德，且進圖貴顯也，他日竟死荊州獄。未知亦自悔否。

杜龕王僧辯壻也，又夙爲霸先所切齒。霸先殺僧辯後。龕且據吳興屢拒陳師。豈復

可降以苟活耶縱齊桓不怨射鈎。寵可自比管仲耶。寵竟不寤，漫投羅網，可憫，可恨，

書孝行傳

滕曇恭母楊氏患熱。思食寒瓜。曇恭歷訪不能得，忽得之桑門，與王祥臥冰得鯉略似。乃祥列二十四孝。婦孺皆知其人，而曇恭之名不著，類書所繫大矣哉。

徐普濟居喪未及葬，鄰火延及普濟慟伏棺上。以身蔽火，與宋書賈恩遇火身殉母棺事相類知有棺不知有身可謂孝矣。惜未載居父喪或居母喪。未免語焉不詳耳。

又宛陵女子與母同寢母爲猛虎所搏。女號叫拏虎虎毛盡落，行十數里，虎乃棄之。女抱母還猶有氣，經時乃絕與漢楊香搤虎救父事亦相類，既云有詔表門。何亦不載女子名及母姓氏耶。

沈崇六歲丁父憂，哭踊過禮，孺子天性未漓。能此蓋尚匪難，至壯而喪母。水漿不入口，晝夜號哭，旬日殆將絕氣。則非眞有孝性不能也。行乞營葬，廬墓補服。或可勉彊。至爲令永寧，自以祿不及養。怛恨愈甚。哀思不自堪。遂卒於縣，則尤非眞有孝性不

能也。

荀匠始聞父卒。號慟氣絕。繼迎兄喪。望舟投水。并服四年。不出廬戶。髮皆秃落。目眥皆爛。哀毀若此。世所難有。雖梁武明詔擢用。實未就職。竟以毀卒。尤匪沽名弋譽者可比。

黔婁嘗糞。並禱求以身代父。列名二十四孝。婦孺盡知。其他僅見史籍。知者蓋鮮。若甚不幸。雖然。常無孝。變乃有孝。孝非人子所忍言。况藉親大造已名也。吉翂請死贖父。丹陽尹王志欲舉爲純孝。而翂固拒。以爲甚辱。庶幾知此旨者哉。

孝衰於妻子。世俗大抵然也。蓋以妻子團聚爲可樂。遂漸忘父母劬勞耳。若孝子則但知有父母。不知有妻子。故離父母。或父母卒。心極愴慟。而居父母喪。以毀卒者。如荀匠。劉曇淨。何炯。江紑。褚修。謝藺。彼豈故促其生哉。誠不忍一旦竟無父母也。悲夫。

書儒林傳

永元末。京師兵亂。何佟之常集諸生講論。孜孜不怠。梁武踐阼。百度草創。佟之依禮定議。多所裨益。亂不忘道。治不負所學。儒者不宜如是耶。

梁武謂禮言慈母有三。一妾子無母。使妾之無子者養之。一嫡妻子無母。使妾養之。三子非無母。擇賤者視之。義同師保。是慈母本義。與孟郊慈母手中線云云大異。今人動以慈母目母。甚且省言慈。不獨與慈父見背相混。而生我劬勞之母。僅視若與保母相等之慈母。抑亦未免非薄厥母矣。

當時儒者如伏曼容嚴植之賀瑒太史叔明。皆喜莊老之說。莊老本與儒通也。

書文學傳上

相如諭蜀檄。曉諭之也。故辭義嚴正。邱遲爲書喻陳伯之。譬喻之也、故辭義婉摯。然皆有大效、一紙書賢於十萬師、信哉、

詩至齊梁、上變漢魏。下啓唐音、沈約四聲。鍾嶸詩品。雖垂典範、實梏來彥。蓋胸中有此二物。去風雅遂不知幾千萬里也。安得好學深思者。心知其意。不四聲而四聲。不詩品而詩品乎。

周興嗣著述甚富。而千字文獨照耀今古。蓋字既各殊。且有韻便誦。初學寶之也。

書文學傳下

人苟不妄自非薄。獨善兼善。莫不繫天下後世輕重。此志非命所能主宰也。有此志。堯舜貴壽而勳華。顏閔賤貧而德行。無此志。則桀紂作君而罪藪。盜跖在下而利徒。子罕言命。士惟尚志。萬事决矣。劉孝標辨命論。貌似知命而高才而無貴仕。饕餮而居大位云云。實滿腹富貴之念。察秋毫而不見泰山。蓋亦志不若人耳。此孝標所以僅爲孝標也。

謝幾卿以父徙越州。不忍辭訣。遂投付江流。及居父憂。哀毀過禮。從子幼孤。撫養甚至。長於玄理之人而孝弟若此。實所難能。

左思三都賦。必求序於皇甫謐。劉勰文心雕龍。必取定於沈約。曲彌高者和彌寡。此老子所以有知希我貴之論也。

王籍若邪溪詩。有蟬噪林逾靜。鳥鳴山更幽句。蓋心與山林俱化。蟬噪鳥鳴不擾其天。反覺悅耳也。

沈約見何思澄游廬山詩。大相稱賞。自以爲弗逮。命工書人題付宅壁。愛才若此。難矣。自知之明若此。則尤難焉。

劉杳著述有古今四部書目五卷。載籍愈多。目錄學所繫愈重。班志藝文。已啓厥緒。亦易所謂匪一朝一夕之故。其所由來者漸矣。

臧嚴幼有孝性。居父憂以毀聞。故孤介自重。未嘗造請人。僕射徐勉欲見之。終不肯詣。後監義陽武寧郡。以數門生單車入境。羣蠻悅服。遂絕寇盜。世謂文士無行儒者寡效。嚴殆並雪此言。

伏挺少有盛名。不能久事隱靖。蓋華歆之流耳。後除南臺治書。因事納賄。懼罪變服爲道人。甚可鄙哂。子知命事侯景軍中書檄。皆知命所爲。抑亦可謂濟美矣。一笑。

書處士傳

傳云何點父鑠有風疾。無故害妻。坐法死。果有風疾。豈宜坐以法。竟坐法死。風疾殆非眞也。又點感家禍。必絕婚而後卽安。其父母當日或別有難言之事。亦未可知。旣老娶魯國孔嗣女。不與相見。築別室處之。尤可怪。

傳云陶弘景止於句容之句曲山。謂此山是第八洞宮名金壇華陽之天。周回百五十里。昔漢有咸陽三茅君得道。來掌此山。故謂之茅山。乃中山立館。自號華陽隱居。從東陽孫游岳受符圖經法。後更築樓三層。己處上。弟子居中。賓客至其下。與物遂絕。惟一家僮得侍其旁。天監四年。移居積金東澗。善辟穀導引之法。年逾八十而有壯容。此有關道教者也。又云曾夢佛授其菩提記。名爲勝力菩薩。乃詣鄮縣阿育王塔自誓。受五大戒。此有關釋教者也。由道入釋者。或目道教爲外道。而弘景不爾得於道教者蓋深矣。至諸葛璩丁母憂毀瘠。沈顗事母兄弟孝友。是皆儒效。與弘景異。范元琰博通經史。兼精佛義。蓋儒而釋者。然見人盜菜。遽退走。恐人愧恥。或陟溝盜筍。伐木以渡之。俾盜大慙。則又似道家所爲。又劉訏善玄言。精釋典。蓋道而釋者。然幼稱純孝。事伯母及昆姊孝友篤至。抑實儒者矩矱也。

劉歊謂形者無知之質。神者有知之性。有知不獨存。依無知以自立。故形之於神。逆旅之餘耳。及其死也。神去此而適彼也。神已去此。館何用存。速朽得理也。神已適彼。祭何所祭。祭則失理。施靈筵。陳棺槨。設饋奠。建邱隴。蓋欲令孝子有追思之地耳。此論甚通。節哀順變以此。愼終追遠亦以此。然孝子不忍死其親。抑豈願聞此語。

書止足傳

因魚豢魏略有知足傳。謝靈運晉書有止足傳。特以顧憲之陶季直蕭視素備止足一格。蓋與處士始終不仕者異也。

顧憲之縱牛伏盜。蓋善察物性耳。動物皆識主。犬馬尤甚。不獨牛然也。

憲之因梁武受禪而風疾漸篤。固求還吳。此蓋知止。匪徒知足也。又陶季直梁臺始建時卽辭疾還里。較憲之又高一着。惟蕭視素歷仕齊梁。未嘗隆顯。雖愧陶顧。抑亦知足之選與。

書良吏傳

梁武逆取順守。以孝以儉帥天下。道德齊禮之化。庶幾復見。惜後佞佛廢事。又謬信侯景。遂致大亂。父子戮辱。國命隨之。讀良吏傳。可勝浩歎。

良吏政貴平恕。大抵得儒老遺意。沈瑀摧抑豪强。直漢時酷吏所爲。不得漫曰良吏。至使富吏着芒屩粗布。侍立終日。足有蹉跌。輒加榜棰。有意報舊辱。抑復可哂。雖廉白自守。良吏豈但廉白哉。

何遠守武昌。廉儉可稱。然吏民多以細事受鞭罰。非良吏所爲。至守東陽。疾彊富如仇讎。視貧細如子弟。特爲豪右所畏憚。則直酷吏耳。

書諸夷傳

今外人有倡祼體者。有倡男女恣其奔隨者。不知扶南國俗古本祼體。本男女恣其奔隨。無待倡也。海客時至。多爲通商。未必皆觀光也。論謂梁武以德懷之。朝貢歲至。蓋誇辭耳。

書四王傳

豫章王綜私發齊東昏墓。瀝臂血試之。因懷異志。卒被魏殺。天而既厭齊德矣。可復興乎。然悲落葉辭之凡昔共根本。無復一相關。字字血淚。較曹植本是同根生相煎何太急。別是一種悽調。

武陵王紀既爲梁武第八子。侯景亂起。理宜勤王。而乃坐視父危。且復僭號。何不孝至此也。卒被元帝誅滅。賜姓饕餮。宜哉。

臨賀王正德梁武養子。夙有姦心。侯景誘以甘言。遂與同惡。臺城既沒。己亦被殺。泉下有知。何面目復見梁武哉。

侯景寇京邑。河東王譽率軍入援。臺城既沒。有詔班師。譽即還鎭。此誠無罪。而元帝謬信張纘讒間。萁豆自煎。譽固夷滅。江陵亦未幾淪陷。梁化爲陳。國祚遂絕。可勝歎與。

置四王於諸夷傳後。侯景傳前。蓋惡四王悖逆。屏諸四夷。不與同中國也。然河東之變。實元帝激之。應附河東於昭明太子傳內。不與三王比。

書侯景傳

侯景擁衆十萬。專制河南。慮爲齊神武所殺。觀兵汝潁。擁旆周韓。卒豫州刺史高成。廣州刺史郎椿。襄州刺史李密。兗州刺史邢子才。南兗州刺史石長宣。齊州刺史許季良。東豫州刺史邱元徵。洛州刺史朱渾願。揚州刺史樂恂。北荆州刺史梅季昌。北揚州刺史元神和等降梁。衆既十萬。州且十一（武紀則云十三州）梁武志在統一。惡得不動心也乎。

觀侯景報齊文襄書。有梁道邕熙。招攜以禮。陳平歸漢則王。百里入秦斯霸等語。何嘗不欲以功名終。渦陽敗後。退據壽春。梁與魏和。景遂謀叛。蓋懼梁受魏間。位若命卒不可保耳。然使臨賀王正德不與賊通。太子家令王質巡江不退。景何敢以馬數百匹兵千人自采石濟江。如入無人之境耶。邵陵王綸卒馬步三萬。發自京口。直據鍾山。景師屢敗。京似可保。而南鄉侯駿挑戰忽退。前譙州刺史趙伯超卒車遽走。豈天厭梁武。必令覆亡而後已哉。而且景以火車焚城。築土山逼城。皆靡效。而梁材官將軍宋嶷反教景引玄武湖水灌臺城。惟恐陷之不速。尤可悲怪。

郭元建諫景廢立。謂四方之師所以不至者。政爲二宮萬福。若遂行弒逆。結怨海內。事機一去。雖悔無及。蓋投鼠忌器。景遂得挾天子以令諸侯也。而景不寤。特爲陳霸先作前驅耳。

景不敢固守京師。殆以躬行弒逆。恐鬼索命耳。一笑。

王偉爲景謀主。禍纏宸極。毒徧黎元。而景敗後曝屍建康。梟首江陵。偉亦烹於荆市。彼徒醉心富貴。不問順逆者。觀此亦猛省否耶。

讀陳書蠡述

趙啟霖題

中華民國二十五年
湘鄂印刷公司印行

讀陳書蠡述目次

讀陳書蠡述卷一

岳陽李澄宇洞庭著

書武紀上 高祖

古者帝王受命。必歷世積德累仁。侯景不知七廟爲何物。王偉請七世之諱。景但知阿爺名標景黨亦但知其祖名周。自外則由王偉代制名位陳武帝祖自準至文讚。鑿鑿十餘世雖未必積德累仁。視景祖當勝。此成敗之判於祖德者也且武帝日角龍顏垂手過膝可謂奇表。夢天開數丈四朱衣捧日令吞。及覺腹中猶熱。可謂異徵。而景皆無之此成敗之判於天命者也景反覆凶暴。既逆取不解順守。武帝則討景功高拒齊績顯未篡似開濟兩朝。既篡似與民更始此成敗之判於人事者也。

書武紀下 永定

陳武既弑江陰。捨身大莊嚴寺。蓋自知罪大惡極。欲藉佛力解之也。世之佞佛者大抵類此

陳武篡竊之念起於夢日。紀所謂心獨負之也。貞陽藉外兵以來。陳武遂襲殺僧辯。

王僧辯擁立敬帝。特篡之發端耳。踐阼年餘。（永定元年十月至三年六月實止年餘）遽歸地下。恐亦非始料所及、噫嘻、

書文紀（世祖　天嘉　天康）

兄終弟及。晉武弗以爲是。故此座可惜。致有八王之亂。父作子述。陳武恐其未然。故賴乎此子。遂開二姪之業。（文宣皆武帝兄子）朱均不肖、權豈在人。堯舜與賢、讓誠盛世。顧燕噲王莽以來。託迹唐虞者、大抵僞局。惟兄終弟及、減與子之弊、有立長之效、而吳以發禍於王僚。宋以種凶於太祖。殷商舊軌。後亦未宜。此傳子所以始夏止清、率由獨久也。近仿夷制。元首衆選。既非父傳。亦非天與。明篡陰取。未聞已時。益令人望古神往。

書廢帝紀（光大）

先書二年春正月己亥侍中都督中外諸軍事驃騎大將軍司徒錄尚書事揚州刺史安成王諱進位太傅領司徒加殊禮劍履上殿。後書十一月甲寅慈訓太后集羣

臣於朝堂令曰云云。其跡近簒。然慈訓太后昔於武帝崩時與蔡景歷定計。秘不發喪。召文帝嗣位。今又令黜廢帝爲臨海王。以宣帝繼統。太后蓋深懼守成不易。長顧國有長君者也。又令謂廢帝密詔華皎稱兵上流。別敕歐陽紇等攻偪衡州。與論中仁厚儒弱。混一是非。不驚得喪等語。弗類。欲辯宣帝非簒。亦不可也。

書宣紀 高宗 太建

宣帝詔求直諫。以朱雲摧檻。禽息觸楹。難得。但求其次。未免輕量天下。意者恐人直攻其簒。特以此語豫杜與。

先有淮南屢捷。後有呂梁大挫。哀勝驕敗。自古然也。又梁季喪亂。齊奪淮南。宣帝乍得。旋隸周版。宇內未一。旦彼夕此。民獨何辜。備嘗毒苦。悲夫。

書後主紀 至德 禎明

求賢求言。重農崇儉。後主屢詔。咸可誦仰。時値末造。輔闕棟隆。遂以荒淫。佞佛拾身。何裨於治。分久必合。抑有天命。隋亦閏位。他何論焉。

魏徵口存於仁義心怵於嗜欲，仁義利物而道遠。嗜欲遂性而便身。遂身不可久違，道遠難以固志等語。似爲唐太宗發。蓋寓忠諫於史論。可謂以古爲鑑也。十思疏可參看。

書后紀

晉宋梁隋唐新唐六書南北二史皆效陳壽爲后妃傳。南齊魏北齊周四書則曰皇后傳。蓋兼法范（范曄）陳二氏也。此則復後漢之舊。用殿帝紀，

劉師知陰忌宣帝權重。矯勅擠之。若無毛喜。幾墮計中。卒之師知獄死，廢帝亦不久被放，悲夫

文帝沈皇后以政無大小盡歸宣帝。憂悶計無所出。密賂宦者蔣裕令誘張安國反。冀因此圖宣帝此亦一策然因此愈令宣帝不自安。非圖篡不可。是促之也。至左右近侍頗知其事，后恐連逮黨與並殺之。手辣心很。似亦不減呂武。

宣帝柳皇后美而賢。於錢貴妃傾心下之，不與爭寵不可及者一。宣帝崩後。誅始興

王叔陵。供大行喪事。邊境防守。及百司衆務。皆決於后。不可及者二。後主瘡愈。卽歸政。視大權若敝屣。不可及者三。

後主沈皇后性孝。端靜寡慾。誠足母儀天下。而後主偏遇之薄。此所以爲亡國之主也。然寵張貴妃。不以貴妃故廢后。較周幽王唐高宗要勝一籌也。

楊廣肯斬張貴妃。足見彼時尚有英氣。

姚察以陳人爲陳書。頗多曲筆。故必錄魏徵史論。略資補正。如帝紀宣帝有周公之親。無伊尹之志。后紀後主自居臨春閣。張貴妃居結綺閣。龔孔二貴嬪居望仙閣。張孔之勢。薰灼四方。大臣執政。從風而靡等語。皆姚察所諱也。

讀陳書蠡述卷二

岳陽李澄宇洞庭著

書杜僧明周文育侯安都傳

女名袁大捨。（見后紀魏徵史論）男名杜僧明。足見當日佛教深入人心。

陳武生擒杜僧明周文育。不惟不殺。且重用之。足令彼等心死。而僧明與蔡路養戰傷馬。陳武馳往救之。且以己馬乘之。尤足令彼等心死。所向克捷。遂啓陳祚。匪偶然也。不求良將。兵雖多若無兵。不善將將。將雖良若無將。今人但務兵多。曷不熟讀此傳哉。

文育爲路養所圍。四面數重。矢石雨下。所乘馬死。文育右手搏戰。左手解鞍。潰圍而出。處險從容。誠未易得。其後智勇兼運。屢建大功。殆無足怪。

文育既知熊曇朗將害己。應敵而乃親齎周迪書以示曇朗。誠欲推撫之也。卒被朗所害。惜哉。若遣能者代齎。察視言色。再定計議。庶免此禍。然星墜地陷。有聲如雷。三陂固文育死所也。奈何。

寶安十餘歲貴公子。驕蹇遊逸。一聞父敗便折節讀書。與士君子游。綏御士卒甚有威惠。亦庶幾不愧文育子也。

周文育善襲。侯安都亦善襲。文育所襲歐陽頠。敵猶小。安都所襲王僧辯。敵甚大。是何也。有是襲而梁社遷。有是襲而陳鼎定矣。

既襲取徐嗣徽家口馬驢輜重。而獨以嗣徽所彈琵琶及所養鷹還之者。以此徵信。足破其膽也。

一則曰徐嗣徽任約等引齊寇入據石頭。游騎至於闕下。再則曰與齊將王敬寶戰於龍尾。三則曰領步騎千餘自白下橫擊其後。齊軍大敗。使無侯安都。梁滅於齊也久矣。陳武惡從篡位乎。故能救梁不滅者安都也。能使安都救梁者陳武也。無安都無梁。無陳武無安都。故謂陳武篡位篡自齊可也。謂陳武所篡之位自安都與之亦可也。

衡陽獻王昌將入。而致書文帝不遜。是自求禍也。濟漢而薨。宜哉。然安都於文帝嗣位未定時。白太后出璽。（名白實迫）於文帝託言求藩時。自請迎獻王。（名迎實弒）兩立不賞之大功。縱不驕蹇。亦曷能長保首領乎。

書侯瑱歐陽頠吳明徹傳

侯瑱、以父弘遠戰死。固請復讎。竟斬蜀賊張文蕚。非徒勇也。孝足稱焉。

蕪湖之役。侯瑱以火攻大敗王琳。其聲勢不減赤壁。惜傳文未足張之也。

歐陽頠居父喪毀瘠甚至。家產累積。悉讓諸兄。亦誠孝弟人。

嶺南非大。而歐陽頠都督廣交越成定明新高合羅愛建德宜黃利安石雙十九州、諸軍事、其州皆在嶺南。蓋廣交二州舊地耳。二竟化爲十九。一由戶口增益。一由建置頻數也。

吳明徹幼孤。性孝。以無力營葬。勤力耕種。遇旱苗枯。秋轉大穫、足充葬用。此誠孝感。

侯景之亂。明徹有粟麥三千餘斛。平分鄉里。羣盜聞而避焉。此抑義感。

明徹謂毛喜。有嗣君諒闇。萬機多闕。外鄰彊敵、內有大喪。願留中深計。愼勿致疑等語。蓋以大義勗宣帝初無勸行廢立之意。不圖毛喜貪功。竟贊宣帝遽行大事也。

明徹之攻壽陽也。王琳敗退據城。我迮肥水灌城。齊遣大將軍皮景和率兵數十萬來援。去壽春三十里不進。堅城未拔。大援在近。懦者解圍。否或分兵以拒。而明徹知景和不敢戰。躬擐甲冑。攻城倍急。竟克壽陽。禽王琳。走景和。智勇兼備。不愧大將。周新滅齊。銳氣方盛。大將軍王軌來援。匪皮景和可比。而明徹適苦背疾甚篤。不能如克壽陽時躬擐甲冑。故呂梁之役。敵拒戰敗退。守城不敢復出。我迮清水灌城。環列舟艦急攻。與在壽陽時並同。而王軌竟輕行自清水入淮口。橫流豎木。以鐵鎖貫車輪。遏斷我船路。我師敗績。明徹亦被執。援軍之關係勝負大矣。詔謂師出已老。數亦終奇。庶幾平情之論。

書周鐵虎程靈洗傳

鐵虎本佐蕭譽討侯景。譽雖遇譖遭敗。鐵虎討景之志究可藉僧辯一展。侯景未滅奈何殺壯士。此九字足動天地。至今如聞其聲。無怪僧辯奇之也。

程靈洗號令分明。與士卒同甘苦。故雖御下苛刻。衆亦依附。至伎妾無遊手。督之紡績。散用貲助。亦弗儉吝。更武將所難。子文季御下嚴整。每置陣役人。必先諸將。蓋亦有父風焉。

書黃法氍淳于量章昭遠傳

章昭達眇一目而後貴。誠所不解。至於智勇具備。屢建異勳。位至鼎司。抑亦宜也。

書胡徐杜沈傳

胡穎因與陳武同郡。接遇甚隆。沈恪因與陳武同郡。情好甚暱。鄉誼重視。自昔然矣。豐沛子弟。化爲侯王。韓彭大功。轉被夷滅。可勝歎哉。

徐度嗜酒好博。而每戰有功。陳武克定廣州。平蔡路養。破李遷仕。計畫多出於度。善用衆長。此陳武所以遂開洪祚也。

陳武召杜稜侯安都謀襲王僧辯。而稜難之。懼其泄謀。以手巾絞稜。稜悶絕。因閉於別室。軍發召與同行。梟雄舉動。大抵如此。爲其下者不亦難乎。

沈恪不肯偪敬帝移宮。叩頭謂陳武曰。恪身經事蕭家來。今日不忍見許事。分受死耳。決不奉命。但問心。不計命。此誠壯烈。陳武嘉其意。別以王僧志代之。陳武亦尚有君人之度哉。

書徐魯周荀周傳

徐世譜勇敢善水戰。性機巧。諳解舊法。所造器械、隨機損益、妙思出人。與今日海軍專購外艦。甚至徒備運送不可以戰者。蓋大異。

魯悉達幼以孝聞。侯景之亂。糾合鄉人保新蔡、力田蓄穀、濟活甚衆、抑可謂義、梁敬帝時。陳武有篡竊之意。王琳余孝頃周迪等所在鋒起、琳授悉達鎮北將軍、陳武亦授悉達征西將軍。皆不就。各遣鼓吹女樂、兩受之。亦可謂智。陳武遣沈泰潛師襲之不能克。齊遣慕容紹宗以衆三萬來攻、悉達敗之。紹宗僅以身免。更可謂勇。惟王琳欲東下。以悉達制其中流。不得下。相持歲餘、會悉達裨將梅天養引齊軍入城。悉達乃勒麾下數千人歸陳武。且對陳武有授官恩厚。襲臣威深。豁達大度。同符漢祖等語於梁不可謂忠耳。

周敷屢破周迪。怨已深矣。竟受迪紿。挺身共誓。勇則勇矣。何不智乃爾

吳明徹北伐時。齊遣陸騫以衆二萬出自巴蘄。周炅留羸弱輜重設疑兵以當之。身率精銳由間道邀其後、大敗騫軍。虜獲器械馬驢不可勝數。進攻巴州克之。於是江北諸城及穀陽士民並誅渠帥以城降。若炅者可謂智勇具備矣。

書衡陽南康二王傳

侯安都傳有請自迎昌（即衡陽王）昌濟漢而薨等語。此傳則云丙子濟江。於中流船壞以溺薨。此亦所謂昭王南征而不復。君其問其水濱也。昌致書文帝不遜。既有取死之道。蕭沈等上表請以昌督湘州。實亦催命之檄。蓋他人不知文帝必欲去昌之心。惟安都知之實深也。死諡獻王黃屋左纛於昌奚裨乎。噫。

若違衆議。必謂孤惜子姪。今決遣曇朗。棄之寇庭。陳武此語絕痛。蓋息肩假武。不慮背盟。古今通病。漢武蒙黷武之譏。岳飛死敗和之罪。職是故耳。

書宗室傳

會盟則異姓爲後。啓土則非劉勿王。此家天下之舊規。唐以後則異是矣。

隋之滅陳也。秦王廣賀若弼韓擒虎向金陵楊素下自巴峽與晉人伐吳略同。惟王濬樓船。自益州直抵金陵。楊素則讓秦王廣成功賀若弼韓擒虎濟江據蔣山。亦非王渾裹足不渡者可比耳。

書趙蔡劉謝傳

趙知禮沈靜有謀謨。不獨爲文敏速也。故陳武每問以軍國大事。蔡景歷曾輔獻王。陳武既崩乃獨傾心文帝安都之誅。更復勸成其事。陰賊險很。殆罕其匹贓賄狼藉。何足怪乎。

六朝時篡竊接踵。爲丞相及加九錫並受禪。其儀注令人望之作嘔。而劉師知獨喜定此無怪他日爲宣帝所害也。

沈后紀但云劉師知矯勅廢帝紀慈訓太后令則云遺劉師知殷不佞等顯言排斥。

到仲舉傳又云仲舉與王暹劉師知殷不佞以朔望有歸。乃遣不佞矯旨。毛喜傳又云到仲舉等矯太后令。可參看事雖傳聞異辭。要皆盡忠陳武者也。

書王沖王通袁敬傳

冲性和順。事上謹肅。習於法令。政在平理。佐藩莅人。鮮有失德。雖無赫赫之譽。久而見思。蓋庶幾并儒法二家之長者也。人盡如此。天下太平矣。

陳王通字公達。瑯邪人。位至僕射。隋王通字仲淹。龍門人。隱居河汾。世但知有隋王通而不知有陳王通。貴不如賤。觀此益信。

王勱行廣州事。以清白聞。後守晋陵。甚有威惠。袁樞家世顯貴。杜門靜居。後掌選事。謹愼周密。名士若此。庶幾無愧。

書沈袁劉陸王韋傳

沈衆始事梁武。而降侯景。繼事元帝。而入西魏。終事敬帝。而仕陳武。梁陳之際。類此者不少。無怪五代時有馮道也。貌爲窮乞。竟以取死。晚歲所爲。更不可解。

袁泌乃心梁室。王琳敗後。獨送蕭莊達於北境。屬莊於御史劉仲威。令共入齊。然後拜辭而歸。不解何以不自與蕭莊入齊。而讓仲威獨爲君子也。噫。

韋載亦乃心梁室。其守義興。非奉敬帝勅。必不解兵。嗣徐嗣徽任約等引齊軍濟江。據石頭城。陳武問計於載。載謂齊軍若分兵先據三吳之路。略地東境。則時事去矣。今可急於淮南卽侯景故壘築城。以通東道轉輸。別命輕兵絕其糧運。使進無所虜。退無所資。則齊將之首。旬日可致。載此計。卽周亞夫所以破七國也。微載。焉有梁。更安有陳哉。陳天嘉時。築室白山。屏絕人事。吉凶慶弔。無所往來。視袁泌臨終戒子。瞑目之後。斂手足旋葬。無得輒受贈諡者。蓋高一等也。

書沈炯虞荔馬樞傳

炯以文才致累。幾死。幸遇僧辯。羽檄軍書及上元帝勸進表與陳武會白茅灣盟書。赫然照世。洎乎陳武受禪。以母老表請歸養。實不欲仕。文帝嗣位。又復表請。蓋乃心梁室。未便明言。可哀也已。

虞荔以母卒於侯景亂時。情理未申。終身蔬食布衣。不聽音樂。雖任遇隆重。而居止儉素。又因弟寄在閩。言輒流涕。此眞孝弟。非尋常文士所能。

虞寄亦以文才致累幾死。不習蒯徹相背之辭。而賞班彪王命之論。非尋常文士所能。忠諫陳寶應。遠以竇融吳芮相勗。近以王琳侯瑱爲戒。亦非尋常文士所能。

馬樞博極經史。尤善佛經。及周易老子義。蓋於儒釋道三教頗能會通者。然隱乎茅山。有終焉之志。撰道覺論二十卷行世。則皈依終在老子也。

書到仲舉韓子高華皎傳

仲舉既無學術，朝章非所長。但聚財酣飲而已。而文帝積年寢疾。尚書中事皆使斷決。誤害何可勝道。他日遣殷不佞矯旨出宣帝。令子郁與韓子高謀變。上誤廢帝。下誤厥家。亦固其所。

華皎陳於巴州之白螺，即今巴陵縣城陵磯對岸之白螺磯也。故下云賊軍敗後。皎與戴僧朔單舸走過巴陵。不敢登城。徑奔江陵也。

論謂皎據有上游。忠於文帝仲舉子高亦無爽於臣節。辭微旨遠。宣帝之爲簒奪也瞭然矣。

書謝蕭謝張王孔蕭傳

陳武梟雄。反之者復互爲起落。故王琳侯瑱華皎陳寶應等皆先後覆敗。未損陳武毫末。今日熊曇朗在豫章周迪在臨川留異在東陽陳寶應在建晉。共相連結陳武患之。令蕭乾往諭順逆。并觀虛實。蓋餘波耳。天命有在。人謀易臧。逆天者亡。甚可懼也。然陳武亦徒爲猶子效力耳。噫嘻。

張種年五十母卒毀瘠過甚服制雖畢。居處飲食恒若在喪。此亦孝行。而歷仕梁陳。視遷鼎出璽若無有何也。

王固居喪以孝聞。兼信佛法。澤被羊魚。孔奐遭母憂亦以孝聞。爲郡素儉。不獨溫飽。皆亂世所難有。

奐性耿介。絕請託。雖儲副之尊。公侯之重。溺情相及。終不爲屈。然卒以此不得右僕射。亂世正氣不申。由來舊矣。又蕭引抗直。不事權貴。左右近臣。無所造請。宣帝每欲遷用。輒爲用事者所裁。亦頗類此。

蕭允行經延陵季子廟。設蘋藻之薦。託爲異代之交。爲詩叙意。蓋季子讓國。漢魏以來篡竊相尋。季子高風。愈可景仰。名祭昔賢。實悼時難也。

書陸子隆錢道戢駱牙傳 駱牙南史作駱文牙

陸子隆與沈泰吳寶真申縉同爲張彪（淸季亦有張彪）將帥。泰等皆降。而子隆力戰敗績。此誠忠勇未易有也。文帝義之。復使領其部曲。蓋欲移其忠勇於我耳。後竟屢立戰功。爲國藩牧。可謂入彀。

書沈君理王瑒陸繕傳

沈君理居父憂。前後奪情者三。並不就。不愧博涉經史。謚曰貞憲。

王瑒之居選職。謹守文案。無所抑揚。知有法不知有人。必如此乃可言法治。

書周弘正袁憲傳

弘正於侯景未降以前。豫曉國家厄運。京城既陷以後。不憖松柏後彫。可謂難能。然自陳武受禪白衣蒼狗熟視若無睹。特善玄言兼明釋典。一姓之成敗利鈍彼固未嘗介意哉。

袁憲兄爲左僕射。而憲爲右僕射。前未有此。惜陳亡仕隋。猶未足爲歲寒松柏耳。

書裴忌孫瑒傳

夜至城下而鼓譟。決非大軍。王僧智不辨此而輕舟奔杜龕。使裴忌幸據吳郡。僧智不逮僧辯也遠矣。

孫瑒事親以孝聞。於諸弟甚篤睦。又與王琳陳力協義。同奬梁室。琳敗乃降陳武。實不宜與早識攀附之裴忌同傳

書徐陵傳

寶誌上人稱徐陵爲天上石麒麟。蓋以徐陵乃石麟降生也。觀陵答魏主客魏收有今我來聘使卿復知寒暑語不愧祥麟。又陵爲御史中丞。劾免安成王侍中中書監。

爲吏部尚書。提舉綱維。綜覈名實。亦不愧祥麟。惟傳稱自有陳創業。文檄軍書及禪位詔策。皆陵所製。而九錫尤美。爲一代文宗。則未免有愧祥麟。至不以此矜物。未嘗詆訶作者。殆猶有悔心與。

陵嘗遇疾甚篤。次子份燒香泣涕。跪誦孝經。晝夜不息。如此者三日。陵疾豁然而愈。誠之所感大矣哉。彼徒言誦佛有效者。盍讀此傳。

書江總姚察傳

總以飲食男女誘惑太子。雖以與太子爲長夜之飲。養良娣陳氏爲女。太子微行總舍被免。尋復起用。後主卽位。遂爲令僕。然不持政務。日與後主游宴後庭。共陳暄孔範王瑗等十餘人爲狎客。國政日頹。綱紀不立。君臣昏亂。以至於滅。此人豈嘗有美事。論謂師長六官。雅允朝望。謬矣。

姚察事親以孝聞。推食弟妹。分卹故舊。自居顯要。不納餉饋。信可厲俗厚倫。爲士冠冕。至所修梁陳二史。頗多曲筆。殆本春秋諱魯之意。未足深責。

書文九王宣二十九王後主十一子傳

文帝殺武帝子衡陽王昌而傳稱於中流船壞以溺薨。宣帝亦殺文帝子始興王伯茂。而傳稱於路遇盜殞于車中。皆諱之也。歧中有歧。篡中有篡。可勝慨哉。

鄱陽王伯山舉止閑雅。喜慍不形於色。可謂王度。居所生母喪以孝聞。可謂王德。年四十。較諸王爲壽。且薨於國未亡時。可謂王福。

陳亡。宗室王侯從後主入關至長安。隋文帝並配於隴右及河西諸州。至大業二年。煬帝以後主第六女爲貴人。始召陳氏子弟盡還京師。隨才敘用。王者後裔託庇於一女子。可爲浩歎。

叔陵爲亂時。若無叔堅自後扼叔陵擒之。並奪其刀。縱皇太后與後主乳母身捍後主。惡能竟脫後主於險哉。他日叔堅有罪。後主念其前功赦之。宜也。

國亡而叔文欣然有自德之色。且上表求榮。叔文誠無心肝哉。

岳陽王叔慎不甘降屈。計斬龐暉。招合士衆與隋決戰。雖敗猶榮。雖死猶生。天地正氣。千載凜然。可弔也已。

後主太子深。少聰慧有志操。容止儼然。雖左右近侍未嘗見其喜慍。洵不易得。隋軍排閤而入。深遣舍人孔伯魚宣令勞之。十餘歲小兒鎮靜若此。尤不易得。

書宗司馬毛蔡傳

宗元饒爲御史中丞。劾免贓汙狼藉之合州刺史陳裒。奏削驕蹇放橫之吳興太守武陵王伯禮。豫章內史南康嗣王方泰。吏有犯法。政不便民。及於名教不足者。隨事糾正。今安得復見此人。

司馬申痛太清之難。父母俱殁。菜食終身。可佩者一。侯景寇郢。隨都督王僧辯據巴陵。每進籌策。皆見行用。可佩者二。僧辯之討陸納。賊衆奄至。左右披靡。申躬蔽僧辯。蒙盾而前。可佩者三。爲秣陵令。以清能見紀。可佩者四。叔陵肆逆未遂。出據東府。申馳召左衛蕭摩訶帥兵先至。追斬之。可佩者五。

到仲舉等矯太后令遣宣帝。時若無毛喜面奏兩宮還府。以後禍且不測。子高謀變。

宣帝若不納喜謀。推心安誘。亂不遽弭。吳明徹得淮南後。宣帝若用喜計。安民保境。寢兵復約。呂梁之敗亦庶可免。喜繫陳氏輕重也大哉。後主有一老臣而不能任。欲不亡得乎。

書蕭陸顧傳傳

宣帝見蕭濟條理詳悉。文無滯害。乃曰我本期蕭長史長於經傳。不言精練繁劇乃至於此。經生迂闊。爲世所輕視久矣。濟克如此。詫爲異事。豈知通經致用。固經生分內事耶。

陸瓊十一歲丁父憂。以孝聞。晚居母喪。哀慕過毀。文士若此。甚難得也。又性謙儉。位望日隆。執志愈下。園池室宇。無所改作。車馬衣服。不尙鮮華。四時祿俸。散之宗族。今亦不復見此人。

顧野王以篤學至性知名。觀其容貌。似不能言。及其勵精力行。皆人所莫及。若生趙宋之世。爲道學傳中人可也。

傅縡丁母憂。在兵亂之中。居喪盡禮。哀毀骨立。又篤信佛教。蓋儒而釋者也。

縡被施文慶沈客卿譖下獄。上書抗諫。有惡忠直若仇讎。視生民如草芥。恐東南王氣自斯而盡等語。後主大怒。猶欲赦之。誠愛其才。卒不遜辭。就死無悔。縡固不幸。陳祚亦隨之矣。哀哉。

章華上書極諫。有溺於嬖寵。惑於酒色。祠七廟而不出。拜妃嬪而臨軒。老臣宿將棄之草莽。諂佞讒邪。昇之朝廷等語。可作討後主檄讀。

書蕭任樊魯傳

蕭摩訶年十三。單騎出戰。莫有當者。後隨侯安都吳明徹。皆屢立異勳。而呂梁之役。初請乘王軌連鏁下流兩頭築城未成時擊之。明徹不許。繼請潛軍突圍。自領鐵騎數千馳驅前後。明徹又不許。明徹負國。尤負摩訶。可痛也。論謂摩訶雖無智略。亦一代匹夫之勇。何不考事實而輕視摩訶若此乎。

隋總管賀若弼鎮廣陵。江左亡在旦夕。後主既委摩訶備禦之任。乃以正月元會徵還。致若弼乘虛濟江襲京口。摩訶請兵逆戰不許。及若弼進軍鍾山。摩訶請出兵掩襲。又不許。直待隋軍大至。然後言戰。軍無統率。首尾進退各不相知。摩訶無所用力。焉得不敗。焉得不亡。摩訶入隋以後。尙同漢王諒擧兵。雖事不就。可與姜伯約比烈也已

姚忠譎詭多計略。雖大峴之役。擊走齊歷陽王高景安。呂梁之役。全軍而還。歷陽之役。生擒周將王延貴。而隋師濟江戰勝。忠竟降敵。且引韓擒虎軍共入南掖門。名忠不忠。殆卽所謂臣處分訖。卽當奉迎也與。噫嘻。

施文慶沈客卿。寢隋兵消息不報。後主弗之知。遂以無備。雖樊毅謂僕射袁憲。京口采石。俱是要所。各須銳卒數千人。金翅二百。俱下江中。上下防捍。亦因施沈。俱掌機密。外有表啓。由其呈奏。此議不能徑達於後主。未得施行。甚可痛恨。

魯廣達於白土岡南置陣。與賀若弼旗鼓相對。率勵敢死。冒以而前。隋軍退走。殺傷甚衆。及若弼攻敗諸將。乘勝至宮城。燒北掖門。猶督餘兵苦戰不息。斬獲數十百人。

廣達忠勇。信不可及。入隋以後。遘疾不治。竟以憤卒。可哀也已。

書孝行傳

殷不害居父憂過禮。善事母。江陵之陷。母凍死兵亂中。不害求母七日始得。哭輒氣絕。弟不佞居父喪以孝稱。母卒。以道路隔絕。不得奔赴。四載之中。晝夜號泣。兄弟並孝。不易得也

到仲舉劉師知王暹等謀矯詔出宣帝。衆人猶豫未敢先發。不佞乃馳詣相府宣敕云云。與后紀各傳略異。姚察以陳人撰陳史。傳聞異辭若此。史豈易言哉。噫。

陳謝貞風定花猶落。與淸兪樾花落春仍在。均爲更進一解語。

謝藺居母阮氏憂。不食泣血而卒。子貞十四歲丁父艱。亦號頓於地。絕而復蘇者數。長爪禪師以養母責之。乃進饘粥。後遭母憂。竟以毀卒。孝門有孝子。信可欽憫。然終悖聖人之旨。奈何。

孝非一端。而梁陳動以居喪毀瘠廬墓號哭爲孝。蓋匪常道。張昭（與吳張昭同名）幼有孝性。

色養甚謹父嗜鮮魚結綱以捕、庶幾善養。至居父憂、哭必嘔血。母氏繼亡。兄弟骨立。以毀致疾子胤俱絕孝而若此豈親所望哉。

書儒林傳

采綴梁之遺儒用備一格。陳之爲陳可想也。

沈文阿以侯景求之急、登樹自縊、遇有所親救之。便自投而下。蓋懼禍求死。又未欲遽死也陳武受禪文阿輒棄官還武康。不仕簒僞。方共驚歎、而忽面縛鎖頸。令陳武笑爲腐儒。則亦可鄙

傳稱沈文阿治三禮撰儀禮八十餘卷。戚袞於梁代撰三禮義記。值亂亡失。禮記義四十卷行於世鄭灼明三禮、張崖陸詡沈德威賀德基俱以禮學自命。沈不害著治五禮儀一百卷此儒而習禮者也。全緩治周易老莊。張譏通孝經論語。篤好玄言。及丁父憂居喪過禮此儒而入玄者也。他如顧越龔孟舒治毛氏詩。王元規性孝、通孝經論語喪服。抑亦彬彬乎詩禮之選與、

書文學傳

大則盡章典謨。裨贊王道。小則文理清正。申紓性靈。蓋就一時言也。至於經禮樂。綜人倫。通古今。述美惡。則兼就萬世言也。文學必如此。乃可貴。後主所尚。烏足與於此哉。

杜之偉爲梁武撰捨身同泰寺儀註。顏晃因陳武幸大莊嚴寺甘露降獻甘露頌。均未足與於文學。至江德操事親盡禮。與異產昆弟居、恩惠甚篤。庾持居父憂過禮。陸琛事後母以孝聞、何之元居喪過禮。徐伯陽善色養。阮卓履險載父柩、庶幾德行不獨文學也。又許亨撰齊書并志五十卷、撰梁史成者五十八卷、何之元撰梁典。起齊永元元年。迄王琳遇獲。七十五年行事。爲三十卷。並謂王琳崇立蕭莊。雖不達天命。是其忠節。所謂通古今述美惡者。於是乎在、書固未傳。想亦蕭沈之亞也。

書熊周留陳傳

熊曇朗始抗王琳。後又害周文育以應王琳。雖曰反覆。肯爲琳赤族。謂爲梁忠臣亦可也。

周迪先挫王琳，後屠雲朗。既不以復梁爲忠，自必以事陳爲智。而竟抗徵造亂，自取滅亡。殊無足取，不必與熊留同列一傳。

留異陳寶應始終爲梁，雖陳以婚姻寵之，以宗室懷之，毫不爲動。雖敗猶榮，雖死猶生。可謂梁室忠臣也已。

書始興新安二王傳

叔陵好色不好學，府內民間少妻處女，微有色貌，並即逼納。而每入朝，於車中馬上執卷讀書，高聲長誦，表裏互異若此，可謂作僞心勞日拙。

叔陵以台鼎餂摩訶，摩訶卽以須王心膂節將自來紿叔陵。於是叔陵死黨絕。於是叔陵生命盡，智哉摩訶，勇哉摩訶。

伯固本無罪。以懼叔陵故，諂求其意。共訕朝賢，情好大叶。遂謀不軌，孽誠自作。

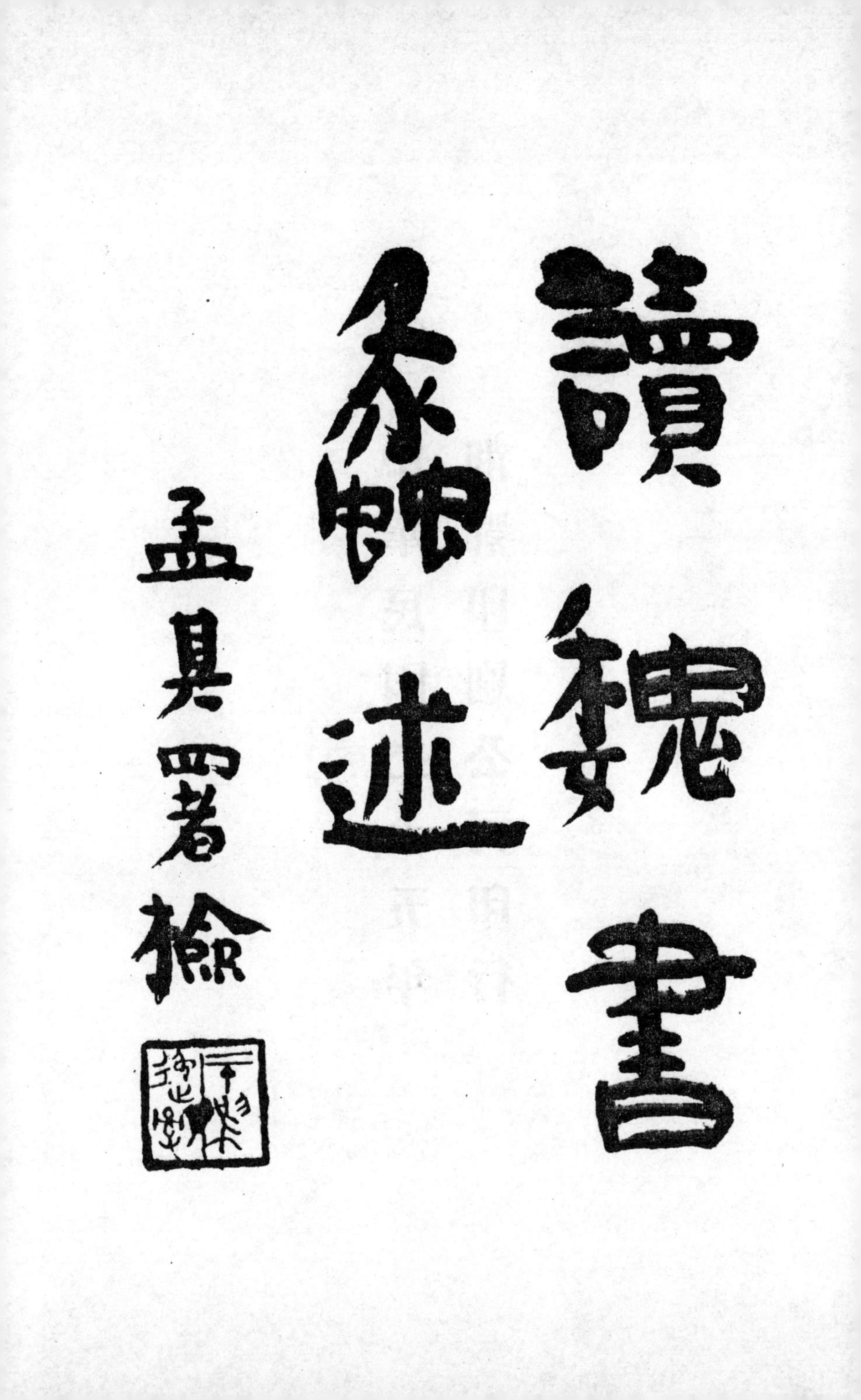

讀魏書紀述

孟真署檢

中華民國二十五年
湘鄂印刷公司印行

讀魏書蠡述目次

卷四

讀魏書蠡述卷一

岳陽李澄宇洞庭著

書卷首

陳志三國。首列魏書。收撰魏史。亦曰魏書。後人嫌其過同。或加後字。以別之。別之誠是也。然不別亦可。陳志固以志著也

書道政事。善惡自見。春秋重書法。褒貶自見。三傳翼經。始有論列。遷固撰史。遂成紀傳范書陳志。漸弗如前。敘瑣論褥矛盾時有。然猶大抵成一家之言。晉宋以後史出衆手。已苦難一。而魏收所取史官。竟欲才不逮己。故益謬妄。又所撰既上。悉焚崔李舊書。試問史記成後。悉焚周秦以前舊書可乎。甚可怪也。

史雖斷代。其子孫固蟬聯也。苟爲直筆。身同杼盾。無如史何。苟匪直筆。後世有盜。且發收魏收冢。不遠祖尙書及春秋經傳。而欲以意爲是非。是去規矩而品方圓也。何以服天下乎。

周秦以前。史料本佳。執筆者又大抵聖哲才俊。故其書靡不可寶。馬班繼起。取精用

宏。史漢並稱。蓋無足怪。漢魏以後。治不近古。文不逮古。卽有良史。取材匪易。況後魏更非漢魏之比。魏收復以私意弄翰。乎歷刼僅傳。亦云幸矣。

書序紀第一

晉書以鮮卑爲五胡之一。宋書斥魏索虜。又謂魏李陵之後。此云黃帝有子二十五人。或內列諸華。或外分荒服。昌意少子受封北土。國有大鮮卑山。因以爲號。又黃帝以土德王。北俗謂土托。謂后跋。故氏托跋。是鮮卑不可與匈奴例視。托跋不可以索虜醜詆。且同爲黃帝子孫。不僅僅李陵後裔也。

詰汾黃帝無婦家。力微皇帝無舅家。其事固近神話。然呑玄鳥卵。踐巨人跡。史記亦鑿鑿言之。則此云天女自天而下。與詰汾同寢。明年以所生男力微授之。抑無足怪

始祖以小忠結沒鹿回部大人竇賓。終幷其衆。且謂賓二子陰謀爲逆。殆所謂欲加之罪。何患無辭也。

衞瓘以文帝雄異。恐爲後患。密啓晉帝。以金錦賂魏國大人。令致間隙。使相危害。卒

死文帝。且致諸部離叛。國內紛擾十餘載。金錦之爲力大矣。噫。飛彈得鳥。未曉者以爲異法怪術。亦猶始見電報電話者以爲人傍線行聲自壁出也。豈知異法怪術更有千萬倍於此不可思議者耶。

平文帝既有平南夏意。不惟斬石勒使。且與晉元帝絕。殆亦所謂磊磊落落者也。桓帝后祁氏害之而立己子。以弱以亂。幾至亡國。可恨。

煬烈二帝屢出屢入。國亂可想。幸烈帝臨崩。命迎昭成。國勢復盛。雖晚被苻堅所敗。道武繼統。轉瞬富彊。抑更可喜。

許謙盜絹。昭成不忍以財辱士。使自慙死。得古者刑不上大夫意。討叛西部。流矢中目。諸大臣執射者欲屠割之。昭成謂彼各爲其主。亦得桓文不罪射鉤斬袪意。

書道武紀 太祖 登國 皇始 天興 天賜

春秋時公子假外力入國者多矣。今烈帝及窟咄亦藉外力。雖成敗各異。其例一也。又梁納元顥爲魏主。齊納蕭深明爲梁主。皆不成。可參勘。

窟咄兵逼南境。則諸部騷動。道武左右且謀逆。道武得援。大破窟咄。則窟咄奔衛辰。衛辰且殺窟咄。敗則舟中敵國。成則萬象回春。可歎也哉。

登國元年即代王位。旋改稱魏王。皇始元年始建天子旌旗。出入警蹕。天興元年始即位大赦。與曹丕先爲魏王後篡漢步驟略同。

初拓中原。即留心慰納。諸士大夫詣軍門者。無少長皆引入賜見。存問周悉。苟有微能。咸蒙叙用。以華攻華賴此。以華治華亦賴此。知此者罔不興。不知此者罔不敗。入華境如此。入夷境亦宜如此。

民有不能自存者。詔郡縣賑恤之。所過存問百姓。不愧王者氣象。今焉得有是耶。

定國號詔簡雅。而民俗雖殊。撫之在德二語。尤與撫我則后。在德不在鼎等意甚合。

詔有司正封畿。制郊甸。端徑術。標道里。平五權。較五量。定五度。詔尚書吏部郎中鄧淵典官制。立爵品。定律呂。協音樂。儀曹郎中董謐撰郊廟社稷朝覲饗宴之儀。三公郎中王德定律令。申科禁。太史令晁崇造渾儀。考天象。蓋有開國規模。而遣使巡行郡國舉奏守宰不法者親覽察黜陟之。尤見開國氣象。

書初令五經羣書各置博士。始耕籍田。皆美之也。尊經重農。制治淸濁之源在是矣。

晉懷愍時。魏尙受晉爵號。晉元南渡。魏始與絕。然列晉僭僞。猶未斥爲島夷也。至桓玄廢主。劉裕簒國。則竟特書島夷矣。南人反詈亦曰索虜。實皆可哂。（魏書於齊梁皆稱島夷）綱目於晉懷愍後。視南北朝如戰國。皆不以正統予之。內懼亂賊。外外夷狄。蓋兩得之。

唐虞夏商有官無爵。官僅以一字或二字表之。至周始官外有爵。官名且有三字者。洎乎秦漢。官爵愈繁。官名有四字或四字以上者。魏晉以降。官外有銜。官爵銜累至十數字或數十字。在當日已難記憶。後人讀史。惡得不厭而遺忘乎。道武制爵四等。（王公侯子）蓋猶襲秦漢。故步未能盡改也。於爵然。於官於銜可想已。後世名號俗濫。視昔更甚。不知異日作史。可以何法掃蕩之也。

太戊修德。祥桑自亡。秦始防胡。長城罔裨。今道武慮如天文之占。或有肘腋之慮。不務修德。徒肆猜戮。終被逆妃（賀夫人）賊子（淸河王紹）密謀潛害。抑何可笑。

北史於帝崩上加清河王紹作亂六字。而此無之。蓋北史據紹傳加之也。傳既據事直書。而紀諱言。雖彼此不妨互見。而紀傳究嫌兩歧。意者魏收以紀當春秋。傳當左傳。故效冬十有一月壬辰公薨而書冬十月戊辰帝崩於天安殿。效羽父請殺桓公云云而傳清河王紹乎。然君弑不書地。此書地何歟。

書明元紀　太宗　永興　神瑞　泰常

立子殺母。本漢武不道之舉。道武效之。殊爲謬妄。況王者以孝治天下。身將繼統而令母死非命。豈得謂孝。果不孝矣。亡國是懼。豈能繼統。世之立子而未殺母者多矣。豈皆有外戚母后之禍。不以德啓後。惟恃深慮預防。庸有濟乎。

明元始即位。詔奚斤巡行諸州。問民間疾苦。撫卹窮乏。三年。詔安同等持節循行安定二州及諸山居雜胡丁零。問其疾苦。察舉守宰不法。其寃窮失職。彊弱相陵。孤寒不能自存者。各以事聞。可謂膏澤下於民。詔簡宮人非所當御及執作伎巧。悉出以配鰥民。尤可謂內無怨女。外無曠夫。能行王政。夷狄進於中國矣。雖曰同化於我。實先聖遺風使然。抑思甘受和白受采。其美質究匪偶然乎。

詔分遣使者巡求儁逸。其豪門强族爲州閭所推者。及有文武才幹臨疑能決、或有先賢世胄德行清美學優義博可爲人師者。才德學望兼收並采。亦用人一法。豈若後世鄉里濟濟姻亞瑣瑣。不敢言求才。不敢言用賢。舉國上下惟拒人是務乎。

書太武紀上 世祖 始光 神䴥 延和 太延

書起太學於城東。祀孔子以顏淵配、美之也、夷狄入主中夏。非尊孔重儒。未足圖治。然因是與我同化。我所獲抑亦厚矣。

不以武功自滿。詔訪賢儁。遂徵范陽盧玄博陵崔綽趙郡李靈河間邢穎勃海高允廣平游雅太原張偉等。雖不逮殷宗之夢板築。亦庶幾漢武之進儒術也。

太延元年出太祖太宗宮人令得嫁。三年幸幽州存恤孤老問民苦疾。皆王政也。

令天下吏民得舉告守令不如法者。下伸民氣。特創此例。大哉太武。宜其克撫諸夏也。後世恐民告官。多方抑制。使難上聞。其太武之罪人也乎。

書太武紀下 太平眞君　正平　恭宗

梁武有中大通中大同等三字年號。太武更有太平眞君四字年號。但後皆當稱眞君二字可謂愈出愈奇。無怪他日唐武后有天册萬歲。萬歲登封。萬歲通天等年號也。

堯舜以後。讓賢禍也。禪子亦禍。太武以太子監國。貌託倦勤。實欲藉此遣功臣歸第耳。卒之中常侍宗愛竊柄。既累太子。復弑太武。禍起於深慮以外。何苦作僞心勞日拙乎。

紀但云皇太子薨。帝崩於永安宮。閹宦傳始略述宗愛弑逆始末。蓋亦諱於紀不諱於傳。猶道武事也。然不若綱目大書魏中常侍宗愛弑其君燾而立南安王余之爲得也。

太武以孝儉帥天下。頗同漢文。臨敵常與士卒同在矢石之間。指授節度。從命者罔不制勝。頗同魏武。

姑臧城東西門外涌泉合於城北。其大如河。自餘溝渠流入澤中。其間乃無燥地。澤草茂盛。而李順等乃言姑臧無水草。不可行師。人言不足憑如此。聽言抑豈易易哉。塵盛賊多。言固近是。然劉潔不察塵向何地移動。而景穆則實知塵在營上。故曰此塵之盛。由賊恇擾。

書文成紀 高宗 興安 興光 太安 和平

漢文景詔罪己意多。魏道武太武文成詔罪臣下意多。此亦世運升降之一斑。然其意皆在使民安業也。後世則一切文告罪民意多。且其意不在使民業安。噫。

昔姬文葬枯骨。天下歸仁。自今有穿毀墳壠者斬之。詔僅三語。質勁可喜。世有毀棄叢墓。將地取値者。曷不一讀此詔乎。

太武之後。文成務守舊規。與漢武之後昭帝務守舊規略同。論謂養威佈德。懷緝中外。有君人之度。允矣。

書獻文紀 顯祖 天安 皇興

徭賦不息。獻文引爲己憂。諸有雜調。一以與民。何異漢文景詔。後世徒言減除苛捐雜稅。而田賦附加。鹽稅附加。貨釐附加。鐵路附加。種種。有加無已。不亦有愧獻文乎。廣集良醫。遠采名藥。民有病者。所在官司遣醫就家診視。所須藥物任醫量給之。此意誠美。前清官藥局實沿此制。今於京師設衛生部。各省設衛生處。似亦同此。但專用西藥西醫。特藉美名以廢本國醫藥耳。何以必廢本國醫藥。或受外賂。欲使西藥西醫暢行無阻。彼輩亦怙勢牟利。莫敢誰何耳。又宣武永平三年詔。推經方。務存精要。以班九服郡縣。布下鄉邑。視獻文所爲。更進一步。

獻文年二十三。便薄時務。明詔傳子。頤神土階。滿擬謝絕塵瑣。得道飛昇。豈知五年以後。馮太后密行鴆毒。易如反手耶。可哂。紀但書崩於永安殿。而論有宮闈之變云云。馮后傳更有顯祖誅李奕。顯祖暴崩。太后爲之也等語。朱子綱目則大書魏太后馮氏弒其主弘。（獻文名弘）

書孝文紀上（高祖　延興　承明　太和）

父諱弘（獻文）而子名宏。（孝文）蓋亦不諱嫌名也。

詔有官以勞升。未久而代。牧守無恤民之心。競爲聚斂。送故迎新。相屬於路。非所以固民志隆治道等語。可謂知治。後世上不恤民。視縣長如贈品。或賣品。遷易頻數。曷不一讀此詔乎。

詔有相其水陸。務盡地利。使農夫外布。桑婦內勤等語。幾同漢詔。今農夫以田賦附加過重。稼不敷納。變爲工隸。甚或兵盜。婦更以外貨充斥。絲布利奪。上焉者坐食累夫。下焉者出入淫盜。爲政者猶復日事搜括。不顧民瘼。是棄民也。棄民而可爲國。未之前聞。

書孝文紀下 太和

孝文詔語。罪己意多。雖或罪人。實亦罪所當罪。如太和六年詔曰。朕以寡薄。政缺平和。不能仰緝緯象。蠲茲六沴。去年淫雨。洪水爲災。此罪己也。百姓嗷然。朕用嗟愍。故遣使者循方賑恤。而牧守不思利民之道。期於取辦。愛毛反裘。甚無謂也。此罪人也。七年詔曰。朕每思知百姓之所疾苦。以增修寬政。而明不燭遠。實有缺焉。此罪己也。

故具問守宰苛虐之狀於州郡。使者秀孝計椽。而對多不實。甚乖朕虛求之意。此罪人也。十有一年詔。春旱至今。野無青草。上天致譴。實由匪德。此罪己也。百姓無辜。將罹饑饉。寤寐思求。罔知所益。公卿內外股肱之臣。謀猷所寄。其極言無隱。以救民瘼。此不罪人也。又是年十一月詔曰。朕惟上政不明。令民身陷罪戾。此罪己也。今寒氣勁切。杖捶難任。自今月至來年孟夏。不聽拷問罪人。又歲既不登。民多饑窘。輕繫之囚。宜速決了。無令久留獄犴。此不罪人也。

孝文於馮太后喪居廬蹈禮。不愧以孝治天下。雖馮太后坤德有虧。子固不可以不孝也。

孝文幸洛陽故宮。傷晉德不修。詠黍離之詩。爲之流涕。亦魏文帝與吳質書既痛逝者行自念也意。

幸八公山路中雨甚而去蓋。見軍士病者親隱恤之。與軍士同疾苦也。巡淮而東。民皆安堵。租運屬路。行軍而不擾民也。

於孔子祀以太牢。謚曰文聖、選諸孔宗子一人爲崇聖侯。又詔兗州爲孔子起園柏。飾墳壠、建碑銘、視自命正統、不務尊孔、惟日夜虔奉佛像者何如耶。

詔遷洛之民死葬河南、不得還北。於是代人南遷者悉爲河南洛陽人。此與明成祖遷燕。葬於昌平。以後諸帝從葬。遂成十三陵略同、蓋不如是則子孫以新都爲逆旅。終難固守也。

託跋二字不雅馴、改姓元氏。甚是。金史國語解完顏漢姓曰王烏古論漢姓曰周蓋亦遠效孝文也。

詔自非金革、聽終三年喪。帥天下親親也、宴羣臣及國老庶老於華林園。帥天下長長也、人人親其親長其長而天下平、庶幾知本矣。

魏收於魏祖黃帝及得姓所由、並諸帝武功文德、靡不詳載、而世猶謂黨齊毀魏。毀魏者固如此乎。豈魏亡國時君臣皆失、作史者尙須諱之乎。殊不可解。又魏享國祚百六十載。(自道武至國亡)在南北朝爲最久、道武以後、賢主繼作、與苻秦僅一賢主者大異。

而史家必以劉石慕容姚並視。未免有夷夏偏見。苻堅盛時。東北西北兩漢舊壤。盡入版圖。西幷後蜀。南逼東晉。孝文盛時。西北東北東南略似前秦。惟西南荆蜀二地。實未奄有。故唐表有孝文之疆不及苻堅等語。（見卷首）然孝文以前。如始祖肇基北土。漸啓南疆。道武進定中原。太武掃統萬。平秦隴。翦遼海。盪河源。獻文淸漠南、漠北。定淮北（兗徐青冀四州）淮西（豫州淮西地）皆恃武力。可云不及苻堅。至孝文則以仁孝儉讓帥天下。禮樂制作。煥乎有文。疆否蓋又爲第二義矣。

受終文祖。見於舜典。此帝王稱祖之始。高宗亮陰、著於商書。此帝王稱宗之始。然一朝無第二人。周建謚而王、秦計世而皇。抑又異此。至漢而有高祖世祖（光武）顯宗（明帝）肅宗（章帝）恭宗（安帝）於是一朝稱祖稱宗者。竟有二人或二人以上。至晉有高祖（宣帝）世宗（景帝）太祖（文帝）世祖（武帝）中宗（元帝）肅宗（明帝）顯宗（成帝）孝宗（穆帝）太宗（簡文）而高祖後有太祖。世宗後有世祖太宗。未免淆亂視聽。於是宋有高祖（武帝）太祖（文帝）世祖（孝武）太宗（明帝）齊有太祖（高帝）世祖（武帝）高宗（明帝）梁有高祖（武帝）太宗（簡文）世祖。（元帝）陳有高祖（武帝）世祖（文帝）高宗。（宣帝）然猶不及北魏之濫也。北魏有始祖（神元）太祖（道武）太宗（明元）世祖（太武）高宗（文成）顯祖（獻文）高祖（孝文）世宗（宣武）肅宗（孝明）敬宗（孝莊）而始祖後竟有太祖高祖。尤悖於古。

書宣武紀（世宗 景明 正始 永平 延昌）

北朝踰淮。進可濟江。南朝保江。必先固淮。故淮肥之間爭地爭城。不知殺人多少萬。彭城壽春。（彭城在北即徐州南與壽春隔淮對峙若襄陽在南樊城在北隔漢對峙不過彭城距淮略遠樊城則迫漢水耳又壽春即壽陽郡治）抑又特甚。觀裴叔業以壽春內屬。彭城王勰帥車騎十萬赴之。齊將陳伯之水軍即沂淮而上以逼壽春。可想。

揚州小峴戍主黨法宗襲梁大峴戍破之。擒其龍驤將軍邾菩薩。送之京師。是菩薩自身難保也。一笑。又孝文時中官有高菩薩。北齊後主時太尉有衛菩薩。周文帝時大將軍宇文導字菩薩。遼聖宗后蕭氏小字菩薩哥。（又遼道宗后蕭氏小字觀音諸臣傳有蕭觀音奴金海陵柔妃耶律氏小字彌勒）

一則曰詔中山王英南討襄沔。再則曰王足圍涪城。是宣武之世魏力已達荊蜀矣。

鍾離即南徐州治。北阻淮水。中山王英於正始三年九月大破梁軍於淮南昌義之等棄梁城緣淮東走。英遂攻鍾離。跨淮通道。百計苦攻。昌義之隨方抗禦。卒莫能入。四年三月。淮水暴漲。梁韋叡等以火攻。勝魏。水死者十餘萬。斬首亦如之。英單騎入梁城。緣淮百餘里屍相枕藉。而紀但言鍾離大水。中山王英敗績而還。頗似曹操敗於赤壁。他日作書與孫權。但言遭離疫氣。燒船自還也。然中山王英竟坐是除名。則所席之勢與操異耳。（踰年英復本封）

楊大眼名奇傳。豎眼名更奇。想係史失本名。以綽號代也。

書孝明紀（肅宗　熙平　神龜　正光　孝昌　武泰）

釋奠孔顏。而詔有司豫繕國學。圖飾聖賢。蓋古者畫像於國學。與後世木主異也。

紀但言侍中元乂（綱目作元義）劉騰幽皇太后於北宮。殺清河王懌。總勒禁旅。而靈后傳乃有逼幸清河王懌。淫亂肆情云云。蓋亦諱於紀不諱於傳也。

宣武正始元年詔曰。男女怨曠。務令媾會。孝明正光二年詔曰。男女怨曠。務令會偶。可見此事在天地間。發情止禮。極爲不易。靈后聰悟多才。竟陷情網。既殄魏祚。復殺其身。理不勝欲。害乃至此。呂武賈韋。皆其類耳。可勿哀哉。

靈后傳有太后復臨朝聽政。自是朝政疎緩。威恩不立。天下牧守。所在貪惏。鄭儼汚亂宮掖。勢傾海內。李神軌徐紇並見親侍。文武解體。所在亂逆。土崩魚爛。兆於此矣。肅宗之崩。事出倉卒。時論咸言鄭儼徐紇之計等語。而紀但云復臨朝攝政。置宣淫亂政弒逆等事不書。亦諱經不諱傳之意耳。

壽春即壽陽郡治。北得壽春。圖南所藉。故魏以壽陽爲揚州。南得壽春。北伐所資。故齊梁咸以壽陽爲豫州。宣武帝景明元年。齊豫州刺史裴叔業以壽陽降魏。而孝明帝孝昌二年。魏揚州刺史李憲乃以壽春降梁。國勢日蹙。內憂繼外患而起。元魏所由遂判東西也。雖孝靜帝武定七年有北徐州刺史蕭正表以鍾離內屬之事。抑北齊與梁消長之機。與魏無涉矣。

靈后躬行弒逆。選立幼主。以便久攝國政。詔辭掩飾若不得已。豈知綱目據后本傳大書魏太后胡氏進毒弒其主詡而立臨洮王世子釗。以正其罪乎。噫。

書孝莊紀 建義 永安

夏商周三代。王卽帝也。可謂無上。然未有以無上名者。漢興。以春秋戰國僭稱王。秦漢之際自稱王。乃沿秦制以王爲公上一爵。生舉地。如齊王 沒賜諡。如厲王 歷魏迄梁無異。今孝莊以兄彭城王邵爲無上王。不舉地而錫名。非制也。又太原王爾朱榮之子文殊文暢並進爵爲王。是父子同時三王也。亦非制。

爾朱榮實無逆謀。不過以寵利居成功耳。竟被讒構以死。是孝莊自速其死。且促魏祚也。奚以明其然耶。莊紀建義三年言九月辛卯天柱大將軍爾朱榮上黨王天穆自晉陽來朝。戊戌帝殺榮天穆於明光殿。及榮子菩提。入朝八日。未有一越軌事。且與天穆及子俱死。謀逆者固如是。輕入虎口。且同入虎口乎。又榮本傳云帝既圖榮。榮至。入見。卽欲害之。以天穆在并。恐爲後患。故隱忍未發。及天穆至。帝伏兵於明光殿東廊。引榮及榮長子菩提天穆等俱入。坐定。魯安李侃晞等抽刀而至。榮窘迫。起投御坐。帝先橫刀膝下。遂手刃之。安等亂斫。榮與天穆菩提同時俱死。榮果謀逆。元天穆必知、固當留幷備變。榮既未還、天穆何可復至。長子菩提、更何必俱入。是榮與天穆菩提、胸臆中並無此念也。傳又云、榮之入洛。有人告以帝欲圖之。榮即具奏帝曰、外人亦言王（榮封太原王）欲害我。我豈信之。於是榮不自疑、每入謁帝、從人不過數十。皆不持杖。惟榮無逆謀、故以人言奏帝。且信帝而不自疑也。此予所謂爾朱榮實無逆謀也。至本傳所載。關補曲陽縣令及啓北人爲河南諸州莊二事。蓋武人不學。視此等官爲無足重輕、可隨意予奪。又自恃屢立大功於帝。可予取予求。後世師旅長無功而所請類此者衆矣、豈皆有逆謀耶。觀榮與天穆論獵。有受國大寵。未能開拓境土。混一海內。待六合寧一。八表無塵。然後共兄奉天子巡四方。觀風俗。布政教等語。立志若此。而尚以逆謀見誅。岳武穆莫須有三字獄。蔑以踰矣。傳又謂莊帝外迫於榮。恒怏怏不悅。兼懲河陰之事。恐終難保。又城陽王徽侍中李彧等欲擅威權。懼榮害之。復相間構。日月滋甚。於是莊帝密有圖榮之意。積忿生懼。因讒致殺。皆莊帝自爲之。榮何與焉。而綱目遠紹春秋。竟大書魏爾朱榮至洛陽與太宰元天穆皆伏誅。不亦貶非其罪乎。一則曰自爲都督中外諸軍事封太原王。再則曰自爲大丞相。三則曰自爲天柱大將軍。雖屬君命。必曰自爲。毋亦下筆之先已有成見乎。若乃女爲帝后。霍光同有此謬。豈霍光亦欲謀逆乎。蓋嘗論之。三代下無伊周。惟諸葛武侯略可比擬。蓋君非太甲。復辟豈不誅尹。主匪成王。居東未必容旦。蜀後主若如太甲放桐。能否怨艾。固不敢知。而以政權全授武侯。不爲讒間所動。則成王實尚遜之。後世以後主爲庸。未嘗以武侯爲逆。則以武侯有儒者氣象。小心翼翼。隨時隨地懍君臣大倫。天澤之辨。履等虎尾也。霍光不學。未足語此。榮更何足語此哉。未足語此。身敗名裂。宜哉。雖然。魏收於莊紀有榮以兵權在己。遂有異志。乃害靈太后及幼主。次害無上王劭。始平王子正。又害丞相已下二千餘人。列騎衛帝。遷於便幕。既而榮悔。稽顙謝罪等語。於榮本傳有榮遂有大志。令御史趙元則造禪文。遣數十人遷帝於河橋。至夜四更中。復奉帝南還營幕。或云榮欲遷都晉陽。或云欲肆兵大掠等語。既奉帝還洛。榮歸晉陽。又有榮雖居外。恒遙制朝廷。廣布親戚。列爲左右。伺察動靜。大小必知天子由誰得立。今乃不用我語云云。北史取爲紀傳。通鑑據以編年。何怪綱目以伏誅見書耶。唐表謂魏收黨齊毀魏。褒貶肆情。衆口沸騰。號爲穢史。殆指此事。否則盜發其冢。棄骨於外。何待齊亡之歲耶。甚榮之罪以著高歡得國所由。與陳霸先誣王僧辯我與王公俱受重寄。豈期一旦便有異圖之語同一用意。向使魏收不悉焚魏史官鄧淵崔浩高允李彪崔光邢巒崔鴻王遵業溫子昇元暉業山偉綦儁等各著。必有以早發其覆。何至寃沉百代。莫由一白耶。或謂秦皇焚書。經出屋壁。魏收焚書。何至絕燼。不知始皇以愚黔首爲心。僅焚外間所藏。魏收以愚後賢爲心。盡去史家所錄。其事固小同而大異也。又河陰之役。榮本傳謂榮縱兵亂害王公卿士。死者千三百餘人。皇弟（卽元子正）皇兄（卽元邵）並亦見害。靈太后少主其日暴崩。莊紀則云榮以兵權在己。遂有異志。乃害靈太后及幼主。次害無上王邵始平王子正。又害丞相高陽王雍公卿以下二千餘人。人數不同。次序不同。同出一手。不應歧異若此。兄依傳則邵與子正混死亂兵之手。非榮有意相害。依紀則係榮有異志。必盡殺乃止。

此等處出入甚大，綱目不據傳而據紀，竟大書殺王公以下二千人，亦不可解。

書廢出三帝紀（前廢帝普泰　後廢帝中興　出帝太昌永熙）於前廢帝（即節閔帝）既曰帝以元乂擅權，遂稱疾不起，又曰王既絕言，垂將一紀。玉步未改，忽帝忽王，作史者豈宜信筆亂書若此也。唐表謂魏書終篇累卷皆官爵州郡名號，雜以冗委瑣曲之事。以此紀觀之益信。

書齊獻武王（高歡初謚獻武後改神武）以爾朱逆亂，始興義兵於信都，意謂高氏首義，他日開國實取諸賊手。黨齊毀魏，至是益顯。至齊神武紀榮將篡位，神武諫恐不聽，請鑄像卜之。爾朱兆將舉兵赴洛，召神武，不赴，謂兆舉兵犯上，此大賊也，吾不能久事之。孝莊被執，神武使孫騰僞賀兆，因密覘孝莊所在，將劫以舉義，不果。神武內圖兆，復慮步藩後難除，與兆悉力破之等語，或空中樓閣，或信口雌黃，信所謂褒貶肆情也。作史若此，發冢棄骨宜哉。

前後兩廢帝皆被出帝殺害，而此紀於前廢帝書殂於門下外省，於後廢帝書以罪殂於門下外省。前諱後不諱何耶。

陽平之役。爾朱度律爾朱仲遠解斯椿賀拔勝賈顯智等若不謬信間辭。與爾朱兆相疑。必可挫高歡於初起。韓陵之役。賀拔勝杜德斛斯椿賈顯智等若不或降或貳。爾朱天光爾朱度律何至被擒於河橋。爾朱世隆爾朱彥伯何至被襲於京師。爾朱兆更何至勢孤力薄。終被歡滅。且後之或降或貳。其機早伏於信間之始。一間係兩姓興敗。間之爲用大矣哉。此曲逆所由有大功於漢也。噫。

一則曰車駕至河陽遜位於別邸。再則曰安定自以疎遠。未允四海之心。請遜大位。一若後廢帝非被幽廢。自甘禪讓者。無非爲高歡出脫耳。作史若此。豈獨南董之罪人也哉。

出帝詔有大丞相渤海王（高歡）忠存本朝。精貫白日。爰舉義旗。志雪國恥。等語。宜於奔就宇文泰之日垂涕誦之。

此魏史也。而魏收乃謂出帝爲斛斯椿元毗王思政魏光等諂佞間阻。貳於齊獻武王貳字有如此用法。眞大怪事。又出帝被高歡偪。不得巳奔就宇文泰。用啓西魏。而魏收又云帝爲椿等迫脅。出於長安。一若與歡無涉。亦大怪事。論有永熙悖德爲甚。天下所棄等語。尤大怪事。

孝靜制有永熙之季。權佞擅朝。羣小是崇。勳賢見害。官緣價以貴賤。獄因貨而死生。等語。所謂欲加之罪何患無辭也。

書孝靜紀　天平　元象　興和　武定

昔道武天興元年幸鄴。巡登臺榭。徧覽宮城。將有定都之意。豈知今日孝靜遷鄴。竟致不祀。機動於百年以前。抑亦異矣。詔有殷遷八城。周卜三地。考龜襲吉。遷宅漳滏等語。頗工潤飾。

東晉時有南燕北燕。蓋一燕而同時東西橫斷也。蕭梁時有東魏西魏。蓋一魏而同時南北縱截也。

自魏殺爾朱榮後。爾朱兆高歡相繼廢君立君。魏已不國。出帝入關。更啓西魏。於是天平四年有高歡沙苑之敗。元象四年有高歡河陰之捷。武定元年有宇文泰（即黑獺）北邙之戰。四年九月至十一月有韋孝寬玉壁之守。虎牢以西殽函以東爭地爭城。寡人妻孤人子獨人父母者。不知已幾千萬也。天地不仁。以萬物爲芻狗。痛哉。

魏孝靜武定三年。高歡請邙山之俘釋其桎梏配以人間寡婦。毀節與否得寡婦同意與否。姑不具論。而本宜九死。忽效雙飛。恐歐西各國優待俘虜。無有踰於此者。近年赤匪在贛。凡官軍戰敗繳械者。可與彼中婦女同寢。以此官軍不懼戰敗。無形中減我戰鬥力不少。殆竊高歡故智與。

高歡圍攻西魏玉壁五十日。智力俱困。發疾還晉陽。遂卒。而此紀但載武定四年八月齊獻武王自鄴帥衆西伐。文襄王（高澄）會於晉州。九月圍玉壁以挑之。寶炬（西魏文帝）黑獺不敢應。冬十有一月。齊獻武王有疾班師。文襄王如晉陽。五年春正月丙午齊獻武王薨於晉陽。一若歡疾與薨與玉壁之事無涉。亦曲筆也。

歡欲滅西魏而後簒。澄則欲卽行簒弒。年皆不待。此齊祚所以遂屬高洋也。然於武定七年以齊文襄王爲相國齊王。齊文襄王薨於第秘不發喪下。卽書齊王如晉陽。殊不合。豈孝靜進洋齊郡王爵爲齊王。以秘不發喪未便宣詔。至八年三月始然耶。否則何以不書齊郡王而書齊王也。又據北齊書文襄紀。澄被蘭京（梁將蘭欽子）暗殺而此但云薨於第。亦諱之也。

孝靜好文學。力能挾石獅子以踰牆。射無不中。亦可以有爲之主。惜未能沈毅。故雖欲去高澄而不果。然權在高氏。已非一日。高澄縱戮。董卓爾朱榮之前事具在。豈遂爲福。又況卓部盡而曹氏起。榮族殲而高氏出。不陽爲無能。陰從選將相入手。庸有濟乎。若乃幸澄之死。復懼高洋。欲不則堯禪舜。其可得乎。

魏收黨齊。而所撰魏書。又於齊天保（高洋年號）五年表上。於高澄幽帝高洋鴆帝等事。必不直書。豈後人據隋魏澹顏之推辛德源所撰魏書。於此紀有所增益耶。惜澹等所撰不傳。莫由證定也。

讀魏書蠡述卷二

岳陽李澄宇洞庭著

書皇后傳

神元欲殺竇賓二子而幷其衆。乃先殺竇后。誘令來赴。視吳起殺妻求將。尤爲手辣心很。

平文后王氏匿昭成於袴中。懼人知。呪曰。若天祚未終者。汝便無聲。與史記趙世家晉趙朔妻置兒趙武於袴中。祝曰。趙宗滅乎。若號。即不滅。若無聲。甚同。

魏書后妃傳有四事與他史不同。一鑄金人不成不得登后位。二子將爲儲貳母必賜死。三宮人爲帝母後必正位配饗。四乳母亦得稱太后。

文成（即高宗）后馮氏。當文成崩時。悲叫自投火中。使此時竟死。豈非烈女子乎。獻文（即顯祖）即位。居于諒闇。丞相乙渾謀逆。后密定大策誅渾。使別選賢相。已不臨朝。又豈非賢太后乎。李奕入侍。既玷母儀。獻文被鴆。更彰大惡。猶復專政孝文之世。貴顯寵幸。誅戮正善。雖貌爲儉素仁厚。亦何益耶。

金閭以閹官有寵於文成乳母保氏。官至尚書平涼公。與明魏忠賢及客氏事頗同。不過金閭未能亡魏耳。

孝文貞皇后林氏以子恂將爲儲貳賜死。他日例得配饗太廟。不幸子又以罪賜死。有司奏追廢后爲庶人。是有子且不如無子。或免徒死非命也。又子爲儲貳而母賜死。不過恐他日干政耳。文明太后馮氏必死林氏。而獻文母李氏賜死後獻文卽位。馮氏竟臨朝聽政。獻文被鴆後孝文卽位。馮氏又臨朝聽政。豈生母干政有母后之禍。非生母干政乃遂無禍耶。撫躬自問。應亦汗下。至欲家世貴寵。簡馮熙二女入宮。致他日有幽后與中官高菩薩私亂事。尤可鄙。

幽后欲如文明太后輔少主稱制。故密有母養宣武（卽世宗）之意。乘孝文昭皇后高氏（卽宣武母）自代如洛之際。遣人賊高氏於汲郡之共縣。而不知己竟以罪賜死。不得上比文明太后也。噫。

高氏性妒。嘗賊順后于氏。他日亦爲靈后所賊。天網不漏。信哉。

胡充華（即靈后）既誕孝明。（即肅宗）獨未依故事賜死。而他日竟有兩次臨朝聽政。逼幸清河王懌。及鄭儼汚亂宮掖。密弑孝明等事。爾朱榮起兵討罪。高歡等繼執國命。魏遂以亡。世有日畏水死而卒死於水者。其類此也與。

魏武以中女爲獻帝后。高歡亦以第二女爲孝靜后。極意學魏武。此亦一端。

孝文前於貞后林氏以稟文明太后意。不得已依舊制賜死。後於昭后高氏以馮昭儀（即馮后）遣人賊后暴薨共縣。初未實革子貴母死之失。論尾云云。豈未考耶。

書神元平文諸帝子孫傳

穆帝屢援劉琨。有功晉室。在魏亦可謂英主矣。惜黜長立幼。被長子六脩所害也。又帝坐幼子比延於己所乘步輦。使人導從出遊。六脩望見。以爲穆帝。謁伏路左。及至乃是比延。慙怒而去。召之不還。遂萌逆志。與史記張耳陳餘傳李良道逢趙王姊出飲。從百餘騎。李良望見。以爲王。伏謁道旁。王姊醉。不知其將。使騎謝李良。李良素貴。慙其從官。遂追殺趙王姊。並襲殺趙王武臣於邯鄲。略同。

高涼王孤以長兄烈帝有遺命迎次兄昭成。雖羣臣推主社稷不從。自詣鄴迎昭成即位。此心與夷齊何異、豈得以夷狄少之耶。

御史上諫天子。下糾百寮、雖尚書百揆之本。令僕納言之貴、何能別託。敕允、不復送名御史。蓋監察權獨立。自漢迄今未聞或異也。元子思奏力辯元順之謬。不愧以忠烈自許者。

元天穆與爾朱榮俱以無罪見殺、故本傳於榮舉兵赴洛及討葛榮破邢杲拒元顥。疊書元穆之功、傳尾亦但云莊帝內畏惡之。與榮同時見殺、天穆之事明。榮事自與俱明。榮傳末有未迹見猜、地偪貽斃。斯則蒯通致說於韓王也等語、豈魏收實惜榮等寃死。特以身處齊代。不得不有曲筆。而曲筆中又故露一鱗一爪、使人自揣眞龍所在與。是未可囫圇讀過也。

書昭成子孫傳

孤讓國昭成。昭成以國之半授孤。其始意均不愧夷齊、惟孤終不宜受此。致啓子孫貪土安念。昭成亦不宜於孤卒後遽收回此土。致從子失職懷怨也。

實君信斤讒構害諸皇子。並弒其父昭成。若非苻堅進討。轘實君及斤於市。則亂賊宰國。魏祚安得遽屬道武。轉瞬中興乎。故苻堅雖曰伐魏。實亦有大造於魏。不愧帝王舉動也。

儀觀人待士。皆異常流。且謀勇精悍。終非久居人下者。道武賜之以死。豈得已耶。

禎以死囚飾鈔賊，僞觀天象，命騎掩縛。斬示蠻魁，自是諸蠻大服。境無暴掠。此誠善詐者。

暉領右衛將軍，有餓虎之目。遷吏部尚書。納貨用官。皆有定價。出爲冀州刺史。聚斂無極。百姓患之。然所上書疏頗多可采。後人似此者。蓋常有之。噫。

書道武七王列傳

紹母賀氏有譴。道武幽之於宮而不即殺。且不收紹。卒死逆妃賊子手中。實屬疏玩。

又賀氏先本有夫，道武殺其夫而納之。亦應有此惡報。

靈后本傳有逼幸清河王懌。淫亂肆情。爲天下所惡。領軍元乂長秋卿劉騰等於禁中殺懌等語。而乂傳乃云懌以親賢輔政。參決機事。以乂恃寵驕盈。志欲無限。懌裁之以法。乂恐懌終爲己害。誣懌害帝（懌傳亦與此同）騰以具奏。史成一人之手。而兩傳歧異若此。誠所謂褒貶肆情也。乂果欲反。何致求解領軍。有人告乂謀反。安知非靈后所使耶。至元樹書中元乂本名夜乂。（綱目書元乂爲元義非也）弟羅實名羅刹。昆季此名。表能噬物等語。特因乂禧以逆見誅。故作枝辭淆亂聽聞耳。庸可信乎。

書明元六王傳

丕之討南秦王楊難當也。納高允之言。綏懷初附。秋毫無犯。後坐事憂死。允著筮論。有丕夢登白臺四望無所見。董道秀以爲大吉。若推六爻以對。亢龍有悔。高而無民云云。豈允先未之聞。故未相諫。而後始爲此論耶。抑前者小事易諫。而後者大事雖諫不納耶。

書太武五王傳

伏羅討吐谷渾慕利延。以潛軍出大母橋制勝萬里。自是一策。但與鄧艾破蜀之計則大異。蓋彼有鍾會牽制姜維於劍閣。故陰平可以偷度。此則孤軍萬里。苟遇勁敵。片甲難反矣。又桓溫破蜀亦分兩路。不過於正兵實者虛之。於奇兵虛者實之耳。

廣陽王深（本名淵史避唐諱改作深）上書請重邊任。表求別立郡縣安置降戶。皆可謂能見其大。而離間葛榮陳修禮毛普賢。使修禮普賢見殺。尤可謂有異功。徒以舊淫城陽王徽于氏。致徽銜恨。被抑被構。展轉屈死。可惜。

南安王余既疑宗愛謀變。即宜殺之。但奪其權。致反被宗愛夜弒。何耶。

書景穆十二王傳上

暉業少險薄。多與寇盜交通。長乃變節涉子史。慷慨有志節。蓋子史中多砥礪志節事。使人日遷善而不自知也。

言同百舌者往往膽若鼷鼠。不獨元慶和然也。

書景穆十二王傳中

雲有孝性。故能忠君惠民、子澄亦以孝聞。不愧爲魏子產。孝之所繫大矣哉。

任城王澄於宣武景明四年六月勒兵南伐大勝。次年（即正始元年）遂攻鍾離。梁遣張惠紹等將兵送糧、澄遣劉思祖邀之。戰于邵陽。大敗梁兵。俘惠紹等十將、既而遇雨。淮水暴漲。引歸壽春。與正始三年中山王英大破梁軍於淮南。遂攻鍾離。次年三月淮水暴漲。梁韋叡等以火攻勝魏。英敗績而還。略同。

順與帝舅高肇抗禮有豪氣。而於父澄生既俯伏受杖。死且哭泣嘔血。則孝行也。有豪氣難、有豪氣復有孝行更難、至面諍靈后。厲叱徐紇。正色以責元乂、厲聲以抗元雍。置禍福死生於度外。尤難之難。又順爲陵戶鮮于康奴所殺。其子朗手刃康奴、以首祭於順墓、然後詣闕請罪。亦可謂孝行。

書景穆十二王傳下

楨性忠謹。事母以孝聞、後竟聚斂肆情何也、詔有貨遺諸使。邀求虛稱云云。豈始所謂忠謹所謂孝者亦皆僞飾與。

中山王英表謂蕭寶卷憑恃山河。敢抗中國。蓋學春秋內中國外夷狄口吻。以南齊爲島夷而魏爲中國也。

英始率衆南討。下司州。克三關。繼奉詔復出。威震淮南。遂圍鍾離。其功固無異前役也。以遇勁敵。（韋叡等）又值水盛。狼狽敗還。負英大志。就魏論之。蓋甚可惜。

自郢州治中督榮祖潛引梁軍以義陽（今信陽）應之。三關（即平靖武勝黃峴古所謂冥阨直轅大隧也）之戍並據城降梁。懸瓠城民白早生等殺豫州刺史司馬悅。據城南叛。魏南境可謂日蹙百里矣。英一出而克懸瓠。取三關。蓋齊苟仁馬仙琕等本非韋叡昌義之之比。未足上敵中山也。

漢有劉盆子。魏亦有元盆子。（元曄小字）劉盆子爲赤眉所立。元盆子亦爲爾朱兆所立。劉盆子終敗。元盆子亦終敗。

此傳謂城陽王徽與李彧等勸莊帝圖殺爾朱榮。莊帝亦先有意。可見榮未謀反。特徽等謀殺榮。不得不誣之以反耳。徽所厚故吏李苗。有城陽本自蜂目而豺聲復將露也。語則徽之無良可知。爾朱兆入洛時。莊帝步出雲龍門。徽乘馬奔度、帝頻呼之、徽不顧而去。則徽之無良尤可知、卒被故吏寇彌所害。送屍於兆、宜哉。

靈后謂琛在定州。惟不將中山宮來。自餘無所不致。何可更復敘用。可見是時尚有賞罰也。

書獻文六王傳上

禧傳箸謎眠則俱眠。起則俱起、貪如豺狼。贓不入己。與淸袁枚詩笑君攫取忙送入他人口。一世酸鹹中。能知味也否。同意。

孝文篤愛諸弟。而諸弟多不肖。宜法舜封象有庳、不宜效周公使管叔監殷、

孝文謂人言惡者未必是惡。言善者不必是善。或斷訟不避豪貴。故人以爲惡。或將勢抑賤。貴人以爲好。庶幾知言。

雍以崔顯妹有色。納爲繼妻。後更多幸伎侍。疎棄崔氏。別房幽禁。僅給衣食。未幾復毆殺之。無良至此。遇害河陰。尚爲幸也。

詳穢暴顯聞。而於母高氏甘受杖罰。亦可謂孝。

顥藉梁力入洛。若效晉文所爲。未必不可圖治。寵待近習。縱酒酣飲。致莊帝與爾朱榮還師討之。遇害臨潁。可恥抑亦可憫。論謂顥取若拾遺。亡不旋踵。豈守之無術。其天將覆之。極太息痛恨之旨矣。

書獻文六王傳下

孝文親講喪服。有自審義解浮疏。將臨講坐。慙戰交情等語。謙敬若是。不慙帝度。

孝文不豫。勰依周公故事。密請身代。內侍醫藥。外總軍國之務。遐邇肅然。及孝文崩。處凶問洩漏。致有逼迫。內雖悲慟。外示吉容。視疾進膳。可決外奏如平常。且蚤懼忘退之禍。不肯效霍光輔幼主。孝文手詔亦諒其苦志。有無使成王之朝翻疑姬旦之聖等語。此宜可以善始善終也。奈宣武不守遺敕。彊以重任。始督北土。繼定淮南。終任宰輔。致北海王詳譖勰大得人情。雖幸退休。禍根伏矣。況宣武欲以尚書令高肇兄女爲后。勰乃固執不可。所薦舅潘僧固又同京兆王愉構逆。欲杜讒譖免誅戮。其可得耶。嗚呼噫嘻。

書孝文五王傳

懌以王莽斥高肇。以張角比惠憐。亦庶幾直臣之風。

書衛操莫含劉庫仁傳

操值晉惠之世。知不可爲。決投北魏。劉石亂作。更勸桓帝匡助晉氏。東晉所以幸延殘喘於江左。無形中受操益蓋不少。觀其頌魏功德碑。一則曰桓穆二帝心在宸極。（謂晉）再則曰桓帝忠於晉室。操之心志可想已。

書燕許張崔鄧傳

燕鳳無心富貴。而昭成圍代逼致。待以賓禮。旋畀國政。蓋昭成繼煬烈二帝之後。國勢危弱。亟賴賢者輔相之。既得燕鳳。如魚得水也。昭成在位三十九年。北土率服。鳳力居多。及昭成崩。國隸於秦。鳳說苻堅施大惠於亡國。以劉庫仁與衛辰分統諸部。待道武長。全土反之。厥功甚偉。鳳信可謂不負魏主矣。歷事四主。（昭成道武明元太武）以功名終。豈偶然哉。

張袞遺慕容寶書。喻以成敗。必有可觀。惜傳未載。使魯仲連遺燕將書專美於前也。

蠕蠕（綱目作柔然）犯塞。張白澤議即日親征。獻文從之。遂大破虜。可謂知兵。至諫止羊酒之罰。諫釋懷城之民。尤可謂有大臣體。

崔玄伯深爲道武所任。勢傾朝廷。而儉約自居。不營產業。又於道武未嘗謇諤忤旨。亦不諂諛苟容。及不受逆劭財帛。皆可法。

鄧淵忠謹。賜死非罪。既而恨之。之恨。恐係既而悔之之誤。

書長孫嵩長孫道生傳

昭成末年。諸部乖亂。苻堅使劉庫仁攝國事。嵩與元佗等率部衆歸之。使魏得轉亡爲存。此嵩可取者一。劉顯之謀難也。嵩率舊人及鄉邑七百餘家叛顯走。使顯靡所倚爲惡。此嵩可取者二。

道生取人美女以獻。而明元切責之。明元可謂賢主。第宅卑陋。子弟爲起堂廡。而道生切責子弟令毀宅道生抑可謂儉臣。

淮南之戰。稚以雨久須持重而河間王琛弗從。致被梁裴邃所敗。呼沱之役，稚未欲戰。琛又不從，致被鮮于修禮所敗。不知兵而勢處人上。其害往往如此。可痛也，稚後討蜀討蕭寶夤，均以獨戰有功。古所以貴專閫也。而或以監軍或同等大員牽制之。不失利者鮮矣。

書長孫肥尉古真傳

長孫肥果毅少言。與周勃木强敦厚略同。而撫慰河南得吏民心。威信著於淮泗。與羊祜都督荆州綏懷遠近甚得江漢之心亦略同。

書穆崇傳

穆崇以劉顯謀逆告道武。而道武馳如賀蘭部，扈咄之難。崇外甥謀執道武，崇又夜告。而道武復幸賀蘭部，與春秋時寺人披以呂郤燒宮之謀告晉文。而晉文微行會秦伯於王城略同。

盤庚治亳。以殷民胥怨作盤庚三篇誥之。孝文遷洛。以穆泰等謀亂。遣任城王澄率兵討之。蓋殷民雖出矢言。未別奉主、泰等則潛相扇誘。竟立元頤也。

書和奚莫庾賀李劉古張傳

道武寵遇和跋、過於諸將。以好脩虛譽。戮於豺山。又寵遇奚牧。稱爲仲兄。以姚興譖毀被戮。庾延業名冠諸將。性極忠謹。以衣服鮮麗被戮。李栗數有戰功。以咳唾任情被戮、唐表謂道武暴戾甚於聰虎。豈謬毀哉。

書奚斤叔孫建傳

明元幸雲中。斤留守京師。昌黎王慕容伯兒謀反。斤不動聲色召伯兒窮問款引。悉收其黨誅之。大功一。宋劉義符立、大臣不附。國內離阻。斤奉命收劉裕前侵河南地。遂平兗豫諸郡。大功二。太武征赫連昌。斤奉命襲蒲坂。既得蒲坂、又西據長安。於是秦雍氐羌皆來歸附。大功三、其後請益鎧馬進討昌於安定。昌退保平涼。爲監軍侍御史安頡所擒。頡功實即斤功、蓋非斤抗表固爭。則師已凱旋。頡無由擊昌。非斤屯軍安定。頡即擊昌亦難大捷也。乃斥以貪功之故。輕討昌弟。赫連定反被敵擒。殆所謂畫蛇添足乎。噫。

書王安樓邱娥劉奚車宿來周豆周閭尉陸呂傳

史漢紀高祖開國將帥。不過數人。自是以後。或十數人。或數十人。未能復簡。雖値軍制漸。復抑亦秉筆者不能舉要之過也。

道武既破慕容寶於參合陂。將乘勝席卷南夏。於是簡擇俘衆有才能者留之。其餘悉給衣糧遣歸。令中州之民咸知恩德。此實攻心一法。王建固執致坑俘衆。匪特不仁。抑亦不智。

安同與肥如侯賀護持節循察并定二州及諸山居雜胡丁零。宣詔撫慰。問其疾苦。並糾舉守宰不法。既至并州。痛事糾舉。郡國肅然。東出井陘至鉅鹿。發人治大嶺山通天門關。又築塢於宋子。以鎮靜郡縣。此尤得苟利於國專之可也之意。賀護讒構。竟謂謀反。可恨甚矣。明元不獎其功。檻徵議罪。蓋亦頗疑其反也。後雖釋同。未嘗譴護。豈得謂尙有賞罰耶。

安頡與奚斤論出擊赫連昌、頗與項羽與宋義論出擊章邯同。惟紀頡選騎擊昌遂擒昌。較史記叙鉅虎之戰不及遠甚耳。

宗愛旣弑南安王余。勢將簒國。若非劉尼以狀密告源賀陸麗共立文成。魏之爲魏未可知也、封尼東安王遷司徒。宜哉。

書于栗磾傳

飭壯士搏猛獸。自是道武一錯。栗磾不以力搏而以智獲、且正言痦主。此豈尋常武將所能望其項背耶。征討撫綏。並有勳譽。宜哉。

前傳有呂洛拔。此傳有于洛拔。且于洛拔係太武賜名。豈洛拔二字有美解耶。蓋譯音而其義今不可考矣。

孝文時于烈於穆泰等謀反舊京。一宗無染。難能者一。宣武諒闇。咸陽王禧爲宰輔。遣家僮私索羽林。固執弗遺。難能者二。咸陽王禧謀反。宣武外獵未歸。烈留守處分有備。禧遂伏誅。難能者三。

書高湖崔逞封懿傳

加兵與國。非兼弱攻昧取亂侮亡可比。縱有時彼此利害不相容。亦決不輕啓戰端。致貽後悔。慕容垂慮不及遠。以求馬不得之故。令太子寶率衆伐魏。其後竟被魏滅。甚可鑒也。若早納高湖之言。敦修舊好。乂寧國家。燕與魏未嘗不可共存共榮也。孝文之時。魏方極盛。而高樹生居宅即數有赤光紫氣之異。蓋高歡（即樹生子）後將篡魏。天子氣早驗於此也。乾純陽而一陰伏於下爲姤。坤初六而履霜堅冰至。可懼哉。

封回爲安州。以山民愿樸。父子賓旅同寢一室。勒令別處。遂變其俗。可取者一。爲瀛州以寇亂之後。水潦病民。表求賑恤。免其兵調。州內賴之。可取者二。靈太后召百官問得失。回以長吏寬怠。侵剝百姓。盜賊羣起。請肅刑書以懲未犯。可取者三。

書宋王屈張谷公孫張李賈薛傳

屈拔臨刑。而太武愴然曰。鬼而有知。長生（拔祖垣字長生）問其子孫。朕何以應之。乃赦拔免爲散大夫。唐表謂太武暴戾甚於聰虎，不盡然也。

翟猛雀驅逼吏民爲亂。張蒲與長孫道生等往討。蒲議先遣使諭之。使民不與猛雀同謀者無坐，遂散其衆。猛雀授首。治初起之寇。此法最善。

明元謂掠地則滑臺等三城（滑臺虎牢洛陽）自然面縛。公孫表固執攻城。後竟不拔。明元南巡。表與叔孫建始克滑臺。表計不及廟算（廟算實由崔浩可參觀浩傳）。蓋如此不知兵而好言兵，宜其死也，況王亮復從而構毀哉。

書王車盧陳萬傳

明元在東宮時。嘗獵㶟南。乘冰而濟。冰陷沒馬。王洛兒投水奉明元出岸。此誠難能。然彼時明元貴爲太子。他日有九五之位，欲富貴者尙可勉企。至乃元紹已弑道武。欲得明元而戮之。明元命在旦夕。侍明元者尤罪在不赦。而洛兒衛護懇密。發於至誠。實難之又難也。

明元於羣臣遇譴。間有杖罰。史以爲譏。豈知他日朱明廷杖。上辱大臣。尤可痛恨哉。

萬安國以嬖人而貴爲大司馬大將軍安城王。獻文可謂不君矣。矯詔殺神部長奚買奴後始賜死晚矣魏收作史、以萬與王車盧陳並列一傳、謬哉。

書崔浩傳

浩言天象。下徵人事。非衆所及、而量劉裕伐秦必勝。勝且篡晉。秦地終爲魏有。尤爲燭照數計至建議立長皇子爲太子。（郎太武帝）簡選師傅賓友、使太子入總萬機。出統戎政。則更丕顯丕承所繫。有大造於魏社也。

宋劉裕死、明元欲取洛陽虎牢滑臺、浩引晉士匄侵齊聞齊侯卒乃還、君子大其不伐喪。議遣人弔祭。布義風於天下。此誠上策、而明元不從。銳意南伐。浩又謂南人長於守城。苻氏攻襄陽經年不拔。不如分軍略地至淮爲限。列置守宰、收歛租穀、滑臺虎牢絕望南救。必沿河東走。否亦囿中之物、此抑中策、而公孫表不信能謀固甚難、能用謀亦豈易易哉。

浩料北伐蠕蠕。宋必不敢侵魏。且料勝蠕蠕後、諸將不能乘勝深入、虜難盡滅。後皆如言不愧自比張良也。

太武欲先討赫連定。而羣臣謂宋師猶在河中。舍之西行。恐失東州。言亦近是。浩謂宋不分兩道北上。而東西列兵。徑二千里。固河自守。無北渡意。可速西伐。克定之後。東出潼關。席卷而前。威震南極。江淮以北無立草矣。揣情料事。何獨精審乃爾。

修國書已足致禍。況立石銘刊載國書。顯在衢路。書又盡述國事。備而不典乎。太武雄猜暴戾。前命史職注集前功。以成一代之典。不過欲如淸之聖武記耳。盡述國事。備而不典。則直謂有意禄其先醜矣。果有意禄其先醜。不忠莫大焉。不忠而足智多謀。一旦爲變。或被人用。其害不可勝言矣。此赤族之禍所以終及也。雖然浩始終忠謹。何嘗須臾負魏哉。特才略口辯。並皆上人。忌毀日積。太武又深懼浩才勝己。故不免耳。痛哉。

書李順傳

滅赫連於三秦。走蠕蠕於漠北。順皆有大功。出使涼州十有二返。折蒙遜之悖慢。策牧犍之繼立。其才識豈亞崔浩。徒以舊日婚媾相習。各不相下。又同仕一國。若女子特色相妒。卒至順誅浩族。為天下後世所太息。有才無德。其浩順之謂乎。然浩始輕順。繼毀順。終構害順。曲皆在浩。浩於順陰賊險很。順不過未能卑以自牧耳。

書五司馬傳

司馬楚之等皆南人。而入魏後聖魏逆宋。見諸表語。未嘗視魏為虜者。蓋司馬晉裔。劉宋篡晉。乃其不共戴天之大讎。藉魏伐宋。理直氣壯。聖魏逆宋。勢必然也。清初有為洪承疇壽言者。其警句云。殺吾君者吾賊也。（謂李自成）殺吾賊者吾君也。（謂清太祖）殆亦脫胎此傳乎。

楚之以告失驢耳知覘賊取驗。且料賊軍將至。卽伐柳為城。水灌之令凍。冰峻城固。可謂有應變之略。

書刁王韓袁傳

叔孫建不聽刁雍之計。惟以不損大軍安全為主。與今日剿匪將帥不迅赴戎機。惟以保全實力爲主者略同。

刁雍鑿渠運穀兩表。於地形人功田穀各數確切言之。無一字虛僞。無一語游移。可爲後世公牘法。又造城興禮樂二表亦好。

刁雙護匿元略。不愧俠行。招撫張桃弓。亦見將略。

王慧龍傳家世經歷種種。以自云其自言也如此二語括鎖之。別是一法。凡其事不可不書書恐不實者可仿此。

滑臺之役慧龍設奇兵破王玄謨。可謂智勇。及守滎陽。不殺刺客呂玄伯。可謂仁義。

不曰指腹爲婚。而曰指腹爲親。殆函有俱男爲兄弟俱女爲姊妹一男一女爲夫婦三意。

書李寶傳

傳稱李韶爲冀州。淸簡愛民。及轉定州。冀州父老皆送出西境相聚而泣。二州連壤。百姓素聞風德。州以大治。此誠循吏。宜別爲傳。不必附此。

書陸俟傳

俟以高車上下無禮。莅之以嚴。而高車訟其無恩。郎孤以寬惠治之。無禮之人易生陵傲。又殺孤而叛。與孔明論治蜀可參看。而私宥蓋吳二叔。使自擒吳。貌弱陽親。以斬劉超。尤俟明略。

書源賀傳

先招撫姑臧城外四部鮮卑。絕其外援。然後攻城。信爲善策。然非源賀藉祖父餘威遺愛。且騁機辯。即招撫亦非易易也、

文成納源賀言。宥諸死刑。徙充邊戍。且深知賀忠、即或誣反。願自保賀、文成實不愧明主。孝文於賀築城備寇並戍並耕。立倉運粟足食足兵之計。獨不能用。孝文於此弗逮文成矣。

源懷巡行北邊六鎮恆燕朔三州。不顧親舊。劾免沃野鎮將于祚。表劾懷朔鎮將元尼須。奉公不撓、並時罕比。而於諸鎮水田請依地令分給細民。及細民爲豪彊陵壓

積年枉滯一朝見申者日有百數。所上事便於北邊者凡四十餘條。尤爲國利民福。彼以水草爲家。游魂鳥集。我則築城置戍。勸農積粟。所謂以靜制動也。宣武聽源懷之言。建北鎭諸戍。東西九城。邊患自此紓矣。

彼飢我飽。堅壁淸野。勿與爭鋒。此周亞夫所以制七國也。孝明不知此。而逼源子雍急進。卒被葛榮所害。與唐逼哥舒翰擊安祿山。遂致潼關不守。奚異哉。古人謂閫以內寡人主之。閫以外將軍主之。有以也。

書薛寇酈韓堯傳

寇治兄弟孝友。白首同居。父亡雖久。而猶於平生所處堂宇設幃帳几杖。以時節開堂列拜。垂淚陳薦。吉凶之事。必先啓告。遠行出反亦如之。蓋隱以家庭爲宗廟焉。

慕容白曜聽酈範之計。潛軍僞退。使敵不備。卽夜部分。崇朝而剋。與兵法合。宜其勝也。而示以信義。得心戰之術。書諭肥城。妙先聲之用。尤與兵法暗合。

韓秀以敦煌一鎭。進斷北狄之覘途。退塞西夷之窺路。不贊徙就姑臧之議。誠爲遠慮。譬之禦賊藩籬。門以內自無恙也。

書嚴毛唐劉房傳

諸葛亮隆中之對。於操曰此誠不可與爭鋒。於權曰此可與爲援而不可圖也。既讓魏雄北土。吳霸江左。則漢家故物僅荊益耳蓋天定鼎足之局也。況得荊操手吳竟視爲已有。用荊討魏。則吳議其後。伐吳魏亦議其後。安得不西取益州。暫延漢統乎。至荊被吳奪。惟益無恙。而尚出師不已者。不過以攻爲守耳。崔浩自比張良。得時遇主。亦未統一。何獨責亮委棄荊州。不能與曹氏爭天下乎。且浩謂南人長於守城。不如分軍略地至淮爲限。何獨責亮既據蜀險。欲以邊衆抗衡上國乎。毛修之以浩言爲然。殆貌然而心未必遂然也。

置朱修之於毛修之之傳後。非附載又非正傳。甚無理。

房景光事兄恭謹。出告反面。兄曾寢疾。侍奉湯藥。形容毀瘁。可謂弟矣。經明行修。庶幾無愧。

書羅伊乙和苟薛宇文費孟傳

羅結年一百七歲、精爽不衰。一百一十歲始歸老。一百二十歲乃卒。三代後所未有豈忠愨性成。遂能松柏後彫耶。抑別有養生妙術耶。異矣。

伊馥走及奔馬。善射多力。而性忠謹、且有智計。爲將屢建功勳。爲刺史恩化大行。爲三公清約自守。舉大綱而已。此等弓馬士。豈三代下所易有耶。

薛虎子爲彭城鎭將、請以兵絹市牛。且耕且守。引杜預田宛葉趙充國耕西零爲比。亦武將所難能也。

費穆爲將屢建異功、蓋亦智勇兼具者也。爾朱榮推奉莊帝。穆竟以大行誅罰更樹親黨說之。致有河陰之事。使榮被惡名、終見夷滅。已亦爲衆所恨。不免斧鉞。抑何謬耶。

書韋杜裴辛柳傳

賞善罰惡之說。各教大抵同也。惟釋以去來今三世計之。理益大密。而不可破。堅向善之念。絕近惡之萌。其心抑甚苦也。韋雋謂吾一生爲善。未蒙善報。常不爲惡。今以惡終。豈未聞欲知前世因。今生受者是、欲知後世因。今生作者是耶。

韋崇守南潁川。不好發摘細事。謂何用小察以傷大道。蓋眞得黃老之意者也。辛紹先守下邳。爲政不尙激察。舉其大綱而已亦同。

使民之俊秀者以儒術進。魁桀者以武技起、此外自涵濡德化、莫敢有他志。此韋彧爲東豫州。立太學。置宗武館。所由境內淸肅也、古聖王作人妙用、亦若是焉已耳。於弭亂釜底抽薪。於圖治各奏爾能。後世漫開學校。謬益軍旅者。豈足語此乎。噫。

裴駿率厲鄉豪、赴縣令之急。具見忠義、故其子修及務均甚孝友。所謂世濟其美也。而裴雍少有孝行。其妻王氏亦有德義、與其從子懷仁兄弟同居。懷仁等事之甚謹。刑于之美。更屬難得。

書竇瑾許彥李訢傳

李訢始績尙可。後竟受納民財。及商胡珍寶。老宜戒得、信哉。然使不聽女壻裴攸之言。條列李敷兄弟事狀以免己死。猶未全爲小人之歸也。於李敷以怨報德。復引范摽等牟賂自殖。致被噬陷。惜當日引簪自刺。以帶自絞。未能致絕。竟令增此害李敷信范摽二事。遺臭萬古。

書盧玄傳

盧義僖散秩多年。澹然自得。不苟求富貴。一可取。先有穀數萬石貸民。年穀不熟。自燔其契。二可取。雖居顯位。不營財利。每至困乏。麥飯蔬食。忻然甘之。三可取。

書高允傳

允曾作塞上翁詩。有混欣戚遺得喪之致。此允一生得力處。太武之世。國史難作。允直言先帝紀（元明）及今記。臣與浩（崔浩）同作。不顧違心苟免。恭宗季年親近左右。營立田園。允極言諫議。文成大起宮室及當時婚娶喪葬不依古式。允皆力諫。其他面諍爲外人所不知者尤夥。皆自混欣戚遺得喪六字來耳。置死生禍福於度外。何是非慍喜之足云。文成呼爲令公而不名。誠異之也。（令公之號自此始）允爲徵士頌。謂杜士衡以產則貧論道則富。吾於允亦云。

書李靈崔鑒傳

此二人與高允同被徵。其事不繫魏盛衰興廢。宜附入允傳。不必以族譜式別爲此傳也。

書尉元慕容白曜傳

尉元平定淮北武臣之傑。而晚爲三老。克展德音。白曜少爲中書吏。以敦直給事而後總戎旅。威德互濟。皆後世所難。

書韓皮封呂孔傳

昔以弓矢制勝韓茂善騎射。自克勇冠當世。然非善於撫衆。則亦匹夫之勇耳。豈足生爲大將、死謚桓王哉。

獻文詔呂羅漢。有隴右土險。民亦剛悍。若不導之以德。齊之以刑。寇賊莫由可息。百姓無以得靜。誠知治本之論。孝文詔羅漢更有思隆古道光顯風教云云。後世謬言民治者。讀此亦汗下乎。

書趙胡胡宋張宗段闞劉趙索陰傳

傳稱胡叟既善爲典雅之詞又工爲鄙俗之句蓋必披讀羣籍皆誦於口。然後善爲典雅之詞。必善爲典雅之詞。然後工爲鄙俗之句也。後世鄙夫倡語體文。以儒林外史紅樓夢水滸傳西遊記等爲教本。抑知此數書固善爲典雅之詞者所撰。匪挂名庠序不讀書史之生徒所能漫效耶。

趙叟不樂盆涼、擇木大魏。似可展其健翮。而乃蓬室草筵。以酒自適。蓋於魏亦不過謂可托足而已。其痛心何如乎。每言及父母則淚下。若孺子之號。雖曰孝思。殆亦有亂世無涯之戚也哉。

書李孝伯李冲傳

太武南至彭城。遣孝伯與宋張暢語。非徒以口辯相高。蓋欲藉此察城內虛實耳。城內乏食。欲棄城走。而暢無恐容懼辭。魏師遂不敢逼。此實孝伯受紿致誤戎事。而太

武反以爲功。抑何可哂。（可與宋書張暢傳參看）

孝文欲都洛陽以南伐脅定羣情。亦是一策。勝盤庚三誥遠矣。豈亦若晉文譎而不正乎。

李彪於冲先共援獎後相輕背。彪誠小人。然冲怒彪無禮。遂至暴恚發病。亦豈得爲君子哉。噫。

書游雅高閭傳

游雅學不勝才。有愧徵士。而因議論長短忿儒者陳奇。陷奇至族。尤小人所爲。

高閭對孝文問刑法政事各節頗精。不徒論祿論城可取也。清洪文襄（承疇）奏對筆記。蓋可與此媲美。

孔子有言。及其老也。戒之在得。閭初在中書。受干求者財貨不少。老爲相幽二州刺史。乃更廉儉自謹。何今是昨非。與聖言相反。乃爾德與年進。不其美與。

書游明根劉芳傳

游明根七十致仕。獨秉冲操。允矣耆德。子肇剛直不阿。不愧乃父。

禮內則稱子事父母鷄初鳴。櫛縰笄總。人所共覽。而王肅以喪服稱男子冠而婦人笄。竟謂古者惟婦人有笄。男子則無。蓋未能如劉芳以經證經也。不以經證經而漫謂通經。其通也僅矣。然王肅一聞芳論。執手言歡。儒者雅度。庶幾無愧。

劉思祖破張惠紹有功。論封。而侍中元暉以求思祖二婢不得。停寢其事。致思祖南投蕭梁。爲患淮北。元暉罪誠可誅。而思祖以婢故倒行逆施。抑亦可恥甚矣。

書鄭羲崔辯傳

鄭羲料事揣情。亦尚可取。晚爲兗州。政以賄成。豈所謂戒之在得耶。文諡兼靈。古所未有。誠惡之也。然今日言魏碑者動曰鄭文公。不曰鄭文靈公。是片石有大造於羲也。抑何幸歟。又羲子道昭諡文恭公。亦可省稱鄭文公。

讀魏書蠡述卷三

岳陽李澄宇洞庭著

書高祐崔挺傳

崔挺爲兗州有遺愛。見代之際。老幼涕泣追隨。縑帛贈送。挺悉不納、病卒之後。故吏莫不悲感。且鑄八尺銅像於城東廣因寺。爲州者果皆如此。天下太平矣。有子六人。孝義慈厚。甚爲難得。於此益可想見挺之內行也。

書楊播傳

孝文南討。至鍾離師囘。詔播領步卒三千騎五百爲殿。時春水初長。南衆大至。播以諸軍、渡淮未訖。嚴陣南岸。身自居後、雖被圍不悔。可謂忠也已矣。相拒再宿。軍人食盡。播領精騎三百。歷其舟船大呼曰。今我欲渡、能戰者來。南衆莫敢動。遂濟。可謂勇也已矣。

楊侃於潼關之役。建北取蒲坂之策。使長孫稚成功。而蕭寶夤瓦解。於河橋之役。建廣布舟筏之策。使爾朱榮成功。而元顥瓦解、皆自無可如何中別尋活着。智不可及。

楊昱奏靈太后。有楊州李崇五車載貨。恒州刺史楊鈞（今湖南湘潭亦有楊鈞）造銀食器十具。並餉領軍元乂事，在當日以爲重事，在後世殆不足齒數。噫。

楊津之事兄椿。已貴已老尤謹。世所稀聞，魏有此臣，魏之爲魏，豈可妄議哉。

書劉昶蕭寶夤蕭正表傳

昶惓惓故國。屢欲雪恥而卒未能者。雖有至性，才不足以副之也。然得保首領以沒。亦誠天祐。蕭寶夤南討西伐屢有勛勩，觀其禮待公主，寧肯背叛魏主。竊帝號自娛哉。值敗互猜。遂棄臣節，奔竄轉徙。賜死京師，欲求如劉昶不可得，悲夫。

贊知蕭衍匪父，卒投魏室，其志可想。後尙魏孝莊姊壽陽長公主，公主被爾朱世隆陵逼，克守其操，信宜與贊合葬。蕭衍他日必盜贊喪，祔葬蕭墓。不獨違贊本志，且負公主烈行矣，噫嘻。

蕭衍子正德爲侯景所推。正德以船數十迎之。景遂濟江。景又以正德弟正表爲南兗州刺史，正表遂立栅斷衍援軍，衍子若此，安得不敗乎。故謂衍死於子手，非死於

景手可也、

書韓麒麟程駿傳

麒麟諫慕容白曜勿坑敵衆。猶曰示惠於一時。至在官寡於刑罰。則眞欲以德化民矣。劉普慶說以立威。豈足爲麒麟從事哉。

孝文値魏全盛時。志得意滿。與清乾隆帝頗相似、觀其謂韓顯宗曰。假使朕無愧於虞舜。卿復何如於堯臣。自曰予聖古哲王豈有此也耶。

書薛畢沈張田孟傳

薛懷吉爲中山王英軍司、討復三關諸戍、智勇足稱。後爲汾州。將勞賓客。曲盡物情。送去迎來。不避寒熱。殆有苦衷。未可哂鄙、

有野史而正史之遺拾。有後史而前史之誤正。有鄰史而本史之諱顯、蓋刑戮所不及。不必南董亦往往直筆也。如劉子勛事宋史以反書、魏史則曰劉子業爲其叔彧所殺。沈文秀與諸州推立劉子勛。豈非宋史所諱。得魏史以顯乎。至裴松之之於三

國志。歐陽修之於五代史拾遺正誤。更復不少。

長孫陵等率萬餘人長驅至東陽。宋青州刺史沈文秀欲降。以軍人虜掠。改圖固守。於是陵與慕容白曜等并力攻討。自夏至春。僅乃克之。清曾國藩謂行軍以不擾民爲本。殆亦有鑒於此乎。又軍人虜掠則百姓逃避。勢必無地得丁。得食。進止皆困。觀白曜忿文秀不拜。乃至撾撻。後尚還衣設饌。雖愧張飛之釋嚴顏。頗似關羽之舍于禁。獻文重文秀節義。拜爲外都下大夫。君人之度。蓋亦可想。孝文更以文秀爲平南將軍。他日且赦其子死罪。恢我皇度。遐哉邈乎。譬之水。白曜淮。獻文河。孝文海也。

圖江左必北西兩道同時並進。曹魏元魏僅至江。故無功。晉與隋北西大舉。遂奏績。各史具在可覆按也。至苻秦於晉。雖有西師。實未克至。又當別論。田益宗表云云。廓疆尚可。伐國則未也。然益宗能滅義陽。白早生叛時。魏恃義陽爲碩果。先復郢豫二州。益宗亦可謂有大造於邊境矣。

孟表鎮渦陽。南齊豫州刺史裴叔業圍城。先遣邊叔珍携妻息從壽春投表。規爲內應。蓋慕化歸國。事亦恒有。眷口偕行。人且弗疑也。表能察推假妄。斬此姦人。又能撫循將士。力守無貳。偉矣哉。

書李彪高道悅傳

彪奮起寒微。以堯舜望其君。可謂鷄羣一鶴。孝文南伐。彪以御史中尉兼度支尚書。與僕射李冲任城王澄等參理留臺事。李冲以彪不同己。屢表毀之。遂遭廢棄。冲未得爲君子也。宣武踐祚。彪自託於王肅。在秘書省白衣修史。蓋亦龍門之苦心。史業未就。彌可浩歎。

書王肅宋弁傳

肅以經生立功立事。孝文宣武並見寵任。不意壯年克副大志。至於任城王澄憾其在右。肅亟降避。亦庶幾藺相如之於廉頗也。

弁才學儁贍。而性好矜伐。視王肅爲下駟矣。若不早卒。豈能免乎。

書郭祚張彝傳

書郭祚始以左丞兼黃門爲可危懼。自是積二十餘年。位秩隆重。後爲征西雍州。乃以府號不優，心望加大。竟被于忠矯詔殺之。易謂天道虧盈而益謙。鬼神害盈而福謙，信哉。

高肇與彝爭尚陳留公主。譖彝至廢，肇誠險很。主意不屬肇而屬彝。可謂知人。鄭女所謂抑子南夫也。

書邢巒李平傳

邢巒既剋巴西。王足已逼涪城。蜀誠可取。宣武不肯益兵。致墮全功。甚可惜。中山王英鍾離之役，巒屢表乞停。宣武聽納而中山王不肯遽還，卒以潰敗。亦甚可惜。巒未得平蜀。已是恨事。而宿豫大捷之後。忽以漢中掠良人爲奴婢案致被陷害。可恨更甚。輸龐化生等二十餘口與元暉而禍解。且復有懸弧大捷。轉禍爲福。庶幾大幸。自此志行修正。不以財賄爲懷。驚弓之鳥。固宜若是。

元暉求劉思祖二婢不得則怒。得邢巒所輸龐化生等奇色則喜。女色能榮辱生死人固如此哉。噫。

李平以書生屢立武功。已屬難能。自在度支至於端副。夙夜在公。孜孜匪懈尤不愧大吏矩範。

書李崇崔亮傳

巴氏擾動。詔以李崇爲荆州刺史。鎮上洛。勅發陝秦二州兵送崇至治。崇謂邊人失和。本怨刺史。奉詔代之。自然易帖。不勞發兵自防。使懷懼也。此可爲後世法。記民國六年。譚延闓督湘。師長趙恒惕陳復初不睦陳密求段內閣易督。段以傅良佐代譚。傅奉命後。屢請發兵自防。遲之又久。始克至治。至則譚已將零陵鎮守使望雲亭易爲劉建藩矣。林修梅旅移駐衡州矣。且與桂督陸榮廷密約助湘逐傅矣。戰幕既啓。傅請益兵。馮總統又命王汝賢南下督師。陰嗾擠傅而代之。蓋是時李純在蘇。陳光遠在贛。馮系欲自此統一長江也。王至湘後宣電停戰任傅敗退不救。湘桂聯軍見傅已去。進薄王壘。王退。岳州遂失。武漢戒嚴。於是段憤走天津。馮至蚌埠求段系倪嗣冲援湘。段馮協謀。曹錕吳佩孚奉命入湘。湘桂軍乃潰至郴州以上。向使傳代譚時。輕騎簡從。疾至長沙。一二人懼罪自遁。外餘可如故也。何至有以後種種哉。

崇治盜治獄皆有巧思。不獨治軍深沉有將略也。而大水時死守壽春以固淮南。尤不可及。又崇有臥虎之稱。可與諸葛臥龍並傳。

察孝廉惟論章句。不及治道。立中正不考人才行業。空辨姓氏高下。蓋皆末流之失。其始固不如此。然即此可知法久弊生。且徒法不能以自行也。史稱崔亮掌選奏爲格制。不問士之賢愚。專以停解日月爲斷。雖復官須此人。停日後者終於不得。庸才下品年月久者灼然先用。自是賢愚同貫。涇渭無別。魏之失才。從亮始也。然此要爲人多官少無可奈何之計。宜別有破格用人之法以救之也。

書崔光傳

光有大度。喜怒不見於色。有毀惡之者。必善言以報之。雖見誣謗。終不自申曲直。可法者一。雖處機近。曾不留心文案。惟從容論議。參贊大政。可法者二。

文尙駢體多浮辭。文改語體多累語。此虞夏商周之書所以可尙也。

書甄琛高聰傳

琛奴不怨杖罰。正言悟主。甚難得。與蕭穎士奴別是一類。

躁怯少威重。所經淫掠無禮。及與賊交。望風退敗。後世將軍若此者多矣。豈獨魏有高聰哉。噫。

琛聰皆傾身以事趙脩高肇。皆涼薄無恥。允宜同傳。

魏顥遵治命而嫁父妾。獲結草之報。高聰有妓十餘人。及病。不欲他人得之。令燒指吞炭出家爲尼。豈不知前效古人哉。蓋妒之一念。小人更甚於女子也可嘆。

書崔休裴景融袁翻傳

崔休爲渤海。下車先戮豪猾數人。此就先已知者言。廣布耳目。所在姦盜莫不擒翦。此就先未知者言。如此。寇盜焉得不止息哉。

魏重門第。故一姓有貴顯者。其後往往貴顯。史家作傳。遂不免下同族譜。不知史以事重。徒貴顯曷足論耶。

裴景融亦字孔明、蓋本詩昭明有融也、史稱其卑退廉謹。無競於時。殆得老莊遺意者乎。

袁翻據周官考工所記明堂五室以糾戴禮明堂九室之謬、可謂一語破的賈思伯亦然殆不謀而合也。賈本傳可參看

翻表存蠕蠕二主。居阿那瓌於東偏、處婆羅門於西裔。分其降民、各有攸屬、而藉婆羅門防高車、修西海故城以處之。尤爲遠計。

書劉傳傳李傳

劉藻爲北地太守。推誠布信、諸羌咸來歸附。爲秦州刺史、開示恩信。誅戮豪橫。羌氐憚之、信牧守之良。後以爲將致敗、違其用矣。惜哉。

齊魯康祚趙公政來侵。傳永量吳楚之兵好以斫營爲事。卽夜設伏淮北。且於淮水深處置火、與敵所記相混、遂大破敵。擒斬敵帥。又裴叔業來侵、永夜伏戰士一千人

於城外。曉而敵至，伏兵擊其後軍破之。敵帥往救。永又開門擊其前軍破之。伏兵之用大矣哉。其後戰功甚多，且治民非其所長。與劉藻異。不知何以同列一傳也。

傅豎眼才兼文武，屢建功勳。於蜀尤有遺愛。惜子敬紹不肖，陰懷異圖。致豎眼恥恚以卒也。豎眼亦不宜與劉藻同傳。

書裴夏侯李席王江淳于李傳

觀裴叔業雍州（訓蕭衍）若能堅據襄陽。輒當戮力自保。若不爾。回面向北。不失作河南公數語。志在保全祿位。且不知蕭衍有大志。觀蕭衍若意外相逼。當勒馬步二萬直出橫江以斷其後。天下之事一舉可定數語。成竹在胸。叔業瑣瑣。夢不到此。

裴衍本非荷衣葛屨之人。請隱嵩高。特欲藉要好爵耳。不意宣武竟從所請也。不然。後何事出山干祿耶。然吏才將略皆所夙具。與處士純盜虛聲者抑又異焉。

虞舜爲帝。明四目達四聰。故能巍巍乎有成功。江文遙爲咸陽太守。終日坐廳。至者見之。假以恩顏。屏人密問民所疾苦。大盜姓名。姦猾長吏。無不知悉。郡中震肅。姦刦息止。蓋亦得明目達聰遺意耳。

裴叔業以壽春降而建鄴肩髀折。夏侯道遷以南鄭降而成都喉嗌絕。此信南所由衰北所由盛也。故論有功誠兩茂語。

書陽賈李路房曹潘朱傳

陽固演頤賦足振騷響。甚難得。南北二都賦未載傳中。可惜。硤石之役。固節度水軍。設奇計先期乘賊。獲其外城。又爲汝南王悅郎中令能切諫。丁母憂號慕毀病。皆非尋常文士所可及。

賈思伯於鍾離之役殿而不伐。爲滎陽太守有政績。不愧儒者。

曹世表知湛僧珍敢於深入。恃劉獲鄭辯爲之內應。出其不意破其所恃。實上策也。

書奚康生楊大眼崔延伯傳

奚康生勇冠六軍。屢建鉅績。關張之匹也。既與元乂同廢靈后。互相猜懼。乃復傾心靈后。元乂焉得不矯旨圖之乎。當日之事。非康生殺乂。卽乂殺康生。無可避免。了不悲泣固宜。

楊大眼撫巡士卒。呼爲兒子。及見傷痍。爲之流涕。頗與吳起相似。

大眼子甑生等挾父屍降梁。古所未有。

崔延伯所造淮橋。出沒任情。既斷趙祖悅等走路。又令舟舸不通。自有橋以來。未有能若此者也。

書爾朱榮傳

榮率衆至肆州。刺史尉慶賓畏惡之。閉城不納。榮怒攻拔之。署其從叔羽生爲刺史。執慶賓於秀容。此誠恃功驕恣。然亦武臣所難免。至於孝明暴崩。誓討徐紇鄭儼。慷慨救國。非有異謀。而鑄孝莊像成。遂迎爲帝。擇長擇賢。尤見誠決。惜後惑費穆謬說。殺王公卿士千餘人。遂致孝莊疑懼。見圖身敗名裂。至今讀史者猶與董卓並視也。至榮遂有大志云云。殆魏收媚齊。信口編撰。以圖魏甚榮罪。即以討爾朱著齊得國所由耳。曷足信乎。

榮討平葛榮。詔有數載之塵。一朝清謐。燕恒既泰。趙魏還蘇等語。其功大可想、元顥內犯、既陷梁國滎陽虎牢並皆不守。孝莊出幸河北榮即時馳傳朝於行宮。督師濟河。破走元顥、光復洛都。其功大尤可想。

榮不聽弟世隆及妻北鄉郡主之諫。毅然入朝。且將入言奏帝臨死時且投御坐。蓋孝莊疑榮、榮未嘗疑孝莊也以此益信其毫無逆念竟被冤殺、他日得纂通史、當爲正之。傳末疊錄前廢帝詔。假黃鉞。加九錫配享高祖廟庭。論更有擒葛榮。誅元顥戮邢杲、翦韓婁、醜奴（万俟醜奴）寶夤（蕭寶夤）咸梟馬市、苟非榮之致力克夷大難。不知幾人稱帝幾人稱王也。至於末迹見猜。地逼貽斃斯則蒯通致說於韓王也云云。殆亦同予此心。北齊書外戚傳謂爾朱文略大遺魏收、請爲其父（卽榮）作佳傳。收論爾朱榮比韓彭伊霍蓋由是也特齊語耳。豈足辯哉。

書爾朱兆彥伯度律天光傳

爾朱兆傳有河神縮水脉、以草表指淺處。兆遂策馬渡河。掩襲京邑。是日暴風鼓怒。

黃塵漲天。騎叩宮門。宿衛乃覺。彎弓欲射。袍撥弦。矢不得發。一時散走。帝步出雲龍門外。爲兆騎所縶等語一若冥冥中有誘兆爲榮復讎。惟恐失之者、榮苟非被冤戮。何致人神共憤若此哉。

高歡欲邀迎孝莊。唱大義於天下。即魏武挾獻帝故智。何足爲高氏光寵。魏收貢媚。鄭重紀之。抑何可哂。

於魏書爾朱兆傳夾敍高歡事。一則曰王、再則曰王、喧賓奪主、古無是例。

爾朱仲遠既有摹寫榮書又刻榮印。與尙書令史通爲姦詐、造榮啓表之事。則當時所傳關補曲陽縣令。及啓北人爲河南諸州莊等事。未必非仲遠所爲。後人以此責榮。恐仲遠亦竊笑於地下也。

前廢帝時。爾朱天光控關右。仲遠在大梁。兆據幷州。世隆居京邑、各自專恣、所在貪虐。而仲遠尤劇。皆敗徵也。雖曰權强莫比。高歡縱間以離之、遂若摧枯拉朽矣。可歎。

陽叔淵信斛斯椿詭說開城納之。致世隆等被害爾朱弼信馮紹隆詭說、當心瀝血。

致紹隆推刃殺己。皆可哂。

天光之鎭幷肆。所在寧輯。嗣討万俟醜奴、勘定關隴。其智勇有足多者。蓋爾朱氏之健者也。向使不聽斛斯椿言、暫勿東下。何致與仲遠等同敗於韓陵。自此無復足爲高氏敵者哉。

書盧同張烈傳

勳簿改換。偷階冒名、古尙如斯、後代尤烈。惜再無盧同起而檢覆之也。

張烈爲順陽太守。被敵圍攻七十餘日。能固守可取者一。爲瀛州刺史、爲政淸靜。吏民安之。可取者二。老還鄉里、兄弟同居。怡怡然爲親類所慕。可取者三。臨終勅子姪不聽求贈。但勒家誡。立碣而已。可取者四。

書宋辛羊楊高傳

辛雄傳父於郡遇患。雄自免歸。晨夜扶抱、及父喪居憂。殆不可識等句。不曰遘疾而曰遇患。不曰毀瘠骨立而曰殆不可識。語意惝恍。史傳不宜有此。然魏書似此者不少也。

信賞必罰。萬事宜然。況治軍乎。辛雄謂凡人所以臨堅陣而忘身觸白刃而不憚者。一則求榮名。二則貪重賞。三則畏刑罰。四則避禍難。一與四當別論。二與三實通習也。今我國兵額甲萬國。外不能禦侮。內不能勘亂。豈兵之咎哉。兵制不善之咎也。兵制何以不善。賞罰有所梗。斯不善矣。在昔井田寓兵於農。戰罷各伏畝耳。將則卿大夫。戰罷各奉舊職耳。故賞罰屬於將者多。屬於兵者少。募兵法興。行伍爲捷徑。有歷戰數載。遽躋大位者。且無事亦養兵。將不可無專官。於是賞罰屬於兵者多。屬於將者亦不少。今日固仍募兵也。而將則出自學校。兵苦戰。末由得將。嚮猶有隨營學校。兵得考入。卒業後往往爲將。今則惟北保定南黃埔軍官是用。兵求入校且不得。遑論將乎。是賞欲下達而梗也。又兵多饟少。或且久不發。不發亦莫或究詰。兵欲逃久矣。明知外敵內匪不殺。降不虐待俘虜。有事即藉敗以逃耳。烏從罰之乎。是罰欲下達而梗也。賞梗兵不戰。罰梗兵更不戰矣。故曰兵制不善之咎也。將皆同學。利害與共賞罰蓋難言。兒將以保全實力爲上策。將將者復以保全實力膺上賞。賞不必有功，罰不必有罪。而求有人臨陣奮勇也得乎。如此則不特兵不戰，將亦不戰矣。兵不戰，將不戰，雖多亦奚以爲。

漢有李廣。元魏亦有李廣。漢李廣名將。元魏李廣亦知兵。漢李廣不侯。元魏李廣竟僅爲行臺郎中。

羊深疏請興學。謂興孔聖之學耳。若後世學其所學。誠不如膠序廢替也。又高崇有仲尼四科。德行爲首。人能立身約己。不忘典訓。斯亦足矣等語。實得孔學要旨。

諸寵要者欲去高謙之。乃云謙之有學藝。宜在國學以訓胄子。此去君子妙訣。後世多效之者。

書孫紹張普惠傳

孫紹表言經緯甚多。無機可織。古今抱此痛者豈獨紹也。噫嘻。

聞箏聲便涕泗嗚咽。紹平日事兄可知。其弟也若此。孝抑可知。

紹善推祿命事驗甚多。知者異之。然此中諸人尋當死盡云云。則上自太后天子。下至百官。皆在刬內。其祿命豈嘗盡推耶。殆望氣而知耳。

張普惠魯夫人孟子稱元妃下與繼室聲子相對。否則不假元字以別名位。又在生以氏配姓。故曰夫人姜氏至自齊。死則以諡配姓。故曰葬我小君文姜云云。讀春秋者所應知。

任城王澄功衰在身。欲集會文武北園馬射。普惠引禮止之。宣武崩而普惠乃與甄楷等飲酒游從何耶。豈明於責人闇於責己乎。

普惠爲諫議大夫。任城王澄謂不喜君得諫議。惟喜諫議得君。官以人重。不其信哉。

後諍靈后父胡國珍贈太上公。可謂不愧言責。

書成范劉劉董馮鹿張傳

成淹王肅以口給相禦。雖一時戲謔。實不可訓。孝文奬之。所謂君臣皆失。惟王肅不以此恨淹。反爲淹求敘進。亦屬可取。

鹿悆不憚虎口。驗蕭綜歸欵虛實。遂令徐淮版圖。復入元魏、此誠大功。不愧封爵。晚爲梁州。乃被鄭榮業逼降。不能死守、何前後判若兩人耶。

書朱叱列斛斯賈樊賀拔侯莫陳侯傳

叱列延慶與侯淵討劉靈助。詭言西歸。潛軍夜襲。遂破擒之。蓋必如此乃可攻其無備也、可謂知兵。

爾朱氏待斛斯椿厚。韓陵一敗。椿遽與賈顯智等謀盡殺爾朱以圖叛。信犬馬之不如。後未爲高歡所戮、得隨出帝西入長安。抑何幸耶。又魏收以高歡叛逆由出帝信椿讒間、一若無椿卽可無北齊。是椿不特爲爾朱罪人。且實爲拓跋罪人也。

賀拔岳之破尉遲菩薩、誘敵渡渭。伏兵擊之、並號令所部、敵下馬者不殺、於是人馬悉獲、可謂善戰。後背爾朱天光。降於高歡。終被歡戮。悔殆晚矣。侯莫陳悅賣岳首媚歡。旋亦敗滅。天道好還。豈曰有爽。

爾朱榮謂侯淵臨機設變。是其所長、可謂知人、淵後降歡。從破爾朱於韓陵、則犬馬不如矣。終以反覆敗滅。匪不幸也。

書綦山劉宇文傳

此傳謂高歡欣戴廣陵。以崔㥄等不贊綦儁之議。乃立出帝。及出帝失德。高歡深思儁言。蓋藉此出脫歡罪。一若歡服事元魏。始終罔貳志。後事皆他人逼成之也。

書李琰之祖瑩常景傳

祖瑩詠悲平城詩。彭城王勰欲使王肅再詠。乃曰可便爲誦悲彭城詩。平彭音近誤平爲彭。故王肅戲云何意悲平城爲悲彭城也。瑩見勰慙。立撰悲彭城詩誦之。僞言舊有。信爲敏捷。相傳某君納粟得官。讌飲時或議酒令。舉舊詩一句。韻必紅字。次至某君。窘極。失口詠柳絮飛來一片紅應之。舉坐譁笑。某才士亟曰。此確是舊詩。上句乃夕陽返照桃花岸也。與祖瑩事略同。

常景四賢贊。若顏延之五君詠。借古喻己。所謂詩中須有我在也。

書外戚傳上

傳首殷肇王基。不藉莘氏爲佐周成大業。未聞姒氏爲輔。及藺犢引大車。愛之所以害之等語甚好。惜後世多不寤此也。

姚興之子名黃眉。寬和溫厚。希言得失。與馬氏五常白眉最良可並傳。但彼由外稱。此係自名。微有異耳。

馮熙廢毀洛陽舊三字石經。而自出家財在諸州鎮建佛圖精舍合七十二處。寫一十六部一切經。背儒媚佛。但欲求福耳。可哂。

書外戚傳下

宣武信任高肇。致北海王詳彭城王勰咸被寃殺。順皇后暴崩。皇子昌不祿京兆王愉謀反。可謂罪大惡極矣。而宣武猶委以征蜀重任。不知愛之所以害之且自害也。

書儒林傳

張偉常依附經典，敎以孝悌，門人感其仁化，事之如父。性恬平。不以夷險易操。清雅篤愼，非法不言。不獨經師。直人師也。

陳奇與游雅。以說經不合致成讎怨。雅固失也。奇豈得哉。

劉獻之教人以立身之道爲重。可謂知本。

書文苑傳

文人往往無行。聿脩深沉有鑒識。淸靜寡欲。與物無競。甚難得。姨夫（姨夫二字見正史始此）崔休深所知賞。宜哉。至溫子昇外恬靜。與物無競。言有準的。不妄毀譽。而內深險。事故之際。好預其間。終被高澄所害。亦宜。

書孝感傳

孫益德幼而爲母報仇。罪人斯得。幸耳。哭於殯以待縣官。奉詔特免。尤幸耳。惟吳悉達既長乃爲父母報仇。且避地他縣。庶爲不忘親仇。且畏國法。後世此等事多自首。

書節義傳

汲固爲兗州從事。刺史李式坐事被收。而固救其孤。張安祖憫河陽令凍死。一子幼。棺斂無託。而悲哭盡禮。斂殯用給。皆可謂難能。

書良吏傳

竇瑗駮母殺其父子不得告。甚得律意。而下手之日。母恩已離。既不告母。便是與殺父。二語尤精。

書酷吏傳

史記所列酷吏。乃不憚豪彊之吏耳。若如于洛侯等法外施虐。有辱酷吏二字矣。至崔暹奸猾好利。能事勢家。尤與酷吏相反。

書逸士傳

眭夸少與崔浩爲莫逆交。而竟不仕。信浩然物表者也。

李謐辨明堂五室即九室。頗精。然既篤高尚之情。此事正不必復論。論殆爲後世也。

書術藝傳

張淵觀象賦爲此傳不可無。一不必有二之文。可誦也。江式善蟲篆詁訓。其表於六書篆隸論之甚詳。亦難得。

書列女傳

魏溥妻房氏割耳誓志。教子有成。甚難得。滎陽刁思遵妻魯氏少寡靡佗。雖父母强以再醮至於成訟。終與老姑相守。亦難得。

書恩倖傳

王叡爲文明太后幸臣。封王預政。與清初那拉太后之於攝政王相似。特未下嫁耳。孝文無奈母何。母憂亦憂。母喜亦喜。自以爲孝。而不能以禮閑母。蓋亦魯莊公之比焉耳。

王叡預政。未成亂階。趙修壞紀。旋就刑戮。孝文宣武。尙不愧魏之賢主。

宣武既除趙穆於方盛之日。仍寵茹皓於已貴之秋。後宮不乏佳麗。何獨愛狡童乎。

王叡以姿貌偉麗爲文明太后所寵。鄭儼亦以容貌壯麗爲靈太后所幸。寡婦大抵如此。可哂。至儼休沐。靈后遣閹童隨侍。見妻但得言家事。身爲國母。妒忌忘恥一至於此。可恨。

書閹官傳

宗愛懼道盛等案其事。構陷至死。致恭宗以憂薨。又懼太武追悼恭宗。或遂誅己。乃行弑逆。小人但爲一己禍福計。勢必至此，可畏也哉。

劉騰前於靈太后臨朝。特蒙進寵。後以清河王懌故。不惜殺懌廢后。可謂妒之極矣。后亦恨騰忘恩。發冢散骨。惜猶未能生戮之也，一笑。

書劉石劉慕容苻姚呂傳

自三國志以曹魏爲正統。於是晉篡魏亦爲正統。東晉偏安亦爲正統。孝文定鼎洛邑以後。魏自處亦曰正統，此僭僞等字所由紛紜也，劉與罵項。千古一轍。詎足深論。嚮使此書不傳。僅宋書有索虜傳。南齊書有魏虜傳。則元魏亦等慕容苻姚任人僭僞之。且夷狄之矣。史之不可以已也如是哉。雖然。魏收以元魏爲正統，名爲元魏。實爲高齊也

魏收謂孝文永年。北可劃引弓之左衽。苑龍荒以牧馬。南則變水處之文身化鳥言

於人俗語固誇大文特奇妙。

劉淵追尊後主爲孝懷皇帝。蓋以蜀漢正統已後蜀漢。庶亦列於正統也。

創業尚武。守成右文。守成而兼創業者文武並重。聽不知此。復惑女色。宜其敗也。

石勒好殺。虎更凶殘。此大刧運。無間華夷。談虎色變。殆謂此耶。至宣之殺韜。虎之殺宣。兄弟父子很酷至極。更爲前所未有。又冉閔盡殺諸胡。盡滅石氏。天殆假手用終趙局。

胡人謂父鮮卑。母曰鐵弗。因以爲號。中夏無是也。鮮卑見范氏後漢書。鐵弗則始見此傳。又晉史赫連勃勃。即此傳鐵弗屈子。

太武以輕騎襲昌統萬。羸師誘戰。流矢中掌。奮擊不輟。遂克其城。今日爲將者且無此勇。况帝王乎。况後又以輕騎襲定（赫連昌弟）平涼乎。

苻堅滅魏。分爲二部。自河以西屬劉衞辰。自河以東屬劉庫仁。蓋以魏固僻遠。用作北藩。不復利其土地。猶可說也。滅燕不立慕容垂。而以苻丕鎭撫之。利其土地矣。而於亡國主慕容暐信任不疑。自古滅人國未有如此者。不可說也。慕容垂妻段氏謂寶非濟世之雄。遼西（農）高陽（隆）兒之賢者。宜擇一樹之。趙王麟姦詐負氣。常有輕寶之心。恐必難作。此自家事。宜深圖之。而垂弗納。語云知子莫若父。宜易爲知子莫若母矣。

姚萇病夢苻堅將天官使者鬼兵數百突入營中。萇懼走後宮。宮人迎萇刺鬼。誤中萇陰。鬼相謂曰。正中死處。拔矛出血石餘。寤而陰腫。醫刺之出血如夢。萇乃狂言。或稱臣。或稱萇殺陛下者襄。（萇兄）非臣之罪。願不枉臣云云。與史記魏其武安侯傳武安侯病。專呼服謝罪。使巫視鬼者視之。見魏其灌夫共守欲殺之略同。

呂纂妻楊氏責超。（纂從弟）有郎君兄弟手刃相圖。新婦旦夕死人。用金寶何爲等語。謂其父楊桓。有大人本賣女與氏以圖富貴。一之已甚。復可使女辱於二氏乎。（時超欲娶楊氏）等語。天地正氣。千載凜然。宜入列女傳也。

書司馬叡李雄傳

魏自平文帝始與晉元帝絕。蓋懷愍北狩。晉亡久矣。不復視東晉爲帝室也。正名僭晉。而仍繫以司馬。不曰牛叡。亦猶陳承祚魏書。既曰養子嵩莫能審其生出本末。而所謂太祖武皇帝者。尙目爲漢相國曹參之後也。

放太甲於桐宮。本聖人之事。而叡竟以此言目王敦爲大逆。何耶。無人願爲太甲。而欲伊尹不由此絕迹。難矣。一笑。

討王敦討蘇峻。皆溫嶠一人主之。故敦與王導書。有太眞（嶠字）别來幾日。作如此事。等語。嶠喻陶侃。有蘇峻遂得志。四海雖廣。公寧有容足地。等語。

蘇峻無故捨衆。以四馬突陣。致被軍士彭世李千所戮。殆天奪其魄。使東晉苟延殘喘。而溫嶠陶侃亦得僥倖成功也。

兄終弟及。禍且難免。況舍己子而立兄子乎。春秋傳宋人已事。李雄豈竟未考耶。

元魏欲效曹魏。自居正統。故隱以僭晉比吳。竇比蜀漢。

書桓玄馮跋劉裕傳

桓玄外强中乾。徒爲劉裕作勝廣耳。然常裝輕舸於舫側。則今日將帥竊效此意者不少。

劉裕先人不知所出。或云本姓項。改爲劉氏，此宋書所諱言，故有魏書而晋宋齊梁諸書所諱者皆得就事考正之。較野史裨益正史不可以道里計也。

書蕭道成蕭衍傳

袁粲劉秉王蘊沈攸之共討道成。雖敗猶榮。雖死猶生。王儉爲自圖富貴計。請間勸進，且諷動在位加道成九錫。封王建臺。篡弑之局。急轉直下。死而有知。吾不知儉何面目以見粲等也，

南北朝彼此通聘。各以朝貢書之，蓋南北朝皆自命正統也，卑人貴己。由來久矣。

蕭昭業外作僞而內極惡。自宜廢戮，縱有桐宮。其奈昭業非太甲何。況殷商以後。未聞更有伊尹能令太甲自怨自艾也。

當蕭衍以顯爲魏主。資顯士馬。令大將陳慶之部率送顯。遂入洛陽。豈不謂等於鄭

莊滅許哉。未幾，顥被爾朱榮破走。衍他日且被魏降將侯景圍逼餓斃。處心積慮滅人國，未能，而己國反於不知不覺中幾被人滅。天下事往往如此，可歎。

蕭衍自以持戒，祭祖不設牲牢。時人謂其宗廟實不血食，可謂雅謔。余昔論此事云：神所饗必犧牲乎？我弗敢知也。神所饗不必犧牲乎？我弗敢知也。以人性嗜肉食推之，則無論神所饗必犧牲不必犧牲，總以犧牲爲近。是彼梁武者何獨不然。佛教中之也。夫人跣帝豝人也，而畜之矣。宋用鄫子，人也，而犧牲之矣。今曰以麪爲犧牲，是犧牲且不忍犧牲之矣。其信佛也不待責。所不解者，詔文錦不得爲人獸之形者，武帝也。而詔宗廟以麪爲犧牲者，亦武帝也。不忍於裁翦人獸之形，獨忍以麪爲犧牲。而以祭乎。充梁武帝之所謂不忍，必無所謂犧牲而後可。今不犧牲而以麪爲犧牲。猶之乎犧牲也。夫既已犧牲之矣，則雖明明以麪爲宜，亦梁武所不忍，而且不忍於犧牲。則凡飛潛動植何一可不犧牲之也。推文錦之詔，不惟犧牲不忍以麪爲，即蔬食亦傷生之舉。而處臺城中之武帝，何忍因蔬茹皆絕，遂食雞子耶。烏乎。武帝以叢惡之軀。日暮途窮。藉求福爲晚蓋。以麪爲犧牲固。不得以恒人心意論之也。

書張實乞伏國仁禿髮烏孤李暠沮渠蒙遜傳

張軌以晉室多難、陰圖保據河西。己幸富貴。張實繼之。值劉曜陷長安。秦雍之民死者十八九。惟涼州獨全。不獨己幸富貴也。若乃後世子孫奢淫虐亂。禍國禍民。匪軌初念所及矣。噫嘻。

書高句麗百濟勿吉失韋豆莫婁地豆于庫莫奚契丹烏洛侯傳

高句麗王璉薨、而孝文爲之舉哀東郊。贈官賜謚。蓋寵待藩封藉柔遠人也、然就魏史論於璉死宜曰薨。不必與他僭僞比。凡在藩封之列者皆不必與他僭僞比。

失韋國丈夫索髮。殆與滿洲辮髮類。又吐谷渾傳有夸呂妻辮髮於後語。

書楊難敵吐谷渾宕昌羌高昌鄧至蠻獠傳

世第知楊大眼而不知楊小眼。以小眼事少僅於此傳一見也。

以恩信招撫則遠近欵附。如內地焉。否則悉反。豈獨氐人如此哉。凡與氐等者皆如此耳。知此則知今日所以未能冶滿蒙回藏於一爐者有以也。吐谷渾卜於馬以去遼。初無妄念。阿豺鑒於水以歸宋。先有定見。

書西域傳

漢武通西域而蘇武爲匈奴所留。太武通西域而王恩生爲蠕蠕所執。其事頗同。而世知蘇武不知王恩生。則以牧羊雁帛等事幸傳於世。足爲蘇武生色耳。人之傳不傳。豈不以事哉。

悅般國有大術者。蠕蠕來抄掠。術人能作霖雨狂風大雪及行潦。蠕蠕凍死漂亡者十二三。果是術流傳至今。不獨禦侮。旱澇可無慮矣。予有詩云。亂日乾坤偏造刧。異時風雨倘由人。蓋深冀聲光化電等學猛進無已。遂能奪天權以濟斯民也。

書蠕蠕宇文莫槐段就六眷高車傳

車鹿會自號柔然。而太武改爲蠕蠕。無怪南人呼魏索虜也。北齊書蠕蠕亦作茹茹。蠕蠕屢敗。尙爲魏患。與匈奴之爲漢患頗同。蓋國無城郭宮室。大兵至遠遁。大兵退乃又入寇也。其衰也以分裂。亦頗與漢匈奴同。

獻文討蠕蠕。旬有九日往反六千餘里。斬首五萬級。降者萬餘人。而北征頌不錄於傳何耶。

槃弧以狗爲祖。高車以狼爲祖。皆齊東野語。未足據。

書自序

史遷自序。爲敘目而作。且爲其父先爲史記未成。已纘父緒而作。故其前似司馬談傳。孟堅效之。直以自敘爲敘傳。蓋皆爲書目而敘。非徒譽己也。伯起（魏收字）此序論文於馬班未能爲役。論例則譽己辭多。於書目但舉其數。較沈約宋書自序尤爲無謂。豈亦不可以已乎。范氏後漢。承祚三國。何嘗以少此一序貽誚後世乎。至十志附列傳後。殆同後漢。然彼係劉昭補爲。此乃伯起自續。似不如上宗史漢。仍置帝紀後之爲得也。

讀魏書蠡述卷四

岳陽李澄宇洞庭著

書天象志一

史記天官書詳載星象及災祥禍福所由。漢書變天官書爲天文志。則以蝕彗等事入五行志。茲曰天象卽天文。併班氏所分爲一。併之誠是也。惟他休咎非天文所賅宜入五行者。別創靈徵志。則不如仍曰五行耳。

書天象志二

志一記日蝕日暈白虹貫日等。二記月蝕月暈月犯某星掩某星入某星等。三記彗孛流星及某星晝見某星犯某入某守某等。亦有月犯某星掩某星入某星等。豈收於三忽亂其例耶。

書天象志三

跋謂魏收天象志第三第四已亡。後人取唐張太素魏書天文志補之。殆可信。蓋收志條載。此往往聯叙。收但記魏事。此兼及南朝。且稱死曰殂。收舉驗不論。此有論。且有天象若曰等字也。

書地形志上

既分定冀置瀛州，又分定相置殷州。分瀛冀置滄州。州愈變愈小。無怪古稱天下九州十二州。後竟與縣並稱也。

書律曆志上

黃帝采竹昆侖之陰。聽鳳岐陽之下。斷自然之物。寫自然之音。欲音之協也艱哉。而律度量衡竟因是出焉。此所以爲聖人也。明有嚴嵩。人盡知之。後漢嚴嵩。殆無人知。

書律曆志下

壬子元曆甲子元曆所載推求各術。並皆詳備。而甲子元曆較前尤密。元魏有此。今日高談陽曆者亦汗下否。

書禮志一

牲有犬有雞。非古也。以女巫行事亦非古。

祀黃帝唐堯廟僅遣有司。不親至何也。

太武祀恒山岱宗孔子。皆以太牢。禮也。

道武定都平城。以國家繼黃帝之後。宜爲土德。於是從土德。至孝文太和十五年。又據西漢棄秦承周之義。以魏承晉爲水德。無非欲自命正統耳。

授策孔子。崇文聖之謚。自此文聖二字永永未改。孝文此舉偉矣哉。

書禮志三

孔重孝弟。孝文欲以孔道化天下。故躬行三年之喪。雖高閭李彪力諫弗聽。

書樂志

孝文之世。有高閭與孫惠蔚公孫崇等。考周官國語及後漢律曆志。案京房法。作準以定律。吹律以調絲。宣武之世。於并州獲古銅權。付崇以爲鐘律之準。劉芳又以秬黍中者一黍之廣爲一分。造銅尺。典修金石。故雖際禮壞樂崩之後。樂猶可得而言。

至於漢晉所遺伶官樂器，由鄧石冉苻慕容赫連等所展轉歸於魏土者，道武太武之世，蓋亦不少。惜文成獻文不以聲律爲務，古樂音制，罕復傳習，舊工更盡，聲曲多亡。致孝文宣武別起爐竈，終鮮鉅效耳。若乃太武之世，悅般國鼓舞設於樂署，孝文之世，四夷歌舞列於太樂，則與今之專尚西樂者，亦頗異也。又孝莊季年，樂庫被燔，前廢帝詔長孫稚祖瑩管理金石，則徒存表議，以耀篇幅矣。悲夫。

書食貨志

道武太武文成均重農國用以足。文成罷諸雜調，民更樂業。今雜調日增，又輕視農政，民終歲勤動，猶苦凍餒。一遇水旱，哀鴻徧野，民固老弱轉溝壑，壯者散四方，國亦百姓不足，君孰與足乎。

高澄以錢文五銖，名須稱實，宜稱錢一文重五銖者，聽入市用。計百錢重一斤四兩二十銖。此錢稱一文之始。後乃省稱一錢，如一錢誅吏，一錢莫名是也。

書刑罰志

男女不以禮交皆死。法亦嚴矣。厥後乃有靈太后何耶。

盜律復舊。加故縱通情止舍之法甚是。此法通於治匪。不獨盜物之盜宜爾也。

書官氏志

置仙人博士典煮鍊百藥。秦皇漢武尙無此。而道武有之可哂。

姓表其所由生。氏記族所由出。記姓氏於百官後。故不曰百官或職官而曰官氏。

紇骨改爲胡氏。頗似拼音。拓拔改爲長孫。則徑改矣。至達奚改奚。伊婁改伊。特省字耳。今歐陽亦有省爲歐或陽者。

書釋老志

心性之學。各教重之。然必持之以恒。非盡人所能爲。禍福之說。各教共之。積善獲福。積不善獲禍。則盡人所能爲也。儒所謂善不善。就五倫言。甚難。釋所謂善不善。不就五倫言。甚易。然釋以去殺盜淫妄言飲酒爲善。或尙難之。於是但禮佛誦經。亦得爲善。藉佛聚斂爲諸不法者。往往而有。太武誅長安沙門。閱其財產。得釀酒具及州郡牧守所寄贜物以萬計。又爲窟室。與貴室女私爲淫亂。其著者也。然化惡就善。教旨固未可厚非。故自漢孝明以來。帝王將相信佛者史册相望。至今猶盛於東土也。

韓愈原道。有人其人、火其書、廬其居等語。太武誅長安沙門。焚破佛像、較愈所云更進一步矣。然佛法依然佛法也、可奈何。

孝文於永寧寺設大法。供度良家男女爲僧尼者百餘人。令修道戒。資福於獻文。哲人之愚。抑何可哂。

其自言也四字妙。蓋老子雖道家。其所謂道。與後世道家大異。後世道家。道在符水經咒耳。老子原書具在。豈有是耶。卽玉京紫微丹書靈洞。亦豈老子原書所有耶。

寇謙之口中之成公興及太上老君。亦謙之自言云爾。

法果謂道武明叡好道。卽是當今如來。寇謙之亦藉僞誥以太武爲太平眞君。何釋道善媚人主若此耶。又唐郭霸謂武后是彌勒後身。宋林靈素以徽宗爲神霄府長生大帝君。

讀北齊書蠡述

朱經農題

朱經農

中華民國二十五年
湘鄂印刷公司印行

讀北齊書蠡述目次

讀北齊書蠡述卷一

岳陽李澄宇洞庭著

書神武紀上 高祖

高歡恥杜洛周所爲。逃而被追。澄及魏永熙后皆幼。妻婁氏於牛上抱負之。澄屢落牛。歡彎弓將射之以決去。賴段榮下取之得免。與漢高祖被楚追急推孝惠及魯元太后下車。以夏侯嬰（即滕公）救之得免略同。

高歡始見爾朱榮。即以討鄭儼徐紇成霸業爲言。蓋深知榮志止此也。榮豈有篡魏之謀哉。孝莊誣戮榮等。自壞長城。遂令元魏化爲北齊。可恨。

詐爲書言爾朱兆將以六鎭人配契胡爲部曲。又爲幷州符徵兵討步落稽。發萬人。將遣之。孫騰尉景爲請留五日。如此者再。故激衆怨。故誤軍期。蓋竊陳涉反秦故智耳。清吳三桂在滇起事時亦與此略同。

漢高用陳平計間范增。高歡用竇泰策間爾朱度律仲遠等。皆兩姓成敗所繫。又歡葬爾朱兆。與漢高葬項羽亦略同。

廢節閔（爾朱所立）及中興主。（高歡所立）而立孝武。是同時廢二君也。此蓋前史所未有。歡揚聲討兆。師出而止者數四。兆意怠。然後遣竇泰以精騎於歲首宴會時襲之。兵法所謂攻其無備出其不意也。

書神武紀下

魏出帝答神武勅、前申信誓。並令罷兵。中謂不知佞人是誰。並令斬送封隆之孫騰二首。末謂爲歡所立。還爲歡殺。背德舍義。過有所歸。亦可謂善於辭令。

不立淸河王亶而立亶世子善見。蓋輔少主易簒位耳。一則曰魏於是始分爲二。再則曰自是軍國政務皆歸相府。魏之命運若綴旒矣。

高歡綏殺盜殺驢者。致彼以身所在奔告西師。西師盡銳來攻。幾被擒戮。此事世蓋常有。可鑒也。

歡請釋芒山（卽邙山）俘桎梏。配以人間寡婦。是但慮俘虜無匹。不顧寡婦苦志也。毀節傷化。可恨。

自東西魏分立以來。沙苑北邙玉壁數役。關係極鉅。沙苑（一曰渭曲之役）西魏勝。故東不得併西。北邙（一曰河陰之役）東魏勝。故西不得併東。合蕭梁計之。亦一三國也。玉壁守固。歡以是死。而東魏篡局愈急。蓋歡尚欲上學操懿也。東魏篡局急。西魏篡局亦急矣。北齊也。周也。隋也。皆爲唐作陳涉項羽耳。哀哉。

爾朱榮深知己子不能制高歡。歡亦深知己子不能御侯景。不愧知人之明。信可謂知子莫若父。

書文襄紀 世宗

王偉爲侯景作報高澄書。首言孌佞弄權。妻子見圍。羣帥恃雄。推鋒堰水。次言丞相司徒。雁行而已。欲求吞炭。何其謬耶。次言輕重由人。非鼎在德。苟能忠信。雖弱必强。次言割地兩和。三分鼎峙。齊曹宋魯。悉歸大梁。次言王陵附漢。母在不歸。太上四楚。乞羹自若。雖曰强詞。亦多成理。

高澄怒孝靜稱朕。有朕朕狗腳朕之語。至今以爲異談。高澄殆爲此五字生也。又使崔季舒毆孝靜三拳後。諸事自以令行。不復用詔。殆亦厭聞詔字耳。

澄正謀篡。署擬百官。而蘭京（陳元康傳蘭固成殆京字也）遽爾殺之。亦所謂螳螂捕蟬。黃雀在後也。

書文宣紀（顯祖天保）

內雖明敏。貌若不足。此正所謂深沉也。而竟被嗤於厥兄。則異日丕植之禍杜矣。此尤所謂深沉也。至若厥兄遇害。弟反得國。事出意外。蓋匪始料所及。又快刀斬亂絲、及擒彭樂以獻。則對厥父實弄英武。與對厥兄特異。

九錫文有大崇霸德、實廣相猷二語。蓋孝靜苦心。猶冀高洋勿篡也。誰知九錫之後竟奉皇帝璽綬。無異十錫哉。亦可憫已。

禪詔內非一人之大寶。實有道之神器。遠惟唐虞禪代之典。近想魏晉揖讓之風等語。亦說得冠冕可喜。蓋魏收所撰也。（據高德政傳）

契丹始見魏書。春秋所謂夷狄在域中。秦漢所謂夷狄在域外。六朝所謂夷狄域外域中並有。總之所謂夷狄者數愈多。地愈闊。勢愈彊。而萬國交通。乃接近文明。乃互換此殆天地妙用。不可徒以外患目之也。

發寡婦二千六百配軍士。已屬亂命。況有夫而濫奪者五分之一乎。

東魏禪於高洋。西魏禪於宇文覺。一國而兩禪。前所未有也。

既曰暴崩。復有遺詔。可哂。

陳齊周得國皆不永。殆天厭分割。亟欲以隋爲閏位。而致一統之祚於大唐也。

書廢帝紀 乾明

高洋不讀文王世子。而使太子手刃囚。可謂亂命。又高洋因廢帝名殷字正道。有殷家弟及。正字一止。云云。如出後世折字者之口。非帝者語。至因此謂弟演曰。奪便奪。愼勿殺也。異日猜忌。兆於此。異日篡弑。亦兆於此矣。言可不愼與。

書孝昭紀 皇建 肅宗

高演始固忠諫厥兄。靡敢有他志。自高洋誣演擅取宮人。以刀環亂築。心漸寒矣。自楊愔等請廢帝解演京畿大都督。變乃亟矣。

高演至東閤門。都督成休寧抽刃呵止。使非領軍高歸彥素爲兵士所服。悉皆弛仗。不得入此門矣。然愔等已斬。上有太皇太后主之。下有高歸彥助之。其篡局終必有成也。

書武成紀（世祖　太寧　河清）

演弟及湛。又弟及殷家弟及之語。竟奇驗至此乎。意者亦皇太后意。稱演遺詔以一視聽乎。

高演廢主弒主。皆藉高歸彥一人之力。在高演時便有可死之道。况高湛時。而不小心翼翼。可望活耶。

書後主幼主紀（天統　武平　隆化　承光）

詔曰。太上皇帝詔曰。同時屢見。亦復成何政體。此北齊兒戲之局耳。

齊後主以母胡太后愛憎爲轉移。一歲而廢二后。（斛律氏　胡氏）爲之后者不亦難乎。

後主禪位於幼主。稱太上皇。而幼主禪位於丞相。已是笑話。大丞相又詔尊太上皇爲無上皇。幼主爲守國天王、更是笑話。
無愁天子無愁曲。至今以爲雅談、而一裙直萬匹。鏡臺直千金。與後世一襪直銀幣
四十圓者。殆亦無異。惟鑿晉陽西山爲大佛像、一夜然油萬盆。光照宮內。無電燈但
有油燈、雖豪舉亦太陳腐耳。一笑、

北齊書雖成於隋李百藥。而有唐魏徵史論。殆經唐代損益始獲行世也。觀其諱丙
爲景。與房玄齡所撰晉書無異可證、

北齊西苞汾晉。南極江淮。東盡海隅。北漸沙漠。六國獲五。九州分四。而卒爲周所滅。
國强弱豈徒在地哉、噫。

讀北齊書蠡述卷二

岳陽李澄宇洞庭著

書皇后傳

昭君出塞。冢草獨靑。千古恨事也。而婁后竟名昭君。可異者一。婁后自擇夫。不恥高洋微賤。可異者二。高明嚴斷。而寬厚不妒忌。可異者三。未嘗爲親屬請爵位。可異者四。高洋將受魏禪。后固執不許。可異者五。

高洋竟淫澄婦。蓋不止陳思作感甄賦矣。而己婦後被湛逼。亦裂帷薄。厥子且被湛殺。何報之酷耶。

書高十一王傳

永安王浚以大敵未滅爲憂。欲乘驛面諫。此誠忠亮。而高洋必欲死之何也。上黨王渙未嘗切諫。徒以術士言亡高者黑衣。左右又有黑莫過漆一語。渙第七。漆七同音。遂令與浚俱死。豈知黑衣自關右來。（周軍皆黑衣）固不懼栗刺火燒耶。噫嘻。

彭城王浟爲政嚴察。境內無盜。若不生帝王家。安知不以良吏終也。

彭城王湝見執於周。抗節無屈、雖至長安。終與後主同死。妃盧氏亦秉義不辱。爲尼沒世。可謂賢匹。

書文襄六王傳

孝瑜妃盧氏、不慟夫死非命。反以胡后故譖殺己姑宋太妃。不知是何心肝也。

高澄子孝瑜孝珩孝琬皆忠謇。珩尤有文武才。以奸人譖害。瑜琬見殺。珩被虜於敵。可悼也、

芒山之戰、蘭陵王長恭率五百騎深入。轉敗爲勝。於北齊有再造之勛。否則亡高者黑衣。不待後主時也、既爲澄子。國事實卽家事。而後主竟以此二字忌之。必鴆之而後快。生帝王家。出言不易。乃若此。痛哉、

安德王延宗驕縱不法。後幸改悔。後主平陽敗後、若聽延宗言。在營不動。以兵馬付延宗、未必不轉敗爲勝。後主走鄴、延宗在幷爲天子。改元德昌、傾覆府藏及後宮美女以賜將士。見士卒。皆親執手。陳辭自稱名。流涕嗚咽、衆皆爭爲死。童兒女子亦乘

屋攘袂。投瓠石以禦周軍。氣已振矣。段暢拒敵於城東。忽以千騎降敵。致周武乘昏入東門、延宗與莫多婁敬顯自門入夾擊之。周軍大亂。爭門相塡壓。齊人從後斫刺。死者二千餘人。周武左右略盡、自拔無路。承御上士張壽輒牽馬頭。賀拔佛恩以鞭拂其後。崎嶇僅得出、齊人奮擊幾中。爲功亦大矣。而孰知周武未死。詰旦反攻。齊亡延宗。妖語卒驗乎。後主謂近臣曰。我寧使周得幷州。不欲安德得之。此語至今讀之。寒心。周武執延宗手曰、兩國天子有何怨惡。直爲百姓來耳。勿怖。終不相害。此語至今讀之墮淚。

書文宣四王孝昭六王武成十二王傳

突厥他鉢可汗始重紹義。聽卽帝位。且招諸部舉兵南向。及周使賀若誼往說。乃僞與紹義獵於南境、使誼執之。夷狄無信。自古然也。可勝慨哉。

樂陵王百年曾爲太子。又嘗作勅字。被疑忌。固也。獨賈德冑敎百年書。乃封奏勅字以速禍。甚可痛恨。

率獸食人。孟子特推論如此耳。今高綽縱犬食人。奪兒飼狗。竟成實事。可恨。至齊後主取蠍數升。置諸浴斛。使人裸臥斛中。號叫宛轉。綽與後主臨觀。以爲至樂。則尤非人所爲也。

瑯琊王儼若得爲帝。後主何由極惡。後主不極惡。齊何至遂滅哉。噫

書趙鄧王琮清河王岳傳

叡性至孝。又極忠謇。信賢王也。欲出和士開不得。反被胡太后寃殺。尚不如瑯琊王克斬艾猳也。可歎。

兩軍酣門之際。最懼橫衝。後襲蓋事出意外。人易驚亂也。韓陵之役。歡本敗績。以高岳橫衝敵陣。轉敗爲勝。此功甚大。

高岳疊建大勳。自難免世主猜忌。高歸彥復密構之。欲不死。非命得乎。惟高洋以一民女故。不惜鴆殺大臣。亦孔之醜。

書宗室傳

孝昭誅楊愔時。既許武成皇太弟。後乃食言。立子百年爲太子。非武成信占候卜筮。靜徯大慶。弒兄之事恐不可免。然以此竟禍其子。不其憫哉。

書竇尉婁庫狄韓潘傳

地名無善。（一作善無）而尉景適生其間。無怪不能忘懷財利也。然庫狄干亦無善人。清約自居。不爲吏人所患何耶。

庫狄文士。過於孤直。親故絕迹。而執法嚴正。不避貴戚。則庶幾漢代酷吏。

韓軌爲秦州。甚得邊和。而爲瀛州乃以聚歛爲御史所劾。後登台鉉。又謙恭自處。未嘗驕人。一人而前後屢變。可異也。

書段榮傳

段韶智勇兼備。北齊柱石。而當梁將東方白額潛據宿預。嚴超達逼涇州。尹思令將襲盱眙。陳霸先攻廣陵時。留他將圍守宿預。自將步騎數千倍道赴涇州。塗出盱眙。思令不虞軍至。望旗奔北。進與超達合戰。大破之。盡獲其舟艦器械。謂諸將士曰。吳人輕躁。本無大謀。今破超達。霸先必走。即迴赴廣陵。霸先果遁。大獲其軍資器物。旋師宿預。白額請盟。盟訖執斬。江淮帖然。尤可謂出奇制勝。知所先後。於突厥犯塞。周將尉遲迥等襲洛陽時。謂北虜侵邊。事等疥癬。西羌闚偪。病在膏肓。於是督精騎一千發晉陽。濟河。與諸軍登邙阪。結陣待敵。敵步在前。韶且卻且引。待其力弊擊之。敵潰投墜溪谷而死者甚衆。洛城之圍亦即奔遁。從邙山至穀水三十里中。軍資器物彌滿川澤。亦可謂揣事赴機。知所先後。

隋人修北齊史。而曰周師來寇。仍舊史耳。舊史內齊。且正統齊。曰周師來寇也固宜。

書斛律金傳

金不讀書。而聞古來外戚梁冀等無不傾滅。蓋深留意此等事。故一聞便能記憶也。

至女若有寵。諸貴妒人。女若無寵。天子嫌人。四語。外戚之禍。其始大抵由此耳。

周韋孝寬忌斛律光英勇。作童謠間之。自是奇策。而百升飛上天。明月（光字明月）照長安十字。實亦似古謠諺。光被劉桃枝拉殺。周武大喜。赦其境內。則齊後主自壞長城可想論以郭開譖李牧。牧死趙滅爲比。諒哉。

書孫騰高隆之司馬子如傳

司馬子如忠於爾朱氏。且有謀略。世隆等謬加疑忌。致爲高氏所用。可惜。子如事姊有禮。撫諸兄子慈篤。當時名士並加欽愛。與高隆之母事寡姊訓篤諸子。禮接名流相似。至貪縱諂毀。高亦頗同。但皆勝孫騰之爲人。騰惟務導人疑忌獻己誠欸。貪縱譖毀。高馬匪匹。而竟保首領以歿。抑何幸與。

書賀拔蔡韓尉王劉任莫多婁高庫狄薛狐張侯莫陳傳

任延敬大有受納。然爲政不殘。禮敬人士。不爲民所疾苦。張保洛所在聚歛。民吏怨之。同一貪也。而影響各異何歟。蓋受納非彊取。聚歛彊取也。況延敬爲政不殘。禮敬人士。卽有受納。尙惜譽望。與見金不見人者異矣。

庫狄伏連專事聚斂。貪也。而所得賜物簿錄入官。則又似廉。果很於士民而娟於天子乎。抑以賜物衆所知。不妨藉此釣譽乎。

書張斛律堯宋王慕容薛叱列步大汗慕容傳

後主至濟州。詔禪位任城王湝。（高歡第十子）令斛律孝卿齎詔策及傳國璽詣瀛州。孝卿便詣鄴城。歸於周武帝。此亦所謂聰敏機悟也。一笑、

堯雄治民有誠信。爲政去煩碎。撫養兵民。得其死力。後世治民無誠信。爲政喜煩碎。朘削兵民。怨聲載路。讀此傳亦汗下乎。

慕容紹宗沉毅寡言。與周勃頗似、爾朱榮殲夷多士。爾朱兆徵高歡共圖訖豆陵步藩。實皆失策、紹宗諫阻。可謂忠於爾朱。

高歡知己子不能御侯景。留紹宗備用。卒有渦陽之捷。用人若此。無怪克遷魏社也。

薛循義爲逆一次、卽封汾陰縣侯。是獎逆也。爾朱榮惡其反覆。拘而不殺。蓋惜其勇猶欲用之也。豈知後乃留備高歡建業哉、

叱列平字殺鬼。可謂怪極。殆與叱列皆爲譯音也。慕容儼字恃德。亦怪。然二人戰績皆甚著、果能殺鬼耶。抑恃德耶。一笑、

書高乾封隆之傳

殺孝莊者爾朱兆。高乾傳有爾朱榮殺莊帝語。誤兆爲榮。宋板亦有此。可知校對之難。且李元忠傳有値洛陽傾覆。莊帝憂崩語。是孝莊以弑崩抑以憂崩。尙屬疑問。安知非高歡故目憂崩爲弑。藉激一時衆怒乎。

高乾殺爾朱兆監軍孫白鷂於冀州。爾朱羽生豈不聞知。而猶信乾計與乾俱出。身既被擒。殷州亦失。其愚至此。可恨也已。

乾懼魏孝武不能除歡。歡他日或殺己。密啓盟事於歡、且勸受禪、豈意歡竟賣乾取乾前後數啓封送孝武。遂以賜死乎。

高愼字仲密。昂字敖曹。封隆之傳稱高仲密。周書亦皆但稱字。蓋史非成於一手也愼以虎牢降周。昂始終爲北齊效死。雖曰兄弟。所趣異哉。

高季式於兄愼叛後、解職在宅。尙强留司馬消難。酣飲兩宿。無所懼忌。殆以此益顯此心無他耳。高澄知此。白魏帝賜消難美酒珍羞、幷令朝士與季式親狎者就宅讌集。蓋亦安其心使勿他慮也。

據周書宇文泰邙山敗後。洛陽不守。弘農長安咸陽亦被降卒叛據。其勢蓋岌岌矣。而是時齊師已至潼關。若如封子繪言。乘勝更進。西魏殄矣。而歡不然者。洛陽弘農長安咸陽之事。當時音驛懸隔。固未盡知也。

高乾已得冀州。而始畀隆之。終授高歡。齊霸之成。實賴此土。昔曹操自領冀州牧。而漢魏興亡遂定。局勢同也。韓陵之役。歡已敗矣。高昂與蔡儁以千騎橫擊兆軍。兆軍大敗。傳謂是日微昂等歡幾殆。論謂齊氏元功一門而已。不其諒與。

書李元忠盧文偉李義深傳

元忠少厲志操。居父喪以孝聞。以母老多患。專心醫藥。遂善方技。仁本立矣。在鄉有善行。在國有惠政。豈偶然哉。

元忠族弟密（與曾李密隋李密同名）。亦以母患積年。得名醫治療不愈。乃精習經方。洞曉針藥。母疾得除。是又一元忠也。

書魏蘭根崔㥄傳

蘭根說李崇奏改緣邊諸鎮爲州。分置郡縣，靖境寧邊，所繫實大，而當軸不聽，後從蕭寶夤破宛州。俘其人民爲奴婢。以美女十人賞蘭根，蘭根辭焉。盡以歸其父兄，雖但獨行其是。終得西土人心。至孝莊圖榮。（爾朱榮）密告世隆。及榮被殺。又敵爾朱高歡入洛。構廢魏主，高乾被誅。避而棲寺，則因畏死而不得不險詐。因險詐而不得不畏死，極可哂鄙。

魏愷薄長史而不就。後乃求官。蓋欲獨當一面也，然高洋因能殺臣者是陛下不受長史者是愚臣二語。欲殺而竟不殺。楊愔因雖復霖雨自天。終待雲興四嶽二語。欲不選而竟選。其才辯簡敏。實不可及。

崔㥄以寵妾馮氏驕縱。受納狼藉被劾，身死獄中。馮亦棄市。有妾者可不戒與。

書孫搴陳元康杜弼傳

元康泣諫高歡。謂教訓世子自有禮法。一可取，邙山戰後。決西師無伏可追，二可取。

侯景既叛，諫殺崔暹，而切保慕容紹宗以敵景，三可取。西魏王思政入潁，諸將攻之不能拔。決高澄親往必拔，四可取。高澄遇刺，以身捍蔽，盡忠所事，五可取。

蘭固成與同事阿改謀害高氏兄弟。澄死，洋幸免，此其中若有天焉。蓋澄洋俱死，演湛可繼。於魏原無禍福可言。惟澄死洋繼，洋不懼陳思之謫，且免召建成之戮，於洋實陰受大利也。

杜弼辯形死神生，以詩小雅無草不死爲喻，謂草死有種，人死亦有識，識種不見，謂以爲無者，神之在形，亦非自矚，可謂善讀書。又舉腐草爲螢，老木爲蝎，證神去此形亦託彼形，亦有理

書張張張趙徐王王傳

張亮不負爾朱兆，而高歡嘉歎之。亮信難能，歡亦有君人之度。

置疑設伏，兵家祕術，王峻能之，所由屢建勛勛也。

書薛琡敬顯儁平鑒傳

薛琡行洛陽令。部內肅然。未加拷掠。直以辭理窮覈。多得其情。於是豪猾畏威。事務簡靜。今禁拷掠誠是。但法吏不能以辭理窮覈得情。且多視賂曲直。無怪案屢歲不結。結亦不免寃抑。因是小人得計。獄訟紛紜也。

書万俟可朱渾劉破六韓金韋傳

潘六奚誤爲破六韓。皆譯音也。破六韓說高澄。謂太谷南口去荊路踰一百。經赤土坂。是賊往函東西大道。中間曠絕百五十里。賊之糧餽惟經此路。選地築城。安置士馬。截其往還。可謂深計。

書六元傳

高澄將爲篡逆。而暉業敢云數尋伊霍之傳。不讀曹馬之書。不愧元魏子孫也。

元弼傳置子暉業後何也。

高洋問元韶漢光武何故中興。韶不答以王莽不知逆取順守。而曰爲誅諸劉不盡。一言速禍。遂殲諸元。其愚信不可及。然亡齊者黑衣。洋終無可奈何。

書李渾李琠鄭述祖傳

李渾之擒崔社客。簡練驍勇。銜枚夜襲。今剿匪者或未肯若是。蓋欲自保實力耳。平鑒具衣冠祝井。井泉涌溢。李渾未祝。遇雨亦池流涌溢。崔㥄以妾馮氏受賂被劾。李渾亦以妾郭氏納貨坐免。

世有義犬義猴義牛。未聞義鼠。李曉以衣冠爲鼠所嚙。得免河陰之難。好事者亦爲作義鼠傳記乎。

書崔暹高德政崔昂傳

暹言邢邵之長。而邵言暹短。此事常有。不怨邵言已短。而曰邵言己短。已言邵長。皆是實事。不爲嫌。此人不常有。

晉元渡江。王導以吳人不附。乘帝上巳觀禊。與王敦等騎從。以肅觀聽。於是吳人紀瞻顧榮拜帝道左。此居下敬上。別有苦衷也。高澄欲假暹威勢。諸公在坐。令暹高視闊步。兩人掣裾而入。分庭對揖。不讓而坐。不終席而去。降階送之。而暹後彈尚書令司馬子如咸陽王坦等並免官。其餘死黜者甚衆。遠邇肅淸。羣公奉法。此居上敬下別有深心也。由此可知禮儀隆異。足正視聽。轉心志於政治前途所繫綦鉅。後世自命中國。而舉國上下若小兒闤市。奚恃圖治耶。

暹能厲色極言使澄（高澄）毋肆。而於母侵曉問安。暮則視寢。誠欲以君子自勉也。他日司馬子如等必欲置暹死地。遂流馬城。晝負土供保。夜置地牢。而暹安之若素。卒爲僕射。且諫洋飲酒過度。抑可謂薑桂之性矣。

高德政勸洋受禪。惟恐弗遂。與沈約勸蕭衍相似。卒被誅斬。與約不得志於衍亦似

書王昕傳

昕以疎誕被人譖毀。竟死暴主之手。晞（昕弟）亦閑淡寡欲。然力勸孝昭效周公輔成王。旋令奪璽自爲。與兄蓋異趣矣。至他日苦辭侍中。特恐日中則昃。月盈則虧耳。

書陸法和王琳傳

法和亦釋亦官。才術兼具。異人也。其破擒任約。兵步水上。於水中就剎得約。且知約

不兵死。他日當救湘東王（即梁元帝蕭繹）尤可怪。

王琳能用江淮羣盜、得其死力者。以果勁絕人、又能傾身下士。所得賞物不以入家也、既平侯景。而王僧辯懼其爲亂。啓請誅之。後雖免死。猶謫廣州。以致西魏兵至江陵。而孝元蒙塵於西。陳霸先殺僧辯。而梁運告終於東。琳爲梁復讎。終不獲濟。不知者謂天之所廢。莫能興之。其知者謂事已後時。實難再造。痛哉。又陳書被琳惡名。而齊書爲作佳傳。史官所處地異耳。

書蕭蕭蕭蕭徐傳

梁以蕭淵明督師大敗侯景。自此寒心。又聽淵明言與北齊和。侯景自此決反。北齊送淵明回爲梁王、而陳霸先自此簒梁、淵明果不祥人哉。何疊爲梁禍若此。

徐之才勸高洋簒魏。謂千人逐兎。一人得之。諸人咸息。與秦失其鹿天下共逐捷足者先得等語、雖意異可並傳。

書楊愔傳

愔小名秦王奇。性孝友不肯輕仕。及貴報德舍怨。前後賜與散之親族。皆可取。惟久掌、朝政。忽於主少國疑之時大行黜免。又猜忌常山長廣二王（湛演）太甚。可朱渾天和且有不誅二王少主無自安之理云云。惡得不激成大變耶。不引君當道。徒欲以削藩杜禍、論心近忠。論事謬矣。

書裴皇甫李張陸王劉傳

張晏之行北徐州事。爲吏人所愛。御史崔子武督察至州。得百姓所制清德頌數篇。歎曰、本求罪狀。遂聞頌聲。此誠佳話。若在後世。吾恐有作僞者。

書邢邵傳

邵謂國子雖有學官之名。無敎授之實。何異兎絲燕麥南箕北斗。今學不明倫。有敎授之名。無學官之實、抑又橘渡淮爲枳。周謂鼠曰璞也、

邵內行修謹。兄弟親姻之間。稱爲雍睦。可謂無文士之短。以五經章句爲意。窮其指要。事關典政。證引該洽。可謂有文士之長。

邵對客解衣覓蝨、且與劇談。與王猛捫蝨而談當世之務頗似。

書魏收傳

直書初除太學博士。較起家某官解褐（或作釋褐）某官釋巾某官簡古。

崔暹言於高澄曰。國史事重。公家父子霸王功業。皆須具載、非收不可。收後於魏齊之際多曲辭。蓋卽體暹微意。甚爾朱之罪以出脫高氏。且謂魏孝武有貳心於高氏。其著者也。又高歡亦嘗謂收我後世身名在卿手。知此者庶可與讀魏書焉。

尺書徵建鄴、折簡召長安。建鄴謂梁、長安謂周也。故澄壯收此詩。而收之諂澄可想。

得陽休之助、遂爲休之父固作佳傳、變貪虐爲惠政、易被彈爲相敬。修史若此。是藉史投挑報李也。又於諸家枝葉親姻過爲繁碎。欲遂以此補譜牒之闕、譜與史截然兩物。何竟併爲一談耶。

邢邵謂收偷竊任昉。收亦謂邵於沈約集中作賊。此文士通病。甚可鄙歎。

書辛術元文遙趙彥深傳

術取士以才器。循名責實。新舊參舉。可取者一。臨軍以威嚴。牧人有惠政。可取者二。及定淮南。凡諸資物一毫無犯。可取者三。

文遙貧時有地十頃。被人冒奪即以與之。可謂難能。及貴此人尚在。將家逃竄。追加慰撫。還以與之。尤難能也。卒之彼此俱讓。遂爲閑田。不圖虞芮之風見於齊代。

古帝王聖賢以恭謹敬慎律己律人。後世帝王。雖不以此律己。然猶以此律人。趙彥深小心恭慎。卒躋令僕。事母克孝。對妻子未嘗怠慢。蓋亦善學古人者哉。

書崔季舒祖班傳

季舒迹在魏朝。心歸霸府。密謀大計。皆得預聞。蓋逢長高氏之惡。使成亂臣賊子也。

季舒待詔文林館。監撰御覽。御覽而有人撰。且有人監撰。可哂。

祖班既盜司馬世雲銅疊。又竊高歡金叵羅。均被搜出。吾不知何面目自活。後且屢爲盜竊也。

班一無賴賊。屢躓屢大貴。且得保首領以沒。齊政可想已。

書尉馮赫連唐白傳

武成崩後。和士開祕不發喪。謂至尊年少。恐王公有貳心。馮子琮素知士開忌太尉錄尚書事趙郡王叡。及領軍臨淮王婁定遠。因答云。大行神武之子。今上又是先皇傳位。但令在內貴臣一無改易。王公已下必無異望。亦可謂措辭得體弭患無形也。

唐邕彊濟明辨。善揣上意。歷事六帝。恩遇甚重。若不外除。或無他咎。所謂一旦不朝。其間容刀也。可弗懼哉。

書暴皮鮮于綦連元獨孤傅高傳

祁連綦連譯音耳。何必北人語訛哉。

高歡舉義。棄爾朱而就高氏者不少。而綦連猛不然。非徒猛忠抑可驗爾朱養士之報。齊傅伏始不降周。蓋亦同此。

獨孤永業守洛州。（宜陽）周人築城於黑澗以斷糧道。永業亦築城抗之。此制敵新法。

斛律光求二婢於永業弗得。毀之。遂以乞伏貴和代之。由是西境蹙弱。河洛人情騷動。光乎光乎。何貴婢而賤國士乎。

高保寧竟不臣周。以有黃龍可據耳。然亦難能可貴。

書楊盧崔盧陽袁傳

高澄重王思政才識。而盧潛薄其不能死節。不知重才識不重節。霸者大抵如此。在霸朝者亦大抵如此。即以潛論納梁將侯瑱賂遺還不奏聞。豈言節者所應爲。高洋杖之一百。且截其鬚。亦豈言節者所能受也。

古重內輕外。後世則輕內重外。蓋內淸華而外膏潤也。以此證南北朝尙不易及。可歎。至崔劼立身以來。恥以一言自達云云。尤可嘉誦。

盧叔武請立重鎭於平陽。深溝高壘。運糧集甲。彼若閉關不出。則取黃河以東。長安窮蹙。自然困死。如彼出兵。非十萬以上不爲我敵。所供糧食皆出關內。求戰不應。退卽乘弊。此信平西一策。孝昭崩後。武成未能用之。可惜。

陽休之歷仕魏齊周隋。與馮道歷仕五季何異。値世危亂。變易甚速。歷仕數朝者多矣。若效歐陽氏五代史記立雜傳處之。南北朝何止百數十人哉。

書李封許羊源傳

李稚廉兒時即不喜金寶。封述則厚積財產。一無饋遺。此二人不宜同傳。

源彪對趙彥深。有朝廷精兵不肯多付諸將。宜專委任琳。淮南招募三四萬人。風俗相同。能得死力。信爲上計。惜後主亡國之君。不能用此。又彪自稱文宗。蓋當時不稱己名而稱字。已成習尚也。惟各傳常有叙事稱字處。史筆稱字。更覺與例不合耳。

書儒林傳

傳序謂高歡跼蹐名教、援立宗支、亦誠有見。蓋不敢遽居篡逆之名。有若魏武也。

李鉉年二十三。便潛居撰定孝經論語毛詩三禮義疏及三傳異同周易義例合三十餘卷。用心精苦。三冬不寐。可謂難能。

馮偉閉門不出將三十年。不問生產。不交賓客。專精覃思。無所不通。此儒林所難。趙郡王琛以禮迎接。辭疾不起。縣令爲整冠履。不得已見王。饋遺一無所受。門徒束脩亦不納。尤儒林所難。

權會明風角。解玄。未嘗言。且不以此術教子。儒者固宜若此。

書文苑傳

傳序舉邢邵魏收等。及參掌綸誥諸人。且謂達幽顯之情。明天人之際。其在文乎。蓋極力將文苑提高。非後世所謂文苑也。

祖鴻勛與陽休之書、辭義雙美、而崐峯積玉、光澤者先毀。琢山叢桂、芳茂者先折。云云。深得莊老遺意。文苑有此等人。庶幾無愧。

世但知西漢李廣。而不知北齊李廣、蓋讀史記者多。讀齊書者少也。梁蕭察之大將軍亦名李廣以勇聞、(見周書本傳)又明史宦官傳亦有李廣。

樊遜五對。辭意並佳、不愧當時第一。

顏之推家訓。今尚奉爲寶書。觀我生賦、上繼騷雅。亦極難得。

書循吏傳

牧令親民。當率以孝弟禮義、使民無訟。然前有積獄。能如張華原之決遣。不可謂非循吏也、宋世良於成公曲堤施八條之制。盜奔他境、齊廷大赦。郡無一囚。去郡之日。老人丁金剛泣謂非惟善治。淸亦徹底。雖所以爲治不盡傳。庶幾古之循吏歟。至郎基數日之中剖判積年留滯。蓋似華原。

以刲爲反。或至眞反。蓋反必盡誅。魁豪可藉此迫脅也。崔暹不知此。而宋世軌知之。不愧視表見裏之譽。

蘇瓊於乙普明兄弟爭田。諭以天下難得者兄弟。易求者田地。得地失兄弟心。如何。因而下淚、此誠循吏所爲。每年春集大儒講學、禁斷淫祠。婚姻喪葬皆教令儉而中禮。又蠶月預頒綿絹度樣於部內。其兵賦次第。並立明式、至調役事必先辦、此則能吏所爲。然必能爲能吏。乃能爲循吏也。又善治盜。善雪枉。亦非尋常循吏所爲。

房豹守樂陵。囹圄空虛、郡治瀕海。水鹹苦。鑿井得甘泉。齊季世能爲循吏、幸哉。齊滅頻徵不起。尤難能。不圖循吏傳得見此人。

書酷吏傳

郎珍但知貪暴耳。不足汙酷吏傳。宋游道剛直。疾惡如讎。見人犯罪。皆欲致之極法。不避勳貴。不負死交。庶幾古酷吏也。又盧斐拷掠過度。或嚴冬置囚冰雪上。盛夏暴四日下。蓋後世所謂酷吏。非古酷吏。

書外戚傳

爾朱氏已爲魏孝莊后。而歡納以爲室。此豈人臣所應爲。猶曰言爾朱兆等大逆。已豈小逆乎。爾朱文暢有心報讎。未遂。可憫。爾朱氏不能自殺。可恨。

書方伎傳

信都芳撰次古來渾天地動欹器漏刻諸巧事。並畫圖。名曰器準。又著樂書遁甲經四術周髀宗。今皆不可得。又私撰曆書名爲靈憲曆。算月有頻大頻小。食必以朔。書未就。可惜。

宋景業筮高洋謀篡。遇乾之鼎。鼎五月卦。遂決宜以仲夏。或曰陰陽書五月不可入官。犯之卒於其位。景業曰。此乃大吉。王爲天子。無復下期。豈得不終於其位。此凶語吉斷也。吳遵世筮高洋擇歡葬地。遇革。遵世等數十人咸云不可用。趙輔和獨云革卦於天下人皆凶。惟王家用之大吉。革彖辭云湯武革命應天順民。此凶卦吉斷也。有人父疾。筮之遇泰。以爲甚吉。輔和則云泰卦乾下坤上。然則入土矣。豈得言吉。此吉卦凶斷也。神而明之。存乎其人。難矣哉。

以聲相人。左傳記之。（如蜂目豺聲云云）然若吳士雙盲。專妙聲相。且同時相多人皆詳知貴賤凶吉。者未之前聞。高澄被盜殺。母孕時夢斷龍。相者亦聞聲不動。數前定矣。人豈能違哉。

魏寧推祿命。今簡稱算命。俗亦謂之算八字。蓋就年月日時枝幹推查也。但古就年月日推查亦驗。今則古法已亡。非時不可推查矣。

書恩倖傳

言辭容止。極諸鄙褻。以夜繼晝。無復君臣之禮。此和士開所由旣嬖武成。又幸於胡后。成外內兼寵之秦宮也。

趙郡王叡與婁定遠等但謀出士開已大誤。而定遠復貪士開二女子一珠簾之賂。許覲二宮、致士開以廢立危詞動後主、於是出定遠殺叡、何定遠大愚至此耶。琅耶王儼但殺士開不廢後主、亦大誤、而皮景和斛律光等不於此時行廢立救國。反助昏主淫婦制儼。抑所謂冥頑不靈者矣。噫。

穆提婆男也。而名若女。其母陸令萱女也。而名似男。母爲胡后所昵。子爲後主所寵。母子勢傾內外。生殺予奪。不可盡言。齊焉得不亡也哉。

和士開王。穆提婆王。高阿那肱亦王。高阿那肱既爲武成所幸。又爲後主所寵。錄尚書事總知外兵及內省機密。周師卽不至。齊焉得不亡也哉。

亡齊者黑衣。（周師皆黑衣）謂敵人也。阿那環（肱環同音）破你國。謂孌人也。蓋皆前定也。

韓鳳與高阿那肱穆提婆共處衡軸。損國害政。壽陽陷沒。乃曰他家物從他去。此六字寫盡此輩心理。如禹鼎象物。

讀周書蠡述

劉鵬年題

中華民國二十五年
湘鄂印刷公司印行

讀周書蠡述目次

卷一

卷二

讀周書蠡述卷一

岳陽李澄宇洞庭著

書卷首

宋臣表於周極贊文帝且極贊文帝能任蘇綽。揭任蘇綽之大效則謂府兵之設欽千歲已散之民而係之兵。庶幾得三代遺意。文帝嘗患文章浮薄使綽爲大誥以勸。而卒能變一時士大夫之制作。蓋是時王安石欲以新法佐神宗成郅治。讀蘇綽傳有感故表云云。而內不欺其心。外不蔽於物。然後好惡無所作而何有於己哉。無己始可以得己。而足以揆天下之理。知人之言。而邪正無以廋其實。尙何患論之不一哉等語。則爲勉神宗言之也。臣安國卽安石弟也。

書文紀上 太祖

宇文泰知侯莫陳悅雖爲主將不能制物。知爾朱顯壽怯懦聞諸將至必東走。知高歡非人臣。逆謀所以未發者。憚賀拔岳兄弟。皆就現在計之。而說賀拔岳移軍近隴。扼其要害。西輯氐羌。北撫沙塞。還軍長安。匡輔魏室。則就將來計之。

高歡據冀州以舉事。宇文泰鎭夏州以發跡。所謂虎得山百獸震恐也。高歡破爾朱兆而家汾晉、宇文泰破侯莫陳悅而席秦隴。所謂龍得雲乃能在天也。

悅既害岳。自應直據平涼、而反趦趄永洛。吾知其無能爲也。此就過去言。今不早赴。將恐衆心自離。此就未來言。難得易失者時也。不俟終日者幾也。此就現在言。向使泰稍停留、侯景招引岳衆、成功何有西魏、更何有後周哉。泰誠人傑也已。

泰令趙貴自蒲坂濟趣并州。遣李賢將精騎一千赴洛。皆力薄不足使孝武高枕而元斌之與斛斯椿爭權不協、更僞言高歡兵至以恐孝武。孝武安得不從洛入關乎。

書文紀下

捨高歡而襲竇泰。泰既授首。高敖曹雖陷洛州、棄城疾走。高歡在蒲坂亦撤橋亟遁。破一面而三面俱捷、匪偶然也。向使依諸將議。徒與歡持。則竇泰得潼關後必直趣長安。此五代李亞子所由分兵守魏固楊劉與段凝相持而令李嗣源自鄆長驅襲汴。遂滅朱梁也。惡乎可。達奚武蘇綽宇文深咸與宇文泰意同。（見本傳）有以哉。

沙苑之役。諸將又皆不願戰。非宇文泰成竹在胸。何敢渡渭迎敵乎。聽李弼先據渭曲之計。背水東西爲陣。命將士偃戈葭蘆中。聞鼓而起。於是于謹等與敵合戰。李弼等率鐵騎横擊之。截敵軍爲二隊。大破之。泰用兵何讓淮陰哉。有是役。不獨關隴安枕。餘威所及。洛豫汾絳亦且席卷矣。觀獨孤信入洛陽。泰進軍蒲坂。略定汾絳。自梁陳巳西將吏降者相屬。韋孝寬取豫州。東魏是云寶（北齊書堯雄傳作是育寶）殺東揚州刺史以州來附等語可知。

邙山之戰。追敵而驕。又直氛霧。置陣太大。首尾懸遠。莫能相知。主將雖大捷。左右軍皆失利。由是洛陽失守。弘農長安咸陽亦被降卒叛據。在他人一敗塗地。豈能復振。泰竟一一誅討。近安關隴。遠復洛（洛陽）廣（廣州）。信可謂人傑也已。

邙山之戰有二。一在西魏文帝大統四年。泰勝。一在大統九年。歡勝。清曾國藩經史百家雜鈔所載通鑑宇文泰北邙之戰。即大統九年事。此戰高歡幾死。賀拔勝手宇文泰幾死彭樂手。而皆不死。意者天厭魏德。不使中興。必啓齊周以逮隋唐乎。

十一年三月令陳義甚高。君之求賢助已爲治，爵祿非惠，官職非恩。臣之事君，任人之勞。晝不甘食，夜不甘寢，堯舜稷契如是而已。否則至公之道沒，而姦詐之萌生，天下不治。正爲此矣，後人何不寤此耶。

玉壁之役亦有二，一在魏大統八年，甫圍即退，守者王思政；一在十二年，久圍終退，守者韋孝寬。清曾國藩經史百家雜鈔所載通鑑韋孝寬之守玉壁，即大統十二年事。攻者竭心，守者竭力，高洋以此病且死，孝寬勞苦可想矣。

西魏南清江漢，西舉巴蜀，北控沙漠，東據伊瀍，皆宇文泰之功。至擯落魏晉，憲章古昔，制效官禮，文擬謨誥，與王莽所爲蓋異。然大統十六年高洋廢東魏主善見而自立，其明年西魏文帝適崩，廢帝即位，頗忌泰，泰亦不免漸萌他志矣。非病薨，豈能以人臣終也哉。

書孝閔紀

甫封周公，即遷魏祚，何其遽耶。蓋泰之舊人欲長保祿位，懼魏帝追論元烈事，或有誅戮。則附宇文氏者皆罪人。宇文覺（即孝愍）亦同此懼。不得不早行大事以斷禍根耳。

書明紀（世宗 武成）

順陽獻三足烏。而詔有降斯三足將使三方歸本九州翕定語。牽强附會。抑何可笑。

詔有霖雨作沴。害麥傷苗。隤屋漂垣。洎于昏墊。諒朕不德。蒼生何咎等語。罪已述災。鄭重悲痛。

此書陳武帝薨與元魏書某死北齊書某殂者異。蓋魏以庶人視鄰國主。齊以僭僞視鄰國主。周尙以諸侯視鄰國主也。

書武紀上（高祖 保定 天和 建德）

耕籍田開渠。重農可想。詔減服食所須。節用可想。詔諸胄子入學。詔弔勉諸有三年之喪負土成墳苫寢骨立者。尙儒可想。

皇太后叱奴氏崩。帝居倚廬。朝夕共一溢米。及葬。袒跣至陵所。既葬。申三年之制。五服之內亦令依禮。此以孝帥天下也。斷佛道二教。經像悉毀。罷沙門道士。並令還民。

火其書。盧其居。人其人。此以儒正天下也。

書武紀下 建德 宣政

侯莫陳芮率衆一萬守太行道、即帝所謂北拒太行之路也。齊王憲率衆二萬趣黎陽。即帝所謂東扼黎陽之險也。親率六軍衆六萬攻河陰大城、拔之。齊王憲于翼李穆等所在克捷、降拔三十餘城。即帝所謂攻拔河陰、兗豫傳檄可定也。以有疾班師。前功盡棄、可惜。

雀鼠谷名奇。千里徑名更奇。顧名思義。險可知矣。

帝屯汾曲。而趙王招步騎一萬攻汾州諸城。內史王誼監六軍攻晉州城。所謂扼喉也、然使齊有如韋孝寬守玉壁者。則帝此行無功、亦等高歡耳。

晉州不守。高壁不守、晉陽又不守、齊無人矣、欲守鄴得乎。戎車三駕。竟定全齊。此正宇文泰所謂克成吾志者。周武殆躊躇滿志矣。然於前此出軍河外時。即大書隋國公楊堅。是又黃雀在後也、天道冥冥。可懼也哉。

周武輕入幷州（晉陽）東門。夜被高延宗大敗。非閫下積尸扉不得闔。則齊人閉門、周武安能從數騎崎嶇危險。出門更戰。大破齊師。遂擒延宗乎。璽書謂勢與雷電爭威。氣逐風雲齊舉。抑亦幸運也哉、

責莫多婁敬顯從幷走鄴。携妻棄母不孝。誠不孝也。外爲齊主戮力內實通啓於周。不忠。送欵之後、猶持兩端、不信則詐降緩敵、亦無可奈何中一策。未必不忠不信也。

周武亟斬之。殆慮其或爲姜維乎。

表閭封墓。毀撤臺園。散財放奴、存濟癃老。不愧弔民伐罪之師。

周武滅齊成父志。唐莊滅梁報父讎、人謂生子當如李亞子、吾謂生子當如宇文邕、

周武崩時。年僅三十六。既定汾漳、未有驕志、求賢若渴。躬儉習勞、若遂多壽、不獨平突厥定江南爲可能、隋文帝亦恪守臣節、弗敢有改玉改步之想矣、而竟不然、天也。豈人所爲哉、

書宣紀 大成 大象

周禍極於宣皇。亡於靜帝。亦猶明禍極於熹宗。亡於思陵也。醇酒婦人。亦常事耳。以此忘政。禍斯伏矣。

大後丞大前疑。官名奇。天中大皇后天左大皇后天右大皇后。后名奇。天元上皇太后天元聖皇太后。太后名奇。天元皇帝。帝名奇。此外天臺天勅天杖等。莫不奇。而天杖又朱明廷杖之前例。

復佛像及天尊像。與厥考異矣。而與二像俱南面坐。大陳雜戲。令京城士民縱觀。豈竟甘儕偶像乎。一笑。

書靜紀 大定

尉遲迥司馬消難宇文冑等舉兵。皆反楊堅耳。畢王賢趙王招越王盛代王達滕王逌等皆以謀執政被誅。亦反楊堅耳。此皆周室忠臣也。

書隋王楊堅稱尊號。帝遜於別宮。又書開皇元年五月壬申崩。隋志也。雖未書簒書弑。庶幾直筆。然令狐德棻唐人也。何所懼而不上效南董乎。蓋取材舊史。未之改也。

讀周書蠡述卷二

岳陽李澄宇洞庭著

書皇后傳

聘納以德防閑以禮。此正本之論。

突厥既滅茹茹。盡有塞表之地。控弦數十萬。志陵中夏。宇文泰方與齊人爭衡。結以爲援。則娶可汗俟斤之女爲子婦。亦是一策。武帝深悉此意。疊使備禮親迎。極敬以故東定幷鄴。塞上無警。既一魏壤。欲平突厥。而病作焉。使非龍馭上賓。豈以后故不加兵突厥哉。史臣以周納狄后晉升戎女爲比。后無失德。似非一類。

楊堅以外戚篡周。而楊后憤惋。非曰女生外向。實曉天澤大義。傳稱劉昉鄭譯矯詔。以后父（卽堅）受遺輔政。后未預謀。蓋實錄也。

書邵杞莒虞四公傳

宇文導追斬侯莫陳悅。會戰沙苑。擒于伏德。斬慕容思慶。誠皆大功。然吾謂導善撫御。深爲吏民所附。其無形之功。幾與蕭何守關中等。尤難能也。

宇文亮在秦州甚無政績。伐陳輒破江側民村。掠其生口。乃以宣帝淫縱。社稷將危。欲襲韋孝寬幷其衆。遂行廢立。果事有成。未必遂篤周祜。漏謀被斬。天厭之矣。

書晉蕩公護傳

護忠孝性成、以孝閔信讒、一再見圖。不得已行廢立、其心固猶是周公之心也。至懼明帝誅己。進毒弒之。僅他日武帝有此言、決非實事、武帝嗣位、護宜退老。而猶攝政總軍。禍機伏矣。又效魯立文王廟例。於同州晉國第立德皇別廟。兼諸子貪殘。僚屬縱逸。蠹政害民。上下相蒙。能免禍乎。可悲也已。其母子往復書。至情流溢。誦之墮淚。又傳末詳叱羅協馮遷事。無悖逆語。亦以明護忠悃耳。列傳第五追論晉蕩輔政。宗室長幼並據勢位。國家有磐石之固。此尤遠慮大功。惜武帝不寤也。

書齊煬王憲傳

宇文導都督三雍二華等二十三州諸軍事。宇文憲總管益寧巴瀘等二十四州諸軍事。蓋一州分為數州。故有此數。與劉裕在晉都督二十二州聲勢蓋異。

放棄汾南壁堡。使齊弛備。然後渡河攻其伏龍等四城、二日盡拔。又進攻張壁克之。所謂欲取先與也。憲誠知兵。

護見殺後、武帝疑憲、已動殺機、以憲恪受劉休徵王箴、又於東討時表上私財以助軍費。殺機乃止、平齊勛大。憲命復危。武帝蚤崩。暫全首領、山陵事畢。遂及於禍、兎死狗烹。勳親靡異。叔季善終。豈易易乎。雖然。宇文氏又折一柱矣。

書文閔明武宣諸子傳

衛剌王直浮詭貪很。始昵護。後譖護。護死且請及憲。卒自謀反。為武帝所誅、可恨。傳稱隋文將篡。趙王招密欲圖之。已邀至第。伏壯士矣。而終未發動。豈懼元胄殺己耶、抑本無此圖而隋文誣反。遂云有此耶。且餘王大抵被隋文害何必無此便免邪。

書賀拔勝念賢傳

韓陵之役。爾朱兆及天光仲遠度律等有衆十餘萬。兆率鐵騎出高歡後、將乘其背而擊之。此本勝局。嚮使兆聽賀拔勝言。與度律睦好如舊。度律何至勒兵不肯進。勝亦何至率部降歡，兆更何至一敗塗地哉。

勝感魏孝武恩。於邙山之役必欲殺高歡。矟垂及而馬中流矢。比副騎至歡已逸去。蓋歡死期未至也。卽有弓矢。安見遂能死歡哉。此亦所謂天定非人也。

爾朱榮內淸君側。外靖逆亂之語，可質天日。河陰之難，高歡勸榮稱帝，賀拔岳非之。且勸榮誅歡。此魏齊二書所諱言。今幸得此傳正之。榮庶瞑目哉。

岳僞遁以致尉遲菩薩。設伏待之，以八百騎破敵二萬，非智勇兼具者豈能若此。前僞遁以致敵。後又僞退以怠敵。岳誠知兵。

書寇洛李弼于謹傳

寇洛屢立大功。衆所推服。自以非才不敢。遂統賀拔岳軍。必迎宇文泰。此誠知泰。且誠自知。不惟今乏此人。在昔亦罕。

賀拔勝知爾朱氏必敗而降歡。爾朱氏竟以此敗。李弼因侯莫陳悅必敗而降泰，悅亦竟以此敗。蓋二人皆彼中驍將也。遽失驍將。欲不敗得乎。

沙苑之戰。文紀謂李弼率鐵騎橫擊之。截敵軍爲二隊。大破之。弼傳謂弼率軍居右。而左軍爲敵所乘。弼呼其麾下六十騎橫截之。敵分爲三。因大破之。傳詳。較可信。

于謹既說降乜列河等。相率南遷。又以乜列河餌拔陵。而設伏敗之。仍恐得乜列河之衆。可謂算無遺策也。

宇文泰薨。于謹對衆定策。軍國之事宜歸宇文護。並再拜致敬。此事繫周盛衰甚大。非尋常將帥所能也。

于謹爲三老。以守信守法答周武。且言法者國之綱紀。正綱紀在于賞罰。殆恐武帝他日有戮宇文護事而先戒之。爲周計亦深遠矣。武既戮護。且忌諸王。維藩莫任。本先撥矣。雖克北齊。終啓隋祚。惜哉。然使護能效謹。名位愈重。愈存謙挹。教訓諸子務存靜退。亦未必不能免禍也。

書趙貴獨孤信侯莫陳崇傳

仁義豈有常哉。行之則爲君子。違之則爲小人。看得如此直捷。此趙貴過人處。必欲糾合同盟。復讎雪恥。須擇賢者總統諸軍。宇文夏州（即泰）法令齊肅。賞罰嚴明。眞足恃也。（見文紀）看得如此明白。尤趙貴過人處。

獨孤信以步騎破田八能、走張齊民、乘勝襲荆州、斬辛纂。遂定三荆。師行如龍虎。偉矣。高敖曹侯景等衆至。軍少難守。西行路絕。降梁暫居。不得已也。黃權老死曹魏蜀歸妻子。史尚美之。況信義全終始。至闕謝罪耶。詔嘉歎旌賞。轉驃騎大將軍加侍中開府。其使持節儀同三司浮陽郡公悉如故。宜哉。

崇單騎入賊中。於馬上生擒万俟醜奴。與關壯繆匹馬斬顏良略同。

趙貴獨狐信圖宇文護、而護殺之。雖曰失刑、猶可謂不得已、至崇則並未相圖。而亦殺之。專擅若此。無怪武帝芒刺在背也。

八柱國十二大將軍宜入職官志。周書無志、故附此傳後、

書梁若干怡劉王傳

若干惠於敵見追時。從容營食。食訖乃建旗鳴角。敵疑有伏。不敢逼。蓋先有長安死

此中死等死之成算在胸。故能沈毅至此也。又劉亮斬豳州刺史孫定兒。將二十騎。先豎纛於近城高嶺。即馳入城中斬之。懸首號令。賊黨仍遥指城外纛。命二騎曰。出追大軍。賊黨懼。遂盡降。此尤智勇兼備。武官不怕死。其亮與若干惠之謂歟。又二人皆以孝聞。無勇非孝。怕死非勇。計之抑已熟矣。

書王羆王思政傳

羆守荊州。曹義宗以衆數萬攻之。又堰水灌城。不沒者數板。苦歷三載。義宗乃退。一不可及。修華州城未畢。梯在外。韋軌等從河東宵濟襲羆。比曉。衆乘梯入城。羆袒身露髻徒跣。持一白梃大呼逐賊。竟全華州。二不可及。徵民間穀食供軍。人恃篣棰。羆恃誠信。莫有隱者。且無怨讟。三不可及。沙苑之役。宇文泰遣使勞羆。令加守備。羆謂老羆當道臥。貆子（一作子）安得過。及高歡至。羆大呼曰。此城是王羆冢。生死在此。欲死者來。四不可及。

韋孝寬以守玉璧獲大名。而經始築城。籌備守具。王思政實有勛勞。且孝寬由思政舉代。則謂孝寬智勇卽思政智勇亦可也。

思政乘侯景請援。進守潁川。分布諸軍據景七州十二鎭。此一舉也。震河北。動江左。故高澄竭全力應之。高岳慕容紹宗劉豐生慕容永珍等堰洧水灌城。不克皆死。高澄自至乃克之。思政可謂善守矣。

書達奚侯莫陳豆盧宇文楊王傳

達奚武已貴爲公。而從三騎衣敵衣歷敵營。若警夜者。具知敵之情狀。今豈有此人耶。噫。

不急攻安陸。而襲柳仲禮援師於路。仲禮破。安陸不攻自拔。諸城亦傳檄而定。出其不意。楊忠可謂知兵也。

書王賀蘭尉遲叱列伏閻傳

宇文泰論將。以坐見成敗者爲上。披堅執銳次之。後世兵器兵制已改。爲將者不必披堅執銳。惟以坐見成敗自詡耳。然外侮不敢禦。剿匪每於百里內外迎距焉。已敗不知。兕坐見乎。

賀蘭祥於荆州有惠政。漢南流民襁負而至者日有千數。遠近蠻夷莫不欵附。殆亦羊祜之亞與。

書射遲迥王謙司馬消難傳

迥伐蜀亦無奇略。不過楊乾運先已送欵關中。且蕭紀庸懦。本非其敵耳。故勝。後舉義以子惇與韋孝寬對。非敵。已亦於楊堅未能爲役。故敗。

書周惠達楊寬柳慶傳

柳慶爲魏孝武畫西遷策。數言而決。一可取。笞殺元欣甥孟氏。貴戚斂手不敢侵暴。二可取。賈人自執管籥被盜。主人已自誣服。而能詢及同宿同飮之人。遂獲眞盜。三可取。胡家被刦。莫知賊所。作匿名書若賊言。欲免罪先首。卒以此盡獲黨與。四可取。抗救王茂。辭氣不撓。五可取。

書蘇綽傳

君臣貴相知。相知豈易言哉。嬀汭莘野以名重。不試事。知未盡也。傅巖渭濱以夢合。不與語。知未至也。君臣皆聖人且然。況非聖人者乎。綽爲宇文泰行臺郎中。在官歲餘。泰未深知。會僕射周惠達與泰論事不能對。出告綽。綽爲量定以呈。泰善之。惠達因稱綽有王佐才。然泰雖除綽著作佐郎。猶以才士待之。未知綽眞奇士也。若不有昆明池觀漁一行。問綽治道。何至拜綽大行臺左丞。參典機密。後遂授大行臺度支尙書哉。卒之日。泰哭之慟。謂尙書平生爲事。妻子兄弟不知者。吾皆知之。惟爾知吾心。吾知爾意。相知至此。劉玄德如魚得水。未足論矣。宋臣讀史。於綽傳有餘慕。宜哉。

綽指陳帝王之道。兼述申韓之美。蓋亦治尙雜霸耳。然所爲六條詔書。與古人正心擧賢勸學訓農省刑薄歛諸大端。頗不相謬。彊埸雖擾。內親外附。有以哉。

綽爲大誥。語重意質。遂革六朝華靡之習。韓退之八代起衰。此實先導。然以大誥較尙書。抑又詞費矣。

王猛相秦早卒。蘇綽相周亦早卒。士宇將一。遽隕棟隆。此秦周所以遂止於此也。

書盧辯傳

漢魏官名繁雜。取周官按職改之。名正職舉。實大快事。惜宣帝昏庸。不守蘇綽盧辯所定。致秦漢六朝等官名後復兼用也。

書李賢傳

賢令万俟阿寶僞爲醜奴使。紿万俟道洛等。道洛等不問文書之有無。但憑口語以原州付阿寶。致原州爲爾朱天光所克。可疑一。天光以長孫邪利行原州事。賢爲主簿。道洛復來圍城。賊黨在城中爲內應。引道洛入城。遂殺邪利。賢但率鄉人拒戰。道洛卽走。可疑二。賊帥達符顯圍城。賢間道赴雍州請援。天光許之。返而賊壘四合。無因入城。日夕乃僞負薪與賊樵采者俱得至城。城中垂布引之。賊衆方覺。弓弩亂發。不中。遂得入城。告以大軍將至。賊聞之遽走。可疑三。

賢斬豆盧狼。因其勢離分道夜擊。破莫折復熾。因其勢合出奇制勝。可謂善戰。

李遠字萬歲。以當時萬歲二字非天子專有也。無足異。至幼與羣兒爲戰鬥之戲。指揮部分。便有軍陣之法。似可異。然猶不必異也、所異者羣兒懼郡守而散走、遠持杖叱之、復爲向勢。意氣雄壯。殆甚於前。無異周亞夫軍但聞將軍令不聞天子詔耳。郡守歎爲非常人。有以哉。

遠善綏撫、有幹略。守戰之備無不精銳。每厚撫外之人使爲間諜、敵中動靜必先知之。在己者如此、又能知彼。常勝也宜哉。

李廣以石爲虎、李遠以石爲兎。蓋石大小異也。一沒羽、一鏃入寸餘。遠不如廣遠甚

論謂李植謀亂。啓冢宰（即宇文護）無君之心。成閔皇廢弒之禍、並盛稱宇文護功勤。責李遠闕義方之訓。所見甚允。自操懿以來。篡奪頻仍。大抵皆此等人釀逼而成也、痛哉。

書長孫儉長孫紹遠斛斯徵傳

儉招附西夏。謀取江漢、爲西魏闢土不少。功高位重。而守素奉法若貧士賤吏。然、不易得也。

長孫紹遠取鐸代黃鐘。斛斯徵取錞于合樂、皆樂志異聞。

書赫連韓蔡常辛庫狄田梁梁宇文傳

赫連達在彈箏峽撫難民以恩信。於是迭相曉語。咸復舊業。此功視衝鋒陷陣大也。

韓果强記兼有權略。所行之處山川形勝備能記憶。兼善伺敵虛實揣知情狀。此其所長也。宇文泰以果爲虞候都督。每從征。領候騎晝夜巡察。從襲竇泰於潼關。依果規畫以勝。此用其所長也。

稽胡憚韓果驍勁。號爲着翅人。東魏畏蔡祐無前。或曰鐵猛虎。人奇譽奇。

辛威屢著勛勤。歷官數十年。未嘗有過。且家門友義。五世同居。信難能也。

宇文測行汾州事。地接東魏。數相鈔竊。或獲東魏爲寇者。多縛送之。皆解縛待以客禮。設宴給糧。衛送出境。自是東魏人慙不爲寇。汾晉之間。各安其業。兩界之民。遂通慶弔。此與羊祜在荆州信相似。然非宇文泰深知其無貳心。幾致獲罪。爲國安邊豈易易哉。後行綏州事。知每歲河冰合。突厥來寇。乃於要路數百處多積柴。並遠斥候。突厥入寇時。積柴之處皆縱火。突厥謂有大軍至。懼而遁走。自相蹂踐。委棄雜畜及輜重不可勝數。突厥不敢復至。此則與李牧備邊先示弱後大勝者異。然功與李埒。且不費一兵不折一矢也。

測性仁恕。有竊其妻陽平公主衣服者。人物俱獲、測恐此人坐死、乃不認焉。武將若此。前未嘗聞。

書史陸賀若權郭傳

史寧已破宕昌叛羌獠甘三萬衆。獠甘僅將百騎走投生羌鞏廉。功誠已立。而猶誘令復戰、生獲獠甘斬之、并獲鞏廉王送闕、可謂斬草除根矣。爲人臣者果皆若此。曷至縱敵遺患乎。

木籠獠因山爲城。陸騰攻之未可拔、遂於城下多設聲樂及諸雜伎使賊臨觀、然後密令衆軍上城、此本有備而誘令無備也、後討鐵山獠、僞爲還師、出其不意擊之。斬其魁帥。亦善用此意耳。

賀若敦邀擊譙淹破之、設反間離其黨與。因其懈怠復破之、斬淹、盡俘其衆、非徒勇也。智足濟之矣。

湘州之役。江路已斷。糧援已絕。敦不得已分兵抄掠。且聚土覆米。以示糧足。使敵不敢急攻。此誠有智。患土人以米粟雞鴨餉敵。僞爲土人裝船伏甲士給敵。患己有叛人乘馬投敵。鞭馬再三。使畏船不上。伏兵江岸。遣人詐降致敵。此尤有智。宇文護不獎其全軍之功。徒科以失地之罰。過矣。

權景宣亦智勇兼具。夏口之役。以驕恣取敗。可惜。

郭賢謂賀拔岳被害。高歡不急取雍州。無智。孝武西遷。關門不守。歡不急要一戰。無勇。蓋確論也。後鎮魯陽。克拒彭樂。擒韋默兒。其智勇可想。

書王宇文耿高李伊婁楊王達奚劉侯傳

王傑不習吏事。所歷州府。咸以忠恕爲心。此亦難得。蓋如此。未有不能了吏事者也。

王勇驍將。泰極寵待。而宇文護乃於衆中折辱之。致勇慙恚。疽發背而卒。失將將之道矣。

劉玄德謂趙雲一身是膽。宇文泰謂王雅舉身是膽。佳話並傳。若出一口。

書竇熾于翼傳

熾不受葛榮官。有愛惜羽毛之意。後從爾朱榮宇文泰屢建勛績。爲原州十載。抑挫豪右。申理幽滯。尤爲難得此等人國之爪牙。而宇文護惡之。無怪上忌下疑。護終獲罪也。

熾事親孝。奉諸兄悌兄子毅事親亦孝。可謂繼美。孝武未西遷前。高歡擅朝。毅慨然有殉主之志。移孝作忠。更可嘉歎。後仕周隋。安之若素。豈毅但知高歡圖篡。不知宇文覺楊堅已篡耶。異矣。

通和減防。然後出不意伐之。于翼此議甚是。

翼不同尉遲迥舉兵。且遣子讓通表勸進。若自忘身爲周室重臣者。可哂。李穆曾救宇文泰。恩寵無比。後亦不同迥。而遣子榮上十三環金帶以勸進。豈眞周德既衰。穆等不能違天耶。古忠臣烈士何以稱也。

書韋孝寬韋敻梁士彥傳

昔陸遜假作答逖式降書。胡綜詐爲吳質降文。前者不必肖本人手迹。後者須肖本人手迹。孝寬遣諜人訪獲牛道恒手迹，令善學書者僞作道恒與孝寬書論歸款意。還令諜人送段琛營。使相疑阻。卒擒道恒及琛等。此亦所謂一紙書賢於十萬師也。古無飛機大砲。故玉壁之役。歡欲乘土山入城。孝寬縛木接樓。多積戰具禦之。歡欲由地道入城。孝寬掘長塹要地道。人至即擒殺之。歡欲藉攻車壞城。孝寬縫布爲幔。隨向張設。車不能壞幔。歡欲用火竿燒幔焚樓。孝寬作長鐵鈎利其刃，遙割之。歡欲折地柱崩城。孝寬隨崩處豎木栅扞之。歡苦戰六旬。傷及病死者十四五。智力俱困。發疾遁去。遂殂。就事論事。不愧墨翟之守矣。後於玉壁置勳州以章之。偉哉。孝寬欲於華谷長秋築城。以宇文護不允未果。後齊人經略汾北。於其地築城守之。此孝寬恨事。幸百升飛上天明月照長安之謠。譖殺斛律明月。城莫與守。有城與無城等。齊遂終幷於周耳。

尉遲迥舉兵討楊堅。若非孝寬出死力破之。周未必遽化爲隋。是前守玉壁爲周功人。今定關東爲周罪人也。噫嘻。

韋敻於宇文護諷以峻宇彫牆。於宣帝諫以欲不可縱。可謂對症下藥。惜皆不聽也。

梁士彥守晉州功巨。周終藉此龕定東夏。他日謬與韋孝寬破尉遲迥。旋被忌黜。且以反誅。早知如此。應亦悔不當初矣。

書申陸柳盧唐傳

申徽計縛劉彥。信用膽識。惟數彥罪不曰擅殺元康。僭節瓜州。但云恃遠背誕。不恭貢職。責小置大。殊不可解。

世但知王祥臥冰得魚。而陸通孝魚泉事不甚傳。蓋以祥列名二十四孝。而通未列名二十四孝也。由此可知通俗文字有關教育極巨也。

盧柔叔母撫柔甚於己子。柔亦盡心溫凊。視同已親。皆後世所難。惜叔母某氏不具於籍。未克垂名永永也。

唐瑾所載。墳籍而已。譜者以爲珍玩。亦猶馬援薏苡。譜者以爲明珠也。

書庫狄楊趙王趙王趙傳

蠕蠕屢爲邊患。庫狄峙往結和親。不復入寇。蠕蠕滅後。突厥强盛。雖與周和。外連齊氏。峙往喻之。突厥即執齊使歸周。使才若此。何讓酈陸。

李魔憐名可怪。殆欲魔鬼見憐。勿相害也。相者謂余雖有喜神隨之。屢有魔鬼肆擾。儻亦宜名魔憐乎。一笑。又王悅字衆喜。與魔憐可謂巧對。

于顗懼趙文表圖己。稱疾不出。文表往問。遂手刃之。以此知文表實未有圖顗之意。有則必不輕往取禍矣。顗竟代文表爲吳州總管。亂世固不可與論賞罰與。

書趙元楊裴楊傳

史傳首尾加考語。往往矛盾。如趙善傳首云沈毅有遠量。尾云溫恭有器局。下三字同旨。上二字則非一物矣。然史漢決不如此。

裴寬爲汾州。慮秋水暴長。陳人乘便。白襄州總管。請移城羊蹄山避水。此誠善計。而竟弗許。失地折將。誰之咎耶。又王思政不聽崔猷之諫。竟舍襄城治潁川。爲齊所破、與此相反。可參看。

書鄭崔崔裴薛薛傳

崔謙孝友性成、後說賀拔勝勤王、蓋忠之見端。勝雖弗聽。千載下誦之。尙有生氣躍然紙上也。

韋居士敻退不邱壑。進不市朝。怡然守道。榮辱不及、意者邱壑匪多。退不可入。市朝小人多。進不可處。若後世乎。

國家有河東之地者。卿兄弟之力。還以此地付卿、我無東顧之憂矣、此數語足令敬珍敬祥心、死。宇文泰能崛起關右。宜哉。

書鄭楊段王崔令狐司馬裴傳

賊魁元伯生卒數百騎西自崤潼、東至鞏洛。屠陷塢壁。所在爲患。其依恃險阻。出沒飄忽。與後世今小股共匪同。段永覘知所在。倍道兼進。一破之。後世抑豈有此。

司馬裔率山東（時關陝以東皆爲山東）義衆入關。先至固辭重賞。難能者一。雙城之役。信州蠻酋向寶勝等據險自固。向天王之徒爲其外援。裔晝夜攻圍。腹背受敵。自春至秋五十餘戰。寶勝降伏。並獲冉西梨向天王等。難能者二。所得俸祿散之親戚。身死之日家無餘財。宅宇卑陋。喪庭無所有。難能者三。

加官進爵之外。賜名賜姓。亦鼓舞羣雄一術。泰屢有此。頗嫌其濫。惜史臣未列爲一表備考也。漢高賜姓。識者非之。蓋我國重視血統。由來舊矣。賜名事小。固當別論。

論既知王士良受寵北齊。不可臨危苟免。而又取與鄭偉崔彥穆同傳。何耶。

書寇韓趙張李郭裴傳

寇儁父亡已久。猶設帷帳几杖。以時節垂涕拜薦。吉凶之事。必先啓告。遠行往反亦如之。蓋始終不忘其親也。可法者一。嘗賣物與人。而剩得絹五匹。於後査知。訪主還之。是取與不苟也。可法者二。華州民史底與司徒楊椿訟田。知楊橫奪。以地還底。是不茹柔吐剛也。可法者三。梁攻梁州。儁撫勵將士。人思效命。守禦以固。是能與城共存亡也。可法者四。

韓褒能決宇文泰平涼之行。已自不凡。而爲北雍州。不戮一人。化豪右及其徒侶爲盜者盡爲良善、尤爲得未曾有。余嘗謂惡人亦人。譬之肌膚。遇毒腫潰。毒解固猶是肌膚也。今褒陽加禮遇於豪。使共治盜。且分界負責。盜發不獲。以故縱論、於是盜首從無所施技。不得不自首就範。此誠毒解猶是肌膚也。偉乎美哉、後爲汾州。伏銳北山。邀擊齊寇、所獲放還、以德報怨。推此意耳。

郭彥以足食爲務。已屬難能。而於卒兵應接南安城主馮顯時。懼顯衆不從命。於路邀之、顯因自拔、遂擊顯衆、且襲南安。尤爲勇智兼具、

書蘇柳呂薛薛李元傳

蘇亮蘇湛事可附蘇綽傳。不宜置此、

記言記動。本欲令人主無惡、自春秋有戮史官事、南董絕迹。漢魏已還、密爲記注、使人主有所忌憚。意猶近古。雖班固致受金之名。陳壽有求米之論。著漢魏者非一氏、

造晉史者至數家。無傷也、柳虯故彈高調。必令記事者當朝顯言其狀。然後付之史閣。世亂若六朝五代。臨財苟得。臨難苟免。視若故常。果孰不以曲筆取富貴而必以直筆賈生命乎。後世修省縣志。勢要以惡爲善、迫請載記。未遂者或肆毒兇國史乎。

子產不毀鄉校、而呂思禮等以謗議朝政賜死。同一亂世、六朝不逮春秋、可歎。

周自泰覺以還。保全魏裔內外任使備極通顯。自古難之。不獨高氏弗逮也。

書韋梁皇甫辛王杜傳

韋瑱爲瓜州、清儉有武略。胡人畏威。公私安靜。又王子直行瓜州事。性清靜。務以德政化民、西土悅附。梁昕爲東荆州。撫以仁惠。蠻夷悅之。流民歸附、辛昂爲梁州。推誠布信。甚得夷獠歡心。邊吏苟皆若此。何外患可言哉。

書尉遲王宇文宇文顏樂傳

仕周文吏大抵有武、如衛剌王直作亂。襲肅章門、尉遲運偶在門中。手自闔門。雖手指被斫傷。直不得入，可謂武矣。至直縱火燒門。運以材木益火，火勢轉熾。直不得入乃退。此智實出意外，運又率留守兵因直退擊之。直大敗，此勇更出意外。呂梁之役，南北勢力消長所繫。吳明徹堰清水灌徐州，計亦甚毒，若非王軌潛於清水入淮口，多豎大木。以鐵鎖貫車輪，橫截水流，斷敵船路。徐城且不保，明徹及將士三萬人幷器械輜重，豈可俘獲耶。後以專心國家，不存私計，一再請周武易儲。宣帝銜之。令內史杜慶信就徐州殺軌。孺子不道，自壞長城，於軌何損哉。軌固至今未死也噫。

宣帝殺王軌不足，又殺齊王憲。殺宇文神舉。宇文孝伯，棟梁柱石，一時俱壞，周室欲不覆墜也得乎。孝伯答尉遲運有曰。堂上有老母，地下有武帝，爲臣爲子，知欲何之。對宣帝有曰。先帝付囑微臣，唯令輔導陛下，今諫而不從，實負顧託，以此爲罪，是所甘心。至今讀史，猶爲淚下，不圖南北朝時有此忠臣也，嚮使此傳得左氏爲之，其精采不知更復何似。

顔之儀之於宣帝。屢諫弗納。又正色以抗楊堅。蓋明知無益。欲早求一死。免見亡國之禍也、

樂運釋中人謂可與爲善可與爲惡甚是。釋赦舉周官國君過市刑人赦、尙書眚災肆赦、五刑之疑有赦。論語赦小過、以非大赦。尤是、而管仲惠者民之仇讎。法者民之父母。語意更警。

樂運輿櫬詣朝堂陳宣帝八失。語簡理直、宣帝昏暴。亦諒其忠。終不聽受。周祚斬矣。

書王褒庾信傳

漢有朱買臣、梁亦有朱買臣。買臣名奇、而亦同之何也、

褒得爲梁宰輔太易。直是災禍、至周幸荷恩眄。心實愁苦。讀其與周弘讓往復書。不覺淚下。

信若與王克殷不害等南還、哀江南賦必不作。天豈欲傳此文耶。何不幸而永留長安也。信在周位望通顯、而賦尾有豈知霸陵夜獵、猶是故時將軍。咸陽布衣。非獨思

歸王子之語蓋正統僭僞之見橫梗於中。貌榮神悴。不欲以周官爲官也。第曰鄉關之思。猶目論耳。論舉詞賦源流及宗尚可采。

書蕭蕭蕭蕭宗劉柳傳

梁蕭紀建號成都，率衆東下，蕭撝爲尚書令征西大將軍都督益梁秦潼安瀘青戎寧華信渠萬江新巴楚義十八州諸軍益州刺史守成都。不知兵且無良將吏。爲周尉遲迥所圍，以蜀降周，撝固負紀，紀所付實悖所長也。然苟見危授命。抑亦君子所嘉許。而撝不能。豈夫也哉。

蕭大圜所言鄉居之樂。今未可得。足見南北朝視今亦有霄壤之隔，何論他代乎。所撰梁舊事三十卷。（劉璠亦有梁典三十卷）寓記三卷。於梁於周。必有極深切之記載，惜皆不傳也。

劉璠降周後。泣請不屠南鄭。又激宇文泰命遣蕭循反國。（南鄭）亦義士也。所作雪賦。志潔意奇。頗肖其人。

柳霞奉父喪自揚州赴襄陽。泝江遇風。抱棺號慟。俄頃之間。風止浪息。其母乳疽無救。霞吮膿旬日。厥疾遂瘳。才人有孝行若此。信難得也。

書李韋韓陳魏傳

魏孝武西遷之後。李延孫數衛送諸王公百官入秦。且大破慕容紹宗等衆。以尅清伊洛爲己任。此亦西魏東鑰也。

韋祐援延孫被東魏劉貴邀擊。命所部爲圓陣。且戰且前。竟得與延孫兵接。其勇可想。後延孫被楊伯蘭所殺。祐所部據延孫舊栅。頻與敵戰。流矢中頸。從口中出。氣絶復蘇。其勇尤可想。

東魏獨孤永業有衆二萬餘人。魏玄輕將五騎行前覘之。遇郎交戰。殺傷數十人。永業遂退。今日豈復有此等人。有亦斥爲暴虎馮河。不屑任用矣。論謂折衝禦侮。保據崤函。皆此傳數將之力。匪溢譽也。

書泉李楊扶陽席任傳

泉企幼負本縣重望。兩次爲令。皆由父老表請。古所未有。後爲上洛淅川東雍。克制豪暴。且立武功。允爲良吏、洎洛州城陷、高敖曹執企而東、以杜窋爲刺史。企密誡子元禮仲澄忠事西魏。二子潛結豪右襲洛斬窋。父誡可嘉。子更難得。

李遷哲降周。疊建功績。拓地數千里。不足異。其救江陵蕭歸、陳人引水灌城。城中驚擾。遷哲先塞北堤以止水。募驍勇出擊。頻有斬獲。衆心稍定。俄而敵入郭內。焚燒民家、遷哲自率騎出南門。又令步兵自北門出、兩軍合勢。首尾擊之、陳人復敗。是夜陳人竊於城西梯登。已數百人。遷哲率驍勇扞之、陳人又潰。俄而大風暴起、遷哲乘闇出兵擊陳人。陳人大亂。殺傷甚衆。此則可異也。又妾媵百數。有男女六十九人、緣漢千餘里。第宅相次。各有僕婢。遷哲往來其間。縱酒盡樂。子孫參見、忘其年名。勤勞王事。年老而豪縱無暮氣若此。蓋尤可異也、

扶猛蠻酋耳。宇文泰厚加撫納。南討信州。得其死力。猛固可嘉、泰實難及。

泰欲南取江陵。西定蜀漢、而席固任果楊乾運相繼來附、泰喜可知、固圖富貴。泰卽與以富貴。固喜可知。而固猶心不自安者。富貴過望。恐始與終奪耳、豈料入覲以後

復有增益耶。泰待任果楊乾運皆富貴過望。皆獲其大效。惟固降後頗少建樹。

書儒林傳

沈重專心儒學。明詩禮及左氏春秋。不愧儒林。周天和中。於紫極殿講三教義。朝士儒生桑門道士至者二千餘人。蓋於道經釋典亦確有所得也。又盧光精於三禮、樊深講習五經、熊安生專以三禮教授。樂遜講孝經論語毛詩左傳。皆與盧誕傳所云博學有詞采者異。意者以誕幸爲魏師。遂冠茲傳而不列之文苑乎。可怪也已。論謂前世通六藝之士。莫不兼達政術、近代守一經之儒。多暗於時務。又謂沈重於天官律曆陰陽緯候流略所載、釋老之典。靡不博綜。此非知儒之言。孔門列政事於四科、經傳以政治爲歸宿、果通經矣、自達政術。不必兼、亦決不至暗。自餘皆六籍所已包。博綜未必有餘、不博綜未嘗不足也。雖然。論啓宋儒之緒矣。

書孝義傳

高仲密伏兵以執奚壽興。李崇預謀、且爲仲密詣闕歸欵。愚者豈能若是乎。尉遲迥伐蜀。崇應募入蜀諭之。蕭撝問迴軍中委曲。崇不詭對。而但緘口。致被辱害，不愚又豈若是乎。

柳雄亮爲父復讎，手刃黃衆寶於京城，杜叔毗爲兄復讎，亦手刃曹策於京城，皆蒙恕宥。所以獎孝友也。

荆可性質樸。苦身勤力以養母。甘旨無匱。及母喪。水漿不入口三日。悲號擗踊，葬後廬墓。晝夜悲哭。髮不櫛沐，菜食飲水。可謂孝子。雖見宇文護，未嘗仕。與以孝獵名以名市官者尤大異。

張元孝事祖父。臥疾再周。旦夕扶侍。與李密陳情表所稱臣侍湯藥未嘗廢離頗似。

書藝術傳

此卷惟姚僧垣傳較佳，惟奇病未詳所由，難與扁鵲華陀等傳並驅爭先耳。驗應十二卷今不可見，可惜。

書蕭詧傳

詧以梁武衰老。朝多秕政。有敗亡之漸。遂蓄聚貨財。交通賓客。招募輕俠。又得襄陽形勝之地。克己勵節。樹恩於百姓。固將求吾大欲也。而梁武忽以張纘代詧。纘又新與詧兄譽有隙。構梁元攻譽。譽告急於詧。詧遂伐梁元於江陵。謀解譽湘州之圍。以大雨無功。其將杜岸且已降。不得已還襄陽。梁元又令柳仲禮率衆圖襄陽。於是詧奉質西魏。西魏滅梁元。以詧爲梁王。稱帝。詧纘與梁武梁元無形中竭力爲宇文泰闢地江漢。助成霸業。而周又爲隋驅除。隋又爲唐綿造。此其中有天焉。譬諸造蠱。在皿皆毒物。毒物互殺。得蠱供人用。毒物弗自知。惟人知之耳。

詧將尹德毅說詧設享會。伏兵殺西魏于謹等。然後朝服濟江。入踐皇極。信是一策。而詧不從。天方以詧等造蠱。詧何能自主乎。其懟時賦有遂胡顏而苟免。謂小屈而或申。豈妖沴之無已。何國步之長淪。同瘖生之舍許。等小白之全邢。伊社稷之不泯。實有感於恩靈。昔方千而畿甸。今七里而磐縈。寡田邑而可賦。闕丘井而求兵等語。可哀抑亦可哂。

此傳不獨有陳氏亡梁以後事。且有隋文代周以後事。又詧父子兄弟祖孫君臣各事皆詳述始末。足補梁書所未備。即曰梁書外又有梁宣帝紀孝明帝紀後主紀諸子及諸臣傳可也。論以中興予之。意深遠矣。

宇文泰以詧居江陵東城。資以江陵一州之地。其襄陽舊壤則隸西魏。又置江陵防主（周武時有荆州總管）統兵居於西城。名曰助防。實與滿淸以八旗駐防中國各地無異。然詧在位八載。子巋在位二十三載。孫琮在位二載。詧嘗退王琳軍。且略取琳長沙武陵南平等郡。巋嘗擊敗陳將吳明徹章昭達等。則蔡大寶王操等相與輔相扞禦之功也。雖曰槐柯一夢。一夢亦豈易易哉。

詧之大將軍李廣會稽人。以勇聞。沌口之役。爲陳將吳明徹所禽。不屈被害。詧有斷頭將軍已不易。而東揚州人能爲斷頭將軍尤不易。

書異域傳上

高麗當日書籍有五經三史三國志晉陽秋。兵器有甲弩弓箭戟矟矛鋋。蓋慕我國文化武略而然耳。

蠻憑險作梗、世爲寇亂。冉氏向氏田氏尤盛。宇文泰略定伊瀍。聲教南被。諸蠻叛附不一。大抵附則立畀好爵、叛則立予討滅、而陸騰之討向令賢冉五子王。先翦羽毛。後蕩巢穴。離誘黨與。殲厥渠魁。尤爲難能可貴。

陸騰破木籠。鐵山二獠。俘斬甚衆。而趙文表平恒稜獠則先破其設伏要我之謀。然後示以禍福、受降慰撫。大得獠和。然必有陸騰之掃蕩巢穴。乃可有文表之宣示禍福否則我所謂禍、彼族不信也。又宕昌羌叛服無常。彌定爲周所立。獠甘襲奪其位。周爲出兵擒斬之、彌定且引吐谷渾寇石門。此誠劣種。無怪周武滅之以其地爲宕州也。

周於氐及稽胡。皆能翦其魁桀。蓋將率得人也。若在他代。匪類烏合。且足亂天下。況種落繁熾。久戴一主者乎。

書異域傳下

突厥母狼槃瓠父狗固皆齊東野語。藉此醜詆異族。未足信。然其祖先不識文字。未有譜牒、一旦苗裔繁滋、已亦不知其所由來。亦可歎也。

齊周皆以財賄優給突厥。他鉢可汗乃有但使我在南兩箇兒孝順、何憂無物邪之語。此時突厥可以父自居。無怪五代時有劉智遠爲契丹兒皇帝也。

此傳所謂流沙數百里。今稱沙漠。至駝知風患。鳴而聚立。埋其口鼻於沙中。人每以爲候、亦卽將氈擁蔽口鼻云云。則今日尚如此也。

今奉吉黑熱察綏燕晉內外蒙古新彊青海川邊西藏秦隴川黔滇桂粵湘鄂。凡昔所謂夷狄之域。或有夷狄雜居之域。皆隸版圖。號一統矣、惜其土尚多未闢。人亦多未受教。近復有人攫取誘惑之。使爲我患也。然天於國界。亦若造蠱。各蟲共集一皿、終必互噬、僅餘一物。觀諸夏此盛彼衰。夷狄此起彼滅。卒成今日之國際。則世界各國他日亦必僅餘一國。進而與他行星人類互競。可預卜矣。或先亡焉。或後昌焉。大化所關。孰能測其所以。亦强曰適者生存而已耳。

讀隋書蠡述

丙子夏五月

袁墳佗題

中華民國二十五年
湘鄂印刷公司印行

讀隋書蠡述目次

卷一

讀隋書蠡述卷一

岳陽李澄宇洞庭著

書文紀上 高祖 開皇

抱之而頭上角出。徧體鱗起。豈欲化龍飛去乎。尼不即入。兒或死矣。宇文泰使善相者趙昭視之。亦奇其貌。欲害之耳。非昭詭對。又將死矣。王者竟不死。他日宇文護宇文憲等安能死之哉。

周詔天大地大。合其德者聖人。一陰一陽。調其氣者上宰。心同伊尹。必致堯舜。情類孔邱。憲章文武。說得極冠冕。然文士華藻。但媚權臣。亦殊可鄙。九錫文禪詔亦然。

古者臨文不諱。如詩有克昌厥後。駿發爾私。不爲文武諱也。漢諱莊爲嚴。諱徹爲通。唐諱淵爲泉。諱丙爲景。已甚無謂。而隋書唐修。於韓擒虎不依唐例諱虎爲獸。竟省虎而曰韓擒。尤可鄙哂。北齊書於梁貞陽侯淵明省淵曰明。謬亦類此。

書文紀下 開皇 仁壽

伐陳之役。東接滄海。西距巴蜀。旌旗舟楫。橫亘數千里。總管九十。兵十一萬八千。皆受楊廣節度。此與李世民在唐初何異。無怪後竟廢勇立廣、與唐殺建成而世民爲太子事類也。

平陳而不驕。拒絕封禪、汲汲庠序。亹亹禮樂。庶幾復見太平之治、廢勇立廣。跡等亡秦。隋亂唐興、遂同二世。惜哉。論謂建彼維城。皆同帝制。溺寵廢嫡。託付失所。推原禍始。抑亦允矣。

書煬紀上 大業

楊廣昔在幷州、沉深嚴重。蓋猶有北土之遺風。非必矯飾使然。洎乎平陳、斬邪佞封府庫。尤可謂不愧王者。後鎮江都、士女妖冶。習俗移人。禍斯伏矣。弒父自立。巡幸江都。皆以色耳。好色必奢。奢必擾民、擾民必致亂。其勢然也。至於尊孔崇文。求賢敬老。但以華辭欺世。曷足道乎。

紀諱弒父。然於陳宣華夫人楊素傳則斧聲燭影、載之甚詳。雖諱猶未諱也、殆亦效春秋三傳與。

書煬紀下 大業

亂機已伏。而猶問罪遼碣。九軍旣陷。亂者四起。稱帝稱王。不可勝數。唐公舉義。隋祚隕矣。化及犯宮。命且不保。悲夫。

書恭紀 義寧

舉義除亂。跡比湯武。由少帝遜位。事同魏晉。何唐公父子竟不正名弔伐。畫此蛇足。雖然。陽尊太上。從廣者不與我爲敵。國已有君。挾天子可令諸侯。而且自魏晉以迄五季。喜稱禪讓。以篡得國。正統斯在。湯武革命。或言非聖。唐公又安得不傀儡代王侑謂之恭帝。（王世充謚侗恭帝。蓋同謚也。）乎。至紫陽綱目。置傳國璽在魏。弗問。不正統魏而正統蜀。然後以操懿爲奸雄。丕炎爲篡竊。史局爲之一變。蓋朱子道學主盟。較習鑿齒以正統予蜀。事雖同而力加大也。我輩處今日。謬責古人不弔伐。抑何異笑燧人氏鑽木而不用電哉。

書禮儀志一

唐虞三禮皆祭禮。（祭天祭地祭宗廟）成周五禮首祭禮。（以吉禮敬鬼神）蓋古人於祭太上與鬼神合吉凶。其次質諸鬼神。又其次則禳禍祈福也。禮以敬爲主。敬則進退揖讓皆禮之所附。且皆有辨上下定民志之精意流露其間。序謂退讓起於趨步。忠孝成於動止。然哉然哉。

南如宋齊梁陳。北如北齊周史皆闕志。茲述陳制後齊（卽北齊）制云云。足補各書之闕。

書禮儀志三

上二卷皆吉禮。此卷則凶禮賓禮軍禮。

隋制諸岳崩瀆竭。天子素服徹膳。遣使祭云云。祭而不入吉禮。以素服故也。

書禮儀志四

此卷記受禪崇皇太后册皇太子册諸王等禮。及嘉禮。又講經入學釋奠受賀迎春養老等禮。

書禮儀志六

上卷記車旗。此卷及下卷皆記冠服璽章。蓋併輿服志於禮儀志也。

書音樂志上

皆言樂宜改而不言改樂之法，世人言事往往類此，可哂，

梁武立四器。名之爲通。一玄英通，二青陽通。三朱明通。四白藏通。又制十二笛。以黃鐘大呂太簇夾鐘姑洗中呂蕤賓林鐘夷則南呂無射應鐘名之。今皆失傳。不可復覩，卽沈約所製雅曲歌引。今一以黨歌代之矣。噫。

書音樂志中

北齊於鼓吹二十曲皆改古名以叙功德。如朱鷺改水德謝。思悲翁改出山東。已嫌過質，至艾如張改戰韓陵。上之回改殄關隴等等，更淺鄙矣，周改朱鷺爲玄精季。思悲翁爲征隴西。艾如張爲迎魏帝。上之回爲禽齊泰等等。失與齊似。

齊後主爲無愁曲。本宜極樂而曲終樂闋，莫不隕涕。蓋哀樂相倚伏。如太極圖然，哀極樂始。樂極哀始。動於自然而不自知也。

書律曆志上

依班志編錄五代聲律度量。魏晉以降之沿革備矣。故南北各書所無者。不可不考諸隋書也。

書律曆志中

此卷志曆。采梁天監以來五代損益之要。引詩十月之交朔日辛卯日有食之證日食在朔。又春秋書日食三十五。書朔者二十七。不書朔者八。左傳謂不書朔者。官失之也。又前後漢及魏晉四代所記日食朔晦及先晦都合一百八十一。以甲子元曆術推之。均係朔日而食。足見日食在朔與月食在望皆定例。有不合則曆誤耳。

書律曆志下

此卷專載劉焯皇極曆術。雖當日未行。要可質諸百世也。

書天文志下

宇文化及弑煬帝。王充弑恭帝。天出枉矢應之。而煬帝弑父未聞有應。何也。

書五行志上

記齊梁陳魏齊周等災異。蓋以隋書補各書之闕。

離合後齊（即北齊）後主隆化年號爲降死二字。類測字輩所爲。且意存咒詛。蕭歸離合周武宣政年號爲宇文亡日。離合宣帝大象年號爲天子家。亦然。

沙門誌公以五言詩預言梁事。七言詩預言侯景事。不足奇。以彼實前知也。隱士陶弘景五言詩預言梁事有不意昭陽殿忽作單于宮云云。則甚奇。以彼但詠史。非前知也。晉王獻之桃葉詞預言陳事。則尤奇。以彼直寫己事。與陳無涉也。而楊廣置營桃葉山下。韓擒虎渡江。任蠻奴導北軍。竟與桃葉復桃葉渡江不用楫但渡無所苦我自迎接汝字字相應。豈機動於天。獻之不自知。後之歌者亦不自知耶。

童謠大抵得詩人比興遺意。如可憐青雀子。飛入鄴城裏。作窠猶未成。舉頭失鄉里。寄書與婦母。好看新婦子。似古樂府。較雅。狐截尾。你欲除我我除你。似古諺語。較質。

書五行志下

人參根五尺餘。具體人形。今安得有此寶。而當日以爲草妖。謬哉。

陳後主時。蔣山有衆鳥鼓翼而鳴。曰奈何帝。異日蔣山猶昔也。未知有鳥鳴曰奈何民不。

書食貨志

財盡則怨。力盡則叛。爲民父母者請誦斯語。

隋文以儉約而盛。煬帝以奢縱而滅。殷鑒不遠。

書刑法志

序以制死生之命詳善惡之源翦亂暴禁人爲非十七字詮刑甚允。蓋刑之爲用盡此矣。

周時死刑五。磬絞斬梟裂。自隋以來僅絞斬二刑。梟附斬內。今則惟槍斃或斬。

凡有異志者必廣植黨與。而深忌勳親。蓋附惡者衆。己乃有成。比肩者多。所欲難遂也。宇文護化魏爲周、惟恐失墜。封建屏藩、廢昏立長。視國事若己事。不特無篡國野心。且未有避嫌俗念。時逢衰季。莫諒忠勤。被以惡名。遽其丕緒、屏藩並戮、天子孤立。隋楊乘之、遂殄厥祚。哀哉、史臣無識、亦曰將有異志、欲寬政以取人心。此誠周內之詞。未可憑信。

書百官志上

古者寓兵於農。雖有軍制。未立專帥。井田制壞、强農爲兵。久役不歸。跡同召募。名將時出、職或終身。文武分途。由來者漸。豈一朝一夕之故哉。（周官當日未行或云僞託然有司馬一職無異太尉）秦以太尉主五兵。丞相總百揆。又置御史大夫任監察。郡縣亦設尉守監。分掌兵吏監察事。歷漢迄清。沿革損益。大體同也。後世六部（吏戶禮兵刑工）上仿周官。要亦以吏兵爲重。御史則別隸都察院。清雍正時設軍機處。以兵爲天子私有物。後乃取部權而一之（略同隋之尚書省）蓋歷代均務集權。遂成此制。亦非無因而至也。

書百官志下

隋尙書省有令僕有六部尙書。其尙書省與海西所謂內閣同。尙書令卽內閣總理也。秦隋祚促。而所建政制竟克傳諸永永。足見始皇文帝體大思精實不易及。

書地理志上

南朝土宇。陳氏最蹙。西亡蜀漢。北喪淮肥。威力所加。不出荆揚舊域。（荆且無江陵襄陽）而州名乃有四十二。是禹貢一州可化二十餘州也。周末統一齊陳。計州二百一十餘。隋初略有省併。尋卽改州爲郡。置司隸刺史分部巡察。計郡一百九十。蓋後世分道分省之雛形矣。

於郡末述風土同異沿革。得史漢遺意。

書地理志下

五月望日屈原赴汨羅。土人追至洞庭不見。湖大船小。莫得濟者。乃歌曰。何由得渡湖。鼓棹爭歸。因是相傳爲競渡之戲。史記屈原傳無此。抑齊東野語之類與。

書經籍志一

劉歆七略。（宋王儉有七志梁阮孝緒有七錄）開漢書藝文志先例。荀勗四部。（宋謝靈運有四部目錄齊王亮有四部書目）開隋書經籍志先例。

近人於圖書目錄。往往謂經史子集不能統聲光化電等新籍。不知推經籍志以老釋入集之意。凡聲光化電等新籍入集可也。即不然。別設新庫析類專錄。亦何必限以四庫哉。梁有五部目錄。殆同此意。

竹書紀年爲戰國時魏史記。編年用夏正。起自夏殷周三代王事。無諸侯國別。惟特記晉國。晉滅記魏事。下至哀王謂之今王。文意大似春秋經。諸所記事多與春秋左氏扶同。由此可見予著讀春秋蠡述。謂春秋書法自尚書以來。當日史體皆如此。非妄語。竹書紀年已代證之矣。又可見韓愈謂左氏浮誇。特文人一時高興語。不宜據爲定讞。又編年非孔子所創。即太史公自名其書曰史記。稱漢武今上。亦無往不與古合也。

雜史雜傳等皆采錄。蓋藉補正史之闕耳。惜當日印刷術未發明。寫傳極不易。所存諸目至今大抵無書也。

書經籍志四

列老於子。而以經戒餌服房中符籙等附集。蓋疑道教所謂黃老大抵託辭。惟陶弘景實爲此教初祖耳。又道釋諸書多號爲經。今以入集。則經其所經。抑非吾所謂經矣。

讀隋書蠡述卷二

岳陽李澄宇洞庭著

書后妃傳

婦人不妒者極少。有賢而妒者。不賢而妒者。不賢而妒者惟昏主惑之。賢而妒者雖英主亦往往由敬生畏。隋文帝之於獨孤后即其例也。

高熲所謂陛下豈以一婦人而輕天下。婦人或指已死之尉遲迥女孫。未必指獨孤后也。而后竟以此恨熲毁熲。過矣。至太子繫隋祚絶續甚鉅。而亦以妒之一念測賢否決廢立。抑尤過矣。

楊素以召勇事白廣。致廣遣張衡弒父。其罪浮於趙高矣。蓋胡亥以此殺兄。廣以此弒父也。廣罪浮於胡亥。故素罪浮於趙高。向使堅徑召廣誅之。然後召勇。焉有此變。

陳夫人始拒太子。而後懼鴆毒。不必宮人共逼。早知其不能以一死從文皇於地下也。又蔡夫人於文皇崩後自請言事。移船就岸。是亦請蒸而已。

蕭后述志賦有夫居高而必危。慮處滿而防溢。誠素志之難寫。同絶筆於獲麟等語。

所以爲諷者深矣。其心抑亦甚苦矣。他日未能死難。何哉。

書李穆梁睿傳

周之季世。識者決其必亡。穆又老於世故。故奉十三環金帶於權門。舍忠義而保富貴也。孰知李應圖讖。其後人竟遇赤族之禍哉。噫。

書劉鄭柳皇甫盧傳

楊堅輔政。劉昉實爲首謀。後竟不得保首領以歿。小人枉自爲小人。可弗戒與。

高熲戲鄭譯曰筆乾。譯曰出爲方岳杖策言歸。不得一錢何以潤筆。蓋一面答筆乾。一面卽自贊淸廉也。

微劉昉鄭譯盧賁柳裘皇甫績等。則我不至此。然此等皆反覆子也。當周宣帝時。以無賴得幸。及帝大漸。顏之儀等請以宗王輔政。此輩行詐。顧命於我。我將爲治。又欲亂之。寥寥數語。五人罪狀盡此矣。然楊堅罪狀亦卽在此也。

書于陰竇元源豆盧賀若傳

賓榮定以衞霍梁鄧爲鑒。力辭三公。可謂得老氏遺意。

書梁宇文王元王虞元傳

梁士彥有大功於周。若早與尉遲迥同討楊堅。無愧忠義。乃盡力破迥。反致忌猜。竟以莫須有之罪見誅。死豈得所耶。

周武定齊。非宇文忻力主前進。必致前功盡棄。隋文平尉遲迥。非忻與高熲密謀進取。亦必師老無功。且幷州之役。先勝後敗。翼日復戰。遂拔晉陽。鄴下之戰。官軍不利。權道破之。遂平鄴城。智勇兼具。忻庶幾韓白衞霍哉。

堅性忌刻。屠戮功臣殆盡。身無夾輔。遂如枯木。此楊素所由得以密刺白廣。廣行弒逆。亦無人起討。元惡廣更暴虐。亡等秦代也。

虞慶則婦弟趙什柱亂其愛妾。慶則不知。特信任之。什柱遂一再誣陷。致慶則被誅。有婦弟者其鑒諸。

趙王招圖楊堅。不令刺客進瓜因而殺之。而乃自任刺殺之役。又膽弱不敢遽發。信庸材也。元胄扣刀入衛、抑似鴻門會之樊噲。

書高熲蘇威傳

無熲不能平尉遲迥。無熲不能平陳。此誠有大造於隋也。而諫廢長立幼。所慮尤遠。獨孤一再譖陷。幾至被戮除名爲民庶幾免禍。煬帝之世、可不復起。明知必亂。抑又奚諷。人亡邦瘁。竊爲隋哀、不遑爲熲稱寃也。

蘇綽仕周而周盛。蘇威仕隋而隋治。父子若此。信未易有、然威惡人異己。不免朋黨。晚遭喪亂。未著奇節。無怪隋文帝以宋書謝晦傳令讀。唐太宗亦數其見李密王世充拜伏舞蹈也。

書李德林傳

自魏晉以來。才士大抵備霸府驅使。若箭在弦。未容自主。縱有文章。價寧忍論耶。吾讀德林傳。不禁爲之痛哭也。

蘇威奏置五百家鄉正。即令理民間辭訟、德林力爭於始。甚是、其後以有黨與愛憎

公行賄賂之弊廢之。而德林又謂朝成暮毁。非帝王設法之義。此則以維持威信譏
見導人主怙過飾非矣。宜隋文發怒詬之也。
書河間王楊楊觀德王傳
慶本傾曲。且當亂世。其守滎陽。糧盡援絕。又已得江都敗問。降于李密。固無足怪。惟
性既怨楊怨郭主亦乍李乍王。未免令人發笑耳。王氏責其不能忠於世充。辭嚴義
正。沐浴靚妝。仰藥而死。庶幾巾幗須眉哉。
楊雄寬容下士。朝野傾屬。而隋文惡其得衆。所謂己作賊。卻防人盜也。
書滕道衛蔡四王傳
楊綸楊集以懼禍故。令人禳度。而告者即以是爲咒詛。可見禍不可以術解也。蔡王
閉門自守。終免於禍。庶幾智者所爲。及楊玄感作亂。以計縻之。使久攻弘農。不得西
圖關中。更爲忠智兼具。
書文四子傳

勇知父儉素而文飾蜀鎧。知父猜忌而張樂受賀。知母重婦而專寵阿雲。知母信僞而率意任情。是皆不能以父母之心爲心也。不能以父母之心爲心。失寵宜也。況有楊廣楊素工讒善陷哉。

秀惟車服違制耳。其他罪皆楊廣楊素合力構陷之。隋文不察。枉恨其子。可哂。

楊俊授揚州總管四十四州諸軍事。楊諒爲幷州總管五十二州諸軍事。此皆所謂進之踰制也。（時天下惟揚幷荊益四大總管）

諒起晉陽之甲討楊廣楊素。未嘗不可。惟不聽王頍之言。不能長驅深入直據京都。乃庸奴耳。安得不敗乎。

書趙趙楊長孫元韋楊蘇李張傳

趙煚不愧良將。且實循吏。而請周武擣齊巢穴。弗攻鞏洛。因旱大赦。使斛斯徵不北竄匈奴南投吳越二事。所見尤遠。

長孫平諫隋文。謂邴紹之言不應聞奏。陛下又復誅之。恐百代之後有虧聖德。平心靜氣。宜隋文赦紹。且敕羣臣毀謗之罪勿復以聞也，凡爲人上者宜味此事。凡進諫者亦宜味此事。

書韋世康柳機傳

世康父夐隱居不仕。魏周二代十徵不出。可敬。然後世毒匪遍地。隱居甚險。逍遙公抑豈易爲哉，恬素好古。不以得喪干懷。則吾人所宜庶幾也，

魏王粲字仲宣。隋乃有番禺夷王仲宣聚衆爲亂。此名同字也，又民國總統徐世昌東海縣人。世稱徐東海。而江蘇土匪亦有徐東海。此名同縣也。

柳機屢諫周宣不聽。懼禍求外。其意可憫，隋文作相，周代舊臣皆勸禪讓，機獨義形於色。無所陳請。其意可敬，爲隋納言。無所損益，又好飲酒。不親細務，其意可慟。而楊素乃以柳摧楊聳相戲。豈知柳固甘摧，恥效楊聳耶。素小人溺於利祿，烏足與語此，即柳述亦未足與語此。

述奉令召勇。此何等事。而乃與元巖出外作敕書。又令楊素聞之。一洩再洩。豈天必

欲楊隋短祚耶。

楊堅篡竊，本思逆取順守，天假手楊素，廢勇立廣，身弑國傾，子孫同盡。素雖免戮，天假手玄感，闔門被禍，報皆酷矣。嗚乎，堅忍於周室，素亦忍於堅，素忍於堅，卽無異忍於素。天網恢恢，可懼哉，可懼哉。

書牛弘傳

弘表請開獻書之路，功在萬世，不獨隋也。所述書之五厄，惟秦始、梁元爲最可恨。蓋秦務愚民，梁恐資敵，付諸一炬，藉免流布，不知書籍天下公物，非一家一姓所得而私。私且未宜，況不得私，遂火之乎。至於王莽之末，長安兵起，孝獻移都，西京大亂，劉石憑陵，晉都覆滅，舊籍新編，一時燔蕩，變生倉卒，非在上者有意爲之也。

書宇文李元郭龐李傳

楊堅與宇文慶論天下事，一謂天元（卽周宣）壽不長，二謂諸侯微弱，無深根固本之計，周室將絕，三謂尉遲迥必爲亂階，智量庸淺，終致亡滅，四謂司馬消難變在俄頃，輕薄無謀。未能爲害。五謂庸蜀險隘。易生艱阻。王謙愚蠢。恐爲人所誤。其後皆驗。實則但第二事最關重要耳。周家有犬戎之難。而平王晉鄭焉依。漢室有産祿之禍。而文帝虛牟是賴。蓋諸侯苟不微弱。君卽不幸如幽惠。國尙可存。國可存則其他因第二事而起者更不必論矣。

元孝矩初欲爲朱虛東牟。後乃以妹爲宇文護妻。故而事周。以女爲楊勇妃。故而事隋。若不知二姓有篡逆事者。抑何重妹女而輕一國。且輕一己耶。

周宣尙在。而楊堅月夜語郭榮。卽有周歷已盡。我其代之云云。何怪尉遲迥等他日起兵欲遂誅堅哉。

書長孫覽傳

二鵰飛而爭肉。長孫晟一發而雙貫焉。世之飛而爭肉若此二鵰者多矣。亦知旁有善射若晟者乎。又鷸蚌相持。漁人得利。二虎相鬬。卞莊逞勇。皆此類也。

晟離間突厥。使自鬬。因招附焉。有功於隋室甚大。後突厥圍煬帝於雁門。煬帝謂向使長孫晟在。不令匈奴至此。諒哉是言。

書韓擒虎賀若弼傳

晉平吳。渾濬爭功而晉兩功之。隋平陳。韓賀爭功。隋亦兩功之。此信處爭功一法。

賀若弼於周武時受父遺命。志平江南。嘗獻取陳十策於隋文。王長述亦獻平陳之計。高勱亦上取陳五策。又緣江防人交代。大列旗幟。營幕被野。陳人以爲大兵至。悉發國中士馬。既知防人交代。其衆復散。後遂不復設備。此謀亦出於弼。故弼以大軍濟江。陳人弗覺。進屯蔣山。屢卻以驕敵。大破陳軍。擒蕭摩訶。實皆弼功。其功屬於謀者多。至陳將甄慶任蠻奴蕭摩訶昔寇江北。擒虎屢破其鋒。陳人奪氣。後率五百人宵濟襲采石取之。進攻姑孰。半日而拔。又以精騎五百直入朱雀門。遂執陳叔寶。則皆擒虎功。其功屬於勇者多。弼謂楊素猛將。非謀將。擒虎鬭將。非領將。史萬歲騎將。非大將。其言要皆可味也。

書達奚賀婁史劉傳

史萬歲爲將。不治營伍。令士卒各隨所安。無警夜之備。虜亦不敢犯。臨陣對敵。應變無方。蓋與李廣同也。而破尉遲迥。以功拜上大將軍。坐事除名。擊高智慧等。踰嶺越海攻陷溪洞。前後七百餘戰。轉鬬千餘里。拜左領軍將軍。以受賂縱賊爨翫除名。突厥達頭可汗犯塞。萬歲馳追百餘里。大破之。斬數千級。逐北入磧數百里。以楊素譖陷寢功。且攝殺焉。何數奇亦類李廣耶。

劉方法令嚴肅。軍容齊整。有犯禁者。造次斬之。此似程不識。仁而愛士。有疾病者。親自撫養。此似吳起。

書王李伊婁田元杜李崔傳

崔彭以兩騎縛宇文純。甚有膽識。然非兩騎亦決難就縛。蓋兩騎力薄。人甚輕之。以爲不遽有異動。多將從騎以來。固不懼變生二騎也。若騎衆則純不來。即來必不麾遣從騎。必不下馬焉。能遂縛乎。然純未遣人偵視。未見詔書。遽信彭病以來。遽麾遣從騎。遽下馬。假令有盜效彭所爲。亦可取純首行萬里路矣。何可欺乃小兒不若與。

書杜高爾朱周獨孤乞伏張和侯莫陳傳

爾朱敞追跡伍子胥頗似。而迎長孫氏置家貲給較淮陰賜漂母千金尤善計久遠。

書盧令狐薛宇文張楊傳

染工上士王神歡以賂自進。宇文護擢爲計部下大夫。以盧愷諫寢其事。誠不欲以濁混淸也。後愷攝吏部尚書。與薛道衡陸彥師等甄別士流。行素志耳。卒被朋黨之譖。隋之政刑亦可想矣。

張衡（與張平子同名）幼懷志尚。而乃爲楊廣建奪宗之計。其志尚曷足道哉。除名賜盡之日乃始憤悔。抑亦晚矣。

書盧思道李孝貞薛道衡傳

思道始讀劉松文多不解。後松讀思道文亦不甚解。才學並進。願效思道。至孤鴻賦匹晨雞而共飲。偶野鳧以同膳。匪揚聲以顯聞。寧校體而求見等語。甚可傷閔。李孝貞謂五十之年。倏焉而過。鬢垂素髮。筋力已衰。宦意交情。一時盡矣。蓋處亂世有然耳。然以此免禍。豈非大幸。

薛道衡答高熲。舉伐陳必克者四。熲謂本以才學相期。不意籌略乃爾。一若能文之人未必曉軍國大事。而道衡竟爲例外人物也。讀此可爲古今大多數文人一哭。道衡文皇頌過譽權姦。本可不作。而竟以此賈禍。尤不値得。

書明魏陸杜辛柳許李傳

魏澹魏書九十二卷。帝紀自道武起。甚是。惜其書不傳。今就所舉義例論之。皇帝稱字。史記於漢高實有姓劉氏字季之文。不得謂魏收爲謬。而太子未登九五。父前子名。收諱之固非。澹字之亦非也。又殷本紀始契。周本紀始稷。收於道武前統名序紀。殷周二本紀體也。於道武後立專紀。秦皇漢祖二本紀體也。不過始皇後無二世紀。高祖前無太上紀。正史記可爲法於後世處。世多未寤。收澹亦未曾論及耳。又虞有后稷。夏有后羿。后卽書所謂徯我后撫我則后。民非后何戴之后也。后羿之后爲僭稱。故論孟惟曰羿。后稷之后與王季之王皆追稱。且因虞書有爾后稷（職名爾后稷猶言爾主稷）一語。因而尊之。以別於三王。（太王王季文王）故周本紀曰后稷。不得謂名器不及后稷也。魏太祖遠追二十八帝而謚之固非。潛謂周謚止於三王亦非也。周追謚實惟文王、太猶太上。季乃季歷之省。皆非謚也。又壺遂發問疑史記以春秋。馬遷答之。祖尙書爲紀傳。春秋重褒貶。尙書重實錄。此誠編年紀傳之大別。然編年何嘗不實錄。紀傳亦未廢褒貶。神而明之。存乎其人。至本紀諱弑。逆臣賊子無主名。鄰君書死。敵生庶亡。非聖例。潛誠有見。我亦嘗云。

史記不載具臣。而許善心所爲梁史有具臣列傳二十卷。史錄具臣、兩漢以下皆未免。此篇籍所由繁重也。不過他人未建此名耳。

善心以不諂隋煬免官。以不賀宇文化及遇害。士生亂世。未能高蹈。往往有此種結局。可勝痛恨。

書煬三子傳

天厭隋德久矣、元德太子縱永年。豈能遂纘丕緒哉。以疾早薨。得免化及之難。不其幸與、

書崔仲方于仲文段文振傳

賀若弼獻平陳十策。崔仲方獻滅齊二十策。傳皆未載。可惜。又仲方取陳之策。合天時地利人和言之。亦頗動聽。

于仲文屢立功勛，以追高麗將乙支文德被繫病卒。殆所謂畫蛇添足也。

書宇文述郭衍傳

述藉博進賂楊約。於是楊勇隋文之性命及楊氏社稷皆在孤注一擲中。博之所繫大矣哉。

乙支文德請降未面縛。且無質，述聽其請遽爾旋師濟薩水復不設備。驕玩若此。欲不敗得乎。九軍三十萬五千人。惟臍二千七百人。且一日夜退四百五十里。均前所未聞

傳稱衍臨下甚倨。事上姦諂。凡臨下甚倨者。事上未嘗不姦諂。不獨衍然也。

書王元劉梁柳趙裴傳

王韶於楊廣。元巖於楊秀。劉行本於楊勇。皆能匡救其失。可謂難能。

梁毗抗彈楊素、隋文大怒。而後於素恩寵漸衰。以毗有太子及蜀王罪廢之日素楊眉奮肘喜見顏色。利國家有事以爲身幸等語。未免疑忌耳。而豈知太子及蜀王之廢皆素構成之。素實死有餘辜。宜早誅殄也、

趙綽執法不肯妄生殺人、信難能也。而隋文能受諫言亦難能。

書樊史元楊衛劉傳

以父母喪去職者史不絕書。後世無此。而且效西人臂纏黑紗退食自公。亦稱守制。幾忘喪服不得入公門矣。元壽因蕭摩訶妻患病且死、奏請遣子往江南重收家產。劾其近忘匹好。命子捨母。謇謇抗辭。足見當日尚重倫紀也。噫、眞伏兵往往取勝、而楊義臣僞伏兵亦取勝。蓋深悟虛者實之之理也。

書李陳張張麥沈來魚陳王傳

李圓通監廚。叱廚人撾世子乳母、而隋文以是善之。謂堪當大任。留心人才若此。宜

其卒就大業也。

麥鐵杖驍勇有膂力。日行五百里。沈光上十餘丈高竿。透空而下。掌行數步。誠皆不易而他日感恩圖報。視死如歸。尤不易也。

舜重瞳。項羽重瞳。魚俱羅重瞳、而生平各不相類。相豈得以一端論耶。

書周周李慕容薛王權吐萬董趙傳

周羅睺少好任俠。故彭城之役。蕭摩訶臨陣墮馬。羅睺進救。拔摩訶於重圍之內。隋伐陳時。都督巴峽緣江諸軍事。以拒秦王俊軍不得度。相持逾月。陳主被擒。上江猶不下。陳主手書命降。羅睺與諸將大臨三日。放兵士散。迺降。後陳主卒於雒陽。羅睺臨哭。縗絰送至墓所。皆俠者氣象。

周法尚破樊猛設伏。破李光仕亦設伏。可謂知兵。

李景忠直。雖智略非所長、而能推誠於人。故漢王諒遣喬鍾葵率勁勇三萬攻代州。景戰士不過數千。城池屢被衝毀。且戰且築。士卒皆殊死鬪。司馬馮孝慈司法參軍昌玉、且驍勇善戰。儀同三司侯莫陳乂多謀畫。工拒守之術。景皆任之。卒全代州也、行軍以不擾民爲本。薛世雄凡所行軍破敵之處、秋毫無犯、自是大將氣象。而煬帝但目爲好人何耶。

遼東之役、王仁恭爲殿有功。再征高麗、仁恭爲前軍又有功。乃以楊玄感作亂。其兄子仲伯預焉、遂免仁恭。隋煬信不知人哉、

仁恭守馬邑。天下大亂。百姓饑餒、而不敢開倉賑卹。致劉武周以盜婢懼泄故假閉倉不救百姓激怒吏民。遂殺太守稱天子。武周不足責、仁恭抑可謂冥頑不靈矣。

權武嘗倒投於井。未及泉復躍而出。輕捷至此、人殆如鳥乎。

吐萬緒破劉元進有功。而以怯懦違詔憂死。董純破張大虔宗世模魏麒麟有功而以怯懦不能擊賊誅死。信譖語不念前勞。且自損良將。隋煬固亡國之主也。

書李鮑裴柳源郎高張榮陸房傳

李諤因公卿薨亡子孫嫁賣妾婢請加禁制。於是五品以上妻妾不得改醮。不知顯

嫁父妾結草有報。豈必祖父妾婢不可嫁人乎。不過願守節者不可逼嫁。不願守者可嫁不可逮。尤不可賣耳。否則强人守節。非韞禍卽釀病。曷足貴耶。至禁文表華豔，禁當官自伐。則實救僞之藥，又蘇威以臨道店舍事業汚雜奏請撤毁，謂行旅所託。一朝而廢於事非宜。並令依舊。所見過威甚遠，

賜姓非禮也。而後世以爲榮。牢籠妙用。或過賜妓，所謂君臣皆失也，鮑宏爲周武帝修皇室譜。分帝緒疎屬賜姓三篇。庶猶得考見本來耳。

裴政與蘇威等十九人修定律令。采魏晉刑典。下及齊梁沿革輕重。取其折衷，又曰，凡推事有兩。一察情，一據證，後世廢中律用外律，不折衷於古。且據證而不察情，無怪冤獄時有且多拖案也。

郎茂爲衛國令。有民張元預與從父弟思蘭不睦，丞尉請加嚴法。茂曰。元預兄弟本相憎疾。又坐得罪，彌益其忿。非化民之意也，疊遣縣中耆舊敦諭，元預等各生感悔。詣縣請罪。茂曉之以義。遂相友悌。爲民父母者不當如是耶。後世誘民兄弟相訟。因

而受賕自肥者直盜賊耳。

工部尚書宇文愷。右翊衛大將軍于仲文，競河東銀窟。茂劾其拔葵去織。寂爾無聞，虞茂之風，抑而不慕。愷與仲文遂皆得罪。後世若愷與仲文者比比也，安得郎左丞起而一一劾之乎。

隋文平陳，海內一統。咸望太平，房彥謙獨謂主上性多忌剋，不納諫爭。太子卑弱，諸王擅威，天下雖安，方憂危亂，可謂見微知著矣。

書虞世基裴蘊裴矩傳

世基以畏禍故，抑損表狀。不以實聞。太僕楊義臣捕盜河北。降賊數十萬。煬帝驚歎。此正可忠諫之時。而世基反謂鼠竊雖多，未足爲慮。義臣擁兵不少。久在閫外。此最非宜。又越王侗遣元善達間行賊中，詣江都奏事，稱李密有衆百萬。圍逼京都。若陛下速還。烏合必散。煬帝改容。此尤可忠諫之時。而世基反謂越王年小。此輩誑之。若如所言，善達何緣來至。是但慮煬帝見誅。而不知他日宇文化及亦能戮己也。行同趙高。縱夏侯儼鬻官賣獄。罪皆甚大。弟世南淸貧不立。未有所贍。抑咎之小焉者耳。

蘊揣煬帝性好聲色、奏括天下周齊梁陳樂家子皆爲戶、其六品已下至於民庶有善音樂及倡優百戲者。皆直太常。是後異伎淫聲咸萃樂府。又候伺微意。劉楊玄感黨與數萬人、譖陷薛道衡蘇威。一殺一除名。皆亡國之臣所爲。豈隋文特留是人爲陳報讎耶。至實核丁口。後世或以是爲新政。豈知蘊曾厲行於煬帝之世、讀史者僉謂苛虐耶。夫帝力何有於我、下忘上也、視民如傷。上憐下也。何嘗以丁賦細故擾民。復慮其詐小僞老耶。一家之事。尙須癡聾、天下之大。顧可察見淵魚耶。

裴矩晚節誠不足論。然不過畏死苟免耳。何嘗有世基及蘊之罪。况其始戡定嶺南。其繼破吐谷渾、皆實有大勳於國。而竟與世基及蘊同傳。謬矣、雖脅迫高麗未從、致啓遼東之敗。離間突厥未遂。致受雁門之圍。其罪遜世基及蘊要猶遠甚也。

書宇文愷閻毗何稠傳

後世官私建築。胥尙西式、所謂鴿子籠也、古人象天法地云云、鄙不復道、然物極必反。他日或有復古之議，明堂有作，愷表庶足備考也。至圖以一分爲一尺，様以木爲，後世尚爾。

何稠著信蠻夷，可任邊事。以巧思過人，遂令制定輿服，雖曰用長，豈大受哉。又傳云事見威儀志。殆禮儀志五六等卷先名威儀也。

愷造觀風行殿，上容侍衛數百人，離合爲之，下施輪軸，推移倏忽。在今匪巧，在當日實若神功。稠制六合城，周廻八里，城及女垣合高十仞，上布甲士，立仗建旗，四隅置闕，面別一觀，觀下三門，煬帝於遼左夜中施之，遲明而畢。在當日巧，在今亦若神功。

書王邵袁充傳

邵讀書專固，遺落世事，宜極清高，乃疊以讖緯符瑞取媚悅，鄙哉，謂隋六十世而二世，謂文帝長壽而即崩，抑何可哂。

袁充亦以天象符應取媚。年七十五，被宇文世及所戮，老而不死，若人之謂與。

書楊李趙斛斯劉李裴傳

玄感名欲廢立。實無所擁。欲號召天下豪傑難矣。後圖關中。不晝夜兼進。不設伏拒追兵。乃中途攻弘農宮。進退無所。欲不敗滅得乎。

李子雄以明辯稱。謬問新羅使者冠制。致啟譏刺。遂以失詞被劾免官。言多必失。可戒者一。煬帝疑子雄附玄感。詔鎖送行在所。而子雄遂殺使者。亡歸玄感。爲叢驅爵。可戒者二。

觀李密爲楊玄感謀。乘煬帝遠在遼外。長驅入薊。直扼其喉。實爲上計。次亦輕齎鼓行。速入關中。玄感不從。遂至敗滅。似非常人。何他日因翟讓衆以起。讓甘退爲部屬。且值王世充敗走。讓欲乘勝進破其營之時。而遽止讓勿進。且設宴圖之乎。自是裂痕成。讓舊部徐世勣、單雄信等與己互相疑忌。大事去矣。至世充乏食。而密謬許交易。邴元眞貪鄙。而密令守興洛倉。裴行儼、孫長樂、程齕金等逆世充軍遇重創。而密不設備。使敵得夜濟。皆取敗之道。豈待與王伯當西投長安。始知未有結局哉。

裴仁基因王世充悉衆詣偃師。欲分兵守要路。令不得東。簡精兵三萬傍河西出。以逼東都。世充還我歸、世充出我不進。偪此固一策、而李密按兵蓄力以覩其弊。亦非謬計。不過須人截其退路耳。乃密既駮裴言。復棄已見。竟聽單雄信等速戰。安得不敗乎。

書誠節傳

誠節者人臣所應具。而別爲一傳張之。以畏死苟免者過多。不得不藉此正人心於萬一耳。讀此傳而後知蘇威馮道輩一錢不直也、死似無益。所繫於後世者抑大矣。

書孝義傳

自漢已降。以孝勵天下。孝可立大名獵高位、無怪居喪毀瘠廬墓負土者代不絕書也。然孔子論孝不一端。以養志爲重。孟子論孝亦不一端、以永慕爲重。至曾子孝經、更舉百行範圍於孝。孝之難若是。豈但居喪哀毀廬墓負土哉。雖然苟能是不得不謂之孝也、明知其就一事一時努力。斷不可深文詆諆、阻天下向善之路也。不識字而能是者。抑尤可貴也。

王頒聞父僧辯爲陳霸先所殺。號慟而絕。食頃乃蘇。服闋猶布衣蔬食。藉藁而臥。於是因伐陳之役夜濟力戰。陳滅。剖霸先棺。焚骨取灰。投水而飲之。此與伍員事略同。而鞭平王屍三百較此尙爲末減矣。

徐孝肅事親以孝聞。雖在幼齒。宗黨閒有所爭訟。皆至孝肅所平論之。爲孝肅所短者無不引咎而退。此非可以僞飾也。早孤不識父。問其母父狀。切求畫工圖之。朔望享祭。養母至孝。數十年家人未見其有忿恚之色。及母老疾。親易燥濕。憂悴數年。母終。茹素飲水。盛冬單縗。毀瘠骨立。於祖父母父母皆負土成墳。廬於墓所四十餘載。被髮徒跣。遂以身終。此非可以暫安也。非可僞飾。非可暫安。而孝肅蹈之若素。信難能哉。

書循吏傳

梁彥光父篤疾。求紫石英不得。而園生是物。有此孝行。循吏之體立矣。再爲相州。發擿姦隱。有若神明。有此幹才。循吏之用張矣。而又興學勸孝。庶幾古循吏乎。

趙軌爲齊州別駕。有官清若水之譽。爲壽州長史。增芍陂五門堰爲三十六門。灌田五千餘頃。蓋已不好利。乃能惟利民是務也。

平陳之役、征人在路有疾病者。公孫景茂減俸爲饘粥湯藥賑濟之。賴全活者千數。若後世則下派上領。又是縣官生財一道矣。噫。

岷州土俗畏病、一人有疾、合家避之。父子夫妻不相看養。病者多死。辛公義不遽曉諭。凡有疾病皆輿置廳事。暑月疫時。病人或至數百。公義獨坐其間。終日連夕對之理事。市藥迎醫。既瘥乃已。於是相染謬說。民不復信。由是觀之。化民成俗亦視力行何如耳。豈必由學乎。

讀酷吏傳

庫狄士文清苦而酷。其在貝州。發摘姦隱。無所寬貸。其在雍州執法嚴正。不避貴戚。匪後世所謂酷吏可敬。

燕榮巡省管內。聞官人及百姓妻女有美色。輒舍其室而淫之。此人豈可汚酷吏傳也耶。
崔弘昇無酷暴事。不宜附弘度後。他傳可附子弟。此傳豈亦可附耶。

書儒林傳

世將治儒重。世將亂釋重。蓋一欲偃武修文。一欲解厄求福也。然儒如何妥。忌元善名在己上。引古今滯義難之。惡辛彥之諫周宣五后。引帝嚳四妃舜二妃駁之。宅心險諂。與孔門首德行者異矣。又房暉遠以窈窕淑女鍾鼓樂之爲天子女樂。亦甚非儒者之言。

劉炫因朝廷購求逸書。遂僞造書百餘卷。題爲連山易魯史記等。送官取賞。儒豈可若是耶。噫。

炫對牛弘有往者州惟置綱紀。郡置守丞。縣惟令而已。其所具寮則百官自辟等語。後世設官極多。一官往往分爲十數官。其所具寮名爲自辟。實由直屬長官或他官條授。書託。與以官而不能自辟寮吏。安恃治事耶。

論謂劉焯道冠縉紳。數窮天象。數百年來。斯人而已。即道論儒。得儒林傳本旨矣。

書文學傳

隋煬怙過飾非。而於篇章乃示庾自直令其詆訶、改至再三、俟稱善乃已。政事苟能若此。豈遂亡國哉。

楊素負才傲物。欲以白鸚鵡賦窘杜正玄。見其文不加點、又令更擬諸雜文十餘條。皆辭理華贍。素乃歎曰。此直秀才。吾不及也。正玄不終爲正平、可幸、而楊素不彊作大言。要亦可取。

李密竇建德崛起片時。亦有祖君彥孔德紹爲典書檄、後世乃欲以俚語處理一切。何其智不及密與建德哉。

書隱逸傳

李士謙富而儉、以振施爲務、且以德化人、非尋常隱逸可比、而以賈誼所言千變萬化。未始有極。忽然爲人證佛經輪轉五道。無復窮已。尤爲妙悟、至論刑罰有贓重者死酷而不懲云云。則徒就一人言。非就懲一戒百言也。

崔廓傳千三百餘字。廓惟百五十餘字。附其子賾多於正傳八倍。而賾又非隱逸。曷不別傳耶。

張文詡因仁壽末學廢而隱。蓋早識天下將亂也。事母以孝聞。且以德化人。豈尋常隱士哉。

書藝術傳

庾季才謂天象告變。秦將入郢。而元帝不信。蓋陳將代梁。天命有在也。韋鼎傳可參讀。

隋文以弒崩。何嘗有臨崩詔。皇太子釋章仇翼事。此殆煬帝矯詔。以蓋弒父之罪耳。

隋文報相士。以刺史開府上儀同。豈慎重名器之道耶。噫。

楊伯醜好易善占。竟無著述留後。此祕始不便洩也。

張胄玄事宜入律曆志。萬寶常傳宜入音樂志。皆不必入此傳。

萬寶常謂鄭譯等所爲黃鐘調爲亡國之音。因極言其聲哀怨淫放。於是奉詔造諸樂器，其聲率下鄭譯調二律，并撰樂譜六十四卷。具論八音旋相爲宮之法，損益樂器不可勝紀，而蘇威以子夔忌寶常，故祖夔而黜寶常。致使雅正古音弗傳於世，甚可恨也，寶常嘗聽太常所奏，泫然而泣，人問其故，寶常曰，樂聲淫厲而哀，天下不久相殺將盡。後世軍國典禮，動以外人樂器作小放牛十八摸等調。若使寶常聽之，不知其更作何語也。

書外戚傳

漢書有外戚傳。無后妃傳。後漢書有皇后紀，無外戚傳。今既傳后妃，且隋以外戚得國。心懲舊事。靡外戚之禍。自可不立此傳。有必書者。或附后傳或入諸臣傳皆可也。

書列女傳

公主不敬舅姑。改嫁。皆事所恒有。蘭陵公主於柳述。獨遵婦道。事舅姑甚謹。遇有疾病。必親奉湯藥。煬帝徙述嶺表。令主與述離絕，將改嫁之。主以死自誓。表請同徙。煬帝不許。主憂憤而卒。此誠難得。不愧列女傳第一人。

南陽公主嫁宇文士及。而父爲士及兄化及所弒。不死不爲尼。別無自處善法也。

柳女願與楊恪同穴。撫棺號慟。自經遂卒。元氏願爲楊楷守志。不能早殉。將見侵辱。遲早非死不可。可弗勉與。

自梁訖隋。譙國夫人以一女子繫南天半壁安危。其智勇不可及。其忠誠更不可及。其訓子孫有曰。我事三代主。惟用一好心。好本事且不易有。況好心耶。然徒有好心而無好本事。亦未必能若此也。

鄭崔氏以夫誠陣亡守節。且訓子善。果成淸吏。實賢婦賢母。其訓子孫語尤可與敬姜勞逸論並傳。

孝女王舜。弱女子耳。而克剚刃父讎。妹粲與瑤。事前垂泣聽命。事後爭爲謀首。匪特姊賢。妹亦弗可及也。

陸讓母慈其孽子。鍾覃氏孝於後姑。皆世俗所難。裴倫妻柳氏以夫已遇害。女及兒婦皆有美色。懼遭賊偪。同死於井。此誠上計。趙元楷妻崔氏。以隨夫避亂。遇盜被拘。衣毀體露。勢難幸免。詐請解縛。取刀倚樹。雖死若生。此更急智。

書東夷傳

朱蒙欲渡。魚鼈積而成橋。與牛女鵲橋神話從同。

古有草莽臣。高麗王元稱遼東糞土臣。則更進矣。一笑。

元既歲遣朝貢。苟煬帝不徵元使。懼何至有東討之事。既討矣。又不許縱兵。致敵以僞降老師。此又何異宋襄哉。

書南蠻傳

凡人皆尊己卑人。遇異言異服異俗者。我號彼爲夷狄。彼亦目我爲野蠻。實則彼亦一是非。我亦一是非。無足論也。自秦并二楚而苗蠻漸遠。自漢平百越而蜒俚皆屬。昔所謂異者。久且弗覺其異矣。由是而推焉。天之所覆。地之所載。日月所照。霜露所墜。終若一人耳。何異言異服異俗之云云。

書西域傳

隋文謂吐谷渾主不慈。其子不孝。豈知己以譖廢勇。亦不慈。廣以淫弒父。更不孝乎。秦氏五嶺而道殣相望。漢事三邊而戶口減半。此皆前人舉爲務遠之鑒者。然不如此何由使域外諸國漸與吾近哉。

書北狄傳

魏太武滅沮渠氏。阿史那以五百家奔茹茹。世居金山。工於鐵作。金山狀如兜鍪。俗呼兜鍪曰突厥。因以爲號。此說頗近理。至西海刖足斷臂之兒與牝狼交。狼至海東生十男。其一姓阿史那爲君長。故牙門建狼頭纛。示不忘本。則不可信。殆因牙纛有此乃設詞醜詆耳。

突厥本扞可汗滅茹茹。破挹怛。走契丹。北方夷狄悉歸之。其弟佗鉢可汗嗣位。控弦數十萬。中國憚之。周齊爭結姻好。後因隋文代周。沙鉢略可汗妻千金公主。以爲母家宇文氏復讎。故日勸沙鉢略寇隋。初勝終敗。內亂外患相繼起。遂臣於隋。其謬開邊衅。與隋煬伐遼亦頗相似。然千金公主不忘本可敬也。

千金公主雖賜姓楊。改號大義公主。而心常念周。書屛風詩有杯酒恒無樂弦歌詎有聲一朝覩成敗懷抱忽縱横等句。字裏行間。有天地英雄氣在焉。甚難得也。與從胡私通云云。隋文故誣陷之使被殺害。免勸突厥入寇耳。萬萬不可信。又譖殺千金公主後。隋煬嘗被始畢可汗圍於雁門。並寇馬邑。隋末薛舉竇建德王世充劉武周梁師都李軌高開道之徒皆臣於突厥。弱則伏。盛則上人。有國有家者皆然。豈獨突厥哉。

西突厥亦猶西魏。雖分尚大國也。若煬帝不用裴矩之計。用射匱以敗處羅。處羅安得入朝哉。蓋一分尚可。再分便弱也。有國有家者。欲制人欲自强。尚均悟此哉。

北狄之有獯粥獫狁匈奴烏丸鮮卑蠕蠕突厥。亦猶我有夏商周漢魏晉耳。此亡彼盛。固無足怪。

書宇文化及王世充傳

列化及世充於四裔傳後。亦猶漢書列王莽於西域傳後。晉書列王敦桓溫於四夷傳後。不與同中國也。然楊玄感未與世充同傳。殆以玄感但志在廢立耳。

久客思歸人之情也。曰賓至如歸。曰視死如歸。則歸爲最幸可想矣。漢高因將士東歸擊項羽。而隋煬不知因將士西歸破李密。何古今人不相及一至於此耶。

司馬德戡但欲與驍果俱去耳。刦掠猶第二義也。宇文智及乃有行大事之議。趙行樞薛良乃有以宇文化及爲主之計。大風起於蘋末。信哉。

化及駑怯。初大懼色動流汗。後更戰慄不能言。有來謁者但低頭答云罪過。執煬帝者裴虔通。弑煬帝者令狐行達。主謀者智及。而史必以大逆加諸化及者。雖未主謀。抑亂主也。

德戡始亂。復謀自取。而又遷延不發。爲化及所戮。宜哉。

竇建德殺化及等而傳首突厥者。建德稱臣北蕃。受其位號。不得不獻捷也。

世充爲煬帝聘納美女所用正庫及應入京物不可勝計。帳上云敕別用。亦猶不肖子弟以父兄血汗錢作夜度資。但報僞帳也。

化及所有。李密盡獲之。李密所有。世充又盡獲之。是李密但爲世充運焉耳。

密新破化及。且世充先敗於密。又密有徐世勣。以翟讓舊人故未克主軍事。密予智自雄。輕敵不設備。蓋無足怪。

段達怯懦。而煬帝乃令與元文都留守東都。蓋此輩貌似持重可倚也。後拒李密。不陣而走。又元文都謀誅世充。達陰告之。且勸越王侗執文都與之。又加世充九錫。諷越王禪讓。皆達所爲。世之怯懦而貌似持重可倚卒誤大事如達者。豈少也哉。噫嘻。

書卷尾

唐後有梁唐晉漢周五代。故薛居正作五代史。歐陽修作五代史記。今令狐德棻於唐武德五年奏請修梁陳齊（北齊）周隋五代史。貞觀十五年又詔于志寧李淳風韋安仁李延壽修五代史志。是亡國以後事先於此一露端倪矣。豈非異與。

讀南史蠡述

中華民國二十五年
湘鄂印刷公司印行

讀南史蠡述目次

卷一

卷二

讀南史蠡述卷一

岳陽李澄宇洞庭著

書卷首

史莫高於尙書。時爲之也。其上貴無爲、民又淳樸。可述之事少、且巡狩不刻石紀功。齊律度量衡惟以一齊字了之。格有苗誅四凶無文告、禪位無詔策、論語堯曰咨爾舜云云尙書亦不載。又官名簡往往終身爲某官。且以事爲主。不人人立傳。貴者生歿葬不具。所述未嘗複。又無重史。（如南史北史新唐書新五代史）即後世有古文尙書竹書紀年與原書異、亦可就論孟折衷之、此尙書所以若日月經天江河行地也、後世豈易如此哉。史自經出。故曰詩亡然後春秋作。蓋春秋所謂褒貶、即詩所謂美刺也、後惟綱目祖春秋、曰編年體、其他大抵祖尙書、曰紀傳體、通鑑雖編年實仿左傳、亦可謂之紀傳體、就紀傳論漢書複史記處不少。而變易史記處亦不少。晉宋至唐大抵祖後漢書。而五代史記則徑祖史記、蓋史記納春秋書法於尙書體例中。實足弁冕羣史也。易曰上天下澤履、君子以辨上下定民志。五代史記抑尤於此致意焉。此死節死事雜傳所由創撰也、南北史雖未本之禮以代南面賞罰。其整齊之勤、庶亦下啓五代史記矣。

自漢霍光行廢立、以伊尹自居。其後遂有僞周公王莽、僞文王曹操。僞帝舜曹丕。丕後得國者惟東晉北魏非篡弑。其他若晉司馬炎。若宋劉裕、若南齊蕭道成。若梁蕭衍。若陳陳霸先。若齊高洋。若周宇文覺。若隋楊堅、若唐李淵等、大抵高談舜禹。以篡弑爲揖讓盛事、所謂其父殺人報仇、其子必至於行刼也。且不惟當局如是、論世者亦往往如是、朝敵暮主、視若虞臣、寇蜀帝魏。煥乎通鑑。此亦至可痛哭之事也。自歐陽修五代史記有死節死事傳雜傳。而史論於歷代諸臣一變、自朱子通鑑綱目以正統予蜀。而史論於歷代諸帝又一變。孟子謂孔子作春秋而亂臣賊子懼。吾於五代史記通鑑綱目亦云。又小説如三國志演義、戲曲如罵曹禰臺報等、窮形盡相、使天下後世不敢以曹操自處抑亦通俗教育之大效、

書宋武帝少帝紀

冠宋字於首。且加姓劉氏。蓋通史與專史異也。武帝夜生。神光照室盡明。至每過金創傳之並驗云云。皆王者受命靈異。宋書未載而此詳紀者。蓋當時尚有他史可采也。論節錄宋書。餘與宋書大同小異。

書文帝孝武帝前廢帝紀

少帝義符小字車兵。文帝義隆小字車兒。眞似田舍翁子弟。

省宋書諸臣奉表及上答書、而加是時司空徐羨之等新有弑害（使邢安泰弑少帝於金昌亭）及鑾駕西迎。人懷疑懼。惟長史王曇首司馬王華南蠻校尉到彥之共期朝臣未有異志。帝曰。諸公受遺、不容背貳、且勞臣舊將。內外充滿、今兵力又足以制物。夫何所疑一段、遂如讀史記孝文本紀、覺此有三宋昌。而帝曰云云。更似宋昌告漢文語、漢文報太后計之、猶豫未定、卜之龜。又遣太后弟薄昭往見絳侯、然後乘傳詣長安、尚不如宋文一無所疑。發江陵徑至金陵也。

少帝景平元年書魏明元皇帝崩。文帝元嘉二年書赫連屈丐死。五年書乞伏熾盤

（卽熾磐）死、十年書且渠（卽沮渠）蒙遜死。蓋以魏北宋南。分纘正統。既不效宋書目魏索虜亦不效魏書斥宋島夷。此南北朝所由稱。而南北史所由作也。豈尚與赫連乞伏且渠等視哉。

文帝雖哂武帝爲田舍公、而在位三十年、始終儉約、故能政平訟理、朝野悅睦、爲江左治平之世、劉劭構逆。遽死非命、惜哉。

武紀於庚午生下增有光照室少機穎神明爽發讀書七行俱下才藻甚美雄決愛武長於騎射二十九字。又庚午下增夜字。較宋書詳贍。論於文帝遙制兵略延寇蹙境武帝大明之世盡民命以自養、皆節宋書原論意。

書明帝後廢帝順帝紀

宋書明紀有于時廢帝左右常慮禍及、人人有異志。惟直閤將宋越譚金童太一等數人爲其腹心。有幹力在殿省久。衆並畏服之、故莫敢動。是夕越等並外宿。阮佃夫李道兒因結壽寂之等殞廢帝於後堂。十一月二十九日夜也等語。而此云時廢帝左右直閤將軍宋越譚金童太一等是夜並外宿。佃夫道兒因結壽寂之等十一月二十九日弑廢帝於後堂。殊遜原作。蓋詳述宋越等。以見廢帝前不遇弑之故。後記月日。以見倉卒下手。原書與當日情事甚合也。

宋書書司徒建安王休仁有罪自殺。江州刺史巴陵王休若薨。而此直書鴆司徒建安王休仁。江州刺史巴陵王休若賜死。蓋專史與通史異也。專史諱。通史不諱也。

孝武帝（文帝子）二十八子。明帝（文帝子）殺其十六。殺兄弟也。餘皆後廢帝（明帝子）殺之。殺諸父也。非帝王不能有此事。噫。

書荊州刺史沈攸之舉兵不從執政。司徒袁粲據石頭謀誅道成。吳郡太守劉遐據郡不從執政。與宋書異。蓋宋書沈約作。沈約媚梁。因上媚齊。故所作史每有曲筆也。

此詳載順帝被廢被弑事。而宋書無之。又此有宋之王侯無少長皆幽死矣十一字。宋書亦無之。沈約媚齊亦甚矣。

書齊高帝武帝紀

南齊書高紀但云太祖威名既重蒼梧王深相猜忌幾加大禍而此云帝威名既重蒼梧深相猜忌刻木爲帝形畫腹爲射堋自射之又命左右射中者加賞皆莫能中時帝在領軍府蒼梧自來燒之冀帝出因作難帝堅臥不動蒼梧益懷忿恚所見之物呼之爲帝加以手自磨鋋曰明日當以刃蕭道成不密至此似出情理之外豈當日野史有此耶至楊玉夫等與直閤將軍王敬則通謀弒蒼梧齎首使左右陳奉伯藏衣袖中依常行法稱敕開承明門出囊貯之以與敬則敬則馳至領軍府叩門大聲言報帝帝門猶不開敬則自門窐中以首見帝帝猶不信乃於牆上投進其首帝索水洗視敬則乃踰垣入帝跣出敬則叫曰事平矣帝乃戎服乘常所騎赤馬夜入殿中云云則與南齊書同而此特詳且近情理蓋道成常慮蒼梧圖己故於敬則亦恐其中變紿己也又召袁粲褚彥回（褚即淵）劉彥節（劉即秉）入會西鍾槐樹下計議帝以事讓彥節彥節未答帝鬚髯盡張眼光如電次讓袁粲又不受敬則乃拔刀在牀側躍麾衆曰天下之事皆應關蕭公敢有開一言者血染敬則刀仍呼虎賁劍戟羽儀手

自取白紗帽加帝首。令帝卽位。曰今日誰敢復動。事須及熱。帝正色呵之曰。卿都不自解。粲欲有言。敬則又叱之乃止云云。南齊書未如此詳紀。然卽此可見司馬昭弒高貴鄉公。尚誅成濟。齊時則不必爾爾。蓋習非成是已久矣。且武夫徑情直行。僞禪讓且不願效之。事須及熱一語。較讀九錫策禪位詔尤痛快有味也。噫嘻。

始帝年十七時。嘗夢乘青龍上天。（齊以木德王）至宋自受命至禪齊凡六十年云云。盛言符應。皆南齊書所未紀。又高紀符應詳於末。武紀符應著於首。殆避同式。

書鬱林海陵明帝東昏和帝紀

書鬱林遇弒。與南齊書書殺之異。又霍氏賜死以下云云。亦南齊書所未錄。

東昏紀末詳載諸敗德事。足補南齊書所未及。

朱光尚欲託鬼神以諫。故有向見先帝大瞋不許數出語。而東昏乃縛菰爲明帝形。北向斬之。較以金蓮華帖地。令潘妃行其上。尤足爲草木生色。一笑。

此有茹法珍梅蟲兒說帝悉誅大臣云云。較南齊書但云王珍國張稷懼禍者本末詳盡。

梁武欲以南海郡爲巴陵國邑。遷和帝居之。實圈禁於南服。免生他患耳。而沈約竟謂今古事殊。不可慕虛名而受實禍。致帝遇弒。約之肉可復食乎。

書梁武帝紀上

此有皇妣張氏嘗夢抱日。己而娠。遂產帝。帝生而有異光。狀貌殊特。日角龍顏。重岳虎顧。舌文八字。項有淨光。身映日無影。兩髂駢骨。頂上隆起。有文在右手曰武。帝兒時能蹈空而行等語。而梁書但有生而有奇異。兩髂駢骨。頂上隆起。有文在右手曰武。帝生而有奇異五字尤惝怳。

此有皇考之薨不得志。及爲齊明帝計召隨王。徵坦歷生卞白龍事。梁書武紀亦未載。又賢首山之役。夜前失道。望見如持兩炬者。隨之。果得道。既克魏軍。得王肅劉昶巾箱中魏帝敕曰。聞蕭衍善用兵。勿與爭鋒。待吾至。若能禽此人。則江東吾有也等語。梁書亦未載。

書武帝紀下

儒盛世將治。釋盛世將亂。梁自普通訖太淸。釋盛極矣。惡得無侯景之亂乎。

書簡文帝元帝敬帝紀

梁書西魏寇安陸執同州刺史柳仲禮。盡沒漢東之地。此易寇曰克。易沒曰有。蓋彼專史。以魏爲僭僞。此通史。梁魏平視若列國也。

梁武簡文皆死侯景手。梁元名死蕭詧手。實死宇文泰手。敬帝則死陳霸先手。一代五天子無一令終。前所未聞。

書陳武帝文帝廢帝紀

武帝末光有天下。焉易爲光于江左云。屏正統。謬見惟紀實狀。作史者固宜如是。

書宣帝後主紀

宣帝於魏平江陵遷于長安後。貌若不慧。卒得自周還陳。南面江左。實非易易。此載李總與帝有舊。每同游處。帝嘗夜被酒。張燈而寐。總適出尋反。乃見帝是大龍。便驚走他室。及生而赤光滿室。垂手過膝。張子晌謂帝虎頭當大貴云云。補陳書所未及。

後主降隋。隋爲不奏吳音。蓋不欲重其亡國之恨也。而後主乃因監守者請官號與蜀後主此間樂不思蜀之意頗似。想亦恐隋見猜貌若不慧。藉免斧鉞耳。文帝竟謂叔寶後主字全無心肝。後主得勿竊笑乎。

讀南史蠡述卷二

岳陽李澄宇洞庭著

書后妃傳上

六宮位號沿革。就宋齊粱陳各書彙輯。重德重色外別闢蹊徑。足備參考。后傳省詔奏策誄等文甚是。宋書武敬臧皇后傳有器服粗素不爲親屬請謁等語。而此無之。又義熙四年正月甲午殂於東城。此作甲子。未知孰誤。又宋書武帝胡婕妤（文帝母）在少帝司馬皇太妃後。此在少帝司馬皇后前。且正名爲胡太后。足正沈約之妄。

潘淑妃（文帝妃）以鹹水灑地。羊輒舐地不去。於是愛傾後宮。宋書未載。又孝武昭路太后傳有及聞義嘉難作。太后心幸之。延上飲酒。置毒以進。侍者引上衣。上寤。起以其巵上壽。是日太后崩。祕之。喪事如禮。宋書但曰尋崩。時年五十五。此等處可參看。漢孝武於李夫人。宋孝武於殷淑儀（傳目作宣貴妃）均於死後致形。而宋孝武先就通替棺引替覩尸多日。後於帷中見形如平生。較漢孝武所謂是耶非耶者抑又幸矣。自擬李夫人賦以寄意。謝莊且作哀策文奏之。就孝武論。孰曰不宜。然殷淑儀傳宋書未有。殆諱之也。

齊文安王皇后傳。有鬱林即位尊爲皇太后。稱宣德宮。置男左右三十人。前代所未有也云云。南齊書無後二語。諱之也。又鬱林王何妃婧英傳。有妃稟性淫亂。南郡王（郎異日鬱林王）所與無賴人游。妃擇其美者皆與交歡。南郡王傳書人馬澄年少色美。甚爲妃悅。常與鬭腕較力。南郡王以爲歡笑。女巫子楊珉之有美貌。妃尤愛悅之。與同寢處如伉儷。明帝輔政欲殺珉之。與王晏徐孝嗣王廣之面請不聽。令蕭諶蕭坦之固請。皇后（郎何妃）與帝（郎鬱林王）同席流涕覆面。謂坦之曰。楊郎好年少無罪過。何可枉殺。坦之耳語於帝曰。此事別有一意。不可令人聞。帝令后去。坦之乃曰。楊珉之與皇后有異情。彰聞遐邇。帝不得已。乃爲敕。坦之馳報明帝。即令行刑等語。而南齊書無馬澄事。即楊珉之亦未敘被誅始末。殆不欲盡言。至珉之又與帝相愛褻。故帝恣之二語。置與同寢處如伉儷下。較此云后既淫亂。又與帝相愛褻。故帝恣之。事異語同。宜舍此信彼。蓋蕭子顯作南齊書在前。李延壽作南史在後。且此亦有玭之爲帝所幸云云也。

東昏亂於明帝長女山陰公主。南齊書亦未載。諱之也。

書后妃傳下

梁高祖德皇后郗氏酷妒。死化爲龍。入於後宮。通夢於帝。或見形。光彩照灼。帝體將不安。龍輒激水騰涌。其事甚怪。梁書未錄。

丁貴嬪阮修容二傳。梁書置太宗王皇后後。此置郗后後。母以子貴。且世次不紊也。

又丁傳省張纘所爲哀策文。而特錄有司一奏。阮傳正名文宣阮太后。且增在孕夢龍罩其牀七字。於天監六年八月生元帝於後宮上。損益得宜。所謂不沒其實。

元帝徐妃失德及妒忌事。梁書未詳錄。但云太淸三年被譴死。諱之也。今柏直狗雖老猶能獵。蕭溧陽馬雖老猶駿。徐娘雖老猶尙多情等語。竟藉暨季江口傳諸後代。南史之力歟。一笑。又徐娘雖老句。後變爲徐娘雖老風韻猶存。

於梁文獻張皇后死書卒。以文帝尙未爲帝也、於武德郗皇后書殂。以武帝未及受命也。於丁貴嬪文宣阮太后簡文王皇后皆書薨。以其生前實未爲后也。故梁后妃傳無一書崩者。

陳後主沈皇后傳有嘗遇歲旱。自暴而誦佛經、應時雨降云云。陳書無之。又后自廣陵過江。於毗陵天靜寺爲尼。名觀音唐貞觀中卒。陳書但云還鄉里不知所終。蓋前者以爲未可信。後者據舊史傳疑也、

張貴妃麗華傳將陳書附錄魏徵所云、併入亦是一法。

書宋宗室及諸王傳上

宋書劉道憐傳、先是廬陵王義爲揚州刺史、太后謂上曰。道憐汝布衣兄弟。故宜爲揚州。上曰、寄奴（宋武小字）於道憐豈有所惜。揚州根本所寄。事務至多。非道憐所了。太后曰。道憐年出五十。豈當不如汝十歲兒邪。上曰。車士（義眞小字）雖爲刺史。事無大小悉由寄奴。道憐年長。不親其事。於聽望不足等語。南史略有删易。實愧前作。蓋故宜爲揚

州易爲宜用爲揚州。不類太后口吻。事務至多易爲事務至重。與後事無大句小不合。道憐年出五十豈當不如汝十歲兒邪。易爲道憐年五十豈不如十歲子邪。亦不類太后向梁武口吻。且年五十與年出五十異。何得隨意減人年也。至各詔表删之甚是、

宋書劉遐與嫡母殷養女雲敷私通。殷每禁之。殷暴病卒。未大殮。口鼻流血。疑遐潛加毒害。爲有司所糾。南史易爲坐通嫡母殷氏養女雲敷。殷每禁之。及殷亡。口血出。衆疑遐行毒害云云。删暴病字鼻字與事不合。惟未大殮三字可删。又劉彥節此日不證遐毒嫡母。而劉遐他日乃將彥節與袁粲密謀告蕭道成。險很若此。遐嫡母實被毒害可知。

宋書劉道規傳雍州刺史魯宗之率衆數千自襄陽來赴。或謂宗之未可測。道規乃單馬迎之。宗之感悅。此易爲雍州刺史魯宗之自襄陽來赴。或謂宗之未可測。道規乃單車迎之。衆咸感悅。蓋以衆咸二字省上率衆數千云云也。然不及原書顯豁。且

單馬易單車與事不合。又宋書衆議欲使檀道濟到彥之與宗之共擊道規。曰盧循擁隔中流。扇張同異。桓謙苟林更相首尾。人懷危懼。莫有同心。成敗之機。在此一舉。非吾自行。其事不決。此易爲衆議欲使檀道濟到彥之共擊苟林等。道規曰吾非自行不決。省與宗之三字。而共擊若與宗之無涉。省盧循以下數語。而下文使宗之居守用意難明。皆遠遜原作處。

鮑照奏詩劉義慶。遂見知。故其傳附此。以文辭自奮。名動千載。豈必事功哉。

蜀人藺相如殺劉季連。爲父復讎。面縛歸罪。事誠可壯。不愧與趙藺相如同名共姓。然司馬相如慕藺相如爲人而名相如。已開別例。茲竟同名共姓。亦梁蕭詧大將軍李廣之類與。

劉義眞與謝靈運顏延之周旋異常。而曰靈運空疎。延之隘薄。若魏文所云鮮能以名節自立者。可謂愛而知其惡矣。然謝晦於義眞亦曰德輕於才。非人主也。義眞豈但知銜人未能律己乎。抑才勝德。天性使然。甚難改易乎。

書宋宗室及諸王傳下

宋書爲邵濬立二凶傳，置四夷後，所謂屏諸四夷不與同中國也。南史如諸王例，併入一傳，但仍正名曰元凶劭。蓋通史與專史體例自異也。至初命之曰劭，在文爲召刀，後改刀爲力，則齊東野語耳。

書劉徐傅檀傳

宋書劉王爲一傳，徐傅檀爲一傳，茲置王弘於後爲專傳，而併劉徐傅檀爲一傳，蓋以王弘與王曇首等本爲一家，傳可相次耳。然劉王爲開國元勳，幸俱善終。徐傅檀勳亞劉王，俱未善終，則宋書分傳爲是。又以下各傳離合雖異，宋書大抵無甚要義。

書齊宗室及諸王傳

巾箱五經，猶今袖珍本，取便攜閱。蕭鈞爲此種開山祖師，亦佳話也。

書王陳張崔傳

南齊書於景先赤斧諶坦之皆別有傳，而此併入宗室，甚是。又文惠太子豫章文獻王別有專傳。而此以豫章入高帝諸子傳。文惠入武帝諸子傳。亦甚是。南齊書明知褚淵王儉等爲宋貳臣。而以冠勳貴諸傳者。前史以篡奪爲舜禹。故其臣亦若稷契。歷事數朝無害也。南史於齊傳削褚淵王儉柳世隆張瓌垣崇祖者。以褚淵已見宋褚裕之傳。傳內彥回即淵 王儉已見宋王曇首傳。柳世隆已見宋柳元景傳。張瓌已見宋張裕傳。垣崇祖已見宋垣護之傳。通史固可互考也。

書梁宗室傳上

梁書蕭景有專傳。而此入宗室傳甚是。又昭明太子哀太子愍懷太子梁書合爲一傳。置皇后傳後。可稱太子傳。此以昭明入武帝諸子傳。哀入簡文諸子傳。愍懷入元帝諸子傳。蓋亦班書不爲戾太子立傳。僅有武五子傳之舊例也。

書陳宗室及諸王傳

陳書衡陽獻王昌南康愍王曇朗。別有傳。置宗室傳前。此併爲一傳。又始興王叔陵併入宣帝諸子傳。新安王伯固併入文帝諸子傳。亦與陳史別有傳且屏置卷尾者異。蓋通史體例不妨如此也。

書循吏傳

宋書吉翰杜驥申恬與劉道彥同入列傳第二十五。而此以吉杜申入循吏傳甚是。惟以申恬爲申怙。則恬字公休與恬義近。未必名怙耳。又宋書良吏傳杜慧度此爲杜慧慶。亦非。蓋六朝佛盛。名氏多自佛經來。杜名慧度。決不名慧慶也。慶儒家言。度佛家言也。

書儒林傳

史記循吏在儒林前。漢書儒林在循吏前。或重治行。或重經術。義各有取。此首循吏。蓋法史記。後漢書乃於儒林外有文苑。則辭章與經術異也。晉書效後漢。而宋書不列儒文二傳。獨揭孝義。蓋又重躬行。不徒以言取人也。南齊書首文學。而良政（即漢循吏宋作良吏）高逸（即後漢逸民）孝義。居後。且以文學總儒文二傳。未免有心立異。然視梁陳二書有儒林。復有文學。實爲勝之。蓋聖門文學一科。本函後世儒林文苑二傳。非止文苑一傳可以當之也。此亦儒林文學並列。何踵梁陳之謬耶。

書文學傳

文學僅自齊始。儒林僅自梁始。以宋書無儒林文苑二傳。齊書有文學無儒林傳。皆未可追錄也。

書孝義傳上

後漢書創獨行傳。函孕孝義。至晉書乃有孝友忠義二傳。宋併爲孝義。梁陳則但列孝行。

書隱逸傳上

史記傳伯夷老子。不命曰逸。至後漢乃有逸民傳。晉宋仍之。齊易爲高逸。梁曰處士。陳未有傳。此首陶潛。終馬樞。而別錄漁父入傳。庶幾楚辭漁父之類。且馬樞亦自陳書列傳第十三錄入也。

書恩倖傳

史漢有佞幸傳。後漢無之。而有宦者傳。宋書易佞幸爲恩倖。齊書又易恩倖爲倖臣。梁陳二書則皆無之。而此曰恩倖。從宋書也。

書夷貊傳上

史記除西南夷地僻國小以夷括之外。匈奴南越東越朝鮮大宛等傳。皆舉當日專名爲傳。漢書與史記同。所增西域一傳。則舉地言。三國志烏丸鮮卑東夷傳亦同史漢。至晉乃有四夷傳。（梁曰諸夷）宋且於夷蠻傳外有索虜傳。南齊更有魏虜芮芮虜等傳。夷之不足。從而虜之。甚可哂鄙。作史者豈宜若是耶。書於有苗。詩於玁狁。未嘗目爲某虜也。即謂春秋內中國外夷狄。亦未目爲某虜也。茲曰夷貊。與四夷諸夷略似。不及魏者。以魏本北史主人翁。不可虜。且不得統以夷貊也。

書賊臣傳

置賊臣於夷貊傳後。亦屏諸四裔遺意。惟熊曇朗留異陳寶應實忠於梁。予於讀陳史蠡述已論之。李延壽不宜據陳書錄入此傳。使忠臣義士短氣也。

讀北史叢述

楊鈞

中華民國二十五年
湘鄂印刷公司印行

讀北史蠡述目次

卷一

讀北史蠡述卷一

岳陽李澄宇洞庭著

書卷首

吳東晉宋齊梁陳皆都金陵爲六朝。故唐李白金陵詩有六代興亡國。三杯爲爾歌。古殿吳花草深宮晉綺羅等句。而吳與東晉不入南史者。三國時以魏爲正統。東晉時以晉爲正統。故六朝數吳及東晉。而南朝僅數宋齊梁陳也。雖魏平文帝與晉元帝絕。可云南北抗峙之始。然趙燕秦迭起北土。史家以僭僞目之。未嘗曰北朝。則魏未奄有燕秦舊壤之日。亦安得目東晉爲南朝哉。此南史所由斷自劉宋也。然則隋曷爲殿北史。曰隋有天下之日淺。特閏位耳。雖已一統不可曰北朝。事與北朝連。姑附之北史云爾。

魏分東西事雖具紀內。而不曰東魏紀西魏紀者。魏是時形神已亡。不久即徑稱北齊後周矣。

書魏紀一

刪併魏書帝紀第一第二第三爲一卷。筆較簡穆。又第二卷亦刪併魏書第四第五第六卷爲之。論則皆就各原論綴輯而成。餘從同。

書魏紀五

魏書孝莊帝紀雖有改武泰爲建義元年之文。然以平葛榮之亂。故又改建義爲永安元年。故此紀於莊帝南濟河卽皇帝位卽大書永安元年夏四月。視魏書以夏四月屬諸明帝武泰元年者異。

書爾朱榮事前以魏書爲藍本。故謬誤與魏書同。可參看予所著讀魏書蠡述。

魏書出帝後止孝靜帝。蓋以東魏續魏也。此據周書稱出帝爲孝武帝。且不先書孝靜而以文帝繼孝武。大書大統元年。蓋以西魏續魏也。以東魏續魏。魏收袒齊之私心。以西魏續魏。李延壽罪齊之微意也。

書齊紀上

史記五帝紀大書黃帝者少典之子。帝顓頊高陽者黃帝之孫而昌意之子也。帝嚳高辛者黃帝之曾孫也。高辛父曰蟜極。蟜極父曰玄囂。玄囂父曰黃帝。自玄囂與蟜極皆不得在位。虞舜者名曰重華。重華父曰瞽叟。瞽叟父曰橋牛。橋牛父曰句望。句望父曰敬康。敬康父曰窮蟬。窮蟬父曰帝顓頊。顓頊父曰昌意。自窮蟬以至帝舜皆微爲庶人、夏紀、大書夏禹名曰文命。禹之父曰鯀。鯀之父曰帝顓頊。顓頊之父曰昌意。昌意之父曰黃帝。禹者黃帝之玄孫。而帝顓頊之孫也。禹之曾大父昌意及父鯀皆不得在帝位。爲人臣。殷本紀大書殷契母曰簡狄。有娀氏之女。爲帝嚳次妃。周本紀大書周后稷名棄。其母有邰氏女曰姜原。姜原爲帝嚳元妃。秦本紀大書秦之先。帝顓頊之苗裔孫曰女修。女修吞玄鳥卵生子大業。大業取少典之子曰女華。女華生大費。大費生子二人。一曰大廉。二曰若木云云。漢高祖紀大書高祖沛豐中陽里人。姓劉氏。字季。父曰太公。母曰劉媼。此可爲帝王起自貴冑或微賤者敘家世法矣。自陳壽三國志謬立魏武帝本紀。於是晉書有宣帝紀景帝文帝紀。北齊書有神武帝紀文襄帝紀。周書有文帝紀、不法子長而效承祚、可哂也已。

書齊紀中

北齊書文宣紀但云鱗身重踝、不好戲弄。深沈有大度。而此有黑色大頰兌下鱗身重踝瞻視審定、不好戲弄深沈有大度。神武嘗從諸子過鳳陽門。有龍在上。惟神武與帝見之等語。蓋據別史詳之也。然隱隱畫一黑龍矣、後日淫暴。絕無人理。抑世所謂毒龍耳。

北齊書廢帝紀武成紀後主幼主紀皆與北史同。蓋北史直錄齊書也。

書周紀上

周書於得玉璽下有普回心異之以爲天授、其俗謂天曰宇、謂君曰文、因號宇文國、幷以爲氏焉。此改爲普回以爲天授。獨異之。其俗謂天子曰宇文。故國號宇文。幷以爲氏。而謂天子爲宇文、句不及原作。

周書有太祖口對雄辯。齊神武以爲非常人云云。是以言決之也。此則但有此小兒眼目異云云。是以貌決之也。又周書有高歡豈人臣邪云云。此有高歡非人臣也云云。意同但語氣有緩急耳。蓋統就言貌決之也。總之歡一見泰卽知其非常人。泰一見歡卽知其非人臣。可謂惟英雄能知英雄矣。

此於泰謂侯景上較周書多吐哺上馬四字。而於趙貴言於衆下較周書省去多語。皆是。蓋既就周書刪易。更據別史增益也。

與侯莫陳悅書上魏孝武表皆刪。而詳載討高歡檄不減一字。非徒以文也。蓋高歡罪狀略具於是也。

齊紀論於神武有既而魏武帝規避權逼。歷數既盡。適以速闕河之分焉等語。其貶也可味。周紀論於周文有億兆之望有歸。揖讓之期允集。功業若此。人臣以終。盛矣哉。其褒也可想。褒貶若此。蓋力救魏書之失。

滅齊詔昔天厭水運。龍戰于野。兩京地隔。四紀于茲云云。詞義正大。錄之蓋著周武丕承盛烈。

書隋紀上

隋紀某生某及楊禎楊忠事敘入文帝紀內。忠雖追尊爲武元皇帝。廟號太祖。不立本紀。皆可謂善法史記。又隋書亦文帝上無本紀。

周武已知堅有反相。而曰必天命將若之何。可謂達也已矣。

周靜禪位册詞義並茂。然文士以此唐哭舜禹。匪一朝一夕之故矣。可勝慨哉。

書隋紀下

敘楊李禪讓。較隋書詳。而禪位詔之庶憑稽古之望。以誅四凶。幸值維新之恩。預充三恪。運古入化。亦前代所未有。

書后妃傳上

傳首敘各代嬪御品級員數。而重色不重色已可概見。

史記秦始皇本紀前有秦本紀。魏書不知仿此以追尊諸帝總爲魏本紀。於是帝與后妃獨多於各代。然追尊各帝總爲序紀。亦頗似秦本紀。惟追尊各后未別爲傳耳。

書后妃傳下

高澄烝父妃蠕蠕公主。又姦弟婦。使不遇害。他日淫暴亦與高洋等耳。

婦女每怯。而齊後主乃與馮淑妃小憐並騎觀戰。欲不奔敗得乎。

漢於匈奴和親送女往也。而齊於蠕蠕。齊書作茹茹 周於突厥。皆逆女來。同一和親。後愈前矣。一笑。

書魏諸宗室傳

併魏書神元平文諸帝子孫昭成子孫二傳爲一卷。道武七王明元六王太武五王三傳爲一卷。景穆十二王上中下三傳爲上下二卷。文成五王獻文六王孝文五王四傳爲一卷。而孝文五王改爲孝文六王。蓋將皇子恌計入也。恌早夭未封。何言王耶。

書齊宗室諸王傳上

移齊書趙郡淸河襄樂上洛平秦武興六王。廣平陽州二公。及長樂太守靈山入宗室。益以神武諸子爲一卷。而傳目於長樂太守改爲長樂王非也。高靈山生爲長樂太守。死贈大將軍司空。始終未封王也。

併文襄六王傳文宣四王孝昭六王武成十二王傳。增錄後主諸子爲一卷。而論不及所增。無可論也。

書周宗室傳

移周書宇文測宇文孝伯宇文神舉三傳於邵杞莒虞四公傳後爲一卷。而以晉蕩公護傳附邵惠公傳。孝伯入測傳。皆甚是。

書周諸王傳

移周書齊煬王憲傳入文十三王傳。甚是。論於宣帝害憲。極致憤歎。雖節憲傳舊辭。抑亦同聲之哭。

書寇洛趙貴李賢梁禦傳

周書諸臣傳第一之賀拔勝。已附魏賀拔允傳內。又念賢亦見魏傳。故此以寇洛趙貴等居首。

書隋宗室諸王傳

併隋書河間王傳滕道衛蔡四王傳文四子傳煬帝三子爲一卷。蓋隋祚最短。故宗室諸王亦止此數也。

書節義傳

易晉書忠義爲節義。與魏書同。殆謂忠統常變。節則但就變言耳。

書列女傳

魏隋二書有此傳。而齊周無之。故北史據魏隋二書成此篇。所補止西魏孫道溫妻趙氏孫神妻陳氏二人。此非李延壽之咎。而令狐德棻與魏徵等之咎也。

書僭僞附庸傳

晉書於僭僞別編載記三十卷。未正名僭僞也。魏書乃立僭晉島夷等列傳。然猶未有附庸也。至梁蕭詧父子稱帝江陵。而於西魏於後周實稱臣。謂爲附庸。抑亦甚覈。

書序傳

庭堅爲堯大理。以官命族曰理氏。其後理徵得罪於紂。其妻契和氏携子利貞逃隱伊侯之墟。食木子得全。改理爲李氏。周時李乾娶於益壽氏女嬰敷。生子耳。字伯陽。爲柱下史。是理之爲李。由利貞食木子而改。非伯陽生李下而改也。（或云老子生李下指李爲姓）晉有公子重耳。而李涼亦有世子重耳。此名且同。他何論焉。

自篇首至李仲舉璪璪叙述。直李氏家傳耳。非馬班舊例。惟李大師好學善綴文。備知前代故事。所撰未畢。以爲沒齒之恨。其事庶幾上比談彪。延壽追終先志。手寫魏齊周隋宋齊梁陳正史。本紀則依司馬遷體。以次連綴之。又於此八代正史外更勘雜史。正史所無者。皆以編入。煩冗者削去之。其志亦庶幾上同遷固。惜終篇不叙書目。無作某紀第幾作某傳第幾云云。而又名曰序傳。無異癡人說夢也。

讀香書蠡錄

執 署

中華民國二十五年
湘鄂印刷公司印行

讀唐書（世稱舊唐書）蠡述目次

卷一

讀唐書（世稱舊唐書）蠡述卷一　　岳陽李澄宇洞庭著

書卷首

古無新舊史之目。司馬氏史記彙訂羣籍。自黃帝以來至於漢武。可謂聚散爲整。不可謂新也。班氏漢書武帝以上多摭史記而變易之。似可謂新。然彼通此專。所自撰且不少。匪若歐陽修新唐書皆就舊唐書編纂也。李延壽南北史亦出自宋齊梁陳魏齊周隋八代史。然上廣陳壽三國志。下啓薛居正五代史。與歐陽修新唐書專而匪通者。蓋又迥異也。自時厥後。歐陽修新五代史。柯劭忞新元史。（邵陽曾廉亦有新元史）後先一揆。故吾於舊者徑稱某書某史。以示百世不祧。於新者則稱新某書新某史。藉備參考。不與世同去取焉。

書高祖紀（武德）

唐虞以前曰某帝曰帝某。夏殷曰帝某或曰某。不特無徽號。且無謚號。雖夏大禹神禹似徽號。殷成湯似謚號。唐文祖殷中宗似廟號。然未著爲定典也。至周而謚號具。

至漢而廟號具。至唐而徽號具矣。而最無謂者莫如徽號。重誤疊頌。有加無已。豈君子所以事上乎。自此史又多一醜狀矣。至大臣有某某功臣字樣、更可哂。

歐陽修新唐書於隴西成紀人也下有其七世祖暠當晉末據秦涼以自王是爲涼武昭王暠生歆歆爲沮渠蒙遜所滅歆生重耳等語、而此但云其先隴西狄道人涼武昭王暠七代孫也、暠生歆歆生重耳、蓋以暠歆事已見晉書可省敘也。追尊各帝諡號廟號新唐書未豫敘、而此即於某生某下敘明、亦覺簡老。

此於王威高君雅被戮前有晉陽鄉長劉世龍知之以告高祖等語。新唐書但云高祖覺之。不審高祖何由覺之也。未免太省。

此錄隋主禪位詔、而新唐書省之、惡僞也。此錄追贈高熲賀若弼等詔。而新唐書但紀其事去冗也。新唐書有勝舊者。此類是也。

武德二年書初令文官遭父母喪者聽去職。美之也。以孝治天下固宜若此也。此令不及武官者。金革毋辟。在古亦爾也。而新唐書乃云令文武官終喪。未知別有據否。

書太宗紀上 貞觀

太宗幼聰睿玄鑒深遠。臨機果斷。不拘小節。時人莫能測也等語。雖原本史記五帝紀生而神靈弱而能言幼而徇齊長而敦敏成而聰明、六朝以來已成濫套、甚至一篇之中前後稠疊。新唐書於此類務删削。故不錄。而煬帝從園中以木繫詔書投汾水而下募兵應援。殆由雜史補入。此信所謂事增於前文省於舊也。

至河東。關中豪傑爭走赴義。既濟河。三輔吏民及諸豪猾詣軍門請自効者日以千計。扶老攜幼。滿於麾下。收納英俊、以備僚列。遠近聞者。咸自託焉。寫當日事如話如畫不過語意略複耳。新唐書一字不錄非是。又頓于阿城獲兵十三萬。長安父老齎牛酒詣旌門者不可勝紀。勞而遣之。一無所受。軍令嚴肅。秋毫無所犯。此皆義師與賊軍大不同處。而新唐書亦一字不錄尤非是。豈不思孟子有簞食壺漿以迎王師等語。固不必以省爲貴耶。

設三伏以敗段達追奔勝兵萬餘人。按軍不動六十餘日以敗薛仁杲求戰銳卒十餘萬。可謂知兵。而敗段後於宜陽新安置熊穀二州戍之。敗薛後徑薄城下使賊將宗羅睺不能入城。尤可謂知兵。

世充恃建德援。破其所恃。膽自落。而旣知世充糧盡衆離。猶匝布長圍以守之。待其自降。旣知建德將驕兵惰。猶相持二十餘日而後牧馬河北以誘之。深算老謀。尤未易及。

舉義本太宗首謀。取關中破宋金剛王世充竇建德皆太宗功。且始諫還太原。中諫棄河東。終諫燒長安。尤當日治亂興亡大計。建成不能爲泰伯。何能强太宗爲周公哉。然欲殺則竟殺之。欲卽位則竟卽位。英雄舉動。與六朝篡奪諸主未免相似也。噫。

太宗自古突厥與中國云云。與各史所載不合。蓋突厥後起。且漢武邊功逾軒越周何止十倍也。

書皇后親蠶。美之也。而新唐書不錄何耶。又太宗論赦。凡赦宥之恩惟及不軌之輩。凡養稂莠者傷禾稼。惠姦宄者賊良人等語。甚是。亦未錄。

書太宗紀下 貞觀

太宗論隋文有心暗則照有不通。至察則多疑於物。自以欺孤寡得之。謂羣下不可信任。事皆自決。雖勞神苦形未能盡合於理等語。甚警切。而令有司詔敕不便於時卽宜執奏。不得順旨施行。尤可爲後世法。

太宗貞觀七年新頒定五經。高宗永徽四年頒孔穎達五經正義。新唐書皆未載。

唐玄齡魏徵上梁陳齊周隋五代史。而後竟有梁唐晉漢周五代史。不謀而合。抑亦異已。

史紀漢高過沛。置酒沛宮。悉召故人父老子弟縱酒。於是有大風之歌。美不忘本也。今記朕少在太原云云。正與史記同意而新唐書削之。豈特枯燥寡味哉。又慶善宮酒酣上與父老等涕泣論舊事等語。新唐書亦未錄。

書高宗紀上 永徽 顯慶 龍朔 麟德

此有初授孝經太宗問此書中何言爲善。高宗對以夫孝始於事親中於事君終於立身。君子事上進思盡忠。退思補過。將順其美。匡救其惡。文德皇后崩。高宗年九歲。哀慕。感動左右。太宗將伐高麗。高宗悲啼累日。請飛驛遞表起居。並遞敕垂報。太宗患癰。高宗親吮之云云。而新唐書削之非是。

睦州女子陳碩眞自稱文佳皇帝。無怪他日武昭儀自稱則天皇帝也。一笑。

武氏之亂唐幾亡。故褚遂良韓瑗來濟以諫立武后先後被貶。此皆鄭重書之。新唐書但云貶褚遂良爲潭州都督。貶韓瑗爲振州刺史。貶來濟爲台州刺史。法春秋也。而書廢皇后爲庶人。立宸妃武氏爲皇后。新唐書與此略似。至書皇后殺王庶人。則又新唐書特筆。

皇后宴親族鄰里故舊於朝堂。前所未有。故新舊唐書皆鄭重書之。牝雞司晨。惟家之索。可弗懼耶。

書高宗紀下[illegible]麟德　乾封　總章　咸亨　上元　儀鳳　調露　永隆　開耀　永淳　弘道

封禪而以皇后爲亞獻。前所未有。

高宗改元十四次後且一年一改。甚矣其妄也。

書武后紀（嗣聖 文明 光宅 垂拱 永昌 載初 天授 如意 長壽 延載 證聖 天冊萬歲 萬歲登封 萬歲通天 神功 聖曆 久視 大足 長安）

后妃重德。而色次之。才又次之。然無色未必得偶天子。大抵德勝於色。上也。德色並美。斯上之上。至於才。則德之盛者有才若無才。色之尤者不才亦大才。果才與色兼。而又不德。眞禍水矣。古以妹喜妲己褒姒爲大戒。然僅色耳。未以才著也。後以呂后元后賈后武后爲大戒。然元后知有外家。不知有漢室。直至王莽簒國。始大罵。可謂無才。賈氏醜而短黑。可謂無色。呂后行事似武后。有才也。然未聞有色。獨武后才過呂后。而欲奪天下予外家。亦似呂后。而色又上比妹喜妲己褒姒。有過之無不及。其不德更合妹喜妲己褒姒呂后賈后爲一人。唐宗室及諸大臣被戮殆盡。唐社稷人民已入於周。抑無足怪。然一聞姑主不入太廟之言。立即召還中宗。任周變唐。與元后不肯授傳國璽於莽。而終坐視西漢絕祀者。則又大異。能發能收。不特元后不可同日而語。卽呂后亦不能並駕齊驅也。

史記有呂后紀無孝惠紀。政在呂后若無孝惠也。漢書先惠帝紀後高后紀。明猶是孝惠天下。不必廢名就實也。此先武后紀後中宗紀。效漢書兩紀並立而先後不同者。漢孝惠先崩。唐武后先亡也。新唐書附中宗於武后紀。殆亦竊史記之意。用漢書之法耳。

已爲太宗才人。而遁於尼寺。可謂知所自處矣。然必於感業寺。且必使高宗見之。則匪夷所思。所謂才也。高宗時專寵輔政。中宗時臨朝稱制。皆才爲害焉爾。

初置匭於朝堂。有進書言事者聽投之。蓋一恐有人圖己。使衆告密。二恐政有不便。及時改易藉收人心也

琅邪王冲越王貞討武氏被殺。改姓虺氏。紀王慎被誣告謀反。亦改姓虺氏。又改唐爲周。降皇帝爲皇嗣。賜姓武氏。姓可如此改。亦可如此賜。嘻。

綱目法春秋公在乾侯。書帝在房州。明武后不得無故以母廢子。新唐書於李敬業。郎徐敬業琅邪王冲越王貞。皆書舉兵以討亂。明武氏篡唐。人人得而討之。亦春秋意也。

古無年號有之自漢武始。雖文帝有後元年。景帝有中元年後元年。皆未嘗建年號也。又唐以前歷代諸帝年號之多。無過漢武者（武改元十一次 桓帝亦十一次）而年號字數之多。無過魏太武者。（有太平眞君四字年號）至唐而高宗改元十四次。武后且改元十九次。有天册萬歲。萬歲登封。萬歲通天等四字年號。自後歷代諸帝改元或數次或僅一次。而四字年號則絕迹。至淸更諸帝惟一年號。且皆二字。雖未復古。抑近古矣。

書中宗睿宗紀（神龍 景龍 景雲 太極 延和）

漢夷滅諸呂。而唐不夷滅諸武。所謂斬草不除根也。武三思武崇訓等起。唐又幾亡。豈特張柬之崔元暐敬暉桓彥範袁恕己等被禍哉。君不忍人。人將忍君。可懼也。

燕欽融上書言皇后干預國政。安樂公主武延秀宗楚客等同危宗社。而中宗不信。反撲殺之。豈知安樂公主欲韋后臨朝稱制。立己爲皇太女。竟合謀鴆此昏主哉。噫。

睿宗景雲三年。宜改爲先天元年。此等處不如新唐書。

前史數帝同紀。大抵併論。此獨分論何耶。

始皇非胡亥不能亡秦。隋文非楊廣不能滅隋。子而不肖其爲禍也烈矣。唐高非秦王不能有天下。睿宗非臨淄王不能處帝位，子而賢也，其爲功抑又大矣。太宗殺建成元吉。玄宗殺太平公主，皆事勢迫之使然，且關宗社存亡。跡近專擅。心可諒也，

書玄宗紀上 先天 開元

玄宗定策誅韋溫宗楚容紀處訥等。不先啓相王。而曰我拯社稷之危。赴君父之急。事成福歸於宗社，不成身死於忠孝，較趙相貫高等令事成歸王事敗獨身坐耳。二語尤可近質鬼神遠俟百世新唐書屛棄未錄。但省文耳。又睿宗抱上而泣，有宗社禍難由汝安定，神祇萬姓賴汝之力等語。新唐書易爲相王泣曰賴汝以免。不然吾且及難。舍大言細。且二語相複，

凶黨因術人聞睿宗曰。據玄象帝座及前星有災。皇太子合作天子，不合更居東宮。蓋欲間於睿宗以謀反殺玄宗也。而睿宗竟傳位玄宗。豈凶人所及料哉。此事所繫

大。而新唐書不錄。以春秋書法行諸紀傳。惟省文是務。可哂也已。

書紫微令姚崇上言請檢責天下僧尼以僞濫還俗者二萬餘人。美之也。又書內出珠玉錦繡等服玩於正殿前焚之。亦美之也。

開元二年柳沖劉子玄刊定姓族系錄二百卷。所謂官譜。以辨寒門貴冑。且考智愚賢不肖所由來也。至文宗開成三年李衢林寶進所修皇唐玉牒一百五十卷。則私譜耳。私譜考派系昭穆。奬忠孝節義。其用與官譜異。

書以馬懷素褚无量充侍讀。侍讀有官自此始也。新唐書不書何耶。

四年春正月長孫昕。恃以皇后妹壻與其妹夫楊仙玉毆擊御史大夫李傑。上令朝堂斬昕以謝。百官以陽和之月不可行刑。累表陳請。乃命杖殺之。牝雞無晨。此開元之始所由克媲貞觀也。果永永如此。何有楊妃楊國忠及安祿山史思明之禍哉。新唐書此等事不錄。而曰事增於前。欺人之語耳。又五年訪求武德貞觀以來勳臣子孫無位及嘉遯幽棲養高不仕者。九年親策試應制舉人於含元殿。十年詔自今內外官有犯贓至解免已上。縱逢赦免並終身勿齒。詔移河曲六州殘胡五萬餘口於許汝唐鄧仙豫等州。十三年初置彍騎分隸十二司。所關皆巨新唐書亦未載。古不諱嫌名且二名不偏諱。玄宗乃舉文相類聲相近者皆諱。諱之流毒大矣哉。

十三年封泰山。遂幸孔子宅親設奠祭。此明皇所以不愧令主也。唐詩有夫子何爲者栖栖一代中地猶是鄹氏邑宅卽魯王宮歎鳳嗟身否傷麟怨道窮今看兩楹奠當與夢時同云云。卽於此時作也。

十五年制草澤有文武高才令詣闕自舉。是開小人冒進之路。不可爲訓。二十年命巡幸所至有賢才未聞達者舉之。庶無此弊。

十九年令兩京及天下諸州各置太公尚父廟。以張良配饗。春秋二時上戊日祭之。此中國有武廟之始。肅宗上元元年且大書封周太公望爲武成王。依文宣王例置廟。新唐書但云立太公廟。追封太公望爲武成王。不言廟立某所依某例。此省文之過也。

廣花蕚樓築夾城至芙蓉園。此杜甫秋興八首所以有花蕚夾城通御氣芙蓉小苑入邊愁之句也。

上自於苑中種麥。率皇太子以下躬自收穫。謂太子等曰。此將薦宗廟。是以躬親。亦欲令汝等知稼穡艱難也云云。新唐書未錄。蓋亦省文也。

書玄宗紀下 開元 天寶

監察御史周子諒言官也。上書卽忤旨。何可撲之殿庭。杖死朝堂。嗟乎。此玄宗所以終爲昏主。且開朱明廷杖惡例也。此卷不始天寶元年而始開元二十五年。新唐書亦大書殺監察御史周子諒。有旨哉。有旨哉。

二十六年禁大寒食以雞卵相餽送。則平日不禁可知。此習不知始於何時。鄉黨今尙爾爾。然較城市以酒物相餽送者抑又儉而易舉矣。

書兩京建行宮造殿宇各千餘間。刺之也。

唐祖涼武昭王。而吏部尙書李暠不避武昭諱。可見唐諱尙未過嚴也。

文宣王封自開元二十七年。他代但加大成至聖等徽號。文宣二字則謚號也。新唐書未書此事。亦省文耳。

將改作明堂。忽訛言官取小兒埋於明堂之下以爲厭勝。後世常有與此類者。清光緒戊戌年。湘中訛言歐州人取小兒眼造千里鏡。且置毒飲水殺人。於是他省或他縣人至。言服略異。輒被毆死。不一月有命案七十餘起。破家論死者相屬。直至拳匪釀禍。八國聯軍入北京。兩宮西狩。而其禍始息。大風起於蘋末。訛言所繫大矣哉。

玄宗制兩京諸州各置玄元皇帝廟。并崇玄學。置生徒。令習老子莊子列子文子。每年準明經例考試。又追尊玄元皇帝爲大聖祖玄元皇帝。蓋以老子同姓。特致尊崇。與他代重玄學者異。後尊咎繇爲德明皇帝可互證。（李原於理理氏又原於咎繇爲理）

策外加詩賦。自是重詩賦而策爲具文矣。噫。

天寶四年。册太眞妃楊氏爲貴妃。而豔妻始煽。九年安祿山進封東平郡王。十年安祿山兼雲中太守河東節度使。（本范陽節度使）而反賊漸熾。兵部侍郎兼御史中丞楊國忠領劍南節度使。十一年楊國忠兼京兆尹。又爲右相兼文部尚書。（卽吏部尚書）而外戚之禍遂烈。十四年范陽節度使安祿山率蕃漢之兵十餘萬自幽州南向詣闕。以誅楊國忠爲名。則豔妻反賊外戚三者互盪互激以斷唐命耳。而卒不斷者幸也。承平日久。祿山南向渡河。遂陷東京。固無足怪。然使哥舒翰堅守潼關。不輕出戰。則是時李光弼郭子儀方出井陘大破史思明進取郡縣十餘顏眞卿破賊將袁知泰於堂邑。賀蘭進明收信都。祿山雖僭號東京。滅可立待也。而楊國忠必使哥舒翰出戰。放賊入關。庸妄若此。而執國命。彼固不足惜。若一代民人社稷何。於馬嵬驛（一作馬嵬頓）誅楊國忠。賜貴妃自盡。於扶風郡召諸將分取益州貢綵。皆毫不猶豫。不愧英主。所以能至成都也。而馬嵬驛將發之時。信百姓言留太子在後。俾策興復。亦毫不猶豫。尤不愧英主。所以能返長安也。

肅宗急於卽位靈武。尊父上皇。與高祖相隋遙尊煬帝爲上皇同也。知子莫若父。故玄宗册命有俟克復兩京朕當怡神姑射。偃息大庭語。無異對子宣誓也。而他日卒爲李輔國所譖、移幸西內。鬱鬱以崩。則亦上類堯幽囚舜野死耳。李白上皇巡幸南京（唐以成都爲南京）詩有劍閣重關蜀北門。上皇歸馬若雲屯、少帝長安開紫極。雙懸日月照乾坤。於肅宗不反政有微辭矣、然當日忍於即位靈武、則他日忍於移父西內。猶是心也、何俟入李輔國之譖而後爾爾哉。噫。

移父西內、復流高力士王承恩魏悅於外、勒令陳玄禮致仕。是使父飲食言語皆失自由、不得不死也。悲夫。

論於天寶、惟咎用人之失。謂得管仲則淫不害霸、任朱昱則善不救亡。信有特見。

書肅宗紀（至德 乾元 上元 寶應）

廻至渭北、涉渭矣。又自奉天而北、夕次永壽。然後至新平、至安定郡。至烏氏驛。至彭原。至平涼郡。平涼者河西也。賊聞上治兵河西而懼。民聞上治兵河西而喜。人心可想、裴冕勸治兵靈武、即發平涼至豐寧。欲整軍北渡而風沙大起。廻軍趣靈武而風沙頓止。天意可想。此唐室所以能遂中興也。

裴冕杜鴻漸請肅宗即位靈武。爲彼輩富貴計耳。豈果太子統軍不能收復兩京哉。秦王創業太子且未爲。何以竟集大勳也。觀制有知皇靈睠命不敢違而去之。知歷數所歸不獲已而當之等語。毫無暫攝之意。安知非裴冕杜鴻漸等早窺其隱而後勸進乎。

房琯與韋見素崔渙齎遜位册書及傳國寶來靈武。知上皇處已無富貴可圖。亟向新皇請爲兵馬元帥。收復兩京。一若郭李皆非己若者。卒被賊將安守忠所敗。致陳濤斜留一絕大慘史。而彼乃靦顏奔還。何小人無忌憚一至此乎。

肅宗制有廣平王俶受委元帥。能振天聲。郭子儀決勝無前。克成大業。兼迴紇葉護雲南子弟諸蕃兵馬。力戰平凶等語。輕重一如其實。

上皇前已令房琯等奉傳國寶於靈武。今又御宣政殿授上傳國璽。蓋璽與寶異也。

唐重玄學。有牛仙客李齊物等名。亦猶六朝重釋。有高菩薩蕭摩訶等名也。

日有蝕之既。天星皆見。可知空中衆星本可常見。被日光所掩。雖有若無。而晨即星稀。暮乃庚見。皆職是故。朕號惟稱皇帝。年號但稱元年。大哉王言。惜臣鄰子孫不克永永遵奉也。

聞上皇崩而不勝哀悸。哀者常也。悸豈常耶。上皇蓋死於非命而帝知情與。張后因肅宗病重。恐一旦宮車宴駕。有人問罪。特先弑上皇以免死灰復然之禍耳。清德宗因慈禧太后大漸被弑。亦頗類此。

書代宗紀（廣德　永泰　大歷）

代宗與迴紇葉護結爲兄弟。香積寺一戰。賊徒大敗。遂定長安。率師以東。破賊陝州。遂定東都。智克行權。勇堪撥亂。新唐書僅贊以中主何耶。

肅宗大漸。張皇后無子。懼上功高難制。陰引越王係於宮中。將圖廢立云云。與新唐書肅宗張皇后惡李輔國欲圖之召問太子（即代宗）太子不許乃與越王係謀之等語有異。蓋張后既令輔國弑上皇。又欲殺輔國滅口。不意輔國先發制人也。然使張后計行。功在越王。代宗自必被廢。則輔國以張后將圖廢立恐代宗。亦實近理。不知輔國藉此僭弒其父。且居大功。而程元振遂開唐末宦官之禍也。悲夫。襄州右兵馬使梁崇義殺大將李昭。據城自固。乃授崇義襄州刺史山南東道節度使。此他日藩鎮之禍所由起也。

唐有大禍三。曰后妃。曰藩鎮。曰宦官。而夷狄盜賊之禍附焉。代宗時后妃禍訖。而藩鎮宦官之禍皆大啓。易曰履霜堅冰至。可懼哉。

代宗第四女昇平公主出降駙馬都尉郭曖。俗誤爲玄宗事。且演郭曖拜壽打金枝劇曲。可哂。

永泰二年詔有重儒講藝等語。較元年講仁王佛經時氣象大異。亂將轉治。豈偶然哉。

大曆二年書昆明池踏青。踏青二字見史始此。殆與春秋書公如棠觀魚等也。

試茂才異行孝弟力田二科舉人可也。試安貧樂道高蹈不仕二科舉人。則被試者誠所謂走馬應不求聞達之科矣。一笑。

減官以便民。此眞善於求治。後世日日增官。惟恐民不病、而曰爲民造福、其誰欺乎。書敕毁元載祖父墳、剖棺棄骸。焚毁私廟主、刺之也。古者罪人不孥。況已死之祖父也耶、

書德宗紀上　建中　興元　貞元

周始爲諡。以君位過高、末由行賞罰。諡有美惡、使賢者有所勉、不賢者有所畏。是卽賞罰也、其用意亦深遠矣、至諸侯卿大夫有諡、特後起耳。故文武有諡、而太公周召無諡。秦漢以後、惡諡不及於天子。諡所寓賞罰已廢。而復孝聖神武、重加疊上、直以是爲飾品耳。顏眞卿請以初諡爲定。亦不得已之一法歟。

此書大曆中李正己有淄青齊海登萊沂密德棣曹濮徐兗鄆十五州之地。（屬河南道德州則屬河北道）李寶臣有恒定易趙深冀滄七州之地。（屬河北道）田承嗣有魏博相衛洺貝澶七州之地。（屬河北道）梁崇義有襄鄧均房復郢六州之地。（屬山南道）各聚兵數萬。蓋大將有兵有地。破有事帥師、事定歸衛之舊制。亂所由伏也。可謂之總因。又書始因叛亂得位。雖

朝廷寵待加恩。心猶疑貳。皆連衡盤結以自固。朝廷增一城浚一池。便飛語有辭。而諸盜完城繕甲。略無寧日。上下相疑。亂所由迫也。可謂之遠因。又書至是田、悅（田承嗣姪）初禀命。劉文喜殄除。羣兇震懼。又奏計者還。都無賜與。既歸皆搆怨言。懼討信讒。亂所由發也。可謂之近因。新唐書皆省而不書。事之眞象曷由見乎。若使左氏司馬遷爲之。必更顯鑄鼎然犀之妙。豈僅如劉昫所書也耶。

韋都賓陳京請借京城富商錢。至大索京畿。人不勝鞭笞自縊。是亦不可以已乎。借尙若此。他何想矣。國焉得不危。

奉天被圍，幾不免，賴渾瑊善守。朱泚竟解圍去。抑何幸耶。然非李懷光李晟先後來援，賊未必去，即去未必不返也。

興元之詔。罪己恕人。並免苛捐雜稅。實啓再興之機。故後有王武俊破朱滔及李納上章禀命事。

李晟以懷光反狀已明。請上幸蜀。蓋是時兵賦未集。先置天子安全之地，始可再計

收復京城事也

書德宗紀下　貞元

貞元四年春庚戌朔之是日質明含元殿前階基欄檻壞損三十餘間壓死衛士十餘人京師地震。宜改爲是日京師地震。含元殿前階基欄檻壞損三十餘間壓死衛士十餘人。蓋壞損與壓死皆因地震而然也。接下文辛亥又震壬子又震亦合。

貞元十七年浙西人崔善貞上書論浙西觀察使李錡辠狀。即不敢討。弗聽可也。何必械送善貞藉博錡歡哉。愈驕縱愈叛逆。終德宗之世藩鎭禍疊起。職是故耳。

編年類以時爲經人與事爲緯如春秋三傳司馬光通鑑朱熹通鑑綱目及補續各編是也。紀傳類以人爲經。時與事爲緯。如司馬遷史記班固漢書以下各史是也。紀事類以事爲經。時與人爲緯。如袁樞通鑑紀事本末。杜佑（明史亦有杜佑）通典。馬端臨文獻通考。鄭樵通志及他續撰是也。第一類皆必讀之史。第二類則四史必讀。餘選讀。第三類備參考。然實要藉。杜佑爲淮南節度使而能作通典以進。視彼私土地人民橫恣叛逆卒受誅戮者。其利名久暫顯辱奚翅霄壤哉。

論責德宗不宜罷郭令公李晟陸贄甚允。

書順宗憲宗紀（永貞 元和）

諸論稱史臣曰。而順紀稱史臣韓愈曰。憲紀稱史臣蔣係曰。且化駢爲散。與他論異。蓋劉昫錄二人舊作也。

杜黃裳以不可代下司職誡憲宗。且勗以擇人委任。賞罰必信。此誠宰相之言。而人主不能推誠。人臣不能自竭云云。尤三代以後通患。咸有一德之篇。商書外不聞有二。噫嘻。

未平淮西。先平劍南。蓋就易者試手。地雖險。其勢孤。且兵弱也。

李吉甫撰元和國計簿。總計天下方鎮凡四十八。管州府二百九十五。縣一千四百五十三。戶二百四十四萬二百五十四。其鳳翔鄜坊邠寧振武涇原銀夏靈鹽河東易定魏博鎭冀范陽滄景淮西淄靑十五道。凡七十一州。不申戶口。每歲賦入倚辦。

出於浙江東西宣歙淮南江西鄂岳福建湖南等八道。合四十九州。一百四十四萬戶。此天寶供稅之戶四分有一。天下兵戎仰給縣官者八十三萬餘人。比天寶士馬。則三分加一。賦入愈減。兵戎愈增。此受變府兵而彍騎而禁軍之害也。蓋不變府兵舊制。則兵列府居外。將列衛居內。將不得專兵。即不得據土。將不專兵。豈勞天子別養兵。將不據土。豈致天子若無土。然積久弊生。勢實難免。清八旗後有營勇。營勇後有新軍。蓋亦類此耳。雖杜藩鎮之禍。終釀革命之變。有人事焉。有天命焉。前縱深慮。於後何補哉。

中書門下奏官省則事省。事省則人清。官煩則事煩。事煩則人濁。又云漢初制郡不過六十。文景釀化。百王莫先。則官少不必政紊。郡多不必事理。今天下三百郡。一千四百縣。（元和國計簿有管州府二百九十五縣一千四百五十三等語而此云三百郡一千四百縣者舉成數也）故有一邑之地虛設郡司。一鄉之甿徒分縣職。所費至廣。所制全輕。此誠要論。後世務增官。務益事。官增食者衆。民易饑。事益擾者衆。民易死。而且在黨在軍在學者有加無已。皆欲得高官厚祿。即日日增官益事。亦不能使在黨在軍在學者滿欲。不惟不能滿欲。且往往失業。蓋無男女無少長無智愚賢不肖彙趨於官。官有限豈能盡容哉。

書憲宗紀下 元和

唐初府兵雖本井田寓兵於農遺意。實則不願平時以兵予將也。又常以內侍監軍。雖戰時以兵予將。亦不欲兵權盡入將手也。自秦漢以來得國以力。力不外兵與財。而有兵即有財。故兵尤重。魏晉迄隋。篡奪相仍。大抵皆以兵予將之過。唐於此兢兢焉亦固其所。然不信將而將之桀黠者乘便據土。而藩鎮之禍漸萌。不信將而信內侍。內侍挾天子作威福。而宦官之禍又萌。憲宗號爲英主。猶必以內侍監軍。何不味杜黃裳人主不能推誠人臣不能自竭二語乎。噫。

書出內庫錢五千萬貫供軍。出內庫絹布六十九萬段匹銀五千兩付度支供軍。又書出內庫羅綺犀玉金帶之具送度支估計供軍。美之也。然憲宗以此知財之爲力大。故後有用聚斂之臣皇甫鎛程异居相位事。

昔討王承宗無功。以吐突承璀爲大將。諸軍解體也。後討吳元濟。凡十餘鎭之師環於申蔡。未立戰功。勢亦類昔。非李光顔見義能勇。爲諸鎭倡。不又將昭雪元濟哉。然非裴度能贊上謀。且親視師。非李愬推誠降將。夜襲蔡州。亦難有功。蓋平淮西者李光顔裴度李愬三人耳。觀此紀李光顔功著。裴度李愬功亦著。觀韓愈平淮西碑。裴度功著。李愬功亦著。而李光顔功不甚著。觀通鑑裴度李愬平蔡之役。李愬功著。裴度功亦著。而李光顔功不甚著。蓋未如此紀克舉其要也。

元和五年憲宗問神仙事。李藩舉秦皇漢武受惑及文皇帝服胡僧長生藥致暴疾不救等事以對。甫隔九年。竟有方士柳泌爲上采仙藥天台山。遂爲台州刺史。事蓋蔡州捷奏。皇帝又想成仙矣。不特成仙又想成佛矣。不觀十四年迎佛骨事乎。噫。

裴度謂君子小人未有無徒者。君子之徒同心同德。小人之徒是爲朋黨。歐陽修朋黨論蓋脫胎於此。

不服柳泌金丹不遽病。不遽病何至被內官陳弘志所弑耶。求仙者可鑑矣。

書穆宗紀 長慶

書貶皇甫鎛爲崖州司戶參軍。書杖死柳泌僧大通。皆美之。斡父蠱。報父讎也。書釋服從吉。書縱觀俳優百戲。書觀角抵及雜戲。日昃而罷。皆刺之。未期短喪。樂竟忘憂也、

丁公著以上荒於酒樂。請禁公卿歡宴。可謂善諷、

劉總籍其軍中素難制者送歸闕庭、永杜後患。可謂深計。宰相崔植杜元穎奏劉總所籍大將並勒還幽州。於是朱克融爲亂、復失河北。他鎭效尤。唐遂不振。可慨也已。討朱克融無功。竟以克融充幽州盧龍軍節度使。昭雪王廷湊。仍授成德軍節度使。魏博牙將史憲誠奪節度使田布師。即以憲誠爲魏博節度使。崔羣爲副使王智興所逐。繼充武寧軍節度使。天子於方鎭示弱至此。其能國乎。

論謂治亂無常。在人而已。匪降自天。此確論也。有憲宗而藩鎭已熾之禍可熄。有穆宗而藩鎭已熄之禍又熾。近事若此。何必遠證。軒辛哉。

書敬宗文宗紀 寶歷 太和

元朔未改而書擊毬書大合樂於中和殿極歡而罷。刺之也。

憲宗誤於柳泌。而敬宗復信劉從政周息元等本冀長生久視。而皆以弑崩可哂也。

文宗詔任則不疑疑則不任二語。得南面要術。

書文宗紀下 太和 開成

文宗承長慶寶歷之後。鋭意懲革。躬行儉素以率厲之。可謂賢主。

禁雜戲人弄孔子甚是。弄則侮瀆矣。

太和諸詔每有時予之辜其過在予云云。所謂禹湯罪己也。穆敬重昏宗社已危竟克安之。豈偶然哉。

周易以消息盈虛垂戒。協于大道。後專藉卜筮惑世。失義文周孔舊意。蓋李仲言後改名訓等實易道罪人耳。

大書姦臣李訓鄭注用事。不附己者卽時貶黜。朝廷悚震。人不自安。則後之謀誅內官亦未必實心爲國。然自甘露變作。宦官之禍愈益難制。崔胤召朱温去宦官而唐以亡。亦無異何敬召董卓去宦官而漢以亡也。哀哉。

令出惟行。誠有是語。然謂已當踐令。以免徒託空言。其有不便民者自當改之。不得藉口維持威信。彊民必從以召亂也。李石對文宗爲政之問。但曰朝廷法令行則易。甚有語病。

駙馬爲公主行服三年。蓋推事君之禮以事公主也。平日有上牀夫婦下牀君臣之惡習。已爲駙馬所難堪。死後又彊夫爲臣。悖禮尤甚。文宗毅然改爲期周。庶知禮乎。

書武宗紀 會昌

漢重黃老而世治。晉重老莊而國滅。唐重老列而帝厄。蓋漢淸靜得南面之術。晉淸談長廢事之弊。唐煉丹啓弒逆之路也。武宗即位而道士趙歸眞等八十一人入禁中。此輩不惟唐之罪人。實老子之罪人也。有此輩而老子之眞道絕矣。故謂老盛於唐。不若謂老盛於漢。

書左拾遺王龜以父興元節度使起年高。乞休官侍養。從之。美武宗且美王龜也。又中國向不忌龜。故唐有王龜崔龜從李龜年等名。宋有黃龜年彭龜年等名。唐崔湜且謂弟液爲我家之龜。又宋楊時號龜山。陳漸號金龜子。蓋龜本四靈之一也。忌龜不知始於何時。今北俗謂鼈亡八。亦作王八。亡者無也。意謂八德闕一。有孝弟忠信禮義廉獨無恥也。龜類鼈雄皆若寺人。其雌雄蛇。雄伏綠萍底舉首竊視。故曰綠頭巾。曰王八。詈人之語也。曰龜子。曰王八蛋。詈人兼詈人父母之語也。

書宣宗紀　大中

帝外晦內朗。嚴重寡言。視瞻特異。幼時宮中以爲不慧。十餘歲時。病中忽有光輝燭身。常夢乘龍昇天等事。此詳紀之。而新唐書但有嚴重寡言宮中或以爲不慧二語。亦省文之過也。又懿宗紀病中有黃龍出入臥內等語。新唐書亦未錄。

釋道耶回各教皆可範圍人心。補政刑所不及。許天下信教自由。自可相安無事。伸彼抑此非也。保此去彼更非也。武宗信趙歸眞劉玄靖等言。罷黜釋氏。較韓愈所云人其人火其書廬其居。殆有甚焉。宣宗恢復各寺。不廢玄廟。實乃持平之舉。

州郡久任。乃有循良。期月改移。徒長奔競。制定須滿三十六個月。蓋恪守虞廷三載考績遺式也。

凡對臣僚。肅然拱揖。鮮有輕易之言。大臣或獻章疏。燒香盥手而覽之。此儒者所謂敬也。宣宗能是。不愧南面。

殿中侍御史蔡京。與宋蔡京姓名並同。而薰蕕各異。

李德裕相武宗。破廻鶻。定澤潞。實有大功。今貶崖州司戶參軍。而制有指鹿無君等語。蓋牛僧孺所爲耳。動以姦逆加人。已開趙宋惡習。

太子詹事姚康撰統史三百卷。上自開闢。下盡隋朝。蓋廣李延壽南北史。而啓司馬光資治通鑑矣。書竟不傳。豈已納於通鑑乎。

論以文景比之。贊以英主目之。而新唐書乃曰宣宗以察爲明。無復仁恩之意。殆特爲貶李德裕事而發乎。

書懿宗紀 咸通

以廣州爲嶺南東道、邕州爲嶺南西道。爲後世廣東廣西分省張本。又廣西先以桂林爲省城、後以南寧爲省城、南寧者邕州也。

王式以忠武義成二鎭之師三千盡誅徐州驕卒三千餘人。事前不動聲色、可謂能矣。懿宗以用兵蠻域、凡徐州銀刀官健先有逃竄者。敕勿捕逐。致許佶趙可立擁龐勛爲都頭、由桂林剽掠衡湘、還據徐州。附徐十餘郡生靈受其酷毒。抑何闇耶。

咸通九年和州刺史崔雍謂賊將吳迥曰。城中玉帛子女不敢惜。只勿取天子城池。是以全城生命財產贖一空城。藉免已失城之咎也。十年。雍與迥約與州。只乞李樵張立二人命并身。其餘將士一任處置。是以全軍生命財產贖彼三人。更不顧失城之咎也。此人而可刺史、唐焉得不亂不亡。

書僖宗紀 乾符 廣明 中和 光啓 文德

冤朐賊（新唐書作宛句）黃巢疊陷州郡、尚詔李鈞李可舉等討李克用。豈知他日破黃巢者實卽克用耶。天子若是不明可想。

王仙芝所恃者尙君長蔡溫玉。巳誘殺二人。則仙芝若匹夫耳。故一戰而仙芝授首。此正宋威之大功。而天子以爲失策。可哂。

黃巢詐降僞退之計。屢試屢效。巢固黠賊。而高駢王處存亦甚愧大將矣。

侯景自魏降梁。而梁祚滅於侯景。朱溫自黃巢降唐。而唐命盡於朱溫。可歎。

京城克復。楊復光告捷。歸功王重榮李克用。而以克用爲首功。甚允。

賊在長安被圍食盡。嘗以金玉買人。令攻陳州。又輒俘人爲食。斯民何罪。遘此屠毒。哀哉。

玄宗幸蜀。而僖宗又至成都。可謂克繩祖武。一笑。

朱全忠（卽朱溫）節度汴州。李克用鎭太原。梁唐霸局巳定。全忠久欲篡唐。以克用人傑。破黃巢功高。必不相下。故於上源驛圖之。旣醉以酒。圍驛縱火。自信奇計。而雷雨驟作。平地水深尺餘。克用踰垣以免。殆所謂王者不死也。此衅一開。禍連數世。內難旣極外狄乘之則謂上源驛一火煉出五代史宋史銅板可也。

書昭宗紀　龍紀　大順　景福　乾寧　光化　天復　天祐

王仙芝黃巢秦宗權皆伏誅。朱全忠連兵十萬。呑噬河南兗鄆青徐之間而唐以亡者。爲亂之人雖死。因討亂而爲亂之人繼起未死也漢董卓曹操亦若是焉已耳。

朱溫久欲滅李克用。王師既出。己不合力滅李。而反連兵徐鄆。求糧鎭魏。致張濬韓建以無援敗潰。就溫論之。養虎貽患。實甚失策。

朱溫李克用李茂貞等皆自擴疆土。有問鼎之志。不過成敗各異耳。

書汴軍攻陷鄆兗。且曰自是鄆齊曹棣兗沂密徐宿陳許鄭滑濮等州皆沒於全忠。惟王師範守青州。亦納欵於汴。蓋梁之霸局已成。而代唐之日且近矣。

李茂貞以岐軍犯京師。宮室灰燼。韓建請駐蹕華州。放散天子衛士二萬餘人並殺通王以下十一王。昭宗至是眞不愧余一人也。噫嘻。

鹽州都將孫德昭等以兵攻劉季述王仲先。遂殺仲先。擕首詣東宮。破鑰出帝。旋戮季述，足見宦官雖擁禁軍，力亦甚薄。而崔胤愚比何進，欲去宦官韓全誨等。必召朱溫，致帥四鎮之師七萬以來，何耶？又崔胤素恃朱溫，反被溫殺。亦甚可鑒。

李茂貞欲車駕幸鳳翔，已幸矣。朱溫偪車駕幸洛陽，又幸矣。然幸鳳翔有還時，幸洛陽無還時。且自是身雖存而魄已奪。天祐元年四月至洛，八月卽遇弒矣，悲夫。

昭儀李漸榮、河東夫人裴貞一皆殉帝死。何后乃求哀於蔣玄暉耶。無怪他日被王殷、趙殷衡誣與玄暉有私。朱溫大怒，廢爲庶人。猶不肯死也。噫。

書哀帝紀 天祐

弒逆既歸罪宮人。赴告又號哭盡哀，朱溫自謂神不知鬼不覺矣，豈知史筆詳敘，竟不可掩耶。而他日友珪弒父自立，歸罪友文而殺之。營葬盡禮。亦效乃父所爲耳。噫，正朔未改。書釋服從吉。刺之也，然哀帝竟沿用天祐年號以至亡滅。實已不能自主矣，又何咎焉。

司馬昭歸罪成濟。前例具在。朱友恭（卽李彥成）氏叔琮既爲朱溫弒昭宗。自當就死，臨刑始大呼竇我性命何見之晚耶。然朱氏二世即滅。且父子皆死非命。則所謂欲望子孫長世者抑又奚在。

蘇楷駁昭宗謚號。雖報黜落之怨。亦因柳璨陷害朝臣有寵於朱溫。欲以此駕璨而上之耳。豈知溫反鄙之。他日逐其父子不令在朝耶。且柳璨未幾亦被殺。何論楷也。朱全忠三字上有官號九十一字。前所未聞。

書禮儀志一

作樂以和性。制禮以檢情。果若此。亂奚自起乎。此聖人所以極重禮樂也。

書禮儀志三

太宗謂但使天下太平。家給人足。雖闕封禪之禮。亦可比德堯舜。若百姓不足。夷狄內侵。縱修封禪之儀。亦何異於桀紂。且引始皇登封岱宗漢文竟不登封爲證。論封禪者可以鉗口結舌矣。厥後高宗封泰山。禪社首。武后封嵩岳。禪少室。豈如太宗未行封禪實爲一代賢主乎。又玄宗亦封泰山禪社首。

書禮儀志四

論語十哲就從陳蔡諸賢數之耳。非謂七十二人惟此最賢也。故曾晳動與點之歎。曾子纘一貫之緒。皆不與焉。後世膠守四科。而玄宗爲曾子塑像坐於十哲之次。可謂特見、

玄宗制有夫子既稱先聖、可追謚爲文宣王、昔緣周公南面。夫子西坐。自今已後。兩京國子監夫子皆南面而坐。十哲等東西列侍。天下諸州準此等語、故予舊爲讀林紓昌黎處州孔子廟碑書後一文。有唐不惟廟祀。且封文宣王。使三月魯司寇一旦冕旒南面。爲萬世師云云。特附於後。文曰。國之大事在祀與戎。夫祀匪酬旣往實開來也。以漢高辱賤儒冠。一旦貴爲天子。迺親祀孔子、蓋欲藉孔學治天下耳。此意旣昌。歷世承之、至武帝罷黜百家、而孔學遂爲不祧之祖。史稱漢治近古。漢末多氣節之士。夫豈無故而然哉、逮唐越元。具師此意。唐不惟廟祀。且封文宣王。使三月魯司寇一旦冕旒南面。爲萬世師。元更上大成至聖尊號、此豈酬孔子哉。不藉孔學不能

治天下。故爲此舉一肅天下耳目耳、洎夫明清。自督撫至州縣。朔望肅衣冠入廟跪。拜如儀。於是明惟天子。幽惟孔子。無二尊焉。於是孔學遂淪肌洽髓。雖婦人孺子。殊方異族、各有一孔子往來心目焉。由此觀之。祀也者納民軌物之大用。顧可忽乎哉。如必以廟食爲酬、酬則其道近市、聖人不以道市天下後世。是猶未閱古人制治深意也。況軍興以來、武人苟一時之便、往往處軍孔廟。摧燒木主。壞損樂器。識者方痛惜之、以爲孔學固國脉所繫、棄孔學卽斷國脉、孔廟處軍。棄孔學之漸也。軍志當列爲大禁。若老師宿儒、復謂使倫常日用無所乖戾。卽不廟而道光。是反使恣睢聖廟者有所藉口也。噫。

書音樂志一

隋世雅音惟清樂十四調而已。唐祖孝孫以陳梁舊樂。雜用吳楚之音。周齊舊樂。多涉胡戎之伎。於是斟酌南北。攷以古音。作大唐雅樂八十四調、今西樂滿耳。此調豈得復聞耶。噫。

書歷志一

舊唐書有前史取傅仁均李淳風南宮說一行四家歷經爲歷志四卷等語。是舊唐書之外更有舊舊唐書也。又云近代精數者皆以淳風一行之法歷千古而無差。後人更之。要立異耳。無踰其精密也。今不務精密。但求立異且以外歷爲國歷矣。噫。

書地理志一

德業有深淺。制置無工拙。在哲后守成而已。此語極是。諺所謂江山全仗後人扶也。

采訪節度經略等使職。掌先叙於十道郡國之前。甚是。新唐書則否。

書地理志二

閬中以閬水迂曲經郡三面得名。亦猶關中以四面皆關得名也。

唐有安南都督府而安南今乃屬法蘭西可歎。

赤土國海中一洲至雞籠島卽至其國。蓋今臺灣也。

書職官志一

改納言爲侍中。內史令爲中書令。變雅從俗也。改主爵爲司封。考功爲司績。移俗就雅也。然俗者視今亦雅。自唐訖清。官名大半沿用。有以哉。

書經籍志上

夫龜文成象。肇八卦於庖犧。鳥迹分形。創六書於蒼頡云云。起得冠冕。足稱此志。古聚經籍於一地。故京師一陷。亡散殆盡。清四庫全書各地同備。故此喪彼存。終易補輯。使印書之術早行。藏書之法早愼。何至有目無書。徒撫今而弔古哉。

論語有云。道千乘之國。敬事而信。節用而愛人。使民以時。烏乎治天下亦若是已耳。果敬事。則用人行政。恪守定軌。果信。則令意一致。以誠相見。果節用。則崇儉勵廉。百姓與君並足。果愛人。則凡生事耗財擾民聚歛之輩皆罷黜。果使民以時。則民力旣紓。各務本業。自然家給人足。裴耀卿劉宴李巽便時利物。富國安民。庶幾知此意者與。

玄宗時宇文融楊愼矜王鉷楊國忠設計取財。而天下大亂。於是肅宗時鄭叔清於江淮間豪族富商率貸及賣官爵以裨國用。若後世所謂公債與捐輸。德宗時趙贊請稅京師居人屋宅。據其間架差等計入。若後世所謂房捐。又請籍列肆商賈資產。以分數借之。若後世所謂營業稅。此皆史以爲戒者。而後世變本加厲。名目繁雜。欲治而不亂。豈可得乎。

書刑法志

我國刑律自隋逮淸。大抵相襲。而名例一篇尤不可改。今司法獨立。律自外入。名例一篇已不論矣。噫。

劉德威謂失入無辜。失出便獲大罪。所由吏皆深文。於是太宗令依律文。失入減三等。失出減五等。足見律文皆經驗有得而後定之。行愈久者必歷久無弊。未容漫廢也。

陳子昂書可與路溫舒上德緩刑書並傳。

讀唐書蠡述卷二

岳陽李澄宇洞庭著

書后妃傳上

傳首有息隱（太宗追封建成爲息皇謚曰隱）鬩牆。秦王謀歸東洛。馬嵬塗地。太子（卽肅宗）不敢西行等語。可參攷隱太子傳楊貴妃傳。子弟之亂始於宮闈不正。信然。

竇后幼時密陳周武撫慰突厥后。謂得突厥助則江南關東不能爲患。長聞隋受周禪。流涕投牀。謂恨不爲男以救舅氏之難。孝事元貞太后。晝夜侍疾。不脫衣履者動淹旬月。大業中力請高祖勿久留駿馬。人或言者必爲身累。才德具備。實未易有。使不早崩。建成元吉之禍或可不作。

長孫后不聞政事。太宗固與之言。竟不之答。不可及者一。兄無忌勳舊無匹。將任朝政。而后既先求弗用。後又密諭遜職。不可及者二。異母兄安業有罪將殺。后不念舊惡。流涕請命。不可及者三。魏徵諫太宗勿使己女資送倍於長公主。而后謂徵爲社稷之臣。且勸上納諫。不可及者四。病危不請赦囚幷度人。謂赦國之大事。佛異方之敎。豈以吾一婦人而亂天下法。不可及者五。將大漸。與太宗訣。請勿棄房玄齡。勿以后宗處權要。勿厚葬。不可及者六。太宗悲之以爲失一良佐。諒哉。

新唐書於高宗廢后王氏被廢。有昭儀詭險。誣后與母挾媚道蠱上。帝信之等語。而此乃云后密與母柳氏求巫祝厭勝。事發。帝大怒。豈果與玄宗廢后王氏事相類也耶。何新舊二書記載相異若此，

韋氏無德，且不才。上官婉兒則才而不德。

楊貴妃姊妹四人共事一主。古所未有。

楊妃兩次送歸外第，皆被召還，晉申生所謂君安驪姬。非驪姬不樂也，噫。

玄宗令楊妃姊妹與祿山結爲兄弟，可謂故徹帷薄。國忠私於虢國。不避雄狐之刺。

祿山母事貴妃，又見洗兒之賜，無怪後世戲曲謂祿山之反。名討國忠。實奪楊妃也。

又楊妃縊馬嵬時。年三十八矣，可謂老婦。玄宗至自蜀尚憶戀楊妃何耶。

書后妃傳下

張良娣未爲后前。於肅宗實有勤勞。亦猶韋后未爲后前於中宗嘗共患難也。以此致驕。禍國禍己。甚可慨歎。

書李密傳

漢書列傳首陳勝項籍。三國志列傳首后妃。此於后妃傳外首李密王世充竇建德等。蓋兼法班陳二氏也。又三國志於吳。妃嬪宗室二傳連。新唐書后妃傳後繼以宗室高祖二十二子太宗九王三宗諸子十一宗諸子諸帝公主傳。不雜入諸臣。則效承祚而更廣之也。然三國志吳主五子傳在陸遜後。固無異漢書高五王傳在季布傳後。後漢書光武十王傳在第五倫傳後也。

楊玄感以李密下計爲上策。此正乃父所謂李密識度汝等不及也。知子莫若父。信哉。

五代有劉智遠。而李密在淮陽亦嘗自稱劉智遠。可異。

密一戰而斬張須陁。乃得別統所部。再戰而破劉長恭。乃得起代翟讓。努力之效也。

昔勸玄感勿攻東都而已乃日攻東都、蓋彼一時此一時也。觀下答柴孝和語可證。

李密檄數隋煬十罪、詞采壯美。有此而李密傳。李密記室祖君彥亦傳。

密藉讓部而起連雞勢難共棲。密即不遽殺讓。讓亦終必殺密。陳張隙末。况李翟乎。

然是非不足論。而成敗繫之。可喟也已。

高祖藉李密為東拒顧志關陝、實上策而當今為牧、非子而誰。復封於唐斯榮足矣等語。尤足令密心醉。

觀李勣、（即徐世勣）請葬故主。發喪行服。備君臣之禮。大具威儀。三軍縞素。則李密敗時疾趣黎陽勣未必不竭忠盡力使密復振也。論有任世勣為將臣信魏徵為謀主、成敗之勢未可知云云。誠甚惜之。

王伯當以死殉密誠義士也杜才幹斬邴元貞以首祭密。亦誠義士。

書王世充竇建德傳

每有克捷、必歸功於下。所獲軍實皆推與士卒。曰必曰皆世充之權術可想、然為將正宜如此。

世充於孟讓羸師自弱。戰陽不利以驕之。知賊已懈。夷竈徹幕。爲方陣毀柵出擊。遂大破之、可謂知兵、

世充志不在小。恐李密既平。化及內有元文都等爲主。其勢必陵己上。欲篡國甚難。故先去文都等。扼天子於掌握。然後圖密。實則文都以密討化及。令兩賊自鬬。化及既破而密亦疲。遂幷圖之。正卞莊刺虎之智也、何但如世充所慮乎。

世充設伏敗密。且撫慰密長史邴元眞妻子。司馬鄭虔象母及諸將子弟。皆古名將所嘗爲。不愧涉經史好兵法六字。

世充解立三牓求才。一求文才學識堪濟世務者。一求武藝絕人摧鋒陷陣者。一求能理冤枉擁抑不申者、若不心口相違、未必不能成事也。

既授相國封鄭王加九錫。則禪讓乃必然之事。楊侗至此始怒。何見之晚耶。然世充篡位。三年便滅。亦槐穴一夢耳。安見得之非失也。

傾身接物與士卒均執勤苦。由是能致人之死力、竇建德之權術可想。

詐降郭絢。且令高士達宣言建德背亡、取虜獲婦給爲建德妻子於軍中殺之。此與黃蓋僞降曹操事頗類。操尙大敗。絢不授首得乎。

知楊義臣善用兵、且知新破張金稱其鋒不可當。知高士達非義臣敵。且知小勝而自矜大必敗。建德亦可謂能矣。而每獲士人必加恩遇。尤可見志不在小。

設伏敗薛世雄不足異。解王綜縛授瀛州刺史乃足異、蓋一爲名將常事。一爲王者大度也。

討宇文化及。謁隋蕭皇后。放隋宮人。用隋官吏。皆志不在小者所爲。每平城破陣。所得貲財散賞諸將。一無所取。不噉肉。常食惟蔬茱脫粟、妻曹氏不衣紈綺。又與後世馮將軍玉祥無異、而終不得成大業。果天命已有所在與、抑殺大將王伏寶納言宋正本。實自斬左右二手與。噫。

斬王軌奴。以其弑主。大逆也。不殺李勣父。以其不忘故主、忠臣也。建德若是。豈可以成敗論之。

有關內者有天下。周秦漢隋唐皆然。而劉斌謂唐有關內。鄭（王世充）有河南。夏（竇建德）居河北。爲鼎足之勢。建德宜卻唐全鄭。且謂唐破後鄭若可圖。因而滅之。總二國之衆長驅西入。京師可得。何言之易耶。昧於地利與天命。輕去巢穴。反以速亡。可哂也已。秦王已扼武牢。建德西進不可。若從淩敬之計。北取河東之地。更聽曹氏之言。因突厥西鈔關中。轉鈍爲利，亦未可知。而一則曰書生未可言戰。再則曰此非女子所知。此等處於秦王未能爲役。無怪其敗也。豆入牛口。勢不得久。何待入牛口始知耶。

書薛李劉高劉傳

薛舉卽不遽死。亦難成業。不過爲患稍久耳。蓋恃勇而暴。自古眞主未聞有是也。李軌不殺隋官。不坑舉（薛舉）衆。頗有君人之度。而信讒殺吏部尚書梁碩。築玉女臺。多所糜費。年饑人相食。不開倉振濟。皆取敗之道。蓋亦器小易盈耳。

劉武周爲突厥所立。遂稱皇帝。無怪劉智遠爲契丹所立。劉豫爲女眞所立。皆稱皇帝也。由是逮元及淸、外人竟主中夏矣。其所由來者漸、可慨也哉。

太宗追宋金剛于雀鼠谷、一日八戰皆破之、俘斬數萬人。獲輜重千餘兩。金剛走入介州。與史記項羽本紀至則圍王離。與秦軍遇。九戰絕其甬道。大破之。殺蘇角。虜王離涉閒不降楚。自燒殺。同一聲勢。而八戰九戰等字善於用簡。尤爲筆大於椽。

高曇晟因縣令設齋。與其僧徒五十人殺縣令及鎮將。自稱大乘皇帝。立尼靜宣爲邪輸皇后。建元法輪。字字不離本行、可謂以釋治國。高開道襲殺曇成。悉幷其衆。更可謂空諸所有。

高開道襲殺曇晟。他日乃爲張金樹所襲、張君立助襲開道。翼日亦爲張金樹所殺。此中因果可勝論乎。噫嘻。

殺竇建德而劉黑闥復反。賜陳希烈死而史思明復反、事雖略異可參勘。

書蕭杜輔沈李羅梁傳

天下未定。蕭銑以諸將橫恣。多專殺戮、遂令罷兵。此誠失策、況既殺大司馬董景珍。

又殺齊王張繡、與三國時張繡同名故人邊將疑懼多叛、固無足怪、至兵敗卽降、冀免黎元之死、抗辭就戮、不承逐鹿之非、仁心壯節、要亦羣盜所未有。

諸葛武侯以婦人服遺司馬懿、而杜伏威亦以婦人服遺陳稜、可謂善學古人。一笑。

闞稜從杜伏威爲盜時、令行禁止、路不拾遺。旣從伏威歸唐、討輔公祏、稜功居多、使不遇李孝恭、而遇秦王、與尉遲敬德比美、未可知也。誣以謀反而戮之、惜哉。又王雄誕善撫卹將士、每破城鎭、部下絲毫無犯、以不附輔公祏反被害、亦甚可惜。

朱粲取小弱男女以益兵糧、蓋與黃巢食人同、有唐一代、前有朱粲、後有黃巢、誠不解元元何罪、遭此屠毒。

突厥始畢可汗、先署劉武周爲定楊天子、梁師都爲解事天子、又以李子和爲平楊天子。天子天子、由突厥立、奇矣、而天子有定楊等名色、尤奇。

書裴寂劉文靜傳

太宗出私錢數百萬、使人與寂博戲、乃得以舉義告寂、寂以晉陽宮人私侍高祖、乃得以事發及誅刼高祖舉義。亂世大事。每於嫖賭中定之、此殆先例也與。留兵圍河東、而引軍入關。高祖此着甚穩。

寂憂貧亂。文靜則否。且察高祖有四方之志。識太宗爲非常人。寂何能望其肩背哉。又云太宗大度類漢高。神武同魏祖。千載以後。莫易此評。至賊盜萬數。視若無物。謂乘虛入關、號令天下。不盈半歲、帝業可成、獄中一對。更邁隆中。懿乎偉矣。

高君雅敗於突厥。高祖被拘。文靜說高祖速圖大事以避誅戮。此攻高祖之心也。詐爲煬帝敕發太原西河雁門馬邑人年二十已上五十已下悉爲兵。期以歲暮集涿郡將伐遼東、此攻衆人之心也。於是而高祖興。於是而義師起、攻心之效大矣哉。

去王威高雅以免內顧之憂。不必眞謀反也。連突厥以杜入寇之患。不必眞助我也。

法令使人共解、庶可禁於無罪之初。多爲隱語、則執法者緣此舞弊。高祖克知此旨。不愧明主。後世法令來自異國。書生往往不曉。況庶民乎、於是不惟無罪之初易犯罪。即有罪之後或未解究犯何罪。豈不大可哀也耶。

太宗以文靜爲觖望。非敢謀反。蓋極佑助之。而高祖竟殺文靜。太宗誠難爲意也。然他日身被讒構。亦幾不保。遑論文靜乎。即位以後、數裴寂罪有武德之時、政刑紕繆職公之由等語。殆暗指此事。

書唐長孫劉殷劉柴武傳

高祖召唐儉入。密訪時事。代隋之志蓋久具矣。豈待裴寂以宮女事劫之乎。儉以明公日角龍庭李氏又在圖牒爲言。就貌與圖讖決之、所謂天命也。又云南嘯豪傑、北招戎狄、東收燕趙。長驅濟河、據有秦雍。海內之權指麾可取、就力與軍謀決之。所謂人事也。

儉爲劉武周所獲。而能以獨孤懷恩之逆謀密奏高祖。又能於武周敗後封府庫、收甲兵以待太宗。皆可嘉歎。

儉已說頡利歸欵、而李靖率輕騎掩襲破之、與酈生說齊王田廣降漢、而韓信襲齊歷下軍遂至臨淄無異、酈生被烹。儉獨生還。亦有幸有不幸耳。

太宗知薛舉利在急戰，難與爭鋒，宜待其糧盡圖之。而殷嶠乃激劉文靜耀武折摭，致被舉敗，蓋嶠實昧戎機也，

劉政會告王威高君雅謀反。係太宗遣之。雖有功不足異。至被禽於武周。而密表論武周形勢。厥功不細。則難能也，

柴紹於虜據高臨下矢下如雨。時遣人彈胡琵琶。二女子對舞。令虜疑異。而密使精騎自後擊之。所謂出其不意也。

平陽公主勸夫柴紹速赴太原助高祖舉義。已則歸鄠莊。所散財募兵。遂掠地破京有功，可謂奇女子。附紹後不別傳，甚是，

武士彠殿此傳，弗類，宜敘於武后紀內。新唐書以入外戚傳亦是。

書屈突任邱許李姜傳

屈突通不與劉迦論戰。揚聲旋師。而潛入上郡。候賊無備簡精甲襲之。遂斬迦論。後世剿匪者有是人乎。他日襲劉文靜獲勝亦此策耳。卒被文靜所敗。則天命有在。非

戰之罪矣。

邱行恭於太宗與諸騎相失，有賊騎數人追及，矢中御馬，時廻騎射之，發無不中。然後以所乘馬進太宗，步執長刀，巨躍大呼，突陣而出，得入大軍。匪獨勇也，忠與智亦非可及已。

李襲志恥效尉佗，而後爲蕭銑總管，殆藉此保境耳。

襲志任桂州二十八載，政尚淸簡。弟襲譽則歷潞州蒲州揚州，以威肅聞。蓋一近循吏，一近酷吏也。

姜行本刻石頌陳國威德可也。而必磨去班超紀功碑以刻之，則不可。豈一時無地采石耶。異矣。

書宗室傳

史以事爲主，苟其人與事無涉不錄。譜以人爲主，其人卽無事亦錄。爲史而不知此。則史下同於譜矣。史記有呂后紀外戚世家。而無皇后紀，無公主傳。以呂后亂漢。等於一帝。其他后事公主事可錄者。已在外戚世家也。有楚元王世家。荆燕世家、齊悼惠王世家、梁孝王世家。五宗世家、三王世家而無宗室傳、以有事可錄者已詳世家。無事固不必錄、且有漢興以來諸侯王年表、建元以來王子侯者年表。足拾遺補闕也、至後漢書乃有皇后紀。凡后必錄。至三國志又改后妃傳、凡后與妃嬪必錄。又漢書有高五王文三王景十三王武五子傳。後漢書有宗室四王三侯傳。光武十王。明八王章八王傳尚不必人人有傳也。至陳書而有衡陽南康二王傳。文九王、宣二十九王後主十一子傳。凡帝子必錄。至新唐書且於后妃傳外有公主傳。凡帝女兄弟及女必錄。至五代史記更有家人傳。凡帝家人必錄、一言以蔽之曰。史而譜焉耳。

此傳惟李道宗李漢李孝恭李齊物等可錄。

書溫大雅陳叔達竇威傳

大雅至孝且弟。蓋躬行君子。故無多事可錄。

高祖謂高麗稱臣於隋。終拒煬帝。此亦何臣之有。朕敬於萬物。何必令其稱臣以自尊大。與後世外交頗類。而溫彥博必謂中國之於夷狄、猶太陽之比列星。其度遜高祖遠甚、惜其不生後世。親見列强會議、諸夏且降稱弱國也。噫。

陳叔達得蒲萄、欲以遺母。其孝可比潁考叔。

竇威貴近。曉夕兢懼。卒之日家無餘財、遺令薄葬。蓋亦於老氏之學有得者。可敬也。

書李鄭楊皇甫李傳

李綱（宋亦有李綱）讀後漢書張綱傳、慕而改名。（初名瑗字子玉）亦猶司馬相如既學、慕藺相如之爲人、因而易名也。（原名犬子）

楊素蘇威之於李綱、所謂惡之欲其死也。素誠小人、威亦豈得爲君子乎。

李綱之直、於周宣帝隋文帝太子勇、然於唐高祖太子建成巢王元吉、然。於賊帥何潘仁亦然。誠不愧張綱之爲人也、後世豈復有是乎。

鄭善果母崔氏訓子之言。可入列女傳。王琮誚善果有曰。自尊夫人（謂其母崔氏今以稱人妻非是）亡後。清稱益衰、可見賢母於子所繫極大。

鄭元璹以利害諭突厥頡利可汗。使精騎數十萬卽日引還。不辱君命。賢於十萬師遠矣。

楊恭仁爲隋甘州刺史、務舉大綱、不爲苛察。戎夏安之。及討楊玄感。力戰破賊。遂擒之。參掌選事、雅正自守、爲唐涼州總管。推心馭下。人吏悅服。自葱嶺以東並入朝貢。突厥入寇。以疑兵退之、賀拔威作亂。募驍勇倍道進討。悉放俘虜、賊衆感惠執威以降、才德備具、匪易易也、果文武大吏盡此等人、天下太平矣。

皇甫無逸巡撫益部。宣揚朝化、法令嚴肅、罣小不耐。共相構扇。使非高祖疊燭其事。禍且難免。當日如此、況後世耶、噫、

李大亮引左氏傳戎狄豺狼不可厭也、諸夏親暱不可棄也。不曰左傳而曰春秋、以傳屬經也。大學中庸傳蓋亦如此。

李大亮單馬詣賊營、諭以禍福。一可取。放遣上賜奴婢。二可取、疏諫擾民事胡、三可取。位望通顯而居處卑陋、衣服儉率。四可取、性至忠謹。雖妻子不見其惰容。五可取。

每懷張弼不殺之恩。推產讓爵。六可取。

書封蕭裴宇文傳

封倫以揣摩爲才。初諂附楊素虞世基固小人之爲。後背蕭瑀薦己之恩、賣瑀立異。亦小人之爲。而太宗以爲至誠、前後賞賜萬計。知人則哲豈易言乎。

蕭瑀因夷俗可賀敦（猶華言后）知兵馬事。請藉義成公主解雁門之圍。卒收大效。外交鬭智。千歧百轍、所以克與軍事相輔也。

太宗女襄城公主事附蕭銳後、甚是。

裴矩知煬帝欲吞幷夷狄、乃訪西域風俗。及山川險易。君長姓族。物產服章。撰西域圖三卷。以著述行諂、小人哉。他日勸煬帝脅令高麗入朝、遂肇征遼之役。隋以亂亡。矩之肉庸足食乎。

矩於宇文化及爲尚書右僕射。於竇建德亦爲尚書右僕射。於建德爲之創定朝儀、權設法律。憲章頗備。於高祖亦與虞世南撰吉凶書儀。參案故實。甚合禮度。蓋只冀苟活一時。未嘗擇木而棲也。與馮道等。固無足論。

書高祖二十二子傳

功高者身危。不必論遠。周宇文憲即其例也。太宗惡得不懼。功大者奪嫡。不必論遠。隋楊廣即其例也。建成亦惡得不懼。彼此皆懼。禍斯作矣。況復有從而搆之者乎。元吉欲害太宗。較建成倍切。觀但除秦王取東宮如反掌云云可想。納曹剌王妃而封其子明。讀史者譏之。而此但云以曹王明爲元吉後。蓋諱之也。新唐書亦但云以曹王明嗣。

誅建成元吉事迫也。弗忍誅元昌事未迫也。所謂彼一時此一時也。

李茂因父元禮姬趙氏有美色而偪之。且屛斥元禮侍御。斷其藥膳。亦猶隋煬之於文帝也。

韓王元嘉孝友性成。宜荷多福。而卒以與越王貞連謀舉義爲武后所戮。似不幸也。然與徐敬業輩死重泰山。何不幸之足云。

霍王元軌前後爲刺史。至州閉閤讀書。吏事責成長史司馬。謹慎自守。與物無忤。庶幾居敬行簡。其在定州。突厥來寇。閉門偃旗。虜疑有伏。懼而宵遁。蓋知兵略。而亦以與越王貞連謀舉義。道死陳倉。可勝歎惜。又舒王元名。性高潔。以忠孝教子。魯王靈夔少有美譽。與兄韓王特相友愛。亦死武氏手。

書高士廉長孫無忌傳

士廉事父母孝。因厚待妹及甥。蓋古所謂養志也。後爲益州長史。其俗畏鬼而惡疾。父母病殆。多不親侍。杖頭挂食。遙哺之。士廉隨方訓誘。而俗頓改。又古所謂錫類也。若士廉者。始可與言孝也已矣。

太宗詔士廉等刊正姓氏。普責天下譜牒。據史傳考其眞僞賢否。撰爲氏族志。以在唐官爵高下爲等級。於是山東崔幹由第一等降至三等。衰代舊門。不敢偃仰自高。蓋官譜於婚姻仕宦所繫。皆重未可忽也。

長孫無忌高士廉親貴勳舊。宜知無不言。而太宗謂無忌善避嫌疑。士廉少骨鯁規諫。可見有直諫之臣甚難。魏徵雖怨讎而不棄、有以哉。有以哉。太宗謂無忌善避嫌疑。蓋不欲專擅耳。非趨避取巧。否則武氏之立、何至以不阿買禍哉。世喜觀人於微。吾更觀人於大。

書房玄齡杜如晦傳

本高儉也、而以士廉稱。（新唐書稱高儉）本房喬也、而以玄齡稱（新唐書謂玄齡字喬）與晉書劉元海南史褚彥回以諱淵稱字略同。又尉遲敬德名恭、秦叔寶名瓊、傳皆稱字。

玄齡以隋混諸嫡庶、知必內相誅夷。可謂見微知著。況在幼時、尤爲匪易。

此傳於玄齡相業有盡心竭節。不欲一物失所。聞人有善、若己有之。明達吏事、飾以文學。審定法令、意在寬平。不以求備取人。不以己長格物。隨能收敘、無隔卑賤等語。可謂善於刻畫、而新唐書概予刪削。豈以與褚遂良重撰晉書時奏取太子左庶子許敬宗。太子舍人李義府分功撰錄。實愧知人之明耶。未可知也。

玄齡薦如晦有曰。若大王守藩端拱。無所用之。必欲經營四方。非此人莫可。蓋自淮陰侯列傳蕭何薦韓信王必欲長王漢中無所事信。必欲爭天下非信無所與計事者等語化出。

建成知秦王府中可憚者惟杜如晦房玄齡。眼力固亦不弱。

書李靖李勣傳

李靖（宋徽宗時金人遣李靖來與此同名）平蕭銑。荊南嶺南皆入版圖。實一大功。然使前無設伏斬冉肇則事。高祖何肯委以圖銑重任哉。故小功者大功之母也。李孝恭不從靖謀。遽擊文士弘。敗奔南岸。靖見賊舟大掠軍亂，縱兵擊破之。獲舟艦四百餘艘，孝恭不敗曷有李靖之勝乎。故小敗亦大勝之母也。在人而已。

輔公祏遣馮惠亮率舟師三萬屯當塗。陳正通徐紹宗領步騎二萬屯青林山。仍於梁山連鐵鎖以斷江路。築卻月城延袤十餘里。與惠亮爲掎角之勢。欲不戰以老我師。其計似善。而靖率黃君漢等先擊惠亮。苦戰破之。與淸羅澤南等攻洪軍於半壁山。遂克田家鎭相似。靖自此又平江南矣。偉哉。

靖以三千輕騎克復定襄。功已大矣。而揣知頡利以詔許內附無備。選精騎襲之。斥界自陰山北至大漠。計比淮陰。捷視衛霍。不尤偉乎。又靖年已老。當春草未生。馬羸瘦不可赴敵時。遠擊吐谷渾。踰積石山。前後數十戰。大破其國。於是虜衆殺可汗以降。功亦甚偉。

今小說戲曲咸稱徐世勣（即李勣）爲太宗軍師。實則勣爲翟讓斬張須陀於陣。與王伯當說讓奉李密爲主。且以奇計敗王世充於洛水之上。爲密襲黎陽倉。皆不愧軍師舉動。於太宗從討王世充竇建德劉黑闥徐圓朗。又破輔公祏。擊突厥。征高麗。定延陀。勣皆有功。而與李靖襲頡利。其計更出於勣。謂爲軍師。亦甚似。特唐代本無此職耳。傳中每行軍用師。頗任籌算等語。殆即小說戲曲所本。

勣於單雄信就刑時。割股肉以啖之。曰。生死永訣。此肉同歸於土矣。今戲曲斬雄信棄此可歌可泣事未編入。何耶。

勣病不召醫巫。且置酒宴樂。詳說後事。非獨達觀。亦實知止。然於高宗立武氏。竟有此陛下家事等語。但冀保目前富貴。不慮破家亡國何耶。

徐敬業討武氏。雖敗猶榮。雖死猶生。論有不蹈貽謀至於覆族云云非是。

書尉遲秦程段張傳

敬德未降唐前。與宋金剛並驅爭先。既降唐後。與長孫房杜爛焉比烈。誠一世之雄也。小說戲曲但詡其勇。豈知其智不可及。其忠更不可及耶。蓋其勇其智皆自忠出也。然非太宗知人善任。則早聽屈突通殷開山之言殺之矣。何能於橫刺單雄信大破王世充劉黑闥。請誅建成。逐射元吉。從討高麗等役。顯其智勇與忠乎。辭建成贈物書有久淪逆地。罪不容誅。實荷秦王惠以生命。惟當以身報恩。循利忘忠。殿下亦何所用等語。生平大節。即此可見。太宗曰公之素心。鬱於山嶽。積金至斗。情不可移。知臣莫若君。諒哉。

敬德持建成元吉首示薛萬徹等後。太宗遽命敬德侍衛高祖。敬德擐甲持矛。此亦不常用鞭之一證直至高祖所。此非眞衛高祖。蓋恐有人挾高祖下討賊令特往監視耳。舉動突兀。高祖惡得不大驚。且問今日作亂是誰卿來此何也耶。敬德旣正告所以因請敕諸軍並授秦王處分。臨機運策。始意弗僅如此明眼人必能辨之也。

敬德拳毆李道宗。目幾至眇。太宗以國家賞罰正告之俾自歛戢。亦保全功臣一法。而道宗不以是讒搆敬德。抑甚可取。

張須陀委柵遁。使秦叔寶羅士信分領千兵伏於蘆葦間。候賊帥盧明月悉兵來追時馳入柵。拔幟縱火。與韓信破趙一役無異。然非秦羅二人則弗克奏績。可見奇謀異策亦賴人以成之也。今剿匪數載。以軍制不善勇健者莫肯蹈險。即有張須陀其如無秦羅二人何哉。

叔寶捍衛李密。具見忠義。非徒勇也。即勇亦忠義之氣所驅也。

小說戲曲。敬德用鞭。叔寶用鐧。程齩金（印知節）用斧。而史云敬德善避矟奪矟。敬德躍馬大呼橫刺雄信墜馬。叔寶與程齩金吳黑闥牛進達等數十騎西馳百許步下馬。叔寶應命躍馬。負槍而進。（論亦謂叔寶善用馬矟）知節少驍勇善用馬矟。知節救裴行儼。抱行儼重騎而還。則三人皆騎將。斷無但喜用短器之理。而必曰鞭也。鐧也斧也。此小說戲曲所以終爲小說戲曲也。

段志玄流矢中足。慮衆心動。忍而不言。更入賊陣再三。遂破桑顯和。禽屈突通。後世苟有此人。何患不能破賊乎。噫。

志玄閉門不納宮官。謂軍門不可夜開。此臣難得。太宗不以爲罪而歎爲眞將軍。且以周亞夫相比。此君更難得。

張公謹以不疑何卜說太宗速討建成。又前後言時政得失十餘事。且詳陳突厥可取之狀六。匪尋常將帥可比也。

書侯君集張亮薛萬徹傳

君集與李靖討吐谷渾伏允。定計深入。遂平之。後征高昌。俘其國嗣王智盛以還。此臨刑時所以有破滅二國云云。私取寶物。特伏波珠薏之謗耳。身敗名裂。莫與明其無罪。而史傳竟有性矯飾三字。不知性果矯飾。何至攘袂呼張亮共反乎。又何至舉手謂承乾曰此好手當爲用之乎。罪狀惝恍。大抵告者信口開河。未足據也。君集豈反者乎。蹉跌至此。味此十字。不勝兎死狗烹之恨矣。

張亮義兒五百。出自告者之口。不足以罪亮。太宗竟以此斷其欲反。遂誅之。失刑甚矣。故後悔之。

薛萬徹在軍。仗氣陵物。李勣裴行方豈皆被陵之人耶。而共搆之何也。房遺愛之語別無左證。尤未可信。

盛彥師於熊耳山南邀斬李密、追禽王伯當。實爲唐除一大患。後陷於徐圓朗、不肯爲賊招弟。賊亦歎其壯節、而唐竟賜死何耶。至盧祖尙以嶺南瘴癘辭交州都督。太宗怒而斬之、更屬無理、世謂漢高祖明太祖待功臣薄。豈知唐太宗待功臣亦薄耶。

劉世讓執節。薛舉重之、而世讓得不死。獨孤懷恩謀逆。世讓冒危告難。而高祖得不死。世讓請圖馬邑以制突厥、高祖使世讓往經略之。乃信反間誅世讓、而世讓竟死、可歎也哉、劉蘭縱反間以離突厥部落。實一大功。後以謀反腰斬。反形究未具也。噫。李君羨以小名五娘子被誅。而不知武媚娘方爲才人。亦猶秦始皇築萬里長城防胡。而不知胡亥方爲愛子也。

書王戴岑杜傳

王珪諷太宗出美人。不減魏徵直諫。而爲魏王泰師。以師道自居。子敬直尙南平公主。珪與妻就席受公主見舅姑之禮。尤不愧唐室重臣。

戴胄執法甚平。諫修洛陽宮。尤有遠慮。王珪但稱其處繁理劇。衆務必舉。猶淺之乎視胄也。

岑文本善爲詔誥。不足異。而因事納諫。以堯舜望其君。且躬行孝弟。則誠君子之所難能耳。

武氏於駱賓王賞其檄文。一抔之土未乾。六尺之孤何託。嘆宰相失人。於岑羲雖其父長倩忤諸武得罪。猶曰苟有材幹。何恨微累。其愛才蓋似魏武之於陳琳賈詡也。

格輔元與岑長倩不贊武承嗣爲皇太子。不愧唐臣。雖被譖死，固已重於泰山矣。

書魏徵傳

徵以十策干李密不用。以深溝高壘俟敵糧盡追擊說密長史鄭頲。又鄙爲老生常談。欲遇知己難哉。後感太宗寵遇。竭誠直諫，有以也。

以稷契咎陶爲良臣，龍逢比干爲忠臣。千古至論。然願君爲堯舜。不願君爲桀紂。且屢以堯舜望其君。是諺所謂高帽子合頭也。太宗謂徵嫵媚。不亦宜乎。

竭誠則胡越爲一體，傲物則骨肉爲行路。此二語可作人人坐右銘。不必天子始然也。

昔貞觀之始，聞善若驚。暨五六年間。猶悅以從諫。自茲厥後，漸惡直言。雖或勉強時有所容。非復曩時之豁如也。此數語深入，足令太宗愧。其待君子也，則敬而疏。遇小人也，必輕而狎。狎則言無不盡，疏則情或不通。此數語尤深入，足令太宗悚。又金世宗有言，朕觀唐史。太宗晚年與羣臣議，多飾辭，可與此互勘管仲謂不能知人害霸。知而不能用害霸，用而不能信害霸。既信而又使小人參之害霸。痛哉是言，蓋不能知人與知而不能用。惟庸主如此，若乃英主，大抵用而不能信。既信而又使小人參之也。而既信又使小人參之。後世且恃此爲祕訣也。

徵以戴聖禮記編次不倫。遂爲類禮二十卷。以類相從（魏孫炎亦嘗改禮記舊本以類相比）削其重複，采先儒訓詁，擇善從之。後世有將經子分類輯釋者。徵蓋導其先路矣。然究可不必。故後張說駁之，不得立於學官。

王珪（宋神宗時亦有王珪）有言，以諫諍爲先。恥君不及於堯舜。臣不如魏徵，珪且不如。況他人乎。得王珪不易。況魏徵乎。太宗思徵不已。忽因徵自錄前後諫諍言辭往復示史官而不悅，何也。不知從諫，則聖無損主譽。諫辭果傳。更警子孫，徵不獨爲太宗諫臣。且爲太宗以後諸帝諫臣矣，奚病焉。

書虞世南李百藥褚亮傳

世南父荔卒。哀毀殆不勝喪。然實後叔父寄。故於寄陷陳寶應。布衣蔬食。蓋視本生與所後靡所軒輕也。雖與古降服意異。不謂之孝不得也。

世南因事納諫。辭盡而婉。魏徵以後一人而已。太宗思念不已。夜夢其人。宜哉。

魏徵薦侯君集杜正倫。可謂得人。而太宗以侯杜他日有罪疑徵阿黨。無怪高宗以不進賢良責侍臣。而李安期以薦引遭謗目爲朋黨沈屈者未申。而在位者已損爲對也。夫四岳揚舜。見於虞書。僎文同升。載在論語。若在上者慮此爲黨。復何所得人乎。上下相疑。君子退而小人進。有必然者矣。君子退。小人進。而國不亂且亡。未之有也。

人非堯舜。孰能無過。此恒言也。不知堯鼓納諫。舜木求箴。固日日懼其有過也。日日懼其有過。過所以無也。若日日自謂無過。過之積若邱山不自知矣。無諫臣者不亦甚危乎。

十八學士登瀛洲。千載以爲美談。而許敬宗乃與房杜并列。未免薰蕕共器矣。論文學而舍德行。後世常有此失。可弗愼與。

李玄道附書房玄齡。而王君廓必私發者。以在州屢爲不法。玄道具知。懼其或告玄齡也。發而不識草字。疑其謀己。遂以奔叛。可見書不可草。字且不宜託人附致也。倉曹參軍李守素工譜學。自晉宋已降四海士流。及諸勳貴華戎閥閱。莫不詳究。信宜目爲人物志。與任彥昇五經笥並傳。蓋當日官譜所繫綦重也。

書薛姚顏令狐孔傳

薛收建策於世充深溝勿戰。於建德據險邀戰。建德破。世充自下。不可縱兩寇相連。俾得轉河北之糧資給東都。此誠知兵。何必若虞允文破敵采石磯。乃爲大功出自儒生耶。

姚思廉爲隋代王侑侍讀。臨危不離王側。蓋以唐公舉義以匡王室爲名。必不加害也。然能確然不疑。亦豈易易。

姚思廉續父察所爲梁陳二史。猶采謝炅等諸家梁史。删益傳緯顧野王所修陳史以成之。且總論皆魏徵裁定。作史之難蓋如此。顔思古（名籀）博覽羣書。尤精訓詁。所注漢書、解釋詳明。然多取自叔父游秦所撰漢書決疑。注史之難又如此。

古以立德立功立言爲三不朽。太宗之功。於虞世南傳有吾纔弱冠舉義兵。年二十四平天下。未三十居大位、自謂三代以降撥亂之主莫臻於此。重以薛舉之驍雄。宋金剛之鷙猛。竇建德跨河北、王世充據洛陽。皆爲我所禽云云。於功信不讓人也、至於德。則討建成元吉。可以周公誅管蔡比。貞觀刑措。可以漢文景比。雖未嘗以德自矜。要亦有其庶之意。惜納巢剌王妃。未免盛德之玷耳。若乃立言。鄧世隆請編御集不許。蓋實未敢自信也。然所流播如晉史論弔比干文等。固已雄視一世矣。而謙抑若此。與清高宗不亦異與。

劉焯名重海內。孔穎達造門而不禮。孰知千百年後知有穎達不知有焯哉。蓋穎達有著述而焯無之也。此著述所以可寶也、

東都論難、穎達爲最。先輩宿儒恥爲少年所屈。竟致潛遣刺客。不圖諸郡儒官有此等事、爭名若此。爭利如何。

書劉洎馬周崔仁師傳

洎以尚書省詔敕稽停文案壅滯歸咎於勳親在位。且謂郎中唯事諮稟。尚書不得斷決。去無程限。來不責遲。或希旨失情。或避嫌抑理。遞相姑息。惟務彌縫。可謂洞悉政弊。然後世大抵如是。治所以未能近古也。

馬周諫太宗。謂太上皇所居之大安宮在宮城外。牆闕卑小。又幸九成宮避暑。太上皇尚留熱所。溫凊之道。臣竊未安。此欲太宗事親有道也。至於宗室勳賢。作鎭藩郡。貽厥子孫。實隱啓藩鎭之禍。周謂愛之適以傷之。且歎光武不任功臣以吏事爲得策。此欲太宗保下有術也。他如勸親祭祀。愼名器。皆太宗藥石。未可忽。

崔湜以文辭知名。先爲桓彥範等耳目。後又賣彥範等以媚三思。文士若此。狗彘不食其餘矣。

書蘇韋孫張傳

此數人皆能直言極諫。魏徵王珪外殆僅覩也。

書太宗諸子傳

吳王恪有文武才。太宗稱其類己。而不於廢承乾時立之。致國祚幾斬於高宗。此豈特恪之不幸與。噫。

齊王祐殺長史權萬紀而反。敗後賜死。蜀王愔嘗非理毆擊所部縣令。削封貶爵。此王而不肖者也。越王貞韓王元嘉魯王靈夔霍王元軌等起兵討武氏。皆就夷滅。此王而賢者也。不肖者自作孽。賢者亦未克易周爲唐。由此可知封建藩衞王室。亦虛語耳。不得徒以周晉鄭漢章與藉口也、

書韋楊劉閻柳崔傳

禮曰毋不敬、况韋挺爲大夫、馬周爲監察御史。均朝廷命官。何得以周寒士而不禮之乎。周報怨固非君子所爲、挺傲很要亦咎由自取也、

劉德威閨門友穆、接物寬平。所得財貨多以分贍宗親、子審禮少喪母。爲祖元氏所養。侍奉極孝。又孝事父及繼母、審禮子易從因父沒吐蕃。入蕃省視、父卒、毀瘠過禮。

吐蕃哀其志行。還父屍柩。數代孝友。在今未聞。古亦罕見。

柳範彈吳王恪。太宗遂責權萬紀不能匡正吳王。此在人意中。太宗責權萬紀不能匡正吳王。柳範遂上責房齡不能諫止太宗。此出人意外。太宗大怒。而柳範又以主聖臣直四字幸霽主顏。此出人意外。亦在人意中。諺所謂高帽子合頭也。

柳澤疏諫。每采尙書警語。蓋書道政事。其語實千錘百鍊。一二語抵後人書數十卷。有過之無不及也。

武氏未立以前。崔義玄言行皆可法。後既贊立武氏。且承中旨陷長孫無忌等。論語所謂老而不死是爲賊也。

書于志寧高季輔張行成傳

志寧之於承乾。實盡言責。而於廢王庶人立武后。獨無言以持兩端。何也。蓋太宗英明。彼知不諫太子有罪。諫乃爲功。高宗庸昏。彼知諫難見德。不諫庶幾免禍也。此專就一已利害計者也。君子豈若彼乎。

張行成因太宗有我爲人主兼行將相之事云云。舉書汝惟不矜天下莫與汝爭能諫之。實能對症下藥。

崔融以詩美昌宗。李嶠閻朝隱徐彥伯張說（宋孝宗時亦有張說）宋之問崔湜等又爲昌宗撰三教珠英。唐文士無行可想。至朱敬則諫武氏。有陛下內寵已有薛懷義張易之昌宗。固應足矣。近聞上舍御史柳模自言子良賓潔白美須眉。左監門衛長史侯祥云陽道壯偉過於薛懷義。專欲自進堪奉宸內供奉等語。武氏不以爲忤。從而勞之。蓋彼實雞羣一鶴也。然武氏能受此種直言。雖出意外。抑亦不知人世有羞恥事耳。曷足謂之從諫哉。

讀唐書蠡述卷三

岳陽李澄宇洞庭著

書祖傳傅李呂傳

傅奕謂佛踰城出家。逃背其父。以匹夫而抗天子。以繼體而悖所親。爲無父之教。開韓愈闢佛之緒、且其父國王也、無父卽無君。直可謂無父無君之教。故韓愈論佛骨表有不知君臣之義父子之情等語。又謂佛是胡中桀黠、其誑夷狄、初止西域、漸流中國、皆是邪僻小人模寫莊老玄言文飾妖幻之教。此指以莊老入佛也。越宋逮明。又或以佛入儒、蓋各教精義往往互通。善取之皆有益於學在人而已。

李淳風預言武氏事若親覩、且言天之所命必無禳避之理。此誠知天命者。

呂才駁祿命之說以魯莊秦政漢武魏孝文宋高祖爲例、惟漢武有年月日時。餘皆有年月無日時。蓋彼時雖論祿命。尙止六字或四字無八字可言也。

書褚韓來上官傳

遂良始爲侍書。中遷諫議。而終爲令僕。蓋以書得名。以諫得君富貴遂出意外也。向使徐世勣無陛下家事不合問外人之言。武氏必因遂良之諫而不得立。是太宗不負遂良。遂良亦不負太宗父子也。豈不美哉。意者世勣忌遂良於太宗崩得預顧命。且欲藉此別邀新寵歟。厥孫敬業他日討武氏。世勣子孫坐誅殺靡有遺胤。雖曰敬業爲唐討周、殆亦天誘其衷俾世勣受茲女禍也。又新唐書姦臣傳首許敬宗。亦以敬宗於立武氏時有田舍子賸穫十斛麥尚欲更故婦等語耳。夫敬宗用心與世勣等。敬宗姦臣。世勣豈非姦臣乎。噫、

韓瑗來濟別無可紀。惟以諫立武氏得與遂良同傳。是許敬宗等有大造於韓來也。小人枉自爲小人。信哉。

上官儀事與韓來不類。宜敘入上官昭容傳首。不宜置此傳。

書崔盧劉李李孫樂趙傳

劉祥道謂選司取士。傷多且濫。每年入流數過一千四百。傷多也。雜色入流。不加銓簡。傷濫也。若使見後世由學出身者歲若干人。由黨至貴者歲若干人。由武人薦拔

者歲若干人。由戚里汲引者歲若干人。不知更作何語。祥道謂儒教不興。風俗將替。後世禁學子讀經。並迫令用簡筆字。是惟恐儒教復興而豫絕其根株也。彼欲篡取國權而望與力皆不足。惟藉此推倒一切者不足責。獨奈何有望與力者而亦被人穿鼻。莫敢不聽耶。噫嘻。

書許敬宗李義府傳

敬宗於父善心被害。不能匍匐救之。而但求免己死。即此一端。已愧淸議。況復有他惡乎。論謂太宗不重任敬宗。以其才優行薄。事良可信。

義府承華箴有勿輕小善。積小而名自聞。勿輕微行。累微而身自正。佞諛有類。邪巧多方。其萌不絕。其害必彰等語。宜可列於君子之林。而竟以贊立武氏。故與敬宗同傳。新唐書且正名爲姦臣。人之欲富貴利達者。可棄千載以殉一時乎。然侍御史王義方奏義府以容貌爲劉洎馬周所幸。是固彌子瑕一流。更何足論。

徐世勣贊立武氏。而孫敬業討武氏。李義府贊立武氏。而少子湛討易之兄弟。其前人若彼，其後人乃若此。豈故生是使反所爲以愧前人耶。異已。

書郭張蘇薛程張趙傳

郭孝恪知以夜襲破焉耆。虜其王龍突騎支。而不解龜茲國相那利率衆遁逃。實以都邑作陷阱。何明於襲敵而闇於備敵也。以此竟死。惜哉。

蘇定方請囚縶王文度飛表奏聞。而程知節不從，且任文度殺降取財。是豈堪爲大將乎。他日定方征賀魯擒之，西蕃悉定。可見軍事惟視將得人與否耳。

薛仁貴擊九姓突厥於天山。有將軍三箭定天山，戰士長歌入漢關佳話。攻高麗扶餘城。以二千人破敵，殺獲萬餘。遂拔扶餘。惟討吐蕃以郭待封違節度，敗於烏海耳。他日高宗咎仁貴於烏海不自擊賊。若無此傳。眞曲直是非曷由悉乎。

書劉仁軌郝處俊裴行儉傳

高宗以蘇定方圍攻平壤無功。勅劉仁軌還師。此事若在他人。更復何功可立。而仁軌引大夫出疆之義。定堅守觀變之策。夜襲眞峴城據之。遂通新羅運糧之路。又攻賊巢穴於周留。並使百濟首領沙吒相如黑齒常之拔任存城。自是海不揚波。高宗封泰山。仁軌且領新羅百濟耽羅倭四國酋長赴會。抑何壯耶。

果有長生藥。胡僧豈不自服。而但爲高宗合藥耶。至太宗服婆羅們僧那羅邇娑寐藥。竟致大漸。亦所謂哲人之愚也。覆轍不遠。弗戒何與。

處俊諫高宗傳位武后事竟中止。執謂回天辟術耶。武氏後戮象賢。斵及祖棺。殆追憾之耳。

裴行儉假冊送波斯王之名。以謀十姓可汗阿史那匐延都支及李遮匐。於路復揚言俟秋漸行。使敵諜知。不即設備。既倍道前進。去都支部落十餘里。又先遣都支所親問其安否。然後趣召相見。既禽都支。傳其契箭。諸部酋長悉來就執。又釋遮匐行人俾諭遮匐。遂俱見俘。兵不厭詐。而用詐至於如此。豈易易耶。

行儉詐爲糧車三百乘。以給突厥。伏發殺賊殆盡。此猶小詐也。後縱反間。俾阿史那伏念與阿史德溫傅相猜。伏念恐懼。密送降款。仍請自效。遂執溫傅以降。盡平突厥餘黨。此則大詐矣。侍中裴炎害其功。謂伏念以他故自降。且斬伏念及溫傅。炎不足責。高宗之爲君不誠昏瞶耶。

書唐臨張文瓘徐有功傳

高宗謂法急則人殘。法寬則失罪。務令持中不愧作南面主。唐臨張文瓘爲大理卿。抵罪者皆無怨言。不愧持天下平。

酷吏周興來俊臣邱神勣王宏義等搆陷無辜。皆抵極法。而司刑丞徐有功獨存平恕。下大理者皆議出之。前後濟活數十百家。武氏之時何幸尚有此人耶。中宗制有定國釋之何以加此等語。諒哉。

書高宗中宗諸子傳

許敬宗既贊立武氏以弋富貴。則希旨請廢太子而立武氏子。固無足怪。

太子弘仁孝可稱。然卒在父前。而高宗加以尊稱。謚爲孝敬皇帝。墓曰恭陵。實皆非禮。死而有知。豈受此耶。

節愍太子重俊非韋后出。武三思有寵於韋后。安樂公主且凌忽重俊。呼之爲奴。廢立之事自在意中。重俊此時自不宜坐以待斃。惜無內應。殺武三思父子後未能速殺韋后安樂公主及上官昭容。反致中宗爲韋后安樂公主所挾也。

書裴劉魏李傳

裴炎諫中宗以后父韋玄貞爲侍中。是也。與武氏定策廢中宗則非也。蓋自是武氏有無唐之心矣。他日請武氏歸政被斬。蓋亦自貽伊戚耳。

李百藥有言。劉四（即褘之）雖復罵人。人都不恨。蓋褘之夙有學行且不妄罵也。褘之謂賈大隱曰。太后既能廢昏立明。何用臨朝稱制。不如反政以安天下之心。此雖閒論。實關至計。而大隱竟密奏之。蓋知武氏將篡。賣褘之以取富貴也。噫。

魏玄同引書愼簡乃僚無以巧言令色便僻側媚惟吉士。爲古自擇下吏之證。甚是。後世僚吏大抵不能自擇。且多以巧言令色便僻側媚進。欲治之近古得乎。

李昭德密奏武氏不宜委權承嗣。且杖殺王慶之。使承嗣不得爲皇太子。又奏武氏豈有妃爲天子而爲姑立廟乎。竟痞武氏。轉周爲唐。較狄仁傑事後補救者功大矣。

書韋思謙陸元方蘇瓌傳

思謙在憲司。振舉綱目。朝廷肅然。子承慶嗣立。皆以諫得譽。而嗣立請代兄杖。尤有晉王覽遺風。父子若此。蓋未易有。

陸象先元方子不與蕭至忠等傾附太平公主。他日至忠等伏誅。窮討枝黨。象先乃密有申理。全濟甚多。不愧賢父之子。又天下本自無事。祇是庸人擾之。至今以爲名論。

蘇瓌長者。而不阿事諸韋。可見長者與庸懦大異。不可併爲一談也。

書狄仁傑王方慶姚璹傳

仁傑忠讜。原於孝友。雖立武氏之朝。亦覺正氣浩然。可異也。

自仁傑在獄。書帛置棉衣中。付家人子光遠持以告變。而後世備囚益密。然求守者得筆硯一語。實伏一切法。不必定書一帛也。

仁傑薦拔桓彥範敬暉張柬之等。後皆有功唐室。又於武氏從容奏對。以子母恩情爲言。論史者稱其反周爲唐。雖似過誇。要亦近實。

武氏有言。凡爲長官能清自身者甚易。清得寮吏者甚難。至於姚璹。可謂兼之。然果清自身不清寮吏。直庸吏耳。其害較貪吏猶酷。蓋貪吏每能集權。一人納賄。他人不過受潤而已。庸吏則大權旁落。他人指官納賄。而彼猶日在夢中。且莫敢告也。

書王杜朱楊李宣盧傳

王及善能備陳理亂之宜。能勸武氏誅來俊臣。能贊武氏立廬陵王。能在官清正。能臨事難奪。有大臣之節。雖曰未學。吾必謂之學矣。史有雖無學術四字。吾不知所謂學術者指文學乎。抑德行言語政事乎。

朱敬則五等論以春秋時諸侯之迹。顯然簒奪之謀中寢者。由於周禮尚存。天威在顏。秦廢封建。由於禮教已失。人屬觜距。不得不罷侯置守。制天下於一人。漢復封建。七國同反。由於愧恥心盡。以逆禮犯上爲得計。皆有特識。所著魏晉迄隋十代興亡論。今不可復覩。惜哉。

楊再思兩脚野狐耳。與李懷遠同傳且不宜、而竟與王及善朱敬則同傳何耶。

書桓敬崔張袁傳

桓彥範諫中宗毋俾韋后干政。毋寵胡僧慧範方術人鄭普思葉淨能、已足不朽。況有誅二張廢武氏大勳反周爲唐哉。惜不盡殺諸武。竟遭反噬而死武三思手也。然非値宗中昏庸。韋后淫亂、崔湜奸邪。亦豈至此耶。噫。

五王之禍、薛季昶早料及之、而敬暉張柬之不誅三思。終釀韋氏之亂。此非特五王不幸。實唐室之不幸也、

崔玄暐母盧氏教子。有比見親表中仕宦者多將錢物上其父母。父母但知喜悅。竟不問此物從何而來、必是俸祿餘資。誠亦善事。如其非禮。此與盜賊何別等語。語深入。可警百世、但後世不將錢物上父母。惟贍妻妾。或備非禮之用。且皆以能多得錢爲賢才。與盧氏教子時世運升降又異矣。噫。

張柬之精三禮。其論三年之喪二十五月。引春秋尙書禮記儀禮爲證甚確。與謬議

短喪者異。

柬之年老。而誅二張得爲首謀。此其幸也。及貶新州。年八十餘歲而不前卒。此其不幸也。

袁恕己以誅二張得附此傳。名動千載。作大事豈復在多耶。

書魏元忠韋安石蕭至忠傳

元忠論將辭甚辯。及監李孝逸軍討徐敬業。果奏殊績。然可謂忠於武氏。匪忠唐室也。其論賞罰辭亦辯。中宗時乃附權豪抑寒畯。不能賞善罰惡。則更行不顧言也。元忠潛與節愍太子同謀起兵誅三思。而後又持兩端。蓋懼禍耳。卒被貶竄。亦悔未請廢韋氏且誅三思黨與乎。

張易之兄弟及武三思恃寵用權。韋安石數折辱之。蓋當官不撓、匪無端逞氣也。太平公主欲廢太子而自立。安石獨揭其奸。事關宗社存亡。不可不力救也。此誠竭忠於唐。且有大造於玄宗。而玄宗竟聽譖言使安石死姜皎兄弟之手。豈安石所及料耶。噫。韋陟高適皆以詩人爲節度使。而能協力同心。遂靖永王之亂。文士若此。不可多得。宗楚客紀處訥附數語於他傳足矣。不必有傳。更不宜入此傳。

書婁王唐張薛王傳

休休有容。秦誓所貴。而褚遂良狄仁傑姚崇等每有忌嫉賢者事何耶。以婁師德器量寛容。喜怒不形於色。尚爲仁傑所不容。他復何論哉。武氏以師德舊日薦表示之。仁傑始慚。於是嘆師德君子。仁傑猶未足爲君子也。王晙卒後。鬼尙討賊。其平日忠勇可想。

書蘇李崔盧徐傳

蘇味道既居相位。而脂韋取容。且自言但摸棱以持兩端。時人號爲蘇摸棱。於是後世有摸棱兩可之語。蓋棱者兩方之會也。摸棱而可此可彼。猶騎牆而可内可外也。俗作模棱者非。

李嶠疏陳得失。一則曰禁網尙疏。法令宜簡。再則曰無爲多張科目。空費簿書。今內外大吏盍亦謹誦斯語乎。

書睿宗諸子傳

成器克讓。有伯夷之風。魏晉迄唐。實爲僅見。而玄宗於諸兄弟大被長枕。花蕚相輝。亦後世所未有。蓋睿宗六子。一帝一王。其四皆嘗爲太子。而竟靡鬩牆之變。非玄宗實心友愛。安能雖有讒搆相處如初乎。

書姚崇宋璟傳

姚崇殺蝗。命夜中設火。火邊掘阬。且焚且瘞。此可爲法於後世。

姚崇遺命闢佛。警語不少。而不甚傳於世者。其文不逮韓愈也。

姚宋嘗仕武氏。而亦不愧名臣者。以不阿附小人。且維護善類也。然崇以百口保內外官無反者於周興來俊臣已誅之後。其事易。璟屬張說勿證魏元忠反於二張方盛之際。其事難。故吾敬宋璟剛正過於姚氏。

武氏令易之等詣宋璟謝。無異漢光武令鄧通詣申屠嘉謝。

廣州舊以竹茅爲屋。屢有火災。璟教燒瓦改造。無復延燒之患。今他地燒瓦爲屋而亦往往延燒者。以竹木壁多。引火尚易也。宜亟令疊磚爲屋。四面高出。延燒之患庶幾永絕。

書劉鍾郭張傳

劉幽求謂桓彥範敬暉等曰。三思尚存。公輩終無葬地。不可及者一。討平韋氏之夕。制敕百餘道。皆出於幽求。不可及者二。與張暐謀誅太平公主。雖貶無怨。不可及者三。

郭元振既以風雪中久議。斃西突厥首領烏質勒。明日乃親入虜帳哭之。行弔贈禮。使其子娑葛不復讎視。與諸葛武侯祭公瑾頗似。張說率輕騎二十人持旗節撫慰九姓部落。與郭子儀單騎見廻紇頗似。

書魏盧源李杜韓裴傳

盧懷愼嘗疏陳時政得失。及居相位。乃每事推讓姚崇。雖伴食之誚不以爲辱。殆深得秦誓斷斷休休之旨者與。

書崔張蕭張李嚴傳

蕭嵩縱反間於吐蕃。俾殺威名大振之悉諾邏恭祿。亦猶秦與趙王寵臣郭開金爲反間。俾殺大破秦軍之李牧也。

張九齡始興人。以母老在鄉。不願爲冀州刺史。請換江南一州。得承母耗。於是轉桂州都督。充嶺南道按察使。弟九章九皐爲嶺南道刺史。歲時伏臘皆得寧覲。爲人子者當如是。以孝治天下者亦當如是也。

九齡以安祿山面有逆相。奏請因辠戮之。而玄宗乃謂卿勿以王夷甫知石勒故事誤害忠良。豈唐室應有此禍耶。何當日不信九齡語。至蜀乃始追思也。

書尹李解畢蘇鄭王盧李裴王傳

李朝隱爲長安令。能拒宦官閭興貴請託。且曳出之。可謂難能。

史稱王邱在職清嚴。人吏甚畏慕之。夫嚴易也而清難。畏易也而慕難。清果自勉。慕亦庶幾無愧與。

書李薛韋韓張王辛傳

薛登有言。名勝於利。則小人之道消。利勝於名。則貪暴之風扇。今殆利勝於名之時也。噫。

張廷珪諫武氏營建大像。不作一闢佛語。而引佛經若以色見我以音聲求我是人行邪道不能見如來云云。言不逆耳。蓋亦善諫。

王求禮謂爲賊詿誤者爲賊驅逼。苟徇圖全。豈素有背叛之心哉。武懿宗擁强兵數十萬。聞賊將至。走保城邑。罪當誅戮。此眞御史。後世若懿宗者衆矣。若求禮者幾人乎。

書馬褚劉徐元吳韋傳

張易之誣魏元忠謀反。配徙嶺表。崔貞愼獨孤禕餞於郊外。易之怒。使人誣告貞愼等與元忠同謀、馬懷素奉武氏令按鞫。執正不阿。引欒布奏事彭越屍下爲比。使易之心折。又取張釋之對漢文意答武氏。使武氏意解。可謂善讀書人。

劉知幾（後名子玄）五不可奏記。甚惡分修及監修。蓋二者史之大戒也。修史者祖尙書春秋。雖虞夏商周四書匪出一人之手。春秋十二公事。皆自魯史摘載、然曰刪書曰作春秋、皆至聖獨任其勞。華袞斧鉞之精意。外人固末由左右之也、邱明左傳。馬遷史記。機杼一家。文章萬古。亦職是故、晉書以降。史每分修。既分修矣。遂有監修。監修者衆、直筆絕矣、故取材不患多賢。而作史貴專於一氏。

魏明帝時。河西柳谷瑞石有牛繼馬後之象。魏收以爲晉元帝是牛氏之子冒姓司馬。元行冲則以後魏昭武帝名犍。繼晉受命當之。兩說並存。南北正統論所由難定也、一笑。

書郭郭王張牛王傳

張守珪於吐蕃陷瓜州後爲瓜州刺史、領餘衆修築州城。板築纔立。賊又暴至。乃於城上置酒作樂會將士。賊疑城中有備。不敢攻城而退。守珪縱兵擊敗之。此實知兵。王忠嗣爲河東節度。以持重安邊爲務。軍中皆日夜思戰。因多縱間諜伺虜隙。時以奇兵襲之、與李牧破匈奴頗似。後充河西隴右節度。又權知朔方河東節度。佩四將印。控制萬里。信唐室之長城。武德以來未有也。李林甫必欲去之。安史之禍所由伏與、

書高仙芝封常淸哥舒翰傳

仙芝能虜勃律王。而其父舍雞初恐仙芝懦緩不能自存。語云知子莫若父。亦未盡然也與。

仙芝常淸皆嘗有大功於邊。祿山之亂。守潼關尤上策、使玄宗不殺此二人。長安必不陷。而聽監軍邊令誠譖毀。自徹屏藩。此玄宗一誤也。哥舒翰雖敗。其始計未可非。廻軍討國忠固彼所難。守關以遏賊。實彼所易。而玄宗不曉軍事。惟國忠是聽。責翰出關。致翰敗降。此玄宗再誤也、嚮使玄宗不信李林甫之言去王忠嗣。祿山之亂固

無自作。既亂矣。不信邊令誠之言殺仙芝常淸。潼關之守尚可固。既殺矣。不信楊國忠之言迫翰出戰。潼關之守亦可固。而皆不然。欲不西狩也得乎。

書宇文韋楊王傳

太上無爲。斯民耕鑿自安。不知帝力。其次安民。若保赤子。後世厲民自養。則最下矣。

宇文融括田稅客。特其小小者耳。

玄宗始意安輯逋亡。而宇文融以此言利。宇文融始意窮盡地力。而州縣希旨虛張括數。甚且以實爲客。爲民上者欲有所爲。可弗慎與。

韋堅慕宇文融楊慎矜貴顯。效其所爲。希冀恩顧。卒爲李林甫所陷。身死嶺表。可哂。

楊慎矜甚承恩顧。而王鉷因慎矜嘗話讖書。又與還俗僧史敬忠游處。乃云慎矜是隋家子孫。心規克復。故蓄異書。與凶人來往。說國家休咎。致玄宗震怒賜慎矜自盡。萋菲貝錦。一至於此。可畏也哉。

王鉷恣爲割剝以媚於時。人用嗟怨。此死徵也。他目竟賜自盡。宜哉。

書李楊張王王傳

新唐書以李林甫入姦臣傳。置四夷後。楊國忠入外戚傳。置宦者前。皆深惡之。不與同中國。不使與衣冠齒也。此以李楊同傳。因事類及。雖未正名姦臣。抑亦史家恒軌。

蕭嵩爲玄宗擇相。以右丞韓休對。可謂進不隱賢。休不睦嵩。遽引林甫。舍君子而暱小人。賢者固如是乎。此唐室治亂樞機。每讀舊史。未嘗不太息痛恨於韓休也。

高宗欲立武氏爲后。李勣謂陛下家事。不合問外人。玄宗欲廢太子瑛。林甫又謂家事何須謀及於人。一則曰家事。再則曰家事。而國事遂不可問矣。噫。

相業以進賢爲要。而林甫日害賢者。不過恐人奪相耳。此正論語所謂患失也。生被小人之名。死入姦臣之傳。不亦徒自苦耶。可歎也已。

林甫以國忠恃寵敢言。援之爲黨。而國忠卽聽吉溫之言。謀奪執政。是林甫引狼入室而已不寤也。國忠激祿山反。以取信於上。而祿山遂舉兵。以誅國忠爲名。是國忠偪虎出柙而己不寤也。小人果愈智愈愚乎。可恨抑可憫已。

陳玄禮懼軍亂、因導令討楊國忠。玄宗懼軍散。因謂玄禮討賊諧朕夙志。於是而玄禮乃可建功。於是而玄宗乃可至蜀。

書玄宗諸子傳

張九齡諫玄宗勿廢太子。歷舉晉獻漢武晉惠隋文事。明白忠懇。若九齡者。庶幾善處人骨肉之間者矣。

永王璘至江陵、肅宗詔覲於蜀。蓋疑而置之蜀中也。璘不從命。領師東下。避禍而已。未始謀逆也、李希言以平牒激怒之。璘但云寡人上皇天屬。皇帝友于。別無悖語。亦未始謀逆也。然不急父兄之難。惟計一己利害。抑豈得爲賢王乎。卒受惡名以死。惜哉。

書韋崔崔杜傳

楊國忠以身領劍南旄鉞。請上幸蜀。遂致馬嵬之變。凡事利鈍不可逆覩。此亦一端、可歎也、又明王振欲邀英宗至蔚州幸其第。致有土木之變。亦頗相類。

玄宗因肅宗已卽位。遣韋見素房琯齎傳國寶玉册往靈武。因謂皇帝自幼仁孝。與諸子異。往十三年已有傳位之意。屬水旱逆亂。未遂此心。亦猶楊國忠已誅。乃曰朕識不明。任寄失所。意欲到蜀肆諸市朝。事已無可奈何。不得不作順水推舟語耳。

肅宗至平涼。未知所適。杜鴻漸謂平涼散地。非聚兵之處。必欲制勝。非朔方不可。若奉殿下旬日之間西收河隴。廻紇方强。與國通好。北徵勁騎。南集諸城。大兵一舉。可復二京。亦庶幾運天下於掌上矣。而代宗時鴻漸奉命平蜀。不敢問崔旰殺節度之罪。豈但知建策。不能自用耶。抑年老信佛。未欲經略耶。均未可知也。

書馮阿史那契苾黑齒李李白傳

馮盎蠻夷中人。少有武略。而知止知足。所言闇合老子。至可異也。否則盎爲趙佗。又勞陸賈遠使矣。

赤水川之役。契苾何力將數百騎突圍救薛萬均。雖勤王事。於萬均要爲大恩。突淪川之役。何力襲破吐谷渾。萬均乃排毀何力。自稱己功。此漢人不及蕃人處。無怪何力憤怒欲遂殺之也。若乃太宗解萬均官。廻授何力。而固讓不受。契苾部落執何力至延陁。而自稱大唐烈士。太宗遣使延陁。許降公主求何力。而何力請延緩其事。使延陁憂死。從太宗征遼東。爲高突勃所刺。既得其人而舍之。太宗崩。何力與阿史那社欲殺身殉葬。皆漢人所難能。而何力能之。可敬也已。

黑齒常之保任存山於百濟既亡之後。歸附者三萬餘人。蘇定方攻之敗績。常之遂復百濟二百餘城。定方不能討而還。當是時。常之可南面百濟。爲遼左一大國。而後竟率衆而降者。畏中國之威。知不可久抗取禍也。唐後豈有此事乎。噫。

常之夜襲。屢著奇功。蓋智勇兼具者也。終被酷吏周興等誣搆以死。惜哉。

李多祚之討易之兄弟也。張柬之等主謀。故有功。其討武三思也。節愍太子主謀。故被殺。事同而成敗利鈍異。豈不以人哉。豈不以人哉。

高仙芝破勃律。禽其王及吐蕃公主。斬藤橋以阻吐蕃。於是拂林大食諸胡七十二國連袂欵塞。此實大功。而成此大功者李嗣業也。郭子儀收復兩京。香積寺新店二役將敗而勝。尤中興唐室大功。而成此大功者又李嗣業也。猛士之繫國輕重也如此，漢祖過沛而歌大風有以哉。

白孝德斬劉龍仙。妙在獨往。蓋獨往賊易之。一也，獨往疑來降。二也。易之故不備。疑來降故搖手示之而不動。

書李王鄧辛傳

郭子儀能薦光弼。以人事君。不愧大臣。

光弼赴太原時。能斬崔衆。代子儀時。能斬張用濟。不愧大將。

光弼守太原，兵甚寡弱。而賊衆十餘萬。史思明且自來。他人當之。不遁亦降或死耳。而能以智禦賊，使不敢偪寇。怠我怒卒。獲大勝。不愧名將。

光弼屢表賊鋒尙銳。不可輕進。而觀軍容使魚朝恩屢言賊可卽滅。致朝旨令光弼速收東都。不得已進軍。敗於北邙山下。可見閫以外將軍主之。將在外君命有所不受。皆中國不刋舊語。不得以唐有觀軍容使。淸有軍機處。謬相效仿也。

書崔房張高暢傳

房琯生唐時。而用春秋車戰之法。可謂大愚。蓋兵器已變。舊物斷難適用也。惟虛實奇正之法。苟善用之。隔千載亦若旦暮耳。

史思明請以范陽歸順。張鎬揣知其僞。密奏可以計取難以義招。庶幾先見。

高適年過五十。留意詩什。竟成詩人。一可喜。詩貴諷刺。適爲諫議負氣敢言。蓋得變雅意多。二可喜。以詩人作淮南節度。遂定江淮亂局。三可喜。

書李李李李李傳

楊國忠譏李巨有比來人多口打賊云云。與李嗣源五代唐明宗公輩以口擊賊。吾以手擊賊語同。

書苗晉卿裴冕裴遵慶傳

裴冕以勸進功幸致相位。後乃圖附肅宗倖臣李輔國。甚可恥。而竟坐貶。抑豈冕始慮所及耶。

書魯裴來周傳

魯炅敗於葉縣。退保南陽。雖不能戰。而幸善守。南夏賴以保全。亦大功也。

書崔趙崔敬韋魏衛李傳

李承知李希烈立功後必勞王師問罪。可謂先見。希烈擁兵襄州。遂有其地。承單騎往爲節度。任希烈迫脅。誓死王事。尤爲以柔勝剛不易及。

書肅宗代宗諸子傳

建寧王倓與代宗兄弟篤睦。而張良娣李輔國乃譖建寧恨不得兵權頗畜異志。夫異志而曰頗畜。詞甚惝恍。肅宗竟怒而死倓。黃臺瓜未免輕摘矣。向非李泌忠諫。代宗亦惡得免乎。

書嚴郭崔嚴嚴傳

天下多美婦人。而崔寧必淫汚將吏妻妾何耶。

嚴震牙將馬勛率壯丁五人遠縛大將張用誠。智勇兼具。與白孝德獨斬劉龍仙事頗類。

書元王楊黎庾傳

元載附李輔國。已躋相位。輔國死後。元載有寵於代宗。不異輔國之於肅宗也。使卑以自牧。推賢進能。亦庶幾逆取順守。而必恣爲不法。排去忠良。惟恐已不敗滅何邪。第五琦以租賦入內庫。公賦變爲私藏。有司不得窺其多少。名爲天子所有。實則中官領之。此財之已在內者無可如何也。租庸調名存實亡。賦斂之司莫相統攝。朝廷不能覆諸使。諸使不能覆諸州。此財之尚在外者無可如何也。楊炎一言於德宗而賦歸左藏。全數遂可共知。再言於德宗而兩稅法行。貪吏遂無所取。抑亦救時之相矣。有才無德。卒以罪死。劉晏有知。其竊笑於地下也乎。

書楊綰崔祐甫常袞傳

唐試詩賦。進士於六經未嘗開卷。其弊甚於淸季八股也。有治天下之責者。尙其謹庠序之敎。申孝弟之義。並舉孝弟力田之科哉。

楊綰爲相。能令崔寬潛毀別墅。子儀減散音樂。黎幹減損車騎。可見以儉變奢。亦非甚難。

德宗登極。令白琇珪代王駕鶴爲神策軍使。懼不受代。崔祐甫召駕鶴與語。留連之。而琇珪已赴軍前視事。於禁軍舊將未能推誠。無故以詐欺黜之。在外諸將。恐亦聞而解體矣。

書郭子儀傳

祿山盛時。子儀屢勝於河北。祿山死後。子儀大敗於滏西。於此可見賊魁存亡不足爲喜懼。而我軍始壯終老。所關甚大也。

自廻紇遣葉護領四千騎助國討賊。一戰而復西京。再戰而復東都。雖廻紇不愧常勝軍。抑亦子儀能得葉護死力之故也。

子儀武功雖大。世固有可與比肩者。惟九節度之敗潰。子儀實兩勝賊。而不上表自明。不可及者一。中官魚朝恩譖罷兵柄。且屢間之。未嘗有怨言。不可及者二。李光弼兵敗邙山。子儀復起。見肅宗嗚咽流涕。若孺子之戀慈母。不可及者三。代宗時程元振忌嫉子儀。留之京師。吐蕃寇偪。詔起子儀。赴急恐後。不可及者四。程元振勸帝都洛。子儀奏請還京。引喩懇質。遂廻帝聽。不可及者五。僕固懷恩誘吐蕃廻紇黨項羌渾奴刺山賊任敷等三十餘萬南下。子儀以數十騎見廻紇。因說令會攻吐蕃。大破之。不可及者六。盜發父墓。或疑魚朝恩所使。而子儀泣奏代宗。謂己不能禁軍士殘人之墓。固已多矣。上獲天譴。非人患也。不可及者七。其智若此。其愚更若彼。史臣以爲大雅君子。社稷純臣。有以哉。有以哉。

書僕固懷恩梁崇義李懷光傳

蕃語譯音。僕骨可爲僕固。不必語訛始然也。況僕骨二字有詈人之意。不如僕固但譯音較可讀。

懷恩自寇難已來。一門之內死王事者四十六人。女嫁絕域。再收兩京。皆導廻紇摧滅强敵。宣力竭忠。可謂至矣。至滅史朝義。復燕趙韓魏之地。子儀且讓位於懷恩。其功莫之與二也。惜被辛雲京駱奉先等媒孽。懼罪而反。讀廣德元年自敍功伐書。能不爲之涕下乎。懷恩既死。代宗謂懷恩不反。爲左右所誤。諒哉。有此二語。懷恩亦庶瞑目矣。

懷恩有大功。以遇讒構懼禍而反。與崇義有罪懼禍而反者大異。不宜同傳。惟李懷光破朱泚有功。以盧杞等不許見德宗。積疑致反。頗類懷恩。可同傳。

書張路曲崔楊樊李裴傳

路嗣恭斬哥舒晃。遂平五嶺。此功也。商舶之徒。多因晃事誅之。沒其財寶。此罪也。雖曰功大罪小。廉恥將豈肯若是乎。

曲環勇將也。他日治陳蔡二州於李希烈亂後。賦稅均平。政令寬簡。不三二歲。襁負而歸者相屬。訓農理戎。兵食豐羨。雖循吏不若是過。豈徒解讀兵書哉。

書劉第五班王李傳

古昔舟車笨重。轉運所繫極巨。劉晏凡所經歷。必究利病之由。故運米關中。遂執國命。若在後世。火車輪舟。轉運之功未足論矣。然部吏居數千里之外。奉敎令如在目前。雖寢興宴語無欺紿。四方動靜莫不先知。則後世長交通部者恐亦愧此。謂學劉晏甚易可乎。又李巽爲度支鹽鐵使。人吏有過絲豪無所貸。雖在千里。其恐慄如在巽前。亦難得也。

鹽法創於第五琦。就山海井竈收榷其鹽。官置吏出糶。蓋官賣也。後世官督商銷。隨地有稅。隨事有稅。上用未必饒。而病民日甚。豈第五琦所料哉。

書薛令狐田侯李傳

薛平將也。其爲滑州乃能開古河道。使滑人無水患。後世河道總督及他言水利者當愧死矣。

李正己敢殺王志玄子。而不敢遽充軍帥。必擁立侯希逸者。以資望不及希逸。猶有所待也。希逸既爲外兄。又其所立。於是正已雖一人之下。實萬人之上矣。奮而取代。若拾芥耳。更沉毅得衆心。希逸安得不退避三舍哉。

僕固懷恩不反而譖之使反者。中使駱奉先也。李納雖反已悔罪。而傴之復反者。中使宋鳳朝也。中使之爲禍酷矣哉。

前云李正己初有淄青齊海登萊沂密德棣等州。復得曹濮徐兗鄆共十有五州。師古招集亡命。必厚養之。其得辠於朝而逃詣師古者。因即用之。其有任使於外者。皆留其妻子。或謀歸欵於朝。事洩族其家。衆畏死不敢異圖。此云自正己至師古。竊有鄆曹等十二州。（此後屢云十二州）六十年矣。懼衆不附。已皆用嚴法。大將持兵鎭於外者。皆質其妻子。或謀歸欵於朝。事洩。其家無少長皆殺之。以故能刦其衆。父子兄弟相傳焉。與前州數不同。且大抵複語。此等處不及新唐書。且新唐書於藩鎭別爲專傳。若網在綱。亦庶得史記刺客等傳遺意。

國家自天寶末安祿山首亂兩河。至寶應元年王師平史朝義。其將薛嵩李懷仙田承嗣李寶臣等。受僞命分領州郡。朝廷厭兵。因僕固懷恩請。就加官爵。及侯希逸爲軍人逐出。正己又據齊魯之地。既而遞相膠固。聯結姻好。職貢不入。法令不加。仍皆署其子爲副大使。父死子立。則以三軍之請聞。亦有大將自立者。自安史以迄貞元。朝廷多務優容。每聞擅襲。因而受之。以故六十餘年。兩河號爲反側。憲宗知人善任。削平亂迹。兩河復爲王土焉。此詳藩鎮之禍也。新唐書於藩鎮傳有安史亂天下。至肅宗大難略平。君臣皆幸安。故瓜分河北地付授叛將。護養萌孽。以成禍根。亂人乘之。遂擅署吏。以賦稅自私。不朝獻於廷。效戰國肱髀相依。以土地傳子孫。脅百姓加鋸其頸。利怵逆汚。遂懷其人自視由羌狄然。一寇死。一賊生。訖唐亡百餘年。卒不爲王土。當其盛時。蔡附齊連。內割河南地爲合從。以抗天子。亦詳藩鎮之禍。而指實不逮舊書。蓋永叔極意學史公秦始皇本紀、故更取杜牧語張之也。

書張劉蕭柳傳

張鎰疏論奴婢告主事。高辭正色。傳全錄之。甚是。此亦易所謂辨上下定民志也。蕭復臨事不苟。而爲同列所嫉。居位不久、可歎。柳渾知吐蕃不可信結。德宗驟加禮異。而亦爲張延賞所排。更可歎。

書李李陳盧裴傳

考試禁夾帶至今尚然。始意恐人寫他人文字或他題文字耳。若因此不得見經籍。眞能文者亦甚苦之矣。李揆於庭中設五經諸史及切韻本於牀。恣士尋檢。其諸可爲後世法也與。

揆因宗室請加張皇后翊聖之號。遂有韋氏專恣加號翊聖之對。可謂當頭一棒。肅宗爲得不驚。自有此驚而張后勢頹。自有此驚而代宗位固。揆誠善諫。肅宗亦實明主哉。

諱非古也。始於周代。然不過子於父母臣於君乃諱耳。他不盡然也。且不諱嫌名。二名不偏諱。臨文不諱。故無害。至秦始皇名政。讀正爲征。是諱嫌名矣。唐太宗名世民。諱世爲代。是二名偏諱矣。然猶人有虞世南官有民部尚書也。今李涵除太子少傅而呂渭上言涵父名少康。官名犯諱。是亦賀父名晉肅子不得舉進士之類耳。豈周代制諱本意乎。崔祐甫奏及德宗詔云云。尤所謂君臣皆失者也。

陳少游厚斂財貨。交結權倖。頻獲遷擢。三總大藩。自謂得計。他日終以奪包佶財賦上表歸順李希烈二事。窘愧致死。果得計乎否耶。

書姚張源喬張蔣洪彭傳

此傳諸人皆以朱泚故遺臭萬年。惟蔣鎭於涇師叛時潛竄鄠縣傷足。於爲僞宰相時常懷刃將自裁。於源休欲偪脅潛藏衣冠大加殺戮時爭救甚力。其心尙屬可原耳。

書段秀實顏眞卿傳

使德宗不信楊炎姦計。奪秀實涇原節度。何至有涇原兵亂擁朱泚僭號之事。使秀實不爲司農卿。倒用司農印印符以追韓旻疾趨奉天之兵。則德宗被弑。何能聞秀實擊泚遇害垂涕惜之。使大將劉海賓何明禮犮官岐靈岳依秀實約事急爲繼。且應於外。則秀實必不遇害。海賓明禮靈岳亦豈至同歸於盡。

立德立功皆儒者分內事。立言特其一端耳。自士以言揚。不以行舉。而言亦無本之言。與古所謂不朽者大異。於是士爲天下所輕視、迂儒寡效。文人無行。幾成天下定評。有顏眞卿虞允文輩爲士流吐氣。誠一幸事。然僅恃顏眞卿虞允文輩吐氣。不能胥奮於不朽。固猶士流之恥也。且不獨士流之恥。在上君相。在下師儒。不以內聖外王之道帥天下敎天下。皆與有罪焉矣。

眞卿事親以孝聞。仁之本立矣。故能決五原冤獄。獄決而雨。郡人呼爲御史雨。又孝子之門有忠臣。故祿山陷河朔而平原獨城守具備。他日且得兵二十餘萬。橫絕燕趙焉。

眞卿以上皇在蜀。肅宗祭宗廟不可稱嗣皇帝。此杜肅宗不孝上皇之漸也。李輔國矯詔遷上皇西內。眞卿首率百寮表問起居。此欲肅宗終孝上皇。杜奸臣行弑之漸也。

元載楊炎壅蔽天子耳目。害旣太甚。而盧杞復借刀殺人。奏遣眞卿諭希烈。致被希烈縊殺。甚矣姦臣之多也。而喜用姦臣如代宗德宗者。謂之非昏主可乎。

讀唐書蠡述卷四

岳陽李澄宇洞庭著

書韓滉張延賞傳

滉兼江淮轉運使、而元琇以滉性剛愎難與集事。乃條奏滉督運江南米至揚子。凡一十八里、揚子以北、琇自主之。既畀名而奪之權。常情所難安、況滉也耶。釁自此開。滉固已甚。琇亦自取其禍矣。

張延賞挾怨罷李晟兵柄。致武臣不附。又建議減員、物議不平。此二事實其得疾之由。蓋武臣不附、莫與復河湟。物議不平。已無法變易原議也。

書王李崔關傳

李泌藉鬼神爲高。幸躋相位。而隨時俯仰。鮮所樹立。宜其與王璵同傳也。

書李勉李皋傳

勉不媚事李輔國魚朝恩。雖被屈於一時。而他日竟履相位。可見富貴在天。不必己求也。

皐奉太妃鄭氏以孝聞。在溫州嘗擅貸官粟振衆。孝悌爲仁之本。不其信哉。而李鈞李鍔一爲殿中侍御史。一爲京兆府法曹宦游二十年不歸。致老母無以自給。無怪皐請罪之除名勿齒也。

皐以賊樹堡柵於蔡山。峻險不可攻。乃聲言西取蘄州。理戰艦分兵傍南涯。與舟師泝江而上。賊以老弱守柵。引軍循江。隨戰艦南北。與皐兵相去。直蔡山三百餘里。皐令步兵登舟。順流東下。不日拔蔡山。賊還救。間一日方至。大破之。因進拔蘄州。又取黃州。蓋化有備爲無備而後攻之。是誠知兵者也。

韓愈曹成王碑。敘皐單騎降王國良。及前後破李希烈軍事。聲采並壯。然非皐實有此事。亦不能使愈成此妙文也。人以文重。文亦以人重也。

書李李王盧李李傳

無備而賊至。給以糧盡明日降。因得設備。賊急攻之。則出奇兵表裏殺賊。此抱玉所以善守也。京城南面子午等五谷羣盜爲害。抱玉探知賊帥行止之處。先分屯諸谷。

乃設奇。潛使輕銳數百南自洋州入攻之。賊帥高玉方與諸偷會。掩擒數十人。此抱玉所以善攻也、

李抱眞密揣山東當有變。藉農隙習射。化壯丁爲軍士。其事甚智。說王武俊合從擊朱滔。以數騎入武俊營。且酣寢武俊帳中。武俊感其不疑。結爲兄弟。遂破朱滔。其事甚勇。殆皆忠義之氣迫之使然也。大將若此。可敬甚矣。

書李晟傳

馬璘與吐蕃戰於鹽倉。兵敗。晟率所部横擊之。拔璘出亂兵之中。於國有功。於璘亦可謂有恩矣。而璘忌晟威名。令朝京師。致代宗留居宿衛。殆諺所謂恩將讎報者乎。可嘆、

德宗信楊炎姦計。奪段秀實涇原節度。於是有涇師之亂。朱泚因之以據京師。已一誤矣。今又信李懷光姦計。詔晟自東渭橋合軍咸陽。壁陳濤斜。若晟軍竟併於懷光。朱李（朱泚 李懷光）勢合。唐祚用絕。則再誤矣。此云晟密疏請移軍東渭橋。初未之許。以事

迫。會有中使過晟軍。晟乃宣令云奉詔徙屯渭橋。是矯詔濟變。悉出晟計也。通鑑云。陸贄自咸陽還。以懷光沮晟進取。變故難測。請允晟移軍。別賜懷光手詔。謂贄見卿語。及於此。卿已許去。上從之。晟自咸陽結陣而行。歸東渭橋。是得詔出險。甚得贄助也。總之此日不移軍。卽無李晟。無李晟卽無唐室也。晟無論如何必移軍。贄無論如何亦必以移軍爲是也。

晟與懷光合軍時。勸亟討賊。且言願爲前驅。蓋但期立復京師。不必己專大功也。已分軍而軍勢大振時。又諭懷光破賊迎鑾。（時德宗已幸梁州）用掩前過。蓋但期早定亂局。不必獨爲君子也。其宅心何等正大。於懷光反狀已明時。請以其裨將及子瑎爲洋州利州劍州。蓋但期蜀漢之路無壅。可備非常。不以植黨爲嫌也。於討朱泚時不先拔外城而先擊心腹。蓋但期宮闕無恙。市不易肆。而不以暴虎馮河爲懼也。其措慮何等忠實。

吐蕃相尙結贊惡李晟馬燧渾瑊。必欲去之。乃行反間。於貞元二年九月興兵入隴州。抵鳳翔無所虜掠。且曰召我來何不犒勞。蓋晟是時節度鳳隴也。晟雖以伏兵敗之。且於十月出兵襲吐蕃。而後竟罷兵柄。於是數遣使因馬燧請和請盟。復因盟虜瑊。因以賣燧。瑊於盟平涼時單馬僅免。燧亦罷河軍節度。此貞元三年五、六月事也。間之爲禍烈矣哉。晟既功高震主。而又內有張延賞搆之。外有尙結贊間之。稍一不愼。難免誅夷。怒丁瓊不祥之言。遽執以聞。德宗所由終念勛烈與。

李愬貌爲卑弱。使賊不備。而親撫士卒傷痍。得其死力。且於降將知人善任。故憲宗元和十二年十月十日夜半得入蔡州。且事前自文成柵出師。但曰東六十里止。至賊境張柴。盡殺其戍卒。復建旆而出。道分五百人斷洄曲路橋。又分五百人斷朗山路。計自張柴行七十里至蔡州。賊晏然無一人知者。亦可謂密之至矣。今豈有此人爲國辦賊乎。爲之執鞭所欣慕焉。

愬初入賊境。盡殺張柴戍卒。恐其報賊知我師入也。自元濟就擒不戮一人。其爲元濟執事帳下廚廄之間者。皆復其職。使之不疑。且迎謁裴度如禮。以示等威。則又於攻城之後繼以攻心也。爲將若此。不愧乃父。

憲宗時李聽爲羽林將軍。穆宗在東宮求馬不與。而他日河東擇帥。獨任斯人。穆宗抑亦明主也。他事不克如此。惜哉。

李晟甥王佖善騎射。汧陽之役。幾獲吐蕃相尙結贊。蓋伏而奮擊中軍。晟實敎之。佖未能如此也。且晟視佖恩寵與愿。愬不殊。而給與過之。蓋早知其貪而無謀也。此種人不宜獨當一面。他日節度靈鹽。受吐蕃賂。俾得併役成烏蘭橋。築月城圍守之。自是朔方禦寇之局大變。抑朝廷用人失當之咎耳。

書馬燧渾瑊傳

田悅遣將王光進以兵守漳之長橋。築月城以爲固。軍不得渡。燧乃於下流以車數百乘維以鐵鏁。鏁絕中流。實以土囊。以遏水。水稍淺。諸軍畢渡。此亦偷渡一法。然貴神速。否則賊苟諜知。或遭半渡之擊也。悅與淄靑恒軍爲首尾。欲不戰以老我師。燧乃造三橋道逾洹水挑戰。且令諸軍半夜皆食。先雞鳴擊鼓吹角。潛師傍洹水徑趨魏州。令曰聞賊至則止爲陳。又令百騎留後待軍畢發止鼓角匿其旁。伺悅軍畢渡焚橋。悅果卒淄青恆州步騎四萬餘人掩之。燧止軍爲陳，募勇力五千餘人爲前列。俟悅軍至縱擊。敗之。迫洹水。悅軍走橋。橋已焚。赴水死者不可勝紀，殺大將孫晉卿安壘啜。此又致賊一法，然貴整暇，否則賊大至時不能以逸待勞豈能以寡勝衆也。

燧敢挺身至長春城下呼徐廷光諭以禍福，以焦籬堡守將尉珪先日降燧。廷光東道已絕也。且彼素憚我。披襟示誠。焉得不感泣俯伏乎。

馬燧之討懷光也。渾瑊自謂行兵料敵。遠不逮燧。他日吐蕃請和。燧盛言蕃情可保。而晟謂戎狄無信。卒之平涼刦盟。渾瑊單騎僅免，可見晟智過燧抑又甚遠。

德宗在奉天被朱泚圍，唐祚不絕如縷，若非瑊與防城使侯仲莊鑿地道制賊雲橋。後事豈復可問。故論瑊一生勛烈。此役要爲第一。

書盧白裴韋李李韋王程皇甫傳

天下莫智於君子。而莫愚於小人，君子務進賢，以天下之智爲己智。以天下之勇爲己勇。事皆衆集。功莫與京。且身名並泰。縱被小人搆陷。身敗一時。名彰萬祀。是無論成敗若何。爲君子者無往弗利也。小人忌賢竭一己心力害天下智勇。欲長保權勢。恐人或奪其位耳。卒之身敗名裂。當代疾視若讎。後世談及而恨。身受富貴。未必踰於君子。所遇禍患。或更酷焉。甚至寵幸炫赫之日。卽已夜不安寢。方寸之地。荆棘叢生、所謂作僞心勞日拙也。是無論成敗若何。爲小人者無適非鈍也、其利也若彼。其鈍也若此。而小人甘爲小人。謂非大愚也可乎。觀盧杞矯誣陰賊。排斥忠良。而貶死澧州、至今號爲姦臣。與許敬宗李林甫爲比。甚可哂矣。

林甫蠱明皇、杞惑德宗。京弄宋徽。檜煽帝搆。皆奸也。而杞爲最。夫奸以得君爲要。而明皇終疎林甫。徽宗三罷京。帝搆靴刀防檜。惟杞貶而德宗猶欲用之。其奸不可及也、雖林甫京檜位久於杞、豈若杞能以己心永繫君心乎。林甫狡而專。故君疑。京狎而輕、故君厭。檜譎而愎。故君忌。獨杞險而似誠。故得君過之。此澄宇少作李林甫盧杞蔡京秦檜執奸論也、覆讀此傳。輒錄於此。

裴延齡巧詐以變移官物。暴法以刻削私財。陸贄疏詳論其罪。且引奉天梁州近事證財聚人散之爲禍烈。可謂良藥苦口。而德宗益厚待延齡。且罷贄政事。不謂之昏主不可也。

憲宗亦英主。而爲皇甫鎛所惑者。蓋鎛深知肆娛樂求長生。英主晚節往往如此。故一面數貢羨餘。使帝足娛樂之用。一面薦引方士。使帝務長生之術。帝環顧內外竭力盡心若此者。鎛外幾無有。欲不爲所惑得乎。

書竇齊劉盧崔齊傳

竇參以持正開罪於衆。被貶。無足怪。而史遽加醜辭。殊匪直筆。陸贄亦與參有隙者。於異圖雖有申理之言。於素行不少周內之語。孟子曰盡信書不如無書。此亦其一也。

書徐趙劉李邵于崔于呂鄭李李傳

于邵性孝悌。內行修潔。老而彌篤。不愧君子。而識樊澤崔元翰於舉賢良舉進士之日。決其必爲節將。必掌詔令。更尋常儒士所未逮。

書趙韋賈姜傳

趙憬與陸贄約於德宗前論奏裴延齡。贄既極言延齡姦邪誑誕之狀。而憬默然。賣友取容。正士豈若此哉。

書陸贄傳

贄縷陳懷光反狀。俾李晟得遂移軍。德宗復興。實繫此役。故謂贄此奏卽李晟成功之母可也。晟既收京。德宗將詔渾瑊尋訪散失宮人。贄謂宜速遣大臣迎復神主。修整郊壇。弔恤死義。慰犒有功。綏緝黎蒸。優問耆耋。安定反側。寬宥脅從。官失職之士。復廢業之人。至於崇飾服器。繕緝殿臺。備耳目之娛。選巾櫛之侍。是皆宜後不可先也。上果盡從其言。豈易再亂。故謂贄此論卽唐室不死之藥可也。

贄論遙制之弊。有戎虜馳突。迅如風飇。驛書上聞。旬月方報。守土者以兵寡不敢抗敵。分鎭者以無詔不肯出師。逗遛之間。寇已奔逼。託於救援未至。各且閉壘自全。牧馬屯牛鞠爲椎剽。穡夫樵婦罄作俘囚。雖詔諸鎮發兵。惟以虛聲應援。互相瞻顧。莫敢遮邀。賊既縱掠退歸。此乃成功告捷。等語。與後世剿匪軍事。後先一轍。而在上者每喜遙制。至死不寤。則韓信不善將兵而善將將一語誤之也。古者閫以外將軍主之。將在外君命有所不受。何嘗有將將說乎。卽有之。亦大將之事。非至尊之事。而後世乃以元首爲大元帥。抑謬甚矣。

書韋皐張建封盧羣傳

牛雲光以書生待皐。納器甲而後入城。不知竟被書生所賣也。可哂。

盧杞本惡建封。而蒼黃薦牧壽陽。自是斬希烈僞使。抗希烈凶黨。既充濠壽廬觀察。又爲徐泗濠節度。加檢校右僕射。可見富貴在天。非小人所得而害也。

書田承嗣田弘正張孝忠傳

新唐書以田承嗣冠藩鎮傳。以魏博七州（貝博魏衞相磁洺）扼河北河東衝要、而承嗣又首抗王命者也。

田悅大敗還魏。大將李長春拒關不納。以俟官軍。若馬燧等乘勝前驅。悅授首必矣。而頓兵魏州南平邑浮圖何耶。無怪史臣恨之屢以爲言也。

李懷光恃勇急戰，致燧等並爲武俊所敗。復被決河斷絕糧路。若非朱滔心忌武俊。燧等死是役必矣。此中殆有天焉。不獨燧等之幸。乃唐室之幸也。

田弘正舉魏博六州（貝州己由田悅私奉朱滔）歸國。令子布從討吳元濟。藩鎮從此息燄。是藩鎮以田氏始。亦以田氏終。也使憲宗後更有英主。何至釀朱溫盜國大禍哉。

李寶臣召孝忠。孝忠報以懼不敢往。猶公之不覲於朝。慮禍而已。痛語亦快語。朱滔說孝忠同叛。孝忠報以業已效忠。不復助逆。王武俊善翻覆。司徒當記鄙言。快語亦痛語。

書李寶臣王武俊王廷湊傳

寶臣以恒定易趙深冀滄七州自給。與薛嵩田承嗣李正己梁崇義等連結姻婭。互爲表裏。苟無交惡之事。天子討罪豈易哉。然寶臣以弟寶正故與承嗣交惡。而承嗣亦間誘寶臣與朱滔交惡。使不討己。則致討以交惡。而拒討亦以交惡也。中貴馬承倩詬詈寶臣。致武俊勸寶臣與承嗣交歡。自此藩鎮患深。展轉變幻以迄唐滅。宦官之爲禍酷矣。

賈林說武俊背田悅絕朱滔。語皆善入。不愧辯客。然武俊亦自此勛位日隆。生爲令公。死諡忠烈。林固不負武俊也。

吳元濟平而王承宗懼。李師道平而承宗奉法逾謹。賊固不可不討哉。

承宗弟承元以鎮冀深趙四州土地效忠於國。（德棣二州承宗未卒前已上獻）不失義成節度。毅然赴滑。身名並泰。賢於李師道遠矣。使皆若此十八歲人。藩鎮何致爲患哉。

廷湊既邀虜之。諸軍復强奪之。於是懸軍深鬭者無復支給。加以內官監軍。選驍健者自衞。羸懦者即戰。於是廷湊與朱克融以萬餘衆抗官軍十五萬。雖裴度李光顏在職。不能救河朔。元首不明。股肱無裨。可嘆也哉。

書李朱劉程李傳

李懷仙薛嵩田承嗣張志忠等既降。縱不調離虎穴。予以他所。亦當仿賈誼衆建諸侯而少其力之意。使四將偏裨各受王命有分地。奈何聽懷恩以河朔二十四州之地盡畀四將乎。此代宗失計。養虎自貽患也。

朝廷不能制懷仙。而其麾下兵馬使朱希彩能殺之。王縉不能制希彩。而其孔目官李瑗能殺之。已恭王命下必忠。已不恭王命下必叛。無足怪也。

當朱泚據京師。滔誘迴紇南攻魏貝時。王武俊本附於滔。非德宗李抱眞極力將武俊離間。使武俊父子戮力討賊。則滔泚合勢。唐事殆未可知。然非賈林善說。亦未必遽動武俊也。

劉怦諫滔於謀叛之始。不同惡以冀非分。迎滔於敗退之後。不賣主以邀異勛。可謂難能。

書尚李戴陽李韓賈杜尉遲邢楊張傳

尚可孤既有勛勩。衆會之中。未嘗自言。庶幾有馮異遺風。

平涼會盟。李觀伺知吐蕃狡謀。潛擇精兵五千要伏險道。渾瑊得免於難。智殆不讓李晟。

李元諒與李晟討朱泚。大敗賊衆。壞苑垣而入。賊聯戰皆敗。遂復京師。而出屯章敬佛寺。以功讓晟。蓋戰時元諒功多。未戰前晟功更多也。然自知之明。克讓之美。皆不可及。又平涼之會。次瑊爲營。戒嚴部伍。免瑊於難。亦不可及。

杜希全以鹽州要害請亟版築、由是靈武銀夏河西稍安。吐蕃不敢深入。似亦克忠於國、乃李景略威名出己右。畏其代己、誣奏致貶、事君以人者。豈若此乎。此希全所以僅爲希全也。

邢君牙於李晟移軍渭橋。實贊厥謨。又後歷掌留後軍府。安悅代爲節度。克備西戎。可謂始終不負國。亦不負晟。甚可敬慕。

韓游瓌傳載楊朝晟召叛卒。使言賊首。於衆中唱二百餘人。立斬之。而朝晟傳乃云密計斬三百餘人。未知二字誤耶。抑三字誤耶。新唐書於韓傳未言朝晟事。於楊傳亦云衆所譏指斬二百餘人。然則三字誤耳。

書劉董陸劉李李吳傳

韓愈所爲董公行狀。於李懷光反後。有說懷光絕泚而襲之。淸宮而迎天子。庶人服而請罪有司。雖有大過。猶將掩焉。懷光拜泣。公亦泣等語。足補董晉傳之闕。又至汴州後。有劉玄佐及子士寧李萬榮鄧惟恭。遇軍士厚驕不能御。別置腹心之士。幕於公庭廡下。挾弓執劍以須。日出而入。前者去。日入而出。後者至。寒暑時至。則加勞賜酒肉。公至之明日。皆罷之等語。晉傳亦未載。

史思明撫李忠臣背曰。吾比祗有左手。今得公。兼有右手矣。而忠臣卒歸國爲功臣。不知順逆者能若是乎。他日罷兵權。乃爲朱泚司空。兼侍中。果知順逆者而若是乎。

李希烈有討平梁崇義之功。位極人臣。未嘗憂讒畏譏。而忽甘爲叛逆。殊出意外。

吳少誠傳有裴度還奏。惟李光顏勇義盡心。必有成功。及宰相諫官屢以罷兵爲請。惟裴度堅於破賊。李愬既得賊將吳秀琳李祐。委信無疑。祐謂元濟勁軍多在洄曲西境防捍。而守蔡者皆市人疲耄之卒。可掩襲等語。平蔡之功。前首光顏。後首愬。而非度功皆不可立。故度功第一。可於此傳證之。不必咎韓愈平淮西碑爲妄作也。又烏重胤功僅次光顏。此傳亦詳載。與平淮西碑同。

傳末述李希烈吳少誠以來民情軍勢姦謀。甚詳盡。可與平淮西碑互勘。

書薛飽李李嚴蕭杜王李于盧楊鄭杜裴薛傳

李自良於廻鶻入寇。勸飽防堅壁不動。築二壘扼其歸路。可謂有謀。助馬燧立功名。而不肯代其位。可謂有禮。節度河東以簡儉守職。軍民胥悅。可謂有政。

嚴綬材器不踰常品。而在河東能悉選精甲付牙將李光顏兄弟以討蜀夏。在荆南能遺部將李忠烈招降蠻首張伯靖。抑可謂知人善任矣。

蕭昕爲左拾遺時。薦布衣張鎬可爲王者師。舉賛善大夫來瑱堪任將帥。知人復肯薦舉。今豈有此哉。

書杜黄裳高郢杜佑傳

黃裳請伐蜀。並請不以中官監軍、祇委高崇文爲使。自經營伐蜀以至成功。指授崇文無不懸合。此功蓋先於裴度平蔡也、以無韓愈作碑。功不甚顯。文之所繫大矣哉。

不欲弊中國而怒遠夷。杜祐此語。實得古聖人五服深意。

納劉秩政典於杜祐通典之中。而劉秩亡。秩殆著述中之陳項耶。噫嘻。

杜牧論兵事。未得志於時。而註曹公所定孫子十三篇幸傳。蓋亦立功未遂。聊復立言者與。

書裴李李權傳

李吉甫爲相、裴垍爲疏才傑名氏得三十餘人、及垍爲相、用韋貫之裴度知制誥。擢呂夷簡爲御史中丞。其他量材賦職。旨協人望。若垍者今豈易有耶。

平蔡之謀。吉甫啓之、以先卒未覩厥功、否則吉甫遂爲裴度矣。又武元衡不遇害亦必爲裴度。

李藩論儉以足用、及福自己求、庶幾能格君心。

權皋以孝聞。德輿亦以孝聞。求忠臣必於孝子之門。無怪德輿爲相。事君盡忠也。

書于令狐歸奚張蔣柳沈傳

周仁達敕進羨餘錢十萬貫。歸融奏有入財貨以希恩。待朝廷而何淺。臣恐天下放效。以羨餘爲名。因緣刻剝。生人受弊等語。褖小人之心。杜後日之弊。可謂切至。

沈既濟奏武后事不宜立紀。請倂入孝和紀。每入歲首法春秋公在乾侯書皇帝在房陵。太后行某事改某制云云。朱紫陽於綱目書帝在房州。實取沈說。或但謂紫陽特筆。何不考古乃爾。

書德宗順宗諸子傳

皇姬下嫁。舅姑反拜。而婦不答。蓋與主薨而駙馬服斬衰三年。同一失禮。令親執棗栗以見舅姑之制。德宗定之。而駙馬爲公主杖周之制。至文宗始定。蓋失禮之事。從主者强令爲之。朝廷初未聞知也。

論謂但能夙夜嚴恭。任賢使能。自然四海樂推。天命所祐。縱無封建。亦鴻基永固。安侯嬰孺鎭重哉。足正歷代帝子封王之謬。

書高伊朱劉范王閻孟趙傳

卯時宣命。辰時出師。有折逆旅匕箸者。斬之以徇。卽此二事。可見高崇文在軍紀律。

據萬勝堆下瞰鹿頭城。城中人物可數。凡八大戰。皆大捷。與史記項羽本紀與秦軍遇。九戰絕其甬道。大破之。敍法頗類。然使無奇軍深入鹿頭西大河之口。斷賊糧道。賊猶未必遽降也。蓋有攻城之正軍。尤貴有斷糧之奇軍也。有正軍而奇軍之效乃神。有奇軍而正軍之力乃大。

劉昌裔密計斬安國寧。卽召其麾下千餘人。食之。賞縑二匹。伏兵諸要巷。令持縑者悉斬之。可謂手辣心很。然爲將者。有時不得不如此。

書馬郝王劉李張高郝段史傳

西鄰德意志。東鄰日本。其治軍皆尙峻整。令之所及。赴湯蹈火。若常事。程不識。李光弼之治軍。殆德日之鼻祖歟。郝廷玉爲陳。悽然述臨淮遺法。有以哉。

李景略始爲杜希全所忌。奏貶袁州司馬。後爲李說所忌。遠授豐州刺史。而皆以梅錄將軍故。伸於虜竟屈於國。可歎。

代宗德宗皆知張萬福英勇。且屢立功效。而竟不克得節度。豈命也耶。

書姚劉袁段薛盧傳

劉迺以不附楊炎盧杞故。權知兵部侍郎五歲不遷。及朱泚僭號。乃能以忠烈自矢。非迺不負德宗。直迺不負赤心耳。可敬也。

薛存誠於姦僧鑒虛能不奉詔釋放。竟笞死之。於信州刺史李位能一日三表請付御史臺。竟雪其枉。可謂勁直。然非遇憲宗。豈幸容此哉。

書孔許呂劉張熊柏傳

李白送韓準裴政孔巢父還山詩。有獵客張兔罝。不能挂龍虎。所以青雲人。高歌在巖戶等句。而此傳有永王璘辟巢父從事。巢父潛遁。及爲德宗使魏博。因衆意令田緒知軍務。遂戮田悅等事。巢父信龍虎人哉。卒被李懷光所害。亦顏眞卿被李希烈害之比耳。曷足哂乎。

韓愈爲南海神廟碑文。述孔戣躬祀南海事。且繫以詩。曾國藩謂從王延壽桐柏廟碑化出而靑勝於藍。故此傳有韓愈在潮州作詩以美之云云。又孔戢禱雨曲池。其夕大雨。可與並美。

許孟容爲京兆尹。於李昱以法繩之。豪右斂迹。可謂剛正。然不遇憲宗。恐亦未得徑行其志也。

史思明舊將中岳寺僧圓淨。年八十餘。尙爲李師道作賊。欲令洛城流血。賊心不化作禪心可哂。

崔羣王涯請勿授張宿諫議大夫。而憲宗必授之者。蓋宿陰事中要。以圖進取。其效遠過於媚附宰相也。

論旣力貶劉梅楚張宿熊望等。何乃令與孔巢父許孟容呂元膺同傳耶。

書穆崔竇李薛傳

穆寧願佐顏眞卿定危難。而計不克行。爲和州刺史有善政。人戶增倍。而代者以天寶版籍較現戶誣以逋亡多。代宗召寧將大用。而執政者以爲不附己。且憚其難制處之散位。寧至是安得不與時不我容我不時殉之歎乎。他日誡子猶曰直道而已。愼無爲諂。信强毅哉。

文宗謂以不肖之才治邊民。則疾苦可知也。大哉王言。

李吉甫愛重竇羣。吉甫罷相。羣乃令吏捕術士陳登（與漢末陳登同名）考劾。僞構吉甫陰事。密以上聞。羣眞很戾哉。憲宗怒將誅羣。而吉甫仍救之。吉甫固君子。抑未免有失於厚矣。

穆宗以相屬薛放。而放固辭。觀其論經史以經爲先。論經以論語孝經爲先。此人實足在輔弼之位。而穆宗竟聽其辭。此穆宗所以不能爲令主也。

書于頔韓弘王智興傳

韓弘帥汴。斬凶魁劉鍔。及其黨三百以徇。自是訖弘入朝二十餘年。軍衆十萬。無敵怙亂者。去惡務盡。信哉。

論於韓弘王智興有乘險蹈利犯上無君豺狼噬人鵂鶹幸夜等語。是亦斧鉞。

書王郗李辛馬韋王傳

郗士美經略黔州。能討平溪州賊帥向子琪。未足異。而充昭義節度時遣兵馬使王獻領勁兵一萬討王承宗。獻凶惡恃亂逗撓不進。遽令召至斬之。令曰敢後出者斬。兵既合而賊軍大敗。是乃可異也。蓋勁兵已在獻手。而遽斬獻。一不易。斬獻後遽令兵出戰。二不易。是時四面七八鎮兵共十餘萬環鎮冀未有功。而獨大敗賊軍。三不易也。

唐時宰相出鎮。皆匪所願。蓋宰相近挾天子能左右一切也。今李鄘節度淮南。以年侵勢過。頗安外鎮。雖拜平章。竟不領政。則又憚宰相負四海全責。不若方鎮但當一面也。

讀唐書蠡述卷五

岳陽李澄宇洞庭著

書武元衡鄭餘慶韋貫之傳

鄭餘慶理家理身極其儉薄。及修官政則喜開廣。此極可法。

起自山林可言釋褐。鄭處誨已登進士第。且父祖皆貴子孫斷不衣褐。不宜有釋褐祕府語。其弟亦登進士第。釋褐祕書省校書郎云云亦非。

必自辟僚屬。乃可責功罪於一人。否則任甲某事後。令甲必用乙丙丁等爲助。乙丙丁等苟不職或不法、甲有所忌不之罰。事必敗。僖宗許鄭從讜自擇參佐。開幕之盛。冠於一時。其庶乎。

從讜於李克用始終以禮處之。克用亦遂不敢無禮於從讜。蓋從讜威名素立。臨事復磊落可喜也、

太原大將張彥球強桀難制。前後帥守以疑間貽釁。而從讜開懷任遇。得其死力。可見天下智勇皆吾智勇。亦在御之而已。

韋貫之請釋鎭以養威。攻蔡以專力。憲宗未可其奏。於是言建中之事始於蔡急魏應，齊趙同惡。德宗卒天下兵。命李抱眞馬燧急攻之。物力用屈。朱泚乘之爲亂。朱滔隨而向闕。憲宗乃聽。可見應變貴審後先。而悟主尤貴詳剖事理也。

貫之子澳顧周墀作相無權。且言爵賞刑罰非公共欲行者。顧不以喜怒愛憎行之。但令百官羣司各舉其職。則公斂衽於廟堂之上。天下自理。蓋得老氏之旨者。澳謂時事漸不堪，是吾徒貪爵位所致。此極傷心人語。後世袞袞諸公所當三復也。

書衛鄭韋崔路傳

韋處厚在相位。務在濟時。不爲身計。此二語可爲大吏座右銘。

崔羣諫憲宗勿用皇甫鎛。謂玄宗用姚崇宋璟張九齡韓休李元紘杜暹則理。用林甫楊國忠則亂。人皆以天寶十五年祿山自范陽起兵是理亂分時。臣以爲開元二十年罷賢相張九齡專任姦臣李林甫。理亂自此已分矣。可爲千古察理亂總訣。又李絳傳絳對憲宗。亦言開元二十年以後李林甫楊國忠相繼用事。專引柔佞之人分居要劇。姦臣說以興利。武夫說以開邊。天下騷動。姦盜乘隙云云。亦與此合。

書韓張孟唐李宇文劉柳韋傳

淸阮元謂孔子於乾坤之言自名曰文。此千古文章之祖。爲文章者不務協音以成韻。修詞以達遠、使人易誦易記、而惟以單行之語縱橫恣肆。動輒千言萬字。不知乃古人直言之言論難之語。非言之有文者也。非孔子之所謂文也。蓋桐城派專以散文爲古文、阮氏甚不謂然。而隱以文心雕龍有韻爲文無韻爲筆之論折之也。韓愈文起八代之衰。化駢爲散。然進學解用韻。猶是賦體。所謂效揚雄述作者也。知此則不論有韻無韻皆可謂文。但問果斐然成章否耳。史謂魏晉以還爲文者多拘偶對。而經誥之指歸遷雄之氣格不復振起。故愈所爲文務返近體。諒哉。

佛敎始意避生老病死苦。然不諱死、若以媚佛延年。直與道敎末流求仙者等耳。韓愈諫迎佛骨表有黃帝在位百年年百一十歲等語。蓋對當時言佛者發。且對憲宗求長生之本念發、愈作諱辨。本不紕繆。而傳以爲甚紕繆。蓋唐代每諱嫌名也。

至敬不饗味而貴氣臭。故用牲牢籩豆。李翺議太廟不可朔望具常饌。信知禮哉。後世乃廢牲牢籩豆以常饌祭孔廟。何弗一讀此文乎。

劉禹錫旣知沉舟側畔千帆過。病樹前頭萬木春。達人知命。玄都觀詩可無作矣。

柳宗元以禹錫母老不宜貶遠。願以柳州授禹錫。自往播州。爲人若此。豈亂臣賊子所可比擬哉。宗元旣非亂臣賊子所可比擬。則王叔文非亂臣賊子抑又明矣。所志未遂。受惡名以死。悲夫。

書李烏王李李董楊劉劉石傳

李光進光顏兄弟恩澤同時。未足歎異。惟皆克孝於親。且友愛。其姒娣亦皆孝睦。求之儒門且難。況將門乎。居母喪三年。不歸寢室。光顏先娶妻奉母命主家事。母卒。光進始娶。光顏使妻奉管鑰家籍財產歸於其姒。光進命反之。且曰母命不可改。因相持泣。孝友若此。可歎異也。

討吳元濟時。賊衆晨壓光顏之壘而陳。光顏不得出。乃自毀其栅之左右出騎以突之。此亦應變一法。

韓弘爲汴帥。驕矜崛強。常倚賊勢索朝廷姑息。惡光顏力戰。陰圖撓屈。前欲殺光顏部將田穎宋朝隱未遂。後以美人計惑之。又未得。於是不得不坐看光顏成功矣。可哂。

賊知光顏勇冠諸將。乃悉其衆出當光顏之師。李愬乘其無備。急引兵襲蔡州拔之。此與鍾會綴姜維於劍閣。鄧艾乃得度陰平襲成都相似。

人給五十千而不識戰陳。彼何人也。常額衣資不得而前蹈白刃。此何人也。後世軍餉不平若此者多矣。安得常有光顏曲爲陳說大義。言發涕流耶。

烏重胤爲節將。而以兵力財力還刺史。欲一倡百效。藩鎮之禍自此永絕。信克赤心奉上。又與下同甘苦。所至立功。未嘗矜伐。善待賓僚。禮分同至。是上得君心下得兵心。中得同輩及僚友心。名將之譽。一時罕比。宜哉。

李祐先爲李愬所禽。因愬厚遇。感泣圖報。遂襲蔡。故憲宗亟奬其功。董重質歸愬於破蔡之後。且先爲賊謀主。領大軍當王師。故憲宗欲遂殺之。而二人後皆以功名終。不遇愬豈有此乎。

書潘李王曹臯鄭盧韓高高崔陸張傳

潘孟陽巡省江淮財賦。且察東南政理。而所歷鎮府但務游賞。與婦女爲夜飲。蓋江淮爲美女產地。所省察又皆要務。勢必有陰賄行從以美人惑孟陽。使怠於省察。免發己覆者。孟陽不肖。弗自知也。

曹華於王遂被害之後觀察沂海。視察三日。卽計誅鄆州士卒千二百人。可謂難矣。而以禮義化頑驁。以誠信待僕隸。蓋尤難焉。

韓全義將略非所長。而能以巧佞財賄結中貴人。德宗既於討吳少誠時用爲蔡州四面行營招討使。又於洗滌少誠後稱全義有招吳少誠歸國大功。蓋皆中貴人之力也。中貴人蔽聰塞明。使不知全義不肖。且不知其已敗。而猶必信中貴人。此德宗所以爲德宗也與。

書孟胡崔杜崔李王盧傳

胡証節度嶺南。善蓄積。厚自奉養。於京城修行里。嶺表奇貨。道塗不絕。蓋欲子孫長守富厚也。及李訓事敗。禁軍利其財。稱証子溵匿賈餗。遂破其家。溵亦被戮。是貽富厚適以禍子孫也。九原有知。亦悔而淚下乎。

書王播李絳楊於陵傳

倖臣李實爲京兆尹。途遇臺官不避。可惡。因此怒臺官。奏爲縣令。欲挫之。尤可惡。然因王播趨府謁謝。盡府縣之儀。政理修明。考最居最。遂禮重之。頻薦於上。則又可喜。蓋前雖負氣。後尙愛才。與其他倖臣固異也。

王龜意在人外。倦接朋游。於永達里園林深僻處創書齋。吟嘯其間。目爲半隱亭。宋賈似道半閒堂。蓋卽祖此。

僖宗時宰相盧攜稱高駢累立戰功。宜付軍柄。未允。後以王鐸充諸道行營兵馬都統故、高駢有聞河中王鐸加都統詩云。煉汞燒丹四十年。至今猶在藥鑪前。不知子晉緣何事。只學吹簫便得仙。憤懣之意以滑稽出之。不平輒鳴。才大心細勁氣內歛者豈若是乎。無怪他日代王鐸爲都統不免挫敗也。

憲宗令教坊於樂工中及閭里情願者取四人以昇丹王等爲侍者。而教坊卽稱密旨取良家士女及衣冠別第妓人。致京師囂然、可見此輩藉端生事。每出理外。若遇昏主、復乏諫臣、衆惡皆歸。抑又何怪。

李絳於昭義節度使劉悟卒後請速除節度倍程赴鎭。使悟子從諫不及拒命。新使已到潞州、軍心自有所繫。此正與董晉至汴州而鄧惟恭出迎事相類。惜李逢吉王守澄已受從諫賂、致敬宗不能遂用絳言也。

書韋王柳崔溫郭殷徐傳

贓吏犯法。法在。姦吏壞法。法亡。誅舞文者。此柳公綽節度山南東道行部至鄧判獄語也、今贓吏極多。姦吏更不少。安得如綽者行部一一判之乎。

柳玭誡子弟有一事有墜先訓則罪大於他人等語甚警切。

柳公度善攝生。謂未嘗以元氣佐喜怒。氣海常溫。此語足爲輕喜易怒者戒。

言語爲聖門四科之一。故論語有可與使賓客言也、使於四方不能專對等語。溫造使於幽州。與劉濟語。濟俯伏流涕。願率諸侯效死節。後諭劉總。總俯伏流汗。若兵加於頸。遂入覲。此誠聖門所謂言語。匪後世辯士可比也。

造爲興元尹山南西道節度使。誅邱鑄等并官健千人於酒坐。以一百首祭李絳。氣豪慮密。信未易也。

書元稹白居易傳

次韻起於元稹。自謂戲排舊韻。別創新辭。誠不欲顚倒重複。遂致傷雅。然自元和迄今。流毒未已。雖曰學者之過。抑亦咎在作俑。

穆宗時稹信于方計策。欲遣王友明等間王廷湊。朱克融。以救牛元翼。而李逢吉乃遣李賞告裴度謂將刺之。卒致裴主並貶。可見密事不奏。易遭謗忌。此特其一。未足異也。

居易論作文大旨謂聖人感人心而天下和平。感人心者莫先乎情。莫始乎言。莫切乎聲。莫深乎義。誠深知詩者。於是以六義衡古今造述。痛詩道崩壞。廢食輟寢。欲扶起之。其志蓋與韓愈起八代之衰甚類也。所著詩歌。箴時病。補政闕。雖得罪不悔。庶幾不負所學哉。

旣竊時名。又欲竊富貴。使己爲造物者。肯兼與之乎。大丈夫所守者道。所待者時。時之來也。爲雲龍。爲風鵬。勃然突然。陳力以出。時之不來也。爲霧豹。爲冥鴻。寂兮寥兮。奉身而退。進退出處何往而不自得哉。此數語極達。不愧名居易字樂天。

書趙竇李段宋李傳

趙宗儒對文宗曰。堯舜之化。慈儉而已。卽論語節用而愛人意。雖於大哉堯之爲君章未能闡發精微。抑亦簡而易守。觀文宗躬行儉素。太和諸詔語皆罪己。殆宗儒一言之效與。

王國淸指賞謀賓易直。郎藉賞定亂。人之赴利也若此。古今所以紛紛也。今日言革命。明日言共產。其機亦在此而已。可歎。

李逢吉藉于方案罷裴度元稹。代其相位。小人之尤。後世有效其術者。

叚文昌文集三十卷。世多不知。而酉陽雜俎甚著。蓋小說往往易傳也。

文宗欲特宋申錫去王守澄。反聽王守澄奏欲殺申錫。漢獻之不若。可恨。然申錫實無策去守澄。徒引王璠諭以密旨。卒誤大事。尤可恨。論謂申錫小器大謀。貶死爲幸。允哉。

書韋獨孤錢高馮封傳

韋溫不肯爲鄭注參佐。謂擇禍莫若輕。拒之止於遠貶。從之有不測之禍。正後世所謂兩害相權取其輕也。知此則雖遇小人遭亂世。自有餘地自處。

李石謂古人因事爲文。今人以文害事。可謂一語道着。蓋古昔無典可用。以寫事能盡爲達。後世愛典貪多。文或與事弗緦也。又封敖爲武宗草賜陣傷邊將詔。有傷居爾體痛在朕躬八字。亦可謂因事爲文。

書李鄭王王賈舒郭羅李傳

文宗欲誅宦官。始與宋申錫謀。繼與李訓謀。皆敗。申錫未傷宦官豪末。李訓則杖死陳弘慶。鴆殺王守澄。尙爲克去二惡。至於給左右軍中尉樞密內臣觀金吾左仗院石榴樹甘露。轉折過多。王璠韓約又極庸懦。且闇者未別以壯士充之。欲扃鏁院門竟爲中人所叱。執關不能下。是李訓所引用無一人可與集事也。而文宗又內畏黃門。恐遇弑逆。不敢延不入內。且於宣政門內瞋目叱訓。蓋既怒訓無能。又恐內官疑訓所爲實帝所使也。於是唐事不可復問。他日崔胤召朱溫誅宦官之禍。且繼作矣。然史家以成敗論人。遂目李訓爲姦僞。則大不可。蓋訓亦宋申錫之儔。小器大謀耳。鄭注與李訓中外協勢。誅宦寺以致太平。實其始願。李訓傳謂訓雖爲鄭注引用。及祿位俱大。勢不兩立。託以中外應付之謀。出注爲鳳翔節度使。俟誅內豎。卽兼圖注。蓋揣測語。至注傳所謂監軍得密詔伏兵斬注云云。則內官仇士良等挾文宗爲之。

謂之密詔可。謂之矯詔亦可也。然注聞訓敗卽還。無勇無智。抑甚可哂。

王涯於穆宗時疏論邊患及幽鎭兩州事。皆協機宜。文宗前乃以甘露之變爲寺人所害。史官惡其榷茶。更盡情醜詆。可歎憫也。

書裴度傳

李商隱韓碑詩有帝得聖相相曰度賊斫不死神扶持句。觀度傳盜三以劍擊度。初斷鞾帶。次中背纔絕單衣。後微傷其首墮馬。會度戴氈帽。故創不至深云云。眞若冥冥中實有呵護者。而六月戴氈帽尤異事。非偶然也。不徒度勳業自此爛焉。憲以下十宗威德皆自此啓之也。

中使不知兵機。而使監陳進退。是縛驥足而責千里也。度奏去監軍。以是出戰皆捷。行元帥事固當如此。

元惡就禽。蔡人卽吾人也。非眞節將不能爲此語。非眞宰相不能爲此語。

度平淮西有功未足異。而於憲宗前力爭。使不得不誅楊朝汶。於穆宗前力爭。使不得不罷元稹內職。又於穆宗前極論。使不得不遠貶監軍劉承偕。（雖實未貶然有此辭）動驕主之聽。變昏帝之慮。信難能也。

書李張裴李李高李李傳

李渤爲江州刺史。不肯於大旱中徵三十六年前逋懸。疏謂臣既上不副聖情。下不忍鞭笞黎庶。乞放臣歸田。亂世好官。應有此語。與陽城撫字心勞催科政拙可參看。

崔發之獄。李渤疏論孽效。李逢吉等奏曰。崔發陵轢中人。誠大不敬。然發母是故相韋貫之姊。自發下獄。積憂成疾。伏以陛下孝治天下。稍垂恩宥。敬宗愍然。即遣中使送發至其家。兼撫問發母。蓋先言大不敬。罪有應得。後言孝治天下。法外施仁。臣罪當誅。天王聖明。言入而意動。宜哉。凡因事諫諍。宜曉此。否則直若龍比。究何裨耶。

書令狐牛蕭李傳

令狐楚附皇甫鎛以逐裴度。是一大罪。然爲汴州節將。撫叛卒。去酷法。舍羨財。爲北都留守。因人所利而利之。軍民胥悅。要亦無慚外任也。

令狐綯不聽李湘之計以奇兵邀龐勛於高郵縣界。縱勛濟淮據徐。爲患兩淮。已可痛恨。而謬信龐勛僞降。爲請節鉞。且誡李湘但戍淮口。不得立異。致賊襲湘壘。淮終被蒸食之慘。湘亦遘斷肢之禍。尤可痛恨。

文宗欲誅宦官久矣。牛僧孺所答非所問。宋申錫更深負所託。故李訓遂獲大用也。

牛徽與子扶父籃輿投竄山南。被盜破首。捉與不輟。盜苦迫之。徽以人皆有父相哀。盜竟歎其孝子。蓋黃巢軍中尙知有父子也。後世共匪橫行。以弒父爲革命。牛徽之語詎足入耳耶。噫。

李石必若繼亂。走亦何逃云云。極是。知此自能鎭靜矣。

書鄭陳李李李傳

文宗時鄭覃請校定六籍。勒石太學。至今西安碑洞尙有九經石壁。可謂有功聖教。

李紳於穆宗時與裴度杜元穎請立敬宗爲太子。而李逢吉結王守澄傾陷紳。乃云紳欲立深王。變亂黑白至此。紳遂遠貶端州。可畏也哉。

書李德裕傳

武宗時德裕力主討澤潞劉稹。及太原楊弁。皆有功。其才實勝僧孺。論責其不能釋憾解仇、泯是非。齊彼我。蓋深惜之。若效郭子儀裴度。豈尚有遠貶珠崖之事乎。

書憲穆敬文武宣懿僖昭諸子傳

漳王未與宋申錫同謀不軌。文宗豈不知之。怒申錫負託。不克代誅閹寺。且慮閹寺窺破已謀、或遭反噬。不得不聽王守澄誣枉申錫。更不得不聽王守澄誣枉漳王耳。

書李楊楊馬李魏周崔鄭盧傳

李吉甫以李宗閔牛僧孺對策攻及己失。泣訴憲宗罷貶多人。朋黨之禍實肇於此。德裕不能前蓋父愆、反與李紳元稹等重煽其燄。紛紜排陷。垂四十年。所謂一誤再誤也。賢者固可如是乎。噫。

宗閔貶死郴州。德裕當日或甚快心。豈知他日已乃貶死崖州乎。史惡訓注。謂宗閔狎茲鼠輩。豈知文宗託訓注大事。事成功固甚大乎。若乃朋黨李吉甫以牛李對策事啓之，李德裕以蘇巢落第事成之。宗閔僧孺特不宜他日效其所爲耳。新舊唐書皆專咎宗閔僧孺，殊未允也。

書崔崔盧裴楊韋路夏侯劉劉曹畢杜劉豆盧傳

崔胤結朱全忠（卽朱溫）以制宦官。始誅中尉宋道弼景務修。朝廷權政盡歸於己。若可圖治矣。而劉季述遽幽昭宗於東內。以德王監國。繼與孫德昭謀。伏兵誅季述。昭宗反正。又可圖治矣。而韓全誨亟挾帝幸鳳翔。終與朱全忠奏罷左右神策內諸司等使，及諸道監軍副監小使內官三百餘人。同日斬於內侍省。諸道監軍隨處斬首以聞。更可圖治矣。而朱友諒突奉全忠命殺胤。蓋宦官固可誅。誅宦官後尤必有以格君心安內外。否則宦官不可盡誅。己與君日在荆棘中。卽盡誅。君懼我董卓。而方鎭且自作曹操，爲國討賊。不得已生受惡名。死垂醜傳。豈不可哀也哉。

杜讓能兩扈僖宗。不愧臣節。及昭宗討李茂貞。固諫弗聽。兵敗之後。願受鼂錯之誅。上紓國難。更不可及。

書趙張李崔鄭盧王傳

張裼特禮于琮。並遺俸絹五十匹。家貧而待友若此。甚難得。他時琮登宰輔。裼知制誥。琮被譴逐。裼亦坐貶。琮得雪。裼亦量移。出處窮達。不謀而類。更匪偶然。

李蔚歷引諫臣之言作諫料。冀懿宗容易聽納。亦諫諍一法。

僖宗誡崔彥昭。與其樹黨。不若修身。與其收恩。不若秉直。買暫勝者貽其永敗。沽小智者蠹其大愚等語。凡爲大臣者宜識坐右。

鄭畋謂國家久不用兵。士皆忘戰。所在節將。閉門自守。尚不能枝。不如釋咎包容權降恩澤。彼本以饑年利合。一遇豐歲。孰不懷思鄉土。其衆一離。則巢賊几上肉耳。蓋以時無裴度李德裕。且深知高駢不能辦賊。不得已如此云云也。諺謂不藥當中醫。此類是也。

畋設伏敗賊。斬馘萬計。向使畋代高駢節度淮南。都統諸道。以討巢賊。何至有長安失陷事耶。僖宗自謂知畋不盡。諒哉。

小人哉盧携也。王仙芝起河南。携舉宋威等有將略。致賊充斥。崔璆等請暫假黃巢廣州節鉞、携惡王鐸爲統帥。欲激怒巢賊。堅言不可。及鐸罷都統。携以高駢代之。自潼關以東汝陝許鄧汴滑青兗皆易帥。是惟知逞意氣。植黨與。不顧君國成敗利鈍也。小人哉盧攜也。

書蕭孔韋崔張朱鄭劉徐陸柳傳

田令孜垂涎兩池鹽利。致王重榮求援太原李克用。兵偪京師。而僖宗不亟誅之。蓋以禁軍在此輩手中。太阿倒持。匪一朝夕也。

張濬以欲擠楊復恭故。毅然請討克用。而卒無勇無謀。狼狽敗遁。抑何可哂。

蔣玄暉張廷範爲朱全忠殺人。柳璨首疏素所不快者三十餘人相次誅殺。他日全忠殺玄暉廷範。遂兼及璨。天理循環。徑謂之自殺可也。噫。

書朱李楊張張張李李傳

李載義殺朱克用子延嗣。數其罪以聞。敬宗假以節鉞。旋爲楊志誠所逐。文宗用牛僧孺謀，亦假志誠以節鉞。旋爲陳行泰所殺。行泰又爲張絳所殺。武宗用李德裕謀。亦拔張仲武知節度事。蓋皆以化外視之。不計逆順。但問能否爲我北捍北狄耳。中樞兵力不能及遠。抑亦養威一法也。

李匡威以亂弟匡籌婦張氏，故國被弟奪。終致同盡。是燕以一婦亡國。可謂不祥之婦矣。而李克用復寵之。色之惑人也甚矣哉。

書史何韓樂羅傳

自田承嗣盜據相魏澶博衛貝六州。召幕軍中子弟爲牙軍。豐給厚賜。父子相襲。其凶戾者彊買豪奪。踰法犯令。長吏不能禁。變易主帥，有同兒戲。如史憲誠何進滔韓君雄樂彥禎皆其所立。蓋藩鎮牙軍，其驕橫頗似禁軍。禁軍驕橫，以其帥乃宦官也。牙軍驕橫，以其帥亦似天子宦官也。賴其力衛護，而禍即伏於衛護之中。可懼哉。又牙軍多行不義，終被殄滅。宦官多行不義，亦終被殄滅。牙軍殄滅而魏衰。與宦官殄滅而唐絕亦同。

書王王諸葛高時朱傳

王重榮死。其子姪爭爲蒲帥。珂求援於李克用。瑤與珙求援於朱全忠王行瑜李茂貞韓建。兵連禍結。瑤爲李克用所殺。珙爲部將李璠所殺。珂後亦爲全忠所殺。同室操戈。勢必至此。可鑒也。

王鐸第功。勤王舉義王處存第一。收京破賊李克用第一。可謂公允。

高駢爲安南都護。自交至廣水路多有巨石。蹣工去之。由是舟楫無滯。後世或謀鑿灘。蓋亦類此。未可謬爲非議也。

高駢世受國恩。有文武才。使忠義奮發。擊賊天長。何至大功遠歸克用哉。不聽畢師鐸而信呂用之。縱賊渡淮。連犯關河。繼傾都邑。而猶欲兼幷兩浙。效孫策三分之計。險惡若此。與朱全忠何異哉。隕首道院。蓋其宜矣。

畢師鐸不令高駢復帥。又不敢自爲節將。旣屈於秦彥。復下於孫儒。展轉乞憐。授首高郵。抑亦可哂。

林言斬黃巢首歸徐州。時溥以此功第一。亦云幸矣。朱三郎朱全忠見圖。竟效公孫瓚自焚而卒。亂日功名。曷足重耶。

讀唐書蠡逃卷六

岳陽李澄宇洞庭著

書外戚傳

武之禍唐亦甚矣。始則天自禍之。繼三思父子禍之。而攸緒獨槁臥嵩山。以琴書藥餌爲務。濟清河濁。竟不相混。孰謂諸武必須盡戮哉。

則天有僧懷義。太平公主有僧惠範。可謂是母是女。

吳湊能與代宗計誅元載。而吳溆不能與德宗計誅盧杞。蓋代宗惡元載而德宗不惡盧杞也、往諭朱泚、被害客省。罔裨國事。徒試杞謀。可慨憫也。

書宦官傳

玄宗誅韋氏雖有功。而藩鎭宦官二大禍皆肇於玄宗。續續延延。唐遂以亡。殆亦功不補罪與。噫。

宦官之禍。一誤於玄宗之寵高力士。再誤於肅宗之寵李輔國。三誤於代宗之寵程元振魚朝恩。四誤於德宗之寵竇文場霍仙鳴。自德宗後。威權日熾。萬機之予奪任情。九重之廢立由己。左右無賢。託心宦豎。履霜堅冰至。可懼也哉。

楊思勗討安南首領梅玄成。五谿首領覃行璋。邕州賊帥粱大海。隴州首領陳行範等。有大功。未聞悖逆。蓋彼實戮力王事無他腸。且戰事畢。即不典兵。流弊自免也。又高力士昔被恩寵。附之者取將相高位。然己實未嘗橫恣。貶後聞上皇厭代。北望號痛。嘔血而卒。忠愛之心。千載若見。蓋彼雖貴盛。以奴僕自處。且無兵權。故不爲患也。新唐書於力士有貶辭。殊近周內。

不茹葷血。常爲僧行。視事之隙。手持念珠。世之效李輔國若是者多矣。信以爲善。豈不謬與。

代宗不明。聽程元振誣陷來瑱裴冕。致方鎮解體。吐蕃犯闕。罰不當罪。禍竟彌天。可弗愼與。

王叔文黨果去宦官。未必非唐之福。俱文珍傳過爲美詞。殆但以成敗論與。

憲宗欲復用吐突承璀。恐李絳諫阻。乃先罷絳相位。是寧可無宰相不可無宦官也。

可歎。

陳弘慶弑憲宗。王守澄立穆宗。所謂先君不得正其終。後君不得正其始也。

田令孜引王建援陳敬瑄。而建轉奪敬瑄地。且殺令孜。亂世小人惟利是視。其毒殆過蛇蠍也。

觀楊復光說周岌勿事賊。說秦宗權同義舉。斬王淑而即日克併其軍。敗朱溫而他日遂降其衆。從李克用收京。身先患難。傳稱其慷慨負節義。有籌略。庶幾無愧。不圖閹寺中竟有此人。

昭宗以楊復恭假子李順節制復恭。幸討滅之。宜勿再寵中官。而於西門重遂駱全瓘劉景宣景務修宋道弼等。既令典兵。復使專政。一誤再誤。身喪國亡。爲天下笑。與胡亥桓靈蓋無以異。

書良吏傳上

其有一人絕食若朕奪之。與稷思天下有飢者若己飢之也同。太宗若此。良吏所由疊起也。

李素立諫高祖曰。三尺之法與天下共之。法一動搖則人無所措手足。與張釋之諫漢文廷尉天下之平也。一傾而天下用法皆爲輕重云云。甚同。

李畬妻卒。以母病恐傷母意。約家人不使哭聲聞於母。及母終竟以毁卒。不獨良吏。乃孝子也、

書良吏傳下

楊元琰數歲不能言、相者謂語遲神定。必成大器。此謂幼者言不可早也、至乃吉人辭寡。經著明訓。沈毅寡言。史傳大貴。是壯者更不可多言也。孔子列言語於四科。蓋與賓客言或專對四方言必有中。非徒喋喋。

書酷吏傳上

漢之酷吏。摧抑豪貴。上尊天子。下亦子其民。唐之酷吏。若周興來俊臣索元禮輩。第爲武氏屠戮皇宗。毒害忠彥。未足號爲酷吏也。

狄仁傑不反已白。來俊臣寵任如故。向使俊臣無羅告諸武及太平公主張易之等意。致彼等共發其罪。俊臣豈遽棄市乎。惡貫早盈。天奪之魄與。

鬼役生人自殺。後世亦有其事。郭霸見李思徵從數十騎來。援刀自刳其腹。未足異。惟斯須蛆爛。似鬼幻蛆以食其肉者。是則可異也。

書酷吏傳下

紀希蚪遺奴詐爲祗承人受顧在臺。事酷吏王旭累月。旭賞之。召入宅中。委以心腹。因得密計旭受饋遺屬託事。藉報兄讎。其計密可敬。其志苦可憫。

史稱肅宗令主。然毛若虛審國用不足。上策徵剝財貨。有潤於公者。以冀信任。每推一人。未鞫即先收其家資。以定贓數。不滿望即攤徵鄉里近親。此何等事。若虛行之而肅宗不知。烏得爲令主乎。又七坊押官有刦殺事。縣尉謝夷甫因衆怒搒殺之。而肅宗謬聽若虛。歸罪夷甫。是但知袒護剽刦百姓之中人。不知拔奬愛惜百姓之好官。更烏得爲令主乎。

賈人往往喜爲賈。賈必敗。賈人往往喜爲官。官必敗。康謙貲產億萬計。信善賈。而後乃爲官。身被誣殺。貲產盡沒。可鑒也已。

書忠義傳上

劉感守城糧盡。似宋華元。至城大呼。似晉解揚。諡曰忠壯。庶幾無愧。

羅士信年十四。能從張須陀大殺賊。勇不可及。圍王世充於千金堡。能紿賊出。遂襲破之。智不可及。

馬元規若納呂子臧言。急擊朱粲，何至退保南陽。與城同盡。又子臧若早以本兵獨戰。粲可卽滅。何至他日獨率麾下赴敵而死。意者子臧新降。非至死日不敢立異乎。噫。

張道源居喪以孝稱。縣令郭湛改其所居爲復禮鄉至孝里。蓋欲以孝勵其縣人也。

道源不取罪人子女爲僕妾。信仁者之用心。惟友人中宵病卒。道源恐擾主人。遂共屍臥達曙。未免矯情過甚。況僵屍爲變。事亦恒有。不惜父母遺體至此。而謂孝子爲之乎。

咸三郎尹元貞皆死徐敬業之難。蓋爲武氏死。非爲唐死也。非爲唐死而以入忠義傳。豈敬業討武氏非耶。

武懿宗統兵討契丹。畏慄不敢進。事後奏滄瀛等數百家從賊誅之。後世剿匪者大抵若懿宗惜無王求禮請先斬懿宗以謝河北也。

安金藏剖腹以明皇嗣。五藏並出。流血被地。睿宗由是免難。而金藏竟富貴壽考。雖死生有命。當日醫術之妙亦可想見也。

書忠義傳下

李憕明知東都就破。而不避死。子源以父死難。哀纏終身。詔擢諫議不受職。父忠子孝。皆甚難能。

盧奕殉難東都。謚爲忠烈。而子杞蠱惑德宗。傳曰姦臣。是亦以堯爲父而有丹朱也。奕傳無子杞別有傳云云。殆深惡痛絕。不使上承休緒耳。然於史例未可。故新唐書奕傳有此五字。

顏杲卿罵祿山語新唐書與此頗異。然世爲唐臣。常守忠義。縱受汝奏署。復合從汝反乎。答責汝何事而背我耶。事理甚合。新唐書易爲我世唐臣。守忠義。恨不斬汝以謝上。乃從爾反耶。則於不從反之外更進一層。又賊鈎斷其舌曰。復能罵否。此傳無之。蓋新唐書據他書補叙也。故文天祥正氣歌有爲張睢陽齒爲顏常山舌云云。

新唐書載巡初固守雍邱。繼拔衆保寧陵。後至睢陽與許遠等合。此傳但云以雍邱邑小。儲備不足。列卒結陳詐降而不言與許遠等合。殊不可解。而子奇攻圍既久至是與姚誾霽雲同被害。惟許遠執送洛陽云云。皆守睢陽事。故此傳不及新唐書。

許遠爲睢陽太守。宜稱許睢陽。而後人皆曰張睢陽。未免賓主不辨。豈以巡傳於守城死節。二者繪聲繪影。遠傳叙述太簡。故但知有張巡。不知有許遠耶。抑巡能罵賊。遠未罵賊。遂未足與常山比數耶。觀韓愈張中丞傳後序。謂遠開門納巡。位本在巡上。授之柄而處其下。無所疑忌。蓋巡當日已若代爲太守矣。既避賢路。復與死守。爲巡知己。爲國忠臣。不賢而能若是乎。雖就虜而不罵。殆如南八所云欲將有爲賊敗北走而殺之。其非畏死而辭服於賊，抑甚明顯。又後人每責賀蘭進明不救睢陽。此傳謂房琯（卽後罷師於陳濤斜者）與進明不叶。用進明爲彭城太守河南節度使兼御史大夫，代嗣虢王巨。復用靈昌太守許叔冀爲進明都知兵馬使兼御史大夫，重其官以挫進明。虢王巨受代之時，盡將部曲而行。所留者揀退羸兵數千人，劣馬數百匹，不堪捍賊。叔冀恃部下精銳，又名位等於進明，不受進明節制。故南霽雲之乞師，進明不敢分兵，懼叔冀見襲。是不救睢陽，房琯叔冀皆與有咎。不得獨責進明。且不可以責進明也。韓愈張中丞傳後序乃曰賀蘭嫉巡遠聲威功績出已上，不肯出師救。則未免以小人度君子矣。新唐書既節遠傳，復采韓文。致後人痛恨進明，甚無謂也。又新唐書有霽雲如彭城見叔冀請師不應，復如臨淮見進明告急云云。後人但知進明不出師，不知叔冀不出師，抑甚可怪。豈被後人痛恨與否，亦有幸有不幸耶。

程千里欲禽蔡希德，垂將禽而希德救兵至，歛騎而退，橋壞墜阬。殆希德先設伏爲之。千里中伏被執，而曰非戰之過，此天也。果天也耶。

石演芬知李懷光反謀。不自詣行在告密。而使部成義密疏。遂致見賓。張名振慮懷光反一再昌言。冀轉逆志。竟致被殺。蓋二人但欲制懷光不反。不肯舍懷光自取富貴。故結局如此。可憫也已。

辛讜年五十。不求苟進。龐勛亂徐泗時。乃能爲杜慆求救於郭厚本。遂全泗州。誠可謂有濟時匡難之志。觀其於厚本坐上拔劍欲殺王公弁。望泗州大哭。經日直合申包胥南霽雲爲一人。朝廷不大用之。終隱江東。可惜。

書孝友傳

李知本事親至孝。與弟知隱甚稱雍睦。子孫百餘口。財物僮僕。纖豪無間。此實至難。隋末盜賊過閭不入。曰無犯義門。同時避難者五百餘家。賴而護免。此尤不易。蓋善積厥躬。而感人如此。其深雖曰道高。亦由當日人心尚古。盜賊亦知入德。與後世邪說暴行。恣睢無忌。相去不知幾千萬里也。又劉君良累代義居。兄弟雖至四從。皆如同氣。尺布斗粟。人無私焉。屬盜起。閭里依之爲堡者數百家。名爲義成堡。與李知本亦同。

張公藝九代同居。北齊隋唐皆旌表之。未聞他異。但傳百忍。其治家殆未如李知本劉君良也。

鬭毆皆可死。其不死者幸耳。故律論抵。非禁擅殺。欲絕鬭也。王君操爲父報讎。雖曰孝行。實擅殺也。故於律更宜論抵。以法治天下。不得不如此也。太宗詔赦之。略迹論心。則又以孝治天下。不得不如此也。後世法官遇此等事。或請減死。是併法治孝治爲一談。豈知律者耶。

許坦以杖擊虎。心中但有生父也。王少玄刺血求骸。心中但有死父也。壯者或尚難此。而十餘歲兒能之。不謂爲孝子得乎。

張志寬心痛。知母有疾。裴敬彝心痛。知父不測。蓋父母與子本一體也。世人不然。以心漸忘父母。遂成異體耳。

巡使路敬潛求李日知孝弟之狀。日知辭讓不報。蓋無以報也。眞孝弟人蓋不自知某事爲孝爲弟也。甚且常疚心某事大不孝大不弟也。

陸南金匿盧從道有罪。不避死。弟趙璧以兄是長嫡。能幹家事。亡母未葬。小妹未嫁。不可死。自誣請代死。此誠友義。玄宗並宥之甚是。

繼母不慈前子。自古有之。一由繼母先有成見。二由前子不願承歡。偏聽妻言。固非子幸。謬護前子。亦非子幸。貴潛感默化。使繼母前子漸見以誠。庶幾非母子亦如母子焉。

書儒學傳上

自史記以來。大抵曰儒林。而易以儒學何也。豈當日諸儒經明不必行修。但可謂之儒學與。又元史併儒文二傳曰儒學。謂昔以經藝顓門者爲儒林。文章名家者爲文苑。實則經非文無以發明旨趣。文不本於六藝亦非文。故儒文不可分。而此有文苑傳。則用意與彼抑異矣。又新唐書亦儒學傳外有文藝傳。

朱均不肖。堯舜不能世其治。故禪讓尚焉。自夏禹後。傳子者衆。如周成康。漢文景。守成令辟。蓋弗易得。唐太宗尊孔重儒。天下大治。使有成康文景。繼繼繩繩周漢之隆未遑多讓。高宗不肖。武氏亂朝。付託匪人。禍肇傳子。故與其身不爲堯舜。而他日有曹丕司馬昭輩堯舜其後人。不若身自爲堯舜。天下不亂。後人亦不飽嘗毒苦也。或謂擇賢而與。要亦難言。世有伊霍。庶幾盛德。不知曠觀史册。且伊霍而夕莽卓者比比。已傳子而伊霍望人。豈又可必。至乃兄終弟及。吳事可鑑。嗣不預立。清事可鑑。是皆不若身爲堯舜也。又或總統民選。事近傳賢。而法異君主。立憲。迹比傳子而制別。亦海邦所習然。非華夏所宜遽爾也。

李密征化及後。若無王世充之變。未必不可效伊霍。天厭隋德。大啓唐祚。密縱君子。（徐文遠謂李密君子）其能違天有功乎。噫。

王世充本徐文遠弟子。而文遠見之先拜。謂彼小人。世充子欲爲陸德明弟子。而德明恥之。服巴豆散。遺利以免。不爲賢者所喜。一至於此。而欲有天下。挾泰山以超北海之類也。

張士衡對庶人承乾謂善惡之報若影隨形。此是儒書之言。豈徒佛經所說。仁慈忠孝。福祚攸永。如或反此。殃禍斯及。卽事納諷。不愧儒學。

書儒學傳下

武氏親祀南郊及享明堂封嵩嶽。而王元感爲撰定儀注。而曰儒宗不可多得。亦何貴有此儒宗耶。

徐敬業討武氏。而傳云作亂揚州。王紹宗更避徐若浼。就武如母。誠不解當日何以不明順逆若此也。

祝欽明郭山惲變亂經旨。使武氏助祭南郊。不可謂儒。宜附別傳。

尹知章少勤學。嘗夢神人以大鑿開其心。以藥納之。自是日益開朗。盡通諸經精義。殆卽朱子所云用力之久一旦豁然貫通。不必確有是夢。亦不必果無是夢也。

書文苑傳上

鄭世翼因崔信明自謂文章獨步。多所陵轢。有意折之。故舉楓落吳江冷句誑得其餘以投諸江。非必所見不如所聞。五字外竟無美句也。雖然。亦太甚矣。

謝偃惟皇誡德賦、張蘊古大寶箴、因文納諫、不愧佳士。文亦出入周漢。

傳稱杜審言恃才謇傲。殆指文人相輕。否則於武氏作歡喜詩。於張易之兄弟且與交往。恃才謇傲者固如此乎。

王通（明亦有王通嘗擊敗安南黎利）依春秋體例。自獲麟後歷秦漢至於後魏。著紀年之書。謂之元經。蓋有史才。惜今僅見中說。未見元經。不知視朱子綱目何如也。

傳稱王勃父福畤爲交趾令。勃往省。道出江中。爲采蓮賦以見意。滕王閣序蓋卽此行所作。勃旣以檄英王雞文爲高宗所逐。又殺官奴曹達事發除名。故序後半馮唐易老李廣難封。滿紙商聲。不能自已。或謂童子不宜若此。殆未考耳。渡南海墮水而卒。惜哉。

書文苑傳中

平章事卽議政二字意。同中書門下平竟事。權似宰相。實非宰相也。然宰相以平章事爲名竟自郭正一等始。蓋是後常有此命。遂成定稱矣。

元萬頃作文檄高麗。而譏其不知守鴨綠之險。致莫離支（即蓋蘇文以官稱也見後東夷傳）固守鴨綠。官軍不得入。言之不可不愼也。蓋如此。豈獨作檄耶。

陳子昂及賈曾賈至書疏諫議。意極忠亮。詞亦典美。不圖文苑中乃有此輩人。閻朝隱爲張易之等代作篇什。且爲武氏往少室山祈禱。以身爲犧牲。不圖文苑中竟又有此人。

李邕以能文養士見忌當道。甚可哀歎。若克範以儒行。未必竟陷刑網也。

書文苑傳下

李華含元殿賦。蕭穎士品爲景福之上。靈光之下。其元德秀墓碑。顏眞卿書。李陽冰篆額。後人號爲四絕碑。今皆未見。而祭古戰場文（祭亦作弔）則赫然常在選冊。豈一人之文傳否亦有幸有不幸與。（元德秀傳載采墓碑語）

板輿即北人所云敞車。貧人運物用之。元德秀孤貧。不忍離母。故自負板輿與母詣長安。今達官顯宦動言板輿迎養。雖近謙詞。殆亦已忘其朔矣。

王維居母喪。柴毀骨立。祿山之亂。爲賊所得。服藥取利。僞稱瘖病。孝而且忠。豈尋常文士所可比擬。

李白嘗沉醉殿上。引足令高力士脫韡、由是被讒見放、故集中初出金門尋王侍御不遇詠壁上鸚鵡詩有落羽辭金殿。孤鳴咤繡衣。能言終見棄。還向隴西飛云云。蓋借鸚鵡自況。深恨力士摘清平樂詞可憐飛燕倚新妝句。激怒楊妃也。

杜甫一生惟在蜀爲節度參謀尚安適。餘盡苦境。詩人之窮。殆無逾甫者。豈天眞欲困阸之以昌其詩耶。亦太甚矣。

傳云李白自負文格放達。譏甫齷齪、有飯顆山之嘲誚。宋一時戲謔。以論古人。甚無謂也、杜甫集中白也詩無敵。飄然思不羣。何時一尊酒。重與細論文。涼風起天末。君子意如何。應共冤魂語。投詩贈汨羅。皆思慕情至語。二子交誼。即此可想。豈尚有相輕事耶。或謂細論文即甫譏白詩律不細。謬妄抑何可哂。

劉蕡對策、務正君心。語必據經旨、皆救世。董仲舒後。類此蓋寡。宜入儒學傳。不得以文苑諸人擬之。新唐書爲蕡立專傳。首述王守澄弑憲宗歷穆敬二帝不能討。末論宋申錫以謀泄貶、李訓以計不臧死。蓋極惜蕡不能先以忠結上。而遽詬言於廷。未能紓患。其負國亦與宋申錫李訓相似也。

李拯爲亂兵所殺。妻盧氏知書能文有姿色。伏拯屍慟哭。賊偪之不動。斷其臂亦不顧。遂遇害。不圖文苑傳見此烈婦。

文士無行者多。司空圖固高士。晚居王官谷。於生壙中與客對酌。可入隱逸傳。不宜入此傳。新唐書別立卓行傳。以圖與元德秀陽城等並列。亦甚是。

書方伎傳

許胤宗以柳太后口噤不可下藥。造黃蓍防風湯數十斛置牀下。氣如烟霧。令藥入腠理。其夜便得語。此與西人以藥灌鼻或自穀道射入者有王霸之別。

袁天綱謂武氏龍睛鳳頸當爲天下主。蓋鳳頸不過爲后妃。龍睛未有不爲天下主者也。

張果能絶氣如死。能自易新齒。能使人對面莫能見。能前知未來。誠異人也。

大宗時玄奘隨商人游西域十七年。經百餘國，撰西域記二卷。後人西游記本此。

傳謂達摩本天竺王子。得禪宗妙法。云自釋迦相傳有衣鉢爲記。世相付授。於是達摩傳慧可。慧可傳璨。璨傳道信。道信傳弘忍。世所稱五祖也。姓周氏。黄梅人。弘忍弟子最著曰神秀，曰慧能。神秀居荆州當陽山爲北宗。慧能住韶州廣果寺爲南宗。慧能世所稱六祖也。但不知釋迦以後。達摩以前所謂世相付授者果皆何人。意者衣鉢之説創自達摩。特假釋迦以文其陋耳。

書隱逸傳

有不能不隱者。漆雕開吾斯之未能信是也。有不敢不隱者。諸葛亮苟全性命於亂世是也，有不忍不隱者。李密祖母無臣無以終餘年是也。此隱之可尚者也。若乃終南捷徑。迹隱而心仕。首陽自下。飽隱而餓仕。則隱之可醜者耳。至新唐書隱逸傳所謂三概。又當別論。

盧齊卿問字人術。王希夷答以己所不欲勿施於人。可謂片言居要。

司馬承禎論無爲。以順物自然而無私焉爲主。深切著明。

陽城爲諫官。不言細事。宰相進退繫天下治亂。乃始言之。一可喜。爲道州刺史。賦稅不登。自署考功第曰。撫字心勞。徵科（一作催科）政拙。考下下。二可喜。觀察使遣判官督賦。城自囚於獄。使判官不得語及賦。三可喜。

書列女傳

李德武別妻裴氏後。竟於嶺表娶爾朱氏爲妻。蓋料妻迫於父母難以守志也。既聞未嫁。出其後妻。重與裴合。信亦義夫。然使後妻亦不肯再醮。吾不知德武又將如何。

楊慶不敢送妻王氏至東都。恐妻告世充。不免戮已耳。實則王氏賢女必不如此。惜慶未克眞知王氏也。

王蘭英獨孤武都家一乳母耳。能撫育三歲幼主人於武都被戮之後。忍饑匄乞歸於京師。足愧爲人臣而不忠者。噫。

李德武妻事父母以孝聞。而不聽奪志亂命。此眞孝女。楊三安妻事舅姑以孝聞。夫歿不改嫁。此眞孝婦。

魏衡妻王氏爲房企地偪辱而不死。後乃斬企地。蓋不欲徒死。必乘間報讎雪恥也。

樊會仁母敬氏夫死。以母老子幼守節。而會仁竟不幸短命。天佑善人。竟若是耶。噫。

孝女衛無忌賈氏均爲父報讎。曹娥木蘭外別樹一幟。

盧氏冒白刃救姑。幾死盜手。姑歎爲松柏後雕。足愧爲人臣而不忠者矣。

劉寂妻夏侯碎金離夫養父。以父喪明也。然有後母在。何必己養。乃可哉。是足異也。

王阿足夫死無子。以姊年老孤寡。誓不別嫁。養姊至死。自傷命薄。固靡他求。同病相憐。要亦罕覯。

樊彥琛妻魏氏。寧死不受賊辱。極可嘉歎。傳未詳諸孤如何。未免漏筆。

崔繪妻盧氏不肯再醮。夜中出竇以免。此衣冠家女未足異。竇氏二女長於村野。爲賊所獲。而竟不受賊汚。投谷殞命。此更難能可貴也。

孝女王和子行匄取父兄喪於涇。歸葬徐州。鄭神佐女翦髮壞形護父喪自慶州至瑕邱。與母合葬。其志皆上與曹娥比也。

書突厥傳上

李大恩擊走頡利於鴈門。頡利請和。已易歲矣。大恩奏請圖馬邑。頡利救之。王師敗績。大恩陣歿。所謂莫敖狃蒲騷之役者非耶。

太宗間突利。使與頡利（突利之叔）內離。終降突利。李靖更屢襲頡利。後遂禽之。間之爲效大。襲之爲用亦大。

突厥旣滅。北鄙數十載無事。而後有骨咄祿默啜屢屢爲冠。弱服强叛。固未足怪。

書突厥傳下

突厥旣分爲二。故就地言。以新者爲西突厥。而以舊者爲北突厥。

沙鉢羅咥利失可汗分其國爲十部。每部令一人統之。號十設。每設賜一箭。稱十箭。

與淸八旗略似。
娑葛弟遮弩恨所分部落少於其兄。叛入北突厥。請爲鄉導討兄。默啜乃留遮弩。遣兵二萬與其左右討娑葛。禽之而還。謂遮弩曰。汝於兄弟尙不和協。豈能盡心於我。遂與娑葛俱殺之。默啜固手辣心很。而遮弩引狼入室。以致兄弟同盡。抑甚可哂。

書廻紇傳 元和四年改稱廻鶻

香積寺之戰。賊埋精騎於大營東。將襲我軍之背。使無廻紇馳救。使賊匹馬不歸。我且大敗。何能遂復西京耶。新店之戰。軍卻數里。使無廻紇先殪賊伏。後出賊後。我亦大敗。何能遂復東京耶。四千餘衆奏績若此。驍悍殆無匹矣。

猶是廻紇兵馬。於相州城下戰不利。何也。騎利野戰。城下固非其地也。又九帥無統。號令離一。卽非城下。廻紇豈能獨利耶。

同一中使也。劉淸潭奏廻紇登里克汗傾國自來。有衆十萬。羊馬不知其數。藥子昂則密數其丁壯。得四千人。老小婦人相兼萬餘人。戰馬四萬匹。蓋淸潭但知登里自來。他數以耳爲目。非若子昂查得其數，遂克言之確切也。史朝義又藉迴紇力破之。功固可嘉。然搒捶大臣。焚殺士女。刼掠都市。罪抑大矣。但重賞不敢致罰。何力屈可憐乃爾。向使他時無子儀單騎見迴紇。及張光晟破迴紇羊武谷事。被倘謂中國有人耶。

書吐蕃傳上

禿髮吐蕃。字雖不同。皆譯音耳。不必謂語訛。

吐蕃始極恭順。以與吐谷渾不和。表論曲直。高宗未爲與奪。遂致背叛。當日相臣似應任咎。然夷狄惟利是視。有機拓土。豈可以空言服也。吐蕃且然。吐谷渾何獨不然哉。又夷狄始與我接。大抵恭順。恭順既久。漸有違忤。而患作矣。患作之後。以勝負判彊弱。患亦遂有起伏。不幸而我有內亂。引彼援助。或鼎革大變。藉彼有天下。而患愈大矣。內亂外患。何時蔑有。不度德不量力而能不憂不懼者。未之前聞。

崔希逸與乞力徐殺白狗爲盟。各去守備。而孫誨意欲邀功。趙惠珍更敢矯詔。裂信毀盟。所喪多矣。掩襲獲勝。奚裨耶。況後患未艾也。

吐蕃立李承宏爲帝。即契丹立劉智遠爲帝之先導也。

代宗幸陝。而郭子儀領部曲數百人及其妻子僕從南入牛心谷。遲留未知所適。使非王延昌李萼勸其南趨商州。漸赴行在。與全軀保妻子之臣何以異哉。又張知節身掌禁兵、軍敗不赴行在。且掠商州、非延昌與萼勸令整頓士卒。請令公撫之以圖收京。身尚難保、況論功耶。轉禍爲福。機在俄頃。郭張克從、遂有天幸。殷仲卿之保藍田、孫全緒之渡滻水。王撫王仲昇之入上都。皆若冥冥中預爲安排者。身名俱泰。匪偶然也。

書吐蕃傳下

德宗即位。首反蕃俘五百餘人。與之約和。蕃人感德、淸水(地名)定盟。可相安無事矣。朱泚之亂。不幸獲其助。恃功索地。又復入寇。可見夷狄爲患與否。樞機蓋亦在我耳。

書南蠻西南蠻傳

婆利國穀一歲再熟、不足異。惟天竺國稻歲四熟。墮婆登國稻每月一熟。皆他地所未有。可異也。

東女國以女爲王。無有簒奪。其俗蓋甚守法、否則后妃有廢立。況女主乎。

張虔陀逼南詔反被殺。鮮于仲通宜據實奏聞。且慰撫南詔。使彼不歸命吐蕃。貿然進擊。遂失雲南。可恨也已。

南詔以吐蕃賦重、且奪險地立城堡、又徵兵助鎭。悔而歸唐。遂襲吐蕃。一以見中國素尙禮義、其待外蕃固猶愈於他族也、若邊吏恪體在上深意。不激變、若張虔陀不弛備。若杜元穎。何至常有外患耶。

書西戎傳

金龍激水上樓、從龍口而出。狀若飛泉、蓋噴水機耳。外形或龍或獅或他物皆可。

郭孝恪破焉耆。虜其王突騎支。以栗婆準導軍有功。留攝國事。不知栗婆準於我有功。於彼國有罪。衆豈戴之。彼衆不戴。我軍又去。豈能守之。是徒令栗婆準供西突厥宰割也。然則如之何而後可曰。稱詔敕突騎支。使畏威懷德，縱不我守。亦自爲守。況彼於西突厥有親戚之恩。力屈被執，未足爲罪。西突厥亦無辭遂奪其地。猶之我守也。或謂已執突騎支而不獻俘。非可以振國威。則如阿史那社爾虜龜茲王而立其弟葉護爲王。亦一策也。

焉耆王姓龍而名突騎支。于闐王姓尉遲而名屈密。大抵世亂漢族由中國流入夷狄。其子孫遂王其國。故姓未改而名乃僅可譯音也。

身毒漢譯也，後乃譯爲天竺爲印度。五天竺，即五印度也。中天竺往往有舊佛迹。故沙門玄奘至其國。將梵本經論六百餘部而歸。

波斯國王嗣位。密選子才堪承統者書名封藏。王死後大臣與王之羣子共發視。奉爲主焉。清不立太子而預爲密詔書嗣主名。正師此意。

拂菻國引水潛流上偏屋宇。屋上泉鳴。四簷飛溜。以此取涼。蓋彼時無電扇。但有水龍。故以水龍取涼耳。

書東夷傳

蓋蘇文姓錢氏。須貌甚偉。殆亦中國人流入彼土。其子孫遂呈異狀也。

弑主建武。罪一。屠戮大臣。罪二。專國虐下。罪三。至逆諭伐新羅。則太宗以此罪之。其國人不以此罪之矣。

城垂拔而受降。免被虜掠。且許別以庫物賞將士。此太宗眞不忍者一。放還守城之人。免其妻子受戮於莫離支。（卽蓋蘇文）此太宗眞不忍者二。

安市不必攻。宜師李左車對韓信意。乘戰勝之威。遣辯士以口舌下之。又李勣請破之日。男子盡誅。城中聞之。人皆死戰。亦無異驕刼劓所得齊卒。置之前行。適堅齊守。

百濟國王義慈事親克孝。友于兄弟。時人號海東曾閔。蓋儒教遠被。其國有五經子史之效也。然與高麗共讎新羅。令三韓之氓略無寧歲。卒受天討。國破身虜。殆猶染戰國餘毒。未解樂天畏天之義與。

太宗因林邑獻白鸚鵡。訴請還國。遂不納新羅女樂。貞觀之治。比迹周漢。皆自此不忍之一念來耳。豈僞也哉。

新羅人多善弈。日本人亦多善弈。殆其流風與。

日本遣使來朝。因請儒士授經。又遣學生留學藝業。代宗大歷六年遣學生吉備朝臣眞備來學既歸作假名遂成立官商通行文字一變結繩舊習是其君重儒也。使人所得錫賚。盡市文籍泛海而還。或留京師數十年。好書籍逗遛不去。是其臣重儒也。

書北狄傳

太宗以薛延陀崛强。須早爲之所。思得二策。意在討伐。而房玄齡取和親。次策。太宗許之。蓋亦不欲疲中國以事夷狄也。其後和親未成。討伐奏績。置十三州。北荒悉定。詔有上變星昴歸於東井之墟下。掩蹛林。袪入南山之囿等語。大哉王言。不其盛與。鐵勒諸部既皆內屬。似可端拱。契丹崛起。遂霸北荒。馴逮五代。毒痡海內。天下事可盡預防哉。噫嘻。

至德肅宗年號以後。藩臣多擅封壤。彼務自完。不生邊事。故奚契二蕃亦少爲寇。可見天下事利害相倚而他時夷禍半由邊吏激成。抑亦可想。

後魏謂之勿吉。而今稱靺鞨。皆譯音耳。有白山部黑水部。蓋卽滿洲也。

書安高孫史傳

祿山重三百三十斤。腹垂過膝。是亦豬也。而他日爲李豬兒所殺。殆豬殺豬耳。可哂。

祿山未嘗有大功。特賄賂沽譽。而玄宗寵任至極。俾亂天下。甚可歎恨。

賊始起時。天下承平久。人不知戰。高仙芝封常淸旣非大將才。楊國忠更與哥舒翰互相嫉害。而賊則得士死力。無不一當百。是我惟暮氣。而彼乃有朝氣也。洎肅宗卽位。迴紇赴難。廣平王郭子儀克復二京。祿山死。慶緖弱。高尙等不叶。蔡希德被譖死。是我有朝氣。而彼乃惟暮氣也。勝敗以此分。存亡以此定。可勿察與。

高尙傳載祿山因顏杲卿殺李欽湊於土門。顏眞卿破袁知泰三萬衆於堂邑。賀蘭進明再拔信都。李光弼郭子儀繼收常山趙郡。河北路絕者再。河南諸郡皆有防禦。潼關有哥舒翰之師。自謂四邊若此。河北已無。向西至關。一步不通。祿山傳載祿山因李郭出土門路大勝。窘急圖返范陽。史思明傳載李光弼圍思明於博陵城幾拔。向使楊國忠不逼哥舒翰出戰。潼關不至失守。玄宗亦何必幸蜀耶。潼關不失守。玄宗不幸蜀。肅宗抑何至理兵朔方。追李郭赴行在。使河北諸郡悉陷於賊耶。諺云一着棋錯。滿盤俱差。信然。然不如是楊妃國忠皆幸免大禍。亦豈復有天理耶。噫。史思明雖降。地廣兵衆。恐終效侯景設計去之。未嘗不可。然烏承恩旣漏其情於諸子。又泄其謀於小男。不密若此。惡足去巨賊乎。

嚴莊殺祿山。（實使李豬兒殺之）朝義殺思明。皆懼禍而然。不如是賊未易去也。此其中殆有天焉。

書朱泚黄巢秦宗權傳

泚未嘗有功。得節度。僭僞位。皆始意所不及。可怪者一。先稱大秦。後又曰漢。一國號且不能定。未免兒戲。可怪者二。初兒事李懷光。約爲鄰國。忽下詔書待以臣禮。致懷光憤歸河中。孤立無助。可怪者三。

黄巢僞降高駢。駢將張璘率兵受降於天長鎮。轉被巢殺。其將若此。駢可想已。

禁軍有名無實。復任宦官爲將帥。驅以守關。關左有禁谷且不防守。僖宗安得不棄京師哉。

林言巢甥也。素被寵任。而斬巢於狼虎谷者卽此人。亦猶安祿山信用李豬兒。而剄祿山於東京者卽豬兒。秦宗權愛重申叢。而執宗權撾其足送於朱溫者卽申叢也。

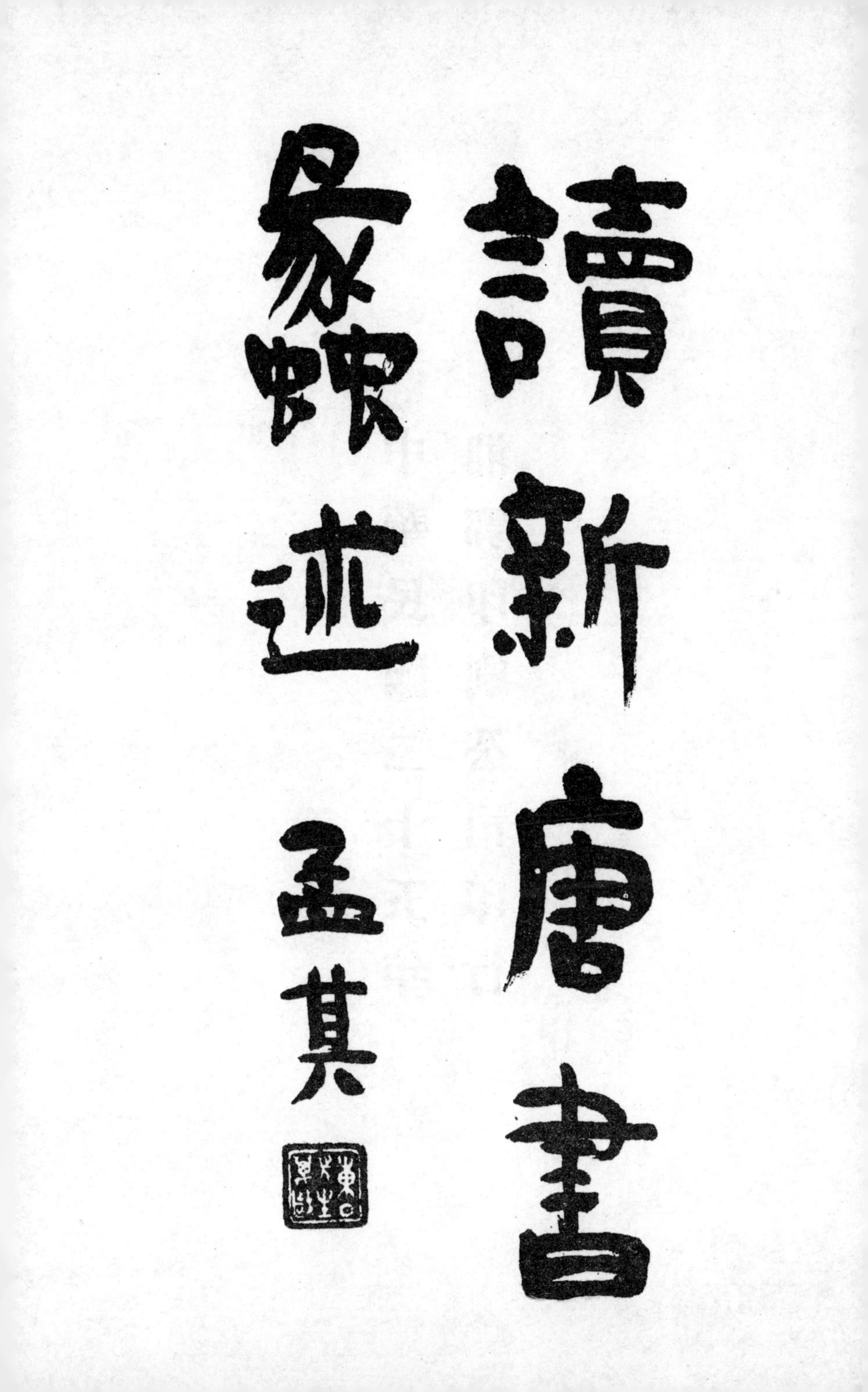

讀新唐書

易蝯述

孟其

中華民國二十五年
湘鄂印刷公司印行

讀新唐書（世稱唐書）蠡述目次

卷一

卷二

附正誤——卷一第九面第五行則宋後絕迹誤爲則絕迹
卷三第三二面第五行自正己至道誤爲自正己至師古

讀新唐書（世稱唐書）蠡述卷一

岳陽李澄宇洞庭著

書卷首

於舊史盡拾遺之責者。裴松之於三國志是也。於舊史行廢立之事者。歐陽修於唐書五代史是也。於舊史寓革命之意者。司馬光資治通鑑是也。

曾公亮謂新唐書事增於前。文省於舊。信如是言。曾公亮與歐陽修可謂不知史也。尚書爲唐虞夏商周五代史。篇籍無幾。宜省文也。而禹貢顧命及諸誓誥。燦然具在。未嘗省文。左傳祖之。述事務詳。於戰役更聲影幷繪。錄往復書論亦甚夥。未嘗省文。史記祖之。於魏公子迎侯生項羽宴沛公淮陰侯破趙始末。未嘗省文。於屈賈列傳更錄及辭賦。漢書祖之。於灌夫罵坐趙充國平羌始末。未嘗省文。於司馬相如傳亦錄及文賦。此但就最著者言之。有必以省文爲智者乎。至增事則又非是。書石慶以策數馬。而諸子可知。書丙吉問牛喘。而他事可想。舉一例餘。未書者若盡書也。此但就最淺者言之。有必以增事爲貴者乎。大抵古史極空靈。不關治亂之事不書。不繫輕重之人亦不書。所省者大。而令人蒼茫俯仰。千載若旦暮。故不省文也。置賈生過秦論於始皇紀後。錄報任安書於馬遷傳中。所增者廣。而令人知人論世。略一節以窺大全。故不增事也。不省文而文外有文。不增事而事外有事。其庶幾乎。歐陽修以古文名。於史不辨體例。欲以春秋書法行諸紀傳。故以省文增事爲得計。然試問史漢祖左傳乎。祖春秋乎。抑春秋左傳並祖乎。春秋編年體。褒貶辨於一字。左傳紀傳體。紀實或似浮誇。然試問春秋無三傳。果免斷爛朝報之譏乎。綱目祖春秋。何以綱外有目乎。而况後漢書辭費。晉宋齊梁陳魏齊周隋唐十一史祖之。事雜人多。與史漢異。歐陽修於舊唐書以古文義法繩之。固可省文。於新唐書以春秋書法準之。轉嫌晦事。而更旁采雜史。多立名目。歧中又歧。羊遂亡矣。

堯舜與賢。大禹傳子。文王事殷。武王伐紂。伊尹就桀。管仲相桓。古皆是之。微子去之。箕子爲奴。比干諫死。古皆是之。事當論心。豈徒論迹哉。漢書置外戚元后王莽傳於西域傳後。晉書置王敦桓溫桓玄等傳於四夷傳後。宋書置二凶傳於氐胡傳後。梁書置四王侯景二傳於諸夷傳後。舊唐書置安祿山朱泚等傳於北狄傳後。於心迹兩無可原者屛諸四夷。不與同中國。亦庶得古人惡惡之意。此效宋書二凶傳別立姦臣叛臣逆臣諸傳。意者痛恨唐末五代三綱盡毀。欲藉此救之。不惜創舊所無歟。然自是史祖廬陵。名目詭異。卷帙繁多。荆棘塞塗不可坦步矣。

舊唐書武德二年至九年書春不書朔。貞觀元年至二十三年亦書春不書朔。六年春正月始以日食書朔。永徽元年及四年春正月以不受朝書朔。六年春正月以謁昭陵書朔。麟德三年（即乾封元年）春正月以至泰山頓書朔。此外大抵有事則書朔。匪書朔特筆。至肅宗乾元三年書春正月癸亥朔。辛巳李光弼進位太尉兼中書令。始爲書朔特筆。蓋朔日無事隔十七日乃始有事也。自是春正月有事無事例書朔。惟武宗會昌三年春正月未書朔。宣宗至懿宗咸通三年皆未書朔。四年以後復書朔。九年十二年又未書朔。此後則皆書朔。新唐書欲法春秋。而未嘗特筆書朔。殆省文之過也。此等處亦甚不如舊史也。

史漢以降。志表蓋闕。即有志亦大抵無表。茲上法史漢。補表十五。是則優於舊唐書之一耳。

書高祖紀

高祖體有三乳。舊唐書未載、此殆據雜史補入也。又舊唐書有史世良謂高祖骨法非常、必爲人主。高祖頗以自負、及歷試中外、素樹恩德等語。此亦未載。殆不欲以窺伺神器之罪。漫加高祖也。非爲唐諱。爲宋諱也。宋太祖始事亦頗類此也。

裴寂以晉陽宮人私侍高祖云云。舊唐書惟於寂傳詳之。此詳於紀非也。譬諸網紀綱而傳乃目也、

王威高君雅欲圖高祖。而反爲高祖所戮。且以召突厥之罪加之。所謂何患無辭也。收圖籍。約法十二條。皆效漢高。而遙尊隋帝爲太上皇。立代王侑爲皇帝。則就魏晉以來廢立舊轍。略變易之名爲遙尊。實即廢也。由是而假黃鉞。而劍履上殿。而備九錫、而建天子旌旗。而即皇帝位。無一非魏晉以來所習聞熟見。蓋必如是乃可潛移

鼎祉。且獲揖讓美名耳。然終不免篡奪之嫌。奈何。

禹貢厥賦。唐所謂租。厥貢亦頗類唐所謂調。而庸無聞焉。孟子粟米之征。力役之征。布縷之征。庶幾備租庸調。而井田已廢。法亦難問。自秦以降。大抵租不病民。而庸調病民。至唐高祖始定租庸調法。庸調之病民者略減。至宋神宗行免役法。而庸之病民者大減。至明神宗立一條鞭法。而庸調之病民者皆大減。後世於田賦有種種附加。是租外租也。且庸調已函田賦內。而復卽事徵工。遇物抽稅。是庸外重庸調外重調也。且稅又各有附加。是調外又重調也。民不堪命。將若之何。

自有釋老以來。世將治。釋老衰。世將亂。釋老盛。史册所載。可歷按也。武德九年四月廢浮屠老子法。而六月復浮屠老子法。唐治亂相倚伏。抑又何怪。

舊唐書謂秦王以皇太子建成與齊王元吉同謀害己。率兵誅之。而此大書秦王世民殺皇太子建成齊王元吉。正世民奪嫡之罪也。奪嫡何以及元吉。元吉暱於建成也。然就六朝已事觀之。秦王功太高。縱守臣節。終必被建成所殺。秦王故豪傑。安能置死生度外而以忠孝自期若聖賢之所爲也耶。然秦王殺建成元吉後卽聽政卽卽皇帝位。去弑父亦僅一間耳。噫。

卷尾去舊論贊。特爲新贊。就功德法立論。囊括數千載史事。較龍門但論功德者有進。

書太宗紀

舊唐書有隋開皇十八年十二月戊午生於武功之別館等語。而此無之。蓋沈約宋書以前無書帝王生日者。故略之也。又相者已辭去。高祖懼其語泄。使人追殺之。而不知其所往。因以爲神等語。舊唐書乃云高祖懼其言泄將殺之。未免突兀。

建成墜馬。宋老生乘之。高祖軍卻。太宗自南原馳下坂衝斷賊軍。轉敗爲勝。遂斬老生。一豬一龍。於此已判。建成欲遂享帝祚得乎。

舊唐書有仁杲大懼。嬰城自守。將夕。大軍繼至。四面合圍。詰朝請降。俘其精兵萬餘人。男女五萬口。既而諸將奉賀。因問曰。始大王野戰破賊。其主尚保堅城。卽折墌此曰高墌王無攻具。輕騎騰逐。不待步兵。徑薄城下。咸疑不克。而竟下之何也。太宗曰。此以權道迫之。使其計不暇發。以故克也。羅睺恃往年之勝。兼復養銳日久。見吾不出。意在相輕。今喜吾出。悉兵來戰。雖擊破之。擒殺蓋少。若不急躡。還走投城。仁杲收而撫之。則便未可得矣。且其兵衆皆隴西人。一敗被追。不及迴顧。散歸隴外。則折墌自虛。我軍隨而迫之。所以懼而降也。獲賊兵精騎甚衆。還令仁杲兄弟及賊帥宗羅睺翟長孫等領之。太宗與之游獵馳射。無所間然。賊徒荷恩懾氣。咸願効死等語。雖略複冗。於太宗決勝推誠二者。言之鑿鑿。而此僅以仁杲出降了之。未免似編年體之春秋。而不似紀傳體之史記。

太宗表爭河東不可棄。有太原王業所基。國之根本。河東殷實。京邑所資等語。舊唐書錄之。而此不載。太省。又敗宋金剛。走劉武周。降王世充。禽竇建德。舊唐書敘述甚詳。而新唐書皆數語了之。亦太省。左傳史記於戰役皆不省。興亡成敗所由。曷可草草耶。

舊唐書有於時海內漸平。太宗銳意經籍。開文學館以待四方之士。行臺司勳郎中杜如晦等十有八人爲學士。每更直閣下。降以溫顏。與之討論經義。或夜分而罷。未偃武卽修文。此何等大事。而此不錄何耶。

貞觀二十一年。二月詔以左邱明卜子夏公羊高穀梁赤伏勝高堂生戴聖毛萇孔安國劉向鄭衆杜子春馬融盧植鄭康成服子愼何休王肅王輔嗣杜元凱范寗賈逵等二十二人配享宣尼廟堂、此誠大事。而此不錄、豈史也哉。

舊唐書論太宗有當神堯任讒之年。建成忌功之日。苟除畏偪。孰顧分崩。變故之興。間不容髮。方懼毀巢之禍。寧虞尺布之謠。雖似左袒。抑屬實情、蓋大局初定、安內攘外。胥恃太宗。苟任建成殺太宗。或太宗遜荒不返。唐室可立見顚墜也。此於殺建成事不論。而但云除隋之亂。比迹湯武。致治之美。庶幾成康。蓋亦諒其苦衷焉。

書武后紀

徐敬業討武氏。徒令駱賓王一檄照耀千古。亦猶袁紹討曹操。徒令陳琳一檄照耀千古也。然檄之可貴若此。徐袁雖敗猶榮可想矣。改元爲長壽。爲延載。爲萬歲。爲久視則年老去死期不遠可知矣。而一歲數改。（天授三年改元如意又改長壽）且有天册萬歲等四字元。（魏太武帝亦有太平眞君年號）視高宗改元十四次抑又甚焉。詔文明（武后年號）後破家者昭洗之。還其子孫蔭。甚是。惟武三思等不盡誅。未免有春露無秋霜耳。

書睿宗玄宗紀

此云改元唐隆。實係少帝年號。故舊唐書但書景雲元年。又此有先天元年。卽舊唐書景雲三年。且是年改元太極。改元延和。一年之中屢改不一改。可哂也已。

立平王隆基爲皇太子。舊唐書有議有制。此皆删之。誤以春秋書法行諸紀傳。惟省文是務耳。

於馬嵬驛殺楊國忠等賜貴妃死。皆以陳玄禮殺之賜之爲辭。此誅心之筆。與舊唐書不符。蓋春秋趙盾弑其君之類耳。然紀傳體不宜如此。

書肅宗代宗紀

玄宗死李輔國手。予於舊唐書肅紀嘗論及之。此云閑廄使李輔國飛龍廄副使程元振遷皇后於別殿。殺越王係兗王僩，是夜皇帝崩於長生殿，蓋李輔國等以危詞恐張后肅宗。因弒上皇。復幽張后弒肅宗以滅口也。代紀有肅宗張后惡李輔國。欲圖之。程元振得其謀以告輔國。輔國率兵入殺係及僩幽后帝崩等語。不明言何以忽惡輔國。蓋肅宗張后亦欲殺輔國滅口也。

書德順憲三宗紀

新唐書法春秋。而於郭子儀薨削其官爵。不依舊唐書書尙父中書令汾陽郡王何也。

貞元四年正月庚戌朔之京師地震大赦，宜改爲大赦，京師地震。蓋赦詔預定於前。地震猝發於後，非因地震而赦也，事具舊唐書，可覆按也，

順宗爲太子時能誦好樂無荒之詩。又能阻裴延齡韋渠弁不相。可謂賢美。降年不

永。卽位便崩。唐之不幸。豈獨順宗不幸耶。

憲宗平淮西之役。舊唐書所叙頗扼要。惟不如韓愈平淮西碑有聲有色耳。此但云某及吳元濟戰於某地敗之。而克蔡州三字上有日無人。殆蒙上文李愬及吳元濟戰于吳房敗之而然也。然何以得克不書。且無語在某傳等字。則純學春秋之過也。

書十五年正月宦者陳弘志等反。庚子皇帝崩。不如舊唐書以暴崩皆言內官陳弘志弑逆史氏諱而不書等語。能使當日諸象備呈也。

贊於德宗有恥見屈於正論而忘受欺於姦諛二語。可謂深知德宗者。史贊皆自撰。不似南北史但錄人論。此則新唐書可與舊唐書爭勝者也。

書穆敬文武宣五宗紀

舊唐書明言憲宗暴崩陳弘志弑逆。此於憲紀書宦者陳弘志反皇帝崩。亦無異明言。惟穆紀遺詔云云。不書矯詔。未免與上書法矛盾。不如舊唐書不書遺詔。但書卽位也。

宣宗以皇太叔卽皇帝位。於皇太子皇太弟外別開一例。與夏傳子殷傳弟皆不類。然國有長君。臣民受福。抑亦盛事。

書懿宗僖宗紀

不曰宋威爲招討使。而曰招討草賊使。蓋前之爲亂者方鎭。爲寇者夷狄。王仙芝起自草野。遂以草賊呼之。猶後世稱土匪也。然究宜曰招討使。不宜曰招討草賊使。招討二字已足包舉矣。

廣明三年書三月壬申李克用及黃巢戰於零口敗之。四月甲辰又敗之於渭橋。丙午復京師。克用之功丕顯矣。惜後附王重榮乃有克用犯京師五字也。

嗣襄王熅以疾爲朱玫所得。脅迫監國而書曰自立爲皇帝。舊唐書亦曰僭卽皇帝位。以熅未能守節效死耳。

論以天子立於宦官爲不能正其始。且以懿僖昏庸。歲大旱蝗民愁盜起爲天人之會。所見甚大。意亦周密。此實盧陵過人處。

書昭宗哀帝紀

秦宗權攻汴垂克。朱宣朱瑾救之。而朱溫他日竟圖幷宣瑾地。故景福元年書寇鄆州。四年書陷鄆州。寇兗州。凡攻天子地者皆曰寇。既得曰陷。不問其爲夷狄爲僭僞爲方鎮爲盜賊也。此亦盧陵善學春秋處。

左右龍武統軍朱友恭氏叔琮樞密使蔣玄暉犯宮門。是夕。皇帝崩。上加全忠以三字。春秋書法。朱全忠來朝。下書全忠殺朱友恭氏叔琮。亦春秋書法。

書禮樂志一

史漢各表皆在志前。此則志在表前。且增選舉志。

新唐書各志皆好。此志尤美。而曰三代而上治出於一。而禮樂達於天下。三代而下治出於二。而禮爲虛名。實論禮獨到之語。蓋三代上道之以德。齊之以禮。禮以德運。禮外無政。上與下日浸淫於禮樂之中。三代下道之以政。齊之以刑。政與禮離。儀外無禮。上與下視禮爲苦人之具。且別以鄭聲代樂也。

自梁以來始以其當時所行傅於周官五禮之名。各立一家之學。蓋皆古所謂儀耳。豈知大學中庸固皆出於禮記。所言實內聖外王大道哉。細讀大學中庸。而禮之所以爲禮可想矣。

書禮樂志十

天子亦人耳。凶禮何可闕焉。李義府許敬宗以爲凶事非臣子所宜言。甚矣其愼也。義府敬宗蓋無往而非小人也。

書禮樂志十一

以上皆禮。此下樂。宜仿馬遷分禮樂二志。不必併爲禮樂志。

自一黍之廣積而爲分寸。一黍之多積而爲龠合。一黍之重積而爲銖兩。此造律之本也。故爲之長短之法而著之於度。爲之多少之法而著之於量。爲之輕重之法而著之於權衡。是三物者亦必有時而敝。則又總其法而著之於數。使其分寸龠合銖兩皆起於黃鍾。然後律度量衡相用爲表裏。使得律者可以制度量衡。因度量衡亦可以制律。不幸而皆亡。則推其法數而制之。用其長短多少輕量相參考。四者既同而聲必至。聲至而樂可作矣云云。語極精到。可見五帝三王重律度量衡之故。且可見樂與禮並重之故。後世用西樂代律。度量衡亦改用夷制。曷不細讀此志耶。

書儀衛志上

夫儀衛所以尊君而肅臣。其聲容文采雖非三代之制。至其盛也有足取焉。非深知儀衛之用者惡足語此哉。

書車服志

上得兼下。下不得儗上。此令極是。所以謹天澤之辨也。

書曆志

其要在於候天地之氣以知四時寒暑。而仰察天日月星之行運以相參合。蓋深知曆之爲用也。後世强用西曆。晦朔且無。他曷論耶。

書五行志

謂董仲舒劉向與其子歆以春秋洪範爲學。失聖人之本意。甚惡其指事爲應也。君子見變修省恐懼而已。此誠大賢之言。

書地理志一

秦始皇分天下爲三十六郡。郡置守尉監其郡視今一省弱。唐太宗分天下爲十道。道置采訪使。其道殆等今二省。睿宗景雲二年分天下郡（是時郡小當秦郡十之一）縣置二十四都督府。其府頗類今省。又始置安西都護四鎭經略大使河西諸軍州節度支營田督察九姓部落赤水軍兵馬大使（治涼州）北部長史領持節和戎大武等諸軍州節度使。蓋邊事不可遙制置使俾便處理也。至玄宗而有天兵軍節度。（突厥九姓內屬雜處太原北因置天兵軍綏讙之）朔方軍節度。幽州節度。（治太平州旋更爲范陽節度）隴右節度。（治鄯州）劍南節度。（治益州）猶在邊也。至肅宗而有京畿節度。振武節度。邠寧節度。陝虢華節度。（治陝州）興鳳隴節度。渭北鄜坊節度。河南節度。（治汴州）淮南西道節度。（治潁川郡）青密節度。滑衛節度。淄沂節度。河中節度。（治蒲州）澤潞節度。成德節度。（治恆州）山南東道節度。（治襄州）山南西道節度。（治梁州）荊南節度。

（治荆州）淮南節度。（治揚州）劍南東川節度。（治梓州）浙江東道節度。（治杭州）浙江西道節度。（治蘇州）嶺南節度。（治廣州）邕州管內節度。（治邕州）安南管內節度。則遍國皆節度矣。有兵有土。既類三代封建。廣土衆兵。更比春秋戰國。欲不亂也得乎。

書地理志七

州號羈縻。在唐或不得不爾。元清於塞外諸地。亦不移民實邊。化畜牧而耕稼。易氈帳以宮室。致使言服永異。教養難及。世治糜費。若待驕子。世亂入寇。甚於盜賊。後且被他人利誘威脅。食肉寢皮。藉以圖我。羈縻二字。實爲厲階。可痛歎也。

書選舉志上

古者鄉舉里選。言行衆所共知。濫竽未易。漢廷策問。始以筆對。唐試詩賦。策乃具文。此皆言揚。匪選舉也。然即言察行。往往有中。故考試一制。後世萬不可廢。今以票選。始猶利誘威脅。繼乃改票易匭。後更名選實派。百弊棼起。莫可究詰。以筆試亦請託頂冒。往往而有。蓋人心已壞。在上者不自守法。票選與筆試之賞罰亦概未實踐也漢有孝弟力田科。尚德重本。唐有明字明算科。亦六藝書數遺意。進士皆誦當代之文。明經但記帖括。棄源襲流。古今通弊。故善出題者務使不得鈔竊舊文。亦考試要訣也。

書選舉志下

身言書判皆可取。則先德行。德均以才。才均以勞。銓選若此。焉有英俊沉下僚之事乎。然亦有身言書判皆不足取。而德行與才反大過人者。不可不察也、

書兵志

置兵始以止亂、及其弊也適足為亂。又其甚也至困天下以養亂。而遂至於亡。此雖僅言唐事。後世以多兵自雄者。盍亦鑒此也耶。

府兵無事時耕野。有事則命將統之以出。事已兵還。仍事耕作。將亦歸朝。與衆官比。誠絕禍亂之萌。然苟太平日久、老兵宿將漸次彫謝。卽或練訓但取粉飾。一旦變作。孰與殺賊乎。故強兵惟創業中興一時有之。他時未易有也。

使持節都督某軍事等字六朝屢見。至唐而都督帶使持節者曰節度使。轄地苟廣。皆足禍國。蓋能養兵坐大也。其始帥彊叛上。其繼兵悍逐帥。匪一朝一夕之故。所由來者漸矣。

禁軍恃功而驕。已多不法。而德宗復以兵與宦官。蓋謬意宦官可倚也。藩鎭之禍未去。宦官之禍又長。痛哉。

順宗時王叔文用事。欲取神策兵柄。與文宗時李訓鄭注欲去宦官同一用意。而史皆以姦人目之何耶。凡德望未著而急欲爲國家興大利去大害者。大抵易蒙此惡。賈生王荆公亦其類也。況叔文輩耶。

書食貨志一

古之善治其國而愛養斯民者。必立經常簡易之法。果經常簡易。弊烏自起乎。惟朝令夕改。名目繁多。官吏乃因緣爲姦。朘削我民。納於上者一。索於下者百。上不及知。下亦莫敢言。洎四海困窮。嚴刑峻罰而卒無以應。然後知不足乃眞不足也。下固救死不暇。上亦與之同盡耳。豈不大可哀也耶。

量入爲出。上下並足。量出爲入。下困上暫足。終必不足。而後世乃好言量出爲入也。

民安所逃死。國焉得不亂乎。

兵冗官濫。爲國大蠹。豈有甚於後世者耶。財利之說興。聚歛之臣進。愈煩愈弊。以至於亡。豈有異乎唐末者耶。

書食貨志二

戶籍極難得實。蓋變動速也。朝所謂實。夕已否矣。租庸調法壞。不得已以畝定稅。歛以夏秋。抑亦楊炎救急之術。夏輸無過六月。秋輸無過十一月。卽後世所謂上忙下忙也。惟量出制入。勢必多取於民。楊炎所以終爲小人耳。

總無名之暴賦而立常規。後世田賦各附加亦如此。且附加逾原賦五倍以上。田所入幾不足具賦。民焉得不困哉。民困又何怪輟耕隴畔哉。

善爲天子者必使兵部外無兵。戶部外無財。有禁軍而天子與下鬭力矣。有內庫而天子與下鬬富矣。天下甚大。豈京師可比。是先已處於敗地矣。無禁軍而天下莫強焉。無內庫而天下莫富焉。堯所由蕩蕩。舜所由巍巍也。後之人固未足語此。

憲宗分天下之賦曰上供曰送使曰留州。與後世所謂國稅省稅縣稅似。蓋弊政也。

僖宗乾符中山東饑。中官田令孜怙權用事。督賦益急。王仙芝黃巢等起。天下遂亂。後世當國者儻味此語。

書食貨志三

昔無火車汽船。漕運實亦大政。故此篇首詳此事。而營田和糴次之。營田而至兵不自耕。傭民或借庸以耕。又以瘠地易上地。則苦我民。和糴而至比戶督限。迫蹙鞭撻。抑實害民。

書食貨志四

劉晏鹽法。出鹽鄉因舊監置吏。亭戶（業鹽者爲亭戶）糶商人。縱其所之。蓋就場徵稅。無後世所謂引岸也。去鹽遠者有常平鹽。每商人不至則減價以糶民。官收厚利而人不知貴。則官負平價之責。民自不憂淡食也。又以鹽出霖潦則鹵薄。暵旱則土溜墳。隨時爲令。遣吏曉導。倍於勸農。則培護至勤。鹽自無災無害。所出常足也。晏始至鹽利歲纔四十萬緡。大曆（代宗年號）末乃至六百餘萬緡。天下之賦鹽利居半。宮闈服御軍饟百官祿俸皆仰給焉。無怪言理財者至今猶重劉晏也。後世不問鹽戶疾苦。產地豐歉。既就塲徵稅。復隨地榷運。有以劉晏法告者。則必謂古今異宜。縱加塲稅以抵榷運。去鹽遠者商人不至。可奈何。若駁以設常平鹽倉。必又謂路遠運費重。受損巨。政府不爲也。不知塲稅重。政府受大利。常平鹽受損巨。亦九牛拔一毛耳。況不損且收厚利乎。譬之郵電。僻遠地稅不敷出。亦必徧設。以他地所入補不足。不如此政權難普及。不可徒計一端也。且亦思海西各國固有鹽不稅者乎。豈不知大利所在。不顧因民所急爲利耳。

書刑法志

太宗去斷趾之刑。止鞭背之罰。可謂仁在萬世。豈徒一時也。

法令在簡。簡則明。行之在久。久則信。爲政者知此。可無爲而治。

太宗納魏徵之言。以寬仁治天下。武后不納周矩之言。乃欲制天下以威。蓋太宗以天下傳子孫。意在長治久安。武后奪天下入外家。意在保同去異也。

安史之亂。僞官背賊來歸。安慶緒奔河北。脅從者相率待辠闕下。使肅宗不謬誅逵奚珣等。史思明高秀巖且將自拔歸命。何至復擾河洛。至代宗時始克戡定哉。

書藝文志

有其名而亡其書。宋時已十之五六。况今日乎。蓋隋末舊書以砥柱覆舟而亡。唐初舊書以安祿山之亂而亡。唐末舊書以黃巢之亂而亡也。然最著者至今尙存。則以寶之者衆。終可搜采耳。

書宗室世系表

此表詳李氏所自出及子孫盛衰。宰相世系表詳各姓所自出及子孫盛衰。是亦當日氏譜也。

書宰相世系表一

其所以盛衰者雖由功德厚薄。亦在其子孫。此誠至言。否則世祿之家鮮克由禮。遭族滅者且不少。遑論繼居相位哉。

讀新唐書蠡述卷二

岳陽李澄宇洞庭著

書后妃傳上

此言竇后幼讀女誡列女等傳。一過輒不忘。而舊唐書無之。所謂事增於前也。又叙聞隋受禪及諫高祖納馬事皆簡括。所謂文省於舊也。又生太宗有二龍之符。及太宗過慶善宮思母號慟、幸九成宮夢母若平生云云。舊唐書亦未載。

舊唐書遇坤之泰、筮者曰以下頗有左傳規範、此但省文、遜舊遠甚。又叙長孫后救異母兄安業。及請勿棄房玄齡事。皆不及舊書。

於徐妃小山篇仰幽巖而流盼。撫桂枝以凝想。將千齡兮此遇。荃何爲兮獨往四語錄之。而罷兵止役疏則但節取。與舊書相異。

已立武后紀、而此傳復有高宗則天順聖皇后武氏云云。是重牀疊屋也。不可爲訓。以廬陵爲史而有此失。可歎。然其事不可不錄。姑以則天外傳視之焉耳。

高宗廢后王氏以久無子懼失寵。乃引太宗才人昔爲高宗所悅之武媚娘入宮以奪蕭淑妃寵。可謂進狼。武氏潛斃己女。以殺女誣后。手辣心很。前所未聞。他日、毒殺姪女魏國夫人而歸辠兄子惟良。亦是術耳。

高宗前欲依上官儀計廢武氏。未果。後乃欲下詔遜位武氏。昏懦至此。幾隕唐祚。悲夫。

秦有莊襄王后。遂有嫪毒。唐有則天武后。遂有薛懷義。殆所謂物以類聚也。

懷義未死。已書沈南璆。懷義既死。復有張義之昌宗。則天此時。應亦免才難之歎矣。一笑。

舊唐書引武三思入宮中升御床與后雙陸。帝爲點籌。以爲歡笑云云。此易爲與三思升御床博戲。帝從旁典籌。不爲忤。文較省。

楊妃生致荔支。及祿山反指言妃及諸姨。皆舊唐書所無。而此載之。所謂事增於前也。

論謂武氏賞罰己出。僭於上而治於下。故能終天年。韋氏淫蒸。斜封四出。既鴆殺帝。

而引睿宗輔政。權去手不自知。故不旋踵宗族夷丹。純就人事著眼。甚有史識。

書后妃傳下

肅宗幸吳后及生代宗事。舊唐書未載。而此詳之。可補其闕。

郭太后不願效武氏稱制。不愧郭令公孫。

宋若莘著女論語。而妹若昭爲傳申釋之。均可與長孫皇后著女則並美。

武宗王妃從容殉帝。可謂難能。視何后不能殉昭宗而終被朱溫所弑。其榮辱輕重何如耶。

書宗室傳

李道宗於劉武周堅壁以頓其銳。賊糧匱夜遁。追戰滅之。於梁洛仁閉城守伺隙出戰破之。此先守後戰也。於吐谷渾以單師窮追。陰引千騎超山乘其後。此先正後奇也。可謂知兵。於侯君集破高昌還。奏其必反。尤爲知人。

張儉輕騎度遼。與東漢望門投止之張儉同名。又後唐明宗時遼聖宗時皆有張儉。

李漢於憲宗實錄書宰相李吉甫事不假借。不愧史館修撰。李德裕以此惡之。豈知父頑母嚚。載在虞書。舜未嘗改。且未聞以此罪史官。而後世乃稱舜大孝乎。蓋史貴直筆。匪一家之書。不得子爲父隱也。

李孝恭不阬朱粲之俘。而縱之以勸降者。不取蕭銑戰艦。而縱之以疑救者。可謂遠謀。而將討輔公祏杯水變血。從容以杯中血爲賊臣授首之祥而盡飲之。可謂急智。而公祏將馮惠亮等拒險邀戰。堅壁不出。遣奇兵絕饟道。與周亞夫挫七國尤類。可謂深計。

宇文化及敗走聊城。糧盡願降。而李神通欲破之以取玉帛。趙君德先登扳堞。而神通忌其功。止軍不進。此種人安得不敗耶。

王振害李國貞郭子儀代爲都統。而振自謂且見德。不斬後豈可制乎。數其罪斬之。子儀信不愧大將也。

李齊物傳有李元度。淸中興時亦有李元度。

書高祖諸子傳

漢書以高五王傳。文三王傳。景十三王傳。武五子傳。宣元六王傳。雜置諸臣傳中蓋以時之先後相次也。其後各史大抵效之。此將舊唐書所列高祖二十二子傳。太宗諸子傳。高宗中宗諸子傳。睿宗諸子傳。肅宗代宗諸子傳。德宗順宗諸子傳。憲穆敬文武宣懿僖昭諸子傳。併爲四傳。且創增諸帝公主傳。均置后妃宗室二傳後。使骨肉團聚。不與他傳雜。殆與五代史記家人傳同一用意。雖不則古。參考較便。

楊文幹率兵反時。高祖知建成首謀。以罪廢建成。立秦王。此一策也。建成毒酒宴秦王咯血數升時。以罪廢建成立秦王。又一策也。既不廢建成。又不遣秦王居洛。是縱之使爭也。玄武門之變。高祖亦自悔否耶。

書諸帝公主傳

高祖女長廣公主。房陵公主、安定公主。太宗女襄城公主、南平公主。遂安公主。晉安公主。城陽公主。高宗女太平公主。中宗女安定公主。長寧公主。安樂公主。睿宗女薛國公主。郾國公主。玄宗女常山公主。衛國公主。貞陽公主。宋國公主。齊國公主。咸宜公主。廣寧公主。萬春公主。新平公主。肅宗女蕭國公主。郜國公主。皆再嫁。雖天姬之貴。未嘗以此爲不義。則世祿之家及民間女可知。至宣宗始詔公主縣主有子而寡不得復嫁。然有子不復嫁。是無子尙可復嫁也。則此詔亦甚得中也。

丹陽公主下嫁薛萬徹。羞萬徹惷。不與同席。太宗爲置酒。悉召它婿與萬徹從容語。握槊賭所佩刀。陽不勝。遂解賜之。主喜。命同載以歸。蓋太宗以婦女好勝。特才萬徹以悅之。公主遂墮術中耳。

常樂公主以大義勉越王貞。不愧唐女。後雖被害。死若生矣。

太平公主方額廣頤。多陰謀。武后常謂類我。卒乃預誅韋氏。謀廢玄宗。一公主且若此。向使處武氏地位。其舉動豈減武氏哉。

政和公主事韋妃以孝稱。肅宗有疾。侍左右勤勞。可謂有士行。而軍興時以貫易贏千萬贍軍。吐蕃犯京師。主避地南奔。時不取諸節度餉億。親紉綻裳衣。諸子不服紈絺。更士夫所難，若乃陳人間利病。獻備邊大計。則又名將相所跼蹐。而主國爾忘身。不顧一切。不圖代宗有此女弟也。

漢陽公主以鐵簪畫壁記田租所入。簪若是。服可想矣。賢哉主乎。

廣德公主嘗從于琮貶韶州。郤州縣饋遺。後琮爲巢賊所害。主自縊。亦甚難得。

書劉文靜裴寂傳

文靜妾以失愛故使兄上變。致夫被戮。雖曰妒之爲害酷。而妾之素不愛夫可想已。

書屈突尉遲張秦唐段傳

屈突通雖不愧烈士。然論功於唐僅從平王世充一役耳。何能與敬德並。且冠此傳哉。贊稱其盡節於隋而爲唐忠臣。蓋重其行。不徒第功也。

書杜張李苑羅王傳

濟陰女子李自言通鬼道。能愈疾。未嘗自言善相人。而羅藝妻信其妃相貴當母天下語。贊夫反。蓋亦虛榮心誤之耳。

書李靖李勣傳

靖西定吐谷渾。而高甑生誣告謀反。雖事幸白。再不闔門自守。禍終及矣。贊以比古哲人。蓋謂得保身之術耳。勣奉上忠。事親孝。歷三朝未嘗有過。獨導立武后。幾斬唐祚。贊惜其不通學術。昧夫臨大節不可奪之誼。蓋但知私己畏禍。固未可與明哲保身相提並論也。

書高儉卽士廉竇威傳

此傳二贊。一專就譜錄論。一合論高竇。且推論古來賢豪。與後漢書一傳二贊者異。又贊語質重。筆更矯拔。信善學史記者。

書房玄齡杜如晦傳

太宗時衆長並顯。而房杜若無所能。秦誓所謂一个臣者。其房杜之儔與。贊謂輔贊彌縫而藏諸用。使斯人由而不知。抑亦善言宰相者也。

書唐臨張文瓘徐有功傳

新唐書論贊表志多勝前書。此傳徐有功贊不以唐周貳其心。惟一於法。身蹈死以救人之死等語。實能寫出有功也。

書狄仁傑郝處俊朱敬則傳

狄仁傑傳易舊書吾親所居在此雲下爲吾親舍其下。所謂文省於舊也。句雖健。不及舊語婉惻。又雙陸不勝無子也一段。舊書未載。而此詳之。所謂事增於前也。此實於史有裨。又陛下立廬陵王則千秋萬歲後常享宗廟。三思立廟不祔姑云云。最動武氏。舊書亦未載。不知不祔姑三字即武氏撥雲散而唐之續命湯也。

書張韋韓宋辛二李裴傳

非楊妃國忠不得大用。非國忠祿山不至遽反。故祿山之罪即國忠之罪。國忠之罪即楊妃之罪。國忠既誅。陳玄禮請殺貴妃以安衆。韋諤亦叩頭流血請上割愛。不獨衆懼復讎。實乃罪有應得也。

書武李賈白傳

薄元稹中道徼險得宰相。不與居易同傳。且將居易他文删去。甚是。贊有當宗閔時權勢震赫。終不附離爲進取計。完節自高云云。白傳地下有知。當亦首肯。

書姚崇宋璟傳

姚崇以十事要說天子而後輔政。開元之盛所由來也。舊唐書未載而此詳之。亦所謂事增於前也。又贊有唐史臣稱崇善應變以成天下之務。璟善守文以持天下之正。云云。舊唐書亦未載。蓋當日尙別有國史及柳芳所爲唐曆（編年體）等也。

書宇文韋楊王傳

古聖賢皆務安民而禁言利。後世乃日日言利。不知安民者藏富於民。不言利而利大。所謂百姓足君孰與不足也。言利者往往擾民。財聚民散。愈言利而利竭。所謂百姓不足君孰與足也。覆轍相尋。萬古不寤。此聖賢所以獨智與昔猶云牘田後世竟日附加矣。昔猶云羨緡。後世竟日抵借矣。楊國忠王鉷時天下思宇文融。後世或更上思國忠與鉷也。悲夫。

書哥舒翰高仙芝封常清傳

祿山始出鋒銳。封常清才非韓信。不效周亞夫扼險以守。而竟驅市人與戰。固必敗之道。封既一誤。高仙芝急守潼關。遏賊西勢。郭子儀亦欲直擣幽州賊巢。極言宜守潼關無出軍。而玄宗竟殺仙芝以哥舒翰代之。且促出收陝洛。是再誤也。乘輿播越不足惜。使賊得蹂躪京邑。毒痡四海。可勝慨耶。

書李光弼傳

太原之役舊唐書無徹民屋爲擂石車。石所及輒數十人死。及賊築土山臨城。光弼遣穴地穨之二事。而此傳據別史補之甚是。又北邙之役光弼使傅山陣僕固懷恩不從。竟陣諸原。賊委物僞遁。懷恩軍爭剽獲。伏發官軍大潰。舊書亦未詳。但云賊悉精銳來戰。光弼敗績。於事殊舛。

書令狐張康李劉田王牛史傳

張孝忠傳吾懼禍不敢往。亦不敢叛。猶公不覲天子也。較舊唐書孝忠懼死不敢往亦不敢叛。猶公之不覲於朝。虞禍而已。無它志也。簡勁。此可省者也。孝節泣曰。卽歸且僇死。不如舊唐書孝節泣曰兄不行吾歸死矣朗豁。此不必省者也。

書歸奚三崔盧二薛衞胡丁二王殷傳

封孔子文宣王。猶有帝大於王之意。以先師視之。則天子以下北面拜跪薦祭。禮固宜爾。歸崇敬請準武王受丹書於師尚父東面揖之禮。不知師尚父之師。卽後世軍師之師。故僅東揖。若孔子則以德爲萬世師。與尚父大異矣。贊引韓愈言折之。有旨哉。有旨哉。

書賈耽杜佑令狐楚傳

杜牧罪言。亦兩漢後不可多得者。舊唐書不錄。而此錄之。甚是。贊喜其上策莫如自治一語。尤有特見。

書韋王陸劉柳程傳

觀柳宗元貽蕭俛許孟容二書。憤鬱似史公報任安書。蓋王叔文謀去宦官未遂。身敗名裂。宗元坐貶。史策具在。後世莫辨其枉。當日悠悠之口更可想矣。落筆憤鬱。不亦宜乎。

書韓愈傳

舊唐書以韓愈與張籍孟郊唐衢李翺宇文籍劉禹錫柳宗元韋辭並列。此專爲韓愈立傳。以張籍附之。蓋因其文起八代之衰。皇皇于仁義。多載道語。特張之也。至程朱出。自謂直纘洙泗道統。惡韓愈自比孟軻。擠之甚力。惟恐孟子後或數韓愈。與贊云云抑又異矣。噫。

書劉蕡傳

舊唐書列蕡文苑。蓋非其地。此立專傳甚是。蓋其言譏切宦官。有關治亂。雖未得見諸行事。固漢董賈流亞也。

書李鄭二王賈舒傳

李訓傳叙甘露之變。無韓約不報平安語。且省金吾左仗院石榴樹夜來有甘露爲甘露降金吾左仗樹所謂文省於舊也。然有士良曰李訓反。帝曰訓不反。士良手搏訓而躓。訓壓將引刀韡中。救至。士良免。宦豎知訓事連天子。相與怨讟。帝懼僞不語。故宦人得肆志殺戮。及文帝後常不懌。往往瞋目獨語。自是感疾。至棄天下等語。抑又事增於前也。

贊但責李訓浮躁寡謀。且惜不能以上意說諸將。蓋誠知李訓身爲國死。而又不免以成敗論人也。噫。

書忠義傳上

孔子懼天下爲戰國。欲弭禍源。以讓爲敎。於泰伯伯夷稱道勿衰。又懼人逞無君之心。使天下大亂。於夷齊不食周粟許以得仁。然於文武周公微比箕子皆一體重視。蓋各人所處不同。言行自異。惟不悖仁義而已。未可概論也。歐陽公深痛朱溫馮道之徒。或甘作亂臣賊子而不悔。或諂事亂臣賊子而不怍。於此傳垂涕而道。亦誠欲砥礪生民而窒不軌。使後世常有忠義者爲天下大閑焉。其用心亦良苦矣。又舊書以忠義傳置外戚宦官良吏酷吏後。此置卓行孝友隱逸循吏前。雖與晉書先孝友後忠義者異。要未失良史意也。

世稱文官不要錢。武官不怕死。忠義之士。亦不過不要錢不怕死耳。惟不要錢故利莫能誘。不怕死故威莫能脅。果利莫能誘威莫能脅。在人者不足論。在我者正氣浩然。沛乎塞蒼冥矣。知之匪艱。行之惟艱。此三十三人所以獨絕也。

書忠義傳中

此傳詳叙南霽雲乞師未得。矢射浮圖。及雷萬春守雍邱。面著六矢不動。事皆舊唐書所無。此等處新勝於舊。

書忠義傳下

張興將死。猶以大義曉史思明。不悟。乃罵。蓋誠欲喚醒巨賊。使亟回頭。於國事大有裨益也。蔡廷玉於朱泚。亦有導公爲逆。即悔勉公以義。何悔爲。及不殺我。公得名。殺我吾得名等語。而思明殺興。泚竟不殺廷玉。蓋泚與思明氣象又異也。

書卓行傳

後漢書有獨行傳。此於忠義外立卓行傳。且以眞德秀冠首。蓋深恨殘唐五代立德者罕。將以勵天下萬世。其意亦同范氏也。又房琯謂見紫芝眉宇使人名利之心都盡。可與黃憲傳久不見叔度使人鄙吝復萌語對看。

權皋不欲附祿山反陽死而逸、又不受永王璘脅詭姓名以免。自言潔身亂世以全吾志。意誠苦矣。

元稹移史館修撰韓愈書。謂甄濟於祿山延頸受刃。分死不囘。不以不必顯而廢忠。不以不必誅而從亂、可謂善於褒揚。然非濟固未足當此。

書孝友傳

凡孝友節烈。其事往往有同者。人人立傳。未免有千篇一律之誚。茲以皆事親居喪著至行者皆數世同居者約舉其名。亦是一法。蓋傳而有表意者也。

唐陳藏器著本草拾遺。謂人肉治羸疾。自是民間以父母疾多刲股肉以進。韓愈歎其毁支體。謂不宜旌。歐陽修則稱其忘身及親。出於誠心。二論似相反也。然皆有深意存焉。

張士巖父病須鯉。冬月冰合。有獺銜魚至前。可與王祥臥冰事並稱。而祥事獨顯者。以二十四孝圖有王祥無張士巖耳。士巖固不必要譽後世。而同一事在後不傳。抑多有也。

書隱逸傳

舊唐書以賀知章列文苑傳。而此隱逸之。殆卽三槪所謂持峭行不可屈於俗其於爵祿汎然受悠然辭者也。若張志和垂釣泛宅。桑苧翁陸羽嗜茶著經。則三槪所謂資槁薄樂山林。內審其材終不可當世取舍。故逃邱園而不反者與。

書循吏傳

太宗錄刺史姓名於屏風。臥興對之。猶今之列表坐右也。今所缺者未嘗效其得才否狀輒疏之下方。以擬廢置耳。於是則表爲具文矣。曷貴乎。

韋仁壽都督南寧。威令簡嚴。人人安悅。蓋簡則易從。嚴則必行也。

書儒學傳上

歐陽公謂舉天下一之於仁義。莫若儒。儒待其人乃能光明厥功。宰相大臣是已。蓋必宰相大臣乃實處堯舜其君堯舜其民之地位。收效最易且鉅也。否則儒者遭逢叔季。守先王之道以待後學。效在身後者多。於當時則甚少矣。

書儒學傳中

三年之喪二十五月。張柬之舉春秋書禮驗之。可稱鐵案。後世大抵遵鄭玄自喪至禫凡二十七月之說。民間亦有用王元感論以三十有六月爲三年者。

書儒學傳下

文宗喜經術。而於施士匄春秋傳乃曰穿鑿之學。徒爲異同。但學者如浚井得美水而已。何必勞苦旁求。然後爲得邪。此誠截斷衆流要訣。

書文藝傳上

韓文杜詩。卓然爲後世法。皆由擩嚌道眞・涵泳聖涯而得。蓋必如此然後與聖門所謂文學者相合也。

房琯有大罪。而杜甫乃請肅宗棄細錄大。帝自是不甚省錄。宜哉。然坎坷轉徙至死。不怨友且不忘君。抑亦甚難。

嚴武欲殺甫而冠鈎於簾三。此中若有天焉。蓋甫早殺則無由出瞿塘下江陵泝沅湘以登衡山。甫不得江山助。難以渾涵汪茫千彙萬狀。卽瞿塘諸地亦將不得好詩流傳異代。甚可惜也。

王勃道出鍾陵。九月九日都督大宴滕王閣云云。舊唐書未載。此特補之。所謂事增於前也。

駱檄以一抔之土未乾六尺之孤安在制勝。猶勃序以落霞與孤鶩齊飛秋水共長天一色制勝也。安在或作何託。

書文藝傳中

舊唐書文苑傳於宋之問但云易之兄弟雅愛其才。之問亦傾附焉。此傳竟有之問與閻朝隱沈佺期劉允濟傾心媚附。易之所賦諸篇。盡之問朝隱所爲。至爲易之奉溺器等語。此等處何必事增於前耶。

書列女傳

列女傳爲賢女作也。孝婦節母不過賢女之一耳。婦女以節孝著皆不幸事。豈婦女必不幸然後有事可紀耶。此後代史臣之謬也。噫。

書外戚傳

楊國忠以外戚見幸。入此傳甚宜。舊唐書乃與李林甫並列。蓋疾其奸也。然於私從妹虢國夫人。裒從父玄琰貲至成都。一日輒盡。及爲玄宗主摴簿。計算鈎畫。分銖不誤。祿山條上國忠大罪二十等事未詳。殊遜此傳。惟玄宗聞河朔變起至俱爲一時之沴氣焉。則舊書較美。

楊國忠以取一時貴顯故。不惜舉朝忌嫉。海內怨毒。甚且偪祿山速反。促哥舒速戰。

一誤再誤。不惟貴顯不保。身亦被戮。知進而不知退。知存而不知亡。知得而不知喪。可恨抑復可哂也。

書宦者傳上

舊唐書無仇士良傳。而此補之。且有劉從諫屢上書暴指士良等罪。及文帝自謂赧獻受制彊臣。朕受制家奴。士良臨死教其徒謂天子不可令閑暇。日以毬獵聲色蠱其心。召崔愼由草詔廢文帝。愼由不從。記其事授子胤云云。此信事增於前也。

舊書宦官傳無馬存亮。而此補列仇士良前。蓋張詔之亂。護救敬宗功甚巨。而畏權處外。不效仇士良所爲。在宦奴中尤爲僅見也。

書宦者傳下

舊書無劉克明。此補之甚是。蓋彼與蘇佐明石定寬弑敬宗。矯詔立絳王。其惡大。不可不書也。

劉季述王仲先爲左右中尉。疑昭宗見誅。外約朱全忠謀廢立未遂。旋矯皇后令以太子主社稷。遂囚昭宗。蓋禁軍在手。固可惟所欲爲也。崔胤間其都將孫德昭董從實。竟戮仲先如反手。誅季述若探囊。去其所恃爲我用。則彼不過孤奴耳。凡恃武力自恣者。其成敗大抵在此。可弗深長思也耶。

昭宗不從崔胤之謀。以胤與陸扆爲神策軍左右中尉。而以韓全誨張彥弘爲左右中尉。致全誨外結李茂貞。崔胤外結朱全忠。互疑交媢。乘輿播遷。閹寺誅殛。崔胤被戮。唐室亦亡。是無異顚爲後梁開景運啓鴻圖也。噫嘻。

書藩鎮魏博傳

創藩鎮傳。且置突厥前。以藩鎮形同化外。去四夷僅一間耳。蓋不勝被髮伊川之懼矣。它日遼金元淸入據中土。豈無自哉。君子所以戒履霜也。

中貴馬承倩訴詈李寶臣。致王武俊勸寶臣與田承嗣和。舊書記載頗詳。此但云天子遣中人勞寶臣不爲禮。寶臣乃貳。反攻朱滔。與承嗣和。簡而不明。非傳所宜。且贊有李寶臣怒承倩而釋魏九字。而傳中不及承倩。贊語未免無本。此等處新不如舊。

書藩鎭宣武彰義澤潞傳

全載韓愈平淮西碑於吳少誠傳。以文美且可備考也。

書沙陀傳

沙陀雖西突厥別部處月種、而朱邪世爲唐臣。執宜於伐鎭伐蔡皆有功。其子赤心且以平龐勛功賜姓名爲李國昌。孫克用破黃巢。尤有大勛於唐室。他日李亞子滅後梁。遂有唐祚。天固有以啓之也。

伶人演珠簾寨戲曲、謂克用王沙陀。兵甚盛。陳景思乞師不許。而夫人許之。傳云廣明元年。巢攻潼關。入京師。詔河東監軍陳景思發代北軍。沙陀都督李友金謀於景思。謂吾兄司徒（即國昌）父子材而雄。衆所推畏。比得罪於朝。僑戍北部不敢還。今若使將兵。代北豪英一呼可集。整行伍鼓而南。賊不足平也。景思乃匄赦國昌使討賊贖罪。有詔拜克用代州刺史。至中和二年。義武節度使王處存河中節度使王重榮傳詔招克用同討巢。克用喜。即大閱雁門。得忻代蔚朔達靼衆三萬。騎五千而南。事乃相異。蓋戲曲多本野史。加附會。未可盡信也。

克用於上源驛被全忠害。幸不死。請擊全忠。使者八返。不許。是僖宗負克用一也。克用表言邠寧朱玫鳳翔李昌符連全忠爲亂。請以兵十五萬渡河梟二豎。然後平汴。不許。洎克用敗玫於沙苑。還河中。帝忽幸鳳翔趨寶雞。克用與王重榮聯章請還宮。帝又走大散關。駐興元。是僖宗負克用又一也。昭宗即位。聽全忠及宰相張濬計。削克用官爵屬籍。以濬爲兵馬招討制置宣慰使。是昭宗負克用一也。王行瑜韓建李茂貞連兵南闕下。殺李谿。克用盡調北部兵渡河討行瑜。並請討茂貞。帝詔第事行瑜。既誅行瑜。而茂貞復與韓建謀以兵入朝。是昭宗負克用又一也。一誤再誤。克用勢折。全忠日益彊。劉仁恭且據幽州爲己有。貳於克用。天復元年。全忠取晉絳。偪河中。克用壻王珂被虜。不能救。然全忠取同華。屯渭上。帝如鳳翔時。克用尚率兵趨平陽。攻吉上堡。破汴軍於晉州。雖後大敗。太原被圍。幾失而不悔。三年。帝東遷。詔至太原。克用泣謂其下曰。乘輿不復西矣。顧藩鎮皆附汴。不可與共功。不得已召契丹阿保機於雲中。約爲兄弟。期大舉。以昭宗遇弑止。功雖未成。志可哀也。贊謂克用稍知古今能如齊桓晉文。唐遽亡乎哉。不知周於齊桓晉文固甚寵任。且未嘗如此反覆。俾齊晉蹉跌自保不暇也。宋人論事往往不設身處地。無乃寃抑古人與。

書東夷傳

新羅傳載張保臯鄭年素不相下。後保臯抑私忿分兵與年定國難。此風何減祁奚藺相如哉。贊謂郭（子儀）李（光弼）爲安思順都將時不相能。及郭代思順。李欲亡去。有詔分郭半兵東出趙魏。李請死。郭執手涕泣。勉以忠義。雖同地互嫉異地交獎。亦人常情。而汾陽不念舊惡。且深知李材足勘亂。豈易易耶。宜歐公頌不絕口也。

書南蠻傳上

古云兵可百年不用。不可一日不備。又曰兵凶戰危。不得已而用之。誠以兵不備。猝有內盜外寇。莫之能制。兵常用。民困財匱。勢必召亡也。南詔內侮。咎在邊吏。不思得良吏撫馴之。而徒騁兵威於既弱之後。外强中乾。詎有幸乎。歐公謂唐亡於黄巢而禍基桂林。諒哉。

書姦臣傳上

漢書置王莽傳於西域傳後。晉書置王敦桓溫等傳於四夷傳後。皆所謂屏諸四夷不與同中國。然未定名爲姦臣叛臣逆臣也。茲效史記佞幸宋書二凶傳。意嚴制厥名。區以別矣。自後紀傳大抵視爲範臬。蓋亦史例一大沿革也。

許敬宗贊高宗立武后。妄言田舍子賸穫十斛麥。尙欲更故婦。天子富有四海。立一后謂之不可何哉。以天子后比田舍婦。不獨於國何以必有君。君何以必有后之意懵然未知。而擬不於倫。抑亦不敬甚矣。此種佞人以姦臣目之。未免高視也。敬宗博聞彊識。使專爲文學侍從之臣。必有美譽。以贊立武后。得相。逐韓瑗來濟褚遂良。殺梁王長孫無忌上官儀。遺臭萬年。得不償失。可哀也已。然其心術素不可問。即專爲文學侍從之臣。亦未必不以紙筆喉舌長惡逢惡也。

傳游藝詭說符瑞。勸武氏滅唐。且誣殺宗室。無非欲取富貴耳。歲中即敗。遺臭萬載。

死而有知。應自痛恨。

李林甫居相位十九年。固寵市權。逐張九齡李適之等。擢安祿山高仙芝等。竟覆唐祚。此誠姦臣。雖幸保首領以沒。而楊國忠劾其姦狀。悉奪官爵。斵棺剔取含珠金紫。用庶人禮葬之。子徙嶺南黔中。籍其家。則爲報亦烈矣。名利兩亡。姦臣果可爲乎哉

書姦臣傳下

崔胤恪守父愼由遺志。處心積慮必滅宦寺。無所謂姦也。既誅宋道弼景務修。內淸君側。又誅劉季述王仲先。上解帝囚。不獨匪姦。功抑甚大。至韓全誨挾昭宗幸鳳翔。胤不肯從。蓋明知從則死宦官手。不從可召朱全忠以兵迎帝且殺宦官也。何怨帝見廢云爾乎。又前藉全忠力盡戮閹宦。後恐全忠簒奪。欲握兵自固。事皆無皆奈何。必以此爲姦。則未免重誣古人矣。蓋用全忠滅宦寺。胤本謀也。全忠用胤奪社稷。胤先不知。後乃預防也。坐是赤族。且入此傳。能不擲筆爲之痛哭耶。

書逆臣傳上

此有安祿山本姓康。母阿史德禱子於軋犖山。虜所稱鬭戰神者。及生有光照穹廬。野獸盡鳴等語。足正舊唐書本無姓氏突厥呼鬭戰爲軋犖山遂以名之之誤。又祿山陽爲不敏。有皇太子何官之語。及太子諫玄宗寵祿山過甚必驕。帝曰胡有異相我欲厭之云云。皆舊書所未詳。

書逆臣傳下

贊謂黃巢於廣明元年盜京師。自陳唐去丑口而着黃明。黃且代唐。其言爲妖。而秦宗權株亂徧天下。朱溫卒攘神器有之。實皆巢黨。則黃且代唐未盡誣也。結爲疑詞。以不解解之。天道遠而人道邇。可勝測哉。

讀五代史蠡述

曹典球署檢

中華民國二十五年
湘鄂印刷公司印行

讀五代史（世稱舊五代史）蠡述目次

卷四

讀五代史世稱舊五代史蠡述卷一　岳陽李澄宇洞庭著

書卷首

宋初盧多遜等奉詔修梁唐晉漢周書。唐稱宋齊梁陳隋爲五代宋稱梁唐晉漢周爲五代宰相薛居正等監修。事甚詳備。史固以事爲主也。歐陽修就此改撰。間有舛誤。如凡例所舉者。縱文章遠出居正等上。於其文則史之意亦頗悖矣。況薛史諸志具在。而歐史止述司天職方二考。更不可以文省於舊相詡也。金章宗廢舊崇新。淸高宗則新舊並存。韙哉又歐史原名五代史記。故吾於舊者仍名五代史。而於新者徑稱五代史記。

薛史效陳壽三國志。故五代各自爲書。歐史效李延壽南北史。故紀傳聯繫爲一。至世家出於史記。附錄略仿晉書。晉書有載記三十卷歐史有四夷附錄三卷年譜取法遷表。史記有十二諸侯年表歐史有十國世家年譜雜傳例變南史。則歐史所慘澹經營者。較薛史亦固有勝藍寒水之辨矣。

書梁太祖紀一

歐史有其父誠以五經教授鄉里等語。而此無之。此有以唐大中六年歲在壬申十

月二十一日夜生廬舍之上有赤氣上騰等語。歐史無之。卽此一事。可見兩史不可偏廢。況更有重於此者耶

歐史謝曈說溫降唐。舉章邯背秦歸楚事甚合。而此未載。卽曈本傳亦僅有將軍力戰於外孟楷壅蔽奏章不達等語。蓋廬陵卽其語鍊冶出之。非曈本旨如此也。

據唐書收京實李克用首功。此云帝與諸侯之師俱收長安。似溫首功。故歐史但云諸鎭兵破巢復京師。不使溫居首功也。

此於上源驛事。謂克用乘醉任氣。帝不平之。是夜命甲士圍而攻之。會大雨雷電。克用因得於電光中踰垣遁去。蓋梁史諱圖克用。居正等錄之未改也。

溫求救於兗鄆。新舊唐書五代史記皆載。而此但云兗鄆滑軍士皆來赴援。亦諱之也。蓋前有朱珍襲滑。遂有滑臺之地云云。此以兗鄆滑並稱。無異屬地矣。又兗鄆之釁由溫拓地。曲在溫。此云朱瑄朱瑾利誘軍士。曲在瑄瑾。亦爲溫諱也。歐史直書朱宣（卽朱瑄）朱瑾兵助汴。已破宗權東歸。王移檄兗鄆。誣其誘汴亡卒以東。乃發兵攻之。

取其曹州濮州。遂遣朱珍攻鄆州。足正其謬。又歐史於溫始稱名。繼稱賜名。繼稱爵。史例然也。與此始終稱帝且於唐昭宗景福元年有帝（即溫）親征鄆云云者大異。既書蔡州平。詔加實封賜莊宅。進封東平王。賞功之意自見。復書賞平蔡之功也。未免冗贅。

書太祖紀二

漢誅宦官不必召董卓。而竟召之。未得卓力而漢以亡。唐誅宦官不必召朱溫。而亦召之。未得溫力而唐用滅。君子讀史所由痛恨何進崔胤也。

溫必殺崔胤而後敢逼昭宗幸洛。胤未嘗賣國可想。新唐書竟以胤入姦臣傳過矣。

何后謂溫曰。此後大家夫婦委身於全忠矣。自有帝后以來未聞如此哀鳴。厥後昭宗與后先後遇弑。哀鳴抑何益耶。

此有選二百餘人形貌大小一如內園人物之狀。既縊殺小黃門等。即蒙其衣及戎具自飾。昭宗初不能辨。久而方察。自是昭宗左右前後皆梁人矣等語。歐史則云悉殺而代之。然後以聞。由是天子左右皆梁人矣。蓋亦文省於舊也。
旣書天子以帝爲諸道兵馬元帥。又書天子命帝爲相國總百揆。以宣武宣義天平護國天雄武順佑國河陽義武昭義保義武昭武定泰寧平盧匡國武寧忠義荊南等（歐史尙有忠武鎭國二道舊唐書亦然）二十一道爲魏國。進封魏王。入朝不趨。劍履上殿。贊拜不名。兼備九錫之命。皆仝效六朝篡逆步驟也。
怒哀帝卜祀天於南郊。及弒何太后於積善宮事。此未詳而歐史載之。紀實也。
羅紹威欲誅牙軍。而密與溫謀。亦猶崔胤欲誅宦官而密與溫謀也。牙軍誅而魏平。宦官殲而唐滅。世之欲引虎自衞者。可弗戒與。

書太祖紀三　開平

歐史删家廟五色芝五色衣事。及讖辭兩角犢子爲朱等語。不願爲亂臣賊子述祥瑞符命也。

書太祖紀四　開平

歐史開平二年正月有弒濟陰王事。而此無之。爲梁諱也。此等處薛史不及歐史。

書太祖紀六 開平乾化

鄧季筠何令稠陳令勳以部下馬瘦並腰斬於軍門蓋騎軍所繫大剋扣馬料馬瘦騎軍等虛設矣不重懲可乎且剋扣軍饟有訴者剋扣馬料馬不能自言其事尤甚可罪也

書太祖紀七 乾化

此有至東都泛九曲池。御舟傾。帝墮溺汙池中。宮女侍官扶持登岸。驚悸久之等語。亦不德之一端。宜書。歐史删之非是。

此無友珪弒父之文。乃書友珪葬太祖於伊闕縣。非史例也。歐史書郢王友珪反。皇帝崩。逆狀顯然。庶南董矣。

書末帝紀上 貞明

馬愼交說楊師厚。有郢王以子弒父。是曰元兇。均王爲君爲親。正名仗義。一朝事成。

令公何情自處等語。歐史删之非是。蓋師厚猶豫未决。得此數語始懼禍討逆。急起直追也。

分魏博六州爲兩鎮。未嘗非計。而遽以魏州軍兵之半隸相州。幷徙其家。是迫之叛也。

書末帝紀中 貞明

北面招討使賀瓌謬殺許州節度使謝彥章。濮州刺史孟審澄。別將侯溫裕等於軍。而晉王聞之喜曰。彼將帥不和。亡無日矣。夫將帥相殺。如李光弼斬崔衆斬張用濟者。亦嘗有之。而士氣愈奮。軍心愈固者。其所以斬之之道與賀瓌異也。

書末帝紀下 貞明 龍德

末帝時尙能放免兩京及應宋亳潁鄆齊魏滑鄭濮沂密青登萊淄陳許均房襄鄧沁。隨陝華雍晉絳懷汝商等三十二州欠稅。後世號曰民主。而欠稅征至五年以上。附加增至三倍以上。讀此倘亦內疚乎。

龍德元年制有公私債負納利及一倍已上者。不得利上生利等語。利上生利最酷。無力者往往納利至數倍以上。未清宿負。故利上生利與重利並宜禁絕。今曰納利及一倍已上者不得利上生利。則未及一倍已上者仍許利上生利也。世亂財匱。告貸無門。但取濟急。豈得已乎。

晉失德勝失潞州。岌岌不自保。卽帝位於魏州。欲藉此鎭定羣情耳。徐無黨註歐史。謂書梁亡見唐莊宗之立速。書漢亡見周太祖之立遲。速者不及待。遲難於自立。豈知唐莊宗固別有苦衷。與周太祖未可同日而語耶。

書列傳三

朱瑄時溥未臣於梁。而入梁傳。蓋法漢書項羽陳涉等傳也。歐史則置諸雜傳。王師範劉知俊等雖臣於梁。而歷事數姓。歐史亦置諸雜傳。

書列傳五

韓建與李茂貞王行瑜舉兵赴闕。迫昭宗以王珙爲河中帥。大罪一。誣睦王已下八王謀已而囚之。大罪二。放散隨駕殿後軍二萬人。殺捧日都頭李筠。大罪三。以兵圍十六宅。通王已下十一王並遇害於石隄谷。大罪四。預宦官韓全誨謀。迫昭宗幸鳳翔。大罪五。何后舉觴賜朱温。建蹋温足使疑不敢飲。大罪六。

李罕之翻覆難制。克用知之。而於其入潞不先與而後取。是失策也。遇有勇無謀者鬭智不鬭力。克用豈獨不知耶。

王彥章之名。婦孺咸知。以別有戲曲也。謝彥章之名。知者較少。以僅有史傳也。史傳固不如戲曲普及也。

書列傳七

楊行密知朱温謀篡。名爲方鎭。實國賊也。而田頵朱延壽乃視温爲盟主。蓋不以操懿疑温。而以桓文望温也。何其謬歟。

書列傳八

李振勸朱温討閹豎劉季述。以覇業望温。意氣甚壯。而後譖殺唐大臣裴樞陸扆等於滑州白馬驛。乃有投諸濁流語。甘爲小人之歸。抑何劣耶。至晉王入汴。振不與敬翔殞命明節。尙欲苟活。致郭崇韜有常人之歎。尤足哂矣。

書列傳十一

齊名相忌。自古然也。鄧艾鍾會。朱珍李唐賓。其著者耳。然皆以禍終。何如廉藺郭李流譽千古哉。

王彥章（宋高宗時金王彥章據蔡鳳窺巴蜀與此同名）尙不足敵晉王。而遽以段凝代之。何異燕遣騎刦代樂毅乎。未及十旬。梁社以屋。匪不幸也。

彥章不降。而對晉王中使有皇帝（晉王時已稱帝故云）縱垂矜宥。何面目見人。豈有爲臣爲將朝事梁而暮事晉乎。得死幸矣等語。可謂從容就義者矣。歐史死節傳惟彥章一人。有旨哉。有旨哉。此以賀德倫與彥章同傳。非是。

書列傳十二

楊師厚故晉將李罕之步將也。自降梁後。屢建異勛。且師厚降後。梁始刼昭宗東遷。

敗李茂貞。克王師範。平趙匡凝趙匡明。擒劉知俊。屠棗彊。由是知罕之叛晉。繫朱李兩姓盛衰。而師厚晉材。梁用所繫尤巨也。

書列傳十三

劉鄩之襲兗州。由細人詐爲鬻油者。覘城內虛實及出入之所。誌羅城下水竇。引步兵五百以入城。一夕而定。可見諜之爲用大。其守兗州。副使王彥溫踰城而奔。守陴者從之。不可禁。乃遣人從容告彥溫曰。語副使少將人出。非素遣者勿帶行。又揚言於衆曰。素遣從副使行者勿禁。其擅去者族之。於是逸者止。而彥溫被敵所疑。戮於城下。可見詐之爲效神。

書列傳十四

杜荀鶴恃朱溫勢。謀盡殺己所不悅者。才子傳有此等人。可鄙甚矣。又羅隱詩爲唐宰相鄭畋女所喜。諷誦不已。以貌古陋後不復然。可見女子慕才未如好色。

仇殷善占。段深善醫。宜入方伎傳。亦猶杜羅二人宜入文苑傳也。

讀五代史蠡述卷二

岳陽李澄宇洞庭著

書唐武皇紀上

歐史附武皇事於莊紀，史例宜爾。此別爲紀。亦沿三國志武紀晉書宣紀例也。所舉祥異雖近神話。足與舊唐書新五代史參看。

此紀於克用破黃巢收京師敘述頗詳。可與梁太祖紀參看。

書武皇紀下

昭宗先許討行瑜後再討茂貞後又不允。克用私謂詔使曰。觀主上意。疑僕別有他腸，復何言哉，但禍不去胎。憂患未已。功高見疑。自古然也，可奈何。

晉絳既失。河中又入於汴。克用不能復援京師。霸業中否。太原亦幾不守。皆昭宗誤信朱溫。惟恐克用勢張，乃至於此也，噫。

新唐書契丹阿保機。即此紀所謂契丹安巴堅。蓋皆譯音也。譯音若小兒語。易有出入。故相異若此。

讀克用報王建書。有撫彤弓而自咎。視橫流而莫救。龜玉毀櫝。誰之咎歟。誓於此生靡敢失節。仰憑廟算。早殄寇讎。如其事與願違，則共臧洪游於地下等語。赤心耿耿。天日爲昭。而史臣著論竟有微辭。歐氏唐書（沙陀傳贊）亦效斯旨。殆猶夷夏成見梗於胸次。秉筆不免或偏也。不然。何望克用之深與。

書莊紀一

歐史將克用置酒三垂岡事置前。而於莊宗行至三垂岡時增此先王置酒處也云云。此則將莊宗夾城戰事先敍。而於戰後補紀三垂岡置酒事。章法互殊。語亦稍異。可悟文章變換。

討克寧先示弱。故克寧擅殺大將李存賓不問。且授以雲州節度。割蔚朔應三州屬之。破梁夾城亦先示弱。故朱溫自將兵至澤州不拒。且召周德威軍歸晉陽。所謂靜如處女也。不靜如處女。焉能動如脫兎哉。

既勝不驕。且下令國中。禁盜賊。恤孤寡。徵隱逸。止貪暴。峻隄防。寬獄訟。此所以終能滅燕取梁。遂成帝業也。使長如此。何至死宦者郭從謙手哉。

莊宗未即帝位以前書帝。且有帝遂親征云云。皆悖史例。與梁太祖紀同。

册府元龜晉王（莊宗即）諭邢洺魏博衛滑諸郡縣檄。尚美。薛歐二史均不載何也。

推劉守光爲尚父以稔其惡。而後取之。亦所謂靜如處女動如脫兎也。

書莊紀二

晉局促河東。必先有河朔然後可謀河南。其勢然也。幽州既下。魏博旋附。晉於是恢恢乎游刃有餘地矣。

莊宗殺張彥。令彥部下爲帳前銀槍軍。推心置腹。衆心大服。故胡柳陂之戰。甚得其死力。先雖已勝旋敗。後終轉敗爲勝。又德勝破梁樓船。亦銀槍都將王建及之力。

書莊紀三（同光）

天祐十八年正月得傳國璽。淮南楊溥四川王衍皆遣使勸即帝位。不從。三月河中節度使朱友謙等十一人各遣使勸進。不允。其後澶淵之西相州之南皆被梁據。名將史建瑭李嗣昭李存進等相繼陣亡。乃於天祐二十年命有司制置百官省寺仗衛法物。期以四月卽位。適潞州留後李繼韜又附於梁。遂不得不先卽帝位後滅梁。蓋必藉此挽頹勢。而後梁可幸滅也。豈得已哉。

康延孝對莊宗。有汴兵不少。論其君臣將校。則終見敗亡。趙巖趙鵠張漢傑居中專政。段凝素無武略。一朝大用。霍彥威王彥章翻出其下等語。可見君臣將校非人。兵雖多於事罔濟。古與今直一轍耳。

書莊紀四 同光

襲汴之舉。康延孝早已獻議。謂不旬日天下事定。郭崇韜亦建此策。謂半月之間天下可定。帝皆韙之。而此乃云既獲中都之捷。召諸將謀所向。殆聊以相試耳。李嗣源謂中都去汴咫尺。晝夜兼程。信宿卽至。段凝未取河壖。夷門已爲我有矣。勇決若是。信難得也。

入汴之日。首賜寵伶周匝幣帛。已乖王度。匝保梁敎坊使陳俊郡守。亦遂許之。更非王政。
郭崇韜奏斬隨駕兵馬都監夏彥朗甚是。然他日恐宦官馬紹弘圖已。乃援立劉后自固。殆亦因此事不免結怨歟。
李繼韜以潞州降梁。晉幾不振。今亦釋罪不問。過於厚矣。他日以再謀叛伏誅。則繼韜罪大自疑懼乃至於此耳。
書莊紀五 同光
孔謙酷加賦斂。大失人心。古所以貴損上益下藏富於民也。
書莊紀六 同光
因潞州城峻隍深。有勞討伐。遂詔諸鎭撤防城之備。與後世南北戰爭拆城築馬路同一失策。
書莊紀八 同光
王衍與晉王衍同名降而殺郭崇韜。得不償失。自此伶官肆毒。莊宗遂死郭從謙手。否則魏博軍變且無嗣源惡得爲帝耶。劉后司晨。罪通於天矣。

書明紀一 天成

此紀歐史文省。然減事亦不少。故歐史以文重。薛史以事重。不可偏廢也。

明宗之擊契丹也。謂爲將受命忘家。臨敵忘身。以身殉國。正在今日。此何等氣魄。其答朱守殷也。謂吾心不負天地。禍福之來。吾無所避。付之於天。此何等襟懷。每戰必捷。遂有天下。豈偶然哉。

明宗盡忠後唐。始未嘗有必得天下之心。故聞雁門旅媪貴不可言語不自負。聞莊宗天下與共語不自喜。聞朱守殷功高不賞語不自危。此驗之平日者也。聞亂兵請令公帝河北語。泣而拒之。雖擁入鄴城。以計詭出。欲遂歸藩。聞姚彥溫主上難與共事語。責姚不忠。且奪其兵。速赴京師。冀獲面奏。此驗之臨時者也。厥後事出意外。豈明宗所及料哉。噫。

自古得天下難。治天下尤難。莊宗既滅燕代梁敗契丹。三矢之志已申。不求儒賢共治天下。日與伶人宦官宮妾綢繆恣肆。又以市蜀珍玩未得故伐蜀。劉后且殺郭崇韜。致訛言朋興。鄴軍叛變。亂者四起。莊宗遇害。此非天厭。實誤人謀。或但責明宗。蓋謬論耳。

此於孔謙元行欽書伏誅甚是。歐史乃易爲殺何耶。

書明紀二 天成

以天成紀元。蓋謂幸得帝位天使之然。非有意奪取之也。

許霍彥威房知溫王晏球夏魯奇朱君立復姓甚是。蓋賜姓非古。君子譏之。使但特賜一二人。如婁敬徐勣。受者或尙謂光寵。否則濫賜比比。受者有本支餘痛。予者失親愛大用。徒令讀史者目迷五色。甚無謂也。又趙德鈞劉訓等旋亦復姓。

詔於豆盧革韋說有每虧敬於朕前。徒自尊於人上等語。其謫逐而且賜死也。殆亦漢景帝於周亞夫有此怏怏者非少主臣之意乎。

書明紀三 天成

王公儼素受楊希望獎愛而紿令分兵守陴。乘其無備圍第殺之。諺所謂恩將讎報也。他日爲霍彥威所斬。宜哉。

書明紀四 天成

牛爲耕者不可少之物。故古者天子無故不殺牛。小人嗜利。以牛角革筋骨咸器用所須。肉亦利市。殺者遂衆。甚宜厲禁。明宗詔所在府縣糾察殺牛賣肉。犯者準條科斷。其自死牛卽許貨賣。肉斤不得過五錢。鄉村民家死牛。但報本村所由準例輸皮入宮。肉旣賤賣。皮又輸官。盜殺牛僞報自死者。無利可圖。而所犯查實又必科罪。誰復再爲此事耶。此誠禁宰妙法也。

魏博牙軍屢爲亂階。前爲朱溫所殲。今又爲房知溫所殲。禍人適以自禍。抑亦酷矣

書明紀五 天成

古者男子生。設弧矢。長習射御。陽剛之義。固異陰柔。況五代時契丹正彊。民貴尙武明宗乃因渾公兒奏稱有百姓二人以竹竿習戰鬬之事。令付石敬瑭處置。抑何謬

耶。雖後悔罪。特矜幼童。至於壯者。終懸厲禁。中國日弱。夷狄日盛。遼金元淸。接踵未已。豈不以此耶。噫嘻。

書明紀六 天成

夏州進白鷹。安重誨謂爲違詔。而帝乃密令左右進之。一物之微。竟自弁髦詔旨。明宗之明固若此乎。噫。

書明紀七 長興

馮道屢請上尊號。可惡。雖或諷諫。亦必以諂媚出之。歷事五季。自號長樂郡名老。可哂。

書明紀八 長興

五代時尙詔禁天下不得開發無主墳。今號民主。開發有主墳無數。況無主者乎。噫。

書明紀九 長興

王仲言揮塵錄謂毋昭裔以借文選故發憤鏤板。後唐平蜀。明宗命大學博士李鍔書五經。仿其製刊板國子監。紀謂中書奏請依石經文字刻九經印板。從之。記述頗異。然印刷術明宗時始盛。則鐵案也、此事關聖學甚大。明宗與之萬古矣。

書明紀十 長興

家事爲國事之本。高宗立武后。家事也。而唐命以之中絕。秦王從榮領兵至天津橋。家事也。而後唐以之短祚。明宗謂家事若此。慚見卿等。誠痛之也。

書閔紀 應順

亂世大抵武人爲大君。況閔帝論長次不及秦王、論材武不如潞王。又任圜安重誨已死。無先朝重臣輔之。安從進密受潞命。石敬瑭更不相助。欲不遇鴆而崩也得乎。

書末帝紀上 清泰

明宗虜魏氏爲妻。而魏氏子從珂他日卽奪明宗社稷、蹊田之罰固重。天眼亦信恢恢矣。又閔帝歐史作愍帝。末帝歐史作廢帝。

從珂與石敬瑭同入趙襄子廟。而塑像屹然起立、蓋兩人後皆天子也。從珂私心自負、豈知奪已社稷者早與俱至、彼亦未嘗不私心自負耶。

移鎭召亂。朱宏昭馮贇等未免輕舉。歐史謂潞王子重吉自明宗時典禁兵。愍帝卽位。朱馮用事。罷重吉職。徙潞王於太原。又以李從璋爲代。初從璋代重誨而重誨見殺。故王益自疑。敘述簡要。實勝此紀。然此紀詳載安重誨欲殺潞王明宗不許及潞王泣諭軍士等事。亦勝歐史。蓋歐史以文勝此以事勝也。

書末帝紀中 清泰

命張敬達充北面行營副總管。以減敬瑭之權。敬瑭自此寒心。惟及禍是懼。不復以契丹爲念矣。況更自太原移鎭鄆州哉。

書末帝紀下 清泰

末帝昔從明宗征討。屢建勛勩。今臣下勸其親征敬瑭。乃曰卿輩勿說石郎。使我心膽墜地。果暮氣已深不可復振歟。抑大軍敗後被圍。環顧文武將吏莫可濟事。故遂怯懦若此歟。

書唐后妃傳

曹太后於劉太妃親過伯仲古今罕比。乃莊宗駐鄴城時每歲馳駕寧母不憚數四。而太妃病時太后欲暫至晉陽與之俱來。莊宗紿以令存渥輩迎侍無煩往復。而事竟未果。能養志者豈若此耶。且莊宗滅梁入汴奉迎太后時。何不幷迎太妃也。噫。

書宗室傳上

克讓前於親仁坊被圍。能與十餘騎彎弧躍馬突圍而出。明知身在死地。奮勇求生。故得免也。後以部下六七騎伏南山佛寺。夜被僧害。自謂已至生地。不備意外。故終不免也。

克讓破黃揆於華陰。敗尙讓於梁田坡。殲黃巢於光順門。爲克用生色不少。語曰獨木不成林。信哉。

書宗室傳下

不殺郭崇韜。決無李嗣源嗣位事。即嗣位。郭必以平蜀大軍入討嗣源。惜劉后司晨。謬殺崇韜。禍遂滔天。此唐室不幸。非徒繼岌父子不幸也。諺謂一着棋錯滿盤俱差。

諒哉。

從審始奉莊宗命諭父。事尙可爲。蓋明宗本不顧反也。惜中途爲元行欽所制未果。二次命往。事亦可爲。而從審固執不行者。恐父已在途。不易轉旆。又行欽構煽。禍方未艾。不若在帝左右。生幹父蠱。死亦明志也。而行欽竟殺從審。莊宗不免負姪矣。明宗幸汴。留從璨爲大內皇城使。酒後戲登御榻。實未足罪。而安重誨奏請誅之。蓋平日忌其不屈。借此報復耳。他日於從珂又欲如此。以明宗力庇而免。觀重誨所爲終死非命。匪不幸也。

書列傳四

太原被汴軍圍逼二次。皆賴李嗣昭轉危爲安。轉敗爲勝。而潞州死守。胡柳反攻。忠誠勇毅。尤不可及。

嗣昭死守潞州。其子繼韜乃謬信幕客魏琢牙將申蒙之言。舉潞降梁。死而有知。何面目見乃父哉。

裴約守澤州。城陷死之。其志可貫天日。莊宗命李紹斌但救約不救澤州。亦可謂君臣不相負矣。

書列傳五

李存孝虎將。以李存信搆陷。叛而見誅。甚可痛惜。克用蓋猶未能將將也。

李存進造浮橋無竹笮石倉鐵牛。乃以葦笮維大艦數十艘。作土山。植巨木於岸以纜之。其造壁壘。値沙土散惡。乃斬伐林樹版築。旬日而就。可謂有濟急之術。

書列傳六

王鎔幾死李匡威手。而能以讓餂之。並轡歸府。縱無墨君和挾以脫難。抵府後亦必自有他策也。然墨君和之勇要不可及。

李宏規苦口諫王鎔弗聽。不得已使蘇漢衡殺宦者石希蒙。亦楚鬻權兵諫遺意耳。

王鎔不諒。族宏規。殺漢衡。致親軍謀變。身死國滅。禍實自取。未足閔也。

書列傳七

康君立等擁克用入雲州。由段文楚削軍人儲給而起。非克用使之如此也。而朝廷見討。歐史且書曰克用殺大同軍防禦使段文楚。據雲州自稱留後。蓋責其不討賊又未出奔跡與反等耳。

李存孝苦攻潞州。葛從周棄城夜遁。存孝收城。自謂必爲潞帥。克用乃表君立爲之。存孝不食者累日。後存孝爲李存信所搆。據邢州叛。克用命君立討之。邢州平。君立素善存信。未能解克用慍。救存孝使不死。此皆克用流涕念存孝時耿耿胸臆者。而君立竟忤旨。其死也宜哉。

克用廣收猛士。如薛志勤史建瑭李承嗣史儼輩。皆謀勇俱備。楊行密但得承嗣史儼。遂開覇迹。況克用部將尚有李嗣昭周德威符存審等。高於此輩數倍者乎。向使無李存孝李罕之等之變。朱溫何至遽篡唐室乎。

蓋寓能決大計。能諫諍。尤能於克用暴怒下救將吏。此種人信不可少。但乾寧元年李存孝之死。未聞蓋寓一言。甚不可解。

李承勳寧死不肯以臣禮見劉守光。亦甚崛强。

書列傳八

陳章謂晉人所恃者周陽五。(德威小字)願擒以取郡。則德威名動敵國可想。傳於德威背揮鐵檛擊陳章墮馬。生獲以獻下着由是知名四字。不合事理。

德威於武皇崩莊宗初立時。遵召班師。單騎入謁。伏柩痛哭。以靖浮議。一可敗。於與嗣昭有隙後。泣奉武皇遺旨。力戰解潞州圍。與嗣昭歡愛如初。二可取。鄗南之戰。先以軍謀告張承業。使莊宗躁釋。然後設伏致師。乘倦追擊。大敗汴軍八萬衆。殺戮殆盡。獲將校二百八十人。三可取。既帥幽州。聞劉鄩將乘虛寇太原。徑以五百騎馳入土門。且急扼臨淸。使鄩不得前。四可取。而破幽州禽守光父子。戰胡柳陂父子殉難。尤轟轟烈烈。萬口共傳。未須更論也。

郭崇韜忌存審勛望出巳右。陰沮入覲。蓋恐奪己相位耳。有大功於國。以此一念致己孤立。終被族滅。可哂抑亦可愍。

書列傳十

趙光逢與弟光裔皆以文學德行知名。不圖殘唐五代乃有此等人。傳稱其兩登廊廟四退邱園。百行五常。不欺闇室。搢紳咸仰以爲名教主。信難能哉。

崔協沒字碑。登庸之後。廟堂秉筆假手於人。而孔循必欲相之。可恨。

李琪疏有救人瘼者以重斂爲病源。料兵食者以惠農爲軍政等語。不愧相才。後世宜熟誦斯語。

書列傳十一

丁會雖從朱溫誅秦宗權。併時溥。屠朱瑄走朱瑾。然於昭宗遇弒。三軍縞素流涕久之。則他日降晉。謂臣非不能守潞州。以汴王篡唐不忍相從云云。蓋亦可信。

丁會降後。與莊宗決謀破汴軍於夾城。閻寶降後。勸莊宗擊汴軍於土山。此二役皆繫晉盛衰。孰謂降將不可重用哉。

王鎔爲張文禮所害。苻習烏震克復主讎。亦五代所難得。

書列傳十二

李襲吉爲克用貽朱溫書。能使溫喜使溫怒。無怪在克用幕府垂十五年也。

書列傳十三

莊宗在鄴。汴將王檀率師三萬襲并州。若非安金全夜出北門擊賊。何必不同梁人失汴哉。

明宗以成由天地不由於人。當氏叔琮圍太原。公有何勇。今國家運與。致我等富貴等語曉安元信。此正明宗自知之明。可使古今以成敗論英雄者一齊俯首。

俗謂騎牆派爲吃兩家茶。孔循節度汴州。使北門迎明宗。西門迎莊宗。供帳委積悉如一。是已未吃兩家茶而轉備茶與兩家吃也。一笑。

書列傳十七

李建及本姓王。故莊紀二稱王建及。爲人忠藎有膽氣。屢立異功。而德勝南城之役。斧笭焚艦。使賀瓌解圍以遁。尤足與淸彭玉麟半壁山大戰共傳萬古。

石君立久繫梁獄不肯降。甚難得。文天祥亦不是過也。而人皆有君吾何忍反爲仇人哉二語。尤令人讀之涕下。

王思同竭忠愍帝。急攻潞王。而潞王嘉之。不失君人之度。然思同視死如歸。縱無楊思權尹暉劉正朗輩促之。亦必不肯苟活也。歐史以入死事傳宜哉。

書列傳十八

安重誨盡忠明宗。與郭崇韜盡忠莊宗等也。而亦不得其死。可不爲之寒心哉。史不責明宗。而責重誨志大才短。不能廻避權寵。抑苛論耳。

閔帝手詔朱弘昭圖出奔事。實無殺意。而弘昭自疑。竟投井死。蓋素忌潞王。致開釁隙。懼閔帝以是罪之也。

藥彥稠以討從珂故被殺。不愧忠於所事。宋令詢聞閔帝遇害。大慟半日。自經而卒。在五代亦誠罕見。

書列傳十九

任圜能爲李嗣昭申理。使莊宗不疑。嘗代總嗣昭軍事。使敵人不知。此功在無形者也。其後擒康延孝於漢川。總伐蜀之師還洛陽。則功之有形者也。安重誨矯詔殺之。甚可痛恨。

書列傳二十二

元行欽不聽明宗之言。會同殺亂軍。而遽將步騎萬人棄甲保衛州。且誣奏明宗已入賊軍。終不爲國使。此大誤也。明宗既出鄴城。上章申理。莊宗因令明宗子繼璟至軍前。欲令見明宗。而行欽擅縶繼璟於路。此再誤也。莊宗出成皋。知明宗在黎陽。復令繼璟渡河召明宗。而行欽竟殺繼璟。此三誤也。揣行欽之意。恐莊宗得知當日實況。加罪於己。故禁繼璟使不得面父。無異禁莊宗使不得面弟。庶幾遂誅明宗。永袪後患。豈知莊宗遇害。已事更不可問乎。噫嘻。

夏魯奇鎭遂州。以援絕路窮自刎。此眞斷頭將軍。而文天祥正氣歌但述嚴顏何耶。歐史以入死事傳甚是。

李嚴（與三國時蜀漢李嚴同名）使蜀。知蜀可取。進平蜀之謀。未足異。而聞王衍請李司空（郎嚴）來余郎舉城納欵語。不慮甘言誘殺。郎入益州受降。則甚異。殆深知蜀力既盡。衍氣已餒與。

書列傳二十三

莊宗不君。惟宦官宮妾之言是用。殺羅貫特爲宦官宮妾洩忿耳。郭崇韜諍論甚力。何異趙盾之於靈公乎。

周元豹善相人。可入方伎傳。趙鳳謂袁許之事既驗。餘無可問。若詔赴闕下。奔競之徒爭問吉凶。恐近妖惑。實爲遠見。

書列傳二十五

毛璋以川妓被徵。聶嶼以郭嫣賜死。色不可好。好之復不以道。宜其爲禍也已。

莊宗末祚。賞罰謬亂。郭崇韜朱友謙遭讒赤族。康延孝自亦難免。故吾讀史不責延孝之反。但愍延孝之敗。

朱守殷守德勝寨爲王彥章所敗。明宗嘗請莊宗殺之。後郭從謙弑莊宗。守殷按甲不救。罪尤大於覆軍。而明宗獎其迎己。不以爲戮。失政刑矣。叛乃誅之。豈若問罪乎弑耶

讀五代史蠡述卷三

岳陽李澄宇洞庭著

書晉高祖紀一

古者堯舜之有天下也。光被四表。而蕩蕩乎民無能名。無爲而治、而煥乎、其有文章。非功德非非功德。遐哉。夐乎弗可尚已。至於禹抑洪水、湯六事自責。文王視民如傷。大抵功德在民。天命有屬。洎乎秦漢。力征經營。或廢儒而祚隕。或重孔而永昌。馬上得之、固未容馬上治之也、自茲以降。伊周代有。舜禹踵興。力遜昔人。惟詐是右。然猶粉飾相業。張皇覇迹。從未有以地與狄。約爲父子。遂敢受狄册立。南面天下。若五代所謂晉高祖者也、蓋至是而皇帝二字掃地矣。慟哉。

自隋文混一南北。尺地一民。皆諸夏有也。不幸李克用引契丹爲兄弟。石敬瑭且結契丹爲父子。狄勢坐大、燕雲入槖、馴致北宋約金伐遼。南宋助元伐金。地圖變色、至再至三、皆李石當日一念苟且遺之禍也。可勝痛哉。易曰履霜堅冰至。信然。

夷門者天下之要害。據之可以自雪。敬瑭此策、徒欲明宗守汴要君如臧武仲以防求爲後於魯耳。而明宗復遣敬瑭率兵趨汜水關。嚮使郭從謙不內變。或內變而莊宗無恙。明宗果帥師以覲乎。抑單騎入謁乎。單騎入謁。難免爾朱榮之危。帥師以覲。亦豈類楚鬻拳之諫。蓋明宗當日。遣使爲讒慝所拒。據地亦必爲讒慝所藉口。惟有至魏縣時。早以一死明志。庶乎可耳。而明宗不能。既入汴。又赴洛。不謂之反不得矣。此亦猶春秋書趙盾弑君。左傳嘆其出不越境反不討賊也。然視處心積慮必欲踐天子位者有間矣。噫

父母在而昆弟分索。不孝也。弟鬻地而兄忍抑價。不弟也。不孝者殺。不弟者笞。刑庶當罪哉。

自五胡亂華。元魏入帝。夷狄輕視中國。蓋亦久矣。契丹目擊世亂。欲遂薦食上國。敬瑭乞援。適協厥衷。惡得不親赴其難。迅若雷電耶。薛史以爲天意。抑何謬與。

皇帝由契丹冊立。冊文內且有大契丹皇帝若曰。咨爾子晉王。予視爾若子。爾待予猶父。朕永與爲父子之邦等語。歐史不錄。而此備載。蓋以著敬瑭罪耳。又金史亦有

立劉豫爲大齊皇帝世修子禮語。

此謂敬瑭願以鴈門以北及幽州之地爲壽。歐史則曰以幽涿薊檀順瀛漠（一作鄚或莫）蔚朔雲應新嬀儒武寰州入于契丹。蓋此總括地勢。而歐史列舉州名。卽世所稱燕雲十六州也。又幽薊瀛漠涿檀平順爲山前八州。新嬀儒武雲應朔蔚爲山後八州。平州先沒。寰州後置。故十六州有寰無平。

書高祖紀二 天福

已不忠於國。而超贈王彥章太師。錄其子孫。且以唐西平王李晟五代孫牖爲耀州司戶參軍。欲人盡忠於己耳。

書高祖紀三 天福

太史先奏日食而至期不虧。蓋推誤耳。何足賀哉。

不諱嫌名。二名不偏諱。古禮也。諱平聲字。卽不諱餘三聲。諱側聲。卽不諱平聲字。正文及偏旁缺點畫。此推古禮意而爲之也。敬瑭必效唐諱二名嫌名。使天下地名人名紛紛改易何耶。

書高祖紀四 天福

玉笥山道士羅隱之賜號希夷先生。陳摶亦自號希夷。蓋皆本老子視之不見名曰夷。聽之不聞名曰希摶之不得名曰微也。而摶字希夷與顏囘字子淵言偃字子游之例尤相近。

陳郡民王武穿地得黃金數餅。州牧取而貢之。而帝不以入官命付所獲之家。不愧王者。

五代時竟有王仲昭六代同居。李自倫義居七世。足見當時尚有不僅安居樂業者。後世豈易得此哉。

書高祖紀五 天福

契丹困耗中國。誠可痛恨。然禍之來非一朝一夕之故。則禍之去亦非一手一足之烈。安重榮將與決戰。果志在平戎。確有所恃乎。抑藉此激怒天下。別有所覬乎。卒以反敗。志可想已。

晉少帝紀一 天福

遣內外臣寮二十八人分往諸道州府率借粟麥。使臣希旨。峻法以斃無辜。由是人不聊生。物情胥怨。所謂財聚民散。得不償失也。又通鑑作遣使者六十餘人於諸道括民穀。殆別有所據。

晉少帝紀二 天福 開運

此云石公霸高行周苻彥卿被契丹圍於戚城之北。馳告景延廣請益師不至。行周等大譟瞋目。奮擊賊衆。傷死者甚多。帝自御親軍救之方解。宋史苻彥卿傳乃云契丹騎兵數萬圍高行周於鐵邱。蓋卽戚城北地名 諸將莫敢當其鋒。彥卿獨引數百騎擊之。遼人遁去。行周得免。高懷德傳又云。至戚城被圍數重。援兵不至。危甚。懷德左右射縱橫馳突。衆皆披靡。挾父卽行周而出。蓋宋史苻高二傳大抵采自私傳。不免揚己過甚也。然高傳奮命救父。尚近情理。苻傳獨引數百騎敗敵數萬騎。諸將若無事人。更出情理外矣。

前括民穀。怨聲未已。今更抽點鄉兵。七戶一兵。六戶資之。仍自具兵仗。騷擾甚矣。平日非徵兵制。臨時乃於募養額兵外練鄉兵。兵未出里門一步。而天下已大亂。可若何。

書少帝紀三 開運

詔有稼穡不登。道殣相望。干戈尚興。邊陲多事。倉廩不足。則輟人之餱食。帑藏不足。則率人之資財。兵士不足。則取人之丁中。戰騎不足。則借人之乘馬。訪聞差去使臣不能毅於勉諭。而乃臨以威刑等語。今日殆又其時矣。予復某君書謂今日一令。明日一法。損皆在民。不虐焉濟。可與此詔參看。

契丹主謂漢軍祇此。並可生擒。氣已驕甚。晉軍人馬饑乏。敵衆圍繞。飛矢雨集。於黑風之內齊力擊賊。沙塵如夜。敵遂大敗。正莊子所謂哀者勝也。

書少帝紀四 開運

瀛州守將劉延祚受契丹命。詐輸誠欵以誘我軍。而我信之。遂出師。是致於人也。致於人而不敢者未之有也。

書少帝紀五 開運

大書帝奉表於契丹主曰。孫臣某言。有史以來未有此表。可爲痛哭。

王從珂能自焚。而石重貴（即少帝歐史作出帝）不能自焚。殆天地鬼神深惡敬瑭。必欲以其後人上效懷愍耳。徒曰薛超誤我可乎。

張彥澤擅徙少帝。殺桑維翰。欲以見功於契丹。而卒被斬。九原有知。亦自悔否乎。

禦狄中渡橋而卒降狄者。本杜重威。而此曰帝過中渡橋閱前杜威營寨之迹。慨然憤歎云云。蓋當時重威避少帝諱。但稱杜威也。

小公主被綽諾錫里强取。寵姬趙氏聶氏亦被舒嚕王子奪去。辱迫至此。重貴生不若死矣。

書列傳三

景延廣既以大言激怒契丹。又以細故開罪楊光遠。於是光遠作倀。契丹內犯。無備召戎。國以速亡。已亦死非命。不解何以狂謬若此也。

書列傳四

少帝出景延廣守洛。桑維翰復爲樞密使。事無巨細。一以委之。數月之間。百度寖理。晉事似尚可爲。然李彥韜馮玉以親舊用事。與維翰不協。間言易入。縱無請爲皇弟重睿擇師傅事。終必多方搆譖。使不得久處其位。蓋至是少帝已由玉等玩弄。邪正不能兩立也。

劉昫判三司。請可徵者急督之。無以償官者蠲除之。蓋將有力無力者分別清結。主者不得緣爲姦欺也。不圖監修國史人乃能此道。

書列傳五

陸思鐸射莊宗中鞍。而莊宗不以爲罪。亦猶管仲射桓公中鉤而桓公不以爲罪也。管仲著而思鐸不著。管仲有一匡九合之勳。而思鐸無之耳。

書列傳六

康福爲人所譖。卽表乞入覲。甚是。然亦以福本無震主之功。故易自明耳。否則爾朱榮謁魏孝莊。竟被慘戮矣。豈容一例論乎。

李周雖爲內邱捕賊。而以任俠自負。故援送薛岳時。賊聞聲自散。非徒畏勇。敬其任俠也。盜亦有道。視後世盜有間矣。

書列傳七

王權不欲使契丹稱陪臣。寧違詔得罪。亦石晉一男子哉。

書列傳八

張仁愿兄仁穎以風恙廢於家十餘年。仁愿事之。出告反面。如嚴父焉。此誠孝友。亂世更未易得也。

尹玉羽以林泉詩酒自樂。自號自然先生。鄭雲叟與羅隱之朝夕游處。賜號逍遙先生。皆可入隱逸傳。

書列傳九

契丹入汴。何建自愧事石氏二主。不能率兵赴難。遂送欵于蜀孟昶。亦蜀黃權不屈吳而降魏之意也。又何建九國志作何重建。蓋此傳避重貴諱而去重字耳。

張廷蘊爲魏博三城巡檢使。能多斬劉后所縱擾人者。其事甚難。淸彭玉麟巡閱長江不是過也。

書列傳十

中渡橋之役。王淸以步兵二千爲前鋒。奪橋開路。請杜重威率諸軍繼之。期入常山。淸一擊獲橋。契丹小郤。而重威猶豫不進。致淸戰歿。極可痛恨。歐史以淸入死事傳。庶幾死若生矣。

武人最易有主客之見。最惡人彰己過。符彥饒爲滑州節度。麾下有夜掠者。恨白奉進斬之。竟致奉進遇害。彥饒固可誅。而奉進不達世情。不以夜掠者付彥饒自辦。實亦自取其禍也。悲夫。

盧順密首獻取鄆之謀。然未知得鄆可徑趨汴州也。至郭崇韜李嗣源則皆請襲汴矣。此才智大小之辨與。

沈贇（歐史作沈斌）故梁將降唐者也。而爲明宗死守祁州。城陷自剄。殆眞識中外之辨與。故歐史以入死事傳。

書列傳十一

馬重績歷法宜入歷志。陳元醫道則方伎傳。皆不可列此傳後。

書列傳十二

范延光請築壘馬家口以通汶陽之路。於唐可謂有功。洎居晉室。忽惑術士之言。有僭竊意。殆不讀班彪王命論李康運命論之過也。卒死非命。匪不幸矣。楊光遠旣明知古未有折臂天子。而後乃云人言合有天子分何耶。殆范廷光爲祟必如是乃有死道耳。

盧文進初爲劉守光騎將而降唐莊宗。後因亂軍殺李存矩。又奔契丹。引敵寇鈔。明宗時來歸。高祖時復叛投淮南李昪。小人處亂世固頭頭是道哉。可歎也已。

書列傳十三

安重榮謂兵強馬壯者當爲天子。古今具此謬想者豈獨此賊耶。噫。

桑維翰拔張彥澤於罪人之中。而殺維翰者彥澤也。彥澤自謂有功於契丹。而戮彥澤者契丹也。人昧功罪之辨。天未嘗昧焉。可畏也哉。

石敬瑭時。趙德鈞遣使於契丹求立爲帝未成。石重貴時。趙延壽又爲虎作倀。導誘蕃軍蠶食河朔。欲遂爲帝。帝之一字。何令人喪心病狂不已乎。

讀五代史蠡述卷四

岳陽李澄宇洞庭著

書漢高祖紀上 天福

契丹前以石敬瑭爲兒皇帝。與趙宋時張邦昌劉豫等耳。蓋用以驅除。然後入主中夏也。故晉少帝北遷後。契丹主即具漢法服御崇元殿受朝。制改晉國爲大遼國。大赦天下焉。非夷狄自相吞噬。南面而帝九有者。豈待元淸乎。噫。

書高祖紀下 天福 乾祐

年號仍稱天福。似與唐莊宗稱天祐同。然莊既即位。遂改同光。而此則季年始改乾祐。與唐異也。又漢得支拄一時者。以斯民種族之見牢不可破。己適姓劉。且代石晉。不妨國號大漢。示拒北狄於域外。與晉異也。

書隱帝紀上 乾祐

既諱承祐。乃仍以乾祐紀年。不知於諱云何也。又高祖改乾和爲乾祐。適與隱帝名合。而隱帝先封周王。亦與後周代漢合。此中若有天焉。異矣。

李濤以楊邠郭威等權勢甚盛。疏請出之。而濤轉罷免。豈知他日代漢者實威也耶。

書隱帝紀中 乾祐

愛姬已成儆扆。而必復得之。且以是喪元焉。喬守溫可謂大愚矣。然郭從義之險。郭威之專。隱帝之闇。均可就殺喬守溫一事見之也。

書隱帝紀下 乾祐

帝聞郭威兵至河上。自謂昨來之事太草草。論亦責其內稔羣兇。自取狼狽。隱信亡國之主哉。

書列傳三

史稱劉審交爲汝州。盡去煩弊。百姓歌之。卒之日郡人聚哭柩前。庶幾良吏哉。馮道謂民之租賦不能減。徭役不能息。寒者不能衣。餒者不能食。又似盡去煩弊徒託空言。豈道昔佐審交不得志特爲是語毀之耶。

書列傳四

晉文公見寺人披。得免呂郤之難。史宏肇不見閻晉卿。竟遇李郭之禍。二事可參看。

書列傳五

朱泚欲危德宗。有段秀實倒用司農印以追逆軍。李繼岌既殺郭崇韜。有李崧倒用都統印以定軍情。權足濟變。殆亦不謀而合與。

李崧誤信契丹之詐。經略瀛莫。致有中渡之敗。而晉以亡。此實死日而乃偷生事狄。又復仕漢。至他日被誣下獄。始恚曰。自古未有不亡之國不死之人。何見之晚耶。然蘇逢吉已奪崧第。復族誅崧。亦可痛恨。

劉鼎居家仁孝。事繼母趙氏甚謹愼。異母昆弟凡七人。撫之如一。此誠可敬。五季更未易得。

書列傳六

杜重威昔嘗屢立戰功。至少帝時禦契丹乃甚怯懦者。自得安重榮家財及常山公帑。心戀財帑。不肯戮力致命也。古今武將若此者不少。獨重威也哉。

重威降契丹。意謂上則帝中原。次亦不失舊富貴。豈知他日尸首狼藉。徒被觀者詬罵蹴擊乎。噫。

契丹主至汴。而河北京東草寇大起。澶州浮橋爲賊所斷。蓋漢人憤狄內犯。隨地揭竿舉義也。契丹主甚恐。命諸帥各歸本鎮。蓋自知易得難治。仍欲以漢人治漢人也。向但以黝茶染木薑藥之類代賞賜。軍中大怨。而後日謀逆乃自謂素得軍情。抑何可笑。

趙思綰以空手數輩奪據永興。膽智可取。若不作賊而爲國立功。豈患不富貴乎。

讀五代史蠡述卷五　　岳陽李澄宇洞庭著

書周太祖紀一 廣順

郭威有言李守貞雖不習戎行。然善接英豪。得人死力。此深知守貞也。及威奉命進討。與士伍分甘共苦。士無賢不肖。所有陳啓。溫顏以接。俾盡其情。守貞聞之甚憂。此亦深知郭威也。蓋如是則衆人智力皆其智力。敵之匪易也。彼予智自聖者曷足語此哉。

郭威於鄴於滑兩諭將校取己首級報天子。特驗軍心向背耳。若乃王峻諭軍。俟平定京城許剽掠旬日。則眞意顯露矣。蓋恐軍心不附而特以利誘之也。然至澶州時威以密奏置鞾脫衣領中。至劉子坡見天子旌旗。威即免冑釋馬而前。是始終欲見上自明無謬。念奏不達。見又不得。天而旣厭劉德矣。可奈何哉。

太后臨朝。威奉命北征。已至澶州。而軍士大譟。逼威爲帝。裂黃旗蔽體。是開趙匡胤陳橋之例也。噫。

詔停舊貢。恐人視爲具文。更列舉物名（內有懷州寒食杏名甚雅）使勿進奉。此前代所未聞也。蓋誠有逆取順守之意焉。

書太祖紀三 廣順

書帝幸曲阜謁孔子祠。遂幸孔林拜孔子墓。美之也。

書太祖紀四 廣順 顯德

論晉王薄葬。且言李家十八陵並遭開發。漢文帝葬在霸陵至今現在。可謂知禍福利害之辨矣。

書世宗紀一 顯德

高平之戰。始敗終勝。非帝自率輕騎督戰。大事去矣。殆亦劉氏一姓不再興之故與。樊愛能何徽等七十餘人並伏誅。所謂必罰也。李重進向順張永德白重贊史彥超等並爲節度使。所謂信賞也。罰必賞信。故他日西定秦隴。（秦鳳階成四州）南拓淮右。（江北十四州）北取三關。（瓦橋益津草橋關南即瀛莫等州遼史則書周拔益津瓦橋淤口三關陷瀛莫二州）爲晉漢後武功之最。

此紀所稱今上卽宋太祖。蓋薛居正等固宋臣也。選武藝超絕者爲殿前諸班。而去老弱羸小者。由是兵甲之盛近代無比。且減冗食之費焉。此兵貴精不貴多之說。今我國軍額踰三百萬各國所未有而猶欲士皆將。民皆兵。是但貴多不貴精也。惡乎可。

書世宗紀二 顯德

但留有勅額寺院。並嚴禁私度僧尼。於是男女有父母祖父母在。別無兒息侍養者。不能出家。曾有罪犯。遭官司刑責之人。及棄背父母逃亡奴婢姦人細作惡逆徒黨山林亡命未獲賊徒負罪潛竄人等。皆不得出家。此誠不愧王政。

書世宗紀三 顯德

陸孟俊乃李景大將。甫勝於常州。旋敗於揚州。匪獨勝後氣驕。抑亦所遭兵將與前迥異也。

書世宗紀四 顯德

戰於江淮。必有水師。自昔然也。故王濬樓船下益州而東吳遂亡。世宗樓艦習水戰而南唐用蹙。盡江爲界失州十四

書世宗紀五 顯德

南唐既已通好。乃逐年撥鹽三十萬石俾供軍食。蓋誠欲此後無南顧之憂。以便專力北漢與契丹也。所謂先安內後攘外也。

書詔竇儼集文學之士撰集大周通禮大周正樂。美之也。兵車未息。繫懷禮樂。開國氣象。當日僅見。

書世宗紀六 顯德

北取三關。燕南大定。關南爲周關北乃爲契丹惜降年不永。致十年拓天下十年養百姓十年致太平之美志不克實現。然就五代論之。抑亦不愧英主矣。

書恭帝紀 顯德

五季被軍士擁迫遂踐帝位者。曰李嗣源。曰郭威。曰趙匡胤。然嗣源非元行欽一再

阻隔。嗣源必中道候命。蓋莊宗尚在。嗣源猶甚畏之也。至威則有意爲帝矣。蓋隱帝由己而死。嗣君忌己。自不待言。操刀不割。後悔無及。威固籌之已熟也。若乃匡胤。功雖不及嗣源。望亦頗同郭威。冲人在位。北狄方熾。亦大將易遭讒害之秋也。軍士效澶州舊變。大譟陳橋。別有主使。豈嫌非義。南行未聞異言。受命更無僞讓。蓋視取天下於孤兒寡婦之手。早若己物也。同受擁迫。而避就緩急愧否各異又如此。亦足觀世變矣。噫。

舊周后妃傳

太祖至兗。德妃欲津置內人承侍。太祖止之。謂諸軍在野。不可自安。後世乃有挾妓專征或隨地淫掠民婦者。焉得不敗耶。

書列傳三

唐莊宗時。高行周不爲利誘。終事明宗。一可取。楊光遠欲圖張敬達。行周引壯士護之。二可取。契丹將蕭翰立李從益知南朝軍國事。召行周不赴。三可取。趙德鈞謂行周謹厚信然。

安審琦死於愛妾之手。可爲世戒者一。妾私通隸人安友進。慮事泄見誅。因謀害審
琦。而他日竟死審琦子手。可爲世戒者二。

書列傳四

王殷與郭威舊同反漢。而後以震主之勢見殺。亦猶宋劉毅與劉裕同討桓玄。而後
以不能居下終爲異圖見殺也。蓋皆岳飛莫須有三字獄之類也。

唐景思被僕夫誣搆幾死。幸使者搜索其家惟衣一笥軍籍糧簿而已。乃終得釋。然
武官儉素若此者古今幾人哉。欲免禍亂世。不亦難乎。

書列傳五

趙暉討王景崇於岐。僞爲蜀兵旗幟循南山而下。以致賊師。一鼓殪之。智勇兼備不
愧名將。

書列傳六

馮道名道字可道。本老子。由此可知道固以老學爲命者也。觀其貌柔內勁。崇儉而博施。善下人。視五季興廢若旦暮飲食無足動懷。因事納諷亦每有裨益。蓋深得老氏旨者也。然事四朝。相六帝。不得謂忠。且不得謂有廉恥。故儒者少之。

書列傳七

盧文紀形貌魁偉。占對鏗鏘。而爲相無輔弼之謀。世之以貌取人者。盍讀此傳乎。

和凝善射未足異。而預知安從進必反。且請晉祖預出宣敕十數密付鄭王令有急即塡將校姓名俾領兵擊之。先見與應變之略。皆甚可取。又和凝自印文集。亦前所未有。

書列傳九

齊藏珍北人。謂鱓魚虬屈盤中。一如虵虺。鶴雀有知。應亦不食。况於人哉。蓋人狎於所常見。而憚於所未習。不獨飲食然也。

劉仁贍忠於南唐。固守壽州。援絕病革。其副使孫羽詐爲仁贍書以降。仁贍旋卒。是仁贍未嘗臣周。宜附僭僞列傳。不宜入此傳。

晝列傳十一

孫晟南唐司空。奉使於周。不肯詳言江南事固也。況問江南可取之狀乎。臨刑之際。整衣冠南望金陵再拜。可謂從容就義矣。豈宜入此傳且加醜詆耶。

讀五代史蠡述卷六

岳陽李澄宇洞庭著

書世襲傳一

李茂貞在梁乃十國之列。而在五代則未得爲國。蓋梁時以晉（李克用）燕（劉仁恭）岐（李茂貞）蜀（王建）吳（楊行密）吳越（錢鏐）荊南（高季興）楚（馬殷）閩（王審知）南漢（劉隱）爲十國。而茂貞至唐已改封秦王。其子從曮且爲鳳翔節度使下比諸臣矣。至五代十國則宜以歐史世家吳（楊行密）南唐（李昪）前蜀（王建）後蜀（孟知祥）南漢（劉隱）楚（馬殷）吳越（錢鏐）閩（王審知）南平（即荊南高季興）東漢（即北漢劉崇）爲是。而十國世家年譜乃以晉居首而附南唐後蜀東漢成十一國。抑又非也。晉在後梁可並燕岐。而就五代論則不可列諸十國矣。

歷安史之亂。而賊降將據河朔長姦。歷黃（巢）秦（宗權）之亂而朱李拓汴晉圖霸。歷李（昌符）楊（復恭）之亂。而茂貞竊邠岐犯上。至茂貞屢犯上。汴晉迭救京師。朱溫且引兵圍岐。未幾遂篡唐祚矣。茂貞無賴。導汴先路。其罪視安史蓋尤大焉。

從曮鎭岐。每花繁月朗必陳勝會以賞之。蓋以酒自晦。冀免世忌耳。

靈夏二州僻遠。欲者甚少。故韓遜李仁福亦得以節越傳授子弟。附世襲傳。

書世襲傳二

朱溫見高季興於僕隸中。以其耳稍異。命朱友讓養之爲子。足見溫留意人才。且亂世盜賊僕隸皆未可輕視也。

季興自朝洛陽回。謂莊宗誇手抄春秋，又自云指頭上得天下。是功在一人。臣佐何有。且游獵旬日不回。中外之情其何以堪。亦可謂善覘國矣。

周德威忌劉守奇涿郡之功。致守奇奔梁。王保義歸高季興。一旨而喪二將。可惜。

馬殷在今湖南長沙。高季興在今湖北江陵。故雷彥恭東連楊行密。斷江嶺行商之路。而殷與季興合勢攻彥恭於澧朗。數年擒之。盡有其地。

馬氏二世而絕。劉言起逐淮軍。奄有潭朗。亦一時之雄。未幾被廢。旋遇害。潭朗乃隸周行逢。至宋而滅。可見楚在五代不惟未能左右中原。抑實不繫天下輕重也。

錢鏐能保境。又嘗討董昌。拒楊行密。敗徐綰田頵。亦弗易及。父寬謂鏐爲十三州主三面受敵。恐禍及吾家。蓋未知亂世保境俾弗受他盜蹂躪。實有大造於桑梓徒顧一家。禍轉難免也。

鏐將蒐召將吏命自擇帥。蓋懼軍情不附元瓘。以言試之非眞欲他人代已也。

掌兵權者難制。蓋亦常事。而錢倧以禮法繩下。於宿將舊勳不甚優禮。抑大悖成周異姓稱舅同姓稱伯叔遺意。胡進思遷倧別館。立俶爲帥。蓋所謂君臣皆失也。

歐史爲高季興作南平世家。馬殷作楚世家。錢鏐作吳越世家。雖本史遷。實即薛史世襲傳意。且薛史於此數人曰世襲。於楊行密劉守光諸人曰僭僞。則視歐史統稱世家者。袞鉞尤較炳炳也。又歐史十世家無燕。而年譜忽又首晉。亦甚非例。

書僭僞傳一

楊行密兩失揚州於孫儒而兩復之。前係乘虛襲據。後則儒爲部下所執送於行密殺之。遂入廣陵。儒固盜魁。衆甚驍果。一旦歸楊。兵乃大勁。加以朱瑾李承嗣史儼等皆奔淮南。將益無敵。此霸業所由成。而僭竊所由亟也。

楊渥席父基業。不力討朱温。上復唐祚。而遽黃屋左纛。豈區區二十八州地遂可槐穴甘夢乎。不久被戕。亦固其所。

郭崇韜不死。以舟師下峽平吳。亦王濬樓船下益州也。莊宗自翦爪牙。旋被人噬。甚可歎恨。

江淮舊南朝地。故李昪所爲篡逆事。上襲宋齊故步。然必自云唐明皇第六子永王璘之裔者。一僞託龍種可聳觀聽。一唐亡於梁。衆所深恨。庶以此下繫民志也。此歐史南唐世家所由繼吳世家而作也。昪亦譎矣哉。

李景時東暨衢婺。南及五嶺。西至湖湘。北據長淮。凡三十餘州。廣袤數千里。其强盛爲當日僭竊之最。至周始失淮北十四州。奉正朔稱外臣。爲此亦金陵一局棋也。而不得與六朝比者。作專史通史如薛歐馬朱等皆宋臣。宋受周禪。不得不以五代爲正統。故淮南遂爲僭僞耳。

王緒拜劍而動。若有天祐。治閩整肅。實愜民意。審知克紹兄業。選任良吏。省刑薄歛。

與民休息。三十年間。一境晏然。此豈欲以僭僞啓後哉。値世多故。子若孫乃迭以帝號自娛。卒被昺〔李昺〕滅。審知有知。或亦長太息也。

書僭僞傳二

劉仁恭由克用卵翼。且爲出兵討李匡儔。始獲坐啓燕祚。儼然國主。而後竟畏梁之威。告絕於晉。豈知他日晉乃代梁。不獨滅燕乎。以一時成敗利鈍。變易初志者。尙其以燕爲鑒也。

仁恭父子與太原輯睦。併力圖南。魏博鎭定。或亦可得。而乃不然。且狃滄貝之勝。輕視李思安。致遇伏內黃。五萬之衆。無生還者。自是垂翅不振。不亦宜乎。

仁恭以墐泥作錢。令部內行使。盡斂銅錢於大安山巔。鑿穴藏之。與後世專用紙幣斂銀。圜密置佗所者頗似。

守光昏暴。弒父與兄。不聽孫鶴忠諫。而樂亞子僞推。直至晉師滅燕。父子同縶。猶未聞一語悔悟。死若有知。何面見鶴也耶。又守光臨死求活。自謂臣精於騎。何不且留指使。其妻乃云皇帝（守光）事勢及此。生不如死。自有臣及皇帝字以來。未有聯寫若此者。抑何可哂。

劉陟（後名龔故歐史稱劉龔）聞莊宗兵威甚盛。令何詞來視虛實。亦與高季興來朝意同。

劉崇在漢隱帝時招募亡命。繕完甲兵。朝廷命令多不稟行。徵斂一方。略無虛日。蓋不臣之迹早著也。子贇既死。遂帝河東。亦固其所。惟求援於契丹。兒皇帝外別開姪例。終不免高平大敗。抑亦可笑。

書僭僞傳三

王建始與韓建懼禍。離鹿晏弘而投僖宗。田令孜因錄爲假子。及令孜監軍西川。而建爲壁州刺史。楊守亮鎮興元。畏建侵己。屢召之。建不安其郡。遂寇閬。攻利。燔剽二州。西川節度陳敬瑄又以建與東川節度顧彥朗膠固。懼爲己害。謀於監軍令孜。乃曰王八（古不以此爲詈人語）吾子也。馳咫尺書可致麾下。是蓋千回百折迫之覇蜀。莫或使之。若或使之也。又建險很甚似朱溫。觀其陰令軍士擒新帥韋昭度親吏。臠而食之。致昭度大懼。留符節與建而去。似一。急攻成都。致令孜夜擕督帥陳敬瑄符印授建。而陽置敬瑄雅州。於路殺之。並藉事餓死令孜。似二。東川節度顧彥朗卒。弟彥暉代帥。建攻之。後與和。有他寇至。且援之。面突襲梓州。擒彥暉。遂有西川。似三。李茂貞刼遷昭宗於鳳翔。梁師攻圍歷年。建外修好於汴。指茂貞罪狀。又陰與茂貞間使往來。且言堅壁勿和。當赴救。實則乘機攻取茂貞山南諸州。據爲己有。似四。及天子遷洛。建復攻取茂貞秦隴等州。或勸拔岐。（鳳翔）乃曰茂貞與朱公（朱溫）力爭不足。守境有餘。宜固岐爲吾盾鹵耳。此誠特見。似五。嚮使得有并汾。其爲梁患。或過克用。不待莊宗始能滅梁也。

李嚴覘蜀。謂王衍騃童。僞六軍使王宗弼樞密使宋光嗣分總外內。不卹民事。君臣惟務窮奢。勳故棄而不任。蠻蜑之人痛深瘡痏。可謂洞垣一方。宋承葆獻計以攻爲守。衍竟不用。井蛙固未可語海哉。

孟知祥先殺監軍李嚴。使朝廷不敢正視成都。是蓋所謂伐謀也。及夏魯奇鎮遂州。

李仁矩鎭閬州。知祥慮唐軍驟至。與遂閬合。乃令東川節度董璋取閬。而已取遂。是又所謂伐交也。

書外國傳一

周逐獫狁。以內犯也。春秋惡楚。以問鼎也。果守疆理。豈宜以異類視之。況獫狁與楚。後皆王土。何必諸夏乃號中華哉。此傳正名外國。屛夷蠻等舊字不復用。其識蓋高於馬班。與公羊氏大同意合。而歐史乃別爲四夷附錄。豈知地球萬國。政教各具。可彼此稱外。不必漫以夷狄相輕也乎。

契丹始爲劉仁恭父子所苦。求牧地且不易。洎梁篡唐。克用欲圖汴。乃約耶律安巴堅爲兄弟。猶弟畜之。非兄事之也。洎莊宗立。安巴堅始有我與先王爲兄弟。兒(莊宗)即吾兒也之語。然此特親之。非輕之也。而孰知他日竟眞有兒皇帝石敬瑭孫皇帝石重貴哉。蓋國有內亂。或投彼作倀。或引彼爲助。彼得因利乘便。遂居吾上耳。悲夫。

契丹渡沙河。議者請避。而莊宗擧太宗不避突厥及俘二突厥爲衛士事以駁之意氣甚壯。其終破契丹也固宜。

安巴堅子托雲引左氏牽牛蹊田之說折姚坤。安巴堅且善漢語。足見彼國於我語言文字習之有素。意深遠矣。又耶律德光本名耀庫濟慕華字改之。欲以漢治漢。其志尤不在小也。

趙武靈王胡服騎射。爲圖胡也。耶律德光服漢法服受朝賀。欲遂治漢也。彼此互效。各有深意。服之所繫大矣哉。

德光得歸本土死亦無恨云云。若入左傳。必善潤色。薛歐二史皆未能也。又高勳有其言偷殆將死矣二語。歐史易爲虜將死矣。詈而近俚。吾無取焉。

書外國傳二

隋煬帝伐高麗而海內大亂者。內政不修也。唐太宗亦伐高麗而海內無恙者。內政已修也。

黨項尚武。其人多壽。至百五十六十歲。殆亦流水不腐戶樞不蠹乎。

書樂志上

五代大亂。而周世宗時尚有王朴撰顯德欽天歷經。以一篇步日。一篇步月。一篇步星。一篇步發斂。是曆再興也。朴又用古累黍之法造律準。其狀如琴而巨。設十三絃以定六律六呂旋相爲宮之義。是樂再興也。今安得復比五代乎。噫。

書食貨志

朱溫暴虐而知厲耕桑。薄租賦。非眞欲足民。特欲厚民供軍之力耳。士苦戰而民樂輸。竟成覇業。溫賢於後人抑遠矣。

未終師曠撫而止之曰此亡國之聲也不可聽平公曰何道出師曠曰師延所作也與紂爲靡靡之樂武王伐紂師延東走自投濮水之中故聞此聲必於濮水之上先聞此聲者國削平公曰寡人所好者音也願遂聞之師涓鼓而終之平公曰音無此最悲乎師曠曰有平公曰可得聞乎師曠曰君德義薄不可以聽之平公曰寡人所好者音也願聞之師曠不得已援琴而鼓之一奏之有玄鶴二八集乎郎門再奏之延頸而鳴舒翼而舞平公大喜起而爲師曠壽反坐

問曰音無此最悲乎師曠曰有昔者黃帝以大合鬼神今君德義薄不足以聽之聽之將敗平公曰寡人老矣所好者音也願遂聞之師曠不得已援琴而鼓之一奏之有白雲從西北起再奏之大風至而雨隨之飛廊瓦左右皆奔走平公恐懼伏於廊屋之閒晉國大旱赤地三年聽者或吉或凶夫樂不可妄興也

太史公曰夫上古明王舉樂者非以娛心自樂快意恣欲將欲爲治也正教者皆始於音音正而行正故音樂者所以動盪血脈通流精神而

和正心也故宮動脾而和正聖商動肺而和正
義角動肝而和正仁徵動心而和正禮羽動腎
而和正智故樂所以內輔正心而外異貴賤也
上以事宗廟下以變化黎庶也琴長八尺一寸
正度也弦大者爲宮而居中央君也商張右傍
其餘大小相次不失其次序則君臣之位正矣
故聞宮音使人溫舒而廣大聞商音使人方正
而好義聞角音使人惻隱而愛人聞徵音使人
樂善而好施聞羽音使人整齊而好禮夫禮由
外入樂自內出故君子不可須臾離禮須臾離

禮則暴慢之行窮外不可須臾離樂須臾離樂
則姦邪之行窮內故樂音者君子之所養義也
夫古者天子諸侯聽鍾磬未嘗離於庭卿大夫
聽琴瑟之音未嘗離於前所以養行義而防淫
佚也夫淫佚生於無禮故聖王使人耳聞雅頌
之音目視威儀之禮足行恭敬之容口言仁義
之道故君子終日言而邪辟無由入也

索隱述贊曰

樂之所興　在乎防欲　陶心暢志
舞手蹈足　舜曰簫韶　融稱屬續

審音知政　觀風變俗　端如貫珠
清同叩玉　洋洋盈耳　咸英餘曲

樂書第二　史記二十四

義曰蓋孔子時未之有劉引劉錄為墨子弟子所以公孫龍堅白之辯下此引文欲似附公孫龍等于經學

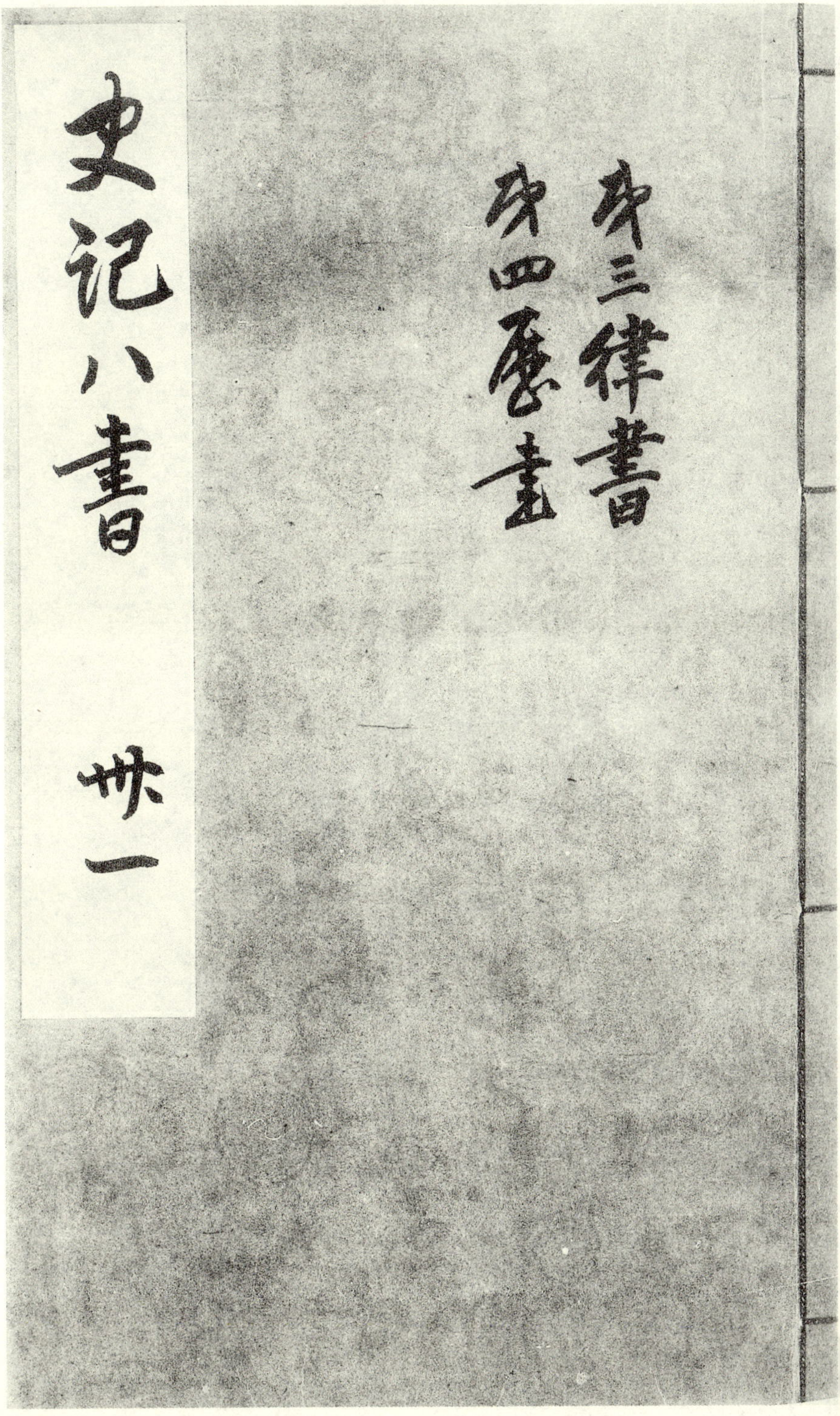
史記八書
卅一
第三律書
第四曆書

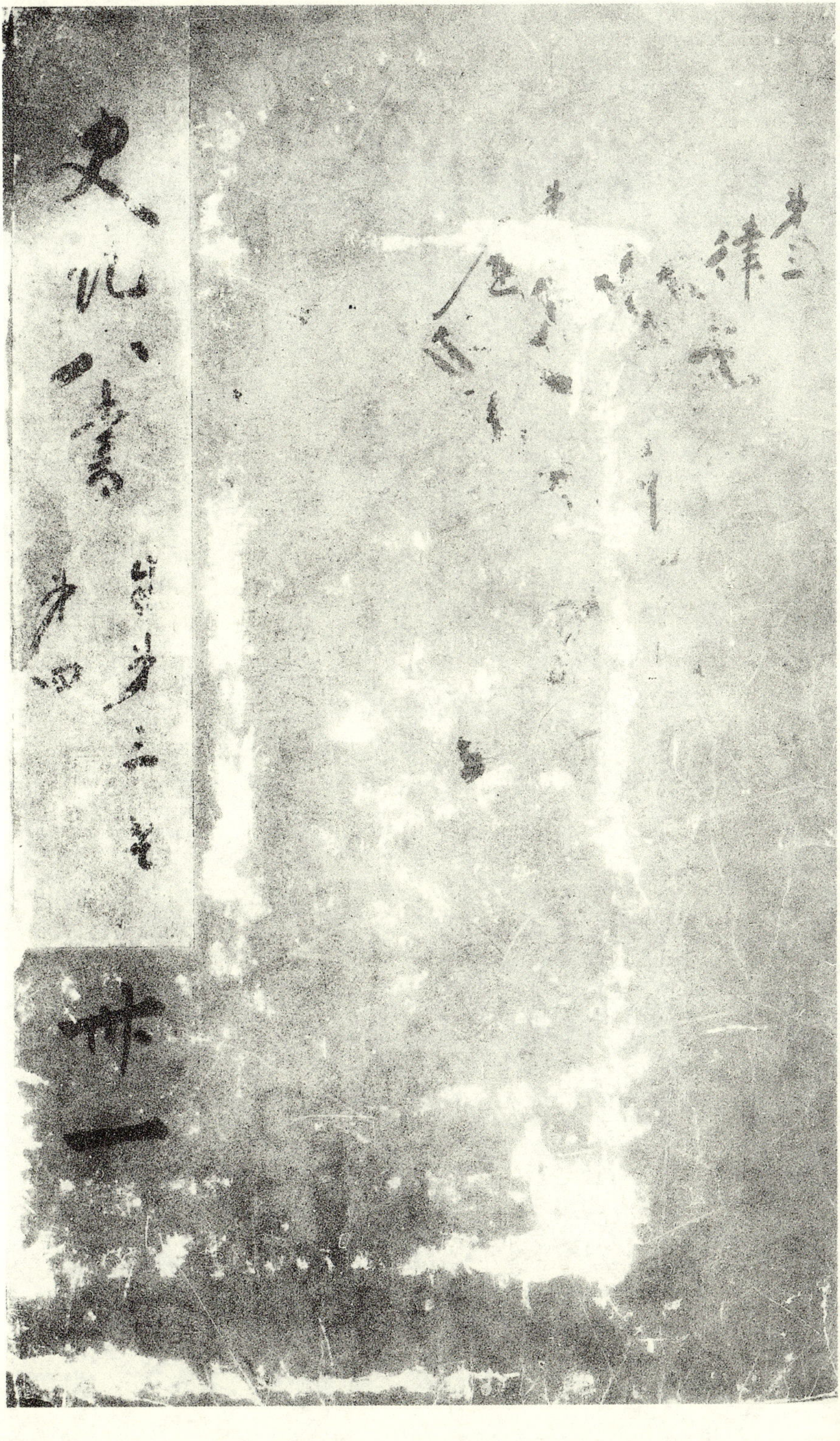

武王伐紂吹律聽聲　按六韜第三卷　武王問太公曰律音之聲可以知三軍之消息勝負之決乎
太公曰深哉王之問也夫律管十二其要有五音宮商角徵羽此其正聲也萬代不易五行之神
道之常也可以知敵金木水火土各以其勝攻之古者三皇之世虛無之情以制剛強無有文字
皆由五行五行之道天地自然六甲之分微妙之神其法以天清淨無陰雲風雨夜半遣輕騎往
至敵人之壘去九百步外遍持律管當耳大呼驚之有聲應管其來甚微角聲應管當
以白虎徵聲應管當以玄武商聲應管當以朱雀羽聲應管當以勾陳五管聲盡不應
者宮也當以青龍此五行之符佐勝之徵成敗之機武王曰善哉太公曰微妙之音皆有外
候武王曰何以知之太公曰敵人驚動則聽之聞枹鼓之音者角也見火光者徵也聞金鐵
矛戟之音者商也聞人嘯呼之音者羽也寂寞無聞者宮也此五者聲色之符也
又曰宮者中央也土也商者西也秋也金也角者東也春也木也徵者南也夏也火也羽者冬也
北也水也勾陳者土也

律書第三　史記二十五

王者制事立法，物度軌則，壹稟於六律，索隱曰：案律有十二，陽六爲律，黃鐘、太蔟、姑洗、蕤賓、夷則、無射；陰六爲呂，大呂、夾鐘、中呂、林鐘、南呂、應鐘是也。名曰律者，釋名云「律，述也，所以述陽氣也」。律曆志云「呂，旅助陽氣也」。案古律用竹，又用玉，漢末以銅爲之。呂亦稱閒，故有六律、六閒之說，元閒大呂，二閒夾鐘是也。漢京房知五音六律之數，十二律之變至六十，猶八卦之變爲六十四卦也。故中呂上生執始，執始下生去滅，上下相生，終於南呂，而六十律畢。六律爲萬事根本焉。索隱曰：律曆志云「夫推曆生律制器，規圜矩方，權重衡平，準繩嘉量，探賾索隱，鉤深致遠，莫不用焉」。是萬事之根本也。其於兵械尤所重，索隱曰：易稱「師出以律」，是於兵械尤重也。○正義曰：內成曰器，外成曰械。械謂弓矢殳矛戈戟。劉伯莊云：吹律審聲，聽樂知政，師曠審歌，知晉楚之彊弱，故云兵家尤所重。故云望敵知吉凶，正義曰：凡兩軍相敵，上皆有雲氣及日暈。天官書云：暈等，力鈞；厚長大，有勝；薄短小，無勝。故望雲氣知勝負彊弱。引舊語，乃曰故云。聞聲效勝負，正義曰：周禮云：太師執同律以聽軍聲而詔其吉凶。左傳云：師曠知南風之不競，即其類。百王不易之道也。武王伐紂，吹律聽聲，索隱曰：其事當有所出，今則未詳。推孟春以至于季冬，殺氣相并，正義曰：人君暴虐酷急，即常寒應。寒生北方，乃殺氣也。武王伐紂，吹律從春至冬，殺氣相并，律亦應之。故洪範咎徵云急常寒若是也。而音尚宮。正義曰：兵書云：夫戰，太師吹律，合商則戰勝，軍事張彊；角則軍擾多變，失志；宮則軍和，主卒同心；徵則將急數怒，軍士勞；羽則兵弱少威焉。同聲相從，物之自然，何足怪哉？兵者，聖人所以討彊暴，平亂世，夷險阻，救危殆。自含血戴角之獸見犯則校，而況於人懷好惡喜怒之氣？喜則愛心生，怒則毒螫加，（正義曰：螫音釋。）情性之理也。昔黃帝有涿鹿之戰，以定火災；（文穎曰：神農子孫暴虐，黃帝伐之，故以定火災。）顓頊有共工之陳，以平水害；（文穎曰：共工，主水官也。少昊氏衰，秉政作虐，故顓頊伐之。本主水官，因為水行也。）成湯有南巢之伐，以殄夏亂。（正義曰：南巢，今廬州巢縣是也。淮南子云湯敗桀於歷山，與末喜同舟浮江，奔南巢之山而死。按：巢即山名，古巢伯之國，云南巢者，在中國之南也。）遞興遞廢，勝者用事，所受於天也。自是之後，名士迭興，晉用咎犯，（正義曰：狐偃也，咎季也。又云晉臣也。）而齊用王子，（索隱曰：徐廣云子成父。）吳用孫武，申明軍約，賞罰必信，卒伯諸侯，兼列邦土，雖不及三代之誥誓，然身寵君尊，當世顯揚，可不謂榮焉？豈與世

僨闒於大較索隱曰大較大法也[illegible]曰車不較則不勝其任是也較音角不權
輕重猥云德化不當用兵大至窘辱失守索隱曰徐廣云如宋襄公是也小乃侵犯削弱遂執不移等哉故教笞
不可廢於家刑罰不可捐於國誅罰不可偃於
天下用之有巧拙行之有逆順耳夏桀殷紂手
搏豺狼足追四馬勇非微也百戰克勝諸侯懾
服權非輕也秦二世宿軍無用之地索隱曰謂常擁兵於郊野之外也。正義曰謂三十萬備北闕五十萬守五嶺也一云連兵於邊垂即是宿兵無用之地也連兵於
邊陲力非弱也結怨匈奴絓禍於越正義曰絓胡卦反顧野王云絓者所礙
勢非寡也及其威盡勢極閭巷之人為

敵國咎生窮武之不知足甘得之心不息也高祖有天下三邊外畔大國之王雖稱蕃輔臣節未盡會高祖厭苦軍事亦有蕭張之謀故偃武一休息羈縻不備歷至孝文即位將軍陳武等議曰南越朝鮮正義曰潮仙二音高驪平壤城本漢樂浪郡王險城即古朝鮮地時朝鮮王滿據之也自全秦時內屬爲臣子後且擁兵阻阨阨音厄尼賣反選音思兗反蠕音而兗反○索隱曰蠕音軟選蠕謂動身欲有進取之狀也選蠕觀望高祖時天下新定人民小安未可復興兵今陛下仁惠撫百姓恩澤加海內宜及士民樂用征討逆黨以一封疆孝文曰朕能任衣冠正義曰朕

音而禁反念不到此會呂氏之亂功臣宗室共不羞
恥誤居正位常戰戰慄慄恐事之不終且兵凶
器雖克所願動亦耗病謂百姓遠方何又先帝
知勞民不可煩故不以為意朕豈自謂能今匈
奴內侵軍吏無功邊民父子荷兵日久正義曰荷音何我反
朕常為動心傷痛無日忘之今未能銷距願且
堅邊設候結和通使休寧北陲為功多矣且無
議軍故百姓無內外之繇得息肩於田畝天下
殷富粟至十餘錢鳴雞吠狗煙火萬里可謂和
樂者乎

太史公曰文帝時會天下新去湯火[索隱曰謂秦亂楚漢交兵之時如遺墜湯火即書云民墜塗炭也]人民樂業因其欲然能不擾亂故百姓遂安自年六七十翁亦未嘗至市井游敖嬉戲如小兒狀孔子所稱有德君子者邪[索隱曰論語曰善人爲邦百年亦可以勝殘去殺也]書曰七正二十八舍[索隱曰七正日月五星七日可以正天時又孔安國曰七正日月五星各異政二十八舍即二十八宿之所舍也舍止也宿次也言日月五星運行或舍於二十八次之分也]律曆天所以通五行八正之氣[索隱曰八正謂八節之氣以應八方之風]天所以成孰萬物也舍者日月所舍舍者舒氣也不周風居西北主殺生東壁居不周風東主辟生氣[索隱曰辟音闢]而東之至於

營室索隱曰定星也定中而可作室故曰營室也○正義曰天官書云營室為清廟曰離宮閣道是有宮室象此言王營胎陽氣而産之二說不同營室者主營胎徐廣曰一作含陽氣
而産之東至于危危垝也索隱曰垝音鬼毀反言陽氣之危
垝故曰危十月也律中應鐘正義曰應乙證反白虎通云應者應也言萬物應陽而動下藏也漢初依秦以十月為歲首故起應鐘應鐘者陽氣之應不用
事也其於十二子為亥亥者該也索隱曰律曆志云該閡於亥○
言陽氣藏於下故該也正義曰孟康云閡藏塞也陰雜陽氣藏塞為萬物作種也
廣莫風居北方廣莫者言陽氣在下陰莫陽廣
大也故曰廣莫東至於虛虛者能實能虛言陽
氣冬則宛藏於虛正義曰宛音蘊日冬至則一陰下藏

一陽上舒故曰虛東至于須女（索隱曰婺女名也）言萬物變動其所陰陽氣未相離尚相如胥也故曰須女十一月也律中黃鍾（正義曰白虎通云黃中和之氣言陽氣於黃泉之下動養萬物也）黃鍾者陽氣踵黃泉而出也其於十二子爲子子者滋也滋者言萬物滋於下也其於十母爲壬癸壬之爲言任也言陽氣任養萬物於下也癸之爲言揆也言萬物可揆度故曰癸東至牽牛牽牛者言陽氣牽引萬物出之也牛者冒也言地雖凍能冒而生也牛者耕植種萬物也東至於建星建星者建諸生也十二月律中

大呂大呂者其於十二子爲丑〔正義曰徐廣云此中闕不說大呂及丑也按此下闕文或一本云丑者紐也言陽氣在上未降萬物厄紐未敢出也〕丑者紐也言陽氣在上未降萬物厄紐未敢出條風居東北主出萬物條之言條治萬物而出之故曰條風南至於箕箕者言萬物根棋〔徐廣曰一作横也〕故曰箕正月也律中泰簇〔正義曰簇音千豆反白虎通云泰者太也簇者湊也言萬物始大湊地而出之也〕泰簇者言萬物簇生也故曰泰簇其於十二子爲寅〔索隱曰音以真反〕寅言萬物始生螾然也〔索隱曰螾音引又音慎〕故曰寅南至於尾言萬物始生如尾也南至於心言萬物始生有華心也〔徐廣曰一作莖〕南至於房

房者言萬物門戶也至于門則出矣明庶風居東方明庶者明衆物盡出也二月也律中夾鐘正義曰白虎通云夾孚甲也言萬物孚夾種類分也夾鐘者言陰陽相夾廁也其於十二子爲卯卯之爲言茂也言萬物茂也其於十母爲甲乙甲者言萬物剖符甲而出也符音孚。索隱曰符甲猶孚甲也乙者言萬物生軋軋也南至于氐正義曰氐音丁禮反氐者言萬物皆至也南至於亢亢者言萬物亢見也南至于角角者言萬物皆有枝格如角也三月也律中姑洗正義曰姑音沽洗音先典反白虎通云沽者故也洗者鮮也言萬物去故就新莫不鮮明也姑洗者言萬物洗生其於

十二子爲辰辰者言萬物之蜄也蜄音之慎反。索隱曰蜄音振
或作娠同音律曆志云振美於辰清明風居東南維主風吹萬物
而西之軫軫者言萬物益大而軫軫然西至於
翼翼者言萬物皆有羽翼也四月也律中仲呂
正義曰中音仲白虎通云言陽氣將極中充大也故復中言之也仲呂者言萬物盡
旅而西行也其於十二子爲巳巳者言陽氣之
巳盡也西至于七星七星者陽數成於七故曰
七星西至于張張者言萬物皆張也西至于注
索隱曰注音丁救反注咮也天官書云柳爲鳥咮則注柳星也注者言萬物之始衰
陽氣下注故曰注五月也律中蕤賓正義曰蕤音仁隹反

白虎通云蕤者下也賓者敬也言陽氣上極陰氣始賓敬之也 蕤賓者言陰氣幼少
故曰蕤痿陽不用事故曰賓景風居南方景者
言陽氣道竟故曰景風其於十二子爲午午者
陰陽交故曰午 索隱曰律曆志云愕布於午也 其於十母爲丙丁
丙者言陽道著明故曰丙丁者言萬物之丁壯
也故曰丁西至于弧弧者言萬物之吳落 徐廣曰吳
一作柔 且就死也西至于狼狼者言萬物可度量斷
萬物故曰狼涼風居西南維主地地者沈奪萬
物氣也 正義曰沈一作洗 六月也律中林鐘 正義曰白虎通云林者衆也言
萬物成熟種類多也 林鐘者言萬物就死氣林林然其於

十二子爲寀未者言萬物皆成有滋味也索隱曰律曆志昧薆於未其意殊北至於罰罰者言萬物氣奪可伐也北至于參正義曰音所林反參言萬物可參也故曰參七月也律中夷則正義曰白虎通云夷傷也則法也言萬物始傷被刑法也夷則言陰徐廣曰一作陽氣之賊徐廣曰一作則萬物也其於十二子爲申申者言陰用事申賊萬物徐廣曰一作則○索隱曰律曆志物堅於申也故曰申北至于濁索隱曰按爾雅云濁謂之畢濁者觸也言萬物皆觸死也故曰濁北至于留索隱曰留即卯也毛傳亦以留爲卯留者言陽氣之稽留也故曰留八月也律中南呂正義曰白虎通云南任也言陽氣尚任包大生薺麥也南呂者言陽氣之

旅又藏也其於十二子爲酉酉者萬物之老也索隱曰律曆志留孰於酉也故曰酉閶闔風居西方閶者倡也闔者藏也言陽氣道萬物闔黃泉也其於十母爲庚辛庚者言陰氣庚萬物故曰庚辛者言萬物之辛生故曰辛北至于胃胃者言陽氣就藏皆胃胃也北至于婁婁者呼萬物且內之也北至于奎徐廣曰一作畫○索隱曰天官書奎爲溝瀆婁爲聚衆胃爲天倉今此說異及六律十母又與漢書不同各是異家之說也奎者主毒螫殺萬物也奎而藏之九月也律中無射正義曰音亦白虎通云射終也言萬物隨陽而終當復隨陰而起無有終已此說六呂十干十二支與漢書不同無射者陰氣盛用事陽氣

無餘也故曰無射其於十二子爲戌戌者言萬物盡滅故曰戌索隱曰律曆志畢入於戌也

律數

九九八十一以爲宮

三分去一五十四以爲徵

三分益一七十二以爲商

三分去一四十八以爲羽

三分益一六十四以爲角

黃鐘長八寸七分一宮索隱曰案上文云律九九八十一故云長八寸十分一而漢書云黃鐘長九寸者九分之寸也劉歆鄭玄等皆以長九寸即十分之寸不依此法也云宮者黃鐘爲律之首宮

爲五音之長十一月以黃鍾爲宮則聲得其正舊本多作七分蓋誤也

大呂長七寸五分三分一索隱曰謂十一月以黃鍾爲宮五行相次大呂爲商者大呂所以助陽宣化

太簇長七寸七分二角

夾鍾長六寸一分三分一

姑洗長六寸七分四羽索隱曰亦以金生水故也

仲呂長五寸九分三分二徵

蕤賓長五寸六分三分一

林鍾長五寸七分四角索隱曰水生木故以爲角不用蕤賓者以陰氣起陽不用事故去也

夷則長五寸四分三分二商

南呂長四寸七分八徵

無射長四寸四分三分二

應鐘長四寸二分三分二羽

生鐘分索隱曰此筭術生鐘律之法也。正義曰分音扶問反

子一分索隱曰自此已下十一辰皆以三乘之爲黃鐘積實之數也丑三分二索隱曰案子律黃鐘長九寸林鐘爲衡衡長六寸以九比六三分少一故云丑三分二即是黃鐘三分去一下生林鐘數也寅九分八索隱曰十二律以黃鐘爲主黃鐘長九寸太蔟長八寸圍八分寅九分八即是林鐘三分益一上生太蔟之之義也。正義曰孟康云元氣始起於子未分之時天地人混合爲一故子數獨一漢書律曆志云太極元氣函三爲一行於十二辰始動於子參之於丑得三又參之於寅得九又參之於卯得二十七又參之

於辰得八十一又參之於巳得二百四十三又參之於午得七百二十九又參之於未得二千一百八十七又參之於申得六千五百六十一又參之於酉得萬九千六百八十三又參之於戌得五萬九千四十九又參之於亥得十七萬七千一百四十七此陰陽合德氣鐘於子化生萬物者也然丑三分二寅九分八者並是分之餘數而漢書不說也

卯二十七分十六索隱曰此以丑三乘寅寅三乘卯得二十七南呂爲卯衡長五寸三分寸之一以三約二十七得九即黃鐘之本數又以三約十六得五縣三分之一即南呂之長故云卯二十七分十六亦是太蔟三分去一下生南呂之義已下八辰並准此然丑三分二寅九分八者皆分之餘數也**辰八十一分六十四巳二百四十三分一百二十八午七百二十九分五百一十二未二千一百八十七分一千二十四申六千五百六十一分四千九十六酉一萬九千六百八十三分八千一**

百九十二戌五萬九千四十九分三萬二千七百六十八亥十七萬七千一百四十七分六萬五千五百三十六

生黃鍾

術曰以下生者倍其實三其法索隱曰案蔡邕云陽生陰爲下生陰生陽爲上生又律曆志云陰陽相生自黃鍾始而左旋八八爲五孟康註云從子數辰至未得八下生林鍾數又自未至寅亦得八上生太蔟律是也然上下相生皆以此爲率今云以下生者謂黃鍾下生林鍾黃鍾長九寸倍其實者二九十八三其法者以三爲法約之得六爲林鍾之長也以上生者四其實三其法索隱曰四其實者謂林鍾上生太蔟林鍾長六寸以四乘六得二十四以三約之得八即爲太蔟之長也上九商八羽七角六宮五徵九索隱曰此五聲之數亦上生三

分益一上生三分宮宮去一下生徵徵益一上生商商去一下生羽羽益一上生角然此文似數錯未暇研覈也

置一而九三之以爲法索隱曰漢書律曆志曰太極元氣函三爲一行之於十二辰始動於子參之於丑得三又參之於寅得九是謂置一而九三之也韋昭曰置一而九以三乘之是也樂彥云一氣生於子至丑而三是一三也又自丑至酉爲九皆以三乘之是九三也實如法得長一寸索隱曰實謂以子一乘丑三至亥得十七萬七千一百四十七爲實數如法謂以上萬九千六百八十三之法除實得九爲黃鐘之長言得一者筭術設法辭也得下有長一下有寸者皆衍字也韋昭云得九寸之一也姚氏謂得一即黃鐘之子數凡得九寸命曰黃鐘之宮故曰音始於宮窮於角索隱曰即如上文宮下生徵徵上生商商下生羽羽上生角是其窮也數始於一終於十成於三氣始於冬至周而復生神生於無形正義曰無形爲太陽氣天地未形之時言神本在太虛之中而無形也成

於有形正義曰天地既分二儀已質萬物之形成於天地之閒神在其中然後數形而成聲正義曰數謂天數也聲謂宮商角徵羽也言天數既形則能成其五聲也故曰神使氣氣就形形理如類有可類或未形而未類或同形而同類類而可班類而可識聖人知天地識之別故從有以至未有正義曰從有謂萬物形質也未有謂天地未形也以得細若氣微若聲正義曰氣謂太易之氣聲謂五聲之聲也然聖人因神而存之正義曰言聖人因神理其形體尋迹至於太易之氣故云因神而存之上云從有以至未有是也雖妙必效情核其華道者明矣正義曰妙謂微妙之性也效猶見也核研核也華道神妙之道也言人雖有微妙之性必須程督已之情理然後研核神妙之道乃能究其形躰辨其成聲故謂明矣故下云非有聖心以乘聰明孰能存天下之神而成形之情哉是也非

其聖心以乘聰明孰能在天地之神而成形之情哉神者物受之而不能知及其去來正義曰言萬物受神妙之氣不能知覺及神去來亦不能識其往復也故聖人畏而欲存之唯欲存之神之亦存正義曰言聖人畏神妙之理難識而欲常存之唯欲常存之故其神亦存也其欲存之者故莫貴焉正義曰言平凡之人欲得精神存者故亦莫如貴神之妙焉

太史公曰故旋璣玉衡以齊七政即天地二十八宿正義曰宿音息袖反又音肅謂東方角亢氐房心尾箕南方井鬼柳星張翼軫西方奎婁胃昴畢觜參北方斗牛女虛危室壁凡二十八宿一百二十八宿星也十母正義曰甲乙丙丁戊己庚辛壬癸十二子正義曰子丑寅卯辰巳午未申酉戌亥鍾律調自上古建律運歷造日度可據而度也正義曰度音田洛反合符節通道

德即從斯之謂也

索隱述贊曰自昔軒后爰命伶倫雄雌是聽厚薄伊均以調氣候以軌星辰軍容取節樂器斯因自微知著測化窮神大哉虛受含養生人

律書第三　　史記二十五

歷書第四　史記二十六

昔自在古歷建正作於孟春索隱曰案古歷者謂黃帝調歷以前有上元太初歷等皆以建寅爲正謂之孟春也及顓頊夏禹亦以建寅爲正唯黃帝及殷周魯並建子爲正而秦正建亥漢初因之至武帝元封七年始改用太初歷仍以周正建子爲十一月朔旦冬至改元太初歷焉今案此文至於十二月節皆出大戴禮虞史伯夷之辭也於時冰泮發蟄百草奮興秭鳺先滜徐廣曰秭音姊鳺音規子鳺鳥也一名鷤鴂。索隱曰秭鳺先滜謂子鳺鳥春氣發動則先出野澤而鳴也又案大戴禮作瑞雉無釋未測其旨當是字體各有訛變耳鷤音弟鴂音桂楚詞云慮鷤鴂之先鳴使夫百草爲之不芳解者以鷤鴂爲杜鵑也物廼歲具生於東次順四時卒于冬分時索隱曰卒音子律反分如字卒盡也言建歷起孟春盡季冬則一歲之事具也冬盡之後分爲來春故云冬分也雞三號卒明徐廣曰卒一作平又云卒斯也。索隱曰三號三鳴也言夜至雞三鳴則天曉乃始爲正月一日言異歳也徐廣云卒一作平又作斯於文皆便撫十二節卒于丑正義曰撫猶循也自平明寅至鷄鳴丑凡十二辰辰盡丑又至明朝寅使一日一夜故曰幽明日月成故明也明者孟也幽者幼也幽明者雌雄也雌雄代興而順至正之統也日歸于西起明於東月歸於東起明于西正不率天又不由人索隱曰此文出大戴禮是孔子稱周太史之詞則凡事易壞而難成矣王者易姓受命必慎始初改正朔易服色推本天元順承厥意索隱曰言王者易姓而興必當推本天之元氣行運所在以定正朔以承天意故云承順厥意也

太史公曰神農以前尚矣蓋黄帝考定星曆索隱

曰系本及律歷志黃帝使羲和占日常儀占月臾區占星氣伶倫造律呂大撓作甲子隸首作算數容成綜此六術而著調曆也**建立五行起消息**正義曰皇侃云乾者陽生為息坤者陰死為消也**正閏餘**漢書音義曰以歲之餘為閏故曰閏餘○正義曰鄧平落下閎云一月之日二十九日八十一分日之四十八按計其餘分成閏故云正閏餘也每一歲三百六十六日餘六日小月大月是一歲餘十二日大計三十三月則一閏之耳**於是有天地神祇物類之官**正義曰應劭云黃帝受命有雲瑞故以雲紀官春官為青雲夏官為縉雲秋官為白雲冬官為黑雲中官為黃雲按黃帝置五官各以物類名其職掌也**是謂五官各司其序不相亂也民是以能有信神是以能有明德民神異業敬而不瀆故神降之嘉生**應劭曰嘉穀也**民以物享**正義曰劉伯莊云物事也人皆順事而享福也**災禍不生所求不匱少皞氏之衰也九**

黎亂德漢書音義曰少皞時諸侯作亂者民神雜擾不可放物索隱曰放音昉依也禍菑荐至莫盡其氣索隱曰荐音在見反荐存集也字或作薦古字假借用爾顓頊受之乃命南正重司天以屬神命火正黎司地以屬民應劭曰黎陰官也火數二二地數也故火正司地以屬萬民。索隱曰案左傳重為句芒木正黎為祝融火正此言南者劉氏以為南字誤非也蓋重黎二人元是木火之官兼司天地職而天是陽南是陽位故木亦是陽所以木正為南正也而火是地正亦稱北正者火數二二地數地陰主北方故火正亦稱北正為此故也臣瓚以為古文火字似北未為深得也使復舊常無相侵瀆其後三苗服九黎之德正義曰孔安國云三苗縉雲氏之後諸侯也按服從也言九黎之君在少皞之世作亂今三苗之君從九黎亂德故南北二官皆廢使曆數失序故二官咸廢所職而閏餘乖次孟陬殄滅攝提無紀曆

數失序 漢書音義曰次十二次也史推歷失閏則斗建與月名錯正月為孟陬閏餘乖錯不與正歲相值謂之殄滅攝提星名隨斗杓所指建十二月若歷誤春三月當指辰而指巳是謂失序○索隱曰案正月為陬陬音鄒又作矦反楚詞云攝貞乎孟陬言歷數乖誤乃使孟陬殄滅不得其正也天官書云攝提三星若鼎足句直斗杓所指以建時節故為攝提格格至也言攝隨月建至故云格也 堯復遂重黎之後不忘舊者使復典之而立羲和之官明時正度則陰陽調風雨節茂氣至民無夭疫年耆禪舜申戒文祖云 徐廣曰戒一作敕○正義曰言於文祖之廟以申戒舜也 天之曆數在爾躬 何晏曰曆數謂列次也 舜亦以命禹 孔安國曰舜亦以堯命己之辭命禹也 由是觀之王者所重也夏正以正月殷正以十二月周正以十一月蓋三王之正若循環窮

則反本天下有道則不失紀序無道則正朔不行於諸侯幽厲之後周室微陪臣執政史不記時君不告朔（鄭玄曰禮人君每月告朔於廟有祭謂之朝享）故疇人子弟分散（如淳曰家業世世相傳為疇律年二十三傅之疇官各從其父學○索隱曰韋昭云疇類也孟康云同類之人明歷者也樂彥云疇昔知星人也）或在諸夏或在夷狄是以其禨祥廢而不統（如淳曰呂氏春秋荊人鬼而越人禨今之巫祝禱祠淫祀之比也晉灼曰禨音珠璣之璣）周襄王二十六年閏三月而春秋非之先王之正時也履端於始（韋昭曰謂正歷必先稱端始也若十一月朔旦冬至也）舉正於中（韋昭曰氣在望中則時日昏明皆正也）歸邪於終（韋昭曰餘餘分也終閏月也中氣在晦則後月閏在望是其正中也）履端於始序則不

從舉正於中民則不惑歸邪（音餘）於終事則不悖其後戰國並爭在於彊國禽敵救急解紛而已豈遑念斯哉是時獨有鄒衍明於五德之傳（正義曰傳音竹戀反五德五行也）而散消息之分以顯諸侯而亦因秦滅六國兵戎極煩又升至尊之日淺未暇遑也而亦頗推五勝（漢書音義曰五行相勝秦以周爲火用水勝之也）而自以爲獲水德之瑞更名河曰德水而正（正義曰音征以秦始皇名諱之故改也）以十月色上黑然歷度閏餘未能睹其真也漢興高祖曰北畤待我而起亦自以爲獲水德之瑞雖明習歷及張蒼等咸以爲然是時

天下初定方綱紀大基高后女主皆未遑故襲秦正朔服色至孝文時魯人公孫臣以終始五德上書言漢得土德宜更元改正朔易服色當有瑞瑞黄龍見事下丞相張蒼張蒼亦學律歷以爲非是罷之其後黄龍見成紀張蒼自黜所欲論著不成而新垣平以望氣見頗言正歷服色事貴幸後作亂故孝文帝廢不復問至今上即位招致方士唐都分其天部漢書音義曰謂分部二十八宿爲距度而巴落下閎運算轉歷徐廣曰陳術云徵士巴郡落下閎也○索隱曰姚氏案益部耆舊傳云閎字長公明曉天文隱於落下武帝徵待詔太史於地中轉渾天改顓頊歷作太初歷拜侍中不

受也然後日辰之度與夏正同乃改元更官號封
泰山因詔御史曰乃者有司言星度之未定也
廣延宣問以理星度未能詹也徐廣曰詹一作售也○索隱曰漢書
作讎讎即售也故徐廣作售韋昭云讎比校也鄭德云相應爲讎也蓋聞昔者黃帝合
而不死名察度驗定清濁起五部建氣物分數
應劭曰言黃帝造歷得仙名節會察寒暑致啟閉分至定清濁起五部五部金木水火土也建氣物分數皆敘歷之
意也孟康曰合作也黃帝作歷歷終復始無窮已故曰不死清濁律聲之清濁也五部五行也天有四時爲五行也
氣二十四氣物萬物也分歷數之分也瓚曰黃帝聖德與虛合契升龍登仙於天故曰合而不死題名宿度候察進
退謂三辰之度吉凶之驗也○索隱曰臣瓚解爲得案漢書作名察發斂韋昭云發散揫斂也又續漢書以爲道義
之發斂景之長短則發斂是日行道去極盈縮者也
然蓋尚矣書缺樂弛朕

甚閔焉朕唯未能循明也紬績日分索隱曰紬音宙又如字紬續者女工紬緝之意以言造歷筭運若循若女工緝而織之也率應水德之勝徐廣曰蓋以為應土德土勝水今日順夏至索隱曰謂夏至冬至也黃鐘為宮林鐘為徵太簇為商南呂為羽姑洗為角自是以後氣復正羽聲復清名復正變以至子日當冬至則陰陽離合之道行焉十一月甲子朔旦冬至已詹其更以七年為太初元年索隱曰改元封七年為太初元年然漢始以建亥為年首今改以建子故以七年為元年韋昭云漢興至此百二歲案律曆志云乃以前曆上元太初四年千六百一十七歲至元封七年復得閼逢攝提之歲中冬十一月甲子朔旦冬至也年名焉逢攝提格徐廣曰歲陰在寅左行歲星在丑右行索隱曰爾雅云歲在甲曰焉逢寅曰攝提

格則此甲寅之年十一月甲子朔旦夜半冬至也此篇末亦云寅名攝提則是甲寅不疑也又據二年名單閼三年名執徐等年次分明而漢志以爲其年在丙子當是班固用三統與太初歷不同故與太史公說有異而爾雅近代之作所記年名又皆不同也蘇林云左行右行歲與星行所在之次

月名畢聚日得甲子夜半朔旦冬至文穎曰律居陰而治陽歷居陽而治陰更相治間不容期忽五家文悖異推太初之元也。索隱曰聚音娵案傳公云天元之始於十一月甲子夜半朔旦冬至日月若連珠俱起牽牛之初歲雄在閼逢雌在攝提格月雄在畢雌在訾訾則娵訾之宿日雄在甲雌在子在子是陽氣支干之首也

歷術甲子篇

索隱曰以十一月朔旦冬至得甲子甲子是陽氣支干之首故以甲子命歷術爲篇首非謂此年歲在甲子也

太初元年歲名焉逢索隱曰甲歲雄也漢書作閼逢亦音焉與此音同**攝提格**索隱曰寅歲陰也此依爾雅甲寅之歲若據漢志以爲丙子之年也**月名畢聚**索隱

曰謂月直畢及娵訾也畢月雄也陬月雌也**日得甲子**索隱曰謂十一月冬至朔旦得甲子也。正義曰置大餘五十四筭每年加五十四日滿六十日除之奇筭留之每至閏後一年加二十三筭亦滿六十日除之奇筭留之若纔足六十日明年云無大餘無小餘也又明年以置五十四筭如上法置小餘三百四十八筭每年加三百八分滿九百三十八分成一日歸上餘筭留之若至閏後一年加八百四十七分亦滿九百四十八分成月歸大餘奇留之明年以加三百四十八筭如上法也**夜半朔旦冬至**索隱曰以建子爲正故以夜半爲朔其至與朔同日故云夜半朔旦冬至若建寅爲正者則以平旦爲朔。正義曰置大餘五筭加五日滿六十日則除之後年更置五筭如上法置小餘八筭每年加八筭滿三十二分爲一百歸大餘後年更置八分如上法大餘者日也小餘者日之奇分也**正北**索隱曰謂蔀首十一月甲子朔旦時加子爲冬至故云正北也然每歲行周天全度外餘有四分一以十二辰分之冬至常居四仲故子年在子丑年在卯寅年在午辰年在酉至後十九年章首在酉故云正西其正南正東並准此。正義曰黃鍾管子時氣應稱正北順行四時仲所至爲正月

一日是歲之始盡一章十九年黃鍾管應在酉則稱正西他皆放此　十二　索隱曰歲有十二月有閏則云十三月

無大餘　無小餘　索隱曰其歲甲子朔旦日月合於牽牛之初餘分皆盡故無大小餘　正義曰無大小餘者以出閏月之歲有三百五十四日三百四十八分除五甲三百日餘有五十四日三百四十八分緣未滿六十日故置爲來年大小餘亦爲太初元年日得甲子朔旦冬至前年無奇日分故無大小餘也

無大餘　無小餘　索隱曰上大小餘朔之大小餘此謂冬至大小餘冬至亦與朔同日並無餘分至與朔法異故重列之

焉逢攝提格太初元年　索隱曰漢志太初元年歲在丙子據此則甲寅歲爾雅釋天云歲陽者甲乙丙丁戊己庚辛壬癸十干是也歲陰者子丑寅卯辰巳午未申酉戌亥十二支是也歲陽在甲云焉逢謂歲干也歲陰在寅云攝提格謂歲支也○正義曰焉音於乾反後同

十二

大餘五十四　索隱曰歲十二月六大六小合三百五十四日以六除之五六三十

除三百日餘五十四日故下云大餘者日也。正義曰月朔旦甲子日法也

小餘三百四十八 索隱曰太初曆法一月之日二十九日四十分日之四百九十九每兩月合成五十九日又餘五十八今十二月合餘六箇五十八得此三百四十八數故云小餘者月也。正義曰未滿日之分數也其分每滿九百四十則成一日即歸上成五十日矣太餘五十四日每歲除小月六日則成三百五十四日除五甲三百日猶除五十四日爲未滿六十日故稱大餘五十四小餘三百四十八者其大數五十四之外更除分三百四十八故稱小餘三百四十八也此大小餘是月朔甲子日朔以出閏月之數一歲則有三百五十四日三百四十八分每六十日之餘爲未滿六十日故有太小餘也是太初元年奇日奇分也

大餘五 索隱曰周天三百六十五度四分度之一日行一度去歲十一月朔在牽牛初爲冬至今歲十一月十二月又至牛初爲一周以六甲除之六六三十六除三百六十餘五故云大

餘五也。正義曰冬至甲子月法也

小餘八索隱曰即四分之一小餘滿三十二從大餘一四八三十二故云小餘八明年又加八得十六故下云小餘十六次明年又加八得二十四故下云小餘二十四又明年加八得三十二爲滿故下云無小餘並可依太初歷法行之也。正義曰未滿日之分數也其分每滿三十二則成一日即歸上成六日矣大餘五者每歲三百六十五日除六甲三百六十日猶除五日故稱大餘五日也小餘八者每歲三百六十五日四分日之一則一日三十二分是一歲二百六十五日八分故稱小餘是冬至甲子日法未出閏月之數每六十日餘之爲未滿六十日故有大小餘也此是太初元年奇日奇分也

端蒙單閼二年徐廣曰單閼一作亶安。索隱曰端蒙乙也爾雅作旃蒙單閼卯也丹遏二音又音蟬焉歲在乙卯也。正義曰單音丹又音特連反閼音烏葛反又於連反閏十三

大餘四十八　小餘六百九十六

大餘十　小餘十六

游兆執徐三年 索隱曰游兆景也爾雅作柔兆執徐辰也○正義曰三年丙辰歲也　十二

大餘十二　小餘六百三

大餘十五　小餘二十四

彊梧大荒落四年 索隱曰彊梧丁也大荒落巳也 正義曰梧音語四年丁巳歲也　十二

大餘七　小餘十一

大餘二十一　無小餘

徒維敦牂天漢元年 索隱曰徒維戊也敦牂午也○正義曰牂音作郎反天漢元年戊午歲　閏十三

大餘一　小餘三百五十九

大餘二十六　小餘八

祝犂協洽二年　索隱曰祝犂己也爾雅作著雍協洽未也○正義曰二年己未歲也　十二

大餘二十五　小餘二百六十六

大餘三十一　小餘十六

商橫涒灘三年　索隱曰商橫庚也爾雅作上章涒灘申也本作赤奮若非也天官書及爾雅中爲涒灘丑爲赤奮若今自太初已來計歲次與天官書不同者有四莫盖後之歷術改也○正義曰涒音吐魂反灘音吐丹反又作涒漢字音與上同三年庚申歲也　十二

大餘十九　小餘六百一十四

大餘三十六　小餘二十四

昭陽作噩四年 索隱曰昭陽辛也爾雅作重光作噩酉也。正義曰四年辛酉歲也

大餘十四　小餘二十二　閏十三

大餘四十二　無小餘

橫艾淹茂太始元年 索隱曰橫艾壬也爾雅作玄默淹茂戌也。正義曰元年壬戌歲也

十二

大餘三十七　小餘八百六十九

大餘四十七　小餘八

尚章大淵獻二年 索隱曰尚章癸也爾雅作昭陽大淵獻亥也一本作困敦非也天官書子爲困敦與爾雅同 正義曰二年癸亥歲也

大餘三十二　小餘二百七十七　閏十三

大餘五十二　小餘一十六

焉逢困敦三年索隱曰焉逢甲也困敦子也一本作大淵獻非也天官書云亥爲大淵獻與爾雅同○正義曰敦音頓三年甲子歲也　十二

大餘五十六　小餘一百八十四

大餘五十七　小餘二十四

端蒙赤奮若四年索隱曰端蒙乙也赤奮若丑也一本作涒灘非也天官書申爲涒灘與爾雅同四年已後自太始征和已下訖篇末其年次甲乙皆准此並褚先生所續也○正義曰四年乙丑歲也　十二

大餘五十　小餘五百三十二

大餘三　無小餘正義曰准前解小餘是日之餘分也

自右曆書已下小餘又非是年名復不周備恐褚先生及後人所加

游兆（徐廣曰作游桃）攝提格征和元年（正義曰李巡注云爾雅云萬物承陽而起故曰攝提格起也孔文祥云以歲在寅正月出東方爲衆星之紀以攝提宿故曰攝提以其爲歲月之首起於孟陬故云格正也）

閏十三

大餘四十四　小餘八百八十

大餘八　小餘八

彊梧單閼三年（正義曰李巡注云言陽氣推萬物而起故曰單閼單閼止也）　十二

大餘八　小餘七百八十七

大餘十三　小餘十六

徒維執徐三年（正義曰李巡云伏蟄之物皆敷舒而出故云執徐之也）　十二

大餘三　小餘一百九十五

大餘十八　小餘二十四

祝犂大芒落四年 芒一作荒。正義曰：姚察云言萬物皆熾盛而大出，霍然落之，故云荒落也　閏十三

大餘五十七　小餘五百四十三

大餘二十四　無小餘

商橫敦牂後元元年 正義曰：爾雅云敦，盛也；牂，壯也。言萬物盛壯也　十二

大餘二十一　小餘四百五十

大餘二十九　小餘八

昭陽汁洽二年 汁一作協。正義曰：李巡云言陰陽化生萬物和合，故曰協洽也　閏十三

大餘十五　小餘七百九十八

大餘三十四　小餘十六

橫艾涒灘始元元年正西（涒灘一作芮漢。正義曰孫炎注云爾雅云涒灘萬物吐秀傾垂之貌也）　十二

大餘三十九　小餘七百五

大餘三十九　小餘二十四

尚章作噩二年（噩一作鄂。正義曰李巡云作鄂萬物皆落枝起之貌也）　十二

大餘三十四　小餘一百一十三

大餘四十五　無小餘

焉逢淹茂三年（淹一作閹。正義曰李巡云吉萬物皆蔽冒故曰閹茂蔽冒也）　閏十三

大餘二十八　小餘四百六十一

大餘五十　小餘八

端蒙困敦四年正義曰孫炎云困敦混沌也言萬物萌混沌於黄泉之下也　十二

大餘五十二　小餘三百六十八

大餘五十五　小餘十六

游兆困敦五年　十二

大餘四十六　小餘七百一十六

無大餘　小餘二十四

彊梧赤奮若六年正義曰李巡云陽氣奮迅萬物而起無不若其性故曰赤奮若陽色奮迅也若順也　閏十三

大餘四十一　小餘一百二十四

大餘六　無小餘

徒維攝提格元鳳元年　十二

大餘五　小餘三十一

大餘十一　小餘八

祝犂單閼二年　十二

大餘五十九　小餘三百七十九

大餘十六　小餘十六

商橫執徐三年　閏十三

大餘五十三　小餘七百二十七

大餘二十一　小餘二十四

昭陽大荒落四年　十二

大餘十七　小餘六百三十四

大餘二十七　無小餘

橫艾敦牂五年　閏十三

大餘十二　小餘四十二

大餘三十二　小餘八

尚章汁洽六年　十二

大餘三十五　小餘八百八十九

大餘三十七　小餘十六

焉逢涒灘元平元年　十二

大餘三十　小餘二百九十七

大餘四十二　小餘二十四

端蒙作噩本始元年　閏十三

大餘二十四　小餘六百四十五

大餘四十八　無小餘

游兆閹茂二年　十二

大餘四十八　小餘五百五十二

大餘五十三　小餘八

彊梧大淵獻三年（正義曰孫炎云淵獻深也獻萬物於天深於藏蓋也）　十二

大餘四十二　小餘九百

大餘五十八　小餘十六

徒維困敦四年

大餘三十七　小餘三百八　閏十三

大餘三　小餘二十四

祝犂赤奮若地節元年　十二

大餘一　小餘二百一十五

大餘九　無小餘

商横攝提格二年　閏十三

大餘五十五　小餘五百六十三

大餘十四　小餘八

昭陽單閼三年正南　十二

大餘十九　小餘四百七十

大餘十九　小餘十六

横艾執徐四年　十二

大餘十三　小餘八百一十八

大餘二十四　小餘二十四

尚章大荒落元康元年　閏十三

大餘八　小餘二百二十六

大餘三十　無小餘

焉逢敦牂二年　十二

大餘三十二　小餘一百三十三

大餘三十五　小餘八

端蒙協洽三年　十二

大餘二十六　小餘四百八十一

大餘四十　小餘十六

游兆涒灘四年　閏十三

大餘二十　小餘八百二十九

大餘四十五　小餘二十四

彊梧作噩神雀元年　十二

大餘四十四　小餘七百三十六

大餘五十一　無小餘

徒維淹茂二年　十二

大餘三十九　小餘一百四十四

大餘五十六　小餘八

祝犂大淵獻三年　閏十三

大餘三十三　小餘四百九十二

大餘一　小餘十六

商橫困敦四年　十二

大餘五十七　小餘三百九十九

大餘六　小餘二十四

昭陽赤奮若五鳳元年　閏十三

大餘五十一　小餘七百四十七

大餘十二　無小餘

横艾攝提格二年　十二

大餘十五　小餘六百五十四

大餘十七　小餘八

尚章單閼三年　十二

大餘十　小餘六十二

大餘二十二　小餘十六

焉逢執徐四年　閏十三

大餘四　小餘四百一十

大餘二十七　小餘二十

端蒙大荒落甘露元年　十二

大餘二十八　小餘三百一十七

大餘三十三　無小餘

游兆敦牂二年　十二

大餘二十二　小餘六百六十五

大餘三十八　小餘八

彊梧協洽三年　閏十三

大餘十七　小餘七十三

大餘四十三　小餘十六
徒維涒灘四年　十二
大餘四十　小餘九百二十
大餘四十八　小餘二十四
祝犁作噩黃龍元年　閏十三
大餘三十五　小餘三百二十八
大餘五十四　無小餘
商橫淹茂初元元年正東　十二
大餘五十九　小餘二百三十五
大餘五十九　小餘八

昭陽大淵獻二年　十二

大餘五十三　小餘五百八十三

大餘四　小餘十六

横艾困敦三年　閏十三

大餘四十七　小餘九百三十一

大餘九　小餘二十四

尚章赤奮若四年　十二

大餘十一　小餘八百三十八

大餘十五　無小餘

焉逢攝提格五年　十二

大餘六　小餘二百四十六

大餘二十　小餘八

端蒙單閼永光元年　閏十三

無大餘　小餘五百九十四

大餘二十五　小餘十六

游兆執徐二年　十二

大餘二十四　小餘五百一

大餘三十　小餘二十四

彊梧大荒落三年　十二

大餘十八　小餘八百四十九

大餘三十六　無小餘

徒維敦牂四年　閏十三

大餘十三　小餘二百五十七

大餘四十一　小餘八

祝犂協洽五年　十二

大餘三十七　小餘一百六十四

大餘三十六　小餘十六

商横涒灘建昭元年　閏十三

大餘三十一　小餘五百一十二

大餘五十一　小餘二十四

昭陽作噩二年　十二

大餘五十五　小餘四百一十九

大餘五十七　無小餘

橫艾閹茂三年　十二

大餘四十九　小餘七百六十七

大餘二　小餘八

尚章大淵獻四年　閏十三

大餘四十四　小餘一百七十五

大餘七　小餘十六

焉逢困敦五年　十二

大餘八　小餘八十二
大餘十二　小餘二十四
端蒙赤奮若竟寧元年　十二
大餘二　小餘四百三十
大餘十八　無小餘
游兆攝提格建始元年　閏十三
大餘五十六　小餘七百七十八
大餘二十二　小餘八
彊梧單閼二年　十二
大餘二十　小餘六百八十五

大餘二十八　小餘十六

徒維執徐三年　閏十三

大餘十五　小餘九十三

大餘三十三　小餘二十四

祝犂大荒落四年

右歷書大餘者日也小餘者月也端蒙者年名也支丑名赤奮若寅名攝提格干丙名游兆正北（冬至加子時）正西（加酉時）正南（加午時）正東（加卯時）

索隱述贊曰歷數之興其來尚矣重黎是司

容成斯紀推步天象消息毋子五勝輪環三
正互起孟陬貞歲疇人順軌敬授之方履端
爲美

歷書第四　史記二十六

（漢）司馬遷　撰
（南朝宋）裴駰　集解
（唐）司馬貞　索隱
（唐）張守節　正義

宋本史記

第十册

國家圖書館出版社

[illegible]本史記

第十册目録

天官書

史记八書　卅二

史記八書
林二

天官書第五　史記二十七

索隱曰案天文有五官官者星官也星座有尊卑若人之官曹列位故曰天官。正義曰張衡云文曜麗乎天其動者有七日月五星是也日者陽精之宗月者陰精之宗五星五行之精衆星列布體生於地精成於天列居錯峙各有所屬在野象物在朝象官在人象事其以神著有五列焉是有三十五名一居中央謂之北斗四布於方各七爲二十八舍日月運行歷示吉凶也

中宮天極星 索隱曰姚氏案春秋元命包云宮之爲言宣也宮氣立精爲神垣又文耀鉤曰中宮大帝其精北極星含元出氣流精生一也爾雅云北極謂之北辰又春秋合誠圖云北辰其星五在紫微中楊泉物理論云北極天之中陽氣之北極也極南爲太陽極北爲太陰日月五星行太陰則無光行太陽則能照故爲昏明寒暑之限極也 **其一明者太一常居也** 索隱曰案春秋合誠圖云紫微大帝室太一之精也。正義曰泰一天帝之別名也劉伯莊云泰一天神之最尊貴者也 **旁三星三公**

正義曰三公三星在北斗杓東又三公三星在北斗魁西並爲太尉司徒司空之象主變出陰陽主佐機務占以從爲不吉居常則安金火守之並爲咎也**或曰子屬後句四星末大星正妃**索隱曰句音鉤句曲也援神契云辰極横后妃四星從太妃光明又按星經以後句四星名爲四輔其勾陳六星爲六宮亦主六軍與此不同也**餘三星後宮之屬也環之匡衛十二星藩臣皆曰紫宮**索隱曰元命包曰紫之言此也宮之言中也言天神運動陰陽開閉皆在此中也宋均又以爲十二軍中外位各定揔謂之紫宮也**前列直斗口三星隨北端兊**索隱曰劉氏直音如字直當也又音值隨音他果反斗一作北案漢書天文志見作北端作耑兊作鋭鋭謂星形尖邪也**若見若不曰陰德**正義曰星經云陰德二星在紫微宮内尚書西主施德惠者故讚陰德遺惠周急賑撫占以不明爲宜明新君踐極也又云陰德星中宮女主之象星動搖釁起宮掖貴嬪内妾惡之**或曰天一**索隱曰文耀鉤曰陰德爲天下剛宋均以

爲陰行德者道常也。正義曰天一一星疆閶闔外天帝之神主戰鬬知人吉凶明而有光則陰陽和萬物成人主吉不然反是太一一星次天一南亦天帝之神主使十六神知風雨水旱兵革饑饉疾疫占以不明及移爲灾也星經云天一太一二星主王者即位令諸立赤子而傳國位者星不欲微微則廢立不當其次宗廟不享食矣

紫宮左三星曰天槍右五星曰天棓 蘇林曰音榔打之榔。索隱曰槍音七庚反棓音皮韋昭音剖詩緯云槍三星棓五星在斗杓左右主槍人棓人石氏星讚云槍棓八星備非常之變也。正義曰龐掌反天棓五星在女牀東北天子先驅所以禦兵也占星不具國兵起也

後六星絶漢抵營室曰閣道 索隱曰絶度也抵屬也 又案樂汁圖云閣道北斗之輔石氏云閣道六星神所乘也。正義曰漢天河也直度曰絶抵至也營室七星天子之宮亦爲玄宮亦爲清廟主上公亦天子離宮別館也王者道被草木營室曆九象而可觀閣道六星在王良北飛閣之道天子欲遊別宮之道占一星不見則輦路不通動揺則宫掖之内起兵也

北斗七星所謂旋璣玉衡以

齊七政索隱曰春秋運斗樞云斗第一天樞第二旋第三璣第四權第五衡第六開陽第七摇光第一至第四爲魁第五至第七爲標合而爲斗文耀鉤云斗者天之喉舌玉衡屬杓魁爲旋璣整長曆云北斗七星星間相去九千里其二陰星不見者相去八千里也尚書旋作璿馬融云璿美玉也璣渾天儀可轉旋故曰璣衡其中橫筩以璿爲璣以玉爲衡蓋貴天象也鄭玄註大傳云渾儀其中筩爲旋璣外規爲玉衡者是也尚書大傳云七政謂春秋冬夏天文地理人道所以爲政也人道正而萬事順成又馬融註尚書云七政者北斗七星各有所主第一曰主日法天第二曰主月法地第三曰命火謂熒惑也第四曰煞土謂塡星也第五曰伐水謂辰星也第六曰危木謂歲星也第七曰罰金謂太白也日月五星各異故名曰七政也

杓攜龍角孟康曰杓北斗杓也龍角東方宿也攜連也○正義曰按角星爲天關其閒天門其内天庭黄道所經七耀所行左角爲理主刑其南爲太陽道右角爲將主兵其北爲太陰道也蓋天之三門故其星明大則天下太平賢人在位不然反是也

衡殷南斗魁枕參首晉灼曰衡斗之中央殷中也○索隱曰宋均云殷當也○正義曰枕之禁

反衡斗衡也魁斗第一星也言北方斗斗衡直當北之魁枕於參星之道北斗之杓連於龍角南斗六星爲天廟丞相太宰之位主薦賢良授爵禄又主兵天機南二星魁天梁中央一星天相北二星天府庭也占斗星盛明王道和平爵禄行不然反是參主斬刈又爲天獄主殺罰其中三星横列者三將軍東主後將軍西南曰右足主偏將軍故軒轅氏占之以北曰左肩主左將軍西北曰右肩主右將軍東南曰左足應七將也中央三小星曰伐天之都尉也主戎狄之國不欲明若芒角張明與參等大臣謀亂兵起夷狄內戰七將皆明天下主兵振王道缺參失色軍散敗動搖邊候有急參左足入玉井中及金火守皆爲起兵

用昏建者杓杓自華以西南孟康曰傳曰斗第七星法太白主杓斗之尾也尾爲陰又其用昏昏陰位在西方故主西南○索隱曰說文云杓斗柄音匹遙反即招搖也○正義曰杓東北第七星也華華山也言北斗昏建用斗杓星指寅也杓華山西南之地也

夜半建者衡徐廣曰第五星

衡殷中州河濟之閒孟康曰假令杓昏建寅衡夜半亦建寅○正義曰衡北斗衡也言北斗夜半建用斗衡指寅殷當也斗衡

晝河濟水之間地也平旦建者魁魁海岱以東北也孟康曰傳曰斗
第一星法於日主齊也魁斗之首首陽也又其用在明陽與明德在東方故主東北齊分○正義曰言北斗昏建用
斗魁指寅也海岱代郡也言魁星主海岱之東北地也隨三時所指有前三建也斗為帝車運
于中央索隱曰姚氏案宋均云言是大帝乘車廻狩故無所不紀也臨制四鄉分
陰陽建四時均五行移節度定諸紀皆繫於斗
斗魁戴匡六星晉灼曰似戴故曰戴匡也曰文昌宮索隱曰文耀鉤云文昌宮
為天府孝經援神契云文者精所聚昌者揚天紀輔拂並居以成天象故曰文昌宮一曰上將二
曰次將三曰貴相四曰司命五曰司中六曰司
祿索隱曰春秋元命包曰上將建包曰上威武次將正左右貴相理文緒司祿賞功進士司命主災咎司灾
主左理也在斗魁中貴人之牢孟康曰傳曰天理四星在斗魁中貴人牢名曰

天理。索隱曰樂汁圖曰天寶理貴人牢宋均曰以理牢獄也。正義曰占明及其中有星此貴人下獄也

魁下六星兩兩相比者名曰三能 蘇林曰音三台。索隱曰漢書東方朔頗陳泰階六符孟康曰泰階三台也台星凡六星六符六星之符驗也應劭引黄帝泰階六符經曰泰階者天子之三階上階上星爲男主下星爲女主中階上星爲諸侯三公下星爲卿大夫下階上星爲士下星爲庶人三階平則陰陽和風雨時不平則稼穡不成冬雷夏霜天行暴令好興甲兵修宮榭廣苑囿則上階爲之坼也

三能色齊君臣和不齊爲乖戾輔星 孟康曰在北斗第六星旁。正義曰大臣之象也占欲其小而明若大而明則臣奪君政小而明則臣不任職明大與斗合國兵暴起暗而遠斗臣不死則奪若近臣專賞用賢排佞則輔生角近臣擅國符印將謀社稷則輔生翼不然則死也 明近輔臣親彊斥小疏弱 蘇林曰斥遠也 杓端有兩星一內爲矛招搖 孟康曰近北斗者招搖招搖爲天矛晉灼曰更河三星天矛鋒招搖一星耳。索隱曰案詩紀曆樞

云更河中招搖爲胡兵宋均云招搖星在更河內樂汁圖云更河天矛星宋均以爲更河名天矛則更河是星名也

一外爲盾天鋒晉灼曰外遠北斗也在招搖南一名玄戈○正義曰星經云梗河星爲戟劒之星若星不見或進退不定鋒鏑亂起將爲邊境之患也

有句圜十五星索隱曰句音鉤圜音員其形如連環即貫索星也

屬杓正義曰屬音燭

曰賤人之牢索隱曰詩紀歷樞云賤人牢一曰天獄又樂汁圖云連營賤人牢宋均以爲連營貫索星也○正義曰貫索九星在七公前一曰連索主法律禁暴强也爲賤人牢也且一星爲門欲其開也占星悉見則獄事繁不見則刑務簡動搖則斧鉞用中虛則改元口開則有赦人主憂若閉口及星入牢中有自繫死者常夜候之一星不見有小喜二星不見則賜祿三星不見則人主德令且赦遠十七日近十六日若有客星出見其小大大有大赦小亦如之也

其牢中星實則囚多虛則開出天一槍棓矛盾動搖角大兵起李奇曰角芒角

東宮蒼龍房心心爲明堂索隱文耀鉤云東

天官書　四

困學紀聞十一：天官書東宮蒼龍、南宮朱鳥、西宮咸池、北宮玄武。蒼龍、朱鳥、玄武各據其方七宿而言，咸池別一星名，晉天文志所謂天潢南三星曰咸池魚囿者也。乃以當西宮，不以總西方七宿，又列參爲白虎於昴畢之後，何其類例之駁也。

宮蒼帝其精爲龍爾雅云大辰房心尾也李巡曰大辰蒼龍宿體最明也春秋說題辭云房心爲明堂天王布政之宮尚書運期授曰所謂房四表之道宋均云四星間有三道日月五星所從出入也 大星天王前後星子屬 索隱曰鴻範五行傳曰心之大星天王也前星太子後星庶子 不欲直直則天王失計房爲府曰天駟 索隱曰爾雅云天駟房也詩紀歷樞云房爲天馬主車駕宋均云房既近心爲明堂又別爲天府及天駟也 其陰右驂 正義曰房星君之位亦主左驂亦主良馬故爲駟王者恒祠之是馬祖也 旁有兩星曰衿 索隱曰音其炎反元命包曰鉤鈐兩星以閑防神府闓舒爲主鉤距以備非常也○正義曰占明而近房天下同心鉤鈐房心之間有客星出及疏拆者皆地動之祥也 北一星曰舝 徐廣曰音轄○正義曰說文云舝舝車軸端鍵也兩相穿皆也星經云鍵閉一星在房東北掌管籥也占一反不居其所則津梁不通宮門不禁居則反是也 東北曲十二星曰旗 正義曰兩旗者左旗九星在河鼓左也右旗九星在河鼓右也皆天之鼓旗所

以爲旌表占欲其明大光潤將軍吉不然爲兵憂及不居其所則津梁不通動搖則兵起也旗中四星曰天市正義曰天市二十三星房心東北主國市聚交易之所一曰天旗明則市吏急商人無利忽然不明反是市中星衆則歲實稀則歲虛熒惑犯戮不忠之臣彗孛出當徙市易都客星入兵大起出之有貴喪也中六星曰市樓市中星衆者實其虛則耗正義曰耗貧無也房南衆星曰騎官左角李右角將索隱曰李即理法官也故元命包云左角理物以起右角將率而動又石氏云左角爲天田右角爲天門也大角者天王帝廷索隱曰援神契云大角爲坐候宋均云坐帝坐也○正義曰大角一星在兩攝提間人君之象也占其明盛黃潤則天下大同也其兩旁各有三星鼎足句之曰攝提晉灼曰如鼎之句曲○索隱曰元命包云攝提之爲言提攜也言能提上攜角以接於下也○正義曰攝提六星夾大角大臣之象恒直斗杓所指紀八節察萬事者也占色溫溫不明而大者人君恐

客星入之聖人受制也。攝提者直斗杓所指以建時節故曰攝提格。亢爲疏廟，索隱曰元命包云亢四星爲廟廷文耀鉤爲疏廟宋均以爲疏外也廟或爲朝也。正義曰聽政之所也其占明大則輔臣忠天下寧不然則反是也主疾。其南北兩大星曰南門。正義曰南門二星在庫樓南天之外門占明則氐羌貢暗則諸夷叛客星守之外兵且至也

氐爲天根，正義曰星經云氐四星爲露寢聽朝所居其占明大則臣下奉度合誠圖云氐爲宿宮也主疫。索隱曰爾雅云天根氐也孫炎以爲角亢下繫於氐若木之有根宋均云疫疾也三月榆莢落故主疾疫也然此時物雖生而白宿在奎行毒氣故有疫疾也。正義曰氐房心三宿爲火於辰在卯宋之分野

尾爲九子，索隱曰宋均云屬後宮場故得兼子子必九者取尾有九星也元命包云尾九星箕四星爲後宮之塲也。正義曰尾箕尾爲析木之津於辰在寅燕之分野尾九星爲後宮亦爲九子星近心第一星爲后妃次三星竝爲次三嬪末二星爲妾占均明大小相承則後宮叙而多子不然則不金火守之後宮

兵起若明暗不常妃嫡乖亂妾媵失序曰君臣斥絕不和箕爲敖客，

曰口舌。索隱曰宋均云敖調弄也箕以簸揚調弄爲象箕又受物有去去來來客之象也詩云維南有

箕載翕其舌又詩緯云箕爲天口主出氣是箕有舌象讒言故詩曰哆兮侈兮成是南箕謂爲敖客行請謁也。正

義曰敖音傲箕主八風亦后妃之府也移徙入河國人相食金火入守天下亂月宿其野爲風起火犯

守角則有戰。索隱曰韋昭曰火熒惑。正義曰熒惑犯守箕尾氐星自生芒角則有戰陣之事若

熒惑守房心及房心自生芒角則王者惡之也房心王者惡之也。南宮朱

鳥正義曰柳八星爲朱鳥咮天之廚宰主尚食和滋味權衡。孟康曰軒轅爲權太微爲衡。索隱

曰文耀鉤云南宮赤帝其精爲朱鳥也。正義曰權四星在軒轅尾西主烽火備警急占以明爲安靜明一訓警急

動搖芒角亦如之衡太微之庭也衡太微，三光之廷。索隱曰宋均曰太微天帝南宮也三

光日月五星也匡衛十二星，藩臣。索隱曰春秋合誠圖曰太微主法式陳星十三以備

武急也。○正義曰太微宮垣十星在翼軫地天子之宮庭
五帝之坐十二諸侯之府也其外藩九卿也南藩中二星
間於端門次東第一星爲左執法廷尉之象第二星爲上
相第三星爲次相第四星爲次將第五星爲上將端門西
第一星爲右執法御史大夫之象也第二星爲上將第三
星爲次將第四星爲次相第五星爲上相其東垣北左執
法上相兩星間名曰左掖門上相兩星間名曰東華門上
相次相上將次將間名曰太陽門其西垣右執法上將間
名曰右掖門上將次將間名曰西華門次將次相間名曰中華
門次相兩星間名曰太陰門各依其名是其職也占與紫
宮垣同也**西將東相南四星執法中端門門左右掖**
門門內六星諸侯正義曰內五諸侯五星列在帝庭其星並欲光明潤澤若枯燥則各於其
處受其災變大至誅戮小至流亡若動搖則擅命以干主
者審其分以占之則無惑也又云諸侯五星在東井北河
主判舉戒不虞又曰理陽察得失一曰帝師二曰帝友三
曰三公四曰博士五曰太史此五者爲天子定疑議也占
明大潤澤大小齊等則國之福不然則上下相猜忠臣不用**其內五星五帝坐**陰

曰詩含神霧云五精星坐其東蒼帝坐神名靈威仰精為青龍之類也。正義曰黃帝坐一星在太微宮中含樞紐之神四星夾黃帝坐蒼帝東方靈威仰之神赤帝南方赤熛怒之神白帝西方白昭矩之神黑帝北方叶光紀之神五帝並設神靈集謀者也占五座明而光則天子得天地之心不然則失位金火來守入太微若順入軌道司其出之所守則為天子所誅也其逆入若不軌道以所犯名之中坐成形**後聚一十五星蔚然**徐廣曰一云哀烏**曰郎位**索隱曰漢書作哀烏則哀烏蔚然皆星之貌狀其星昭然所以象郎位也。正義曰郎位五星在太微中帝坐東北周之元士漢之光祿中散諫議此三署郎中是今之尚書郎占欲其大小均耀光闌有之吉也**傍一大星將位也**索隱曰宋均云為羣郎之將帥也。正義曰將子象反郎將一星在郎位東北所以為武備今之左右中郎將占大而明角將恣不可當也**月五星順入軌道**索隱曰韋昭云謂循軌道不邪逆也順入從西入也。正義曰謂月五星順入軌道入太微庭也**司其出所守天子所誅也**索隱曰宋均云司察日月五星所守

列宿若請官屬不去十日其逆入若不軌道以所犯
者於是天子命使誅之也
命之中坐成形晉灼曰中坐犯帝坐也成形禍福之形
見也○索隱曰宋均云逆入從東入不
軌道不由康衢而入也以其所犯命者亦皆羣下從謀
謂隨所犯之位天子必命誅討其人也
也正義曰命名也謂月五星逆入不依軌道司察其所犯
太微中帝坐帝坐必成其刑戮皆是羣下相從而謀上
也金火尤甚索隱曰案火主銷物而金爲兵故尤急則
水土木爲小變也○正義曰若金火逆入
不軌道犯帝坐尤甚廷藩西有隋星五隋音他果反
於月及水土木也○索隱曰宋
均云南北爲隋曰少微士大夫索隱曰春秋合誠圖云
隋謂二下也少微處士位又天官占
云一名處士星也○正義曰廷太微廷藩衛也少微四星
在太微南北列第一星處士也第二星議士也第三星博
士也第四星大夫也占以明大黃潤則賢士
舉不明反是月五星犯守處士憂宰相易也權軒轅軒
轅黃龍體孟康曰形如騰龍○索隱曰援神契曰軒
轅十二星后宮所居石氏星讚以軒轅龍

主后妃也。正義曰軒轅十七星在七星北黃龍之體主雷雨之神後宮之象也陰陽交感雷激爲電和爲雨怒爲風亂爲霧凝爲霜散爲露聚爲雲氣立爲虹蜺離爲背璚分爲抱珥二十四變皆軒轅主之其大星女主也次北一星夫人也次北一星妃也其次諸星皆次妃之屬女主南一小星女御也左一星少民后宗也占欲其小黃而明吉大明則爲後宮爭競移徙則國人流迸東西角大張而振敗水火金守軒轅女主惡也

前大星女主象旁小星御者後宮屬月五星守犯者如衡占索隱曰宋均云責在后黨嬉讌賊與占此祥天子亦當誅之

東井爲水事索隱曰元命包云東井八星主水衡也

其西曲星曰鉞正義曰東井八星鉞一星與鬼四星爲質一星爲鶉首於辰在未皆秦之分野一八星黃道之所經爲天之亭候主水衡事法令所取平也王者用法平則井星明而端列鉞一星附井之前主伺奢淫而斬之占不欲其明與井齊或搖動則天子用鉞於大臣月宿井有風雨之變也

鉞北北河南南河正義曰南河三星北河三星分夾東井南北置而爲戒一曰陽

門亦曰越門北河北戒一曰陰門亦爲胡門兩戒間三光之常道也占以南星不見則南道不通北亦如之動搖及火守中國兵起也又云動則胡越爲變或連近臣以結之**兩河天闕間爲關梁**索隱曰宋均云兩河六星知逆邪言關梁之限知邪僞也。正義曰闕丘二星在河南天子之雙闕諸侯之兩觀亦象魏縣書之府金火守之兵戰闕下也**輿鬼鬼祠事中白者爲質**晉灼曰輿鬼五星其中白者爲質。正義曰輿鬼四星主祠事天田也主視明察姦謀東北星主積馬東南星主積兵西南星主積布帛西北星主積金玉隨其變占之中一星爲積屍一名質主喪死祠祀占鬼星明大穀成不明百姓散質欲其沒不明明則兵起大臣誅下人死之**火守南北河兵起穀不登故德成衡觀成潢**晉灼曰日月五星不軌道也衡太微廷也觀占也潢五帝東舍**傷成鉞**晉灼曰賊傷之占先成形於鉞。索隱曰案德成衡衡則能平物故有德公平者先成形於衡觀成潢潢爲帝車舍言王者游觀亦先成形於潢也傷成鉞者傷敗也言王者敗德亦先成形於鉞以言有敗亂則有鉞誅之然案文選銜鮑云德成衡敗成鉞其意異也又此下文禍成井誅成質皆是東井下義揔列於此也**禍成井**晉灼曰東井主水事火入一星居其旁天子且以火敗故曰禍也**誅成質**晉灼曰熒惑入輿鬼天質占曰大臣有誅**柳為鳥注主木草**索隱曰案漢書天文志注作喙爾雅云鳥喙謂之柳孫炎云喙朱鳥之口柳其星聚也以注為柳星故主草木也○正義曰喙丁救反一作注柳八星星一星張六星為鶉火於辰在午皆周之分野柳為朱鳥味天之廚宰主尚食和滋味占以順明為凶金火守之國兵大起**七星頸為員官主急事**索隱曰案宋均云頸朱鳥頸也員官嚨喉也物在嚨喉終不久留故主急事也正義曰七星為頸一名天都主衣裳文繡主急事以明為吉暗為凶金火守之國兵大起**張素為廚主觴客**索隱曰素嗉也爾雅云鳥張嗉郭璞云鳥受食之處也○正義曰張六星六為嗉主天廚飲食賞賚觴客占以明為吉暗為凶金火守之國兵大起**翼為羽翮主遠客**正義曰翼二十星軫四星長沙一星轄二星令軫七星皆為鶉尾於辰在巳楚之分野翼二十二星為天樂府又主夷狄

注音一本作音

亦主遠客占明大禮樂興四火服徙則天子舉兵以罰亂者

軫爲車主風 索隱曰宋均云軫四星居中又有二星爲左右轄車之象也軫與巽同位爲風車動行疾似之也○正義曰軫四星主冢宰輔臣又主車騎亦主風占明大則車騎用太白守之天下學校散文儒失業兵戈大興熒惑守之南方有不用命之國當發兵伐之辰星守之徐泗有戮之者

其旁有一小星曰長沙 正義曰長沙一星在軫中主壽命占明主長壽子孫昌也

星星不欲明明與四星等若五星入軫中兵大起 索隱曰宋均云五星主行使使動兵車亦動也

軫南衆星曰天庫 正義曰天庫一星主太白秦也在五車中

樓庫有五車車星角若益衆及不具無處車馬

西宮 索隱曰文耀鉤云西宮白帝其精白虎

咸池 正義曰咸池三星在五車中天潢南魚鳥之所託也金犯守之兵起火守之有災也

曰天五潢五潢五帝車舍 索隱曰案元命包曰咸池主五穀其星五者各有所職咸池言

穀生於水含秀含實主秋垂故一名五帝車舍言以車載穀而販也○正義曰五車五星三柱九星在畢東北天子五兵車舍也西北大星曰天庫主太白秦也次東北星天獄主辰星燕趙也次東曰天倉主歲星魯衛也次東南曰司空主鎮星楚也次西南曰卿主熒惑魏也占五車均明柱皆見則倉庫實不見其國絕食兵見起五車三柱有變各以其國占之三柱入出一月米貴三倍期二年出三月貴十倍一年柱出不與天倉相近軍出米貴轉粟千里柱倒立尤其火入天下旱金入兵水入水也

火入旱金兵水水索隱曰謂火金水入五潢則各致此災也宋均云不言木土者木土德星於此不爲害也

水中有三柱柱不具兵起奎曰封豕爲溝瀆正義曰奎苦圭反十六星婁三星爲降婁於辰在戌魯之分野奎天之府庫一曰天豕亦曰封豕主溝瀆西南大星所謂天豕目占以明爲吉星不欲團圓團圓則兵起暗則臣干命之咎亦不欲開闔無常當有白衣稱命於山谷者五星犯奎臣主共德權臣擅命不可禁者王者宗祀不潔則奎動搖若跳蹤有光則近臣謀上之應亦庶人饑饉之厄太白守奎胡貊之憂可以伐之熒惑星守之則有水之憂連以三年塡

星歲星守之中國之利外國不利可以興師動衆斬斷無道**婁爲聚衆**正義曰婁三星爲苑牧養犧牲以共郊祀亦曰聚衆占動搖則衆兵聚金火守之國死兵起也**胃爲天倉**正義曰胃三星昴七星畢八星爲大梁於辰在酉趙之分野謂主倉廩五穀之府也占明則天下和平五穀豐稔不然反是也**其南衆星曰廥積**如淳曰芻藁積爲廥也。正義曰芻藁六星在天苑西主積藁草者不見則牛馬暴死火守災起也**昴曰髦頭**正義曰昴一星爲髦頭胡星亦爲獄事明天下獄訟平暗爲刑罰濫六星明與大星等大水且至其兵大起搖動若跳躍者胡兵大起一星不見皆兵之憂也**胡星也爲白衣會畢曰罕車**正義曰畢八星曰罕車爲邊兵主弋獵其大星曰天高一曰邊將四夷之尉也星明大天下安遠夷入貢失色邊亂畢動兵起月宿則多雨毛萇云畢所謂掩兔也**爲邊兵**索隱曰爾雅云濁謂之畢孫炎爲掩兔之畢或呼爲濁因以名星**主弋獵其大星旁小星爲附耳**正義曰附耳一星屬畢大星之下次天高東南隅主爲人主聽得失伺僣過星明則中國微邊寇警移動則讒佞行入畢國起兵**附耳搖動有讒亂臣在側昴畢間爲天街**索隱曰元命包云畢爲天階爾雅云大梁昴孫炎云畢昴之間日月五星出入要道若津梁。正義曰天街二星在畢昴閒主國界也街南爲華夏之國街北爲夷狄之國土金守胡兵入也**其陰陰國陽陽國**孟康曰陰西南坤維河山已北國陽河山已南國**參爲白虎**正義曰觜觿三星參三星外四星爲實沈於辰在申魏之分野爲白虎形也**三星直是也爲衡石**孟康曰參三星者白虎宿中西直似稱衡**下有三星兌曰罰**孟康曰在參間上小下大故曰鋭晉灼曰三星少斜列無鋭形**爲斬艾事**正義曰罰亦作伐春秋運斗樞云參伐事主斬艾也**其外四星左右肩股也小三星隅置曰觜觿爲虎首主葆旅事**如淳曰關中俗謂桑榆孽生爲葆晉灼曰葆菜也野生曰旅今之飢民采旅生也。索隱曰姚氏案宋均云葆守也旅猶軍旅也言佐參伐以斬除凶也。正義曰觜子思反觿胡規反葆音保觜觹爲虎首主收斂葆旅事也葆旅野生之可食也占金木來守國易正災起也其南有四星曰天廁正義曰天廁四星在屏東南主溷也占色黃吉青與白皆凶不見則人寢疾廁下一星曰天矢正義曰天矢一星在廁南占與天廁同也矢黃則吉青白黑凶其西有句曲正義曰句音鉤九星三處羅一曰天旗正義曰參旗九星在參西天旗也指麾遠近以從命者王者斬伐當理則天旗曲直順理不然則兵動於外可以憂之若明而稀則邊寇動不然則不二曰天苑正義曰天苑十六星如環狀在畢南天子養禽獸益稀瘠則多死也三曰九游徐廣曰音流。正義曰九游九星在玉井西南天子之兵旗所以導軍進退亦領州列邦並不欲搖動搖動則九州分散人又失業信命一不通於中國憂以金火守之亂起也其東有大星曰狼正義曰狼一星參東南狼爲野將主侵掠占非其處則人相食色黃白而明吉赤角兵起金木火守亦如之狼角變色多盜賊下有四星曰弧

一本大字下有曰字

正義曰狐九星在狼東南天之弓也以伐叛懷遠又主備賊盜之知姦邪者弧矢向狼動移多盜明大變色亦如之矢不直狼又多盜引滿則天下盡兵也 **直狼狼比地有大星** 晉灼曰比地近地也 **曰南極老人** 正義曰老人一星在狐南一曰南極爲人主之壽命延長之應常以秋分之曙見於景春分之夕見於丁見國長命故謂之壽昌曰天下安寧不見人主憂也 **老人見治安不見兵起常以秋分時候之于南郊附耳入畢中兵起北宮玄武** 正義曰南斗六星牽牛六星並北宮玄武之宿 **虛危** 索隱曰文耀鉤云北宮黑帝其精玄武爾雅云玄枵虛也又云北陸虛也解者以陸爲道孫炎曰陸中也北方之宿中也○正義曰虛二星危三星爲玄枵於辰在子齊之分野虛主死喪哭泣事又爲邑居廟堂祭祀禱祝之事亦天之冢宰主平理天下覆藏萬物占動則有死喪哭泣之應火守則天子將兵水守則人饑饉金守臣下兵起危爲宗廟祀事主天市架屋占動則有土功火守天下兵水守下謀上也 **危爲蓋屋** 索隱曰宋均云危上一星高旁兩星

背下似乎蓋屋也。正義曰蓋屋二星在危南主天子所居宮室之官也占金火守入國兵起孛彗尤甚危爲架屋自有星恐文誤也**虛爲哭泣之事**索隱曰姚氏案荊州占以爲其宿二星南星主哭泣虛中六星不欲明明則有大喪也**其南有衆星曰羽林天軍**正義曰羽林三十五星三三而聚散在壘壁南天軍也亦天宿衛之兵革出不見則天下亂金火水入軍起也**軍西爲壘**正義曰壘壁陳十二星橫列在營室南天軍之垣壘占之非故兵起將軍死也**或曰鉞旁有一大星爲北落北落若微亡軍星動角益希及五星犯北落**正義曰北落師門一星在羽林西南天軍之門也長安城北落門以象此也主非常以候兵占明則軍安微弱則兵起金火守有兵爲虜犯塞土水則吉**入軍軍起火金水尤甚火軍憂水患木土軍吉**漢書音義曰木星土星入北落則吉也**危東六星兩兩相比曰司空**正義曰比音鼻比近也危東兩兩相此者是司命等星也司空唯一星耳又不在危東恐命字誤爲空也司命二星在虛北主喪送司祿二星在司命北主官司危二星在司祿北主危亡司非二星在危北主愆過皆眞司之職占大爲君憂常則吉也營室索隱曰元命包云營室十星埏陶精類始立紀綱包物爲室又爾雅云營室謂之定郭璞云定正也天下作宮室皆以營室中爲正也爲淸廟曰離宮閣道索隱曰荊州占云閣道王良旗也有六星漢中四星曰天駟索隱曰元命包云漢中四星曰騎一曰天駟也旁一星曰王良索隱曰春秋合誠圖云王良主天馬也○正義曰王良五星在奎北河中天子奉御官也其動策馬則兵騎滿野客星守之津橋不通金火守入皆兵之憂王良策馬正義曰策一星在王良前王天子僕也占以動搖移在王良前或居馬後別爲策馬策馬而兵動也按豫章周騰字叔達南昌人爲侍御史桓帝當南郊平明應出騰仰觀曰夫王者象星今宮中星及策馬星悉不動上明日必不出至四更皇太子卒遂止也車騎滿野旁有八星絕漢曰天潢索隱曰元命包曰潢主河渠所

以度神通四方宋均云天潢天津也津湊也主計度也**天潢旁江星**正義曰天江四星在尾北
主太陰也不欲明明而動水暴出其星明大水不禁也**江星動人涉水杵臼四**
星在危南正義曰杵臼三星在丈人星旁主軍糧也正下直曰吉與臼不相當軍糧絕也臼星在南
主舂其占覆則歲大饑仰則大熟也**匏瓜**索隱曰荊州占云匏瓜一名天雞在河鼓東匏瓜明則歲大熟
也。正義曰匏音白包反匏瓜五星在離珠北天子果園占明大光潤歲熟不則包果之實不登客守魚鹽貴也
有青黑星守之魚鹽貴南斗正義曰南斗六星在南也**為廟**
其北建星正義曰建六星在斗北臨黃道天之都關也斗建之間七耀之道亦主旗輅占動搖則人
勞不然則不月暈蛟龍見牛馬疫月五星犯守大臣相謀為關梁不通及大水也**建星者旗也**
牽牛正義曰牽牛為犧牲亦為關梁其北二星一曰即路一曰聚火又上一星主道路關梁通不明不通
天下牛疫死移入漢中天下乃亂也**為犧牲其北河鼓**索隱曰爾雅云河鼓謂之牽牛

孫炎云河鼓之旗十二星在牽牛北故或名河鼓爲牽牛也。正義曰河鼓三星在牽牛北主軍鼓蓋天子三將軍中央大星大將軍其南左星左將軍其北右星右將軍所以備關梁而拒難也占明大光潤將軍吉動搖差戾亂兵起直將有功曲則將失計也自昔傳牽牛織女七月七日相見此星也 **河鼓大星上將**

左右左右將婺女 索隱曰爾雅云須女謂之務女或作婺字。正義曰須女四星亦婺女天少府也南斗牽牛須女皆爲星紀於辰在丑越之分野而斗牛爲吳之分野也須女賤妾之稱婦職之卑者主布帛裁製嫁娶占水守之萬物不成火守布帛貴人多死土守有女喪金守兵起也 **其北織女** 正義曰織女三星在河北天紀東天女也主果蓏絲帛珍寶占王者至孝於神明則三星俱明不然則暗而微天下女工廢明則理大星怒而角布帛涌貴不見則兵起晉書天文志云晉太史令陳卓總甘石巫咸三家所著星圖大凡二百八十三宮一千四百六十四星以爲定紀今略其昭昭者以備天官云 **織女天女孫也** 徐廣曰孫一作名。索隱曰荊州占云織女一名天女天子女也 **察日月之行** 正義曰晉灼云太歲在四仲則歲行三宿太歲四孟四季則歲行二宿二八十六三四十二而行二十八宿十二歲而周天 以揆歲星順逆 索隱曰姚氏案天官占云歲星一曰應星一曰經星一曰紀星物理論云歲行一次謂之歲星則十二歲而星一周天也。正義曰天官云歲星者東方木之精蒼帝之象也其色明而內黃天下安寧夫歲星欲春不動動則農廢歲星盈縮所在之國不可伐可以罰人失次則民多病見則喜夫所居國人主有福不可以搖動人主怒無光仁道失歲星順行仁德加也歲星農官主五穀天文志云春日甲乙四時春也五常仁五事貌也人主仁虧貌失逆時令傷木氣則罰見歲星 曰東方木主春日甲乙 義失者罰出歲星歲星贏縮 索隱曰案天文志曰凡五星早出爲贏贏爲客晚出爲縮縮爲主人五星贏縮必有天應見杓也 以其舍命國 正義曰舍所止宿也命名也 所在國不可伐可以罰人其趨舍而前曰贏 索隱曰趨音聚謂促也 退舍曰縮贏其國有兵不復縮其國有憂將亡正義曰將音子匠反國傾敗其所在五星皆從而聚於一舍索隱曰漢高帝元年五星皆聚于東井天文志云其年歲星在東井故四星從而聚也其下之國可以義致天下以攝提格歲索隱曰太歲在寅歲星正月晨出東方按爾雅歲在寅爲攝提格李巡云言萬物承陽起故曰攝提格格起也歲陰左行在寅歲星右轉居丑正月與斗牽牛晨出東方名曰監德索隱曰歲星在正月晨見東方之名已下皆出石氏星經文乃云星在斗牽牛失次應見於杓也漢書天文志則載甘氏及太初星曆所在之宿不同也色蒼蒼有光其失次有應見柳歲早水晚旱歲星出東行十二度百日而止反逆行逆行八度百日復東行歲行三十度十六分度之七率日行十二分度之一十二

歲而周天出常東方以晨入於西方用昏單閼歲索隱曰在卯也歲星二月晨出東方爾雅云卯爲單閼李巡云陽氣推萬物而起故曰單閼單盡也閼止也歲陰在卯星居子以二月與婺女虛危晨出曰降入索隱曰即歲星二月晨見東方之名其餘准此大有光其失次有應見張名曰降入其歲大水執徐歲索隱曰爾雅辰爲執徐李巡云伏蟄之物皆振舒而出故曰執徐執蟄也徐舒也歲陰在辰星居亥以三月居與營室東壁晨出曰青章青青甚章其失次有應見軫曰青章歲早旱晚水大荒駱歲索隱曰爾雅云在巳爲大荒駱姚氏云言萬物皆熾盛而大出霍然落落故曰荒駱也歲陰在巳星居戌以四月與奎婁胃昴晨出曰跰踵徐廣曰一曰路嶂○索隱

曰天文志作路嶂字詁云嶂今作踵
也○正義曰跰白邊反踵之勇反能能赤色有光
其失次有應見亢敦牂歲索隱曰爾雅云在午為敦
牂孫炎云敦盛也牂壯也
言萬物盛壯韋
昭云敦音頓歲陰在午星居酉以五月與胃昴
畢晨出曰開明徐廣曰一曰天津○索
隱曰天文志作啓明炎炎有光
正義曰炎
鹽驗反偃兵唯利公王不利治兵其失次有應
見房歲早旱晚水叶洽歲索隱曰爾雅云在未為叶
洽李巡云陽氣欲化萬物
故曰協洽協
和也洽合也歲陰在未星居申以六月與觜觿正
義
曰觜子斯反
觿胡規反參晨出曰長列昭昭有光利行兵其
其失次有應見箕曰涒灘歲索隱曰爾雅云在申為涒
灘李巡云涒灘物吐秀乃傾
垂之貌涒他昆
反灘他丹反歲陰在申星居未以七月與東井

天官書 十六

輿鬼晨出曰大音昭昭白其失次有應見牽牛

作鄂歲索隱曰爾雅在酉爲作鄂李巡云作鄂皆物芒枝起之貌鄂音愕今案下文云作作有芒則李巡解亦近天文志作詻音五格反與史記及爾雅並異也歲陰在酉星居午以八月與柳七星張晨出曰爲長王作作有芒國其昌熟穀其失次有應見危曰大章有旱而昌有女喪民疾閹茂歲索隱曰爾雅云在戌曰閹茂孫炎云萬物皆蔽冒故曰閹茂閹蔽也茂冒也天文志作掩茂歲陰在戌星居巳以九月與翼軫晨出曰天睢索隱曰劉氏音吁唯反白色大明其失次有應見東壁歲水女喪大淵獻歲索隱曰爾雅云在亥爲大淵獻孫炎云淵深也大獻萬物於深謂蓋藏之於外也歲陰在亥星居辰以十月與角亢

晨出曰大章徐廣曰一曰大星。索隱曰天文志亦作大星蒼蒼然星若
躍而陰出旦是謂正平起師旅其率必武其國
有德將有四海其失次有應見婁困敦歲索隱曰爾
雅在子爲困敦孫炎云困敦混沌也言萬物初萌混沌於黄泉之下也歲陰在子星居
卯以十一月與氐房心晨出曰天泉玄色甚明
江池其昌不利起兵其失次有應見昴赤奮若
歲索隱曰爾雅云在丑爲赤奮若李巡云言陽氣奮迅若順也歲陰在丑星居寅
以十二月與尾箕晨出曰天皓索隱曰音昊天漢志亦作昊黫然
黑色甚明索隱曰黫音烏閑反其失次有應見參當居不
居居之又左右搖未當去去之與他星會其國

凶所居久國有德厚其角動乍小乍大若色數
變人主有憂其失次舍以下進而東北三月生
天棓正義曰棓音白講反歲星之精散而為天槍天棓天衡天猾國皇天欃及登天荊真若天猿天垣蒼
彗皆以應凶災也天棓者一名覺星本類星者如末銳長四丈出東北方西方其出則天下兵爭也長四
尺索隱曰天文志此皆甘氏星經文而志又兼載石氏此皆不取石氏名申夫甘氏名德末兌進
而東南三月生彗星正義曰天彗者一名掃星本類星末類彗小者數寸長長或竟
天而體無光假日之光故夕見則東指晨見則西指若日南北皆隨日光而指光芒所及為災變見則兵起除舊布
新彗所指之處弱也長二丈類彗星退而西北三月生天欃
韋昭曰欃音參差之參○正義曰欃楚咸反天欃者在西南長四丈銳京房云天欃為兵赤地千里枯骨藉藉天文
志云天槍主兵亂也長四丈末兌退而西南三月生天槍正義

國槍楚行反天槍者長數文兩頭銳出西南方其見不過三月必有破國亂君伏死其辜天文志云孝文時天槍夕出西南占曰爲兵喪亂其六年十一月匈奴入上郡雲中漢起兵以衛京師也長數文兩頭兌謹視其所見之國不可舉事用兵其出如浮如沉其國有土功如沉如浮其野亡色赤而有角其所居國昌迎徐廣曰一作御角而戰者不勝星色赤黃而沉所居野大穰正義曰穰人羊反豐熟也色青白而赤灰所居野有憂歲星入月其野有逐相與太白鬭韋昭曰星相擊爲鬭其野有破軍歲星一曰攝提曰重華曰應星曰紀星營室爲清廟歲星廟也察剛徐廣曰一作罰氣以處熒惑索隱曰案姚氏引廣雅熒惑謂之執法天官占云熒惑方伯象

司察妖孽則徐云察罰氣為是春秋緯文燿鉤云赤帝熛
怒之神為熒惑位在南方禮失則罰出晉灼云常以十月
入太微受制而出行列
宿司無道出入無常也

曰南方火主夏日丙丁禮失罰出熒惑熒惑失行是也出則有兵入則兵散以其舍命國熒惑熒惑為勃亂殘賊疾喪饑兵

徐廣曰以下云熒惑為理外則理兵內則理政○正義曰
天官占云熒惑為執法之星其行無常以其舍命國為殘
賊為疾為喪為饑為兵環繞句已芒角動搖乍前乍後其
殃逾甚熒惑主死喪大鴻臚之象主甲兵大司馬之義伺
驕奢亂孽執法官也其精為
風伯惑童兒歌謠嬉戲也

反道二舍以上居之三月有殃五月受兵七月半亡地九月太半亡地因與俱出入國絕祀居之殃還至雖大當小

索隱
曰案還音旋旋疾也若熒惑反道居
其舍所致殃禍速疾則雖大反小

久而至當小反大

（索隱曰名謂行遲也如此禍小疾大言久腊毒也）其南為丈夫北為女子喪（索隱曰宋均云熒惑守輿鬼南為丈夫受其咎北則女子受其凶也）若角動繞環之及乍前乍後左右殃益大與他星鬬（正義曰凡五星鬬皆為戰鬬兵不在外則為內亂鬬謂光芒相及）光相逮為害不相逮不害五星皆從而聚于一舍（正義曰三星若合是謂驚立絕行其國外內有兵與喪人民饑乏改立侯王四星若合是為太陽其國兵喪暴起君子憂小人流五星若合是謂易行有德者受慶掩有四方無德者受殃乃以滅亡也）其下國可以禮致天下法出東行十六舍而止逆行二舍六旬復東行自所止數十舍十月而入西方伏（索隱曰伏不見）行五月出東方其出西方曰反明主命者惡之東行急一日行一度

半其行東西南北疾也兵各聚其下用戰順之勝逆之敗熒惑從太白軍憂離之軍却出太白陰有分軍行其陽有偏將戰當其行太白逮之破軍殺將（索隱曰宋均云太白宿主軍來衝拒也）其入守犯太微（孟康曰犯七寸已內光芒相及也韋昭曰自下觸之曰犯居其宿曰守）軒轅營室主命惡之心爲明堂熒惑廟也謹候此曆斗之會以定填星之位（索隱曰晉灼曰常以甲辰之元始建斗歲鎮一宿二十八歲而周天廣雅曰塡星一名地矦文耀鉤曰鎮黃帝含樞紐之精其體旋璣中宿之分也）曰中央土主季夏日戊己黃帝主德女主象也歲填一宿其所居國吉未當居而居若已去而復還還居之其國得土

不乃得女若當居而不居既已居之又西東去其國失土不乃失女不可舉事用兵其居久其國福厚易福薄徐廣曰易猶輕速也其一名曰地侯主歲歲行十二度百十二分度之五日行二十八分度之一二十八歲周天其所居五星皆從而聚于一舍其下之國可重正義曰重音逐龍反言五星皆從填星其下之國倚重而致天下以填主木土故也致天下禮德義殺刑盡失而填星乃爲之動搖嬴縮爲王不寧其縮有軍不復填星其色黃九芒音曰黃鐘宮其失次上二三宿曰嬴有主命不成不乃大水失次下二三宿曰縮有

火

后戚其歲不復不乃天裂若地動斗爲文太室

塡星廟天子之星也木星與土合爲內亂饑正義

曰星經云凡五星木與土合爲內亂饑與水合爲變謀更事與火合爲旱與金合爲白衣會也主勿用

戰敗水則變謀而更事火爲旱金爲白衣會若

水金在南牝牡索隱曰晉灼曰歲陽也太白陰也故曰牝牡○正義曰星經云金在南木

在北名曰牝牡年穀大孰金在北木在南其年或有或無年穀孰金在北歲偏無

火與水合爲焠晉灼曰火入水故曰焠○索隱曰案謂火與水俱從塡星合也○正義曰焠忽

內反星經凡五星火與水合爲焠用兵舉事大敗與金合爲鑠爲喪不可舉事用兵從軍爲憂離之軍却與土合爲

憂生孼卿與木合飢戰敗也與金合爲鑠爲喪皆不可舉事用

兵大敗土爲憂生孼卿索隱曰文耀鉤云水土合則成鉤冶鉤冶成則火與火與

則土之子焠金成銷鑠金鑠則土無子無子輔父則益妖孽故子憂也大饑戰敗爲北軍（正義曰爲北軍北也凡軍敗曰北）軍困舉事大敗土與水合穰而擁閼（正義曰擁於拱反閼烏葛反）有覆軍（徐廣曰或云木火土三星若合是謂驚位絕行）其國不可舉事出亡地入得地金爲疾爲內兵亡地三星若合其宿地國外內有兵與喪改立公王四星合兵喪並起君子憂小人流五星合是謂易行有德受慶改立大人掩有四方子孫蕃昌無德受殃若亡五星皆大其事亦大皆小事亦小蚤出者爲贏贏者爲客晚出者爲縮縮者爲主人必有天應見於杓星同舍爲合

相凌為鬬孟康曰凌相冒占過也韋昭曰突掩為凌七寸以内必之矣索隱曰韋昭云必有禍也五星色白圜為喪旱赤圜則中不平為兵青圜為憂水黑圜為疾多死黄圜則吉赤角犯我城黄角地之爭白角哭泣之聲青角有兵憂黑角則水意徐廣曰一作志行窮兵之所終五星同色天下偃兵百姓寧昌春風秋雨冬寒夏暑動搖常以此塡星出百二十日而逆西行西行百二十日反東行見三百三十日而入入三十日復出東方太歲在甲寅鎭星在東壁故在營室察日行以處位太白索隱曰太白辰出東方曰啓明故察日行以處太白之位

詩云太白晨出東方為啓明昏見西方為長庚又孫炎註爾雅亦以為晨出東方高三丈命曰啓明昏見西方高三舍命曰太白○正義曰晉灼云常以正月甲寅與熒惑晨出東方二百四十日而入又出西方二百四十日而入入三十五日而復出東方出以寅戌入以丑未天官占云太白者西方金之精白帝之子上公大將軍之象也一名殷星一名太正一名熒星一名官星一名梁星一名滅星一名大囂一名大衰一名大爽徑一百里天文志云其日庚辛四時秋也五常義也五事言也人主義虧言失逆時令傷金氣罰見太白春見東方以晨秋見西方以夕曰西方秋司兵月行及天矢正義曰太白五芒出早為月蝕晚為天矢及彗其精散為天杵天柎伏靈大敗司姦天狗賊星天殘卒起星是古曆星若竹彗牆星猿星白彗皆以示變之也日庚辛主殺殺失者罰出太白太白失行以其舍命國其出行十八舍二百四十日而入入東方伏行十一舍百三十日其入西方伏行三舍十六

史記八書　卅三

天官下

天官下

史八書

卅三

日而出當出不出當入不入是謂失舍不有破軍必有國君之篡其紀上元正義曰其紀上元是星古曆初起上元之法也以攝提格之歲與營室晨出東方至角而入與營室夕出西方至角而入與角晨出入畢與角夕出入畢與畢晨出入箕與畢夕出入箕與箕晨出入柳與箕夕出入柳與柳晨出入營室與柳夕出入營室凡出入東西各五爲百歲二百二十日徐廣曰一云三十二日復與營室晨出東方其大率歲一周天索隱曰案上元是古曆之名言用上元紀曆法則攝提歲而太白與營室晨出東方至角而入與營室夕出西方至角而入凡出入東西各五爲八歲二百二十日復與營室晨出東方大率歲一周天也其

始出東方行遲率日半度一百二十日必逆行一二舍上極而反東行行日一度半一百二十日入其庳近日曰明星柔高遠日曰大囂（徐廣曰一作變）剛其始出西行疾率日一度半百二十日上極而行遲日半度百二十日旦入必逆行一二舍上極而入其庳近日曰大白柔高遠日曰大相剛出以辰戌入以丑未出當出不出未當入而入天下偃兵兵在外入未當出而出當入而不入下起兵有破國其當期出也其國昌其出東為東入東為北方出西為西入西為南方所居久其鄉

利疾（蘇林曰：疾過也。）其鄉凶。出西逆行至東，正西國吉。出東至西，正東國吉。其出不經天；經天，天下革政。（索隱曰：孟康曰：謂出東入西，出西入東也。太白陰星，出東當伏東，出西當伏西，過午為經天。又晉灼曰：日，陽也，日出則星沒。太白晝見午上，為經天也。）小以角動，兵起。始出大，後小，兵弱；出小，後大，兵強。出高，用兵深吉，淺凶；庳，淺吉，深凶。日方南金居其南，日方北金居其北，曰贏，（正義曰：鄭玄云：方猶向也。謂晝漏半而置土圭表陰陽，審其南北也。影短於土圭謂之日南，是地於日為近南也；長於土圭謂之日北，是地於日為近北也。凡日影於地，千里而差一寸。周禮云：日南則影短多暑，日北則影長多寒。孟康云：會謂太白也。影，日中之影也。）侯王不寧，用兵進吉退凶。日方南金居其北，日方北金居其南，曰縮，侯王有憂用兵退吉進凶用兵象太白太白行疾疾行遲遲行角敢戰動搖躁躁圜以靜靜順角所指吉反之皆凶出則出兵入則入兵赤角有戰白角有喪黑圜角憂有水事青圜小角憂有木事黃圜和角有土事有年正義曰太白星圓天下和平若芒角有土事有年謂豐熟也其已出三日而復有微入入三日乃復盛出是謂耎晉灼曰耎退之不進　索隱曰耎音奴亂反其下國有軍敗將北其已入三日又復微出出三日而復盛入其下國有憂師有糧食兵革遺人用之正義曰遺唯季反卒雖衆將為人虜其出西失行外國敗其出東失

行中國敗其色大圜黃滜（音澤）可爲好事其圜大赤兵盛不戰太白白比狼（正義曰比卑耳反下同比類也晉書天文志云凡五星有色大小不同各依其行而應時節色變有類凡青比參左肩赤比心大星黃比參右肩白比狼星黑比奎大星不失本色而應其四時者吉色害其行凶也）赤比心黃比參（正義曰參色林反下同）左肩蒼比參右肩黑比奎大星五星皆從太白而聚乎一舍其下之國可以兵從天下居實有得也（正義曰晉書天文志云凡五星所出所直之辰其國爲得位者歲星以德熒惑爲禮鎭星有福太白兵強辰陰陽和所直之辰順其色而角者勝其色害者敗居實有得居虛無得也勝位勝色行得盡勝也）居虛無得也（索隱曰實謂星所合居之宿虛謂贏縮也）行勝色（晉灼曰太白行得度者勝色也）（正義曰勝音升剩反下同）色勝位有位勝無位有色勝無色行

得盡勝之（晉灼曰行遲天度唯有色得位行盡勝之行重而色位輕星經得字作德）出而留桑榆間（晉灼曰行遲而下也正出氣言平正出桑榆上者餘二千里）疾其下國（正義曰疾漢書作病也）上而疾未盡其日過參天（晉灼曰三分天過其一此在戌酉之間）疾其對國（孟康曰謂出東入西出西入東）上復下下復上有反將其入月將僇金木星合光其下戰不合兵雖起而不鬬合相毀野有破軍出西方昏而出陰陰兵彊暮食出小弱夜半出中弱雞鳴出大弱是謂陰陷於陽其在東方乘明而出陽陽兵之彊雞鳴出小弱夜半出中弱昏出大弱是謂陽陷於陰太白伏也以出兵兵有殃其出卯南

南勝北方出卯北北勝南方正在卯東國利出酉北北勝南方出酉南南勝北方正在酉西國勝其與列星相犯小戰五星大戰其相犯太白出其南南國敗出其北北國敗行疾武不行文色白五芒出蚤爲月蝕晚爲天夭及彗星將發其國出東爲德舉事左之迎之吉出西爲刑舉事右之背之吉反之皆凶太白光見景戰勝晝見而經天是謂爭明彊國弱小國彊女主昌亢爲疏廟太白廟也太白大臣也其號上公其他名殷星太正營星觀星宮星明星大衰大澤終

星大相大浩序皇月緯大司馬位謹候此察日辰之會正義曰晉灼云常以二月春分見奎婁五月夏至見東井八月秋分見角亢十一月冬至見牽牛出以辰戌入以丑未二旬而入晨候之東方夕候之西方也以治辰星之位索隱曰即正四時以治辰星之位是也皇甫謐辰星一名毚星或曰鉤星元命包曰北方辰星水生物布其紀故辰星理四時宋均曰辰星正四時之法得與北辰同名也曰北方水太陰之精主冬日壬癸刑失者罰出辰星正義曰天官占云辰星北水之精黑帝之子宰相之祥也一名細極一名鉤星一名爨星一名伺祠徑一百里亦偏將廷尉象也天文志云其日壬癸四時冬也五常智也五事聽也人主智虧聽失逆時令傷水氣則罰見辰星也以其宿命國是正四時仲春春分夕出郊奎婁胃東五舍為齊仲夏夏至夕出郊東井輿鬼柳東七舍為楚仲秋秋分

夕出郊角亢氐房東四舍爲漢仲冬冬至晨出郊東方與尾箕斗牽牛俱西爲中國其出入常以辰戌丑未其蚤爲月蝕孟康曰辰星月相凌不見者則所蝕也○索隱曰宋均云星辰與月同精月爲大臣先期而出是躁也矣則當誅故月蝕者所以爲災祥也晚爲彗星張晏曰彗所以除舊布新○索隱曰宋均云辰星陰也彗亦陰陰謀未成故晚出也及天矢其時宜效不效爲失正義曰効見也言宜見不見爲失罰之也追兵在外不戰一時不出其時不和四時不出天下大飢其當效而出也色白爲旱黄爲五穀熟赤爲兵黑爲水出東方大而白有兵於外解常在東方其赤中國勝其西而赤外國利無兵於外而赤兵

起其與太白俱出東方皆赤而角外國大敗中國勝其與太白俱出西方皆赤而角外國利五星分天之中積于東方中國利積于西方外國用者利五星皆從辰星而聚于一舍其所舍之國可以法致天下辰星不出太白爲客其出太白爲主出而與太白不相從野雖有軍不戰出東方太白出西方若出西方太白出東方爲格野雖有兵不戰索隱曰謂辰星出西方辰水也太白出東方太白金也水生金母子不相從故上有軍不戰今母子各出一方故爲格格謂不和同故野雖有兵不戰也失其時而出爲當寒反溫當溫反寒當出不出是謂擊卒兵大

起其入太白中而上出破軍殺將客軍勝下出客亡地辰星來抵太白太白不去將死正旗上出正義曰旗星名有九星言辰星上則破軍殺將客勝也破軍殺將客勝索隱曰案旗蓋太白芒角似旌旗下出客亡地視旗所指以命破軍其繞環太白若與鬬大戰客勝免過太白索隱曰案廣雅云辰星謂之免星則辰星之別名免或作毚也間可椷劒蘇林曰椷音函函容也其間可容一劒○索隱曰案蘇林所說則椷字本有函音故字從咸也○正義曰漢書云辰星過太白間可椷劍明廣雅是也小戰客勝免居太白前軍罷出太白左小戰摩太白有數萬人戰主人吏死出太白右去三尺軍急約戰青角兵憂黑角水赤行窮兵之所終免七

命曰小正辰星天攙安周星細爽能星鉤星【索隱曰謂免星凡有七名命者名也小正一也辰星二也天免三也安周星四也細爽五也能星六也鉤星七也】其色黃而小出而易處天下之文變而不善矣免五色青圜憂白圜喪赤圜中不平黑圜吉赤角犯我城黃角地之爭白角號泣之聲其出東方行四舍四十八日其數二十日而反入于東方其出西方行四舍四十八日其數二十日而反入于西方其一候之營室角畢箕柳出房心間地動辰星之色春青黃夏赤白秋青白而歲熟冬黃而不明即變其色其時不昌春不見大風

秋則不實，夏不見有六十日之旱，月蝕。秋不見有亡邑，春則不生，冬不見陰雨六十日，有流邑，夏則不長。角、亢、氐，兗州。房、心，豫州。尾、箕，幽州。斗，江湖。牽牛、婺女，楊州。虛、危，青州。營室至東壁，并州。奎、婁、胃，徐州。昴、畢，冀州。觜觽、參，益州。（正義曰：括地志云：漢武帝置十三州，改梁州爲益州廣漢。廣漢，今益州雒縣是也。分今河內、上黨、雲中。然按星經，益州，魏地，畢、觜觿、參之分，今河內、上黨、雲中，是未詳也。）東井、輿鬼，雍州。柳、七星、張，三河。翼、軫，荊州。七星爲員官，辰星廟，蠻夷星也。兩軍相當，日暈；（如淳曰：暈讀曰運。）暈等，力鈞；厚長大，有勝；薄短小，無勝。重抱大破無。抱爲和，背不和，爲分離相去直為自立立侯王指暈若曰殺將負且戴有喜圍在中中勝在外外勝青外赤中以和相去赤外青中以惡相去氣暈先至而後去居軍勝先至先去前利後病後至後去前病後利後至先去前後皆病居軍不勝見而去其發疾雖勝無功見半日以上功大白虹屈短（李奇曰屈或為尾也韋昭曰短）上下兌有者下大流血日暈制勝近期三十日遠期六十日其食食所不利復生生所利而食益盡為主位以其直及日所宿加以日時用命其國也月行中道安寧和平陰間多水陰事

外北三尺陰星北三尺索隱曰案中道房室星之中間也房有四星若人之房三間有四表然故曰房南爲陽間北爲陰間則中道房星之中間也故房是日月五星之常行道然黃道亦經房心若月行得中道故陰陽和平若行陰間多陰事陽間則人主驕恣若曆陰星陽星之南北太陰太陽之道則有大水若兵及大旱若喪也太陽亦在陽間之南各三尺也太陰大水兵陽間驕恣陽星多暴獄太陽大旱喪也索隱曰太陰太陽皆道也月行近之故有水旱兵喪也角天門十月爲四月十一月爲五月索隱曰謂月行入角與天門若十月犯之當爲來年四月成災十一月則主五月也十二月爲六月水發近三尺遠五尺犯四輔輔臣誅索隱曰案謂月犯房星也四輔房四星也房以輔心故曰四輔也行南北河以陰陽言正義曰南河三星北河三星若月行北河以陰則南河以陽則水旱兵喪也旱水兵喪月蝕歲星正義曰孟康云凡星入月

見，月中為星蝕月，月掩星，星滅，為月蝕星也。其宿地饑若亡。熒惑也亂，填星也下犯上，太白也彊國以戰敗，辰星也女亂。食大角，徐廣曰：一云食于大角。○正義曰：大角一星在兩攝提間，人君之象也。主命者惡之；心，則為內賊亂也；列星，其宿地憂。索隱曰：謂月蝕列星二十八宿，當其分地有憂。憂謂兵及喪也。

月食始日，五月者六，六月者五，五月復六，六月者一，而五月者五，凡五百一十三月而復始。索隱曰：始日謂蒼始起之日也。依此文計，唯有一百二十一月，與元數甚為懸校，既無太初曆術，不可得而推定。今以漢志統曆法計，則五月者七，六月者一，又五月者一，六月者五，五月者一，凡一百三十五月而復始耳。或術家各異，或傳寫錯謬，故此不同，無以明知也。故月蝕，常也；日蝕，為不臧也。甲乙，四海之外，日月不占。晉灼

天官書

曰海外遠甲乙日時不以占候丙丁江淮海岱也戊己中州河濟也庚辛華山以西壬癸恒山以北日蝕國君月蝕將相當之國皇星正義曰皇星者大而赤類南極老人去地三丈如炬火見則內外有兵喪之難大而赤孟康曰歲星之精散所為也五星之精散為六十四變記不盡狀類南極徐廣曰老人星也所出其下起兵兵彊其衝不利昭明星索隱曰案春秋合誠圖云赤帝之精象如太白七芒釋名為筆星氣有一枝末銳似筆亦曰華星也大而白無角乍上乍下孟康曰形如三足机机上有九彗上向熒惑之精所出國起兵多變五殘星索隱曰孟康云星表有青氣暈有毛填星之精也○正義曰五殘一名五鋒出正東東方之分野狀類辰星去地可六七丈則見五分毀敗之徵大臣誅亡之象出正東東方之野

其星狀類辰星去地可六丈大（徐廣曰大一作六）

賊星（孟康曰形如彗九尺太白之精。正義曰六賊星者一名六賊出正南南方之野星去地可六丈大而赤數動有光出則禍合天下）出正南南方之野星去地可六丈大而赤數動有光

司危星（孟康曰星大而有尾兩角熒惑之精也。正義曰司危者出正西西方分野也大如太白去地可六丈見則以天子不義失國而豪傑起）出正西西方之野星去地可六丈大而白類太白

獄漢星（孟康曰青中赤表下有二彗縱橫亦填星之精 漢書天文志獄漢一名咸漢）出正北北方之野星去地可六丈大而赤數動察之中青此四野星所出出非其方其下有兵衝不

剢四填星所出四隅去地可四丈

地維咸光。○正義曰四鎮星出四隅去地可四丈地維咸光星亦出四隅去地可三丈若月始出所見下有亂者亡有德者昌也

亦出四隅去地可三丈若月始出所見下有亂亂者亡有德者昌

燭星狀如太白孟康曰星上有三彗上出亦填星之精其出也不行見則滅所燭者城邑亂

如星非星如雲非雲命曰歸邪李奇曰邪音蛇孟康曰星有兩赤彗上向上有蓋狀如氣下連星歸邪出必有歸國者

星者金之散氣本曰火孟康曰星名

星衆國吉少則凶

漢者亦金之散氣索隱曰案水生金散氣即水氣河圖括地象曰河精為天漢也其本曰水

漢星多多水少則旱孟康曰漢河漢

(也水生於金多少謂漢中星)其大經也天鼓有音如雷非雷音在地而下及地其所往者兵發其下天狗狀如大奔星(孟康曰星有尾旁有短彗下有如狗形者亦太白之精)有聲其下止地類狗所墮及炎火(索隱曰炎音豔)望之如火光炎炎衝天其下圜如數頃田處上兌者則有黃色千里破軍殺將

格澤星者(索隱曰格澤一音鶴鐸又音格澤格胡客反)如炎火之狀黃白起地而上下大上兌其見也不種而穫不有土功必有大害

蚩尤之旗(孟康曰熒惑之精也晉灼曰呂氏春秋曰其色黃上下白)類彗而後曲

象旗見則王者征伐四方

旬始出於北斗旁徐廣曰蚩尤也旬一作營狀如雄雞其怒

青黑象伏鼈李奇曰怒當音帑晉灼曰帑雌也或曰怒色青

枉矢類大流星虵行而倉黑望之如有毛羽然

長庚如一匹布著天正義曰著音直略反此星見兵起星

墜至地則石也正義曰春秋云星隕如雨是也今吳郡西鄉見有落星石其石天下多有也

河濟之閒時有墜星天精而見景星孟康曰精明也有赤方氣與青方氣相連赤方中有兩黃星青方中一黃星凡三星合為景星○索隱曰韋昭云精謂青朗漢書作甠亦作腥郭璞注三蒼云腥雨止無雲也○正義曰景星狀如半月生於晦朔助月為明見則人君有德明聖之慶也景

星者德星也其狀無常出於有道之國凡望雲

氣正義曰春秋元命包云陰陽聚為雲氣也釋名云雲猶云云衆盛也氣猶餼然也有聲即無形也仰而望之三四百里平望在桑榆上餘二千里登高而望之下屬地者三千里雲氣有獸居上者勝正義曰勝音升剩反雲雨氣相敵也兵書云雲雄或如雄雞臨城有城必降自華以南氣下黑上赤嵩高三河之郊氣正赤恒山之北氣下黑上青勃碣海岱之閒氣皆黑江淮之閒氣皆白徒氣白土功氣黃車氣乍高乍下往往而聚騎氣卑而布卒氣摶如淳曰摶專也或曰摶徒端反前卑而後高者疾前方而後高兌而卑者郤其氣平者其行徐前高而後卑者不止而反氣相遇者卑

勝高索隱曰遇音偶漢書作禺兌勝方氣來卑而循車通者車通車轍也避漢武諱故曰通不過三四日去之五六里見氣來高七八尺者不過五六日去之十餘里見氣來高丈餘二丈者不過三四十日去之五六十里見稍雲精白者其將悍其士怯其大根而前絕遠者當戰青白其前抵者戰勝其前赤而仰者戰不勝陣雲如立垣杼雲類杼軸索隱曰姚氏案兵書云營上雲氣如織勿與戰也雲摶兩端兌杓雲如繩者居前亘天索隱曰劉氏杓音時酌反說文音丁了反許慎註淮南云杓引也其半半天其蛪者類闕旗索隱曰蛪音五結反亦作蜺音同故鉤雲句曲正義曰句音古侯反諸

此雲見以五色合占而澤搏密正義曰崔豹古今注云黄帝與蚩尤戰於涿鹿之野常有五色雲氣金枝玉葉止於帝上有花葩之象故因作華蓋也京房易兆候云視四方常有大雲五色具其下賢人隱也青雲潤蔽日在西北為舉賢良也其見動人及有占兵必起合鬬其直王朔所候決於日旁日旁雲氣人主象正義曰洛書云有雲象人青衣無手在日西天子之氣皆如其形以占故北夷之氣如羣畜穹閭索隱曰鄒氏云一作弓閭天文志作弓字音穹蓋謂以氈為閭崇穹然而宋均云穹獸名亦異說也南夷之氣類舟船幡旗大水處敗軍場破國之虛下有積錢徐廣曰古作泉字金寶之上皆有氣不可不察海旁蜃氣象樓臺廣野氣成宮闕然雲氣各象其山川人民所聚

積正義曰淮南子云土地各以類生人是故山氣多男澤氣多瘖風氣多聾林氣多躄木氣多傴石氣多力險阻氣多壽谷氣多痺丘氣多狂衍氣多仁陵氣多貪輕土多利足重土多遲清水音小濁水音大湍水人重中土多聖人皆象其氣皆應其類也故候息耗者入國邑視封疆田疇之正治如淳曰蔡邕云麻田曰疇城郭室屋門戶之潤澤次至車服畜產精華實息者吉虛耗者凶若煙非煙若雲非雲郁郁紛紛蕭索輪囷是謂卿雲正義曰卿音慶卿雲見喜氣也若霧非霧索隱曰霧音如字一音蒙又云溝反爾雅云天氣下地不應曰霧霧言蒙昧不明也衣冠而不濡見則其域被甲而趨天雷電蝦虹辟歷夜明者陽氣之動者也春夏則發秋冬則藏故候者無不司之天開

縣物【孟康曰謂天裂而見物象天開示縣象】見地動坼絕【正義曰趙世家幽繆王遷五年代地動自樂徐以西北至平陰臺屋牆垣太半壞地坼東西百三十步】山崩及徙川塞谿垘【徐廣曰土雍曰垘音服駰案孟康曰谿谷也垘崩也蘇林曰垘流也】水澹澤竭地長見象城郭門閭閨臬枯槀宮廟邸第人民所次謠俗車服觀民飲食五穀草木觀其所屬倉府廐庫四通之路六畜禽獸所產去就魚鼈鳥鼠觀其所處鬼哭若呼其人逢俉化言【俉迎也伯莊曰音五故反】【索隱曰逢俉謂相逢而驚也俉亦作迕音同化當為訛字之誤耳】誠然凡候歲美惡謹候歲始歲始或冬至日產氣始萌臘明日人眾卒歲一會飲食發陽氣故曰初歲正月旦王

者歲首立春日四時之卒始也索隱曰謂立春日是去年四時之終卒今年之始也四始者候之日正義曰謂正月旦歲之始時之始日之始月之始故云四始言以四時之日候歲吉凶也而漢魏鮮孟康曰人姓名作占候者集臘明正月旦決八風風從南方來大旱西南小旱西方有兵西北戎菽為孟康曰戎菽胡豆也為成也。索隱曰韋昭云戎菽大豆也又郭璞註爾雅亦云胡豆與孟康同小雨徐廣曰一無此上兩字趣兵索隱曰趨音促謂風從西北來則戎菽成而又有小雨則其國趣兵起也北方為中歲東北為上歲韋昭曰歲大穰東方大水東南民有疾疫歲惡故八風各與其衝對課多者為勝多勝少久勝亟疾勝徐旦至食為麥食至日昳為稷昳至餔為黍餔至下餔為穀；下餔至日入，爲麻。欲終日有雨，有雲，有風，有日。正義曰：正月一日欲其終一日有風有日，則一歲之中五穀豐熟，無災害也。日當其時者，深而多實；無雲有風日，當其時，淺而多實；有雲風，無日，當其時，深而少實；有日，無雲，不風，當其時者稼有敗。如食頃，小敗；熟五斗米頃，大敗。則風復起，有雲，其稼復起。各以其時用雲色占種其所宜。其雨雪若寒，歲惡。是日光明，聽都邑人民之聲。聲宮，則歲善，吉；商，則有兵；徵，旱；羽，水；角，歲惡。或從正月旦比數雨。索隱曰：比音鼻律反。數音疎舉反。謂以比數日以候一歲之雨，以知豐穰也。率日食一升，至七升而極；孟康曰：月一日雨，民有一升之

（食二日雨民有二升之食如此至七月）過之不占數至十二日日直

其月占水旱（孟康曰月一日雨正月水）為其環城千里內占則

其為天下候竟正月（孟康曰月三十日周天歷二十八宿然後可占天下○正義曰按月列宿日風雲有變占其國并太歲所在則知其歲豐稔水旱飢饉也）月所離列宿（索隱曰韋昭云離歷也）日風雲占其國然必察太歲所在在金穰

水毀木饑火旱此其大經也正月上甲風從東

方宜蠶風從西方若旦黃雲惡冬至短極縣土

炭（孟康曰先冬至三日縣土炭炭動衡兩端輕重適均冬至日陽氣至則炭重夏至日陰氣至則土重晉灼曰蔡邕律曆記候鍾律權土炭冬至陽氣應黃鍾通土炭輕而衡仰夏至陰氣應蕤賓通土炭重而衡低進退先後五日之中）

炭動鹿解角蘭根出泉水躍略以知日至決要

晷景歲星所在五穀逢昌其對爲衝歲乃有殃正義曰言晷景歲星行不失次則無災異五穀逢其昌盛若晷景歲星行而失舍有所衝則歲乃有殃禍災變也

太史公曰自初生民以來世主曷嘗不曆日月星辰及至五家索隱曰案謂五紀歲月日星辰曆數各有一家顓學習之故曰五家也三代正義曰五家黃帝高陽高辛唐虞堯舜也三代夏殷周也言生民以來何曾不曆日月星辰及至五帝三王亦於紹繼而明天數陰陽也紹而明之內冠帶外夷狄分中國爲十有二州仰則觀象於天俯則法類於地天則有日月地則有陰陽天有五星地有五行天則有列宿地則有州域三光者陰陽之精氣本在地而聖人統理之幽厲以往尚矣所見天變皆

國殊窟穴家占物怪以合時應其文圖籍禨祥不法正義曰禨音機顧野王云禨祥吉凶之先見也按自古以來所見天變國皆異具所說不同及家占物怪用合時應者書其文并圖籍凶吉並不可法則故孔子論六經記異其事而說其所應不書變見之蹤也是以孔子論六經紀異而說不書至天道命不傳傳其人不待告正義曰待須也言天道性命忽有志事可傳授之則傳其大指微妙自在天性不須深告語也告非其人雖言不著正義曰著作慮反著明也言天道性命告非其人雖為言說不得著明微妙曉其意也昔之傳天數者高辛之前重黎正義曰左傳云蔡墨曰少昊氏之子曰黎為火正號祝融即火行之官知天數於唐虞羲和正義曰羲氏和氏掌天地四時之官也有夏昆吾正義曰昆吾陸終之子虞翻云昆吾名樊為己姓封昆吾世本云昆吾衛者也殷商巫咸正義曰巫咸殷賢臣也本吳又冢在蘇州常熟海隅山上

子賢亦在此也周室史佚萇弘正義曰史佚周武王時太史尹佚也萇弘周靈王時大夫也於宋子韋鄭則裨竈正義曰裨竈鄭大夫也在齊甘公徐廣曰或曰甘公名德也本是魯人。正義曰七錄云楚人戰國時作天文星占八卷楚唐眛正義曰莫葛反趙尹皐魏石申正義曰七錄云石申魏人戰國時作天文八卷也夫天運三十歲一小變百年中變五百載大變三大變一紀三紀而大備此其大數也為國者必貴三五索隱曰三五謂三十歲一小變五百歲一大變上下各千歲然後天人之際續備太史公推古天變未有可考于今者蓋略以春秋二百四十二年之間正義曰謂從隱公元年至哀公十四年獲麟也隱公十一年桓公十八年莊公三十二年閔公二年僖公三十三年文公十八年宣公十八年成公十八年襄

公三十一年昭公三十二年定公十五年哀公十四年凡二百四十二年也

日蝕三十六正義曰謂隱公三年二月乙巳桓公三年七月壬辰朔十七年十月朔莊公十八年三月朔二十五年六月辛未朔二十六年十二月癸亥朔三十年九月庚午朔僖公五年九月戊申朔十二年三月庚午朔十五年五月朔文公元年二月癸亥朔十五年六月辛卯朔宣公八年七月庚子朔十年四月丙辰朔十七年六月癸卯朔成公十六年六月丙辰朔十七年七月丁巳朔襄公十四年二月乙未朔十五年八月丁巳朔二十年十月丙辰朔二十一年九月庚戌朔十月庚辰朔二十三年二月癸酉朔二十四年七月甲子朔八月癸巳朔二十七年十二月乙亥朔昭公七年四月甲辰朔十五年六月丁巳朔十七年六月甲戌朔二十一年七月壬午朔二十二年十二月癸酉朔二十四年五月乙未朔三十年十二月辛亥朔定公五年三月辛亥朔十二年十一月丙寅朔十五年八月庚辰朔凡三十六也

彗星三見正義曰謂文公十四年七月有星入于北斗昭公十七年冬有星孛于大辰哀公十三年有星孛于東方

宋襄公時星隕如雨正義曰謂僖公十五年正月戊申朔隕石于宋

五也天子微諸侯力政徐廣曰一作征五伯代興正義曰趙岐注孟子云齊桓晉文秦穆宋襄楚莊也更爲主命自是之後衆暴寡大幷小秦楚吳越夷狄也爲彊伯正義曰秦祖非子初邑於秦地在西戎楚子鬻熊始封丹陽荆蠻吳太伯居吳周章因封吳號勾吳越祖少康之子初封於越以守禹祀地稱東越皆戎夷之地故言夷狄也後秦穆楚莊吳闔閭越勾踐皆得封爲伯也田氏篡齊正義曰周安王二十三年齊公卒田和幷齊而立爲齊侯三家分晉正義曰周安王二十六年魏武侯韓文侯趙敬侯共滅晉靜而三分其地並爲戰國爭於攻取兵革更起城邑數屠因以飢饉疾疫焦苦臣主共憂患其察機祥候星氣尤急近世十二諸侯七國相王正義曰王于放反謂漢孝景帝三年吳王濞楚王戊趙王遂濟南王辟光淄川王賢膠東王雄渠也言從衡者繼

踵而皋唐甘石因時務論其書傳故其占驗凌雜米鹽正義曰凌雜交亂也米鹽細碎也言皋唐甘石等因時務論其書傳中災異所記錄者故其占驗交亂細碎其語在漢書五行志中也二十八舍主十二州正義曰二十八舍謂東方角亢氐房心尾箕北方斗牛女虛危室壁西方奎婁胃昴畢觜參南方井鬼柳星張翼軫星經云角亢鄭之分野兗州氐房心宋之分野豫州尾箕燕之分野幽州南斗牽牛吳越之分野揚州須女虛齊之分野青州危室壁衛之分野并州奎婁魯之分野徐州胃昴趙之分野冀州畢觜參魏之分野益州東井輿鬼秦之分野雍州柳星張周之分野三河翼軫楚之分野荊州也斗秉兼之正義曰言北斗所建秉十二辰兼十二州二十八宿自古所用從來久遠矣所從來久矣秦之疆也候在太白占於狼弧正義曰太白狼弧皆西方之星故秦占候也吳楚之疆候在熒惑占於鳥衡正義曰熒惑鳥衡皆南方之星故吳楚之占候也鳥衡柳星也一本作注張也

燕齊之疆，候在辰星，占於虛危。正義曰：辰星虛危皆北方之星，故燕齊占候也。宋鄭之疆，候在歲星，占於房心。正義曰：歲星房心皆東方之星，故宋鄭占候也。晉之疆，亦候在辰星，占於參罰。正義曰：辰星參罰皆北方西方之星，故晉占候也。

及秦并吞三晉燕代，自河山以南者中國。正義曰：河，黃河也。山，華山也。從華山及黃河以南為中國也。中國於四海內則在東南，為陽；正義曰：爾雅云九夷八狄七戎六蠻謂之四海之內。中國從河山東南為陽也。陽則日、歲星、熒惑、填星；正義曰：日，人質反。填音鎮。日，陽也。歲星屬東方，熒惑屬南方，填星屬中央，皆在南及東，為陽也。占於街南，畢主之。正義曰：天街二星主畢昴，主國界也。街南為華夏之國，街北為夷狄之國，則畢星主陽。其西北則胡、貉、月氏諸衣旃裘引弓之民，為陰；正義曰：貉音陌。氏音支。從河山西北及秦晉為陰也陰則月太白辰星正義曰月陰也太白屬西方辰星屬北方皆在北及西為陰也占於街北昴主之正義曰天街星北為夷狄之國則昴星主之陰也故中國山川東北流其維首在隴蜀正義曰言中國山及川東北流行若南山首在崑崙葱嶺東北行連隴山至南山華山渡河東北盡碣石山黃河首起崑崙山渭水岷江發源出隴山皆東北東入渤海也尾沒于勃碣是以秦晉好用兵韋昭曰秦晉西南維之北為陰猶與胡狢引弓之民同故好用兵復占太白太白主中國正義曰主猶領也入也星經云太白在北月在南中國敗太白在南月在北中國不敗也是狐狢數侵掠之也而胡狢數侵掠[illegible]獨占辰星辰星出入躁疾常主夷狄其大經也此更為客主人正義曰更格行反下同星經云辰星不出太白為客辰星出太白為主人辰星太白不相從雖有軍不戰辰星出東方太白出西方若辰星出西方太白出東方為

格野雖有兵不戰合宿乃戰辰星入太白中五日及入而上出破軍殺將客勝下出客亡地視旗所指 熒惑爲孛外則理兵內則理政故曰雖有明天子必視熒惑所在 索隱曰此案春秋緯文耀鉤故云故曰也 諸侯更彊時菑異記無可錄者

秦始皇之時十五年彗星四見久者八十日長或竟天其後秦遂以兵滅六王并中國外攘四夷死人如亂麻因以張楚並起三十年之閒 正義曰謂從秦始皇十六年起兵滅韓至漢高祖五年滅項羽則三十六年矣 兵相駘藉 蘇林曰駘音臺登蹹也 不可勝數自蚩尤以來未嘗若斯也項羽救鉅鹿枉矢西流山東遂合從諸侯西坑秦人

誅屠咸陽漢之興五星聚于東井平城之圍索隱曰漢高祖之七年月暈參畢七重索隱曰天文志其占者畢昴閒天街也街北胡也街南中國也昴爲匈奴參爲趙畢爲邊兵是歲高祖自將兵擊匈奴至平城爲冒頓所圍七日乃解則天象有若符契七重者主七日也諸呂作亂日蝕晝晦吳楚七國叛逆彗星數丈天狗過梁野及兵起遂伏尸流血其下元光元狩蚩尤之旗再見長則半天其後京師師四出正義曰元光元年太中大夫衛青等伐匈奴元狩二年冠軍侯霍去病等擊胡元鼎五年衛尉路博德等破南越及韓説破東越并破西南夷開十餘郡元年樓船將軍楊僕擊朝鮮也誅夷狄者數十年而伐胡尤甚越之亡熒惑守斗正義曰南斗爲吳越之分野朝鮮之枝星茀于河索隱曰茀音佩即字星也天文志武帝元

封之中，星孛于河戍。其占曰：南戍爲越門，北戍爲胡門。其後漢兵擊拔朝鮮，以爲樂浪、玄菟郡。朝鮮在海中，越之象；居北方，胡之域也。其河戍即南河、北河也。戒兵征大宛，星茀招搖。正義曰：招搖一星，次北斗杓端，主胡兵也。占角變則兵革大行。此其犖犖大者。索隱曰：犖音力卓反。犖犖，事之分明也。若至委曲小變，不可勝道。由是觀之，未有不先形見而應隨之者也。夫自漢之爲天數者，星則唐都，氣則王朔，占歲則魏鮮。故甘、石曆五星法，唯獨熒惑有反逆行；逆行所守，及他星逆行，日月薄蝕，孟康曰：日月無光曰薄。京房易傳曰：日赤黃爲薄。或曰：不交而蝕曰薄。韋昭曰：氣往迫之爲薄，虧毀爲蝕。皆以爲占。余觀史記，考行事，百年之中，五星無出而不反逆行，反逆行，嘗盛大而變邑日月薄蝕行南北有時此其大度也故紫宮（正義曰中宮也）房心（正義曰東宮也）權衡（正義曰南宮也）咸池虛危（正義曰北宮也）列宿部星（正義曰五官列宿部內之星也）此天之五官坐位也爲經不移徙大小有羌闊狹有常（孟康曰闊狹若三台星相去遠近）水火金木塡星（徐廣曰木火土三星若合是謂驚位絕行）此五星者天之五佐（正義曰言水火金木土五星佐天行德也）爲經緯見伏有時（正義曰五星行南北爲經東西爲緯也）所過行贏縮有度日變脩德月變省刑星變結和凡天變過度乃占國君彊大有德者昌弱小飾詐者亡大上脩德其次脩政其次脩救次脩禳正下無之夫常星之變希見而三光之占

亟用日月暈適（徐廣曰適者灾變咎徵也李奇曰適見灾于天劉向以爲日月蝕及星逆行非大平之常自周衰以來人事亂故天文應之遂變耳駰案孟康曰暈日旁氣也適日之將食先有黑氣之變）雲風此天之客氣其發見亦有大運然其與政事俯仰最近大人之符此五者天之感動爲天數者必通三五（索隱曰三謂三辰五謂五星也）終始古今深觀時變察其精粗則天官備矣

蒼帝行德天門爲之開（索隱曰謂王者行春令布德澤被天下則上應靈威仰之帝而天門爲之開以發德化也天門即左右角間也○正義曰爲於僞反下同蒼帝東方靈威仰之帝也春萬物開發東作起則天發其德化天門爲之開也）

赤帝行德天牢爲之空（索隱曰謂王者行德以應火精之帝謂舉大禮封諸侯之

地則是赤帝行德夏陽主舒散故天牢爲之空則人主當赦過宥罪者也。正義曰赤帝南方赤熛怒之帝也夏萬物茂盛功作大興則天施德惠天牢爲之空虛也天牢六星在北斗魁下不對中台主秉禁暴亦貴人之牢也

黄帝行德天夭爲之起正義曰黄帝中央含樞紐之帝季夏萬物盛大則當大赦含養羣品也風從西北來必以庚辛一秋中五至大赦三至小赦

白帝行德以正月二十日二十一日月暈圍常大赦載謂有太陽也一曰白帝行德索隱曰一曰二曰謂占星之家異說太史公兼記之耳畢昴爲之圍正義曰白帝西方白招矩之帝也秋萬物咸成則暈圍畢昴三暮帝德乃成也圍三暮德乃成不三暮及圍不合德不成二曰以辰圍不出其旬

黑帝行德，天關爲之動。正義曰：黑帝，北方叶光紀之帝也。冬，萬物閉藏，爲之動，爲之開閉也。天一星在五車南，畢西北，爲天門，日月五星所道，主邊事，亦爲限隔内外，障絶往來，禁道之作違者。占：芒角，有兵起；五星守之，王貴人多死也。天行德，天子更立年；索隱曰：案天謂北極紫微宮。言王者當天心，則北辰有光輝，是行德也。若北辰有光耀，則天子更立年也。不德，風雨破石。三能、三衡者，天廷也。索隱曰：上云南宮朱鳥權衡，衡，太微，三光之廷，則三衡者即太微也。其謂之三者，日月五星也。然斗星第六第五亦名衡，又參三星亦名衡，然並不爲天廷。○正義曰：晉書天文志云三台主開德宣符也，所以和陰陽而理萬物也。三衡者，北斗魁四星爲璇璣，杓三星爲王衡，人君之象，號令主也。又太微，天子宮庭也。太微爲衡，衡主平也，爲天庭理，法平辭理也。按：言三台、三衡者，皆天帝之庭，號令舒散平理也。故言三台、三衡，言若有客星出三台、三衡之廷，必有奇異教令也。客星出天廷，有奇令。

天官書

索隱述贊曰在天成象有同影響觀文察變其來自往天官既書太史攸掌雲物必記星辰可仰盈縮匪愆應驗無爽至哉玄監云誰欲網

天官書第五　史記二十七

史記八書　卅四

封禪　上

封禪書第六　史記二十八

正義曰此泰山上築土爲壇以祭天報天之功故曰封此泰山下小山上除地報地之功故曰禪言禪者神之也白虎通云或曰封者金銀繩或曰石泥金繩封之印璽也五經通義云易姓而王致太平必封泰山禪梁父荷天命以爲王使理群生告太平於天報群神之功

自古受命帝王曷嘗不封禪蓋有無其應而用事者矣未有睹符瑞見而不臻乎泰山者也雖受命而功不至至梁父矣而德不洽洽矣而日有不暇給是以即事用希傳曰三年不爲禮禮必廢三年不爲樂樂必壞每世之隆則封禪答焉及衰而息厥曠遠者千有餘載近者數百載

故其儀闕然堙滅其詳不可得而記聞云尚書曰舜在璇璣玉衡以齊七政遂類于上帝禋于六宗望山川徧羣神輯五瑞擇吉月日見四岳諸牧還瑞（徐廣曰還一作班）歲二月東巡狩至于岱宗岱宗泰山也（正義曰括地志云泰山一曰岱宗東嶽也在兗州博城縣西北三十里周禮云兗州鎮曰岱宗）柴望秩于山川遂覲東后東后者諸侯也合時月正日同律度量衡脩五禮五玉三帛二牲一死贄五月巡狩至南嶽南嶽衡山也（正義曰括地志云衡山一名岣嶁山在衡州湘潭縣西四十一里）八月巡狩至西嶽西嶽華山也（正義曰括地志云華山在華州華陰縣南八里古文以為敦物周禮云豫州鎮曰華山）十一月

巡狩至北岳北岳恒山也正義曰括地志云恒山在定州恒陽縣西北百四十
里周禮云并鎮曰恒山皆如岱宗之禮中岳嵩高也索隱曰獨不言
至者蓋以天子所都也○正義曰括地志云嵩高山亦名太室亦名外方也在洛州陽城縣西北二十三里五載
一巡狩禹遵之後十四世至帝孔甲淫德好神
神瀆二龍去之索隱曰如淳案國語二龍漦于夏庭是也其後三世湯
伐桀欲遷夏社不可作夏社後八世至帝太戊
有桑穀生於廷一暮大拱懼伊陟徐廣曰陟古作敕曰妖
不勝德太戊脩德桑穀死伊陟贊巫咸巫咸之
興自此始索隱曰尚書伊陟贊于巫咸孔安國云贊告也巫咸臣名今此巫咸之興起自此始則以
巫咸為巫覡然楚詞亦以巫咸主神蓋太史以巫咸是殷臣以巫接神事太戊使禳桑穀之災所以伊陟贊巫咸故

云平成之典自此始也後十四世帝武丁得傅說爲相殷復
興焉稱高宗有雉徐廣曰一作鷸音矯登鼎耳雊武丁懼
祖己曰脩德武丁從之位以永寧後五世帝武
乙慢神而震死索隱曰謂武乙射天後獵于河渭而震死也後三世帝紂
淫亂武王伐之由此觀之始未嘗不肅祇後稍
怠慢也周官曰冬日至祀天於南郊迎長日之
至夏日至祭地祇皆用樂舞而神乃可得而禮
也天子祭天下名山大川五岳視三公四瀆視
諸侯諸侯祭其疆內名山大川四瀆者江河淮
濟也天子曰明堂辟雍韋昭曰水外四周員如辟雍以節觀諸侯曰

泮宮張晏曰制度半於天子之辟雍○索隱曰服虔云天子水匝爲辟雍諸侯水不匝至半爲泮宮禮統又云半有水而半有宮是也周公既相成王郊祀后稷以配天

宗祀文王於明堂以配上帝王肅曰配天於南郊祀之鄭玄曰上帝者天之別名也神無二主故異其處避后稷也自禹興而修社祀后稷稼穡

故有稷祠郊社所從來尚矣自周克殷後十四世世益衰禮樂廢諸侯恣行而幽王爲犬戎所敗徐廣曰犬一作畎周東徙雒邑秦襄公攻戎救周始列爲諸侯正義曰秦襄公周平王元年封也秦襄公既侯居西垂自以爲主少皞之神正義曰漢隴西郡西縣也今在秦州上邽縣西南九十里也作西畤祠白帝其牲用駵駒黃牛羝羊各一云

（索隱曰毛詩傳云赤馬黑鬣曰駵也羝牡羊）其後十六年秦文公東獵汧渭之間卜居之而吉（索隱曰地理志汧水出汧縣西北入渭皇甫謐云文公徙都汧也○正義曰括地志云郿縣故城在岐州郿縣東北十五里即此城也）文公夢黃蛇自天下屬地其口止於鄜衍（李奇曰鄜音孚山阪曰衍○索隱曰鄜地名後爲縣屬馮翊衍者鄭衆註周禮云下平曰衍又李奇云三輔謂山陵間爲衍也）文公問史敦敦曰此上帝之徵君其祠之於是作鄜畤用三牲郊祭白帝焉自未作鄜畤也而雍旁故有吳陽武畤（李奇曰於雍旁有吳陽也）雍東有好畤皆廢無祠或曰自古以雍州積高神明之隩故立畤郊上帝諸神祠皆聚云蓋黃帝時嘗用事雖晚周亦郊焉

其語不經見，搢紳者不道。［李奇曰搢插也插笏於紳紳大帶○索隱曰姚氏云搢當作縉鄭衆註周禮云搢讀曰薦謂垂之於紳帶之間今案鄭意以搢為薦則薦亦是進進而置於紳帶之閒故史記亦多作薦字也］作鄜畤後九年，文公獲若石云，于陳倉北阪城祠之。［蘇林曰質如石也服虔曰在北或曰在陳倉北○索隱曰云語辭也○正義曰三秦記云太白山西有陳倉山山有石鷄與山鷄不別趙高繞山山鷄飛去而石鷄不去晨鳴山頭聲聞三里或昔是王鷄括地志云陳倉山在岐州陳倉縣南又云寶鷄神祠在漢陳倉縣故城中今陳倉縣東石鷄在陳倉山上祠在陳倉城故言獲若石于陳倉北阪城同］其神或歲不至，或歲數來，來也常以夜，光輝若流星，從東南來集于祠城，則若雄鷄，其聲殷云，野鷄夜雊。［如淳曰野鷄雉也呂后名雉故曰野鷄　瓚曰殷聲也云足句之辭］以一牢祠，命曰陳寶。［瓚曰陳倉縣有寶夫人祠或一歲二］

歲與葉君合葉神來時天爲之殷殷雷鳴雉爲之雊在長安
正西五百里韋昭曰在陳倉縣寶而祠之故曰陳寶○索
隱曰列異傳云陳倉人得異物以獻之道遇二童子云此
名爲媦在地下食死人腦媦乃言云彼童子名陳寶得雄
者王得雌者霸乃逐童子化爲雉秦穆公大獵果獲其雌
爲立祠祭有光雷電之聲雄止南陽有赤光長十餘丈來
入陳倉祠中所以代俗謂之寶夫人祠抑有由也葉縣
名在南陽葉君即雄雉之神故時與寶夫人神合也 作
鄜畤後七十八年秦德公既立卜居雍後子孫
飲馬於河遂都雍雍之諸祠自此興用三百牢
於鄜畤 索隱曰秦本紀德公元年以犧三百祠鄜畤今
案此當爲白秦君西祀少昊牲尚白牢秦諸侯
也雖奢侈僭祭郊本特牲不
可用三百牢以祭天蓋字誤 作伏祠 索隱曰服虔云周
時無伏秦始作之
漢舊儀云伏者萬鬼行故閉晝日不干求也東觀漢記和
帝初令伏閉晝日是也又曆忌釋曰伏者何金氣伏藏之
名四時代謝皆以相生而春木代水水生木也夏火代木
木生火也冬水代金金生水也至秋則以金代火金畏於

曰明年巡見于泰封
禪告皇王大紀曰
自史遷載管仲言上
古封禪之君七十有二後
世人主於泰山以爲
太平盛典然舍不備
於四岳封十有二山入
懷寧安不行五載一巡
守之制出崇泰侈無納
言計功行賞之實鐫
文告成明示得意而
非示以敎諸侯後世
民金檢玉遂其侈心

火故凡至庚日必伏庚者金也磔狗邑四門以禦蠱菑索隱曰案樂彥云左傳血蟲爲蠱梟磔之鬼亦爲蠱故月令云大儺旁磔註云磔禳也厲鬼亦爲蠱將出害人旁磔於四方之門故此亦磔狗邑四門也風俗通云殺犬磔禳也德公立二年卒其後六年秦宣公作密畤於渭南祭青帝其後十四年秦繆公立病臥五日不寤寤乃言夢見上帝上帝命繆公平晉亂史書而記藏之府而後世皆曰秦繆公上天秦繆公即位九年齊桓公既霸會諸侯於葵丘正義曰括地志云葵丘在曹州考城縣東南一里五十步郭內即桓公所會處也而欲封禪管仲曰索隱曰今管子書封禪篇是古者封泰山禪梁父者正義曰括地志云梁父山在兖州泗水縣北八十里也七十二家正義曰韓

而非所以教諸侯祀
也心与天道相交事上
聖人相授故太平典
方舉而天災人禍
至者多矣果許之
以燧人之前世質
度安得泥金檢玉
綠繩而符安得鐫
文告成是故及秦
可以知後世封禪之失
禮樂志言可以知史
遷著書之說

書外傳云孔子升泰山觀易姓而王可得而數者七十餘人不得而數者萬數也按管仲所記自無懷氏以下十二家其六十家無紀録也而夷吾所記者十有二焉昔無懷氏服虔曰古之王者在伏羲前見莊子封泰山禪云云李奇曰云云山在梁父東○索隱曰晉灼云云云山在蒙陽縣故城東北下有云云亭也○正義曰括地志云云云山在兗州博城縣西南二十里也虙羲封泰山禪云云神農封泰山禪云云炎帝封泰山禪云云索隱曰鄧展云神農後子孫亦稱炎帝而登封者律曆志黃帝與炎帝戰于阪泉豈黃帝與神農身戰乎皇甫謐云炎帝傳位八代也黃帝封泰山禪亭亭徐廣曰在鉅平○駰案服虔曰亭亭山在牟陰○索隱曰應劭云亭亭在鉅平北十餘里服虔云在牟陰非也○正義曰括地志云亭亭山在兗州博城縣西南三十里也顓頊封泰山禪云云帝俈封泰山禪云云堯封泰山禪云云舜封泰山禪

書作詩

云云禹封泰山禪會稽索隱曰晉灼云本名茅山吳越春秋云禹巡天下登茅山以朝羣臣乃大會計更名茅山為會稽亦曰苗山也○正義曰括地志云會稽山一名衡山在越州會稽縣東南一十二里也湯封泰山禪云云周成王封泰山禪社首應劭曰山名在博縣晉灼曰在鉅平南十三里皆受命然後得封禪桓公曰寡人北伐山戎索隱曰服虔云蓋今鮮卑是也過孤竹正義曰括地志云孤竹故城在平州盧龍縣南一十里殷時孤竹國也西伐大夏涉流沙束馬縣車上卑耳之山韋昭曰將上山纏束其馬懸鉤其車也卑耳即齊語所謂辟耳○索隱曰卑耳山名在河東大陽卑讀如字也齊語即春秋外傳國語之書也辟音僻賈逵云山險也南伐至召陵正義曰召音邵括地志云邵陵故城在豫州郾城縣東四十五里也登熊耳山以望江漢索隱曰荊州記順陽益陽二縣東北有熊耳山東西各一峯如熊耳狀因以為名齊桓公

太史公並登之域云弘農熊耳非也兵車之會三索隱曰案左傳兵車之會三謂魯莊十三年會北杏以平宋亂僖四年侵蔡遂伐楚六年伐鄭圍新城是也而乘車之會六索隱曰案左氏乘車之會六謂莊十四年會于鄄十五年又會鄄十六年盟于幽僖五年會首止八年盟于洮九年會葵丘九合諸侯一匡天下諸侯莫違我昔三代受命亦何以異乎於是管仲睹桓公不可窮以辭因設之以事曰古之封禪鄗上之黍北里之禾應劭曰鄗上山也鄗音霍蘇林曰鄗上北里皆地名○索隱曰韋昭云設以不可得之物應劭云光武改鄗高邑曰鄗姚氏云鄗縣屬常山一云鄗上山名所以為盛江淮之閒一茅三脊孟康曰所謂靈茅所以為藉也東海致比目之魚韋昭曰各有一目不比不行其名曰鰈○索隱曰鰈音荅郭璞云如牛脾細鱗紫黑色有一眼兩片合乃得行今江東呼為王餘亦曰阪

阪 校

魚也西海致比翼之鳥韋昭曰各有一翼不比不飛其名曰鶼鶼索隱曰山海經云

崇丘之山有鳥狀如鳧一翼一目相得乃飛名曰蠻蠻郭璞註爾雅亦作鶼鶼也然後物有不

召而自至者十有五焉今鳳凰麒麟不來嘉穀

不生而蓬蒿藜莠茂鴟梟數至而欲封禪毋

乃不可乎於是桓公乃止是歲秦繆公內晉君

夷吾其後三置晉國之君平其亂索隱曰三置晉君謂惠公懷公

文公也繆公立三十九年而卒其後百有餘年而孔

子論述六藝傳略言易姓而王封泰山禪乎梁

父者七十餘王矣其俎豆之禮不章蓋難言之

或問禘之說孔子曰不知知禘之說其於天下

也視其掌〔孔安國曰爲魯諱也包氏曰孔子謂或人言知禘之說者於天下之事如指視以掌中之物言其易了〕詩云紂在位文王受命政不及泰山武王克殷二年天下未寧而崩爰周德之洽維成王成王之封禪則近之矣及後陪臣執政季氏旅於泰山仲尼譏之〔馬融曰旅祭名禮諸侯祭山川在封內者今陪臣祭泰山非禮〕是時萇弘以方事周靈王諸侯莫朝周周力少萇弘乃明鬼神事設射貍首貍首者諸侯之不來者〔徐廣曰貍一名不來〕依物怪欲以致諸侯諸侯不從而晉人執殺萇弘〔皇覽曰萇弘冢在河南洛陽東北山上也〕周人之言方怪者自萇弘其後百餘年秦靈公作吳陽上時祭

黃帝（徐廣曰凡去作密畤二百五十年）作下畤祭炎帝（索隱曰吳陽地名蓋在岳之南又上云雍旁有故吳陽武畤今蓋因武畤又作上下畤以祭黃帝炎帝）後四十八年周太史儋見秦獻公（索隱曰儋音丁甘反孟康云即老子也韋昭案年表儋在孔子後百餘年非老聃也）曰秦始與周合合而離五百歲當復合（索隱曰大顏曆評諸家而云周平王封襄公始列爲諸矦是乃爲別至昭王五十二年西周君臣獻邑凡五百一十六年是爲合此言五百年舉全數也）合十七年而霸王出焉（索隱曰自昭王滅周之後至始皇元年誅嫪毐正一十七年孟康云謂周封秦爲別秦并周爲合此襄公爲霸始皇爲王故云霸王出者也。正義曰王于放反秦周俱黃帝之後至非子未別封是合也合而離者謂非子末年周封非子爲附庸邑之秦是離也五百歲當復合者謂從非子邑秦後二十九君至秦孝公二年五百歲周顯王致文胙於秦孝公復與之親是復合也十七年霸王出焉者謂從秦孝公三年至十九年周顯王致伯於秦孝公是霸也孝公子惠王稱王者出焉然五

元年九

五百歲者非子生秦侯已下二十八君至孝公二年合四百八十六年秦非子邑秦之後十四年則成五百歲矣諸家解皆非也櫟陽雨金秦獻公自以爲得金瑞故作畦畤櫟陽而祀白帝晉灼曰漢注在隴西西縣人先祠山下形如種韭畦畦各一土封○索隱曰漢舊儀云祭人先於隴西西縣人先山山上皆有土人山下有時如種韭畦畦中各有二土封故云畦畤其後百二十歲而秦滅周徐廣曰去太史儋言時百二十年周之九鼎入于秦或曰宋太丘社亡爾雅曰右陵太丘索隱曰應劭云亡淪入地非也案云謂社主亡也郭璞云宋有太丘社以社名此地也而鼎沒于泗水彭城下其後百一十五年而秦幷天下秦始皇既幷天下而帝或曰黃帝得土德黃龍地螾見應劭曰螾丘蚓也黃帝土位故地見其神蚓大五六圍長十餘丈韋昭曰黃者地色螾亦地物故以爲瑞○索隱曰此史

（所記出呂氏春秋也。蝡音引）夏得木德，青龍止於郊，草木暢茂；殷得金德，銀自山溢（蘇林曰：流出也）；周得火德，有赤烏之符（索隱曰：尚書中候及呂氏春秋皆云有火自天止于王屋，流爲赤烏，五至，以穀俱來）。今秦變周，水德之時。昔秦文公出獵，獲黑龍，此其水德之瑞。於是秦更命河曰德水，以冬十月爲年首，色上黑，度以六爲名（正義曰：張晏云水北方，黑；水終數六，故以方六寸爲符，六尺爲步），音上大呂，事統上法（服虔曰：政上法令也。瓚曰：水陰，陰主刑殺，故上法）。

即帝位三年，東巡郡縣，祠騶嶧山，頌秦功業（索隱曰：騶縣之驛山。騶縣本邾國，魯穆公改作鄒。從征記：北巖有秦始皇所勒之名）。於是徵從齊魯之儒生博士七十人，至乎泰山下。諸儒生或議曰古者封禪爲蒲車惡傷山之土石草木索隱曰蒲車謂蒲裹車輪也埽地而祭席用菹稭應劭曰稭禾稾也去其皮以爲席如淳曰菹讀曰租稭讀曰戛晉灼曰菹藉也索隱曰周禮祭祀供茅菹說文云菹茅藉也言其易遵也始皇聞此議各乖異難施用由此絀儒生而遂除車道上自太山陽至巔立石頌秦始皇帝德明其得封也從陰道下禪於梁父其禮頗采太祝之祀雍上帝所用而封藏皆祕之世不得而記也始皇之上太山中阪遇暴風雨休於大樹下諸儒生旣絀不得與用於封事之禮聞始皇遇風雨則譏之於是始皇遂東游海上行禮

祠名山大川及八神求僊人羨門之屬八神將自古而有之或曰太公以來作之齊所以爲齊以天齊也蘇林曰當天中中齊其祀絶莫知起時八神一曰天主祠天齊天齊淵水居臨菑南郊山下者索隱曰顧氏案解道彪齊記云臨菑城南有天齊五泉並出有異於常言如天之腹齊也小顏云下下謂最下也二曰地主祠太山梁父蓋天好陰祠之必於高山之下小山之上命曰畤徐廣曰一云之下上畤命曰畤○索隱曰此之一云與漢書郊祀志文同也地貴陽祭之必於澤中圓丘云三曰兵主祠蚩尤蚩尤在東平陸監鄉徐廣曰屬東平郡○索隱曰監音闞皇覽云蚩尤冢在東平郡壽張縣闞鄉城中也齊之西境也四曰陰主祠

三山索隱曰小顏以爲下所謂三神山顧氏案地理志東萊曲成有參山即此三山也非海中之三神山也五曰陽主祠之罘正義曰括地志云之罘山在萊州文登縣西北九十里六曰月主祠之萊山韋昭曰在東萊長廣縣皆在齊北並勃海七曰日主祠成山成山斗入海韋昭曰成山在東萊不夜斗入海不夜古縣名○索隱曰案解道彪齊記云不夜城蓋古有日夜出見於東境故萊子立城以不夜爲名也斗入海謂斗絶曲入海也最居齊東北陽以迎日出云八曰四時主祠琅邪索隱曰山海經云琅邪臺在勃海間案是山形如臺地理志琅邪縣有四時祠也琅邪在齊東方蓋歲之所始皆各用一牢具祠而巫祝所損益珪幣雜異焉自齊威宣之時索隱曰謂威王宣王也騶子之徒韋昭曰名衍論著終始五德之運如淳

封禪書

通鑑第二初齊威宣之時騶衍論著終始五德之運胡三省注衍稱終始五德之運者其義蓋以本德王木生火故神農以火德王火生土故黃帝以土德王土生金故少昊以金德王金生水故顓頊以水德王水生木故帝嚳又以木德王木又生火故帝堯以火德王火又生土故帝舜以土德王土又生金故夏以金德王金又生水故商以水德王水又生木故周以木德王此五德之終而復始也鄒衍以爲周得火德蓋以火流王屋爲周受命之符且其色尚赤故也就衍之說以爲終始秦當以土爲行今始皇以水勝火自以水爲行殊非推五勝也漢初以土爲行蓋亦從衍之說也

曰今其書有五德始終五德各以所勝爲行秦謂周爲火德滅火者水故自謂之水德及秦帝而齊人奏之故始皇采用之而宋毋忌正伯僑充尚羨門子高韋昭曰皆慕古人名效神仙者○索隱曰樂彥引老子道經云月中仙人宋毋忌白澤圖云火之精曰宋毋忌蓋其人火仙也司馬相如云正伯僑古仙人顧氏案裴秀冀州記云緱氏仙人廟者昔有王喬犍爲武陽人爲柏人令於此得仙非王子喬也充尚無所見羨門高者秦始皇使盧生求羨門子高是也最後皆燕人索隱曰最後猶言甚後也服虔說止有四人是也小顏云自宋毋忌至最後凡五人劉伯莊亦同此說恐未詳爲方僊道形解銷化服虔曰尸解也張晏曰人老如解去故骨則變化也今山中有龍骨世人爲之龍解骨化去也依於鬼神之事騶衍以陰陽主運如淳曰今其書有主運五行相次轉用事隨方面爲服○索隱曰主運是鄒子之書篇名也顯於諸侯而燕齊海上之方士傳其術不

通鑑胡注曰羨門子高仙人居碣石山上

能通然則怪迂阿諛苟合之徒自此興不可勝數也自威宣燕昭使人入海求蓬萊方丈瀛州此三神山者其傳在勃海中（服虔曰傳音附或曰其傳書云爾瓚云世人相傳之）去人不遠患且至則船風引而去蓋嘗有至者諸僊人及不死之藥皆在焉其物禽獸盡白而黃金銀爲宮闕未至望之如雲及到三神山反居水下臨之風輙引去終莫能至云世主莫不甘心焉（索隱曰謂心甘羨也）及至秦始皇并天下至海上則方士言之不可勝數始皇自以爲至海上而恐不及矣使人乃齎童男女入海求之船交

通鑑以風爲解胡三省注師古曰自解說爲風所乃而致自解釋令言不驗

海中皆以風爲解索隱曰顧野王云皆自解說遇風不至也曰未能至望見之焉其明年始皇復游海上至琅邪過恒山從上黨歸後三年游碣石考入海方士服虔曰疑詐故考之瓚曰考校其虛實從上郡歸後五年始皇南至湘山遂登會稽並海上冀遇海中三神山之奇藥不得還至沙丘崩正義曰括地志云沙丘臺在邢州平鄉東北二十里二世元年東巡碣石並海南歷太山至會稽皆禮祠之而刻勒始皇所立石書旁以章始皇之功德索隱曰小顏云今此諸山皆有始皇所刻石及胡亥重刻其文並具存也其秋諸侯畔秦三年而二世弒死始皇封禪之後十二歲秦亡諸儒生疾

秦焚詩書誅僇文學百姓怨其法天下畔之皆譌曰始皇上太山為暴風雨所擊不得封禪此豈所謂無其德而用事者邪（索隱曰即封禪書序云蓋有無其應而用事者矣此當有所本然史公再引以爲說也）昔三代之君皆在河洛之間（正義曰世本云夏禹都陽城避商均也又都平陽或在安邑或在晉陽也帝王世紀云殷湯都亳在梁又都偃師至盤庚徙河北又徙偃師也周文武都豐鄗至平王徙都河南按三代之居皆在河洛之間也）故嵩高爲中岳而四岳各如其方四瀆咸在山東至秦稱帝都咸陽則天岳四瀆皆并在東方自五帝以至秦軼興軼衰名山大川或在諸侯或在天子其禮損益世殊不可勝記及秦并天下令祠

官所常奉天地名山大川鬼神可得而序也於是自殽以東索隱曰殽即崤山杜預云崤在弘農澠池縣西南即今之二崤山是也亦音豪名山五大川祠二曰太室太室嵩高也恒山太山會稽湘山索隱曰地理志湘山在長沙水曰濟曰淮索隱曰風俗通云濟廟在臨邑淮廟在平氏也春以脯酒爲歲祠因泮凍服虔曰解凍○索隱曰爲音于僞反秋涸凍索隱曰案字林涸竭也音下各反小顏云涸讀與沍同沍凝也音下故反春則解秋則凝也冬塞禱祠索隱曰塞音先代反塞謂報神福也其牲用牛犢各一牢具珪幣各異自華以西名山七名川四曰華山正義曰括地志云華山在華州華陰縣南八里古文以爲敦物也謂云華嶽本一山當河水過而行河神巨靈手盪脚蹋開而爲兩今脚跡在東首陽下手掌在華山今呼爲仙掌河流於二山之間也關山圖云巨靈

胡者偏得神天之道
能造山川出江河也薄山薄山者襄山也徐廣曰蒲阪縣有襄
山或字誤也○索隱曰應劭云襄山在潼關北十餘里穆
天子傳云自河首襄山酈元水經云薄山統目與襄山不
殊在今芮城北與中條山相連是薄襄一山名○正義曰
薄音白落反衰音色眉反括地志云薄山亦名衰山一名
寸棘山一名渠山一名雷首山一名獨頭山一名首陽山
一名吳山一名條山在陝州芮縣城北十里此山西起雷
山東至吳坂凡十名以州縣分之多岳山岐山徐廣曰武功縣
在蒲州今史文云自華以西未詳也
有大壺山又有岳山○索隱曰吳岳徐廣曰在汧也○
地理志岐山在美陽縣西北也索隱曰徐說非也
案地理志汧有鴻冢瀆山瀆山蜀之汶山索隱曰黃帝臣大鴻
垂山無岳山也
葬雍鴻冢蓋因大鴻葬為名也地理志蜀郡湔氐道崏
山在西郭璞註云山在汶陽郡廣陽縣一名瀆山也水
曰河祠臨晉索隱曰韋昭曰臨晉馮翊縣地理志臨晉
有河水祠○正義曰即同州馮翊縣本漢
臨晉縣也牧大荔秦獲之更名括地志云大河祠在同州
朝邑縣南三十里山海經云水夷人面乘兩龍也太公金

匽云馮脩也魚龍河圖云河伯姓呂公子夫人姓馮名夷河伯字也華陰潼鄉隄首人水死化爲河伯應劭云夷馮夷乃水仙也

沔祠漢中（索隱曰水經云沔水出武都沮縣注云東南注漢所謂漢水故祠之漢中樂彥云漢女者漢臣是也）湫淵祠朝那（蘇林曰湫淵在安定朝那縣方四十里停不流冬夏不增減不生草木音將蓼反○索隱曰湫音子小反又音子由反即龍之所處也○正義曰括地志云朝那湫祠在原州平高縣東南二十里湫谷水源出寧州安定縣）江水祠蜀（索隱曰風俗通云江出岷山岷山廟在江都地理志江都有江水祠蓋漢初祠之於源後祠之於委也廣雅云江神謂之奇相江記云帝女也卒爲江神華陽國志云蜀守李冰於彭門闕立江神祠三所漢舊儀云祭四瀆用三牲圭沉有車馬紺蓋○正義曰括地志云江瀆祠在益州成都縣南八里秦并天下江水祠蜀）亦春秋泮涸禱賽如東方名山川而牲牛犢牢具珪幣各異而四大冢鴻岐吳嶽皆有嘗禾（孟康曰以新穀祭○索隱曰案謂四山爲大冢者爾雅云山頂曰

冢蓋亦因鳴冢而爲號也陳寶節來祠服虔曰陳寶神應節來其河加有

嘗醪此皆在雍州之域近天子之都故加車一

乘騂駒四霸產正義曰括地志云霸水古滋水也亦名曰藍谷水即秦嶺水之下流也雍

州藍田縣滻水即荊海猶枷之下流也在雍州萬年縣也長水灃澇徐廣曰音勞駰案漢書音義曰

水名在鄠縣界○索隱曰百官表有長水校尉沈約宋書云營近長水因以爲名水經云長水出白鹿原今之荊溪

水是也十三州記豐水出鄠縣南也○正義曰括地志云灃水源在雍州長安縣西南山灃谷涇渭皆

非大川以近咸陽盡得比山川祠而無諸加韋昭

曰無車駟之屬汧洛正義曰括地志云汧水源出隴州汧源縣西南汧山東入渭洛水源出慶州洛源縣白於

山南流入渭又云洛水商州洛南縣西冢嶺山東北流入河按有三洛水未知祠何者二淵正義曰地理志

云三川源在慶州華地縣西子午嶺東三川合因爲名也鳴澤索隱曰服虔云鳴澤在涿郡道縣○正義曰括

地志云鳴澤在幽州范陽縣西十五里按遒縣在易州淶水縣北一里故遒城是也澤在遒南蒲山岳嶓山徐廣曰音先許反之屬為小山川亦皆歲禱賽泮涸祠禮不必同而雍有日月參辰索隱曰漢書舊儀云祭參辰於池陽谷口夾道在右為壇也雍地名南北斗熒惑太白歲星填星二十八宿風伯雨師四海九臣晉灼曰自此以下至天淵玉女凡二十六小神不說十四臣索隱曰九臣十四臣並不見其名數所出故昔賢皆不論也諸布諸嚴諸逑之屬百有餘廟索隱曰爾雅祭星曰布或云諸布是祭星之處逑亦未詳漢書作遂西亦有數十祠索隱曰西即隴西之西縣秦之舊都故有祠焉於湖有周天子祠索隱曰地理志胡縣屬京兆有周天子祠二所在於下邽有天神灃滈有昭明索隱曰案樂彥引河圖云熒惑星散為昭明天子辟池索隱曰樂彥云辟池未聞

顧氏以爲璧池即鎬池所謂華陰平舒道逢使者持璧以
遺鎬池君故曰璧池今案謂天子辟池即周天子辟雍之
地故周文王都酆武王都鎬既立靈臺
則亦有辟雍耳張衡亦以辟池爲雍也
於社亳有三社
主之祠韋昭曰亳音薄湯所都瓚曰濟陰薄縣是○索
隱曰徐廣云京兆杜縣有亳亭則杜字誤合作
社亳且據文列於下皆是地邑則社是縣案秦寧公與亳
王戰亳王奔戎遂滅湯社皇甫謐亦云周桓王時自有亳
王號湯非殷也而臣瓚以亳爲成湯之邑故云在
於濟陰非也案謂社亳二邑有三社主之祠也
壽星
祠索隱曰壽星蓋南極老人星也見則天下理安故祠之
以祈福壽也○正義曰角亢在辰爲壽星三月之時萬
物始生建於春氣布養各
盡其性不罹災夭故壽
而雍菅廟亦有杜主索隱
曰菅
茅
也
杜主故周之右將軍索隱曰地理志杜陵故杜伯
國有杜主祠四墨子云周宣
王殺杜伯不以罪後宣王田於圃見杜伯執弓矢射宣王
伏以而死故祠之也○正義曰括地志云杜祠雍州長安
縣西南二
十五里
其在秦中最小鬼之神者索隱曰謂其
鬼雖最小而

有神靈者也各以歲時奉祠唯雍四時上帝爲尊索隱曰雍有五時而言四者顧氏以爲兼下文上帝足爲五非也案四時據秦舊而言秦襄公始列爲諸侯而作西時文公上居汧渭之閒而作鄜時皆非雍也至秦德公上居雍而後宣公作密時祠青帝靈公作上時祠黃帝下時祠炎帝獻公作畦時祠白帝是爲四幷高祖增黑帝而五也。正義曰括地志云鄜時呉陽上下時是言秦用四時祠上帝青赤白最尊貴之也其光景動人民唯陳寶故雍四時春以爲歲禱因泮凍秋涸凍冬賽祠五月嘗駒及四仲之月月祠若月祠陳寶節來一祠春夏用騂秋冬用騮時駒四匹木禺龍欒車一駟漢書音義曰禺寄也寄生龍形於木也。索隱曰禺音偶謂偶其形於木禺馬亦然欒車謂車有鈴乃有和欒之節故取名也木禺車馬一駟各如其帝色黃犢羔各四珪幣各有數皆生瘞埋無俎豆之具正義曰豆以木爲之受四升高尺二寸𣝣其中大夫以上赤雲氣畫諸侯加象飾口足天子加玉飾之也三年一郊秦以冬十月爲歲首故常以十月上宿郊見李奇曰宿猶齋戒也通權火張晏曰權火烽火也狀若井挈皋矣其法類稱故謂之權欲令光明遠照通祀所也漢祀五時於雍五里一烽火如淳曰權舉也○索隱曰權如字解張晏一音爟周禮有司爟爟火官非也拜於咸陽之旁而衣上白其用如經祠云服虔曰經常也西時畦時祠如其故上不親往諸此祠皆太祝常主以歲時奉祠之至如他名山川諸鬼及八神之屬上過則祠去則已郡縣遠方神祠者民各自奉祠不領於天子之祝官祝官有祕祝即有菑祥輒

祝祠移過於下、〔正義曰謂有災祥輒令祝官祠祭移其咎惡於衆官乃百姓也〕漢興、高祖之微時嘗殺大蛇有物曰蛇白帝子也而殺者赤帝子高祖初起禱豐枌榆社〔張晏曰枌白榆也社在豐東北十五里或曰枌榆鄉名高祖里社〕徇沛爲沛公則祠蚩尤釁鼓旗遂以十月至灞上與諸侯平咸陽立爲漢王因以十月爲年首而色上赤二年東擊項籍而還入關問故秦時上帝祠何帝也對曰四帝有白青黃赤帝之祠高祖曰吾聞天有五帝而有四何也莫知其說於是高祖曰吾知之矣乃待我而具五也乃立黑帝祠命曰北時有司進祠上不親往悉召故秦祝官復置太祝太宰如其故儀禮因令縣爲公社（李奇曰猶官社）下詔曰吾甚重祠而敬祭今上帝之祭及山川諸神當祠者各以其時禮祠之如故（徐廣曰高祖本紀曰二年六月令祠官祀天地四方上帝山川以時祀之）後四歲天下已定詔御史令豐謹治枌榆社常以四時春以羊彘祠之令祝官立蚩尤之祠於長安長安置祠祝官女巫其梁巫祠天地天社天水房中堂上之屬（索隱曰禮樂志有安世房中歌皆謂祭時房中堂上歌先祖之功德也）晉巫祠五帝東君雲中司命巫社巫族人先炊之屬（索隱曰廣雅云東君日也王逸註楚詞雲中雲神也東君雲中亦見歸

藏易也周禮以槱燎祠司命鄭衆云司命文昌四星也。正義曰先炊古炊母之神也

秦巫祠社主巫保族纍之屬索隱曰社主即上文三社之主巫保族纍二神名纍音力追反荊巫祠堂下巫先司命施糜之屬應劭曰先人所在之國及有靈施化民人又貴悉置祠巫祝博求神靈之意文穎曰巫掌神之位次者也范氏世仕於晉故祠祝有晉巫范會支庶留秦為劉氏故有秦巫劉氏隨魏都大梁故有梁巫後徙豐豐屬荊故有荊巫。索隱曰巫先謂古巫之先有靈者蓋巫咸之類也施糜鄭玄謂主施糜粥之神九天巫祠九天索隱曰孝武本紀云立九天廟於甘泉三輔故事云胡巫事九天於神明臺淮南子云中央曰鈞天東方曰蒼天東北旻天北方玄天西北幽天西方皓天西南朱天南方炎天東南陽天是為九天也。正義曰太玄經云一中天三徒天四罰更天五睟天六郭天七咸天八沿天九成天也皆以歲時祠宮中其河巫祠河於臨晉南山巫祠南山秦中秦中者二世皇帝張晏

糜　糜欣

京作荊

鈎作鈞

曰子產云匹夫匹婦強死者魂魄能依人爲厲各有時月其後二歲或曰周興而邑邰立后稷之祠至今血食天下正義曰顏師古云祭有牲牢故言血食遍於天下於是高祖制詔御史其令郡國縣立靈星祠張晏曰龍星左角曰天田則農祥也晨見而祭○正義曰漢舊儀云五年脩復周家舊祠祀后稷於東南爲民祈農報厥功夏則龍星見而始雩龍星左角爲天田右角爲天庭天田爲司馬教人種百穀爲稷靈者神也辰之神爲靈星故以壬辰日祠靈星於東南金勝爲土相也廟記云靈星祠在長安城東十里常以歲時祠以牛高祖十年春有司請令縣常以春三月及時臘祠社稷以羊豕民里社各自財以祠制曰可其後十八年孝文帝即位即位十三年下詔曰今祕祝移過于下朕甚不取自今

除之。始名山大川在諸侯，諸侯祝各自奉祠，天子官不領。及齊、淮南國廢，（正義曰：齊有泰山，淮南有天柱山，二山初天子祝官不領，遂廢其祀，令諸侯奉祠。今令太祝盡以歲時致禮，如秦故儀。）令太祝盡以歲時致禮如故。是歲，制曰：「朕即位十三年于今，賴宗廟之靈，社稷之福，方內艾安，民人靡疾。間者比年登，朕之不德，何以饗此？皆上帝諸神之賜也。蓋聞古者饗其德必報其功，欲有增諸神祠。有司議增雍五畤路車各一乘，駕被具；（正義曰：顏師古云：駕車被馬之飾皆具。）西畤、畦畤禺車各一乘，禺馬四匹，駕被具；其河、湫、漢水（正義曰：河湫，黃河及湫泉。）加玉各二；（正義曰：言二水祭時各加玉璧二枚及諸祠各增廣壇場圭幣俎豆以差加之而祝釐者歸福於朕百姓不與焉自今祝致敬毋有所祈　魯人公孫臣上書曰始秦得水德今漢受之推終始傳則漢當土德土德之應黃龍見宜改正朔易服色色上黃是時丞相張蒼好律曆以爲漢乃水德之始故河決金堤漢書音義曰在東郡界其符也索隱曰謂河決乃水德之符應也年始冬十月色外黑內赤服虔曰十月陰氣在外黑陽氣尚伏在地故內赤與德相應如公孫臣言非也罷之後三歲黃龍見成紀徐廣曰在文帝十五年春。正義曰按成紀云秦州縣也文帝乃召公孫臣拜爲博士與諸生草改歷服色事其夏下詔曰異物之神見于見紀無害於民歲以有年朕祈郊上帝諸神禮官議無諱以勞朕有司皆曰古者天子夏親郊祠上帝於郊故曰郊於是夏四月文帝始郊見雍五時祠衣皆上赤其明年趙人新垣平以望氣見上言長安東北有神氣成五采若人冠絻焉或曰東北神明之舍西方神明之墓也張晏曰神明日也日出東方舍謂陽谷日没於西也墓北谷也天瑞下宜立祠上帝以合符應於是作渭陽五帝廟同宇韋昭曰宇謂上同下異禮所謂複廟重屋也瓚曰一營宇之中立五廟○正義曰括地志云渭陽五帝廟在雍州咸陽縣東三十里宮殿疏云五帝

廟一宇五殿也按一宇之內而設五帝各依其方帝別爲一殿而門各如帝色也帝一殿面各五門各如其帝色祠所用及儀亦如雍五畤夏四月文帝親拜霸渭之會如淳曰二水之會○正義曰渭陽五廟在二水之合北岸以郊見渭陽五帝五帝廟南臨渭北穿蒲池溝水正義曰顔師古云蒲池謂蒲而種池也蒲字或作蘭言其水恐顔說非按括地志云渭北咸陽縣有蘭池而始皇逢盜蘭池者也言穿溝引渭水入蘭池也疑蘭字誤作爲蒲重更錯失權火舉而祠若光煇然屬天焉於是貴平上大夫賜累千金而使博士諸生刺六經中作王制索隱曰小顔云刺謂采取之也劉向七録云文帝所造書有本制兵制服制篇刺音七賜反謀議巡狩封禪事

文帝出長安門徐廣曰在霸陵駰案如淳曰亭名也正義曰括地志云長門故亭在雍

州萬年縣東北苑中後館陶公主長門國武帝以長門宮即此若見五人於道北遂
因其直北立五帝壇孟康曰直值也值其立處以作壇祠以五牢
具其明年新垣平使人持玉杯上書闕下獻之
平言上曰闕下有寶玉氣來者已視之果有獻
玉杯者刻曰人主延壽平又言臣候日再中索隱
曰晉灼云淮南云魯陽公與韓構戰戰酣日暮援戈麾之日為却三舍豈其然乎居頃之日卻
復中於是始更以十七年為元年令天下大酺
平言曰周鼎亡在泗水中今河溢通泗臣望東
北汾陰直有金寶氣意周鼎其出乎兆見不迎
則不至於是上使使治廟汾陰南臨河欲祠出

周鼎（徐廣曰是後三十七年鼎出汾陰）人有上書告新垣平所言氣神事皆詐也下平吏治誅夷新垣平自是之後文帝怠於改正朔服色神明之事而渭陽長門五帝使祠官領以時致禮不往焉明年匈奴數入邊興兵守禦後歲少不登數年而孝景即位十六年祠官各以歲時祠如故無有所興至今天子（自此後武帝事褚先生取爲武帝本紀注解已在第十二卷今直歲徐義）今天子初即位尤敬鬼神之祀元年漢興已六十餘歲矣天下艾安搢紳之屬皆望天子封禪改正度也而上鄉儒術招賢良趙綰王臧等以文學爲

公卿欲議古立明堂城南以朝諸侯草巡狩封禪改曆服色事未就會竇太后治黃老言不好儒術使人微伺得趙綰等姦利事召案綰臧綰臧自殺諸所興皆廢後六年竇太后崩其明年徵文學之士公孫弘等明年今上初至雍郊見五畤後常三歲一郊索隱曰漢舊儀云元年祭天二年祭地三年祭五畤三歲一遍皇帝自行也

是時上求神君舍之上林中蹏氏觀神君者長陵女子以子死見神於先後宛若宛若祠之其室民多往祠平原君往祠其後子孫以尊顯及今上即位則厚禮置祠之內中聞其言

封禪書

不見其人云是時李少君亦以祠竈穀道却老方見上上尊之少君者故深澤侯舍人（索隱曰安案表深澤侯趙將夜以高祖八年封禪侯至元朔五年東侯胡薨無後國除）主方匿其年及其生長常自謂七十能使物却老其游以方徧諸侯無妻子人聞其能使物及不死更饋遺之常餘金錢衣食人皆以爲不治生業而饒給又不知其何所人愈信爭事之少君資好方善爲巧發奇中嘗從武安侯飲（索隱曰武安侯田蚡也）坐中有九十餘老人少君乃言與其大父游射處老人爲兒時從其大父識其處一坐盡驚少君見上上

有故銅器問少君少君曰此器齊桓公十年陳於柏寢（索隱曰韓子云齊景公與晏子遊於少海登柏寢之臺而望其國）已而案其刻果齊桓公器一宮盡駭以爲少君神數百歲人也少君言上曰祠竈則致物致物而丹沙可化爲黃金黃金成以爲飲食器則益壽益壽而海中蓬萊僊者乃可見見之以封禪則不死黃帝是也臣嘗游海上見安期生安期生食巨棗大如瓜（索隱曰包愷云巨或作臣）安期生僊者通蓬萊中合則見人不合則隱於是天子始親祠竈遣方士入海求蓬萊安期生之屬而事化丹沙

諸藥齊爲黄金矣居久之李少君病死天子以爲化去不死而使黄錘徐廣曰音直恚反錘縣黄縣皆在東萊史寬舒受其方求蓬萊安期生莫能得而海上燕齊怪迂之方士多更來言神事矣亳人謬忌奏祠太一方曰天神貴者太一索隱曰樂汁徵圖曰天宮紫微北極天一太一宋均云天一太一北極神之別名春秋佐助期曰紫宮天皇曜魄寶之所理也石氏云天一太一各一星在紫宮門外立承事天皇大帝太一佐曰五帝古者天子以春秋祭太一東南郊用太牢七日爲壇開八通之鬼道索隱曰司馬彪續漢書祭祀志云壇有八陛通道以爲門又三輔黄圖云上帝壇八觚神道八通廣三十步也於是天子令太祝立其祠長安東南郊常奉祠如忌

封禪書

通鑑十八太一佐曰五帝胡三省注五帝謂東方青帝靈威仰南方赤帝赤熛怒西方白帝白招矩北方黑帝叶光紀中央黄帝含樞紐也一說蒼帝名靈威仰赤帝名文祖白帝名顯紀黑帝名玄矩黄帝名神斗

史記八書　卅五

封禪　下

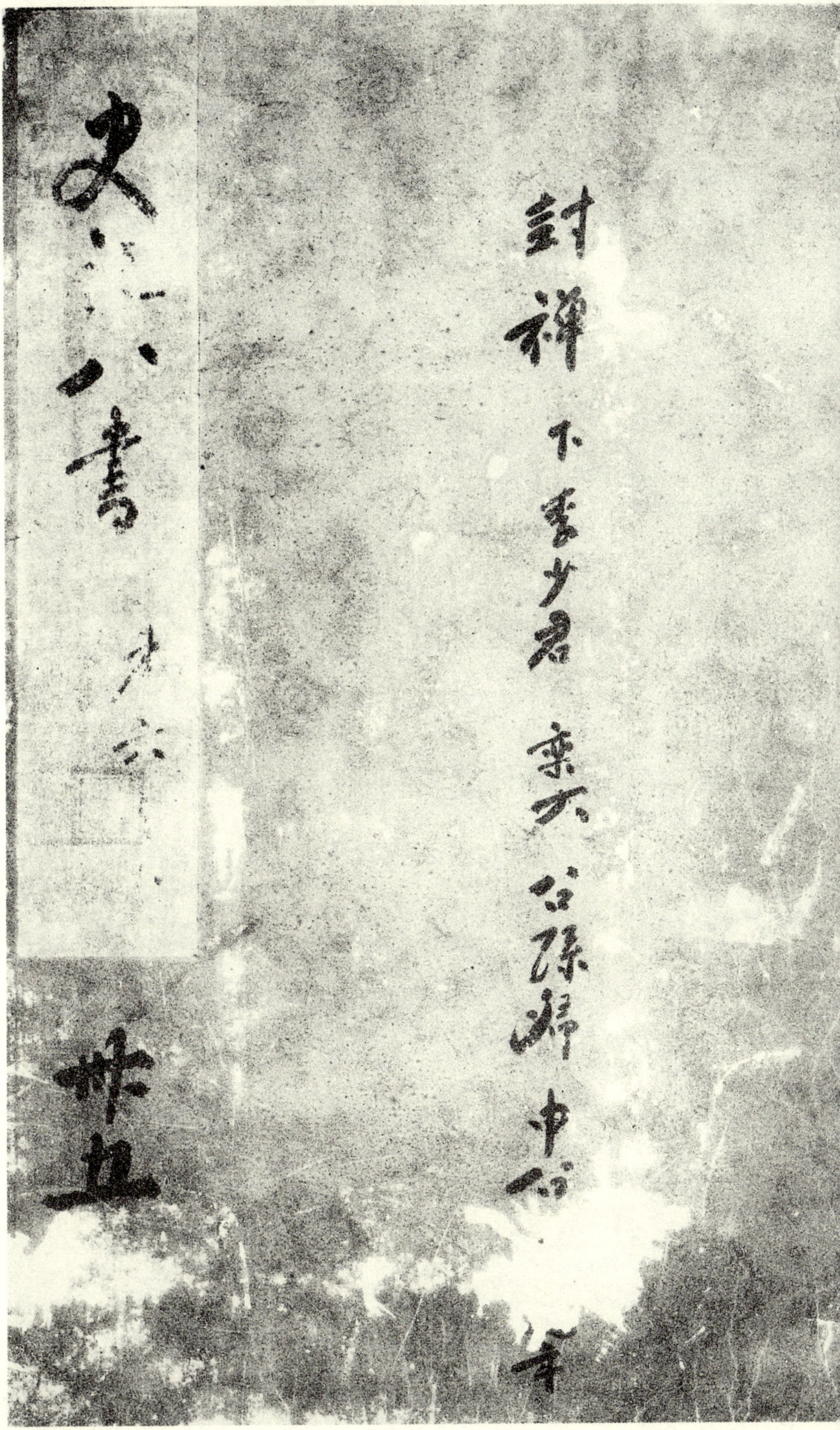
史 八書
册五
封禪下 李少君 欒大 公孫卿 申公

方其後人有上書言古者天子三年壹用太牢祠神三一天一地一太一天子許之令太祝領祠之於忌太一壇上如其方後人復有上書言古者天子常以春解祠（索隱曰謂祠祭以解殃咎求福祥也）祠黃帝用一梟破鏡冥羊用羊祠馬行用一青牡馬太一澤（徐廣曰澤一作皐）山君地長用牛（索隱曰此則人上書言古天子祭太一太一天神也澤山本紀作嶧山澤山君地長謂祭地於嶧山同用太牢故云用牛也蓋是異代之法也）武夷君用乾魚（索隱曰顧氏案地理志云建安有武夷山溪有仙人葬處即漢書所謂武夷君是時既用越巫勇之說即此神今案其祀用乾魚兼不專牲牢或如顧說也）陰陽使者以一牛令祠官領之如其方而祠於忌太一壇旁其後

天子苑有白鹿以其皮爲幣以發瑞應造白金焉[索隱曰樂產云謂龍馬龜龍也]其明年郊雍[徐廣曰武帝立已十九年]獲一角獸若麟然有司曰陛下肅祗郊祀上帝報享錫一角獸蓋麟云於是以薦五畤畤加一牛以燎錫諸侯白金風符應合于天也於是濟北王以爲天子且封禪乃上書獻太山及其旁邑天子以他縣償之常山王有罪遷天子封其弟於真定以續先王祀[徐廣曰元鼎四年時]而以常山爲郡然後五岳皆在天子之郡其明年齊人少翁以鬼神方見上上有所幸王夫人[徐廣曰外戚傳封禪書曰趙之王夫人幸有子封爲

齊王夫人卒少翁以方蓋夜致王夫人及竈鬼之貌云（索隱曰漢書作李夫人卒帝悼之李少翁致其形帝爲作賦此云王夫人新論亦同未詳）天子自帷中望見焉於是乃拜少翁爲文成將軍賞賜甚多以客禮禮之文成言曰上即欲與神通宮室被服非象神神物不至乃作畫雲氣車及各以勝日駕車辟惡鬼（索隱曰樂產云畫以勝日謂畫青車以甲乙畫赤車以丙丁畫玄車以壬癸畫白車以庚辛畫黃車以戊己將有水事則乘黃車故云駕車辟惡鬼也）又作甘泉宮中爲臺室畫天地太一諸鬼神而置祭具以致天神居歲餘其方益衰神不至乃爲帛書以飯牛詳不知言曰此牛腹中有奇殺視得書

通鑑十九識其手書
胡注謂識其親書手跡也

書言甚怪天子識其手書問其人果是偽書於是誅文成將軍隱之其後則又作柏梁銅柱(徐廣曰元鼎二年時)承露仙人掌之屬矣文成死明年天子病鼎湖甚(索隱曰三輔黃圖云鼎湖宮名在藍田韋昭云地名近宜春案湖本屬京兆後分屬弘農恐非鼎湖之處也)巫醫無所不致不愈游水發根言上郡有巫病而鬼神下之上召置祠之甘泉及病使人問神君神君言曰天子無憂病病少愈彊與我會甘泉於是病愈遂起幸甘泉病良已大赦置酒壽宮神君壽宮神君最貴者太一其佐曰大禁司命之屬皆從之非可得見聞其言

言與人音等時去時來來則風肅然居室帷中
時晝言然常以夜天子祓然後入因巫爲主人
關飲食所以言行下又置壽宮北宮張羽旗設
供具以禮神君神君所言上使人受書其言命
之曰書法其所語世俗之所知也無絕殊者而
天子心獨喜其事祕世莫知也其後三年有司
言元宜以天瑞命不宜以一二數一元曰建二
元以長星曰光三元以郊得一角獸曰狩云其
明年冬天子郊雍議曰今上帝朕親郊而后土
無祀則禮不答也有司與太史公祠官寬舒議

封禪書

天地牲角繭栗今陛下親祠后土后土宜於澤中圜丘為五壇壇一黃犢太牢具已祠盡瘞而從祠衣上黃於是天子遂東始立后土徐廣曰元鼎四年祠汾陰脽丘如寬舒等議上親望拜如上帝禮禮畢天子遂至滎陽而還過雒陽下詔曰三代邈絕遠矣難存其以三十里地封周後為周子南君以奉其先祀焉是歲天子始巡郡縣浸尋於泰山矣其春樂成侯上書言欒大欒大膠東宮人故嘗與文成將軍同師已而為膠東王尚方而樂成侯姊為康王后索隱曰康王名寄無子康王死

他姬子立爲王(徐廣曰以元狩二年薨)而康后有淫行與王不相中(索隱曰三蒼云中得也)相危以法康后聞文成已死而欲自媚於上乃遣欒大因樂成侯求見言方天子既誅文成後悔其蚤死惜其方不盡及見欒大大說大爲人長美言多方略而敢爲大言處之不疑大言曰臣常往來海中見安期羨門之屬顧以臣爲賤不信臣又以爲康王諸侯耳不足與方臣數言康王康王又不用臣臣之師曰黃金可成而河決可塞不死之藥可得僊人可致也然臣恐效文成則方士皆奄口惡敢言方

哉上曰文成食馬肝死耳索隱曰論衡云氣勃而毒盛故食走馬肝馬肝殺人儒林傳曰食肉無食馬肝是也子誠能脩其方我何愛乎索隱曰上語樂大云子誠能修文成方我更何所愛惜乎謂不惜公主爵貴祿位也大曰臣師非有求人人者求之陛下必欲致之則貴其使者令有親屬以客禮待之勿卑使各佩其信印乃可使通言於神人神人尚肯邪不邪致尊其使然後可致也於是上使驗小方鬬棊棊自相觸擊索隱曰顧氏案萬畢術云取雞血雜磨針鐵擣和磁石棊頭置局上自相抵擊也是時上方憂河決而黃金不就乃拜大爲五利將軍居月餘得四印索隱曰謂五利將軍天士將軍地士將軍大通將軍爲四印也佩天士將軍地士將

軍大通將軍印制詔御史昔禹疏九江決四瀆閒者河溢皋陸隄繇不息朕臨天下二十有八年（徐廣曰先鼎四年也）天若遺朕士而大通焉乾稱蜚龍鴻漸于般朕意庶幾與焉其以二千戶封地士將軍大爲樂通侯賜列侯甲第僮千人乘轝斥車馬帷幄器物以充其家又以衛長公主妻之（索隱曰衛子夫之子曰衛太子女曰衛長公主是衛后長女也非如帝姊曰長公主之例也）齎金萬斤更命其邑曰當利公主（索隱曰地理志東萊有當利縣）天子親如五利之第使者存問供給相屬於道自大主（徐廣曰武帝姑）將相以下皆置酒其家獻遺之於是天子

又刻玉印曰天道將軍使使衣羽衣夜立白茅上五利將軍亦衣羽衣夜立白茅上受印以示不臣也而佩天道者且爲天子道天神也於是五利常夜祠其家欲以下神神未至而百鬼集矣然頗能使之其後裝治行東入海求其師云大見數月佩六印（索隱曰更加樂通侯及天道將軍印爲六印）貴震天下而海上燕齊之閒莫不搤捥而自言有禁方能神僊矣其夏六月中汾陰巫錦爲民祠魏脽后土營旁見地如鉤狀掊視得鼎鼎大異於衆鼎文鏤無款識怪之言吏吏告河東太守勝

以聞天子使使驗問巫得鼎無姦詐乃以禮祠
迎鼎至甘泉從行上薦之至中山徐廣曰河渠書曰鑿涇水自中
山西曣嗢有黃雲蓋焉有麃過上自射之因以祭
云徐廣曰上言從行上薦之或者祭鼎也至長安公卿大夫皆議請尊
寶鼎天子曰間者河溢歲數不登故巡祭后土
祈為百姓育穀今歲豐廡未報鼎曷為出哉有
司皆曰聞昔泰帝興神鼎一索隱曰孔文祥云泰帝太昊也一者
壹統天地萬物所繫終也黃帝作寶鼎三象天
地人禹收九牧之金鑄九鼎皆嘗亨鬺徐廣曰鬺亨煑
也音殤皆嘗以亨牲牢而祭神上帝鬼神遭聖則興鼎遷于夏商

周德衰宋之社亡鼎乃淪沒伏而不見頌云自
堂徂基自羊徂牛鼐鼎及鼒不吳不驁胡考
之休今鼎至甘泉光潤龍變承休無疆合茲中
山（徐廣曰關中亦復有中山也非魯中山）有黃白雲降蓋若獸為符
路弓乘矢集獲壇下報祠大享（徐廣曰一云大報祠享）唯
受命而帝者心知其意而合德焉鼎宜見於祖
禰藏於帝廷以合明應制曰可入海求蓬萊者
言蓬萊不遠而不能至者殆不見其氣上乃遣
望氣佐候其氣云其秋上幸雍且郊或曰五帝
太一之佐也宜立太一而上親郊之上疑未定齊

人公孫卿曰今年得寶鼎其冬辛巳朔旦冬至
與黃帝時等卿有札書曰黃帝得寶鼎宛朐問
於鬼臾區鬼臾區對曰黃帝得寶鼎神策是歲
己酉朔旦冬至得天之紀終而復始於是黃帝
迎日推策後率二十歲復朔旦冬至凡二十推
三百八十年黃帝僊登于天卿因所忠欲奏之
所忠視其書不經疑其妄書謝曰寶鼎事已決
矣尚何以為卿因嬖人奏之上大說乃召問卿
對曰受此書申公申公已死上曰申公何人也
卿曰申公齊人與安期生通受黃帝言無書獨

有此鼎書曰漢興復當黃帝之時曰漢之聖者在高祖之孫且曾孫也寶鼎出而與神通封禪封禪七十二王唯黃帝得上泰山封申公曰漢主亦當上封上封則能僊登天矣黃帝時萬諸侯而神靈之封居七千索隱曰韋昭云黃帝時萬國以其修神靈得封者七千國或爲七十國樂彥云以舜爲神明之後封嬀滿於陳之類是也顧氏案國語仲尼云山川之守足以紀綱天下若其守爲神汪芒氏之君守封禺之山也天下名山八而三在蠻夷五在中國中國華山首山太室泰山東萊此五山黃帝之所常游與神會黃帝且戰且學僊患百姓非其道者乃斷斬非鬼神者索隱曰謂有非毀鬼神之人乃斷理而誅斬之

百餘歲然後得與神通黃帝郊雍上帝宿三月鬼臾區號大鴻死葬雍故鴻冢是也其後黃帝接萬靈明廷明廷者甘泉也所謂寒徐廣曰一作塞門者谷口也黃帝采首山銅鑄鼎於荊山下鼎既成有龍垂胡髯下迎黃帝索隱曰說文云胡牛垂頷也釋名云胡在咽下垂者則所謂龍胡也黃帝上騎羣臣後宮從上者七十餘人龍乃上去餘小臣不得上乃悉持龍髯龍髯拔墮墮黃帝之弓百姓仰望黃帝既上天乃抱其弓與胡髯號故後世因名其處曰鼎湖其弓曰烏號於是天子曰嗟乎吾誠得如黃帝吾視

去妻子如脫躧耳乃拜卿爲郎東使候成於太室上遂郊雍至隴西西登空峒幸甘泉令祠官寬舒等具太一祠壇祠壇放薄忌太一壇壇三垓（徐廣曰階次也）五帝壇環居其下各如其方黃帝西南除八通鬼道太一其所用如雍一畤物而加醴棗脯之屬殺一貍牛以爲俎豆牢具而五帝獨有俎豆醴進其下四方地爲醊食羣臣從者及北斗云已祠胙餘皆燎之其牛色白鹿居其中彘在鹿中水而洎之（徐廣曰洎一作酒灌水於釜中曰洎音冀）祭日以牛祭月以羊彘特（索隱曰樂彥云祭日以太牢月以少牢特一牲也小顏云牛

羊若彘止一牲故云特也太一祝宰則衣紫及繡五帝各如其色日赤月白十一月辛巳朔旦冬至昧爽天子始郊拜太一朝朝日夕夕月則揖而見太一如雍郊禮其贊饗曰索隱曰韋昭云贊饗祀祠也漢書舊儀云贊饗一人秩六百石是也天始以寶鼎神策授皇帝朔而又朔終而復始皇帝敬拜見焉而衣上黃其祠列火滿壇壇旁亨炊具有司云祠上有光焉公卿言皇帝始郊見太一雲陽有司奉瑄玉嘉牲薦饗是夜有美光及晝黃氣上屬天太史公祠官寬舒等曰神靈之休祐福兆祥宜因此地光域立太畤壇以明

應令太祝領秋及臘間祠三歲天子一郊見其秋爲伐南越告禱太一以牡荊畫幡日月北斗登龍以象天一三星爲太一鋒徐廣曰天官書曰天極星明者太一常居也斗口三星曰天一命曰靈旗爲兵禱則太史奉以指所伐國而五利將軍使不敢入海之太山祠上使人隨驗實毋所見五利妄言見其師其方盡多不讎索隱曰鄭德云相應爲讎謂其言語不相應無驗也上乃誅五利其冬公孫卿候神河南言見僊人跡緱氏城上有物如雉往來城上天子親幸緱氏城視跡問卿得毋效文成五利乎卿曰僊者非有求人主人主

者求之其道非少寬假神不來言神事事如迂誕積以歲乃可致也於是郡國各除道繕治宮觀名山神祠所以望幸也其春既滅南越上有嬖臣李延年以好音見上善之下公卿議曰民間祠尚有鼓舞樂今郊祠而無樂豈稱乎公卿曰古者祠天地皆有樂而神祇可得而禮或曰太帝使素女鼓五十弦瑟悲帝禁不止故破其瑟為二十五弦於是塞南越禱祠太一后土始用樂舞益召歌兒作二十五弦徐廣曰琴瑟及空侯徐廣[illegible]應劭曰武帝令樂人侯調始造此器琴瑟自此起其來年冬上議曰

曰古者先振兵釋旅徐廣曰古釋字作澤然後封禪乃遂北巡朔方勒兵十餘萬還祭黃帝冢橋山釋兵須如徐廣曰須一作涼上曰吾聞黃帝不死今有冢何也或對曰黃帝已僊上天羣臣葬其衣冠既至甘泉爲且用事太山先類祠太一自得寶鼎上與公卿諸生議封禪封禪用希曠絕莫知其儀禮而羣儒采封禪尚書周官王制之望祀射牛事齊人丁公年九十餘曰封禪者合不死之名也秦皇帝不得上封陛下必欲上稍上即無風雨遂上封矣上於是乃令諸儒習射牛草封禪

儀數年至且行天子既聞公孫卿及方士之言
黃帝以上封禪皆致怪物與神通欲放黃帝以
上接神僊人蓬萊士高世比德於九皇而頗采
儒術以文之羣儒既已不能辨明封禪事又牽
拘於詩書古文而不能騁上為封禪祠器示羣
儒羣儒或曰不與古同徐偃又曰太常諸生行
禮不如魯善周霸屬圖封禪事於是上絀偃
霸而盡罷諸儒不用三月遂東幸緱氏禮登中
岳太室從官在山下聞若有言萬歲云問上上
不言問下下不言於是以三百戶封太室奉祠

命曰崇高邑東上太山太山之草木葉未生乃令人上石立之太山顛上遂東巡海上行禮祠八神齊人之上疏言神怪奇方者以萬數然無驗者乃益發船令言海中神山者數千人求蓬萊神人公孫卿持節常先行候名山至東萊言夜見大人長數丈就之則不見見其跡甚大類禽獸云羣臣有言見一老父牽狗言吾欲見巨公已忽不見上即見大跡未信及羣臣有言老父則大以為僊人也宿留海上予方士傳車及閒使求僊人以千數四月還至奉高上念諸儒

及方士言封禪人人殊不經難施行天子至梁父禮祠地主乙卯令侍中儒者皮弁薦紳射牛行事封太山下東方如郊祠太一之禮封廣丈二尺高九尺其下則有玉牒書書祕禮畢天子獨與侍中奉車子侯上太山亦有封其事皆禁明日下陰道丙辰禪太山下阯東北肅然山如祭后土禮天子皆親拜見衣上黃而盡用樂焉江淮閒一茅三脊爲神藉五色土益雜封縱遠方奇獸蜚禽及白雉諸物頗以加禮兕牛犀象之屬不用皆至太山祭后土封禪祠其夜若有

光晝有白雲起封中天子從禪還坐明堂羣臣
更上壽於是制詔御史朕以眇眇之身承至尊
兢兢焉懼不任維德菲薄不明于禮樂脩祠太
一若有象景光屑如有望震於怪物欲止不敢
遂登封太山至于梁父而後禪肅然自新嘉與
士大夫更始賜民百戶牛一酒十石加年八十
孤寡布帛二匹復博奉高蛇丘歷城無出今年
租稅其大赦天下如乙卯赦令行所過毋有復
作事在二年前皆勿聽治又下詔曰古者天子
五載一巡狩用事太山諸侯有朝宿地其令諸

侯各治邸太山下天子既已封太山無風雨災
而方士更言蓬萊諸神若將可得於是上欣然
庶幾遇之乃復東至海上望冀遇蓬萊焉奉車
子侯暴病一日死索隱曰新論云武帝出璽印石財有兆朕子侯則沒印帝畏惡故殺之風俗通亦云然顧胤案武帝集帝與子侯家語云道士皆言子侯得仙不足悲此說是也上乃遂
去並海上北至碣石巡自遼西歷北邊至九原
五月反至甘泉有司言寶鼎出為元鼎以今年
為元封元年其秋有星茀于東井後十餘日有
星茀于三能望氣王朔言候獨見填星出如瓜
食頃復入焉有司皆曰陛下建漢家封禪天其

報德星云索隱曰樂彦包愷並作填星填星即德星也符瑞圖云填星之極芒艷如旗本亦作旗也

其來年冬郊雍五帝還拜祝祠太一贊饗曰德星昭衍厥維休祥壽星仍出淵耀光明信星昭見皇帝敬拜太祝之享其春公孫卿言見神人東萊山若云欲見天子天子於是幸緱山城拜卿爲中大夫遂至東萊宿留之數日無所見見大人跡云復遣方士求神怪采芝藥以千數是歲旱於是天子既出無名乃禱萬里沙過祠太山還至瓠子自臨塞決河留二日沈祠而去使二卿將卒塞決河徙二渠復禹之故跡焉是時

旣滅兩越越人勇之乃言越人俗鬼而其祠皆
見鬼數有效昔東甌王敬鬼壽百六十歲後世
怠慢故衰耗乃令越巫立越祝祠安臺無壇亦
祠天神上帝百鬼而以雞卜上信之越祠雞卜
始用公孫卿曰僊人可見而上往常遽以故不
見今陛下可爲觀如緱城（徐廣曰一云如緱氏城）置脯棗神
人宜可致也且僊人好樓居於是上令長安則
作蜚廉桂觀甘泉則作益延壽觀（索隱曰小顏以爲作益壽延壽
二館漢武帝故事云作延壽觀高二十丈）使卿持節設具而候神人乃
作通天莖臺（徐廣曰在甘泉○索隱曰漢書並無莖字疑衍也）置祠具其

孝武本紀十

下將招來僊神人之屬於是甘泉更置前殿始廣諸宮室夏有芝生殿房內中（徐廣曰元封二年）天子爲塞河興通天臺若見有光云乃下詔甘泉房中生芝九莖赦天下毋有復作其明年伐朝鮮夏旱公孫卿曰黃帝時封則天旱乾封三年上乃下詔曰天旱意乾封乎其令天下尊祠靈星焉其明年上郊雍通回中道巡之春至鳴澤從西河歸其明年冬上巡南郡至江陵（徐廣曰元封五年）而東登禮灊之天柱山號曰南岳浮江自尋陽出樅陽過彭蠡禮其名山川北至琅邪並海上

四月中至奉高脩封焉初天子封太山太山東北趾古時有明堂處處險不敞上欲治明堂奉高旁未曉其制度濟南人公玊帶上黃帝時明堂圖明堂圖中有一殿四面無壁以茅蓋通水圜宮垣爲複道上有樓從西南入命曰昆侖天子從之入以拜祠上帝焉於是上令奉高作明堂汶上（徐廣曰在元封二年秋）如帶圖及今五年脩封則祠太一五帝於明堂上坐令高皇帝祠坐對之祠后土於下房以二十太牢天子從昆侖道入始拜明堂如郊禮禮畢燎堂下而上又上泰山有

有秘祠其巔而太山下祠五帝各如其方黃帝
并赤帝而有司侍祠焉山上舉火下悉應之其
後二歲十一月甲子朔旦冬至推曆者以本統
天子親至太山以十一月甲子朔旦冬至日祠
上帝明堂毋脩封禪徐廣曰常五年一脩耳今適二年故但祠於明堂其贊
饗曰天增授皇帝太元神策周而復始皇帝敬
拜太一東至海上考入海及方士求神者莫驗
然益遣冀遇之十一月乙酉柏梁烖十二月甲
午朔上親禪高里祠后土臨勃海將以望祀蓬
萊之屬冀至殊廷焉上還以柏梁烖故朝受計

甘泉公孫卿曰黃帝就青靈臺十二日燒黃帝
乃治明廷明廷甘泉也方士多言古帝王有都
甘泉者其後天子又朝諸侯甘泉甘泉作諸侯
邸勇之乃曰越俗有火災復起屋必以大用勝
報之於是作建章宮度爲千門萬戶前殿度高
未央其東則鳳闕高二十餘丈其西則唐中數
十里虎圈其北治大池漸臺高二十餘丈命曰
大液池中有蓬萊方丈瀛洲壺梁象海中神山
龜魚之屬其南有玉堂璧門大鳥之屬乃立神
明臺井幹樓度五十丈輦道相屬焉夏漢改曆

以正月爲歲首而色上黃官名更印章以五字
爲太初元年是歲西伐大宛蝗大起丁夫人雒
陽虞初等以方祠詛匈奴大宛焉其明年有司
上言雍五畤無牢熟具芬芳不備乃令祠官進
畤犢牢具色食所勝而以木禺馬代駒焉獨五
月嘗駒行親郊用駒及諸名山川用駒者悉以
木禺馬代行過乃用駒他禮如故其明年東巡
海上考神僊之屬未有驗者方士有言黃帝時
爲五城十二樓以候神人於執期命曰迎年上
許作之如方命曰明年上親禮祠上帝焉公玉

帶曰黃帝時雖封太山然風后封巨岐伯令黃
帝封東太山禪凡（徐廣曰一作丸）山合符然後不死焉
天子既令設祠具至東太山太山卑小不稱其
聲乃令祠官禮之而不封禪焉其後令帶奉祠
候神物夏遂還太山脩五年之禮如前而加以
禪祠石閭石閭者在太山下阯南方方士多言
此僊人之閭也故上親禪焉其後五年復至太
山脩封（徐廣曰天漢三年）還過祭恒山今天子所興祠
太一后土三年親郊祠建漢家封禪五年一脩
封薄忌太一及三一冥羊馬行赤星五寬舒之

祠官以歲時致禮索隱曰郊祀志云祠官寬舒議祠后土爲五壇五畤故謂之五畤寬舒祠官也凡六祠皆太祝領之至如八神諸明年凡山他名祠行過則祠行去則已方士所興祠各自主其人終則已祠官不主他祠皆如其故今上封禪其後十二歲而還徧於五岳四瀆矣而方士之候祠神人入海求蓬萊終無有驗而公孫卿之候神者猶以大人之跡爲解無有效天子益怠厭方士之怪迂語矣然羈縻不絕冀遇其真自此之後方士言神祠者彌衆然其效可睹矣

太史公曰余從巡祭天地諸神名山川而封禪焉入壽宮侍祠神語究觀方士祠官之意於是退而論次自古以來用事於鬼神者具見其表裏後有君子得以覽焉至若俎豆珪幣之詳獻酬之禮則有司存

索隱述贊曰禮載升中書稱肆類古今盛典皇王能事登封報天降禪除地飛英騰實金泥石記漢承遺緒斯道不墜仙閭爾然揚休勒誌

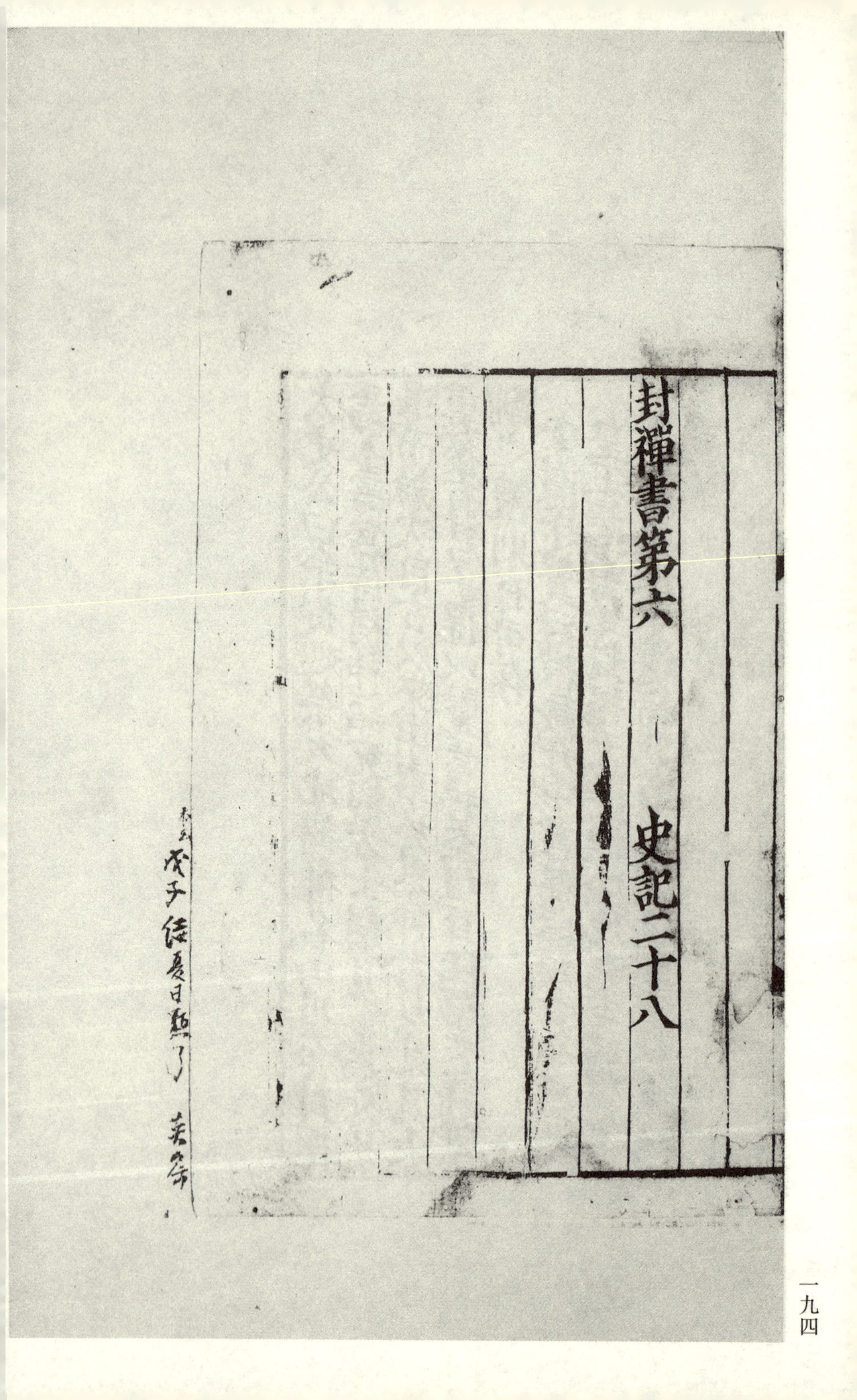

封禪書第六　史記二十八

戊子[illegible]夏日點了　[illegible]

(漢)司馬遷 撰
(南朝宋)裴駰 集解
(唐)司馬貞 索隱
(唐)張守節 正義

宋本史記

第十二册

國家圖書館出版社

第十二册目録

史記卷

四十

卅五 管蔡

卅六 陳杞

史記
四

管蔡世家第五　史記三十五

李元

管叔鮮[正義曰音仙括地志云鄭州管城縣今州外城即管國城也是叔鮮所封國也]蔡叔度者周文王子而武王弟也武王同母兄弟十人母曰太姒[正義曰國語云杞繒二國姒姓夏禹之後大姒之家大姒文王之妃武王之母列女傳云大姒者武王之母禹後姒氏之女也在郃之陽在渭之涘仁而眀道文王喜之親迎於渭造舟爲梁及入大姒思任旦夕勤勞以進婦道大姒號曰文母文王理外文母治內大姒生十男教誨自少及長未嘗見邪僻之事言常以正道持之也]文王正妃也其長子曰伯邑考次曰武王發次曰管叔鮮次曰周公旦次曰蔡叔度次曰曹叔振鐸次曰成叔武[正義曰括地志云濮州雷澤縣在東南九十一里漢郕陽縣古郕伯姬姓之國其後遷於成之陽]次曰霍叔處[正義曰處昌汝反括地志云晉州霍邑縣本漢彘縣也鄭玄注周禮

正義曰舍音捨

（云霍山鄉國本春秋時霍伯國地）次曰康叔封，次曰冄季載（正義冄作冄音奴甘反或作郍音同冄國名也季載人名也伯邑考最長所以加伯諸中子咸言叔以載最少故言季載）冄季載最少同母兄弟十人（徐廣曰文王之子為侯者十有六國）唯發旦賢左右輔文王（正義曰左右並去聲）故文王舍伯邑考而以發為太子及文王崩而發立是為武王伯邑考既已前卒矣武王已克殷紂平天下封功臣昆弟於是封叔鮮於管（杜預曰管在滎陽京縣東北）封叔度於蔡（世本曰居上蔡）二人相紂子武庚祿父治殷遺民封叔旦於魯而相周為周公封叔振鐸於曹封叔武於成（索隱曰按春秋隱五年衛師入郕杜預曰東平剛父縣有郕鄉後漢地理志以為成本國又地理志廩丘縣南有成）

（故城應劭云武王封弟季載於成是古之成邑應仲遠誤云季載封耳）封叔處於霍（索隱曰春秋閔元年晉滅霍地理志云河東彘縣霍太山在東北是霍叔之所封）康叔封冉季載皆少未得封（索隱曰孔安國曰康畿內國名地闕叔字也封叔名耳）武王既崩成王少周公旦專王室管叔蔡叔疑周公之為不利於成王乃挾武庚以作亂周公旦承成王命伐誅武庚殺管叔而放蔡叔遷之與車十乘徒七十人從而分殷餘民為二其一封微子啓於宋以續殷祀其一封康叔為衛君是為衛康叔封季載於冉（索隱曰冉國也載名也季字也冉或作䣅國語曰冉季鄭姬賈逵曰文王子冉季之國也莊十八年楚武王克權遷於那處杜預云那處楚地南郡編縣東南有那口城冉聃䣅音奴甘反）冉季康叔皆

管叔 蔡叔 成叔 曹叔 霍叔

中

有馴行（索隱曰如字音巡馴善也）於是周公舉康叔為周司寇，冄季為周司空，（索隱曰事見左傳定公四年）以佐成王治，皆有令名於天下。蔡叔度既遷而死。其子曰胡，胡乃改行，率德馴善。周公聞之，而舉胡以為魯卿士，（索隱曰尚書云蔡仲克庸祗德周公以為卿士叔卒乃命諸王邦之蔡尤無仕魯之文又伯禽居魯乃是七年致政之後此言乃說居攝政之初未知史遷何憑而有斯言也）魯國治。於是周公言於成王，復封胡於蔡，（宋忠曰胡徙居新蔡）以奉蔡叔之祀，是為蔡仲。餘五叔皆就國，無為天子吏者。（索隱曰五叔管叔蔡叔成叔曹叔霍叔）

蔡仲卒，子蔡伯荒立。蔡伯荒卒，子宮侯立。宮侯卒，子厲侯立。厲侯卒，子武侯立。武侯之時

列本作諸

周厲王失國奔彘共和行政諸侯多叛周武侯卒子夷侯立夷侯十一年周宣王即位二十八年夷侯卒子釐侯所事立釐侯三十九年周幽王爲犬戎所殺周室卑而東徙秦始得封爲列侯正義曰周幽王爲犬戎所殺平王東徙洛邑秦襄公以兵救因送平王至洛故平王封襄公四十八年釐侯卒子共侯興立共侯二年卒子戴侯立戴侯十年卒子宣侯措父立宣侯二十八年魯隱公初立三十五年宣侯卒子桓侯封人立桓侯三年魯弑其君隱公二十年桓侯卒弟哀侯獻舞立哀侯十一年初哀侯娶陳息侯亦娶陳

(杜預曰息國汝南新息縣)息夫人將歸過蔡蔡侯不敬息侯怒請楚文王來伐我我求救於蔡蔡必來楚因擊之可以有功楚文王從之虜蔡哀侯以歸哀侯留九歲死於楚凡立二十年卒蔡人立其子肸(音吉)是爲繆侯繆侯以其女弟爲齊桓公夫人十八年齊桓公與蔡女戲船中夫人蕩舟桓公止之不止公怒歸蔡女而不絕也蔡侯怒嫁其弟(索隱曰弟女弟即蕩舟之姬)齊桓公怒伐蔡蔡潰遂虜繆侯南至楚邵陵已而諸侯爲蔡謝齊齊侯歸蔡侯二十九年繆侯卒子莊侯甲午立莊侯三年齊桓公

卒十四年晉文公敗楚於城濮二十年楚太子
商臣弒其父成王代立二十五年秦穆公卒三
十三年楚莊王即位三十四年莊侯卒子文侯
申立文侯十四年楚莊王伐陳殺夏徵舒十五
年楚圍鄭鄭降楚楚復醳之〔正義曰醳音釋〕二十年文侯
卒子景侯同立景侯元年楚莊王卒二十九年
景侯為太子般娶婦於楚而景侯通焉太子弒
景侯而自立是為靈侯靈侯二年楚公子圍弒
其王郟敖而自立為靈王〔正義郟紀洽反敖五高反〕九年陳司
徒招弒其君哀公〔索隱曰招或作苕又作韶並音時遥反〕楚使公子棄

隱太子友八

侯滅陳而有之十二年楚靈王以靈侯弒其父誘蔡靈侯于申（正義曰故申城在鄧州）伏甲飲之醉而殺之刑其士卒七十人令公子棄疾圍蔡十一月滅蔡使棄疾爲蔡公（正義曰蔡之大夫也）楚滅蔡三歲楚公子棄疾弒其君靈王代立爲平王平王乃求蔡景侯少子廬立之是爲平侯（宋忠曰平侯徙下蔡○索隱曰今系本無者近脫耳）是年楚亦復立陳楚平王初立欲親諸侯故復立陳蔡後（世本曰平侯者靈侯般之孫太子友之子）平侯九年卒靈侯般之孫東國攻平侯子而自立是爲悼侯悼侯父曰隱太子友者靈侯之太子平侯立而殺隱太

義本作善

正義曰沈子國為楚所滅後号直亭也

子故平侯卒而隱太子之子東國攻平侯子而代立是爲悼侯悼侯三年卒弟昭侯甲立昭侯十年朝楚昭王持美裘二獻其一於昭王而自衣其一楚相子常欲之不與子常讒蔡侯留之楚三年蔡侯知之乃獻其裘於子常子常受之乃言歸蔡侯蔡侯歸而之晉請與晉伐楚十三年春與衛靈公會邵陵蔡侯私於周萇弘以求長於衛服虔曰載書使蔡在衛上衛使史鰌言康叔之功德乃長衛夏爲晉滅沈杜預曰汝南平輿縣有沈亭楚怒攻蔡蔡昭侯使其子爲質於吳正義質音致以共伐楚冬與吳王

闔閭遂破楚入郢蔡怨子常子常恐奔鄭十四年吳去而楚昭王復國十六年楚令尹爲其民泣以謀蔡蔡昭侯懼二十六年孔子如蔡楚昭王伐蔡蔡恐告急於吳吳爲蔡遠約遷以自近易以相救昭侯私許不與大夫計吳人來救蔡因遷蔡于州來索隱曰州來在淮南下蔡縣二十八年昭侯將朝于吳大夫恐其復遷乃令賊利殺昭侯索隱曰利賊名也已而誅賊利以解過而立昭侯子朔是爲成侯徐廣曰或作景成侯四年宋滅曹十年齊田常弒其君簡公十三年楚滅陳十九年成侯卒子聲侯產

立聲侯十五年卒子元侯立元侯六年卒子侯齊立侯齊四年楚惠王滅蔡蔡侯齊亡蔡遂絕祀後陳滅三十三年索隱曰魯哀十七年楚滅陳其楚滅蔡絕其祀又在滅陳之後三十三年即在春秋後二十三年

伯邑考其後不知所封武王發其後為周有本紀言管叔鮮作亂誅死無後周公由其後為魯有世家言蔡叔度其後為蔡有世家言曹叔振鐸其後為曹有世家言索隱曰曹亦姬姓之國而文之昭春秋之時頗稱彊國傳數十代而後亡豈可附管蔡亡國之末而沒其篇第自合析為一篇成叔武其後世無所見霍叔處其後晉獻公時滅霍康叔封其後為衛有世家言冉季載其後世無所

正義曰音弼本作弼

正義曰曹國有曹南山名曹國今曹州也

見

太史公曰管蔡作亂無足載者然周武王崩成王少天下既疑賴同母之弟成叔冄季之屬十人爲輔拂是以諸侯卒宗周故附之世家言

曹叔世家 索隱曰按上文叔振鐸其後爲曹有系家言即曹亦合題系家今附管蔡之末而不出題者蓋以曹小而少事迹因附管蔡之末不別題篇爾且又管雖無後仍是蔡曹之兄故顯管蔡而略曹

曹叔振鐸者周武王弟也武王已克殷紂封叔振鐸於曹 宋忠曰濟陽定陶縣 叔振鐸卒子太伯脾立太伯卒子仲君平立仲君平卒子宮伯侯立宮伯侯卒子孝伯雲立孝伯雲卒子夷伯喜立夷伯二十三年

正義曰孫檢或云齊人不知何代史記注內有此人其注無别奇異唯存名字而已王儉七志阮孝緒七錄並無疑裴駰所錄恐此人自加之

周厲王奔于彘。三十年，卒，弟幽伯彊立。幽伯九年，弟蘇殺幽伯代立，是為戴伯。戴伯元年，周宣王已立三歲。三十年，戴伯卒，子惠伯兕立。孫檢曰：兕音徐子反。曹惠伯或名雉，或名弟，或復名弟兕也。○索隱曰：按年表作惠公伯雉。註引孫檢，未詳何代，或云齊人，亦恐其人不註史記，所以王儉七志、阮孝緒七錄並無，不知裴駰何所從錄。惠伯二十五年，周幽王為犬戎所殺，因東徙，益卑，諸侯畔之。秦始列為諸侯。三十六年，惠伯卒，子石甫立，其弟武殺之代立，是為繆公。繆公三年卒，子桓公終生立。孫檢曰：一作終湦，湦音生。桓公三十五年，魯隱公立。四十五年，魯弒其君隱公。四十六年，宋華父督弒其君殤公

兕 六市

石 本亦碩

及孔父五十五年桓公卒子莊公夕姑立索隱曰夕音亦即射姑也同音亦莊公二十三年齊桓公始霸三十一年莊公卒子釐公美立釐公九年卒子昭公班立昭公六年齊桓公敗蔡遂至楚召陵九年昭公卒子共公襄立共公十六年初晉公子重耳其亡過曹曹君無禮欲觀其駢脅韋昭曰駢者并幹也○正義曰駢白邊反脅許業反釐負羈正義曰釐音僖曹大夫諫不聽私善於重耳二十一年晉文公重耳伐曹虜共公以歸令軍毋入釐負羈之宗族閭或說晉文公曰昔齊桓公會諸侯復異姓今君囚曹君滅同姓何以令

頃本作須

於諸侯晉乃復歸共公二十五年晉文公卒三十五年共公卒子文公壽立文公二十二年卒子宣公彊立索隱曰左傳宣公名盧宣公十七年卒弟成公負芻立成公三年晉厲公伐曹虜成公以歸已復釋之索隱曰按左傳成十五年晉厲公執負芻歸于京師晉立宣公弟子臧子臧曰聖達節次守節下失節爲君非吾節也遂逃奔宋曹人請于晉晉人謂子臧反國吾歸而君子臧反晉於是歸負芻五年晉欒書中行偃使程滑弒其君厲公二十三年成公卒子武公勝立武公二十六年楚公子棄疾弒其君靈王代立二十七年武公卒子平公頃立平公四年卒子悼公午立是歲宋衛陳鄭皆火

悼公八年，宋景公立。九年，悼公朝於宋，宋囚之。曹立其弟野，是爲聲公。悼公死於宋，歸葬。聲公五年，平公弟通弑聲公代立，是爲隱公。（索隱曰：譙周云春秋無其事，今檢系本及春秋，悼伯卒，弟露立，謚靖公，實無聲公、隱公，蓋是彼文自疎也。）隱公四年，聲公弟露弑隱公代立，是爲靖公。靖公四年卒，子伯陽立。伯陽三年，國人有夢衆君子立于社宮，（賈逵曰：社宮，社也。鄭衆曰：社宮中有室屋者。）謀欲亡曹；曹叔振鐸止之，請待公孫彊，許之。旦，求之曹，無此人。夢者戒其子曰：我亡，爾聞公孫彊爲政，必去曹，無離曹禍。（索隱曰：離即罹，罹，被也。）及伯陽即位，好田弋之事。六年，曹野人公孫彊亦好田弋，獲白鴈而獻之，且言田弋之說，因訪政事。伯陽大說之，有寵，使爲司城以聽政。夢者之子乃亡去。公孫彊言霸說於曹伯。十四年，曹伯從之，乃背晉干宋。（賈逵曰：以小加大。○索隱曰：干，謂犯也。言曹因棄晉而犯宋，遂至滅也。裴氏引賈逵註云以小加大者，加陵也。小即曹，大謂晉及宋也。）宋景公伐之，晉人不救。十五年，宋滅曹，執曹伯陽及公孫彊以歸而殺之。曹遂絕其祀。

太史公曰：（索隱曰：檢諸本或無此論。）余尋曹共公之不用僖負羈，乃乘軒者三百人，（正義曰：晉世家云晉師入曹，數之以其不用僖負羈言，而美女乘軒三百人也。）知唯德之不建。及振鐸之夢，豈不欲引曹

之祀若哉如公孫彊不脩厥政叔鐸之祀忽諸

正義曰若如公孫彊不脩霸道之政而伯陽之子立叔鐸猶尚饗祭祀豈合忽絕之哉

索隱述贊曰 武王之弟 管蔡及霍

周公居相 流言是作 狼跋致艱

鴟鴞討惡 胡能改行 克復其爵

獻舞執楚 遇息禮薄 穆侯虜齊

蕩舟乖謔 曹共輕晉 負羈先覺

伯陽夢社 祚傾振鐸

史貳阡伍伯捌拾捌字。註壹阡叁伯柒拾柒字

管蔡世家第五 史記三十五

周学紀[illegible]十一舜居嬀汭其後因姓嬀氏左傳正義曰世本舜姓姚氏虞書[illegible]姓姚也[illegible]胡
公[illegible]乃賜姓爲嬀封胡公之前已姓嬀云也　史記正誤

傳正義曰遂戀
父
正義曰詩譜云
帝舜後有遏
父爲周武王
陶正武王賴其
器用封其子嬀
滿於陳都宛丘
之側㮄今陳州
城在古陳城內西
北隅也

陳杞世家第六　史記三十六

陳胡公滿者虞帝舜之後也昔舜爲庶人時堯妻之二女居于嬀汭其後因爲氏姓姓嬀氏舜已崩傳禹天下而舜子商均爲封國（索隱曰按商均所封虞即今之梁國虞城是也）夏后之時或失或續（索隱曰按夏代猶封虞思虞遂是也）至于周武王克殷紂乃復求舜後（索隱曰按左傳虞遏父爲周陶正以服事武王杜注遏父舜之後陶正官名是生滿者也）得嬀滿封之於陳（索隱曰左傳曰武王以元女大姬配虞胡公而封之陳以備三恪）以奉帝舜祀是爲胡公胡公卒子申公犀侯立申公卒弟相公皐羊立相公卒立申公子突是爲孝公孝公卒子愼公圉戎立愼

公當周厲王時愼公卒子幽公寧立幽公十二年周厲王奔于彘二十三年幽公卒子釐公孝立釐公六年周宣王即位三十六年釐公卒子武公靈立武公十五年卒子夷公說立是歲周幽王即位夷公三年卒弟平公燮立（正義曰燮先牒反）平公七年周幽王爲犬戎所殺周東徙秦始列爲諸侯二十三年平公卒子文公圉立文公元年取蔡女生子佗（正義曰徒何反）十年文公卒長子桓公鮑立桓公二十三年魯隱公初立二十六年衛殺其君州吁三十三年魯弑其君隱公三十八年

正義曰：君在親近，而得其位，明習國之禮義，故利賓於王。言爲王賓。否卦義云否閉之世，非是人道交通之

正月甲戌己丑，陳桓公鮑卒。[索隱曰：陳亂，故再赴其日。○正義曰：甲戌己丑，凡十六日。] 桓公弟佗，其母蔡女，故蔡人爲佗殺五父及桓公太子免而立佗，[譙周曰：春秋傳謂佗即五父，與此違。○索隱曰：譙周云"世家與傳違"者，按左傳桓公五年文公子佗殺桓公太子免而代立，經六年蔡人殺陳佗，立桓公子躍，爲厲公，而左傳以厲公名躍，佗立未踰年，故無謚。又莊二十二年傳云陳厲公，蔡出也，故蔡人殺五父而立之，則佗與五父俱爲蔡人所殺，其事不異，是一人明矣。史記既以佗爲厲公，遂以躍爲利公，尋厲利聲相近，遂誤以佗爲厲公，五父爲別人，是太史公錯耳。而班固又以厲公爲桓公弟，又誤也。] 是爲厲公。桓公病而亂作，國人分散，故再赴。[徐廣曰：班氏云厲公躍者，桓公之弟也。] 厲公二年，生子敬仲完。周太史過陳，陳厲公使以周易筮之，卦得觀之否：[賈逵曰：坤下巽上，觀；坤下乾上，否。觀爻在六四，變而之否。] 是爲觀國之光，

師諱甲戌字不讀

時不利及子孫王也上下不交而天下国否也言利賓於王逢值否国之世故利在子為政必有國也

利用賓于王杜預曰此周易觀卦六四爻辭也易之爲書六爻皆有變象又有互體聖人隨其義而論之此其代陳有國乎不在此其在異國正義曰六四變內卦爲中國外卦爲異國非此其身在其子孫正義曰內卦爲身外卦爲子孫變在外故知在子孫也若在異國必姜姓正義曰六四變此爻是辛未觀上體巽未爲羊巽爲女女乘羊故爲姜姜齊姓故知在齊姜姓大嶽之後杜預曰姜姓之先爲堯四嶽也物莫能兩大陳衰此其昌乎正義曰周敬王四十一年楚惠王殺陳湣公齊簡公周敬王三十九年被田常殺之

厲公取蔡女蔡女與蔡人亂厲公數如蔡淫七年厲公所殺桓公太子免之三弟長曰躍中曰林少曰杵臼共令蔡人誘厲公以好女與蔡人共殺厲公公羊傳曰淫于蔡蔡人殺之而立躍是爲利公

利公者桓公子也利公立五月卒立中弟林是爲莊公莊公七年卒少弟杵臼立是爲宣公宣公三年楚武王卒楚始彊十七年周惠王娶陳女爲后二十一年宣公後有嬖姬生子款欲立之乃殺其太子禦寇禦寇素愛厲公子完完懼禍及己乃奔齊齊桓公欲使陳完爲卿完曰羈旅之臣（賈逵曰羈寄旅客也）幸得免負檐君之惠也不敢當高位桓公使爲工正（正義曰周禮云冬官爲考工主作器械）齊懿仲欲妻陳敬仲卜之占曰是謂鳳皇于飛和鳴鏘鏘（杜預曰雄曰鳳雌曰皇雄雌俱飛相和而鳴鏘鏘然[illegible]）有媯之後將育

正義曰謂五世謂

桓子無宇

于姜〔正義曰媯陳姓姜齊姓〕五世其昌並于正卿〔服虔曰言…後五世與卿並列〕八世之後莫之與京〔賈逵曰京大也○正義曰杜預云敬八代孫田常之子襄子盤也而杜以常為八代者以桓子無宇生武子開與釐子乞皆相繼事齊故以常為八代〕三十七年齊桓公伐蔡蔡敗南侵楚至召陵還過陳陳大夫轅濤塗惡其過陳詐齊令出東道東道惡桓公怒執陳轅濤塗是歲晉獻公殺其太子申生四十五年宣公卒子款立是為穆公穆公五年齊桓公卒十六年晉文公敗楚師于城濮是歲穆公卒子共公朔立共公六年楚太子商臣弒其父成王代立是為穆王十一年秦穆公卒十八

年共公卒子靈公平國立靈公正義曰謚法云亂而不損曰靈元年楚莊王即位六年楚伐陳十年陳及楚平十四年靈公與其大夫孔寧儀行父皆通於夏姬正義曰列女傳云陳女夏姬者陳大夫夏徵舒之母御叔之妻也三為王后七為夫人公侯爭之莫不迷惑失意杜預云夏姬鄭穆公女陳大夫御叔之妻左傳云殺御叔殺靈侯戮夏南出孔儀喪陳國也衷其衣以戲於朝左傳曰衷其衵服穀梁傳曰或衣其衣或中其襦泄冶諫曰君臣淫亂民何效焉靈公以告二子二子請殺泄冶公弗禁遂殺泄冶春秋曰陳殺其大夫泄冶十五年靈公與二子飲於夏氏公戲二子曰徵舒似汝二子曰亦似公杜預曰靈公即位十五年徵舒已為卿年大無嫌是公子也蓋以夏姬淫放故謂其子似以為戲也徵舒怒

靈公罷酒出徵舒伏弩廄門射殺靈公（左傳曰公出自其廄）孔寧儀行父皆奔楚靈公太子午奔晉徵舒自立爲陳侯徵舒故陳大夫也夏姬御叔之妻舒之母也成公元年冬楚莊王爲夏徵舒殺靈公率諸侯伐陳謂陳曰無驚吾誅徵舒而已已誅徵舒因縣陳而有之羣臣畢賀申叔時使於齊來還獨不賀（賈逵曰叔時楚大夫）莊王問其故對曰鄙語有之牽牛徑人田田主奪之牛徑則有罪矣奪之牛不亦甚乎今王以徵舒爲賊弑君故徵兵諸侯以義伐之已而取之以利其地則後何以令

年表曰二十八年令尹圍殺郟敖自立為靈王

於天下是以不賀莊王曰善乃迎陳靈公太子午於晉而立之復君陳如故是為成公孔子讀史記至楚復陳曰賢哉楚莊王輕千乘之國而重一言索隱曰謂申叔時之語。正義曰家語云孔子讀史記至楚復陳喟然曰賢哉楚莊王輕千乘之國而重一言之信非申叔時之忠弗能建其義非楚莊王之賢不能受其訓也二十八年楚莊王卒二十九年陳倍楚盟三十年楚共王伐陳是歲成公卒子哀公弱立楚以陳喪罷兵去哀公三年楚圍陳復釋之二十八年楚公子圍弒其君郟敖自立為靈王三十四年初哀公娶鄭長姬生悼太子師[illegible]隱曰昭八年經云陳侯之弟招殺陳世子偃

招 正義作苕同韶

正義曰使者干徵師也凡傳云昭八年陳哀公縊而干徵師使於楚々執陳行人干徵師殺之

（師左傳曰陳哀公元妃鄭姬生悼太子偃師今此云兩姬又分偃師為二人亦恐此非）二嬖妾長妾生留少妾生勝留有寵哀公哀公屬之其弟司徒招哀公病三月招殺悼太子立留為太子哀公怒欲誅招招發兵圍守哀公哀公自經殺（徐廣曰三十五年時）招卒立留為陳君四月陳使使赴楚楚靈王聞陳亂乃殺陳使者（索隱曰即司徒招又一名召）使公子棄疾發兵伐陳陳君留奔鄭九月楚圍陳十一月滅陳使棄疾為陳公招之殺悼太子也太子之子名吳出奔晉晉平公問太史趙曰陳遂亡乎對曰陳顓頊之族（服虔曰陳祖虞舜舜出顓頊故為顓頊之族）陳氏得政

陳杞世家 五

楚陳常得政於
齊陳滅亡遂滅

於齊乃卒亡（賈逵曰物莫能兩盛）自幕至于瞽瞍無違命（賈逵曰幕舜後虞思也至于瞽瞍無聞違天命以廢絶者鄭衆曰幕舜之先也駰案國語賈義爲長。索隱曰賈逵以幕爲虞思非也傳言自幕而至瞽瞍知幕在瞽瞍之前非虞思明矣）舜重之以明德至於遂（杜預曰遂舜後蓋殷之興存舜之後而封遂言舜德乃至於遂也。索隱曰重音持用反杜預以謂舜有明德乃至遂有國義亦然也且文云自幕至瞽瞍無違命舜重之以明德是言舜有明德爲天子也乃云殷封遂代守之亦舜德也宋忠云虞思之後箕伯直柄中衰殷湯封遂於陳以爲舜後是也）世世守之及胡公周賜之姓（杜預曰胡公滿遂之後也事周武王賜姓曰嬀封之陳）使祀虞帝且盛德之後必百世祀虞之世未也其在齊乎楚靈王滅陳五歲楚公子弃疾弑靈王代立是爲平王平王初立欲得和諸侯乃求故陳悼太子師之子

空籍五歲 正義自哀公被楚滅使弃疾爲陳公五年及弃疾立爲楚王而立惠公探續哀公卒爲元年故空籍至此五歲也

吳立爲陳侯是爲惠公惠公立探續哀公卒時年而爲元空籍五歲矣索隱曰惠公探取哀公死楚滅陳之後爲元年故今空經年籍五歲矣一云籍借也爲借失國之後年爲五年七年陳火十五年吳王僚使公子光伐陳取胡沈而去索隱曰系本云胡歸姓沈姬姓沈國在汝南平輿胡亦在汝南二十八年吳王闔閭與子胥敗楚入郢是年惠公卒子懷公柳立懷公元年吳破楚在郢召陳侯陳侯欲往大夫曰吳新得意楚王雖亡與陳有故不可倍懷公乃以疾謝吳四年吳復召懷公懷公恐如吳吳怒其前不往留之因卒吳陳乃立懷公之子越是爲湣公索隱曰按左傳湣公名周是史官異不同

父音甫亳州縣

正義曰括地志云白亭在許州扶溝縣北四十五里即勝所封按白亭在豫州褒信縣者是也

以鮮在楚世家

滅陳正義曰楚惠王十年滅陳

也湣公六年孔子適陳吳王夫差伐陳取三邑而去十三年吳復來伐陳陳告急楚楚昭王來救軍於城父吳師去是年楚昭王卒於城父時孔子在陳索隱曰按孔子以魯定公十四年適陳當湣公之六年上文說是此十二年孔子仍在陳凡經八年何其久也十五年宋滅曹十六年吳王夫差伐齊敗之艾陵使人召陳侯陳侯恐如吳楚伐陳二十一年齊田常弒其君簡公二十三年楚之白公勝殺令尹子西子綦襲惠王葉公攻敗白公白公自殺二十四年楚惠王復國以兵北伐殺陳湣公遂滅陳而有之是歲孔子卒

當周敬王四十一年魯哀公十六年

杞東樓公者夏后禹之後苗裔也索隱曰杞國名也東樓公謚號也不名者並史先失耳宋忠曰杞今陳留雍丘縣故地理志云雍丘縣故杞國周武王封禹後為東樓公是也蓋周封杞而居雍丘至春秋時杞已遷東國故左氏隱四年傳云莒人伐杞取牟婁牟婁者東邑也僖十四年傳云杞遷緣陵地理志北海有營陵淳于公之縣臣瓚云即春秋緣陵淳于公所都之邑又州國名杞後改國號曰州而稱淳于公故春秋桓五年經云州公如曹傳曰淳于公如曹是也然杞後代又稱子者以微小又僻居東夷故襄二十九年經稱杞子來盟傳曰書曰子賤之也殷時或封或絕周武王克殷紂求禹之後得東樓公封之於杞宋忠曰杞今陳留雍丘縣也以奉夏后氏祀東樓公生西樓公西樓公生題公題公生謀娶公徐廣曰謀一作謨索隱曰娶子臾反謀娶公當周厲王時謀娶公生武公武公立四十七年卒子靖公立靖公

二十三年卒子共公立共公八年卒子德公立徐廣曰世本曰惠公。索隱曰系本譙周並作惠公又云東公生成公及桓公是此系家脫成公一代下云弟桓公姑容立非也且成公又見春秋經傳故左氏莊二十五年云杞成公娶魯女有婚姻之好至僖二十二年卒始赴而書左傳云成公也未同盟故不書名是杞有成公必當如譙周所說也德公十八年卒弟桓公姑容立徐廣曰世本曰惠公立十八年生成公及桓公成公立十八年桓公立十七年桓公十七年卒子孝公匄立索隱曰匄音蓋孝公十七年卒弟文公益姑立文公十四年卒弟平公鬱釐立索隱曰一作郁釐譙周云名鬱來蓋鬱郁釐來聲相近遂不同也平公十八年卒子悼公成立成本作武悼公十二年卒子隱公乞立七月隱公弟遂弒隱公自立是爲釐公釐公十九年卒子湣公維

滅杞 正義曰楚之惠王之四十四年ナリ表云惠王十年滅陳四十四年滅杞是杞後陳亡三十四年弑湣公一年哀公十年出公十二年簡公一年合成二十四年許數也十年未知何公十年是本文公跡矣

立湣公十五年楚惠王滅陳十六年湣公弟閼路弑湣公代立是爲哀公索隱曰閼音遏哀公殺兄湣公而立諡哀譙周云諡懿也哀公立十年卒湣公子敕立徐廣曰敕一作遬是爲出公出公十二年卒子簡公春立立一年楚惠王之四十四年滅杞杞後陳亡三十四年杞小微其事不足稱述舜之後周武王封之陳至楚惠王滅之有世家言禹之後周武王封之杞楚惠王滅之有世家言契之後爲殷殷有本紀言殷破周封其後於宋齊湣王滅之有世家言后稷之後爲周秦昭王滅之有本紀言皐陶之後或

正義曰敕音速注同音

英六 正義曰括地志云光州固始縣古蓼國廣蓼地城也春秋時蓼國也偃姓皋陶之後
又有此蓼城在固始縣北六十里蓼國有南北二城故六城在壽州安豐縣南百三十二里帝王世紀云
皋陶生於曲阜曲阜偃地故帝因之賜姓曰偃也英見春秋僖十七年經檢無英國蓋英爲
蓼耳

封英六索隱曰本或作蓼六皆通然蓼六皆咎繇之後據系本二國皆偃姓故春秋文五年傳云楚人滅六臧文仲聞六與蓼滅曰皋陶庭堅不祀忽諸杜預云蓼與六皆咎繇後地理志云六安故國皋陶後偃姓爲楚所滅又僖十七年齊人徐人伐英氏杜預曰英六皆皋陶後國名是有英蓼英六實未能詳或者英改號蓼楚穆王滅之無譜伯夷之後至周武王復封於齊曰太公望陳氏滅之有世家言伯翳之後至周平王時封爲秦項羽滅之有本紀言索隱曰秦祖伯翳解者以翳益則爲一人今言十一人敘伯翳而又別言垂益則是二人也且按舜本紀敘十人無翳而有彭祖彭祖亦墳典不載未知太史公意如何恐多是誤然據秦本紀敘翳之功云佐舜馴調鳥獸與舜典命益作虞若予上下草木鳥獸文同則爲一人必矣今未詳其所以垂益夔龍其後不知所封不見也右十一人者皆唐虞之際名有功德臣也其五人之後

譜本作語

皆至帝王。索隱曰舜禹身及帝王其稷契及騶則後代皆爲帝王也餘乃爲顯諸侯。滕、薛、騶，夏、殷、周之閒封也。小，不足齒列，弗論也。索隱曰滕不知本封蓋軒轅氏之子有滕姓是其祖也後周封文王子錯叔繡於滕故宋忠云今沛國公丘是滕國也薛奚仲之後任姓蓋夏殷所封故春秋有滕侯薛侯騶曹姓之國陸終氏之子會人之後騶國今魯國騶縣是也然三國微小春秋時亦預會盟盡史缺無可敘列也又許本叔大岳之胤二騶曹姓之君並通好諸侯同盟大國不宜全沒其事亦可敘其本末補許騶世家

周武王時，侯伯尚千餘人。及幽、厲之後，諸侯力攻相并。江、黃、胡、沈之屬，不可勝數，故弗采著于傳上。索隱曰系本江黃二國並嬴姓又地理志江國在汝南安陽縣

太史公曰：舜之德可謂至矣！禪位於夏，而後世血食者歷三代。及楚滅陳，而田常得政於齊，卒

不富

騶音鄒。括地志云公丘故城在徐州滕縣西南十五里，秦滕縣城即古滕國，蓋黄帝之子滕姓所封。世本又云滕錯叔繡，周文王子居滕。宋忠云陳國公丘縣也。故薛城在滕縣南，古薛侯國，東帝之子任姓所封。又左傳定元年薛宰云薛之祖奚仲居薛為夏車正，奚仲遷於邳。隱十一年傳云滕侯薛侯來朝是也。故邾城在黄州黄岡縣東南一百二十一里。邾子曹姓，陸終氏之子會人之後。邾挾居邾，至隱公徙蘄，今徐州縣也。後又徙䣖，音皮，今滕縣是。又徙鄒，魯穆改邾作鄒。地理志云騶縣故邾國，曹姓，二十九君，為楚所滅。廿三國微小，春秋時雖預會盟，不足齒列，故不論著。

陳杞世家

管蔡世家曰蔡仲度……陳也而其子曰胡又曰……夏為晉滅

沈

攻 李作政

正義曰傳……

為建國百世不絕苗裔茲茲有土者不乏焉至

茲 正義曰一本作班

禹於周則杞微甚不足數也楚惠王滅杞其後

越王勾踐興

江黃胡沈 正義曰括地志云安陽故城在豫州新息縣西南八十里應劭曰古江國也地理志云安陽縣古江國黃國故城在光州定城縣西十二里春秋時黃國都也續漢書云江黃嬴姓國也胡沈解在前

索隱述贊曰

盛德之祀 必及百世 舜禹餘烈

陳杞是繼 嬀滿受封 東樓纂緒

閼路纂迹 夏姬淫嬖 二國衰微

或淪或替 前并後虜 皆亡楚惠

勾踐勃興 田和篡嗌 蟬聯血食

豈其苗裔

史貳阡肆伯玖拾陸字
註貳阡壹伯壹拾捌字

卿乾

陳杞世家第六　史記三十六

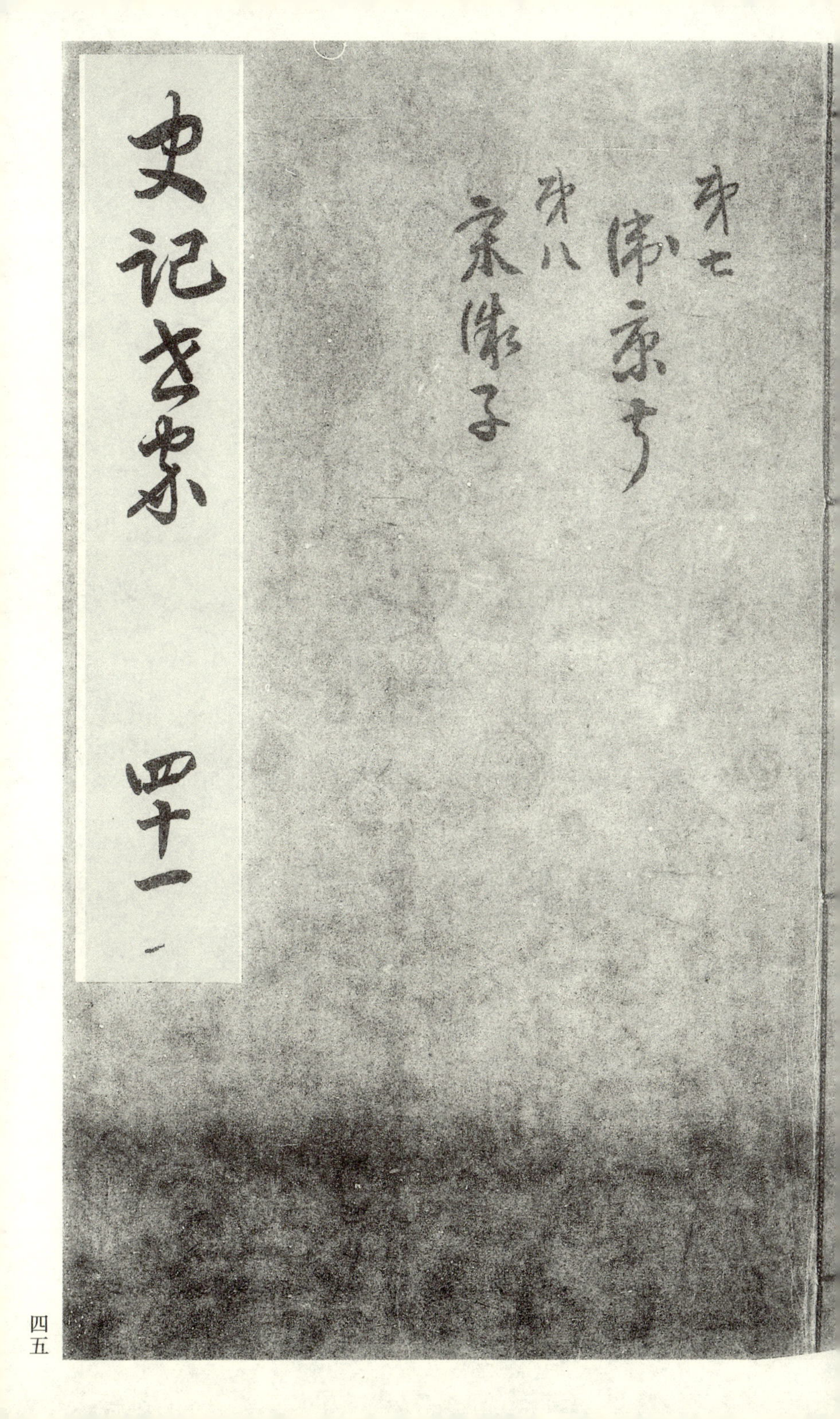

史記抄　四十一

第七　衛康叔

第八　宋微子

衛東村

衛康叔世家第七　史記三十七

衛康叔索隱曰康畿內國名宋忠曰康叔從康徙封衛衛即殷墟定昌之地畿內之康不知所在也名封周武王同母少弟也其次尚有冉季冉季最少武王已克殷紂復以殷餘民封紂子武庚祿父比諸侯以奉其先祀勿絕為武庚未集索隱曰集和也恐其有賊心武王乃令其弟管叔蔡叔傅相武庚祿父以和其民武王既崩成王少周公旦代成王治當國管叔蔡叔疑周公乃與武庚祿父作亂欲攻成周索隱曰成周洛陽其時周公相成王營洛邑猶居西周鎬京管蔡欲攜難先攻成周於是周公東居洛邑伐管蔡周公旦以成王命興師伐殷殺武

黄河自衛州南東北流淇河在衛州東南流至黎陽入河故言河淇間

庚祿父管叔放蔡叔以武庚殷餘民封康叔爲衛君居河淇間故商墟索隱曰宋忠云今定昌也周公旦懼康叔齒少乃申告康叔曰必求殷之賢人君子長者問其先殷所以興所以亡而務愛民告以紂所以亡者以淫於酒酒之失婦人是用故紂之亂自此始爲梓材正義曰若梓人爲材君子觀爲法則也梓匠人也示君子可法則故謂之康誥酒誥梓材以命之康叔之國旣以此命能和集其民民大說成王長用事舉康叔爲周司寇賜衛寶祭器左傳曰分康叔以大路大旂少帛綪茷旃旌大呂賈逵曰大路金路也少帛雜帛也綪茷大赤也通帛爲旃析羽爲旌大呂鍾名鄭衆曰綪茷旆名也以

章有德康叔卒子康伯代立索隱曰系本康伯名髡宋忠曰即王孫牟也事周康王爲大夫按左傳所稱王孫牟父是也牟髡聲相近故不同耳譙周古史考無康伯而云子牟伯立蓋以不宜父子俱謚康故因其名云牟伯也康伯卒子考伯立考伯卒子嗣伯立嗣伯卒子𨗨伯立史記音隱曰音捷索隱曰系本作摯伯○𨗨伯卒子靖伯立靖伯卒子貞伯立索隱曰系本作箕伯貞伯卒子頃侯立頃侯厚賂周夷王夷王命衛爲侯索隱曰康誥稱命尒侯于東土又云孟侯朕其弟小子封則康叔初封已爲侯也比子康伯即稱伯者謂方伯之伯耳非至子即降爵爲伯也故孔安國曰孟長也五侯之長謂方伯方伯州牧也故五代孫祖恒爲方伯耳至頃侯德衰不監諸侯乃從本爵而稱侯非是至子而削爵及頃侯賂夷王而稱侯也頃侯立十二年卒子釐侯立釐侯十三年周厲王出犇于彘共和行政焉二十

義

本作箕

十八年周宣王立四十二年釐侯卒太子共伯餘立爲君共伯弟和有寵於釐侯多予之賂和以其賂賂士以襲攻共伯於墓上共伯入釐侯羡自殺索隱曰羡音延延墓道又音以戰反恭伯名餘也衛人因葬之釐侯旁謚曰共伯而立和爲衛侯是爲武公索隱曰和殺恭伯代立此說蓋非也按季札美康叔武公之德又國語稱武公年九十五矣猶箴誡於國恭恪于朝作抑自儆至於没身謂之叡聖又詩著衛世子恭伯早卒不云被殺若武公殺兄而立豈可以爲訓而形之于國史乎蓋太史公採雜説而爲此記耳

武公即位修康叔之政百姓和集四十二年犬戎殺周幽王武公將兵往佐周平戎甚有功周平王命武公爲公五十五年卒子莊公揚立

困學紀聞十一衛世家稱莊公娶齊女為夫人而無子又娶陳女為夫人生子早死陳女女娣生完完母死莊公令夫人齊女子之詩正義引禮諸侯不再娶且莊姜仍在左傳唯言又娶於陳不言為夫人左傳言莊姜以為己子云云完之母死亦非也

莊公五年取齊女爲夫人好而無子又取陳女爲夫人生子蚤死陳女女弟亦幸於莊公而生子完（索隱曰女弟戴嬀也子完爲州吁所殺戴嬀歸陳詩燕燕于飛是也）完母死莊公令夫人齊女子之立爲太子（索隱曰子之謂養之爲子也齊女卽莊姜也詩碩人篇閔之是也）莊公有寵妾生子州吁十八年州吁長好兵莊公使將石碏諫莊公（賈逵曰石碏衛上卿）曰庶子好兵使將亂自此起不聽二十三年莊公卒太子完立是爲桓公桓公二年弟州吁驕奢桓公絀之州吁出犇十三年鄭伯弟段攻其兄不勝亡而州吁求與之友十六年州吁收聚衛亡人以襲

殺桓公州吁自立爲衞君爲鄭伯弟段欲伐鄭請宋陳蔡與俱三國皆許州吁州吁新立好兵弒桓公衞人皆不愛石碏乃因桓公母家於陳詳爲善州吁至鄭郊石碏與陳侯共謀使右宰醜進食因殺州吁于濮服虔曰右宰醜衞大夫濮陳地○索隱曰賈逵云濮陳地按濮水有受河又受汴汴亦受河東北至離狐分爲二俱東北至鉅野入濟則濮在曹衞之間賈言陳地非也若據地理志陳留封丘縣濮水受汴當言陳留水也而迎桓公弟晉於邢而立之賈逵曰邢周公之胤姬姓國是爲宣公宣公七年魯弒其君隱公九年宋督弒其君殤公及孔父十年晉曲沃莊伯弒其君哀侯十八年初宣公愛夫人夷姜夷

衞康叔世家

姜生子伋以爲太子而令右公子傳之右公子爲太子取齊女未入室而宣公見所欲爲太子婦者好說而自取之更爲太子取他女宣公得齊女生子壽子朔令左公子傳之杜預曰左右媵之子因以爲號太子伋母死宣公正夫人與朔共讒惡太子伋宣公自以其奪太子妻也心惡太子欲廢之及聞其惡大怒乃使太子伋於齊而令盜遮界上殺之正義曰左傳云衛宣公使太子伋之齊使盜待諸莘將殺之杜預云莘衛地與太子白旄而告界盜見持白旄者殺之且行子朔之兄壽太子異母弟也知朔之惡與太子而君欲殺之乃

謂太子曰界盜見太子白旄即殺太子太子可毋行太子曰逆父命求生不可遂行壽見太子不止乃盜其白旄而先馳至界界盜見其驗即殺之壽已死而太子伋又至謂盜曰所當殺乃我也盜并殺太子伋以報宣公宣公乃以子朔為太子十九年宣公卒太子朔立是為惠公左右公子不平朔之立也惠公四年左右公子怨惠公之讒殺前太子伋而代立乃作亂攻惠公立太子伋之弟黔牟為君惠公奔齊衛君黔牟立八年齊襄公率諸侯奉王命共伐衛納衛惠

公誅左右公子衛君黚牟犇于周惠公復立惠公立三年出亡亡八年復入與前通年凡十三年矣二十五年惠公怨周之容舍黚牟與燕伐周周惠王犇溫衛燕立惠王弟穨為王二十九年鄭復納惠王三十一年惠公卒子懿公赤立懿公即位好鶴正義曰括地志云故鶴城在滑州匡城縣西南十五里左傳云衛懿公好鶴有乘軒者狄伐衛公欲戰國人受甲者皆曰使鶴鶴實有祿位余焉能戰俗傳懿公養鶴於此城因名也淫樂奢侈九年翟伐衛衛懿公欲發兵兵或畔大臣言曰君好鶴鶴可令擊翟翟於是遂入殺懿公懿公之立也百姓大臣皆不服自懿公父惠公朔

之讒殺太子伋代立至於懿公常欲敗之卒滅惠公之後而更立黔牟之弟昭伯頑之子申為君是為戴公戴公申元年卒齊桓公以衛數亂乃率諸侯伐翟為衛築楚丘（正義曰括地志云城武縣有楚丘亭）立戴公弟燬為衛君（賈誼書曰衛侯朝於周周行人問其名答曰衛侯辟彊周行人還之曰啓彊辟彊天子之號諸侯弗得用衛侯更其名曰燬然後受之○正義曰燬音毀）是為文公文公以亂故犇齊齊人入之初翟殺懿公也衛人憐之思復立宣公前死太子伋之後伋子又死而代伋死者子壽又無子太子伋同母弟二人其一曰黔牟黔牟嘗代惠公為君八年復去其二曰

南河 正義曰括地志云衛州汲縣南河水至此有棘津之名亦謂之石濟津故南津也左傳云僖公二十八年晉伐曹曹在衛東假道于衛衛人不許還自南河濟即此也

昭伯昭伯黔牟皆已前死故立昭伯子申爲戴公戴公卒復立其弟燬爲文公文公初立輕賦平罪（索隱曰輕賦稅平斷刑也平或作卒卒謂士卒也罪字連下讀蓋亦一家之義耳）身自勞與百姓同苦以收衛民十六年晉公子重耳過無禮十七年齊桓公卒二十五年文公卒子成公鄭立成公三年晉欲假道於衛救宋成公不許晉更從南河度（服虔曰南河鄭南之東南流河也杜預曰從汲郡南度出衛南）救宋徵師於衛衛大夫欲許成公不肯大夫元咺攻成公成公出奔（索隱曰奔楚○正義曰咺況遠反）晉文公重耳伐衛分其地予宋討前過無禮及不救宋患也衛

成公遂出奔陳索隱曰左傳衛侯聞楚師敗懼出奔楚遂適陳也二歲如周求入與晉文公會晉使人鴆衛成公成公私於周主鴆令薄得不死索隱曰按私謂賂之也已而周爲請晉文公卒入之衛而誅元咺衛君瑕出奔索隱曰是元咺所立者成公入而殺之故僖三十年經云衛殺其大夫元咺及公子瑕此言奔非也七年晉文公卒十二年成公朝晉襄公十四年秦穆公卒二十六年齊邴歜弒其君懿公索隱曰邴歜與左氏同而齊系家作邴戎者蓋邴歜掌御戎車故號邴戎邴音丙歜亦作歜三十五年成公卒世本曰成公徙濮陽宋忠曰濮陽帝丘地名子穆公遬立正義曰遬音速穆公二年楚莊王伐陳殺夏徵舒三年楚莊王圍鄭鄭降復釋之十一

正義曰師樂官曹名也

正義曰宿音戚

年孫良夫救魯伐齊復得侵地穆公卒子定公臧立定公十二年卒子獻公衎立獻公十三年公令師曹教宮妾鼓琴賈逵曰師曹樂人妾不善曹笞之妾以幸惡曹於公公亦笞曹三百十八年獻公戒孫文子甯惠子食皆往日旰不召服虔曰孫文子林父也甯惠子甯殖也敕戒二子欲共食皆服朝衣待命旰晏也而去射鴻於囿二子從之服虔曰從公於囿公不釋射服與之言左傳曰不釋皮冠二子怒如宿服虔曰孫文子邑也○索隱曰左傳作戚此亦音戚孫文子子數侍公飲左傳曰文子子即孫蒯也使師曹歌巧言之卒章杜預曰巧言詩小雅也其卒章曰彼何人斯居河之麋無拳無勇職爲亂階公欲以譬文子居河上而爲亂師曹又怒公之嘗

皆三日乃歌之欲以怒孫文子報衛獻公文子語蘧伯玉伯玉曰臣不知也〔賈逵曰伯玉衛大夫〕遂攻出獻公獻公奔齊齊置衛獻公於聚邑孫文子甯惠子共立定公弟秋為衛君是為殤公〔徐廣曰世本云獻公弟焱〕

殤公秋立封孫文子林父於宿十二年甯喜與孫林父爭寵相惡殤公使甯喜攻孫林父林父奔晉復求入故衛獻公獻公在齊齊景公聞之與衛獻公如晉求入晉為伐衛誘與盟衛殤公會晉平公平公執殤公與甯喜而復入衛獻公獻公亡在外十二年而入獻公後元年誅甯喜

大 哀氏說大猶甚也蒙氏說大者聲音濁大而聞而又悲也濁亂未足淫亂之奇也宜讀為大而悲也

三年吳延陵季子使過衛見蘧伯玉史鰌曰衛多君子其國無故過宿孫林父為擊磬曰不樂音大悲使衛亂乃此矣是年獻公卒子襄公惡立襄公六年楚靈王會諸侯襄公稱病不往九年襄公卒初襄公有賤妾幸之有身夢有人謂曰我康叔也令若子必有衛名而子曰元妾怪之問孔成子服虔曰衛卿孔烝鉏成子曰康叔者衛祖也及生子男也以告襄公襄公曰天所置也名之曰元襄公夫人無子於是乃立元為嗣是為靈公靈公五年朝晉昭公六年楚公子弃疾弑靈王

自立為平王十一年火三十八年孔子來祿之
如魯後有隙孔子去後復來三十九年太子蒯
聵與靈公夫人南子有惡賈逵曰南子宋女欲殺南子蒯
聵與其徒戲陽遬謀朝使殺夫人賈逵曰戲陽遬太子家臣○正
義曰戲音羲戲陽後悔不果蒯聵數目之夫人覺之懼
呼曰正義曰呼火故反太子欲殺我靈公怒太子蒯聵奔
宋已而之晉趙氏四十二年春靈公游于郊令
子郢僕賈逵曰僕御也郢靈公少子也字子南靈公怨太
子出奔謂郢曰我將立若為後郢對曰郢不足
以辱社稷君更圖之服虔曰郢自謂己無德不足立以汚辱社稷夏靈公

卒夫人命子郢爲大子曰此靈公之命也郢曰亡人大子蒯聵之子輒在也不敢當於是衛乃以輒爲君是爲出公六月乙酉趙簡子欲入蒯聵乃令陽虎詐命衛十餘人衰絰歸（服虔曰衰絰爲君從衛來迎太子也）簡子送蒯聵衛人聞之發兵擊蒯聵蒯聵不得入入宿而保衛人亦罷兵出公輒四年齊田乞弒其君孺子八年齊鮑子弒其君悼公孔子自陳入衛九年孔文子問兵於仲尼仲尼不對其後魯迎仲尼仲尼反魯十二年初孔圉文子取太子蒯聵之姊生悝孔氏之豎渾良夫美好

正義與音預

孔文子卒，良夫通於悝母。太子在宿，悝母使良夫於太子。太子與良夫言曰：「苟能入我國，報子以乘軒，免子三死，毋所與。」杜預曰：軒，大夫車也。三死，死罪三。○正義曰：杜預云三罪，紫衣、袒裘、帶劍也。紫衣，君服也。熱故偏袒，不敬也。衛侯求令名者與之食焉，太子請使良夫。良夫紫衣狐裘，不釋劍而食，太子使牽退，數之罪而殺之。與之盟，許以悝母為妻。閏月，良夫與太子入，舍孔氏之外圃。服虔曰：圃，園。昏，二人蒙衣而乘，服虔曰：二人謂良夫、太子。蒙衣為婦人之服，以巾蒙其頭而共乘也。宦者羅御，如孔氏。孔氏之老欒甯問之，服虔曰：家臣稱老。問其姓名。稱姻妾以告。賈逵曰：婚姻家妾也。遂入，適伯姬氏。服虔曰：入孔氏家，適伯姬所居。既食，悝母杖戈而先，服虔曰：先至孔悝所。太子與五人介，輿猳從之。

伯姬 悝母

公孫敢 正義曰公孫敢既閉門曰有使者出乃得入

賈逵曰介被甲也輿猳豚欲以盟伯姬劫悝於廁彊盟之遂劫以登臺服虔曰於衛臺上召衛羣臣欒寧將飲酒炙未熟聞亂使告仲由服虔曰季路爲孔氏邑宰故告之召護駕乘車服虔曰召護衛大夫駕乘車不駕兵車也言無距父之意行爵食炙服虔曰欒寧使召季路乃行爵食炙奉出公輒奔魯服虔曰召護奉衛侯仲由將入遇子羔將出賈逵曰子羔衛大夫高柴孔子弟子也將出犇曰門已閉矣子路曰吾姑至焉杜預曰且欲至門子羔曰不及莫踐其難賈逵曰言家臣憂不及國不得踐履其難鄭衆曰是時輒以出不及事不當踐其難子羔言不及以爲季路欲死國也子路曰食焉不辟其難服虔曰言食悝之祿欲救悝之難此明其不死國也子羔遂出子路入及門公孫敢闔門曰毋入爲也服虔曰公孫敢衛大夫言輒已出無爲復入子路曰是公

不辟其難 正義曰言食君之祿當得避其危難也服虔云言食悝之祿欲救悝難此明其不死國也按服此說非也仲尼弟子傳云子羔曰君已得用孔悝請得而殺之

孫也求利而逃其難由不然利其祿必救其患有使者出子路乃得入曰太子焉用孔悝雖殺之必或繼之（王肅曰必有繼續其後攻太子）且曰太子無勇若燔臺必舍孔叔太子聞之懼下石乞盂黶敵子路（服虔曰二子蒯聵之臣敵當也○正義曰燔音煩舍音捨黶音乙減反）以戈擊之割纓子路曰君子死冠不免（服虔曰不使冠在地）結纓而死（正義曰纓冠緌也）孔子聞衛亂曰嗟乎柴也其來乎由也其死矣孔悝竟立太子蒯聵是為莊公莊公蒯聵者出公父也居外怨大夫莫迎立元年即位欲盡誅大臣曰寡人居外久矣子亦嘗聞之乎羣臣欲作

正義曰括地志云宋州楚丘縣古之戎州己氏之城也左傳隱七年戎伐凡伯于楚丘以歸括地志云楚丘故城在楚丘縣北三十里衛之楚丘邑也按諸侯為衛城楚丘者文公居即滑州南縣是也

左傳哀十七年初衛莊公登城以望戎州問之以告公曰我姬姓也何戎之有焉杜預云己氏戎人姓也呂姜莊公夫人也

亂乃止。二年，魯孔丘卒。三年，莊公上城，見戎州，賈逵曰戎州戎人之邑○索隱曰左傳云戎州人攻之是也隱二年公會戎于潛杜預云陳留濟陽縣東南有戎城濟陽與衛近故莊公登臺而望見戎州又七年云戎伐凡伯于楚丘是戎與衛相近也曰：「戎虜何爲是？」戎州病之。十月，戎州告趙簡子，簡子圍衛。十一月，莊公出奔，索隱曰左傳莊公本由晉趙氏納之立而背晉晉伐衛衛人出莊公立公子般師晉師退莊公復入般師出奔初公登城見戎州己氏之妻髮美髡之以爲夫人髢又欲翦戎州遂石圃故石圃攻莊公莊公懼踰北牆折股入己氏己氏殺之今系家不言莊公復入及死己氏直云出奔亦其疎也又左傳云衛復立般師齊伐衛立公子起執般師明年衛石圃逐其君起起奔齊出公輒復歸是左氏詳而系家略也衛人立公子斑師爲衛君。左傳曰斑師襄公之孫齊伐衛，虜斑師，更立公子起爲衛君。服虔曰起靈公子衛君起元年，衛石曼專逐其君起【索隱曰左傳作石圃此專音圃穀梁作晏始專或音始諸本多無晏字】起奔齊衛出公輒自齊復歸立初出公立十二年亡亡在外四年復入出公後元年賞從亡者立二十一年卒【索隱曰按出公初立十二年亡在外四年復入九年卒是立二十一年自即位至卒凡經二十五年而卒于越】出公季父黔攻出公子而自立是為悼公悼公五年卒【索隱曰紀年云四年卒于越系本名虔】子敬公弗立【世本云敬公費也】敬公十九年卒子昭公糾立【索隱曰系本云敬公生昭公舟非也】是時三晉彊衛如小侯屬之【正義曰屬趙也】昭公六年公子亹【正義曰亹音尾】弒之代立是為懷公懷公十一年公子頹弒懷公而代立是為慎公慎公父公子適【索隱

更徙 正義曰元君從濮陽又徙野王 濮陽濮州縣也 野王懷州城古野王邑也

東地 正義曰衛濮陽黎陽等地也

曰音的系本適作虔虔悼公也 適父敬公也慎公四十二年卒子聲公訓立 索隱曰訓亦作馴同休運反系本作聖公馳 聲公十一年卒子成侯速立 索隱曰音速系本作不逝按上穆公已名遬不可成侯更名則系本是也 成侯十一年公孫鞅入秦 索隱曰秦本紀云孝公元年鞅入秦又按年表成侯與秦孝公同年然則十一年當爲元年字誤耳 十六年衛更貶號曰侯二十九年成侯卒子平侯立平侯八年卒子嗣君立 索隱曰樂資據紀年以嗣君即孝襄侯 嗣君五年更貶號曰君獨有濮陽四十二年卒子懷君立懷君三十一年朝魏魏囚殺懷君魏更立嗣君弟是爲元君元君爲魏壻故魏立之 徐廣曰姓氏云元君[illegible] 元君十四年秦拔魏東地

秦初置東郡更徙衛野王縣而并濮陽為東郡索隱曰魏都大梁濮陽黎陽並是魏之東地故立郡名東郡也二十五年元君卒子君角立年表云元君十一年秦置東郡十二年徙野王二十三年卒○索隱曰年表與此不同徐註備矣君角九年秦并天下立為始皇帝二十一年二世廢君角為庶人衛絕祀

太史公曰余讀世家言至於宣公之太子以婦見誅弟壽爭死以相讓此與晉太子申生不敢明驪姬之過同俱惡傷父之志然卒死亡何其悲也或父子相殺兄弟相滅亦獨何哉

索隱述贊曰

司寇受封　梓材有作　咸錫敷器

夷加其爵　暨武能修　從文始約

詩美歸燕　傳稱石碏　皮冠射鴻

乘軒使鶴　寵縱淫嬖　亶生伋朔

蒯聵得罪　出公行惡　衛祚日衰

失於君甯

史詩叄　肆伯玖拾字

注　宣伯玖拾陸字

臥説

本無下之𨙻字以國字連上〻𨙻字也 𨙻國句絶

宋微子世家第八　史記三十八

微子開者（孔安國曰微畿內國名子爵也為紂卿士○索隱曰按尚書微子之命篇云命微子啓代殷後今此名開者避漢景帝諱也）殷帝乙之首子而帝紂之庶兄也（索隱曰按尚書亦以為殷王元子而呂氏春秋云生微子時母猶為妾及為妃而生紂故微子為紂同母庶兄）紂既立不明淫亂於政微子數諫紂不聽及祖伊以周西伯昌之修德滅𨙻（徐廣曰𨙻音耆○索隱曰耆即黎也鄒誕云本或作黎音同黎孔安國云黎在上黨東北即今之黎亭）國懼禍至以告紂紂曰我生不有命在天乎是何能為於是微子度紂終不可諫欲死之及去未能自決乃問於太師少師（孔安國曰太師三公箕子也少師孤卿比干也）曰殷不有治政不治四方（孔安

顔野王曰維繫也

正義曰言紂淫亂喜家室保喪亡甚徹李也

古

國曰言殷不有治政四方之事將必亡也我祖遂陳於上馬融曰我祖湯也孔安國曰言湯遂其功陳力於上世也紂沈湎於酒婦人是用亂敗湯德於下馬融曰下下世也殷既小大好草竊姦宄孔安國曰草野盜竊又爲姦宄於外內卿士師師非度馬融曰非但小人學爲姦宄卿士已下轉相師效爲非法度皆有辠辜乃無維獲鄭玄曰獲得也羣臣皆有是罪其爵祿又無常得之者言憂相攻奪小民乃並興相爲敵讎孔安國曰卿士既亂而小民各起共爲敵讎言不和同今殷其典喪若涉水無津涯徐廣曰一作陟水無舟航言危也駰謂典國典也○索隱曰尚書典作淪字變易其義亦殊喪音息浪反殷遂喪越至于今馬融曰越於也是至矣於今到矣曰太師少師馬融曰重呼告之我其發出往鄭玄曰發起也紂禍敗如此我其起作出往也○索隱曰往尚書作狂蓋亦今文尚書意異耳吾家保于喪徐廣曰一云於其家保駰

正義曰微子言太師少師無剔意故告我理殷国也

索隱馬融曰卿大夫稱家今女無故告王肅曰無意告我也予顛躋如之何其馬融曰躋猶墜也恐顛於非義當如之何也墜鄭玄曰其語助也齊魯之間聲如姬記曰何居太師若曰王子天篤下菑亡殷國孔安國曰微子帝乙子故曰王子天生紂為亂是下菑也鄭玄曰少師不荅志在必死○正義曰菑音災乃毋畏畏不用老長孔安國曰上不畏天菑下不畏賢人違戾耆老之長不用其教今殷民乃陋淫神祇之祀徐廣曰一云今殷民侵神犠又一云陋淫侵神祇騂索隱馬融曰天曰神地曰祇○索隱曰尚書作攘竊劉氏云陋淫猶輕穢也今誠得治國國治身死不恨為死終不得治不如去遂亡箕子者馬融曰箕國名也子爵也紂親戚也索隱曰司馬彪曰箕子名胥餘馬融王肅以箕子為紂之諸父服虔杜預以為紂之庶兄杜預云梁國蒙縣有箕子冢紂始為象箸索隱曰箸音直略反按下文云為象箸必以為玉杯杯箸事相近周禮六博有犠象箸言

正義曰箸字亦作櫡

□音荊伯舊云音直慮反恐非按說文云彼為象箸必為玉桮然……近請用上音是也

山若尊若簋也無足曰鼎也[illegible]音直膾反則杯箸亦食用之物並漸為器箕子歎曰彼為象箸必為玉桮為桮則必思遠方珍怪之物而御之矣輿馬宮室之漸自此始不可振也紂為淫泆箕子諫不聽人或曰可以去矣箕子曰為人臣諫不聽而去是彰君之惡而自說於民吾不忍為也乃被髮佯狂而為奴遂隱而鼓琴以自悲故傳之曰箕子操風俗通義曰其道閉塞憂愁而作者命其曲曰操操者言遇菑遭害困厄窮迫斷怨恨失意猶守禮義不懼不懾樂道而不改其操也王子比干者亦紂之親戚也見箕子諫不聽而為奴則曰君有過而不以死爭則百姓何辜乃直言諫紂紂怒曰吾

宋微子世家　二

古

聞聖人之心有七竅信有諸乎乃遂殺王子比干刳視其心微子曰父子有骨肉而臣主以義屬故父有過子三諫不聽則隨而號之人臣三諫不聽則其義可以去矣於是太師少師乃勸微子去遂行（時比干已死而云少師者似誤）周武王伐紂克殷微子乃持其祭器造於軍門肉袒面縛（索隱曰肉袒者袒而露肉也面縛者縛手於背而面向前也劉氏云面即背也義稍迂）左牽羊右把茅膝行而前以告於是武王乃釋微子復其位如故武王封紂子武庚祿父以續殷祀使管叔蔡叔傅相之武王既克殷訪問箕子武王曰於乎維天陰

定下民相和其居孔安國曰天不言而默定下民助合其居使有常生之資也我不知其常倫所序孔安國曰言我不知天所以定民之常道理次序問何由箕子對曰在昔鯀陻鴻水汩陳其五行孔安國曰陻塞汩亂也治水失道是亂陳五行帝乃震怒不從鴻範九等常倫所斁徐廣曰斁一作殬駰案鄭玄曰帝天也天以鯀如是乃震動其威怒不與天道大法九類言王所問所由敗也鯀則殛死禹乃嗣興鄭玄曰春秋傳曰殛之誅也殛鯀其舉也興禹天乃錫禹鴻範九等常倫所序孔安國曰天與禹洛出書也神龜負文而出列於背有數至于九禹遂因而第之以成九類

初一曰五行二曰五事三曰八政四曰五紀五曰皇極六曰三德七曰稽疑八曰庶徵九曰嚮用五福畏用六極馬融曰言天所以畏懼人用六極

五行一曰水

困學紀聞十一宋世家載襄公之時其大夫正考父美之故追道契湯高宗殷所以興作商頌

黃氏曰自戴公武襄公凡一百五十有一年而考甫有頌從戴公至于襄公何作頌何其壽耶

朱氏曰太史公蓋本韓詩之説然考天子之事非宋所有其辭古奧亦不類周世之文

古

二曰火三曰木四曰金五曰土（鄭玄曰此數本諸陰陽所生之次也）水曰潤下火曰炎上（孔安國曰言其自然之常性也）木曰曲直（孔安國曰木可揉使曲直也）金曰從革（馬融曰金之性從人而更可銷鑠）土曰稼穡（王肅曰種之曰稼斂之曰穡）潤下作鹹（孔安國曰水鹵所生）炎上作苦（孔安國曰焦氣之味）曲直作酸（孔安國曰木實之性）從革作辛（孔安國曰金氣之味）稼穡作甘（孔安國曰甘味生於百穀五行以下箕子所陳）五事一曰貌二曰言三曰視四曰聽五曰思貌曰恭言曰從（馬融曰發言當使可從）視曰明聽曰聰思曰睿（馬融曰睿通也）恭作肅從作治（馬融曰出令而從所以為治也）明作智聰作謀（孔安國曰所謀必成當也馬融曰上聰則下進其謀）睿作聖（孔安國曰於事無不通謂之聖）八政一曰食二曰貨三曰祀四曰司空（馬融曰司…）

空掌營城郭主空土以居民五曰司徒孔安國曰主徒衆敎以禮義六曰司寇馬融曰主誅寇害七曰賓鄭玄曰掌諸侯朝覲之官八曰師鄭玄曰掌軍旅之官五紀一曰歲二曰月三曰日四曰星辰馬融曰星二十八宿辰日月之所會也鄭玄曰星五星也五曰歷數孔安國曰歷數節氣之度以爲歷敬授民時皇極皇建其有極孔安國曰大中之道大立其有中謂行九疇之義斂時五福用傅錫其庶民馬融曰當斂是五福之道用布與衆民維時其庶民于女極錫女保極馬融曰以其能斂是五福故衆民於汝取中正以歸心也鄭玄曰又賜女以守中之道凡厥庶民毋有淫朋人毋有比德維皇作極孔安國曰民有善則無淫過朋黨之惡比周之德惟天下皆大爲中正也凡厥庶民有猷有爲有守女則念之馬融曰凡其衆民有謀有爲有所執守當思念其行有所趣舍也不協于極不離

正義曰尚書作時人德
按是其有德之人合於
中正之道當爵祿富之
之

于咎皇則受之孔安國曰凡民之行雖不合於中而不罹於咎惡皆可進用大法受之而安而色曰予攸好德女則錫之福孔安國曰女當安女顏色以謙下人人曰我所好者德也女則與之爵祿時人斯其惟皇之極孔安國曰不合于中之人女與之福則是人此其惟大之中言可勉進也毋侮鰥寡而畏高明馬融曰高明顯寵者不枉法畏之人之有能有為使羞其行而國其昌王肅曰使進其行任之以政則國為之昌凡厥正人既富方穀孔安國曰正直之人既當爵祿富之又當以善道接之女不能使有好于而家時人斯其辜孔安國曰不能使正人有好於國家則是人斯其取罪而去也于其毋好女雖錫之福其作女用咎王肅曰無好於女家之人雖錫之以爵祿其動作為女用惡謂為天子施怨於民毋偏毋頗遵王之義孔安國曰偏不平頗不正言當循先王之義以治民毋有作好

方作有本

正義曰平音頻然反

夷平也鄭書作彝〃常中也

正義曰曰者箕子義中正之道誠可為天子以君能守中正而民順行之是天子為民父母而為天下所歸往

遵王之道（馬融曰好私好也）毋有作惡遵王之路毋偏毋黨王道蕩蕩（孔安國曰言開辟也鄭玄曰黨朋黨）毋黨毋偏王道平平（孔安國曰言不治也）毋反毋側王道正直（馬融曰反反道也側傾側也）會其有極（鄭玄曰謂君也當會聚有中之人以為臣也）歸其有極（鄭玄曰謂臣也當就有中之君而事之）曰王極之傅言（馬融曰王者當盡極行之使臣下布陳其言）是夷是訓于帝其訓（馬融曰是大中而常行之用是教訓天下於天為順也）凡厥庶民極之傅言（馬融曰亦盡極數陳其言於上也）是順是行（王肅曰民納言於上而得中者則順而行之）以近天子之光（王肅曰近猶益也順行民言所以益天子之光）曰天子作民父母以為天下王（王肅曰政教務中民善其用所以為民父母而為天下所歸往）三德一曰正直（鄭玄曰中平之人）二曰剛克三曰柔克（鄭玄曰克能也剛而能柔）

傅作敷

傅作敷

宋微子世家五

高明 正義曰高明謂俊朗之人立政須能柔和

古

正義曰漸音潛謂溫和也言溫和之人立政須能剛斷

正義曰孔安國曰家謂臣國謂君也為上無劇為下逼上內害之道

僭音斷 忒音德

正義曰辟音僻

柔亦能剛寬猛相濟以成治立功 平康正直 孔安國曰世平安用正直治之 彊不友剛克 友順也世彊禦不順以剛能治之 內友柔克 孔安國曰世和順以柔能治之也。索隱曰友當為燮燮和也 沈漸剛克 馬融曰沈陰也潛伏也陰伏之謀謂賊臣亂子非一朝一夕之漸君親無將將而誅。索隱曰尚書作沈潛此字作漸其義當依馬注 高明柔克 馬融曰高明君子亦以德懷也 維辟作福維辟作威維辟玉食 馬融曰辟君也玉食美食不言王者關諸侯也鄭玄曰作福專爵賞也作威專刑罰也玉食備珍美也 臣無有作福作威玉食 臣有作福作威玉食其害于而家凶于而國人用側頗辟民用僭忒 孔安國曰在位不端平則下民僭差 稽疑擇建立卜筮人 孔安國曰龜曰卜蓍曰筮考正疑事當選擇知卜筮人而建立之 乃命卜筮曰雨曰濟曰涕 尚書作圛。索隱曰涕音亦尚書作驛孔安國云氣落驛不連屬今此文作涕是涕流亦

正義曰孔安國云將舉事而汝則有大疑先盡心以謀慮之次及卿士衆民然後卜筮以決之

相涉之狀也曰霧徐廣曰一曰蒙曰被○索隱曰霧音蒙狀蒙與霧亦通徐氏所見本澤作蒙家作被義通而字變耳曰克曰貞曰悔凡七卜五占之用二衍貣鄭玄曰五占之用謂雨濟圛霧克也二衍貣謂貞悔也將立卜筮人乃先命名兆卦而分別之兆卦之名凡七龜用五易用二審此道者乃立之也雨者兆之體氣如雨然也濟者如雨止之雲氣在上者也圛者色澤而光明也霧者氣不釋鬱冥冥也克者如祲氣之色相犯也內卦曰貞貞正也外卦曰悔悔之言晦也晦猶終也卦象多變故言衍貣立時人為卜筮鄭玄曰立是能分別兆卦之名者以為卜筮人三人占則從二人之言鄭玄曰從其多者著龜之道幽微難明貞之深女則有大疑謀及女心謀及卿士謀及庶人謀及卜筮孔安國曰先盡心謀慮然後卜筮以決之女則從龜從筮從卿士從庶民從是之謂大同孔安國曰大同於吉而身其康彊而子孫其逢吉孔安國曰動不違衆故後世遇

貣音貸土得反

吉也女則從龜從筮從卿士逆庶民逆吉卿士從龜從筮從女則逆庶民逆吉庶民從龜從筮從女則逆卿士逆吉鄭玄曰此三者皆從多故爲吉女則從龜從筮逆卿士逆庶民逆作內吉作外凶鄭玄曰此逆者多以致舉事於境內則吉境外則凶龜筮共違于人用靜吉用作凶孔安國曰安以守常則吉動則凶鄭玄曰龜筮皆與人謀相違人雖三從猶不可以舉事庶徵曰雨曰暘曰奧曰寒曰風曰時孔安國曰雨以潤物暘以乾物煖以長物寒以成物風以動物五者各以時所以爲衆驗五者來備各以其序庶草蕃廡孔安國曰言五者備至各以次序則衆莫木繁廡滋豐也一極備凶一極亡凶孔安國曰一者備極過甚則凶一者極無不至亦凶謂其不時失敘之謂也曰休徵美行之驗曰肅時雨若孔安國曰君子敬則

眚　正義曰曹山井云王者省歲之休咎知民豐儉此下敎王者又民識歲月之善惡也

古

正義曰師尹謂長正若今刺史縣令師尹視旬日之变

時雨順之曰治時暘若孔安國曰君政治則時暘順之曰知時奧若孔安國曰君昭晢則時燠順之曰謀時寒若孔安國曰君能謀則時寒順之曰聖時風若孔安國曰君能通理則時風順之曰咎徵孔安國曰敘惡行之驗也曰狂常雨若孔安國曰君行狂妄則常雨順之曰僭常暘若孔安國曰君行僭差則常暘順之曰舒常奧若孔安國曰君行逸豫則常燠順之○索隱曰舒依字讀按下有曰急曰急常寒若孔安國曰君行急則常寒順之曰霿常風若孔安國曰君行霿闇則常風順之王眚維歲○馬融曰言王者所眚職如歲兼四時也卿士維月孔安國曰卿士各有所掌如月之有別師尹維日孔安國曰衆正官之吏分治其職如日之有歲月也歲月日時毋易孔安國曰各順常百穀用成治用明孔安國曰歲月無易則百穀成君臣無易則正治明畯民用章家用平康孔安國曰賢臣顯用國家平寧日月歲時既易百

孔安国曰君失其柄權、臣擅命治闇賢国家亂也

穀用不成治用昬不明畯民用微家用不寧庶

民維星（孔安國曰星民象故衆民惟若星也）星有好風星有好雨（鄭玄曰箕星好風畢星好雨）日月之行有冬有夏（孔安國曰日月之行冬夏各有常度）月之

從星則以風雨（孔安國曰月經于箕則多風離于畢則多雨政教失常以從民欲亦所以亂）五

福一曰壽二曰富三曰康寧（鄭玄曰康寧平安）四曰攸好

德（孔安國曰所好者德福之道）五曰考終命（孔安國曰各成其短長之命以自終不橫夭）六

極一曰凶短折（鄭玄曰未齔曰凶未冠曰短未婚曰折。索隱曰未齔未毀齒也音楚忕反）二

曰疾三曰憂四曰貧五曰惡（孔安國曰惡醜陋也）六曰弱（鄭玄曰愚懦不壯毅曰弱）於是武王乃封箕子於朝鮮（索隱曰朝鮮音潮仙地因水爲名）

而不臣也其後箕子朝周過故殷虛感宮室毀

古

正義曰壽百二十年富財豐備也

疾 孔安國云常抱疾苦

憂 常憂懼

貧 困於財

正義曰朝鮮潮仙二音括地志云高驪平壤城本漢書樂浪郡王險城又古朝鮮也

壞生禾黍箕子傷之欲哭則不可欲泣爲其近婦人（索隱曰婦人之性多涕泣也）乃作麥秀之詩以歌詠之其詩曰麥秀漸漸兮禾黍油油（索隱曰漸漸麥芒之狀音子廉反又依字讀油油者禾黍之苗光悅貌）彼狡僮兮不與我好兮所謂狡童者紂也殷民聞之皆爲流涕（杜預曰梁國蒙縣有箕子冢）武王崩成王少周公旦代行政當國管蔡疑之乃與武庚作亂欲襲成王周公（徐廣曰一云欲襲成周）周公既承成王命誅武庚殺管叔放蔡叔乃命微子開代殷後奉其先祀作微子之命以申之國于宋（世本曰宋更曰睢陽）微子故能仁賢乃代武庚故殷之餘民甚戴愛

之微子開卒立其弟衍是爲微仲禮記曰微子舍其孫腯而立衍也鄭玄曰微子適子死立其弟衍殷礼也○索隱曰家語微子弟仲思名衍一名泄嗣微子爲宋公雖遷爵易位而班級不過其故故以舊官爲稱故二微雖爲宋公猶微至子稽乃稱宋公也微仲卒子宋公稽立索隱曰譙周云未謚故名之宋公稽卒子丁公申立丁公申卒子湣公共立湣公共卒弟煬公熙立煬公即位湣公子鮒祀弑煬公而自立徐廣曰鮒一作魴○索隱曰譙周亦作魴祀據左氏昭湣公庶子也弑煬公太欲立太子弗父何何讓不受曰我當立是爲厲公厲公卒子釐公舉立釐公十七年周厲王出奔彘二十八年釐公卒子惠公覸立徐廣曰覸音古莧反惠公四年周宣王即位三十年惠公卒子哀公立哀公

古

黄[illegible]搦曰世家之首併叙三仁明微子歸周之本心者善矣豈公舍子與夷而立弟穆公〻〻不敢忘德將死復立與夷為殤公〻〻立十年十一戰而宋始亂是穆公賢而殤不肖甚明宣之讓賢也甚公亂不始於宣之讓也史識宣公廢太子而立弟國以不寧者十世春秋之世無寧國豈皆讓使之然歟其後

元年卒子戴公立戴公二十九年周幽王為犬戎所殺秦始列為諸侯三十四年戴公卒子武公司空立武公生女為魯惠公夫人生魯桓公十八年武公卒子宣公力立宣公有太子與夷十九年宣公病讓其弟和曰父死子繼兄死弟及天下通義也我其立和和亦三讓而受之宣公卒弟和立是為穆公穆公九年病召大司馬孔父謂曰先君宣公舍太子與夷而立我我不敢忘我死必立與夷也孔父曰羣臣皆願立公子馮穆公曰毋立馮吾不可以負宣公於是穆

宋微子世家　九

宣襄讓弟目夷不果襄公卒以不用目夷之言而敗向使目夷為之君宋未可量也讓豈階亂之本哉嘗是時人君溺私愛廢嫡立庶或以弟殺兄而攘其國子孫干戈相尋者總〻也史不之識宋宣之謀何也且襄公初欲讓國目夷不果則相之知其賢於己也而卒不用知賢而不能用襄公蓋妄人耳史反多其禮讓又何歟熒惑守心景公甚憂之司星子韋勸其移於相不可移於民不可移於歲又不可子韋稱天高聽卑君有君人之言三熒惑宜有動候之果徙三度感應之機何速耶王充論衡嘗斥其妄殆正論也

公使馮出居于鄭八月庚辰穆公卒兄宣公子與夷立是爲殤公君子聞之曰宋宣公可謂知人矣立其弟以成義然卒其子復享之殤公元年衛公子州吁弑其君完自立欲得諸侯使告於宋曰馮在鄭必爲亂可與我伐之宋許之與伐鄭至東門而還二年鄭伐宋以報東門之役其後諸侯數來侵伐九年大司馬孔父嘉妻好出道遇太宰華督（服虔曰戴公之孫）督說目而觀之（服虔曰目者極視精不轉也）督利孔父妻乃使人宣言國中曰殤公即位十年耳而十一戰（賈逵曰十一戰伐鄭圍其東門二戰取其禾三戰取邾田四

蔡仲 正義曰上側界又括地志云故祭城在鄭州管城縣東北五十里鄭大夫祭仲邑也杜預云左傳釋例云祭城在河南上有敖倉周公所封也

戰邾鄭伐宋入其郛五戰伐鄭圍長葛六戰鄭以王命伐宋七戰魯敗宋師于菅八戰宋衛入鄭九戰伐戴十戰鄭入宋十一戰鄭伯以虢師大敗宋民苦不堪皆孔父爲之我且殺孔父以寧民是歲魯弒其君隱公十年華督攻殺孔父取其妻殤公怒遂弒殤公而迎穆公子馮於鄭而立之是爲莊公莊公元年華督爲相九年執鄭之祭仲要以立突爲鄭君祭仲許竟立突十九年莊公卒子湣公捷立湣公七年齊桓公即位九年宋水魯使臧文仲往弔水賈逵曰問凶曰弔湣公自罪曰寡人以不能事鬼神政不脩故水臧文仲善此言此言乃公子子魚教湣公也十

所ナリ 本有

媵 劉伯莊音食證反

年夏宋伐魯戰於乘丘 徐廣曰乘一作媵駰案杜預曰乘丘魯地 魯生虜宋南宮萬 賈逵曰南宮氏萬名宋卿 宋人請萬萬歸宋十一年秋湣公與南宮萬獵因博爭行湣公怒辱之曰始吾敬若今若魯虜也萬有力病此言遂以局殺湣公于蒙澤 賈逵曰蒙澤宋澤名也杜預曰宋地梁國有蒙縣 大夫仇牧聞之以兵造公門萬搏牧牧齒著門闔死 何休曰闔門扇 因殺太宰華督乃更立公子游為君諸公子奔蕭公子御說奔亳 服虔曰蕭亳宋邑也杜預曰今沛國有蕭縣蒙縣西北有亳城也 萬弟南宮牛將兵圍亳冬蕭及宋之諸公子共擊殺南宮牛弒宋新君游而立湣公弟御說

說是為桓公宋萬奔陳宋人請以賂陳陳人使婦人飲之醇酒（服虔曰宋萬多力勇不可執故先使婦人誘而飲之酒醉而縛之）以韋裹之歸宋（左傳曰以犀革裹之）宋人醢萬也（服虔曰醢肉醬）桓公二年諸侯伐宋至郊而去三年齊桓公始霸二十三年迎衛公子燬於齊立之是為衛文公文公女弟為桓公夫人秦穆公即位三十年桓公病太子茲甫讓其庶兄目夷為嗣桓公義太子意竟不聽三十一年春桓公卒太子茲甫立是為襄公以其庶兄目夷為相未葬而齊桓公會諸侯于葵丘襄公往會襄公七年宋地霣星如雨與

楚世家云成王行至盂遂執辱宋公已而釋之

雨偕下左傳曰隕石于宋五隕星也六鷁退蜚公羊傳曰視之則六察之則鷁徐察之則退飛索隱曰按僖十六年左傳實石于宋五實星也六鷁退飛過宋都是當宋襄公之時訪內史叔興曰吉凶焉在對曰君將得諸侯而不終也然莊七年傳又云恒星不見夜中星實如雨與雨偕也且與雨偕下自在別年不與實石退鷁之事同此史以實石為實星遂連恒星不見之時與雨偕為文故與左傳小異也風疾也賈逵曰風起於遠至宋都高而疾故鷁逢風卻退八年齊桓公卒宋欲為盟會十二年春宋襄公為鹿上之盟杜預曰鹿上宋地汝陰有原鹿縣○索隱曰按汝陰原鹿其地在楚僖二十一年宋人楚人齊人盟于鹿上是也然襄公求諸侯於楚楚纔許之許未合至汝陰鹿上今濟陰乘氏縣北有鹿城蓋此地也以求諸侯於楚楚人許之公子目夷諫曰小國爭盟禍也不聽秋諸侯會宋公盟于盂杜預曰盂宋地目夷曰禍其在此乎君欲已甚何以

古

堪之於是楚執宋襄公以伐宋冬會于亳以釋宋公子魚曰禍猶未也十三年夏宋伐鄭子魚曰禍在此矣秋楚伐宋以救鄭襄公將戰子魚諫曰天之弃商久矣不可冬十一月襄公與楚成王戰于泓（穀梁傳曰戰于泓水之上）楚人未濟目夷曰彼衆我寡及其未濟擊之公不聽已濟未陳又曰可擊公曰待其已陳陳成宋人擊之宋師大敗襄公傷股國人皆怨公公曰君子不困人於阸不鼓不成列（何休曰軍法以鼓戰以金止不鼓不戰也不成列未成陳）子魚曰兵以勝爲功何常言與（徐廣曰一云尚何言與）必如公言即奴事之

阸正義曰阸謂限礙也

黄氏日抄曰史載宋昭公四年敗長翟緣斯於長丘而魯世家稱當宋武公之世武公寔爲昭公九世祖是史自爲矛盾也今考魯世家文公十一年獲長翟喬如而追載宋武獲長翟緣斯之事緣斯者喬如之祖也宋昭公之四年正當魯文公十一年是獲喬如之歲非獲緣斯之歲緣斯於喬如爲祖則獲緣斯者爲宋武公非宋昭公也二事參考則魯世家所載追是宋世家所載非是注者以爲未詳或者世次尚差當缺疑然長翟之国名鄋瞞喬如敗於魯焚如敗於晉榮如敗於齊簡如敗於衛鄋瞞由是遂亡其敗於齊當惠公二年穀梁稱長翟身横九畝斷其首而載之眉見於軾

耳又何戰焉為楚成王已救鄭鄭享之去而取鄭二姬以歸索隱曰謂鄭大夫芈氏姜氏之女既是鄭女故云二姬叔瞻曰成王無禮正義曰謂取鄭二姬也其不沒乎為禮卒於無別有以知其不遂霸也是年晉公子重耳過宋襄公以傷於楚欲得晉援厚禮重耳以馬二十乘服虔曰八十匹十四年夏襄公病傷於泓而竟卒索隱曰春秋戰于泓在僖二十二年重耳過宋及襄公卒在一十四年今此文以重耳過與傷泓共歲故云是年又重耳過與宋襄公卒共是一歲則不合更云十四年是進退俱不合於左氏蓋太史公之疎耳子成公王臣立成公元年晉文公即位三年倍楚盟親晉以有德於文公也四年楚成王伐宋宋告急於晉五年晉文公救

送九之本

宋楚兵去九年晉文公卒十一年楚太子商臣
弑其父成王代立十六年秦穆公卒十七年成
公卒正義曰年表云公孫固殺成公成公弟禦殺太子及大司馬公
孫固正義曰世本云宋莊公孫名固為大司馬而自立為君宋人共殺君
禦而立成公少子杵臼正義曰年表云宋昭元年杵臼襄公之子徐廣曰一云成公少子是為昭公昭公四年宋敗長翟緣斯於長丘
魯世家云宋武公之世獲緣斯於長丘今云此時未詳。索
隱曰春秋文公十一年魯敗翟于咸獲長狄緣斯於長丘齊
系家襄公二年長翟來王子城父攻殺之此並取左傳之說
微於諸國系家今考其年歲亦頗相協而魯系家云武公此
云昭公蓋此昭當為武然前代雖已有武公此杵臼當亦
謚武也若將不然豈下五代公子特為君又豈謚昭乎
七
年楚莊王即位九年昭公無道國人不附昭公

文公十一年魯敗
正義曰裴駰云魯世
家云武公之世獲緣
斯於長丘今此云昭
公未詳按春秋狄
於鹹獲長翟緣斯
於長丘與六年表同宋
世家云魯惠公二年
長翟來王子城父
攻殺之年表亦同宋微子世家 十三
按春秋及年表世家年歲符會魯世家云宋武公是誤當為昭公則符合矣

弟鮑革（徐廣曰一無革字）賢而下士先襄公夫人欲通於公子鮑不可（服虔曰襄公夫人周襄王之姊王姬也不可鮑不肯也）乃助之施於國（正義曰施貳是反襄夫人助公子鮑布施恩惠於國人也）因大夫華元為右師（正義曰公子華元鮑因請得為右師華元戴公五代孫華督之曾孫也）昭公出獵夫人王姬使衛伯攻殺昭公杵臼弟鮑革立是為文公文公元年晉率諸侯伐宋責以弒君聞文公定立乃去二年昭公子因文公母弟須與武繆戴莊桓之族為亂文公盡誅之出武繆之族（賈逵曰出逐也）四年春鄭命楚伐宋宋使華元將鄭敗宋囚華元華元之將戰殺羊以食士其御羊羹不及（左傳曰御羊斟）

注畫馬 正義曰畫
胡卦反

也羹怨馳入鄭軍故宋師敗得囚華元宋以兵

車百乘文馬四百疋賈逵曰文馬畫馬也 正義曰按文馬者裝飾其馬四伯疋用乘車伯乘以贖華元也又云文馬赤鬣縞身目如黃金贖華元未盡入華

元亡歸宋十四年楚莊王圍鄭鄭伯降楚楚復

釋之十六年楚使過宋宋有前仇執楚使九月

楚莊王圍宋十七年楚以圍宋五月不解宋城

中急無食華元乃夜私見楚將子反子反告莊

王王問城中何如曰析骨而炊何休曰析破人骨也易子而

食莊王曰誠哉言我軍亦有二日糧以信故遂

罷兵去二十二年文公卒子共公瑕立始厚葬

師古說曰易我子於他人之子而食之文云易己子而食之

宋微子世家 十四

二下
三下

元年本作九年

肥本作範或作范

君子譏華元不臣矣共公元年華元善楚將子重又善晉將欒書兩盟晉楚十三年共公卒華元爲右師魚石爲左師司馬唐山攻殺太子肥欲殺華元華元犇晉魚石止之至河乃還皇覽曰華元冢在陳留小黃縣城北誅唐山乃立共公少子成是爲平公左年傳曰魚石犇楚平公三年楚共王拔宋之彭城以封宋左師魚石四年諸侯共誅魚石而歸彭城於宋三十五年楚公子圍弒其君自立爲靈王四十四年平公卒子元公佐立元公三年楚公子棄疾弒靈王自立爲平王八年宋火十年元公毋信

司星本作司馬
淮南子高誘註云司星者今之太史官

詐殺諸公子大夫華向氏作亂楚平王太子建來奔見諸華氏相攻亂建去如鄭十五年元公爲魯昭公避季氏居外爲之求入魯行道卒子景公頭曼立（索隱曰按曼又音萬）景公十六年魯陽虎來奔已復去二十五年孔子過宋宋司馬桓魋惡之欲殺孔子孔子微服去三十年曹倍宋又倍晉宋伐曹晉不救遂滅曹有之（正義曰宋景公滅曹在魯哀公八年周敬王三十三年也）三十六年齊田常弒簡公三十七年楚惠王滅陳熒惑守心心宋之分野也景公憂之司星子韋曰可移於相景公曰相吾之股肱曰可移

左傳云名德

於民景公曰君者待民曰可移於歲景公曰歲饑民困吾誰爲君子韋曰天高聽卑君有君人之言三熒惑宜有動於是候之果徙三度六十四年景公卒宋公子特攻殺太子而自立是爲昭公索隱曰特一作得按左傳景公無子取元公庶曾孫公孫周之子得及啓畜于公宮只及景公卒先立啓後立得是爲昭公與此全乖未知太史公據何爲此說昭公者元公之曾庶孫也昭公父公孫糾糾父公子褍秦徐廣曰褍音端褍秦即元公少子也景公殺昭公父糾索隱曰左傳云名周故昭公怨殺太子而自立昭公四十七年卒子悼公購由立年表云四十九年。索隱曰購音古候反悼公八年卒索隱曰紀年爲十八年子休公田立侯公由二十三年卒子辟公辟兵立徐廣曰一云辟公兵○索隱曰紀年作桓侯璧兵則璧兵謚桓也又入莊子云桓侯行未出城門其前驅呼辟蒙人止之後爲狂也司馬彪云呼辟使人避道蒙人以桓侯名辟而前驅呼辟故爲狂也辟公三年卒子剔成立年表云剔成君也○索隱曰王劭按紀年云宋剔城肝廢其君璧而自立剔成四十一年剔成弟偃攻襲剔成剔成敗奔齊偃自立爲宋君君偃十一年自立爲王索隱曰戰國策呂氏春秋皆以偃謚曰康王東敗齊取五城南敗楚取地三百里西敗魏軍乃與齊魏爲敵國盛血以韋囊縣而射之命曰射天淫於酒婦人羣臣諫者輙射之於是諸侯皆曰桀宋索隱曰晉太康地記言其似桀也宋其復爲紂所爲不可不

三分其地正義曰年表云魏昭王十年齊滅宋宋王死於温田完世家云湣王三十八年齊遂伐宋宋王亡死於温按年表宋滅同赧王二十九年各當宋王偃四十三年今云四十七年恐誤也

誅告齊伐宋王偃立四十七年齊湣王與魏楚伐宋殺王偃遂滅宋而三分其地（年表云偃立四十三年）

太史公曰孔子稱微子去之箕子爲之奴比干諫而死殷有三仁焉（何晏曰仁者愛人三人行異而同稱仁者何也以其俱在憂亂寧民也夏侯玄曰微子仕之窮也箕子比干志之窮也故或盡材而止或盡心而留皆其極也致極斯君子之事矣是以三仁不同而歸其一揆也）春秋譏宋之亂自宣公廢太子而立弟（公羊傳曰君子大居正宋之禍宣公爲之也左氏則無譏焉）國以不寧者十世（索隱曰八世春秋有此說）襄公之時修行仁義欲爲盟主其大夫正考父美之故追道契湯高宗殷所以興作商頌（韓詩商頌章句亦美襄公○索隱曰今按毛詩商頌序云正考父於周之太師得商頌十二篇以那爲首國語亦同此說）

修仁行義

正義曰正考父佐戴武宣公見著於孔子世家按年表宋在襄公前百年間宣得正考父追道述而義之斯太[illegible]

黄氏日抄曰太史公稱襄公脩仁行義其大夫正考父美之追道契湯高宗殷所以興作商頌注謂襄詩商頌亦美襄公殆有擬之言殊然今詩序不合而詩序於衛宏在太史公後蓋毛韓之傳不同系

公五篇僅存皆是商家祭祀樂章非考父追作也又考父佐戴武宣則在襄公前且百許歲安得述而美之斯謬說耳襄公既敗於泓而君子或以爲多公羊傳曰君子大其不鼓不成列臨大事而不忘大禮有君而無臣以爲雖文王之戰亦不過此也傷中國闕禮義褒之也索隱曰襄公臨大事不忘大禮而君子或以爲多且傷中國之亂闕禮義之舉遂不嘉宋襄之盛德太史公褒而述之故云褒之也宋襄之有禮讓也

索隱述贊曰

殷有三仁　微箕紂親　一囚一去

不顧其身　頌美有客　書稱作賓

卒傳家嗣　或叙彝倫　微仲之後

世載忠勤　穆亦能讓　實爲知人

傷泓之役　有君無臣　偈號桀宋

天之棄殷

史肆阡叁佰單玖字

註肆阡伍佰肆拾陸字

宋微子世家第八　　史記三十八

史記世家　四十二

晉

正義曰徐才宗國都城記云唐國帝堯之裔子所封爲唐侯至周成王滅唐而封大叔因故唐侯之地封於唐在河汾之東方百里故曰唐叔虞叔者仲叔季之次第虞名也

晉世家第九　史記三十九

唐叔虞者，周武王子而成王弟。索隱曰唐叔以夢及手文而名曰虞至成王誅唐之後因戲削桐而封之叔字也故曰唐叔虞而唐有晉水至子燮改其國號曰晉侯然晉初封於唐故稱晉唐叔虞也且唐本堯後封在夏墟而都於鄂鄂今在大夏是也及成王滅唐之後又分徙之於許郢之間故春秋有唐成公是也即今之唐州者也

初，武王與叔虞母會時，左傳曰邑姜方娠大叔服虔曰邑姜武王后齊太公女夢天謂武王曰：「余命女生子，名虞，余與之唐。」及生子，文在其手曰虞，故遂因命之曰虞。

武王崩，成王立，唐有亂，正義曰括地志云故唐城在絳州翼城縣西二十里即堯裔子所封春秋云夏孔甲時有堯苗裔劉累者以豢龍事孔甲夏后嘉之賜氏御龍以更豕韋之後龍一雌死潛醢之以食夏后既而使求之懼而遷於魯縣夏后召孟別封劉累之孫于大夏之墟爲侯至周成王時唐人作亂成王滅之而封大叔

更逆唐人子孫于杜謂之杜伯即范丐所云在周爲杜唐氏按鄶縣汝州魯山縣是今隨州棗陽縣東南一百五十里上唐鄉故城即後子孫徙於唐

周公誅滅唐。成王與叔虞戲，削桐葉爲珪以與叔虞，曰：以此封若。史佚因請擇日立叔虞。成王曰：吾與之戲耳。史佚曰：天子無戲言，言則史書之，禮成之，樂歌之。於是遂封叔虞於唐。唐在河、汾之東，方百里，故曰唐叔虞。世本曰居鄂。宋衷曰：鄂地今在大夏。○正義曰：括地志云故鄂城在慈州昌寧縣東二里。按與絳州夏縣相近，禹都安邑，故城在縣東北十五里，故云在大夏也。然封于河汾二水之東方百里，正合在晉州平陽縣，不合在鄂，未詳。姓姬氏，字子于。唐叔子燮，是爲晉侯。正義曰：燮，先牒反。括地志云故唐城在并州晉陽縣北二里。城記云堯築也。國都城記云唐叔虞之子燮父徙居晉水傍，今并理故唐城。唐者，即燮父初徙之處，其城南

千本作干

正義曰晉州霍邑縣本漢彘縣也鄭玄注周禮云霍山在彘縣本春秋霍伯國

武亦作坐

半入州城中削爲坊城牆北半見在毛詩譜云叔虞子爕父以堯墟南有晉水改曰晉侯 晉侯子寧族是爲武侯 索隱曰系本作曼期譙周作曼旗也 武侯之子服人是爲成侯成侯子福是爲厲侯 索隱曰系本作輸 厲侯子宜臼是爲靖侯靖侯已來年紀可推自唐叔至靖侯五世無其年數靖侯十七年周厲王迷惑暴虐國人作亂厲王出奔于彘大臣行政故曰共和 索隱曰厲王奔彘周召和其百姓行政號曰共和 十八年靖侯卒子釐侯司徒立釐侯十四年周宣王初立十八年釐侯卒子獻侯籍立 索隱曰系本及譙周皆作蘇 獻侯十一年卒子穆侯費王立 索隱曰鄒誕本作弗生或作潰生并音秘 穆侯四年取齊女姜氏爲

正義曰鄔縣屬汾
州本漢縣也

夫人七年伐條生太子仇(杜預曰條晉地也)十年伐千畝有
功(杜預曰西河界休縣南有地名千畝)生少子名曰成師(杜預曰意取能成其衆也)晉
人師服曰(賈逵曰晉大夫)異哉君之命子也太子曰仇仇
者讎也少子曰成師成師大號成之者也名自
命也物自定也今適庶名反逆此後晉其能毋
亂乎二十七年穆侯卒弟殤叔自立太子仇出
奔殤叔三年周宣王崩四年穆侯太子仇率其
徒襲殤叔而立是為文侯文侯十年周幽王無
道犬戎殺幽王周東徙而秦襄公始列為諸侯
三十五年文侯仇卒子昭侯伯立昭侯元年封

正義曰括地志云故翼城一名故絳在絳州翼城東南十五里諸侯譜云晉穆公遷都於絳曾孫孝侯改絳爲翼翼至獻公又命曰絳

古

文侯弟成師于曲沃索隱曰河東之縣名漢武改曰聞喜也曲沃邑大於翼翼晉君都邑也索隱曰翼本晉都自孝侯已下一號翼侯平陽絳邑縣東翼城是也成師封曲沃號爲桓叔靖侯庶孫欒賓正義曰世本云欒叔賓父也相桓叔桓叔是時年五十八矣好德晉國之衆皆附焉君子曰晉之亂其在曲沃矣末大於本而得民心不亂何待七年晉大臣潘父弒其君昭侯而迎曲沃桓叔桓叔欲入晉晉人發兵攻桓叔桓叔敗還歸曲沃晉人共立昭侯子平爲君是爲孝侯誅潘父孝侯八年曲沃桓叔卒子鱓代桓叔是爲曲沃莊伯索隱曰鱓音時戰反又音善之音陁孝

侯十五年曲沃莊伯弑其君晉孝侯于翼晉人攻曲沃莊伯莊伯復入曲沃晉人復立孝侯子郄為君是為鄂侯索隱曰系本作郄而他本亦作都。正義音丘戟反鄂侯二年魯隱公初立鄂侯六年卒曲沃莊伯聞晉鄂侯卒乃興兵伐晉周平王使虢公將兵伐曲沃莊伯莊伯走保曲沃晉人共立鄂侯子光是為哀侯哀侯二年曲沃莊伯卒子稱代莊伯立正義曰稱尺證反是為曲沃武公哀侯六年魯弒其君隱公哀侯八年晉侵陘廷索隱曰翼南鄙邑名陘廷與曲沃武公謀九年伐晉于汾旁正義曰白郎反汾水之旁虜哀侯晉人乃立

哀侯子小子爲君是爲小子侯禮記曰天子未除喪曰余小子生名之死亦名之鄭玄曰晉有小子侯是取之天子也
小子元年曲沃武公使韓萬殺所虜晉哀侯賈逵曰韓萬曲沃桓叔之子莊伯弟曲沃益彊晉無
如之何晉小子之四年曲沃武公誘召晉小子殺之周桓王使虢仲正義曰馬融云周武王克商封文王異母弟虢仲於夏陽伐曲
沃武公武公入于曲沃乃立晉哀侯弟緡爲晉
侯晉侯緡四年宋執鄭祭仲而立突爲鄭君晉
侯十九年齊人管至父弒其君襄公晉侯二十
八年齊桓公始霸曲沃武公伐晉侯緡滅之盡
以其寶器賂獻于周釐王釐王命曲沃武公爲

索穆侯未詳

晉君列爲諸侯於是盡併晉地而有之曲沃武公已即位三十七年矣更號曰晉武公晉武公始都晉國前即位曲沃通年三十八年武公稱者先晉穆侯曾孫也索隱曰晉有兩穆侯故言先以別後曲沃桓叔孫也桓叔者始封曲沃武公莊伯子也自桓叔初封曲沃以至武公滅晉也凡六十七歲而卒代晉爲諸侯武公代晉二歲卒與曲沃通年即位凡三十九年而卒子獻公詭諸立獻公元年周惠王弟頹攻惠王惠王出奔居鄭之櫟邑索隱曰櫟鄭邑今河南陽翟是也故鄭之十邑有櫟有華五年伐驪戎得驪姬韋昭曰西戎之別在驪山

曰古作為

晉世家四

左傳莊廿八年曰晉伐驪戎ゝゝ男女以驪姬歸生奚齊其娣生卓子驪姬嬖欲立其子賂外嬖梁五與東関嬖五使言於公曰曲沃君之宗也蒲与二屈君之疆也不可以無主宗邑無主則民不威疆埸無主則啓戎心戎之生心民慢其政國之患也若使太子主曲沃而重耳夷吾主蒲与屈則可以威民而懼戎且旌君伐使俱曰狄之廣莫於晉為都晉之啓土不亦宜乎晉侯說之夏使太子居曲沃重耳居蒲城夷吾居屈

左傳僖二十三年介子推曰獻公之子九人唯君在矣

正義曰驪戎周之驪戎國城也

也驪姬弟俱愛幸之八年士蔿說公曰賈逵曰士蔿晉大夫故晉之羣公子多不誅亂且起乃使盡殺諸公子而城聚都之賈逵曰聚晉邑命曰絳始都絳索隱曰春秋莊二十六年傳士蔿為城絳是也杜預曰今平陽絳邑縣應劭曰絳水出西南也九年晉羣公子既亡奔虢虢以其故再伐晉弗克十年晉欲伐虢士蔿曰且待其亂十二年驪姬生奚齊獻公有意廢太子乃曰曲沃吾先祖宗廟所在而蒲邊秦屈邊翟韋昭曰蒲今蒲坂屈北屈皆在河東杜預曰蒲今平陽蒲子縣是也不使諸子居之我懼焉於是使太子申生居曲沃公子重耳居蒲公子夷吾居屈獻公與驪姬子奚齊居絳

晉國以此知太子不立也太子申生其母齊桓公女也曰齊姜早死申生同母女弟為秦穆公夫人重耳母翟之狐氏女也夷吾母重耳母女弟也獻公子八人而太子申生重耳夷吾皆有賢行及得驪姬乃遠此三子十六年晉獻公作二軍左傳曰王使虢公命曲沃伯以一軍為晉侯公子始為二軍公將上軍太子申生將下軍趙夙御戎畢萬為右伐滅霍滅魏滅耿服虔曰三國皆姬姓魏在晉之蒲坂河東也杜預曰平陽皮氏縣東南有耿鄉永安縣東北有霍太山也○索隱曰按永安縣西南汾水西有霍城古霍國有霍水出霍太山地理志河東北縣古魏國地記亦以為然服虔云在蒲坂非也地記又曰皮氏縣汾水南耿城是故耿國也還為太子城曲沃賜趙夙耿賜

畢萬魏，以為大夫。士蒍曰：太子不得立矣。分之都城（服虔曰：邑有先君之主曰都），而位以卿（賈逵曰：謂將下軍），先為之極（服虔曰：言其祿位極盡於此），又安得立。不如逃之，無使罪至。為吳太伯，不亦可乎（王肅曰：太伯知天命在王季，奔吳不反），猶有令名（王肅曰：雖去，猶可有令名，何與其坐而及禍也）。太子不從。卜偃曰：畢萬之後必大（賈逵曰：卜偃，晉掌卜大夫郭偃也）。萬，盈數也；魏，大名也（服虔曰：數從一至萬為滿，魏喻巍巍高大也）。以是始賞，天開之矣（服虔曰：以魏賞畢萬，是為天開其福）。天子曰兆民，諸侯曰萬民，今命之大，以從盈數，其必有眾（杜預曰：以魏從萬，有眾多之象）。初，畢萬卜仕於晉國，遇屯之比（賈逵曰：震下坎上屯，坤下坎上比，屯初九變之比）。辛廖占之曰：吉（賈逵曰：辛廖，晉大夫也）。屯固

左傳云晉侯使太子申生伐東山皋落氏上黨記云皋落氏在潞州壺關縣城東南山中百五十里今名平皋亦壞其其地險阻百姓不居今空之也

君行則守正義曰守音狩下同守者守也若巡狩而令境內監守也

比入吉孰大焉杜預曰屯險難也所以爲堅固比親密所以得入其後必蕃昌十七年晉侯使太子申生伐東山賈逵曰東山赤狄別種里克諫賈逵曰里克晉卿里季也曰太子奉冢祀社稷之粢盛以朝夕視君膳者也服虔曰膳饍食故曰冢子君行則守有守則從服虔曰有代太子守則從之從曰撫軍服虔曰助君撫循軍守曰監國古之制也夫率師專行謀也杜預曰率師者必專謀軍事誓軍旅杜預曰宣號令君與國政之所圖也賈逵曰國政正卿也非太子之事也師在制命而已杜預曰命將軍所制禀命則不威專命則不孝故君之嗣適不可以帥師君失其官杜預曰太子統師是失其官率師不威將焉用之杜預

顧野王曰裻衣縫 正義

湼作左

顧野王曰玦如環而缺不連

右

曰專命則不孝是爲師必不威也公曰寡人有子未知其太子誰立里克不對而退見太子太子曰吾其廢乎里克曰太子勉之教以軍旅賈逵曰將下軍不共是懼何故廢乎且子懼不孝毋懼不得立服虔曰不得立已脩己而不責人則免於難太子帥師公衣之偏衣服虔曰偏裻之衣偏異色駁不純裻在中左右異故曰偏衣杜預曰偏衣左右異色其半似公服韋昭曰偏半也分身之半以授太子。正義曰上衣去聲下衣如字佩之金玦服虔曰以金爲玦也韋昭曰金玦兵要也。正義曰玦音決里克謝病不從太子太子遂伐東山十九年獻公曰始吾先君莊伯武公之誅晉亂而虢常助晉伐我正義曰言虢助晉伐曲沃也又匿晉亡公子果爲亂弗誅後遺之孫憂乃使荀息以屈產之乘何休曰屈產出名馬之地乘備駟也假道於虞虞假道遂伐虢賈逵曰虞在晉南虢在虞南取其下陽以歸服虔曰下陽虢邑在大陽東北三十里穀梁傳曰下陽虞虢之塞邑獻公私謂驪姬曰吾欲廢太子以奚齊代之驪姬泣曰太子之立諸侯皆已知之而數將兵百姓附之奈何以賤妾之故廢適立庶君必行之妾自殺也驪姬詳譽太子而陰令人譖惡太子而欲立其子二十一年驪姬謂太子曰君夢見齊姜太子速祭曲沃服虔曰齊姜太子母曲沃有宗廟在歸釐於君太子於是祭其母齊姜於曲沃上其薦胙於獻公獻公時出獵

置胙於宮中驪姬使人置毒藥胙中居二日（索隱曰傳云六日）獻公從獵來還宰人上胙獻公獻公欲饗之驪姬從旁止之曰胙所從來遠宜試之祭地地墳（韋昭曰將飲先祭示有先也墳起也）與犬犬死與小臣小臣死（韋昭曰小臣官名掌陰事今閹士也）驪姬泣曰太子何忍也其父而欲弑代之況他人乎且君老矣旦暮之人曾不能待而欲弑之謂獻公曰太子所以然者不過以妾及奚齊之故妾願子母辟之他國若早自殺毋徒使母子為太子所魚肉也始君欲廢之妾猶恨之至於今妾殊自失於此（索隱曰太子之行如此妾失前見君欲廢而）

根之分乃自以根為失也太子聞之奔新城賈逵曰新城曲沃也新為太子城獻公怒乃誅其傅杜原款或謂太子曰為此藥者乃驪姬也太子何不自辭明之太子曰吾君老矣非驪姬寢不安食不甘即辭之君且怒之不可或謂太子曰可奔他國太子曰被此惡名以出人誰內我我自殺耳十二月戊申申生自殺於新城索隱曰國語云申生乃雉經於新城廟此時重耳夷吾來朝人或告驪姬曰二公子怨驪姬譖殺太子驪姬恐因譖二公子申生之藥胙二公子知之二子聞之恐重耳走蒲夷吾走屈保其城自備守初獻公使

正義曰蒙茸言狼藉也
重耳遂奔翟 正義曰括地志云文城故城在慈州文城縣北四十里耆老云此城晉文公子重耳避驪姬之難從蒲奔翟因築此城人遂呼爲文城風俗通云春秋傳曰狄本山戎別種也其後

士蔿爲（正義曰蔿爲詭反爲于僞反）二公子築蒲屈城弗就夷吾以告公公怒士蔿士蔿謝曰邊城少寇安用之退而歌曰狐裘蒙茸一國三公吾誰適從（服虔曰蒙茸以言亂貌三公言君與二公子將敵故不知所從）卒就城及申生死二子亦歸保其城二十二年獻公怒二子不辭而去果有謀矣乃使兵伐蒲蒲人之宦者勃鞮（正義曰勃白沒反鞮都提反韋昭云伯楚寺人勃之字也於文公時爲勃鞮也）命重耳促自殺重耳踰垣宦者追斬其衣袪（服虔曰袪袂也）重耳遂奔翟使人伐屈屈城守不可下是歲也晉復假道於虞以伐虢虞之大夫宮之奇諫虞君曰晉不可假道

虢公醜奔周之義
左傳卜偃謠曰丙
之晨龍尾伏辰均
服振振取虢之旂
鶉之賁賁天策
焞焞火中成軍虢
公其奔其九月十
月之交乎丙子旦
日在尾月在策鶉火
中必是時也冬十二月
丙子朔晉滅虢虢公
醜奔京師韋昭曰
鶉火鳥星也賁賁
鶉火星也天策
尾上一星名傅說
焞焞近日月之光
鶉火也中辰中也
成軍有成功也

九

也。是且滅虞。虞君曰：晉我同姓，不宜伐我。宮之奇曰：太伯、虞仲，太王之子也。太伯亡去，是以不嗣。虢仲、虢叔，王季之子也，為文王卿士，其記勳在王室，藏於盟府。杜預曰：盟府，司盟之官也。將虢是滅，何愛于虞？且虞之親能親於桓、莊之族乎？桓、莊之族何罪，盡滅之。虞之與虢，脣之與齒，脣亡則齒寒。虞公不聽，遂許晉。宮之奇以其族去虞。其冬，晉滅虢，虢公醜奔周。皇覽曰：虢公冢在河內溫縣郭東濟水南大冢是也。其城南有虢公臺。還，襲滅虞，虜虞公及其大夫井伯百里奚，正義曰：南雍州記云：百里奚，宋井伯，宛人也。以媵秦穆姬，杜預曰：送女曰媵，以屈辱之。而修虞祀（服虔曰奠所祭祀命祀也）荀息牽曩所遺虞屈產之乘馬奉之獻公獻公笑曰馬則吾馬齒亦老矣（公羊傳曰盖戲之也何休曰以馬齒戲喻荀息之年老也）二十三年獻公遂發賈華等伐屈（賈逵曰賈華晉右行大夫）屈潰夷（正義曰民逃其上曰潰）吾將奔翟冀芮曰不可（韋昭曰冀芮晉大夫）重耳已在矣今往晉必移兵伐翟翟畏晉禍且及不如走梁梁近於秦秦彊吾君百歲後可以求入焉遂奔梁二十五年晉伐翟翟以重耳故亦擊晉於齧桑（左傳作采桑服虔曰翟地○索隱曰裴氏云左傳作采桑按今平陽曲南七十里河水有采桑津是晉境服虔云翟地亦頗相近然字作齧齧桑衛地恐非也）晉兵解而去當此時晉彊西有河西與秦接境北

正義曰國語云荀息云昔君問臣事君於我我對以忠貞君曰何謂也對曰可以利公室力有所能無不為忠也葬死者養生者死人復生不悔生人不愧也吾言既往矣豈能欲行吾言而又愛吾身乎

邊翟東至河內索隱曰河內河曲也內音汭驪姬弟生悼子索隱曰左傳作卓子音丁角反弟女弟也二十六年夏齊桓公大會諸侯於葵丘正義曰在曹州考城縣東南一里晉獻公病行後未至逢周之宰孔宰孔曰齊桓公益驕不務德而務遠略諸侯弗平君弟毋會索隱曰弟但也毋如晉何獻公亦病復還歸病甚乃謂荀息曰吾以奚齊為後年少諸大臣不服恐亂起子能立之乎荀息曰能獻公曰何以為驗對曰使死者復生生者不慚為之驗索隱曰謂荀息受公命而立奚齊雖復身死不背生時之命是謂死者復生也言生者見荀息不背君命而死不為之羞慚也於是遂屬奚齊於荀息荀息為相主國政

秋九月獻公卒里克㔻鄭欲內重耳以三公子之徒作亂賈逵曰㔻鄭晉大夫三公子申生重耳夷吾謂荀息曰三怨將起秦晉輔之子將何如荀息曰吾不可負先君言十月里克殺奚齊于喪次獻公未葬也荀息將死之或曰不如立奚齊弟悼子而傅之荀息立悼子而葬獻公十一月里克弒悼子于朝列女傳曰鞭殺驪姬于市荀息死之君子曰詩所謂白珪之玷猶可磨也斯言之玷不可為也杜預曰詩大雅言此言之缺難治甚於白珪其荀息之謂乎不負其言初獻公將伐驪戎卜曰[illegible]齒牙為猾韋昭曰齒牙謂兆端左右釁坼有似齒牙中有縱畫以象讒言之為害也及破

正義曰國語曰獻公卜伐驪戎史蘇占之曰勝而不吉公飲大夫酒令司正實爵與史蘇曰飲而有餚驪戎之役汝曰勝而不吉故賞汝以爵以無餚克國得妃其吉孰大焉史蘇卒爵再拜稽首曰兆有之臣不敢蔽蔽兆之紀失臣之官有二罪焉何以事君大罰將及不唯無餚蘇告大夫若無男戎必有女戎若晉以男戎勝戎而戎亦必以女戎勝晉里克曰何如蘇曰夏桀伐有施施人以妹喜女焉於是乎與伊尹比而亡夏殷辛伐有蘇蘇氏以妲己女焉於是乎與膠鬲比而亡殷周幽王伐有褒褒人以褒姒女焉於是乎與虢石甫比而亡周

驪戎，獲驪姬，愛之，竟以亂晉。里克等已殺奚齊、悼子，使人迎公子重耳於翟，（正義曰：國語云里克及邳鄭使屠岸夷告公子重耳於翟曰：國亂民擾，得國在亂，治民在擾，子盍入乎。）欲立之。重耳謝曰：「負父之命（正義曰：負音佩。）出奔，父死不得脩人子之禮侍喪，重耳何敢入！大夫其更立他子。」還報里克，里克使迎夷吾於梁。夷吾欲往，呂省（正義曰：省音眚。杜預云：姓瑕呂，名飴生，字子金。）郤芮（正義曰：郤成子即冀芮。）曰：「內猶有公子可立者而外求，難信。計非之秦，輔彊國之威以入，恐危。」乃使郤芮厚賂秦，約曰：「即得入，請以晉河西之地與秦。」乃遺里克書曰：「誠得立，請遂封子於汾陽之邑。」（賈逵

曰汾水名汾陽晉地也○索隱曰國語云命里克汾陽之田百萬命丕鄭以負蔡之田七十萬今此不言亦疎略也秦

穆公乃發兵送夷吾於晉齊桓公聞晉內亂亦率諸侯如晉秦兵與夷吾亦至晉齊乃使隰朋會秦俱入夷吾立為晉君是為惠公齊桓公至晉之高梁而還歸惠公夷吾元年使丕鄭謝秦曰始夷吾以河西地許君今幸得入立大臣曰地者先君之地君亡在外何以得擅許秦者寡人爭之弗能得故謝秦亦不與里克汾陽邑而奪之權四月周襄王使周公忌父賈逵曰周卿士會齊秦大夫共禮晉惠公惠公以重耳在外畏里克為

變賜里克死謂曰微里子寡人不得立雖然子亦殺二君一大夫服虔曰謂奚齊悼子荀息也為子君者不亦難乎里克對曰不有所廢君何以興欲誅之其無辭乎乃言為此臣聞命矣遂伏劍而死於是邳鄭使謝秦未還故不及難晉君改葬恭太子申生韋昭曰獻公時申生葬不如禮故改葬之秋狐突之下國服虔曰晉所滅國以為下邑一曰曲沃有宗廟故謂之國在絳下故曰下國也遇申生申生與載而告之杜預曰忽如夢而相見狐突本為申生御故復使登車曰夷吾無禮余得請於帝服虔曰帝天帝請罰有罪將以晉與秦秦將祀余狐突對曰臣聞神不食非其宗君其祀毋乃絕乎君其圖之

申生曰諾吾將復請帝後十日（左傳曰七日）新城西偏將有巫者見我焉（杜預曰將因巫以見）許之遂不見（杜預曰巫實許其言申生之象亦没）及期而往復見申生告之曰帝許罰有罪矣弊於韓（賈逵曰弊敗也韓晉韓原）兒乃謠曰恭太子更葬矣（索隱曰更改也更葬謂改葬）後十四年晉亦不昌昌乃在兄邳鄭使秦聞里克誅乃說秦繆公曰呂省郤稱冀芮實為不從（杜預曰三子晉大夫不從不與秦賂也○索隱曰呂省左傳作呂甥）若重賂與謀出晉君入重耳事必就秦繆公許之使人與歸報晉厚賂三子三子曰幣厚言甘此必邳鄭賣我於秦遂殺邳鄭及里克邳鄭之黨

七輿大夫（韋昭曰七輿申生下軍之衆大夫也杜預曰侯伯七命副車七乘）邳鄭子豹奔秦言伐晉繆公弗聽惠公之立倍秦地及里克誅七輿大夫國人不附二年周使召公過（韋昭曰召武公爲王卿士）禮晉惠公惠公禮倨（索隱曰謂受玉惰也事見僖十一年）召公譏之四年晉饑乞糴於秦繆公問百里奚（服虔曰秦大夫）百里奚曰天菑流行國家代有救菑恤鄰國之道也與之邳鄭子豹曰伐之繆公曰其君是惡其民何罪卒與粟自雍屬絳五年秦饑請糴於晉晉君謀之慶鄭曰（杜預曰慶鄭晉大夫）以秦得立已而倍其地約晉饑而秦貸我今秦饑請糴與之何疑

而謀之虢射曰服虔曰虢射惠公舅往年天以晉賜秦秦弗知取而貸我今天以秦賜晉晉其可以逆天乎遂伐之惠公用虢射謀不與秦粟而發兵且伐秦秦大怒亦發兵伐晉六年春秦穆公將兵伐晉晉惠公謂慶鄭曰秦師深矣韋昭曰深入境一曰深尤重奈何鄭曰秦內君君倍其賂晉饑秦輸粟秦饑而晉倍之乃欲因其饑伐之其深不亦宜乎晉卜御右慶鄭皆吉公曰鄭不孫服虔曰孫順乃更令步陽御戎家僕徒為右服虔曰二子晉大夫也進兵九月壬戌秦穆公晉惠公合戰韓原索隱曰在馮翊夏陽北二十里今之韓城縣是惠公

馬騺不行索隱曰騺音竹二反謂馬重而陷之於泥秦兵至公窘召慶鄭
爲御鄭曰不用卜敗不亦當乎遂去更令梁繇
靡御正義曰韋昭云梁由靡晉大夫也虢射爲右輅秦繆公服虔曰輅迎也○索
隱曰輅音五稼反鄒誕音或額反繆公壯士冒敗晉軍晉軍敗遂
失秦繆公反獲晉公以歸秦將以祀上帝晉君
姊爲繆公夫人衰絰涕泣公曰得晉侯將以爲
樂今乃如此且吾聞箕子見唐叔之初封曰其
後必當大矣晉庸可滅乎乃與晉侯盟王城杜預
曰馮翊臨晉縣東有王城而許之歸晉侯亦使呂省等報國人
曰孤雖得歸毋面目見社稷卜日立子圉晉人

聞之皆哭秦繆公問呂省晉國和乎對曰不和小人懼失君亡親（正義曰君惠公也親父母也言懼失君國亂恐亡父母不憚立子圉也）不憚立子圉曰必報讎寧事戎狄（正義曰小人言立子圉爲君之後必報秦終不事秦寧事戎狄耳）其君子則愛君而知罪以待秦命曰必報德有此二故不和於是秦繆公更舍晉惠公餽之七牢（正義曰餽音匱一牛一羊一豕爲一牢）十一月歸晉侯晉侯至國誅慶鄭修政教謀曰重耳在外諸侯多利內之欲殺重耳於狄重耳聞之如齊八年使太子圉質秦（正義曰質音致）初惠公亡在梁梁伯以其女妻之生一男一女梁伯卜之男爲人臣

女爲人妾故名男爲圉女爲妾（服虔曰圉人掌養馬臣之賤者不聘曰妾）十年秦滅梁梁伯好土功治城溝（賈逵曰溝壍也）民力罷（正義曰罷音皮）怨其衆數相驚曰秦寇至民恐惑秦竟滅之十三年晉惠公病內有數子太子圉曰吾母家在梁梁今秦滅之我外輕於秦而內無援於國君即不起病大夫輕更立他公子乃謀與其妻俱亡歸秦女曰子一國太子辱在此秦使婢子侍（服虔曰曲禮云世婦以下自稱婢子婢子婦人之卑稱）以固子之心子亡矣我不從子亦不敢言子圉遂亡歸晉十四年九月惠公卒太子圉立是爲懷公子圉之亡

秦怨之乃求公子重耳欲內之子圉之立畏秦之伐也乃令國中諸從重耳亡者與期期盡不到者盡滅其家狐突之子毛及偃從重耳在秦弗肯召懷公怒囚狐突突曰臣子事重耳有年數矣今召之是教之反君也何以教之懷公卒殺狐突秦繆公乃發兵送內重耳使人告欒郤之黨（正義曰欒枝郤縠之屬）為內應殺懷公於高梁入重耳重耳立是為文公晉文公重耳晉獻公之子也自少好士年十七有賢士五人曰趙衰狐偃咎犯文公舅也賈佗先軫魏武子自獻公為太子

時重耳固已成人矣獻公即位重耳年二十一獻公十三年以驪姬故重耳備蒲城守秦獻公二十一年獻公殺太子申生驪姬讒之恐不辭獻公而守蒲城獻公二十二年獻公使宦者履鞮趣殺重耳索隱曰履鞮即左傳之勃鞮亦曰寺人披也重耳踰垣宦者逐斬其衣袪重耳遂奔狄狄其母國也是時重耳年四十三從此五士其餘不名者數十人至狄狄伐咎如賈逵曰赤狄之別隗姓○索隱曰咎音高鄒誕本作囷如又云或作囚得二女以長女妻重耳生伯儵正義曰直留反叔劉以少女妻趙衰生盾索隱曰左傳云伐廧咎如獲其二女以叔隗妻趙衰生盾公子取季隗生伯儵叔劉則叔隗長

［而季隗少乃不同也］居狄五歲而晉獻公卒里克已殺奚齊悼子乃使人迎欲立重耳重耳畏殺因固謝不敢入已而晉更迎其弟夷吾立之是爲惠公惠公七年畏重耳乃使宦者履鞮與壯士欲殺重耳重耳聞之乃謀趙衰等曰始吾奔狄非以爲可用與［索隱曰與起也非翟可用與起故奔之也］以近易通故且休足休足久矣固願徙之大國夫齊桓公好善志在霸王收恤諸侯今聞管仲隰朋死此亦欲得賢佐盍往乎於是遂行重耳謂其妻曰待我二十五年不來乃嫁其妻笑曰犂二十五年［索隱曰犂猶比也○正義］

曰杜預云言將死入木也不復成嫁也吾冢上柏大矣雖然妾待子重耳居狄凡十二年而去過衞衞文公不禮去過五鹿賈逵曰衞地杜預曰今衞縣西北有地名五鹿平陽元城縣東亦有五鹿飢而從野人乞食野人盛土器中進之重耳怒趙衰曰土者有土也君其拜受之至齊齊桓公厚禮而以宗女妻之有馬二十乘重耳安之重耳至齊二歲而桓公卒會豎刀等為內亂齊孝公之立諸侯兵數至留齊凡五歲重耳愛齊女毋去心趙衰咎犯乃於桑下謀行齊女侍者在桑上聞之以告其主其主乃殺侍者服虔曰懼孝公怒故殺之以滅口勸重耳趣

行重耳曰人生安樂孰知其他必死於此徐廣曰一云人生一世必死於此不能去齊女曰子一國公子窮而來此數士者以子爲命子不疾反國報勞臣而懷女德竊爲子羞之且不求何時得功乃與趙衰等謀醉重耳載以行行遠而覺重耳大怒引戈欲殺咎犯咎犯曰殺臣成子偃之願也重耳曰事不成我食舅氏之肉咎犯曰事不成犯肉腥臊何足食乃止遂行過曹曹共公不禮欲觀重耳駢脅曹大夫釐負羈曰晉公子賢又同姓窮來過我柰何不禮共公不從其謀負羈乃私遺重

耳食置璧其下重耳受其食還其璧去過宋宋襄公新困兵於楚傷於泓聞重耳賢乃以國禮禮於重耳（索隱曰以國君之禮禮之也）宋司馬公孫固善於咎犯曰宋小國新困不足以求入更之大國乃去過鄭鄭文公弗禮鄭叔瞻諫其君曰晉公子賢而其從者皆國相且又同姓鄭之出自厲王而晉之出自武王鄭君曰諸侯亡公子過此者衆安可盡禮叔瞻曰君不禮不如殺之且後爲國患鄭君不聽重耳去之楚楚成王以適諸侯禮待之（索隱曰適音敵）重耳謝不敢當趙衰曰子亡在外十餘

古

年小國輕子況大國乎今楚大國而固遇子子其毋讓此天開子也遂以客禮見之成王厚遇重耳重耳甚卑成王曰子即反國何以報寡人重耳曰羽毛齒角玉帛君王所餘未知所以報王曰雖然何以報不穀重耳曰即不得已與君王以兵車會平原廣澤請辟王三舍（賈逵曰司馬法從遯不過三舍三舍九十里也）楚將子玉怒曰王遇晉公子至厚今重耳言不孫請殺之成王曰晉公子賢而困於外久從者皆國器此天所置庸可殺乎且言何以易之（索隱曰子玉請殺重耳楚成王不許言人之出言不可輕易之也）居楚數月而晉

太子圉亡秦怨之聞重耳在楚乃召之成王曰楚遠更數國乃至晉秦晉接境秦君賢子其勉行厚送重耳重耳至秦繆公以宗女五人妻重耳故子圉妻與往重耳不欲受司空季子（服虔曰胥臣臼季子也）曰其國且伐況其故妻乎且受以結秦親而求入子乃拘小禮忘大醜乎遂受繆公大歡與重耳飲趙衰歌黍苗詩（韋昭曰詩云芃芃黍苗陰雨膏之）繆公曰知子欲急反國矣趙衰與重耳下再拜曰孤臣之仰君如百穀之望時雨是時晉惠公十四年秋惠公以九月卒子圉立十一月葬惠公十

二月晉國大夫欒郤等聞重耳在秦皆陰來勸
重耳趙衰等反國爲内應甚衆於是秦繆公乃
發兵與重耳歸晉晉聞秦兵來亦發兵拒之然
皆陰知公子重耳入也唯惠公之故貴臣呂郤
之屬（正義曰呂甥郤芮也）不欲立重耳重耳出亡凡十九歲
而得入時年六十二矣晉人多附焉文公元年
春秦送重耳至河咎犯曰臣從君周旋天下過
亦多矣臣猶知之況於君乎請從此去矣重耳
曰若反國所不與子犯共者河伯視之（索隱曰視猶見也）
乃投璧河中以與子犯盟是時介子推從在舩

正義曰令狐故城在蒲州猗氏縣西十五里

中乃笑曰天實開公子而子犯以爲己功而要
市於君固足羞也吾不忍與同位乃自隱渡河
秦兵圍令狐晉軍于廬柳韋昭曰廬柳晉地名二月辛丑咎
犯與秦晉大夫盟於郇杜預曰解縣西北有郇城○索隱曰音荀即文王之子所封又
音環壬寅重耳入于晉師丙午入于曲沃丁未朝
于武宮賈逵曰文公之祖武公廟也即位爲晉君是爲文公羣
臣皆往懷公圉奔高梁戊申使人殺懷公懷公
故大臣呂省郤芮本不附文公文公立恐誅乃
欲與其徒謀燒公宮殺文公文公不知始嘗欲
殺文公宦者履鞮知其謀欲以告文公解前罪

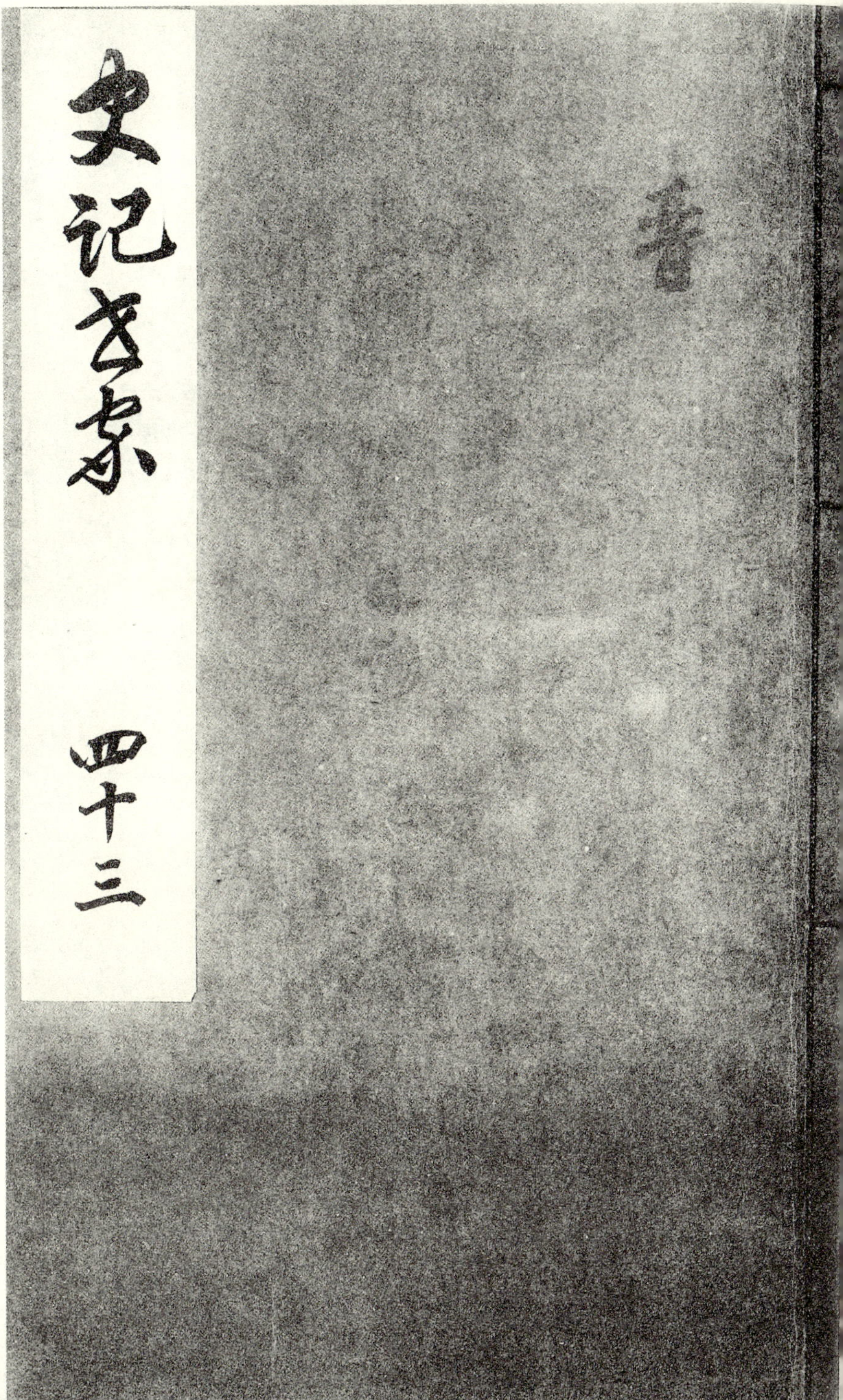
史記世家
四十三

求見文公文公不見使人讓曰蒲城之事女斬
予袪其後我從狄君獵女為惠公來求殺我惠
公與女期三日至而女一日至何速也女其念
之宦者曰臣刀鋸之餘不敢以二心事君倍主
故得罪於君君已反國其毋蒲翟乎且管仲射
鉤桓公以霸今刑餘之人以事告而君不見禍
又且及矣於是見之遂以呂郤等告文公文公
欲召呂郤呂郤等黨多文公恐初入國國人賣
己乃為微行會秦繆公於王城索隱曰杜預云馮翊臨晉縣東有故王城
國人莫知三月己丑呂郤等果反焚公宮

不得文公文公之衛徒與戰呂郤等引兵欲奔
秦繆公誘呂郤等殺之河上晉國復而文公得
歸夏迎夫人於秦秦所與文公妻者卒為夫人
秦送三千人為衛以備晉亂文公修政施惠百
姓賞從亡者及功臣大者封邑小者尊爵未盡
行賞周襄王以弟帶難出居鄭地來告急晉晉
初定欲發兵恐他亂起是以賞從亡未至隱者
介子推推亦不言祿祿亦不及推曰獻公子九
人唯君在矣惠懷無親外內棄之天未絕晉必
將有主主晉祀者非君而誰天實開之二三子

右

以為己力不亦誣乎竊人之財猶曰是盜況貪天之功以為己力乎下冒其罪上賞其姦上下相蒙（服虔曰蒙欺也）難與處矣其母曰盍亦求之以死誰懟推曰尤而效之罪有甚焉且出怨言不食其祿母曰亦使知之若何對曰言身之文也身欲隱安用文之文之是求顯也其母曰能如此乎與女偕隱至死不復見介子推從者憐之乃懸書宮門曰龍欲上天五蛇為輔（索隱曰龍喻重耳五蛇即五臣狐偃趙衰魏武子司空季子及子推也舊云五臣有先軫顛頡今恐二人非其數）龍已升雲四蛇各入其宇一蛇獨怨終不見處所文公出見其

書曰此介子推也吾方憂王室未圖其功使人
召之則亡遂求所在聞其入緜上山中（賈逵曰緜上晉地杜
預曰西河介休縣南有地名緜上）於是文公環緜上山中而封之以
爲介推田（徐廣曰一作國）號曰介山以記吾過且旌善人（賈逵曰
旌表也）從亡賤臣壺叔曰君三行賞賞不及臣敢
請罪文公報曰夫導我以仁義防我以德惠此
受上賞輔我以行卒以成立此受次賞矢石之
難汗馬之勞此復受次賞若以力事我而無補
吾缺者此受次賞三賞之後故且及子晉人聞
之皆說二年春秦軍河上將入王（索隱曰河上晉地）趙衰

曰求覇莫如入王尊周周晉同姓晉不先入王後秦入之毋以令于天下方今尊王晉之資也三月甲辰晉乃發兵至陽樊服虔曰陽樊周地陽邑名也樊仲山之所居故曰陽樊圍溫入襄王于周四月殺王弟帶周襄王賜晉河內陽樊之地四年楚成王及諸侯圍宋宋公孫固如晉告急先軫曰報施定覇於今在矣杜預曰報宋贈馬之施狐偃曰楚新得曹而初婚於衛若伐曹衛楚必救之則宋免矣於是晉作三軍王肅曰始復成國之禮半周軍也趙衰舉郤縠將中軍郤臻佐之使狐偃將上軍狐毛佐之命趙衰為卿欒枝將下軍賈

（曰欒枝欒賓之孫）先軫佐之，荀林父御戎，魏犨爲右（正義曰犨昌由反又音受）往伐。冬十二月，晉兵先下山東，而以原封趙衰（杜預曰河内沁水縣西北有原城）。五年春，晉文公欲伐曹，假道於衛，衛人弗許。還自河南度，侵曹，伐衛。正月，取五鹿。二月，晉侯、齊侯盟于斂盂（杜預曰衛地也）。衛侯請盟晉，晉人不許。衛侯欲與楚，國人不欲，故出其君以說晉。衛侯居襄牛（服虔曰衛地也），公子買守衛。楚救衛，不卒（徐廣曰一作勝）。晉侯圍曹。三月丙午，晉師入曹，數之以其不用釐負羈言，而用美女乘軒者三百人也。令軍毋入僖負羈宗家以報德。楚圍宋，宋復告急晉文公欲救則攻楚為楚嘗有德不欲伐也欲釋宋宋又嘗有德於晉患之索隱曰晉若攻楚則傷楚子送其入秦之德又欲釋宋不救乃虧宋公贈馬之惠進退有難是以患之先軫曰執曹伯分曹衛地以與宋楚急曹衛其勢宜釋宋索隱曰楚初得曹又新婚於衛今晉執曹伯而分曹衛之地與宋則楚急曹衛其勢宜釋宋也於是文公從之而楚成王乃引兵歸楚將子玉曰王遇晉至厚今知楚急曹衛而故伐之是輕王王曰晉侯亡在外十九年困日久矣果得反國險阸盡知之能用其民天之所開不可當子玉請曰非敢必有功願以閒執讒慝之口也服虔曰子玉非敢求有大功但欲執蒍賈讒慝之口

謂子玉過三百乘不能入也杜預曰執猶塞也楚王怒少與之兵於是子玉使宛春告晉請復衛侯而封曹臣亦釋宋賈逵曰宛春楚大夫咎犯曰子玉無禮矣君取一臣取二勿許韋昭曰君文公也臣子玉也一謂釋宋圍二謂復曹衛先軫曰定人之謂禮楚一言定三國子一言而亡之我則毋禮不許楚是棄宋也不如私許曹衛以誘之執宛春以怒楚韋昭曰怒楚令必戰既戰而後圖之杜預曰須勝負決乃定計晉侯乃囚宛春於衛且私許復曹衛曹衛告絕於楚楚得臣怒得臣即子玉擊晉師晉師退軍吏曰為何退文公曰昔在楚約退三舍可倍乎楚師欲去得臣不肯

四月戊辰，宋公、齊將、秦將與晉侯次城濮。（賈逵曰：衛地也。○索隱曰：宋公，成公王臣。齊將國歸父，秦將小子慭也。）己巳，與楚兵合戰，楚兵敗，得臣收餘兵去。甲午，晉師還至衡雍，（杜預曰：衡雍，鄭地，今滎陽卷縣也。）作王宮于踐土。（服虔曰：既敗楚師，襄王自往臨踐土，賜命晉侯，晉侯聞而為之作宮。○索隱曰：杜預云踐土鄭地，然據此文，晉師還至衡雍乃作王宮于踐土，在河南也，故劉氏云踐土在河南。下文踐土在河北，今元城縣西有踐土驛，義或然也。）初，鄭助楚，楚敗，懼，使人請盟晉侯。晉侯與鄭伯盟。五月丁未，獻楚俘於周，（正義曰：俘音孚，囚也。）駟介百乘，徒兵千。（服虔曰：駟介，駟馬被甲也。徒兵，步卒也。）天子使王子虎命晉侯為伯，（賈逵曰：王子虎，周大夫。）賜大輅，彤弓矢百，玈弓矢千，（賈逵曰：大輅，金輅。彤弓，赤。玈弓，黑也。諸侯賜弓矢，然後專征伐。○正義曰：彤，徒冬反。玈音盧。）秬鬯一

卣珪瓚賈逵曰秬黑黍也鬯香酒也所以降神卣器名諸侯賜珪瓚然後爲鬯虎賁三百人
賈逵曰天子卒曰虎賁晉侯三辭然後稽首受之賈逵曰稽首首至地也周
作晉文侯命王若曰父義和孔安國曰同姓故稱曰父馬融曰王順曰父能
以義和我諸侯○索隱曰尚書文侯之命是平王命晉文侯
仇之語今此乃是襄王命文公重耳之事代數懸隔勳策全
乖太史公雖復弥縫左氏而系家頗亦時有疎謬裴氏集解
亦引孔馬之注而都不言時代乖角何習迷而同醉也然計
平王至襄王爲七代仇至重耳爲十一代而十三侯又平王
元年至魯僖二十八年當襄王二十年爲一百三十餘歲矣學
者頗合討論之劉伯莊以爲蓋天子命晉同此一辭尤爲非也丕顯文武能愼明德孔安
國曰文王武王能詳愼顯用明德昭登於上布聞在下馬融曰昭明也上謂天下謂人
維時上帝集厥命于文武孔安國曰惟以身故集成其王命德流子孫恤
朕身繼予一人永其在位孔安國曰當憂念我身則我一人長安在位於

是晉文公稱伯癸亥王子虎盟諸侯於王庭服虔曰王庭踐土也○索隱曰服氏知王庭是踐土者據二十八年五月公會諸侯盟于踐土又此上文四月甲午作王宮于踐土王庭即王宮也晉焚楚軍火數日不息文公歎左右曰勝楚而君猶憂何文公曰吾聞能戰勝安者唯聖人是以懼且子玉猶在庸可喜乎子玉之敗而歸楚成王怒其不用其言貪與晉戰讓責子玉子玉自殺晉文公曰我擊其外楚誅其內內外相應於是乃喜六月晉人復入衛侯壬午晉度河北歸國行賞狐偃為首或曰城濮之事先軫之謀文公曰城濮之事偃說我毋失信先軫

曰軍事勝為右吾用是以勝然此一時之說偃言萬世之功奈何以一時之利而加萬世功乎是以先之冬晉侯會諸侯於溫欲率之朝周力未能恐其有畔者乃使人言周襄王狩于河陽壬申遂率諸侯朝王於踐土索隱曰左氏五月盟于踐土冬會諸侯于溫天王狩於河陽壬申公朝於王所此文亦說冬朝于王當合於河陽溫地不合取五月踐土之文誤也孔子讀史記至文公曰諸侯無召王王狩河陽者春秋諱之也丁丑諸侯圍許曹伯臣或說晉侯曰齊桓公合諸侯而國異姓今君為會而滅同姓曹叔振鐸之後晉唐叔之後合諸侯而滅兄弟非

禮晉侯說復晉伯於是晉始作三行服虔曰辟天子六軍故謂之三行荀林父將中行先縠將右行索隱曰左傳屠擊將右行與此異先蔑將左行杜預曰三行無佐疑大夫帥也○索隱曰按左傳荀林父並是卿而云大夫帥者非也不置佐者當避天子也或新置三行官未備耳七年晉文公秦繆公共圍鄭以其無禮於文公亡過時及城濮時鄭助楚也圍鄭欲得叔瞻叔瞻聞之自殺鄭持叔瞻告晉晉曰必得鄭君而甘心焉鄭恐乃閒令使謂秦繆公曰索隱曰使謂燭之武也亡鄭厚晉於晉得矣而秦未為利君何不解鄭得為東道交索隱曰交猶好也諸本及左氏皆作主秦伯說罷兵晉亦罷兵九年冬晉文公卒子襄

公歡立是歲鄭伯亦卒鄭人或賣其國於秦正義曰左傳云秦晉伐鄭燭之武說秦師罷令杞子逢孫楊孫三大夫戍鄭杞子自鄭使告於秦曰鄭人使我掌其北門之管若潛師以來國可得也秦繆公發兵往襲鄭十二月秦兵過我郊襄公元年春秦師過周無禮王孫滿譏之兵至滑鄭賈人弦高將市于周遇之以十二牛勞秦師秦師驚而還滅滑而去晉先軫曰秦伯不用蹇叔反其衆心此可擊欒枝曰未報先君施於秦擊之不可先軫曰秦侮吾孤伐吾同姓何德之報遂擊之襄公墨衰絰賈逵曰墨變凶杜預曰以凶服從戎故墨之四月敗秦師于殽虜秦三將孟明視西乞秫

白乙丙以歸遂墨以葬文公〔服虔曰非禮也杜預曰記禮所由變也〕文公夫人秦女謂襄公曰秦欲得其三將戮之公許遣之先軫聞之謂襄公曰患生矣軫乃追秦將秦將渡河已在船中頓首謝卒不反後三年秦果使孟明伐晉報殽之敗取晉汪以歸〔索隱曰左氏傳文公二年秦孟明視伐晉報殽之役無取晉汪之事又其年冬晉先且居等伐秦取汪彭衙而還則汪是秦邑止可晉伐秦取之豈得秦伐晉而取汪也或者晉先取之秦今伐晉而取汪是汪從晉來故云取晉汪而歸也彭衙在郃陽北汪不知所在〕四年秦繆公大興兵伐我渡河取王官〔正義曰括地志云王官故城在同州澄城縣西北六十里左傳文三年秦伐晉取王官即此先言渡河史文顛倒耳〕封殽尸而去晉恐不敢出遂城守五年晉伐秦取新

城。服虔曰秦邑新所作城也報王官役也。六年，趙衰、成子、欒貞子、咎季子犯、霍伯皆卒。賈逵曰欒貞子欒枝也霍伯先且居也趙盾代趙衰執政。七年八月，襄公卒。太子夷皋少，晉人以難故，服虔曰晉國數有患難欲立長君。趙盾曰：「立襄公弟雍。好善而長，先君愛之；且近於秦，秦故好也。立善則固，事長則順，奉愛則孝，結舊好則安。」賈季曰：「不如其弟樂。辰嬴嬖於二君，服虔曰辰嬴懷嬴也二君懷公文公立其子，民必安之。」趙盾曰：「辰嬴賤，班在九人下，服虔曰班次也其子何震之有！賈逵曰震威也且為二君嬖，淫也。為先君子，正義曰樂文公子也不能求大而出在小國，僻也。母淫

子僻無威（正義曰僻疋亦反言樂僻隱在陳而遠無援也）陳小而遠無援將

何可乎使士會如秦迎公子雍賈季亦使人召

公子樂於陳趙盾廢賈季以其殺陽處父（左傳曰此時賈佗爲太師陽處父爲太傅）十月葬襄公十一月賈季奔翟是

歲秦穆公亦卒靈公元年四月秦康公曰昔文

公之入也無衛故有呂郤之患乃多與公子雍

衛太子母繆嬴日夜抱太子以號泣於朝曰先

君何罪其嗣亦何罪舍適而外求君將安置此（服虔曰此太子）出朝則抱以適趙盾所頓首曰先君奉此

子而屬之子曰此子材吾受其賜不材吾怨子

王肅曰怨其教導不至今君卒言猶在耳杜預曰在宣子之耳而弃之若何趙盾與諸大夫皆患穆嬴且畏誅乃背所迎而立太子夷皐是爲靈公發兵以距秦送公子雍者趙盾爲將往擊秦敗之令狐先蔑隨會亡奔秦秋齊宋衛鄭曹許君皆會趙盾盟於扈杜預曰鄭地滎陽卷縣西北有扈亭以靈公初立故也四年伐秦取少梁秦亦取晉之郩徐廣曰年表云北徵也○索隱曰按左傳文十年春晉人伐秦取少梁夏秦伯伐晉取北徵北徵即年表所謂今云郩者字誤也徵音懲亦馮翊之縣名六年秦康公伐晉取羈馬晉侯怒使趙盾趙穿郤缺擊秦大戰河曲趙穿最有功七年晉六卿患隨會之在秦

常爲晉亂乃詳令魏壽餘反晉降秦秦使隨會
之魏因執會以歸晉八年周頃王崩公卿爭權
故不赴索隱曰春秋魯文十二年頃王崩周公閱與王孫蘇爭政故不赴是也
以車八百乘平周亂而立匡王索隱曰左傳文十四年晉趙盾以諸侯之
師八百乘納捷菑于邾不克乃還而周公閱與王孫蘇訟于晉趙宣子平王室而復之則以車八百乘自是宣子納邾捷
菑不關王室之事但文相連耳恐此誤是年楚莊王初即位十二年齊
人弒其君懿公十四年靈公壯侈厚斂以周墻
賈逵曰周畫也從臺上彈人觀其避丸也宰夫胹熊蹯不
熟服虔曰蹯熊掌其肉難熟○正義曰胹音而蹯音樊靈公怒殺宰夫使婦人
持其屍出棄之過朝趙盾隨會前數諫不聽已

又見死人手二人前諫隨會先諫不聽靈公患之使鉏麑刺趙盾賈逵曰鉏麑晉力士○正義曰鉏音鋤麑音迷盾閨門開居處節鉏麑退歎曰殺忠臣弃君命罪一也遂觸樹而死杜預曰趙盾庭樹也初盾常田首山徐廣曰蒲坂縣有雷首山見桑下有餓人餓人示眯明也索隱曰鄒誕生音示眯為祁彌即左傳之提彌明也提音市移反劉氏亦音祁為時移反則祁提二字同音也而凡史記作示者示即周禮古本地神曰祇皆作示字鄒為祁者蓋由祁提音相近字遂變為祁也眯音米移反以眯為彌亦音相近耳又據左氏宣公二年桑下餓人是靈輒也其示眯明是獒者也眯明鬬而死今合二人為一人非也盾與之食食其半問其故曰宦三年服虔曰宦宦學士也未知母之存不願遺母盾義之益與之飯肉已而為晉宰夫趙盾弗復知

也九月晉靈公飲趙盾酒伏甲將攻盾公宰示
眯明知之恐盾醉不能起而進曰君賜臣觴三
行（索隱曰如字）可以罷欲以去趙盾令先毋及難盾既
去靈公伏士未會先縱齧狗名敖（何休曰犬四尺曰獒○索隱曰）
（縱足用反又作捘又作嗾同素后反）明爲盾搏殺狗盾曰棄人用狗雖
猛何爲然不知明之爲陰德也已而靈公縱伏
士出逐趙盾示眯明反擊靈公之伏士伏士不
能進而竟脫盾盾問其故曰我桑下餓人問其
名弗告（服虔曰不望報）明亦因亡去盾遂奔未出晉境乙
丑盾昆弟將軍趙穿襲殺靈公於桃園（虞翻曰園名也）而

迎趙盾趙盾素貴得民和靈公少侈民不附故
為弒易（索隱曰以豉反）盾復位晉太史董狐書曰趙盾弒
其君以視於朝盾曰弒者趙穿我無罪太史曰
子為正卿而亡不出境反不誅國亂非子而誰
孔子聞之曰董狐古之良史也書法不隱（杜預曰不
隱盾之罪）宣子良大夫也為法受惡（服虔曰聞義則服杜預曰善其為法受惡
也○正義曰為于偽反）惜也出疆乃免（杜預曰越境則君臣之義絕可以不討賊也）趙
盾使趙穿迎襄公弟黑臀于周而立之是為成
公成公者文公少子其母周女也壬申朝于武
宮成公元年賜趙氏為公族（服虔曰公族大夫也）伐鄭鄭倍

晉故也三年鄭伯初立附晉而弃楚楚怒伐鄭晉往救之六年伐秦虜秦將赤（索隱曰赤即斥謂斥候之人也按宣八年左傳晉伐秦獲秦諜殺諸絳市蓋彼諜即此赤也晉成公六年與魯宣八年正同故知然也）七年成公與楚莊王爭彊會諸侯于扈陳畏楚不會晉使中行桓子伐陳（索隱曰桓子荀林父也）因救鄭與楚戰敗楚師是年成公卒子景公據立景公元年春陳大夫夏徵舒弑其君靈公二年楚莊王伐陳誅徵舒三年楚莊王圍鄭鄭告急晉晉使荀林父將中軍隨會將上軍趙朔將下軍郤克欒書先縠韓厥鞏朔佐之六月至河聞楚已服鄭鄭伯肉

祖與盟而去荀林父欲還先縠曰凡來救鄭不
至不可將率離心卒度河楚已服鄭欲飲馬于
河爲名而去楚與晉軍大戰鄭新附楚畏之反
助楚攻晉晉軍敗走河爭度船中人指甚衆楚
虜我將智罃歸而林父曰臣爲督將軍敗當誅
請死景公欲許之隨會曰昔文公之與楚戰城
濮成王歸殺子玉而文公乃喜今楚已敗我師
又誅其將是助楚殺仇也乃止四年先縠以首
計而敗晉軍河上恐誅乃奔翟與翟謀伐晉晉
覺乃族縠縠先軫子也五年伐鄭爲助楚故也

是時楚莊王彊以挫晉兵河上也六年楚伐宋
宋來告急晉晉欲救之伯宗謀曰（賈逵曰伯宗晉大夫）楚天
方開之不可當乃使解揚紿為救宋（服虔曰解揚晉大夫）鄭
人執與楚楚厚賜使反其言令宋急下解揚紿
許之卒致其君言楚欲殺之或諫乃歸解揚七
年晉使隨會滅赤狄八年使郤克於齊齊頃公
母從樓上觀而笑之所以然者郤克僂而魯使
蹇衛使眇故齊亦令人如之以導客郤克怒歸
至河上曰不報齊者河伯視之至國請君欲伐
齊景公問知其故曰子之怨安足以煩國弗聽

正義曰紿詐也

魏文子請老休辟郤克克執政九年楚莊王卒
晉伐齊齊使太子彊爲質於晉晉兵罷十一年
春齊伐魯取隆索隱曰劉氏云隆即龍也魯北有隆山又此年當魯成二年經書齊侯伐我北鄙傳曰圍龍又鄒誕及別本作俏字俏當作鄆文十二年季孫行父帥師城諸及鄆鄆即俏也字變耳地理志云在東郡縣東
魯告急衛衛與魯皆因郤克告急於晉晉乃使
郤克欒書韓厥以兵車八百乘與魯衛共伐齊
夏與頃公戰於鞌傷困頃公頃公乃與其右易
位下取飲以得脫去齊師敗走晉追北至齊頃
公獻寶器以求平不聽郤克曰必得蕭桐姪子
爲質索隱曰傳作叔子齊使曰蕭桐姪子頃公母頃公母

猶晉君毋柰何必得之不義請復戰晉乃許與平而去楚申公巫臣盜夏姬以奔晉晉以巫臣爲邢大夫[賈逵曰邢晉邑]十二年冬齊頃公如晉欲上尊晉景公爲王景公讓不敢晉始作六卿[賈逵曰初作六軍僭王也]韓厥鞏朔趙穿荀騅趙括趙旃皆爲卿[索隱曰騅音佳謚文子也]知罃自楚歸十三年魯成公朝晉晉弗敬魯怒去倍晉晉伐鄭取氾十四年梁山崩[公羊傳曰梁山河上山杜預曰在馮翊夏陽縣北也]問伯宗伯宗以爲不足怪也[徐廣曰年表云伯宗隱其人用其言]十六年楚將子反怨巫臣滅其族巫臣怒遺子反書曰必令子罷於奔命乃請使吳令

氾音凡
[illegible]音祀

其子為吳行人教吳乘車用兵吳晉始通約伐
楚十七年誅趙同趙括族滅之韓厥曰趙衰趙
盾之功豈可忘乎奈何絕祀乃復令趙庶子武
為趙後復與之邑十九年夏景公病立其太子
壽曼為君是為厲公後月餘景公卒厲公元年
初立欲和諸侯與秦桓公夾河而盟歸而秦倍
盟與翟謀伐晉三年使呂相讓秦（賈逵曰呂相晉大夫）因與
諸侯伐秦至涇敗秦於麻隧虜其將成差五年
三郤讒伯宗殺之（賈逵曰三郤郤錡郤犨郤至）伯宗以好直諫
得此禍國人以是不附厲公六年春鄭倍晉與

楚盟晉怒欒書曰不可以當吾世而失諸侯乃發兵厲公自將五月渡河聞楚兵來救范文子請公欲還郤至曰發兵誅逆見彊辟之無以令諸侯遂與戰癸巳射中楚共王目楚兵敗於鄢陵徐廣曰一作焉服虔曰鄢陵鄭之東南地也○索隱曰鄢音偃又於連反子反收餘兵拊循欲復戰晉患之共王召子反其侍者豎陽穀進酒子反醉不能見王怒讓子反子反死王遂引兵歸晉由此威諸侯欲以令天下求霸厲公多外嬖姬歸欲盡去群大夫而立諸姬兄弟寵姬兄曰胥童嘗與郤至有怨及欒書又怨郤至不

不用其計而遂敗楚（左傳曰欒書欲待楚師退而擊之郤至云楚有六間不可失也）乃使人間謝楚楚來詐厲公曰鄢陵之戰實至召楚欲作亂內子周立之會與國不具是以事不成厲公告欒書欒書曰其殆有矣願公試使人之周（虞翻曰周京師）微考之果使郤至於周欒書又使公子周見郤至郤至不知見賣也厲公驗之信然遂怨郤至欲殺之八年厲公獵與姬飲郤至殺豕奉進宦者奪之（索隱曰宦者孟張）郤至射殺宦者公怒曰季子欺予（杜預曰公反以爲郤至奪豕也）將誅三郤未發也郤錡欲攻公曰我雖死公亦病矣郤至曰信不反君

智不害民勇不作亂失此三者誰與我我死耳

十二月壬午公令胥童以兵八百人襲攻殺三郤胥童因以劫欒書中行偃于朝曰不殺二子患必及公公曰一旦殺三卿寡人不忍益也對曰人將忍君（杜預曰人謂書偃）公弗聽謝欒書等以誅郤氏罪大夫復位二子頓首曰幸甚幸甚公使胥童為卿閏月乙卯厲公游匠驪氏（賈逵曰匠驪氏晉外嬖大夫在翼者）欒書中行偃以其黨襲捕厲公囚之殺胥童而使人迎公子周于周（徐廣曰一作糾）而立之是為悼公

悼公元年正月庚申欒書中行偃弒厲公[illegible]

左傳曰葬之于翼東門之外以一乘車杜預曰言不以君禮葬也諸侯葬車七乘厲公囚六日死死十日庚午智罃迎公子周來至絳刑雞與大夫盟而立之是為悼公辛巳朝武宮二月乙酉即位悼公周者其大父捷晉襄公少子也不得立號為桓叔桓叔最愛桓叔生惠伯談談生悼公周周之立年十四矣悼公曰大父父皆不得立而辟難於周客死焉寡人自以疏遠毋幾為君索隱曰幾音冀謂望也今大夫不忘文襄之意而惠立桓叔之後賴宗廟大夫之靈得奉晉祀豈敢不戰戰乎大夫其亦佐寡人於是逐不臣者

文

誰

七人脩舊功施德惠收文公入時功臣後秋伐鄭鄭師敗遂至陳三年晉會諸侯（索隱曰於雞澤也）悼公問羣臣可用者祁傒舉解狐解狐傒之仇復問舉其子祁午君子曰祁傒可謂不黨矣外舉不隱仇內舉不隱子方會諸侯悼公弟楊干亂行（賈逵曰行陳也）魏絳戮其僕（賈逵曰僕御也）悼公怒或諫公公卒賢絳任之政使和戎戎大親附十一年悼公曰自吾用魏絳九合諸侯（服虔曰九合一謂會于戚二會城棣救陳三會于鄬四會于邢丘五同盟于戲六會于柤七戍鄭虎牢八同盟于亳城北九會于蕭魚）和戎翟魏子之力也賜之樂三讓乃受之冬秦取我櫟（索隱曰音歷劉云在河北也）

十四年晉使六卿率諸侯伐秦度涇大敗秦軍至棫林而去十五年悼公問治國於師曠師曠曰唯仁義爲本冬悼公卒子平公彪立平公元年伐齊齊靈公與戰靡下徐廣曰靡一作歷○索隱曰劉氏靡音眉綺反即靡笄也齊師敗走晏嬰曰君亦毋勇何不止戰遂去晉追遂圍臨菑盡燒屠其郭中東至膠南至沂齊皆城守晉乃引兵歸六年魯襄公朝晉晉欒逞有罪奔齊八年齊莊公微遣欒逞於曲沃以兵隨之齊兵上太行欒逞從曲沃中反襲入絳絳不戒平公欲自殺范獻子止公以其徒擊逞

逞敗走曲沃曲沃攻逞逞死遂滅欒氏宗逞者欒書孫也（左傳逞作盈）其入絳與魏氏謀齊莊公聞逞敗乃還取晉之朝歌去以報臨菑之役也十年齊崔杼弒其君莊公晉因齊亂伐敗齊於高唐去報太行之役也十四年吳延陵季子來使與趙文子韓宣子魏獻子語曰晉國之政卒歸此三家矣十九年齊使晏嬰如晉與叔嚮語叔嚮曰晉季世也公厚賦爲臺池而不恤政政在私門其可久乎晏子然之二十二年伐燕二十六年平公卒子昭公夷立昭公六年卒六卿彊公

室卑。索隱曰韓趙魏范中行及智氏為六卿後韓趙魏為三卿而分晉政故曰三晉子頃公去疾立。頃公六年，周景王崩，王子爭立。晉六卿平王室亂，立敬王。九年，魯季氏逐其君昭公，昭公居乾侯。十一年，衛宋使使請晉納魯君。季平子私賂范獻子，獻子受之，乃謂晉君曰：季氏無罪。不果入魯君。十二年，晉之宗家祁傒孫，叔嚮子，相惡於君。六卿欲弱公室，乃遂以法盡滅其族，而分其邑為十縣，各令其子為大夫。晉益弱，六卿皆大。十四年，頃公卒，子定公午立。定公十一年，魯陽虎奔晉，趙鞅簡子舍之。十二年，孔子相魯十五年，趙鞅使邯鄲大夫午，不信，欲殺午，午與中行寅、范吉射親攻趙鞅，索隱曰：寅，荀偃之孫。射音亦，范獻子士鞅之子。鞅走保晉陽。定公圍晉陽。荀櫟、韓不信、魏侈與范中行為仇，乃移兵伐范中行。范中行反，晉君擊之，敗范中行。范中行走朝歌，保之。韓魏為趙鞅謝，晉君乃赦趙鞅，復位。二十二年，晉敗范中行氏，二子奔齊。三十年，定公與吳王夫差會黃池，爭長，趙鞅時從，卒長吳。徐廣曰：吳世家說黃池之盟云趙鞅怒將戰，吳乃長晉定公。左氏傳云乃先晉人。外傳云吳公先歃，晉公次之。三十一年，齊田常弒其君簡公，而立簡公弟驁為平公。三十三年，孔子卒，

齊

三十七年定公卒子出公鑿立出公十七年索隱曰年表出公立十八年或云二十年、知伯與趙韓魏共分范中行地以為邑出公怒告齊魯欲以伐四卿索隱曰時趙魏韓共滅范氏反中行氏而分其地猶有智氏與三晉故云四卿四卿恐遂反攻出公出公奔哀。道死故知伯乃立昭公曾孫驕為晉君是為哀公索隱曰趙系家云驕是為懿公又年表云出公十八年次哀公忌二年次懿公驕十七年紀年又云出公二十三年奔楚乃立昭公之孫是為敬公系本亦云昭公生桓公子雍雍生忌忌生懿公驕然晉趙系家及年表並皆不同何況紀年之說也哀公大父雍晉昭公少子也號為戴子徐廣曰世本作桓子雍注云戴子戴子生忌忌善知伯早死故知伯欲盡并晉未敢乃立忌子驕為君當是時晉

國政皆決知伯晉哀公不得有所制知伯遂有
范中行地最彊哀公四年趙襄子韓康子魏桓
子共殺知伯盡并其地（索隱曰如年紀之說此乃出公二十二年事）十八
年哀公卒子幽公柳立幽公之時晉畏反朝韓
趙魏之君（索隱曰畏懼也爲衰弱故反朝韓趙魏也宋忠引此注系本而畏字作衰）獨有絳
曲沃餘皆入三晉十五年魏文侯初立（索隱曰按紀年魏文侯初立在敬公十八年）十八年幽公淫婦人夜竊出邑中盜
殺幽公（索隱曰紀年云夫人秦嬴賊公於高寢之上）魏文侯以兵誅晉亂
立幽公子止是爲烈公（索隱曰系本幽公生烈成公止又年表云魏誅幽公立其弟止也）
烈公十九年周威烈王賜趙韓魏皆命爲[illegible]

侯二十七年烈公卒子孝公頎立索隱曰系本云孝公頎欣紀年以孝公為桓公故韓子有晉桓侯孝公九年魏武侯初立襲邯鄲不勝而去十七年孝公卒索隱曰紀年云桓公二十年趙成侯韓共侯遷桓公於屯留已後更無晉事子靜公俱酒立索隱曰系本云靜公俱是歲齊威王元年也靜公二年魏武侯韓哀侯趙敬侯滅晉後而三分其地索隱曰紀年云魏武侯以桓公十九年卒韓哀侯趙敬侯並以桓公十五年卒又趙系家烈侯十六年與韓分晉封晉君端氏其後十年肅侯徙晉於屯留不同也靜公遷為家人晉絕不祀

太史公曰晉文公古所謂明君也亡居外十九年至困約及即位而行賞尚忘介子推況驕主

乎靈公既弑其後成景致嚴至厲大刻大夫懼誅禍作悼公以後日衰六卿專權故君道之御其臣下固不易哉

索隱述贊曰

天命叔虞　卒封於唐　桐圭既削
河汾是荒　文侯雖嗣　曲沃日彊
未知本末　祚傾桓莊　獻公昏惑
太子罹殃　重耳致霸　朝周河陽
靈既喪德　厲亦無防　四卿侵侮
晉祚遂亡

晉世家第九

史壹萬貳阡貳伯貳拾壹字

註計伍阡柒伯陸拾字

（漢）司馬遷　撰
（南朝宋）裴駰　集解
（唐）司馬貞　索隱
（唐）張守節　正義

宋本史記

第十一册

國家圖書館出版社

宋本史記

第十一册目録

史記八書

冊六

第七河渠

第八平準

第七 河渠

公孫弘 桑弘羊 東郭咸陽 孔僅

第八 平準 顏異

史記八書

河渠書第七　　史記二十九

夏書曰禹抑鴻水十三年過家不入門索隱曰抑音憶抑者遏也洪水滔天故禹遏之不令害人也漢書溝洫志作堙堙抑皆塞也陸行載車水行載舟泥行蹈毳山行即橋徐廣曰橋近遙反一作檋檋直轅車也音己足反尸子曰山行乘樏音力追反尸子又曰行塗以楯行險以擻行沙以軌又曰乘風車音去喬反○索隱曰毳字亦作橇同音昌芮反注以擻子芮反又子絕反與蕝音同也以別九州隨山浚川任土作貢通九道陂九澤正義曰顏師古云通九州之道及障遏其澤也度九山正義曰度田洛反釋名云山者產也治水以志九州山澤所生物產言於地所宜商而度之以制貢賦然河菑衍溢害中國也尤甚唯是為務故道河自積石歷龍門正義曰在同州韓城縣北五十里為鑿廣八十步南到華陰正

曰華陰縣也魏之陰晉秦惠文王更名寧秦漢高帝改曰華陰也東下砥柱正義曰底柱山俗名三門山在硤石縣東北五十里在河之中也及孟津正義曰在洛州河陽縣南門外也雒汭至于大伾正義曰孔安國云山再成曰伾按在衛州黎陽縣南七里也於是禹以爲河所從來者高水湍悍韋昭曰湍疾悍疆也難以行平地數爲敗乃厮二渠以引其河漢書音義曰厮分也二渠其一出貝丘西南二折者也其一則漯川○索隱曰厮漢書作灑史記舊本亦作灑字從水按韋昭云疏決爲灑字音疏跬反厮即分其流泄其怒是也二渠其一則漯川其二王莽時遂空也北載之高地過降水正義曰絳水源出潞州屯留縣西南方山東北至于大陸正義曰大陸澤在邢州及趙州界一名廣河澤一名鉅鹿澤也播爲九河正義曰言過絳水及大陸水之口至冀州分爲九河也同爲逆河入于勃海瓚曰禹貢曰夾右碣石入于海然則河口之入海乃在碣石也武帝

元光二年河徙東郡更主勃海禹時王注勃海也九川既疏九澤既灑諸夏艾安功施于三代自是之後滎陽下引河東南為鴻溝索隱曰楚漢中分之界文穎云即今宮度水也蓋為二流一南經陽武為官度水一東經大梁城即河溝今之汴河是也以通宋鄭陳蔡曹衛與濟汝淮泗會于楚西方則通渠漢水雲夢之野東方則通鴻溝江淮之間於吳則通渠三江五湖韋昭曰五湖湖名耳實一湖今太湖是也在吳西南○索隱曰三江按地理志北江從會稽毗陵縣北東入海中江從丹陽蕪湖縣東北至會稽陽羨縣東入海南江從會稽吳縣南東入海故禹貢有北江中江也五湖者郭璞江賦云具區洮滆彭蠡青草洞庭又云太湖周五百里故曰五湖也於齊則通菑濟之間於蜀蜀守冰漢書曰冰姓李鑿離碓晉灼曰古堆字辟沫水之害索隱

主一作注

宮一作官

趾一作址

曰碎音避沫音末案沫水出蜀西南徼外與青衣合東南入海也穿二江成都之中正義曰括地志云大江一名汶江一名管橋水一名清江亦名水江西南自温江縣界流來又名郫江一名成都江一名市橋江亦名中日江亦曰内江西北自新繁縣界流來二江並在益州成都縣界任豫益州記云二江者郫江流江也風俗通云秦昭王使李冰為蜀守開成都縣兩江溉田萬頃神須取女二人以為婦冰自以女與神為婚徑至祠勸神酒酒杯澹澹因厲聲責之因忽不見良久有兩蒼牛鬭於江岸有閒輙還流汗謂官屬曰吾鬭疲極不當相助耶南向腰中正白者我綬也主簿刺殺北面者江神遂死華陽國志云蜀時濯錦流江中則鮮明也此渠皆可行舟有餘則用溉浸百姓饗其利至于所過往往引其水益用溉田疇之渠以萬億計然莫足數也西門豹引漳水溉鄴正義曰括地志云漳水一名濁漳水源出潞州長子縣西力黃山地理志云濁漳水在長子鹿谷山東至鄴入清漳按力黃鹿谷二山壯鹿也鄴相

州之縣也以富魏之河內而韓聞秦之好興事欲罷之毋令東伐罷音皮如淳曰欲罷勞之息秦伐韓之計乃使水工鄭國韋昭曰鄭國能治水故曰水工間說秦令鑿涇水自中山西邸瓠口為渠索隱曰小顏云中山今九嵕山之東中山是也邸至也瓠口即谷口郊祀志所謂寒門谷口是也與池陽相近故曰田於何所池陽谷口也○正義曰括地志云中山一名仲山在雍州雲陽縣西十五里又云焦穫藪亦名瓠在涇陽北城外也邸至也至渠首起雲陽縣西南二十五里今枯也並北山東注洛徐廣曰出馮翊懷德縣三百餘里欲以溉田中作而覺秦欲殺鄭國鄭國曰始臣為間然渠成亦秦之利也索隱曰溝洫志鄭國曰臣為韓延數歲之命為秦建萬代之功是也秦以為然卒使就渠渠就用注填閼之水溉澤鹵之地四萬餘

頃（索隱曰：溉音古代反。澤一作舃，音昔。本或作斥，則如字讀之。）收皆畝一鍾。於是關中為沃野，無凶年，秦以富彊，卒并諸侯，因命曰鄭國渠。漢興三十九年，孝文時河決酸棗，東潰金隄（正義曰：括地志云金隄一名千里隄，在白馬縣東五里。），於是東郡大興卒塞之。其後四十有餘年，今天子元光之中，而河決於瓠子，東南注鉅野（正義曰：括地志云鄆州鉅野縣東北大澤是。），通於淮、泗。於是天子使汲黯、鄭當時興人徒塞之，輒復壞。是時武安侯田蚡為丞相，其奉邑食鄃（索隱曰：鄃音輸。韋昭云清河縣也。○正義曰：貝州縣也。）。鄃居河北，河決而南則鄃無水菑，邑收多。蚡言於上曰：江河之決皆天

通鑑十八漕關東粟徑易漕又可以溉渠下民田萬餘頃胡注易以豉翻

事未易以人力爲彊塞塞之未必應天而望氣用數者亦以爲然於是天子久之不事復塞也是時鄭當時爲大農言曰異時關東漕粟從渭中上度六月而罷而漕水道九百餘里時有難處引渭穿渠起長安並南山下至河三百餘里徑易漕度可令三月罷而渠下民田萬餘頃又可得以溉田此損漕省卒而益肥關中之地得穀天子以爲然令齊人水工徐伯表索隱曰舊說徐伯表水工姓名也小顏云以爲表者巡行穿渠之處而表記之若今竪標表不是名也悉發卒徐廣曰一云悉衆數萬人穿漕渠三歲而通通以漕大便利其

通鑑十八胡注易以豉翻彊其兩翻

竪一本作豎

後漕稍多而渠下之民頗得以溉田矣其後河東守番係言漕從山東西索隱曰番音婆又音潘詩小雅云番維司徒番氏也係音系從山東西者謂從山東運漕而西入關也歲百餘萬石更砥柱之限敗亡甚多而亦煩費穿渠引汾正義曰括地志云汾水源出嵐州靜樂縣北百三十里管涔山北東南流入并州即西南流入至絳州蒲州入河也溉皮氏正義曰括地志云皮氏故城在絳州龍門縣西百三十步自秦漢魏晉皮氏縣皆治也汾陰正義曰括地志云汾陰故城俗名殷湯城在蒲州汾陰縣北九里漢汾陰縣下引河溉汾陰蒲坂下度可得五千頃五千頃故盡河壖韋昭曰壖音而緣反謂緣河邊地。索隱曰又音人兗反棄地民茭牧其中耳索隱曰茭乾草也謂收茭及牧畜於中今溉田之度可得穀二百萬石以上穀從渭上與關中無異而砥柱之東可無復漕天子以爲然發卒數萬人作渠田數歲河移徙渠不利則田者不能償種久之河東渠田廢予越人令少府以爲稍入（如淳曰時越人有徙者以田與之其租稅入少府○索隱曰其田既薄越人徙居者習水利故與之而稍少其稅入之於少府也）其後人有上書欲通褒斜道（韋昭曰褒中縣也斜谷名音邪瓚曰褒斜二水名○正義曰括地志云褒谷在梁州褒城縣北五十里斜水源出褒城縣西北九十八里衙嶺山與褒水同源而派流漢書溝洫志云褒水通沔斜水通渭皆以行船是也按褒城即褒中縣也）及漕事下御史大夫張湯湯問其事因言抵蜀從故道（正義曰括地志云鳳州兩當縣本漢故道縣也在州之西五十里）故道多阪回遠今穿褒斜道少阪近四百里而褒水

通渭斜水通渭皆可以行船漕漕從南陽正義曰南陽郡今鄧州上沔入褒褒之絕水至斜間百餘里以車轉從斜下下渭如此漢中之穀可致山東從沔無限正義曰限之言多也山東謂河南之東山南之東及江南淮南皆經砥柱上運今並從沔便於三門之漕也便於砥柱之漕且褒斜材木竹箭之饒擬於巴蜀天子以為然拜湯子卬為漢中守發數萬人作褒斜道五百餘里道果便近而水湍石徐廣曰湍一作淺不可漕其後莊熊羆言臨晉正義曰括地志云同州本臨晉城也一名大荔城亦曰馮翊城民願穿洛以溉重泉正義曰洛漆沮水也括地志云重泉故城在同州蒲城縣東南四十五里在同州西北四十五里以東萬餘頃

攻鹵地，誠得水，可令畝十石。於是為發卒萬餘人穿渠，自徵引洛水至商顏下。服虔曰：顏音崖。應劭曰：徵在馮翊。或曰商商顏，山名。○索隱曰：徵音懲，縣名。也。小顏云即今之澄城地。顏又如字。如淳曰：○正義曰：言商原之崖峯土性踈，故善崩毀也。岸善崩，洛水岸。乃鑿井，深者四十餘丈。往往為井，井下相通行水。水穨以絕商顏，瓚曰：下流曰穨。東至山嶺十餘里間。井渠之生自此始。穿渠得龍骨，○正義曰：括地志云：伏龍祠在同州馮翊縣西北四十里。故老云：漢時自徵穿渠引洛，得龍骨，其後立祠，因以伏龍為名。今祠頗有靈驗也。故名曰龍首渠。作之十餘歲，渠頗通，猶未得其饒。自河決瓠子後二十餘歲，歲因以數不登，而梁楚之地尤甚。天子既封禪巡祭山川其明年旱乾封少雨天子乃使汲仁郭昌發卒數萬人塞瓠子決於是天子已用事萬里沙〔正義曰括地志云萬里沙在華州接縣東北二十里也〕則還自臨決河沈白馬玉璧于河令羣臣從官自將軍已下皆負薪寘決河是時東郡燒草以故薪柴少而下淇園之竹〔晉灼曰衛之苑也多竹篠〕以為楗〔如淳曰樹竹塞水決之口稍稍布插接樹之水稍弱補令密謂之楗以草塞其裏乃以土填之有石以石為之○索隱曰楗音其免反楗者樹於水中稍下竹及土石者也〕天子既臨河決悼功之不成乃作歌曰瓠子決兮將奈何皓皓旰旰兮閭殫為河〔如淳曰殫盡也[illegible]謂州閭盡為河〕殫為河兮地不得寧功無已時兮吾山

哉祐沛

平徐廣曰東郡東阿有魚山或者是乎駰案如淳曰恐水漸山使平也韋昭曰鑿山以填河也吾山
平兮鉅野溢如淳曰瓠子決灌鉅野澤使溢也魚沸鬱兮柏冬
日徐廣曰柏猶迫也冬日行天邊若與水相連矣駰案漢書音義曰鉅野滿溢則衆魚沸鬱而滋長也迫冬日乃
止延道弛兮離常流徐廣曰延一作正駰案晉灼曰言河道皆弛壞○索隱曰言
河之決由其源道延長弛溢故使其道皆離常流也蛟龍騁兮方遠遊歸舊
川兮神哉沛瓚曰水還舊道則群害消除神祐滂沛不封禪兮安知
外為我謂河伯兮何不仁泛濫不止兮愁吾人
齧桑浮兮淮泗滿張晏曰齧桑地名也如淳曰邑名為水所浮漂久不反
兮水維緩一曰河湯湯兮激潺湲北渡迂兮浚
流難搴長茭兮沈美玉如淳曰搴取也茭草也音郊一曰茭竿也取長竿樹之用

著石閒以塞決河瓚曰竹葦絙謂之茭下所以引致土石者也○索隱曰搴音巳免反茭一作茇音廢鄒氏又音紼也

河伯許兮薪不屬如淳曰旱燒故薪不足薪不屬兮衛人罪燒蕭條兮噫乎何以御水頹林竹兮楗石菑如淳曰河決楗不能禁故言菑韋昭曰楗柱也木立死曰菑宣房塞兮萬福來

於是卒塞瓠子築宮其上名曰宣房宮而道河北行二渠復禹舊迹而梁楚之地復寧無水災自是之後用事者爭言水利朔方西河河西酒泉皆引河及川谷以溉田而關中輔渠靈軹如淳曰地理志盩厔有靈軹渠○索隱曰溝洫志兒寬為左內史奏請穿六輔渠小顏云今尚謂之輔渠亦曰六渠也引堵水徐廣曰一作諸川汝南九江引淮東海引鉅定

河渠書　七

瓚曰鉅定澤名大山下引汶水北皆穿渠爲溉田各萬餘頃佗小渠披山通道者不可勝言然其著者在宣房

太史公曰余南登廬山觀禹疏九江遂至于會稽太湟徐廣曰一作煌上姑蘇望五湖東闚洛汭大邳迎河行淮泗濟漯洛渠西瞻蜀之岷山及離碓北自龍門至于朔方曰甚哉水之爲利害也余從負薪塞宣房悲瓠子之詩而作河渠書徐廣曰溝洫志行田二百畝以分賦田與一夫二百畝以田惡故更歲耕之

索隱述贊曰水之利害自古而然禹疏溝洫

隨山濬川爰洎後世非無聖賢鴻溝既劃龍
骨斯穿填閼攸墾黍稷蒸有年宣房在詠梁楚
獲全

河渠書第七　史記二十九

本云　戊子孟冬十五日雨中點了　英房本

平準書第八　史記三十

漢書百官表曰大司農屬官有平準令○索隱曰大司農屬官有平準令丞者以鈞天下郡國輸斂貴則糶之賤則買之平賦以相準輸歸于京都故命曰平準

漢興接秦之弊丈夫從軍旅老弱轉糧饟作業劇而財匱自天子不能具鈞駟索隱曰天子駕駟馬其色宜齊同今言國家貧天子不能具鈞色之駟馬漢書作醇駟醇與純一色也或作騂非也而將相或乘牛車齊民無藏蓋如淳曰齊等無有貴賤故謂之齊民若今言平民矣晉灼曰中國被教之民也蘇林曰無物可蓋藏於是爲秦錢重難用更令民鑄錢漢書食貨志曰鑄榆莢錢○索隱曰顧氏案古今注云秦錢半兩徑寸二分重十二銖莢錢重三銖錢譜云文爲漢興也一黃金一斤索隱曰如淳云時以錢爲貨黃金一斤直萬錢非也又臣瓚下注云秦以一溢

爲一金漢以一斤爲一金是其義約法省禁而不軌逐利之民蓄積餘業以稽市物物踊騰糶李奇曰稽滿貯也如淳曰稽考也考校市物價貴賤有時晉灼曰踊甚也言計市物賤而豫益稸之也物貴而出賣故使物甚騰也漢書糶字作躍。索隱曰李奇云稽貯滯韋昭云稽留待也稽字當如李韋二釋晉灼及馬融訓稽爲計及考於義爲疎如淳云踊騰猶低昂也低昂者依貴依賤也今案漢書曰糶字作躍者謂物踊貴而價起有如物之騰躍而起也然糶者出賣之名故食貨志云大熟則上糶三而舍一是也米至石萬錢馬一匹則百金瓚曰秦以一溢爲一金漢以一斤爲一金天下已平高祖乃令賈人不得衣絲乘車重租稅以困辱之孝惠高后時爲天下初定復弛商賈之律然市井之子孫亦不得仕宦爲吏量吏祿度官用以賦於民而山川園

池市井 正義曰古人未有市及井若朝聚井汲水便將貨物於井邊貨賣故言市井 租稅之入自天子以至于封君湯沐邑皆各爲私奉養焉不領於天下之經費 索隱曰案經訓常言封君已下皆以湯沐邑爲私奉養故不領入天子之常稅爲一年之費也 漕轉山東粟以給中都官歲不過數十萬石 索隱曰說文云漕水轉穀也一云車運曰轉水運曰漕中都猶都內也皆天子之倉府以給中都官者即今大倉以穀官儲者也 至孝文時莢錢益多輕 如淳曰如榆莢也 乃更鑄四銖錢其文爲半兩令民縱得自鑄錢故吳諸侯也以即山鑄錢 索隱曰案即訓就言就出銅之山鑄錢故下文云銅山是也一解即山山名也 富埒天子 徐廣曰埒者際畔言鄰接相次也駰案孟康曰富與天子等而微減也或曰埒等也 其後卒以叛逆鄧通大夫

也以鑄錢財過王者故吳鄧氏錢布天下而鑄錢之禁生焉匈奴數侵盜北邊屯戍者多邊粟不足給食當食者於是募民能輸及轉粟於邊者拜爵爵得至大庶長（索隱曰漢書食貨志云文帝用鼂錯言令人入粟邊六百石爵上造稍增至四千石爲五大夫萬二千石爲大庶長各以多少爲差）孝景時上郡以西旱亦復修賣爵令而賤其價以招民及徒復作得輸粟縣官以除罪益造苑馬以廣用（索隱曰謂增益苑囿造廄而養馬以廣官用則馬是軍國之用也）而宮室列觀輿馬益增修矣至今上即位數歲漢興七十餘年之間國家無事非遇水旱之災民則人給家足都鄙廩庾

皆滿而府庫餘貨財京師之錢累巨萬韋昭曰巨萬今萬萬貫朽而不可校如淳曰校數也大倉之粟陳陳相因充溢露積於外至腐敗不可食衆庶街巷有馬阡陌之間成羣而乘字牝者儐而不得聚會索隱漢書音義曰皆乘父馬有牝馬間其間則相踶齧故斥不得出會同守閭閻者食粱肉爲吏者長子孫如淳曰時無事吏不數轉至於子孫長大而不轉職任居官者以爲姓號如淳曰倉氏庾氏是也○索隱曰案如淳注出食貨志也故人人自愛而重犯法先行義而後絀恥辱焉當此之時網疏而民富役財驕溢或至兼并豪黨之徒以武斷於鄉曲索隱曰鄉曲豪富無官位而以威勢主斷曲直故曰武斷也宗室有土公

通鑑十八漢紀武帝元朔元年東夷薉君南閭等二十八萬人降為蒼海郡胡三省註考異曰史記平準書又彭吳賈滅朝鮮置蒼海之郡按滅朝鮮置蒼海在前也不知何者出賈之謀

卿大夫以下爭于奢侈室廬輿服僭于上無限度物盛而衰固其變也自是之後嚴助朱買臣等招來東甌正義曰烏侯反今台州永寧是也事兩越正義曰南越及閩越南越今廣州南海也閩越今建州建安也江淮之間蕭然煩費矣唐蒙司馬相如開路西南夷鑿山通道千餘里以廣巴蜀巴蜀之民罷焉彭吳賈滅朝鮮索隱曰彭吳人姓名始開其道而滅之朝鮮番國名置滄海之郡則燕齊之間靡然發動及王恢設謀馬邑匈奴絕和親侵擾北邊兵連而不解天下苦其勞而干戈日滋行者齎居者送中外騷擾而相奉百姓抏弊以巧法索隱曰二音抏音五

官反鄒氏又音五亂反案抗者耗也消耗之名言百姓貧弊故行奸譎之法也財賂衰耗而不贍入物者補官出貨者除罪選舉陵遲廉恥相冒武力進用法嚴令具興利之臣自此始也韋昭曰弘羊孔僅之屬其後漢將歲以數萬騎出擊胡及車騎將軍衛青取匈奴河南地正義曰謂靈夏三州地取在元朔二年築朔方正義曰今夏州也括地志云夏州秦上郡漢武帝置朔方郡魏不改隋置夏州也當是時漢通西南夷道作者數萬人千里負擔饋糧率十餘鍾致一石漢書音義曰鍾六石四斗散幣於邛僰以集之索隱曰應劭云臨邛屬蜀僰屬犍為數歲道不通蠻夷因以數攻吏發兵誅之索隱曰謂發軍興以誅之也悉巴蜀租賦不足以更之

韋昭曰更續也或曰更償也乃募豪民田南夷入粟縣官而內受錢於都內服虔曰入穀於外縣受錢於內府也東至滄海之郡人徒之費擬於南夷又興十萬餘人築衛朔方轉漕甚遼遠自山東咸被其勞費數十百巨萬府庫益虛乃募民能入奴婢得以終身復為郎增秩及入羊為郎始於此其後四年徐廣曰元朔五年而漢遣大將將六將軍軍十餘萬擊右賢王獲首虜萬五千級明年大將軍將六將軍仍再出擊胡得首虜萬九千級捕斬首虜之士受賜黃金二十餘萬斤虜數萬人皆得厚賞衣食仰給縣官

而漢軍之士馬死者十餘萬兵甲之財轉漕之
費不與焉於是大農陳藏錢韋昭曰陳久也經耗賦稅
既竭猶不足以奉戰士有司言天子曰朕聞五
帝之教不相復而治禹湯之法不同道而王所
由殊路而建德一也北邊未安朕甚悼之日者
大將軍攻匈奴斬首虜萬九千級留蹛無所食索隱曰蹛音逝謂貯也韋昭云蹛滯也蹛謂積也又案古今字詁蹛今滯字則蹛與滯同案謂富人貯滯積穀則貧者無所食也
議令民得買爵及贖禁錮免減罪請置賞
官命曰武功爵瓚曰茂陵中書有武功爵一級曰造士二級曰閑輿衛三級曰良士四級曰元戎士五級曰官首六級曰秉鐸七級曰千夫八級曰樂卿九級曰執戎十級曰左庶長十一級曰軍衛此武帝所制

以寵軍功級十七萬凡直八十餘萬金索隱曰大顏云一金萬錢也計十一級級十七萬合百八十七萬金而此云三十餘萬金其數必有誤者顧氏案或解云初一級十七萬自此已上每級加二萬至十七級合成三十七萬也諸買武功爵官首者試補吏先除索隱曰官首武功爵第五也位稍高故得試為吏先除用也千夫如五大夫索隱曰千夫武功十一等爵第七五大夫舊二十等爵第九也言千夫爵秩比於五大夫故楊僕以千夫為吏是謂此也其有罪又減二等爵得至樂卿徐廣曰爵名也駰案漢書音義曰十爵左庶長以上至十八爵為大庶長也名樂卿樂卿者朝位從九卿加樂者別正卿又十九爵為樂公食公卿祿而無職索隱曰此言武功置爵唯得至於樂卿也臣瓚所引茂陵書蓋後人記其爵次耳今任稱十爵至十八庶長為樂卿十九至二十為樂公乃以舊二十爵釋武功爵蓋亦臆說爾非也大顏亦以為然以顯軍功軍功多用越等大者封侯卿大夫小者郎吏吏道

雜而多端則官職耗廢自公孫弘以春秋之義繩臣下取漢相張湯用峻文決理爲廷尉於是見知之法生（張晏曰吏見知不舉劾爲故縱）而廢格沮誹窮治之獄用矣（如淳曰廢格天子文法使不行也誹謂非上所行若顏異反脣之比也○索隱曰格音閣沮音才緒反誹音非謂廢格天子之命而不行及沮敗誹謗之者皆被窮治故云廢格沮誹之獄用矣）其明年淮南衡山江都王謀反迹見而公卿尋端治之竟其黨與而坐死者數萬人長吏益慘急而法令明察當是之時招尊方正賢良文學之士或至公卿大夫公孫弘以漢相布被食不重味爲天下先然無益於俗稍騖於功利矣其明年

驃騎仍再出擊胡獲首四萬其秋渾邪王率數萬之衆來降於是漢發車二萬乘迎之既至受賞賜及有功之士是歲費凡百餘巨萬初先是往十餘歲河決觀徐廣曰觀縣名也屬東郡光武改曰衛公國梁楚之地固已數困而緣河之郡隄塞河輒決壞費不可勝計其後番係欲省底柱之漕穿汾河渠以爲溉田作者數萬人鄭當時爲渭漕渠回遠鑿直渠自長安至華陰作者數萬人朔方亦穿渠作者數萬人各歷二三朞功未就費亦各巨萬十數天子爲伐胡盛養馬馬之來食長安者數

通鑑十九虛郡國倉廥 胡三省注廥工外翻芻藁藏也一曰倉廩名

通鑑衣食皆仰給縣官 胡注仰牛向翻予讀曰與分扶問翻勝音升

萬匹卒牽掌者關中不足乃調旁近郡而胡降者皆衣食縣官縣官不給天子乃損膳解乘輿駟出御府禁藏以贍之其明年山東被水菑民多飢乏於是天子遣使者虛郡國倉廥（徐廣曰廥音膾）以振貧民猶不足又募豪富人相貸假尚不能相救乃徙貧民於關以西及充朔方以南新秦中（服虔曰地名在北方千里如淳曰長安已北朔方已南瓚曰秦逐匈奴以收河南地徙民以實之謂之新秦今以地空故復徙民以實之）七十餘萬口衣食皆仰給縣官數歲假予產業使者分部護之冠蓋相望其費以億計不可勝數於是縣官大空而富商大賈或蹛財

役貧漢書音義曰蹛停也一曰貯也○索隱曰蕭該案字林云貯塵也音佇此謂居積停滯塵久也千貫發貯蓄蘭財是也轉轂百數李奇曰車也廢居居邑徐廣曰發居者貯畜之名也有所廢發有所畜言其乘時射利也駰案服虔曰居穀於邑也如淳曰居賤物於邑中以待貴○索隱曰劉氏云廢發出賣也居停蓄也是出賣於居者為廢故徐氏云有所貴有所畜是也封君皆低首仰給晉灼曰低音抵距服虔曰仰給於商賈○索隱曰服虔讀是也而劉伯莊以為封君及大商皆低首營私以自給不佐天子非也冶鑄煮鹽財或累萬金而不佐國家之急黎民重困於是天子與公卿議更錢造幣以贍用而摧浮淫并兼之徒是時禁苑有白鹿而少府多銀錫自孝文更造四銖錢至是歲四十餘年從建元以來用少縣官往往即多銅山而

黄作廢

鑄錢民亦間盜鑄錢不可勝數錢益多而輕如淳曰磨錢取鋊故也瓚曰鑄錢者多故錢輕輕亦賤也物益少而貴如淳曰但鑄作錢不作餘物

有司言曰古者皮幣諸侯以聘享金有三等黃金為上白金為中赤金為下漢書音義曰白金銀也赤金丹陽銅○索隱曰說文云銅赤金也注云丹陽銅者神異經云西方金山有丹陽銅也今半兩錢法重四銖韋昭曰文為半兩實重四銖而姦或盜摩錢裏取鋊徐廣曰音浴呂靜曰冶器法謂之鎔錢益輕薄而物貴則遠方用幣煩費不省乃以白鹿皮方尺緣以藻繢徐廣曰藻一作紫也為皮幣直四十萬王侯宗室朝覲聘享必以皮幣薦璧然後得行又造銀錫為白金如淳曰雜鑄銀錫為白金也以

爲天用莫如龍【索隱曰易云行天莫如龍是也】地用莫如馬【索隱曰易云行地莫如馬是也】人用莫如龜【索隱曰禮云諸侯以龜爲寶是也】故白金三品其一曰重八兩圜之其文龍名曰白選直三千【索隱曰顧氏案錢譜其文爲龍形隱起肉好皆圜文又作雲霞之象選蘇林音選擇之選包愷及劉氏音息戀反尚書大傳云夏后氏不殺不刑死罪罰二千饌馬融云饌六兩漢書作撰字音同也晉灼案黃圖云直三千三百也】二曰重差小方之其文馬直五百【索隱曰謂以八兩差爲三品此重六兩下小撱重四兩也云以重差小者謂半兩爲重故差小重六兩而其形方錢譜肉好皆方隱起馬形肉好之下又有連珠文也】三曰復小撱之其文龜直三百【索隱曰撱音湯果反爾雅注撱者狹長也謂長而夫四角也錢譜肉圓好方皆隱起龜甲文】令縣官銷半兩錢更鑄三銖錢文如其重盜鑄諸金錢罪皆

夫或作文

平準書　八

通鑑更鑄三銖錢胡注建元五年廢三銖錢行半兩錢更工(?)徐鈞(?)

通鑑二十卷元狩五年罷三銖錢更鑄五銖錢胡注去年(?)廢半兩錢行三銖錢更工(?)徐鈞(?)考異曰漢書食貨志以銷半兩錢鑄三銖錢明年以三銖錢輕更鑄五銖錢武帝元狩五年乃云罷半兩錢行五銖錢誤也

死而吏民之盜鑄白金者不可勝數於是以東郭咸陽孔僅爲大農丞領鹽鐵事索隱曰東郭姓咸陽名也案風俗通東郭牙齊大夫咸陽其後也桑弘羊以計算用事侍中咸陽齊之大煮鹽孔僅南陽大冶皆致生累千金故鄭當時進言之弘羊雒陽賈人子以心計年十三侍中故三人言利事析秋豪矣索隱曰言百物毫芒至秋皆美細今言弘羊等三人言利事纖悉能分析其秋毫也法既益嚴吏多廢免兵革數動民多買復及五大夫徵發之士益鮮於是除千夫五大夫爲吏不欲者出馬故吏皆通適令伐棘上林韋昭曰欲令出馬無馬者令伐棘○索隱曰謂故吏先免者皆適令伐棘上林非謂

通鑑十九元狩三年上將討昆明以其閉漢使故也滇池方三百里乃作昆明池以習水戰

無馬者衆也說非也作昆明池索隱曰案黃圖武帝穿昆明池周四十里以習水戰荀悅云昆明子夭居滇河中故習水戰以伐之也其明年大將軍驃騎大出擊胡徐廣曰元狩四年得首虜八九萬級賞賜五十萬金漢軍馬死者十餘萬匹轉漕車甲之費不與焉是時財匱戰士頗不得祿矣有司言三銖錢輕易姦詐乃更請諸郡國鑄五銖錢周郭其下令不可磨取鋊焉大農上鹽鐵丞孔僅咸陽言山海天地之藏也皆宜屬少府索隱曰韋昭云少府天子私所給賜經用也公用屬大司農陛下不私以屬大農佐賦願募民自給費因官器作煮鹽官與牢盆如淳曰牢廩食也古者名廩爲牢也盆者煮鹽盆○索隱

曰蘇林云牢價直也今世人言廩手牢盆顧云蘇說是樂彥云牢乃鑄名其說異也小浮食奇名欲擅管山海之貨張晏曰若人執倉庫之管籥或曰管固○索隱曰囱盬奇音羈謂羨也非農工之儔故言奇也擅音善以致富羨役利細民索隱曰羨音弋戰反羨饒也與衍同義其沮事之議不可勝聽索隱曰沮止也僅等言山海之藏宜屬大農奇人欲擅其利必有沮止之議此不可聽許也敢私鑄鐵器煮鹽者釱左趾史記音義曰釱音徒計反韋昭曰釱以鐵為之著左趾以代刖也○索隱曰三蒼云釱踏腳鉗也字林音大計反張斐漢晉律序云狀如跟衣著足足下重六斤以代刖至魏武改以滅代釱也沒入其器物郡不出鐵者置小鐵官鄧展曰鑄故鐵便屬在所縣使孔僅東郭咸陽乘傳舉行天下鹽鐵作官府除故鹽鐵家富者為吏吏道益雜不選而多

賈人矣商賈以幣之變多積貨逐利於是公卿言郡國頗被菑害貧民無產業者募徙廣饒之地陛下損膳省用出禁錢以振元元寬貸賦而民不齊出於南畝（李奇曰齊皆也）商賈滋衆貧者畜積無有皆仰縣官異時筭軺車賈人緡錢皆有差請筭如故（李斐曰緡絲也以貫錢也一貫千緡出二十筭也詩云維絲伊緡如淳曰胡公緡錢爲緡者詩云氓之蚩蚩抱布貿絲故謂之緡也○索隱曰異時猶前時也說文云軺小車也傅子言漢代賤乘軺今則貴之言筭軺車者有軺車使出稅一筭二筭也緡音旻）諸賈人末作貰貸賣買居邑稽諸物（索隱曰稽者停留也即上文所謂廢居居邑也）及商以取利者雖無市籍各以其物自占（索隱曰郭璞云占自隱度也謂各自隱度其財物多

少爲文簿送之官也若不盡皆没入於官占音之贍反率緡錢二千而一筭瓚曰此緡錢爲是儲緡錢也故隨其用所施施於利重者其筭亦多諸作有租及鑄如淳曰以手力所作而賣之率緡錢四千一筭非吏比者三老北邊騎士如淳曰非吏而得與吏比者官謂三老北邊騎士也樓船令邊郡選富者爲車騎士軺車以一筭商賈人軺車二筭如淳曰商賈有軺車使出二筭重其賦也船五丈以上一筭匿不自占占不悉戍邊一歲没入緡錢索隱曰悉盡也具也若通其家財不周悉盡者罰戍邊一歲有能告者以其半畀之賈人有市籍者及其家屬皆無得籍名田以便農索隱曰謂賈人有市籍不許以名占田也敢犯令没入田僮索隱曰若賈人更占田則没其田及僮僕皆入之於官天子乃思卜式之言召

拜式爲中郎爵左庶長賜田十頃布告天下使
明知之初卜式者河南人也以田畜爲事親死
式有少弟弟壯式脫身出分獨取畜羊百餘田
宅財物盡予弟式入山牧十餘歲羊致千餘頭
買田宅而其弟盡破其業式輒復分予弟者數
矣是時漢方數使將擊匈奴卜式上書願輸家
之半縣官助邊天子使使問式欲官乎式曰臣
少牧不習仕宦不願也使問曰家豈有冤欲言
事乎式曰臣生與人無分爭式邑人貧者貸之
不善者教順之所居人皆從式式何故見冤於

通鑑十九冝輸委府
注委於儲藏蓄
也冝輸官所蓄之

人無所欲言也使者曰苟如此子何欲而然式
曰天子誅匈奴愚以爲賢者宜死節於邊有財
者宜輸委如此而匈奴可滅也使者具其言入
以聞天子以語丞相弘弘曰此非人情不軌之
臣不可以爲化而亂法願陛下勿許於是上久
不報式數歲乃罷式式歸復田牧歲餘會軍數
出渾邪王等降縣官費衆倉府空其明年貧民
大徙皆仰給縣官無以盡贍上式持錢二十萬
予河南守以給徙民河南上富人助貧人者籍
天子見卜式名識之曰是固前而欲輸其家半

助邊乃賜式外繇四百人漢書音義曰外繇謂戍邊也一人出三百錢謂之過更式歲得十二萬錢也一說在繇役之外得復除四百人式又盡復予縣官是時富豪皆爭匿財唯式尤欲輸之助費天子於是以式終長者故尊顯以風百姓初式不願爲郎上曰吾有羊上林中欲令子牧之式乃拜爲郎布衣屩而牧羊韋昭曰屩草扉歲餘羊肥息上過見其羊善之式曰非獨羊也治民亦猶是也以時起居惡者輒斥去毋令敗羣上以式爲奇拜爲緱氏令試之緱氏便之遷爲成皐令將漕最上以爲式朴忠拜爲齊王太傅而孔僅之使天下鑄

扉或作也

平準書　十二

通鑑十九擢式爲齊太傅胡注齊王閎元朔三年薨光紀云廣國陳元狩六年始封是子閎爲齊王式蓋傳閎也史因其輸財以官而終言之

通鑑元年孔僅為大農令而桑弘羊為大農中丞胡注班表大農有兩丞元狩四年以東郭咸陽及孔僅為之今置中丞位在兩丞之上 ◦鑑稍置均輸以通貨物胡注時置均輸官於郡國令遠方各以其[illegible]而灌輸置平準於京師都受天下委輸貴則賣之賤則買之使富商大賈無所牟大利 杜佑曰漢武帝置均輸謂所為輸於官者皆令輸其土地所饒平其所在時價官更於他處賣之輸者既便而官有利

作器三年中拜為大農列於九卿（徐廣曰元鼎二年時丙寅歲）而桑弘羊為大農丞筦諸會計事稍稍置均輸以通貨物矣（孟康曰謂諸當所輸於官者皆令輸其土地所饒平其所在時價官更於他處賣之輸者既便而官有利漢書百官表大司農屬官有均輸令）始令吏得入穀補官郎至六百石自造白金五銖錢後五歲赦吏民之坐盜鑄金錢死者數十萬人其不發覺相殺者不可勝計赦自出者百餘萬人然不能半自出天下大抵無慮皆鑄金錢矣（索隱曰抵歸也劉氏云大抵猶大略也案大抵無慮者謂言大略歸於鑄錢更無他事從慮）犯者衆吏不能盡誅取於是遣博士褚大徐偃等分曹循行郡國（服虔曰分曹職案行）

舉兼并之徒守相爲吏者而御史大夫張湯方隆貴用事減宣杜周等爲中丞義縱尹齊王溫舒等用慘急刻深爲九卿而直指夏蘭之屬始出矣而大農顏異誅徐廣曰元狩四年特壬戌歲也初異爲濟南亭長以廉直稍遷至九卿上與張湯既造白鹿皮幣問異異曰今王侯朝賀以蒼璧直數千而其皮薦反四十萬本末不相稱天子不說張湯又與異有郤及人有告異以它議事下張湯治異異與客語客語初令下有不便者李奇曰異與客語道詔令初下有不便處也異不應微反脣湯奏異當九卿見令不

平準書 十三

便不入言而腹誹論死自是之後有腹誹之法以此而公卿大夫多諂諛取容矣天子既下緡錢令而尊卜式百姓終莫分財佐縣官於是楊可告緡錢縱矣郡國多姦鑄錢（索隱曰謂多姦巧雜以鉛錫也）錢多輕而公卿請令京師鑄鍾官赤側（如淳曰以赤銅爲其郭也今錢見有赤側者不知作法云何○索隱曰鍾官掌鑄赤側之錢韋昭曰側邊也）一當五賦官用非赤側不得行（漢書音義曰俗所謂紫紺錢也）白金稍賤民不寶用縣官以令禁之無益歲餘白金終廢不行是歲也張湯死（徐廣曰元鼎二年）而民不思（索隱曰樂彥云諸所廢興附上罔下以比皆自是湯故人不思也）其後二歲赤側錢賤民巧法用之

不便，又廢。於是悉禁郡國無鑄錢，專令上林三官（漢書百官表：水衡都尉，武帝元鼎二年初置，掌上林苑，屬官有上林均輸鍾官辨銅令。然則上林三官，其是此三令乎）鑄。錢既多，而令天下非三官錢不得行，諸郡國所前鑄錢皆廢銷之，輸其銅三官。而民之鑄錢益少，計其費不能相當，唯真工大姦乃盜為之。卜式相齊，而楊可告緡徧天下（瓚曰：商賈居積及伎巧之家，非桑農所生出，謂之緡。茂陵中書有緡田奴婢是也。○索隱曰：楊，姓；可，名也。如淳云：告緡令，楊可所告言），中家以上大抵皆遇告。杜周治之，獄少反者（如淳曰：治匿緡之罪，其獄少有反者。○索隱曰：反，音幡反，謂反伐從輕也。案：劉德為京兆尹，每行縣多所平反是也）。乃分遣御史廷尉正監分曹（索隱曰：如淳云：曹，輩也。謂分曹輩而出為使也）往，即治郡國緡錢得民財物以億計奴婢以千萬數田大縣數百頃小縣百餘頃宅亦如之於是商賈中家以上大率破民偷甘食好衣不事畜藏之產業而縣官有鹽鐵緡錢之故用益饒矣益廣關置左右輔（徐廣曰元鼎三年丁卯歲徙函谷關於新安東界）初大農筦鹽鐵官布多（索隱曰布謂泉布）置水衡欲以主鹽鐵及楊可告緡錢上林財物衆乃令水衡主上林上林既充滿益廣是時越欲與漢用船戰逐（韋昭曰戰闘馳逐也）乃大脩昆明池列觀環之治樓船高十餘丈旗幟加其上（索隱曰蓋始穿昆明池欲與滇王戰今乃更大脩之將與南越呂嘉戰逐故作樓船）

於是楊僕有將軍之號又下云因南方樓船卒二十餘萬擊南越也昆明池有豫章館豫章地名以言將出軍於豫章也其壯於是天子感之乃作柏梁臺高數十丈宮室之脩由此日麗乃分緡錢諸官而水衡少府大農太僕各置農官往往即郡縣比沒入田田之索隱曰謂比者所沒入之田也其沒入奴婢分諸苑養狗馬禽獸及與諸官諸官益新置多如淳曰水衡少府太僕司農皆有農官是爲多徒奴婢衆而下河漕度四百萬石索隱曰樂彥云度猶運也及官自糴乃足索隱曰謂天子所給廩食者多故不如官自糴乃足也所忠言世家子弟如淳曰世世有祿秩家○索隱曰所忠人姓名服虔云掌故官取書於司馬相如者封禪書公孫卿因所忠言寶鼎是也唯姚察獨以爲所患非也富人或鬬雞走狗馬弋

獵博戲亂齊民索隱曰晉灼云中國被教齊整之人也乃徵諸犯令相引數千人命曰株送徒入財者得補郎郎選衰矣應劭曰株根本也送引也如淳曰株根蔕也諸坐博戲事決爲徒者能入錢得補郎也或曰先至者爲根。索隱曰李奇云先至者爲魁株也送當作選選引也應李二音是先至之人令之相引似若得其株本則枝葉自窮故曰株送徒又末顏曰凡鬬雞勝者爲株傳云陽溝之雞三歲爲株今則鬬雞是馬者用之因其鬬雞本勝時名故云株選徒者也是時山東被河菑及歲不登數年人或相食方一二千里天子憐之詔曰江南火耕水耨應劭曰燒草下水種稻草與稻並生高七八寸因悉芟去復下水灌之草死獨稻長所謂火耕水耨也令飢民得流就食江淮閒欲留留處遣使冠蓋相屬於道護之下巴蜀粟以振之其明年天子始巡郡國東度河河東守不意行至不辦自殺行西踰隴隴西守以行往卒（漢書音義曰踰度也卒音倉卒）天子從官不得食隴西守自殺於是上北出蕭關從數萬騎獵新秦中以勒邊兵而歸新秦中或千里無亭徼（如淳曰徼亦卒求盜之屬也晉灼曰徼塞也瓚曰既無亭候又不徼循無衛邊之備也）於是誅北地太守以下而令民得畜牧邊縣（漢書音義曰令民得畜牧於邊縣也瓚曰先是新秦中千里無民畏寇不敢畜牧令設亭徼故民得畜牧也）官假馬母三歲而歸及息什一以除告緡用充仞新秦中（李奇曰邊有官馬今令民能畜官母馬者滿三歲歸之也及有蕃息與當出緡筭者皆復令居新秦中又充仞之也謂與民母馬令得為馬種令十母馬還官一駒此為息什一也瓚曰前以邊用不足故設告緡

之令設亭徼邊民無警皆得田牧新秦中已充故除告緡不復取於民既得寶鼎立后土太一祠徐廣曰元鼎四年立后土五年立太畤公卿議封禪事而天下郡國皆豫治道橋繕故宮及當馳道縣縣治官儲設供具而望以待幸其明年南越反西羌侵邊為桀於是天子為山東不贍赦天下因南方樓船卒二十餘萬人擊南越數萬人發三河以西騎擊西羌又數萬人度河築令居索隱曰令音零姚氏音連韋昭云金城縣初置張掖酒泉郡徐廣曰元鼎六年而上郡朔方西河河西開田官斥塞卒如淳曰塞候斥卒六十萬人戍田之中國繕道餽糧遠者三千近者千

餘里皆仰給大農邊兵不足乃發武庫工官兵器以贍之車騎馬乏絕縣官錢少買馬難得乃著令令封君以下至三百石以上吏以差出牝馬天下亭亭有畜牸馬歲課息齊相卜式上書曰臣聞主憂臣辱南越反臣願父子與齊習船者往死之天子下詔曰卜式雖躬耕牧不以為利有餘輒助縣官之用今天下不幸有急而式奮願父子死之雖未戰可謂義形於內賜爵關內侯金六十斤田十頃布告天下天下莫應列侯以百數皆莫求從軍擊羌越至酎少府省金

如淳曰省視諸侯金有輕有重也或曰至嘗酎飲酎宗廟時少府視其金多少也而列侯坐酎金失侯者百餘人如淳曰漢儀注王子爲侯侯歲以戶口酎黃金於漢廟皇帝臨受獻金以助祭大祀日飲酎飲酎受金金少不如斤兩色惡王削縣侯免國○索隱曰劉氏云言列侯多以酎而數故坐酎金失侯者一百六人也乃拜式爲御史大夫徐廣曰元鼎六年式既在位見郡國多不便縣官作鹽鐵鐵器苦惡瓚曰謂作鐵器民患苦其不好賈貴索隱曰言鹽既苦而器又惡故買賣貴也苦又音古言器苦窳不好凡病之器云苦窳窳音庾事見本紀苦如字讀亦通或彊令民賣買之而船有算商者少物貴乃因孔僅言船算事上由是不悅卜式漢連兵三歲誅羌滅南越番禺以西至蜀南者置初郡十七徐廣曰南越爲九郡駰案晉灼曰元鼎六年定越地以爲南海蒼梧

鬱林合浦交趾九真日南珠崖儋耳郡定西南夷以爲武都牂牁越嶲沈犂汶山郡及地理志西南夷傳所置犍爲零陵益州郡凡十七也 且以其故俗治毋賦稅南陽漢中以往郡各以地比給初郡索隱曰比音鼻南陽漢中已往之郡各以其地比近給初郡初郡即西南初置之郡也 吏卒奉食幣物傳車馬被具索隱曰奉音扶用反包氏同 而初郡時時小反殺吏漢發南方吏卒往誅之閒歲萬餘人費皆仰給大農大農以均輸調鹽鐵助賦故能贍之然兵所過縣爲以訾給毋乏而已不敢言擅賦法矣徐廣曰擅一作經經常也唯取用足耳不暇顧經常法則矣 其明年元封元年卜式貶秩爲太子太傅而桑弘羊爲治粟都尉領大農盡代僅筦

天下鹽鐵弘羊以諸官各自市相與爭物故騰躍而天下賦輸或不償其僦費（索隱曰服虔謂載云僦言所輸物不足償其雇載之費也僦音子就反）乃請置大農部丞數十人分部主郡國各往往縣置均輸鹽鐵官令遠方各以其物貴時商賈所轉販者為賦而相灌輸置平準于京師都受天下委輸召工官治車諸器皆仰給大農大農之諸官盡籠天下之貨物貴即賣之賤則買之如此富商大賈無所牟大利（如淳曰牟取也）則反本而萬物不得騰踊故抑天下物名曰平準天子以為然許之於是天子北至朔方

東到太山，巡海上，並北邊以歸。所過賞賜，用帛百餘萬匹，錢金以巨萬計，皆取足大農。弘羊又請令吏得入粟補官，及罪人贖罪。令民能入粟甘泉各有差，以復終身，不告緡。他郡國各輸急處，【索隱曰：謂他郡能入粟輸所在急要之處也。】而諸農各致粟，山東漕益歲六百萬石。一歲之中，太倉、甘泉倉滿。邊餘穀諸物均輸帛五百萬匹。民不益賦而天下用饒。於是弘羊賜爵左庶長，黃金再百斤焉。是歲小旱，上令官求雨，卜式言曰：「縣官當食租衣稅而已，今弘羊令吏坐市列肆，【索隱曰：謂吏坐市肆行列之市。】販物

求利耳弘羊天乃雨

太史公曰農工商交易之路通而龜貝金錢刀布之幣興焉（索隱曰錢本名泉言貨之流如泉也故周有泉府之官及景王乃鑄大錢布泉者言貨流布故周禮有二夫之布食貨志貨布長二寸五分首長八分足枝長八分刀者錢也食貨志有契刀錯刀契刀長二寸直五百錯刀以黃金錯直五千以其形如刀故曰刀以其利於人也又古者貨貝寶龜食貨志有十朋五貝皆用爲貨其各有多少兩貝爲朋故直二百一十六元龜十朋故直二千一百六十已下各有差也）所從來久遠自高辛氏之前尚矣靡得而記云故書道唐虞之際詩述殷周之世安寧則長庠序先本絀末以禮義防于利事變多故而亦反是是以物盛則衰時極而轉（徐廣曰時一作衰）一質一文終始

之變也禹貢九州各因其土地所宜人民所多少而納職焉湯武承弊易變使民不倦各兢兢所以為治而稍陵遲衰微齊桓公用管仲之謀通輕重之權（管子有輕重之法）徼山海之業以朝諸侯用區區之齊顯成霸名魏用李克盡地力為彊君自是之後天下爭於戰國貴詐力而賤仁義先富有而後推讓故庶人之富者或累巨萬而貧者或不厭糟糠有國彊者或并羣小以臣諸侯而弱國或絕祀而滅世以至於秦卒并海內虞夏之幣金為三品（索隱曰即下或黃或白或赤也黃黃金也白白銀也赤赤銅也見食貨志）

或黃或白或赤或錢或布如淳曰布於民間也或刀如淳曰名錢爲刀者以其利於民或龜貝及至秦中一國之幣爲二等黃金以溢名孟康曰二十兩爲溢爲上幣銅錢識曰半兩重如其文爲下幣而珠玉龜貝銀錫之屬爲器飾寶藏不爲幣然各隨時而輕重無常於是外攘夷狄內興功業海內之士力耕不足糧饟女子紡績不足衣服古者嘗竭天下之資財以奉其上猶自以爲不足也無異故云事勢之流相激使然曷足怪焉

索隱述贊曰平準之立通貨天下既入縣官

或振華夏其名刀布其文龍馬增筭告緡裒
多益寡弘羊心計卜式長者都内克殷取贍
郊野

平準書第八　　史記三十

二十一

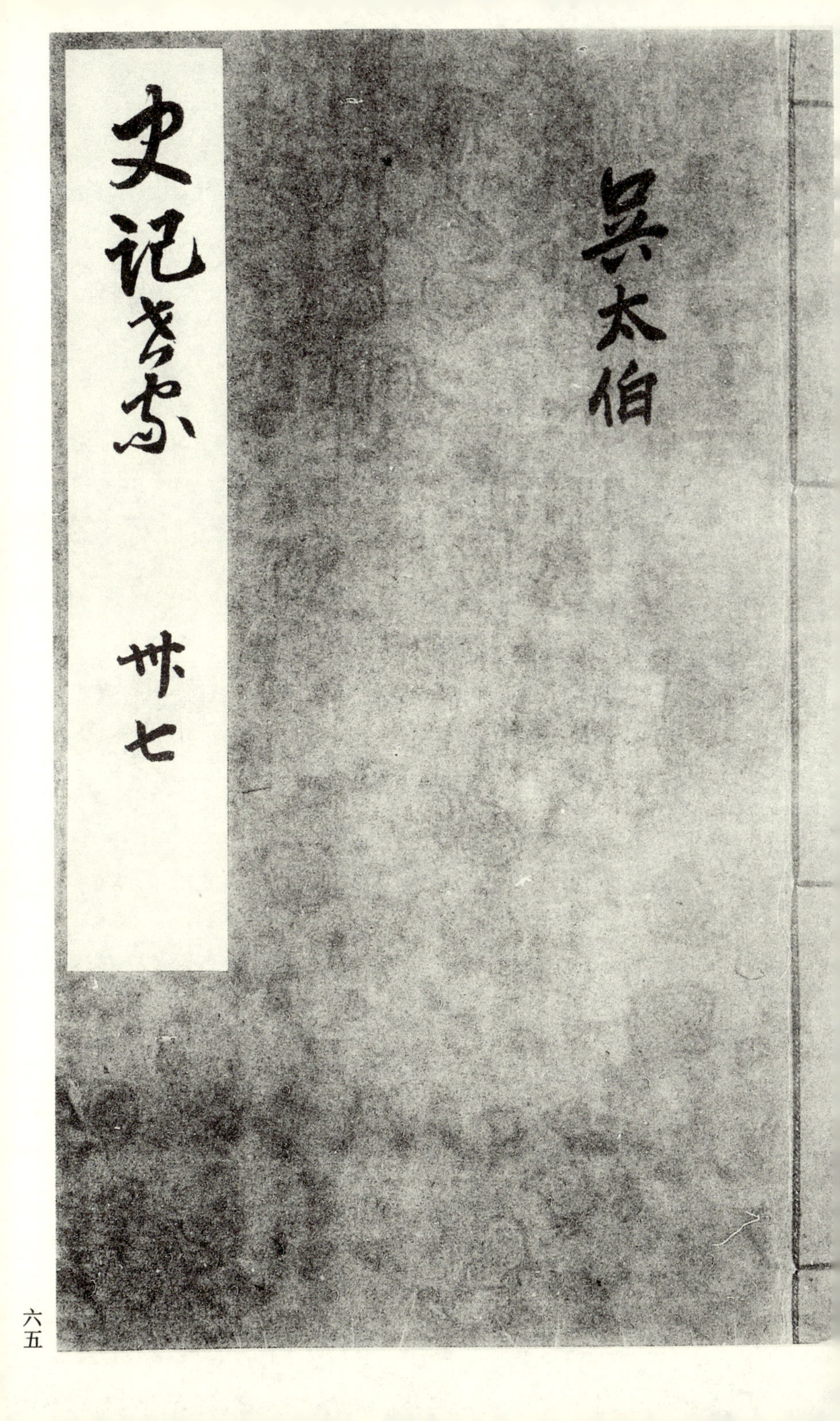

吳太伯

史記考索 卅七

正義曰世本云孰穆冊徒句家楚徙吳是也太伯者古公長子
又曰世家者志云謂世〻有祿秩〻家接累世有爵土封国故孟子云陳仲齊之
世家也

法直太
作池之

吳太伯世家第一　史記三十一

索隱曰系家者記諸侯本系也言其下及子孫常有國故孟子曰陳仲子齊之系家又董仲舒曰王者封諸侯非官之也得以代代爲家者也

吳太伯 韋昭曰後武王追封爲吳伯故曰吳太伯○索隱曰國語云黃池之會晉定公使謂吳王夫差曰夫命圭有命固曰吳伯不曰吳王是吳本伯爵也集解論語曰太伯者善大之稱伯者長也周太王之元子故曰太伯稱仲雍季歷皆以字配名則伯亦是字又是爵但其名史籍先闕爾○正義曰吳國號也太伯居梅里在常州無錫縣東南六十里至十九世孫壽夢居之號句吳壽夢卒諸樊南徙吳至二十一代孫光使子胥築闔閭城都之今蘇州也 **太伯弟仲雍** 索隱曰伯仲季是兄弟次第之字若表德之字意義與名相符則系本曰吳孰哉居藩籬宋衷曰孰哉仲雍字藩離今吳之餘暨也解者云雍是孰食故曰雍字孰哉也 **皆周太王之子而王季歷之兄也季歷賢而有聖子昌太王欲立季**

太伯仲雍荆蠻文身

吳句吳六事

吳太伯世家 一

繼以及昌於是太伯仲雍二人乃奔荆蠻文身斷髮示不可用應劭曰常在水中故斷其髮文其身以象龍子故不見傷害○正義曰江熙云太伯少弟季歷生文王昌有聖德太伯知其必有天下故欲傳國於季歷以太王病託採藥於吳越不反太王薨而季歷立一讓也季歷薨而文王立二讓也文王薨而武王立遂有天下三讓也又釋云太王病而託採藥生不事之以禮一讓也太王薨而不反使季歷主喪不葬之以禮二讓也斷髮文身示不可用使歷主祭祀不祭之以禮三讓也以避季歷季歷果立是爲王季而昌爲文王太伯之奔荆蠻自號句吳宋衷曰句吳太伯始所居地名○索隱曰荆者楚之舊號以州而言之曰荆蠻者閩也南夷之名蠻亦稱越此言自號句吳吳名起於太伯明以前未有吳號地在楚越之界故稱荆蠻顔師古註漢書以吳言句者夷之發聲猶言於越耳此言號句吳當如顔解而註引宋衷以爲地名者系本居篇云孰哉居蕃籬孰姑徙句吳宋氏見史記有太伯自號句吳之文遂彌縫解彼云是太伯始所居地名裴氏引之恐非其義蕃離既有其地

刈云取子移封邑

句吳何揔不知貞實吳人不聞別有城邑謂名句吳則系本之文或難依信荊蠻義之從而歸之千餘家立爲吳太伯太伯卒皇覽曰太伯冢在吳縣北梅里聚去城十里無子弟仲雍立是爲吳仲雍仲雍卒索隱曰地記曰仲雍冢在吳鄉常孰縣西海虞山上與言偃冢並列子季簡立季簡卒子叔達立叔達卒子周章立是時周武王克殷求太

伯仲雍之後得周章周章已君吳因而封之乃

封周章弟虞仲於周之北故夏虛徐廣曰在河東太陽縣是爲虞仲索隱曰夏都安邑虞仲都大陽之虞城在安邑南故曰夏虛左傳曰太伯虞仲太王之昭則虞仲是太王之子必也又論語稱虞仲夷逸隱居放言是仲雍稱虞仲今周章之弟亦稱虞仲者蓋周章之弟字仲始封於虞故曰虞仲則仲雍本字仲而爲吳之始祖故後代亦稱虞仲所以祖與孫同號也列爲諸侯周章卒子熊遂立熊遂卒子柯相立正義曰柯音歌相音相匠反柯相

正義曰晉滅虞虢在周惠王之二十二年去武王元年至滅合四百七十八年

去營許一五呂反江說六巨

卒子彊鳩夷立彊鳩夷卒子餘橋疑吾立正義橋音橋驕反餘橋疑吾卒子柯盧立柯盧卒子周繇立正義繇音遙又音由周繇卒子屈羽立正義屈居勿反屈羽卒子夷吾立夷吾卒子禽處立禽處卒子轉立索隱曰譙周古史考云柯轉轉卒子頗高立索隱曰古史考作頗夢頗高卒子句卑立索隱曰古史考云畢軫是時晉獻公滅周北虞公以開晉伐虢也索隱曰春秋經僖公五年冬晉人執虞公左氏二年傳曰晉荀息請以屈產之乘與垂棘之璧假道於虞以伐虢虞公許之且請先伐之遂伐虢滅下陽五年傳曰晉侯復假道於虞以伐虢宮之奇諫不聽以其族行曰虞不臘矣八月甲午晉侯圍上陽冬十有二月滅虢師還遂襲虞滅之句卑卒子去齊立去齊卒子壽夢立正義夢莫公反壽夢立而吳始益大稱王

夢音莫公反當周简王元年左傳吳子乘卒杜預云壽夢也左傳及世本又云吳
孰姑壽夢也世謂夢諸祝也春秋傳壽作孰音相近姑之言諸也毛詩傳云旧讀月
讀為姑是知姑為諸則知孰姑壽夢一人耳又名乘

自太伯作吳五世而武王克殷封其後為二其一虞在中國其一吳在夷蠻十二世而晉滅中國之虞中國之虞滅二世而夷蠻之吳興（正義曰中國之虞滅後二世合七十一年至壽夢而興大稱王）大凡從太伯至壽夢十九世（索隱曰壽夢是仲雍十八代孫）王壽夢二年（索隱曰自壽夢已下始有其年春秋唯記卒計壽夢二年當成公七年）楚之亡大夫申公巫臣怨楚將子反而奔晉自晉使吳教吳用兵乘車令其子為吳行人（服虔曰行人掌國賓客之禮籍以待四方之使賓大客受小客之幣辭○索隱曰左氏成二年傳曰巫臣聘齊及鄭使介反幣而以夏姬行遂奔晉七年傳曰子重子反殺巫臣之族而分其室巫臣遺二子書曰余必使爾罷於奔命以死巫臣使於吳吳子壽夢悅之乃通吳于晉教吳乘車教之戰陳教之叛楚寘其子狐庸焉使為行人於吳吳始伐楚伐巢伐

決云礼籍擯賓
客之竹簿籍也

令其子狗吳行人

巢伐徐馬陵之會吳入州來子重子反於是乎一歲七奔命吳於是始通於中國吳伐楚十六年楚共王伐吳至衡山杜預曰吳興烏程縣南也○索隱曰春秋經襄三年楚公子嬰齊帥師伐吳左傳曰楚子重伐吳為簡之師克鳩茲至于衡山也二十五年王壽夢卒索隱曰襄十二年經曰秋九月吳子乘卒左傳曰壽夢計從成六年至此正二十五年系本曰吳孰姑徙句吳宋衷曰孰姑壽夢也代謂祝夢乘諸也壽孰音相近姑之言諸也毛詩傳讀姑為諸孰姑壽夢是一人又名乘也壽夢有子四人長曰諸樊索隱曰春秋經書吳子遏左傳稱諸樊蓋遏是其名諸樊是其號公羊傳遏作謁次曰餘祭次曰餘昧索隱曰左氏曰閽戕戴吳杜預曰戴吳餘祭也又襄二十八年左氏齊慶封奔吳吳句餘與之朱方杜預曰句餘吳子夷末也按餘祭以襄二十九年卒則二十八年賜慶封邑不得是夷末但句餘或別是人杜預誤為夷末爾夷末惟史記公羊作餘昧左氏及穀梁並為夷末夷末句餘音字各異不得為一○正義祭側界反昧莫葛反次曰季札索隱曰公羊傳曰謁

也餘祭也夷昧也與季子同母者四人季子弱而才兄弟皆
愛之同欲以爲君季子猶不受謁請兄弟迭爲君而致國乎
季子皆曰諾故謁也死餘祭也立餘祭也死夷昧也立夷昧
也死則國宜之季子季子使而亡焉僚者長庶也即之闔閭
曰將從先君之命與則國宜之季子也如不從君之命則宜
立者我也僚惡得爲君乎於是使專諸刺僚史記壽夢四子
亦約公羊文但以僚爲餘眛子爲異耳左氏其文不明服虔
用公羊杜預依史記及吳越春秋下注徐廣引系本云夷眛
生光引吳越春秋云王僚夷眛子今檢系本吳越春秋並無
此語然按左氏狐庸對趙文子謂夷末甚德而度其天所啓
也必此君之子孫實終之若以僚爲夷末子不應此
言及光言我王嗣則光是夷眛子明僚是壽夢庶子

季札賢而壽夢欲立之季札讓不可於是乃立長子諸樊攝行事當國王諸樊元年系本曰諸樊徙吳也○索隱曰按左左氏襄十四年諸樊已除喪讓位季札季札謝曰曹宣公之卒也諸侯與曹人不義曹君服虔曰宣公曹伯以魯成公十

古

君子曰 或仲尼

以無失節

三年會晉侯伐秦卒于師曹君公子負芻也負芻在國聞宣公卒殺太子而自立故曰不義之也將立子臧。子臧去之，以成曹君。服虔曰子臧負芻庶兄○索隱曰成十三年左傳曰曹宣公卒于師曹人使公子負芻守使公子欣時逆喪秋負芻殺其太子而自立杜預曰皆宣公庶子也負芻成公也欣時子臧也十五年傳曰會于戚討曹成公也執而歸諸京師諸侯將見子臧於王而立之子臧曰前志有之曰聖達節杜預曰聖人應天命不拘常禮也次守節杜預曰謂賢者下失節杜預曰愚者妄動也為君非吾節也雖不能聖敢失守乎遂逃奔宋君子曰：『能守節矣。』君義嗣，王肅曰義宜也嫡子嗣國得禮之宜杜預曰諸樊嫡子故曰義嗣○索隱曰君子者左丘明所為史評仲尼之辭指仲尼為君子也誰敢干君！有國，非吾節也。札雖不材，願附於子臧之義。」吳人固立季札，季札棄其室而耕，乃舍之。正義舍音捨秋，吳伐楚，楚敗我師。四年，晉平公初立。索隱曰左傳襄十六年春葬晉悼公平公

十四

即位是也十三年王諸樊卒索隱曰春秋經襄二十五年十有二月吳子遏伐楚門于巢卒左氏曰吳子諸樊伐楚以報舟師之役門于巢巢牛臣曰吳王勇而輕若啓之將親門我獲射之必殪是君也死疆其少安從之吳子門焉牛臣隱於短牆以射之卒有命授弟餘祭欲傳以次必致國於季札而止以稱先王壽夢之意且嘉季札之義兄弟皆欲致國令以漸至焉季札封於延陵故號曰延陵季子索隱曰襄三十一年左傳趙文子問於屈狐庸曰延州來季子其果立乎杜預曰延州來季札邑昭二十七年左傳曰吳子使延州來季子聘于上國杜預曰季子本封延陵後復封州來故曰延州來成七年左傳曰吳入州來杜預曰州來楚邑淮南下蔡縣是昭十三年傳吳滅州來二十三年傳吳伐州來則州來本為楚邑吳伐滅以封季子也地理志云會稽毗陵縣季札所居太康地理志曰故延陵邑季札所居栗頭有季札祠地理志云沛郡下蔡縣古州來國為楚所滅後吳取之至夫差遷昭侯於此又公羊傳曰季子去之延陵終身

[illegible]不入吳國[illegible]謂國而賜之以菜邑。杜預春秋釋例土地名闕，云延州來闕，不知何故而爲此言也。

王餘祭三年，齊相慶封有罪，自齊來奔吳。吳予慶封朱方之縣，吳地記曰：朱方，秦改曰丹徒。以爲奉邑，以女妻之，富於在齊。四年，吳使季札聘於魯，在春秋魯襄公二十九年。請觀周樂。服虔曰：周樂，魯所受四代之樂也。杜預曰：魯以周公故，有天子禮樂。爲歌周南、召南。杜預曰：此皆各依其本國歌所常用聲曲。曰：「美哉，始基之矣，王肅曰：言始造王基也。猶未也。賈逵曰：言未有雅頌之成功也。杜預曰：猶有商紂，未盡善也。然勤而不怨。」杜預曰：未能安樂，然其音不怨怒。歌邶、鄘、衛。杜預曰：武王伐紂，分其地爲三監。三監叛，周公滅之，并三監之地，更封康叔，故三國盡被康叔之化。曰：「美哉淵乎，憂而不困者也。賈逵曰：淵，深也。杜預曰：亡國之音哀以思，其民困。衛康叔、武公德化深遠，雖遭宣公淫亂，懿公滅亡，民猶秉義，不至

曰

吳太伯世家　五

吳使季札聘於魯

三監　正義曰：漢書地理志云：河内，殷之旧都，周既滅殷，分其畿内爲三國，以封紂子武庚、管叔、蔡叔，以監殷人，謂之三監。

又周本紀云自殷都以東為衛管叔監之殷都以西為鄘蔡叔監之殷都以北為邶霍叔監之是為三監二說不同未詳

於困

吾聞衛康叔武公之德如是是其衛風乎賈逵曰康叔遭管叔蔡叔之難武公罹幽王褒姒之憂故曰康叔武公之德如是杜預曰康叔武公皆衛之令德君也聽聲以為別故有疑言歌王服虔曰王室當在雅衰微而列在風故國人猶尊之故稱王猶春秋之王人也杜預曰王黍離也曰美哉思而不懼其周之東乎服虔曰平王東遷洛邑杜預曰宗周隕滅故憂思猶有先王之遺風故不懼也○正義思音肆歌鄭賈逵曰鄭風東鄭是曰其細已甚民不堪也是其先亡乎服虔曰其風細弱已甚攝於大國之間無遠慮持久之風故曰民不堪將先亡也歌齊曰美哉泱泱乎大風也哉服虔曰泱泱舒緩深遠有大和之意其詩風刺辭約而義微體疏而不切故曰大風○索隱曰泱於良反泱泱猶汪汪洋洋美盛貌也杜預曰弘大之聲表東海者其太公乎王肅曰言為東海之表式國未可量也服[illegible]言其興衰世數長短未可量[illegible]言其或將復興歌豳曰美哉

国 本ナ

蕩蕩乎[illegible]然而不荒淫也 其周公之東乎 杜預曰周公遭管蔡之變東征三年為成王陳后稷先公不敢荒淫以成王業故言其周公之東乎 歌秦曰此之謂夏聲夫能夏則大大之至也其周之舊乎 杜預曰秦仲始有車馬禮樂去戎狄之音而有諸夏之聲故謂之夏聲及襄公佐周平王東遷而受其故地故曰周之舊也 歌魏曰美哉渢渢乎大而婉儉而易行以德輔此則盟主也 徐廣曰盟一作明駰案賈逵曰其志大直而有曲體歸中和中庸之德難成而實易行故曰以德輔此則盟主也杜預曰惜其國小而無明君○索隱曰風音馮又音泛杜預曰中庸之聲婉約也大而約則儉節易行左傳盟作明故徐廣亦云一作明此以聽聲知政言其明聽爾非盟會也 歌唐曰思深哉其有陶唐氏之遺風乎不然何憂之遠也 杜預曰晉本唐國故有堯之遺風憂深思遠情發於聲也 非令德之後誰能若是

括地志云故鄶城在鄭州新鄭縣東北四十二里
毛詩譜云昔高辛氏火正祝融之墟歷唐至周重黎之後妘姓處其地是爲鄭

歌陳曰國無主其能久乎杜預曰淫聲放蕩無所畏忌故曰國無主自鄶以下無譏焉服虔曰鄶以下及曹風也其國小無所刺譏歌小雅杜預曰小雅小正亦樂歌之章曰美哉思而不貳杜預曰思文武之德無貳叛之心也怨而不言王肅曰非不能言畏罪咎也其周德之衰乎杜預曰衰小也猶有先王之遺民也杜預曰謂有殷王餘俗故未大衰歌大雅杜預曰大雅陳文王之德以正天下曰廣哉熙熙乎杜預曰熙熙和樂聲曲而有直體杜預曰論其聲其文王之德乎歌頌杜預曰頌者以其成功告於神明曰至矣哉賈逵曰言道備至也直而不倨杜預曰倨傲也曲而不詘杜預曰詘撓也近而不偪杜預曰謙退也遠而不攜杜預曰攜貳也遷而不淫服虔曰遷徙也文王徙豐武王居鄗杜預曰淫過蕩也復而不厭杜預曰常日新也哀而不愁杜預曰知命也樂而不荒杜預曰節之以

正義曰韎北方南方舞曲也執羽籥舞旬以夷之曲也

也用而不匱杜預曰德弘大廣而不宣杜預曰不自顯也施而不費杜預曰因民所利而利之取而不貪杜預曰義然後取處而不底杜預曰守之以道行而不流杜預曰制之以義五聲和八風平杜預曰宮商角徵羽謂之五聲八方之氣謂之八風節有度守有序杜預曰八音克諧節有度也無相奪倫守有序也盛德之所同也杜預曰頌有殷魯故曰盛德之所同見舞象箾南籥者賈逵曰箾象文王之樂武象也箾舞曲也南籥以籥舞也○索隱曰箾音朔又蘇彫反曰美哉猶有憾服虔曰憾恨也恨不及己以伐紂而致太平也○索隱曰憾或作感字省耳亦讀為憾又音胡暗反見舞大武賈逵曰大武周公所作武王樂也曰美哉周之盛也其若此乎見舞韶護者賈逵曰韶護殷成湯樂大護也曰聖人之弘也賈逵曰弘大也猶有慙德聖人之難也服虔曰慙於始伐而無聖佐故曰聖人之難也見舞大

正義曰燾音資也

去魯使齊

夏（賈逵曰夏禹之樂大夏也）曰美哉勤而不德（服虔曰禹勤其身以治水土也）非禹其誰能及之見舞招箾（服虔曰有虞氏之樂大韶也○索隱曰招音韶箾音簫二字體變耳）曰德至矣哉大矣（服虔曰至帝王之道極於韶也盡美盡善也）如天之無不燾也（賈逵曰燾覆也）如地之無不載也雖甚盛德無以加矣觀止矣若有他樂吾不敢觀（服虔曰周用六代之樂堯曰咸池黃帝曰雲門魯受四代下周二等故不舞其二季札知之故曰有他樂吾不敢請）去魯遂使齊說晏平仲曰子速納邑與政（服虔曰入邑與政職於公不與國家之事）無邑無政乃免於難齊國之政將有所歸未得所歸難未息也故晏子因陳桓子以納政與邑是以免於欒高之難（正義曰□□反在魯昭公八年欒施高彊二氏作難）

去齊使鄭
季札去鄭適衛
自衛如晉
正義曰宿音戚

猶紓之乃解也

去齊，使於鄭，見子產，如舊交。謂子產曰：「鄭之執政侈，難將至矣，政必及子。子為政，慎以禮。服虔曰：禮所以經國家，利社稷也。不然，鄭國將敗。」去鄭，適衛。說蘧瑗、史狗、史鰌、公子荊、公叔發、公子朝，曰：「衛多君子，未有患也。」自衛如晉，將舍於宿，左傳曰：將宿於戚。○索隱曰：按太史公欲自為一家，事雖出於左氏，文則隨義而換。既以舍字替宿，遂以宿字替戚爾。戚既是邑名，理應不易，今宜讀宿為戚。戚，衛邑，孫文子舊所食也。聞鐘聲，服虔曰：孫文子擊鼓鐘作樂也。曰：「異哉！吾聞之，辯而不德，必加於戮。服虔曰：辯若鬭辯也。夫以辯爭，不以德居之，必加於刑戮也。夫子獲罪於君以在此，賈逵曰：夫子，孫文子也。獲罪，出獻公，以戚畔也。懼猶不足，而又可以畔乎？索隱曰：按春秋左氏傳曰「而又何樂」，此畔字宜讀曰樂。樂謂聞鐘聲

（叱呼非此義耳）夫子之在此猶燕之巢于幕也（王肅曰言至危也）君在殯而可以樂乎（賈逵曰衛君獻公棺在殯未葬）遂去之文子聞之終身不聽琴瑟（服虔曰聞義而改也琴瑟不聽況於鐘鼓乎）適晉說趙文子（索隱曰名武）韓宣子（索隱曰名起○正義曰毋本一云名秦）魏獻子（索隱曰名舒）曰晉國其萃於三家乎（服虔曰言晉國之祚將集於三家）將去謂叔向曰吾子勉之君侈而多良大夫皆富政將在三家（杜預曰富必厚施故政在三家也）吾子直（服虔曰直不能曲撓以從衆）必思自免於難季札之初使北過徐君徐君好季札劍口弗敢言季札心知之為使上國未獻還至徐徐君已死於是乃解其寶劍繫之徐君冢樹

雩况于 又音 婁縣名也

而去【正義曰：括地志云徐君廟在泗州徐城縣西南一里即延陵季子掛劍之徐君也】從者曰徐君已死尚誰予乎季子曰不然始吾心已許之豈以死倍吾心哉七年楚公子圍弒其王夾敖而代立是爲靈王【索隱曰春秋經襄二十五年吳子遏卒二十九年閽弒吳子餘祭昭十五年吳子夷末卒是餘祭立四年餘昧在位十七年系家倒錯二王之年此七年正是餘昧之三年昭元年經曰冬十有一月楚子麇卒左傳曰楚公子圍將聘于鄭未出竟聞王有疾而還入問王疾縊而弒之孫卿曰以冠纓絞之遂殺其二子幕及平夏葬王于郟謂之郟敖】十年楚靈王會諸侯而以伐吳之朱方以誅齊慶封吳亦攻楚取三邑而去【左傳曰吳伐楚入棘櫟麻以報朱方之役○索隱曰杜預云皆楚東鄙邑也譙周云酇縣東北有棘亭汝陰新蔡縣東北有櫟亭按解者以麻即襄城縣故麻城是也】十一年楚伐吳至雩婁【服虔曰雩婁楚

之東邑。索隱曰昭五年左傳曰楚子伐吳吳使沈尹射待命於巢薳啓彊待命于雩婁今直言之東略耳十二年楚復來伐次於乾谿杜預曰乾谿在譙國城父縣南楚東境楚師敗走十七年王餘祭卒索隱曰春秋襄二十九年經曰閽殺吳子餘祭左傳曰吳人伐越獲俘焉以為閽使守舟吳子餘祭觀舟閽以刀殺之公羊傳曰近刑人則輕死之道也合在季札聘魯之前倒錯於此弟餘眜立王餘眜二年楚公子弃疾弑其君靈王代立焉索隱曰據春秋即餘眜十五年也昭十三年經曰夏四月楚公子比自晉歸于楚弑其君虔于乾谿楚公子弃疾殺公子比左氏具載詞繁不錄公子比弃疾皆靈王弟也比即子干也靈王公子圍也即位後易名為虔弃疾即位後易名熊居是為平王史記以平王遂有楚國故曰弃疾弑君春秋以子干為王故曰比弑其君彼此各有意義也四年王餘眜卒欲授弟季札季札讓逃去於是吳人曰先王有命兄卒弟代立必致季子

季子今逃位則王餘昧後立今卒其子當代乃立王餘昧之子僚爲王索隱曰此文以爲餘昧子公羊傳以爲壽夢庶子

僚二年公子光伐楚徐廣曰世本云夷眛生光〇吳越春秋曰王僚夷眛子與史記同敗而亡王舟光懼襲楚復得王舟而還左傳曰舟名餘皇〇索隱曰討僚元年當昭十六年此二年公子光云王舟事在左氏昭十七年

五年楚之亡臣伍子胥來奔公子光客之索隱曰左傳昭二十年曰伍員如吳言伐楚之利於州于杜預曰州于吳子僚也公子光曰是宗爲戮而欲反其讎不可從也員曰彼將有他志余姑爲之求士而鄙以待之乃見鱄設諸焉而耕於鄙謂以客禮接之

公子光者王諸樊之子也索隱曰此文以爲諸樊之子系本以爲夷眛子也常以爲吾父兄弟四人當傳至季子季子即不受國光父先立即不傳季子光

吳太伯世家　十

二女爭桑事

當亡陰納賢士欲以襲王僚八年吳使公子光伐楚敗楚師迎楚故太子建母於居巢以歸因北伐敗陳蔡之師九年公子光伐楚拔居巢鍾離（服虔曰鍾離州來西邑也○索隱曰昭二十四年經曰吳滅巢左氏曰楚子為舟師以略吳疆沈尹戍曰此行也楚必亡邑不撫民而勞之吳不動而速之吳人踵楚而邊人不備遂滅巢及鍾離而還地理志居巢屬廬江鍾離屬江南[illegible]曰鍾離子之國也）初楚邊邑卑梁氏之處女與吳邊邑之女爭桑（索隱曰左氏無其事）二女家怒相滅兩國邊邑長聞之怒而相攻滅吳之邊邑吳王怒故遂伐楚取兩都而去（正義曰兩都即鍾[illegible]）伍子胥之初奔吳說吳王僚以伐楚之利公子光曰胥之父兄為僇於楚

欲自報[illegible]見其利於是伍員知光有他志服虔曰欲取国乃求勇士專諸賈逵曰吳勇士。索隱曰專諸或作剸左傳作鱄設諸剌客傳曰諸堂邑人也。正義曰吳越春秋云專諸豐邑人伍子胥初亡楚如吳時遇之於途專諸方与人鬬甚不可當其妻呼還子胥怪而問其狀專諸曰夫屈一人之下必申方人之上胥因而相之雄貌深目侈口熊背知其勇士見之光光喜乃客伍子胥子胥退而耕於野以待專諸之事索隱曰依左氏即上五年八年子光客之是也事合記於五年不應略彼而更具於此也十二年冬楚平王卒索隱曰昭二十六年春秋經書楚子居卒是也按十二諸侯年表及左傳合在僚十二年十三年春吳欲因楚喪而伐之索隱曰據表及左氏僚止合有十二年事並見昭二十七年左傳使公子蓋餘燭庸賈逵曰二公子皆吳王僚之弟。索隱曰春秋作掩餘而史記並作蓋餘皆同而字異者或謂太史公被腐刑不欲言掩也賈逵及杜預并刺客傳皆云二公子王僚母

兩公子

燭庸
蓋餘

也下乙

弟。昭二十三年左傳曰光帥右掩餘帥左杜註云掩餘吳王壽夢子又系族譜亦云二公子並壽夢子若依公羊傳光為壽夢子則與系族譜合也**以兵圍楚之六灊**杜預曰灊在廬江六縣西南**使季札於晉以觀諸侯之變**服虔曰察彊弱**楚發兵絕吳兵後吳兵不得還於是吳公子光曰此時不可失也**賈逵曰時言可殺王時也**告專諸曰不索何獲**服虔曰不索當何時得也**我真王嗣當立吾欲求之季子雖至不吾廢也**王肅曰禮習還至也**專諸曰王僚可殺也母老子弱**服虔曰母老子弱專諸託其母子於光也王肅曰專諸言王母老子弱也。索隱曰依王肅解與史記同於理無失服虔杜預見左傳下文云我爾身也以其子為卿遂強解是無若我何猶言我無若是何語依近[illegible]為[illegible]與孫也**而兩公子將兵攻楚楚絕其路方今吳外困於楚而內空無**

骨鯁之臣，是無柰我何。光曰：我身，子之身也。服虔曰：言我身猶尔身也。四月丙子，光伏甲士於窟室，杜預曰：掘地為室也。○索隱曰：春秋經唯言夏四月，左氏亦云丙子，當別有按據，不知出何書。而謁王僚飲。索隱曰：謁，請也。本或作請。左氏作饗食王。王僚使兵陳於道，自王宮至光之家，門階戶席，皆王僚之親也，人夾持鈹。音披。○索隱曰：劉逵註吳都賦：鈹，兩刃小刀。公子光詳為足疾，入于窟室。杜預曰：恐難作，王黨殺己，素避之也。○索隱曰：詳音陽，為如字。左氏曰：光偽足疾。詳即偽也。或讀此為字音偽，非也。豈詳偽重言耶。使專諸置匕首於炙魚之中以進食。服虔曰：全魚炙也。○索隱曰：劉氏曰：匕首，短劍也。按鹽鐵論以為長尺八寸。通俗文云：其頭類匕，故曰匕首也。短刃可袖者。手匕首刺王僚，鈹交於匈，賈逵曰：交，交專諸匈也。遂弒王僚。公子光竟立為王，是

正義曰復命反歸報命也

爲吳王闔廬闔廬乃以專諸子爲卿季子至曰苟先君無廢祀民人無廢主社稷有奉乃吾君也吾敢誰怨乎哀死事生以待天命服虔曰待其天命之終也非我生亂立者從之先人之道也杜預曰吳自諸樊已下兄弟相傳而不在適是亂由先人起也季子自知力不能討光故云復命哭僚墓服虔曰復命於僚哭其墓也○正義曰復音伏下同復位而待杜預曰復本位待光命吳公子燭庸蓋餘二人將兵遇圍於楚者聞公子光弒王僚自立乃以其兵降楚楚封之於舒索隱曰左氏昭二十七年曰掩餘奔徐燭庸奔鍾吾三十年經曰吳滅徐徐子章羽奔楚左傳曰吳子使徐人執掩餘使鍾吾人執燭庸二公子奔楚楚子大[illegible]王闔廬元年舉伍子胥[illegible]

爲行人而與謀國事楚誅伯州犂其孫伯嚭亡奔吳徐廣曰伯嚭州犂孫也史記與吳越春秋同嚭音披美反吳以爲大夫三年吳王闔廬與子胥伯嚭將兵伐楚拔舒殺吳亡將二公子光謀欲入郢將軍孫武曰民勞未可待之索隱曰左傳此年有子胥對耳無孫武事也四年伐楚取六與灊五年伐越敗之六年楚使子常囊瓦伐吳正義曰左傳云楚囊瓦爲令尹杜預云囊之孫子常迎而擊之大敗楚軍於豫章取楚之居巢而還索隱曰在左傳定二年當爲闔廬七年九年吳王闔廬謂伍子胥孫武曰始子之言郢未可入今果如何索隱曰言今欲果敢伐楚可否也二子對曰楚將子常貪而唐蔡皆

怨之王必欲大伐必得唐蔡乃可闔廬從之悉興師與唐蔡西伐楚 索隱曰定四年經蔡侯以吳子及楚人戰于柏舉楚師敗績吳入郢是也 至於漢水楚亦發兵與吳夾水陳 正義音陣 吳王闔廬弟夫㮣 正義音古代反 欲戰闔廬弗許夫㮣曰王已屬臣兵兵以利為上尚何待焉遂以其部五千人襲冒楚楚兵大敗走於是吳王遂縱兵追之比至郢五戰楚五敗楚昭王己卯出郢奔鄖 服虔曰鄖楚縣 鄖公弟懷 正義曰左傳云鄖公辛之弟懷也 欲弑昭王昭王與鄖公奔隨 服虔曰隨楚與國也 吳兵遂入郢子胥伯嚭鞭平王之尸以報父讎 索隱曰左氏無此事 十年春越聞吳王之

在郢國空乃伐吳吳使別兵擊越楚告急秦秦遣兵救楚擊吳吳師敗闔廬弟夫概見秦越交敗吳吳王留楚不去夫概亡歸吳而自立為吳王闔廬聞之乃引兵歸攻夫概夫概敗奔楚楚昭王乃得以九月復入郢而封夫概於堂谿為堂谿氏司馬彪曰汝南吳房有堂谿亭○正義曰括地志云豫州吳房縣在州西北九十里應劭云吳王闔閭弟夫槩奔楚封之於堂谿氏本房子國以封吳故曰吳房十一年吳王使太子夫差伐楚取番楚恐而去郢徙鄀服虔曰鄀楚邑○索隱曰定六年左傳四月己丑吳太子終纍敗楚舟師杜預曰闔廬子夫差兄此以為夫差當謂名異而一人耳左傳又曰獲潘子臣小惟子及大夫七人楚於是乎遷郢於鄀此言番番音潘楚邑名子臣即其邑之大夫也十五年孔子相

吳王病傷死文　材

敗本十

贊。索隱曰：定十年左傳曰夏公會齊侯于祝其，實夾谷，孔丘相，犂彌言於齊侯曰孔丘知禮而無勇是也。杜預以爲相會儀也，而史遷孔子系家云攝行相事，按左氏孔丘以公退，曰士兵之，又使茲無還揖對，蓋是攝國相也。十九年夏，吳伐越，越王句踐迎擊之檇李。賈逵曰：檇李，越地。杜預曰：吳郡嘉興縣南有醉李城也。檇音醉。越使死士挑戰，徐廣曰：一作宣。越世家亦然。或者以爲人名氏乎？駰案：賈逵曰死士，死罪人也。鄭衆曰死士，欲以死報恩者也。杜預曰敢死之士也。○正義曰：挑音田鳥反。三行，造吳師，呼，自剄。左傳曰使罪人三行屬劍於頸。○正義曰：行胡郎反。造千到反。呼火故反。剄堅鼎反。吳師觀之，越因伐吳，敗之姑蘇，越絕書曰闔廬起姑蘇臺，三年聚材，五年乃成，高見三百里。○索隱曰：姑蘇，臺名，在吳縣西三十里。傷吳王闔廬指，軍卻七里。吳王病傷而死。索隱曰：左傳云定十四年越子大敗之，靈姑浮以戈擊闔廬，闔廬傷將指，取其一屨，還卒於陘，去檇李七里。此云軍卻之檇李，或云敗之姑蘇，自爲疏謬。杜預檇李在嘉興縣南，當云姑浮越大謂曰爾而忘句踐殺汝父乎對曰不敢三年乃報越越絶書曰闔廬冢在吳縣昌門外名曰虎丘下池廣六十步水深一丈五尺桐棺三重澒池六尺玉鳧之流扁諸之劍三千方員之口三千槃郢魚腸之劍在焉卒十餘萬人治之取土臨湖葬之三日白虎居其上故號曰虎丘索隱曰此以爲闔廬謂夫差夫差對闔廬若左氏傳則云對曰者夫差對所使之人也澒音胡貢反以水銀爲池王夫差元年越絶書曰太伯到夫差二十六代且千歲○索隱曰按太伯至壽夢十九代諸樊已下六王唯二十五年以大夫伯嚭爲太宰索隱曰左傳定四年伯嚭爲太宰當闔廬九年非夫差代也習戰射常以報越爲志二年吳王悉精兵以伐越敗之夫椒賈逵曰夫椒越地杜預曰太湖中椒山也○索隱曰賈逵云越地蓋近得之然其地闕不知所在杜預以爲太湖中椒山非戰所夫椒與椒山不得爲一且夫差以報越爲志又伐越當至越地何乃不離吳境近在太湖中文按越語云敗五湖也報姑

吳太伯世家　十五

越絶云闔閭冢在吳縣昌门外名白虎丘下池廣六十步水深丈五尺赤銅槨三重澒池六尺玉鳧之流扁諸劍三千方圓之口三千盤郢魚腸之劍在焉卒十餘万人築治之取土臨湖葬之三日白虎居上故曰虎丘也又云越王句踐令歐冶子作劍值……就之山出若耶之谿涸而出銅遣劍五枚大形一曰純鈞二曰湛盧三曰鏌邪四曰魚腸五曰巨闕吳王闔閭得其鏌邪魚腸湛盧闔閭無道女死殺生以送湛盧劍如楚昭王臥而寤得吳王湛盧之劍也

正義曰澒音頏鄭玄云水銀謂之澒也

敗也越王句踐乃以甲兵五千人棲於會稽賈逵曰會稽山名。索隱曰鳥所止宿曰棲越為吳敗依山林故以鳥棲為喻左傳作保國語作棲使大夫種因吳太宰嚭而行成服虔曰行成求成也。索隱曰大夫官也種名也吳越春秋以為種姓文而劉氏云姓大夫非也。正義曰國語云越飾美女八人納太宰嚭曰子苟然放越之罪請委國為臣妾吳王將許之伍子胥諫曰昔有過氏殺斟灌以伐斟尋賈逵曰過國名也斟灌斟尋夏同姓也夏后相依斟灌而國故曰殺夏后相也。索隱曰過音戈寒浞之子澆所封國也猗姓國晉地道記曰東萊掖縣有過鄉北有過城是古之過國者也斟灌斟尋夏同姓[illegible]氏據系本而知也按地理志北海壽光縣應劭曰古斟灌禹後今灌亭是也又平壽縣云故斟尋禹後今斟城是也斟尋與斟同滅夏后帝相服虔曰夏后相啓之孫帝相之妃后緡方娠賈逵曰緡有仍之姓也[illegible]逃於有仍賈逵曰有仍國名后緡之家而生少

正義曰括地志云宋州虞城縣本虞國舜後所封之邑也左傳云伍員曰昔少康奔有虞虞思妻之以二姚杜預云虞思虞君也姚虞姓也

師古曰能讀曰耐

少康為有仍牧正賈逵曰牧正牧官之長也有過又
欲殺少康少康奔有虞賈逵曰有虞帝舜之後杜預曰梁國虞縣有虞
思夏德於是妻之以二女而邑之於綸賈逵曰綸虞邑有
田一成有眾一旅賈逵曰方十里為成五百人為旅後遂收夏眾撫
其官職服虔曰因此基業稍收取夏遺民餘衆撫修夏之故官憲典使人誘之遂滅
有過氏索隱曰傳云使汝艾諜澆誘猶遂滅過氏杜預曰諜候也復禹之績祀夏
配天服虔曰以鯀配天也不失舊物賈逵曰物職也杜預曰物事也今吳不如
有過之彊而句踐大於少康今不因此而滅之
又將寬之不亦難乎且句踐為人能辛苦今不
滅後必悔之吳王不聽聽太宰嚭卒許越平與

吳太伯世家　十六

在本作猶

盟而罷兵去。七年，吳王夫差聞齊景公死而大臣爭寵，新君弱，乃興師北伐齊。子胥諫曰：越王句踐食不重味，衣不重采，弔死問疾，且欲有所用其眾。此人不死，必為吳患。今越在腹心疾，而王不先而務齊，不亦謬乎。吳王不聽，遂北伐齊，敗齊師於艾陵。杜預曰：艾陵，齊地。○索隱曰：此之七年，魯哀公六年也。左氏此年無伐齊事，哀公十一年有敗齊師于艾陵。至繒，杜預曰：琅邪繒縣。召魯哀公而徵百牢。季康子使子貢以周禮說太宰嚭，乃得止。賈逵曰：周禮，王合諸侯享禮十有二牢，上公九牢，侯伯七牢，子男五牢。○索隱曰：事在哀七年。蓋八年不應上連七年。按左傳曰：子服景伯對不聽，[illegible]謂季康子使子貢[illegible]說得不用百牢。[illegible]康子乃使子貢[illegible]辭。因留略地

騶 刋云[illegible]誅邾
吉曰邾國之邾曰
六誅

句踐朝吳文

十四

正義曰杜預云顛越不供從橫不承命者也

譙周云屬其子於鮑氏以為王孫氏

[illegible]與魯盟乃去。索隱曰左傳騶作邾，杜預註左傳亦曰邾今魯國騶縣是也。騶邾聲相近自亂耳，騶宜音邾。十年，因伐齊而歸。十一年，復北伐齊。越王句踐率其眾以朝吳，厚獻遺之，吳王喜。唯子胥懼，曰：「是棄吳也。」索隱曰左氏作豢，吳豢養也。諫曰：「越在腹心，今得志於齊，猶石田，無所用。王肅曰石田不可耕。且盤庚之誥有顛越勿遺，服虔曰顛隕也，越墜也，顛越無道則割絕無遺也。○索隱曰左傳曰其顛越不共則劓殄無遺育，無俾易種于茲邑，是商所以興也。今君易之，此即艾陵戰時也。商之以興。」徐廣曰一本作盤庚之誥有顛之越之，商之以興。子胥傳誥曰有顛越，商之興。吳王不聽，使子胥於齊，子胥屬其子於齊鮑氏，服虔曰鮑氏齊大夫。○索隱曰左傳直云使於齊，杜預云私使人至齊國屬其子，按左氏又曰反役王聞

吳太伯世家　十七

天
本ナ

吳王賜子胥屬鏤之

正義曰言吳必滅之梓木耐濕故以為棺故樹

子胥抉眼

之明非子胥自使也還報吳王吳王聞之大怒賜子胥屬鏤之劍以死服虔曰屬鏤劍名賜使自刎○索隱曰劍名見越絕書○正義曰屬音燭鏤音力于反將死曰樹吾墓上以梓令可為器索隱曰傳云樹吾墓檟檟可材也吳其亡乎梓檟相類因變文爾抉吾眼置之吳東門以觀越寇之入滅吳也索隱曰抉烏穴反此國語文彼以抉為辟又云以手抉之王慍曰孤不使大夫得有見乃盛以鴟夷投之江也○正義曰吳俗傳云子胥亡後越從松江北開渠至橫山東北築城伐吳子胥乃與越軍夢令從東南入破吳越王即移向三江口岸立壇殺白馬祭子胥杯動酒盡越乃開渠子胥作濤盪羅城東開入滅吳至今猶號曰示浦門曰鱔鮍是從東門入滅吳也齊鮑氏弒齊悼公吳王聞之哭於軍門外三日服虔曰諸侯相臨之禮○索隱曰悼公名陽生左傳哀十年曰吳伐齊南鄙齊人殺悼公不言鮑氏又鮑牧以哀八年為悼公所殺今言鮑氏蓋其宗黨爾且此伐在哀十年戰之明年今記[illegible]也乃從海

橐 六軟
正義曰音柘

戊作丙師說令
用丙

[illegible]齊人敗吳王夫差乃引兵歸十三年
吳召魯衛之君會於橐皋 服虔曰橐皋地名也杜預曰在淮南逡遒縣東南
索隱曰哀十二年左傳曰公會吳于橐皋衛侯會吳于鄖此并言會衛橐皋者據左傳吳徵會于衛初衛殺吳行人懼謀於子羽子羽曰不如止也子木曰往也衛侯本不欲赴會故魯以夏會衛及秋乃會之鄖所以太史公言其召魯衛會於橐皋也鄖發陽也廣陵海陵縣東南有發繇口橐皋縣名在壽春橐音吐各反皋音姑逡音七巡反遒音才酋反 十
四年春吳王北會諸侯於黃池 杜預曰陳留封丘縣南有黃亭近濟水
欲霸中國以全周室六月戊子越王句踐伐
吳乙酉越五千人與吳戰丙戌虜吳太子友丁
亥入吳吳人告敗於王夫差夫差惡其聞也 索隱曰惡其聞諸侯
或泄其語吳王怒斬七人於幕下 服虔曰以絕口 七

正義曰國語云晉責吳曰夫周室命圭有命曰吳伯不曰吳王諸侯是以敢辭夫諸侯無二君而有二王君無卑天子以不干而曰吳公孤敢不順從君命吳王許諾公先歃晉侯亞之

月辛丑吳王與晉定公爭長吳王曰於周室我爲長杜預曰吳爲太伯後故爲長晉定公曰於姬姓我爲伯杜預曰爲侯伯趙鞅怒將伐吳乃長晉定公徐廣曰黃池之盟吳先歃晉次之與外傳同駰案賈逵曰外傳曰吳先歃晉亞之先敘晉晉有信又所以外吳○索隱曰此依左傳文按左傳趙鞅呼司馬寅曰日旰矣大事未成二臣之罪也建鼓整列二臣死之長幼必可知也是趙鞅怒司馬寅對曰請姑視之反曰肉食者無墨今吳王有墨國其勝乎杜預曰墨氣色下也國爲敵所勝也又曰太子死乎且夷德輕不忍久請少待之乃先晉人是也徐賈所云據國語不與左傳合非也左氏魯史之代晉楚爲會先書晉晉有信又外傳即國語也書有二名也外吳也狄吳夷賤之不許同中國故言外吳王已盟與晉別欲伐宋太宰嚭曰可勝而不能居也乃引兵歸國國亡太子內空王居外久士皆罷敝於是乃使厚幣以與越

代或作伐

昆祭反

敝本作幣

其君

笠澤 正義曰笠澤江松江之別名也在蘇州南三十五里

王十五年齊田常殺簡公十八年越益彊越王句踐率兵復伐敗吳師於笠澤楚滅陳二十年越王句踐復伐吳索隱曰哀十九年左氏曰越人侵楚以誤吳也杜預曰誤吳使不為備也無伐吳之事也二十一年遂圍吳二十三年十一月丁卯越敗吳越王句踐欲遷吳王夫差於甬東賈逵曰甬東越東鄙甬江東也韋昭曰句章東海口外洲也。索隱曰國語曰甬句東越地會稽句章縣東海中州也按今鄮縣是其處予百家居之吳王曰孤老矣不能事君王也吾悔不用子胥之言自令陷此遂自剄死越絕書曰夫差冢在猶亭西卑猶之位越王侯干戈人一累土以葬之近太湖去縣五十七里。索隱曰左傳云乃縊越人以歸猶卑亭名卑猶位三字共為地名吳地記曰徐枕山一名卑猶山是也累音路禾反亦作蘽以盛土也越王

壘 正義曰力和反

吳太伯世家 十九

周学紀周十一越王滅吳誅太宰嚭通鑑外紀曰左傳哀二十四年閏月哀公如越季孫懼使因太宰嚭而納賂焉正義在吳亡後二年也嚭入越亦用事安得吳亡即誅哉

正義曰綖綖去其讓之跡詭權反常之時莫知然無以稱可謂至德也已范甯云其德弘遠故曰至也

古

滅吳誅太宰嚭以爲不忠而歸

太史公曰孔子言太伯可謂至德矣三以天下讓民無得而稱焉王肅曰太伯弟季歷賢又生聖子昌昌必有天下故太伯以天下三讓於王季其讓隱故無得而稱言之者所以爲至德也余讀春秋古文乃知中國之虞與荊蠻句吳兄弟也延陵季子之仁心慕義無窮見微而知清濁嗚呼又何其閎覽博物君子也皇覽曰延陵季子冢在毗陵縣暨陽鄉至今吏民皆祀事

索隱述贊曰

大伯作吳　高讓雄圖　周章受國

別封於虞　壽夢初霸　始用兵車

三子遞立　延陵不居　光既篡位

是稱闔閭　王僚見殺　賊由專諸

夫差輕越　取敗姑蘇　甬東之恥

空慙伍胥

史叁阡捌伯單柒字

註捌阡零柒拾陸字

吳太伯世家第一　史記三十一

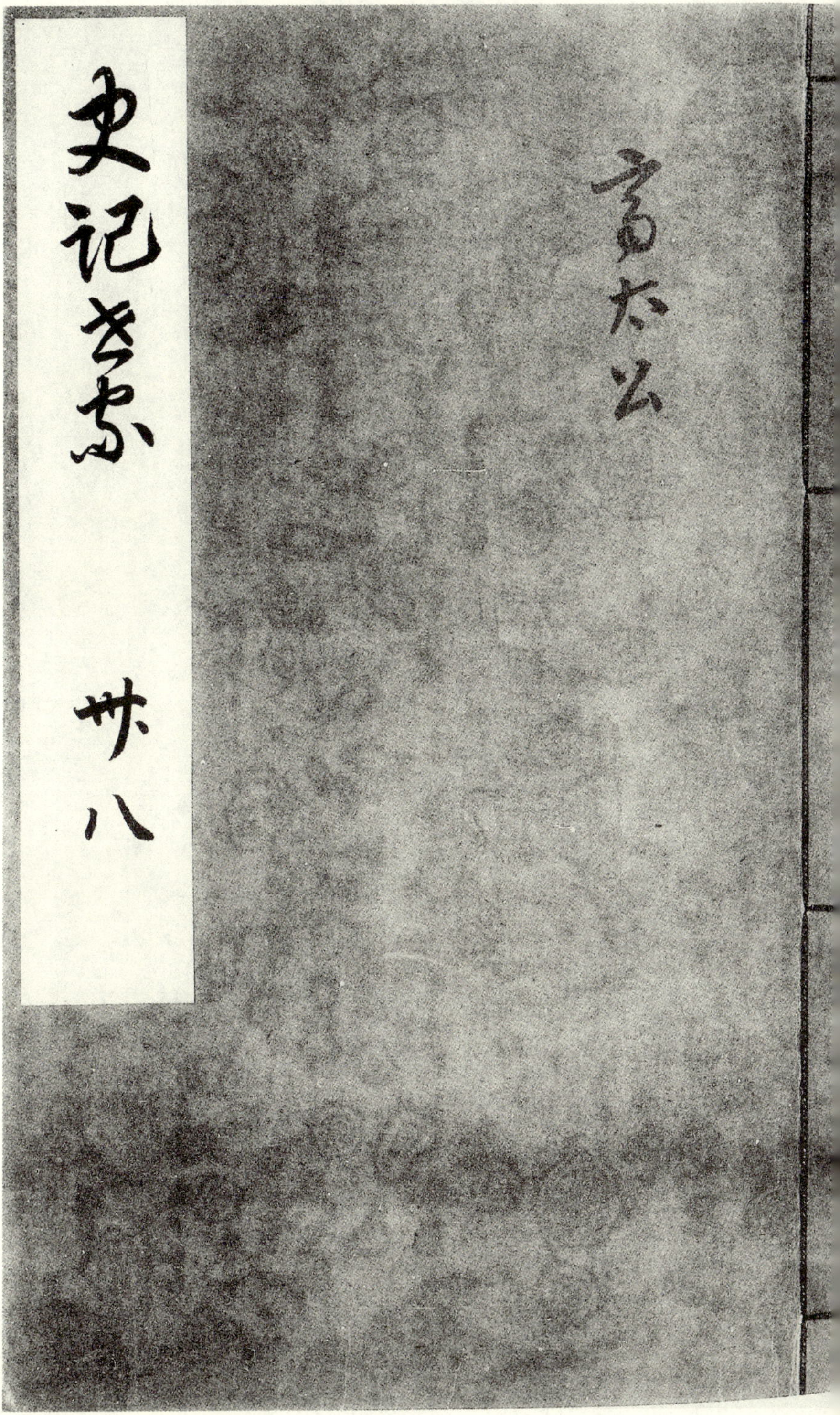
史記考要
卅八

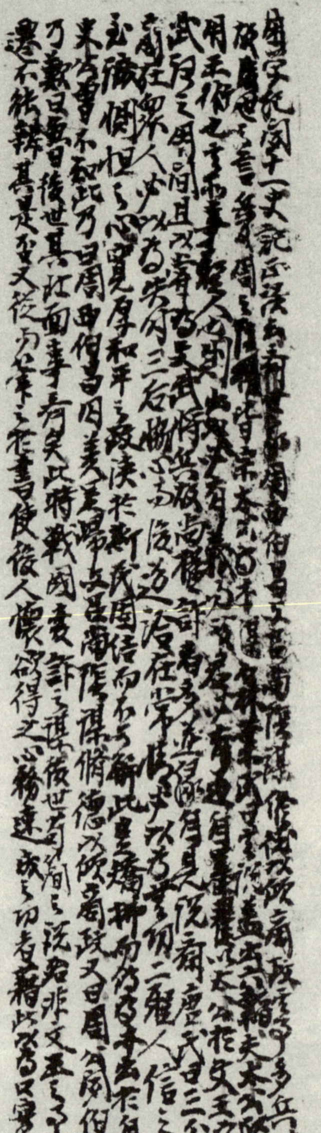

正義曰按密州海鹽縣有太公宅及廟其縣臨海故言東海

正義曰周平王母申后之家也

齊太公世家第二　史記三十二

太公望呂尚者東海上人正義曰括地志云天齊池在青州臨淄縣東南十五里封禪書云齊之所以為齊者以天齊呂氏春秋曰東夷之士。索隱曰譙周曰姓姜名牙炎帝之裔伯夷之後掌四岳有功封之於呂子孫從其封姓尚其後也按後文王得之渭濱云吾先君太公望子久矣故號太公望蓋牙是字尚是其名後武王號為師尚父則尚父官名其先祖嘗為四嶽佐禹平水土甚有功虞夏之際封於呂徐廣曰呂在南陽宛縣西或封於申姓姜氏索隱曰地理志申在南陽宛縣申伯之國呂亦在宛縣之西也夏商之時申呂或封枝庶子孫或為庶人尚其後苗裔也本姓姜氏從其封姓故曰呂尚呂尚蓋嘗窮困年老矣索隱曰譙周曰呂望嘗屠牛於朝歌賣飲於孟津以漁釣奸周西伯正義曰：音辛。括地志云：茲泉水源出岐州岐山縣西南凡谷。呂氏春秋云：太公釣於茲泉，遇文王。酈元云：磻溪中有泉，謂之茲泉。泉水積為潭，即太公釣處，今人謂之凡谷。有石壁深高，幽篁邃密，林澤秀阻。水次盤石釣處，即太公垂釣之所。其投竿跪餌，兩膝遺跡猶存，是有磻溪之稱也。其水清泠神異，北流十二里注于渭。說苑云：呂望年七十釣于渭渚，三日三夜魚無食者，望即忿，脫其衣冠。上有農人者，古之異人，謂望曰：子姑復釣，必細其綸，芳其餌，徐徐而投，無令魚駭。望如其言，初下得鮒，次得鯉，刺魚腹得書，書文曰：呂望封於齊。望知其異。西伯將出獵，卜之，曰所獲非龍非彲徐廣曰：勑知反。○索隱曰：餘本亦作螭字。非虎非羆，所獲霸王之輔。於是周西伯獵，果遇太公於渭之陽，與語大說，曰：自吾先君太公曰當有聖人適周，周以興。子真是邪？吾太公望子久矣。故號之曰太公望，載與俱歸，立為師。或

西伯獵卜

葛常之龍韜偏秋第八云西伯出獵卜之曰所獲非龍非彲非虎非羆所獲霸王之輔於是果遇太公於渭陽載與歸此司馬遷之說也文王至磻溪見呂尚釣之得玉璜刻曰姬受命呂佐檢德合于今昌來提此尚書大傳之說也太公釣於滋泉文王得而王此呂不韋之說也呂望年七十釣於渭渚初下得鮒次得鯉刺腹得書書文曰呂望封齊此劉向之說也太公避紂居東海之濱聞文王作興曰盍歸乎來由文王至孔子五百餘歲若太公望則見而知之此孟子之說也是數說者言天產英賢與國家之佐命者之有機也而司馬遷乃據武者之論謂西伯拘羑里散宜生閎夭招呂尚求美女奇物獻於紂以贖西伯之二說既然三人有陰謀修德以傾商政此豈所以待太公也哉政陽詹云論兵者商周陰謀傳與周道屬語亦道時何異斯川老余比郵宜春於壽星道中見磻溪间遇一詩云漁翁何事亦從戎變化神奇抵掌中莫道直鉤無所取渭川下釣得三公一以傾商政一以為周三公皆非釣渭濱之者也

齊太公世家

曰太公博聞嘗事紂紂無道去之游說諸侯無所遇而卒西歸周西伯或曰呂尚處士隱海濱周西伯拘羑里散宜生閎夭素知而招呂尚呂尚亦曰吾聞西伯賢又善養老盍往焉三人者為西伯求美女奇物獻之於紂以贖西伯西伯得以出反國言呂尚所以事周雖異然要之為文武師周西伯昌之脫羑里歸與呂尚陰謀脩德以傾商政其事多兵權與奇計正義曰六韜云武王問太公曰律之音聲可以知三軍之消息乎太公曰深哉王之問也夫律管十二其要有五宮商角徵羽此其正聲也萬代不易五行之神道之常也可以知敵金木水火土各以其勝攻之其法以天清淨無陰雲風雨夜半遣輕騎往至敵人之壘去九百

賀家說命曰絶句
菅家說命絶句
周本紀云伐崇侯虎而作豐邑是也
大公謀計居多 師說居多猶多 居之語助
決云雉六兕文蒼兕取其猛也

[illegible]偏持律管[illegible]橫[illegible]大呼驚之[illegible]聲應管其來[illegible]當以白虎[illegible]聲應當以玄武商聲應當以句陳五管盡不應無有商聲當以青[illegible]五行之府佐勝之徵陰敗之機也故後世之言兵及周之陰權皆宗太公為本謀周西伯政平及斷虞芮之訟而詩人稱西伯受命曰文王伐崇密須犬夷素隱曰郡國志密須在東郡廩丘縣北今曰頓城密須姞姓在河南密縣東故密城是也與安定姬姓密國名各不同大作豐邑天下三分其二歸周者太公之謀計居多文王崩武王即位九年欲修文王業東伐以觀諸侯集否師行師尚父劉向別錄曰師之尚之父之故曰師尚父父亦男子之美號也左杖黃鉞右把白旄以誓曰蒼兕蒼兕索隱曰本或作蒼雉按馬融曰蒼兕主舟楫官名又王充云蒼兕水獸九頭今誓眾令急濟故言蒼兕以

齊太公世家

声敎 正義作斉

懼之然此文上下並今文太誓搃爾衆庶與爾舟楫後至者斬遂至盟津諸侯不期而會者八百諸侯諸侯皆曰紂可伐也武王曰未可還師與太公作此太誓居二年紂殺王子比干囚箕子武王將伐紂卜龜兆不吉風雨暴至羣公盡懼唯太公彊之勸武王武王於是遂行十一年（徐廣曰一作十三年）正月甲子誓於牧野伐商紂紂師敗績紂反走登鹿臺遂追斬紂明日武王立于社羣公奉明水（索隱曰周本紀毛叔鄭奉明水也）衛康叔封布采席（索隱曰周本紀衛康叔封布茲茲是席故此亦云綵席也）師尚父牽牲史佚策祝以告神討紂之罪散鹿

正義曰水經注云臨淄城中有丘淄水出其前經其左故有營丘之名

臺之錢散鉅橋之粟以振貧民封比干墓釋箕子囚遷九鼎脩周政與天下更始師尚父謀居多於是武王已平商而王天下封師尚父於齊營丘正義曰括地志云營丘在青州臨淄北百步外城中東就國道宿行遲逆旅之人曰吾聞時難得而易失客寢甚安殆非就國者也太公聞之夜衣而行犂明至國索隱曰犂里奚反犂猶比也又犂猶遲也萊侯來伐與之爭營丘營丘邊萊萊人夷也會紂之亂而周初定未能集遠方是以與太公爭國太公至國脩政因其俗簡其禮通商工之業便魚鹽之利而人民多歸齊齊爲大

集注七十[illegible]東方曰夷備客雖云太公體行仁義七十有二李善曰說苑鄒子說梁王曰太公年七十而相周九十而封齊 錢曰尉繚子曰年七十鼓刀於朝歌云云文王待而用之楚辭云太公九十乃顯文[illegible]即所封營丘地也

國及周成王少時管蔡作亂淮夷正義曰孔安國云淮浦之夷徐州之戎畔周乃使召康公服虔曰召公奭命太公曰東至海西至河南至穆陵北至無棣服虔曰是皆太公始受封土地疆境所至也○索隱曰舊說云穆陵在會稽非也按今淮南有故穆陵門是楚之境無棣在遼西孤竹服虔以為太公受封境界所至不然也蓋言其征伐所至之域五侯九伯實得征之杜預曰五等諸侯九州之伯皆得征討其罪齊由此得征伐為大國都營丘蓋太公之卒百有餘年禮記曰太公封於營丘比及五世皆反葬於周鄭玄曰太公受封留為太師死葬於周五世之後乃葬齊皇覽曰呂尚冢在臨菑縣城南去縣十里子丁公呂伋立徐廣曰一作及○正義曰謚法述義不克曰丁丁公卒子乙公得立乙公卒子癸公慈母立索隱曰系本作[illegible]癸公卒子哀公不辰

立。索隱曰：系本作不臣，譙周亦作不辰。宋衷曰：哀公荒淫田游，史作還詩以刺之也。哀公時，紀侯譖之周，周烹哀公，徐廣曰：周夷王。而立其弟靜，是為胡公。正義曰：謚法彌年壽考曰胡。胡公徙都薄姑，正義曰：括地志云：薄姑城在青州博昌縣東北六十里。而當周夷王之時。哀公之同母少弟山怨胡公，乃與其黨率營丘人襲攻殺胡公而自立，是為獻公。索隱曰：宋衷云其黨周馬繻人將胡公於貝水殺之，而山自立也。獻公元年，盡逐胡公子，因徙薄姑都，治臨菑。九年，獻公卒，子武公壽立。武公九年，周厲王出奔，居彘。正義曰：直厲反。括地志云：晉州霍邑縣也。鄭玄云：霍山在彘，本秦時霍伯國。十年，王室亂，大臣行政，號曰共和。二十四年，周宣王初立。二十六年，

齊太公世家

又作蒲

武公卒子厲公無忌立厲公暴虐故胡公子復入齊齊人欲立之乃與攻殺厲公胡公子亦戰死齊人乃立厲公子赤為君是為文公而誅殺厲公者七十人文公十二年卒子成公脫立索隱曰系本及譙周皆作說字成公九年卒子莊公購立索隱曰劉氏音神欲反系家及系本並作贖又上成公脫年表作說也莊公二十四年犬戎殺幽王周東徙雒秦始列為諸侯五十六年晉弒其君昭侯六十四年莊公卒子釐公祿甫立釐公九年魯隱公初立十九年魯桓公弒其兄隱公而自立為君二十五年北戎伐齊鄭使太子忽來

救齊齊欲妻之忽曰鄭小齊大非我敵遂辭之
三十二年釐公同母弟夷仲年死其子曰公孫
無知釐公愛之令其秩服奉養比太子三十三
年釐公卒太子諸兒立是為襄公襄公元年始
為太子時嘗與無知鬬及立絀無知秩服無知
怨四年魯桓公與夫人如齊齊襄公故嘗私通
魯夫人魯夫人者襄公女弟也自釐公時嫁為
魯桓公婦及桓公來而襄公復通焉魯桓公知
之怒夫人夫人以告齊襄公齊襄公與魯君飲
醉之使力士彭生抱上魯君車因拉殺魯桓公

兒五雞反

幹 正義曰幹
脅也
正義曰括地志云
故劇城在青
州壽光縣南
三十一里故紀国
城也帝王世紀云
周之紀國姜
姓也紀侯譖齊
哀公於周譖烹
之外傳云紀
侯入為周卿士
竹書云齊襄公
滅紀遷紀云

公羊傳曰搚幹而殺之何休曰搚折聲也○正義曰拉音力合反桓公下車則死矣魯人以為讓索隱曰讓責也而齊襄公殺彭生以謝魯八年伐紀紀遷去其邑徐廣曰年表云夫人其都邑○索隱曰春秋莊四年紀侯大去其國左氏云違齊難也十二年初襄公使連稱管至父戍葵丘徐廣曰連稱管至父皆齊大夫○索隱曰杜預云臨淄西有地名葵丘又下三十五年會諸侯於葵丘當魯僖公九年杜預曰陳留外黃縣東有葵丘不同者蓋葵丘有兩處杜意以戍葵丘當不遠出齊境故引臨淄縣西之葵丘若三十五年會諸侯於葵丘杜又以不合在本國故引外黃東葵丘為注所以不同也瓜時而往及瓜而代服虔曰瓜時七月及瓜謂後年瓜時往戍一歲卒瓜時而公弗為發代或為請代公弗許故此二人怒因公孫無知謀作亂連稱有從妹在公宮無寵服虔曰為妾在宮也使之

[illegible]以女爲無知夫人冬十

女本作汝

二月襄公游姑棼（[illegible]曰齊地也。正義棼音扶云反）遂獵沛丘（杜預曰樂安博昌縣南有地名貝丘。正義曰左傳云齊襄公田于貝丘墜車傷足即此也）見彘從者曰彭生（服虔曰公見彘從者乃見彭生鬼改形爲豕也）公怒射之彘人立而啼公懼墜車傷足失屨反而鞭主屨者茀三百茀（正義曰非佛反下同茀主屨者也）出宮而無知連稱管至父等聞公傷乃遂率其衆襲宮逢主屨茀茀曰且無入驚宮驚宮未易入也無知弗信茀示之創（正義音瘡）乃信之待宮外令茀先入茀先入即匿襄公戶閒良久無知等恐遂入宮茀反與宮中及公之幸

正義曰按林廩今語輕重隨音改異也蓋雍林地名也

臣攻無知等不勝皆死無知入宮求公不得或見人足於戶間發視乃襄公遂弒之而無知自立爲齊君桓公元年春齊君無知游於雍林賈逵曰渠丘大夫也○索隱曰本亦作雍廩左傳曰雍廩殺無知杜預曰雍廩齊大夫此云游雍林雍林人嘗有怨無知遂襲殺之蓋以雍林爲邑名其地有人殺無知兼言渠丘大夫者蓋雍林爲渠丘大夫也雍林人嘗有怨無知及其往游雍林人襲殺無知告齊大夫曰無知弒襄公自立臣謹行誅唯大夫更立公子之當立者唯命是聽初襄公之醉殺魯桓公通其夫人殺誅數不當淫於婦人數欺大臣羣弟恐禍及故次弟糾奔魯其母魯女也管仲召

七

怨。傳之次弟小白奔莒。鮑叔傅之。小白母衛女
也。有寵於釐公。小白自少好善大夫高傒。賈逵曰齊正卿高敬仲也。正義傒音奚。及雍林人殺無知議立君。高國先
陰召小白於莒。魯聞無知死。亦發兵送公子糾。
而使管仲別將兵遮莒道。射中小白帶鉤。小白
佯死。管仲使人馳報魯。魯送糾者行益遲。[illegible]魯。六日
至齊。則小白已入。高傒立之。是爲桓公。桓公之
中鉤。佯死以誤管仲。已而載溫車中馳行。亦有
高國內應。故得先入立。發兵距魯。秋與魯戰于
乾時。杜預曰乾時齊地也時水在樂安界岐流旱則涸竭故曰乾時。魯兵敗走。齊兵

古

掩絕魯歸道齊遺魯書曰子糾兄弟弗忍誅請魯自殺之召忽管仲讎也請得而甘心醢之不然將圍魯魯人患之遂殺子糾于笙瀆賈逵曰魯地句瀆也○索隱曰按鄒誕生本作莘瀆莘笙聲相近笙如字瀆音豆論語作溝瀆蓋後代聲轉而字異故諸文不同也召忽自殺管仲請囚桓公之立發兵攻魯心欲殺管仲鮑叔牙曰臣幸得從君君竟以立君之尊臣無以增君君將治齊即高傒與叔牙足也君且欲霸王非管夷吾不可夷吾所居國國重不可失也於是桓公從之乃詳為召管仲欲甘心實欲用之管仲知之故請往鮑叔牙迎受管仲及

實

師或作帥

蛇丘 正義曰蛇音移

[illegible]堂阜[illegible]杜預曰堂阜[illegible]縣西北有夷吾亭或曰鮑叔解夷吾縛於此因以為名也[illegible]而見桓公桓公厚禮以為大夫任政桓公既得管仲與鮑叔隰朋徐廣曰或作崩也高傒脩齊國政連五家之兵國語曰管子制國五家為軌十軌為里四里為連十連為鄉以為軍令設輕重魚鹽之利索隱曰管子有理人輕重之法七篇輕重錢也又有捕魚煮鹽法以贍貧窮祿賢能齊人皆說二年伐滅郯徐廣曰一作譚。索隱曰春秋魯莊十年齊師滅譚是也杜預云譚國在濟南平陵縣西南然此郯乃東海郯縣蓋亦不當作譚字也郯子奔莒初桓公亡時過郯郯無禮故伐之五年伐魯魯將師敗魯莊公請獻遂邑以平杜預曰遂在濟北蛇丘縣東北桓公許與魯會柯而盟杜預曰此柯今濟北東阿

通鑑綱目第一集覽匕首刃向張堯曰尺八短劍也其頭類匕故名匕首孔父官瓶氏爲劍注匕首長二尺重三斤一兩三分兩之一

古

齊之阿邑猶祝柯今爲祝阿魯將明曹沫以匕首劫桓公於壇上何休曰土基三尺階三等曰壇其會必有壇者爲升降揖讓稱先君以相接也曰反魯之侵地桓公許之已而曹沫去匕首北面就臣位桓公後悔欲無與魯地而殺曹沫管仲曰夫劫許之而倍信殺之徐廣曰一云已許之而背信殺劫也愈一小快耳而棄信於諸侯失天下之援不可於是遂與曹沫三敗所亡地於魯諸侯聞之皆信齊而欲附焉七年諸侯會桓公於甄杜預曰甄衛地今東郡甄城也而桓公於是始霸焉十四年陳厲公子完正義音桓號敬仲來奔齊齊桓公欲以爲卿讓於是以爲工正賈逵曰掌百工田成

甄正義曰作鄄括地志云濮州鄄城縣是也

沫莫葛反

于宮之祖也二十三年山戎伐燕服虔曰山戎北狄蓋今鮮卑也何休曰山戎者戎中之別名也燕告急於齊齊桓公救燕遂伐山戎至于孤竹而還燕莊公遂送桓公入齊境桓公曰非天子諸侯相送不出境吾不可以無禮於燕於是分溝割燕君所至與燕命燕君復脩召公之政納貢于周如成康之時諸侯聞之皆從齊二十七年魯湣公母曰哀姜桓公女弟也哀姜淫於魯公子慶父慶父弒湣公哀姜欲立慶父魯人更立釐公徐廣曰史記僖字皆作釐桓公召哀姜殺之二十八年衛文公有狄亂告急於齊齊率諸侯

杜預曰包裹也
束也束〻茅而
灌之以縮酒

城楚丘而立衛君（賈逵曰衛地也○索隱曰杜預曰不言城衛衛未遷楚丘武城縣南即今之衛南縣是也）二十九年桓公與夫人蔡姬戲船中蔡姬習水蕩公（賈逵曰蕩搖也）公懼止之不止出船怒歸蔡姬弗絕蔡亦怒嫁其女桓公聞而怒興師往伐三十年春齊桓公率諸侯伐蔡蔡潰（服虔曰民逃其上曰潰也）遂伐楚楚成王興師問曰何故涉吾地管仲對曰昔召康公命我先君太公曰五侯九伯若實征之以夾輔周室（左傳曰周公太公股肱周室夾輔成王也）賜我先君履（杜預曰所踐履之界）東至海西至河南至穆陵北至無棣楚貢包茅不入王祭不具（賈逵曰包茅菁茅包匭之也以供[illegible]）

正義曰按楚鬻熊當周文王師至于文武以勤勞之後嗣而封熊繹於楚蠻封以子男之田處丹陽在荊州枝江縣界有枝江故城是故云漢涕楚境

正義曰左傳云齊桓公師諸侯師盟於召陵齊太公世家是也

爲異未審是以來責昭王南征不復是以來問服虔曰周昭王南巡狩涉漢未濟船解而溺昭王王室諱之不以赴諸侯故不知其故故桓公以爲辭責問楚也○索隱曰宋衷云昭王南伐楚辛由靡爲右涉漢中流而隕由靡逐王遂卒不復周乃侯其後于西翟楚王曰貢之不入有之寡人罪也敢不共乎昭王之出不復君其問之水濱杜預曰昭王時漢非楚境故不受罪齊師進次于陘杜預曰陘楚地潁川召陵縣南有陘亭左傳曰凡師一宿爲舍再宿爲信過信爲次夏楚王使屈完將兵扞齊齊師退次召陵杜預曰召陵潁川縣桓公矜屈完以其衆屈完曰君以道則可若不則楚方城以爲城服虔曰方城山在漢南韋昭曰方城楚北之阸塞杜預曰方城山在南陽葉縣南是也○索隱曰地理志葉縣南有長城號曰方城則杜預韋昭說爲得而服氏云在漢南未知有何依據江漢以爲溝君安

供本作

然

左傳僖九年齊桓公會諸侯于葵丘即此也

能進乎乃與屈完盟而去過陳陳袁濤塗詐齊令出東方覺秋齊伐陳左傳曰討不忠也是歲晉殺太子申生三十五年夏會諸侯于葵丘杜預曰陳留外黃縣東有葵丘周襄王使宰孔賜桓公文武胙彤弓矢大路也賈逵曰大路諸侯朝服之車謂之金路命無拜桓公欲許之管仲曰不可乃下拜受賜韋昭曰下堂拜賜也秋復會諸侯於葵丘益有驕色周使宰孔會諸侯頗有叛者公羊傳曰葵丘之會桓公震而矜之叛者九國晉侯病後遇宰孔宰孔曰齊侯驕矣弟無行從之是歲晉獻公卒里克殺奚齊卓子徐廣曰史記[illegible]秦穆公以夫人入公子夷吾為

正義曰[illegible]

決言岐夷狄之衆、自置疆大

熊耳山在商州上洛縣西四十里

師說曰離枝音如字後六可依貞并本注也

晉君相殺於是晉亂至高梁服虔曰晉地也杜預曰在平陽縣西南使隰朋立晉君還是時周室微唯齊楚秦晉爲彊晉初與會正義曰與音預下同獻公死國內亂秦穆公辟遠不與中國會盟楚成王初收荊蠻有之夷狄自置唯獨齊爲中國會盟而桓公能宣其德故諸侯賓會於是桓公稱曰寡人南伐至召陵望熊山北伐山戎離枝孤竹地理志曰令支縣有孤竹城疑離枝即令支也令離聲相近應劭曰令音鈴鈴離聲亦相近管子亦作離字○索隱曰離枝音零支又音令祇又如字離枝孤竹皆古國名秦以離支爲縣故地理志云遼西令支縣有孤竹城爾雅曰孤竹北戶西王母曰下謂之四荒也西伐大夏涉流沙正義曰大夏并州晉陽是也束馬懸車登太行至卑

耳

正義曰說謂陽穀之會令諸侯云無障谷無貯粟無以妾為妻天下皆從之故云匡天下

耳山正義曰卑音壁劉伯莊及韋昭並如字而還諸侯莫違寡人寡人兵車之會三正義曰左傳云會北杏以平宋亂僖四年侵蔡遂伐楚六年伐鄭圍新城也乘車之會六正義曰左傳云魯莊十四年會于鄄十五年又會鄄十六年同盟于幽僖五年會首止八年盟于洮九年會葵丘是也九合諸侯一匡天下正義曰匡正也一匡天下謂定襄王爲太子之位也昔三代受命有何以異於此乎吾欲封泰山禪梁父管仲固諫不聽乃說桓公以遠方珍怪物至乃得封桓公乃止三十八年周襄王弟帶與戎翟合謀伐周齊使管仲平戎於周周欲以上卿禮管仲管仲頓首曰臣陪臣安敢三讓乃受下卿禮以見三十九年周襄王弟帶來奔

齊使仲孫請王子帶謝襄王怒弗聽四十一
年秦穆公虜晉惠公復歸之是歲管仲隰朋皆
卒正義曰括地志云管仲冢在青州臨淄縣南二十一里牛山上與桓公冢連隰朋墓在青州臨淄縣東北七里也
管仲病桓公問曰羣臣誰可相者管仲曰知臣
莫如君公曰易牙如何正義曰即雍巫也賈逵云雍巫雍人名巫易牙也對
曰殺子以適君非人情不可公曰開方如何正義
曰管子云衛公子開方去其千乘之太子而臣事君也對曰倍親以適君非人
情難近公曰豎刀如何正義曰刀鳥條反顏師古云豎刀易牙皆齊桓公臣管仲
有病桓公往問之曰將何以教寡人管仲曰願君遠易牙豎
刀公曰易牙烹其子以快寡人尚可疑耶對曰人之情非不
愛其子也其子之忍又將何愛於君公曰豎刀自宮以近寡
人猶尚疑耶對曰人之情非不愛其身也其身之忍又將何

有於君公曰諾管仲遂盡逐之而公食不甘心不怡君三年
公曰仲父不已過乎於是皆即召反明年公有病易牙豎刁
相與作亂塞宮門築高牆不通人有一婦人踰垣入至公所
公曰我欲食婦人曰吾無所得又曰我欲飲婦人曰吾無所
得公曰何故曰易牙豎刁相與作亂塞宮門築高牆不通人
故無所得公慨然歎涕出曰嗟乎聖人所見豈不遠哉若死
者有知我將何面目見仲父乎蒙衣袂而死乎
壽宮蟲流於戶蓋以楊門之扇二月不葬也 對曰自宮
以適君非人情難親管仲死而桓公不用管仲
言卒近用三子三子專權四十二年戎伐周周
告急於齊齊令諸侯各發卒戍周是歲晉公子重
耳來桓公妻之四十三年初齊桓公之夫人三
曰王姬徐姬蔡姬皆無子 索隱曰系本徐嬴婦禮婦人稱國及姓今此言徐姬
者然姬是衆妾之總稱故漢祿秩令云姬妾數百婦人[illegible] [illegible]好內 服虔曰內

（婦官也）多內寵，如夫人者六人，長衛姬，生無詭；（索隱曰：左氏作無虧）少衛姬，生惠公元；鄭姬，生孝公昭；葛嬴，生昭公潘；密姬，生懿公商人；宋華子（賈逵曰：宋華氏之女，子姓）生公子雍。桓公與管仲屬孝公於宋襄公，以為太子。雍巫有寵於衛共姬，（賈逵曰：雍巫，雍人，名巫，易牙字。○索隱曰：賈逵以雍巫為易牙字，未知何據。按管子有棠巫，恐與雍巫是一人也）因宦者豎刀以厚獻於桓公，亦有寵，桓公許之立無詭。（杜預曰：易牙既有寵於公，為長衛姬請立）管仲卒，五公子皆求立。冬十月乙亥，齊桓公卒。易牙入，與豎刀因內寵殺群吏，（服虔曰：內寵，如夫人者六人。群吏，諸大夫也。杜預曰：內寵，內官之有權寵者）而立公子無詭為君。太子昭奔宋桓公病五公子各樹黨爭立及桓公卒遂相攻以故宮中空莫敢棺（正義音古患反）桓公尸在牀上六十七日尸蟲出于戶十二月乙亥無詭立乃棺赴辛巳夜斂殯（徐廣曰斂一作臨也）桓公十有餘子要其後立者五人無詭立三月死無謚次孝公次昭公次懿公次惠公孝公元年三月宋襄公率諸侯兵送齊太子昭而伐齊齊人恐殺其君無詭齊人將立太子昭四公子之徒攻太子太子走宋宋遂與齊人四公子戰五月宋敗齊四公子師而立太子昭是為齊孝公宋以桓公與管仲屬

之太子故來征之以亂故八月乃葬齊桓公皇覽曰桓公冢在臨菑城南七里所菑水南。正義曰括地志云齊桓公墓在臨菑縣南二十一里牛山上亦名鼎足山一名牛首堈一所二墳晉永嘉末人發之初得版次得水銀池有氣不得入經數日乃牽犬入中得金蠶數十薄珠襦玉匣繒綵軍器不可勝數又以人殉葬骸骨狼藉也

六年春齊伐宋以其不同盟于齊也服虔曰僖公十九年諸侯盟于齊以無忘桓公之德宋襄公欲行霸道不與盟故伐之夏宋襄公卒七年晉文公立十年孝公卒孝公弟潘因衛公子開方殺孝公子而立潘是為昭公昭公桓公子也其母曰葛嬴昭公元年晉文公敗楚於城濮正義曰賈逵云衛地也而會諸侯踐土朝周天子使晉稱伯音霸六年翟侵齊晉文公卒秦兵敗

正義曰括地志云故王宮在鄭州滎澤縣西北一十五里王宮城中城內東隅有跡土基臺也

於殽十二年秦穆公卒十九年五月昭公卒子舍立為齊君舍之母無寵於昭公國人莫畏昭公之弟商人以桓公死爭立而不得陰交賢士附愛百姓百姓說及昭公卒子舍立孤弱即與衆十月即墓上弒齊君舍而商人自立是為懿公懿公桓公子也其母曰密姬懿公四年春初懿公為公子時與丙戎之父獵爭獲不勝及即位斷丙戎父足而使丙戎僕賈逵曰僕御也○索隱曰左氏作邴歜僕○正義曰左傳云乃掘而刖之杜預云斷其尸足也庸職之妻正義曰國語及左傳作閻職好公內之宮使庸職驂乘索隱曰左氏作閻職此言庸職閻者蓋所云閻姓職名也此

興

正義曰夏時号防風今号長翟

正義曰父音甫

左傳云埋其首於周首北門杜預云周首齊邑也濟北穀城縣東北有周首亭

太公世家

言庸職[illegible]之妻史意不同字亦異耳五月懿公游於申池[illegible]曰齊南城門名申門齊城無池唯此門左右有池疑此是也左思齊都賦注曰申池海濱齊藪也二人浴

戲職曰斷足子戎曰奪妻者二人俱病此言乃怨謀與公游竹中二人弒懿公車上棄竹中而亡去懿公之立驕民不附齊人廢其子而迎公子元於衛立之是為惠公惠公桓公子也其母衛女曰少衛姬避齊亂故在衛惠公二年長翟來穀梁傳曰身橫九畝斷其首而載之眉見於軾王子城父攻殺之賈逵曰王子城父齊大夫埋之於北門晉趙穿弒其君靈公十年惠公卒子頃公無野立正義曰頃音傾初崔杼有寵於惠公惠

公卒。高國畏其偪也，逐之。崔杼奔衛。頃公元年，楚莊王彊，伐陳。二年，圍鄭，鄭伯降，已復國鄭伯。六年春，晉使郤克於齊，齊使夫人帷中而觀之。郤克上，夫人笑之。郤克曰：不是報，不復涉河。歸請伐齊，晉侯弗許。齊使至晉，郤克執齊使者四人河內，殺之。八年，晉伐齊，齊以公子彊質晉，晉兵去。十年春，齊伐魯、衛。魯、衛大夫如晉請師，皆因郤克。索隱曰成二年左傳魯臧宣叔衛孫桓子如晉皆主於郤克是晉使郤克以車八百乘賈逵曰八百乘六萬人為中軍將，士燮將上軍，欒書將下軍，以救魯、衛，伐齊。六月壬申，與齊侯兵合

靡笄下（徐廣曰靡一作摩賈逵曰靡笄山名也○索隱一曰靡如字靡笄山名在齊西南與代地磨笄山不同）癸
酉陳于鞌（服虔曰鞌齊地名也）逢丑父（賈逵曰齊大夫）為齊頃公右
頃公曰馳之破晉軍會食射傷郤克流血至履
克欲還入壁其御曰我始入再傷不敢言疾恐
懼士卒願子忍之遂復戰戰齊急丑父恐齊侯
得乃易處頃公為右車絓於木而止（正義曰絓胡卦反止也有
所礙也）晉小將韓厥伏齊侯車前曰寡君使臣救
魯衛戲之丑父使頃公下取飲（正義曰左傳云及華泉驂絓於木而止丑
父使公下如華泉取飲周父御左車宛茷為右載齊侯獲免也）因得亡脫去入其軍晉
郤克欲殺丑父丑父曰代君死而見僇後人臣

[illegible]十一頃公十一年晉初置六卿[illegible]頃公朝晉欲尊王晉景公[illegible]不敢當

[illegible]

正義曰舍音捨左傳云郤子曰人不難以死免其君我戮之不祥赦之以勸事君者也

寶器 正義曰左傳云賂以紀甗玉磬也按甗玉甑也齊伐紀得之故云紀甗鄭司農云甗無底甑也

令齊東畝

無忠其君者矣克舍之丑父遂得亡歸齊於是晉軍追齊至馬陵〔徐廣曰一作陘駰案賈逵曰馬陘齊地也〕齊侯請以寶器謝〔索隱左傳曰賂以紀甗玉磬也〕不聽必得笑克者蕭桐叔子〔服虔曰桐叔蕭君之字齊侯外祖父子女也難斥言其母故遠言之賈逵曰蕭附庸子姓〕令齊東畝〔服虔曰欲令齊隴畝東行索隱曰壟畝東行則齊車馬東向晉行易也〕對曰叔子齊君母齊君母亦猶晉君母子安置之且子以義伐而以暴為後其可乎於是乃許令反魯衛之侵地〔正義曰左傳云晉師及齊國佐盟使齊人歸我汶陽之田也〕十一年晉初置六卿賞鞌之功齊頃公朝晉欲尊王晉景公〔索隱曰王劭按張衡曰禮諸侯朝天子執玉既授玉乃以之若諸侯自相朝則不授玉齊頃公戰敗朝晉而欲授玉[illegible]為王[illegible]本[illegible]公[illegible]書之此文不云〕

捐王王氏史記有所依聯記攘耳晉景公不敢受歸而頃公
弛苑囿薄賦斂振孤問疾虛積聚以救民民亦
大說厚禮諸侯竟頃公卒百姓附諸侯不犯十
七年頃公卒皇覽曰頃公冢近呂尚冢子靈公環立靈公九年
晉欒書弒其君厲公十年晉悼公伐齊齊令公
子光質晉十九年立子光為太子高厚傅之令
會諸侯盟於鍾離正義曰括地志云鍾離故城在沂州承縣界二十七年
晉使中行獻子伐齊索隱曰荀偃祖林父代為中行後改姓為中行氏獻子名偃齊
師敗靈公走入臨菑晏嬰止靈公靈公弗從曰
君亦無勇矣晉兵遂圍臨菑臨菑城守不敢出

盡燒郭中而去。二十八年，初，靈公取魯女，生子光，以為太子。仲姬、戎姬，戎姬嬖，仲姬生子牙，屬之戎姬。戎姬請以為太子也，公許之。仲姬曰：不可。光之立，列於諸侯矣。服虔曰數從諸侯征伐盟會今無故廢之，君必悔之。公曰：在我耳。遂東太子光，賈逵曰徙之東垂也使高厚傅牙為太子。靈公疾，崔杼迎故太子光而立之，是為莊公。莊公殺戎姬。五月壬辰，靈公卒，莊公即位，執太子牙於句竇之丘，殺之。八月，崔杼殺高厚。晉聞齊亂，伐齊，至高唐。杜預曰高唐在祝阿縣西北莊公三年，晉大夫欒盈奔齊，徐廣曰史記多作逞莊公厚客

正義曰左傳云伐晉為二隊入孟門登太行山

待之晏嬰田文子諫公弗聽四年齊莊公使欒盈閒入晉曲沃賈逵曰欒盈之邑為內應以兵隨之上太行入孟門賈逵曰孟門太行皆晉山隘也○索隱曰孟門山在朝歌東北太行山在河內溫縣西北欒盈敗齊兵還取朝歌賈逵曰晉邑六年初棠公妻好賈逵曰棠公齊棠邑大夫棠公死崔杼取之莊公通之數如崔氏以崔杼之冠賜人侍者曰不可崔杼怒因其伐晉欲與晉合謀襲齊而不得閒莊公嘗笞宦者賈舉賈舉復侍為崔杼閒公服虔曰伺公閒隙○正義閒音閑又如字以報怨五月莒子朝齊齊以甲戌饗之崔杼稱病不視事乙亥公問崔杼病遂從崔杼妻崔杼妻

入室，與崔杼自閉戶不出，公擁柱而歌。服虔曰：公以爲姜氏不知己在外，故歌以命之也。一曰公自知見欺，恐不得出，故歌以自悔。宦者賈舉遮公從官而入，閉門，崔杼之徒持兵從中起。公登臺而請解，不許；請盟，不許；請自殺於廟，不許。皆曰：「君之臣杼疾病，不能聽命。服虔曰：言不能親聽公命。近於公宮，服虔曰：崔杼之宮近公宮，淫者或詐稱公。陪臣爭趣徐廣曰：爭，一作扞。○索隱曰：左傳作扞趣，此爲爭趣者，是太史公變左傳之文，言陪臣但爭趣捕投有淫者耳，更不知他命也。有淫者，不知二命。」服虔曰：言得淫人，受崔子命討之，不知他命也。公踰牆，射中公股，公反墜，遂弒之。晏嬰立崔杼門外，賈逵曰：聞難而來。曰：「君爲社稷死則死之，爲社稷亡則亡之。」服虔曰：謂以公義爲社稷死亡也，如是者臣亦隨之死亡。

左昭廿年「陪臣干掫」，說文曰：掫，夜有所擊也。

師說訓爭爲競，訓趣爲赴也。言陪臣爭競赴捕投淫者。

正義曰：言行夜得淫人，受崔杼命討之，不知他

命也此言争趣者太史言変文令依字讀言隱臣但争向有注者從之更不知他命也

盟古文注家良家若古家異其点所不獲唯忠於君利社稷者是從江家如此是也

爲己死己亡非其私暱誰敢任之服虔曰言君自以己之私欲取死亡之禍則私近之臣所當任也杜預曰私暱所親愛也非所親愛無爲當其禍也門開而入枕公尸而哭三踊而出人謂崔杼必殺之崔杼曰民之望也舍之得民服虔曰置之所以得人心丁丑崔杼立莊公異母弟杵臼徐廣曰史記多作箸臼是爲景公景公母魯叔孫宣伯女也景公立以崔杼爲右相慶封爲左相二相恐亂起乃與國人盟曰不與崔慶者死晏子仰天曰嬰所不獲唯忠於君利社稷者是從不肯盟慶封欲殺晏子崔杼曰忠臣也舍之齊太史書曰崔杼弒莊公崔杼殺之其弟復

齊太公世家

成或作城

古

正義曰言崔杼乃崔家長故其宗邑宗廟所在不可與成也杜預云濟陽東朝陽縣西北有崔氏城欲居崔邑以終老

書崔杼復殺之少弟復書崔杼乃舍之景公元年初崔杼生子成及彊其母死取東郭女生明東郭女使其前夫子無咎與其弟偃正義曰杜預云東郭偃東郭姜之弟也相崔氏成有罪正義曰左傳云成有疾而廢之杜預云有惡疾也二相急治之立明為太子成請老於崔崔杼許之二相弗聽曰崔宗邑不可杜預曰濟陽東朝陽縣西北有崔氏城也成彊怒告慶封正義曰左傳云成彊告慶封曰夫子身亦子所知也唯無咎與偃是從父兄莫能進矣恐害夫子敢以告慶封曰苟利夫子必去之難吾助汝乃殺東郭偃棠無咎於崔氏朝也其妻及崔杼皆縊死崔明奔魯慶封與崔杼有郤欲其敗也成彊殺無咎偃於崔杼家家皆奔亡崔杼怒無人使一宦者御見慶

正義曰宮爲衛

毋歸

封慶封曰請爲子誅之使崔杼仇盧蒲嫳賈逵曰嫳齊大夫慶封之屬攻崔氏殺成彊盡滅崔氏崔氏婦自殺崔杼歸亦自殺慶封爲相國專權三年十月慶封出獵初慶封已殺崔杼益驕嗜酒好獵不聽政令慶舍用政服虔曰舍慶封之子也杜預曰傳其職政與子已有內郤田文子謂桓子曰亂將作田鮑高欒氏相與謀慶氏慶舍發甲圍慶封宮四家徒共擊破之慶封還不得入奔魯齊人讓魯封奔吳吳與之朱方聚其族而居之富於在齊其秋齊人徙葬莊公僇崔杼尸於市以說衆九年景公使晏嬰之晉與

柏寢 正義曰柏寢臺在青州千乘縣東北二十里韓子云景公與晏子遊於少海登柏寢之臺而望其國公曰美哉堂堂乎後代孰有此晏子曰其田氏乎曰寡人有國而田氏有之奈何對曰君欲奪之則近賢遠不肖治其煩亂緩其刑罰振窮乏卹孤寡行恩惠崇節儉雖十田氏其如君何探與此文不同也

叔向私語曰齊政卒歸田氏田氏雖無大德以公權私有德於民民愛之十二年景公如晉見平公欲與伐燕十八年公復如晉見昭公二十六年獵魯郊因入魯與晏嬰俱問魯禮三十一年魯昭公辟季氏難奔齊齊欲以千社封之賈逵曰二十五家爲一社千社二萬五千家也子家止昭公昭公乃請齊伐魯取鄆正義曰鄆鄆城也以居昭公三十二年彗星見景公坐柏寢嘆曰堂堂誰有此乎服虔曰景公自恐德薄不能久享齊國故曰誰有此群臣皆泣晏子笑公怒晏子曰臣笑群臣諛甚景公曰彗星出東北當齊分野寡人以爲

齊太公世家

憂晏子曰君高臺深池賦斂如弗得刑罰恐弗
勝茀星將出彗星正義曰茀音佩謂孛星侵近邊側欲相害又曰彗息歲反君若帚形見其境有亂也何懼乎公曰可禳否晏子曰使神可祝而
來正義祝音之受反亦可禳而去也百姓苦怨以萬數而
君令一人禳之安能勝衆口乎是時景公好治
宮室聚狗馬奢侈厚賦重刑故晏子以此諫之
四十二年吳王闔閭伐楚入郢四十七年魯陽
虎攻其君不勝奔齊請齊伐魯鮑子諫景公乃
囚陽虎陽虎得亡奔晉四十八年與魯定公好
會夾谷服虔曰東海祝其縣是也犁鉏曰孔丘知禮而怯請令

萊人為樂杜預曰萊人齊所滅萊夷。○索隱曰鉏音即除反即犁彌也因執魯君可

得志景公害孔丘相魯懼其霸故從犁鉏之計

方會進萊樂孔子歷階上使有司執萊人斬之

以禮讓景公景公慙乃歸魯侵地以謝而罷去

是歲晏嬰卒五十五年范中行反其君於晉晉

攻之急來請粟田乞欲為亂樹黨於逆臣說景

公曰范中行數有德於齊不可不救乃使乞救

而輸之粟五十八年夏景公夫人燕姬適子死

景公寵妾芮姬生子荼索隱曰左傳云鬻姒之子荼嬖則荼母姓姒此作芮姬不同也譙周依左氏作鬻姒鄒誕生本作芮姁[illegible]荼少其母賤無行諸大夫

恐其為嗣，乃言願擇諸子長賢者為太子。景公老，惡言嗣事，又愛荼母，欲立之，憚發之口，乃謂諸大夫曰：「為樂耳，國何患無君乎？」秋，景公病，命國惠子、高昭子（杜預曰惠子國夏也昭子高張也）立少子荼為太子，逐羣公子，遷之萊。（服虔曰萊齊東鄙邑）景公卒，（皇覽曰景公冢與桓公冢同處）太子荼立，是為晏孺子。冬，未葬，而羣公子畏誅，皆出亡。荼諸異母兄公子壽、駒、黔奔衛，（徐廣曰一云壽黔奔衛○索隱曰壽一作嘉二人奔衛○正義曰三公子）公子駔、陽生奔魯。（索隱曰左氏作公子鉏二人奔魯）萊人歌之曰：「景公死乎弗與埋，三軍事乎弗與謀，（服虔曰萊人見五公子遠遷鄙邑不得與[illegible]公葬埋之事及國三軍之謀故愍而歌[illegible]）

（曰稱謚蓋葬後而為此歌哀羣公子失所也）師乎師乎胡黨之乎（服虔曰徒眾也黨所也言公子徒眾何所適也）晏孺子元年春田乞偽事高國者每朝乞驂乘言曰子得君大夫皆自危欲謀作亂又謂諸大夫曰高昭子可畏也及未發先之大夫從之六月田乞鮑牧乃與大夫以兵入公宮攻高昭子昭子聞之與國惠子救公公師敗田乞之徒追之國惠子奔莒遂反殺高昭子晏圉奔魯（賈逵曰圉晏嬰之子）八月齊秉意茲（徐廣曰左傳八月齊邴意茲奔魯）田乞敗二相乃使人之魯召公子陽生陽生至齊私匿田乞家十月戊子田乞請諸大夫曰常之母

墓本作

有魚菽之祭何休曰齊俗婦人首祭事言魚豆者示薄陋無所有也幸來會飲會飲田乞盛陽生橐中置坐中央發橐出陽生曰此乃齊君矣大夫皆伏謁將與大夫盟而立之鮑牧醉乞誣大夫曰吾與鮑牧謀共立陽生鮑牧怒曰子忘景公之命乎諸大夫相視欲悔陽生前頓首曰可則立之否則已鮑牧恐禍起乃復曰皆景公子也何爲不可乃與盟立陽生是爲悼公悼公入宮使人遷晏孺子於駘賈逵曰齊邑殺之幕下而逐孺子母芮子芮子故賤而孺子少故無權國人輕之悼公元年齊伐魯取讙闡杜預

曰闡在東平剛縣北。○索隱曰二邑名。讙在博城縣西南初陽生亡在魯季康子以其妹妻之及歸即位使迎之季姬與季魴侯通杜預曰魴侯康子叔父也言其情魯弗敢與故齊伐魯竟迎季姬季姬嬖齊復歸魯侵地鮑子與悼公有郤不善四年吳魯伐齊南方鮑子弒悼公赴于吳吳王夫差哭於軍門外三日將從海入討齊齊人敗之吳師乃去晉趙鞅伐齊至賴而去賈逵曰賴齊邑齊人共立悼公子壬是為簡公徐廣曰年表云簡公壬者是悼公之子也簡公四年春初簡公與父陽生俱在魯也監止有寵焉賈逵曰闞止子我也。○索隱曰左氏監作闞闞音苦濫反闞在東平須昌縣東南及即位使為政田成子憚之驟顧於朝杜預曰心不安故數顧也御鞅言簡公賈逵曰鞅齊大夫也○索隱曰鞅名為僕御之官故曰御鞅亦田氏之族按系本陳桓子無宇產子亹亹產子獻獻產鞅也曰田闞不可並也君其擇焉杜預曰擇用一人也弗聽子我夕服虔曰夕省事田逆殺人逢之服虔曰子我將往夕省事於君而逢逆之殺人也杜預曰逆子行陳氏宗遂捕以入杜預曰執逆入至於朝也田氏方睦服虔曰陳常方欲謀有齊國故和其宗族使囚病而遺守囚者酒服虔曰使陳逆詐病而遺也醉而殺守者得亡子我盟諸田於陳宗曰子我見陳逆得生出而恐為陳氏所怨故與盟而請和也陳宗宗長之家初田豹欲為子我臣賈逵曰豹陳氏族也使公孫言豹賈逵曰公孫齊大夫也杜預曰言介達之意豹有喪而止後卒以為臣杜預曰終喪也幸於子我子我謂豹

齊太公世家

正義曰杜預云成子兄弟昭子莊簡子齒宣子夷穆子安廩丘子意茲芒子盈惠子得凡八子二人共一乘也齊世家云田常兄弟四人如公宮服虔杜預云八人四乘者未詳也

左傳云侍人禦杜預云子我侍人也

曰吾盡逐田氏而立女可乎對曰我遠田氏矣服虔曰言我與陳氏宗疏遠也且其違者不過數人服虔曰違[illegible]不欲[illegible]何盡逐焉遂告田氏子行曰彼得君弗先必禍子服虔曰彼謂闞止也子謂陳常也子行舍於公宮服虔曰止於公宮為陳氏作內間也夏五月壬申成子兄弟四乘如公服虔曰成子兄弟八人二人共一乘故曰四乘。○索隱曰系本陳僖子乞產成子常簡子齒宣子其夷穆子安廩丘子尚懿子芒盈惠子得凡七人杜預以取昭子莊以充八人之數按系本昭子是桓公之子成子之叔父又不名莊莊彊相證會言四乘有八人耳今按田完系家云田常兄弟四人如公宮與此事同今此唯稱四乘不云人數知四乘謂弟兄四人乘車而入非二人共乘也然其昆弟三人不見者蓋時或不在不同入公宮不可彊以四乘為八人兼叔父為兄弟之數服虔杜預之失也子我在幄杜預曰幄帳也聽政之處也出逆之遂入閉門服虔曰成子兄弟見子我出遂突入

正義曰需音須
待也言疑惑待
之恐賊害起也
有如田宗 所不殺
子欲者豈更有
如田氏之宗言
田氏之宗必愛成
子故止也

公世家

夜閉門子我不得復入宦者禦之（服虔曰閹豎以兵禦陳氏）子行殺宦者（服虔
曰舍於公宮故得殺之）公與婦人飲酒于檀臺（服虔曰當陳氏入時飲酒於此
臺）成子遷諸寢（服虔曰欲徙公令居寢也）公執戈將擊之（杜預曰疑
其作亂也）太史子餘（服虔曰齊大夫）曰非不利也將除害也（服虔
曰言將為公除害也）成子出舍于庫（杜預曰以公怒故也）聞公猶怒將出（服虔
曰出奔也）曰何所無君子行拔劍曰需事之賊也（杜預
曰言需疑則害事也）誰非田宗（杜預曰言陳氏宗族衆多）所不殺子者有如
田宗（杜預曰言子若欲出我必殺子明如陳宗）乃止子我歸屬徒（服虔曰會徒衆）攻
闈與大門（服虔曰宮中之門曰闈大門公門也）皆弗勝乃出田氏追之
豐丘人執子我以告（賈逵曰豐丘陳氏邑也）殺之郭關（服虔曰齊關名）

正義曰臨淄北門名雍門也

成子將殺大陸子方（服虔曰子方子我黨大夫東郭賈也）田逆請而免之以公命取車於道（杜預曰子方取道中行人車）出雍門（杜預曰齊城門）田豹與之車弗受曰逆為余請豹與余車余有私焉事子我而有私於其讎何以見魯衛之士（服虔曰子方將欲奔魯衛也左傳曰東郭賈奔衛）庚辰田常執簡公于徐州（春秋作舒州賈逵曰陳氏邑也。索隱曰徐音舒其字從人左氏作舒說文作郳郳在薛縣也）公曰余蚤從御鞅言不及此甲午田常弑簡公于徐州田常乃立簡公弟驁是為平公（索隱曰系本及譙周皆作敬誤也）平公即位田常相之專齊之政割齊安平以東為田氏封邑（徐廣曰年表云平公之時齊自是稱田氏。索隱曰安平齊邑地理志云涿郡有安平縣）

平公八年越滅吳二十五年卒子宣公積立宣公五十一年卒子康公貸立田會反廩丘田會齊大夫廩丘邑名東郡有廩丘縣也康公二年韓魏趙始列為諸侯十九年田常曾孫田和始為諸侯遷康公海濱二十六年康公卒呂氏遂絕其祀田氏卒有齊國為齊威王彊於天下

太史公曰吾適齊自泰山屬之琅邪北被于海膏壤二千里其民闊達多匿知其天性也以太公之聖建國本桓公之盛脩善政以為諸侯會盟稱伯不亦宜乎洋洋哉固大國之風也

賀氏說匿知音七者伊度被讀

索隱述贊曰

太公佐周　實秉陰謀　既表東海

乃居營丘　小白致霸　九合諸侯

及溺內寵　釁鍾虫流　莊公失德

崔杼作亂　陳氏專政　厚貨斂收

悼簡遘禍　田闞非儔　渢渢餘烈

一變何由

史柒阡貳伯叁拾壹字

註伍阡肆伯捌拾伍字

齊太公世家　史記三十二

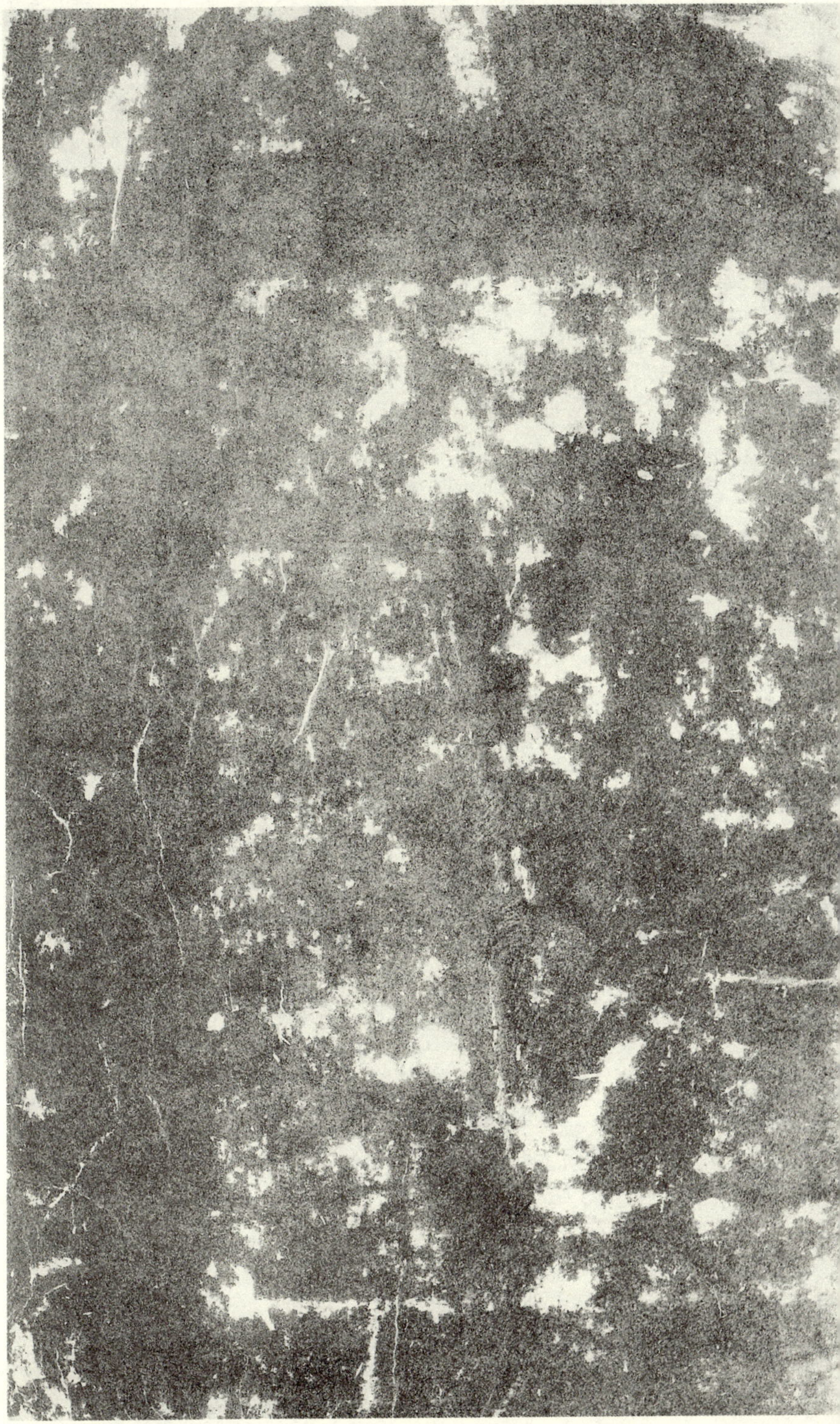

第三 魯周公
第四 燕召公

史記世家 卅九

正義曰括地志云周公城在岐縣北九里此地周之畿內周公食菜之地也周公邵公周室元宰輔佐文武成康以下蓋嫡子封于燕魯次子食菜畿內奕葉為卿士故春秋時每有周公邵公也譙周云以太王所居地為其菜邑故謂之周公也

魯周公世家第三

周公旦者周武王弟也 譙周曰以太王所居周地為其采邑故謂周公○索隱曰周地名在岐山之陽本太王所居後以為周公之菜邑故曰周公即今之扶風雍東北故周城也謚曰周文公見國語

自文王在時旦為子孝篤仁異於羣子 索隱曰譙本孝作敬

及武王即位旦常輔翼武王用事居多武王

九年東伐至盟津周公輔行十一年伐紂至牧

野 正義曰衛州即牧野之地東北去朝歌七十三里

周公佐武王作牧誓破

殷入商宮已殺紂周公把大鉞召公把小鉞以

夾武王釁社告紂之罪于天及殷民釋箕子之

囚封紂子武庚祿父使管叔蔡叔傅之以續殷

正義盟作孟地名津渡黃河處

正義行師誥往也或如行文之行周公輔成王施行政之文

[illegible]封周公旦於少昊之虛

曲阜 正義曰括地志云兗州曲阜縣外城即魯公伯禽所築也 是爲魯公周公不

就封留佐武王武王克殷二年天下未集武王

有疾不豫羣臣懼太公召公乃繆卜 徐廣曰古書穆字多作繆

周公曰未可以戚我先王 孔安國曰戚近也未可死近先王也鄭玄曰二公

欲就文王廟卜戚憂也未可憂怖我先王也 周公於是乃自以爲質設三

壇周公北面立戴璧秉圭告于太王 孔安國曰璧以禮神圭以爲贄

王季文王 孔安國曰告謂祝辭 史策祝 孔安國曰史爲策書祝詞也鄭玄曰策周公所

作謂簡書也祝者讀此簡書以告三王 曰惟爾元孫王發勤勞阻疾 徐廣曰阻一

作淹 若爾三王是有負子之責於天以旦代王

質、音至、以身充牲牢贄幣

師說曰勤勞猶煩累也 文選注

勤、疾也

陸曰負謂欠負也德之欠負也

顔文氏刘讀負 魯周公世家

孝至

決云負之意也 蕭說陸氏欠負者德之欠負也言汝三王善小德一所負[illegible]

子一人者則以旦身代武王也

師說良家讀曰
卽被命元龜也
江營說云就命
於元龜也

發之身孔安國曰太子之責謂疾不可救也不可救于天則當以旦代之死生有命不可請代聖人敘臣子之心以垂世教○索隱曰尚書負爲丕今此爲負者謂三王負上天之責故我當代之鄭玄曰丕讀曰負旦巧能多材多藝能事鬼神孔安國曰言可以代武王之意乃王發不如旦多材多藝不能事鬼神乃命于帝庭敷佑四方馬融曰武王受命于天帝之庭布其道以佑助四方用能定汝子孫于下地四方之民罔不敬畏孔安國曰言武王用受命帝庭之故能定先人子孫於天下四方之民無不敬畏也無墜天之降寶命我先王亦永有所依歸孔安國曰言不救則墜天寶命也救之則先王長有所依歸矣鄭玄曰降下也寶猶神也有所依歸爲宗廟之主也○正義墜直類反今我其即命於元龜孔安國曰就受三王之命於元龜卜知吉凶者也馬融曰元龜大龜也[illegible]璧與圭歸以俟[illegible]

是

命[illegible]爾不許我我

乃屏璧與圭（孔安國曰不許不愈也屏藏言不得事神）周公已令史策告

太王王季文王欲代武王發於是乃即三王而

卜卜人皆曰吉發書視之信吉（孔安國曰占兆書也）周公喜

開籥乃見書遇吉（王肅曰籥藏占兆書管也）周公入賀武王曰

王其無害旦新受命三王維長終是圖（孔安國曰我新受三王命武王維長終是謀周之道）

茲道能念予一人（馬融曰一人天子也鄭玄曰茲此也）周

公藏其策金縢匱中（孔安國曰藏之於匱緘之以金不欲人開也）誡守

者勿敢言明日武王有瘳其後武王既崩成王

少在強葆之中。（索隱曰強葆即襁褓古字少假借用之 正義曰襁闊八寸長八尺用約小兒）

正義曰予周公也
一人武王也
決云以此道保令
武王也師說武王
能念天子支成
周道也

正義曰孔安國
曰我新受三王命武王維長終是謀周之道

魯周公世家

又弁亦反辟君也言我所以不君專攝行政者為成王少恐天下叛周也言不辟者以成王少不避管蔡之流言

於背而負行葆小兒被也

周公恐天下聞武王崩而畔周公乃踐阼代成王攝行政當國管叔及其羣弟流言於國曰周公將不利於成王

孔安國曰放言於國以誣周公以惑成王也

音避

周公乃告太公望召公奭曰我之所以弗辟而攝行政者恐天下畔周無以告我先王太王王季文王三王之憂勞天下久矣於今而后成武王蚤終成王少將以成周我所以為之若此於是卒相成王而使其子伯禽代就封於魯周公戒伯禽曰我文王之子武王之弟成王之叔父我於天下亦不賤矣然我一沐三捉髮

[illegible]猶恐失天下之賢人子之魯慎無以國驕人管蔡武庚等果率淮夷而反周公乃奉成王命興師東伐作大誥遂誅管叔殺武庚放蔡叔收殷餘民以封康叔於衛封微子於宋以奉殷祀寧淮夷東土二年而畢定諸侯咸服宗周天降祉福唐叔得禾異母同穎徐廣曰一作穗穎即穗也。索隱曰尚書作畝此為母義亦並通獻之成王成王命唐叔以餽周公於東土作餽禾周公既受命禾嘉天子命徐廣曰嘉一作魯今書序作旅也。索隱曰魯字誤史意云周公嘉天子命於文不必作魯作嘉禾東土以集周公歸報成王乃為詩貽王命之

飲作

服 李作復

祉音恥

正義曰徐廣云嘉一作魯字誤並音旅命尚書之篇及此下文並作嘉字讀不須改嘉為旅也

魯周公世家

貽王 正義曰貽音怡與也

鴟鴞 正義曰詩云寧毀我巢難得以喻常拉而誅於管蔡是也

注鴟鴞鸋鴂 正義曰鸋音寧鴂音決毛詩疏義云鴟鴞似黃雀而小喙剡如錐取茅為巢以麻紩之如刺紩革著樹枝二房或一房幽州謂之鸋鴂或曰巧婦或曰巧女紩音佚或曰巧婦或買關東謂之工雀或謂之鸋鴂關西謂之蔑雀

曰鴟鴞 毛詩序曰成王未知周公之志公乃為詩以遺王名之曰鴟鴞毛傳曰鴟鴞鸋鴂也 王亦未敢訓周公 徐廣曰訓一作誚○索隱曰尚書作誚誚讓也此作訓字誤耳義無所通徐氏合定其本何須云一作誚也 成王七年二月乙未王朝步自周至豐 馬融曰周鎬京也豐文王廟所在朝者舉事上朝將即土中易都大事故告文王武王廟鄭玄曰步行也堂下謂之步豐鎬異邑而言步者告武王廟即行出廟入廟不以遠為文恭也○索隱曰豐文王所作邑後武王都鎬於豐立文王廟按豐在鄠縣東臨豐水東去鎬二十五里也 使太保召公先之雒相土 鄭玄曰相視也 其三月周公往營成周雒邑 公羊傳曰成周者何東周也何休曰名為成周者周道始成王所都也 卜居焉曰吉遂國之 成王長能聽政於是周公乃還政於成王成王臨朝周公之代成王治南面倍依以朝諸侯 禮記曰周公朝諸侯于明堂之位天子負

倍依 正義曰倍音佩依音於紋反此段重敘周公初攝時也鄭玄云倍之言倍也

王亦未敢訓周公 正義曰成王信流言而疑周公既誅管蔡周公之意以為王意已悟而未敢誥讓

古

……以明堂之禮儀朝諸
也不於宗廟避王也……周公也頌之言倍也斧依爲斧文
屏風於戶牖之間周公於前立也
位匔匔如畏然徐廣曰匔匔謹敬貌也見三蒼音窮窮一本作夔夔也 及七年後還政成王北面就臣
少時病周公乃自揃其蚤沈之河以祝於神曰 初成王
王少未有識奸神命者乃旦也亦藏其策於府
成王病有瘳及成王用事人或譖周公周公奔
楚索隱曰經典無文其事或別有所出而譙周云秦既燔書
時人欲言金縢之事失其本末乃云成王少時病周公禱
河欲代王死藏祝策于府成王用事人讒周公周公奔
楚成王發府見策乃迎周公又與蒙恬傳同事或然也 成王
發府見周公禱書乃泣反周公周公歸恐成王
壯治有所淫佚乃作多士作毋逸毋逸稱爲人

註本作枉

自季作用

正義曰高宗武丁也

接三家孔義爲長

正義曰接殷本紀云太甲既立三年不明暴虐不遵湯法亂德於是伊尹放之桐宮三年伊尹攝行政當國以朝諸侯

父母爲業至長久子孫驕奢忘之以亡其家爲人子可不慎乎故昔在殷王中宗嚴恭敬畏天命自度（集解孔安國曰用法度也）治民震懼不敢荒寧（馬融曰知民之勞苦不敢荒廢自安也）故中宗饗國七十五年其在高宗（正義曰武丁也）久勞于外爲與小人（孔安國曰父小乙使之久居人間勞是稼穡與小人出入同事也馬融曰武丁爲太子時其父小乙使行役有所勞役於外與小人從事知小人艱難勞苦也鄭玄曰爲父小乙將師役於外也）作其即位乃有亮闇三年不言（孔安國曰武丁起其即王位則小乙死乃有信嘿三年不言言孝行著也鄭玄曰楣謂之梁闇謂廬也）言乃讙（鄭玄曰讙喜悅也言乃喜悅則民望其言久矣）不敢荒寧密靖殷國（馬融曰密安也）至于小大無怨（孔安國曰小大之政民無怨言無非也）故高宗饗國五十五年（尚書云五十九年）

責及其言伊尹乃作伊訓三篇襃帝太甲稱太宗明是太甲也太史公宋史云帝甲淫亂殷復衰何能保施小民不侮鰥寡文接帝王年代曆云帝甲十六年太甲三十三年明王孔說是也

其在祖甲[illegible]祖甲湯孫太甲也馬融曰祖甲武丁子帝甲也○索隱曰按紀年太甲唯得十二年此云祖甲享國三十三年知祖甲是帝甲明也不義惟王久為小人孔安國曰為王不義久為小人之行伊尹放之桐宮馬融曰祖甲有兄祖庚而祖甲賢武丁欲立之祖甲以王廢長立少不義逃亡民間故曰不義惟王久為小人也武丁死祖庚立祖庚死祖甲立于外知小人之依能保施小民不侮鰥寡孔安國曰小人之所依依仁政也故能安順於衆民不敢侮慢惸獨也故祖甲饗國三十三年王肅曰先中宗後祖甲先盛德後有過也多士稱曰自湯至于帝乙無不率祀明德帝無不配天者孔安國曰無敢失天道者故無不配天也在今後嗣王紂誕淫厥佚不顧天及民之從也徐廣曰一作敬之也○駰案馬融曰紂大淫樂其逸無所能顧念於天施顯道於民而敬之也其民皆可誅周多士文王日中昃

正義曰言紂信為淫荒逸樂不顧念於天道不顧念民之從其化故其民皆可誅也

魯周公世家

中昃 有注作中昃 說文 日中之辰至日之傾昃也

正義曰成王不居成周按上文云周公往營城周卜居焉遂國之周公以成王必居周成故云必葬我成周明吾不敢離成王

江家宜讀 日中昃

不義惟王久為小人

正義曰按尚書武王崩後周公被流言而東征王亦未敢誚公乃有風雨之異以文乃是周公卒後疑太史公不見古文尚書有斯乖誤矣君史考云金縢之書文失其本末今按金縢篇中克商二年王有疾不愈此且武王即位崩何得將十年書文而續二年之後同在金縢之篇後孔安國云此以上在大誥後因武王喪并見之則雖周之言不虛誕矣太史公尚有別見乃作世家

不暇食饗國五十年作此以誡成王成王在豐天下已安周之官政未次序於是周公作周官官別其宜作立政孔安國曰周公既致政成王恐其怠忽故以君臣立政爲戒也以便百姓百姓說周公在豐病將沒曰必葬我成周徐廣曰衛世家云管叔欲襲成周然則或說尚書者不以成周爲洛陽乎諸侯年表叙曰齊晉楚秦其在成周微之甚也以明吾不敢離成王周公既卒成王亦讓葬周公於畢正義曰括地志云周公墓在雍州咸陽北十三里畢原上從文王以明予小子不敢臣周公也周公卒後秋未穫暴風雷雨禾盡偃大木盡拔周國大恐成王與大夫朝服以開金縢書索隱曰尚書武王崩後有此雷風之異今此言周公卒後更有暴風之變始開

周本紀周十一年書曰世家所云金縢之書于是因考之作書啓金縢之書在周公奔楚而歸探[illegible]事或[illegible]一予傳之者不同耳

有 本ナ

師說王出郊
菅江云郊於天

六

[illegible]王乃得周公所自以為功

代武王之說徐廣曰一作簡駰案孔安國曰所藏請命策書本也二公及王乃問

史百執事孔安國曰二公倡王啓之故先見書也史百執事皆從周公請命者鄭玄曰問者問審然否也

史百執事曰信有昔周公命我勿敢言成王執

書以泣鄭玄曰泣者傷周公忠孝如是而無知之者曰自今後其無繆卜

乎孔安國曰本欲敬卜吉凶今天意可知故止昔周公勤勞王家惟予幼

人弗及知今天動威以彰周公之德惟朕小子

其迎我國家禮亦宜之王肅曰亦宜褒有德也○正義曰孔安國云周公以成王

未寤故留東未還成王改過自新遣使者逆之亦國家禮有德之宜也王孔二說非也按言成王以開金縢之書知天風

雷以彰周公之德故成王亦設郊天之禮以迎我國家先祖配食之禮亦當宜之故成王出郊天反雨不風也王出

正義曰孔安國云木有偃拔起而立之築其根桑無虧百穀豐熟周公之德也

郊天乃雨反風禾盡起孔安國曰郊以玉幣謝天也天即反風起禾明郊之是也馬融曰反風風還反也二公命國人凡大木所偃盡起而築之徐廣曰築拾也駰案馬融曰禾為木所偃者起其木拾其下禾乃無所失亡也歲則大孰於是成王乃命魯得郊禮記曰魯君祀帝于郊配以后稷天子之禮祭文王禮記曰諸侯不得祖天子鄭玄曰魯以周公之故立文王之廟也魯有天子禮樂者以褒周公之德也周公卒子伯禽固已前受封是為魯公索隱曰周公元子就封於魯次子留相王室代為周公其餘食小國者六人凡蔣邢茅胙祭也魯公伯禽之初受封之魯三年而後報政周公周公曰何遲也伯禽曰變其俗革其禮喪三年然後[illegible]而報政周公周

正義言為政之法必須略而易行民則親之若不簡不易民則不親近也

民必歸之　正義曰言政平易簡易親近於民遠方之衆必襁負而歸之案周公見伯禽難其禮故設此言是也

正義曰周公伐三監魯公伐淮夷故於費地而誓衆即東伐淮夷徐奄之屬　魯周公世家

公曰何疾也曰吾簡其君臣禮從其俗爲也及後聞伯禽報政遲乃歎曰嗚呼魯後世其北面事齊矣夫政不簡不易民不有近平易近民民必歸之徐廣曰一本云政不簡不行不行不樂不樂則不平易平易近民民必歸之又一本云夫民不簡不易有近乎簡易民必歸之○索隱曰言爲政簡易者民必附近之近謂親近也伯禽即位之後有管蔡等反也淮夷徐戎亦並興反孔安國曰淮浦之夷徐州之戎並起爲寇於是伯禽率師伐之於肸作肸誓徐廣曰一作鮮一作獮駰案尚書作粊孔安國曰魯東郊之地名也○索隱曰尚書作粊誓今尚書大傳作鮮誓鮮誓即肸誓古今字異義亦變也鮮獮也言於肸地誓衆因行獮田之禮以取鮮獸而祭故字或作鮮或作獮粊地名即魯卿季氏之費邑地名曰陳爾甲冑無敢不善無敢傷牿正義曰古毒反牿牛馬牢也今

敬注云一作振正義曰音祇祇敬也祇振古通用斯例多有無益其義並不錄也

説文糗乾飯也

謚法云數内遠禮曰煬也

臣無傷其牢恐牛馬逸馬牛其風臣妾逋逃鄭玄曰風走逸臣妾廝役之屬也勿敢越逐敬徐廣曰一作振復之孔安國曰勿敢弃越壘伍而求逐也衆人有得佚馬牛逃臣妾皆敬還無敢寇攘踰牆垣鄭玄曰寇劫取也因其失亡曰攘魯人三郊三隧王肅曰邑外曰郊郊外曰隧不言四者東郊留守故言三也峙爾芻茭糗糧楨榦孔安國曰皆當儲峙汝糗糧使足食多積芻茭供軍牛馬馬融曰楨榦皆築具楨在前榦在兩傍。正義曰糗去九反楨音貞無敢不逮我甲戌築而征徐戎孔安國曰甲戌日當築攻敵壘距壘之屬無敢不及有大刑馬融曰大刑死刑作此肸誓遂平徐戎定魯魯公伯禽卒徐廣曰皇甫謐云伯禽以成王元年封四十六年康王十六年卒子考公酋立索隱曰系本作就鄒本作遒考公四年卒立弟熙是謂煬公索隱曰熙一作怡煬公築茅闕門徐廣曰一作茅又作第

一作公

正義 徵字為徵

𢯱 音治礼反

[illegible]年卒子幽公宰立索隱曰系本名圉幽公宋忠曰今魯國[illegible]

十四年幽公弟濆殺幽公而自立是為魏公徐廣

曰世本作微公。索隱曰系本濆作弗音沸魏作微且古書多用魏字作微則太史公意亦不殊魏公五

十年卒子厲公擢立索隱曰系本作翟徒音持角反厲公三十七年

卒魯人立其弟具是為獻公獻公三十二年卒

徐廣曰劉歆云五十年皇甫謐云三十六年子真公濞立索隱曰真公音慎本亦作慎公按衛亦有真

侯可通也濞系本作摯或作鼻音匹位反鄒誕本作慎公嚊也真公十四年周厲王無

道出奔彘共和行政二十九年周宣王即位三

十年真公卒弟敖立是為武公武公九年春武

公與長子括少子戲正義曰許義反又音許宜反後同西朝周宣王

謚法云壅遏不通曰幽

戲 許義反又許宜反後同

宣王愛戲欲立戲為魯太子周之樊仲山父諫宣王曰廢長立少不順不順必犯王命犯王命必誅之故出令不可不順也令之不行政之不立（韋昭曰令不行則政不立）行而不順民將弃上（韋昭曰使長事少故民將弃上）夫下事上少事長所以為順今天子建諸侯立其少是教民逆也（唐固曰言不教之順而教之逆）若魯從之諸侯效之王命將有所壅（韋昭曰言先王立長之命將壅塞不行也）若弗從而誅之是自誅王命也（韋昭曰先王之命立長今魯亦立長若誅之是自誅王命）誅之亦失不誅亦失（韋昭曰誅之誅王命不誅則王命廢）王其圖之宣王弗聽卒立戲為魯太子夏武公歸而卒（徐廣曰名敖一云立十年）戲

懿公九年懿公兄括之子伯御【正義】曰伯我嫁反下同也與魯人攻弑懿公而立伯御為君伯御即位十一年周宣王伐魯殺其君伯御而問魯公子能道順【徐廣曰一作訓○正義曰道音導順音訓】諸侯者以為魯後樊穆仲曰【韋昭曰樊仲仲山父之謚也循魯叔孫穆子謂之穆叔也】魯懿公弟稱【正義】尺證反肅恭明神敬事耆老賦事行刑必問於遺訓而咨於固實【徐廣曰固一作故韋昭曰故實故事之是者】不干所問不犯所知宣王曰然能訓治其民矣乃立稱於夷宮【韋昭曰夷宮者宣王祖父夷王之廟古者爵命必於祖廟】是為孝公自是後諸侯多畔王命孝公二十五年諸侯畔周犬戎殺幽

王秦始列爲諸侯。二十七年，孝公卒，子弗湟立，徐廣曰：表云弗生也。○索隱曰：系本作弗皇，年表作弗生。是爲惠公。惠公三十年，晉人弒其君昭侯。四十五年，晉人又弒其君孝侯。四十六年，惠公卒，長庶子息攝當國，行君事，是爲隱公。索隱曰：隱公名息，系本名息姑。初，惠公適夫人無子，正義：適音的。公賤妾聲子生子息。息長，爲娶於宋。宋女至而好，惠公奪而自妻之。索隱曰：左傳宋武公生仲子，手中有魯夫人文，故歸魯生桓公。今此云惠公奪息婦而自妻，又經傳不言惠公無道，左氏文亦分明，不知太史公何據而爲此說。譙周亦深不信。生子允。徐廣曰：一作軌。○索隱曰：[illegible] 登宋女爲夫人，以允爲太子。及惠公卒，爲允少故，魯人共令息攝政，不

正義曰括地志云祊田在沂州費縣東南許田在許州許昌縣南有魯城周公廟在焉杜預云成王營成周有遷之志故賜周公許田

言即位。隱公五年，觀漁於棠。[illegible]曾地陳漁而[illegible]曰高平方與縣北有武棠亭魯侯觀漁臺也八年，與鄭易天子之太山之邑祊及許田，君子譏之。穀梁傳曰祊者鄭伯之所受命於天子而祭太山之邑也許田乃魯之朝宿之邑天子在上諸侯不得以地相與十一年冬，公子揮諂謂隱公曰：「百姓便君，君其遂立。吾請為君殺子允，君以我為相。」左傳曰羽父請殺桓公將以求太宰也隱公曰：「有先君命。吾為允少，故攝代。今允長矣，吾方營菟裘之地而老焉，服虔曰菟裘魯邑也營菟裘以作宮室欲居之以終老也杜預曰菟裘在泰山梁父縣南以授子允政。」揮懼子允聞而反誅之，乃反譖隱公於子允曰：「隱公欲遂立，去子，子其圖之。請為子殺隱公

祊本作邴 穀梁作邴 左傳作祊

正義曰麋信字南山東海人魏樂平太守

正義曰年表云晉侯緡十一年魯桓公會晉謀伐鄭

正義曰繻音須

子允許諾十一月隱公祭鍾巫賈逵曰鍾巫祭名也齊于社圃杜預曰社圃園名館于蔿氏服虔曰館舍也蔿氏魯大夫揮使人弒隱公于蔿氏而立子允為君是為桓公桓公元年鄭以璧易天子之許田麋信曰鄭以祊不足當許田故復加璧二年以宋之賂鼎入於太廟君子譏之穀梁傳曰桓公內殺其君外成人之亂受賂而退以事其祖非禮也公羊傳曰周公廟曰太廟三年使揮迎婦于齊為夫人六年夫人生子與桓公同日故名曰同同長為太子十六年會于曹伐鄭入厲公十八年春公將有行杜預曰始議行事也遂與夫人如齊申繻諫止賈逵曰申繻魯大夫公[illegible]通桓公夫人公怒

夫人夫人以[illegible]月丙子齊襄公饗公服虔曰為公設享燕之禮公醉使公子彭生抱魯桓公因命彭生摺其脅公死于車魯人告于齊曰寡君畏君之威不敢寧居來脩好禮禮成而不反無所歸咎請得彭生以除醜於諸侯齊人殺彭生以說魯立太子同是為莊公莊公母夫人因留齊不敢歸魯莊公五年冬伐衛內衛惠公八年齊公子糾來奔九年魯欲內子糾於齊後桓公桓公發兵擊魯魯急殺子糾召忽死齊告魯生致管仲魯人施伯曰正義曰由本二云施伯魯惠公孫齊欲得管仲非殺

之也將用之用之則爲魯患不如殺以其尸與之（索隱曰尸亦作死字）莊公不聽遂囚管仲與齊齊人相管仲十三年魯莊公與曹沫會齊桓公於柯曹沫劫齊桓公求魯侵地已盟而釋桓公桓公欲背約管仲諫卒歸魯侵地十五年齊桓公始霸二十三年莊公如齊觀社（韋昭曰齊因祀社蒐軍實以示軍容公往觀之）三十二年初莊公築臺臨黨氏（賈逵曰黨氏魯大夫任姓）見孟女（賈逵曰黨氏之女○索隱曰左傳云初公築臺臨黨氏見孟任從之閟杜預曰孟長也任字也非姓耳）說而愛之許立爲夫人割臂以盟（服虔曰割其臂以與公盟）孟女生子斑斑長說梁氏女（[illegible]）往觀圉人犖自牆外

與梁氏女戲〔[illegible]其名也○正義[illegible]力角反〕斑怒鞭犖莊公聞之曰犖有力焉遂殺之是未可鞭而置也斑未得殺會莊公有疾莊公有三弟長曰慶父次曰叔牙次曰季友莊公取齊女為夫人曰哀姜哀姜無子哀姜娣曰叔姜〔正義曰田奚反〕生子開莊公無適嗣愛孟女欲立其子斑莊公病而問嗣於弟叔牙叔牙曰一繼一及魯之常也〔何休曰父死子繼兄死弟及〕慶父在可為嗣君何憂莊公患叔牙欲立慶父退而問季友季友曰請以死立斑也莊公曰曩者叔牙欲立慶父奈何季友以莊公命命

夏世帝仲康者帝太康之弟也兄終弟及自此始

牙待於鍼巫氏杜預曰鍼巫氏魯大夫也使鍼季劫飲叔牙以鴆服虔曰鴆鳥一曰運日鳥曰飲此則有後奉祀不然死且無後牙遂飲鴆而死魯立其子爲叔孫氏杜預曰不以罪誅故得立後世繼其祿也八月癸亥莊公卒季友竟立子班爲君如莊公命侍喪舍于黨氏正義曰未至公宮止於舅氏先時慶父與哀姜私通欲立哀姜娣子開及莊公卒而季友立班十月己未慶父使圉人犖殺魯公子班於黨氏季友奔陳服虔曰季友內知慶父之情力不能誅故避其難出奔慶父竟立莊公子開是爲湣公索隱曰系本名曰啓今此作開避漢景帝諱耳春秋作閔公也湣公二年慶父與哀姜通益甚哀姜與慶

正義曰邾即兗州鄒縣古邾国也

父謀殺湣公而立慶父慶父使卜齮襲殺湣公於武闈【集解賈逵曰卜齮魯大夫也宮中之門謂之闈。正義曰齮魚綺反闈音韋】季友聞之自陳與湣公弟申如邾請魯求內之魯人欲誅慶父慶父恐奔莒於是季友奉子申入立之是為釐公【索隱曰湣公之弟名申成季相之魯國以理於是魯人為僖公作魯頌】釐公亦莊公少子哀姜恐奔邾季友以賂如莒求慶父慶父歸使人殺慶父慶父請奔弗聽乃使大夫奚斯行哭而往慶父聞奚斯音乃自殺齊桓公聞哀姜與慶父亂以危魯乃召之邾而殺之以其尸歸戮之魯魯釐公請而葬之季友母陳女故

経注言僖是閔兄

亡在陳陳故佐送季友及子申季友之將生也父魯桓公使人卜之曰男也其名曰友間于兩社為公室輔賈逵曰兩社周社亳社也兩社之間朝廷執政之臣所在季友亡則魯不昌及生有文在掌曰友遂以名之號為成季其後為季氏慶父後為孟氏也釐公元年以汶陽鄪封季友賈逵曰汶陽鄪魯二邑杜預曰汶陽汶水北地也汶水出泰山萊蕪縣○索隱曰鄪今作費同音祕按費在汶水之北則汶陽非邑賈言二邑非也地地理志東海費縣班固云魯季氏邑盖尚書費誓即是其地季友為相九年晉里克殺其君奚齊卓子徐廣曰卓一作悼齊桓公率釐公討晉亂至高梁而還索隱曰晉地也在平陽縣立晉惠公十七年齊桓公卒二十四年

正義曰仲尼云汪罔氏之君守封嵎之山為漆姓在虞夏商為汪罔於周為長翟今謂之大人其國在湖州武康縣本防風氏杜預云鄋瞞狄國名也防風之後漆姓也

正義曰本傳云魯宣十五年杜預云潞赤狄之別種也按今潞州也

晉文公卽位三十二年釐公卒子興立是為文公文公元年楚太子商臣弒其父成王代立三年文公朝晉襄公十一年十月甲午魯敗翟于鹹服虔曰鹹魯地也獲長翟喬如富父終甥舂其喉以戈殺之服虔曰富父終甥魯大夫也舂猶衝埋其首於子駒之門賈逵曰子駒魯郭門名以命宣伯服虔曰宣伯叔孫得臣子喬如也得臣獲喬如以名其子使後世旌識其功初宋武公之世鄋瞞伐宋服虔曰武公周平王時在春秋前二十五年鄋瞞長翟國名正義鄋作廋音所留反瞞莫寒反司徒皇父帥師禦之以敗翟于長丘杜預曰宋地名獲長翟緣斯賈逵曰喬如之祖晉之滅路在魯宣公十五年獲喬如弟棼如齊惠公二年鄋瞞伐齊齊王子

魯周公世家

棼 正義曰本作焚

東本作

路本作潞

棼音煩

城。文獲其弟榮如，埋其首於北門。（按年表齊惠公二年魯宣公之二年）衛人獲其季弟簡如。（服虔曰獲與僑如同時）鄋瞞由是遂（杜預曰長翟之種絕）云。十五年，季文子使於晉。十八年二月，文公卒。文公有二妃，長妃齊女為哀姜，（索隱曰此哀非謚蓋以哭而過市國人哀之謂之哀姜）生子惡及視。次妃敬嬴，嬖愛，生子俀。（徐廣曰一作倭。索隱曰音人唯反）俀私事襄仲，（服虔曰襄仲公子遂）襄仲欲立之，叔仲曰不可。（服虔曰叔仲惠伯）襄仲請齊惠公，惠公新立，欲親魯，許之。冬十月，襄仲殺子惡及視而立俀，是為宣公。哀姜歸齊，哭而過市，曰：「天乎！襄仲為不道，殺適（音的）立庶！」市人皆哭，魯人謂之哀姜姜。魯由此公室卑，三桓彊。服虔曰三桓魯桓公之族仲孫叔孫季孫宣公俀十二年，楚莊王彊，圍鄭。鄭伯降，復國之。十八年，宣公卒，子成公黑肱立，徐廣曰肱一作股是為成公。季文子曰：「使我殺適立庶失大援者，襄仲。」服虔曰援助也仲殺適立庶國政無常鄰國非之是失大援助也杜預曰襄仲立宣公南通於楚既不固又不能堅事齊晉故云失大援襄仲立宣公，公孫歸父有寵。服虔曰歸父襄仲之子宣公欲去三桓，與晉謀伐三桓。會宣公卒，季文子怨之，歸父奔齊。成公二年春，齊伐取我隆。左傳作龍杜預曰魯邑在泰山博縣西南夏，公與晉郤克敗齊頃公於鞌，齊復歸我侵地。四年，成公如晉，晉景公不敬魯。魯欲背晉

左傳云魯宣成公十五年叔孫喬如會吳子於鍾離即此也

合於楚或諫乃不十年成公如晉晉景公卒因留成公送葬魯諱之索隱曰經不書其葬唯言公如晉是諱之十五年始與吳王壽夢會鍾離正義曰括地志云鍾離國故城在濠州鍾離縣東五里十六年宣伯告晉欲誅季文子服虔曰宣伯叔孫喬如文子有義晉人弗許十八年成公卒子午立是為襄公是時襄公三歲也襄公元年晉立悼公往年冬晉欒書弒其君厲公四年襄公朝晉五年季文子卒家無衣帛之妾廄無食粟之馬府無金玉以相三君索隱曰宣成襄也君子曰季文子廉忠矣九年與晉伐鄭晉悼公冠襄公於衛左傳曰冠于成公之廟假鍾磬焉禮也

止

季武子從[illegible]三桓氏分為三軍。周禮天子六軍，諸侯大國三軍。魯伯禽之封，舊有三軍，其後削弱，二軍而已。季武子欲專公室，故益中軍，以為三軍，三家各征其一。○索隱曰：征謂起徒役也。武子為三軍，故一卿主一軍之征賦。十二年朝晉。十六年，晉平公即位。二十一年，朝晉平公。二十二年，孔丘生。正義曰：生在周靈王二十一年，魯襄二十二年，晉平七年，吳諸樊十年。二十五年，齊崔杼弒其君莊公，立其弟景公。二十九年，吳延陵季子使魯，問周樂，盡知其意，魯人敬焉。

三十一年六月，襄公卒。其九月，太子卒。左傳曰毀也。○索隱曰：左傳云胡女敬歸之子子野立，三月卒。魯人立齊歸之子裯為君，徐廣曰：裯一作袑。服虔曰：胡，歸姓之國也。齊，謚也。索隱曰：系本作裯，徐廣作袑，袑音紹也。是為昭公。

年十九猶有童心[服虔曰言無成人之志而有童子之心]穆叔不欲立[索隱曰魯大夫叔孫豹宣伯喬如之弟]曰太子死有母弟可立不即立長[服虔曰無母弟則立庶子之長]年鈞擇賢義鈞則卜之[杜預曰先人事後卜筮義鈞謂賢等]今裯非適嗣且又居喪意不在戚而有喜色若果立必為季氏憂季武子弗聽卒立之比及葬三易衰[杜預曰言其嬉戲無度]君子曰是不終也昭公三年朝晉至河晉平公謝還之魯恥焉四年楚靈王會諸侯於申昭公稱病不往七年季武子卒八年楚靈王就章華臺召昭公昭公往賀[春秋云七年三月公如楚]賜昭公寶器已而悔復詐取之[左傳曰好以大屈服

大屈弓正義曰：弨，尺招反，弛貌也。角弓：弓不張也。禮云：張弓尚筋，弛弓尚角，是也。

竟：或作境。

乾侯：杜預曰乾侯在魏郡。

外野：左傳作介。正義：介，甲也。

[illegible]魯侯于章華臺與之大曲之弓既而悔之[illegible]書曰楚子享[illegible]大屈始所謂大屈也十二年朝晉至河晉平公謝還之十三年楚公子棄疾弒其君靈王代立十五年朝晉晉留之葬晉昭公魯恥之二十年齊景公與晏子狩竟因入魯問禮索隱曰齊系家亦然左傳無其事二十一年朝晉至河晉謝還之二十五年春鸜鵒來巢周禮曰鸜鵒不踰濟公羊傳曰非中國之禽也宜穴而巢穀梁傳曰來者來中國也師己曰文成之世童謠曰鸜鵒來巢公在乾侯鸜鵒入處賈逵曰師己魯大夫也文成魯文公成公公在外野季氏與郈氏鬬雞徐廣曰一本作厚世本亦然季氏芥雞羽服虔曰擣芥子播其雞羽可以坌郈氏雞目杜預曰季平子郈昭伯二家相近故鬬雞

乾：音干

弨

或云以膠沙播之為介雞郈氏金距服虔曰以金錔距季平子怒而侵郈氏服虔曰怒其不下己也侵郈氏之宮地以自益郈昭伯亦怒平子索隱曰系本昭伯名惡魯孝公之後稱厚氏臧昭伯之弟會賈逵曰昭伯臧孫賜也。索隱曰系本臧會臧頃伯也宣叔許之孫與昭伯賜為從父昆弟也偽讒臧氏匿季氏臧昭伯囚季氏人季平子怒因囚臧氏老服虔曰老臧氏家之大臣臧郈氏以難告昭公昭公九月戊戌伐季氏遂入平子登臺請曰君以讒不察臣罪誅之請遷沂上弗許杜預曰魯城南自有沂水平子欲出城待罪也大沂水出蓋縣南入泗水請囚於鄪弗許服虔曰鄪季氏邑請以五乘亡弗許服虔曰言五乘自省約以出子家駒曰索隱曰魯大夫仲孫氏之族名駒謚懿伯也君其許之政自季氏久矣為

為徒者 本ナ

徒者眾眾將合謀弗聽郈氏曰必殺之叔孫氏
之臣戾左傳曰鬷戾謂其眾曰無季氏與有孰利皆
曰無季氏是無叔孫氏戾曰然救季氏遂敗公
師孟懿子賈逵曰懿子仲孫何忌聞叔孫氏勝亦殺郈昭伯
郈昭伯為公使故孟氏得之三家共伐公公遂
奔己亥公至于齊齊景公曰請致千社待君子
家曰棄周公之業而臣於齊可乎乃止子家曰
齊景公無信不如早之晉弗從叔孫見公還見
平子平子頓首初欲迎昭公孟孫季孫後悔乃
止二十六年春齊伐魯取鄆賈逵曰魯邑而居昭公焉

叔 作識

夏齊景公將內公令無受魯賂申豐汝賈賈逵曰申豐汝賈魯大夫許齊臣高齕子將粟五千庾賈逵曰十六斗為庾五千庾八萬斗。索隱曰一本子將上有貨字子將即梁丘據也齕音紇子將家臣也左傳子將作子猶子將言於齊侯曰羣臣不能事魯君有異焉服虔曰異猶怪也宋元公為魯如晉求內之道卒春秋曰宋公佐卒于曲棘叔孫昭子求內其君無病而死索隱曰昭子名婼即穆叔子不知天棄魯乎抑魯君有罪于鬼神也願君且待齊景公從之二十八年昭公如晉求入季平子私於晉六卿六卿受季氏賂諫晉君晉君乃止居昭公乾侯杜預曰乾侯在魏郡斥丘縣晉竟內邑二十九年昭公如鄆齊景公使

主君左傳云齊侯使高張來唁公稱主君杜預云比公於大夫唁音彥吊也

乃賜昭公書自謂主君服虔曰大夫稱主比公於大夫故稱主君昭公恥之怒而去乾侯三十一年晉欲內昭公召季平子平子布衣跣行王肅曰示憂戚因六卿謝罪六卿為言曰晉欲內昭公衆不從晉人止三十二年昭公卒於乾侯魯人共立昭公弟宋為君是為定公定公立趙簡子問史墨服虔曰史墨晉史蔡墨曰季氏亡乎史墨對曰不亡季友有大功於魯受鄪為上卿至于文子武子世增其業魯文公卒東門遂服虔曰東門遂襄仲也居東門故稱東門遂○索隱曰系本並作述鄒誕作秫又系本遂產子家歸父及昭子子嬰也殺適立庶魯君於是失國政政在季氏於今四君

復之

左傳云齊人來歸鄆陽虎居之以為政也

矣民不知君何以得國是以為君慎器與名不可以假人杜預曰器車服名爵號定公五年季平子卒陽虎私怒囚季桓子與盟乃捨之七年齊伐我取鄆以為魯陽虎邑以從政八年陽虎欲盡殺三桓適而更立其所善庶子以代之載季桓子將殺之桓子詐而得脫三桓共攻陽虎陽虎居陽關服虔曰陽關魯邑九年魯伐陽虎陽虎奔齊已而奔晉趙氏正義曰左傳云仲尼曰趙氏其世有亂乎杜預云受亂人故十年定公與齊景公會於夾谷孔子行相事齊欲襲魯君孔子以禮歷階誅齊淫樂齊侯懼乃止歸魯侵地而謝過

困學紀聞十一燕世家孟軻謂齊王曰今伐燕此文武之時不可失也朱文公曰或問勸齊伐燕
有諸史記蓋傳聞此説之誤

鄒 正義作騶
見于陳世家音
邾後同也

魯周公世家

十二年使仲由毀三桓城徐廣曰一作子路收其甲兵孟
氏不肯墮城徐廣曰墮毀伐之不克而止季桓子受齊
女樂孔子去孔安國曰桓子使定公受齊女樂君臣相與觀之廢朝禮三日十五年定
公卒子將立是為哀公索隱曰系本將亦作蔣哀公五年齊
景公卒六年齊田乞弒其君孺子七年吳王夫
差彊伐齊至繒徵百牢於魯季康子使子貢說
吳王及太宰嚭以禮詘之吳王曰我文身不足
責禮乃止八年吳為鄒伐魯至城下盟而去齊
伐我取三邑十年伐齊南邊十一年齊伐魯季
氏用冉有有功思孔子孔子自衛歸魯十四年

二作三

本無欲之字

如越　正義曰：今會稽州西南四十五里橫山南有魯郡村，村內有城，俗云魯哀公如越越居，哀公居焉。

齊田常弑其君簡公於徐州。孔子請伐之，哀公不聽。十五年，使子服景伯、子貢為介，適齊，齊歸我侵地。田常初相，欲親諸侯。十六年，孔子卒。二十二年，越王句踐滅吳王夫差。二十七年春，季康子卒。夏，哀公患三桓，將欲因諸侯以劫之，三桓亦患公作難，故君臣多閒。賈逵曰：閒，閒隙也。公游于陵阪，服虔曰：陵阪，地名。遇孟武伯於衢，索隱曰：一本作衛，非也。左傳於孟氏之衢。曰：「請問余及死乎？」杜預曰：問己可得以壽死不。對曰：「不知也。」公欲以越伐三桓。八月，哀公如陘氏。杜預曰：陘氏即有山氏。三桓攻公，公奔于衛，去如鄒，遂如越。國人迎哀公復歸，卒

魯世家云：哀公奔越，國人迎哀公復歸，卒於有山氏。左傳正義曰：傳稱國人施罪於有山氏，不得復歸而卒於其家，與此違，未詳耳。

手有山氏 徐[illegible]公元丁未終[illegible] 子寧立是爲悼公悼公之時三桓勝魯如小侯卑於三桓之家十三年三晉滅智伯分其地有之三十七年悼公卒 徐廣曰一本云悼公即位三十年乃於秦惠王卒楚懷王死年合又自悼公以下盡與劉歆曆譜合而反違年表未詳何故皇甫謐云悼公四十年元辛未終庚戌 子嘉立是爲元公元公二十一年卒 徐廣曰皇甫謐云元辛亥終辛未 子顯立是爲穆公 索隱曰系本顯作不衍 穆公三十三年卒 徐廣曰皇甫謐云元壬申終甲辰 子奮立是爲共公共公二十二年卒 徐廣曰皇甫謐云元乙巳終丙寅 子屯立是爲康公 索隱曰屯音竹倫反 康公九年卒 徐廣曰皇甫謐云元丁卯終乙亥 子匽立是爲景公 索隱曰匽音偃 景公二十九年卒 徐廣曰皇甫謐云元

年表曰考烈王八年取魯封魯君於莒也

丙子終甲辰子叔立是爲平公索隱曰系本叔作旅是時六國皆稱王平公十二年秦惠王卒二十二年平公卒徐廣曰皇甫謐云公元乙巳終甲子子賈立是爲文公索隱曰系本作湣公鄒誕亦同系家或作文公文公七年楚懷王死于秦二十三年文公卒徐廣曰皇甫謐云公元乙丑終丁亥子讎立是爲頃公頃公二年秦拔楚之郢徐廣曰年表云文公十八年秦拔郢楚走陳楚頃王東徙于陳十九年楚伐我取徐州徐廣曰徐州在魯東今薛縣○索隱曰說文𨙨邾之下邑在魯東又郡國志曰魯國薛縣六國時曰徐州又紀年云梁惠王三十一年下邳遷于薛故名曰徐州則徐與𨙨並音舒也二十四年楚考烈王伐滅魯頃公亡遷於卞邑徐廣曰卞一作下○索隱曰下邑謂國外之小邑系本或作卞邑[illegible]爲家人魯絕祀

本作頃

頃公卒于柯徐廣曰皇甫謐云以戊午終辛亥。○索隱曰春秋齊及魯盟于柯杜預云柯齊邑今濟北東阿魯起周公至頃公凡三十四世

太史公曰余聞孔子稱曰甚矣魯道之衰也洙泗之閒齗齗如也徐廣曰漢書地理志云魯濱洙泗之閒其民涉渡幼者扶老者而代其任俗既薄長老不自安與幼者相讓故曰齗齗如也齗魚斤反東州語也蓋幼者患苦長者長者忿愧自守故齗齗爭辯所以為道衰也。○索隱曰讀如論語誾誾如也言魯道雖微而洙泗之閒尚誾誾如也鄒誕生亦音銀又作斷斷如尚書讀則斷斷是專一之義徐廣又引地理志音五巖反云斷斷是鬬爭之貌故繁欽遂行賦云涉洙泗而飲馬耻少長之斷斷是也今按下文云至于揖讓之禮則從矣魯尚有揖讓之風如論語音誾為得之也觀慶父及叔牙閔公之際何其亂也隱桓之事襄仲殺適立庶三家北面為臣親攻昭公昭公以奔至其揖

正義曰言魯被周公之化揖讓之礼則從美而君臣相殺何戾之甚

讓之禮則從矣而行事何其變也

索隱述贊曰

武王既沒　成王幼孤　周公攝政

負扆據圖　及還臣列　北面躬如

元子封魯　少昊之墟　夾輔王室

世職不渝　降及孝公　穆仲致譽

隱能讓國　春秋之初　丘明執簡

褒貶備書

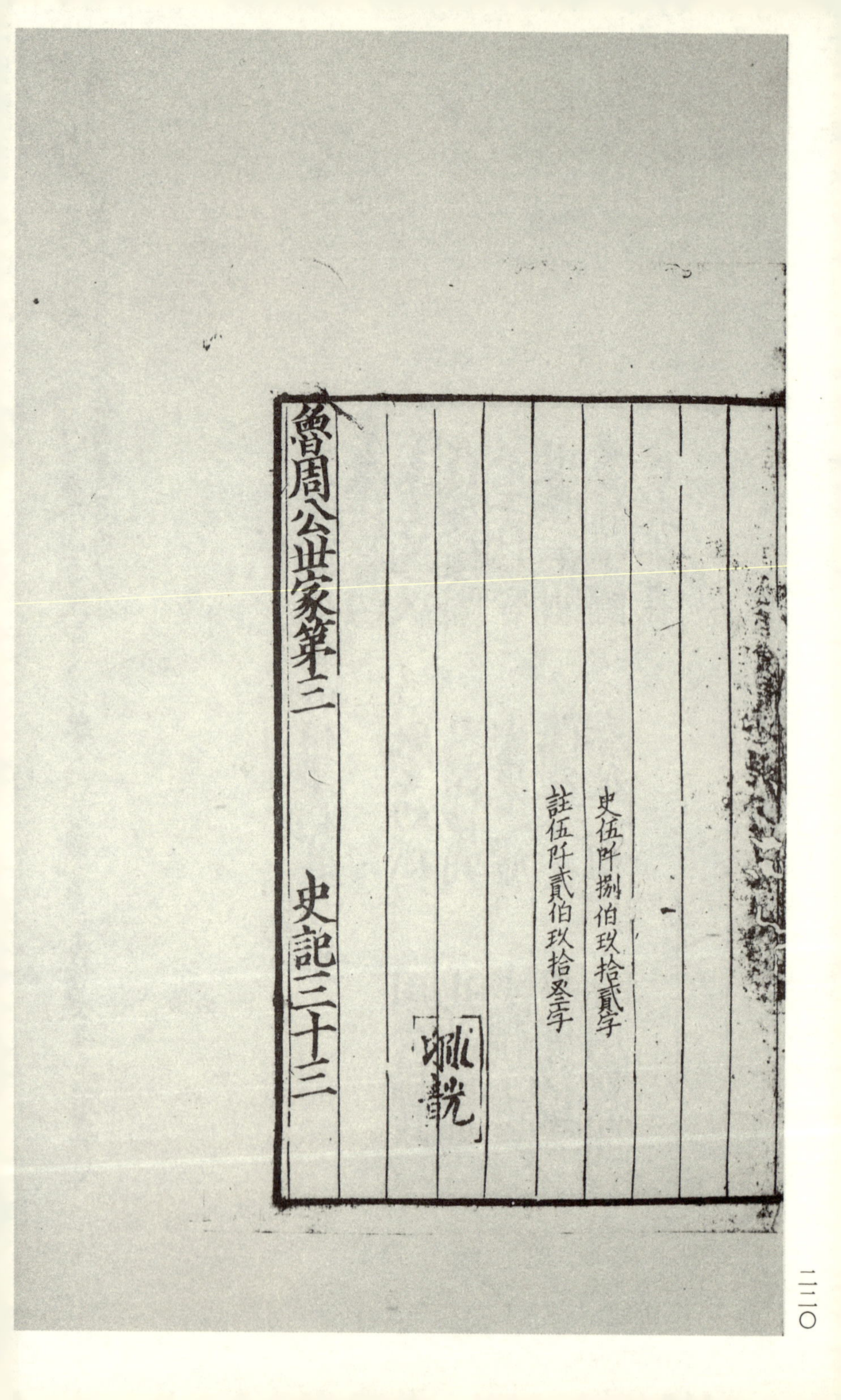

史伍阡捌伯玖拾貳字

註伍阡貳伯玖拾叁字

魯周公世家第三　史記三十三

注南燕正義曰括地志云滑州胙城縣古之燕國也應邵云南燕姞姓之國黃帝之後也

說音悅

燕召公世家第四　史記三十四

召公奭與周同姓，姓姬氏。譙周曰周之支族食邑於召謂之召公。○索隱曰召者畿內菜地奭始食於召故曰召公或說者以爲文王受命取岐周故墟召地分爵二公故詩有周召二南言皆在岐山之陽故言南也後武王封之北燕在今幽州薊縣故城是也亦以元子就封而次子留周室代爲邵公至宣王時邵康公虎其後也

周武王之滅紂，封召公於北燕。世本曰居北燕宋忠曰有南燕故云北燕

其在成王時，召公爲三公：自陝以西，召公主之；自陝以東，周公主之。何休曰陝者蓋今弘農陝縣是也

成王既幼，周公攝政，當國踐祚，召公疑之，作君奭。孔安國曰尊之曰君陳古以告之故以名篇

君奭不說周公。馬融曰召公以周公既攝政致太平功配文武不宜復列在臣位故不說以爲周公

周公乃稱湯時有伊尹假

若

正義曰音格

正義曰括巫咸吳人今蘇州常熟縣西海隅山上有巫咸冢及巫賢冢

有陳　尚書

管說云茲衍字也

江說云維衍字也

于皇天（孔安國曰[illegible]太平也[illegible]曰皇天[illegible]天帝也[illegible]致）在太戊時則有若伊陟臣扈假于上帝巫咸治王家（孔安國曰伊陟臣扈率伊尹之職使其君不隕祖業故至天之功不隕巫咸治王家言其不及二臣馬融曰道至于上帝謂奉天時也鄭玄曰上帝太微中其所統也）在祖乙時則有若巫賢（孔安國曰時賢臣有如此巫賢也賢咸子巫氏也）在武丁時則有若甘般（孔安國曰高宗即位甘般佐之後有傅說）率維茲有陳保乂有殷（徐廣曰一無此九字駰案王肅曰循此數臣有陳列之功安治有殷也）於是召公乃說召公之治西方甚得兆民和召公巡行鄉邑有棠樹（正義曰今之棠梨樹也括地志云邵伯廟在洛州壽安縣西北五里邵伯聽訟甘棠之下周人思之不伐其樹後人懷其德因立廟有棠在九曲城東阜上）決獄政事其下自侯伯至庶人各得其所無失職

者召公卒而民人思召公之政懷棠樹不敢伐哥詠之作甘棠之詩自召公已下九世至惠侯索隱曰并國史先失也又自惠侯已下皆無名亦不言屬惟昭王父子有名蓋在戰國時旁見他說耳燕四十二代有二惠侯二釐侯二宣侯三桓侯二文侯蓋國史微失本謚故重耳燕惠侯當周厲王奔彘共和之時惠侯卒子釐侯立正義釐音僖是歲周宣王初即位釐侯二十一年鄭桓公初封於鄭三十六年釐侯卒子頃侯立頃侯二十年周幽王淫亂爲犬戎所弒秦始列爲諸侯二十四年頃侯卒子哀侯立哀侯二年卒子鄭侯立索隱曰謚法無鄭鄭或是名鄭侯三十六年卒子繆侯立繆侯七年而魯

隱公元年也十八年卒子宣侯立索隱曰譙周云系本謂燕自宣侯已上皆父子相傳故無所疑桓侯已下並不言屬以其難明故也按今系本無燕代系宋忠依太史公書以補其闕尋徐廣作音尚引系本蓋近代始散逸耳宣侯十三年卒子桓侯立徐廣曰古史考曰世家自宣侯已下不說其屬以其難明故也桓侯七年卒系本曰桓侯徙臨易宋忠曰今河間易縣是也子莊公立莊公十二年齊桓公始霸十六年與宋衛共伐周惠王惠王出奔溫立惠王弟穨為周王譙周曰按春秋傳燕與子穨逐周惠王者乃南燕姞姓也系家以為北燕失之○索隱曰譙周云據左氏燕與衛伐周惠王乃是南燕姞姓而系家以為北燕伯故耆史考云此燕是姞姓今檢左氏莊十九年衛師燕師伐周二十年齊伐山戎傳云執燕仲父三十年齊伐山戎傳曰謀山戎以其病燕故也據傳文及此記元是北燕不疑杜君妄說仲父是南燕伯為伐周故且燕衛俱是姬姓故有伐國納土之事若是姞燕與衛伐周則鄭何以獨伐燕而不

燕召公世家

正義曰杜預云燕仲父南燕伯也周本紀云鄭虢君殺鄭子號君代殺王子頹復入惠王執鄭厲

南燕所以執其仲父

正義曰石徐燕三十年齊人伐山戎

杜預云山戎北戎無

終國名也括地志

云幽州漁陽縣本

北戎無終子國其後

晉滅山戎也

正義曰燕四十三代

三桓公傳一公二宣

公惠文公盡國

微其諡故重

代衞十七年鄭執燕仲父而內惠王于周二十乎七年山戎來侵我齊桓公救燕遂北伐山戎而還燕君送齊桓公出境桓公因割燕所至地予燕正義曰予音與括地志云燕留故城在滄州長盧縣東北十七里即齊桓公分溝割燕君所至地與燕因築此城故名燕留使燕共貢天子如成周時職使燕復脩召公之法三十三年卒子襄公立襄公二十六年晉文公爲踐土之會稱伯三十一年秦師敗于殽三十七年秦穆公卒四十年襄公卒桓公立桓公十六年卒索隱曰譙周云系家襄伯生宣伯無桓公今驗史記並有桓公立十六年又宋忠據此史補系家亦有桓公[illegible]所見本異則是燕有二桓[illegible]宣公立宣公十五年

卒昭公立昭公十三年卒武公立是歲晉滅三郤大夫武公十九年卒文公立文公六年卒懿公立懿公元年齊崔杼弒其君莊公四年卒子惠公立惠公元年齊高止來奔六年惠公多寵姬公欲去諸大夫而立寵姬宋大夫共誅姬宋索隱曰宋其名也或作宗劉氏云宋其父兄爲執政故諸大夫共滅之惠公懼奔齊四年齊高偃如晉請共伐燕入其君晉平公許與齊伐燕入惠公惠公至燕而死索隱曰春秋昭三年北燕伯款奔齊至六年又云齊伐北燕一與此文合左傳無納款之文而云將納簡公晏子曰燕君不入矣齊遂受賂而還事與此乖而又以款爲簡公簡公後惠公四代則與春秋經傳不相協未可強言也燕立悼公悼公七年卒

湣本作文
釐本作僖

共公立。共公五年卒，平公立。晉公室卑，六卿始彊大。平公十八年，吳王闔閭破楚入郢。十九年卒，簡公立。簡公十二年卒，獻公立。索隱曰：王劭按紀年，簡公後次孝公，無獻公。然紀年之書多是譌謬，聊記異耳。晉趙鞅圍范、中行於朝歌。獻公十二年，齊田常弒其君簡公。十四年，孔子卒。二十八年，獻公卒，孝公立。孝公十二年，韓、魏、趙滅知伯，分其地，索隱曰：按紀年，智伯滅在成公二年也。三晉彊。十五年，孝公卒，成公立。成公十六年卒，索隱曰：按紀年，成侯名載。湣公立。索隱曰：年表作藿侯莊。徐廣云一無莊字。按燕失年紀及其君名，多表言莊若衍……是歲三晉列為諸侯。索隱曰：按紀年文公二……

十四年卒[illegible]三晉見命邑爲諸侯與此不同[illegible]公三十年伐齊敗于林營索隱曰林營地名一云林地名於林地立營故曰林營釐公卒索隱曰紀年作簡公四十五年卒妄也按上簡公生獻公則此當是釐但立年又誤耳桓公立桓公十一年卒文公立索隱曰系本已上文公爲閔公則湣與閔同而上獻公之父又謚文公是歲秦獻公卒秦益彊文公十九年齊威王卒二十八年蘇秦始來見說文公文公予車馬金帛以至趙趙肅侯用之因約六國爲從長正義從足從反長丁丈反秦惠王以其女爲燕太子婦二十九年文公卒太子立是爲易王易王初立齊宣王因燕喪伐我取十城蘇秦說齊使復歸燕十城十年燕君爲王

陸曰敵來間己反用之故曰反間軍之所繫欲擊其軍也以二文准此合吾間必索求上數字也舍之安置之也

正義曰注反間敵間音澗並音紀莧反

索隱曰燕君即易王也言君初以十年即稱王也上言易王者易謚也後追書謚耳蘇秦與燕文
公夫人私通懼誅乃說王使齊為反間欲以亂
齊孫子兵法曰反間者因敵間而用之者也凡軍之所欲擊城之所欲攻人之所欲殺必先知其守將左右謁者門者舍人之姓名令吾間必索敵間之來間我者因而利道舍之故反間可得用也○正義曰使音所吏反間音紀莧反易
王立十二年卒子燕噲立燕噲既立齊人殺蘇
秦蘇秦之在燕與其相子之為婚而蘇代與子
之交及蘇秦死而齊宣王復用蘇代燕噲三年
與楚三晉攻秦不勝而還子之相燕貴重主斷
蘇代為齊使於燕索隱曰按戰國策曰子之使蘇代侍質子於齊齊使代報燕是也燕
王問曰齊王奚如對曰必不霸燕王曰何也對

曰不信其臣蘇代欲以激燕王以尊子之也於是燕王大信子之子之因遺蘇代百金而聽（正義曰瓚云秦以一溢為一金孟康云二十四兩曰溢）其所使鹿毛壽（徐廣曰一作厝毛又曰甘陵縣本名厝　索隱曰春秋後語亦作厝毛壽又韓子作潘壽）謂燕王不如以國讓相子之人之謂堯賢者以其讓天下於許由許由不受有讓天下之名而實不失天下今王以國讓於子之子之必不敢受是王與堯同行也燕王因屬國於子之子之大重（索隱曰大重謂尊貴也）或曰禹薦益已（索隱曰以已配益則益已是伯益而經傳無其文未知所由或曰已語終辭）而以啓人為吏（索隱曰人猶臣也謂以啓臣為益吏）及老而以啓人為不足

正義曰顧野王云効呈也象也法也

恖本下恐

赴告也

任乎天下傳之於益已而啓與交黨攻益奪之天下謂禹名傳天下於益已而實令啓自取之今王言屬國於子之而吏無非太子人者索隱曰此人亦訓臣是名屬國子之而實太子用事也王因收印訛也自三百石吏已上而效之子之索隱曰鄭玄云效呈也以印呈與子之子之南面行王事而噲老不聽政顧爲臣索隱曰顧猶反也言噲反爲子之臣也有本作願者非國事皆決於子之三年國大亂百姓恫怨索隱曰恫猶痛也民皆恐懼將軍市被正義曰人姓也與太子平謀將攻子之諸將謂齊湣王曰因而赴之破燕必矣齊王因令人謂燕太子平曰寡人聞太

文

六

徇正義曰行示也

正義曰軻字子輿鄒人著孟子十四卷趙岐注

北地正義曰謂齊之北境滄德等州界也

子之義將廢私而立公飭君臣之義正義飭音勑明父子之位寡人之國小不足以為先後正義先後並去聲雖然則唯太子所以令之太子因要黨聚眾將軍市被圍公宮攻子之不克將軍市被及百姓反攻太子平將軍市被死以徇因搆難數月死者數萬眾人恫恐百姓離志孟軻謂齊王曰今伐燕此文武之時不可失也索隱曰謂如武王成文王之業伐紂之時然此語與孟子不同王因令章子將五都之兵章子齊人見孟子索隱曰五都即齊也按臨淄是五都之一以因北地之眾以伐燕索隱曰北地即齊之北邊也士卒不戰城門不閉燕君噲死齊大勝燕子之亡徐廣

以本作與

曰年表云君噲及太子相子之皆死騆案汲冢紀年曰齊人禽子之而醢其身也二年而燕人共立太子平是為燕昭王徐廣曰噲立七年而死其九年燕人共立太子平○索隱曰按上文太子平謀攻子之而年表又云君噲及太子相子之皆死紀年又云子之殺公子平今此文云立太子平是為燕昭王則年表紀年為謬也而趙系家云武靈王聞燕亂召公子職於韓立以為燕王使樂池送之裴駰亦以此系家無趙送公子職之事當是遙立職而送之事竟不就則昭王名平非職明矣進退參詳是年表既誤而紀年因之而妄說耳

燕昭王於破燕之後即位卑身厚幣以招賢者謂郭隗曰齊因孤之國亂而襲破燕孤極知燕小力少不足以報然誠得賢士以共國以雪先王之恥孤之願也先生視可者得身事之郭隗曰王必欲致士先從隗始況賢於隗者豈遠千

畢至於是昭王為隗改築宮而師事之樂毅自
魏往鄒衍自齊往劇辛自趙往士爭趨燕燕王
弔死問孤與百姓同甘苦二十八年燕國殷富
士卒樂軼輕戰於是遂以樂毅為上將軍與秦
楚三晉合謀以伐齊齊兵敗湣王出亡於外燕
兵獨追北入至臨淄盡取齊寶燒其宮室宗廟
齊城之不下者獨唯聊莒即墨（索隱曰按餘篇及戰國策並無聊字）其
餘皆屬燕六歲昭王三十三年卒子惠王立惠
王為太子時與樂毅有隙及即位疑毅使騎劫
代將樂毅亡走趙齊田單以即墨擊敗燕軍騎

括地志云故聊城在博州聊城縣西二十四里莒即密州莒縣是即墨故在萊州膠水縣南六十里

劫死燕兵引歸齊悉復得其故城湣王死于莒乃立其子為襄王惠王七年卒索隱曰按趙系家惠文王二十八年燕相成安君公孫操弒其王樂資以為即惠王也徐廣按年表是年燕武成王元年武成即惠王子則惠王為成安君弒明矣此不言者燕遠諱不告或太史公之說疎也韓魏楚共伐燕燕武成王立武成王七年齊田單伐我拔中陽十三年秦敗趙於長平四十餘萬十四年武成王卒子孝王立孝王元年秦圍邯鄲者解去三年卒子今王喜立索隱曰今王猶今上也有作金者非也按謚法無金今王喜四年秦昭王卒燕王命相栗腹約驩趙以五百金為趙王酒還報燕王曰趙王壯者皆死長平其孤未壯可

中陽故城在汾州隰城縣南十里長平故城在澤州高平縣西二十一里秦趙戰時築也

故昌國在淄州淄川縣東北四十里樂毅破齊燕封毅子閒也

伐也王召昌國君樂閒問之對曰趙四戰之國
正義曰趙東鄰燕西接秦境南錯韓魏北連胡貉故言四戰其民習兵不可伐王曰
吾以五而伐一索隱曰謂以五人而伐一人對曰不可燕王怒羣
臣皆以為可卒起二軍車二千乘栗腹將而攻
鄗徐廣曰在常山今曰高邑○索隱曰鄗音火各反一音昊天卿秦攻代正義曰今代州也戰國策
云廉頗以二十萬遇栗腹於鄗樂乘以五萬遇爰秦於代燕人大敗與此不同也唯獨大夫將
渠謂燕王曰索隱曰人名姓也一云上卿秦及此將渠皆卿將官秦渠其名也國史變文而書遂失姓
爾戰國策云慶秦慶焉姓也卿其官耳與人通關約交以五百金飲人
之王使者報而反攻之不祥兵無成功燕王不
聽自將偏軍隨之將渠引燕王綬止之曰王必

言將渠勸諫燕王不令代趙之人聞之以將渠爲和者以識与已政故也

榆次并州縣

人自往往無成功王蹵之以足將渠泣曰臣非以自爲爲王也燕軍至宋子徐廣曰屬鉅鹿趙使廉頗將擊破栗腹於鄗破卿秦樂乘於代索隱曰戰國策曰廉頗以二十萬遇栗腹於鄗樂乘以五萬遇慶秦於代燕人大敗與此不同樂閒奔趙廉頗逐之五百餘里圍其國燕人請和趙人不許必令將渠處和燕相將渠以處和以將渠爲相○索隱曰謂趙欲令將渠處之使和也趙聽將渠解燕圍六年秦滅東西周置三川郡七年秦拔趙榆次三十七城秦置太原郡九年秦王政初即位十年趙使廉頗將攻繁陽徐廣曰屬魏郡拔之趙孝成王卒悼襄王立使樂乘代廉頗廉

頗不聽攻樂乘樂乘走廉頗奔大梁十二年趙
使李牧攻燕拔武遂徐廣曰屬河間方城徐廣曰屬涿有督亢亭劇辛
故居趙與龐煖善索隱曰煖音况遠反已而亡走燕燕見趙
數困于秦而廉頗去令龐煖將也欲因趙獘攻
之問劇辛辛曰龐煖易與耳燕使劇辛將擊趙
趙使龐煖擊之取燕軍二萬殺劇辛秦拔魏二
十城置東郡十九年秦拔趙之鄴正義曰即相州鄴縣也九
城趙悼襄王卒二十三年太子丹質於秦亡歸
燕二十五年秦虜滅韓王安置潁川郡二十七
年秦虜趙王遷滅趙趙公子嘉自立為代王燕

正義曰地字下有圖字者俗本也括地志云督亢陂在幽州范陽縣東南十里劉向別錄云督亢膏腴之地風俗通云亢漭也言平望漭漭無涯際也亢漭漭無水亦國之

正義曰措置也要也言燕之地邾邑文在齊晉之

見秦且滅六國秦兵臨易水（徐廣曰出涿郡故安也）禍且至燕太子丹陰養壯士二十人使荊軻獻督亢地圖於秦（索隱曰徐廣云涿有督亢亭地理志屬廣陽然督亢之田在燕東甚良沃欲獻秦故畫其圖而獻焉）因襲刺秦王秦王覺殺軻使將軍王翦擊燕二十九年秦攻拔我薊燕王亡徙居遼東斬丹以獻秦三十年秦滅魏三十三年秦拔遼東虜燕王喜卒滅燕是歲秦將王賁（正義曰賁音奔王翦子）亦虜代王嘉

太史公曰召公奭可謂仁矣甘棠且思之況其人乎燕北迫蠻貉內措齊晉（索隱曰措交雜也又作錯鄒氏云争錯也）

境内也

嶇彊國之間最爲弱小幾滅者數矣然社稷血食者八九百歲於姬姓獨後亡豈非召公之烈耶

索隱述贊曰　召伯作相　分陝而治
人惠其德　甘棠是思　莊送霸主
惠寵嬖姬　文公約趙　蘇秦騁辭
易王初立　齊宣我欺　燕噲無道
禪位子之　昭王待士　思報臨菑
督亢不就　卒見芟夷

史貳阡陸伯叁拾字　註貳阡貳伯貳拾壹字

召公世家第四　史記三十四

（漢）司馬遷　撰
（南朝宋）裴駰　集解
（唐）司馬貞　索隱
（唐）張守節　正義

宋本史記

第十三册

國家圖書館出版社

第十三册目録

史記世家　四十四

楚

正義曰左傳云少昊氏有子曰重爲勾芒水正顓頊有子曰黎祝融火正按[illegible]

及黎自掌二官也劉伯莊云少昊之後曰重顓頊之後曰重黎對彼重則單稱

黎自言則當稱重黎自楚司馬皆重黎之後非少昊之重也宋忠意地官

耳當以顓頊之無天官者謂之重黎也

楚世家第十　　史記四十

楚之先祖出自帝顓頊高陽高陽者黄帝之孫昌意之子也高陽生稱（正義曰尺證反）稱生卷章卷章生重黎（徐廣曰世本云老童生重黎及吴回譙周曰老童即卷章○索隱曰重氏黎氏二官代司天地重爲木正黎爲火正據左氏少昊氏之子曰重顓頊氏之子曰黎今以重黎爲一人乃是顓頊之子孫者劉氏云少昊氏之後曰重顓頊氏之後曰重黎對彼重則單稱黎若自言當家則稱重黎故楚及司馬氏皆重黎之後非關少昊之重愚謂此解爲當）重黎爲帝嚳高辛居火正（索隱曰此重黎爲火正彼少昊氏之後重當自爲木正知此重黎即彼之黎也）甚有功能光融天下帝嚳命曰祝融（虞翻曰祝大融明也韋昭曰祝始也）共工氏作亂帝嚳使重黎誅之而不盡帝乃以庚寅日誅重黎而以其弟

世本云陸終取鬼方氏之妹謂之女嬇是生六子孕而不毓三年啓其右脇三人出焉

正義曰虞翻云昆吾名樊未詳孰是也

吳回爲重黎後復居火正爲祝融吳回生陸終陸終生子六人坼剖而產焉集解干寶曰先儒學士多疑此事譙允南通才達學精核數理者也作古史考以爲作者妄記廢而不論余亦尤其生之異也然案六子之世子孫有國升降六代數千年間迭至霸王天將興之必有尤物乎若夫前志所傳修己背坼而生禹簡狄胷剖而生契歷代久遠莫足相證近魏黃初五年汝南屈雍妻王氏生男兒從右胳下水腹上出而平和自若數月創合母子無恙斯蓋近事之信也以今況古固知注記者之不妄也天地云爲陰陽變化安可守之一端槩以常理乎詩云不坼不副無災無害原詩人之旨明古之婦人嘗有坼剖而產者矣又有因產而遇災害者故美其無害也○索隱曰系本云陸終娶鬼方氏之妹謂之女嬇其長一曰昆吾集解虞翻曰昆吾名樊爲己姓封昆吾世本曰昆吾者衛是也○索隱曰系本云其一曰樊是爲昆吾宋忠曰昆吾國名己姓所出左傳曰衛侯夢見被髮登昆吾之觀今濮陽城中有昆吾臺是○正義曰括地志云濮陽縣古昆吾國也昆吾故城在縣西三十里臺在縣西百步即昆吾墟也二曰參胡集解世本曰參胡者

正義曰帝繫云顓頊取于滕墳氏女而生老童是為楚先也世本老童取根水氏之子謂之驕福是生重黎及吳回也

正義曰此重黎火正也少昊之後重木正也則知此重黎則非彼物合也杜預曰共工氏在太昊後神農前以水名官也

楚世家第十　史記四十

楚之先祖出自帝顓頊高陽高陽者黃帝之孫昌意之子也高陽生稱〔正義曰尺證反〕稱生卷章卷章生重黎〔徐廣曰世本云老童生重黎及吳回譙周曰老童即卷章○索隱曰重氏黎氏二官代司天地重為木正黎為火正據左氏少昊氏之子曰重顓頊氏之子曰黎今以重黎為一人乃是顓頊之子孫者劉氏云少昊氏之後曰重顓頊氏之後曰重黎對彼重則單稱黎若自言當家則稱重黎故楚及司馬氏皆重黎之後非關少昊之重愚謂此解為當〕重黎為帝嚳高辛居火正〔索隱曰此重黎為火正彼少昊氏之後重自為木正知此重黎即彼之黎也〕甚有功能光融天下帝嚳命曰祝融〔虞翻曰祝大融明也韋昭曰祝始也〕共工氏作亂帝嚳使重黎誅之而不盡帝乃以庚寅日誅重黎而以其弟

世本云陸終取鬼方氏之妹謂之女嬇是生六子孕而不毓三年啓其右脅三人出焉

正義曰虞翻云昆吾名樊未詳熟也

吳回爲重黎後復居火正爲祝融吳回生陸終陸終生子六人坼剖而產焉干寶曰先儒學士多疑此事譙允南通才達學精核數理者也作古史考以爲作者妄記廢而不論余亦尤其生之異也然案六子之世子孫有國升降六代數千年間迭至霸王天將興之必有尤物乎若夫前志所傳修己背坼而生禹簡狄胸剖而生契歷代久遠莫足相證近魏黃初五年汝南屈雍妻王氏生男兒從右胳下水腹上出而平和自若數月創合母子無恙斯蓋近事之信也以今況古固知注記者之不妄也天地云爲陰陽變化安可守之一端槩以常理乎詩云不坼不副無災無害原詩人之旨明古之婦人嘗有坼副而產者矣又有因產而遇災害者故美其無害也○索隱曰系本云陸終娶鬼方氏之妹謂之女嬇其長一曰昆吾虞翻曰昆吾名樊爲己姓封昆吾世本曰昆吾者衞是也○索隱曰系本云其一曰樊是爲昆吾宋忠曰昆吾國名己姓所出左傳曰衞侯夢見被髮登昆吾之觀今濮陽城中有昆吾臺是○正義曰括地志云濮陽縣古昆吾國也昆吾故城在縣西三十里臺在縣西百步即昆吾墟也二曰參胡世本曰參胡者

韓是也○索隱曰系本云二曰惠連是為參胡宋忠曰參胡國名斯姓無後三曰彭祖虞翻曰名翦為彭姓封於大彭世本曰彭祖者彭城是也○索隱曰系本云三曰籛鏗是為彭祖虞翻所云是也○正義曰括地志云彭城古彭祖國也外傳云殷末滅彭祖國也虞翻云名翦神仙傳云彭祖諱鏗帝顓頊之玄孫至殷末年已七百六十七歲而不衰老遂往流沙之西非壽終也四曰會人世本曰會人者鄭是也○索隱曰系本云四曰求言是為鄶人宋忠曰求言名也妘姓所出鄶國也○正義曰括地志云故鄶城在鄭州新鄭縣東北二十二里毛詩譜云昔高辛氏之土祝融之墟歷唐至周重黎之後妘姓處其地是為鄶國為鄭武公所滅也五曰曹姓世本曰曹姓者邾是也○索隱曰系本云其五曰安是為曹姓宋忠云安名也曹姓者諸曹所出也○正義曰括地志云故邾國在黃州黃岡縣東南百二十一里史記云邾子曹姓也六曰季連羋姓楚其後也索隱曰系本云六曰季連是為羋姓季連者楚是也宋忠曰季連名也羋姓諸楚所出楚之先羋音彌是羋羊羊聲也昆吾氏夏之時嘗為侯伯桀之時湯滅

羋音美

之彭祖氏殷之時嘗爲侯伯殷之末世滅彭祖氏季連生附沮孫檢曰一作祖○索隱曰沮音才欲反附沮生穴熊其後中微或在中國或在蠻夷弗能紀其世周文王之時季連之苗裔曰鬻熊鬻熊子事文王蚤卒其子曰熊麗熊麗生熊狂熊狂生熊繹熊繹當周成王之時舉文武勤勞之後嗣而封熊繹於楚蠻封以子男之田姓羋氏居丹陽徐廣曰在南郡枝江縣○正義曰潁客云傳例云楚居丹陽今枝江縣故城是括地志云歸州巴東縣東南四里歸故城楚子熊繹之始國也又熊繹墓在歸州秭歸縣輿地志云秭歸縣東有丹陽城周迴八里熊繹始封也楚子熊繹與魯公伯禽衛康叔子牟晉侯燮齊太公子呂

伋俱事成王。熊繹生熊艾，熊艾生熊䵣。索隱曰：一作䵣，音上感反。䵣音與但，與亶同字，亦作亶也。熊䵣生熊勝。熊勝以弟熊楊爲後。索隱曰：鄒誕本作熊鍚，文作煬。熊楊生熊渠。熊渠生子三人。當周夷王之時，王室微，諸侯或不朝，相伐。熊渠甚得江漢間民和，乃興兵伐庸、杜預曰：庸，今上庸縣。正義曰：括地志云房州竹山縣，本漢上庸縣，古之庸國。昔周武王伐紂，庸蠻在焉。楊粵，索隱曰：有本作楊雩，音吁，地名也。今音越。譙周作楊越。至于鄂。正義曰：五名反。劉伯莊云：地名，在楚之西，後徙楚，今東鄂州是。括地志云：鄧州向城縣南二十里西鄂故城是楚西鄂。熊渠曰：「我蠻夷也，不與中國之號謚。」乃立其長子康爲句亶王，張瑩曰：今江陵也。索隱曰：系本康作庸，亶作袒。地理志云：江陵，南郡之縣也。楚文王自丹陽徙都之。中子紅爲鄂王，九州記曰：鄂，今武昌○索隱曰有本作褻紅音贄以從下文熊贄紅讀古史考及鄒氏劉氏等無音褻紅恐非也○正義曰括地志云武昌縣鄂王舊都今鄂王神即熊渠子之神也少子執疵爲越章王索隱曰系本無執字越作就○正義曰即上鄂王紅也皆在江上楚蠻之地及周厲王之時暴虐熊渠畏其伐楚亦去其王後爲熊毋康徐廣曰即渠之長子毋康早死熊渠卒子熊摯紅立摯紅卒其弟弑而代立曰熊延索隱曰如此史意即上鄂王紅也譙周以爲熊渠卒子熊翔立卒長子摯有疾少子熊延立此云摯紅卒其弟弑而自立曰熊延欲會此代系則翔亦毋康之弟熊渠者既卒毋康又早卒其摯紅立而被延殺故史考言摯有疾命此言弑也○正義曰譙周言摯有疾此言殺未詳宋均注樂緯云熊渠嫡嗣曰熊摯有惡疾不得爲後別居於夔爲楚附庸後王命曰夔子也熊延生熊勇熊勇六年而周人作亂攻厲王厲王出奔彘熊勇十

年卒弟熊嚴為後熊嚴十年卒有子四人長子伯霜中子仲雪次子叔堪（索隱曰堪一作湛）少子季徇（索隱曰徇音句俊反）熊嚴卒長子伯霜代立是為熊霜熊霜元年周宣王初立熊霜六年卒三弟爭立仲雪死叔堪亡避難於濮（杜預曰建寧郡南有濮夷○正義曰按建寧晉郡在蜀南與蠻相近劉伯莊云濮在楚西南孔安國云庸濮在漢之南按成公元年楚地千里孔說是也）而少弟季徇立是為熊徇熊徇十六年鄭桓公初封於鄭二十二年熊徇卒子熊咢立（索隱曰咢音鄂亦作噩）熊咢九年卒子熊儀立是為若敖若敖二十年周幽王為犬戎所弒周東徙而秦襄公始列為諸侯

楚[illegible]氏[illegible]十三蚡冒卒弟熊達立是爲楚之武王左傳正義曰杜注蚡冒是楚武王父不從史記[illegible]以世家[illegible]蚡冒是兄不得爲父[illegible]世家熊達[illegible]熊通

十七年若敖卒子熊坎立是爲霄敖索隱曰[illegible]君感反一作[illegible]菌文作欽霄敖六年卒子熊眴立徐廣曰眴音舜○索隱曰按玉篇眴在口部顧氏云楚之先即蚡冒也鄒音舜其近代本字有從目者故鄒氏有舜音非也是爲蚡冒索隱曰古本蚡作翂音憤冒音亡北反或亡報反蚡冒十三年晉始亂以曲沃之故蚡冒十七年卒蚡冒弟熊通弒蚡冒子而代立是爲楚武王武王十七年晉之曲沃莊伯弒主國晉孝侯十九年鄭伯弟段作亂二十一年鄭侵天子之田二十三年衛弒其君桓公二十九年魯弒其君隱公三十一年宋太宰華督弒其君殤公三十五年楚伐隨索隱曰隨姬姓也杜預曰隨國今義陽隨縣○正義

曰括地志云隨州外城古隨國也世本云楚武王墓在豫州新息隨姬姓也武王卒師中而兵罷括地志云上蔡縣東北五十里隨曰我無罪楚曰我蠻夷也今諸侯皆為叛相侵或相殺我有敝甲欲以觀中國之政請王室尊吾號隨人為之周請尊楚王室不聽還報二十七年楚熊通怒曰吾先鬻熊文王之師也早終成王舉我先公乃以子男田令居楚蠻夷皆率服而王不加位我自尊耳乃自立為武王與隨人盟而去於是始開濮地而有之五十一年周召隨侯數以立楚為王楚怒以隨背己伐隨武王卒師中而兵罷皇覽曰武王冢在汝南郡鮦陽葛陂鄉城東北民謂之楚王岑

楚

鮦

平中葛陵城北祝里社下於土中得銅鼎而名曰楚武王墓是知楚武王之冢民傳言秦項赤眉之時欲發之輒頹壞填壓不得發也○正義曰有本注葛陂鄉作葛陵鄉者誤也地理志云新蔡縣西北六十里有葛陂鄉即費長房投竹成龍之陂因為鄉名也子文王熊貲立始都郢正義曰括地志云紀南故城在荊州江陵縣北五十里杜預云國都於郢今南郡江陵縣北紀南城是括地志云又至平王更城郢在江陵縣東北六里故郢城是文王二年伐申過鄧正義曰括地志云故申城在鄧州南陽縣北三十里也晉太康地志云周宣王舅所封故鄧城在襄州安養縣北二十里春秋之鄧國莊十六年楚文王滅之服虔云鄧曼姓也鄧人曰楚王易取鄧侯不許也六年伐蔡正義曰豫州上蔡縣在州北七十里古蔡國也縣外城蔡國城也虜蔡哀侯以歸已而釋之楚彊陵江漢間小國小國皆畏之十一年齊桓公始霸楚亦始大十二年伐鄧滅之

十三年卒子熊囏立史記音隱云囏古艱字是為杜敖索隱曰杜作壯側狀反杜敖五年欲殺其弟熊惲索隱曰惲音紆粉反左氏作頵紆頻反惲奔隨與隨襲弒杜敖代立是為成王成王惲元年初即位布德施惠結舊好於諸侯使人獻天子天子賜胙曰鎮爾南方夷越之亂無侵中國於是楚地千里十六年齊桓公以兵侵楚至陘山正義曰杜預云陘楚地潁川召陵縣南有陘亭地志云陘山在鄭州西南一百一十里即此山是也勿反下音桓楚族也楚成王使將軍屈完以兵禦之與桓公盟桓公數以周之賦不入王室楚許之乃去十八年成王以兵北伐許地理志曰潁川許[illegible]故許國也許君

肉袒謝乃釋之二十二年伐黃索隱曰汝南弋陽縣故黃國○正義曰括地志云黃國故城漢弋陽縣也秦時黃都嬴姓在光州定城縣四十里也二十六年滅英徐廣曰年表及他本皆作英一本作黃○正義曰英國在淮南蓋蓼國也不知改名時也三十三年宋襄公欲爲盟會召楚楚王怒曰召我我將好往襲辱之遂行至盂正義曰音于宋地也遂執辱宋公已而歸之三十四年鄭文公南朝楚楚成王北伐宋敗之泓射傷宋襄公襄公遂病創死三十五年晉公子重耳過成王成王以諸侯客禮饗而厚送之於秦三十九年魯僖公來請兵以伐齊楚使申侯將兵伐齊取穀杜預曰齊北穀城縣○正義曰括地志云穀在濟州東阿縣東二十六里置

齊桓公子雍，齊桓公七子皆奔楚，楚盡以爲上大夫。滅夔，夔不祀祝融、鬻熊故也。服虔曰：夔，楚熊渠之孫熊摯之後。夔在巫山之陽秭歸鄉是也。○索隱曰：譙周作滅歸。歸即夔之地名歸縣之鄉也。夏，伐宋，宋告急於晉，晉救宋，成王罷歸。將軍子玉請戰，成王曰：重耳亡居外久，卒得反國，天之所開，不可當。子玉固請，乃與之少師而去。晉果敗子玉於城濮。成王怒，誅子玉。四十六年，初，成王將以商臣爲太子，語令尹子上。子上曰：君之齒未也，杜預曰：齒，年也。言尚少。而又多內寵，絀乃亂也。楚國之舉常在少者。賈逵曰：舉，立也。且商臣蜂目而豺聲，忍人也。服虔曰：言忍爲義不可立之王不聽立之後又欲立子職（正義曰職商臣庶弟也）而絀太子商臣商臣聞而未審也告其傅潘崇曰何以得其實崇曰饗王之寵姬江（姬當作妹）芊而勿敬也商臣從之江芊（正義曰亡爾反）怒曰宜乎王之欲殺若而立職也商臣告潘崇曰信矣崇曰能事之乎（服虔曰若立職子能事之）曰不能能亡去乎曰不能能行大事乎（服虔曰謂弒君）曰能冬十月商臣以宮衛兵圍成王成王請食熊蹯而死（杜預曰熊掌難熟冀久將有外救之也）不聽丁未成王自絞殺商臣代立是為穆王穆王立以其太子宮予潘崇使為太師掌國

應劭云古江国也

續漢書云嬴姓也

蘭学紀聞十一 莊王即位三年伍舉入諫曰願進隱……

事穆王。三年，滅江。(杜預曰江國在汝南安陽縣)四年，滅六、蓼。六蓼，皐陶之後。(杜預曰六國今廬江六縣蓼國今安豐蓼縣)八年，伐陳。十二年，卒，子莊王侶立。莊王即位三年，不出號令，日夜為樂，令國中曰：「有敢諫者死無赦！」伍舉入諫。莊王左抱鄭姬，右抱越女，坐鐘鼓之間。伍舉曰：「願有進隱。」(隱謂隱藏其意)曰：「有鳥在於阜，三年不蜚不鳴，是何鳥也？」莊王曰：「三年不蜚，蜚將沖天；三年不鳴，鳴將驚人。舉退矣，吾知之矣。」居數月，淫益甚。大夫蘇從乃入諫。王曰：「若不聞令乎？」對曰：「殺身以明君，臣之願也。」於是乃罷淫樂，聽政，所誅者數百人，所進者數百人，任伍舉、蘇從以政，國人大說。是歲滅庸。 正義曰房州竹邑縣今是也 六年，伐宋，獲五百乘。八年，伐陸渾戎， 服虔曰陸渾戎在洛西南 ○正義曰允姓之戎徙居陸渾 遂至洛，觀兵於周郊。 服虔曰觀兵陳兵示周也 周定王使王孫滿勞楚王。 服虔曰以郊勞礼迎之也 楚王問鼎小大輕重， 杜預曰示欲逼周取天下 對曰：「在德不在鼎。」莊王曰：「子無阻九鼎！楚國折鉤之喙 正義曰喙許衛反几戟有鉤喙鉤口之尖也言楚國戟之鉤口尖有折者 足以為鼎言鼎易得也 足以為九鼎。」王孫滿曰：「嗚呼！君王其忘之乎？昔虞夏之盛，遠方皆至，貢金九牧， 服虔曰使九州之牧貢金 鑄鼎象物， 賈逵曰象所圖物著之於鼎 百物而為之備，使

民知神姦杜預曰圖鬼神百物之形使民逆備之也桀有亂德鼎遷於殷
載祀六百賈逵曰載辭也祀年也商曰祀王肅曰載祀猶言年也殷紂暴虐鼎
遷於周德之休明雖小必重杜預曰不可遷其姦回昏
亂雖大必輕杜預曰言可移昔成王定鼎于郟鄏杜預曰郟鄏今河南
也河南縣西有郟鄏陌武王遷之成王定之○索隱曰按周書郟雒北山名音甲鄏謂田厚鄏故以名焉卜世
三十卜年七百天所命也周德雖衰天命未改
鼎之輕重未可問也楚王乃歸九年相若敖氏
左傳曰人或讒之王恐誅反攻王王擊滅若敖氏
之族十三年滅舒杜預曰廬江六縣東有舒城也十六年伐陳殺
夏徵舒徵舒弑其君故誅之也已破陳即縣之

羣臣皆賀申叔時使齊來不賀王問對曰鄙語曰牽牛徑人田田主取其牛徑者則不直矣取之牛不亦甚乎且王以陳之亂而率諸侯伐之以義伐之而貪其縣亦何以復令於天下莊王乃復國陳後十七年春楚莊王圍鄭三月克之入自皇門賈逵曰鄭城門何休曰郭門也鄭伯肉袒牽羊以逆賈逵曰肉袒牽羊示服爲臣隷也曰孤不天不能事君君用懷怒以及敝邑孤之罪也敢不唯命是聽賓之南海若以臣妾賜諸侯亦唯命是聽若君不忘厲宣桓武杜預曰周厲王宣王鄭之所自出也鄭武公桓公始封之賢君也不絕其社稷使改

事君孤之願也非所敢望也敢布腹心楚羣臣曰王勿許莊王曰其君能下人必能信用其民庸可絶乎莊王自手旗左右麾軍引兵去三十里而舍遂許之平杜預曰退一舍而禮鄭潘尫入盟子良出質潘尫楚大夫子良鄭伯弟夏六月晉救鄭與楚戰大敗晉師河上遂至衡雍而歸二十年圍宋以殺楚使也索隱曰左傳宣十四年楚子使申舟聘于齊曰無假道于宋華元曰過我而不假道鄙我也鄙我亡也殺其使者必伐我伐我亦亡也亡一也乃殺之楚子聞之投袂而起九月圍宋是也圍宋五月城中食盡易子而食析骨而炊宋華元出告以情莊王曰君子哉遂罷兵去二十三年莊王卒子共

王審立共王十六年晉伐鄭鄭告急共王救鄭與晉兵戰鄢陵晉敗楚射中共王目共王召將軍子反子反嗜酒從者豎陽穀進酒醉王怒射殺子反遂罷兵歸三十一年共王卒子康王招立康王立十五年卒子員立【索隱曰員音云左傳作麇】是爲郟敖康王寵弟公子圍【徐廣曰史記多作回】子比子晳棄疾郟敖三年以其季父康王弟公子圍爲令尹主兵事四年圍使鄭道聞王疾而還十二月己酉圍入問王疾絞而弒之【荀卿曰以冠纓絞之左傳曰葬王于郟謂之郟敖】遂殺其子莫及平夏使使赴於鄭伍舉問曰誰爲

後（服虔曰問來遲者）對曰寡大夫圍伍舉更曰共王之子圍爲長（杜預曰伍舉更赴辭重從禮告終稱嗣不以篡弒赴諸侯）子比奔晉而圍立是爲靈王靈王三年六月楚使使告晉欲會諸侯諸侯皆會楚于申伍舉曰昔夏啓有鈞臺之饗（杜預曰河南陽翟縣南有鈞臺陂）商湯有景亳之命周武王有盟津之誓成王有岐陽之蒐（賈逵曰岐山之陽）康王有豐宮之朝（服虔曰豐宮成王廟所在也杜預曰豐在始平鄠縣東有靈臺康王於是朝諸侯）穆王有塗山之會齊桓有召陵之師晉文有踐土之盟君其何用靈王曰用桓公（杜預曰用會召陵之禮也）時鄭子產在焉於是晉宋魯衛不往靈王已盟有驕

色僖畢曰楚爲有仍之會有緡叛之賈逵曰仍緡國名也紂
爲黎山之會東夷叛之服虔曰黎東夷國名也子姓幽王爲太
室之盟戎翟叛之杜預曰太室中嶽也君其愼終七月楚以
諸侯兵伐吳圍朱方八月克之囚慶封滅其族以盟
以封徇曰無效齊慶封弒其君而弱其孤以盟
諸大夫杜預曰齊崔杼弒其君慶封其黨故以弒君罪責之也封反曰莫如楚
共王庶子圍弒其君兄之子員而代之立穀梁傳曰軍人
粲然皆笑於是靈王使棄疾殺之七年就章華臺杜預
曰南郡華容縣有臺在城內下令內亡人實之八年使公子棄
疾將兵滅陳十年召蔡侯醉而殺之使棄疾定

正義作山川

蔡因為陳蔡公十一年伐徐以恐吳左傳曰使蕩侯等圍徐靈王次於乾谿以待之王曰齊晉魯衛其封皆受寶器我獨不今吾使使周求鼎以為分其予我乎服虔曰有功德受分器析父對曰其予君王哉賈逵曰析父楚大夫○索隱曰據左氏此是古尹子華之詞史蓋誤也昔我先王熊繹辟在荆山蓽露藍蔞徐廣曰蓽一作篳駰案服虔曰蓽露柴車素大輅也藍蔞言衣敝壞其蔞藍藍然也以處草莽跋涉山林服虔曰草行曰跋水行曰涉以事天子唯是桃弧棘矢以共王事服虔曰桃弧棘矢所以禦其災言楚地山林無所出也齊王舅也服虔曰齊呂伋成王之舅晉及魯衛王母弟也楚是以無分而彼皆有今周與四國服事君王將唯

蔞或音柳

命是從豈敢愛鼎靈王曰昔我皇祖伯父昆吾舊許是宅（服虔曰陸終氏六子長曰昆吾少曰季連季連楚之祖故謂昆吾爲伯父也昆吾曾居許地故曰舊許是宅）今鄭人貪其田不我予今我求之其予我乎對曰周不愛鼎鄭安敢愛田靈王曰昔諸侯遠我而畏晉今吾大城陳蔡不羹（韋昭曰三國楚別都也穎川定陵有東不羹襄城有西不羹○正義曰括地志云不羹故城在許州襄城縣東三十里地理志云此西不羹者也）賦皆千乘諸侯畏我乎對曰畏哉靈王喜曰析父善言古事焉（正義曰左傳昭十二年析父謂子革曰吾子楚國之望也今與王言如響國其若之何杜預云幾其順王心如響應聲也按此對王言是子革之辭太史公云析父誤也析父時爲王僕見子革對故歎也）十二年春楚靈王樂乾谿不能去也國人苦

羹音郎

正義曰姓常名壽過

杜預曰從乾谿之師者使反來至也

左傳音所後者劓也

役初靈王會兵於申僇越大夫常壽過索隱曰僇辱也殺蔡大夫觀起索隱曰觀音官觀姓起名起子從亡在吳索隱曰從音才松反乃勸吳王伐楚為間越大夫常壽過而作亂為吳間使矯公子棄疾命召公子比於晉至蔡與吳越兵欲襲蔡令公子比見棄疾與盟於鄧杜預曰潁川邵陵縣西有鄧城○正義曰括地志云故鄧城在豫州郾城縣東三十五里按在古召陵縣西十里者也遂入殺靈王太子祿立子比為王公子子皙為令尹棄疾為司馬先除王宮觀從從師于乾谿令楚衆曰國有王矣先歸復爵邑田室後者遷之楚衆皆潰去靈王而歸靈王聞太子祿之死

也自投車下而曰人之愛子亦如是乎侍者曰甚是王曰余殺人之子多矣能無及此乎右尹曰（左傳曰右尹子革）請待於郊以聽國人（服虔曰聽國人欲爲誰）王曰衆怒不可犯曰且入大縣而乞師於諸侯王曰皆叛矣又曰且奔諸侯以聽大國之慮王曰大福不再祇取辱耳於是王乘舟將欲入鄢（服虔曰鄢楚別都也杜預曰襄陽宜城縣○正義曰音偃括地志云故鄢城在襄州安養縣北三里在襄州北五里南去荊州二百五十里按王自夏口從漢水上入鄢也左傳云王沿夏將欲入鄢是也括地志云鄢水源出襄州義清縣西界託伏山水經云蠻水即鄢水是也）右尹度王不用其計懼俱死亦去王亡靈王於是獨傍偟山中野人莫敢入王王行遇

芋尹 正義曰種芋園之尹也

其故銷人(韋昭曰今之中涓)謂曰爲我求食我已不食三日矣銷人曰新王下法有敢饟王從王者罪及三族且又無所得食王因枕其股而卧銷人又以土自代逃去王覺而弗見遂飢不能起芋尹申無宇之子申亥曰吾父再犯王命(賈逵曰斷王旌執人於章華之宮)王弗誅恩孰大焉乃求王遇王飢於釐澤奉之以歸夏五月癸丑王死申亥家(正義曰左傳云夏五月癸亥王縊于芋尹申亥堤也)申亥以二女從死并葬之是時楚國雖已立比爲王畏靈王復來又不聞靈王死故觀從謂初王比曰不殺棄疾雖得國猶受禍王

正義曰江上即江邊也

兩王 正義曰謂靈王及子比也

熊居 正義作叔 音

五率 正義曰所類反 五師謂伐徐時蕩侯等五大夫也

曰余不忍從曰人將忍王王不聽乃去棄疾歸國人每夜驚曰靈王入矣乙卯夜棄疾使船人從江上走呼曰靈王至矣國人愈驚又使曼成然告初王比及令尹子晳曰王至矣國人將殺君司馬將至矣杜預曰司馬謂棄疾君蚤自圖無取辱焉衆怒如水火不可救也初王及子晳遂自殺丙辰棄疾即位爲王改名熊居是爲平王平王以詐弒兩王而自立恐國人及諸侯叛之乃施惠百姓復陳蔡之地而立其後如故歸鄭之侵地存恤國中修政教吳以楚亂故獲五率以歸服虔

國子左傳云使五人齋而長以入拜也本作肘加紐抱其上二句以下故康

曰五率蕩侯潘子司馬督囂尹午陵尹喜平王謂觀從恣爾所欲欲為卜尹王許之〔賈逵曰卜尹卜師大夫官〕初共王有寵子五人無適立乃望祭羣神請神決之使主社稷而陰與巴姬〔賈逵曰共王妾〕埋璧於室內〔正義曰左傳云埋璧於太室之庭杜預云太室祖廟也〕召五子齋而入康王跨之〔服虔曰兩足各跨璧一邊杜預曰過其上〕靈王肘加之子比子皙皆遠之平王幼抱而入再拜壓紐故康王以長立至其子失之圍為靈王及身而弒子比為王十餘日子皙不得立又俱誅四子皆絕無後唯獨棄疾後立為平王竟續楚祀如其神符初子比自晉歸韓宣子問叔向

紐

曰子比其濟乎對曰不就宣子曰同惡相求如市賈焉(服虔曰謂國人共惡靈王者如市賈之人求利也)何爲不就對曰無與同好誰與同惡(服虔曰言無黨於內當與誰共同好惡)取國有五難有寵無人一也(杜預曰寵須賢人而固)有人無主二也(杜預曰雖有賢人當須內主爲應)有主無謀三也(杜預曰謀策謀也)有謀而無民四也(杜預曰民衆也)有民而無德五也(杜預曰四者既備當以德成之)子比在晉十三年矣晉楚之從不聞通者可謂無人矣(杜預曰晉楚之士從子比游皆非達人)族盡親叛可謂無主矣(杜預曰無親族在楚)無釁而動可謂無謀矣(服虔曰言靈王尚在而妄動取國故謂無謀)爲羈終世可謂無民矣(杜預曰終身羈客在於晉是無民)二

先神命之 義曰 謂埋璧之時也

右

無愛徵可謂無德矣杜預曰楚人無愛念者王虐而不忌杜預曰靈王暴虐無所畏忌將自亡子比涉五難以弒君誰能濟之有楚國者其棄疾乎君陳蔡方城正義曰方城山在許州葉縣西十八里也外屬焉苛慝不作盜賊伏隱私欲不違服虔曰不以私欲違民心民無怨心先神命之國民信之芈姓有亂必季實立楚之常也子比之官則右尹也數其貴寵則庶子也以神所命則又遠之民無懷焉將何以立宣子曰齊桓晉文不亦是乎[illegible]庶子而出奔對曰齊桓衛姬之子也有寵於僖有鮑叔牙賓須無隰朋以為輔佐[illegible]

正義云子餘趙衰子犯狐偃也

有高國以為內主服虔曰國子高子皆齊卿曰齊桓出奔莒自莒比入齊人助之從善如流服虔曰言其疾施惠不倦有國不亦宜乎昔我文公狐季姬之子也有寵於獻公好學不倦生十七年有士五人有先大夫子餘子犯以為腹心賈逵曰子餘趙衰有魏犨賈佗以為股肱有齊宋秦楚以為外主賈逵曰齊以女妻之宋贈之馬趙享以九獻秦送內之有欒郤狐先以為內主賈逵曰四姓晉大夫○正義曰桂楨云謂欒枝郤縠狐突先軫也亡十九年守志彌篤惠懷棄民服虔曰皆棄民不恤民從而與之正義曰以惠懷弃民故民相從而歸之於文公故文公有國不亦宜乎子比無施於民無援於外去晉晉不送歸楚楚不迎何

以有國子比果不終焉卒立者棄疾正義曰左傳云獲神一也有民二也令德三也寵貴四也居常五也有五利以去五難誰能害之杜預云獲神當璧拜也有民民信也令德無苛慝也寵貴妃子也居常棄疾季也如叔向言也平王二年使費無忌如秦服虔曰楚大夫○索隱曰傳作無極極忌聲相近爲太子建正義曰左傳云楚子之在蔡也郹陽之女奔之生太子建杜預云郹蔡邑也郹古覓反取婦婦好來未至無忌先歸說平王曰秦女好可自娶爲太子更求平王聽之卒自娶秦女生熊珍更爲太子娶是時伍奢爲太子太傅無忌爲少傅無忌無寵於太子常讒惡太子建建時年十五矣其母蔡女也無寵於王王稍益疏外建也六年使太子建

居城父。正義曰父音甫括地志云城父故城在許州葉縣東北四十五里即杜預云襄城城父縣也又汝州襄城縣東四十里亦有父城故城一所服虔云城父楚北境乃是父城之名非建所守杜預云言城父又誤也傳及酈元水經注云楚大城城父使太子建居之即十三州志云太子建所居城父謂今亳州城父縣也按今亳州見有城父縣是建所守者也地理志云潁川有父城縣沛郡有城父縣此二各別耳

無忌又日夜讒太子建於王曰自無忌入秦女太子怨亦不能無望於王王少自備焉且太子居城父擅兵外交諸侯且欲入矣平王召其傅伍奢責之伍奢知無忌讒乃曰王奈何以小臣疏骨肉無忌曰今不制後悔也於是王遂囚伍奢而召其二子而告以免父死劫令司馬奮揚召太子建欲

乃

圂 萱說〻〻猶置也言迁之於析而置之 迁徙字也

三鄝六翼 正義曰鄝誤字當作鬲音曆爾雅云附耳外謂之釴款足謂之鬲〻由足曰析也翼近曰折耳也三鬲六翼即九鼎

左

以有國子比果不終焉卒立者棄疾正義曰左傳云獲神一也有民二也令德三也寵貴四也居常五也有五利以去五難誰能害之杜預云獲神當璧拜也有民民信也令德無苛慝也寵貴妃子也居常棄疾季也如叔向言也平王二年使費無忌如秦服虔曰費大夫○索隱曰傳作無極極忌聲相近爲太子建正義曰左傳云楚子之在蔡也郹陽之女奔之生太子建杜預云郹蔡邑也郹古覓反娶婦婦好來未至無忌先歸說平王曰秦女好可自娶爲太子更求平王聽之卒自娶秦女生熊珍更爲太子娶是時伍奢爲太子太傅無忌爲少傅無忌無寵於太子常讒惡太子建建時年十五矣其母蔡女也無寵於王王稍益疏外建也六年使太子建

居城父守邊正義曰父音甫括地志云成父故城在州葉縣東北四十五里即杜預云襄城城父縣也又汝州襄城縣東四十里亦有父城故城一所服虔云城父楚北境乃是父城之名非建所守杜預云言成父又誤也傳及酈元水經注云楚大城城父使太子建居之即十三州志云太子建所居城父謂今亳州城父縣也按今亳州見有城父縣是建所守者也地理志云潁川有父城縣沛郡有城父縣此二名別耳無忌又日夜讒太子建於王曰自無忌入秦女太子怨亦不能無望於王王少自備焉且太子居城父擅兵外交諸侯且欲入矣平王召其傅伍奢責之伍奢知無忌讒乃曰王奈何以小臣疏骨肉無忌曰今不制後悔也於是王遂囚伍奢而召其二子而告以免父死劝令司馬奮揚召太子建欲

乃

左傳云伍尚爲宗見括地志云揚州六合縣本春秋時尚邑伍尚爲大夫也

誅之太子聞之亡奔宋無忌曰伍奢有二子不殺者爲楚國患盍以免其父召之必至於是王使使謂奢能致二子則生不能將死奢曰尚至胥不至王曰何也奢曰尚之爲人廉死節慈孝而仁聞召而免父必至不顧其死胥之爲人智而好謀勇而矜功知來必死必不來然爲楚國憂者必此子於是王使人召之曰來吾免爾父伍尚謂伍胥曰聞父免而莫奔不孝也父戮莫報無謀也度能任事智也子其行矣我其歸死伍尚遂歸[illegible][illegible]弓屬矢出見使者曰父有罪

何以召其子爲將射使者還走遂出奔吳伍奢聞之曰胥亡楚國危哉楚人遂殺伍奢及尚十年楚太子建母在居巢（正義曰廬州巢縣是也）開吳吳使公子光伐楚遂敗陳蔡取太子建母而去楚恐城郢（正義曰在江陵縣東北六里以解於前按傳城郢在昭公二十三年下重言城郢杜預云楚用子囊遺言以築郢城矣今畏吳復脩以自固也）初吳之邊邑卑梁（正義曰卑梁邑近鍾離也）與楚邊邑鍾離小童爭桑兩家交怒相攻滅卑梁人卑梁大夫怒發邑兵攻鍾離楚王聞之怒發國兵滅卑梁吳王聞之大怒亦發兵使公子光因建母家攻楚遂滅鍾離居巢楚乃恐而城郢

索隱曰去年巳城郢今又重言據左氏昭二十三年城郢二十四年無重城郢之文是史記誤也十三年平王卒將軍子常曰太子珍少且其母乃前太子建所當娶也欲立令尹子西子西平王之庶弟也有義子西曰國有常法更立則亂言之則致誅乃立太子珍是為昭王昭王元年楚衆不說費無忌以其讒亡太子建殺伍奢子父與郤宛宛之宗姓伯氏子嚭及子胥皆奔吳吳兵數侵楚楚人怨無忌甚楚令尹子常正義曰名瓦左傳云囊瓦伐吳誅無忌以說衆衆乃喜四年吳三公子昭三十年二公子奔楚公子掩餘奔徐公子燭庸奔鍾吾[illegible]奔楚楚封之以扞吳

吳伐取楚之六潛 [illegible]在壽州安豐縣[illegible]二十二里偃姓皋陶之後所封也[illegible]城楚之潛邑在霍山縣東二百步 七年楚使子常伐吳吳大敗楚於豫章 正義曰今洪州也 十年冬吳王闔閭伍子胥伯嚭與唐蔡俱伐楚楚大敗吳兵遂入郢辱平王之墓以伍子胥故也吳兵之來楚使子常以兵迎之夾漢水陣吳伐敗子常子常亡奔鄭楚兵奔吳乘勝逐之五戰及郢己卯昭王出奔庚辰吳人入郢 春秋云十一月庚辰 昭王亡也至雲夢雲夢不知其王也射傷王王走鄖 正義曰走音奏鄖音云括地志云安州安陸縣城本春秋時鄖國城 鄖公之弟懷曰平王殺吾父 服虔曰父曼成然○正義曰成

正義曰括地志云雲夢澤在安州安陸縣東南五十里是

鄖公 左傳云楚子殺成然使鬭辛居鄖 韋昭云鄖公令尹子文玄孫曼成然之子鬭辛

今我殺其子不亦可乎鄖公止之然立平王貪求無厭平王殺之然恐其弑昭王乃與王出奔隨正義曰括地志云隨州城外古隨國城隨姬姓也又云楚昭王城在隨州縣北七里左傳云吳師入郢王奔隨隨人處之公宮之北即此城是也吳王聞昭王往即進擊隨謂隨人曰周之子孫封於江漢之間者楚盡滅之欲殺昭王王從臣子綦乃深匿王自以為王謂隨人曰以我予吳隨人卜予吳不吉乃謝吳王曰昭王亡不在隨吳請入自索之隨不聽吳亦罷去昭王之出郢也使申鮑胥服虔曰楚大夫王孫包胥請救於秦秦以車五百乘救楚楚亦收餘散兵與秦擊吳十一年六月敗吳

於稷（賈逵曰楚地也）會吳王弟夫概見吳王兵傷敗亡歸自立為王闔閭聞之引兵去楚歸擊夫概夫概敗奔楚楚封之堂谿（正義曰地理志云堂谿故城在豫州郾城縣西八十五里也）號為堂谿氏楚昭王滅唐（杜預曰義陽安昌縣東南上唐鄉。○正義曰括地志云上唐鄉故城在隨州棗陽縣東南百五十里古之唐國也世本云唐姬姓之國）九月歸入郢十二年吳復伐楚取番（正義曰片寒反又音婆括地志云饒州鄱陽縣春秋時為楚東境秦為番縣屬九江郡漢為鄱陽縣也）楚恐去郢北徙都鄀（正義曰音若括地志云楚昭王故城在襄州樂鄉縣東北三十三里在故鄀城東五里即楚國故昭王徙都鄀城也）十六年孔子相魯二十年楚滅頓（地理志云曰汝南頓縣故頓子國。○正義曰括地志云陳州南頓縣故頓子國應劭云古頓子國姬姓也逼於陳後南徙故曰南頓）滅胡（杜預曰汝南縣西北胡城

左傳云有雲如衆赤鳥夾日以飛杜預云雲在楚上唯楚見之

正義曰括地志云故胡城在豫州郾城縣界二十一年吳王闔閭伐越越王句踐射傷吳王遂死吳由此怨越而不西伐楚二十七年春吳伐陳楚昭王救之軍城父十月昭王病於軍中有赤雲如鳥夾日而蜚杜預曰雲在楚上唯楚見之昭王問周太史太史曰是害於楚王然可移於將相將相聞是言乃請自以身禱於神昭王曰將相孤之股肱也今移禍庸去是身乎弗聽卜而河為祟大夫請禱河昭王曰自吾先王受封望不過江漢服虔曰謂所受王命祀其國中山川為望○正義曰按江荊州南大江也漢江也[illegible]未楚境內也河[illegible]非楚境[illegible]而河非所獲罪也止不許也

子在陳聞是言曰楚昭王通大道矣其不失國
宜哉昭王病甚乃召諸公子大夫曰孤不佞再
辱楚國之師今乃得以天壽終孤之幸也讓其
弟公子申為王不可又讓次弟公子結亦不可
乃又讓次弟公子閭五讓乃後許為王將戰庚
寅昭王卒於軍中子閭曰王病甚舍其子讓羣
臣臣所以許王以廣王意也今君王卒臣豈敢
忘君王之意乎乃與子西子綦謀伏師閉塗〔徐廣曰一作壁〕
〔正義曰左傳云謀潛師閉塗按潛師密出發往迎也閉塗防斷外寇也為昭王薨於軍嗣子未定恐有隣國及諸公子之變故伏師閉塗迎越女之子章立為惠王也〕
迎越女之子章立之〔服虔曰閉塗不通外〕

使也越女昭王之妾○索隱曰閉塗即措塗也故下立惠王後即罷兵歸葬[illegible]後說非是為惠王然後罷兵歸葬昭王惠王二年子西召故平王太子建之子勝於吳以為巢大夫號曰白公曰伍子胥傳曰使勝守楚之邊邑鄢案服虔曰白邑名楚邑大夫皆稱公杜預曰汝陰褒信縣西南有白亭○正義曰巢今廬州居巢縣也括地志云白亭在豫州褒信東南三十二里褒信本漢鄍縣之地後漢分鄍置褒信縣在今褒信縣東七十七里白公好兵而下士欲報仇六年白公請兵令尹子西伐鄭初白公父建亡在鄭鄭殺之白公亡走吳子西復召之故以此怨鄭欲伐之子西許而未為發兵八年晉伐鄭鄭告急楚楚使子西救鄭受賂而去白公勝怒乃遂與勇

士石乞等襲殺令尹子西子綦於朝因劫惠王置之高府賈逵曰高府府名也杜預曰楚別府欲弑之惠王從者屈固負惠王亡走昭王夫人宮服虔曰昭王夫人惠王母越女也白公自立爲王月餘會葉公來救楚楚惠王之徒與共攻白公殺之惠王乃復位是歲也徐廣曰惠王之十年滅陳而縣之十三年吳王夫差彊陵齊晉來伐楚十六年越滅吳正義曰表云越滅吳在元王四年四十二年楚滅蔡正義曰周定王二十二年四十四年楚滅杞正義曰周定王二十四年與秦平是時越已滅吳而不能正江淮北正義曰正長也江淮北謂廣陵縣徐泗等州也楚東侵廣地至泗上五十七年惠王

年表云悼王三年歸榆關于鄭。按榆關當在鄭之南、太梁之西也。榆關在太梁之境，此時屬楚，故三晉敗我太梁、榆關也。

卒，子簡王中立。（正義曰：中音仲反。）簡王元年，北伐滅莒。（正義曰：括地志云密州莒縣故國也。言北伐者，莒在徐泗之北。）八年，魏文侯、韓武子、趙栢子始列爲諸侯。二十四年，簡王卒，子聲王當立。（正義曰：謚法云不生其國曰聲也。）聲王六年，盜殺聲王，子悼王熊疑立。悼王二年，三晉來伐楚，至乘丘而還。（徐廣曰：年表云三年歸榆關于鄭。○正義曰：年表云三晉公子伐我，至乘丘誤也，已解在年表中。地理志云乘丘故城在兗州瑕丘縣西北三十五里是也。）四年，楚伐周。鄭殺子陽。九年，伐韓，取負黍。十一年，三晉伐楚，敗我大梁、榆關。（索隱曰：此榆關當在大梁之西。）楚厚賂秦，與之平。二十一年，悼王卒，子肅王臧立。肅王四年，蜀伐楚，取茲方。（正義曰：古今地名云荊州

華陽國志云…相攻伐故置江關陽關

正義作張丑 音儀言張丑

嬰女故偽設此辞

楚世家

於是楚又為扞關以距之……曰東…巴…松滋…地即…方是也郡距扞關之口○索隱曰郡國志曰巴郡魚復縣有扞關十年魏取我魯陽地理志云南陽有魯陽縣○正義曰括地志云汝州魯山本漢魯陽縣也古魯縣以古魯山為名也十一年肅王卒無子立其弟熊良夫是為宣王宣王六年周天子賀秦獻王秦始復彊而三晉益大魏惠王齊威王尤彊三十年秦封衛鞅於商南侵楚是年宣王卒子威王熊商立威王六年周顯王致文武胙於秦惠王七年齊孟嘗君父田嬰欺楚楚威王伐齊敗之於徐州徐廣曰時楚已滅越而伐齊也索隱齊說越令攻楚故云齊欺楚而令齊必逐田嬰田嬰恐張丑偽謂楚王

偽 たた 為

曰王所以戰勝於徐州者甲盼子不用也索隱曰盼子嬰之同族盼子者有功於國而百姓爲之用嬰子弗善而用申紀申紀者大臣不附百姓不爲用故王勝之也今王逐嬰子嬰子逐盼子必用矣復搏其士卒以與王遇索隱曰搏音博亦有作附讀戰國策作整必不便於王矣楚王因弗逐也十一年威王卒子懷王熊槐立魏聞楚喪伐楚取我陘山正義曰括地志云陘山在鄭州新鄭縣西南三十里懷王元年張儀始相秦惠王四年秦惠王初稱王六年楚使柱國昭陽將兵而攻魏破之於襄陵得八邑索隱曰襄陵縣名在河東[illegible]又移兵

而攻齊齊王患之徐廣曰懷王六年昭陽移和而攻齊軍門曰和陳軫適爲
秦使齊齊王曰爲之柰何陳軫曰王勿憂請令
罷之即往見昭陽軍中曰願聞楚國之法破軍
殺將者何以貴之昭陽曰其官爲上柱國封上
爵執珪陳軫曰其有貴於此者乎昭陽曰令尹
陳軫曰今君已爲令尹矣此國冠之上索隱曰冠音貫令尹
尹中最尊故以國爲言猶如卿子冠軍然臣請得譬之人有遺其舍人
卮酒者舍人相謂曰數人飲此不足以徧請
遂畫地爲蛇蛇先成者獨飲之一人曰吾蛇先
成舉酒而起曰吾能爲之足及其爲之足而後

國冠之上
正義曰冠音官後同楚國之官令尹最高昭陽以為令尹矣若人冠冕在首冠之上不可更加

楚世家

成人奪之酒而飲之曰蛇固無足今爲之足是非蛇也今君相楚而攻魏破軍殺將功莫大焉冠之上不可以加矣索隱曰冠音官今又移兵而攻齊攻齊勝之官爵不加於此攻之不勝身死爵奪有毁於楚此爲蛇爲足之説也不若引兵而去以德齊此持滿之術也昭陽曰善引兵而去燕韓君初稱王秦使張儀與楚齊魏相會盟齧桑正義曰徐廣云在梁與彭城之間十一年蘇秦約從山東六國共攻秦趙懷王爲從長至函谷關秦出兵擊六國六國兵皆引而歸齊獨後十二年齊湣王伐敗趙

魏軍秦亦伐取韓曲沃與齊爭長十六年秦欲伐齊而楚與齊從親秦惠王患之乃宣言張儀免相使張儀南見楚王謂楚王曰敝邑之王所甚說者無先大王雖儀之所甚願為門闌之廝者亦無先大王敝邑之王所甚憎者無先齊王雖儀之所甚憎者亦無先齊王而大王和之（索隱曰和謂楚與齊相和親）是以敝邑之王不得事王而令儀亦不得為門闌之廝也王為儀閉關而絕齊今使使者從儀西取故秦所分楚商於之地方六百里（商於之地在今順陽郡南鄉丹水二縣有商城在於中故謂之商於○索隱曰地理志丹水及商屬弘農今言順陽者是魏[illegible]）

荊州圖副云鄧州內鄉縣七里張儀所詐商於之地

始分置順陽郡商城丹水俱隸之如是則齊弱矣是北弱齊西德於秦私商於以爲富此一計而三利俱至也懷王大悅乃置相璽於張儀日與置酒宣言吾復得吾商於之地羣臣皆賀而陳軫獨弔懷王曰何故陳軫對曰秦之所爲重王者以王之有齊也今地未可得而齊交先絕是楚孤也夫秦又何重孤國哉必輕楚矣且先出地而後絕齊則秦計不爲先絕齊而後責地則必見欺於張儀見欺於張儀則王必怨之怨之是西起秦患北絕齊交西起秦患北絕齊交則兩國之兵必至

索隱曰兩國謂韓魏臣故曰楚王非聽因使一將軍西受封地張儀至秦詳醉墜車稱病不出三月地不可得楚王曰儀以吾絕齊為尚薄邪乃使勇士宋遺北辱齊王齊王大怒折楚符而合於秦秦齊交合張儀乃起朝謂楚將軍曰子何不受地從某至某廣袤六里楚將軍曰臣之所以見命者六百里不聞六里即以歸報懷王懷王大怒興師將伐秦陳軫又曰伐秦非計也不如因賂之一名都與之伐齊是我亡於秦索隱曰謂失商於之地取償於齊也吾國尚可存今王已絕於齊而責欺於

秦是吾合秦齊之交而來天下之兵也國必大傷矣楚王不聽遂絶和於秦發兵西攻秦秦亦發兵擊之十七年春與秦戰丹陽（索隱曰此丹陽在漢中）秦大敗我軍斬甲士八萬虜我大將軍屈匄裨將軍逢侯丑等七十餘人遂取漢中之郡楚懷王大怒乃悉國兵復襲秦戰於藍田（正義曰藍田在雍州東南八十里從藍田關入藍田縣）大敗楚軍韓魏聞楚之困乃南襲楚至於鄧楚聞乃引兵歸十八年秦使使約復與楚親分漢中之半以和楚楚王曰願得張儀不願得地張儀聞之請之楚秦王曰楚且甘心於

楚世家

子奈何張儀曰甚善其左右靳尚又能得事於楚王幸姬鄭袖袖所言無不從者且儀以前使負楚以商於之約今秦楚大戰有惡臣非面自謝楚不解且大王在楚不宜敢取儀誠殺儀以便國臣之願也儀遂使楚至懷王不見因而囚張儀欲殺之儀私於靳尚靳尚為請懷王曰拘張儀秦王必怒天下見楚無秦必輕王矣又謂夫人鄭袖曰秦王甚愛張儀而王欲殺之今將以上庸之地六縣賂楚以美人聘楚王以宮中善歌者為之媵楚王重地秦女必貴而夫

人必斥矣夫人不若言而出之鄭袖卒言張儀於王而出之儀出懷王因善遇儀儀因說楚王以叛從約而與秦合親約婚姻張儀已去屈原使從齊來諫王曰何不誅張儀懷王悔使人追儀弗及是歲秦惠王卒二十年齊湣王欲為從長索隱曰俗本或作二十六年按下文始言二十四年又更有二十六年則此云二十六年衍字也當是二十年事又徐廣推校二十年取武遂二十三年歸武遂則此二十年二十一年之事乎惡楚之與秦合乃使使遺楚王書曰寡人患楚之不察於尊名也今秦惠王死武王立張儀走魏樗里疾公孫衍用而楚事秦夫樗里疾善乎韓而公孫衍

善乎魏楚必事秦韓魏恐必因二人求合於秦則燕趙亦宜事秦四國爭事秦則楚爲郡縣矣王何不與寡人并力收韓魏燕趙與爲從而尊周室以案兵息民令於天下莫敢不樂聽則王名成矣王率諸侯並伐破秦必矣王取武關蜀漢之地（正義曰武關在商州東一百八十里商洛縣界蜀邑蜀漢中郡地）私吳越之富而擅江海之利韓魏割上黨西薄函谷則楚之彊百萬也且王欺於張儀亡地漢中兵銼藍田天下莫不代王懷怒今乃欲先事秦願大王孰計之楚王業已欲和於秦見齊王書猶豫不

決下其議羣臣羣臣或言和秦或曰聽齊昭睢

曰索隱曰睢音七余反王雖東取地於越不足以刷恥必且

取地於秦而後足以刷恥於諸侯王不如深善

齊韓以重樗里疾如是則王得韓齊之重以求

地矣秦破韓宜陽索隱曰弘十之縣在澠池西南而韓猶復事秦

者以先王墓在平陽索隱曰非兼都也而秦之武遂去之

七十里索隱曰亦非河間國之縣則韓之平陽秦之武遂並當在宜陽左右以故尤畏秦

不然秦攻三川正義曰洛州也趙攻上黨楚攻河外韓

必亡楚之救韓不能使韓不亡然存韓者楚也

韓已得武遂於秦以河山為塞正義曰河蒲河西黃河也山華山韓西竟也

国恩 善之 昭雎言韓
以得武遂於秦索
至河山必親楚是
昭雎言其已善楚
也 国恩
弗敢棄疾之疾也 正義
曰言齊韓兩守重
秦相樗里疾
得齊韓兩守重
秦王命齊韓又与
楚親疾必不敢棄
也今又益楚之重樗
里疾必言秦王
歸楚侵地

所報德莫如楚厚。臣以為其事王以疾齊之所信於韓者，以韓公子眛〔正義曰眛音莫葛反後同〕為齊相也。韓已得武遂於秦，王甚善之，使之以齊韓重樗里疾，疾得齊韓之重，其主弗敢棄疾也。今又益之以楚之重，樗里子必言秦，復與楚之侵地矣。於是懷王許之，竟不合秦，而合齊以善韓。〔徐廣曰懷王之二十二年秦拔宜陽取武遂二十三年秦復歸韓武遂然則已非二十年事矣〕二十四年，倍齊而合秦。秦昭王初立，乃厚賂於楚。楚往迎婦。二十五年，懷王入與秦昭王盟，約於黃棘。秦復與楚上庸。二十六年，齊韓魏為楚負其從親而合

於秦三國共伐楚趙使太子入質於秦而請救
秦乃遣客卿通將兵救楚三國引兵去二十七
年秦大夫有私與楚太子鬭楚太子殺之而亡
歸二十八年秦乃與齊韓魏共攻楚殺楚將唐
眛取我重丘而去二十九年秦復攻楚大破楚
楚軍死者二萬殺我將軍景缺懷王恐乃使太
子爲質於齊以求平三十年秦復伐楚取八城
秦昭王遺楚王書曰始寡人與王約爲弟兄盟
于黃棘太子爲質至驩也太子陵殺寡人之重
臣不謝而亡去寡人誠不勝怒使兵侵君王之

邊今聞君王乃令太子質於齊以求平寡人與楚接境壤界故爲婚姻正義曰妻父曰寸年父曰姻重姻曰王兩婿相謂曰婭所從相親久矣而今秦楚不驩則無以令諸侯寡人願與君王會武關面相約結盟而去寡人之願也敢以聞下執事楚懷王見秦王書患之欲往恐見欺無往恐秦怒昭睢曰王毋行而發兵自守耳秦虎狼不可信有并諸侯之心懷王子子蘭勸王行曰奈何絕秦之驩心於是往會秦昭王昭王詐令一將軍伏兵武關號爲秦王楚王至則閉武關遂與西至咸陽索隱曰右扶風渭城縣故咸陽

城也

朝章臺如蕃臣不與亢禮楚懷王大怒悔不用昭子言秦因留楚王要以割巫黔中之郡楚王欲盟秦欲先得地楚王怒曰秦詐我而又彊要我以地不復許秦秦因留之楚大臣患之乃相與謀曰吾王在秦不得還要以割地而太子爲質於齊齊秦合謀則楚無國矣乃欲立懷王子在國者昭雎曰王與太子俱困於諸侯而今又倍王命而立其庶子不宜乃詐赴於齊齊湣王謂其相曰不若留太子以求楚之淮北相曰不可郢中立王是吾抱空質而行不義於天下

下東國正義是之下國最在東故云下東國即楚淮北

也或曰不然郢中立王因與其新王市曰予我下東國吾爲王殺太子不然將與三國共立之然則東國必可得矣齊王卒用其相計而歸楚太子太子橫至立爲王是爲頃襄王乃告于秦曰賴社稷神靈國有王矣頃襄王橫元年秦要懷王不可得地楚立王以應秦秦昭王怒發兵出武關攻楚大敗楚軍斬首五萬取析十五城而去徐廣曰年表云取十六城既取析又并取左右十五城也駰案地理志弘農有析縣○正義曰括地志云鄧州內鄉縣城本楚析邑一名丑漢置析縣因析水爲名也二年楚懷王亡逃歸秦覺之遮楚道懷王恐乃從間道走趙以求歸趙

主父 正義曰父音甫 武靈王也

主父在代（索隱曰主字亦作王）其子惠王初立行王事恐不敢入楚王楚王欲走魏秦追至遂使秦使復之秦懷王遂發病頃襄王三年懷王卒于秦秦歸其喪於楚楚人皆憐之如悲親戚諸侯由是不直秦秦楚絕六年秦使白起伐韓於伊闕（正義曰括地志伊門山在洛州南十九里也）大勝斬首二十四萬秦乃遺楚王書曰楚倍秦秦且率諸侯伐楚爭一旦之命願王之飭士卒得一樂戰楚頃襄王患之乃謀復與秦平七年楚迎婦於秦秦楚復平十一年齊秦各自稱為帝月餘復歸帝為王十四年楚頃

一本作與
一本作吏

加歸鴈之上正義曰弱小也微細也繳弋射也歸鴈北向也言用小弓細弋射北歸之鴈其矢加於背上

襄王與秦昭王好會于宛結和親十五年楚王與秦三晉燕共伐齊取淮北十六年與秦昭王好會於鄢其秋復與秦王會穰十八年楚人有好以弱弓微繳加歸鴈之上者頃襄王聞召而問之對曰小臣之好射鶀鴈羅鸗徐廣曰鶀音忌鸗野鳥也○索隱曰十音其小鴈也鄒誕鸗音盧動反劉氏音龍鸗是小鳥名小矢之發也何足為大王道也且稱楚之大因大王之賢所弋非直此也昔者三王以弋道德五霸以弋戰國故秦魏燕趙者鶀鴈也齊魯韓衛者青首也索隱曰小鳧有青首者騶費郯邳者羅鸗也索隱曰鄒費音鄒祕外其餘則不

鶀

楚世家

六雙 正義曰謂上蔡魏盐趙齊魯韓衛鄒費剡列者合十二國也

是射者見鳥六雙以王何取 索隱曰以諭下文秦魏燕趙等十二國故云六雙 王何不以聖人為弓以勇士為繳時張而射之此六雙者可得而囊載也其樂非特朝夕之樂也 索隱曰夕猶昔也 其獲非特鳧鴈之實也王朝張弓而射魏之大梁之南加其右臂而徑屬之於韓則中國之路絕而上蔡之郡壞矣還射圉之東 索隱曰還音患還也射音石。正義曰圉音語城在汴州雍丘縣東言王朝張弓射魏大梁汴州之南即加大梁之右臂連韓鄭則河北中國之路向東南斷絕則韓上蔡之郡自破壞矣復遠射雍丘圉城之東使解散魏左肘宋州而外擊曹定陶及魏東之外解棄則宋方與兩郡並舉 解魏左肘 索隱曰解音紀買反 而外擊定陶則魏之東外棄而大宋方與二郡者舉矣且

綪屈也 膺胷也

西河謂龍門也

徐廣云以石傅弋繳曰碆石按為繳繩也

魏斷二臂顛越矣膺擊郯國大梁可得而有也王綪繳蘭臺徐廣曰綪縈也音爭蘭一作簡○正義曰鄭玄云綪屈也沍沔之間謂之縈收繩索綪也按繳絲繩繫弋射鳥也若膺擊郯國大梁已了乃收弋以繳於蘭臺桓山之側名也飲馬西河定魏大梁此一發之樂也若王之於弋誠好而不厭則出寶弓碆新繳徐廣曰以石傅弋繳曰碆碆音波○索隱曰碆若作磻音播傅音附射噣鳥於東海還蓋長城以為防徐廣曰噣一作獨還音宦蓋一作益益縣在樂安蓋縣在泰山濟北盧縣有長城東至海也○索隱曰噣音晝謂大鳥之有鉤喙者以比齊也還音患謂遶也蓋者覆也言射者環遶蓋覆使無飛走之路因以長城為防也徐以蓋為益縣非也地理志云長城在濟南也○正義曰太山郡記云太山西北有長城緣河徑太山千餘里至琅邪臺入海齊記云齊宣王乘山嶺之上築長城東至海西至濟州千餘里以備楚括地志云長城西北起濟州平陰縣緣河歷太山北岡上經濟州淄州即西南兗州博城縣北東至密州瑯

三國布翄 正義曰翄亦作翄音式豉反三國共布翄言約同也趙薊和同救闗東從不待約而可成

瑯臺入海蓟代記云齊有長城巨防足以爲塞也**朝射東莒**正義曰括地志云密州莒縣故莒子國地理志云周武王封少昊之後嬴姓於莒始都計斤春秋時徙居莒也**夕發浿丘**徐廣曰在清河○正義曰括地志云浿丘丘名也在青州臨淄縣西北二十五里也**夜加即墨顧據午道**索隱曰顧反也午道當在齊西界一從一橫爲午道蓋亦未詳其處○正義曰劉伯莊云齊西界按蓋在博州之西境也**則長城之東收**正義曰言從齊州長城東至海太山之北黃河之南盡舉收於楚**而太山之北舉矣西結境於趙**正義曰言得齊地約結於趙爲境界從親也**而北達於燕**索隱曰北一作杜杜者覓大之名言齊晉既取燕燕不難也○正義曰北達言四通無所滯言燕無山河之限也**三國布翄**徐廣曰音翅一作翮○索隱曰三國齊趙燕也翄翄式豉反**則從不待約而可成也北遊目於燕之遼東而南登望於越之會稽此再發之樂也若夫泗上十二**

音拜

諸侯左縈而右拂之可一旦而盡也今秦破韓以為長憂得列城而不敢守也伐魏而無功擊趙顧病索隱曰顧猶反也則秦魏之勇力屈矣楚之故地漢中析酈可得而復有也王出寶弓碆新繳涉鄳塞徐廣曰或以為冥其今江夏一作黽○正義曰括地志云故鄍城在陝州河北縣東十里虞邑也杜預云河東太陽有鄍城是也徐言江夏亦誤也而待秦之倦也山東河內正義曰謂華山之東懷州河內之郡可得而一也勞民休衆南面稱王矣故曰秦為大鳥負海內而處東面而立左臂據趙之西南右臂傅楚鄢郢膺擊韓魏索隱曰韓魏當秦之前故云膺擊俗本作鷹鳥非垂頭中國索隱曰垂頭猶申頭也言欲吞山東處既形

言欲取周寶之

南輸楚也

便孰有地利奮翼鼓翅方三千里則秦未可得
獨招而夜射也欲以激怒襄王故對以此言襄
王因召與語遂言曰夫先王爲秦所欺而客死
於外怨莫大焉今以匹夫有怨尚有報萬乘白
公子胥是也今楚之地方五千里帶甲百萬猶
足以踴躍中野也而坐受困臣竊爲大王弗取
也於是頃襄王遣使於諸侯復爲從欲以伐秦
秦聞之發兵來伐楚楚欲與齊韓連和伐秦因
欲圖周周王赧使武公（徐廣曰惠王之曾孫而西周惠公之子）謂楚相

共主世君　正義曰天下共尊今欲殺故言殺共主周世之君天下故言世君也

右

正義曰言韓圖周借於楚也

尊楚臣以為不然夫弒共主臣世君自謂也共主言周為天下共所宗主也世君言周室代代君於天下大國不親以衆脅寡
小國不附大國不親小國不附不可以致名實
名實不得不足以傷民夫有圖周之聲非所以
為號也昭子曰乃圖周則無之雖然周何故不
可圖也對曰軍不五不攻城不十不圍夫一周
為二十晉正義曰言周主之國其地雖小諸侯尊之故敵二十晉公之所知也
韓嘗以二十萬之衆辱於晉之城下銳士死中
士傷而晉不拔公之無百韓以圖周此天下之
所知也夫怨結於兩周以塞騶魯之心索隱曰騶魯有礼

（之國今楚欲結怨兩周而奪九鼎是塞鄒魯之心）交絕於齊（正義曰魏本與韓和伐秦因欲圖
周齊不與圖周故齊交絕於楚也）聲失天下其爲事危矣夫危兩
周以厚三川（正義曰三川兩周之地韓多有之言厚韓也）方城之外（正義曰方城之
外許州葉縣東北也言楚取兩周則韓強必弱楚方城之外地）必爲韓弱矣何以知
其然也西周之地絶長補短不過百里名爲天
下共主裂其地不足以肥國得其衆不足以勁
兵雖無攻之名爲弑君然而好事之君喜攻之
令發號用兵未嘗不以周爲終始是何也見祭
器在焉欲器之至而忘弑君之亂今韓以器之
在楚臣恐天下以器讎楚也臣請譬之夫虎肉

臊 正義曰亦作膆

正義曰虎有爪牙以衛其身若人身力兵故言其兵利身

臊其兵利身【索隱曰謂虎以爪牙為兵而自利於防身也】人猶攻之也若使澤中之麋蒙虎之皮人之攻之必萬於虎矣【索隱曰攻易而利大也○正義曰野澤之麋蒙衣虎皮人之攻取必萬倍於虎也譬喻楚伐周取祭器其猶麋蒙虎皮矣】裂楚之地足以肥國詘楚之名足以尊主今子將以欲誅殘天下之共主居三代之傳器【索隱曰謂九鼎也】吞三翮六翼以高世主【索隱曰翮亦作鬲同音歷三翮六翼亦謂九鼎也空足曰鬲六翼即六耳翼近耳旁事具小爾雅】非貪而何周書曰欲起無先故器南則兵至矣於是楚計輟不行十九年秦伐楚楚軍敗割上庸漢北地予秦【正義曰謂割房金均三州及漢水之北與秦】二十年秦將白起拔我西陵○【徐廣曰屬江夏○正義曰括地

楚世家

師說云江家說云傳器絶句此說意存耳 ○集今案盧藏用曰古周書也

正義曰左徒官名
尔時黃歇為左徒
侍太子於秦也

志云西陵故城在黃州黃岡西二里二十一年秦將白起遂拔我郢燒先王墓夷陵徐廣曰年表云拔郢燒夷陵○索隱曰夷陵陵名後為縣屬南郡○正義曰括地志云峽州夷陵縣是也在荊州西應劭云夷山在西北楚襄王兵散遂不復戰東北保於陳城二十二年秦復拔我巫黔中郡二十三年襄王乃收東地兵得十餘萬復西取秦所拔我江旁十五邑以為郡距秦二十七年使三萬人助三晉伐燕復與秦平而入太子為質於秦楚使左徒侍太子於秦三十六年頃襄王病太子亡歸秋頃襄王卒太子熊元代立索隱曰系本作完是為考烈王考烈王以左徒為令尹封

年表云六年春申
君救趙七年救趙
中山八年取魯封
呂十年徙鉅陽
十五年春申君
徙封吳

以與魏春申君言之考烈王元年納州于秦以平
曰南郡有州陵縣　是時楚益弱六年秦圍邯鄲趙告急楚
楚遣將軍景陽救趙七年至新中　索隱曰趙地无其名字誤[illegible]
有新市中當為市地○正義曰新中相州安陽卒也七國時魏寧新中邑秦莊襄王拔之更名安陽也　秦兵
去　徐廣曰年表云六年春申君救趙十年徙於鉅陽　十二年秦昭王卒楚王
使春申君弔祠于秦十六年秦莊襄王卒秦王
趙政立二十二年與諸侯共伐秦不利而去楚
東徙都壽春　正義曰壽春二南壽州壽春縣是也　命曰郢二十五年
考烈王卒子幽王悍立李園殺春申君幽王三
年秦魏伐楚秦相呂不韋卒九年秦滅韓十年

蘄 正義曰音機又音圻地理志云沛郡蘄縣也

古

幽王卒同母弟猶代立是爲哀王哀王立二月餘哀王庶兄負芻之徒襲殺哀王而立負芻爲王是歲秦虜趙王遷王負芻元年燕太子丹使荆軻刺秦王二年秦使將軍伐楚大破楚軍亡十餘城三年秦滅魏四年秦將王翦破我軍於蘄（索隱曰公祈二音）而殺將軍項燕五年秦將王翦蒙武遂破楚國虜楚王負芻滅楚名爲楚郡云（徐廣曰秦虜楚王負芻滅去楚名以楚地爲三郡○索隱曰按注引孫檢不知其人本末蓋齊人也）

太史公曰楚靈王方會諸侯於申誅齊慶封作章華臺求周九鼎之時志小天下及餓死于申

亥之家爲天下笑操行之不得悲夫勢之於人
也可不愼與棄疾以亂立嬖淫秦女甚乎哉幾
再亡國 索隱曰幾音祈

索隱述贊曰

鬻熊之嗣　周封於楚　僻在荊蠻
蓽路藍縷　及通而霸　僭號曰武
文既代申　成亦赦許　子圍簒嫡
商臣殺父　天禍未悔　憑姦自怙
昭困奔亡　懷迫囚虜　頃襄考烈
祚衰南土

楚世家第十　終

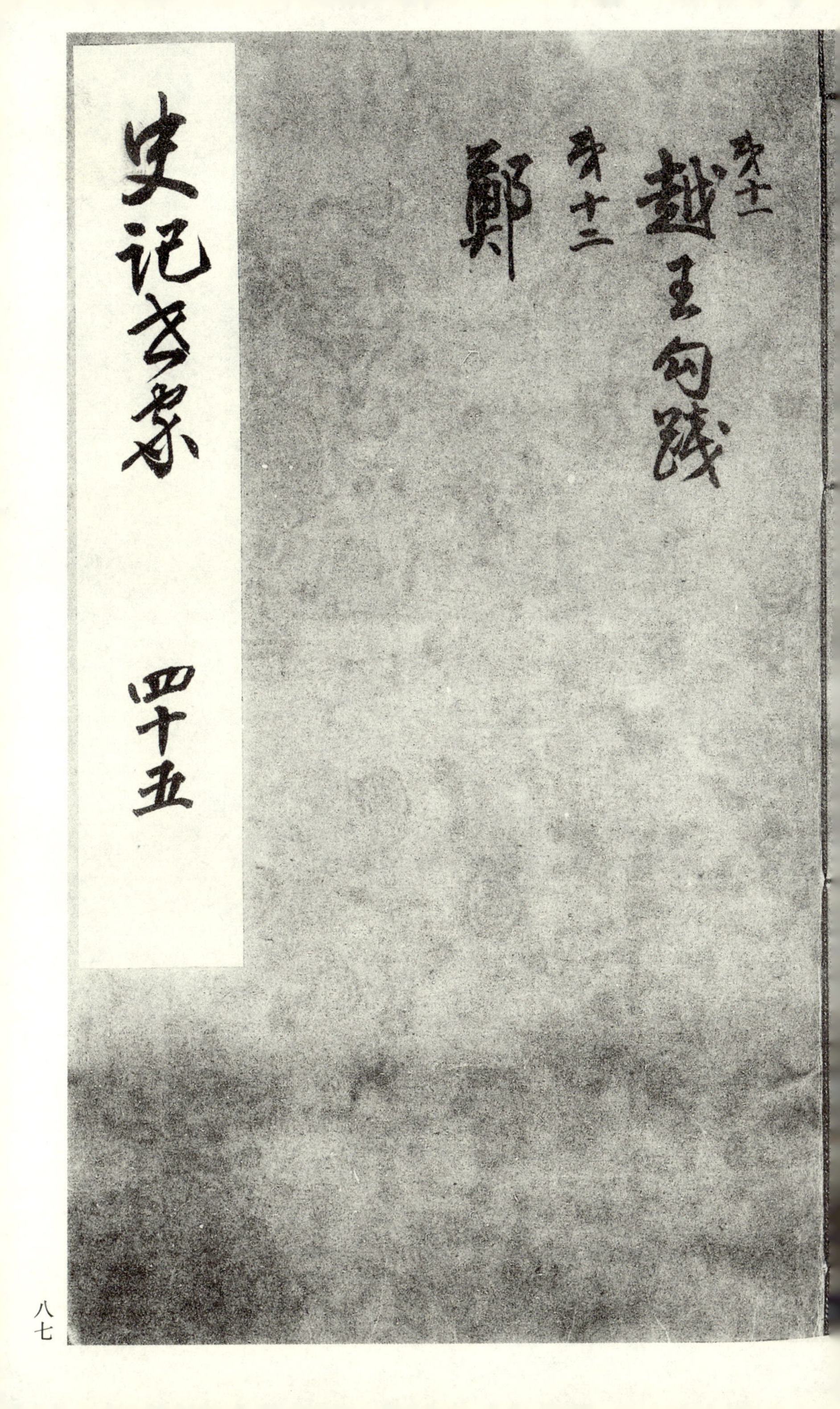

史記世家　四十五

世家十一　越王句踐

世家十二　鄭

正義曰句踐越王名也今越州也周元王命爲伯也

越王勾踐世家第十一　史記四十一

越王勾踐其先禹之苗裔［正義曰吳越春秋云禹周行天下還歸大越登茅山以朝四方羣臣封有功爵有德崩而葬焉至少康恐禹迹宗廟祭祀之絶乃封其庶子於越號曰無餘賀循會稽記云少康其少子號曰於越越國之稱始此越絶記云無餘都會稽山南故越城是也］而夏后帝少康之庶子也封於會稽以奉守禹之祀文身斷髮披草萊而邑焉後二十餘世至於允常［正義曰輿地志云越侯傳國三十餘葉歷殷至周敬王時有越侯夫譚子曰允常拓土始大稱王春秋貶爲子號爲於越杜注云於語發聲也］允常之時與吳王闔廬戰而相怨伐允常卒子勾踐立是爲越王

越王元年吳王闔廬聞允常死乃興師伐越越王勾踐使死士挑戰三行至吳陳

正義檇音醉

呼而自剄吳師觀之越因襲擊吳師吳師敗於檇李杜預曰吳郡嘉興縣南有檇李城索隱曰事在左傳魯定公十四年射傷吳王闔廬闔廬且死告其子夫差曰必毋忘越三年句踐聞吳王夫差日夜勒兵且以報越越欲先吳未發往伐之范蠡諫曰不可臣聞兵者凶器也戰者逆德也爭者事之末也陰謀逆德好用凶器試身於所末上帝禁之行者不利越王曰吾已決之矣遂興師吳王聞之悉發精兵擊越敗之夫椒杜預曰夫椒在吳郡吳縣太湖中椒山是也○索隱曰夫音符椒音焦本又作湫音酒小反賈逵云地名國語云敗之五湖則杜預云在椒山為非事具哀公元年越王乃以餘兵五千人

正義曰言執持滿
足之地唯天能之
越絕曰天道盈而
不溢盛而不驕
是頓危之計唯人
能之越絕云地貴
定傾人貴節事
無此之反也

保棲於會稽徐廣曰上會稽山也○索隱曰鄒誕云保山曰棲猶鳥棲於木以避害也故六韜曰軍處山之高者則曰棲吳王追而圍之越王謂范蠡曰正義曰會稽典錄云范蠡字少伯越之上將軍也本是楚宛三戶人佯狂倜儻負俗文種爲宛令遣吏謁奉吏還曰范蠡本國狂人生有此病種笑曰吾聞士有賢俊之姿必有佯狂之譏內懷獨見之明外有不知之毀此固非二三子之所知也駕車而往蠡避之後知種之必來謂兄嫂曰今日有客願假衣冠有頃種至抵掌而談旁人觀者聳聽之矣以不聽子故至於此爲之奈何蠡對曰持滿者與天韋昭曰與天法天也天道盈而不溢○索隱曰與天天與也言持滿不溢與天同道故天與之定傾者與人虞翻曰人道尚謙卑以自牧○索隱曰人主有定傾之功故人與之節事者以地韋昭曰時不至不可彊生事不究不可彊成○索隱曰國語以作與此以亦與義也言地能財成萬物人主宜節用以法地故地與之韋昭等解卑辭厚禮以遺之不許而身與之市

曰市利也謂妄[illegible]正義曰卑作言辭厚遺珍寶不許乎越王身往事之如飾寶須易以利此是定傾危之計

勾踐曰諾乃令大夫種行成於吳索隱曰大夫官種名也一云大夫姓猶司馬司空之比非也成者平也求和於吳也○正義曰吳越春秋云大夫種姓文名種字子禽荊平王時為宛令之三戶之里范蠡從犬竇蹲而吠之從吏恐文種慚令人引衣而鄣之文種曰無鄣也吾聞犬之所吠者人今吾到此有聖人之氣行而求之來至於此且人身而犬吠者謂我是人也乃下車拜蠡不為禮膝行頓首曰君王亡臣勾踐使陪臣種敢告下執事勾踐請為臣妻為妾吳王將許之子胥言於吳王曰天以越賜吳勿許也種還以報勾踐勾踐欲殺妻子燔寶器觸戰以死種止勾踐曰夫吳太宰嚭貪可誘以利請閒行言之索隱曰閒音紀閑反閒行猶微行於

是句踐乃以美女寳器令種閒獻呉太宰嚭〔索隱曰國語云越飾美女二人使大夫種遺太宰嚭〕嚭受乃見大夫種於呉王種頓首言曰願大王赦句踐之罪盡入其寳器不幸不赦句踐將盡殺其妻子燔其寳器悉五千人觸戰必有當也〔索隱曰言悉五千人觸戰或有能當呉兵者故國語作耦耦亦相當對之名又下云無乃傷君王之所愛乎是有當則傷他〕嚭因說呉王曰越以服爲臣若將赦之此國之利也呉王將許之子胥進諫曰今不滅越後必悔之句踐賢君種蠡良臣若反國將爲亂呉王弗聽卒赦越罷兵而歸句踐之困會稽也喟然嘆曰吾終於此乎種曰湯繫

夏臺文王囚羑里晉重耳犇翟齊小白犇莒其卒王霸由是觀之何遽不為福乎吳既赦越越王勾踐反國乃苦身焦思置膽於坐坐臥即仰膽飲食亦嘗膽也曰女忘會稽之恥邪身自耕作夫人自織食不加肉衣不重采折節下賢人厚遇賓客振貧弔死（徐廣曰弔一作葬）與百姓同其勞欲使范蠡治國政蠡對曰兵甲之事種不如蠡鎮撫國家親附百姓蠡不如種於是舉國政屬大夫種而使范蠡與大夫柘稽行成為質於吳（索隱曰越大夫也國語作諸稽郢）二歲而吳歸蠡勾踐自會稽歸七

年拊循其士民士民欲用以報吳大夫逢同諫曰（索隱曰逢姓同名故楚有逢伯者是）國新流亡今乃復殷給繕飾備利吳必懼懼則難必至且鷙鳥之擊也必匿其形今夫吳兵加齊晉怨深於楚越名高天下實害周室德少而功多必淫自矜爲越計莫若結齊親楚附晉以厚吳吳之志廣必輕戰是我連其權三國伐之越承其獘可克也句踐曰善居二年吳王將伐齊子胥諫曰未可臣聞句踐食不重味與百姓同苦樂此人不死必爲國患吳有越腹心之疾齊與吳疥癬也（索隱曰疥疥音介癬）願王

釋齊先越。吳王弗聽，遂伐齊，敗之艾陵，[索隱曰在魯哀十一年]虜齊高國以歸。[索隱曰國惠子高昭子]讓子胥。子胥曰：王毋喜。王怒，子胥欲自殺，王聞而止之。越大夫種曰：臣觀吳王政驕矣，請試嘗之貸粟，以卜其事。請貸，吳王欲與，子胥諫勿與，王遂與之，越乃私喜。子胥言曰：王不聽諫，後三年吳其墟乎！太宰嚭聞之，乃數與子胥爭越議，因讒子胥曰：伍員貌忠而實忍人，其父兄不顧，安能顧王？王前欲伐齊，員彊諫，已而有功，用是反怨王。王不備伍員，員必為亂。與逢同共謀讒之王。王始不從，乃使子胥於齊聞其託子於鮑氏王乃大怒曰伍員果欺寡人欲反使以賜子胥屬鏤劒以自殺子胥大笑曰我令而父霸索隱曰而汝也父闔廬也我又立若索隱曰若亦汝也若初欲分吳國半予我我不受已今若反以讒誅我嗟乎嗟乎一人固不能獨立報使者曰必取吾眼置吳東門以觀越兵入也索隱曰國語云吳王慍曰孤不使大夫得見乃盛以鴟夷投之于江也於是吳任嚭政居三年句踐召范蠡曰吳已殺子胥導諛者衆可乎對曰未可至明年春吳王北會諸侯於黃池索隱曰在哀十吳國精兵從王惟獨老弱與太子留守索隱曰按春秋

左氏傳大子名友句踐復問范蠡蠡曰可矣乃發習流二千索隱曰虞書云流宥五刑按流放之罪人使之習戰任爲卒伍有二千人也○正義曰謂先慣習流利戰陣死者二千人也教士四萬人索隱曰謂常所教練之兵也故孔子曰以不教民戰是謂弃之是也君子六千人韋昭曰君子王所親近有志行者猶吳所謂賢良齊所謂士也虞翻曰言君養之如子○索隱曰君子謂君所子養有恩惠者又按左氏越沈尹戌帥都君子以濟師杜預曰都君子諸都邑之士有復除者國語云王以私卒君子六千人也諸御千人伐吳索隱曰諸御謂諸理事之官在軍有職掌者

吳師敗遂殺吳太子吳告急於王王方會諸侯于黄池懼天下聞之乃秘之吳王已盟黄池乃使人厚禮以請成越越自度亦未能滅吳乃與吳平其後四年越復伐吳吳士民罷弊輕銳盡

死於齊胥而越大破吳因而留圍之三年吳師敗越遂復棲吳王於姑蘇之山吳王使公孫雄虞翻曰吳大夫肉袒膝行而前請成越王曰孤臣夫差敢布腹心異日嘗得罪於會稽夫差不敢逆命得與君王成以歸今君王舉玉趾而誅孤臣孤臣惟命是聽意者亦欲如會稽之赦孤臣之罪乎句踐不忍欲許之范蠡曰會稽之事天以越賜吳吳不取今天以吳賜越越其可逆天乎且夫君王蚤朝晏罷非為吳邪謀之二十二年一旦而棄之可乎且夫天與弗取反受其咎伐柯者

其賜不逮君忘會稽之厄乎句踐曰吾欲聽子言吾不忍其使者范蠡乃鼓進兵曰王已屬政於執事虞翻曰執事蠡自謂也使者去不者且得罪虞翻曰我為子得罪○索隱曰虞翻注盖依國語之文今案此文謂使者宜速去不去得罪於越義亦通吳使者泣而去句踐憐之乃使人謂吳王曰吾置王甬東君百家杜預曰甬東會稽句章縣東海中州也○索隱曰吳語云與之夫婦三百是也吳王謝曰吾老矣不能事君王遂自殺乃蔽其面正義曰今之面衣是其遺象也越絕云吳王曰聞命矣以三寸帛幎吾兩目使死者有知吾慚見伍子胥公孫聖以為無知吾恥生者越王則解綬以幎其目遂伏劒而死幎音覓顧野王云大巾覆也曰吾無面以見子胥也越王乃葬吳王而誅太宰嚭句踐已平吳乃以

兵北渡淮與齊晉諸侯會於徐州致貢於周周元王使人賜句踐胙命爲伯句踐已去渡淮南以淮上地與楚楚世家曰越滅吳而不能正江淮北楚東侵廣地至泗上歸吳所侵宋地於宋與魯泗東方百里當是時越兵橫行於江淮東諸侯畢賀號稱霸王索隱曰越在蠻夷少康之後地遠國小春秋之初未通上國國史既微略無世系故紀年稱爲於粵子據此文句踐平吳之後周元王始命爲伯後遂僭而稱王也范蠡遂去自齊遺大夫種書曰蜚鳥盡良弓藏狡兔死走狗烹徐廣曰狡一作郊越王爲人長頸鳥喙可與共患難不可與共樂子何不去種見書稱病不朝人或讒種且作亂越王乃賜種劍曰

故曰九者勿患戒口勿
傳以軍和天下不難
況於吳乎

子教寡人伐吳七術正義越絕云九術一曰尊天事鬼二曰重財幣以遺其君三曰遺敵粟槀以空其邦四曰遺之好美以滎其志五曰遺之巧匠使起宮室高臺以盡其財以疲其力六曰貴其諛臣使之易伐七曰彊其諫臣使之自殺八曰邦家富而備器利九曰堅甲利兵以承其弊寡人用其三而敗吳其四在子子為我從先王試之種遂自殺

句踐卒索隱曰紀年云晉出公十年十一月於粤子句踐卒是為菼執子王鼫與立索隱曰鼫音石與音餘按紀年云於粤子句踐卒次鹿郢立六年卒樂資云越語謂鹿郢為鼫與也王鼫與卒子王不壽立王不壽卒索隱曰紀年云不壽立十年見殺是為盲姑次朱句立子王翁立王翁卒索隱曰紀年於粤子朱句三十四年滅滕三十五年滅郯三十七年朱句卒子王翳立王翳卒子王之侯立索隱曰紀年云翳三十三年遷于吳三十六年七月太子諸咎弒其君翳十月粤殺諸咎粤滑吳人立子錯枝為君明年大夫寺區定粵亂立初無余之十二年寺區弟

翳於計反

不得正義曰晉即韓魏也時三晉滅其君已三十餘年矣

思弑其君莽安次無顓立無顓八年薨是爲菼蠋卯故莊子云越人三弑其君子搜患之逃乎丹穴不肯出越人薰之以艾乘以王輿樂資云號曰無顓蓋無顓後乃次無彊也則王之侯即無余之也王之侯卒子王

無彊立索隱曰蓋無顓之弟也音其良反王無彊時越興師北伐

齊西伐楚與中國爭彊當楚威王之時越北伐

齊齊威王使人說越王曰越不伐楚大不王小

不伯圖越之所爲不伐楚者爲不得晉也韓魏

固不攻楚韓之攻楚覆其軍殺其將則葉陽翟

危正義曰葉式涉反今許州葉縣陽翟河陽翟縣也二邑此時屬韓與楚犬牙交境韓若伐楚恐二邑爲楚所危魏

亦覆其軍殺其將則陳上蔡不安正義曰陳今陳州也上蔡今豫州上蔡縣也二邑此時屬魏與楚犬牙交境魏若伐楚恐二邑爲楚所危也故二晉之事越

葉之涉反

正義云重猶珍器也

也〔正義曰言韓魏與楚鄰今欲令韓魏合於三晉而伐楚〕不至於覆軍殺將馬汗之力不效所重〔徐廣曰效猶見也〕於得晉者何也〔正義曰從不至已下此是齊使者重難越王〕越王曰所求於晉者不至頓刃接兵而況于攻城圍邑乎〔正義曰頓刃築營壘也接兵戰也越王言韓魏事越猶不至頓刃接兵而況更有攻城圍邑韓魏始服乎言畏秦齊而故事越也〕願魏以聚大梁之下願齊之試兵南陽莒地以聚常郯之境〔索隱曰南陽在齊之西界莒之西也常邑名蓋田文所封之邑郯故郯國二邑皆齊之南地〕則方城之外不南〔正義曰方城山在許州葉縣西南十八里外謂許州豫州等言魏兵在大梁之下趙方城之兵不得南伐越也〕淮泗之間不東商於析酈宗胡之地〔徐廣曰胡國今之汝陰○索隱曰四邑並屬南陽楚之西南是也宗胡作宗胡宗胡邑名胡姓之宗因以名邑杜預云汝陰縣北有故胡城是也○〕

效 イタサ イタス アラハ

析 先擊反

越王句踐世家 八

得志於楚 正義曰齊以国四上界楚秦出武関侵楚韓河南以陽翟降楚魏南陳上

蔡接趙 言四國欲伐趙是得其志於楚也

所待者如此 正義曰其不失計猶為王也

不耕而穫之 正義曰言齊以秦攻楚韓魏無争兵猶未戰而以在地是不耕而穫之

頓刃於河山之間 正義曰言韓魏頓刃於黄河華山之間若此險固猶為秦使

役也。

右

正義曰酈音櫟括地志云商洛縣則古商國城也荊州圖副云鄧州內鄉縣東七里於村即於中地也括地志又云鄧州內鄉縣楚邑也故酈縣在鄧州新城縣西北三十里按商於析櫟在商鄧二州界縣邑也

夏路以左

徐廣曰蓋謂江夏之夏。索隱曰徐氏以為江夏非也劉氏云楚適諸夏路出方城人向北行以西為左故云夏路以左其意為得也。正義曰括地志云故長城在鄧州內鄉縣東七十五里南入穰縣北連翼望山無土之處累石為城固襄王控霸南土爭強中國多築列城於北方以適華夏號為方城按此說劉氏為得云邑徙衆少不足備秦嶢武二關之道也

不足以備秦江南泗上不足以待越矣

正義曰江南洪饒等州春秋時為楚東境也泗上徐州春秋時楚北境也二境並與越隣言不足當伐越

則齊秦韓魏得志於楚也是二晉不戰而分地不耕而穫之不此之為而頓刃於河山之間以為齊秦用所待者如此其失計奈何其以此王也齊使者曰

正義曰言齊使也言貴不貴見重越王歸魏失計用此為知惠也

正義曰目論即蚼及齊使云越王知晉之失計不自知楚衆已分越王之過猶人眼見毫毛而不見睫故云目論

正義曰北圍曲沃於中屬上今此點屬下句恐非歟

幸也越之不亡也吾不貴其用智之如目見豪毛而不見其睫也今王知晉之失計而不自知越之過是目論也索隱曰言越王知晉之失不自覺越之過猶人眼能見豪毛而自不見其睫故謂之目論也王所待於晉者非其馬汗之力也又非可與合軍連和也將待之以分楚衆也今楚衆已分何待於晉越王曰奈何曰楚三大夫張九軍北圍曲沃徐廣曰一作北面曲沃○正義曰括地志云曲沃故城在陝縣西三十二里於中在鄧州內鄉縣東七里爾時曲沃屬魏於中屬秦二地相近故楚圍之於中以至無徐廣曰無一作西假之關者三千七百里正義曰按無假之關當在江南長沙之西北也言從曲沃於中西至漢中巴巫黔中千餘里不備秦魯也景翠之軍北聚魯齊南陽正義曰魯

越王勾踐世家　九

實本有

兗州也齊密州莒縣邑南至泗上也南陽鄧州也時屬韓也言趙又備此三國也分散而次此者乎分有大

此者乎且王之所求者鬬晉楚也晉楚不鬬越兵不起是知二五而不知十也此時不攻楚臣以是知越大不王小不伯復讎龐徐廣曰一作寵長沙正義曰復扶富反言今越北欲鬬晉楚南復讎敵楚之四邑龐長沙竟陵澤也龐長沙出粟之地竟陵澤出材木之地此邑近長沙潭衡之境越若窺兵西通無假之關則西邑不得北上貢於楚之郢都矣戰國時永郴衡潭岳鄂江洪饒並是東南境屬楚也袁吉虔撫歙宣並越西境屬越也楚之粟也竟澤陵楚之材也索隱曰劉氏曰復者發語之聲非也言發語聲者文勢然也則是脫況字耳讎當作犨犨邑名字訛耳則犨龐長沙是三邑也竟澤陵當為竟陵澤言竟陵之山澤出材木故楚有七澤蓋其一也合上文為四邑也越窺兵通無徐廣曰無一作亡假之關此四邑者不上貢事於郢矣

臣聞之圖王不王其敝可以伯然而不伯者王道失也故願大王之轉攻楚也於是越遂釋齊而伐楚楚威王興兵而伐之大敗越殺王無彊盡取故吳地至浙江北破齊於徐州（徐廣曰周顯王之四十六年○索隱曰按紀年粵子無顓薨後十年楚伐徐州無楚敗越殺無彊之語是無彊為無顓之後紀年不得錄也）而越以此散諸族子爭立或為王或為君濱於江南海上（正義曰今台州臨海縣是也）服朝於楚後七世至閩君搖佐諸侯平秦漢高帝復以搖為越王以奉越後東越閩君皆其後也范蠡（太史公曰王妙論曰蠡本南陽人列仙傳云蠡徐人○正義曰吳越春秋云蠡字少伯乃楚宛三戶人也越絕云在越為范蠡在齊為鴟夷子皮在陶為朱公又云居楚曰）

范蠡 國語云句踐滅吳反至五湖范蠡辭於王曰君勉之臣不復入越國矣遂乘輕舟以浮於五湖莫知其所終極王命工以良金寫范蠡之狀而朝禮之又令大夫朝之環會稽三百里者以為范蠡之邑

范伯謂大夫種曰三王則三皇之苗裔也五伯乃五帝之末世也天運曆紀千一至黄帝之元執辰破巳霸王之氣見於地戶伍子胥以是挾方矢于吳王於是要大夫種入吳此時馮同相與戒之伍子胥在自餘不能關其詞蠡曰吳越之邦同風共俗地戶之位非吳則越彼爲彼我爲我及越王常與言盡日方去事越王句踐既苦身勠力與句踐深謀二十餘年竟滅吳報會稽之恥北渡兵於淮以臨齊晉號令中國以尊周室句踐以霸而范蠡稱上將軍還反國范蠡以爲大名之下難以久居且句踐爲人可與同患難與處安爲書辭句踐曰臣聞主憂臣勞主辱臣死昔者君王辱於會稽所以不死爲此事也今既以雪恥臣請從會稽之誅句踐曰孤將與

子分國而有之。不然，將加誅于子。」范蠡曰：「君行令，臣行意。」乃裝其輕寶珠玉，自與其私徒屬乘舟浮海以行，終不反。於是句踐表會稽山以為范蠡奉邑。索隱曰：國語云「乃環會稽三百里以為范蠡之地」。奉音扶用反。范蠡浮海出齊，變姓名，自謂鴟夷子皮，索隱曰：范蠡自謂也。蓋以吳王殺子胥而盛以鴟夷，今蠡自以有罪，故為號也。韋昭曰：鴟夷，革囊也。或曰生牛皮也。耕于海畔，苦身戮力，父子治產。居無幾何，致產數千萬。齊人聞其賢，以為相。范蠡喟然嘆曰：「居家則致千金，居官則至卿相，此布衣之極也。久受尊名，不祥。」乃歸相印，盡散其財，以分與知友鄉黨，而懷其重寶，閒行以去止于陶徐廣曰今之濟陰定陶○正義曰括地志云陶山在濟州平陰縣東三十五里止此山之陽也今山南五里猶有朱公冢以爲此天下之中交易有無之路通爲生可以致富矣於是自謂陶朱公復約要父子耕畜廢居候時轉物逐什一之利居無何則致貲累巨萬徐廣曰萬萬也天下稱陶朱公朱公居陶生少子少子及壯而朱公中男殺人囚於楚朱公曰殺人而死職也然吾聞千金之子不死於市告其少子往視之乃裝黃金千溢置褐器中載以一牛車且遣其少子朱公長男固請欲行朱公不聽長男曰家有長子曰家督今弟有

罪大人不遣乃遣少弟是吾不肖欲自殺其母為言曰今遣少子未必能生中子也而先空亡長男奈何朱公不得已而遣長子為一封書遺故所善莊生索隱曰據其時代非莊周也然驗其行事非子休而誰能信任於楚王乎○正義曰年表云周元王四年越滅吳范蠡遂去齊歸定陶後遣莊生金莊周與魏惠王周元王同時從周元王四年至齊宣王元年百三十年此莊生非莊子曰至則進千金于莊生所聽其所為慎無與爭事長男既行亦自私齎數百金至楚莊生家負郭披藜藋到門居甚貧然長男發書進千金如其父言莊生曰可疾去矣慎毋留即弟出勿問所以然長男既去不過莊生而私留

不宿誡 正義曰宿猶預也言此朱公之金有如病患須固看守勿言不預誡復致朱公慎𠀋昊動也云有如病此金欲用之也

以其私齋獻遺楚國貴人用事者莊生雖居窮閻然以廉直聞於國自楚王以下皆師尊之及朱公進金非有意受也欲以成事後復歸之以爲信耳故金至謂其婦曰此朱公之金有如病不宿誡後復歸勿動而朱公長男不知其意以爲殊無短長也莊生閒時入見楚王言某星宿某此則害於楚楚王素信莊生曰今爲柰何莊生曰獨以德爲可以除之楚王曰生休矣寡人將行之王乃使使者封三錢之府國語曰周景王時將鑄大錢賈逵說云虞夏商周金幣三等或赤或白或黃黃爲上幣銅錢爲下幣韋昭曰錢者金幣之名所以貿買物通財用也單穆

公云古者有毋平子子權毋而行[illegible]則三品之來古而然矣駰謂韋之三錢為貨之說近之楚貴人驚告朱公長男曰王且赦曰何以也曰每王且赦常封三錢之府昨暮王使使封之或曰王且赦常封三錢之府者錢幣至重慮人或逆知有赦盜竊之所以封錢府備盜竊也漢桓帝時河內張成能候風角知將有赦教子殺人捕得七日赦出此其類也朱公長男以為赦弟固當出也重千金虛棄莊生無所為也乃復見莊生莊生驚曰若不去邪長男曰固未也初為事弟弟今議自赦故辭生去莊生知其意欲復得其金曰若自入室取金長男即自入室取金持去獨自歡幸莊生羞為兒子所賣乃入見楚王曰臣前言某星事

王言欲以脩德報之今臣出道路皆言僞之富人朱公之子殺人囚楚其家多持金錢賂王左右故王非能恤楚國而赦乃以朱公子故也楚王大怒曰寡人雖不德耳奈何以朱公之子故而施惠乎令論殺朱公子明日遂下赦令朱公長男竟持其弟喪歸至其母及邑人盡哀之唯朱公獨笑曰吾固知必殺其弟也彼非不愛其弟顧有所不能忍者也是少與我俱見苦爲生難故重棄財至如少弟者生而見我富乘堅驅良逐狡兔徐廣曰狡一作㚢豈知財所從來故輕棄之非

所惜吝前日吾所爲遣長子固爲其能棄財故也而長者不能故卒以殺其弟事之理也無足悲者吾日夜固以望其喪之來也故范蠡三徙成名於天下非苟去而已所止必成名卒老死于陶故世傳曰陶朱公（張華曰陶朱公冢在南郡華容縣西樹碑云是越之范蠡也○正義曰盛弘之荊州記云荊州華容縣西有陶朱公冢樹碑云是越范蠡范蠡本宛三戶人與文種俱入越皐云後自適齊而終陶朱公登仙未聞葬此所由括地志云陶朱公冢也又云濟州平陰縣東三十里陶山南五里有陶朱冢并上於陶山之陽按葬處有三未詳其處）

太史公曰禹之功大矣漸九川（徐廣曰漸者亦引進通道之意也字或宜然）定九州至于今諸夏艾安及苗裔句踐苦身

焦思，終滅彊吳，北觀兵中國，以尊周室，號稱霸王。徐廣曰：一作主。句踐可不謂賢哉！蓋有禹之遺烈焉。范蠡三遷皆有榮名，名垂後世。臣主若此，欲毋顯得乎！

索隱述贊曰：

越祖少康，至于允常。其子始霸，與吳爭彊。檇李之役，闔閭見傷。會稽之恥，句踐欲當。種誘以利，蠡悉其良。折節下士，致膳思嘗。卒滅讎寇，遂殄吳疆。後不量力，滅於無彊。

司徒周礼云大司徒職云因民之常而施十有二教焉一曰以祀礼教敬則民不
苟二曰以陽礼教讓則民不爭三曰以陰礼教親則民不怨四曰以樂教
和則民不乖五曰以儀辨等則民不越六曰以俗教安則民不偷七曰以刑
教中則民不暴八曰以誓教恤則民不怠九曰以度教節則民知足十曰以
世事教能則民不失職十有一曰以賢制爵則民慎德十有二曰以庸制
祿則民興功也

注：日本汲古書院影印本《越王勾踐世家第十》第十五筒子葉疑有拼切，現將國家圖書館藏本的該葉内容附於文末。

北

焦思，終滅彊吳，北觀兵中國，以尊周室，號稱霸王。（徐廣曰：一作主。）勾踐可不謂賢哉！蓋有禹之遺烈焉。范蠡三遷皆有榮名，名垂後世。臣主若此，欲毋顯得乎！

索隱述贊曰：越祖少康，至于允常。其子始霸，與吳爭彊。檇李之役，闔閭見傷。會稽之恥，勾踐欲當。種誘以利，蠡悉其良。折節下士，致膽思嘗。卒復讎寇，遂殄吳疆。後不量力

滅於無疆

越王勾踐世家第十一　史記四十一

河雒之間正義曰黃河之南洛水之北

正義曰毛詩譜云鄭國者宗周畿內之故韋(?)王封其弟於棫林之地是為鄭桓公

正義曰詩序云鄭桓公武公為司徒善於其職國人宜之故賦緇衣之詩是也左傳云桓公武公未入為司徒及子武公亦為之

史記四十二

鄭世家第十二

鄭桓公友者周厲王少子而宣王庶弟也徐廣曰年表云母弟宣王立二十二年友初封于鄭索隱曰鄭縣名屬京兆秦武公十一年初縣杜鄭是也又系本云桓公居棫林徙拾宋忠云棫林與拾皆舊地名是封桓公乃名為鄭耳至秦之縣鄭是鄭武公東徙新鄭之後其舊鄭乃是故都故秦始改為縣也出地理志封三十三歲百姓皆便愛之幽王以為司徒韋昭曰幽王八年為司徒○索隱曰韋昭據國語以為說和集周民周民皆說河雒之間人便思之為司徒一歲幽王以褒后故王室治多邪諸侯或畔之於是桓公問太史伯虞翻曰周太史曰王室多故予安逃死乎太史伯對曰獨雒之東土河濟之

南可居公曰何以對曰地近虢鄶徐廣曰虢在成皋鄶在密縣索隱虢國曰虢姬姓東虢也鄶妘姓。正義曰括地志云洛州氾水縣古東虢叔之國東虢君也又云故鄶城在鄭州新鄭縣東北三十二里虢鄶之君貪而好利索隱曰鄭語云虢叔恃勢鄶仲恃險皆有驕侈又加之以貪冒是也虢叔文王弟鄶妘姓之國也百姓不附今公為司徒民皆愛公公誠請居之虢鄶之君見公方用事輕分公地公誠居之虢鄶之民皆公之民也公曰吾欲南之江上何如對曰昔祝融為高辛氏火正其功大矣而其於周未有興者楚其後也周衰楚必興興非鄭之利也公曰吾欲居西方何如索隱曰國語曰公曰謝西之九州何如韋昭云謝申伯之國謝西有九州二萬五百家為州其說蓋異也對曰

鄭世家 三

閩學之論公正義同
獻十邑正義曰括地志云故華城在鄭州管城縣南三十里鄢今許州鄢陵是杜預曰鄢潁川鄢陵縣
虢即汜水縣也餘邑皆相近未詳的所毛詩譜云世家虢鄶果獻十邑如世家言則桓公自取十邑云
死後武公取者司馬遷見國語有史伯為公謀取十邑之文不知桓公身未得故傳會為此說耳
外傳云皆子男之國虢鄶為大則八邑各為其國非虢鄶之地無由得獻之桓公也明司馬遷之說謬耳

應昭曰鄭武公与平王東迁更称新鄭是也

其民貪而好利難以久居公曰周衰何國興者對
曰齊秦晉楚乎夫齊姜姓伯夷之後也伯夷佐
堯典禮秦嬴姓伯翳之後也伯翳佐舜懷柔百
物及楚之先皆嘗有功於天下而周武王克紂
後成王封叔虞于唐徐廣曰晉世家曰唐叔虞姓姬氏字子于○索隱曰唐若古國堯之後其君曰叔虞何以知然據此系家下文云唐人之季代曰唐叔虞當武王邑姜方動太叔夢天帝命己而子曰虞與之唐及生有文在手曰虞遂以名之及成王滅唐而國太叔故因以稱焉叔虞杜預亦曰叔虞唐君之名是也其地
阻險以此有德與周衰並亦必興矣桓公曰善
於是卒言王東徙其民雒東而虢鄶果獻十邑虞翻曰十邑謂虢鄶鄔蔽補丹依𣆵歷華索隱曰國語
云太史伯曰若克二邑鄔蔽補丹依𣆵歷華君之土也虞

本作与襄周

嫉

騷

杜預云寤寐而莊公已生故而驚而惡之也

皆

翻註依國竟國之韋昭曰後武公竟取十邑之地而居之今河南新鄭也二歲，犬戎

語爲記

殺幽王於驪山下，并殺桓公。鄭人共立其子掘突，正義曰上求勿反，下戶骨反是爲武公。索隱曰譙周云名突滑，皆非也。蓋古史失其名，太史公循舊失而妄記之耳。何以知其然者？按下文其孫昭公名忽，厲公名突，豈有孫与祖同名乎？當是舊史雜記昭厲忽突之名，遂誤以掘突爲武公之字耳武公十年，娶申侯女正義曰括地志云故申城在鄧州南陽縣北三十里。左傳云鄭武公取於申也爲夫人，曰武姜。生太子寤生，生之難，及生，夫人弗愛。後生少子叔段，段生易，夫人愛之。徐廣曰年表云十四年生寤生，十七年生太叔段二十七年，武公疾。夫人請公，欲立段爲太子，公弗聽。是歲，武公卒，寤生立，是爲莊公。莊公元年，封弟段於京

鄭世家

左傳隱公元年姜氏爲叔段請京使居之

賈逵曰京鄭都邑杜預曰今滎陽京縣號太叔祭仲曰京大於國非所以封庶也莊公曰武姜欲之我弗敢奪也段至京繕治甲兵與其母武姜謀襲鄭二十二年段果襲鄭武姜為內應莊公發兵伐段段走伐京京人畔段段出走鄢正義曰鄢音烏古反今新鄭縣南鄢頭有村多方家舊作鄢音偃杜預云鄢今鄢陵也鄢潰段出奔共賈逵曰共國名也杜預曰今汲郡共縣也○正義曰按今衛州共城縣是也於是莊公遷其母武姜於城潁賈逵曰鄭地也○正義曰疑許州臨潁縣是也誓言曰不至黃泉服虔曰天玄地黃泉在地中故言黃泉毋相見也居歲餘已悔思母潁谷之考叔賈逵曰潁谷鄭地○正義曰括地志云潁水源出洛州嵩高縣東南三十里陽乾山今俗名潁山泉源出山之東谷其側有古人居處俗名為潁墟

故老云是鄭穎考叔之故邑即酈元注水經所謂潁谷也有獻於公公賜食考叔曰臣有母請君食賜臣母莊公曰我甚思母惡負盟奈何考叔曰穿地至黃泉則相見矣於是遂從之見母二十四年宋繆公卒公子馮奔鄭鄭侵周地取禾索隱曰左傳隱三年鄭武公莊公為平王卿士王貳于虢及王崩周人將畀虢公政夏四月鄭祭足帥師取溫之麥秋又取成周之禾二十五年衛州吁弒其君桓公自立與宋伐鄭以馮故也二十七年始朝周桓王桓王怒其取禾弗禮也索隱曰杜預曰桓公即位周鄭交惡至是始朝故言始也左傳又曰周桓公言於王曰我周之東遷晉鄭焉依善鄭以勸來者猶懼不蔇況不禮焉鄭不來矣二十九年莊公怒周弗禮與魯易祊許田索隱曰許田近許之地魯

繆音穆 馮音憑

朝宿之邑祊者鄭所受助祭太山之湯沐邑鄭以天子不能巡守故以祊易許田各從其近

三十三年宋殺孔父。三十七年莊公不朝周周桓王率陳蔡虢衛伐鄭莊公與祭仲高渠彌發兵自救索隱曰左傳稱祭仲足蓋祭是邑其人名仲字仲足故傳云祭封人仲足是也此繻葛之戰在魯桓五年彌一作眛並音迷王師大敗祝瞻射中王臂索隱曰左氏作祝聃祝瞻請從之鄭伯止之曰犯長且難之況敢陵天子乎乃止夜令祭仲問王疾。三十八年北戎伐齊齊使求救鄭遣太子忽將兵救齊齊釐公欲妻之忽謝曰我小國非齊敵也時祭仲與俱勸使取之曰君多內寵服虔曰言庶子有寵者多太子無大援將不立三公

乃 本无

寺 使求救 一本无

大 作大 十四

子皆君也所謂三公子者太子忽其弟突次弟子亹也（索隱曰此文則數太子忽及突子亹爲三而杜預云不數太子以子突子亹子儀爲三蓋得之）四十三年鄭莊公卒初祭仲甚有寵於莊公莊公使爲卿公使娶鄧女生太子忽故祭仲立之是爲昭公莊公又娶宋雍氏女（賈逵曰雍氏黃帝之孫姞姓之後爲宋大夫）生厲公突雍氏有寵於宋（服虔曰爲宋正卿故曰有寵）宋莊公聞祭仲之立忽乃使人誘召祭仲而執之曰不立突將死亦執突以求賂焉祭仲許宋與宋盟以突歸立之昭公忽聞祭仲以宋要立其弟突九月辛亥忽出奔衛己亥突至鄭立是爲厲公

厲公四年，祭仲專國政。厲公患之，陰使其壻雍糾欲殺祭仲。（賈逵曰：雍糾，鄭大夫。）糾妻，祭仲女也，知之，謂其母曰：「父與夫孰親？」母曰：「父一而已，人盡夫也。」（杜預曰：婦人在室則天父，出則天夫。女以為疑，故母以所生為本解之。）女乃告祭仲。祭仲反殺雍糾，戮之於市。厲公無奈祭仲何，怒糾曰：「謀及婦人，死固宜哉！」夏，厲公出居邊邑櫟。（宋衷曰：今潁川陽翟縣。○索隱曰：按櫟音歷，即鄭初得十邑之櫟也。）祭仲迎昭公忽，六月乙亥，復入鄭，即位。秋，鄭厲公突因櫟人殺其大夫單伯，（杜預曰：鄭守櫟大夫也。○索隱曰：依左傳作檀伯，事在桓十五年。此文誤為單伯者，蓋亦有所因也。按魯莊公十四年，厲公本自櫟侵鄭，事與單伯會齊師伐宋相連，故知誤耳。）遂居之。諸侯聞厲公出奔，

秋作欲

伐鄭弗克而去宋頗予厲公兵自守於櫟鄭以故亦不伐櫟昭公二年自昭公為太子時父莊公欲以高渠彌為卿太子忽惡之莊公弗聽卒用渠彌為卿及昭公即位懼其殺己冬十月辛卯渠彌與昭公出獵射殺昭公於野祭仲與渠彌不敢入厲公乃更立昭公弟子亹為君是為子亹也無謚號子亹元年七月齊襄公會諸侯於首止服虔曰首止近鄭之地杜預曰首止衛地陳留襄邑縣東南有首鄉鄭子亹往會高渠彌相從祭仲稱疾不行所以然者子亹自齊襄公為公子之時嘗會鬬相仇及會諸侯祭

仲請子亹無行子亹曰齊彊而厲公居櫟即不往是率諸侯伐我內厲公我不如往往何遽必辱且又何至是卒行於是祭仲恐齊并殺之故稱疾子亹至不謝齊侯齊侯怒遂伏甲而殺子亹高渠彌亡歸索隱曰左氏云轘高渠彌歸與祭仲謀召子亹弟公子嬰於陳而立之是為鄭子索隱曰左氏以鄭子名子儀此云嬰蓋別有所見是歲齊襄公使彭生醉拉殺魯桓公鄭子八年齊人管至父等作亂弒其君襄公十二年宋人長萬弒其君湣公鄭祭仲死十四年故鄭亡厲公突在櫟者使人誘劫鄭大夫甫瑕要

以求入索隱曰左傳作傅瑕此本多假借亦依字讀瑕曰舍我我爲君殺鄭子而入君厲公與盟乃舍之六月甲子瑕殺鄭子及其二子而迎厲公突突自櫟復入即位初內蛇與外蛇鬭於鄭南門中內蛇死居六年厲公果復入入而讓其伯父原索隱曰左傳謂之原繁曰我亡國外居伯父無意入我亦甚矣原曰事君無二心人臣之職也原知罪矣遂自殺厲公於是謂甫瑕曰子之事君有二心矣遂誅之瑕曰重德不報誠然哉厲公突後元年齊桓公始霸五年燕衛與周惠王弟穨伐王索隱曰惠王莊王孫僖王子子穨莊

本作居外

王之妾王姚所生事在莊十九年王出奔溫立弟頹爲王六年惠

王告急鄭厲公發兵擊周王子頹弗勝於是與

周惠王歸王居于櫟七年春鄭厲公與虢叔襲

殺王子頹而入惠王于周秋厲公卒子文公踕

立索隱曰踕音在接反系本云文公徙鄭宋忠云即新鄭也厲公初立四歲亡居

櫟居櫟十七歲復入立七歲與亡凡二十八年

文公十七年齊桓公以兵破蔡遂伐楚至召陵

二十四年文公之賤妾曰燕姞賈逵曰姞南燕姓夢天與

之蘭賈逵曰蘭香名也曰余爲伯儵余爾祖也賈逵曰伯儵南燕祖以

是爲而子王肅曰以是蘭也爲汝子之名蘭有國香以夢告文公

直苗反

文公幸之而予之草蘭爲符遂生子名曰蘭十六年晉公子重耳過文公弗禮文公弟叔詹曰重耳賢且又同姓窮而過君不可無禮文公曰諸侯亡公子過者多矣安能盡禮之詹曰君如弗禮遂殺之弗殺使即反國爲鄭憂矣文公弗聽三十七年春晉公子重耳反國立是爲文公秋鄭入滑滑聽命已而反與衛於是鄭伐滑索隱曰左傳僖二十四年鄭公子士泄堵俞弥帥師伐滑周襄王使伯犕請滑索隱曰犕音服左氏王使伯服游孫伯如鄭請滑杜預云二子周大夫知伯犕即伯服也鄭文公怨惠王之亡在櫟而文公父厲公入之而厲王不賜

厲公爵祿（索隱曰此言爵祿與左氏說異左傳云鄭伯享王王以后之鞶鑑與之虢公請器王予之爵則爵酒器非爵祿也故曰與左氏說異）又怨襄王之與衛滑故不聽襄王請而囚伯犕王怒與翟人伐鄭弗克冬翟攻伐襄王襄王出奔鄭鄭文公居王于氾三十八年晉文公入襄王成周四十一年助楚擊晉自晉文公之過無禮故背晉助楚四十三年晉文公與秦穆公共圍鄭討其助楚攻晉者及文公過時之無禮也初鄭文公有三夫人寵子五人皆以罪蚤死公怒溉（徐廣曰一作瑕○索隱曰音既左傳作瑕）逐羣公子子蘭奔晉從晉文公圍鄭時蘭事晉文公甚謹

愛幸之乃私於晉以求入鄭為太子晉於是欲
得叔詹為僇鄭文公恐不敢謂叔詹言詹聞言
於鄭君曰臣謂君君不聽臣晉卒為患然晉所
以圍鄭以詹詹死而赦鄭國詹之願也乃自殺
鄭人以詹尸與晉晉文公曰必欲一見鄭君辱
之而去鄭人患之乃使人私於秦曰破鄭益晉
非秦之利也秦兵罷晉文公欲入蘭為太子以
告鄭鄭大夫石癸曰吾聞姞姓乃后稷之元妃
杜預曰姞姓之女為后稷妃其後當有興者子蘭母其後也且
夫人子盡已死餘庶子無如蘭賢今圍急晉以

汪 烏黃反在同州北二百里彭衙相近也

其御

爲請利孰大焉遂許晉與盟卒而立子蘭爲太子晉兵乃罷去四十五年文公卒子蘭立是爲繆公繆公元年春秦繆公使三將將兵欲襲鄭至滑逢鄭賈人弦高詐以十二牛勞軍故秦兵不至而還晉敗之於崤初往年鄭文公之卒也鄭司城繒賀以鄭情賣之秦兵故來三年鄭發兵從晉伐秦敗秦兵於汪往年（徐廣曰繆公之二年）楚太子商臣弑其父成王代立二十一年與宋華元伐鄭華元殺羊食士不與其御羊斟怒以馳鄭鄭囚華元宋贖華元元亦亡去晉使趙穿以兵伐

伐鄭々戰

鄭二十二年，鄭繆公卒，子夷立，是爲靈公。靈公元年春，楚獻黿於靈公。子家、子公將朝靈公，賈逵曰：二子，鄭卿也。子公之食指動，服虔曰：第二指。謂子家曰：「佗日指動，必食異物。」及入，見靈公進黿羹，子公笑曰：「果然！」靈公問其笑故，具告靈公。靈公召之，獨弗予羹。子公怒，染其指，左傳曰：染指於鼎。嘗之而出。公怒，欲殺子公。子公與子家謀先。夏，弒靈公。鄭人欲立靈公弟去疾，去疾讓曰：「必以賢，則去疾不肖；必以順，則公子堅長。」堅者，靈公庶弟，徐廣曰：年表云靈公庶兄。去疾之兄也。於是乃立子堅，是爲襄公。襄公立，將

皇門　何休云郭门也

盡去繆氏繆氏者殺靈公子公之族家也未疾曰必去繆氏我將去之乃止皆以爲大夫襄公元年楚怒鄭受宋賂縱華元伐鄭鄭背楚與晉親五年楚復伐鄭晉來救之六年子家卒國人復逐其族以其弑靈公也七年鄭與晉盟鄢陵八年楚莊王以鄭與晉盟來伐圍鄭三月鄭以城降楚楚王入自皇門鄭襄公肉袒掔羊以迎曰孤不能事邊邑使君王懷怒以及獘邑孤之罪也敢不惟命是聽君王遷之江南及以賜諸侯亦惟命是聽若君王不忘厲宣王桓武公哀

不忍絕其社稷錫不毛之地何休曰境埆不生五穀曰不毛謙不敢求肥饒
使復得改事君王孤之願也然非所敢望也敢
布腹心惟命是聽莊王為卻三十里而後舍楚
羣臣曰自郢至此士大夫亦久勞矣今得國舍
之何如莊王曰所為伐伐不服也今已服尚何
求乎卒去晉聞楚之伐鄭發兵救鄭其來持兩
端故遲比至河楚兵已去晉將率或欲渡或欲
還卒渡河莊王聞還擊晉鄭反助楚大破晉軍
於河上十年晉來伐鄭以其反晉而親楚也十
一年楚莊王伐宋宋告急于晉晉景公欲發兵

正義曰有死亦不隕墜晉君命也

救宋伯宗諫晉君曰天方開楚未可伐也乃求壯士得霍人解揚字子虎誆楚令宋毋降過鄭鄭與楚親乃執解揚而獻楚楚王厚賜與約使反其言令宋趣降三要乃許於是楚登解揚樓車（服虔曰樓車所以窺望敵軍兵法所謂雲梯曰杜預曰樓車車上望櫓也）令呼宋遂負楚約而致其晉君命曰晉方悉國兵以救宋宋雖急慎毋降楚晉兵今至矣楚莊王大怒將殺之解揚曰君能制命爲義臣能承命爲信受吾君命以出有死無隕（服虔曰隕墜也）莊王曰若之許我已而背之其信安在解揚曰所以許王欲以成吾

制本作誓

正義曰睔大目

君命也將死顧謂楚軍曰為人臣毋忘盡忠得死者楚王諸弟皆諫王赦之於是赦解揚使歸晉爵之為上卿十八年襄公卒子悼公濆立索隱曰劉音秘鄒本一作弗一作沸左傳作費音扶味反悼公元年鄦公徐廣曰音許許公靈公也惡鄭於楚悼公使弟睔於楚自訟索隱曰睔音公遜反訟不直楚囚睔於是鄭悼公來與晉平遂親睔私於楚子反子反言歸睔於鄭二年楚伐鄭晉兵來救是歲悼公卒立其弟睔是為成公成公三年楚共王曰鄭成公孫有德焉使人來與盟成公私與盟秋成公朝晉晉曰鄭私平於楚執之使

欒書伐鄭四年春鄭患晉圍公子如乃立成公
庶兄繻爲君索隱曰繻音須鄒氏云一作纏其四月晉聞鄭立君
乃歸成公鄭人聞成公歸亦殺君繻迎成公晉
兵去十年背晉盟盟於楚晉厲公怒發兵伐鄭
楚共王救鄭晉楚戰鄢陵楚兵敗晉射傷楚共
王目俱罷而去十三年晉悼公伐鄭兵於洧上
服虔曰洧水名。○正義曰括地志云洧水在鄭州新鄭縣北三里古新鄭城南韓詩外傳云鄭俗二月桃花水出時會於溱洧水上以自祓除按在古城城南與溱水合鄭城守晉亦去十四年成公
卒子惲立是爲釐公索隱曰惲音紆粉反左傳作髡頑釐公五年
鄭相子駟朝釐公釐公不禮子駟怒使廚人藥殺

杜預曰子孔鄭襄公兄也

殺釐公（徐廣曰年表云子駟使賊夜弑僖公）赴諸侯曰釐公暴病卒
立釐公子嘉嘉時年五歲是為簡公簡公元年
諸公子謀欲誅相子駟子駟覺之反盡誅諸公
子二年晉伐鄭鄭與盟晉去冬又與楚盟子駟
畏誅故兩親晉楚三年相子駟欲自立為君公
子子孔使尉止殺相子駟而代之子孔又欲自
立子產曰子駟為不可誅之今又效之是亂無
時息也於是子孔從之而相鄭簡公四年晉怒
鄭與楚盟伐鄭鄭與盟楚共王救鄭敗晉兵簡
公欲與晉平楚又囚鄭使者十二年簡公怒相

高辛氏帝嚳也

右

子孔專國權誅之而以子產爲卿十九年簡公
如晉請衛君還而封子產以六邑（服虔曰四井爲邑）子產
讓受其三邑二十二年吳使延陵季子於鄭見
子產如舊交謂子產曰鄭之執政者侈難將至
政將及子子爲政必以禮不然鄭將敗子產厚
遇季子二十三年諸公子爭寵相殺又欲殺子
產公子或諫曰子產仁人鄭所以存者子產也
勿殺乃止二十五年鄭使子產於晉問平公疾
平公曰卜而曰實沈臺駘爲祟史官莫知敢問
對曰高辛氏有二子長曰閼伯季曰實沈居曠

杜預曰主辰主祀辰星辰大火也左傳云陶唐氏之火正閼伯居商丘大火心星也

林賈逵曰曠大也不相能也日操干戈以相征伐后帝弗臧賈逵曰后帝堯也臧善也遷閼伯于商丘主辰賈逵曰商丘在漳南杜預曰商丘宋地服虔曰辰大火主祀也商人是因故辰爲商星服虔曰商人契之先湯之始祖相士封閼伯之故也因其故國而代之遷實沈于大夏主參服虔曰大夏在汾澮之間主祀參星杜預曰大夏今晉陽縣唐人是因服事夏商賈逵曰唐人謂陶唐氏之胤劉累也事夏帝孔甲封于大夏因實沈之國子孫以服事商也○正義曰括地志云故唐城在絳州翼城縣西二十里徐才宗國都城記云唐因帝堯之裔子所封春秋云夏孔甲時有堯苗胄劉累者以豢龍事孔甲夏后嘉之賜曰御龍氏以更豕韋之後龍一雌死潜醢之以食夏后既而使求之懼而遷于魯縣夏后蓋別封劉累之後于大夏之墟爲唐侯至周成王時唐人作亂成王滅之而封大叔遷唐之人子孫於杜謂之杜伯范氏所在周爲唐杜氏地記云唐氏在大夏之墟爲河東安縣今在絳城西北一百里有唐城者以爲唐舊國然則叔虞之封即此地也其季世曰唐

叔虞（杜預曰唐人之季世其君曰叔虞）當武王邑姜方娠大叔夢帝謂己（賈逵曰帝天也己武王也）余命而子曰虞（杜預曰取唐君之名）乃與之唐屬之參而蕃育其子孫及生有文在其掌曰虞遂以命之及成王滅唐而國大叔焉故參為晉星（賈逵曰晉主祀參參為晉星）由是觀之則實沈參神也昔金天氏有裔子曰昧為玄冥師（服虔曰金天少皞也玄冥水官也師長也昧為水官之長）生允格臺駘（服虔曰允格臺駘兄弟也）臺駘能業其官（服虔曰脩昧之職）宣汾洮（賈逵曰宣猶通也汾洮二水也）障大澤（服虔曰陂障其水也）以處太原（服虔曰太原汾水名杜預曰太原晉陽也臺駘之所居也）帝用嘉之國之汾川（服虔曰汾[illegible]）沈姒蓐黃實守其祀

賈逵曰四國臺駘之後也今晉主汾川而滅之賈逵曰滅四國由是觀之則臺駘汾洮神也然是二者不害君身山川之神則水旱之菑禜之服虔曰禜爲營攢用幣也若有水旱則禜祭山川之神以祈福也日月星辰之神則雪霜風雨不時禜之君疾飲食哀樂女色所生也平公及叔嚮曰善博物君子也厚爲之禮於子產二十七年夏鄭簡公朝晉冬畏楚靈王之彊又朝楚子產從二十八年鄭君病使子產會諸侯與楚靈王盟於申誅齊慶封三十六年簡公卒子定公寧立秋定公朝晉昭公定公元年楚公子棄疾弒其君

靈王而自立為平王欲行德諸侯歸靈王所侵鄭地于鄭四年晉昭公卒其六卿彊公室卑子産謂韓宣子曰為政必以德毋忘所以立六年鄭火公欲禳之子産曰不如修德八年楚太子建來奔十年太子建與晉謀襲鄭鄭殺建建子勝奔吳十一年定公如晉晉與鄭謀誅周亂臣入敬王于周索隱曰王避弟子朝之亂出居狄泉在昭二十三年至二十六年晉鄭入之經曰天王入于成周是也十三年定公卒子獻公蠆立獻公十三年卒子聲公勝立當是時晉六卿彊侵奪鄭鄭遂弱聲公五年鄭相子産卒正義曰括地志云子産墓在新鄭縣西南三十

五里酈元注水經云子產墓在潧水上累石爲方墳墳東北向鄭城杜預云言不忘本也鄭人皆哭泣悲之如亡親戚子產者鄭成公少子也爲人仁愛人事君忠厚孔子嘗過鄭與子產如兄弟云及聞子產死孔子爲泣曰古之遺愛也賈逵曰愛惠也杜預曰子產見愛有古人遺風也兄事子產八年晉范中行氏反告急於鄭鄭救之晉伐鄭敗鄭軍於鐵杜預曰戚城南鐵丘○正義曰括地志云鐵州在滑州衛南縣東南十五里十四年宋景公滅曹二十年齊田常弒其君簡公而常相於齊二十二年楚惠王滅陳孔子卒三十六年晉知伯伐鄭取九邑三十七年聲公卒子哀公易立年表云三十八

哀公八年鄭人弑哀公而立聲公弟丑是爲共公共公三年晉滅知伯三十年共公卒子幽公已立幽公元年韓武子伐鄭殺幽公鄭人立幽公弟駘是爲繻公年表曰鄭立幽公子駘繻或作繚繻公十五年韓景侯伐鄭取雍丘鄭城京十六年鄭伐韓敗韓兵於負黍徐廣曰在陽城○正義曰括地志云負黍亭在洛州陽城縣西南三十五里故國邑也二十年韓趙魏列爲諸侯二十三年鄭圍韓之陽翟二十五年鄭君殺其相子陽二十七年子陽之黨共弑繻公駘而立幽公弟乙爲君是爲鄭君徐廣曰一本云立幽公弟乙陽爲君是爲康公六國年表云立幽公子駘又以鄭君陽爲鄭康公乙班

一云鄭康公乙爲韓所滅　鄭君乙立二年鄭負黍反復歸韓十一年韓伐鄭取陽城二十一年韓哀侯滅鄭并其國

太史公曰語有之以權利合者權利盡而交疏甫瑕是也甫瑕雖以劫殺鄭子內厲公厲公終背而殺之此與晉之里克何異守節如荀息身死而不能存奚齊變所從來亦多故矣

索隱述贊曰

厲王之子　得封於鄭　代職司徒

緇衣在詠　虢鄶獻邑　祭足專命　仲

鄭世家　十六

莊既犯王　厲亦奔命　居櫟克入
夢蘭毓慶　伯服生囚　叔瞻尸聘
釐簡之後　公室不競　負黍雖還
韓哀日盛

鄭世家第十二　史記四十二

十七

史记考索 四十六

趙世家第十三　史記四十三

趙氏之先與秦共祖至中衍（正義曰中音仲）為帝大戊御其後世蜚廉有子二人而命其一子曰惡來事紂為周所殺其後為秦惡來弟曰季勝其後為趙季勝生孟增孟增幸於周成王是為宅皋狼（徐廣曰或云皋狼地名在西河○索隱曰按如此說是名孟增號宅皋狼而徐廣云皋狼地名在西河者按地理志皋狼是西河郡之縣名蓋孟增幸於周成王成王居之於皋狼故云皋狼）皋狼生衡父衡父生造父造父幸於周繆王造父取驥之乘匹（正義曰乘食證反並四曰乘兩曰疋取八駿品其力使均駟）與桃林（正義曰括地志云桃林在陝州桃林縣西至童關皆為桃林塞地山海經云夸父之山北有林焉名曰桃林廣闊三百里中多馬造父於此得驊騮騄耳之乘獻周

勝音升

穆王也次盜驪驊騮綠耳獻之繆王索隱曰言造父取八駿品其色齊其分使馴調也並四曰乘並兩曰匹繆王使造父御西巡狩見西王母樂之忘歸索隱曰穆天子傳曰穆王與西王母觴於瑤池之上作歌是樂而忘歸也而譙周不信此事而云余常聞之代俗以東西陰陽所出入宗其神謂之王父母或曰地名在西域有何據乎而徐偃王反正義曰括地志云大徐城在泗州徐城縣北三十里古之徐國也博物志云徐君宮人娠生卵以為不祥棄於水濱孤獨母有犬名鵠倉銜所棄卵以歸覆煖之遂成小兒生偃王故宮人聞之更收養之及長襲為徐君後鵠倉臨死生角而九尾實黃龍也鵠倉或名后倉也繆王日馳千里馬攻徐偃王大破之索隱曰譙周曰徐偃王與楚文王同時去周穆王遠矣且王者行有周衛豈聞亂而獨長驅日行千里乎並言此事非實也乃賜造父以趙城正義曰晉州趙城縣即造父邑也由此為趙氏自造父已下六世至奄父曰公仲周宣王

正義曰按穆王元年去楚文王元年三百一十餘年也

正義曰穆天子傳曰穆王觴西王母于瑤池之上西征至于崑崙之丘見西王母其年王母來見賓于昭宮括地志云崑崙山在肅州酒泉縣南八十里十六國春秋云酒泉南山即崑崙之體周穆王見西王母樂而忘歸即謂此山有石室王母堂珠璣鏤飾煥若神宮也

趙世家

盜驪正義曰盜竊竊淺色驪黑色也

驊騮正義曰驊黃也騮赤也

穆天子傳云赤驥盜驪白義渠黃驊騮騄耳踰輪山子此八駿也

時伐戎爲御及千畝戰正義曰括地志云千畝原在晉州岳陽縣北九十里也奄父脫宣王奄父生叔帶叔帶之時周幽王無道去周如晉事晉文侯始建趙氏于晉國自叔帶以下趙宗益興五世而生趙夙趙夙晉獻公之十六年伐霍魏耿而趙夙爲將伐霍霍公求犇齊徐廣曰求一作來晉大旱卜之曰霍太山爲祟使趙夙召霍君於齊復之以奉霍太山之祀晉復穰晉獻公賜趙夙耿索隱曰今河東皮氏縣耿鄉夙生共孟當魯閔公之元年也共孟生趙衰字子餘索隱曰系本云公明生共孟及趙夙夙生成季衰衰生宣孟盾左傳云衰趙夙弟而此云共孟生衰譙周亦以此爲誤趙衰卜

事晉獻公及諸公子莫吉卜事公子重耳吉即
事重耳重耳以驪姬之亂亡奔翟趙衰從翟伐
廧咎如得二女翟以其少女妻重耳長女妻趙
衰而生盾初重耳在晉時趙衰妻亦生趙同趙
括趙嬰齊趙衰從重耳出亡凡十九年得反國
重耳爲晉文公趙衰爲原大夫居原任國政索隱
曰系本云成季徙原宋忠云今鴈門平原縣也○正義曰括
地志云原平故城漢原平縣也在代州崞縣南三十五里崞
音郭按宋忠說非也括地志云故原城在懷州濟原縣西北
二里左傳云襄王以原賜晉文公原不服文公伐原以示信
原降以趙衰爲原大夫即此也原本周畿內邑也文公所以反國及霸多趙
衰計策語在晉事中趙衰既反晉晉之妻固要

胹　正義曰煮熟也、熊掌難熟、如煮凡肉熊掌猶不熟也、

迎趙衰妻而以其子盾爲適嗣晉妻三子皆下事之晉襄公之六年而趙衰卒謚爲成季趙盾代成季任國政二年而晉襄公卒太子夷皋年少盾爲國多難欲立襄公弟雍雍時在秦使使迎之太子母日夜啼泣（索隱曰穆嬴也）頓首謂趙盾曰先君何罪釋其適子而更求君趙盾患之恐其宗與大夫襲誅之廼遂立太子是爲靈公發兵距所迎襄公弟於秦者靈公既立趙盾益專國政靈公立十四年益驕趙盾驟諫靈公弗聽及食熊蹯胹不熟殺宰人持其尸出趙盾見之靈公由

君子 正義曰謂孔子也

此懼欲殺盾盾素仁愛人嘗所食桑下餓人反
扞救盾盾以得亡未出境而趙穿弑靈公而立
襄公弟黑臀是爲成公趙盾復反任國政君子
譏盾爲正卿亡不出境反不討賊故太史書曰
趙盾弑其君晉景公時 索隱曰成公之子名據 而趙盾卒謚
爲宣孟子朔嗣趙朔晉景公之三年朔爲晉將
下軍救鄭與楚莊王戰河上朔娶晉成公姊爲
夫人晉景公之三年大夫屠岸賈欲誅趙氏 徐廣曰按年表救鄭及誅滅皆景公三年 初趙盾在時夢見叔帶持要而
哭甚悲已而笑拊手且歌盾卜之兆絕而後好

臀 杜昆反　謚 作是　三 或作四

趙史援占之曰此夢甚惡非君之身乃君之子
然亦君之咎至孫趙將世益衰屠岸賈者始有
寵於靈公及至於景公而賈爲司寇將作難乃
治靈公之賊以致趙盾徧告諸將曰盾雖不知
猶爲賊首以臣弑君子孫在朝何以懲辠請誅
之韓厥曰靈公遇賊趙盾在外吾先君以爲無
罪故不誅今諸君將誅其後是非先君之意而
今妄誅妄誅謂之亂臣有大事而君不聞是無
君也屠岸賈不聽韓厥告趙朔趣亡朔不肯曰
子必不絕趙祀朔死不恨韓厥許諾稱疾不出

賈不請而擅與諸將攻趙氏於下宮殺趙朔趙同趙括趙嬰齊皆滅其族趙朔妻成公姊有遺腹走公宮匿趙朔客曰公孫杵臼杵臼謂朔友人程嬰曰胡不死程嬰曰朔之婦有遺腹若幸而男吾奉之即女也吾徐死耳居無何而朔婦免身生男屠岸賈聞之索於宮中夫人置兒絝中祝曰趙宗滅乎若號即不滅若無聲及索兒竟無聲已脫程嬰謂公孫杵臼曰今一索不得後必且復索之奈何公孫杵臼曰立孤與死孰難程嬰曰死易立孤難耳公孫杵臼曰趙氏先

君遇子厚子彊爲其難者吾爲其易者請先死乃二人謀取他人嬰兒負之衣以文葆（徐廣曰小兒被曰葆）匿山中程嬰出謬謂諸將軍曰嬰不肖不能立趙孤誰能與我千金吾告趙氏孤處諸將皆喜許之發師隨程嬰攻公孫杵臼杵臼謬曰小人哉程嬰昔下宮之難不能死與我謀匿趙氏孤兒今又賣我縱不能立而忍賣之乎抱兒呼曰天乎天乎趙氏孤兒何罪請活之獨殺杵臼可也諸將不許遂殺杵臼與孤兒諸將以爲趙氏孤兒良已死皆喜然趙氏眞孤乃反在程嬰卒

與俱匿山中居十五年晉景公疾卜之大業之後不遂者爲祟景公問韓厥厥知趙孤在乃曰大業之後在晉絶祀者其趙氏乎夫自中衍者皆嬴姓也中衍人面鳥噣降佐殷帝大戊及周天子皆有明德下及幽厲無道而叔帶去周適晉事先君文侯至于成公世有立功未嘗絶祀今吾君獨滅趙宗國人哀之故見龜策唯君圖之景公問趙尚有後子孫乎韓厥具以實告於是景公乃與韓厥謀立趙孤兒召而匿之宮中諸將入問疾景公因韓厥之衆以脅諸將而見

本作趙後有子孫乎

古

韓

及本ナ

趙孤趙孤名曰武諸將不得已乃曰昔下宮之難屠岸賈爲之矯以君命并命羣臣非然孰敢作難微君之疾羣臣固且請立趙後今君有命羣臣之願也於是召趙武程嬰徧拜諸將遂反與程嬰趙武攻屠岸賈滅其族復與趙武田邑如故徐廣曰推次晉復與趙武田邑是景公之十七年也而乃是春秋成公八年經書晉殺其大夫趙同趙括左傳於此說立趙武事者註云終說之耳非此年也及趙武冠爲成人程嬰乃辭諸大夫謂趙武曰昔下宮之難皆能死我非不能死我思立趙氏之後今趙武既立爲成人復故位我將下報趙宣孟與公孫杵臼趙武啼

泣頓首固請曰武願苦筋骨以報子至死而子忍去我死乎程嬰曰不可彼以我為能成事故先我死今我不報是以我事為不成遂自殺趙武服齊衰三年為之祭邑春秋祠之世世勿絕新序曰程嬰公孫杵臼可謂信友厚士矣嬰之自殺下報亦過矣○正義曰今河東趙氏祠先人猶別舒一座祭二士矣

趙氏復位十一年而晉厲公殺其大夫三郤欒書畏及乃遂弒其君厲公更立襄公曾孫周徐廣曰年表云襄公孫也○索隱曰晉系家云襄公少子名周是為悼公晉由此大夫稍彊趙武續趙宗二十七年晉平公立平公十二年而趙武為正卿十三年吳延陵季子使於

晉曰晉國之政卒歸於趙武子韓宣子魏獻子之後矣趙武死謚為文子文子生景叔（索隱曰系本云景叔名成）景叔之時齊景公使晏嬰於晉（徐廣曰平公之十九年）晏嬰與晉叔向語嬰曰齊之政後卒歸田氏叔向亦曰晉國之政將歸六卿六卿侈矣而吾君不能恤也趙景叔卒生趙鞅是為簡子趙簡子在位晉頃公之九年簡子將合諸侯戍于周其明年入周敬王于周辟弟子朝之故也晉頃公之十二年六卿以法誅公族祁氏羊舌氏分其邑為十縣六卿各令其族為之大夫晉公室由此

扁鵲姓秦名越人勃海鄭人也扁鵲黄帝時良醫故世别越人爲扁鵲也

日

趙世家

益弱後十三年魯賊臣陽虎來奔趙簡子受賂厚遇之趙簡子疾五日不知人大夫皆懼醫扁鵲視之出董安于問（韋昭曰安于簡子家臣）扁鵲曰血脈治也而何怪在昔秦繆公嘗如此七日而寤寤之日告公孫支與子輿（索隱曰二子秦大夫公孫支子桑）曰我之帝所甚樂吾所以久者適有學也帝告我晉國將大亂五世不安其後將霸未老而死霸者之子且令而國男女無別公孫支書而藏之（索隱曰藏一作藉藉錄也謂當時即記錄書之於藉也）秦讖於是出矣獻公之亂文公之霸而襄公敗秦師於殽而歸縱淫此子之所聞

扁鵲本怪

正義曰謂受下教命也

正義曰淮南子云中央曰鈞天也

今主君之疾與之同不出三日疾必間間必有言也居二日半簡子寤語大夫曰我之帝所甚樂與百神游於鈞天廣樂九奏萬舞不類三代之樂其聲動人心有一熊欲來援我帝命我射之中熊熊死又有一羆來我又射之中羆羆死帝甚喜賜我二笥皆有副吾見兒在帝側帝屬我一翟犬曰及而子之壯也以賜之帝告我晉國且世衰七世而亡正義曰謂晉定公出公哀公幽公烈公孝公靜公為七世靜公二年為三晉所滅據此及年表簡子疾在定公十一年嬴姓將大敗周人於范魁之西正義曰嬴趙姓也周人謂衛也晉亡之後趙成侯三年伐衛取都鄙七十三是也[illegible]魁也而

晰 星曆 又其字從白晰白也言於帝側見子晰白分明記識也

趙世家

亦不能有也索隱曰[illegible]不知所在蓋趙地也今余思虞舜之勳
適余將以其胄女孟姚配而七世之孫索隱曰即姓嬴吴廣之女姚姓孟字也七代孫武靈王也
董安于受言而書藏之以扁鵲
言告簡子簡子賜扁鵲田四萬畝他日簡子出
有人當道辟之不去從者怒將刃之當道者曰
吾欲有謁於主君從者以聞簡子召之曰譆吾
有所見子晰也索隱曰簡子見當道者乃寤曰譆是故吾前夢所見者知其名曰子晰也當
道者曰屏左右願有謁簡子屏人當道者曰主
君之疾臣在帝側簡子曰然有之子之見我我
何爲當道者曰帝令主君射熊與羆皆死簡子

正義曰簡子問何姓又延之何官也

曰是且何也當道者曰晉國且有大難主君首之帝令主君滅二卿夫熊與羆皆其祖也（正義曰范氏中行氏之祖也）簡子曰帝賜我二笥皆有副何也（正義曰副謂皆子姓也）當道者曰主君之子將克二國於翟皆子姓也（正義曰謂代及智氏也）簡子曰吾見兒在帝側帝屬我一翟犬曰及而子之長以賜之夫兒何謂以賜翟犬當道者曰兒主君之子也翟犬者代之先也主君之子且必有代及主君之後嗣且有革政而胡服（正義曰今時服也廢除裘裳也）并二國於翟（正義曰武靈王略中山地至寧葭西略胡地至樓煩榆中是也）簡子問其姓而延之以官當道者

曰臣野人致帝命耳遂不見簡子書藏之府異日姑布子卿見簡子〔司馬彪曰姑布姓子卿字〕簡子徧召諸子相之子卿曰無爲將軍者簡子曰趙氏其滅乎子卿曰吾嘗見一子於路殆君之子也簡子召子毋卹毋卹至則子卿起曰此眞將軍矣簡子曰此其母賤翟婢也奚道貴哉子卿曰天所授雖賤必貴自是之後簡子盡召諸子與語毋卹最賢簡子乃告諸子曰吾藏寶符於常山上先得者賞諸子馳之常山上求無所得毋卹還曰已得符矣簡子曰奏之毋卹曰從常山上臨代

代可取也。正義曰地道記云恒山在上曲陽縣西北百四十里北行四百五十里得恒山岌号飛狐口北則代郡也簡子於是知毋卹果賢乃廢太子伯魯而以毋卹爲太子後二年晉定公之十四年范中行作亂明年春簡子謂邯鄲大夫午曰歸我衛士五百家吾將置之晉陽服虔曰往年趙鞅圍衛衛人恐懼故貢五百家鞅置之邯鄲又欲更徙於晉陽午許諾歸而其父兄不聽服虔曰午之諸父兄及邯鄲中長老倍言趙鞅捕午囚之晉陽乃告邯鄲人曰我私有誅午也諸君欲誰立杜預曰午趙鞅同族別封邯鄲故使邯鄲人更立午宗親也遂殺午趙稷涉賓以邯鄲反服虔曰稷午子晉君使籍秦圍邯鄲左傳曰籍秦此時爲上軍司馬○索隱曰系本籍秦晉大夫籍游之孫籍談之子荀寅范吉射與午善左傳曰午荀寅之甥荀寅范吉射之姻○索隱曰系本云晉大夫逝遨生桓伯林林父生宣伯庚庚生獻伯偃偃生穆伯吳吳生寅本姓荀自荀偃將中軍晉改中軍曰中行因氏焉元與智氏同祖逝遨故智氏亦稱荀范氏晉大夫隰叔之子士蔿之後蔿生成伯缺缺生武子會會生文叔燮燮生宣叔匄匄生獻子鞅鞅生吉射也不肯助秦而謀作亂董安于知之十月范中行氏正義曰按會食邑於范因爲范氏又中行寅本姓荀自荀偃將中軍爲中行因号中行氏元與智氏因承襲逝敖姓荀氏伐趙鞅鞅奔晉陽晉人圍之范吉射荀寅仇人魏襄等謀逐荀寅以梁嬰父代之賈逵曰梁嬰父晉大夫也逐吉射以范皐繹代之服虔曰范氏之側室子荀櫟言於晉侯曰服虔曰荀櫟智文子○索隱曰系本云逝遨生莊子首首生武子罃罃生莊子朔朔生悼子盈盈生文子櫟櫟生宣子申申生智伯瑤君命大臣始亂

櫟 正義作櫟

夷

正義作韓不信注曰韓簡子也信本作佞也

者死今三臣始亂（賈逵曰范中行趙也）而獨逐鞅用刑不均請皆逐之十一月荀躒韓不佞魏哆奉公命以伐范中行氏（索隱曰不佞韓簡子哆魏簡子系本名取也）不克范中行氏反伐公公擊之范中行敗走丁未二子奔朝歌（索隱曰范吉射荀寅也）韓魏以趙氏爲請（服虔曰以其罪輕於荀范也○正義曰按趙鞅被范中行伐乃奔晉陽以其罪輕故韓魏爲請晉君而得入絳）十二月辛未趙鞅入絳盟于公宮其明年知伯文子謂趙鞅曰范中行雖信爲亂安于發之是安于與謀也晉國有法始亂者死夫二子已伏罪而安于獨在趙鞅患之安于曰臣死趙氏定晉國寧吾死晚矣遂

正義作襄

自殺趙氏以告知伯然後趙氏寧孔子聞趙簡子不請晉君而執邯鄲午保晉陽故書春秋曰趙鞅以晉陽畔趙簡子有臣曰周舍好直諫周舍死簡子每聽朝常不悅大夫請罪簡子曰大夫無罪吾聞千羊之皮不如一狐之腋諸大夫朝徒聞唯唯不聞周舍之鄂鄂是以憂也韓詩外傳曰周舍立於門下三日三夜簡子使問之曰子欲見寡人何事對曰願爲鄂鄂之臣墨筆操牘從君之過而日有記月有成歲有效也簡子由此能附趙邑而懷晉人晉定公十八年趙簡子圍范中行於朝歌中行文子奔邯鄲索隱曰荀寅也明年衛靈公卒簡子與陽虎送衛

正義曰鄂鄂直也

太子蒯聵于衞衞不内居戚[正義曰括地志云故戚戚在相州澶水縣東三十里杜預云戚衞邑在頓丘縣西有戚城是也]晉定公二十一年簡子拔邯鄲中行文子奔柏人簡子又圍柏人中行文子范昭子遂奔齊[索隱曰吉射也]趙竟有邯鄲柏人范中行餘邑入于晉趙名晉卿實專晉權奉邑侔於諸侯晉定公三十年定公與吳王夫差爭長於黃池趙簡子從晉定公卒長吳定公三十七年卒而簡子除三年之喪期而已是歲越王勾踐滅吳晉出公十一年知伯伐鄭趙簡子疾使太子毋卹將而圍鄭知伯醉以酒灌擊毋卹毋卹

鞅 為

羣臣請死之。毋邮曰：君所以置毋邮，為能忍詬。（正義曰：詬，火構反。詬，恥辱也。）然亦慍知伯。知伯歸，因謂簡子，使廢毋邮，簡子不聽。毋邮由此怨知伯。晉出公十七年，簡子卒，（張華曰：趙簡子冢在臨水界，二冢并上氣成樓閣。）太子毋邮代立，是為襄子。

趙襄子元年，越圍吳，（正義曰：年表及趙世家云左傳越滅吳在簡子三十五年，已在襄子元年前十五年矣，何得更有越圍吳之事？從此已下至問吳王，是三十年事，丈誤在此耳。）襄子降喪食，使楚隆問吳王。（正義曰：左傳云哀公二十年簡子死，襄子嗣立，以越圍吳故，降父之祭饌，而使楚隆慰問王。為哀公十三年，簡子在黃池之役，與吳王質言曰好惡同之，故減祭饌及問吳王也。而趙世家及六國年表云此年晉定公卒，簡子除三年之喪，服朞而已。按簡子死及使吳年月皆誤，與左傳文不同。）襄子姊前為代王夫人。簡子既葬，未除服，北登夏屋，（徐廣曰山在廣武。○正義曰括地志云夏屋山一名賈屋山今名賈母山在代州鴈門縣東北二十五里夏屋與句注山相接蓋北方之險亦天下之阻路所以分別內外也請代王使廚人操銅枓正義曰音斗合作枓其形方有柄取斟水器說文云斟勺也以食代王及從者行斟陰令宰人各徐廣曰一作雒以枓擊殺代王及從官遂興兵平代地其姊聞之泣而呼天摩笄自殺代人憐之所死地名之為摩笄之山正義曰笄今簪也括地志一云摩笄山一名磨笄山亦名為山在蔚州飛狐縣東北百五十里魏土地記云代郡東南二十五里有馬頭山趙襄子既殺代王使人迎其婦代王夫人曰以弟慢夫非仁也以夫怨弟非義也磨笄自殺而死使者亦自殺也遂以代封伯魯子周為代成君伯魯者襄子兄故太子太子蚤死故封其子襄子立四年知伯與趙韓魏盡分其

謬 一本有

正義曰各音洛

其范中行故地。晉出公怒，告齊魯，欲以伐四卿。四卿恐，遂共攻出公。出公奔齊，道死。知伯乃立昭公曾孫驕，是爲晉懿公。索隱曰：或作哀公。其大父名雍，即昭公少子，號戴子也。

知伯益驕，請地韓魏，韓魏與之。請地趙，趙不與，以其圍鄭之辱。知伯怒，遂率韓魏攻趙。趙襄子懼，乃奔保晉陽。

原過從，後，至於王澤，正義曰：括地志云王澤在絳州正平縣南七里也。見三人，自帶以上可見，自帶以下不可見。與原過竹二節，莫通。曰：「爲我以是遺趙毋卹。」原過既至，以告襄子。襄子齊三日，親自剖竹，有朱書曰：「趙毋卹，余霍泰山徐廣曰：在河東永安縣。山陽

正義曰馮音憑馮依也左衽胡服也界即介也乘馬被甲

侯天使也三月丙戌余將使女反滅知氏女亦立我百邑余將賜女林胡之地至于後世且有伉王赤黑龍面而鳥噣鬢麋髭髯大膺大胸脩下而馮左衽界乘（徐廣曰脩或作隨界一作介）奄有河宗（正義曰穆天子傳云河宗之子孫蒯柏綮按蓋在龍門河之上流嵐勝二州之地也）至于休溷諸貉（正義曰音陌自河宗休溷諸貉乃戎狄之地也）南伐晉別（正義曰趙南伐晉之別邑謂韓魏之邑也）北滅黑姑（正義曰亦戎國）襄子再拜受三神之令三國攻晉陽歲餘引汾水灌其城城不浸者三版（正義曰何休云八尺曰版）城中懸釜而炊易子而食羣臣皆有外心禮益慢唯高共（徐廣曰一作赫）不敢失禮襄子懼乃夜

赤一作赤

使相張孟同私於韓魏索隱曰戰國策作張孟談談者史遷之父名遷例改為同韓魏與合謀以三月丙戌三國反滅知氏共分其地於是襄子行賞高共為上張孟同曰晉陽之難唯共無功襄子曰方晉陽急羣臣皆懈唯共不敢失人臣禮是以先之於是趙北有代南并知氏彊於韓魏遂祠三神於百邑使原過主霍泰山祠祀正義曰括地志云三神祀今名原過祠今在霍山側也其後娶空同氏正義曰括地志云空峒山在蕭州福祿縣東南六十里古西戎地又原州平高縣西百里亦有崆峒山即黃帝問廣成子道處俱是西戎地未知孰是生五子襄子為伯魯之不立也不肯立子且必欲傳位與伯魯子代成君成

君先死乃取代成君子浣立爲太子（索隱曰代成君名周伯魯之子系本云代成君子起即襄子之子不云伯魯非也）襄子立三十三年卒浣立是爲獻侯獻侯少即位治中牟（地理志曰河南中牟縣趙獻侯自耿徙此瓚曰中牟在春秋之時是鄭之疆內也及三卿分晉則在魏之邦土也趙界自漳水以北不及此春秋傳曰衛侯如晉過中牟按中牟非衛適晉之次也汲郡古文曰齊師伐趙東鄙圍中牟此中牟不在趙之東也按中牟當漯水之北○索隱曰此趙中牟在河北非鄭之中牟○正義曰按五鹿在魏州元城縣東十二里鄴即相州蕩陽縣西五十八里有牟山蓋中牟邑在此山側也）襄子弟桓子逐獻侯自立於代（索隱曰系本云襄子子桓子與此不同）一年卒國人曰桓子立非襄子意乃共殺其子而復迎立獻侯十年中山武公初立（徐廣曰西周桓公之子桓公者孝王弟而定王子○索隱曰中山古鮮虞國姬姓也系本云中山武公居

顧桓公徙靈壽為趙武靈王所滅不言誰之子孫徐廣云西周桓公之子亦無所據蓋未得其實十三年城平邑地理志曰代郡有平邑縣十五年獻侯卒子烈侯籍立烈侯元年魏文侯伐中山使太子擊守之六年魏韓趙皆相立為諸侯追尊獻子為獻侯烈侯好音謂相國公仲連曰寡人有愛可以貴之乎公仲曰富之可貴之則否烈侯曰然夫鄭歌者槍石二人索隱曰槍音七羊反槍與石二人名吾賜之田人萬畝公仲曰諾不與居一月烈侯從代來問歌者田公仲曰求未有可者有頃烈侯復問公仲終不與乃稱疾不朝番吾君徐廣曰番音盤常山有番吾縣○正義曰括地志云番吾故城

在恒州房山縣東二十里番蒲古今音異耳自代來，謂公仲曰：「君實好善而未知所持。今公仲相趙，於今四年，亦有進士乎？」公仲曰：「未也。」番吾君曰：「牛畜、荀欣、徐越皆可。」公仲乃進三人。及朝，烈侯復問：「歌者田何如？」公仲曰：「方使擇其善者。」牛畜侍烈侯以仁義，約以王道，烈侯逌然。正義曰逌音由古字與攸同言牛畜以仁義約以王道故止歌者田攸攸氣行皃寬緩也明日，荀欣侍，以選練舉賢，任官使能。明日，徐越侍，以節財儉用，察度功德。所與無不充，君說。烈侯使使謂相國曰：「歌者之田且止。」官牛畜為師，荀欣為中尉，徐越為內史。正義曰漢書百官公卿表云少府內史周官秦因之掌治京師賜相國衣二襲單復具為一襲九年烈侯卒弟武公立索隱曰譙周云系本及說趙語者並無其事蓋別有所據武公十三年卒趙復立烈侯太子章是為敬侯是歲魏文侯卒敬侯元年武公子朝作亂不克出奔魏趙始都邯鄲二年敗齊于靈丘地理志曰代郡有靈丘縣三年救魏于廩丘大敗齊人四年魏敗我兔臺築剛平正義曰兔臺剛平並在河北以侵衛五年齊魏為衛攻趙取我剛平六年借兵於楚伐魏取棘蒲正義曰今趙州平棘縣古棘蒲邑八年拔魏黃城徐廣曰陳留外黃縣東有黃城○正義曰括地志云故黃城在魏州冠氏縣南十里因黃溝為名按陳留外黃城非隨所別也九年伐齊齊伐燕趙救燕十

年與中山戰于房子（正義曰趙州房子縣是）十一年魏韓趙共滅晉分其地伐中山又戰於中人（徐廣曰中山唐縣有中人亭○正義曰括地志云中山故城一名中人亭在定州唐縣東北四十一里春秋時鮮虞國之中人邑也）十二年敬侯卒子成侯種立成侯元年公子勝與成侯爭立為亂二年六月雨雪三年大戊午為相（徐廣曰戊一作成）伐衛取鄉邑七十三魏敗我藺（正義曰地里志云屬西河郡地）四年與秦戰高安（正義曰蓋在河東）敗之五年伐齊于鄄（正義曰濮州鄄城縣是也）魏敗我懷攻鄭敗之以與我長子（正義曰地理志曰上黨有長子縣）六年中山築長城伐魏敗涿澤（正義曰涿音濁徐廣云長杜有濁澤非也括地志云濁水源出蒲州解縣東北平地爾時魏都安邑韓趙伐魏豈河南至長杜也解縣濁

水近於魏都當是也圍魏惠王七年侵齊至長城正義曰齊長城西頭
在齊州平陰縣太山記云太山西北有長城緣河經太山千餘里瑯琊入海括地志云所侵處在密州南三十里也與
韓攻周八年與韓分周以爲兩徐廣曰顯王二年周紀無此○正義
曰括地志云史記周顯王二年西周惠公封少子班於鞏爲東周其子武公爲秦所滅鄭緣生述征記云鞏縣本周鞏伯
邑九年與齊戰阿下徐廣曰戰一作會也○正義曰阿東阿也今濟州東阿縣也十
年攻衛取甄十一年秦攻魏趙救之石阿正義
曰盖在石隰等州界也十二年秦攻魏少梁正義曰少梁故城在同州韓城縣南
二十二里古少梁國也趙救之十三年秦獻公使庶長國伐
魏少梁虜其太子座魏敗我澮取皮牢徐廣曰魏年表
曰取趙皮牢○正義曰括地志云澮水縣在絳州翼城縣東南二十五里按皮牢當在澮之側成侯與韓

國作圍

正義曰葛孽二城名

昭侯遇亡黨十四年與韓攻秦十五年助魏攻齊十六年與韓魏分晉封晉君以端氏徐廣曰在平陽〇正義曰端氏澤州縣也十七年成侯與魏惠王遇葛孽徐廣曰在馬丘年表曰十八年趙孟如齊〇正義曰括地志云洽滑水縣在絳州翼城縣東南二十五里按皮牢當在澮之側十九年與齊宋會平陸正義曰兗州縣也平陸城與即古厥國與燕會阿正義曰括地志云故葛城一名依城又名西阿城在瀛州高陽縣西北五十里以徐兗二水並過其西又祖經其北曲曰阿以齊有東阿故曰西阿城地理志云瀛州屬河間趙分也按燕趙即此也二十年魏獻榮椽因以為檀臺徐廣曰襄國縣有檀臺〇索隱曰劉氏云榮椽蓋地名其中有高處可以為臺非也按榮椽是良材可為椽登飾有光榮所以魏獻之故趙因用之以為檀臺〇正義曰鄭玄云榮屋翼也說文云椽欂也屋梠之兩頭起者為榮也括地志云檀臺在洺州臨洺縣北二里二十一年魏圍我邯鄲

二十二年魏惠王拔我邯鄲齊亦敗魏於桂陵正義曰括地志云故桂城在曹州乘縣東北二十一里故老云此即桂陵也二十四年魏歸我邯鄲與魏盟漳水上秦攻我藺二十五年成侯卒公子緤音薛與太子肅侯爭立索隱曰系本云肅侯名語緤敗亡奔韓肅侯元年奪晉君端氏徙處屯留正義曰括地志云屯留故城在潞州長子縣東北三十里本漢屯留縣城也趙二年與魏惠王遇於陰晉正義曰地里志云華陰縣魏之陰晉秦惠文王更名寧秦高帝更名華陰今屬華州三年公子范襲邯鄲不勝而死四年朝天子六年攻齊拔高唐七年公子刻攻魏首垣正義曰蓋在河北也十一年秦孝公使商君伐魏虜其將公子卬卬五郎反

趙伐魏十二年秦孝公卒商君死十五年起壽陵正義曰徐廣云在常州魏惠王卒十六年肅侯游大陵徐廣曰太原有大陵縣亦曰陸○正義曰括地志云大陵城在并州文水縣北十三里漢大陵縣城出於鹿門正義曰并州盂縣西有白鹿泓魏出自鹿山南海羞鹿門在北山水之側也大戊午扣馬呂忱曰扣牽馬曰耕事方急一日不作百日不食肅侯下車謝十七年圍魏黃不克地理志曰山陽有黃縣○正義曰黃城在魏州前拔之却爲魏今趙圍之矣築長城正義曰劉伯莊云蓋從雲中以北至代按趙長城從蔚州北西至嵐州北盡趙界又擬此長城在漳水之北趙南界十八年齊魏伐我我決河水灌之兵去二十二年張儀相秦趙疵與秦戰敗秦殺疵河西取我藺離石二十三年韓

世本云肅侯語生武靈王雍也

卑徐廣曰韓將 與齊魏戰死于桑丘 地理志云泰山有桑丘縣○正義曰括地志云桑丘城在易州遂城縣界或云在泰山非也此時齊伐燕桑丘三晉皆來救之不得在泰山有桑丘縣此說甚誤也 二十四年肅侯卒秦楚燕齊魏出銳師各萬人來會葬子武靈王立 索隱曰名雍 武靈王元年 徐廣曰年表云魏敗我趙護 陽文君趙豹相梁襄王與太子嗣韓宣王與太子倉來朝信宮 正義曰在洺州臨洺縣也 武靈王少未能聽政博聞師三人左右司過三人及聽政先問先王貴臣肥義加其秩國三老年八十月致其禮三年城鄗四年與韓會于區鼠 正義曰盖在河北 五年娶韓女為夫人八年韓擊秦不勝而去五國相

會本无

王趙獨否曰無其實敢處其名乎令國人謂已曰君九年與韓魏共擊秦秦敗我斬首八萬級齊敗我觀澤正義曰括地志云觀澤故城在魏州頓丘縣東十八里也十年秦取我西都及中陽徐廣曰年表云秦取中都西陽安邑十一年秦敗我將軍英太原有中都縣西河有中陽縣齊破燕燕相子之為君君反為臣十一年王召公子職於韓立以為燕王徐廣曰紀年亦云爾使樂池送之燕世家子之死後燕人共立太子平是為燕昭王無趙送公子職為燕王之事當是趙聞燕亂遥立職為燕王雖使樂池送之竟不能就○索隱曰燕系家無其事盖是疎也今此云使樂池送之必是憑舊史為說且紀年之書其說又同則裴駰之解得其旨十三年秦拔我藺虜將軍趙莊正義曰本一作茈音疋婢反楚魏王來過邯鄲十四年趙何攻

魏十六年，秦惠王卒。王遊大陵。他日，王夢見處女鼓琴而歌詩曰：美人熒熒兮，顏若苕之榮。綦毋邃曰陵苕之草其華紫○正義曰苕音條毛詩疏云苕饒也幽州謂之翹饒蔓似登豆而細葉似蒺藜而青其華細綠色可生食味如小豆藿也又本草經云陵苕生下濕水中七八月生華紫草可以染帛煮沐頭髮即黑也 命乎命乎，曾無我嬴！綦毋邃曰言有命祿生遇其時人莫知已貴盛盈端也○正義曰按命名也嬴姓嬴也言世衆名其美好曾無我好嬴也重言名呼者以談說衆也 異日，王飲酒樂，數言所夢，想見其狀。吳廣聞之，因夫人而內其女娃嬴。方言曰娃美也吳有館娃之宮 孟姚也。徐廣曰古史考云內其女曰娃○索隱曰孟姚吳廣女舜之後故上文云余思虞舜之勳故命其冑女孟姚以配而七代之孫是也然後封虞在河東大陽山西有上虞城是亦曰吳城虞吳音相近故舜後亦姓吳非獨太伯虞仲之裔 孟姚甚有寵於王，是爲

無我言嬴

娃於佳反

孟長也姚舜姓也

臏頻忍反脛骨也

惠后十七年王出九門徐廣曰在常山。正義曰本戰國時趙邑戰國策云本有宮室而居趙武靈王改爲九門爲野臺徐廣曰野一作望。正義曰括地志云野臺一名義臺在定州樂縣西南西南六十三里以望齊中山之境十八年秦武王與孟說舉龍文赤鼎絕臏而死徐廣曰一作絕瞑音工丁反趙王使代相趙固迎公子稷於燕送歸立爲秦王是爲昭王十九年春正月大朝信宮召肥義與議天下五日而畢王北略中山之地至於房子正義曰趙州縣也遂之代北至無窮西至河登黃華之上正義曰黃華蓋西河側之山名也召樓緩謀曰我先王因世之變以長南藩之地屬阻漳滏之險立長城又取藺郭狼敗

音蕃

說音悅

滏一作釜

罷 通

古

林人正義曰即林胡也於荏而功未遂今中山在我腹心北有燕正義曰地理志云趙分晉北有信都中山又得郡之高陽鄚州鄉東有清河之間又得勃海郡東平舒等七縣在河以北故言北有燕東有胡正義曰趙東有瀛州之東北營州之境即東胡烏丸之地服虔云東胡烏丸之先後爲鮮卑也西有林胡樓煩秦韓之邊正義曰林胡樓煩即嵐勝之北也嵐勝以南石州離石藺等七國時趙邑邊也秦隔河也晉洺潞澤等州皆七國時韓地爲並趙西境也而無彊兵之救是亡社稷奈何夫有高世之名必有遺俗之累吾欲胡服樓緩曰善群臣皆不欲於是肥義侍王曰簡襄主之烈計胡翟之利爲人臣者寵有孝悌長幼順明之節通有補民益主之業正義曰寵貴寵也通達理也凡爲人臣有孝弟長幼順明之節制者得貴寵也有補

民益主之功業者爲達理也此兩者臣之分也今吾欲繼襄主之跡開於胡翟之鄉而卒世不見也正義曰卒子律反盡也言盡世間不見補民益主之忠臣也爲敵弱正義曰我爲胡服敵人必困弱也用力少而功多可以毋盡百姓之勞而序往古之勳正義曰厚重也往古謂趙簡子襄子也夫有高世之功者負遺俗之累正義曰負留也言古周公孔子留衣冠禮義之俗今變爲胡服是負留風俗之譏累也有獨智之慮者任驁民之怨正義曰言世有獨計智之思慮者必任隱逸敖慢之民怨望主也今吾將胡服騎射以教百姓而世必議寡人奈何肥義曰臣聞疑事無功疑行無名王既定負遺俗之慮殆無顧天下之議矣夫論至德者不和於

笑我正義曰驅音區驅盡也驅世謂盡一世間以笑我也

俗成夫功者不謀於衆昔者舜舞有苗禹袒裸國非以養欲而樂志也務以論德而約功也愚者闇成事智者覩未形則王何疑焉王曰吾不疑胡服也吾恐天下笑我也狂夫之樂智者哀焉愚者所笑賢者察焉世有順我者胡服之功未可知也雖驅世以笑我胡地中山吾必有之於是遂胡服矣使王緤告公子成曰寡人胡服將以朝也亦欲叔服之家聽於親而國聽於君古今之公行也子不反親臣不逆君兄弟之通義也徐廣曰兄弟一作元夷元始也夷平也今寡人作教易服而叔

然　緤音泄

史記考索
四十七
趙

不服吾恐天下議之也制國有常利民爲本從政有經令行爲上明德先論於賤而行政先信於貴今胡服之意非以養欲而樂志也事有所止而功有所出正義曰鄭玄云止至也爲人君止於仁爲人臣止於敬爲人子止於孝爲人父止於慈與國人交止於信按出猶成也事成功立然後善也今寡人恐叔之逆從政之經以輔叔之議且寡人聞之事利國者行無邪因貴戚者名不累故願慕公叔之義以成胡服之功使緤謁之叔索隱曰請服絶句請服焉公子成再拜稽首曰臣固聞王之胡服也臣不佞寢疾未能趨走以滋進也王命之臣敢對

正義曰佞才也

正義曰怫戾不泄也

因謁其愚忠曰臣聞中國者蓋聰明徇智之所居也（徐廣曰五帝本紀云幼而徇齊）萬物財用之所聚也賢聖之所教也仁義之所施也詩書禮樂之所用也異敏技能之所試也遠方之所觀赴也蠻夷之所義行也今王舍此而襲遠方之服變古之教易古之道逆人之心而怫學者離中國故臣願王圖之也使者以報王曰吾固聞叔之疾也我將自往請之王遂往之公子成家因自請之曰夫服者所以便用也禮者所以便事也聖人觀鄉而順宜因事而制禮所以利其民而厚其國也

請或作謁

夫翦髮文身，錯臂左衽，索隱曰：錯臂亦文身，謂以丹青錯畫其臂。孔衍作右臂左衽，謂右袒其臂也。甌越之民也。索隱曰：劉氏云今珠崖、儋耳謂之甌人，是有甌越。○正義曰：按屬南越，故言甌越也。輿地志云：交阯周時為駱越，秦時曰西甌，文身斷髮避龍，則西甌駱又在番吾之西。南越及甌駱皆芊姓也。世本云越芊姓也，與楚同祖是也。黑齒雕題，劉逵曰：以草染齒，用白作黑。鄭玄曰：雕文謂刻其肌，以青丹涅之。卻冠秫絀，徐廣曰：戰國策作秫縫。絀亦縫紩之別名也。鉥者綦鍼也，古字多假借，故作秫絀耳。此蓋言其女功鍼縷之麤拙也。又一本作鮭冠黎緤也。大吳之國也。故禮服莫同，其便一也。鄉異而用變，事異而禮易。是以聖人果可以利其國，不一其用；果可以便其事，不同其禮。儒者一師而俗異，中國同禮而教離，況於山谷之便乎？故去就之變，智者不能一；遠近之服賢聖不能同窮鄉多異曲學多辨不知而不疑異於己而不非者公焉而衆求盡善也今叔之所言者俗也吾所言者所以制俗也吾國東有河薄洛之水（徐廣曰安平經縣西有漳水津名薄洛津○正義曰按安平縣屬定州也）與齊中山同之（正義曰爾時齊與中山相親中山趙共薄洛水故言與齊中山同之須有舟楫之備）無舟楫之用自常山以至代上黨（徐廣曰一云自常山以下代上黨以東）東有燕東胡之境而西有樓煩秦韓之邊今無騎射之備故寡人無舟楫之用夾水居之民將何以守河薄洛之水變服騎射以備燕三胡秦韓之邊（索隱曰林胡樓煩東胡是三胡也）且昔者簡主不

塞晉陽以及上黨而襄王并戎取代以攘諸胡
此愚智所明也先時中山負齊之彊兵侵暴吾
地係累（正義曰上音詣下力追反）吾民引水圍鄗微社稷之神
靈則鄗幾於不守也先王醜之而怨未能報也
今騎射之備近可以便上黨之形而遠可以報
中山之怨而叔順中國之俗以逆簡襄之意惡
變服之名以忘鄗事之醜非寡人之所望也公
子成再拜稽首曰臣愚不達於王之義敢道世
俗之聞臣之辠也今王將繼簡襄之意以順先
王之志臣敢不聽命乎再拜稽首乃賜胡服明

日服而朝於是始出胡服令也趙文趙造周袑徐廣曰戰國策作紹袑音紹趙俊皆諫止王毋胡服如故法便王曰先王不同俗何古之法帝王不相襲何禮之循虙戲神農教而不誅黃帝堯舜誅而不怒及至三王隨時制法因事制禮法度制令各順其宜衣服器械各便其用故禮也不必一道而便國不必古聖人之興也不相襲而王夏殷之衰也不易禮而滅然則反古未可非而循禮未足多也且服奇者志淫則是鄒魯無奇行也索隱曰按鄒魯好長纓縫是奇服也服非其志皆淫僻也而有孔門顏冉之屬豈是無奇行哉俗辟者民易

宓戲 伏羲二音

正義曰內盛曰器盂杬之類外盛曰械刀鏘之屬也

正義曰言鄒魯儒服長纓非志好奇淫蕩也而生孔子顏回曾參閔損皆奇行 趙世家 也

俗辟者民易 正義曰言吳越僻處海隅其民踈誕簡易也而生巫咸巫賢太伯吳尚吳季札言僻皆秀士也

則是吳越無秀士也索隱曰言方俗僻處山谷而人皆改易不通大化則是吳越無秀士何得有延州來及大夫種之屬哉且聖人利身謂之服便事謂之禮夫進退之節衣服之制者所以齊常民也非所以論賢者也故齊民與俗流賢者與變俱故諺曰以書御者不盡馬之情以古制今者不達事之變循法之功不足以高世法古之學不足以制今子不及也遂胡服招騎射二十年王略中山地至寧葭索隱曰一作蔓葭縣名在中山也西略胡地至榆中正義曰勝州北河北岸也林胡王獻馬歸使樓緩之秦仇液之韓王賁之楚富丁之魏趙爵之齊代相趙

固王胡致其兵二十一年攻中山趙袑爲右軍許鈞爲左軍公子章爲中軍王并將之牛翦將車騎趙希并將胡代趙與之陘徐廣曰一作陸又作陘或宜言趙與之陘陘者山絕之名常山有井陘中山有苦陘上黨有閼與○正義曰與音與陘音荊陘陘山也在并州陘縣東南十八里然趙希并將代趙之兵與諸軍向井陘之側共出定州上曲陽縣合軍攻取丹丘華陽鴟上之關合軍曲陽徐廣曰上曲陽在常山下曲陽在鉅鹿○正義曰括地志云上曲陽故城在定州曲陽縣西五里按合軍曲陽即上曲陽也以在常山郡也攻取丹丘正義曰蓋邢州丹丘縣也華陽正義曰括地志云北岳有五別名一曰蘭臺府二曰列女宮三曰華陽臺四曰紫臺五曰太一宮按此岳恒山在定州恒陽縣北百四十里鴟之塞正義曰上音之夷反下先代反徐廣曰鴟一作鴻上故關今名汝城在定州唐縣東北六十里本晉鴻上關城也又有鴻上水源出唐縣北葛洪山接北岳恒山與鴻上塞皆在定州然二本作鳴字誤也王軍取

鄗石邑徐廣曰在常山。正義曰括地志云石邑故城在恒州鹿泉縣南三十五里六國時舊邑封龍正義曰括地志云封龍山一名飛龍山在恒州鹿泉縣南四十五里邑因山爲名東垣中山獻四邑和王許之罷兵二十三年攻中山二十五年惠后卒索隱曰謂武靈王之后前太子章之母惠文王之嫡母也惠后卒後吳娃始當正室至孝成二年稱惠文后卒是也而下文又云吳娃死後娃子何寵衰故太子欲兩王之是誤也使周袑胡服傅王子何二十六年復攻中山攘地北至燕代西至雲中九原二十七年五月戊申大朝於東宮傳國立王子何以爲王王廟見禮畢出臨朝大夫悉爲臣肥義爲相國并傅王是爲惠文王惠文王惠后吳娃子也武靈王自號爲主父父欲令子主治國而身胡服將士大夫西北略胡地而欲從雲中九原直南襲秦於是詐自爲使者入秦秦昭王不知已而怪其狀甚偉非人臣之度使人逐之而主父馳已脫關矣審問之乃主父也秦人大驚主父所以入秦者欲自略地形因觀秦王之爲人也惠文王〔徐廣曰元年以公子勝爲相封平原〕二年主父行新地遂出代西遇樓煩王於西河而致其兵三年滅中山遷其王於膚施〔徐廣曰在上郡○正義曰今延州膚施縣也〕起靈壽〔徐廣曰在常山〕北地方從代道大通還歸行賞大赦置酒酺五日封長子章爲代

安陽君正義曰括地志云東安陽故城在朔州定襄縣界地志云東安陽縣屬代郡章素侈心不服其弟所立主父又使田不禮相章也李兌謂肥義曰公子章彊壯而志驕黨衆而欲大殆有私乎田不禮之爲人也忍殺而驕二人相得必有謀陰賊起一出身徼幸夫小人有欲輕慮淺謀徒見其利而不顧其害同類相推俱入禍門以吾觀之必不久矣子任重而勢大亂之所始禍之所集也子必先患仁者愛萬物而智者備禍於未形不仁不智何以爲國子奚不稱疾毋出傳政於公子成毋爲怨府毋爲禍梯肥

爲 陰李十 患本作忠或作志 梯天奚反

籍音謝〻無變改〻心

義曰不可昔者主父以王屬義也曰毋變而度毋異而慮堅守一心以歿而世義再拜受命而籍之今畏不禮之難而忘吾籍變孰大焉進受嚴命退而不全負孰甚焉變負之臣不容於刑諺曰死者復生生者不愧正義曰肥義報李兌云必盡傳何爲王不可攫章及田不禮而生異心使死者復更變生并見在生者並見將王無變令我不愧之若荀息也吾言已在前矣吾欲全吾言安得全吾身且夫貞臣也難至而節見忠臣也累至而行明子則有賜而忠我矣雖然吾有語在前者也終不敢失李兌曰諾子勉之矣吾見子已今年耳涕泣而出李兌

數見公子成以備田不禮之事異曰肥義謂信期曰（索隱曰即下文高信也 ○正義曰上音申也）公子與田不禮甚可憂也其於義也聲善而實惡此爲人也不子不臣吾聞之也姦臣在朝國之殘也讒臣在中主之蠹也此人貪而欲大內得主而外爲暴矯令爲慢以擅一旦之命不難爲也禍且逮國今吾憂之夜而忘寐飢而忘食盜賊出入不可不備自今以來若有召王者必見吾面我將先以身當之無故而王乃入信期曰善哉吾得聞此也四年朝羣臣安陽君亦來朝主父令王聽朝而

僕 正義曰低垂貌
僕失意也孔子世家
僕然若喪家之狗

自從旁觀窺群臣宗室之禮見其長子章傫然也反北面爲臣詘於其弟心憐之於是乃欲分趙而王章於代計未決而輟主父及王游沙丘異宮正義曰在邢州平鄉縣東北二十里矣公子章即以其徒與田不禮作亂詐以主父令召王肥義先入殺之高信即與王戰公子成與李兌自國至乃起四邑之兵入距難殺公子章及田不禮滅其黨賊而定王室公子成爲相號安平君李兌爲司寇公子章之敗往走主父主父開之索隱曰開謂開門而納之俗本亦作閉字者非也譙周及孔衍皆作閉之閉謂藏也○正義曰謂不責其反叛之罪容其入宮藏也成兌因圍主

正義曰按鳥子生哺者謂之鷇鳥冢食者謂之鶵也

公宮公子章死公子成李兌謀曰以章故圍主父即解兵吾屬夷矣乃遂圍主父令宮中人後出者夷宮中人悉出主父欲出不得又不得食探爵鷇而食之集解徐廣曰鷇爵子也○索隱曰生受哺者謂之鷇三月餘而餓死沙丘宮應劭曰武靈王葬代郡靈丘縣○正義曰括地志云趙武靈王墓在蔚州靈丘縣東三十里應劭說是也主父定死乃發喪赴諸侯是時王少成兌專政畏誅故圍主父主父初以長子章為太子後得吳娃愛之為不出者數歲生子何乃廢太子章而立何為王吳娃死愛弛憐故太子欲兩王之猶豫未決故亂起以至父子俱死為天

下笑豈不痛乎(徐廣曰一無此十四字)主父死惠文王立立五年與燕鄚易(徐廣曰皆屬涿郡鄚音莫)八年城南行唐(徐廣曰在常山○正義曰行寒庚反括地志云行唐縣屬冀州為南行唐築城)九年趙梁將與齊合軍攻韓至魯關下(正義曰劉伯莊云蓋在南河魯陽關按汝州魯山縣古穀陽縣)及十年秦自置為西帝十一年董叔與魏氏伐宋得河陽於魏秦取梗陽(杜預曰太原晉陽縣南梗陽城也○索隱曰地理志云太原榆次有梗陽鄉與杜預所據小別也○正義曰括地志云梗陽故城在并州清源縣南百二十步分晉陽縣置本漢榆次縣地春秋晉大夫祁氏邑也)十二年趙梁將攻齊十三年韓徐為將攻齊公主死(索隱曰蓋某姓女惠文王之妹)十四年相國樂毅將趙秦韓魏燕攻齊取靈丘(索隱曰年表及韓魏等系家五國攻

常本作嘗

齊在明年然此下文十五年重擊齊是此文爲得蓋此年同伐齊耳○正義曰蔚丘縣也與秦會中陽正義曰括地志云中陽故縣在汾州隰城縣南十里漢中陽縣也十五年燕昭王來見
趙與韓魏秦共擊齊齊王敗走燕獨深入取臨
菑十六年秦復與趙數擊齊齊人患之蘇厲爲齊
遺趙王書曰臣聞古之賢君其德行非布於海
内也教順非洽於民人也祭祀時享非數常於
鬼神也甘露降時雨至年穀豐孰民不疾疫衆
人善之然而賢主圖之今足下之賢行功力非
數加於秦也怨毒積怒非素深於齊也秦趙與
國以彊徵兵於韓秦誠愛趙乎其實憎齊乎物

之甚者賢主察之秦非愛趙而憎齊也欲亡韓
而吞二周故以齊餤天下恐事之不合故出兵
以劫魏趙恐天下畏己也故出質以爲信恐天
下亟反也故徵兵於韓以威之聲以德與國實
而伐空韓索隱曰與國趙也秦趙今爲與國秦徵兵於韓共趙伐齊以威聲和趙是以德與國也臣
以秦計爲必出於此夫物固有勢異而患同者
楚久伐而中山亡今齊久伐而韓必亡破齊王
與六國分其利也亡韓秦獨擅之收二周西取
祭器秦獨私之賦田計功王之獲利孰與秦多
說士之計曰韓亡三川正義曰河南之地兩州之閒魏亡晉國

師說斂不足

有已正義曰音以□ 又云已此已

（正義曰河北之地安邑河內）市朝未變而禍已及矣燕盡齊之北地去沙丘鉅鹿斂三百里（正義曰沙丘邢州也鉅鹿冀州也齊北界貝州也斂減也言破齊滅韓之後燕之南界秦之東界相去減三百里趙國在中間地矣）韓之上黨去邯鄲百里燕秦謀王之河山間三百里而通矣秦之上郡（正義曰鄜延等州也）近挺關至於榆中者千五百里秦以三郡攻王之上黨（正義曰秦上黨郡今澤潞儀沁等四州之地兼相州之半韓總有之至七國時趙得儀沁二州之地韓猶有潞州及澤州之半半屬趙魏沁州在羊腸坂之西儀并代三州在勾注山之南秦以三郡攻趙之澤潞則勾注之南趙無地然秦始皇置上黨郡此言之者太史公却引前書也他皆倣此）羊腸之西（正義曰太行山坂道名南屬懷州北屬澤州）勾注之南（正義曰勾注山在代州西北也）非王有已踰勾注斬常山而守之三百里

而通於燕代馬胡犬不東下（正義曰言秦踰句注山斬常山而守之西北代馬胡犬不東入趙沙州崑山之玉亦不出至趙矣郭璞云胡地野犬似狐而小）昆山之玉不出此三寶者亦非王有已王久伐齊從彊秦攻韓其禍必至於此願王孰慮之且齊之所以伐者以事王也（正義曰以趙王爲事也而秦必伐之也）天下屬行以謀王也（正義曰上音燭下胡郎反言秦欲令齊稱帝與約五國共滅趙三分趙地）燕秦之約成而兵出有日矣五國三分王之地（正義曰謂秦齊韓魏燕三分趙之地也）齊倍五國之約而殉王之患（正義曰齊王以身從趙王之患也）西兵以禁彊秦秦廢帝請服（正義曰言秦齊相約欲更重稱帝故言廢帝也）反高平根柔於魏（徐廣曰紀年云魏哀王四年改陽曰河雍向曰高平根柔一作楡柔一作平柔○正

正義曰佼音効、効、勞也

義曰返還也括地志云高平故城在懷州河陽縣西四十里紀年云魏哀王改向曰高平也根柔未詳兩邑魏地也反巠分徐廣曰一作王公巠音胡鼎反先俞於趙徐廣曰爾雅曰西俞鴈門是也○正義曰巠音邢分字誤當作山字耳括地志云句注山一名西陘山在代州鴈門縣西北四十里俞音戍郭注云西俞即鴈門山也按西先聲相近蓋陘山西俞二山之地並在代州鴈門縣皆趙地也齊之事王宜為上佼索隱曰佼猶行也而今乃抵辠正義曰謂共秦伐齊也臣恐天下後事王者之不敢自必也願王孰計之也今王毋與天下攻齊天下必以王為義齊抱社稷而厚事王天下必盡重王義王以天下善秦秦暴王以天下禁之是一世之名寵制於王也於是趙乃輟謝秦不擊齊王與燕王遇廉頗將攻齊昔陽

正義曰括地志云昔陽故城一名陽城在并州樂平縣東春秋釋地名云昔陽肥國所都也樂平城治縣東昔陽城肥姓白狄別種也樂平縣城漢治縣城也取之杜預曰樂平治縣有昔陽城十七年樂毅將趙師攻魏伯陽正義曰括地志云伯陽故城一名邯會城在相州鄴縣西五十五里七國時魏邑漢邯會城而秦怨趙不與己擊齊伐趙拔我兩城十八年秦拔我石城正義曰地理志云右北平有石城縣括地志云石城在相州林慮縣西南九十里疑相州石城是王再之衛東陽決河水正義曰括地志云東陽故城故城在貝州歷亭縣界按東陽先屬衛今屬趙河歷貝州南東北流過河南岸即魏地也故言王再之衛東陽伐魏氏也伐魏氏大潦漳水出魏冉來相趙十九年秦敗我二城趙與魏伯陽趙奢將攻齊麥丘取之二十年廉頗將攻齊王與秦昭王遇西河外徐廣

曰年表云與秦會澠池二十一年趙徙漳水武平西正義曰括地志云武平亭今名渭城在瀛州文安縣北七十二里按二十七年又徙漳水武平南二十二年大疫置公子丹爲太子二十三年樓昌將攻魏幾正義曰音祈傳云代齊幾幾拔之又戰國策云秦敗閼與及攻魏幾幾拔幾邑或屬齊或屬魏當在相潞之閒也不能取十二月廉頗將攻幾取之二十四年廉頗將攻魏房子徐廣曰屬常山拔之因城而還又攻安陽取之二十五年燕周將攻昌徐廣曰屬齊郡○索隱曰燕周趙人爲趙將○正義曰括地志云故昌城在淄州淄川縣東北四十里也城高唐取之與魏共擊秦秦將白起破我華陽正義曰括地志云故華陽城在鄭州管城縣南四十里司馬彪云華陽亭在今洛州密縣是時魏韓趙聚兵於華陽西攻秦得一將軍二十六年取

能本作敢

東胡正義曰今營州也歐代地索隱曰蓋東胡叛趙驅略代地人衆以叛故取之也二十七年徙漳水武平南封趙豹爲平陽君戰國策曰趙豹平陽君惠文王母弟河水出大潦二十八年藺相如伐齊至平邑正義曰括地志云平邑故城在魏州昌樂縣東北四十里也罷城北九門大城正義曰恒州九門縣城燕將成安君公孫操弑其王徐廣曰年表云是燕武成王元年○索隱曰樂資云其王即惠王二十九年秦韓相攻而圍閼與正義曰上於連反下音預括地志云閼與聚落今名烏蘇城在潞州銅鞮縣西北二十里又儀州順和縣城亦云韓閼與邑二所未詳又有閼與山在洛州武安縣西五十里蓋是也趙使趙奢將擊秦大破秦軍閼與下賜號爲馬服君正義曰因馬服山爲號也虞喜志林云馬兵之首也號曰馬服者言能服馬也括地志云馬服山邯鄲縣西北十里也三十三年

歐 李作毆

閼 達 於連反

自恕 音廣刘伯莊云猶言自付度也

古

惠文王卒，太子丹立，是為孝成王。孝成王元年，秦伐我，拔三城。〔徐廣曰：平原君相也。〕趙王新立，太后用事，秦急攻之。趙氏求救於齊，齊曰：「必以長安君〔正義曰：長安君者，以長安善，故名也。〕為質，兵乃出。」〔索隱曰：孔衍云長安君，惠文太后之少子也。趙亦有長安，今其地闕。〕太后不肯，大臣彊諫。太后明謂左右曰：「復言長安君為質者，老婦必唾其面。」左師觸龍言願見太后，太后盛氣而胥之。入，〔正義：胥猶須也。穀梁傳曰：胥其出也。〕徐趨而坐，自謝曰：「老臣病足，曾不能疾走，不得見久矣。竊自恕，而恐太后體之有所苦也，故願望見太后。」太后曰：「老婦恃輦而行。」〔索隱曰：束晳云趙惠文王子 [illegible]〕

新

今

坐

坐失作生

子也如系家計之則武靈王十六年夢吳娃而納之至二十七年王薨及惠文王三十三年卒孝成王元年遣長安君質於齊若娃年二十入王宮至此在六七左側亦可稱老矣而東廣微言太后纔三十有奇者誤也

曰食得毋衰乎曰恃粥耳曰老臣間者殊不欲食乃彊步日三四里少益嗜食和於身也太后曰老婦不能太后不和之色少解左師公曰老臣賤息舒祺最少不肖而臣衰竊憐愛之願得補黑衣之缺以衛王宮昧死以聞太后曰敬諾年幾何矣對曰十五歲矣雖少願及未填溝壑而託之太后曰丈夫亦愛憐少子乎對曰甚於婦人太后笑曰婦人異甚對曰老臣竊以為媼之愛燕

后賢於長安君太后曰君過矣不若長安君之甚左師公曰父母愛子則為之計深遠媼之送燕后也持其踵為之泣念其遠也亦哀之矣已行非不思也祭祀則祝之曰必勿使反豈非計長久為子孫相繼為王也哉太后曰然左師公曰今三世以前至於趙主之子孫為侯者其繼有在者乎曰無有曰微獨趙諸侯有在者乎曰老婦不聞也曰此其近者禍及其身遠者及其子孫豈人主之子侯則不善哉位尊而無功奉厚而無勞而挾重器多也今媼尊長安君之位

趙之為趙

而封之以膏腴之地多與之重器而不及今令有功於國一旦山陵崩長安君何以自託於趙老臣以媼為長安君之計短也故以為愛之不若燕后太后曰諾恣君之所使之於是為長安君約車百乘質於齊齊兵乃出子義聞之索隱曰子義趙之賢人曰人主之子骨肉之親也猶不能持無功之尊無勞之奉而守金玉之重也而況於予乎齊安平君正義曰括地志云安平城在青州臨淄縣東十九里古紀之酅邑也田單將趙師而攻燕中陽徐廣曰一作人○正義曰燕無中陽括地志云中山故城一名中人亭在定州唐縣東北四十一里尓時屬燕國也拔之又攻韓注人正義曰邑名也括地志云注城在汝

正義曰持猶執

州梁縣西十五里蓋是其地也拔之二年惠文后卒田單爲將四年王夢衣偏裻之衣正義曰杜預云偏左右異色裻在中左右異故曰偏裻裻衣背縫也乘飛龍上天不至而墜見金玉之積如山明日王召筮史敢占之曰夢衣偏裻之衣者殘也乘飛龍上天不至而墜者有氣而無實也見金玉之積如山者憂也後三日韓氏上黨守馮亭使者至曰韓不能守上黨入之於秦其吏民皆安爲趙不欲爲秦有城市邑十七願再拜入之趙財王所以賜吏民王大喜召平陽君豹告之曰馮亭入城市邑十七受之何如對曰聖人甚禍

無故之利。王曰：人懷吾德，何謂無故乎？對曰：夫秦蠶食韓氏地，中絕不令相通，固自以為坐而受上黨之地也。韓氏所以不入於秦者，欲嫁其禍於趙也。秦服其勞而趙受其利，雖彊大不能得之於小弱，小弱顧能得之於彊大乎？豈可謂非無故之利哉！且夫秦以牛田之（徐廣曰：一無此字。○正義曰：秦蠶食韓氏國中，斷不通。夫牛耕田種穀，至秋則收之，成熟之義也。言秦伐韓上黨，勝有日矣，若牛田之必冀收穫矣。）水通糧（正義曰：秦從渭水漕糧東入河、洛，軍擊韓上黨也。）蠶食，上乘倍戰者，（正義曰：乘，永證反。蠶食桑葉，漸進必盡也。司馬法云：百畝為夫，夫三為屋，屋三為井，井十為通，通十為成，成出革車一乘，七十二人也。上乘，天下第一也。倍戰，力攻也。韓國四戰之地，軍士慣習，倍於餘國。）裂上國之

師說太字不讀之

地正義曰上國秦地也言韓上黨之地以列為秦國之地其政已行趙不可與秦作難必莫受馮亭十七邑也
其政行不可與為難必勿受也王曰今發百萬
之軍而攻踰年歷歲未得一城也今以城市邑
十七幣吾國正義曰馮亭將十七邑入趙若幣帛之見遺此大利也此大利也
趙豹出王召平陵君與趙禹而告之對曰發百
萬之軍而攻踰歲未得一城今坐受城市邑十
七此大利不可失也王曰善乃令趙勝受地告
馮亭曰敝國使者臣勝敝國君使勝致命以萬
戶都三封太守正義曰爾時未合言太守至漢景帝始加太守此言太衍字也千戶
都三封縣令皆世世為侯吏民皆益爵三級吏

城或作地下同

民能相安皆賜之六金馮亭垂涕不見使者曰吾不處三不義也為主守地不能死固不義一矣入之秦不聽主令不義二矣賣主地而食之不義三矣趙遂發兵取上黨漢書馮奉世傳曰趙封馮亭為華陽君與趙將括距秦戰死於長平宗族由是分散或在趙在趙者為官師將官師將子為代相及秦滅六國而馮亭之後馮無擇馮去疾馮劫皆為秦將相焉漢興馮唐即代相之子也上黨記云馮亭冢在壺關城西五里廉頗將軍軍長平正義曰括地志云長平故城在澤州高平縣西二十一里即白起敗括於長平處七年廉頗免而趙括代將秦人圍趙括趙括以軍降卒四十餘萬皆阬之王悔不聽趙豹之計故有長平之禍焉王還不聽秦秦圍邯鄲徐廣曰在九年武垣

趙世家

皆阬之 正義曰白起傳云斬首虜四十五万人括地志云頭顱山一名白起臺在澤州高平縣西五里上黨記云秦阬趙衆收頭顱築臺於壘中因山為臺崔嵬……白起臺也

正義曰還猶仍也

令徐廣曰河間有武垣縣本屬涿郡○正義曰括地志云武垣故城今瀛州城是也傅豹王容蘇射率燕衆反燕地正義曰武垣此是屬趙與燕接境故云率燕衆反燕地也趙以靈丘正義曰括地志云靈丘蔚州理縣也封楚相春申君八年平原君如楚請救還楚來救及魏公子無忌亦來救正義曰魏公子傳云趙王以鄗爲公子湯沐邑年表云九年公子無忌救邯鄲圍在九年其文錯誤耳秦圍邯鄲乃解十年燕攻昌壯徐廣曰一作社○正義曰壯字誤當作城括地志云昌城故城在冀州信都縣西北五里此時屬趙故攻之也五月拔之趙將樂乘慶舍攻秦信梁軍破之徐廣曰年表云新中軍也○索隱曰信梁秦將也○正義曰信梁蓋王齕号也秦本紀云昭襄王五十年王齕從唐拔寧新中寧新中更名安陽今相州理縣也年表云韓魏楚救趙新中軍秦兵罷是也太子死徐廣曰是年周赧王卒或者太子云太子平○索隱曰燕太子也史失名而

秦攻西周拔之徙父祺出索隱曰徙父趙大夫名祺。正義曰趙見秦拔西周故令徙父祺將兵出境也十一年城元氏地理志常山有元氏縣。正義曰元氏趙州縣也縣上原武陽君鄭安平死徐廣曰故秦將降趙也收其地十二年邯鄲廥燒徐廣曰廥廄之名音膾也。索隱曰廥積芻藁之處爲火所燒也十四年平原君趙勝死索隱曰年表在十五年十五年以尉文封相國廉頗爲信平君索隱曰尉文蓋地名或曰尉官文名謂以尉文所食之地以封廉頗也古文質略文省耳。正義曰尉文蓋蔚州地也信平廉頗號也言篤信而平和也燕王令丞相栗腹約驩以五百金爲趙王酒還歸報燕王曰趙氏壯者皆死長平其孤未壯可伐也王召昌國君樂閒而問之對曰趙四戰之國也其民習

正義曰鈞名也

正義曰兌音奪

兵伐之不可王曰吾以衆伐寡二而伐一可乎對曰不可王曰吾即以五而伐一可乎對曰不可燕王大怒羣臣皆以爲可燕卒起二軍車二千乘栗腹將而攻鄗卿秦將而攻代索隱曰二人皆燕將姓名廉頗爲趙將破殺栗腹虜卿秦樂閒正義曰三人皆燕將姓也十六年廉頗圍燕以樂乘爲武襄君正義曰襄舉也上也言樂乘功最高也十七年假相大將武襄君攻燕圍其國十八年延陵鈞徐廣曰代郡有延陵縣率師從相國信平君助魏攻燕秦拔我榆次徐廣曰在太原三十七城十九年趙與燕易土索隱曰音亦謂與燕換易縣也以龍兌正義曰括地志云北新城故城

在易州遂城縣西南二十里按遂城縣西南二十五里有龍山郍子勵趙記云龍山有四壟各有一穴大如車輪春風出東秋風出西夏風出南冬風出北不相奪倫按蓋謂龍兌也**汾門**徐廣曰在北新城。正義曰括地志云易州永樂縣有徐水出廣昌嶺三源奇發同瀉一澗流至北平縣東南壁石門中俗謂之龍門水經其間奔激南出解石城井蓋汾字誤也遂城及永樂安新城縣地也**臨樂**徐廣曰方城有臨鄉。正義曰括地志云臨鄉故城在幽州固安六十七里也**與燕燕以葛武陽**徐廣曰葛城在高陽。正義曰括地志云故葛城又名西河城在瀛州高陽縣西北五十里**平舒**徐廣曰在代郡。正義曰括地志云平舒故城在蔚州靈丘縣北九十三里也**與趙二十年秦王政初立秦拔我晉陽二十一年孝成王卒廉頗將攻繁陽**徐廣曰在頓丘。正義曰括地志云繁陽故城在相州內黃縣東北二十七里應劭云繁水之北故曰繁陽也**取之使樂乘代之廉頗攻樂乘樂乘走廉頗亡入魏子偃立是**

正義曰春平未詳

為悼襄王。悼襄王元年，大備徐廣曰一作脩○正義曰行大備之禮也魏欲通平邑中牟之道，不成。正義曰平邑在魏州昌樂縣東北三十里，相州湯陰縣西五十八里有牟山，按中牟山之側。時二邑皆屬魏，欲渡黃河作道相通，遂不成也二年，李牧將，攻燕，拔武遂、方城。徐廣曰武遂屬安平○正義曰括地志云易州遂城，戰國時武遂城也。方城故在幽州固安縣南十七里。時二邑屬燕，趙使李牧拔之也秦召春平君，因而留之。泄鈞正義曰人姓名也為之謂文信侯曰：「春平君者，趙王甚愛之而郎中妒之，故相與謀曰『春平君入秦，秦必留之』，故相與謀而內之秦也。今君留之，是絕趙而郎中之計中也。君不如遣春平君而留平都。正義曰輿地志云平都縣在[illegible]春平君者

正義曰韓皋未詳

言行信於王王必厚割趙而贖平都文信侯曰善因遣之徐廣曰年表云太子從質秦歸○正義曰按太子即春平君也城韓皋三年龐煖將攻燕禽其將劇辛四年龐煖將趙楚魏燕之銳師攻秦蕞徐廣曰在新豐不拔移攻齊取饒安徐廣曰在渤海又云饒屬北海安屬平原○正義曰饒安滄州縣也七國時屬齊戰國時屬趙五年傅抵正義曰上音付下音邸趙將姓名將居平邑慶舍將東陽正義曰屬貝州在河北岸也河外師守河梁正義曰河外河南岸魏州地也河梁橋六年封長安君以饒正義曰即饒陽也瀛州饒陽縣東二十里饒陽故城漢縣也明長安縣是號也魏與趙鄴九年趙攻燕取貍陽城正義曰按燕無貍陽疑貍字誤當作漁陽故城在檀州密雲縣南十八里燕漁陽郡城也按趙東界至瀛州則檀州在北趙攻燕取漁陽城也兵

圜

未罷，秦攻鄴，拔之。【徐廣曰：今饒陽在河間。又年表曰拔閼與、鄴九城。】悼襄王卒，子幽繆王遷立。幽繆王遷元年，【徐廣曰：又云潘王。世本云孝成王丹生悼襄王偃，偃生今王遷。年表及史考趙遷皆無謚。○索隱曰：徐廣云王遷無謚，今唯此獨稱幽繆王者，蓋秦滅趙之後，人臣竊追謚之，太史公或別有所見而記也。】城柏人。二年，秦攻武城，【徐廣曰：年表云秦敗武平陽。】扈輒率師救之，軍敗，死焉。三年，秦攻赤麗、宜安，【正義曰：括地志云宜安故城在恒州槀城縣西南二十里也。】李牧率師與戰肥下，【正義曰：括地志云肥纍故城在恒州槀城縣西七里，春秋時肥子國，白狄別種也。】卻之。封牧為武安君。四年，秦攻番吾，【正義曰：上音婆，又音盤，又作蒲。括地志云蒲吾故城在恒州房山縣東二十里也。】李牧與之戰，卻之。五年，代地大動，自樂徐以西，【徐廣曰：一作除。】北至平陰，【正義曰：樂徐在晉州平陰。】

正義曰譌音訛

先堂說地以草木為毛今案地文此後五歲生毛果如言地生毛一尺餘

在汾地。臺屋墻垣太半壞，地坼東西百三十步。正義曰其坼﨑見在亦在晉汾二州界也。六年，大饑，民譌言曰：「趙為號，秦為笑。以為不信，視地之生毛。」七年，秦人攻趙，趙大將李牧、將軍司馬尚將，擊之。李牧誅，司馬尚免，趙怱及齊將顔聚代之。趙怱軍破，顔聚亡去。

怱或作忩

以王遷降。正義曰淮南子云趙王遷流於陵房思故鄉則為作山木之謳聞之者莫不隕涕括地志云趙王遷墓在房州房陵縣西九里也。八年十月，邯鄲為秦。淮南子曰趙王遷流於房陵思故鄉作為山木之謳聞之者莫不流涕

太史公曰：吾聞馮王孫曰：「趙王遷，其母倡也，徐廣曰列女傳曰邯鄲之倡 嬖於悼襄王。悼襄王廢適子嘉而立

趙世家

遷遷素無行信讒故誅其良將李牧用郭開豈
不謬哉秦既虜遷趙之亡大夫共立嘉爲王王
代六歲秦進兵破嘉遂滅趙以爲郡

索隱述贊曰

趙氏之世　與秦同祖　周穆平徐
乃封造父　帶始事晉　夙初有土
岸賈矯誅　韓厥立武　寶符臨代
卒居伯魯　簡夢翟犬　靈歌處女
胡服雖彊　建立非所　頗牧不用
王遷囚虜

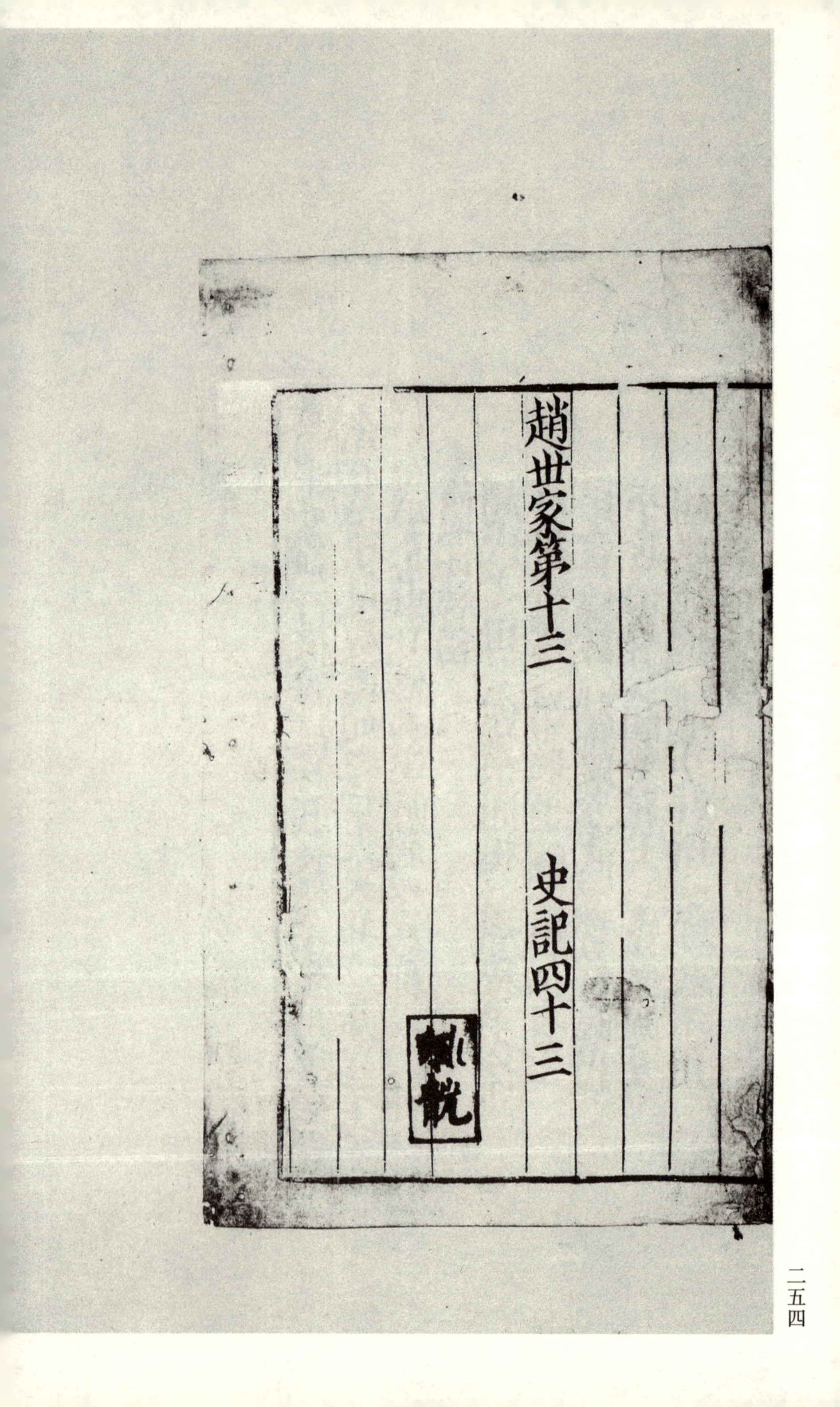

趙世家第十三　　史記四十三

(漢)司馬遷 撰　(南朝宋)裴駰 集解
(唐)司馬貞 索隱　(唐)張守節 正義

宋本史記

第十四册

國家圖書館出版社

第十四册目録

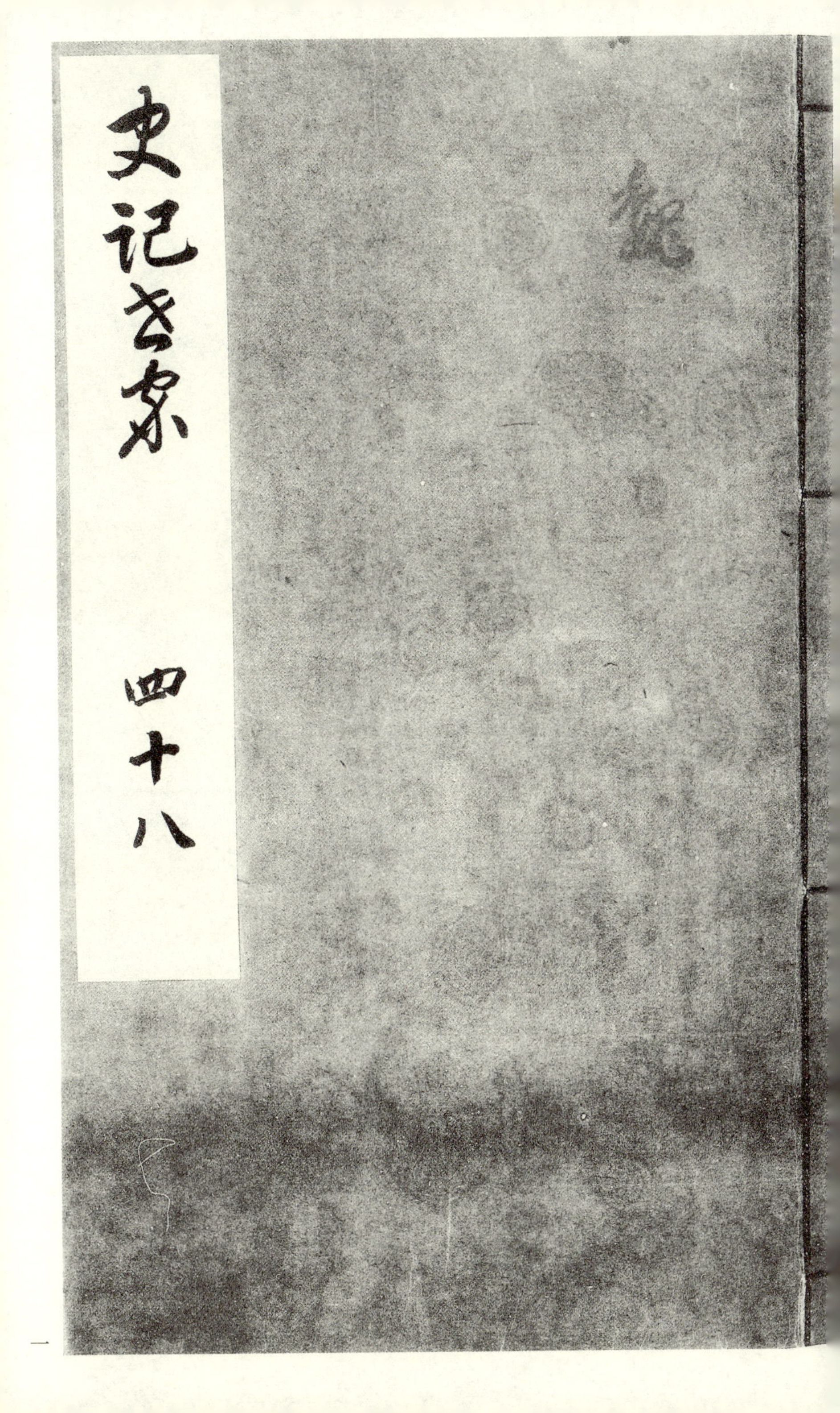

史記会纂

四十八

魏世家第十四　史記四十四

魏之先畢公高之後也畢公高與周同姓索隱曰左傳富辰說文王之子十六國有畢原豐郇言畢公是文王之子此云與周同姓似不用左氏之說馬融亦云畢毛文王庶子武王之伐紂而高封於畢杜預曰畢在長安縣西北○正義曰括地志云畢原在雍州萬年縣西南二十八里於是爲畢姓其後絕封爲庶人或在中國或在夷狄其苗裔曰畢萬事晉獻公獻公之十六年趙夙爲御畢萬爲右以伐霍耿魏滅之以耿封趙夙以魏封畢萬正義曰魏城在陝州芮城縣北五里鄭玄詩譜云魏姬姓之國武王伐紂而封焉爲大夫卜偃曰索隱曰晉掌卜大夫郭偃也畢萬之後必大矣萬滿數也魏大名也以是始賞天

正義曰命名也
廖音聊
正義曰屯難故須堅固比親近故云入

開之矣天子曰兆民諸侯曰萬民今命之大以
從滿數其必有衆初畢萬卜事晉遇屯之比辛
廖占之曰吉屯固比入吉孰大焉其必蕃昌畢
萬封十一年晉獻公卒四子爭更立晉亂而畢
萬之世彌大從其國名爲魏氏生武子索隱曰左傳武子名犨系本云畢萬生芒季芒季生武仲州州與犨聲相近字因以異代亦不同魏武子以魏諸
子事晉公子重耳晉獻公之二十一年武子從
重耳出亡十九年反重耳立爲晉文公而令魏
武子襲魏氏之後封列爲大夫治於魏生悼子
魏悼子徙治霍索隱曰系本云武仲生莊子絳無悼子又系本居篇曰魏武子居魏悼子徙霍

宋忠曰霍地名今河東彘縣也則是有悼子系本卿大夫代自脫耳然魏今河北魏縣是也○正義曰晉州霍邑縣漢彘縣也後漢改曰永安隋改曰霍邑本春秋時霍伯國也生魏絳魏絳事晉悼公悼公三年會諸侯悼公弟楊干亂行魏絳僇辱楊干索隱曰左傳云僇楊干之僕悼公怒曰合諸侯以為榮今辱吾弟將誅魏絳或說悼公悼公止卒任魏絳政使和戎翟戎翟親附悼公之十一年曰自吾用魏絳八年之中九合諸侯戎翟和子之力也賜之樂三讓然後受之徙治安邑正義曰安邑在絳州夏縣安邑故城是魏絳卒諡為昭子徐廣曰世本曰莊子○索隱曰系本[illegible]也居篇又曰昭子徙安邑亦與此文同生魏嬴嬴生魏獻子索隱曰系本云獻子名荼莊子之子無魏嬴也

僇

正義曰侈音他
侈尺氏反

正義曰世本云獻子荼生懿子濟及簡子取取生莊子多多生桓子駒駒生文侯斯其与此不同古書誤也

獻子事晉昭公昭公卒而六卿彊公室卑晉頃公之十二年韓宣子老魏獻子爲國政晉宗室祁氏羊舌氏相惡六卿誅之盡取其邑爲十縣六卿各令其子爲之大夫獻子與趙簡子中行文子范獻子並爲晉卿索隱曰簡子趙鞅文子荀寅獻子范吉射其後十四歲而孔子相魯後四歲趙簡子以晉陽之亂也而與韓魏共攻范中行氏魏獻子生魏侈索隱曰侈他本亦作哆盖哆字誤而代數錯也系本獻子生簡子取取生襄子多而左傳云魏曼多是也則侈是襄子中間少簡子一代魏侈與趙鞅共攻范中行氏魏侈之孫曰魏桓子索隱曰系本云襄子生桓子駒與韓康子趙襄子共伐滅

繁龐在同州

知伯（正義曰知音智括地志云故智城在蒲州虞鄉縣西北四十里古今地名云解縣有智城蓋謂此也）分其地（索隱曰康子名虎襄子名無恤智伯知瑤也本姓荀亦曰荀瑤）桓子之孫曰文侯都（徐廣曰世本云斯也。索隱曰系本桓子生文侯斯其傳云孺子𪴢是魏駒之子與此系代亦不同也）魏文侯元年秦靈公之元年也與韓武子趙桓子周威王同時（索隱曰系本武子名啓章康子之子桓子名嘉襄子之子）六年城少梁十三年使子擊圍繁龐出其民十六年伐秦築臨晉元里十七年伐中山使子擊守之趙倉唐傅之子擊逢文侯之師田子方於朝歌引車避下謁田子方不為禮子擊因問曰富貴者驕人乎且貧賤者驕人乎子方曰亦貧賤者驕人耳夫諸侯而驕人則失其國大夫而驕人則失其家貧賤者行不合言不用則去之楚越若脫躧然奈何其同之哉子擊不懌而去西攻秦至鄭而還築雒陰合陽（正義曰雒漆沮水也城在水南郃陽郃水之北括地志云郃陽故城在同州河西縣南三里雒陰在同州西也）二十二年魏趙韓列爲諸侯二十四年秦伐我至陽狐（正義曰括地志云陽狐郭在魏州元城縣東北三十里也）二十五年子擊生子罃（索隱曰罃音乙耕反擊武侯名）文侯受子夏經藝客段干木過其閭未嘗不軾也（正義曰過先卧反文侯軾干木閭也皇甫謐高士傳云木晉人也守道不仕魏文侯欲見造其門干木踰墻避之文侯以客禮待之出過其閭而軾其僕曰君何軾曰段干木賢者也不趣勢利懷君子之道隱處窮巷聲馳千里吾安得勿軾干木先乎德寡人先乎勢干木富）

乎義寡人富乎財勢不若德貴財不若義高又請爲相不肯後卑巳固請見與語文侯立倦不敢息淮南子云段干木晉之大駔而爲文侯師呂氏春秋云魏文侯見段干木立倦而不敢息及見翟璜踞於堂而與之言翟璜不悅文侯曰段干木官之則不肯祿之則不受今汝欲官則相至欲祿則上卿至既受吾賞又責吾禮無乃難乎秦嘗欲伐魏或曰魏君賢人是禮國人稱仁上下和合未可圖也文侯由此得譽於諸侯任西門豹守鄴而河內稱治索隱曰大河在鄴東故名鄴爲河內。正義曰古帝王之都多在河東河北故呼河北爲河內河南爲河外又云河從龍門南至華陰東至衛州即東北入海曲繞冀州故言河內云也魏文侯謂李克曰先生嘗教寡人曰家貧則思良妻國亂則思良相今所置非成則璜徐廣曰文侯弟名成二子何如李克對曰臣聞之卑不謀尊疏不謀戚臣在闕

門之外不敢當命文侯曰先生臨事勿讓李克
曰君不察故也居視其所親富視其所與達視
其所舉窮視其所不爲貧視其所不取五者足
以定之矣何待克哉文侯曰先生就舍寡人之
相定矣李克趨而出過翟璜之家翟璜曰今者
聞君召先生而卜相果誰爲之李克曰魏成子
爲相矣翟璜忿然作色曰以耳目之所覩記臣
何負於魏成子西河之守臣之所進也君内以
鄴爲憂臣進西門豹君謀欲伐中山臣進樂羊
中山已拔無使守之臣進先生君之子無傅臣

進屈侯鮒臣何以負於魏成子李克曰且子之
言克於子之君者豈將比周以求大官哉君問
而置相非成則璜二子何如克對曰君不察故
也居視其所親富視其所與達視其所舉窮視
其所不爲貧視其所不取五者足以定之矣何
待克哉是以知魏成子之爲相也曰子安得與
魏成子比乎魏成子以食祿千鍾什九在外什
一在內是以東得卜子夏田子方段干木此三
人者君皆師之子之所進五人者君皆臣之子
惡得與魏成子比也翟璜逡巡再拜曰璜鄙人

也失對願卒為弟子二十六年虢山崩壅河徐廣曰在陝。駰案地理志曰弘農陝縣故虢國北虢在太陽東虢在滎陽。正義曰括地志云虢山在陝州陝縣西二里臨黃河今臨河有崗阜似是頹山之餘也三十二年伐鄭城酸棗敗秦于注司馬彪曰河南梁縣有注城也。正義曰括地志云注城在汝州梁縣西十五里注或作鑄也三十五年齊伐取我襄陵徐廣曰今在南平陽縣也三十六年秦侵我陰晉徐廣曰今之華陰。索隱曰年表作齊侵陰晉秦本紀云惠王六年魏納陰晉陰晉更名曰寧秦徐氏云今之華陰也三十八年伐秦敗我武下正義曰括地志云故武城一名武之平城在華州鄭縣東十三里得其將識索隱曰識將名也武下魏地是歲文侯卒索隱曰紀年云五十年卒子擊立是為武侯魏武侯元年趙敬侯初立索隱曰紀年云魏武侯元年當趙烈侯之十四年不同也又系本敬侯名章公子朔為亂不勝奔魏與魏襲邯鄲魏敗而去二年城安邑王垣徐廣曰垣縣有王屋山也○索隱曰紀年十一年城洛陽及安邑王垣徐廣云垣縣有王屋山故曰王垣○正義曰括地志云故城漢垣縣本魏王垣也在絳州垣縣西北二十里也七年伐齊至桑丘正義曰年表云齊伐燕取桑丘故魏救燕伐齊至桑丘也括地志云桑丘故城俗名敬城在易州遂城縣界也九年翟敗我于澮索隱曰澮音古外反于澮水之側○正義曰括地志云澮高山又云澮山在絳州翼城縣東北二十五里澮水出北山也使吳起伐齊至靈丘正義曰靈丘蔚州縣也時屬齊故三晉伐之也齊威王初立索隱曰按紀年齊幽公之十八年而威王立十一年與韓趙三分晉地滅其後十三年秦獻公縣櫟陽十五年敗趙北藺正義曰在石州趙之西北屬趙故云趙北藺也十六年伐楚取魯陽正義曰今汝州魯山縣也武侯卒索隱曰紀年云武侯二十六年卒子罃

立是爲惠王惠王元年初武侯卒也子罃與公中緩 正義曰中音仲 爭爲太子公孫頎自宋入趙 索隱曰頎音祁紀年云武侯元年封公子緩趙侯種韓懿侯伐我取蔡而惠成王伐趙圍濁陽七年公子緩如邯鄲以作難是說此事也 自趙入韓謂韓懿侯曰 索隱曰懿侯哀侯之子 魏罃與公中緩爭爲太子君亦聞之乎今魏罃得王錯 徐廣曰汲冢紀年惠王二年魏大夫王錯出奔韓也 挾上黨固半國也因而除之 徐廣曰除一作陪。正義曰按除除魏罃及王錯也 破魏必矣不可失也懿侯說乃與趙成侯合軍并兵以伐魏戰于濁澤 徐廣曰長社有濁澤○索隱曰系本云成侯名種 魏氏大敗魏君爲趙謂韓曰除魏君立公中緩割地而退我且利韓曰不可殺魏君

正義曰適音嫡是故
旧所言故曰也
正義曰此馬陵在魏
州元城縣東南一里

堵音者

人必曰暴割地而退人必曰貪不如兩分之魏分爲兩不彊於宋衛則我終無魏之患矣趙不聽韓不說以其少卒夜去惠王之所以身不死國不分者二家謀不和也若從一家之謀則魏必分矣故曰君終無適子其國可破也索隱曰此蓋古人之言及俗說故云故曰二年魏敗韓于馬陵敗趙于懷三年齊敗我觀徐廣曰齊世家云獻觀以和齊年表曰伐魏取觀今之衛縣也。索隱曰田完系家云敗魏於濁澤而圍惠王惠王請獻觀以和解。正義曰觀音館魏州觀城縣古之觀國語云觀國夏啓子太康第五弟之所封也夏衰滅之矣五年與韓會宅陽城正義曰括地志云宅陽故城一名北宅在鄭州滎陽縣東南十七里也武堵爲秦所敗[illegible]年表[illegible]六年伐取宋

正義曰龐近少梁

魏世家

儀臺（徐廣曰一作義臺[illegible]我[illegible]然義臺 駰案司馬彪郡國志曰[illegible]鄭[illegible]象[illegible]云義臺[illegible]臺也）九年伐敗韓于澮與韓戰少梁虜我將公孫座（徐廣曰年表云虜我太子也）取龐秦獻公卒子孝公立十年伐取趙皮牢彗星見十二年星晝墮有聲十四年與趙會鄗十五年魯衛宋鄭君來朝（索隱曰紀年魯恭侯宋桓侯衛成侯鄭釐侯來朝皆在十四年鄭釐侯者韓昭侯也韓哀侯滅鄭而徙都之遂改號曰鄭）十六年與秦孝公會杜平侵宋黃池宋復取之十七年與秦戰元里秦取我少梁圍趙邯鄲十八年拔邯鄲趙請救于齊齊使田忌孫臏救趙敗魏桂陵十九年諸侯圍我襄陵築長城塞固陽（正義曰塞先代反括地志

云櫚楊縣漢舊縣也在銀州銀城縣界按魏築長城自鄭濱洛北庭銀州至勝州固陽縣為塞也固陽有連山東至黃河西南至夏會等州酒音固矣

二十年歸趙邯鄲與明盟漳水上正義曰邯鄲洛州縣也漳水名漳水源出洛州武安縣三門山也

二十一年與秦會彤趙成侯卒徐廣曰年表云二十七年冊封名會冊魏大呂也

二十八年齊威王卒中山君相魏索隱曰魏文侯滅中山使子擊守之後尋復國至是始令相魏其中山後又為趙所滅

三十年魏伐趙正義曰孫臏傳云魏與趙攻韓韓告急齊齊此文誤耳魏伐趙趙請救齊齊使孫臏救趙敗魏桂陵乃在十八年也

趙告急齊齊宣王用孫子計救趙擊魏魏遂大興師使龐涓將而令太子申為上將軍過外黃外黃徐子劉向別録曰徐子外黃人也外黃時屬宋。正義曰括地志云故國城有南北二城在汴州雍丘縣界本舊外黃[illegible]也謂太子曰臣有百戰百勝之術太子曰可得聞乎客曰固願效之曰太子自將攻齊大勝并莒正義曰莒密州縣也在齊東南言從西破齊并至莒地則齊上盡矣則富不過有魏貴不益為王若戰不勝齊則萬世無魏矣此臣之百戰百勝之術也太子曰諾請必從公之言而還矣客曰太子雖欲還不得矣彼勸太子戰攻欲啜汁者眾正義曰啜穿悅反汁之入反葉其功勳者衆也太子雖欲還恐不得矣太子因欲還其御曰將出而還與北同太子果與齊人戰敗於馬陵徐廣曰在元城。索隱曰按紀年云二十八年與齊田肦戰于馬陵又上二年魏敗韓馬陵十八年趙又敗魏桂陵桂陵與馬陵異處。正義曰虞喜志林云馬陵在濮州鄄城縣東北六十里有陵澗谷深峻可以置伏按龐涓敗即此也徐說馬陵在魏州元城縣東南一里龐涓敗非此地也田完世家云宣王二年魏伐趙与韓親共擊魏趙不利戰於南梁韓氏請於齊齊使田忌嬰將孫子爲師救趙韓已擊魏大破之馬陵按南梁在汝州又此傳云太子爲上將軍過外黃又孫臏傳云魏与趙攻韓韓告急齊齊使田忌將而往直走大梁魏將龐涓聞之去韓而歸齊軍已過而西矣按孫子減竈退軍三日行至馬陵遂殺龐涓虜魏太子申太破魏軍營當如虞喜之說猶汴州外黃退至濮州東北六十里是也然趙韓共擊魏戰困於南梁韓急請救於齊齊師走大梁敗魏馬陵豈合更渡河北至魏州先城哉徐說定非也

齊虜魏太子申殺將軍涓軍遂大破

二

十一年秦趙齊共伐我 索隱曰紀年云二十九年五月齊田肦伐我東鄙九月秦衛鞅伐我西鄙十月邯鄲伐我北鄙王攻衛鞅我師敗績是也然言二十九年不同 秦將商君詐我將軍公子卬而襲奪其軍破之秦用商君東地至河而齊趙數破我安邑近秦於是徙治大梁

徐廣曰今按汲冢紀年曰梁惠成王九年四月甲寅徙都大梁也○索隱曰紀年以爲惠王九年蓋誤也○正義曰陳留風俗傳云魏之都也畢萬十葉徙大梁按今汴州浚儀也以公子赫爲太子三十三年秦孝公卒商君亡秦歸魏魏怒不入三十五年與齊宣王會平阿南地理志沛郡有平阿縣也惠王數敗於軍旅卑禮厚幣以招賢者鄒衍淳于髡孟軻皆至梁梁惠王曰寡人不佞兵三折於外太子虜上將死國以空虛以羞先君宗廟社稷寡人甚醜之叟不遠千里劉熙曰叟長老之稱依皓首之言辱幸至弊邑之廷將何以利吾國孟軻曰君不可以言利若是夫君欲利則大夫欲利大夫欲利則庶人

荀子紀例十一魏世家三十六年惠王卒左傳正義曰古書紀年篇魏惠王三十六年改元從一年始至十六年而稱惠成王卒即惠王也疑史記誤分惠成之世以爲後王年也宋文公曰惠王東襄王年見於竹書明甚史記蓋失之矣以下皆從史記而不取竹書

欲利上下爭利國則危矣爲人君仁義而已矣何以利爲三十六年復與齊王會甄是歲惠王卒索隱曰紀年云惠成王三十六年改元稱一年未卒也子襄王立索隱曰系本襄王名嗣襄王元年與諸侯會徐州徐廣曰今薛縣相王也追尊父惠王爲王徐廣曰二年伐趙五年秦敗我龍賈軍四萬五千于雕陰徐廣曰在上郡○正義曰括地志云雕陰故縣在鄜州洛交縣北三十里雕陰故城是也圍我焦曲沃正義曰括地志云故焦城在陝縣東北百步古虢城中東北隅周同姓也曲沃有城在陝縣西南三十二里按今有曲沃店也予秦河西之地正義曰自華州北至同州並魏河北之地盡入秦也六年與秦會應徐廣曰潁川父城有應鄉也○正義曰應乙陵反括地志云故應城故應鄉也在汝州魯山縣東二十里秦取我汾陰皮氏正義曰括地志云汾陰故城在蒲州汾陰縣北

九里虞氏故城在絳州龍門縣西一百八十步也焦。魏伐楚，敗之陘山。徐廣曰在密縣〇正義曰括地志云陘山在鄭州新鄭縣西南三十里七年，魏盡入上郡于秦。正義曰括地志云上郡故城在綏州上縣東南五十里秦魏之上郡地也按丹鄜延綏等州北至固陽並上郡地魏築長城界秦自華州鄭縣已北濱洛至慶州洛源縣白於山即東北至勝州固陽縣東至河西上郡之地盡入於秦秦降我蒲陽。正義曰在隰州隰川縣蒲邑故城是也八年，秦歸我焦、曲沃。十二年，楚敗我襄陵。諸侯執政與秦相張儀會齧桑。徐廣曰在梁與彭城之間十三年，張儀相魏。魏有女子化為丈夫。秦取我曲沃、正義曰絳州桐鄉縣晉曲沃邑平周。正義曰十三州志云古平周縣在汾州介休縣西五十里也十六年，襄王卒，子哀王立。張儀復歸秦。荀勗曰和嶠云紀年起自黃帝終於魏之今王今王者魏惠成王子案太史公書惠成王但言惠王惠王子曰襄王襄王子曰哀王惠王三十六年卒襄王立十六年卒并惠襄為五十二年今安古文惠成王立三十六年改元稱一年改元後十七年卒太史公書為誤分惠成之世以為二王之年數也世本惠王生襄王而無哀王然則今王者魏襄王也。索隱曰系本襄王生昭王而無哀王盖脫一代耳孔衍叙魏語亦有哀王而紀年說惠成王三十六年又稱後元一十七年卒此文分惠王之歷以為二王之年又有哀王凡二十三年紀事甚明盖無足疑然則是紀年之作失哀王之代故分襄王之年為惠王後元即以襄王之年包哀王之代耳 **哀王元年五國共攻秦** 正義曰韓魏楚趙燕也 **不勝而去二年齊敗我觀津** 正義曰括地志云觀津城在冀州棗陽縣東南二十五里本趙邑今屬魏也 **五年秦使樗里子伐取我曲沃** 索隱曰樗里子秦昭王弟名疾居樗里故因號焉 **走犀首岸門** 徐廣曰潁陰有岸亭。索隱曰犀首官名即公孫衍劉氏云河東皮氏縣有岸頭亭也。正義曰括地志云岸門在許州長社縣西北十八里今名西武亭 **六年秦求立公子政為太子** 索隱曰政魏公子也 **與**

秦會臨晉七年攻齊徐廣曰年表云擊齊虜聲子於濮也與秦伐燕八年伐衛拔列城二索隱曰紀年云八年翟章伐衛衛君患之如耳正義曰魏大夫姓名也見衛君曰請罷魏兵免成陵君可乎衛君曰先生果能孤請世世以衛事先生如耳見成陵君曰昔者魏伐趙斷羊腸拔閼與徐廣曰在上黨○正義曰閼於連反與音預羊腸坂道在太行山上南口懷州北口潞州閼與故城在潞州及儀州共斷羊腸拔閼與北連恒州并趙國東西斷而爲二也約斬趙趙分而爲二所以不亡者魏爲從主也今衛已迫亡將西請事於秦與其以秦醳衛不如以魏醳衛正義曰醳音釋衛之德魏必終無窮成陵君曰諾如耳見魏王曰臣有謁於

正義需作需音須

衛衛故周室之別也其稱小國多寶器今國迫於難而寶器不出者其心以爲攻衛釋衛不以王爲主故寶器雖出必不入於王也臣竊料之先言釋衛者必受衛者也如耳出成陵君入以其言見魏王魏王聽其說罷其兵免成陵君終身不見九年與秦王會臨晉張儀魏章皆歸于魏索隱曰章爲魏將後又相秦魏相田需死楚害張儀犀首薛公索隱曰薛公田文也楚相昭魚謂蘇代索隱曰昭魚昭奚恤也曰田需死吾恐張儀犀首薛公有一人相魏者也代曰然相者欲誰而君便之昭魚曰吾欲太子之自

見望王

相也索隱曰太子即襄王也代曰請為君北必相之昭魚曰奈何對曰君其為梁王代請說君昭魚曰奈何對曰代也從楚來昭魚甚憂曰田需死吾恐張儀犀首薛公有一人相魏者也代曰梁王長主也必不相張儀張儀相必右秦而左魏犀首相必右韓而左魏薛公相必右齊而左魏梁王長主也必不便也王曰然則寡人孰相代曰莫若太子之自相太子之自相是三人者皆以太子為非常相也皆將務以其國事魏欲得丞相璽也以魏之彊而三萬乘之國輔之魏必安矣故

使 為

曰莫若太子之自相也遂北見梁王以此告之太子果相魏十年張儀死十一年與秦武王會應十二年太子朝於秦秦來伐我皮氏未拔而解十四年秦來歸武王后十六年秦拔我蒲反陽晉封陵索隱曰紀年作晉陽封谷。正義曰陽晉當作晉陽也史文誤括地志云晉陽故城今名晉城在蒲州虞鄉縣西三十五里表云魏哀王十六年秦拔陽晉即此城也封陵亦在蒲州按陽晉故城在曹州解在蘇秦傳也十七年與秦會臨晉秦予我蒲反十八年與秦伐楚徐廣曰二十年與齊王會于韓二十一年與齊韓共敗秦軍函谷徐廣曰河渭絶一日二十三年秦復予我河外及封陵為和哀王卒索隱曰汲冢紀年終於哀王二十年昭王三年喪畢始稱元年也子昭王立（索隱曰系本昭王名遬）昭王元年，秦拔我襄城。二年，與秦戰，我不利。三年，佐韓攻秦，秦將白起敗我軍伊闕二十四萬。六年，予秦河東地方四百里。芒卯以詐重（索隱曰言卯以智詐見重於魏）。七年，秦拔我城大小六十一。八年，秦昭王為西帝，齊湣王為東帝，月餘，皆復稱王歸帝。九年，秦拔我新垣、曲陽之城（正義曰年表及括地志云曲陽故城在懷州濟源縣西十里新垣近曲陽未詳端的所之處也）。十年，齊滅宋，宋王死我溫。十二年，與秦趙韓燕共伐齊，敗之濟西，湣王出亡。燕獨入臨菑。與秦王會西周（正義曰即王城也今河南郡城也）。十三年，秦拔我安城（正義曰括地志云安城故城豫州汝

魏世家　十三

陵縣東南七十一里兵到大梁去徐廣曰十四年大水十八年秦拔郢楚

王徙陳十九年昭王卒子安釐王立索隱曰系本安僖王名圉

安釐王元年秦拔我兩城二年又拔我二城軍

大梁下韓來救予秦溫以和三年秦拔我四城

斬首四萬四年秦破我及韓趙殺十五萬人走

我將芒卯魏將段干子請予秦南陽徐廣曰在脩武以和

蘇代謂魏王曰欲璽者段干子也欲地者秦也

今王使欲地者制璽使欲璽者制地魏氏地不

盡則不知已且夫以地事秦譬猶抱薪救火薪

不盡火不滅王曰是則然也雖然事始已行不

五或作木

可更矣對曰王獨不見夫博之所以貴梟者便則食不便則止矣今王曰事始已行不可更是何王之用智不如用梟也（正義曰博頭有刻爲梟鳥形者擲得梟者合食其子若不便則爲餘行也）九年秦拔我懷十年秦太子外質於魏死十一年秦拔我郪丘（徐廣曰郪一作廩丘又作邢丘郪丘今爲宋公縣○索隱曰郪七系反又音妻○正義曰郪七私反又音妻地里志云汝南郡新郪縣應劭曰秦伐魏取郪丘漢興爲新郪章帝封殷後更名宋也）秦昭王謂左右曰今時韓魏與始孰彊對曰不如始彊王曰今時如耳魏齊與孟嘗芒卯孰賢對曰不如王曰以孟嘗芒卯之賢率彊韓魏以攻秦猶無奈寡人何也今以無能之如耳

魏齊而率弱韓魏以伐秦其無奈寡人何亦明矣左右皆曰甚然中旗馮琴對曰（索隱曰戰國策作推琴春秋後語作伏琴而韓子作推瑟說苑作伏瑟五文各不同）王之料天下過矣當晉六卿之時知氏最彊滅范中行又率韓魏之兵以圍趙襄子於晉陽決晉水以灌晉陽之城（正義曰括地志云晉水源出并州晉陽縣西縣甕山山海經云縣甕之山晉水出焉東南流注汾水昔趙襄子保晉陽智氏防山以水灌之不沒者三版其瀆乘高西注入晉陽城以周灌東南出城注於汾陽也）不湛者三版知伯行水魏桓子御韓康子為參乘知伯曰吾始不知水之可以亡人之國也乃今知之汾水可以灌安邑（正義曰安邑在絳州夏縣本魏都汾水東北經安邑西南入河也）絳水可以

此

灌平陽正義曰平陽晉州城也括地志云絳水一名白水今名弗泉源出絳山飛泉奮涌揚波注縣積壑二十許丈望之極爲奇觀矣按引此灌平陽城也魏桓子肘韓康子韓康子履魏桓子肘足接於車上而知氏地分身死國亡爲天下笑今秦兵雖彊不能過知氏韓魏雖弱尚賢其在晉陽之下也此方其用肘足之時也願王之必勿易也索隱曰易音以豉反於是秦王恐齊楚相約而攻魏魏使人求救於秦冠蓋相望也而秦救不至魏人有唐雎者年九十餘矣索隱曰按雎字音七余反謂魏王曰老臣請西說秦王令兵先臣出魏王再拜遂約車而遣之唐雎到入見秦王秦王

正義曰芒莫唐反

正義曰與黨與人

曰丈人芒然乃遠至此甚苦矣夫魏之來求救數矣寡人知魏之急已唐雎對曰大王已知魏之急而救不發者臣竊以為用策之臣無任矣夫魏一萬乘之國也然所以西面而事秦稱東藩受冠帶祠春秋者以秦之彊足以為與也索隱曰與謂許與為親而結和也今齊楚之兵已合於魏郊矣而秦救不發亦將賴其未急也使之大急彼且割地而約從王尚何救焉必待其急而救之是失一東藩之魏而彊二敵之齊楚則王何利焉於是秦昭王遽為發兵救魏魏氏復定趙使人謂魏

王曰爲我殺范痤吾請獻七十里之地魏王曰諾使吏捕之圍而未殺痤因上屋騎危危棟上也○索隱曰騎音奇禮云中屋履危危蓋屋脊以避兵也謂使者曰與其以死痤市不如以生痤市有如痤死趙不予王地則王將奈何故不若與先定割地然後殺痤魏王曰善痤因上書信陵君曰痤故魏之免相也趙以地殺痤而魏王聽之有如彊秦亦將襲趙之欲則君且奈何信陵君言於王而出之魏王以秦救之故欲親秦而伐韓以求故地無忌謂魏王曰秦與戎翟同俗有虎狼之心貪戾好利無信不識禮

義德行苟有利焉不顧親戚兄弟若禽獸耳此天下之所識也非有所施厚積德也故太后母也而以憂死穰侯舅也功莫大焉而竟逐之兩弟無罪而再奪之國此於親戚若此而況於仇讎之國乎今王與秦共伐韓而益近秦患臣甚惑之而王不識則不明群臣莫以聞則不忠今韓氏以一女子奉一弱主內有大亂外交彊秦魏之兵王以為不亡乎韓亡秦有鄭地與大梁鄰（索隱曰戰國策亦作鄰字俗本或作鄴非）王以為安乎王欲得故地今負彊秦之親王以為利乎秦非無事之國也韓

云之後必將更事更事必就易與利就易與利必不伐楚與趙矣是何也夫越山踰河絕韓上黨而攻彊趙是復閼與之事索隱曰復音扶富反謂前年秦韓相攻閼與而趙奢破秦軍也秦必不爲也若道河內倍鄴朝歌絕漳滏水與趙兵決於邯鄲之郊是知伯之禍也秦又不敢伐楚道涉山谷索隱曰道猶行也涉谷是往楚之險路從秦向楚有兩道涉谷是西道河內是東道行三千里正義曰劉伯莊云秦兵向楚有兩道涉谷是西道河外東道從襄斜入梁州即東南至申州攻石城山險阸之塞也而攻冥阸之塞孫檢曰楚之險塞也徐廣曰或以爲今江夏鄳縣○正義曰冥音盲括地志云石城山在申州鍾山縣東南二十一里魏攻冥阸即此山上有石故城注水經云或言在鄳指此山也呂氏春秋云九塞此其一也所行甚遠所攻甚難索隱曰攻亦作致戰國策

見作致軍言致軍糧難也秦又不爲也若道河外倍大梁正義曰從河外出函谷關歷同州南至鄭州東向陳州則背大梁也右蔡左召陵徐廣曰一無左字。正義曰上蔡縣在豫州北七十里邵陵故城亦在豫州郾城縣東四十五里並在陳州西從汴州南行向陳州之西郊則上蔡邵陵在南面向東皆身之右定無左字也與楚兵決於陳郊秦又不敢故曰秦必不伐楚與趙矣又不攻衛與齊矣正義曰衛齊皆在韓趙魏之東故秦不伐也夫韓亡之後兵出之日非魏無攻已秦固有懷茅徐廣曰在脩武縣有茅亭。正義曰茅卯包反懷州武陟縣西十一里故懷城本周邑後屬晉左傳云周與鄭人蘇忿生十二邑其一曰攢茅括地志云在懷州獲嘉縣東北二十五里也獲嘉古脩武也邢丘徐廣曰在平皋。正義曰括也志云平皋故城在懷州武德縣東南二十里本邢丘邑也以其在河之皐地也城垝津以臨河內索隱曰戰國策云邢丘安城少[illegible]字垝津在河北垝音九反。正義曰[illegible]音[illegible]作延括地志云延津故[illegible][illegible]臨津故城在衛州清淇縣西南二十六里杜預云汲郡城南有延津是也**河內共汲必危**徐廣曰汲縣屬河內。索隱曰汲亦作波波及汲皆縣名俱屬河內**有鄭地**徐廣曰成皋滎陽亦屬鄭**得垣雍**徐廣曰垣雍城在卷縣卷縣屬魏也卷縣又有長城經陽武到密者也。正義曰雍於用反括地志云故城在鄭州原武縣西北七里釋例地名卷縣理或垣城也言韓王之後秦有鄭地得垣雍城從滎澤決溝歷[illegible]灌大梁是也**決滎澤水灌大梁大梁必**亡**云王之使者出過而惡安陵氏於秦**徐廣曰召陵有安陵郡鄢羌有安陵學也。正義曰括地志云鄢陵縣西北十五里季奇云六國時為安陵也言魏王使者出向秦云共伐韓以成過失而更惡安陵氏於秦今伐之重非也**秦之欲誅之久矣秦葉陽昆陽與武陽鄰**正義曰括地志云葉陽今許州葉縣也昆陽故城在許州葉縣北二十五里舞陽故城在葉縣東十里此時葉陽昆陽屬秦舞陽屬魏也**聽使者之惡之**索隱曰聽平聲使去聲**隨安**

陵氏而云之正義曰隨猶聽也無忌說言使者惡安陵氏亦聽秦云安陵氏然繞舞陽之北以東臨許許必危矣秦有許地魏國可無害繞舞陽之北以東臨許南國必危正義曰南國今許州許昌縣南西四十里許昌故城是也此是屬韓在魏之南故言南國括地志云周時爲許國武王伐紂所封地里志云潁川許縣古許國姜姓四岳之後文叔所封二十四君爲楚所滅三卿背晉其地屬韓國無害已夫憎韓不愛安陵氏可也夫不患秦之不愛南國非也異日者秦在河西晉國去梁千里徐廣曰魏國之界千里又一云河南縣縣有注城○正義曰河西同州也晉國都絳州魏都安邑皆在河東去大梁有千里也有河山以闌之有周韓以閒之從林鄉軍徐廣曰林鄉在宛縣索隱曰劉氏云林地名蓋春秋時鄭地之棐林在大梁之西北徐廣云在宛縣非也○正義曰括地志云宛陵故城在鄭州新鄭縣東北三十八里本鄭舊縣也按劉徐二說竝其地也以至于今秦七

攻魏並入圃中徐廣曰一作城也。索隱曰圃即圃田周圃田藪屬魏戰國策作國中。正義曰括地志云圃田澤在鄭州管城縣東三里周禮云豫州藪曰圃田也邊城盡拔文臺墮垂都焚徐廣曰一云魏山都焚句陽有垂亭。索隱曰文臺臺名列士傳曰隱陵君施酒文臺也垂地名有廟曰都並魏臺邑名。正義曰墮許規反括地志云文臺在曹州冤句縣西北六十五里也林木伐麋鹿盡而國繼以圍又長驅梁北東至陶衛之郊正義曰陶曹州定陶也衛即宋州楚丘縣衛文公都之秦兵歷取其郊也北至平監徐廣曰平縣屬河南平或作乎字史記齊闕此作监字闞在東平須昌縣所亡於秦者山南山北正義曰山華山也華山之東南七國時鄧州屬韓汝州屬魏華山之北同華銀綏並魏地也河外河內正義曰河外謂華州以東至虢陝河內謂蒲州以東至懷衛也大縣數十徐廣曰一作百名都數百徐廣曰一作十秦乃在河西晉去梁千里而禍若是矣

正義曰不可得合從也

正義曰橈曲也

講識　正義曰謂猶和誘諸國代韓無不從者也

又況於使秦無韓有鄭地無河山而闌之無周韓而間之去大梁百里禍必由此矣異日者從之不成也索隱曰從音足松反楚魏疑而韓不可得也今韓受兵三年秦橈之以講識亡不聽索隱曰橈音苦孝反謂韓被秦之兵橈擾已經三年云欲講說與韓和識猶知也戰國策云韓知亡猶不聽也投質於趙請爲天下鴈行頓刃楚趙必集兵皆識秦之欲無窮也非盡亡天下之國而臣海內必不休矣是故臣願以從事王索隱曰從足松反從事謂合從事王也戰國策亦然王速受楚趙之約趙挾韓之質索隱曰言韓以質子入趙則趙挾韓質而親韓也以存韓而求故地韓必效之索隱曰效猶致也謂致故地於趙也　正義曰無忌令魏王速

受楚趙之怨趙楚〇[illegible]韓[illegible]質以存韓而魏以[illegible]地韓必效之勝於與秦伐韓又與秦隣之禍殃也此士民不勞而故地得其功多於與秦共伐韓而又與彊秦鄰之禍也夫存韓安魏而利天下此亦王之天時已通韓上黨於共甯徐廣曰朝歌有甯鄉。正義曰共衞州共城縣甯懷州脩武縣本殷之甯邑韓詩外傳云武王伐紂勒兵於甯故曰脩武今魏開通共甯之道使韓上黨得直路而行也使道安成正義曰括地志云故安城在鄭州原武縣東南二十里時屬魏也出入賦之是魏重質韓以其上黨也今有其賦足以富國韓必德魏愛魏重魏畏魏韓必不敢反魏是韓則魏之縣也魏得韓以為縣衞大梁河外必安矣今不存韓二周安陵必危楚趙大破衞齊甚畏天下西鄉而馳秦入朝而爲臣不久矣二十年秦圍邯鄲信陵君無忌矯奪將軍晉鄙兵以救趙正義曰括地志云魏德故城一名晉鄙城在衛縣西北五十里即公子無忌矯奪晉鄙兵故名魏德城也趙得全無忌因留趙二十六年秦昭王卒三十年無忌歸魏率五國兵攻秦敗之河内走蒙驁魏太子增質於秦秦怒欲囚魏太子增或爲增謂秦王曰索隱曰戰國策作蘇秦爲公子增謂秦王公孫喜固謂魏相曰索隱曰戰國策作孫衍請以魏疾擊秦秦王怒必囚增魏王又怒擊秦秦必傷今王囚增是喜之計中也故不若貴增而合魏以疑之於齊韓秦乃止增三

十一年，秦王政初立。二十四年，安釐王卒，太子增立，是爲景湣王。〔索隱曰：系本安釐王生景湣王午也。〕信陵君無忌卒。

景湣王元年，秦拔我二十城，以爲秦東郡。二年，秦拔我朝歌。衞徙野王。〔徐廣曰：衞從濮陽徙野王。〕三年，秦拔我汲。五年，秦拔我垣、蒲陽、衍。〔徐廣曰：十二年獻城秦。正義曰：括地志云故垣地本魏王垣也，在絳州垣縣西北二十里。蒲邑故城在隰州隰川縣南四十五里，在蒲水之北，故曰蒲陽。衍，地名，在鄭州。〕十五年，景湣王卒，子王假立。

王假元年，燕太子丹使荆軻刺秦王，秦王覺之。〔徐廣曰：二年新鄭反。〕三年，秦灌大梁，虜王假，〔列女傳曰：秦殺假。〕遂滅魏以爲郡縣。

太史公曰：吾適故大梁之墟，墟中人曰：秦之破

梁引河溝而灌大梁三月城壞王請降遂滅魏

說者皆曰魏以不用信陵君故國削弱至於亡

余以為不然天方令秦平海內其業未成魏雖

得阿衡之佐曷益乎 索隱曰譙周云以忠所聞所謂國之云云者有賢者而不用也如用之何有亡哉使紂用三仁周不能王況秦虎狼乎

索隱述贊曰

畢公之苗　因國為姓　大名始賞

盈數自正　胤裔繁昌　世載忠正

楊干就戮　智氏奔命　文始建侯

武實彊盛　大梁東徙　長安北偵

位或作徙

知既無功　卬亦外聽　王假削弱

虜於秦政

史伍阡叁伯柒拾玖字

註伍阡柒伯玖拾壹字

魏世家第十四　史記四十四

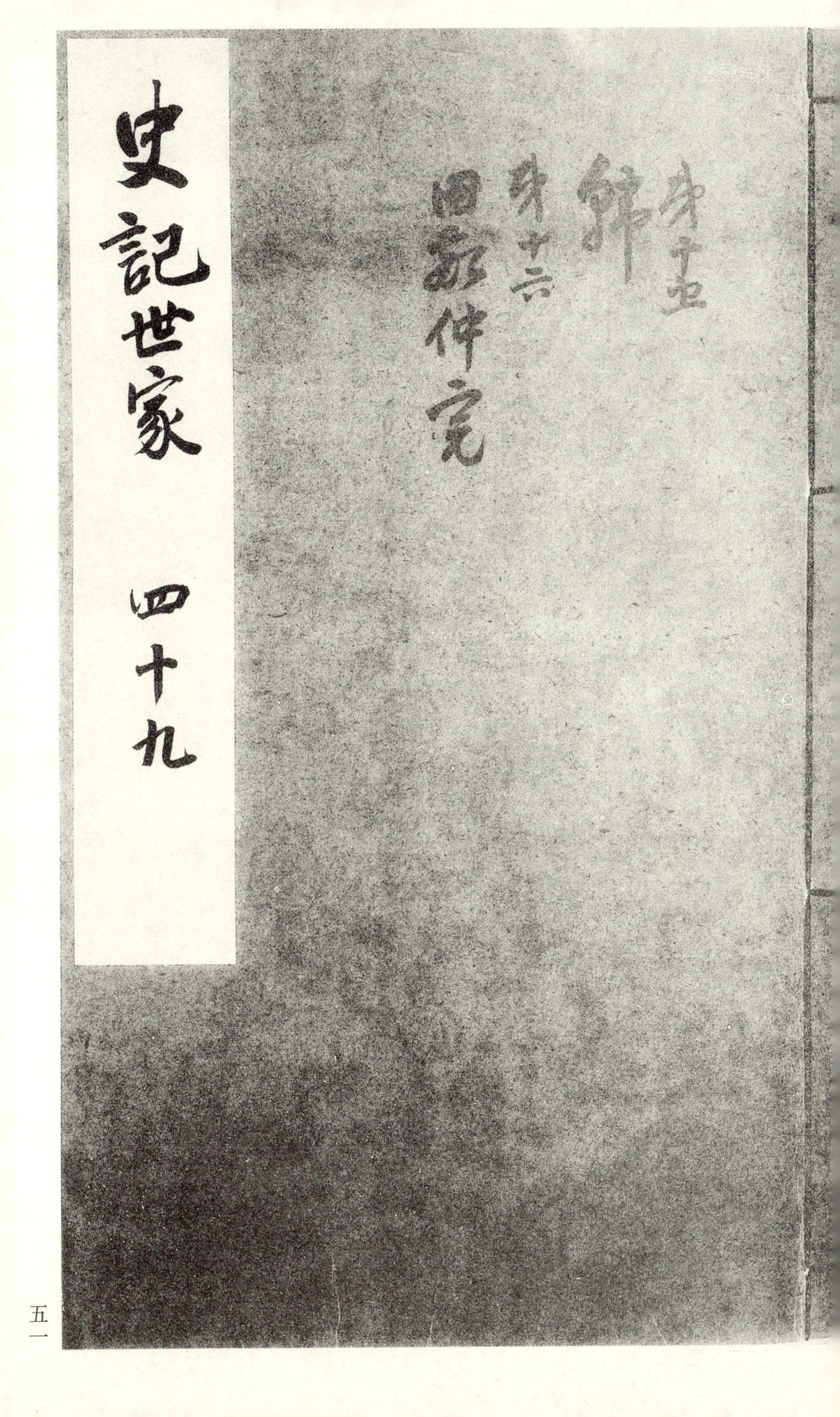

史記世家　四十九

弟十五　韓

弟十六　田敬仲完

正義曰世本云桓叔生子萬萬生賕伯賕伯生定伯簡簡生輿輿生獻子厥並居韓按桓叔晉文侯弟成師也晉昭公封之曲沃號曰桓叔

韓世家第十五　史記四十五

韓之先與周同姓姓姬氏其後苗裔事晉得封於韓原正義曰括地志云韓原在同州韓城縣西南八里又韓城在縣南十八里故古韓國也古今地名云韓武子食菜於韓原地城也曰韓武子索隱曰按左氏傳云邢晉應韓武之穆則韓是武王之子然詩稱韓侯出祖則是有韓而先滅今據此文云其後裔事晉封於原曰韓武子則武子本是韓侯之後晉又封之於韓原即今之馮翊韓城是也然按系本及左傳舊說皆謂韓萬是曲沃桓叔之子即是晉之支庶又國語叔向謂韓宣子能修武子之德稽再拜謝曰自桓叔已下嘉吾子之賜亦言桓叔是韓之祖也今以韓侯之後別有桓叔非關曲沃之桓叔如此則與太史公之意亦有違耳武子後三世有韓厥索隱曰系本云萬生賕伯賕伯生定伯簡簡生輿輿生獻子厥從封姓為韓氏韓厥晉景公之三年晉司寇屠岸賈將作亂誅靈公之賊趙盾趙盾

已死矣欲誅其子趙朔韓厥止賈賈不聽厥告趙朔令亡朔曰子必能不絕趙祀死不恨矣韓厥許之及賈誅趙氏厥稱疾不出程嬰公孫杵臼之藏趙孤趙武也厥知之景公十一年厥與郤克將兵八百乘伐齊敗齊頃公于鞍（正義曰音安括地志云故鞌城今俗名馬鞌城在濟州平陰縣十里）獲逢丑父於是晉作六卿而韓厥在一卿之位號爲獻子晉景公十七年病卜大業之不遂者爲祟韓厥稱趙成季之功今後無祀以感景公景公問曰尚有世乎厥於是言趙武而復與故趙氏田邑續趙氏祀晉悼公

正義曰世本云宣子起生平子須也

之十年韓獻子老獻子卒子宣子代宣子徙居州索隱曰宣子名起州今在河內是也○正義曰括地志云懷州武德縣本周司冦蘇忿生之州邑也晉平公十四年吳季札使晉曰晉國之政卒歸於韓魏趙矣晉頃公十二年韓宣子與趙魏共分祁氏羊舌氏十縣晉定公十五年宣子與趙簡子侵伐范中行氏宣子卒子貞子代立貞子徙居平陽索隱曰系本作平子名須宣子子也又云景子居平陽平陽在山西宋忠曰今河東平陽縣○正義曰平陽晉州城是貞子卒子簡子代徐廣曰史記多無簡子莊子而云貞子生康子班氏亦同○索隱曰按系本有簡子名不信莊子名庚趙系家亦有簡子名不佞也簡子卒子莊子代莊子卒子康子代索隱曰康子名虎康子與趙襄子魏桓

子共敗知伯分其地地益大大於諸侯康子卒子武子代（索隱曰武子名啓章）武子二年伐鄭殺其君幽公十六年武子卒子景侯立（索隱曰紀年及世本皆作景子名處）景侯虔元年伐鄭取雍丘二年鄭敗我負黍六年與趙魏俱得列為諸侯九年鄭圍我陽翟景侯卒子列侯取立（索隱曰系本作武侯也）列侯三年聶政殺韓相俠累（徐廣曰六年救魯也○索隱曰戰國策作殺韓傀高誘曰韓傀俠累也）九年秦伐我宜陽取六邑十三年列侯卒子文侯立（索隱曰紀年無文侯系本無列侯）是歲魏文侯卒文侯二年伐鄭取陽城伐宋到彭城執宋君七年伐齊至桑丘鄭反晉九

年伐齊至靈丘正義曰靈丘蔚州縣也此時屬燕也十年文侯卒子哀侯立哀侯元年與趙魏分晉國二年滅鄭因徙都鄭索隱曰紀年魏武侯二十一年韓滅鄭哀侯入于鄭二十二年晉桓公邑哀侯于鄭是韓既徙都因改號曰鄭故戰國策謂韓惠王曰鄭惠王猶魏徙大梁稱梁王然也六年韓嚴弒其君哀侯而子懿侯立索隱曰年表懿侯作莊侯又紀年云晉桓公邑哀侯于鄭韓山堅賊其君哀侯而韓若山立若山即懿侯也則韓嚴為韓山堅也戰國策又有嚴仲子名遂又恐是韓嚴也懿侯二年魏敗我馬陵正義曰在魏州元城縣東南一里五年與魏惠王會宅陽正義曰在鄭州也九年魏敗我澮徐廣曰大雨三月也。正義曰澮古外反在陵川澮水之上也十二年懿侯卒子昭侯立昭侯元年秦敗我西山二年宋取我黃池徐廣曰在平丘魏取朱六年伐東周取陵觀邢丘八年申不害相韓脩術行道〔正義曰……南韓縣〕國內以治諸侯不來侵伐十年韓姬弒其君悼公〔索隱曰姬亦作玘並音羊之反姬是韓大夫而王劭亦云不知悼公何君也〕十一年昭侯如秦二十二年申不害死二十四年秦來拔我宜陽二十五年旱作高門屈宜臼〔許慎曰屈宜臼楚大夫在魏也〕曰昭侯不出此門何也不時吾所謂時者非時日也人固有利不利時昭侯嘗利矣不作高門往年秦拔宜陽今年旱昭侯不以此時恤民之急而顧益奢此謂時絀舉贏〔徐廣曰時衰耗而作奢侈〕二十六年高門成昭侯卒果不出此門子宣惠王立〔索隱

曰紀年鄭昭侯武薨次威侯立威侯七年與邯鄲圍襄陵五月梁惠王會威侯于巫沙十月鄭宣王朝梁不見威侯之卒下敗韓舉在威侯八年而此系家即以爲宣惠王之年又上有殺悼公悼公又不知是誰之謚則韓微小國史失代系故此文及系本不同今亦不可考也

宣惠王五年張儀相秦八年魏敗我將韓舉索隱曰按此則舉是韓將不疑而紀年云韓舉趙將蓋舉本趙將後入韓又紀年云其敗當韓威王八年是不同也十一年君號爲王與趙會區鼠十四年秦伐敗我鄢徐廣曰潁川鄢陵縣音於乾反。正義曰今許州鄢陵縣西北十五里有鄢陵故城是也

十六年秦敗我脩魚虜得韓將鱁申差於濁澤徐廣曰一云鱣申差長社有濁澤。索隱曰脩魚地名鱁申差二將名鱁音瘦亦作鯫。正義曰按濁澤者蓋誤當作觀澤年表云秦惠文王更元八年與韓戰斬首八萬韓宣惠王十六年秦敗我脩魚得將軍申差魏哀王二年齊敗我觀澤趙武靈王九年與韓魏擊秦齊湣王七年敗魏世家云濁澤定誤矣徐廣及云濁澤在長社不據錯誤之甚括地志云觀

將一千九

澤在魏州頓丘縣東十八里韓氏急公仲謂韓王曰索隱曰公仲韓相國名侈與國非可恃也今秦之欲伐楚久矣王不如因張儀為和於秦賂以一名都具甲與之南伐楚此以一易二之計也索隱曰一謂名都也二謂使不伐韓而又與之伐楚也韓王曰善乃警公仲之行索隱曰警戒也戰國策作儆亦同將西購於秦索隱曰戰國策作講講亦謀議與購求意通楚王聞之大恐召陳軫告之陳軫曰秦之欲伐楚久矣今又得韓之名都一而具甲秦韓并兵而伐楚此秦所禱祀而求也今已得之矣楚國必伐矣王聽臣為之警四境之內起師言救韓命戰車滿道路發信臣多其

車重其幣使信王之救已也縱韓不能聽我韓必德王也索隱曰言韓王信楚之救雖不能聽待楚救至折入於秦猶德於楚也必不爲鴈行以來索隱曰言韓以楚必救已已雖隨秦來戰猶德於王故不爲鴈行而來言不同心旅進也是秦韓不和也兵雖至楚不大病也爲能聽我絕和於秦秦必大怒以厚怨韓韓之南交楚必輕秦輕秦其應秦必不敬是因秦韓之兵而免楚國之患也楚王曰善乃警四境之內興師言救韓命戰車滿道路發信臣多其車重其幣謂韓王曰不穀國雖小已悉發之矣願大國遂肆志於秦不穀將以楚殉韓索隱曰殉從死也言以死助韓韓王聞之大

誅乃止公仲之行（索隱曰止不令西之秦）公仲曰不可夫以實伐我者秦也以虛名救我者楚也王恃楚之虛名而輕絶彊秦之敵王必爲天下大笑且楚韓非兄弟之國也又非素約而謀伐秦也已有伐形因發兵言救韓此必陳軫之謀也且王已使人報於秦矣今不行是欺秦也夫輕欺彊秦而信楚之謀臣恐王必悔之韓王不聽遂絶於秦秦因大怒益甲伐韓大戰楚救不至韓十九年大破我岸門（徐廣曰潁陰有岸亭。○正義曰括地志云岸門在許州長社縣西北十八里今名西武亭矣）太子倉質於秦以和二十一年（徐廣曰周王赧之三年也）

燗說支當奉以墨輪付之南家奉以朱輪付之
一 自楚圍雍氏至解雍氏
二 自于秦共攻楚至從其計
三 蘇代又謂秦太后弟芊戎曰云云

與秦共攻楚徐廣曰圍景座也敗楚將屈丐斬首八萬於丹陽索隱曰故楚都在今均州也○正義曰左傳例云楚居丹陽今枝江縣故城是也是歲宣惠王卒太子倉立是爲襄王徐廣曰一云周赧十六年韓襄哀王三年張儀死赧王九年襄哀王六年秦昭王立襄王四年與秦武王會臨晉其秋秦使甘茂攻我宜陽五年秦拔我宜陽正義曰括地志云故韓城一名宜陽城在洛州福昌縣東十四里韓宜陽城也斬首六萬秦武王卒六年秦復與我武遂九年秦復取我武遂十年太子嬰朝秦而歸徐廣曰與秦會臨晉因至咸陽而還十一年秦伐我取穰正義曰穰人羊反鄧州縣也郭仲產南雍州記云楚之別邑秦初侵楚封公子悝爲穰侯後屬韓秦昭王取之也

與秦伐楚敗楚將唐眛十二年太子嬰死公子

咎公子蟣虱爭爲太子時蟣虱質於楚蘇代謂韓咎曰蟣虱亡在楚楚王欲內之甚今楚兵十餘萬在方城之外索隱曰方城楚之北境之外謂北境之地也○正義曰括地志云方城山在許州葉縣西南十八里左傳云楚大夫屈完對齊侯曰楚國方城以爲城杜注云方城山在南陽葉縣南公何不令楚王築萬室之都雍氏之旁徐廣曰在陽翟○正義曰括地志云故雍氏城在洛州陽翟縣二十五里故老云黃帝臣雍父作杵臼也韓必起兵以救之公必將矣公因以韓楚之兵奉蟣虱而內之其聽公必矣必以楚韓封公也韓咎從其計楚圍雍氏徐廣曰秦本紀惠王後元十三年周赧王三年楚懷王十七年齊湣王十二年皆云楚圍雍氏紀年於此亦說楚景翠圍雍氏韓宣王卒秦助韓共敗楚屈丐又云齊宋圍煮棗皆與史記年表及田完世家符同然則此卷所云

襄王十二年韓咎從其計以上是楚後圍雍氏赧王之十五年事也又説楚圍雍氏以下是楚前圍雍氏赧王之三年事

韓求救於秦秦未爲發使公孫昧入韓公仲曰子以秦爲且救韓乎對曰秦王之言曰請道南鄭藍田正義曰南鄭梁州縣藍田雍州縣秦王言或出雍州西南至鄭或出雍州東南歷藍田出嶢關俱繞楚北境以待韓使而東救雍氏如此遲緩近不合於楚矣出兵於楚以待公殆不合矣索隱曰殆不合於南鄭公仲曰子以爲果乎對曰秦王必祖張儀之故智徐廣曰祖者宗之習之謂也故智猶前時謀計也楚威王攻梁也張儀謂秦王曰與楚攻魏魏折而入於楚韓固其與國也是孤秦也不如出兵以到之索隱曰到欺也猶俗云張戰國策作勁勁強也魏楚大戰秦取西河之外

以韓令其狀陽言與韓其實陰善楚公待秦而到必輕與楚戰楚陰得秦之不用也必易與公相支也【索隱曰言楚陰知秦不爲公用亦必易與公相支拒也】公戰而勝楚遂與公乘楚施三川而歸【正義曰施猶設也三川各天子都也言韓戰勝楚則秦與韓駕馭於楚即於天子之都張設救韓之功行霸之之迹如威諸侯乃歸咸陽是也】公戰不勝楚楚塞三川守之【正義曰楚乃塞南河四關守之韓不能救三川】公不能救也竊爲公患之司馬庚【徐廣曰一作唐】三反於郢甘茂與昭魚【徐廣曰楚相國。索隱曰戰國策謂之昭獻也】遇於商於其言收璽實類有約也【索隱曰劉氏云許言昭魚來秦欲得秦官之印璽收即取之義也】公仲恐曰然則奈何曰公必先韓而後秦先身而後張儀【正義曰先以身有韓】

之計而後知張儀爲秦到魏之計不如急以國合於齊楚公不如亟以國合於齊楚

齊楚必委國於公公之所惡者張儀也正義曰惡烏故反公

孫昧言公仲所惡者張儀到魏之計雖以國合於齊楚其實猶不輕欺無秦也其實猶不無秦

也於是楚解雍氏圍徐廣曰甘茂傳曰楚懷王以兵圍韓雍氏韓使公仲告急於秦秦昭

王新立不肯救甘茂爲韓言之乃下師於殽以救韓也又云周赧王十五年韓襄王十二年秦擊楚斬首二萬敗楚襄城

殺景缺周本紀赧王八年之後云楚圍雍氏此當韓襄王十二年魏哀王十九年紀年於此亦說楚入雍氏楚人敗然耳

時張儀已死十年矣。正義曰自此已上十二年並是楚後圍雍氏赧王之十五年一段事也前注徐廣云楚圍雍氏之

下是楚前圍雍氏赧王三年事徐說非也徐見下文云先身而後張儀以公之所惡者張儀也言張儀尚存楚又兩度圍

雍氏故生此前後之見其誤也然是公孫昧却述張儀時事說韓相公仲耳蘇代又謂秦太

后弟芈戎徐廣曰號新城君。索隱曰芈姓戎名秦宣太后弟號新城君曰公叔伯嬰

恐秦楚之內蟣虱也索隱曰戰國策公叔伯嬰與蟣虱又公子咎並是襄王子然伯嬰即太子嬰嬰前死故咎與蟣虱又爭立此取戰國策說伯嬰未立之前亦與蟣虱爭立故事重而文到也公何不爲韓求質於楚索隱曰令韓求楚更以別人爲質以替蟣虱也○正義曰爲于僞反後同質子蟣虱蘇代令芊戎爲韓求蟣虱入於韓楚不聽公叔伯嬰知秦楚不以蟣虱爲事必以韓合於秦楚楚王聽入質子相韓當云楚王不聽入質子於韓承前脫不字耳次下云知秦楚不以蟣虱爲事重明脫不字楚王聽入質子於韓索隱曰質子蟣虱也則公叔伯嬰知秦楚之不以蟣虱爲事必以韓合於秦楚秦楚挾韓以窘魏魏氏不敢合於齊是齊孤也公又爲秦求質子於楚索隱曰公令芊戎教秦於楚索韓所送質子令入之於秦也楚不聽怨結於韓韓挾齊魏以圍楚楚必重公正義曰言韓合齊魏以圍楚楚必尊重芊戎以求秦

正義曰夏山未詳

九

救矣公挾秦楚之重以積德於韓公叔伯嬰必以國待公於是蟣蝨竟不得歸韓〔正義曰自此已前蘇代數計皆不成故韓竟立咎為太子也〕韓立咎為太子齊魏王來〔正義曰蘇代為韓立計故得齊魏王來〕十四年與齊魏王共擊秦至函谷而軍焉十六年秦與我河外及武遂襄王卒太子咎立是為釐王釐王三年使公孫喜率周魏攻秦秦敗我二十四萬虜喜伊闕五年秦拔我宛〔正義曰宛於元反宛鄧州縣也時屬韓也〕六年與秦武遂地二百里〔正義曰此武遂及上武遂皆宜陽近也〕十年秦敗我師于夏山十二年與秦昭王會西周而佐秦攻齊齊敗湣王出亡十四年與秦

會兩周閒二十一年使暴鳶[illegible]救魏為秦所敗鳶走開封二十三年趙魏攻我華陽正義曰司馬彪云華陽山名在密縣鄭州管城縣南四十里韓告急於秦秦不救韓相國謂陳筮徐廣曰一作筌○索隱曰戰國策作田苓曰事急願公雖病為一宿之行陳筮見穰侯穰侯曰事急乎故使公來陳筮曰未急也穰侯怒曰是可以為公之主使乎夫冠蓋相望告敝邑甚急公來言未急何也陳筮曰彼韓急則將變而佗從以未急故復來耳穰侯曰公無見王請今發兵救韓八日而至敗趙魏於華陽之下是歲釐王卒子桓惠

王立桓惠王元年伐燕九年秦拔我陘城汾旁

正義曰陘音刑秦拔陘城於汾水之旁陘故城在絳州曲沃縣西北二十里汾水之旁也

十年秦擊我於太行

正義曰太行山在懷州河內縣北二十五里也

我上黨郡守以上黨郡降趙十四年秦拔趙上黨

正義曰韓上黨也從太行山西北澤潞等州是也

殺馬服子卒四十餘萬於長平十七年秦拔我陽城負黍

徐廣曰負黍在陽城○正義曰古今地名云負黍在洛州陽城西三十七里也

二十二年秦昭王卒二十四年秦拔我城皋滎陽二十六年秦悉拔我上黨二十九年秦拔我十三城三十四年桓惠王卒子王安立王安五年秦攻韓韓急使韓非使秦秦留非因殺之九年秦

虜王安盡入其地為潁川郡韓遂亡正義曰云在秦始皇帝十七年

太史公曰韓厥之感晉景公紹趙孤之子武以成程嬰公孫杵臼之義此天下之陰德也韓氏之功於晉未覩其大者也然與趙魏終為諸侯十餘世宜乎哉

索隱述贊曰

韓氏之先　實宗周武　事微國小

春秋無語　後裔事晉　韓原是處

趙孤克立　智伯可取　既徙平陽

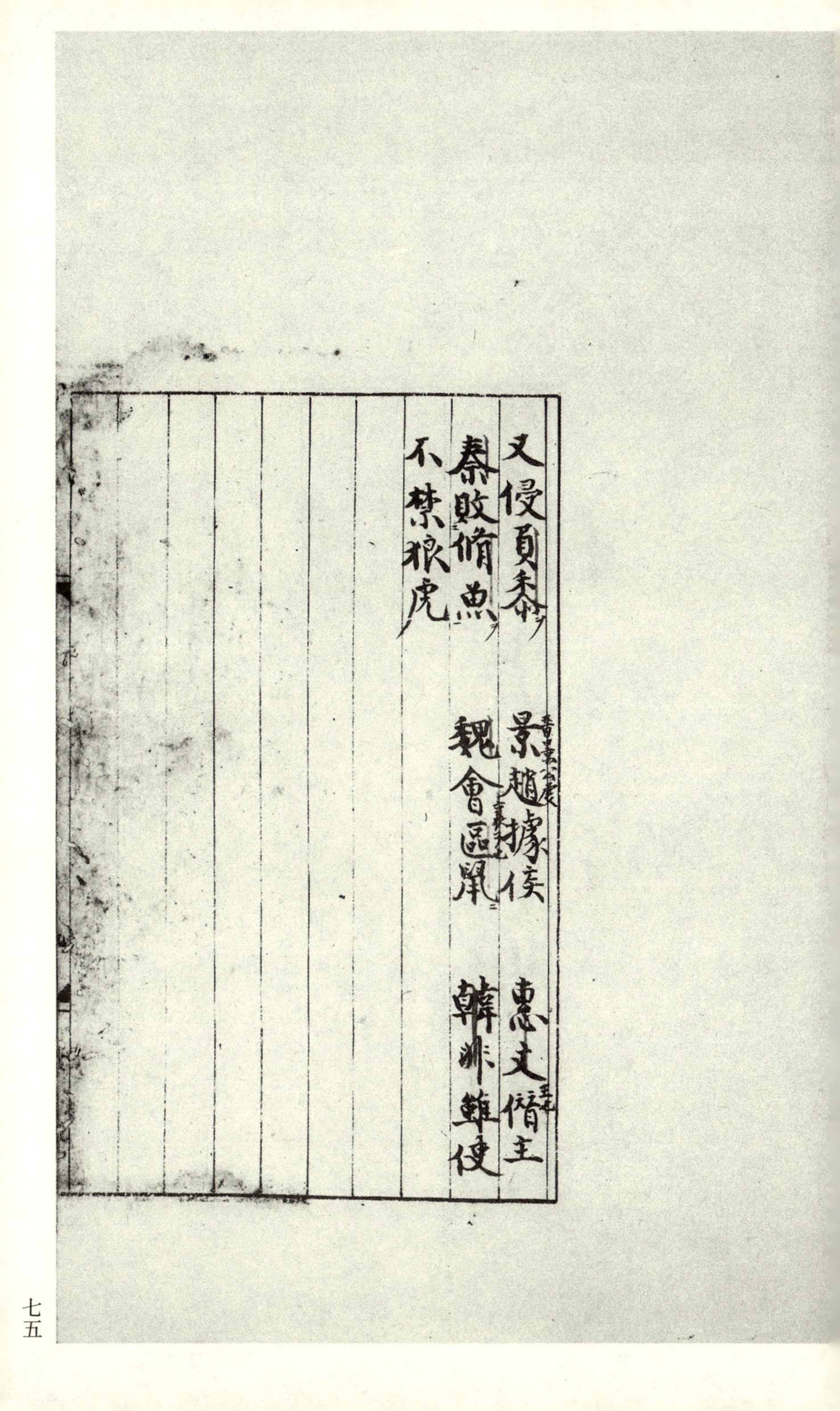

又侵負秦　景趙據侯　惠文偕主

秦敗偕燕　魏會匿鼠　韓非雖使

不禁狼虎

韓世家第十五　　史記四十五

十二

陳厲公佗 正義曰佗因何反……

本年經云蔡人殺佗又莊二十二年傳云陳厲公蔡出也故蔡人殺五父而立之則佗与五父俱為蔡所殺其名雖異其實乃同他与五父是一人明矣而史記以佗為厲公以躍為利公恐太史公誤又恐當有別見班固又以厲躍為桓公弟重誤矣

賓于王 正義曰杜預云此周易觀卦六四爻辞也四為諸侯變而之乾者有國朝王之象易之為書六爻皆有變象又有互体聖人随其義而論之易正義云居觀之近而得其位明習國之礼儀故宜利賓于王庭為王賓也否卦義曰否閉之世非是人道交通之時不利君子為正也上下不交而天下無國也言利于王庭值無國之世故利君子為正否世代

君有國

必姜姓 正義曰六四爻是辛未爻觀上體巽未為羊巽為女以女乗羊故為姜姜齊姓必知在齊也

田敬仲完世家第十六　史記四十六

陳完者陳厲公佗之子也索隱曰佗音徒何反此系家以佗爲厲公而左傳以厲公名躍陳系家又有利公躍利即厲也是厲公名躍非名佗也蓋佗是厲公之兄立未踰年無謚今此云厲公佗非也佗一名五父故經云蔡人殺陳佗傳又云蔡人殺五父是也完生周太史過陳陳厲公使卜完卦得觀之否是爲觀國之光利用賓于王此其代陳有國乎不在此而在異國乎非此其身也在其子孫若在異國必姜姓姜姓四嶽之後正義曰杜預云姜姓之先爲堯四嶽也物莫能兩大陳衰此其昌乎正義曰陳湣公周敬王四十一年爲楚惠王所滅齊簡公周敬王三十九年被田常所殺厲公者陳文公少子也其母蔡女文公卒厲公兄鮑立

不在此在異國 正義曰六四爻變內卦為本國外卦為異國六四在外故為異國也

在子孫 正義曰內卦為身外卦為子孫六四爻變故知在子孫也

是為桓公桓公與佗異母及桓公病蔡人為佗
殺桓公鮑及太子免而立佗為厲公厲公既立
娶蔡女蔡女淫於蔡人數歸厲公亦數如蔡桓
公之少子林怨厲公殺其父與兄乃令蔡人誘
厲公而殺之林自立是為莊公故陳完不得立
為陳大夫厲公之殺以淫出國故春秋曰蔡人
殺陳佗罪之也莊公卒立弟杵臼是為宣公宣
公十一年殺其太子禦寇禦寇與完相愛恐禍
及己完故奔齊齊桓公欲使為卿辭曰羈旅之
臣幸得免負擔君之惠也不敢當高位桓公使

田敬仲完世家　一

為工正【正義曰工巧之長若將作大匠】齊懿仲欲妻完卜之占曰

是謂鳳皇于蜚和鳴鏘鏘有嬀之後將育于姜

五世其昌竝于正卿八世之後莫之與京卒妻

完完之奔齊齊桓公立十四年矣完卒謚為敬

仲仲生穉孟夷【索隱曰系本作夷孟思蓋穉是名孟夷字也】敬仲之如齊

以陳字為田氏【徐廣曰應劭云始食菜地由是改姓田氏○索隱曰據史此文敬仲奔齊以陳田二字聲相近遂為田氏○正義曰按敬仲既奔齊不欲稱本故國号故改陳字為田氏】田穉孟夷生

湣孟莊【徐廣曰一作芷○索隱曰系本作閩孟克芷昌改反】田湣孟莊生文子

須無田文子事齊莊公晉之大夫欒逞作亂於

晉來奔齊【索隱曰逞音盈史記多作逞字】齊莊公厚客之晏嬰與田

有嬀之後 杜預曰嬀陳姓 姜齊姓也

夫諫莊公弗聽文子卒生桓子無宇田桓子
無宇有力事齊莊公甚有寵無宇卒生武子開
與釐子（正義曰釐音僖也）乞田釐子乞事齊景公為大夫
其收賦稅於民以小斗受之其粟予民以大斗
行陰德於民而景公弗禁由此田氏得齊衆心
宗族益彊民思田氏晏子數諫景公景公弗聽
已而使於晉與叔向私語曰齊國之政其卒歸
於田氏矣晏嬰卒後范中行氏反晉晉攻之急
范中行請粟於齊田乞欲為亂樹黨於諸侯乃
說景公曰范中行數有德於齊齊不可不救齊

使田乞救之而輸之粟景公太子死後有寵姬曰芮子生子荼徐廣曰一作粥子○索隱曰荼音舒又如字景公病命其相國惠子與高昭子以子荼爲太子索隱曰惠子名夏昭子名張景公卒兩相高國立荼是爲晏孺子而田乞不說欲立景公佗子陽生陽生素與乞歡晏孺子之立也陽生奔魯田乞僞事高昭子國惠子者每朝代參乘言曰始諸大夫不欲立孺子孺子既立君相之大夫皆自危謀作亂又紿大夫曰高昭子可畏也及未發先之諸大夫從之田乞鮑牧與大夫以兵入公室攻高昭子昭子聞

之與國惠子救公公師敗田乞之衆追國惠子惠子奔莒遂反殺高昭子晏孺子奔魯田乞使人之魯迎陽生陽生至齊匿田乞家請諸大夫曰常之母有魚菽之祭幸而來會飲會飲田氏田乞盛陽生橐中（索隱曰橐音託橐中謂皮橐之中）置坐中央發橐出陽生曰此乃齊君矣大夫皆伏謁將盟立之田乞誣曰吾與鮑牧謀共立陽生也鮑牧怒曰大夫忘景公之命乎諸大夫欲悔陽生乃頓首曰可則立之不可則已鮑牧恐禍及己乃復曰皆景公之子何爲不可遂立陽生於田乞之

請 或作謂

誣 或作詐

使田乞救之而輸之粟景公太子死後有寵姬
曰芮子生子荼徐廣曰一作粥子○索隱曰荼音舒又如字景公病命其
相國惠子與高昭子以子荼爲太子索隱曰惠子名夏昭子名
張景公卒兩相高國立荼是爲晏孺子而田乞
不說欲立景公佗子陽生陽生素與乞歡晏孺
子之立也陽生奔魯田乞僞事高昭子國惠子
者每朝代參乘言曰始諸大夫不欲立孺子孺
子既立君相之大夫皆自危謀作亂又給大夫
曰高昭子可畏也及未發先之諸大夫從之田
乞鮑牧與大夫以兵入公室攻高昭子昭子聞

之與國惠子救公公師敗田乞之衆追國惠子
惠子奔莒遂反殺高昭子晏孺子奔魯田乞使
人之魯迎陽生陽生至齊匿田乞家請諸大夫
曰常之母有魚菽之祭幸而來會飲會飲田氏

韓武下謂

困學紀聞十一田敬仲世家有人歎之曰嗟乎[illegible]甚得[illegible]田成子[illegible]適曰田常[illegible]是存而遂呼以
論語之不容昭然可見而蘇子曰田常之所安[illegible]所以成[illegible]

曰皆景公之子何爲不可遂立陽生於田乞之

正義曰嫗於矩反芑音起芑白梁粟也言齊之婦如據拾遺采之穗為生產亦以嫗附田成子也歌齊國之政皆歸田氏

家是爲悼公乃使人遷晏孺子於駘正義曰駘音臺又音台賈逵云齊地也而殺孺子荼悼公既立田乞爲相專齊政四年田乞卒子常代立是爲田成子鮑牧與齊悼公有郤弑悼公齊人共立其子壬是爲簡公田常成子與監止監一作闞○索隱曰監如字又苦濫反監姓止名俱爲左右相相簡公田常心害監止監止幸於簡公權弗能去於是田常復脩釐子之政以大斗出貸以小斗收齊人歌之曰嫗乎采芑歸乎田成子索隱曰言嫗之采芑菜皆歸入于田成子以刺齊國之政將歸陳氏也齊大夫朝御鞅諫簡公索隱曰御鞅官也鞅名也亦田氏之族曰田監不可並也君其擇焉

索隱曰御鞅齊大夫僕御官也鞅名也亦田氏族賈逵云擇之也

焉君弗聽子我者監止之宗人也〔[illegible]一云子我又賈逵〕〔一云即監止也尋其文意當是監止之一云宗人太史誤耳〕常與田氏有郤田氏疏族田豹事子我有寵子我曰吾欲盡滅田氏適以豹代田氏宗豹曰臣於田氏疏矣不聽已而豹謂田氏曰子我將誅田氏田氏弗先禍及矣子我舍公宮田常兄弟四人乘如公宮欲殺子我子我閉門簡公與婦人飲檀臺〔正義曰在青州臨淄縣東北一里〕將欲擊田常太史子餘曰田常非敢爲亂將除害簡公乃止田常出聞簡公怒恐誅將出亡田子行曰需事之賊也〔索隱曰需音須需者疑也疑必致難故云需事之賊也〕田

田敬仲完世家四

常於是擊子我。子我率其徒攻田氏，不勝，出亡。田氏之徒追殺子我及監止。簡公出奔，田氏之徒追執簡公于徐州。索隱曰：徐音舒。徐州，齊邑，薛縣是也，非九州之徐。○正義曰：齊之西北界上地名，在勃海郡東平縣也。簡公曰：蚤從御鞅之言，不及此難。田氏之徒恐簡公復立而誅己，遂殺簡公。簡公立四年而殺。於是田常立簡公弟驁，是為平公。平公即位，田常為相。田常既殺簡公，懼諸侯共誅己，乃盡歸魯衛侵地，西約晉韓魏趙氏，南通吳越之使，脩功行賞，親於百姓，以故齊復定。田常言於齊平公曰：德施人之所欲，君其行之；刑罰人之所惡君請行之行之五年齊國之政皆歸田常田常於是盡誅鮑晏監止及公族之彊者而割齊自安平以東（徐廣曰安平在北海。索隱曰司馬彪郡国志北海東安平六國時曰安平徐廣説是○正義曰括地志云安平城在青州臨淄縣東十九里古紀國之酅邑青州即北海郡也）至琅邪（正義曰琅邪沂州也從安平已東萊登沂密等州皆自為田常封邑也）自為封邑封邑大於平公之所食田常乃選齊國中女長七尺以上為後宮後宮以百數而使賓客舍人出入後宮者不禁及田常卒有七十餘男（索隱曰鮑彪云陳成子有數十婦生男百餘人與此亦異然譙允南按春秋陳恒為人雖志大負殺君之名至於行事亦修整故能自保非苟為貪殺之行其成事在茲雖子七十猶祗以長亂事豈然哉言其非實也）田常卒子襄子

田敬仲完世家　五

盤代立（徐廣曰盤一作塈○索隱曰塈音許既反系本作班）相齊常謚為成子

田襄子既相齊宣公三晉殺知伯（徐廣曰宣公之三年時也）分其地襄子使其兄弟宗人盡為齊都邑大夫與三晉通使且以有齊國襄子卒子莊子白立（索隱曰系本名伯）

田莊子相齊宣公宣公四十三年伐晉毀黃城圍陽狐（正義曰括地志云故黃城在魏州冠氏縣南十里陽狐郭在魏州元城縣東北三十二里也）明年伐魯葛及安陵（正義曰括地志云故魯城在許昌縣南四十里本魯朝宿邑長葛故城在許州長葛縣北十二里鄭之葛邑也鄢陵故城在許州鄢陵縣西北十五里李奇云六國時為安陵也）明年取魯之一城莊子卒子太公和立（索隱曰紀年齊宣公十五年田莊子卒明年立田悼子悼子卒乃次立田和是莊子後有悼子蓋立年無幾所以作系本及史記者不得錄也而莊周及

[illegible]公子亦云田成子殺齊君十二代而有齊國今[illegible]系本系家自成子至王建之滅秖十代若如紀年則悼子[illegible]有十二代與莊子鬼谷說同明紀年亦非妄說也田太公相齊宣公宣公四十八年取魯之郕正義曰音城括地志云故郕城在兖州泗水縣西北五十里說文云郕魯孟邑是也明年宣公與鄭人會西城伐衛取毋丘索隱曰毋音貫古國名衛之邑今作毋者字殘缺耳。正義曰括地志云故貫城即古貫國故貫今名蒙澤城在曹州濟陰縣南五十六里也宣公五十一年卒田會自廩丘反索隱曰紀年宣公五十一年公孫會以廩丘叛於趙十二月宣公薨於周正爲明年二月宣公卒子康公貸立徐廣曰十一年伐魯取最。索隱曰貸音土代反最音祖外反貸立十四年淫於酒婦人不聽政太公乃遷康公於海上食一城以奉其先祀明年魯敗齊平陸徐廣曰東平平陸。正義曰兖州縣也三年

田敬仲完世家　六

太公與魏文侯會濁澤徐廣曰康公之十六年○索隱曰徐廣蓋依年表爲說而不省此上文代貝立十四年又云明年會于陸又二年會濁澤是十八年表及此註並誤求爲諸侯魏文侯乃使使言周天子及諸侯請立齊相田和爲諸侯周天子許之康公之十九年田和立爲齊侯列於周室紀元年齊侯太公和立二年和卒徐廣曰伐魯破之子桓公午立索隱曰紀年齊康公五年田侯午生二十二年田侯剡立後十年齊田午弒其君及孺子喜而爲公春秋後傳亦云田午弒田侯及其孺子喜而兼齊是爲桓侯與此系家不同也桓公午五年秦魏攻韓韓求救於齊齊桓公召大臣而謀索隱曰大臣謂騶忌段干朋如戰國策威王二十六年邯鄲之役有此謀臣耳又南梁之難在宣王二年有騶子田忌孫臏之謀戰國策又有張丑之詞前後文互是記者所取各異故不同也曰蚤救

注于陸一本
下平陸

之孰與晚救之騶忌曰不若勿救段干朋曰干姓朋名也戰國策作段干綸不救則韓且折而入於魏不若救之田臣思曰索隱曰戰國策作田期思紀年謂之徐州子期蓋即田忌也過矣君之謀也秦魏攻韓楚趙必救之是天以燕予齊也桓公曰善乃陰告韓使者而遣之韓自以為得齊之救因與秦魏戰楚趙聞之果起兵而救之齊因起兵襲燕國取桑丘正義曰括地志云桑丘故城俗名敬城在易州遂城縣尔時齊伐燕桑丘魏趙來救之魏趙世家並云伐齊至桑丘皆是易州六年救衛桓公卒索隱曰紀年梁惠王十三年當齊桓公十八年後威王始見則桓公十九年而卒與此不同子威王因齊立是歲故齊康公卒絕無後奉邑皆入田氏

齊威王元年，三晉因齊喪來伐我靈丘。正義曰靈丘河東蔚州縣按靈丘此時屬齊三晉因喪伐之韓魏趙世家云伐齊至靈丘皆是蔚州 三年，三晉滅晉後而分其地。六年，魯伐我，入陽關。徐廣曰在鉅平○正義曰括地志云魯陽關故城在兗州博城縣南二十九里西臨汶水也 晉伐我，至博陵。正義曰在濟州西界也 七年，衛伐我，取薛陵。九年，趙伐我，取甄。威王初即位以來，不治，委政卿大夫，九年之間，諸侯並伐，國人不治。於是威王召即墨大夫而語之曰：「自子之居即墨也，正義曰萊州膠水縣南六十里即墨故城是也 毀言日至。然吾使人視即墨，田野闢，民人給，官無留事，東方以寧。是子不事吾左右以求譽也。」封之萬

正義曰觀音館魏州觀城縣古觀国夏啓之子太康弟五弟之所封也夏相滅之漢為縣

正義曰舍音[illegible]上[illegible]

家召阿大夫語曰自子之守阿譽言日聞[illegible]使視阿田野不闢民貧苦昔日趙攻甄正義曰甄音絹即濮州甄城縣北入合在即墨字上也子弗能救衛取薛陵子弗知是子以幣厚吾左右以求譽也是日烹阿大夫及左右嘗譽者皆幷烹之遂起兵西擊趙衛敗魏於濁澤而圍惠王惠王請獻觀以和解趙人歸我長城於是齊國震懼人人不敢飾非務盡其誠齊國大治諸侯聞之莫敢致兵於齊二十餘年騶忌子以鼓琴見威王威王說而舍之右室須臾王鼓琴騶忌子推戶入曰善哉鼓琴王勃然

不說去琴按劍曰夫子見容未察何以知其善也騶忌子曰夫大弦濁以春溫者君也小弦廉折以清者相也琴操曰大弦者君也寬和而溫小弦者臣也清廉而不亂。索隱曰春秋後語溫字作春春氣溫義亦相通蔡邕曰凡絃以緩急爲清濁琴緊其絃則清縵其絃則濁清濁者言琴之聲音也攫之深徐廣曰以爪持也攫音己足反醳之愉者徐廣曰一作舒。索隱曰醳音釋與下文舍字並同愉音踰政令也鈞諧以鳴大小相益回邪而不相害者四時也吾是以知其善也王曰善語音騶忌子曰何獨語音夫治國家而弭人民皆在其中王又勃然不說曰若夫語五音之紀信未有如夫子者也若夫治國家而弭人民又何爲乎絲稱之閒騶忌子曰夫大弦濁以春溫者君也小弦廉折以清者相也攫之深而舍之愉者政令也鈞諧以鳴大小相益回邪而不相害者四時也夫復而不亂者所以治昌也連而徑者所以存亡也故曰琴音調而天下治夫治國家而弭人民者無若乎五音者王曰善騶忌子見三月而受相印淳于髡見之曰善說哉髡有愚志願陳諸前騶忌子曰謹受教淳于髡曰得全全昌失全全亡索隱曰得全全謂人臣事君之禮全具無失故云得全也全昌者謂若無失則身名獲昌故云全昌也騶忌子曰謹受令請謹毋離前索隱曰謂佩服此言常無離君

含音ス人　蓋本　髡或本作髠　具下其或本　令或本作命

故曰謹毋離前淳于髡曰狶膏棘軸所以為滑也然而不能運方穿索隱曰狶膏猪脂也棘軸以棘木為車軸至滑而堅也然而穿孔若方則不能運轉言逆理反經也故下忌曰請謹事左右言每事須順從也騶忌子曰謹受令請謹事左右淳于髡曰弓膠昔幹徐廣曰一作乾所以為合也然而不能傅合疏罅索隱曰幹音孤悍反昔以舊也幹弓幹也考工記作析幹則析昔音相近言作弓之法以膠被昔幹而納諸檠中是猶以埶令人合也傅音附罅音呼嫁反以言膠幹可以埶暫合而久亦不能常傅合於疏罅隙縫以言人臣自宜彌縫得所豈待拘以禮制法式者故下云請自附於萬人也騶忌子曰謹受令請謹自附於萬民淳于髡曰狐裘雖敝不可補以黃狗之皮騶忌子曰謹受令請謹擇君子毋雜小人其間淳于髡曰大車不較不能

載其常任琴瑟不較不能成其五音索隱曰較者校量也言有常制若車不較則車不能載常任琴瑟不較則琴瑟不能成五音鄒忌子曰謹受令請謹脩法律而督姦吏淳于髡說畢趨出至門而面其僕曰是人者吾語之微言五其應我若響之應聲是人必封不久矣新序曰齊稷下先生喜議政事鄒忌既爲齊相稷下先生淳于髡之屬七十二人皆輕鄒忌以爲設以微辭鄒忌必不能及乃相與俱往見鄒忌淳于髡之徒禮踞鄒忌之禮卑淳于髡等稱辭鄒忌知之如應響淳于髡等辭詘而去鄒忌之禮倨淳于髡之禮卑故所以尚干將莫耶者貴其立斷也所以尚騏驥者爲其立至也必且歷日曠久則絲氂能挈石駑馬亦能致遠是以聰明捷敏人之美材也居朞年封以下邳號曰成侯威王二十三年與趙王會平陸二十四年與魏王會田於郊魏王問曰王

亦有寶乎威王曰無有〔索隱曰韓嬰詩外傳以爲齊宣王其說不同所以異也〕梁王曰若寡人國小也尚有徑寸之珠照車前後各十二乘者十枚奈何以萬乘之國而無寶乎威王曰寡人之所以爲寶與王異吾臣有檀子者〔索隱曰檀子齊臣檀姓子男子美稱大夫皆稱子盼子田盼也黔夫及種首皆臣名事悉具戰國策〕使守南城則楚人不敢爲寇東取泗上十二諸侯皆來朝〔索隱曰邾莒宋魯之比〕吾臣有盼子者使守高唐則趙人不敢東漁於河吾吏有黔夫者使守徐州則燕人祭北門趙人祭西門〔賈逵曰齊之北門西門也言燕趙之人畏見侵伐故祭以求福〕徙而從者七千餘家吾臣有種首者使備

盜賊則道不拾遺將以照千里豈特十二乘哉梁惠王慙不懌而去二十六年魏惠王圍邯鄲趙求救於齊齊威王召大臣而謀曰救趙孰與勿救騶忌子曰不如勿救段干朋曰不救則不義且不利威王曰何也對曰夫魏氏并邯鄲其於齊何利哉且夫救趙而軍其郊是趙不伐而魏全也故不如南攻襄陵正義曰襄陵故城在兗州鄒縣也以弊魏邯鄲拔而乘魏之弊威王從其計其後成侯騶忌與田忌不善公孫閱謂成侯忌曰索隱曰戰國策作公孫閱公何不謀伐魏田忌必將戰勝有功則公之

謀中也戰不勝非前死則後北而命在公矣於是成侯言威王使田忌南攻襄陵十月邯鄲拔齊因起兵擊魏大敗之桂陵（索隱曰在威王二十六年○正義曰在曹州乘氏縣東北二十一里）於是齊最彊於諸侯自稱為王以令天下三十三年殺其大夫牟辛（徐廣曰一作夫人○索隱曰牟辛大夫姓字也徐廣與年表並作夫人王劭按紀年云齊桓公十一年弒其君母宣王八年殺其王后然則夫人之字或如紀年之說）三十五年公孫閱又謂成侯忌曰公何不令人操十金卜於市曰我田忌之人也吾三戰而三勝聲威天下欲為大事亦吉乎不吉乎卜者出因令人捕為之卜者驗其辭於王之所田忌聞

之因遂率其徒襲攻臨淄求成侯不勝而犇索隱曰按戰國策田忌前敗魏於馬陵因被讒不得入齊歷十年乃出奔也是時齊都臨淄且孟嘗君列傳云田忌襲齊之邊邑其言為得即與系家不同也三十六年威王卒子宣王辟彊立

宣王元年秦用商鞅周致伯於秦孝公二年魏伐趙趙與韓親共擊魏趙不利戰於南梁索隱曰晉太康地記曰戰國謂梁為南梁者別之於大梁少梁也。正義曰括地志云故梁在汝州西南二百步晉太康地記云戰國時謂南梁者別之於太梁少梁也古蠻子邑也宣王召田忌復故位韓氏請救於齊宣王召大臣而謀曰蚤救孰與晚救騶忌子曰不如勿救田忌曰弗救則韓且折而入於魏不如蚤救之索隱曰紀年威王十四年田盼伐梁戰馬陵戰國策云南梁之難有

田敬仲完世家十二

張田對云早救之此云鄒忌者王劭云此時鄒忌死已四年又齊威此時未稱王故戰國策謂之田侯今此以田侯爲宣王又撗稱鄒忌者盡此說皆誤耳孫子曰索隱曰孫臏夫韓魏之兵未弊而救之是吾代韓受魏之兵顧反聽命於韓也且魏有破國之志韓見亡必東面而愬於齊矣吾因深結韓之親而晚承魏之弊則可重利而得尊名也宣王曰善乃陰告韓之使者而遣之韓因恃齊五戰不勝而東委國於齊齊因起兵使田忌田嬰將徐廣曰嬰一作朌孫子爲師救韓趙以擊魏大敗之馬陵索隱曰在宣王二年殺其將龐涓虜魏太子

[illegible]城在鄧州向城縣東南四十五里盟而去徐廣曰表云三年與趙會博望伐魏七年與魏王會平阿南正義曰沛郡平阿縣也明年復會甄魏惠王卒索隱曰按紀年梁惠王乃是齊湣王為東帝秦昭王為西帝時此時梁惠王改元稱一年未卒也而系家及其後即為魏襄王之年又以此文當齊宣王時實所不能詳考明年與魏襄王會徐州諸侯相王也十年楚圍我徐州十一年與魏伐趙趙決河水灌齊魏兵罷十八年秦惠王稱王宣王喜文學游說之士自如騶衍淳于髡正義曰髡音齊之稷下先生也田駢正義曰白眠反藝文志云田駢齊人遊稷下號天口駢作田子二十五篇也接子正義曰齊人藝文志云接子二篇在道家流慎到正義曰趙人戰國時處士藝文志云作慎子四十二篇也環淵正義曰楚人孟子傳云環淵著書上下篇也之徒七十六人

皆賜列第爲上大夫不治而議論是以齊稷下學士復盛且數百千人（劉向別録曰齊有稷門城門也談説之士期會於稷下也○索隱曰齊地記曰齊城西門側系水左右有講室趾往往存焉蓋因側系水故曰稷門古側稷音相近耳又虞喜曰齊有稷山立館其下以待游士亦異説也春秋傳曰莒子如齊盟于稷門是也）十九年宣王卒子湣王地立（索隱曰系本名遂）湣王元年秦使張儀與諸侯執政會于齧桑三年封田嬰於薛四年迎婦于秦七年與宋攻魏敗之觀澤十二年攻魏楚圍雍氏（徐廣曰在陽翟屬韓）秦敗屈丐蘇代謂田軫曰臣願有謁於公其爲事甚完使楚利公成爲福不成亦爲福今者臣立於門客有言曰魏王謂韓馮

張儀曰（徐廣曰韓之公仲侈也）煮棗將拔（徐廣曰在濟陰冤朐）齊兵又進子來救寡人則可矣不救寡人寡人弗能拔（索隱曰能猶勝也言不勝其拔故聽齊拔之耳）此特轉辭也秦韓之兵毋東旬餘則魏氏轉韓從秦秦逐張儀（索隱曰逐謂隨逐也）交臂而事齊楚此公之事成也田軫曰奈何使無東對曰韓馮之救魏之辭必不謂韓王曰馮以爲魏必曰馮將以秦韓之兵東却齊宋馮因摶（徐廣曰音專專猶并合制領之謂也○索隱曰摶音團謂握領也徐亦通）三國之兵乘屈丐之弊南割於楚故地必盡得之矣張儀救魏之辭必不謂秦王曰儀以爲魏必曰儀且以秦韓之兵

東距齊宋儀將搏三國之兵乘屈丐之弊正義曰屈丐楚將爲秦所敗今更欲兼之南割於楚名存亡國實伐三川而歸索隱曰三川韓也此王業也公令楚王與韓氏地索隱曰公謂陳軫使秦制和謂秦王曰請與韓地而王以施三川正義曰施張設也言秦王於天子都張設迫脅也韓氏之兵不用而得地於楚韓馮之東兵之辭且謂秦何曰秦兵不用而得三川伐楚韓以窘魏魏氏不敢東是孤齊也張儀之東兵之辭且謂何曰秦韓欲地而兵有案聲威發於魏魏氏之欲不失齊楚者有資矣魏氏轉秦韓爭事齊楚楚王欲而無與地

不欲與韓地也公令秦韓之兵不用而得地有

大德也正義曰蘇代謂陳軫令秦韓之兵不戰伐而得地陳軫於秦韓豈不有大恩德秦韓之

王劫於韓馮張儀而東兵以徇服魏公常執左

券以責於秦韓索隱曰券要也左不正也言我以右執其左而責其之。○正義曰左券下右券上也蘇代說陳軫以上券令秦韓不用兵得地而以券責秦韓卻韓馮張儀以徇服魏故秦韓善陳軫而惡張儀多取矣

此其善於公而惡張子多資矣十二年秦惠王

卒二十三年與秦擊敗楚於重丘徐廣曰表曰與秦擊楚使公子將大有功二十四年秦使涇陽君質於齊二十五年歸

涇陽君于秦孟嘗君薛文入秦即相秦文亡去

二十六年徐廣曰孟嘗君爲相齊與韓魏共攻秦至函谷軍

焉二十八年秦與韓河外以和兵罷二十九年
趙殺其主父齊佐趙滅中山徐廣曰三十年田甲劫王相薛文走三十
六年王爲東帝秦昭王爲西帝蘇代自燕來入
齊見於章華東門左思齊都賦註曰齊小城北門也而此言東門不知爲是一門非耶？正義曰括地志云齊城章華之東有閭門武鹿門也齊王曰嘻善子來秦使魏
冉致帝子以爲何如對曰王之問臣也卒而患
之所從來微願王受之而勿備稱也秦稱之天
下安之王乃稱之無後也且讓爭帝名無傷也
秦稱之天下惡之王因勿稱以收天下此大資
也且天下立兩帝王以天下爲尊齊乎尊秦乎

哉或在

王曰尊秦曰釋帝天下愛齊乎愛秦乎王曰愛齊而憎秦曰兩帝立約伐趙孰與伐桀宋之利宋世家云宋王偃諸侯皆曰桀宋也王曰伐桀宋利對曰夫約鈞然與秦爲帝而天下獨尊秦而輕齊釋帝則天下愛齊而憎秦伐趙不如伐桀宋之利故願王明釋帝以收天下倍約賓秦無爭重而王以其間舉宋夫有宋衛之陽地危陽地濮陽之地。正義曰按衛此時河南獨有濮陽也有濟西趙之阿東國危正義曰阿東阿也爾時屬趙故云東国危有淮北楚之東國危正義曰淮北徐泗也東国謂下相僮取慮也有陶平陸梁門不開正義曰陶定陶今曹州也平陸兖州縣也縣在大梁東界釋帝而貸之以伐桀宋之事國重而名尊燕楚所以形服天下莫敢不聽此湯武之舉也敬秦以爲名而後使天下憎之此所謂以卑爲尊者也願王孰慮之於是齊去帝復爲王秦亦去帝位三十八年伐宋秦昭王怒曰吾愛宋與愛新城陽晉正義曰括地志云新城故城在宋州宋城縣界陽晉故城在曹州乘氏縣西北三十七里同韓聶與吾友也而攻吾所愛何也蘇代爲齊謂秦王曰韓聶之攻宋所以爲王也齊彊輔之以宋楚魏必恐恐必西事秦是王不煩一兵不傷一士無事而割安邑也正義曰年表云秦昭王二十一年魏納安邑及河內此韓聶之所禱於王也秦

[illegible]齊之難知一從一衡其說何也對曰

天下國令齊可知乎齊以攻宋其知事秦以萬乘之國自輔不西事秦則宋治不安索隱曰戰國策作宋地不安中國白頭游敖之士皆積智欲離齊秦之交伏式結軼西馳者未有一人言善齊者也索隱曰軼音姪軼者車轍也言東轍往還如結也戰國策作結軔伏式東馳者未有一人言善秦者也何則皆不欲齊秦之合也何晉楚之智而齊秦之愚也晉楚合必議齊秦齊秦合必圖晉楚請以此決事秦王曰諾於是齊遂伐宋宋王出亡死於溫正義曰懷州有溫城齊南割楚之淮北西

侵三晉欲以并周室為天子泗上諸侯鄒魯之君皆稱臣諸侯恐懼三十九年秦來伐拔我列城九四十年燕秦楚三晉合謀各出銳師以伐敗我濟西（徐廣曰案其餘諸傳無楚伐齊事年表云楚取淮北）王解而卻燕將樂毅遂入臨淄盡取齊之寶藏器湣王出亡之衛衛君辟宮舍之稱臣而共具湣王不遜衛人侵之湣王去走鄒魯有驕色鄒魯君弗內遂走莒楚使淖齒將兵救齊（索隱曰淖音女教反）因相齊湣王淖齒遂殺湣王而與燕共分齊之侵地鹵器（正義曰鹵掠齊寶器也）湣王之遇殺其子法章變名姓為莒太史敫

戰國齊策齊亡臣

徐廣曰音躍一音皎家庸太史敫女奇法章狀貌以爲非恒人憐而常竊衣食之而與私通焉淖齒既以去莒莒中人及齊亡臣相聚求湣王子欲立之法章懼其誅己也久之乃敢自言我湣王子也於是莒人共立法章是爲襄王以保莒城而布告齊國中王已立在莒矣襄王既立立太史氏女爲王后是爲君王后生子建太史敫曰女不取媒因自嫁非吾種也汙吾世終身不覩君王后君王后賢不以不覩故失人子之禮襄王在莒五年田單以即墨攻破燕軍迎襄王於莒入臨

莒齊故地盡復屬齊齊封田單爲安平君【正義曰安平城在青州臨淄縣東十九里古紀之酅邑也】十四年秦擊我剛壽十九年襄王卒子建立王建立六年秦攻趙齊楚救之秦計曰齊楚救趙親則退兵不親遂攻之趙無食請粟於齊齊不聽周子曰【索隱曰蓋齊之謀臣失名也戰國策以周子爲蘇秦而楚字皆作燕然此時蘇秦死已久矣】不如聽之以退秦兵不聽則秦兵不却是秦之計中而齊楚之計過也且趙之於齊楚扞蔽也【正義曰此時秦伐趙上黨欲克無竟伐齊楚故言趙之於齊楚爲扞蔽也】猶齒之有脣也脣亡則齒寒今日亡趙明日患及齊楚且救趙之務宜若奉漏甕沃焦釜也夫

奉青赫

救趙高義也卻秦兵顯名也義救亡國威卻彊
秦之兵不務為此而務愛粟為國計者過矣齊
王弗聽秦破趙於長平四十餘萬遂圍邯鄲十
六年秦滅周君王后卒二十三年秦置東郡二
十八年王入朝秦秦王政置酒咸陽三十五年
秦滅韓三十七年秦滅趙三十八年燕使荊軻
刺秦王秦王覺殺軻明年秦破燕燕王亡走遼
東明年秦滅魏秦兵次於歷下四十二年秦滅
楚明年虜代王嘉滅燕王喜四十四年秦兵擊
齊齊王聽相后勝計不戰以兵降秦秦虜王建

遷之共（地理志河內有共縣○正義曰今衛州共城縣也）遂滅齊爲郡天下壹并於秦秦王政立號爲皇帝始君王后賢事秦謹與諸侯信齊亦東邊海上秦日夜攻三晉燕楚五國各自救於秦以故王建立四十餘年不受兵君王后死后勝相齊多受秦間金多使賓客入秦秦又多予金客皆爲反間勸王去從朝秦不脩攻戰之備不助五國攻秦秦以故得滅五國五國已亡秦兵卒入臨淄民莫敢格者王建遂降遷於共故齊人怨王建不蚤與諸侯合從攻秦聽姦臣賓客以亡其國歌之曰松耶

正義曰田乞殺悼公田常殺簡公也

栢耶住建共者客耶徐廣曰戰國策曰秦與齊建於共松栢間也。索隱曰耶音邪謂是建客耶客說建往言遂乃失策令建遷共共今在河內也疾建用客之不詳也索隱曰謂不詳審用客不知其善否也

太史公曰蓋孔子晚而喜易易之為術幽明遠矣非通人達才孰能注意焉故周太史之卦田敬仲完占至十世之後及完奔齊懿仲卜之亦云田乞及常所以比犯二君索隱曰比如字又頻律反二君即悼公簡公也僖子廢晏孺子鮑牧以乞故殺悼公而成子又殺簡公故云田氏比犯二君也專齊國之政非必事勢之漸然也蓋若遵厭兆祥云

索隱述贊曰

正義曰歐一冊又田僖子廢晏孺及田成子殺二君非是文勢之漸使如此疑似遵奉厭樣之兆吉祥云

又

田完避難　奔于大姜　始辭羈旅
終然鳳皇　物莫兩盛　代五其昌
二君比犯　三晉爭疆　和始擅命
威遂稱王　濟急燕趙　弟列康莊
秦假東帝　莒立法章　王建失國
松栢蒼々

史伍阡捌伯壹拾柒字

註叁阡伍伯柒拾伍字

田敬仲完世家第十六　史記四十六

二十一

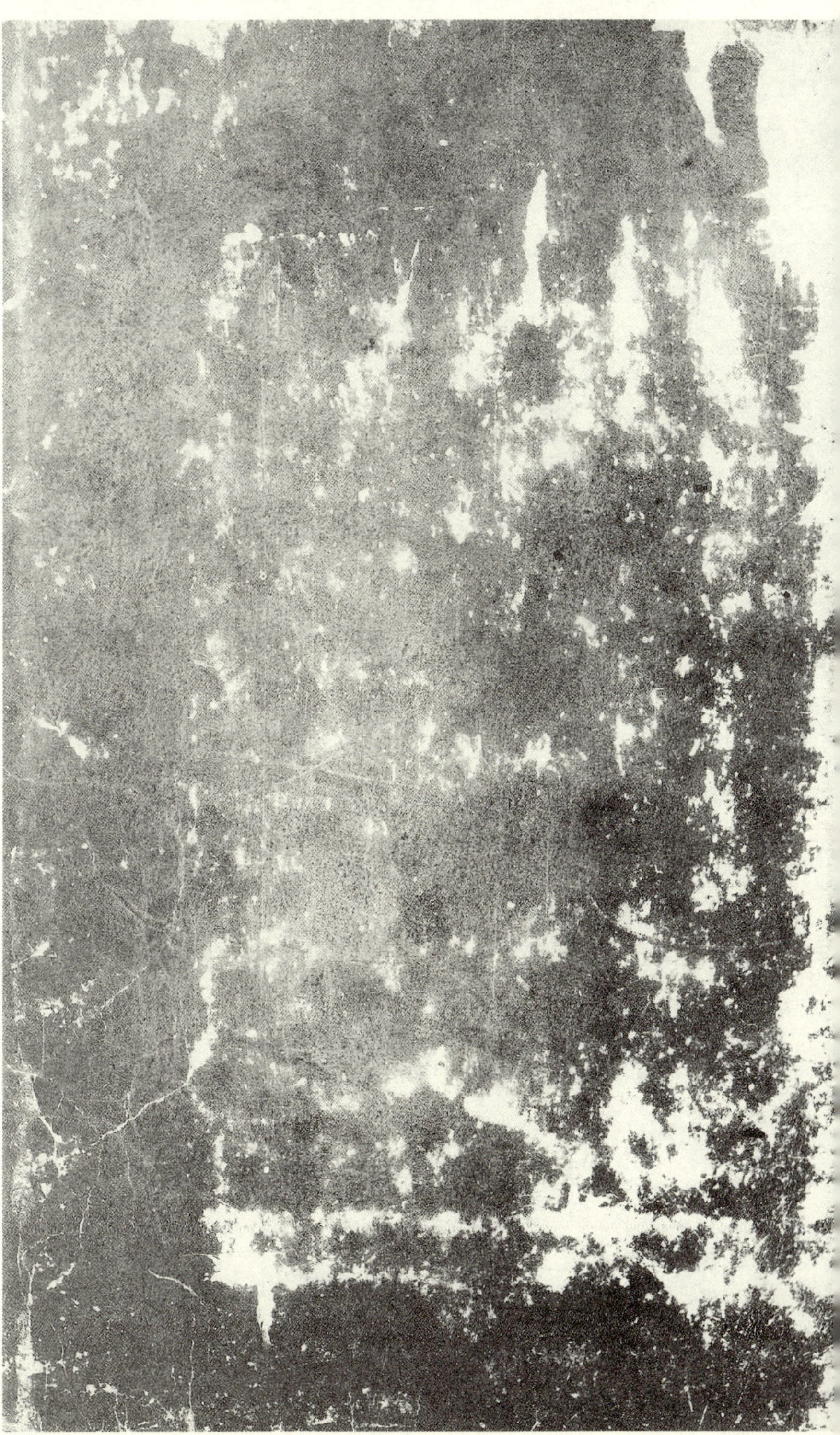

史記世家　五十

孔子

孔子世家第十七　史記四十七

索隱曰敎化之主吾之師也爲帝王之儀表示人倫之準的自子思以下代有哲人繼世象賢誠可仰同列國前史既定吾無間然又孔子非有諸侯之位而亦稱系家者以是聖人爲敎化之主又代有賢哲故亦稱系家焉○正義曰孔子無侯伯之位而稱世家者太史公以孔子布衣傳十餘世學者宗之自天子王侯中國言六藝者宗於夫子可謂至聖故爲世家

孔子生魯昌平鄉陬邑徐廣曰陬音騶孔安國曰陬孔子父叔梁紇所治邑○索隱曰陬是邑名昌平鄉號孔子居魯之鄒邑昌平鄉之闕里也○正義曰括地志云故鄒城在兗州泗水縣東南六十里昌平山在泗水縣南六十里孔子生昌平鄉蓋鄉取山爲名故闕里在泗水縣南五十里輿地志云鄒城西界闕里有尼丘山按今尼丘山在兗州鄒城闕里即此也括地志云兗州曲阜縣魯城西南三里有闕里中有孔子宅宅中有朝伍緝之從征記云闕里背鄒面泗即此也按夫子生在鄒長後徙曲阜仍號闕里**其先宋人也曰孔**

防叔索隱曰家語孔子宋微子之後宋襄公生弗父何以讓弟厲公弗父何生宋父周周生世子勝勝生正考父正考父生孔父嘉五世親盡別爲公族姓孔氏孔父生子木金父金父生睪夷睪夷生防叔畏華氏之逼而奔魯故孔氏爲魯人防叔生伯夏伯夏生叔梁紇正義曰括地志云叔梁紇廟亦名尼丘山祠在兗州泗水縣五十里尼丘山東趾地里志云魯縣有尼丘山有叔梁紇廟紇與顏氏女野合而生孔子索隱曰家語云梁紇娶魯之施氏生九女其妾生孟皮孟皮病足乃求婚於顏氏徵在從父命爲婚其文甚明今此云野合者蓋謂梁紇老而徵在少非當壯室初笄之禮故云野合謂不合禮儀故論語云野哉由也又先進於禮樂野人也皆言野者是不合禮耳。正義曰男八月生齒八歲毀齒二八十六陽道通八八六十四陽道絕女七月生齒七歲毀齒二七十四陰道通七七四十九陰道絕婚姻過此者皆爲野合故家語云梁紇娶魯施氏女生九女乃求婚爲顏氏顏氏有三女小女徵在據此婚過六十四明禱於尼丘得孔子魯襄公二十二年而孔子生索隱曰公羊傳襄公二十一年十有一月庚子孔子

正義曰梁紇葬時徵在既少後不能數往忘其的處

生今以爲二十二年盖以周正十一月屬明年故誤也後序孔子卒云七十二歲每少一歲也生而首上圩頂索隱曰圩音烏頂音鼎圩鼎言頂上窊也故孔子頂如一反宇反宇者若屋宇之反中低而四傍高也○正義曰括地志云女陵山在曲阜縣南二十八里干寶三日紀云徵在生孔子空桑之地今名空竇在魯南山之空竇中無水當祭時洒掃以告輒有清泉自石門出足以周用祭訖泉枯今俗名女陵山故因名曰丘云字仲尼姓孔氏丘生而叔梁紇死索隱曰家語云生三歲而梁紇死葬於防山正義曰括地志云防山在兖州曲阜縣東二十五里禮記云孔子母合葬於防也防山在魯東由是孔子疑其父墓處母諱之也索隱曰謂孔子少孤不的知父墳處非謂不知其營地徵在羞適於梁紇無幾而老死是以少寡蓋以爲嫌不從送葬故不知墳處遂不告耳非諱之也孔子爲兒嬉戲常陳俎豆正義曰俎豆以木爲之受四升高尺二寸大夫以上赤雲氣諸侯加象飾足天子玉飾也設禮容孔子母死乃殯

注今或作於

云或无

注上或作五

五父之衢正義曰括地志云五父衢在兗州曲阜縣西南二里魯城內衢道也蓋其慎也徐廣曰魯縣有闕里孔子所居也又有五父之衢也○索隱曰謂孔子不知父墓乃且殯其母於五父之衢是其謹慎也○正義曰慎謂以紼引柩就殯所也郰人正義郰上音鄒輓父之母誨孔子父墓然後往合葬於防焉孔子要絰季氏饗士孔子與往正義曰與音預季氏為饌飲魯文學之士孔子與迎而往陽虎以孔子少故折之也陽虎絀曰季氏饗士非敢饗子也索隱曰家語孔子之母喪既練而見不非之也今此謂孔子實要絰與饗為陽虎所絀亦近誣矣一作要經要經猶帶經也故劉氏云嗜學之意是也孔子由是退孔子年十七魯大夫孟釐子病且死索隱曰昭七年左傳云孟僖子病不能相禮乃講學之及其將死召大夫云云按謂病者不能禮為病非疾困之謂也至二十四年僖子卒賈逵云仲尼時年三十五矣是此文誤也誡其嗣懿子曰孔丘聖

人之後服虔曰聖人謂商湯滅於宋杜預曰孔子六世祖孔父嘉為宋督所殺其子奔魯也
其祖弗父何始有宋而嗣讓厲公杜預曰弗父何孔父嘉之高祖
宋愍公之長子厲公之兄也何嫡嗣當立以讓厲公也及正考父佐戴武宣公
服虔曰正考父弗父何之曾孫三命茲益恭故鼎銘云杜預曰三命上卿也考父
廟之鼎銘一命而僂再命而傴三命而俯服虔曰僂傴俯皆恭敬之貌也
循牆而走杜預曰言不敢安行亦莫敢余侮杜預曰其恭如是人亦不敢侮慢
饘於是粥於是以餬余口杜預曰於是鼎中為饘粥饘粥餬屬言至儉也
恭如是吾聞聖人之後雖不當世必有達者服虔
曰謂若弗父何殺湯之後而不繼世為宋君也杜預曰聖人之後有明德而不當大位謂正考父今孔丘
年少好禮其達者歟吾即沒若必師之及釐子

左傳昭七年傳
宣公宋杜注
三人皆宋君

懿子與魯人南宮敬叔往學禮焉索隱曰左傳及系本敬叔與懿子皆孟僖子之子不應更言魯人亦太史公之疏耳是歲季武子卒平子代立孔子貧且賤及長嘗為季氏史索隱曰有本作委吏按趙岐曰委吏主委積倉庾之吏料量平嘗為司職吏而畜蕃息由是為司空已而去魯斥乎齊逐乎宋衛困於陳蔡之間於是反魯孔子長九尺有六寸人皆謂之長人而異之魯復善待由是反魯魯南宮敬叔言魯君曰請與孔子適周索隱曰莊子云孔子年五十一南見老聃蓋系家亦依此為說而不究其言遂俱誤也何者孔子適周豈訪禮之時即在十七耶且孔子見老聃云甚矣道之難行也此非十七之人語也乃既仕之後言耳魯君與之一乘車兩馬一豎子俱

適周問禮蓋見老子云辭去而老子送之曰吾聞富貴者送人以財索隱曰莊周財作軒仁人者送人以言吾不能富貴竊仁人之號王肅曰謙言竊仁者之名送子以言曰聰明深察而近於死者好議人者也博辯廣大危其身者發人之惡者也爲人子者毋以有己王肅曰身父母之有○索隱曰家語作無以有己爲人子者爲人臣者毋以有己索隱曰家語作無以惡己爲人臣者王肅云言聽則仕不用則去保身全行臣之節也孔子自周反于魯弟子稍益進焉是時也晉平公淫六卿擅權東伐諸侯楚靈王兵彊陵轢中國齊大而近於魯魯小弱附於楚則晉怒附於晉則楚來伐

不備於齊齊師侵魯魯昭公之二十年而孔子蓋年三十矣齊景公與晏嬰來適魯景公問孔子曰昔秦穆公國小處辟其霸何也對曰秦國雖小其志大處雖辟行中正身舉五羖正義曰百里奚也爵之大夫起纍紲之中索隱曰家語無此孟子以為不然之言也與語三日授之以政以此取之雖王可也其霸小矣景公說孔子年三十五而季平子與郈昭伯以鬬雞故正義曰郈音后括地志云鬬雞臺二所相去十五步在兗州曲阜縣東南三里魯城中左傳昭二十五年季氏與郈昭伯鬬雞季氏芥雞翼郈氏為金距之處得罪魯昭公昭公率師擊平子平子與孟氏叔孫氏三家共攻昭公昭

孔子世家

公師敗奔於齊齊處昭公乾侯正義曰相州城安縣東南三十里斥丘故城本春秋時乾侯之邑其後頃之魯亂孔子適齊爲高昭子家臣欲以通乎景公與齊太師語樂聞韶音學之三月不知肉味周氏曰孔子在齊聞習韶樂之盛美故忘於肉味也○索隱曰按論語子語魯太師樂非齊太師也又子在齊聞韶三月不知肉味無學之文今此合論語齊魯兩文而爲此言恐失事實齊人稱之景公問政孔子孔子曰君君臣臣父父子子孔安國曰當此之時陳恒制齊君不君臣不臣故以此對也景公曰善哉信如君不君臣不臣父不父子不子雖有粟吾豈得而食諸孔安國曰言將危也陳氏果滅齊他日又復問政於孔子孔子曰政在節財景公說將欲以尼谿田封孔

子[索隱曰此說出晏子及墨子其文微異]晏嬰進曰夫儒者滑稽而不可軌法倨傲自順不可以爲下崇喪遂哀破産厚葬不可以爲俗游說乞貸不可以爲國自大賢之息周室既衰禮樂缺有閒[索隱曰息若生也言上古大賢生則有禮樂至周室微而始缺有間也]今孔子盛容飾繁登降之禮趨詳之節累世不能殫其學當年不能究其禮君欲用之以移齊俗非所以先細民也後景公敬見孔子不問其禮異日景公止孔子曰奉子以季氏吾不能以季孟之閒待之[孔安國曰魯三卿季氏爲正卿最貴孟氏爲下卿不用事言待之以二者之間也◎索隱曰劉氏奉音扶用反非也今奉音如字謂奉待孔子如魯季氏之職故下文云]

以季孟之間待之也齊大夫欲害孔子孔子聞之景公曰吾老矣弗能用也孔子遂行反乎魯孔子年四十二魯昭公卒於乾侯定公立定公立五年夏季平子卒桓子嗣立季桓子穿井得土缶中若羊韋昭曰羊生羊也故謂之怪也○索隱曰家語云桓子穿井於費得物如土缶其中有羊焉是也問仲尼云得狗韋昭曰獲羊而言狗者以孔子博物測之仲尼曰以丘所聞羊也丘聞之木石之怪夔罔閬韋昭曰木石謂山也或云夔一足越人謂之山繅也或言獨足魍魎山精好斆人聲而迷惑人也○索隱曰夔音逵閬音兩家語作魍魎繅音騷然山繅獨一足是山神名故謂之夔夔一足獸狀如人也水之怪龍罔象韋昭曰龍神獸也非當見故曰怪或云罔象食人一名沐腫○索隱曰沐腫音木鍾土之怪墳羊唐固曰墳羊雌雄未成者也吳伐越

正義曰梅胥屋兩廟

綱紀當作紀綱

墮會稽王肅曰墮壞毁也○索隱曰會稽山名越之所都墮亦毁也吳伐越在魯哀元年得骨節專車韋昭曰骨一節其長專車專擅也吳使使問仲尼骨何者最大仲尼曰禹致羣神於會稽山韋昭曰羣神謂主山川之君爲羣神之主故謂之神也防風氏後至禹殺而戮之韋昭曰防風氏違命後至故禹殺之陳尸爲戮其節專車此爲大矣吳客曰誰爲神仲尼曰山川之神足以綱紀天下其守爲神王肅曰守山川之祀者爲神謂諸侯也韋昭曰足以綱紀天下謂名山大川能興雲致雨以利天下也社稷爲公侯王肅曰但守社稷無山川之祀者直爲公侯而已皆屬於王者客曰防風何守仲尼曰汪罔氏之君守封禺之山韋昭曰封封山禺禺山在吳郡永安縣驅案晉太康元年改永安爲武康縣今屬吳興郡爲釐姓索隱曰釐音僖家語云姓漆蓋誤系本無漆姓在

氏　胥

虞夏商爲汪罔於周爲長翟今謂之大人王肅曰周之初及當孔子之時其名異也客曰人長幾何仲尼曰僬僥氏三尺短之至也韋昭曰僬僥西南蠻之別名也案括地志在大秦國北也長者不過十之數之極也王肅曰十之謂三丈也數極於此也於是吳客曰善哉聖人

桓子嬖臣曰仲梁懷與陽虎有隙陽虎欲逐懷公山不狃止之孔安國曰不狃爲季氏宰○索隱曰狃音女九反鄒氏云一作蹂論語作弗擾其秋懷益驕陽虎執懷桓子怒陽虎因囚桓子與盟而醳之正義曰醳音釋陽虎由此益輕季氏季氏亦僭於公室陪臣執國政是以魯自大夫以下皆僭離於正道故孔子不仕退而脩詩書禮樂弟子

衆至自遠方莫不受業焉定公八年公山不狃不得意於季氏因陽虎爲亂欲廢三桓之適（正義曰適音嫡）更立其庶孽陽虎素所善者遂執季桓子桓子詐之得脫定公九年陽虎不勝奔于齊是時孔子年五十公山不狃以費畔季氏使人召孔子孔子循道彌久溫溫無所試莫能己用曰蓋周文武起豐鎬而王（索隱曰檢家語及孔氏之書並無此言故桓譚亦以爲誣也）今費雖小儻庶幾乎欲往子路不說止孔子孔子曰夫召我者豈徒哉如用我其爲東周乎（何晏曰興周道於東方故曰東周也）然亦卒不行其後定公以孔子爲

中都宰一年四方皆則之［索隱曰家語作西方王肅云魯國近東故西方諸侯皆取法則焉］由中都宰為司空由司空為大司寇定公十年春及齊平［索隱曰及與也平成也謂與齊和好故云平］夏齊大夫黎鉏言於景公曰魯用孔丘其勢危齊乃使使告魯為好會會於夾谷［徐廣曰司馬彪云今在祝其縣也］魯定公且以乘車好往孔子攝相事曰臣聞有文事者必有武備有武事者必有文備古者諸侯出疆必具官以從請具左右司馬定公曰諾具左右司馬會齊侯夾谷為壇位土階三等以會遇之禮相見［王肅曰會遇之禮禮之簡略也］揖讓而登獻酬之禮畢齊有司

鼓噪　旍音精

趨而進曰請奏四方之樂景公曰諾於是旍旄羽袚矛戟劍撥鼓噪而至（索隱曰家語作萊人以兵鼓噪劫定公袚音弗謂舞者所執故周禮謂有袚舞撥音伐撥謂大楯也）孔子趨而進歷階而登（索隱曰歷階謂歷階級也故王肅云歷階登階不聚足）不盡一等舉袂而言曰吾兩君爲好會夷狄之樂何爲於此請命有司有司卻之不去則左右視晏子與景公景公心怍麾而去之有頃齊有司趨而進曰請奏宮中之樂景公曰諾優倡侏儒爲戲而前孔子趨而進歷階而登不盡一等曰匹夫而熒惑諸侯者罪當誅（索隱曰熒惑謂經熒而惑亂也家語作熒侮）請命有司有司加法焉手足

孔子世家八

若從也

畏處景公懼而動知義不若歸而大恐告其羣臣曰魯以君子之道輔其君而子獨以夷狄之道教寡人使得罪於魯君為之奈何有司進對曰君子有過則謝以質小人有過則謝以文君若悼之則謝以實於是齊侯乃歸所侵魯之鄆汶陽龜陰之田正義曰鄆今鄆州鄆城縣在兗州龔丘縣東北五十四里故謝城在龔丘縣東七十里齊歸侵魯龜陰之田以謝魯魯築城於此以旌孔子之功因名謝城以謝過服虔曰三田汶陽田也龜山名陰之田得其田不得其山也杜預曰太山博縣北有龜山○索隱曰左傳鄆讙及龜陰之田則三田皆在汶陽也定公十三年夏孔子言於定公曰臣無藏甲大夫毋百雉之城王肅曰高丈長丈曰堵三堵曰雉使仲由為季

皆者

正義曰斂力艷切處昌汝反父音甫杜預曰處父孟氏家臣成宰公斂陽也斂處父此云非也見左傳

氏宰將墮三都服虔曰三都三家之邑也於是叔孫氏先墮郈杜預曰東平無鹽縣東南郈鄉亭。正義曰括地志云郈亭在鄆州宿城縣東三十二里季氏將墮費公山不狃叔孫輒率費人襲魯公與三子入于季氏之宮服虔曰三子季孫孟孫叔孫也登武子之臺費人攻之弗克入及公側服虔曰人有入及公之臺側孔子命申句須樂頎下伐之服虔曰申句須樂頎魯大夫費人北國人追之敗諸姑蔑杜預曰魯國卞縣南有姑蔑城。正義曰括地志云姑蔑故城在兗州泗水縣東四十五里按泗水縣本漢卞縣地二子奔齊遂墮費將墮成杜預曰泰山鉅平縣東南有成城也。正義曰括地志云郕鄉城在兗州泗水縣西北五十里公斂處父服虔曰成宰也謂孟孫曰墮成齊人必至于北門且成孟氏之保鄣無成是無

孔子世家九

孟氏也我將弗墮十二月公圍成弗克定公十四年孔子年五十六由大司寇行攝相事有喜色門人曰聞君子禍至不懼福至不喜孔子曰有是言也不曰樂其以貴下人乎於是誅魯大夫亂政者少正卯與聞國政三月粥羔豚者弗飾賈男女行者別於塗塗不拾遺四方之客至乎邑者不求有司（王肅曰有司常供其職客求而有在也）皆予之以歸（索隱曰家語作皆如歸）齊人聞而懼曰孔子為政必霸霸則吾地近焉我之為先并矣盍致地焉犁鉏曰請先嘗沮之沮之而不可則致地庸遲乎於是選

齊國中女子好者八十人皆衣文衣而舞康樂（索隱曰家語作容璣王肅云舞曲名也）文馬三十駟遺魯君陳女樂文馬於魯城南高門外季桓子微服往觀再三將受乃語魯君為周道游往觀終日（索隱曰謂請魯君為周徧道路游行因出觀齊之女樂）怠於政事子路曰夫子可以行矣孔子曰魯今且郊如致膰乎大夫（王肅曰膰祭肉）則吾猶可以止桓子卒受齊女樂三日不聽政郊又不致膰俎於大夫孔子遂行宿乎屯（屯在魯之南也。索隱曰屯地名）而師已送曰夫子則非罪孔子曰吾歌可夫歌曰彼婦之口可以出走彼婦之謁可以死敗（王肅曰言婦人之口請謁足以憂使人死敗故可以出走也蓋優哉游哉維以卒歲王肅曰言仕不遇也故且優游以終歲師已反桓子曰孔子亦何言師已以實告桓子喟然歎曰夫子罪我以羣婢故也夫

孔子遂適衛主於子路妻兄顏濁鄒家索隱曰孟子曰孔子於衛主顏讎由彌子之妻與子路之妻兄弟也今此云濁鄒是子路之妻兄所說不同衛靈公問孔子居魯得祿幾何對曰奉粟六萬衛人亦致粟六萬索隱曰若六萬石似太多當是六萬斗亦與漢之秩祿不同○正義曰六萬小斗計當今二千石也周之斗升斤兩皆用小也居頃之或譖孔子於衛靈公靈公使公孫余假一出一入索隱曰謂以兵仗出入以脅夫子也孔子恐獲罪焉居十月去衛將適陳過匡正義曰故匡城在滑州匡城縣南十里顏刻為

僕以其策指之曰昔吾入此由彼缺也索隱曰謂昔所被攻缺破之處也。正義曰琴操云孔子到匡郭外顏淵舉策指匡穿垣曰往與陽貨正從此入匡人聞其言告君曰往者陽貨今復來乃率衆圍孔子數日乃和琴而歌音曲甚哀有暴風擊軍士僵仆於是匡人乃知孔子聖人自解也匡人聞之以為魯之陽虎陽虎嘗暴匡人匡人於是遂止孔子索隱曰匡宋邑也家語云匡人簡子以甲士圍夫子孔子狀類陽虎拘焉五日顏淵後孔安國曰言與孔子相失故在後也子曰吾以汝為死矣顏淵曰子在回何敢死包氏曰言夫子在已無所致死也匡人拘孔子益急弟子懼孔子曰文王既沒文不在茲乎孔安國曰茲此也言文王雖已沒其文見在此此自謂其身也天之將喪斯文也後死者不得與于斯文也孔安國曰文王既沒故孔子自謂後死也言天將喪

淵作刻

此文者本不當使我知之今使我知之未欲喪之也天之未喪斯文也匡人其如予何馬融曰如予何猶言奈我何也天未喪此文則我當傳之匡人欲奈我何言不能違天以害己孔子使從者爲甯武子臣於衛然後得去索隱曰家語子路彈劍而歌孔子和之曲三終匡人解圍而去今此取論語文王既沒之文及從者臣甯武子然後得去蓋夫子再厄匡人或設辭以解圍或彈劍而釋難今此合論語家語之文以爲一事故彼此文交互耳去即過蒲徐廣曰長垣縣有匡城蒲鄉○正義曰括地志云故蒲城在滑州匡城縣北十五里匡城本漢長垣縣月餘反乎衛主蘧伯玉家靈公夫人有南子者使人謂孔子曰四方之君子不辱欲與寡君爲兄弟者必見寡小君寡小君願見孔子辭謝不得已而見之夫人在絺帷中孔子入門北面稽首夫人自

帷中再拜環珮玉聲璆然（正義曰璆音虬）孔子曰吾鄉為弗見見之禮答焉（索隱曰上見如字下見音現言我不爲相見之禮觀而答之）子路不說孔子矢之曰予所不者天厭之天厭之肇（曰見南子者時不獲已猶文王之拘羑里也天厭之者言我之否屈乃天命所厭也蔡謨曰矢陳也夫子爲子路陳天命也）居衛月餘靈公與夫人同車宦者雍渠參乘出使孔子為次乘招搖市過之（徐廣曰招搖翱翔也○索隱曰家語作遊過市）孔子曰吾未見好德如好色者也（何晏曰疾時薄於德厚於色故發此言也李充曰使好德如好色則棄邪而反正矣）於是醜之去衛過曹是歲魯定公卒孔子去曹適宋（徐廣曰年表定公十三年孔子至衛十四年至陳哀公三年孔子過宋）與弟子習禮大樹下宋司馬桓魋欲

殺孔子拔其樹孔子去弟子曰可以速矣孔子曰天生德於予桓魋其如予何（包氏曰天生德者謂授以聖性德合天地吉無不利故曰其如予何）孔子適鄭與弟子相失孔子獨立郭東門鄭人或謂子貢曰（索隱曰家語姑布子卿謂子貢曰）東門有人其顙似堯（索隱曰家語云河目而隆顙其顙似堯）其項類皋陶其肩類子產然自要以下不及禹三寸纍纍若喪家之狗（王肅曰喪家之狗主人哀荒不見飲食故纍然而不得意孔子生於亂世道不得行故纍然不得志之貌也韓詩外傳曰喪家之狗既斂而椁有席而祭顧望無人也）子貢以實告孔子孔子欣然笑曰形狀末也而似喪家之狗然哉然哉

孔子遂至陳主於司城貞子家歲餘吳王夫差

伐陳取三邑而去趙鞅伐朝歌楚圍蔡蔡遷于吳吳敗越王句踐會稽有隼集于陳廷而死楛矢貫之石砮矢長尺有咫韋昭曰隼鷙鳥今之鶚也楛木名砮鏃也以石為之八寸曰咫楛矢貫之墜而死○正義曰隼音筍毛詩義疏鷂齊人謂之擊正或謂之題肩或曰省鷹春化為布穀此屬數種皆為隼陳湣公使使問仲尼索隱曰家語國語皆作陳惠公非也按惠公以魯昭元年立定四年卒又按系家湣公十六年孔子適陳十二年亦在陳則此湣公為是仲尼曰隼來遠矣此肅慎之矢也正義曰肅慎國記云肅慎其地在夫餘國東北河六十日行其弓四尺強勁弩射四百步今之靺鞨國方有此矢昔武王克商通道九夷百蠻王肅曰九夷東方夷有九種也百蠻夷狄之百種使各以其方賄來貢王肅曰各以其方面所有之財賄而來貢使無忘職業於是肅慎貢楛矢石砮長

孔子去

尺有咫先王欲昭其令德以肅慎矢分大姬（韋昭曰大姬武王元女也）配虞胡公而封諸陳分同姓以珍玉展親（韋昭曰展重也玉之謂若夏后氏之璜）分異姓以遠方職使無忘服（韋昭曰使無忘服從於王也）故分陳以肅慎矢試求之故府果得之（韋昭曰故府舊府也）孔子居陳三歲會晉楚爭彊更伐陳及吳侵陳陳常被寇孔子曰歸與歸與吾黨之小子狂簡進取不忘其初於是孔子去陳過蒲會公叔氏以蒲畔蒲人止孔子弟子有公良孺者以私車五乘從孔子其為人長賢有勇力謂曰吾昔從夫子遇難於匡今又遇難於此命也

已吾與夫子重罹難寧鬬而死鬬甚疾蒲人懼（索隱曰家語一云寧我鬬死挺劒而合衆將與之戰蒲人懼是也）謂孔子曰苟毋適衛吾出子與之盟出孔子東門孔子遂適衛子貢曰盟可負耶孔子曰要盟也神不聽衛靈公聞孔子來喜郊迎問曰蒲可伐乎對曰可靈公曰吾大夫以為不可今蒲衛之所以待晉楚也（正義曰衛在濮州蒲在滑州在衛西也韓魏及楚從西向東伐先在蒲後及衛）以衛伐之無乃不可乎孔子曰其男子有死之志（王肅曰公叔氏欲以蒲適他國而男子欲死之不樂適他）婦人有保西河之志（王肅曰婦人恐懼欲保西河無戰意也○索隱曰此西河在衛地非魏之西河也）吾所伐者不過四五人（王肅曰本與公叔同畔者）靈公

曰善然不伐蒲靈公老怠於政不用孔子孔子喟然歎曰苟有用我者朞月而已三年有成孔安國曰言誠有用我於政事者朞年而可以行其政教必三年乃有成也孔子行佛肸爲中牟宰孔安國曰晉大夫趙簡子之邑宰趙簡子攻范中行伐中牟索隱曰此河北之中牟蓋在漢陽西佛肸畔使人召孔子孔子欲往子路曰由聞諸夫子其身親爲不善者君子不入也孔安國曰不入其國今佛肸親以中牟畔子欲往如之何孔子曰有是言也不曰堅乎磨而不磷不曰白乎涅而不淄孔安國曰磷薄也涅可以染皁者也言至堅者磨之而不薄至白者染之於涅而不黑君子雖在濁亂不能汙我豈匏瓜也哉焉能繫而不食何晏曰言匏瓜

其數謂宮商角徵羽也
其志謂曲志音也
其為人未識為曲之人

得其所一處者不□也吾自食物當東西南北不得如不食之物繫滯一處 孔子擊磬有荷蕢而過門者曰有心哉擊磬乎何晏曰蕢草器也有心謂契契然也硜硜乎莫己知也夫而已矣何晏曰此硜硜信己而已言亦無益也 孔子學鼓琴師襄子索隱曰家語師襄子曰吾雖以擊磬為官然能於琴蓋師襄子魯人論語謂之擊磬襄是也 十日不進師襄子曰可以益矣孔子曰丘已習其曲矣未得其數也有閒曰已習其數可以益矣孔子曰丘未得其志也有閒曰已習其志可以益矣孔子曰丘未得其為人也有閒曰有所穆然深思焉有所怡然高望而遠志焉曰丘得其為人黯然而黑王肅曰黯黑貌幾然而長徐廣曰一云頎而長

兮○索隱曰幾與注頎並音祈家語無此四字眼如望羊王肅曰望羊望羊視也如王四國非文王其誰能為此也師襄子辟席再拜曰師蓋云文王操也孔子既不得用於衛將西見趙簡子至於河而聞竇鳴犢舜華之死也徐廣曰或作鳴鐸竇犨又作竇鳴犢舜華也○索隱曰家語云聞趙簡子殺竇犨鳴犢及舜華國語一云鳴鐸竇犨則竇犨字鳴犢聲轉字異或作鳴鐸慶華當作舜華諸說皆同臨河而嘆曰美哉水洋洋乎丘之不濟此命也夫子貢趨而進曰敢問何謂也孔子曰竇鳴犢舜華晉國之賢大夫也趙簡子未得志之時須此兩人而後從政及其已得志殺之乃從政丘聞之也刳胎殺夭則麒麟不

至郊竭澤涸漁則蛟龍不合陰陽索隱曰有角曰蛟龍龍能興雲致雨調和陰陽之氣覆巢毀卵則鳳皇不翔何則君子諱傷其類也夫鳥獸之於不義也尚知辟之而況乎丘哉乃還息乎陬鄉作爲陬操以哀之王肅曰陬操琴曲名也○索隱曰此陬鄉非魯之陬邑家語云作槃操也而反乎衞入主蘧伯玉家他日靈公問兵陳孔安國曰軍陳行列之法孔子曰俎豆之事則嘗聞之軍旅之事未之學也鄭玄曰萬二千人爲軍五百人爲旅軍旅末事本未立不可教以末也明日與孔子語見蜚鴈仰視之色不在孔子孔子遂行復如陳夏衞靈公卒索隱曰此魯哀二年也立孫輒是爲衞出公六月趙鞅內太子蒯

陬側畱反

輒陟葉反

瞶于戚陽虎使太子絻八人衰絰僞自衛迎者哭而入遂居焉冬蔡遷于州來是歲魯哀公三年而孔子年六十矣齊助衞圍戚以衞太子蒯聵在故也夏魯桓釐廟燔南宮敬叔救火孔子在陳聞之曰災必於桓釐廟乎服虔曰桓釐當毀而魯事非禮之廟故孔子聞有火災知其加桓僖也已而果然秋季桓子病輦而見魯城喟然歎曰昔此國幾興矣以吾獲罪於孔子故不興也顧謂其嗣康子曰我即死若必相魯相魯必召仲尼後數日桓子卒康子代立已葬欲召仲尼公之魚曰昔吾先君用之不終終爲

諸侯笑今又用之不能終是再為諸侯笑康子曰則誰召而可曰必召冉求於是使使召冉求冉求將行孔子曰魯人召求非小用之將大用之也是日孔子曰歸乎歸乎吾黨之小子狂簡斐然成章吾不知所以裁之孔安國曰簡大也孔子在陳思歸欲去曰吾黨之小子狂者進取於大道妄穿鑿以成章不知所以裁制當歸以裁耳○索隱曰此系家再有歸與之辭者前辭出孟子此辭見論語蓋止是一稱歸與二書各記之今前後再引亦失之也子贛知孔子思歸送冉求因誡曰即用以孔子為招云冉求既去明年孔子自陳遷于蔡蔡昭公將如吳吳召之也前昭公欺其臣遷州來後將往大夫懼復遷公

孫翩射殺昭公（徐廣曰哀公四年也）楚侵蔡秋齊景公卒（徐廣曰哀公五年也）明年孔子自蔡如葉葉公問政孔子曰政在來遠附邇他日葉公問孔子於子路子路不對（孔安國曰葉公名諸梁楚大夫食菜於葉僭稱公不對未知所以對也）孔子聞之曰由爾何不對曰其爲人也學道不倦誨人不厭發憤忘食樂以忘憂不知老之將至云爾去葉反于蔡長沮桀溺耦而耕孔子以爲隱者使子路問津焉（鄭玄曰耜廣五寸二耜爲耦津濟渡處也○正義曰括地志云黃城山俗名菜山在許州葉縣西南二十五里聖賢冢墓記云黃城山即長沮桀溺所耕處下有東流水則子路問津處也）長沮曰彼執輿者爲誰子路曰爲孔丘曰是魯孔丘與曰然曰

正義曰耰塊椎也耕即椎碎之而復種子也

是知津矣[illegible]桀溺謂子路曰子為誰曰為仲由曰子孔丘之徒與曰然桀溺曰悠悠者天下皆是也而誰以易之孔安國曰悠悠者周流之貌也言當今天下治亂同空舍此適彼故曰誰以易之且與其從辟人之士豈若從辟世之士哉何晏曰士有辟人之法有辟世之法長沮桀溺謂孔子為士從辟人之法者也己之為士則從辟世之法也耰而不輟鄭玄曰耰覆種也輟止也耰覆種不止不以津告者子路以告孔子孔子憮然何晏曰為其不達己意而非己曰鳥獸不可與同羣孔安國曰隱於山林是同群天下有道丘不與易也何晏曰凡天下有道者丘皆不與易也己大而人小故也他日子路行遇荷蓧丈人包氏曰丈人老者蓧草器名曰子見夫子乎丈人曰四體不勤五穀不分

孰爲夫子包氏曰丈人曰不勤勞四體分植五穀誰爲夫子而索也植其杖而芸孔國曰植倚也除草曰芸子路以告孔子曰隱者也復往則亡孔安國曰子路反至其家丈人出行不在孔子遷于蔡三歲吳伐陳楚救陳徐廣曰哀公四年也軍于城父聞孔子在陳蔡之間楚使人聘孔子孔子將往拜禮陳蔡大夫謀曰孔子賢者所刺譏皆中諸侯之疾今者久留陳蔡之間諸大夫所設行皆非仲尼之意今楚大國也來聘孔子孔子用於楚則陳蔡用事大夫危矣於是乃相與發徒役圍孔子於野不得行絶糧從者病莫能興[illegible]孔子講誦弦歌不衰子

路慍見曰君子亦有窮乎孔子曰君子固窮小人窮斯濫矣（何晏曰濫溢也君子固亦有窮時但不如小人窮則濫溢為非）子貢色作孔子曰賜爾以予為多學而識之者與曰然（孔安國曰然謂多學而識之）非與（孔安國曰問今不然耶）孔子曰非也予一以貫之（何晏曰善有元事有會天下殊塗而同歸百慮而一致知其元則衆善舉也故不待學以一知之）孔子知弟子有慍心乃召子路而問曰詩云匪兕匪虎率彼曠野（王肅曰率循也言非兕虎而循曠野也）吾道非耶吾何為於此子路曰意者吾未仁耶人之不我信也（王肅曰言人不信吾豈以未仁智乎）意者吾未知耶人之不我行也（王肅曰言人不使通行而困窮者豈以吾未智乎）孔子曰有是乎由譬使仁者

而必信安有伯夷叔齊正義曰言仁者必使四方信之安有伯夷叔齊餓死乎使智者而必行安有王子比干正義曰言智者必使處事通行安有王子比干剖心哉子路出子貢入見孔子曰賜詩云匪兕匪虎率彼曠野吾道非耶吾何為於此子貢曰夫子之道至大也故天下莫能容夫子夫子蓋少貶焉孔子曰賜良農能稼而不能為穡王肅曰種之為稼斂之為穡言良農能善種之未必能斂穫之良工能巧而不能為順王肅曰言良工能巧而已不能每順人之意君子能脩其道綱而紀之統而理之而不能為容今爾不脩爾道而求為容賜而志不遠矣子貢出顏回入見孔子曰回詩云匪兕

匪虎率彼曠野吾道非耶吾何爲於此顏回曰夫子之道至大故天下莫能容雖然夫子推而行之不容何病不容然後見君子夫道之不脩也是吾醜也夫道既已大脩而不用是有國者之醜也不容何病不容然後見君子孔子欣然而笑曰有是哉顏氏之子使爾多財吾爲爾宰王肅曰宰主財者也爲汝主財言志之同也於是使子貢至楚楚昭王興師迎孔子然後得免昭王將以書社地七百里封孔子服虔曰書籍也○索隱曰古者二十五家爲里里則各立社則書社者書其社之人名於籍蓋以七百里書社之人封孔子也故下冉求云雖累千社而夫子不利是也楚令尹子西曰王之

使使諸侯有如子貢者乎曰無有王之輔相有如顏回者乎曰無有王之將率有如子路者乎曰無有王之官尹有如宰予者乎曰無有且楚之祖封於周號爲子男五十里今孔丘述三王之法明周召之業王若用之則楚安得世世堂堂方數千里乎夫文王在豐武王在鎬百里之君卒王天下今孔丘得據土壤賢弟子爲佐非楚之福也昭王乃止其秋楚昭王卒于城父楚狂接輿歌而過孔子（孔安國曰接輿楚人也佯狂而來歌欲以感切夫子也）曰鳳兮鳳兮何德之衰（孔安國曰比孔子於鳳鳥待聖君乃見非孔子周行求合故曰衰也）往

者不可諫兮[孔安國曰已往所行不可復諫止也]來者猶可追也[孔安國曰自今已來可追自止避亂隱居]已而已而今之從政者殆而[孔安國曰言已而者言世亂已甚不可復治也再言之者傷之深也]孔子下欲與之言[包氏曰下下車也]趨而去弗得與之言於是孔子自楚反乎衛是歲也孔子年六十三而魯哀公六年也其明年吳與魯會繒徵百牢[索隱曰此哀七年時也百牢牢具一百也周禮上公九牢侯伯七牢子男五牢今吳徵百牢夷不識禮故子貢對以周禮而後吳已是徵也○正義曰括地志云故鄫城在沂州承縣地理志云繒縣屬東海縣也]太宰嚭召季康子康子使子貢往然後得已孔子曰魯衛之政兄弟也[包氏曰周公康叔既為兄弟康叔睦於周公其國之政亦如兄弟也]是時衛君輒父不得立在外諸侯數

以為讓而孔子弟子多仕於衛衛君欲得孔子為政子路曰衛君待子而為政子將奚先包氏曰問往將何所先行孔子曰必也正名乎馬融曰正百事之名也子路曰有是哉子之迂也何其正也包氏曰迂猶遠也言孔子之言遠於事也孔子曰野哉由也孔安國曰野不達也夫名不正則言不順言不順則事不成事不成則禮樂不興禮樂不興則刑罰不中孔安國曰禮以安也樂以移風二者不行則有淫刑於罰也刑罰不中則民無所錯手足矣夫君子為之必可名言之必可行王肅曰所名之事必可得明言所言之事必可得遵行者君子於其言無所苟而已矣其明年冉有為季氏將師與齊戰於郎克

於作濫

師 本 師

之十[illegible]孔子自衛至陳時。索隱曰[illegible]說云會四年[illegible]是[illegible]

左氏及此文孔子是時在衛歸魯不見有在陳之文在哀公之初蓋年表誤爾。正義曰括地志云郎亭在徐州[illegible]縣西五十二里季康子曰子之於軍旅學之乎性之乎冉有曰學之於孔子季康子曰孔子何如人哉對曰用之有名播之百姓質諸鬼神而無憾求之至於此道雖累千社夫子不利也索隱曰二十五家為社千社即二萬五千家康子曰我欲召之可乎對曰欲召之則毋以小人固之則可矣而衛孔文子將攻服虔曰文子衛卿也太叔左傳曰太叔名疾問策於仲尼仲尼辭不知退而命載而行曰鳥能擇木木豈能擇鳥乎服虔曰鳥喻己木以喻所以爲讓而孔子弟子多仕於衛衛君欲得孔子爲政子路曰衛君待子而爲政子將奚先包氏曰問往將何所先行孔子曰必也正名乎馬融曰正百事之名也子路曰有是哉子之迂也何其正也包氏曰迂猶遠也言孔子之言遠於事也孔子曰野哉由也孔安國曰野不達也夫名不正則言不順言不順則事不成事不成則禮樂不興禮樂不興則刑罰不中孔安國曰禮以安上樂以移風二者不行則有淫刑濫罰也刑罰不中則民無所錯手足矣夫君子爲之必可名言之必可行王肅曰所名之事必可得明言所言之事必可得遵行者君子於其言無所茍而已矣其明年冉有爲季氏將師與齊戰於郎克

師 於下濫

家語曰季康子問冉求之戰冉求欲對又曰夫播之
百姓質諸鬼神而無憾用之則有名
左傳此云[illegible]

[illegible]此家[illegible]年也去吳會[illegible]四年[illegible]表[illegible]孔子自衛至陳時。索隱曰徐說表會四年是[illegible]左氏及此文孔子是時在衛歸魯[illegible]在陳之文在陳哀公之初蓋年表誤爾。正義曰括地志云郎亭在徐州縣西五[illegible]

季康子曰子之於軍旅學之乎性之乎冉[illegible]人哉對[illegible]無憾求之至於此道雖累千社夫子不利也索隱曰二十五家為社千社則二萬五千家康子曰我欲召之可乎對曰欲召之則毋以小人固之則可矣而衛孔文子將攻服虔曰文子衛卿也太叔左傳曰太叔名疾問策於仲尼仲尼辭不知退而命載而行曰鳥能擇木木豈能擇鳥乎服虔曰鳥喻己木以喻所

之之國文子固止會季康子逐公華公賓公林以幣

迎孔子孔子歸魯孔子之去魯凡十四歲而反

乎魯索隱曰前文孔子以定公十四年去魯計至此十三年魯系家云定公十二年孔子去魯則首尾計十五年矣

魯哀公問政對曰政在選臣季康子問政曰

舉直錯諸枉包氏曰錯置也舉正直之人用之廢置邪枉之人。索隱曰論語季康子問政子曰政者正也又哀公問曰何為則人服子曰舉直錯諸枉則人服今此初論康子問政未合以孔子荅哀公使人服蓋太史撮略論語為文而失事實則枉者直康子患盜孔子曰苟子之不

欲雖賞之不竊孔安國曰欲情欲也言民化於上不從其所令從其所好也然魯

終不能用孔子孔子亦不求仕孔子之時周室

微而禮樂廢詩書缺追迹三代之禮序書傳上

紀唐虞之際下至秦繆編次其事曰夏禮吾能言之杞不足徵也殷禮吾能言之宋不足徵也包氏曰徵成也杞宋二國夏殷之後也夏殷之禮吾能説之杞宋之君不足以成也足則吾能徵之矣觀殷夏所損益曰後雖百世可知也何晏曰物類相召勢數相生其變有常故可預知者也以一文一質周監二代郁郁乎文哉吾從周孔安國曰監視也言周文章備於二代當從之周故書傳禮記自孔氏孔子語魯太師樂其可知也始作翕如何晏曰太師樂官名也五音始奏翕如盛也縱之純如何晏曰言五音既發放縱盡其聲純純和諧也皦如何晏曰言其音節明繹如也以成何晏曰縱之以純如皦如繹如言樂始於翕如而成於三者也吾自衛反魯然後樂正雅頌各得其所鄭玄曰反魯魯哀公

十一年冬是時道衰樂廢孔子來還乃正之故雅頌各得其所古者詩三千餘篇及至孔子去其重正義曰去丘呂反重直龍反取可施於禮義上采契后稷中述殷周之盛至幽厲之缺始於衽席故曰關雎之亂以爲風始正義曰亂理也詩小序云關雎后妃之德也風之始也所以風天下而正夫婦也毛萇云關關和聲雎鳩王雎也鳥摯而有別后妃悅樂君子之德無不和諧又不淫色慎固幽深若雎鳩之有別然後可以風化天下夫婦有別則父子親父子親則君臣敬君臣敬則朝廷正朝廷正則王化成也按王雎金口鶚也鹿鳴爲小雅始正義曰小序云鹿鳴宴群臣嘉賓也既飲食之又實幣帛筐篚以將其厚意然後忠臣嘉賓得盡其心矣毛萇云鹿得苹呦呦鳴而相呼懇誠發乎中以興嘉樂賓客當有懇誠相招呼以成禮也文王爲大雅始正義曰小序云文王文王受命作周也鄭玄云文王初爲西伯有功於民其德著見於天故天命之以爲王使君天下清廟爲頌始正義曰小序云清廟祀文王也周公既成雒邑

國學紀聞第十[illegible]、愁思篇有古諺者云孔子常讀易[illegible]易云此良書也又窺[illegible]好之韋編三絕鐵[illegible]
[illegible]令乃大假史記世家韋編三絕鐵[illegible]於此[illegible]

[illegible]謂後[illegible]以化文王[illegible]毛萇云清廟者祭有[illegible]之德者也
宮也謂祭文王[illegible]德清明文王象焉故祭而歌此詩也

三百五篇孔子皆弦歌之以求合韶武雅頌之音禮樂自此可得而述以備王道成六藝孔子晚而喜易序

正義曰序易序卦也夫子作十翼謂上彖下彖上象下象上繫下繫文言序卦說卦雜卦也易正義曰文王既繇六十四卦分爲上下篇先後之次其理不易孔子就上下二經各序其相次之義

彖 正義曰吐亂反上彖卦下辭下彖爻卦下辭易正義曰夫子所作統論一卦之義或說其卦德或說其卦義或說其卦名莊氏云彖斷也言斷定一卦之義也

繫 正義曰如字又音系易正義云繫辭者聖人繫屬此辭於爻卦之下分爲上下篇者以簡編重大是以分之又言系辭者取綱系之義也

象 正義曰上象卦辭下象爻辭易正義云萬物之體自然各有形象聖人設卦以寫萬物之象今夫子釋此卦之象也

說卦 正義曰易正義云說卦者陳說八卦德業變化法象所爲也

文言 正義曰易正義云夫子贊明易道申說義理釋乾坤二卦經文之言故稱文言又雜

正義曰彬音斌彬彬文也孔子言假借我三數年間我於易則文質備矣

卦者六十四卦以爲義於序卦之外別言聖人之興因時而作隨其事宜不必相因龍袞當有損益又云雜揉衆卦錯綜其義或以同相類或以異相明按史不出雜卦故附之讀易韋編三絶曰假我數年若是我於易則彬彬矣孔子以詩書禮樂教弟子蓋三千焉身通六藝者七十有二人如顏濁鄒之徒正義曰濁音卓鄒音聚顏濁鄒非七十七人數也頗受業者甚衆孔子以四教文行忠信何晏曰四者有形質可舉以教絶四毋意何晏曰以道爲度故不任意也毋必何晏曰用之則行舍之則藏故無專必毋固何晏曰無可無不可故無固行也毋我何晏曰述古而不自作處羣萃而不自異唯道是從故不有其身所慎齋戰疾何晏曰此三者人所不能愼而夫子愼也子罕言利與命與仁何晏曰罕者希也利者義之和也命者天之命也仁者行之盛也寡能及之故希言之不憤不啓舉一隅不以

三隅反則弗復也鄭玄曰孔子與人言必待其人心憤憤口悱悱乃後啓發爲之說如此則識思之深也說則舉一端以語之其人不思其類則不重教也其於鄉黨恂恂似不能言者王肅曰恂恂溫恭貌也○索隱曰有本作逡逡音七旬反其於宗廟朝廷辯辯言唯謹爾鄭玄曰唯辯而謹敬也○索隱曰論語作便便朝與上大夫言誾誾如也孔安國曰中正之貌也與下大夫言侃侃如也孔安國曰和樂貌入公門鞠躬如也趨進翼如也孔安國曰言端好也君召使儐鄭玄曰有賓客使迎之也色勃如也孔安國曰必變色君命召不俟駕行矣鄭玄曰急趨君命也既行出而車駕隨之魚餒肉敗割不正不食孔安國曰魚敗曰餒也席不正不坐食於有喪者之側未嘗飽也是日哭則不歌見齊衰瞽者雖童子必變包氏曰瞽盲者三人行

必得我師焉何晏曰言我三人行本無賢愚擇善而從之不善而改之無常師德之不脩學之不講聞義不能徙不善不能改是吾憂也孔安國曰夫子常以此四者爲憂也使人歌善則使復之然後和之何晏曰樂其善故使重歌而自和也子不語怪力亂神王肅曰怪怪異也力謂若奡盪舟烏獲舉千鈞之屬也亂謂臣弑君子弑父也神謂鬼神之事或無益於教化或所不忍言也李充曰力不由理斯怪力也神不由正斯亂神也怪力亂神有與於邪無益於教故不言也子貢曰夫子之文章可得聞也何晏曰章明文彩形質著見可以耳目脩也夫子言天道與性命弗可得聞也已何晏曰性者人之所受以生也天道者元亨日新之道深微故不可得而聞之顏淵喟然嘆曰仰之彌高鑽之彌堅何晏曰言不可窮盡瞻之在前忽焉在後何晏曰言忽怳不可爲形象夫子循循然善誘

何晏曰循循次序貌也誘進也言夫子正以此道進勸人學有次序也博我以文約我以禮欲罷不能既竭我才如有所立卓爾雖欲從之蔑由也已孔安國曰言夫子既以文章開博我又以禮節節約我使我欲罷不能已竭吾才矣其有所立則卓然不可及言己雖蒙夫子之善誘猶不能及夫子所立也達巷黨人童子曰大哉孔子博學而無所成名鄭玄曰達巷者黨名也五百家爲黨此黨之人美孔子博學道藝不成一名而已子聞之曰我何執執御乎執射乎我執御矣鄭玄曰聞人美之承以謙也吾執御者欲明六藝之卑牢曰子云不試故藝鄭玄曰牢者弟子子牢也試用也言孔子自云我不見用故多技藝也魯哀公十四年春狩大野服虔曰大野藪名魯田圃之常處蓋今鉅野是也。正義曰括地志云獲麟堆在鄆州鉅野縣東十二里春秋哀十四年經云西狩獲麟國都城記云鉅野故城東十里澤中有土臺廣輪四五十步俗云獲麟堆

正義曰鉏音鋤服虔云車子微者也子姓鉏名按姓
[illegible]車子主車之人也

去魯城可三百餘里

叔孫氏車子鉏商獲獸服虔曰車子微者也鉏商名也。索隱曰春秋傳及家語並云車子鉏商而服虔以子爲姓非也今以車子爲主車車士微者之人也人微故略其姓則子非姓也

以爲不祥仲尼視之曰麟也取之服虔曰麟非時所常見故怪之以爲不祥也仲尼名之曰麟然後魯人乃取之也明麟爲仲尼至也

曰河不出圖雒不出書吾已矣夫孔安國曰聖人受命則河出圖今無此瑞吾已矣夫者不得見河圖八卦是也

顔淵死孔子曰天喪予何休曰予我也天生顔淵爲夫子輔佐死者是天將亡夫子之證者也

及西狩見麟曰吾道窮矣何休曰麟者太平之獸聖人之類也時得而死此天亦告夫子將歿之證故云爾

喟然歎曰莫知我夫子貢曰何爲莫知子何晏曰子貢怪夫子言何爲莫知己故問之

子曰不怨天不尤人馬融曰孔子不用於世而不怨天不知己亦不尤人

下學而上達孔安國曰下學人事上達天命

知

義者其天乎 何晏曰聖人與天地合其德故曰唯天知己 不降其志不辱其身伯夷叔齊乎 鄭玄曰言其直己之心不入庸君之朝 謂柳下惠少連降志辱身矣謂虞仲夷逸隱居放言 包氏曰放置也置不復言世務也 行中清廢中權 馬融曰淸純絜也遭世亂自廢棄以免患合於權也 我則異於是無可無不可 馬融曰亦不必進亦不必退唯義所在 子曰弗乎弗乎君子病沒世而名不稱焉吾道不行矣吾何以自見於後世哉乃因史記作春秋上至隱公下訖哀公十四年十二公據魯親周 索隱曰言夫子修春秋以魯爲主故云據魯時周雖微而親周王者以見天下之有宗主也 故殷運之三代 正義曰殷中也又中運夏殷周之事也 約其文辭而指博故吳楚之君自

稱王而春秋貶之曰子踐土之會實召周天子而春秋諱之曰天王狩於河陽推此類以繩當世貶損之義後有王者舉而開之春秋之義行則天下亂臣賊子懼焉孔子在位聽訟文辭有可與人共者弗獨有也至於為春秋筆則筆削則削子夏之徒不能贊一辭弟子受春秋孔子曰後世知丘者以春秋而罪丘者亦以春秋劉熙曰知者行堯舜之道者也罪者在王公之位見貶絶者明歲子路死於衛孔子病子貢請見孔子方負杖逍遙於門曰賜汝來何其晩也孔子因歎歌曰太山壞乎鄭玄曰太山衆山所仰梁

梁柱摧乎哲人萎乎[illegible]頓也因以涕下謂子貢曰天下無道久矣莫能宗予王肅曰[illegible]之不[illegible]也[illegible]道夏人殯於東階周人於西階殷人兩柱閒昨暮予夢坐奠兩柱之閒予始殷人也後七日卒鄭玄曰明聖人知命也。正義曰括地志云漢封夫子十二代孫忠爲褒城侯生光爲丞相封侯平帝封孔霸孫莽二千戶爲褒城侯後漢封十七代孫志爲褒成侯魏封二十二代孫羨爲崇聖侯晉封二十三代孫震爲奉聖亭侯後魏封二十七代孫爲崇聖大夫孝文帝又封三十一代孫珍爲崇聖侯高齊改封珍爲恭聖侯周武帝改封鄒國公隋文帝仍舊封鄒國公煬帝改爲紹聖侯皇唐給復二十戶封孔子裔孫孔德倫爲褒聖侯也孔子年七十三以魯哀公十六年四月己丑卒索隱曰若孔子以魯襄二十一年生至哀十六年爲七十三若襄二十二年生則孔子年七十二經傳生年不定致夫子壽數不明哀公誄之曰旻天不弔不憖遺一老王肅曰憖且也一老謂孔子也俾屏余一人以在位煢煢余在疚王肅曰疚病也嗚呼哀哉尼父毋自律王肅曰父丈夫之顯稱也律法也言毋以自為法也子貢曰君其不沒於魯乎夫子之言曰禮失則昏名失則愆失志為昏失所為愆索隱曰左傳及家語文皆同生不能用死而誄之非禮也稱余一人非名也服虔曰天子自謂一人非諸侯所當名也孔子葬魯城北泗上皇覽曰孔子冢去城一里冢塋百畝冢南北廣十步東西十三步高一丈二尺冢前以瓴甓為祠壇方六尺與地平本無祠堂冢塋中樹以百數皆異種魯人世世無能名其樹者民傳言孔子弟子異國人各持其方樹來種之其樹柞枌雒離女貞五味毚檀之樹孔子塋中不生荊棘及刺人草○索隱曰離音黎蔾草名也女貞[illegible]安貴香名出西域五味藥草名毚音讒檀樹之別種弟子皆服三年三年心喪畢相

訣而去【索隱曰訣音決別也】則哭各復盡哀或復留唯子貢廬於冢上【索隱曰家語無上字且禮云適墓不登壟豈合廬於冢上乎蓋上者亦邊側之義】凡六年然後去弟子及魯人往從冢而家者百有餘室因命曰孔里魯世世相傳以歲時奉祠孔子冢而諸儒亦講禮鄉飲大射於孔子冢孔子冢大一頃故所居堂弟子內後世因廟藏孔子衣冠琴車書【索隱曰謂孔子所居之堂其弟子之中孔子沒後後代因廟藏夫子平生衣冠琴書於壽堂中】至于漢二百餘年不絕高皇帝過魯以太牢祠焉諸侯卿相至常先謁然後從政孔子生鯉字伯魚【索隱曰家語孔子年十九娶於宋之上官氏之女一歲而生伯魚伯魚之生也魯昭公使人遺之鯉魚夫子榮

正義曰中庸一卷在禮記中又作子思子八卷為魯穆公師

索正義作真

慎漢書作順

守正義曰一作傳

一本生武及安國

君之賜因以名其子為鯉也伯魚年五十先孔子死皇覽曰伯魚冢在孔子冢東與孔子並大小相望也伯魚生伋字子思年六十二嘗困於宋子思作中庸皇覽曰子思冢在孔子冢南大小相望子思生白字子上年四十七子上生求字子家年四十五子家生箕字子京年四十六子京生穿字子高年五十一子高生子慎年五十七嘗為魏相子慎生鮒年五十七為陳王涉博士死於陳下鮒弟子襄年五十七嘗為孝惠皇帝博士遷為長沙太守長九尺六寸子襄生忠年五十七忠生武武生延年及安國安國為今皇帝博士至臨淮太

守安國生卬卬生驩

太史公曰詩有之高山仰止景行行止雖不能至然心鄉往之余讀孔氏書想見其爲人適魯觀仲尼廟堂車服禮器諸生以時習禮其家余祗回留之不能去云索隱曰祗敬也言祗敬遲迴不能去之有本亦作低迴義亦通天下君王至于賢人衆矣當時則榮沒則已焉孔子布衣傳十餘世學者宗之自天子王侯中國言六藝者折中於夫子索隱曰離騷云明五帝以折中王師叔云折中正也宋均云折斷也中當也言欲折斷其物而用之與度相中當也可謂至聖矣

索隱述贊曰

孔子之先　胄于商國　弗父能讓

正考銘勒　防叔來奔　郰人倚立

尼丘誕聖　闕里生德　七十升堂

四方取則　行誅兩觀　攝相夾谷

歎鳳遽衰　泣麟何促　九流仰鏡

萬古欽躅

陬

史柒阡肆伯伍拾貳字
註捌阡叁伯玖拾壹字

孔子世家第十七　　史記四十七

［日本］小澤賢二　解題
朱丹寧　譯

宋本史記

簡説

國家圖書館出版社

說明

《宋本史記》是《國學基本典籍叢刊》的一種，據日本汲古書院影印國立歷史民俗博物館藏黄善夫本影印。最近，我們與日本汲古書院及爲該影印本《史記》做整理和解題工作的小澤賢二先生取得了聯繫。小澤先生是日本《史記》研究會代表，著名《史記》研究專家。爲使廣大讀者深入全面地瞭解這部影印本《史記》的價值，經小澤賢二先生授權，特邀他撰寫簡明扼要的解題，并請朱丹寧翻譯爲中文，專門印製此册。對小澤賢二和朱丹寧二位先生所做的工作，深表謝意！

國家圖書館出版社

二〇二〇年七月

南化本《史記》簡説

日本國立歷史民俗博物館藏南宋黄善夫刊本《史記》，按尾崎康先生的見解，其實是南宋劉元起本。但爲了避免叙述混亂，以下言及此本時，先仍視爲黄善夫本，後文再詳述尾崎觀點。這個本子是《集解》《索隱》《正義》三家注合刻本中最早的刊本，長期稱爲南化本。而南化本之名始見於日本江户時代後期大島贄川所著《博士家本史記異字》。由於本是釋南化玄興舊藏，故如此命名。

南化本《史記》共九十册，計爲目録一册、序一册、本紀十四册、表十二册、書九册、世家十八册、列傳三十五册。《三皇本紀》在《五帝本紀》前，《老》《莊》二傳在《伯夷傳》前。這是據首葉標題「老子伯夷列傳第一」下正義注「正義曰其人行迹/可序列故云列傳/監本老子與伯夷第/一莊子與韓非同傳第三」所排。但《目録》中列傳第一仍是《伯夷》，第三是《老子莊子申不害韓非》。

南化本左右雙邊，邊欄内縱十九點七厘米，横十二點五厘米；每半葉十行，行十八字；注文小字雙行，行二十三字。版心小黑口、順黑魚尾。無刻工名。避諱缺筆見諸「玄弦朗　弘泓殷

匡筐　恒洹桓　貞湞徵　讓　愼　惇敦燉」等字，但不嚴格。

這個南化本，是釋幻雲（即月舟壽桂，一四六〇——一五三三）等將原宋版用紙一一轉貼到日本紙上所形成的。原宋版是經摺裝，每葉縱向約二十四厘米，寬約十五厘米。幻雲等貼在縱横約三十三×二十二點五厘米的紙上，版心對摺，再貼到大幅的混有日本楮紙的日本奉書紙上，改成綫裝。之所以要轉貼，是因爲幻雲需要大量空間來添寫批注。

在幻雲改裝之時，含目録末葉木記在内的十幾葉已缺，由幻雲等據彭寅翁本等補寫。現南化本有二十餘葉補抄，雖然并非均用南宋黄善夫刊本配補，但張元濟做百衲本《史記》，誤將南化本中的一些彭寅翁本補抄當作黄善夫本的刻葉。經統計，南化本中，確定用彭寅翁補寫者凡九葉，根據添寫批注中所引彭寅翁本内容改定文字補寫者一葉。此外，推定是據彭寅翁本補寫者半葉，可以認爲是據黄善夫本補寫者十三葉半，難以判斷補寫來源者半葉。在小澤賢二著《南化本史記解説》（收於汲古書院一九九六年影印《史記》第十二册）詳細列表指明了這些補葉位置，可以參看。

南化本上的墨筆添寫批注，見諸版框内外，有極多内容不見於現存刊本。這些添寫批注，以佚存史料爲中心，基本是由幻雲及其門下所加，根據内容可以分爲以下三類：

甲、藤原英房（日本南北朝）所整理的史料及藤原英房自身的史記説；

乙、釋靈元（日本室町時代中期）以降所見大量的《史記正義》佚文及釋旃室的手識；

丙、釋幻雲（日本室町時代後期）及其門下新增的材料。

其中，甲與乙原是旃室本（日本臨濟宗天龍寺住持旃室周馥舊藏本）的内容與幻雲等添寫批注在旃室本上的内容，後幻雲等轉抄至南化本上；而丙是由幻雲等從其他典籍引用者。

甲原是由藤原英房以元彭寅翁刊本爲底本，在其上引用以三國蜀譙周《古史考》、晋孔衍與盧藏用注《春秋後語》、南朝梁鄒誕生《史記音》（梁據《隋志》，據《索隱》則齊）、唐劉伯莊《史記音義》、陸善經《史記注》等爲代表的隋唐以前佚存書，記所引《史記》文字异同，并引述日本的博士家諸説及訓點，還加上藤原英房自身的史記説，以及『施行』的訓點，此外更記古抄本《史記》文字异同。所謂『施行』，是指日本天皇所下達的命令，『施行』的訓點即日本朝廷所認可的訓點。

乙中含有大量的《史記正義》佚文。《史記正義》佚文在室町時代中期的釋靈元以後纔突然出現在日本。這大概是當時明朝有輯佚風氣，在這種風氣影響下，《史記正義》單注本以某種形式傳到了日本。大抵釋靈元對照其所持單注本與有藤原英房識語的彭寅翁本上合刻的《史記正義》，墨筆抄寫了大量的與合刻本不重複的或者相抵觸的《正義》佚文。釋靈元藏本後來歸於旃室（心華和尚），之後被其他人稱爲旃室本。旃室本上的添寫批注，後來又傳抄到了南化本及其他彭寅翁刊本上。

丙類的添寫批注，可大致分四類：

其一，日本室町時代中後期釋桃源瑞仙的史記説及幻雲等人的史記説；

其二，引自以宋代楊介《存真環中圖》佚文爲代表的中國醫書者；

其三，《七經孟子考文》所引古本《論語》二則及引自同系統的《論語》正文者；

其四，從黄震《黄氏日鈔》、王應麟《困學紀聞》、胡三省《通鑑釋文辨誤》等宋元史書的引用。

在汲古書院影印之前，南化本《史記》的影寫、模刻或影印有三次。第一次是日本江户時代的文化年間加賀藩影寫。一八一六年加賀藩以大島贄川爲總裁，在加賀藩位於江户本鄉的府邸開史局，開始翻刻二十一史。因大島贄川計劃模刻南化本《史記》，加賀藩第十三代藩主前田齊泰向米澤藩上杉氏借用原書，請書法家市川米庵（一八五八年去世）及其門人影寫，但因財政問題最終没有覆刻。影寫本全卷使用黄色的日本雁皮紙，字體端麗，與原宋版不差分毫，墨痕至今鮮艷，仿佛剛剛寫完裝幀不久。有些地方是用朱筆模寫的，這是在原本因蟲蛀等而缺損的地方補寫的内容。

第二次是日本嘉永年間覆刻《扁鵲倉公列傳》。嘉永二年（一八四九），存誠藥室（丹波元堅的書坊）刊行《扁鵲倉公列傳》一卷。尾崎康在所著《正史宋元版の研究》中稱該本忠實保留了原本的面目。據説另有嘉永三年本，但筆者未見。

第三次即張元濟在影宋百衲本《史記》中的使用。張元濟在一九二二年於狩谷棭齋求古樓舊藏本七十二卷中，從田吳炤處得到六十六卷，計劃用於影宋百衲本《史記》，以作爲上海商務印書館附設圖書館涵芬樓藏本。由於不是全本，張元濟在一九三一年通過德富蘇峰及黑井悌次郎，委托米澤上杉家第十五代族長上杉憲章伯爵寫真攝影南化本《史記》。上杉伯爵承諾并寫真攝影，而影宋百衲本《史記》在五年後的一九三六年刊行。但張元濟還對校以他本，在南化本基礎上有不少改動。水澤利忠拿南化本《史記》來比較，即發現文字不同之處數百條。

另外需要説明的是，一提到南化本，一般人可能受《史記會注考證》影響就衹想到《史記》，其實南化本還有《漢書》《後漢書》。這兩部書現也由日本國立歷史民俗博物館收藏。南化本《漢書》在一九七七年由平中博士追悼出版委員會編纂，於朋友書店和汲古書院同時出版，南化本《後漢書》在一九九九年由汲古書院附尾崎康的解説出版於「古典研究會叢書漢籍之部」。

據南化本《漢書·目録》末葉刊記「建安劉元起刊／于家塾之敬室」，列傳一（卷三十一）末葉刊記「建安黃善夫刊／于家塾之敬室」，南化本《漢書》當是「黃善夫刊劉元起修」。

鑒於南化本《後漢書·目録》末葉刊記「建安劉元起刊／于家塾之敬室」，北京大學圖書館藏這個本子的《目録》末葉刊記却是「建安黃善夫刊／于家塾之敬室」，尾崎康在所著汲古書院日文原版《正史宋元版の研究》中指該《後漢書》是「劉元起訂正黃善夫本，全面改刻而成」。而在該書後來的中華書局版漢譯本《正史宋元版之研究》（喬秀岩、王鏗編譯）中刪掉了這段見解，説比較北京大學藏本與上杉本（南化本）《後漢書・目録》，可見總共三十二葉中有二十九葉内容不同，絶非同版。不管怎樣，據此可知南化本《後漢書》是北京大學藏本《後漢書》的改刻本，要麽是黄善夫刊劉元起修，要麽就是劉元起刊。

用這個結論再對照南化本《史記》。中國國家圖書館藏黄善夫本（求古樓舊藏本）《史記・目録》末葉有「建安黄／氏刻梓」刊記，南化本也理應如此，但不知何故缺失這個部分，而補寫元版彭寅翁本刊記「安成郡彭寅翁／栞于崇道精舍」代替。由此可見，南化本確曾刪除過既有刊記。故其刪劉元起刊記也非不可能。又南化本《史記》的《史記集解序》末，注文之後、尾題「史記集解序」五字之前，有刊記「建安黄善夫刊／于家塾之敬室」。水澤利忠没有起任何疑心，定南化本《史記》爲黄善夫本。但既然南化本三史一套，南化本《漢書》《後漢書》是劉元起本，則僅《史記》是黄善夫本就很不自然。小澤賢二以前就向水澤、尾崎二人提出這個疑問。

因爲書商爲僞造版本而刪去刊記的例子很多。比如有不少刪去覆黄善夫本的明震澤王延喆本《史記》刊記假裝成宋版的例子。但宋刊本的精緻與明版的粗糙，差异明顯，且紙質完全不同，因此有經驗的版本學者不會看錯。可若南化本《史記》確實是南宋版，衹是書商刪掉了黄善夫之後的「建安劉／氏刻梓」刊記，則經驗再豐富的人，也極難判斷初印還是後印。

尾崎康爲解決這個問題，又親赴中國國家圖書館查驗狩谷棭齋求古樓舊藏本，最終在汲古書院影印南化本《史記》所附的解説裏，結論南化本《史記》是劉元起的後印本，即補刻本，當稱爲「黄善夫刊劉元起印」。其根據是卷七第十七葉右半葉第一行的「讓」字在狩谷棭齋求古樓舊藏本没有缺筆，而南化本中明顯缺末筆。故尾崎康所謂「黄善夫刊劉元起印」，是指劉元起局部修鑿黄善夫所刻版面，重新刊行。又，南化本《史記・目録》末葉（第五葉前後）補抄元版彭寅翁本目録正文及刊記「安成郡彭寅翁/栞于崇道精舍」的時代，并非劉元起刊記被切除後不久，而是在更久以後。小澤賢二推斷時間在一四六七年（日本應仁之乱開始年）至一五一五年（史記幻雲抄成書年）間補抄旃室本時。

以上是南化本《史記》，即本次國家圖書館出版社據以影印的《史記》底本的簡單介紹。更詳細的介紹，可以參見汲古書院一九九六年所發行的《史記》第十二册所附尾崎康、小澤賢二等人的解題，以及水澤利忠《史記會注考證校補》卷八、小澤賢二《史記正義佚存訂補》中的相關説明。需要注意的是，這次國家圖書館出版社在影印之時，在汲古書院之前的影印基礎上有些改動。原南化本内夾有許多附箋之類，上面也有不少添寫批注。其中有相當多在流傳、使用過程中位置發生了變化，所以汲古書院影印之時，所見到的是大量隨意散放或誤放的附箋之類。小澤賢二經過仔細比較，一一指明位置錯誤的附箋之類本來所應在的位置，而汲古書院的影印，并未移動附箋之類，衹是根據小澤賢二的指示，在出現附箋之類的地方，指出其本應在的位置，而於本應在的位置，指出附箋之類實際所在位置。國家圖書館出版社此次影印，則直接利用這些説明，在本應有附箋之類而没有的地方，印上了相關附箋之類。又由於影印效果，一些附箋看上去宛如直接寫在書上。鑒於相關的位置，衹是小澤賢二基於個人見解所作的推測，故未必完全無誤。讀者如需利用相關添寫批注或附箋之類，宜參照原汲古書院的影印本，留意一下所見是附箋之類還是原有添寫批注，以及所指附箋之類的相關位置移動是否正確等。

［日本］小澤賢二解題

朱丹寧譯

二〇二〇年七月

(漢)司馬遷 撰
(南朝宋)裴駰 集解
(唐)司馬貞 索隱
(唐)張守節 正義

宋本史記

第二十二册

國家圖書館出版社

第二十二册目録

史記列傳 七十一

三十七 酈食其 陸賈 朱建

三十八 傅寬 靳歙 周緤

三十九 劉敬 叔孫通

義南自序傳抄吾矣余集其説而爲曹弟而余集其六之后爲所傳者以轄士乎

齵ヲ抄云布智隆漢書サ云乞餘サシナ心ソユセントニタナリソ 欲食作攫齵注云廣欲開

孔只文齵超迫之哺歉意促哥隨只戲作齵亦齺食只其待攫齵存奇孔齘作齵前司爲相

吻待委貿攫齵、集集歉又作促 余齊集集歉尤歉于有此字作齵注云齵齵齵備亦齺云

剖啓加齵齵齵取求只恐從字欲集賢攫齵齺主李侍齵作齵齵應擬目攫齵是侵疑齵孝

若投則氏音底角反云云

捨楚王先之

漢書列傳十三

酈生陸賈列傳第三十七　史記九十七

酈生食其者正義曰曆異幾三音也陳留高陽人也徐廣曰今在圉縣○索隱曰案高陽屬陳留圉縣高陽鄉名也故耆舊傳云食其圉高陽鄉人○正義曰陳留風俗傳云高陽在雍丘西南括地志云圉城在汴州雍丘縣西南食其墓在雍丘西南二十八里蓋謂此也好讀書家貧落魄無以為衣食業應劭曰落魄志行衰惡之皃也晉灼曰落薄落託義同也○索隱曰案鄭氏云魄音薄爲里監門吏正義曰監音甲衫反戰國策云王蠋對齊宣曰夫監門閭里士之賤也然縣中賢豪不敢役縣中皆謂之狂生及陳勝項梁等起諸將徇地正義曰徇略也過高陽者數十人酈生聞其將皆握齱應劭曰握齱急促之皃○索隱曰應劭云齱音若促鄭氏音鹿角反韋昭云握齱小節也好苛禮索隱曰案苛亦作荷音何云苛煩也自用

不能聽大度之言酈生乃深自藏匿後聞沛公將兵略地陳留郊沛公麾下騎士適酈生里中子也服虔曰食其里中子適作沛公騎士○索隱曰音適釋服虔蘇林皆云沛公騎士適是食其里中人案言適近作騎士也沛公時時問邑中賢士豪俊騎士歸酈生見謂之曰吾聞沛公慢而易人多大略此眞吾所願從游莫爲我先索隱曰案先謂先容言無人爲我作紹介也○正義曰爲于僞反若見沛公謂曰臣里中有酈生年六十餘長八尺人皆謂之狂生生自謂我非狂生騎士曰沛公不好儒諸客冠儒冠來者沛公輒解其冠溲溺其中索隱曰溲所由反溺乃弔反亦如字溲即溺也與人言常大罵未

可以儒生說也酈生曰弟言之騎士從容言如酈生所誡者沛公至高陽傳舍徐廣曰二世三年二月使人召酈生酈生至入謁沛公方倨牀使兩女子洗足索隱曰按樂彥云踞牀曰倨而見酈生酈生入則長揖不拜曰足下欲助秦攻諸侯乎且欲率諸侯破秦也沛公罵曰豎儒索隱曰案豎者僮僕之稱沛公輕之以比奴豎故曰豎儒夫天下同苦秦久矣故諸侯相率而攻秦何謂助秦攻諸侯乎酈生曰必聚徒合義兵誅無道秦不宜倨見長者於是沛公輟洗起攝衣正義曰攝斂著也延酈生上坐謝之酈生因言六國從横時沛公喜

賜酈生食問曰計將安出酈生曰足下起糾合之衆（一作烏合 一作瓦合）收散亂之兵不滿萬人欲以徑入彊秦此所謂探虎口者也夫陳留天下之衝四通五達之郊也（如淳曰四面中央凡五達也 瓚曰四通五達言無險阻）今其城又多積粟臣善其令（正義曰上言食其與陳留縣令相善也）請得使之令下足下（正義曰令力征反下謂降之也）即不聽足下舉兵攻之臣爲內應於是遣酈生行沛公引兵隨之遂下陳留號酈食其爲廣野君酈生言其弟酈商使將數千人從沛公西南略地酈生常爲說客馳使諸侯漢三年秋項羽擊漢拔滎陽漢兵遁

保鞏洛楚人聞淮陰侯破趙彭越數反梁地則分兵救之淮陰方東擊齊漢王數困滎陽成皋計欲捐成皋以東屯鞏洛以拒楚酈生因曰臣聞知天之天者王事可成不知天之天者王事不可成王者以民人爲天而民人以食爲天 索隱曰案此語出管子 夫敖倉天下轉輸久矣臣聞其下廼有藏粟甚多楚人拔滎陽不堅守敖倉廼引而東令適卒分守成皋 索隱曰適音直革反案通俗文云罰罪云即所謂讁戍又音陟革反卒音祖忽反 此乃天所以資漢也方今楚易取而漢反卻自奪其便 [illegible]

三口不取敖倉是漢却自奪其便利

臣竊以爲過矣且兩雄不俱立楚漢久相持不決百姓騷動海内搖蕩農夫釋耒工女下機【索隱曰案謂女工工巧也漢書作紅音功】天下之心未有所定也願足下急復進兵收取滎陽據敖倉之粟【正義曰敖倉在鄭州滎陽縣西十五里石門之東北臨汴水南帶三皇山秦時置倉於敖山上故名敖倉】塞成皐之險【正義曰即汜水縣也】杜大行之道【韋昭曰在河内野王北也】距蜚狐之口【如淳曰上黨壺關也案蜚狐在代郡西南○正義曰按蔚州飛狐縣北百五十里有秦漢故郡城西南有山俗號飛狐口也】守白馬之津以示諸侯效實形制之勢則天下知所歸矣方今燕趙已定唯齊未下今田廣據千里之齊田間將二十萬之衆軍

漢書軍於歷城　到彼曰此時何濟更有田閒　按田横傳乃是田解　横傳云齊使華無傷中解軍于歷下以距漢

於歷城諸田宗彊負海阻河濟南近楚人多變詐足下雖遣數十萬師未可以歲月破也臣請得奉明詔說齊王使爲漢而稱東藩上曰善廼從其畫復守敖倉而使酈生說齊王曰王知天下之所歸乎王曰不知也曰王知天下之所歸則齊國可得有也若不知天下之所歸即齊國未可得保也齊王曰天下何所歸曰歸漢曰先生何以言之曰漢王與項王戮力西面擊秦約先入咸陽者王之漢王先入咸陽項王負約不與而王之漢中項王遷殺義帝漢王聞之起

蜀漢之兵擊三秦出關而責義帝之處收天下之兵立諸侯之後降城即以侯其將得賂即以分其士與天下同其利豪英賢才皆樂爲之用諸侯之兵四面而至蜀漢之粟方船而下索隱曰案方船謂並舟也戰國策云方船積粟循江而下也項王有倍約之名殺義帝之負於人之功無所記於人之罪無所忘戰勝而不得其賞拔城而不得其封非項氏莫得用事爲人刻印刓而不能授孟康曰刓斷無復廉鍔也瓚曰項羽吝於爵賞玩惜侯印不能以封其人也○索隱曰刓音五官反案郭象注莊子云立法而刓斷無圭角漢書作玩言玩惜不忍授人攻城得賂積而不能賞天下畔之賢才怨之而莫

爲之用故天下之士歸於漢王可坐而策也夫漢王發蜀漢定三秦涉西河之外援上黨之兵正義曰援音爰下井陘誅成安君破北魏索隱曰北魏謂魏豹豹在河北故也亦謂之西魏以大梁在河南故也舉三十二城此蚩尤之兵也非人之力也天之福也今已據敖倉之粟塞成皋之險守白馬之津杜大行之阪距蜚狐之口天下後服者先亡矣王疾先下漢王齊國社稷可得而保也不下漢王危亡可立而待也田廣以爲然迺聽酈生罷歷下兵守戰備與酈生日縱酒淮陰侯聞酈生伏軾下齊七十餘城迺夜度

軾師古曰馮讀曰憑憑據也軾車前横板隆起者也云憑軾者言但安坐乘車而游說不用兵衆

兵平原襲齊齊王田廣聞漢兵至以爲酈生賣己廼曰汝能止漢軍我活汝不然我將亨汝酈生曰舉大事不細謹盛德不辭讓而公不爲若更言齊王遂亨酈生引兵東走漢十二年曲周侯酈商以丞相將兵擊黥布有功高祖舉列侯功臣思酈食其酈食其子疥數將兵功未當侯上以其父故封疥爲高梁侯後更食武遂嗣三世索隱曰疥音界地理志武遂屬河間案漢書作武陽子遂術字誤也元狩元年中武遂侯平正義曰年表云卒子敵嗣卒子平嗣元年有罪國除而漢書云更食武陽子遂嗣恐漢書誤也坐詐詔衡山王取百斤金當棄市病死國除也

漢史十三

漢書無楚人字不曰陸生

尉他 正義曰音徒何反 趙他眞定人為龍川令南海尉任囂死使他盡行南海尉事故曰尉他後自立為南越王

陸賈者楚人也 索隱曰案東留風俗傳云陸氏春秋時陸渾國之後晋侯伐之故陸渾子奔楚賈其後又陸氏譜云齊宣公支子達食菜於陸鄉號曰陸侯達生發發生皐適劉賈其孫也 以客從高祖定天下名為有口辯士居左右常使諸侯及高祖時中國初定尉他平南越因王之 索隱曰趙他為南越尉故曰尉他他音駝 高祖使陸賈賜尉他印為南越王陸生至尉他魋結 服虔曰魋音椎今兵士椎頭結○索隱曰魋字從結音計案其魋結二字依字讀之亦通謂夷人本被髮左衽今他同其風俗但魋其髮而結之也 箕倨見陸生陸生因進說他曰足下中國人親戚昆弟墳墓在眞定 索隱曰趙地也本名東垣屬常山 今足下反天性棄冠帶欲以區區之越與天子抗衡為敵國 索隱曰案

顯於漢

注張本校作他

賈一作生

師古曰結讀曰髻魋椎髻者一撮之髻其形如椎

通鑑十二反天性胡三省注背父母之國不念墳墓棄宗族是反天性也

崔浩云抗對也衡車扼上横木也抗衡言兩衡相對扼率不相避下也 禍且及身矣且夫

秦失其政諸侯豪傑並起唯漢王先入關據咸陽項羽倍約自立爲西楚霸王諸侯皆屬可謂至彊然漢王起巴蜀鞭笞天下劫略諸侯遂誅項羽滅之五年之間海内平定此非人力天之所建也天子聞君王王南越不助天下誅暴逆將相欲移兵而誅王天子憐百姓新勞苦故且休之遣臣授君王印剖符通使君王宜郊迎北面稱臣迺欲以新造未集之越屈彊於此漢誠聞之掘燒王先人冢夷滅宗族使一偏將將十

漢史十三

陸賈者楚人也 索隱曰案陳留風俗傳云陸氏春秋時陸渾國之後晉侯伐之故陸渾子奔楚賈其後又陸氏譜云齊宣公支子達食菜於陸鄉號曰陸侯達生發發生臯適楚賈其孫也 以客從高祖定天下名爲有口辯士居左右常使諸侯及高祖時中國初定尉他平南越因王之 索隱曰趙地爲南越尉故曰尉他他音駝 高祖使陸賈賜尉他印爲南越王陸生至尉他魋結 服虔曰魋音椎今兵士椎頭結○索隱曰魋直追反結音計謂爲髻一撮以椎而結之故字從結且案其魋結二字依字讀之亦通謂夷人本被髮左衽今他同其風俗但魋其髮而結之也 箕倨見陸生陸生因進說他曰足下中國人親戚昆弟墳墓在眞定 索隱曰趙地也本名東垣屬常山 今足下反天性棄冠帶欲以區區之越與天子抗衡爲敵國 索隱曰案

尉他 正義曰音徒何反又趙他眞定人爲龍川令南海尉任嚣死使他盡行南海尉事後曰尉他後自立爲南越王

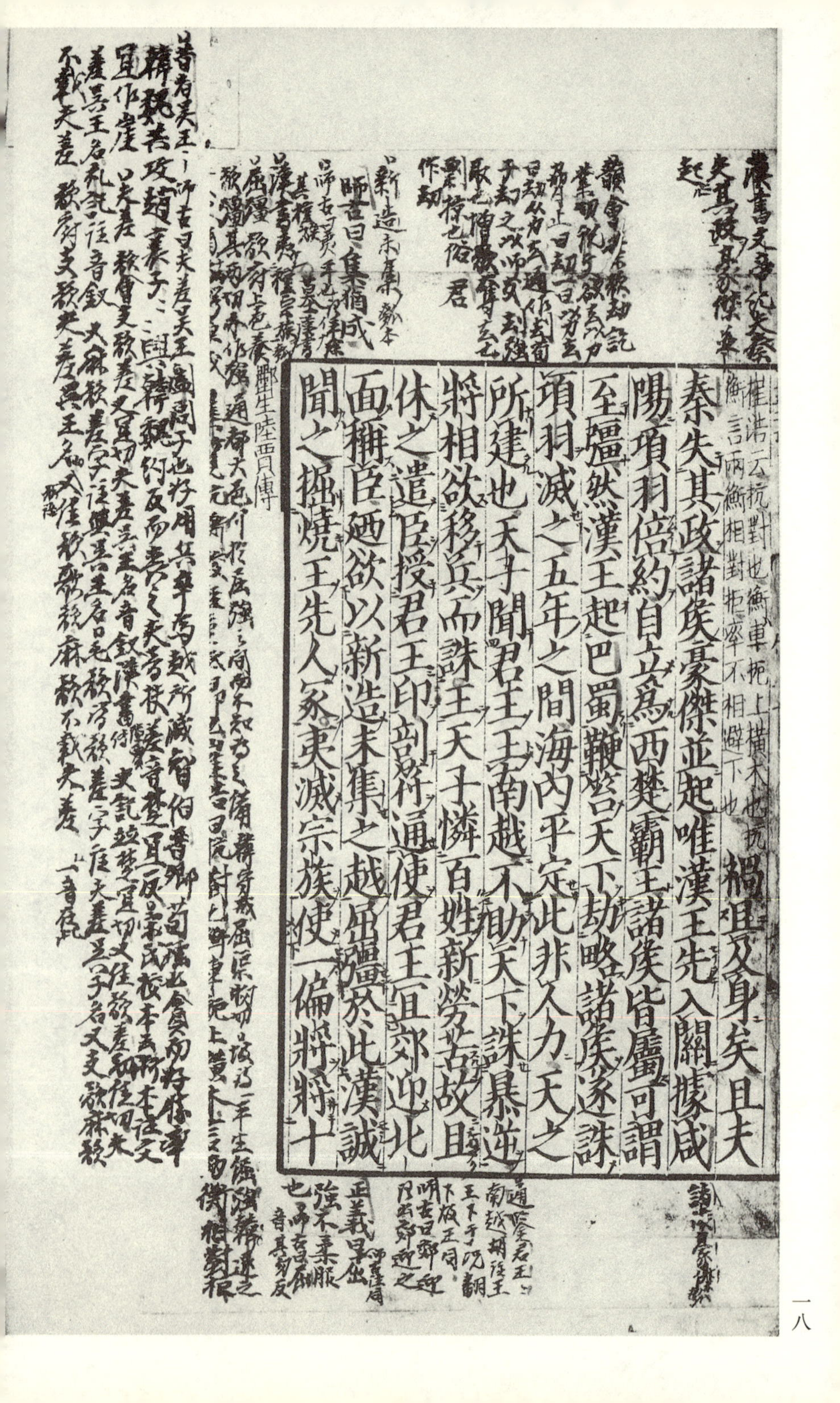

崔浩云抗對也衡車轅上横木也抗衡言兩衡相對拒牽不相避下也

禍且及身矣且夫

秦失其政諸侯豪傑並起唯漢王先入關據咸陽項羽倍約自立爲西楚霸王諸侯皆屬可謂至彊然漢王起巴蜀鞭笞天下劫略諸侯遂誅項羽滅之五年之間海内平定此非人力天之所建也天子聞君王王南越不助天下誅暴逆將相欲移兵而誅王天子憐百姓新勞苦故且休之遣臣授君王印剖符通使君王宜郊迎北面稱臣廼欲以新造未集之越屈彊於此漢誠聞之掘燒王先人冢夷滅宗族使一偏將將十

酈生陸賈傳

師古曰蹶然驚起之貌音厥

鄭玄曰蹶遽貌

正義曰剖泮猶開闢也

漢書作

萬衆臨越則越殺王降漢如反覆手耳於是尉他迺蹶然起坐索隱曰蘇林音厥禮記子夏蹶然而起韓詩云蹶起也謝陸生曰居蠻夷中久殊失禮義因問陸生曰我孰與蕭何曹參韓信賢陸生曰王似賢復曰我孰與皇帝賢陸生曰皇帝起豐沛討暴秦誅彊楚爲天下興利除害繼五帝三皇之業統理中國中國之人以億計地方萬里居天下之膏腴人衆車轝萬物殷富政由一家自天地剖泮未始有也今王衆不過數十萬皆蠻夷崎嶇山海閒譬若漢一郡王何迺比於漢尉他大笑曰吾不起

師古曰與如也

中國故王此使我居中國何渠不若漢渠音詎○索隱曰漢書作遽字小顏以爲有何迫促而不如漢也迺大說陸生留與飲數月曰越中無足與語至生來令我日聞所不聞賜陸生橐中裝直千金張晏曰珠玉之寶也裝裹也○索隱曰橐音託案如淳云以爲明月珠之屬又案詩傳曰大曰橐小曰囊裝裹埤蒼云有底曰囊無底曰橐謂以寶物裝裹以入囊橐也他送亦千金蘇林曰非橐中物故曰他送也陸生卒拜尉他爲越王令稱臣奉漢約歸報高祖大悅拜賈爲太中大夫陸生時時前說稱詩書高帝罵之曰迺公居馬上而得之安事詩書陸生曰居馬上得之寧可以馬上治之乎且湯武逆取而以順守之文武並用

長久之術也昔者吳王夫差智伯極武而亡秦任刑法不變卒滅趙氏趙氏秦姓也○索隱曰案韋昭云秦伯翳後與趙同出非廉造父有功周繆王封之趙由此一姓趙氏鄕使秦已并天下行仁義法先聖陛下安得而有之高帝不懌而有慙色迺謂陸生曰試爲我著秦所以失天下吾所以得之者何及古成敗之國陸生迺粗述存亡之徵凡著十二篇每奏一篇高帝未嘗不稱善左右呼萬歲號其書曰新語正義曰七錄云新語二卷陸賈撰也孝惠帝時呂太后用事欲王諸呂畏大臣有口者陸生自度不能爭之迺病免家居以好畤田地善正義

回時音止維州縣也可以家焉有五男迺出所使越得橐中

裝賣千金正義曰漢制一金直千貫分其子子二百金令為生

產陸生常安車駟馬從歌舞鼓琴瑟侍者十人

寶劍直百金謂其子曰與汝約徐廣曰汝一作公過汝汝

給吾人馬酒食極欲十日而更所死家得寶劍

車騎侍從者一歲中往來過他客率不過再三

過索隱曰率音律過音戈其下過字音光卧反數見不鮮索隱曰音朔現數見謂時時來見汝也不鮮言必令鮮美作食莫令見不鮮之物也漢書作數擊鮮如淳云新殺曰鮮也無久慁公

為也韋昭曰慁汚辱也索隱曰慁患也公賈自謂也言汝諸子無久猒患公也呂太后時

王諸呂諸呂擅權欲劫少主危劉氏右丞相陳

正義曰喜餘處作賓客一年之中不過三兩過到莫數見不鮮數及久猒我也

酈生陸賈傳

平患之力不能爭，恐禍及己，常燕居深念。陸生往請，漢書音義曰：請若問起居。直入坐，而陳丞相方深念，不時見陸生。索隱曰：深念，深思之也。陸生曰：「何念之深也？」陳平曰：「生揣我何念？」孟康曰：揣，度也。韋昭曰：揣音初委反。陸生曰：「足下位為上相，食三萬戶矣，索隱曰：案陳平傳食戶五千，以曲逆秦時有三萬戶，恐復業至此，故稱也。可謂極富貴無欲矣。然有憂念，不過患諸呂、少主耳。」陳平曰：「然。爲之奈何？」陸生曰：「天下安，注意相；天下危，注意將。將相和調，則士務附；士務附，徐廣曰：務，一作豫。天下雖有變，即權不分。為社稷計，在兩君掌握耳。臣常欲謂太尉絳侯，絳侯與我戲吾言君何不交驩太尉深相結為陳平畫呂氏數事陳平用其計迺以五百金為絳侯壽厚具樂飲太尉亦報如之此兩人深相結則呂氏謀益衰陳平迺以奴婢百人車馬五十乘錢五百萬遺陸生為飲食費陸生以此游漢廷公卿間名聲藉甚漢書音義曰言狼藉甚盛及誅諸呂立孝文帝陸生頗有力焉孝文帝即位欲使人之南越陳丞相等乃言陸生為太中大夫往使尉他令尉他去黃屋稱制令比諸侯皆如意旨語在南越語中陸生竟以壽終

漢書曰至去黃屋稱制句絶師古注曰黃屋及稱制皆

天子之儀故令之

酈生陸賈傳

正義曰陳平世家云食曲逆五千戶後攻陳豨黥布凡出六奇計益邑盡三分戶也

[illegible]謂極富貴無欲矣然有憂念不過患諸呂少主耳陳平曰然爲之奈何陸生曰天下安注意相天下危注意將將相和調則士務附士務附徐廣曰務一作豫天下雖有變即權不分爲社稷計在兩君掌握耳臣常欲謂太尉絳侯絳侯與我戲易

國家不安靜恐其[illegible]

呂后[illegible]師古曰[illegible]也以國家不安靜[illegible]

[illegible]呂后本紀太后欲王呂氏先立孝惠後宮子[illegible]

[illegible]師古曰永巷宮中之長巷也 ○[illegible]宣平侯張敖尚[illegible]

[illegible]女也張敖乃張耳子也魯元乃高祖長女也

[illegible]千金 漢書惠帝紀[illegible]四千金[illegible]賜錢二万[illegible]

金 有黃金也不言黃[illegible]

者一金當萬錢也[illegible]

注[illegible]秦以一鎰爲一金 漢以一斤爲一金

金四百[illegible]

[illegible]千金即[illegible]通鑑卷二[illegible]

金[illegible]日二十兩爲一金[illegible]一鎰

吕氏言君何不交驩太尉深相結爲陳平畫吕氏數事陳平用其計廼以五百金爲絳侯壽厚具樂飲太尉亦報如之此兩人深相結則吕氏謀益衰陳平廼以奴婢百人車馬五十乘錢五百萬遺陸生爲飲食費陸生以此游漢廷公卿閒名聲藉甚（漢書音義曰言狼藉甚盛）及誅諸吕立孝文帝陸生頗有力焉孝文帝即位欲使人之南越陳丞相等乃言陸生爲太中大夫往使尉他令尉他去黄屋稱制令比諸侯皆如意旨語在南越語中陸生竟以壽終（漢書曰至去黄屋称制句絶師古注曰黄屋及称制）

天子之儀故令之

酈生陸賈傳

鐵五百萬匈奴五千萬乎

辟陽侯審食其邑信都有辟陽縣括地志云故城在今冀州信都縣西二十五里

漢史十三

漢書注無不之字

與（アツカリ）

正義不叙字形行不合則不以其人交

或点以義字連上句

漢書云賜建號平原君家徙長安也

平原君朱建者楚人也故嘗為淮南王黥布相有辠去後復事黥布布欲反時問平原君平原君止之布不聽而聽梁父侯遂反索隱曰梁父侯史失名姓淳注漢書云遂布臣非也臣瓚曰布不用梁父侯計遂反耳其說是也漢已誅布聞平原君諫不與謀正義曰上音預得不誅語在黥布語中黥布列傳無此語平原君為人辯有口刻廉剛直家於長安行不苟合義不取容辟陽侯行不正得幸呂太后時辟陽侯欲知平原君平原君不肯見及平原君母死陸生素與平原君善過之平原君家貧未有以發喪索隱曰案劉氏云謂欲葬時須啓發殯宮故云發喪也方假貸服具

辟陽侯審食其也

大得反

服具陸生令平原君發喪陸生往見辟陽侯賀曰平原君母死辟陽侯曰平原君母死何乃賀我乎陸賈曰前日君侯欲知平原君平原君義不知君以其母故張晏曰相知當同恤災危母在故義不知君○索隱曰案崔浩云建以母在義不以身許人也今其母死君誠厚送喪則彼爲君死矣辟陽侯乃奉百金往稅韋昭曰衣服曰稅稅當爲襚○索隱曰案說文稅贈終服也襚音式芮反亦音遂列侯貴人以辟陽侯故往稅凡五百金辟陽侯幸呂太后人或毀辟陽侯於孝惠帝孝惠帝大怒下吏欲誅之呂太后慙不可以言大臣多害辟陽侯行欲遂誅之辟陽侯急因使

酈生陸賈傳 十

人欲見平原君平原君辭曰獄急不敢見君迺求見孝惠幸臣閎籍孺（索隱曰按佞幸傳云高祖時有籍孺孝惠時有閎孺今總言閎籍孺誤也）說之曰君所以得幸帝天下莫不聞今辟陽侯幸太后而下吏道路皆言君讒欲殺之今日辟陽侯誅旦日太后含怒亦誅君何不肉袒為辟陽侯言於帝帝聽君出辟陽侯太后大驩兩主共幸君君貴富益倍矣於是閎籍孺大恐從其計言帝果出辟陽侯辟陽侯之囚欲見平原君平原君不見辟陽侯辟陽侯以為倍己大怒及其成功出之迺大驚呂太后崩大臣誅

酈生陸賈傳十一

諸呂辟陽侯於諸呂至深 如淳曰辟陽侯與諸呂相親信也為罪宜誅者至深 而卒不誅 ○索隱曰如淳之説非也案小顔云直言辟陽侯與諸呂相知情義至深重得其理也 計畫所以全者皆陸生平原君之力也孝文帝時淮南厲王殺辟陽侯以諸呂故文帝聞其客平原君為計策使吏捕欲治聞吏至門平原君欲自殺諸子及吏皆曰事未可知何早自殺為平原君曰我死禍絶不及而身矣遂自剄孝文帝聞而惜之曰吾無意殺之廼召其子拜為中大夫 索隱曰案下文所謂與太史公善者 使匈奴單于無禮廼罵單于遂死匈奴中初沛公引兵過陳留酈生踵軍

漢五行志曰反注冠應劭曰今法冠是也李奇曰一曰高山冠本齊冠也謁者服之師古曰反古側字也謂側注者言形側立而下注也蔡邕云高九寸鐵爲卷非法冠及高山也卷音去權反

誅 討

門上謁曰高陽賤民酈食其竊聞沛公暴露將兵助楚不義敬勞從者願得望見口畫天下便事使者入通沛公方洗問使者曰何如人也使者對曰狀貌類大儒衣儒衣冠側注（徐廣曰側注冠一名高山冠齊王所服以賜謁者）沛公曰爲我謝之言我方以天下爲事未暇見儒人也使者出謝曰沛公敬謝先生方以天下爲事未暇見儒人也酈生瞋目案劍叱使者曰走復入言沛公吾高陽酒徒也（徐廣曰一本云而入公高陽酒徒）非儒人也使者懼而失謁跪拾謁還走復入報曰客天下壯士也叱臣臣恐至失謁曰

何不自喜 漢書灌夫傳又有此語師古註曰何不自謂遠爲可喜之事也喜音許吏反 蘇林曰何不自解釋爲喜樂邪

走復入言沛公高陽酒徒也沛公遽雪足杖矛曰延客入酈生入揖沛公曰足下甚苦暴衣露冠將兵助楚討不義足下何不自喜也臣願以事見而曰吾方以天下爲事未暇見儒人也夫足下欲興天下之大事而成天下之大功而以自皮相恐失天下之能士且吾度足下之智不如吾勇又不如吾若欲就天下而不相見竊爲足下失之沛公謝曰鄉者聞先生之容今見先王之意矣廼延而坐之問所以取天下者酈生曰夫足下欲成大功不如止陳留陳留者天下

也

[illegible]雪拭

以目皮相 師說曰劉伯以目視皮膚不知心察善惡 漢書以目視皮膚而相不知心中事也

據衝 韻會衝昌容切從交通道也本作衝 徐曰南北東西各有通道相衝 今文作衝 鄭食其謂陳留天下之衝四通五達之郊也 今其城又多積粟

師說曰衝作權衝言拠依衝聚之処也

據衝 本作權衝

嬰城 韻會嬰城注

嬰本作嬰

無類 顏師古注曰無類謂見誅滅無遺類

之據衝也兵之會地也積粟數千萬石城守甚
堅臣素善其令願爲足下說之不聽臣請爲
足下殺之而下陳留足下將陳留之衆據陳留
之城而食其積粟招天下之從兵從兵已成足
下横行天下莫能有害足下者矣沛公曰敬聞
命矣於是酈生迺夜見陳留令說之曰夫秦爲
無道而天下畔之今足下與天下從則可以成
大功今獨爲亡秦嬰城而堅守臣竊爲足下危
之陳留令曰秦法至重也不可以妄言妄言者
無類吾不可以應先生所以教臣者非臣之意

也願勿復道酈生留宿臥夜半時斬陳留令首
踰城而下報沛公沛公引兵攻城縣令首於長
竿以示城上人曰趣下而令頭已斷矣今後下
者必先斬之於是陳留人見令已死遂相率而
下沛公沛公舍陳留南城門上因其庫兵食積
粟留出入三月從兵以萬數遂入破秦
太史公曰世之傳酈生書多曰漢王已拔三秦
東擊項籍而引軍於鞏洛之閒酈生被儒衣往
說漢王廼非也自沛公未入關與項羽別而至
高陽得酈生兄弟余讀陸生新語書十二篇固

嬰城　蘇林曰嬰安往矣　嬰之後皇孫傳嬰安城者相望注以城自嬰從又常也繫也

嬰本乍繞

無類　寶嬰傳注曰無類謂見誅滅無遺類

足下殺之而下陳留足下將陳留之衆據陳留之城而食其積粟招天下之從兵從兵已成足下橫行天下莫能有害足下者矣沛公曰敬聞命矣於是酈生迺夜見陳留令說之曰夫秦爲無道而天下畔之今足下與天下從則可以成大功今獨爲亡秦嬰城而堅守臣竊爲足下危之陳留令曰秦法至重也不可以妄言妄言者無類吾不可以應先生所以教臣者非臣之意

縣本作懸

入一作大

也願勿復道酈生留宿臥夜半時斬陳留令首踰城而下報沛公沛公引兵攻城縣令首於長竿以示城上人曰趣下而令頭已斷矣今後下者必先斬之於是陳留人見令已死遂相率而下沛公沛公舍陳留南城門上因其庫兵食積粟留出入三月從兵以萬數遂入破秦

太史公曰世之傳酈生書多曰漢王已拔三秦東擊項籍而引軍於鞏洛之間酈生被儒衣往說漢王迺非也自沛公未入關與項羽別而至高陽得酈生兄弟余讀陸生新語書十二篇固

遂下陳留號酈食其為廣野君
說歷下兵齊王田廣聞漢兵至以為酈生賣己遂亨酈生

當世之辯士至平原君子與余善是以得具論之

索隱述贊曰

廣野大度始冠側注踵門長揖

使者曰衣儒衣冠側注

深器重遇說齊歷下趣鼎何懼

陸賈使越尉他懾怖相說國安

使南越

陸賈說漢主

書成主悟

陸賈著新語十二篇也

酈生陸賈列傳第三十七　史記九十七

黃氏日抄酈生畫高帝下陳留畫高帝救敖倉遂以關所繫大矣然以善其言而夜半賊殺之與之善者不亦難乎此戰国傾危之餘習宜其卒窮於辯也　陸賈兩使尉他使漢越無兵嘗秉天下陰受其賜多矣時時稱詩書新高帝馬上之習社稷靈長終必賴之矣其後知大后將王諸呂不可爭謝病免家居及諸呂將危刘氏則出為陳平畫策誅之動靜合時措之宜而功烈泯無形之表漢初儒生未有此也而太史公原與酈生而傳豈以其辨說歟　朱建以母死無以為喪而受辟陽辟陽侯金所謂行不苟合者安在嗚呼此其所以惡也

集解安陽　索隱曰案傳云從攻安陽杠里則安陽杠里須在河南沛古以為今相州安陽縣則時此兵猶未渡河不應即至相州安陽今按後魏地形志己氏縣有安陽城隋改己氏為楚丘今宋州楚丘縣西北四十里安陽故城是也　蘇林曰杠胡双切

漢史十一

陽本作楊

賁正義曰音奔

傳一

傅靳蒯成列傳第三十八　史記九十八

陽陵侯（地理志云馮翊陽陵縣）傅寬以魏五大夫騎將從爲舍人起橫陽（索隱曰按橫陽邑名在韓韓八公子成初封橫陽君張良立爲韓王也○正義曰括地志云故橫城在宋州宋城縣西南三十里按蓋橫陽也）從攻安陽（正義曰後魏地形志云巳氏有安陽城隋改巳氏爲楚丘今宋州楚丘縣西卌里安陽故城是也）杠里擊趙賁軍於開封及擊楊熊曲遇（正義曰曲丘羽反遇牛恭反司馬彪郡國志云中牟有曲遇聚按鄭州中牟縣也）陽武（正義曰鄭州縣也）斬首十二級賜爵卿從至霸上沛公立爲漢王漢王賜寬封號共德君（索隱曰謂美號耳非地邑共音恭）從入漢中遷爲右騎將從定三秦賜食邑雕陰（徐廣曰屬上郡○索隱曰案孟康云縣名也○正義曰鄜州洛交縣三十里雕陰故

城是也從擊項籍待懷服虔曰待高帝於懷○索隱曰小顏案地理志懷屬河內今懷州也賜爵通德侯從擊項冠周蘭龍且所將卒斬騎將一人敖下徐廣曰敖倉之下益食邑屬淮陰索隱曰張晏云信時為將云淮陰侯者終言之也擊破齊歷下軍擊田解屬相國參殘博索隱曰傳大山縣也顏祕監云屬曹參以殘破博縣也益食邑因定齊地剖符世世勿絕封為陽陵侯二千六百戶除前所食為齊右丞相備齊張晏曰時田橫未降故設屯備○正義曰按為齊王韓信相五歲為齊相國正義曰為齊悼惠王劉肥相五歲也四月擊陳豨屬太尉勃以相國代丞相噲擊豨一月徙為代相國將屯如淳曰既為相國有警則將卒而屯守也案律謂勒兵而守曰屯○索隱曰如淳云

正義曰通德侯未詳

漢書淮信時為相國云淮陰者綠書之也

正義曰敖倉山之下也

傅靳蒯成傳一

○中涓 初云中涓者 如侍中者 近人之數也 日本ホ…… 捕虜ハ捕虜ナトモヨム捕虜ナトモヨム又捕虜

五十七人ニトモヨムツ

○如淳曰……相國……則將卒……也

顔師古曰時代國常有屯兵備邊寬爲代相兼將此屯也兵也

漢史十一

諸侯年表貞曰歙靳紀勤反許及反又式涉反貞音翕然翕

爲代丞相將屯（漢初諸王官屬如漢朝故代有丞相案孔文祥云邊境有屯兵寬爲代相國兼領屯後因置將屯將軍也）孝惠五年卒謚爲景侯子須侯精立二十四年卒子共侯則立十二年卒子侯偃立二十一年坐與淮南王謀反死國除　二歲

信武侯靳歙（索隱曰歙音翕）以中涓從起宛朐（正義曰上於元反下求俱反曹州縣也）攻濟陽（正義曰曹州宛朐縣西南三十五里濟陽故城）破李由軍擊秦軍亳南開封東北斬騎十人將一人（徐廣曰將一作候）首五十七級捕虜七十三人賜爵封號臨平君又戰藍田北斬車司馬二人（張晏曰主車）騎長一人（張晏曰騎之長）首二十八級捕虜五十七人至霸上沛公

正義曰擊秦軍於南亳故城在南開封縣之東北也

正義曰按言別之河內疑漢書誤也

立爲漢王，賜歙爵建武侯，遷爲騎都尉。從定三秦，別西擊章平軍於隴西，破之，定隴西六縣。所將卒斬車司馬、候各四人，騎長十二人。從東擊楚，至彭城。漢軍敗還，保雍丘，去擊反者王武等。略梁地，別將擊邢說軍（張晏曰特起兵者也。說音悅。○索隱曰邢，姓，說，名。）菑南，（徐廣曰今曰考城。○索隱曰菑音災，今爲考城，屬濟陰也。）破之，身得說都尉二人，司馬、候十二人，降吏卒四千六百八十人。破楚軍滎陽東。三年，賜食邑四千二百戶。別之河內，擊趙將賁郝（上音肥，下音釋。○索隱曰漢書曰抹趙賁軍。案此在河北，非曹參、樊噲之所擊也。）軍朝歌，破之，所將卒得騎將二人，車馬二百五

濟本作清

十四從攻安陽以東至棘蒲下七縣別攻破趙軍得其將司馬二人候四人降吏卒二千四百人從攻下邯鄲別下平陽徐廣曰鄴有平陽城○正義曰括地志云平陽故城在相州臨漳縣西二十五里身斬守相所將卒斬兵守郡守各一人孟康曰將兵郡守降鄴從攻朝歌邯鄲及別擊破趙軍降邯鄲郡六縣徐廣曰邯鄲高帝改曰趙國還軍敖倉破項籍軍成皋南擊絕楚饟道起滎陽至襄邑破項冠軍魯下正義曰魯城之下今兗州曲阜縣也略地東至繒郯下邳索隱曰案地理志繒屬東海○正義曰今繒城在沂州承縣下邳泗水縣郯縣屬海州南至蘄竹邑索隱曰二邑名蘄在沛音機竹即竹邑擊項悍濟陽下還擊項

高祖十年八月趙相國陳豨反代地 豨

籍陳下破之別定江陵降江陵柱國大司馬以下八人身得江陵王（索隱曰案孔文祥云共敖子共尉）生致之雒陽因定南郡從至陳取楚王信剖符世世勿絕定食四千六百戶號信武侯以騎都尉從擊代攻韓信平城下還軍東垣有功遷為車騎將軍并將梁趙齊燕楚車騎別擊陳豨丞相敞破之（索隱曰小顏云失敞也）因降曲逆從擊黥布有功益封定食五千三百戶凡斬首九十級虜百三十二人別破軍十四降城五十九定郡國各一縣二十三得王柱國各一人二千石以下至五百石（徐廣曰一本無此五）

傅靳蒯成傳三

字三十九人高后五年歛卒謚爲肅侯子亭代

侯二十一年坐事國人過律索隱曰案劉氏云事役使也謂使人違律數多

也孝文後三年奪侯國除

蒯成侯緤者服虔曰蒯音菅蒯之蒯○索隱曰姓周名緤音薛蒯者鄉名案三倉云蒯鄉在城父縣音裴漢書作蒯從崩從邑今書本並作菅蒯音姧非也蘇林音簿催反晉灼案功臣表屬長沙崔浩音簿壞反楚漢春秋作憑成侯則悲憑聲相近此得其實也○正義曰括地志云蒯亭在河南西十四里苑中輿地志云蒯成縣故陳倉縣之故鄉聚名也周緤所封也晉武帝咸寧四年分陳倉立蒯城縣屬始平郡也沛人也姓周氏

常爲高祖參乘以舍人從起沛至霸上西入蜀

漢還定三秦食邑池陽正義曰雍州涇陽縣西北三里池陽故城是也東絶

甬道從出度平陰遇淮陰侯兵襄國軍乍利乍

不利終無離上心（徐廣曰蒯成侯表云遇淮陰侯兵軍翼國趙漢約分鶏滿以緤爲信武侯戰不利不敢離上）以緤爲信武侯食邑三千三百戶高祖十二年以緤爲蒯成侯除前所食邑上欲自擊陳豨蒯成侯泣曰始秦攻破天下未嘗自行今上常自行是爲無人可使者乎上以爲愛我賜入殿門不趨殺人不死至孝文五年緤以壽終謚爲貞侯（正義曰謚爲尊侯一作卓）子昌代侯有罪國除至孝景中二年封緤子居代侯（徐廣曰表云孝景中元年封緤子應爲鄲侯謚康中二年侯居立沛郡有鄲縣鄲一作鄲○索隱曰鄲蕭林音多屬陳國地理志云沛郡有多縣案此文云子居表云子應不同者）至元鼎三年居爲太常有罪國除

殺人者死是三章法之一也

正義曰楚漢春秋云上令殺人不死入廷不趨也

正義曰按表云應爲鄲侯一歲卒侯居代而文不說者以年少故

傅靳蒯成傳 四

信武侯師古曰是其忠信故以爲號

正義曰謚爲尊侯一本又作卓侯

鄲正義曰音多

太史公曰陽陵侯傅寬信武侯靳歙皆高爵徐廣曰一無高字又一本皆從高祖從高祖起山東攻項籍誅殺名將破軍降城以十數未嘗困辱此亦天授也蒯成侯周緤操心堅正索隱曰操音倉高反身不見疑上欲有所之未嘗不垂涕此有傷心者徐廣曰此一作比然可謂篤厚君子矣

索隱述贊曰

陽陵信武　結髮從漢　動叶人謀　功實天贊　定齊破項　我軍常冠　蒯成委質　夷險不亂　主上稱忠

人臣抵脆

周后稷弃 不窋 鞠 公劉 慶節 皇僕 差弗 毀隃 公非 高圉 亞圉

公叔祖類 古公亶父 是為太王

太伯

虞仲

季歷 文王昌 是為西伯

武王發 成王誦

周公旦

叔鮮

叔度

傅靳蒯成列傳第三十八　史記九十八

周本紀曰周后稷名弃其母有邰氏女曰姜原姜原為帝嚳元妃姜原出野見巨人跡心忻然説欲踐之踐之而身動如孕者居期而生子以為不祥弃之隘巷馬牛過者皆辟不踐徙置之林中適會山林多人遷之而弃渠中冰上飛鳥以其翼覆薦之姜原以為神遂收養長之初欲弃之因名曰弃弃為兒時屹如巨人之志其游戲好種樹麻菽麻菽美及為成人遂好耕農相地之宜宜穀者稼穡焉民皆法則之帝堯聞之舉弃為農師天下得其利有功帝舜曰弃黎民始飢尓后稷播時百穀封弃於邰号曰后稷

通鑑輯釋第一卷成儀西己洛陽服輓輅海陵本釋文曰輅音洛余按蘇林漢書注曰輅
音凍洛之洛一木横遮車前二人挽之三人推之師古曰輅音胡格翻洛音同廣韻洛音涸
若從蘇音洛當作洛其說曰輅音路亦訓也
曰輓輅注鹿車故云鹿車小車也小容鹿許也陸云鹿車推東也
日自布傳故云天下之事丁亥不知孔也上及之入見食意不安引二字也

周朝文數四十四兼辨東西周云東西周有二一以未徙遷都殊而名一以二公封邑之殊而名長音
武王西都鎬京而東定鼎於郟鄏周公相成王完洛邑營澗水東瀍水西以朝諸侯謂之王都又謂之
東都郟鄏於今爲洛陽自武王至幽王都鎬京幽王廢太子宜臼又廢申后及大戎入
欲立伯服宜臼奔申侯以兵河南又當瀍水以東殷頑民謂之下都於今爲洛陽
寇殺幽王諸侯立太子宜臼是爲平王畏戎之逼去鎬而遷於東都平以下都王城曰
東周以上都鎬京曰西周此以未徙遷都之殊而名也自平王東遷傳世十二而景王之庶長子朝
立五猛年國猛卒立居子皇晉師納之子王城入之不日猛死是爲悼王子朝又入王辟之東
居子狄泉子朝據王城曰西王敬王在狄泉曰東王敬王四年子朝奔楚敬王雖得返國終以
子朝餘黨多在王城乃徙都成周而王城之都廢敬王孝王封其弟揭於王城以續周公之官
職是爲周桓公自此以後東有王西有公而東西周之名未亡也桓公生威公威公生惠公
公之少子班又別封於鞏以奉王是爲東周惠公以鞏以鞏平王成周之東故也
之是別爲龍文爵之居于王城是爲西周公武公以王城在成周之西故自此以後西有王
有公二公各有封邑而周爲一也赧王之時乃爲三周之王寄居于西周郊王
分東西自此始九年東周東周各自周君赧王之初復遷于西周
城居都也史記云王赧時東西周分治今韓等二年也公
洽西周惠公人秦獻其邑而歸是年赧王崩後西周武公卒子文君立秦王五十九年秦
秦滅東周遷東周君於陽人聚此以二公封邑之殊而名也
封洛邑爲東周而言之二公封邑之殊者又於洛邑之中以王城爲西周封成周爲東周而言
也大都東周三十六王第十六月二王都鎬京中十有二王都王城封鎬京在西而王城

在東，實與東西之相望也遠，幸千里。王都成周謂一王都，王城對成周，則成周在東，而[illegible]

西之相距也，亦一王城也。昔以東周稱，今以西周稱，夫周未東西之分，周武[illegible]二公各居一都，而名王周或

東或西。東西之名，繫乎地，公不繫乎人，王也，即予所謂[illegible]以都王為西周君，居東周[illegible]而西周公[illegible]

王氏則有兩西為主，東為公。吳知東之有公，而不知西之有君，公也知王之在西，而不知[illegible]以東之王[illegible]

戰國策東，顯為東周、西周君，王之意哉。二周[illegible]以來，不顧王慎靚王二代五十餘年，主於東，被[illegible]

五十餘年，主于西，是東後西，晚其之序也。近有譚者之說[illegible]謂西周正統，不應[illegible]猶於東周，外之在[illegible]

為秦所併，居世次於東周，著公世次，蓋周即予而知[illegible]者認不知有西周[illegible]公且因[illegible]

西周武公為赧王別，假及以餘慶為[illegible]是未嘗考於司馬貞[illegible]說[illegible]又云赧從都西

周西周，鎬京也。嗚呼！鎬京去王城成周八百餘里，自平王東遷之後不復有[illegible]

林遂犬戎，即有其地，鎬之於秦，已四百年於茲，其地在長安上林，是林明之[illegible]

經都乎。被武昌謗證曰：西周王城今河南，東周成周故洛陽，辭旨明甚[illegible]

西周為鎬京也乎？題又云：鄭[illegible]河南為東周，殊不思此昔時為河東周[illegible]

將之西周，長[illegible]京鄭對稱西東者不同[illegible]乃一之行[illegible]有不知而作者哉[illegible]

且用心甚善，而所考之端不免謬誤如此，讀者亦哉[illegible]

筆之遂為之作東西周辯[illegible]

劉敬叔孫通列傳第三十九　史記九十九

劉敬者齊人也索隱曰敬本姓婁漢書作婁敬漢五年戍隴西過洛陽高帝在焉婁敬脫輓輅蘇林曰一木橫鹿車前一人推之孟康曰輅音胡格反輓音晚○索隱曰輓者牽也輅者鹿車前橫木二人前輓一人後推之衣其羊裘見齊人虞將軍曰臣願見上言便事虞將軍欲與之鮮衣索隱曰上音仙鮮衣美服也婁敬曰臣衣帛衣帛見衣褐衣褐見終不敢易衣於是虞將軍入言上上召入見賜食已而問婁敬婁敬說曰陛下都洛陽豈欲與周室比隆哉上曰然婁敬曰陛下取天下與周室異周之先自后稷堯封之邰正義曰邰音胎

通鑑釋文第一周自后稷封邰史炤釋文曰邰在右扶風武功縣余按班志右扶風有斄縣邰字又有武功縣顏師古註曰斄即今武功故城是也史記正義曰雍州武功縣西南二十三里故斄城是也蓋邰與武功在漢時為兩縣並屬右扶風後世則省邰縣併入武功縣至唐則武功縣屬雍州而扶風為岐州顏師古張守節皆引唐時州縣以釋古邰城所在史炤不能深知歷代郡縣之離合徑言邰在右扶風武功縣殊不知漢右扶風所領邰自是邰縣武功自是武功縣至唐則古邰城在雍州武功縣界內豈可以為在右扶風武功縣邪若曰在唐雍州武功縣則可矣

韻會婁郎侯切又姓邾國之後漢有婁敬

漢書列傳十三之卷　劉敬叔孫通傳

正義曰本姓婁高祖曰婁者劉也賜姓劉氏

脫輓輅三音

牽之鹿車而見虞將軍也卑賤之人者自挽車也

正義曰鮮衣鮮潔美服

顏師古曰此褐謂織毛布之衣

衣本作袪　便事漢書作便宜

杖馬箠正義曰杖音直尚反箠音竹委反杖持也顏師古曰箠馬策也杖謂柱之也云杖馬箠者以其無所携持也

虞芮訟文穎曰二國爭田見文王之德而自和也

武功縣西南二十三里故斄城是也說文云邰炎帝之後姜姓所封周弃外家也毛萇云邰姜嫄國堯見天因邰而生后稷故因封於邰也積德累善十有餘世公劉避桀居豳太王以狄伐故去豳杖馬箠居岐張晏曰言馬箠示約國人爭隨之及文王為西伯斷虞芮之訟始受命呂望伯夷自海濱來歸之正義曰呂望宅及廟在蘇州海鹽縣西也伯夷孤竹國在平州皆濱東海也武王伐紂不期而會孟津之上八百諸侯皆曰紂可伐矣遂滅殷成王即位周公之屬傅相焉迺營成周洛邑正義曰括地志云故王城一名河南城本郟鄏周公所築在洛州河南縣北九里苑中東北隅帝王紀云武王伐紂營洛邑而定鼎焉按此即營都城也書云乃營成周括地志云洛陽故城在洛州洛陽城東二十六里周公所築即成周城也尚書曰成周既成遷殷頑民帝王世紀云居邶鄘之衆按劉敬

劉敬一

通鑑釋文第一 周自后稷封邰 史炤釋文曰邰在右扶風武功縣 余按班志右扶風有斄縣 邰字又有武功縣 顔師古註曰斄即今武功故城 是史記正義曰雍州武功縣西南二十三里故斄城是也 蓋邰與武功在漢時為兩縣並屬右扶風 後世則省邰縣併入武功縣 至唐則武功縣屬雍州 而扶風為岐州 顔師古張守節皆引唐時州縣以釋古邰城所在 史炤不能深知歷代郡縣之離合 徑言邰在右扶風武功縣 殊不知漢右扶風所領邰自是邰縣 武功自是武功縣 至唐則古邰城在雍州武功縣界内 豈可以為在右扶風武功縣邪 若曰在唐雍州武功縣則可矣

韻會 婁 郎侯切 又姓 邾國之後 漢有婁敬

劉敬叔孫通傳 日通鑑十一胡注 姓譜 婁 邾婁國之後 一曰離婁之後

漢書列傳十三之卷

正義曰本姓婁 高祖曰婁者劉也 賜姓劉氏

脫輓輅 言弃所自牽之鹿車而見虞將軍也 卑賤之人者自挽車也

正義曰鮮衣鮮潔之衣 美服

顔師古曰 褐謂織毛布之衣

劉敬叔孫通列傳第三十九　史記九十九

劉敬者，齊人也。索隱曰敬本姓婁，漢書作婁敬 漢五年，戍隴西，過洛陽，高帝在焉。婁敬脫輓輅，蘇林曰一木橫鹿車前，一人推之。孟康曰輅音胡格反，輓音晚。○索隱曰輓者牽也。輅者鹿車前橫木，二人前輓，一人後推之 衣其羊裘，見齊人虞將軍曰：臣願見上言便事。虞將軍欲與之鮮衣，索隱曰上音仙。鮮衣美服也 婁敬曰：臣衣帛，衣帛見；衣褐，衣褐見；終不敢易衣。於是虞將軍入言上。上召入見，賜食。已而問婁敬，婁敬說曰：陛下都洛陽，豈欲與周室比隆哉？上曰：然。婁敬曰：陛下取天下與周室異。周之先自后稷，堯封之邰，正義曰邰音胎

武功縣西南二十三里故斄城是也說文云邰炎帝之後姜姓所封國弃外家也毛萇云邰姜嫄國堯見天因邰而生后稷故因封於邰也

積德累善十有餘世公劉避桀居豳太

莊子附離不以膠漆
注或附或離
附離
驕奢虐民正義曰言帝王阻險之地令後世驕奢之主役民則虐苦也
漢書云秦帝時附離章氏者皆起家至二千石注云離依之也

以此爲天下之中也諸侯

說周之美豈言居頑民之所以此而論漢書非也

四方納貢職道里均矣有德則易以王無德則易以亡凡居此者欲令周務以德致人不欲依阻險令後世驕奢以虐民也及周之盛時天下和洽四夷鄉風慕義懷德附離而並事天子

曰附離不以膠漆也○索隱曰案謂使離者相附也

不屯一卒不戰一士八夷大國之民莫不賓服效其貢職及周之衰也分而爲兩

正義曰公羊傳云東周者何成周也西周者何王城也按周自平王東遷以下十二王皆都王城至敬王乃遷都成周王赧又居王城也

天下莫朝周不能制也非其德薄也而形勢弱也今陛下起豐沛收卒三千

人以之徑往而卷蜀漢定三秦與項羽戰滎陽爭成皋之口大戰七十小戰四十使天下之民肝腦塗地父子暴骨中野不可勝數哭泣之聲未絕傷痍者未起而欲比隆於成康之時臣竊以為不侔也且夫秦地被山帶河四塞以為固卒然有急百萬之衆可具也因秦之故資甚美膏腴之地此所謂天府者也（索隱曰案戰國策蘇秦說惠王曰大王之國地勢形便此所謂天府高誘注云府聚也）陛下入關而都之山東雖亂秦之故地可全而有也夫與人鬬不搤其肮（張晏曰肮喉嚨也○索隱曰搤音厄肮音胡浪反一音胡剛反蘇林以為肮頸大脈俗所謂胡脈也）拊其背未

能全其勝也今陛下入關而都案秦之故地此亦搤天下之亢而拊其背也高帝問羣臣羣臣皆山東人爭言周王數百年秦二世即亡不如都周上疑未能決及留侯明言入關便即日車駕西都關中索隱曰案謂即日西都之計定也於是上曰本言都秦地者婁敬婁者乃劉也賜姓劉氏拜爲郎中號爲奉春君索隱曰按張晏云春爲歲之始以其首謀都關中故號奉春君漢七年韓王信反高帝自往擊之至晉陽聞信與匈奴欲共擊漢上大怒使人使匈奴匈奴匿其壯士肥牛馬但見老弱及羸畜正義曰上力爲反下許又反也使者十輩

來皆言匈奴可擊上使劉敬復往使匈奴還報曰兩國相擊此宜夸矜見所長韋昭曰夸張矜大也今臣往徒見羸瘠老弱索隱曰羸力為反瘠音漬又音積瘠瘦也漢書作胔音漬胔肉也恐非此必欲見短伏奇兵以爭利愚以為匈奴不可擊也是時漢兵已踰句注正義曰句注山在代州鴈門縣西北三十里二十餘萬兵已業行上怒罵劉敬曰齊虜以口舌得官今廼妄言沮吾軍索隱曰沮音才敘反詩傳曰沮止也壞也械繫敬廣武索隱曰地理志縣名屬鴈門 正義曰廣武故縣在句注山南也遂往至平城匈奴果出奇兵圍高帝白登七日然後得解高帝至廣武赦敬曰吾不用公言以困平城吾皆以

劉敬叔孫通傳三

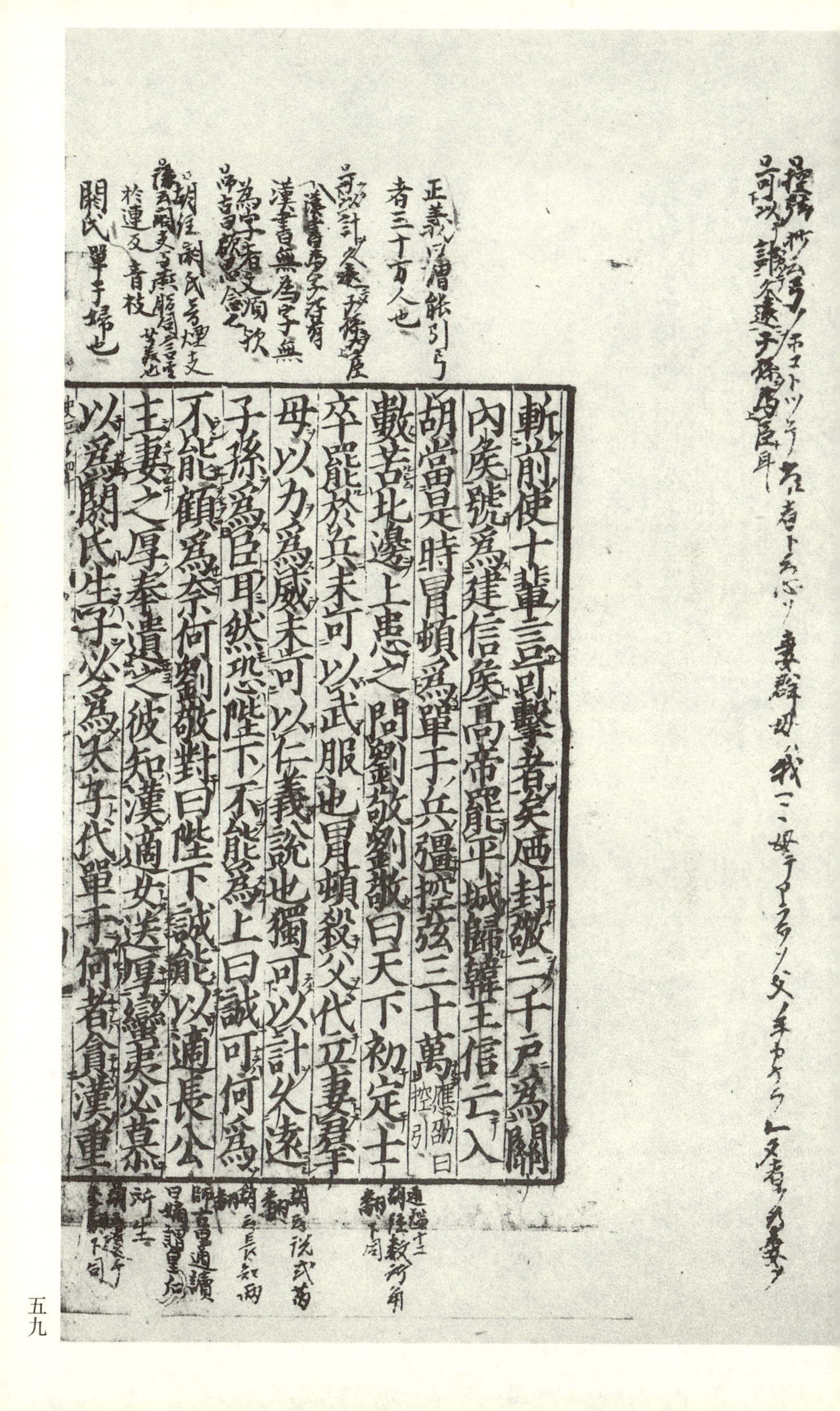

正義曰滑能引弓者三十万人也

閼氏單于婦也

輒前使十輩言可擊者矣廼封敬二千戶爲關內侯號爲建信侯高帝罷平城歸韓王信亡入胡當是時冒頓爲單于兵彊控弦三十萬（應劭曰控引）數苦北邊上患之問劉敬劉敬曰天下初定士卒罷於兵未可以武服也冒頓殺父代立妻羣母以力爲威未可以仁義說也獨可以計久遠子孫爲臣耳然恐陛下不能爲上曰誠可何爲不能顧爲奈何劉敬對曰陛下誠能以適長公主妻之厚奉遺之彼知漢適女送厚蠻夷必慕以爲閼氏生子必爲太子代單于何者貪漢重

幣。陛下以歲時漢所餘彼所鮮數問遺因使辯士風諭以禮節。冒頓在固為子壻死則外孫為單于。豈嘗聞外孫敢與大父抗禮者哉。兵可無戰以漸臣也。若陛下不能遣長公主而令宗室及後宮詐稱公主。彼亦知。不肯貴近無益也。高帝曰善。欲遣長公主。呂后日夜泣曰。妾唯太子一女。奈何棄之匈奴。上竟不能遣長公主。而取家人子名為長公主。妻單于。使劉敬往結和親約。劉敬從匈奴來。因言匈奴河南白羊樓煩王張晏曰。白羊匈奴國名。○索隱曰。案張晏云白羊國名。二者並在河南。河南者。案在朔方之河南。舊並匈奴地也。今亦謂

家人子 正義曰顏師古曰於外家人之家子而名之為公主

正義曰白羊樓煩兩胡國名在朔方之南靈夏勝等三州之地秦得之號新秦中漢為朔方郡而勝州河東嵐州並樓煩胡地也

新秦中去長安近者七百里輕騎一日一夜可以至秦中秦中新破少民地肥饒可益實夫諸侯初起時非齊諸田楚昭屈景莫能興今陛下雖都關中實少人北近胡寇東有六國之族宗彊一日有變陛下亦未得高枕而臥也臣願陛下亦徙齊諸田楚昭屈景燕趙韓魏後及豪桀名家居關中無事可以備胡諸侯有變亦足率以東伐此彊本弱末之術也上曰善迺使劉敬徙所言關中十餘萬口索隱曰案小顏云今高陵櫟陽諸田華陰好時諸景及三輔諸屈諸懷尚多皆此時所徙也

叔孫通者薛人也晉灼曰楚漢春秋名何 索隱曰薛縣名屬魯國秦時以文學徵待詔博士數歲陳勝起山東使者以聞二世召博士諸儒生問曰楚戍卒攻蘄入陳於公如何博士諸生三十餘人前曰人臣無將將即反罪死無赦瓚曰將謂逆亂也公羊傳曰君親無將將而必誅焉願陛下急發兵擊之二世怒作色叔孫通前曰諸生言皆非也夫天下合為一家毀郡縣城鑠其兵示天下不復用且明主在其上法令具於下使人人奉職四方輻輳安敢有反者此特羣盜鼠竊狗盜耳何足置之齒牙間郡守尉今捕論何足憂

劉敬叔孫通傳　五

顔師古曰輻湊聚也言如車輻之聚於轂也

六二

新秦中

去長安近者七百里輕騎一日一夜可以至秦中秦中新破少民地肥饒可益實夫諸侯初起時非齊諸田楚昭屈景莫能興今陛下雖都關中實少人北近胡寇東有六國之族宗彊一日有變陛下亦未得高枕而臥也臣願陛下徙齊諸田楚昭屈景燕趙韓魏後及豪桀名家居關中無事可以備胡諸侯有變亦足率以東伐此彊本弱末之術也上曰善迺使劉敬徙所言關中十餘萬口索隱曰安案小顏云今高陵櫟陽諸田華陰好時諸景及三輔諸屈諸懷尚多皆此時所徙也

叔孫通者薛人也晉灼曰楚漢春秋名何索隱曰薛縣名屬魯國秦時以文學徵待詔博士數歲陳勝起山東使者以聞二世召博士諸儒生問曰楚戍卒攻蘄入陳於公如何博士諸生三十餘人前曰人臣無將將即反罪死無赦瓚曰將謂逆亂也公羊傳曰君親無將將而必誅焉願陛下急發兵擊之二世怒作色叔孫通前曰諸生言皆非也夫天下合為一家毀郡縣城鑠其兵示天下不復用且明主在其上法令具於下使人人

二世喜曰善盡問諸生諸生或言反或言盜於是二世令御史案諸生言反者下吏非所宜言諸言盜者皆罷之迺賜叔孫通帛二十匹衣一襲（索隱曰案國語謂之一稱賈逵案禮記袍必有表不單衣必有裳謂之一稱杜預云衣單複具云稱也）拜為博士叔孫通已出宮反舍諸生曰先生何言之諛也通曰公不知也我幾不脫於虎口（正義曰幾音祈）迺亡去之薛薛已降楚矣及項梁之薛叔孫通從之敗於定陶從懷王懷王為義帝徙長沙叔孫通留事項王漢二年漢王從五諸侯入彭城叔孫通降漢王漢王敗而西因竟從漢叔孫通

儒服漢王憎之廼變其服服短衣楚製索隱曰案孔文祥云短衣便事非儒者衣服高祖楚人故從其俗裁製漢王喜叔孫通之降漢從儒生弟子百餘人然通無所言進專言諸故羣盜壯士進之弟子皆竊罵曰事先生數歲幸得從降漢今不能進臣等專言大猾何也索隱曰案類集云大猾狡猾也音滑叔孫通聞之廼謂曰漢王方蒙矢石爭天下漢書音義曰謂發石以投人諸生寧能鬭乎故先言斬將搴旗之士張晏曰搴拔也瓚曰拔取曰搴楚辭曰朝搴阰之木蘭○索隱曰搴音起焉反又巳勉反案方言云南方取物云搴許慎云搴取也王逸云阰山名又案埤蒼云山在楚音毗諸生且待我我不忘矣漢王拜叔孫通爲博士號稷嗣君徐廣

正義曰蒙猶被也

張晏云后稷佐唐欲令嗣復如之

漢書音義云稷嗣

曰蓋言其德業足以繼蹤齊稷下之風流也駰案漢書音義曰稷嗣邑名漢五年已并天下

諸侯共尊漢王為皇帝於定陶叔孫通就其儀號高帝悉去秦苛儀法為簡易群臣飲酒爭功醉或妄呼拔劍擊柱高帝患之叔孫通知上益厭之也說上曰夫儒者難與進取可與守成臣願徵魯諸生與臣弟子共起朝儀高帝曰得無難乎叔孫通曰五帝異樂三王不同禮禮者因時世人情為之節文者也故夏殷周之禮所因損益可知者謂不相復也臣願頗采古禮與秦儀雜就之上曰可試為之令易知度吾所能行

爲之於是叔孫通使徵魯諸生三十餘人魯有兩生不肯行曰公所事者且十主皆面諛以得親貴今天下初定死者未葬傷者未起又欲起禮樂禮樂所由起積德百年而後可興也吾不忍爲公所爲公所爲不合古吾不行公往矣無汙我叔孫通笑曰若眞鄙儒也不知時變遂與所徵三十人西及上左右爲學者與其弟子百餘人爲綿蕞徐廣曰表位標準音子外反駰案如淳曰置設綿索爲習肄處蕞謂以茅翦樹地爲纂位春秋傳曰置茅蕝也○索隱曰韋昭云引繩爲綿立表爲蕞音茲會反賈逵云束茅以表位爲蕝又纂文云蕝今之纂字包愷音即悅反又音纂野外習之月餘叔孫通曰上可試

通鑑七年冬十月長樂宮成諸侯羣臣皆朝賀胡注時未起未央宮故帝御長樂宮受朝賀
及蕭何既起未央前殿自惠帝以後皆御未央而長樂為太后所居矣
通鑑陽爲治禮以次引入殿門陳東西鄉
宦傳衛官郎中及中郎執戟侍衛者是也俠與挾同挾殿陛之兩旁也
衛官漢書作衛官

漢書肄作肄　劉敞

肄　師古曰肄亦習也音弋二反

儀　師古曰欲叙其下儀法先言儀如此也

平明　謂未朝之前也

師古曰俠與挾同挾其兩旁每陛皆數百人也

師古曰臚音盧

原父曰賓謂傳擯之擯賓擯者九人掌臚句傳也

觀上旣觀使行禮曰吾能爲此迺令羣臣習肄索隱曰肄亦習也音異會十月漢七年長樂宮成諸侯羣臣皆朝十月索隱曰小顔云漢以十月爲正故行朝歲之禮史家追書十月也案諸書並云十月爲歲首不言以十月爲正月古今注亦云羣臣始朝十月也儀先平明謁者治禮引以次入殿門廷中陳車騎步卒衛宮設兵張旗志徐廣曰一作幟傳言趨索隱曰案小顔傳聲教入者皆令趨趨疾行致敬也殿下郎中俠陛陛數百人功臣列侯諸將軍軍吏以次陳西方東鄉文官丞相以下陳東方西鄉大行設九賓臚句傳漢書音義曰傳從上下爲臚○索隱曰蘇林云上傳語告下爲臚下傳語告上爲句臚猶行者矣韋昭云大行掌賓客之禮今謂之鴻臚也九賓則周禮九儀也謂公侯伯子男孤卿大夫士也漢依此以爲臚傳以次

傳令上也向秀注莊子云從上語下為臚音閭句音九注反　於是皇帝輦出房百官執職傳警徐廣曰一作幟○索隱曰案輿服志云殷周以輦載軍器職載物案至秦始去其輪而輿為尊也職音幟傳警者漢儀云帝輦動則左右侍帷幄者稱警是也　引諸侯王以下至吏六百石以次奉賀自諸侯王以下莫不振恐肅敬至禮畢復置法酒文穎曰作酒令法也蘇林曰常會須天子中起更衣然後入置酒矣○索隱曰姚氏云進止有禮也古人飲酒不過三爵君臣百拜終日宴不為亂也　諸侍坐殿上皆伏抑首如淳曰抑屈　以尊卑次起上壽觴九行謁者言罷酒御史執法舉不如儀者輒引去竟朝置酒無敢讙譁失禮者於是高帝曰吾迺今日知為皇帝之貴也迺拜叔孫通為太常賜金五

漢書肄作肄

肄 師古曰肄亦習也 音弋二切

儀 師古曰級叙其下儀法先言儀如此也

平明 謂表明之前也

師古曰俠与挾同挾其兩旁每陛皆數百人也

師古曰臚音盧

原文曰賓謂傳擯之擯賓擯者九賓臚句傳也

觀上既觀使行禮曰吾能爲此迺令羣臣習肄索隱曰肄亦習也音異會十月漢七年長樂宮成諸侯羣臣皆朝十月索隱曰小顔云漢以十月爲正故行朝歲之禮史家追書十月也案諸書並云十月爲歲首不言以十月爲正月古今注亦云羣臣始朝十月也儀先平明謁者治禮引以次入殿門廷中陳車騎步卒衛宮設兵張旗志徐廣曰一作幟傳言趨索隱曰案小顔傳聲教入者皆令趨趨疾行致敬也殿下郎中俠陛陛數百人功臣列侯諸將軍軍吏以次陳西方東鄉文官丞相以下陳東方西鄉大行設九賓臚句傳漢書音義曰傳從上下爲臚○索隱曰蘇林云上傳語告下爲臚下傳語告上爲句臚猶行者矣韋昭云大行掌賓客之禮今謂之鴻臚也九賓則周禮九儀也謂公侯伯子男孤卿大夫士也漢依此以爲臚傳以次

傳令九上也向秀注莊子云從上語下爲臚音閭句音九注反 於是皇帝輦出房百官執職傳警徐廣曰一作幟○索隱曰案輿服志云殷周以輦載軍器職載輜蓁至秦始去其輪而輿爲尊也職音幟傳警者漢儀云帝輦動則左右侍帷幄者稱警是也 引諸侯王以下至吏六百石以次奉賀自諸侯王以下莫不振恐肅敬至禮畢復置法酒文穎曰作酒令法也蘇林曰常會須天子中起更衣然後入置酒矣○索隱曰姚氏云進止有禮也古人飲酒不過三爵君臣百拜終日宴不爲亂也 諸侍坐殿上皆伏抑首如淳曰抑屈 以尊卑次起上壽觴九行謁者言罷酒御史執法舉不如儀者輒引去竟朝置酒無敢讙譁失禮者於是高帝曰吾迺今日知爲皇帝之貴也迺拜叔孫通爲太常賜金五

百斤叔孫通因進曰諸弟子儒生隨臣久矣與臣共爲儀願陛下官之高帝悉以爲郎叔孫通出皆以五百斤金賜諸生諸生廼皆喜曰叔孫生誠聖人也知當世之要務漢九年高帝徙叔孫通爲太子太傅漢十二年高祖欲以趙王如意易太子叔孫通諫上曰昔者晉獻公以驪姬之故廢太子立奚齊晉國亂者數十年爲天下笑秦以不早定扶蘇令趙高得以詐立胡亥自使滅祀此陛下所親見今太子仁孝天下皆聞之呂后與陛下攻苦食啖徐廣曰攻猶今人言擊也啖一作淡駰案如淳曰食侵

無菜茹爲啖○索隱曰案孔文祥云與帝共攻冒苦難俱食淡也案說文云淡薄味也音唐敢反其可背哉陛下必欲廢適而立少臣願先伏誅以頸血汙地索隱曰楚漢春秋叔孫何云臣三諫不從請以身當之撫劒將自殺上離席云吾聽子計不易太子高帝曰公罷矣吾直戲耳叔孫通曰太子天下本本一搖天下振動奈何以天下爲戲高帝曰吾聽公言及上置酒見留侯所招客從太子入見上迺遂無易太子志矣高帝崩孝惠即位迺謂叔孫生曰先帝園陵寢廟羣臣莫能習徙爲太常定宗廟儀法及稍定漢諸儀法皆叔孫生爲太常所論著也孝惠帝爲東朝長樂宮關中記曰長樂

師古曰適讀曰嫡

正義曰招客謂四皓也

正義曰孟康云朝太后於長樂宮

劉敬叔孫通傳九

悦我又養也

曰通鑑太常胡注班表奉常秦官掌宗廟禮儀景帝中六年改曰太常此不書奉常

曰漢書置酒到顏曰謂朝見以法置酒也上礼畢尽伏謂朝礼畢下皆伏抑首以聽上壽也故

下文又稱無敢讙譁失礼者是知飲酒則置法酒使長群臣稱觴上壽乃在下

文又稱置酒又曰觴之

曰資治通鑑論曰禮之為用大矣用之於身則動靜有法而百行備焉用之於家則內外有別而九族

睦焉用之於鄉則長幼有序而俗化美焉用之於國則君臣有敘而政治成焉用之於天下則諸

侯順服而紀綱正焉豈直几席之上戶庭之間得之而不亂哉夫以高祖之明達聞陸賈之言而稱善

以禮為天下甚切則豈若是而止哉惜乎叔孫生之器小也徒竊禮之糠粃以依世諧俗取寵

王之禮淪沒不振以迄于今豈不痛甚哉是以揚子譏之曰昔者魯有大臣史失其名曰何如其大

也曰叔孫通欲制君臣之儀召先生於魯所不能致者二人曰若是則仲尼之開迹諸侯也非邪曰

仲尼開迹將以自用也如委己而從人雖有規矩準繩焉得而用之夫大儒者恶肯毁其規矩

準繩以趨一時之功哉

曰集覽謁者百官表謁者掌賓贊受事員七十人秩比六百石有僕射秩比千石師古曰謁者

屬長秋王鄰中章于天子出則導贊儀

冝先殺奚齊

曰通鑑十二攻苦食啖胡注徐廣云一本作口啖當作淡二謂無味之食也言若攻擊苦勤者之為食者哉之孔文祥曰之哉曰攻治也余按周禮

卝人注卝之言礦也金玉未成器曰卝

孫通爲太子太傅漢十二年高祖欲以趙王如意易太子叔孫通諫上曰昔者晉獻公以驪姬之故廢太子立奚齊晉國亂者數十年爲天下笑秦以不早定扶蘇令趙高得以詐立胡亥自使滅祀此陛下所親見今太子仁孝天下皆聞之呂后與陛下攻苦食啖徐廣曰攻猶今人言擊也 啖一作淡 駰案如淳曰食

其可背無菜茹爲啖○索隱曰案孔文祥云與帝共攻冒苦難俱食淡也案説文云啖薄味也音唐敢反哉陛下必欲廢適而立少臣願先伏誅以頸血汙地索隱曰楚漢春秋叔孫何云臣三諫不從請以身當之撫劍將自殺上離席云吾聽子計不易太子高帝曰公罷矣吾直戲耳叔孫通曰太子天下本本一搖天下振動奈何以天下爲戲高帝曰吾聽公言及上置酒見留侯所招客從太子入見上廼遂無易太子志矣高帝崩孝惠即位廼謂叔孫生曰先帝園陵寢廟羣臣莫能習從爲太常定宗廟儀法及稍定漢諸儀法皆叔孫生爲太常所論著也孝惠帝爲東朝長樂宮關中記曰長樂

正義曰招客謂四皓也

正義曰孟康云朝太后於長樂宮

通鑑益廣宗廟胡注鄭氏曰廟之言貌也死者精神不可得見但以生時之居立宮室象貌為之

原廟師古曰原重也先既有廟今更立之故云重也

月旦出游於渭北作廟

正義曰釋里子傳云漢興長樂宮在其東未央宮在其西武庫在其北按在故城長安城中三原廟渭北正義曰括地志云高廟在長安縣西北十三里渭南長安故城在中長陵在渭北咸陽縣東三十里陵旁於渭北作原廟則衣冠

閒往來 顏師古曰非大朝時中閒小謁見也 通鑑武庫南胡注武庫在長樂未央之間故築複道始於武庫南

宮本秦之興樂宮也漢太后常居之 及閒往來數蹕煩人 索隱曰韋昭云蹕止人行也長樂未央宮東相去稍遠閒往謂非時也中閒往來清道煩人也 迺作複道方築武庫南 韋昭曰閣道也如淳曰一作複道方始築武庫南 叔孫生奏事因請閒曰陛下何自築複道高寢衣冠月出游高廟高廟漢太祖奈何令後世子孫乘宗廟道上行哉 應劭曰月旦出高帝衣冠備法駕名曰游衣冠如淳曰三輔黃圖高寢在高廟西高祖衣冠藏在高寢月出游於高廟其道值所作複道故言乘宗廟道上行 孝惠帝大懼曰急壞之叔孫生曰人主無過舉 索隱曰案謂舉動有過也左傳云君舉必書 今已作百姓皆知之今壞此則示有過舉願陛下為原廟渭北衣冠月出游之益廣多宗廟大孝之本也上

廼詔有司立原廟。原廟起，以複道故。孝惠帝曾春出游離宮，叔孫生曰：古者有春嘗果，方今櫻桃孰，可獻。索隱曰：案呂氏春秋仲春羞以含桃先薦寢廟。高誘云：進含桃也。鸎鳥所含，故曰含桃。今之朱櫻即是也。願陛下出，因取櫻桃獻宗廟。上廼許之。諸果獻由此興。

太史公曰：語曰千金之裘，非一狐之腋也；臺榭之榱，非一木之枝也；三代之際，非一士之智也。信哉！夫高祖起微細，定海內，謀計用兵，可謂盡之矣。然而劉敬脫輓輅一說，建萬世之安，智豈可專邪！叔孫通希世度務，制禮進退，與時變化，卒

每月以游高廟 不渡渭南 明顏說是也

正義曰：禮記月令仲夏之月以含桃先薦寢廟。鄭玄云：含桃今謂之櫻桃。

婁敬戍隴西，過洛陽，高帝在焉。婁敬脫輓輅，衣其羊裘，見齊人虞將軍。

劉敬叔孫通傳十

劉敬十一終

高帝曰吾迺今日知為皇帝之貴

車駕西都　婁敬

傳曰車駕西都關中上曰本言都秦地者婁敬拜為郎中號為奉春君

為漢家儒宗大直若詘索隱曰音屈道固委蛇索隱曰音移蓋謂是乎正義曰委紆危反蛇音移逶迤言屈曲順從

索隱述贊曰

厦藉衆幹　裘非一狐　委輅獻說

緜蕝陳書　皇帝始貴　車駕西都

既安太子　又和匈奴　奉春稷嗣

其功可圖

婁敬使匈奴結和親約　婁敬　叔孫通

叔孫通論高帝廣適而立朝之事

劉敬叔孫通列傳第三十九　史記九十九

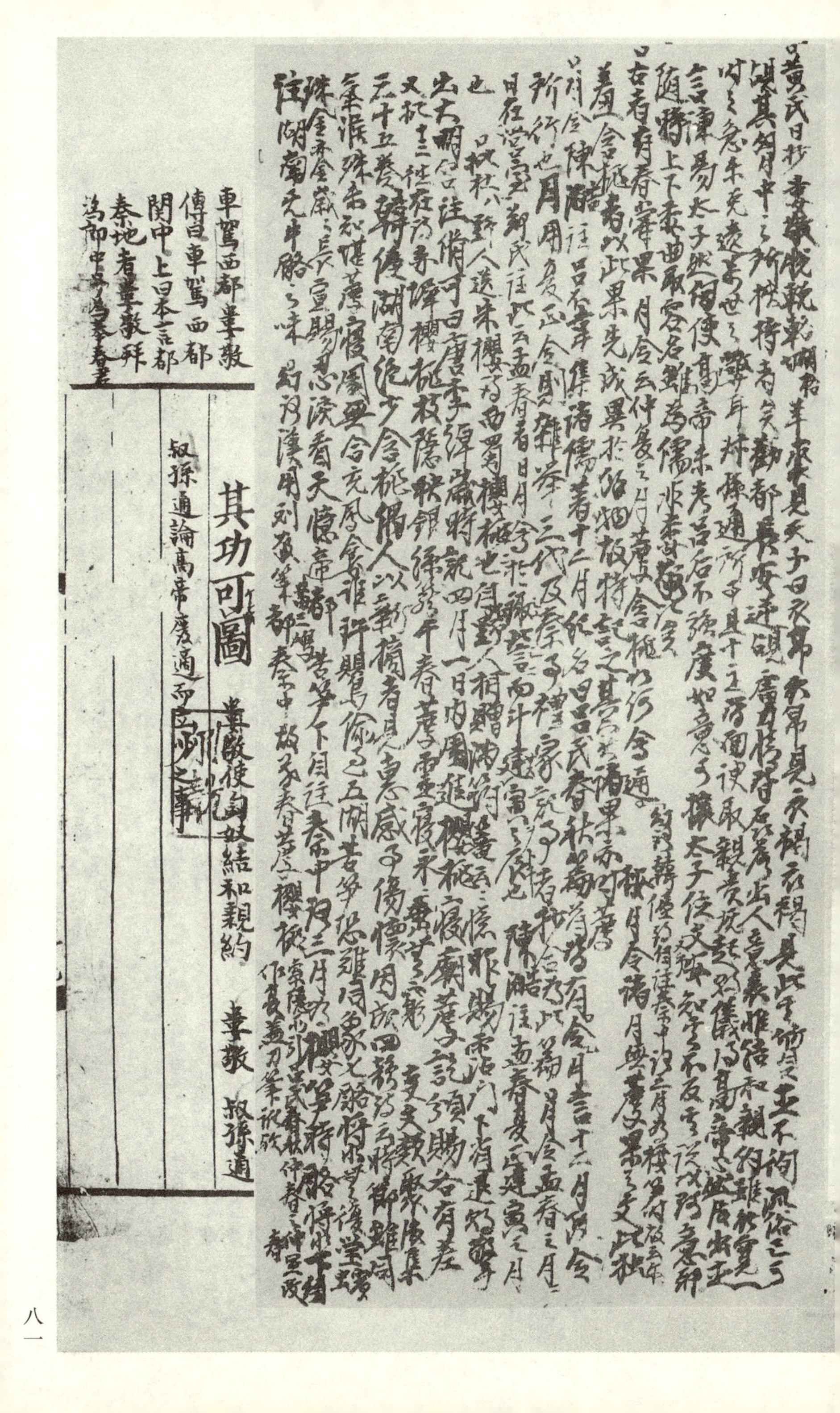

車駕西都 輦敫

傳曰車駕西都

關中上曰本言都

秦地者輦敫拜

爲郎中號爲奉春君

其功可圖 輦敫使匈奴結和親約 輦敫 叔孫通

叔孫通論高帝廢適而立庶之事

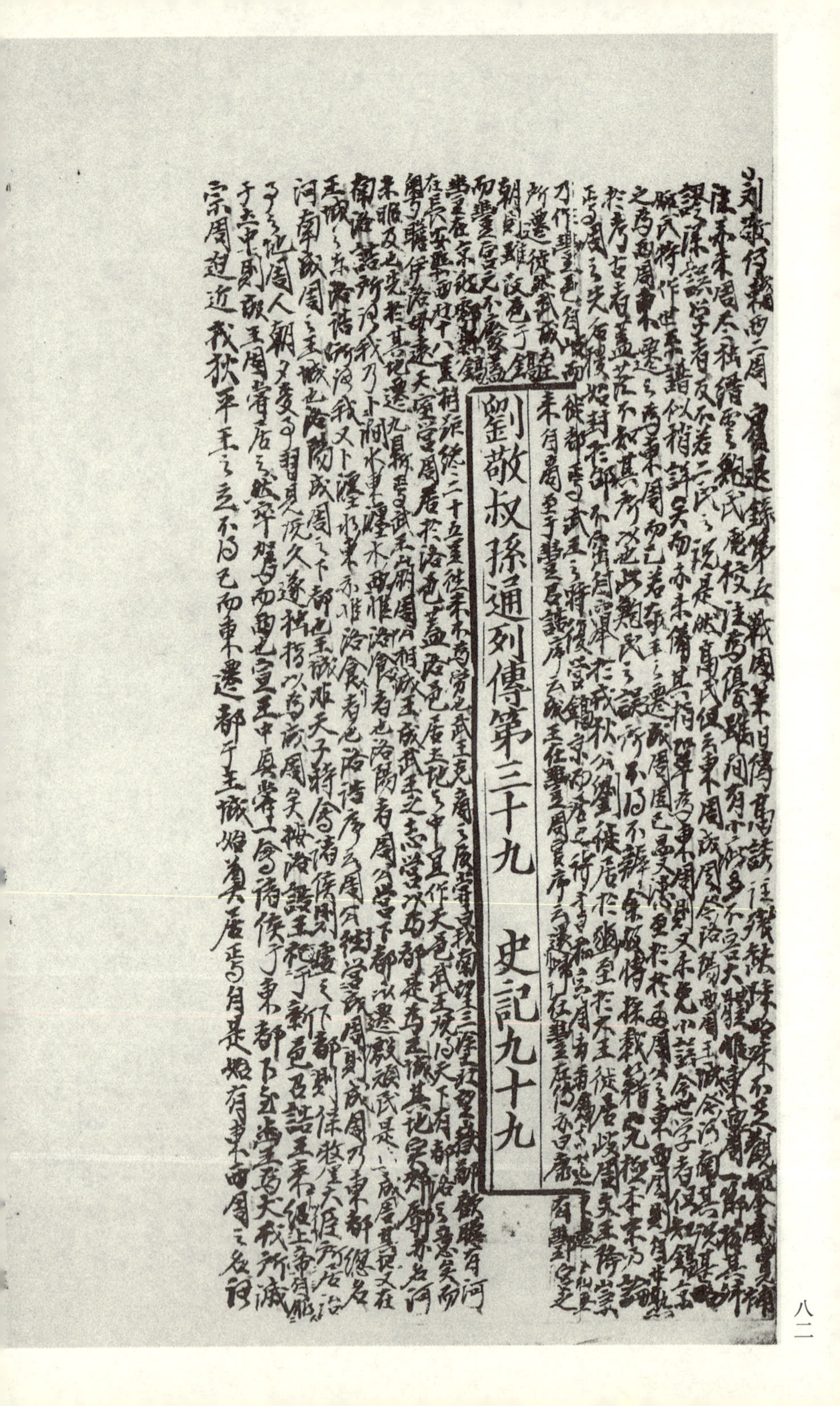

劉敬叔孫通列傳第三十九　史記九十九

之東者此別於鎬京之爲西耳河南洛陽本郟鄏地王子朝之亂其餘黨多在王城敬王畏之徙都成周後五十餘年考王殺兄而自立懼弟揭之議己遂以王城封之以續周公之官職是爲西周桓公此時未有東周公而稱西周者後人推本而言之桓公傳威公威公傳惠公考王十五年西周惠公封其少子班於鞏以奉王是爲東周惠公據謚而曰西周惠公長子自爲西周武公自是周公之國始分東西成周爲東周王城復爲西周矣蓋自河南桓公後周公之職而業殘三世益專所以別封少子使奉王者務欲私據河南之地不復奉王且王城成周皆爲東西周君所有天子寄居于東周者指周王所居之洛陽也班東之采邑也世本曰東周惠公名班居洛陽是班之采邑段於洛陽而采邑則在鞏前漢地理志曰鞏東周所居據今考周其說非也赧王時東西周分治王復徙都西周凡五十九年秦昭王使將軍摎攻西周西周君奔秦頓首受罪盡獻其邑三十六城秦受其獻歸其君於周蓋權移於下其極乃至於盡獻其邑於它人亦不出於天子之命矣是年王赧卒其國定絕西周武公亦卒秦遂遷西周公於憚狐而武公之子公子咎者爲東周惠公之後亦尚能一傳後七歲秦莊襄王盡滅東西周周始不祀大略如此戰國策之西周即揭之西周戰國策之東周即班之東周西周建國在東周之前而舊說東周於西周之上爲失其次魏氏正之是矣但其說曰西周正統也不可以後於東周其注[illegible]使人讓周云云

戰國策西周卷第一　縉雲鮑彪校注　東陽吳師道重校　西周　注漢志河南洛陽穀城平陰
偃師鞏緱氏故周地也正曰按大事記周貞定王二十八年考王初立封其弟揭於河南是為
桓公河南即郟鄏武王遷九鼎周公營以為都是為王城洛陽周公所營下都以遷頑民是
周平王東遷定都王城王子朝之亂敬王徙都成周至是考王以王城故地封桓公是為平王之
之後所謂西周者豐鎬也東周者東都也威烈王以後所謂西周者河南也東周者洛陽也
稱河南為西周自洛陽下都視王城則在西也所以稱洛陽為東周自河南王城視下都則
也河南桓公卒子威公立威公卒子惠公立考公王十五年河南惠公復自封其少子班於
鞏以奉王號東周惠公是時東西周雖未分治河南東周既號奉王者為東周亦未知
周顯王二年趙與韓分周為二於是東西各為列國顯王雖在東周特寄空名是依之
載致伯賜胙之類周王也征伐謀策稱東西周君者謂二周也周君非云赧王特東西周
治亦也赧王特從都西周耳周以趙世家為正疑文（以上並大事記）稱高誘注西周王城今河南東周成周今
洛陽世本云西周桓公名揭居河南東周惠公名班居洛陽及索隱正義所載甚詳稽諸子該
世書皆赧王為西周君與東周惠公並而不混西周公所自謂也鮑考之不精即以西周為王河正
後謂東不得先於西亂其舊次以此卷為第一殊近將陳振孫書錄將舉其有西周為首者亦失
考為西周正從舊目又考春秋書王城成周公羊傳曰王城者何西周也成周者何東周也此亦
甚明昭二十六年天王入于成周左傳以十一月入王城三十二年城成周蓋敬王之遷在既城之後而舉事
先期居侯洛以成周即京師非未考王城成周之實而語合為一也要之此文古今說者多以述發微
語故大事記辨之甚詳且實周鮑氏所考近有著東西周辨者其說亦詳而不引呂子東萊
之見邪○徐廣云周比亡之七縣河南止緱氏此是合東西周地言之今總注蓋周亡後之說而語
者
曰吳師道曰陳氏與韓不鮑彪戰國策注後呈子文事說引剡川姚宏知其未注者書
云云

史記列傳 七十二

四十 季布 欒布

四十一 袁盎 劇孟

四十二 張釋之 馮唐 魏尚

七十二

柳車 師説曰喪車曰柳車謂廣轍車為廣柳車 鄭氏曰作大柳衣車若周礼王喪車也 李奇曰廣
柳大隆穹也 晉灼曰周禮説衣翣柳之聚也衆飾之所聚也 此為載喪車 欲人不知也 師古曰晉鄭
二説是也 隆穹所以車 輦車者耳 非此之謂也 輦車音故晚反 正義曰鄭氏云作大柳衣車也若周
礼喪車也 漢書欒布傳 廣柳車 和柳本輀字也 欽會上 ... 注諱之 廣韻輀喪車也
通作柳 釋名 喪車 其蓋曰柳 ...
日 長元 ... 刺 ... 鉗 ... 鐵有所劫束也 漢刑法志 髡鉗為城
旦舂 後漢光武紀 弛解鉗衣 注 ... 鉗 鉄也 鉄足 鉗 ... 口而不言
日 柳車 ... 翣 ... 切 ... 棺羽飾也 天子八 諸侯六 大夫四 士二 下 ... 徐 ... 喪車也 礼 ... 棺 ...
羽 ... 以布 衣木 如攝與 ... 音 ... 扇也 ... 以布為之 廣三尺 高二尺四寸 方 ... 其衣以白布 畫雲
氣 柄長五尺 ... 御僕 ... 雲 ... 氣 ... 翣 ... 羽 ... 畫 ...
... 礼曰設柳羽翣 為使人勿惡 ... 當設 ... 棺 ... 下人 ... 斯惡之矣 無 ... 也 鄭氏注 ...
是 ... 制 ... 設 ... 翣 ... 羽翣為使人勿惡也 鄭氏注 ... 之飾 翣 ... 棺之牆 陳 ... 以其 ... 惡
之以其無飾而倍之 怨太古無禮之時人 ... 如此 ... 飾 周礼 翣作柳 ... 之初意止為使人勿惡勿倍而已
設 ... 以飾其 ... 翣 ... 羽翣 ... 以飾其棺 則 ... 雅原 ... 人 ...
... 棺 則 ... 列臣 ... 於 ... 者 ... 可惡 ... 死 ... 言 ... 死而得不死也 二人者 ... 臣王
死而 ... 見 ... 而歸漢 ... 赦以為臣也
日 顔 ... 自到 ... 勾 ... 自刭 ... 周氏 ... 自到也 自刭 ... 漢書 ... 言
季布 ... 自到
日 匄 ... 廣柳車中 注 載以喪車 ... 載季布 ... 喪車也

漢書曰列傳第七
應劭曰任者堅完可任託以事也
俠傳正義曰俠侠也
負曰使傳其義
難喻則決云傳謂
無依約
謂尋其蹤跡也
正義曰褐衣麁布衣也

季布欒布列傳第四十　史記一百

季布者楚人也爲氣任俠孟康曰信交道曰任如淳曰相與信爲任同是非爲俠所謂權行州里力折公侯者也或曰任氣力也俠甹也○索隱曰任而禁反俠音協如淳說爲近甹音普名反其義難喻有名於楚項籍使將兵數窘漢王如淳曰窘困也及項羽滅高祖購求布千金敢有舍匿罪及三族季布匿濮陽周氏周氏曰漢購將軍急迹且至臣家將軍能聽臣臣敢獻計即不能願先自剄季布許之廼髡鉗季布衣褐衣置廣柳車中服虔曰東郡謂廣轍車爲柳鄧展曰皆棺飾也載以喪車欲人不知也李奇曰大牛車也車上覆爲柳臣瓚曰茂陵書中有廣柳車每縣數百乘是今運轉大車是也○索隱曰案服虔臣瓚所據則是大車任載運者名廣柳車然則柳爲車通名鄧展所說

師古曰朱家魯人見于俠傳

朱家乘軺車之洛陽

正義曰布爲羽將而迫窘君高祖是布之職耳

相協最爲通允故礼曰設柳翣爲使人勿惡也鄭玄注周礼云柳聚也諸色所聚則是喪車稱柳故後人通謂車爲柳也

并與其家僮數十人之魯朱家所賣之朱家心知是季布迺買而置之田誡其子曰田事聽此奴必與同食朱家迺乘軺車徐廣曰馬車也○索隱曰案謂輕車一馬車也之洛陽見汝陰侯滕公滕公留朱家飲數日因謂滕公曰季布何大罪而上求之急也滕公曰布數爲項羽窘上上怨之故必欲得之朱家曰君視季布何如人也曰賢者也朱家曰臣各爲其主用季布爲項籍用職耳項氏臣可盡誅邪今上始得天下獨以己之私怨求一人何示天

下之不廣也且以季布之賢而漢求之急如此
此不北走胡即南走越耳夫忌壯士以資敵國
此伍子胥所以鞭荊平王之墓也君何不從容
爲上言邪汝陰侯滕公心知朱家大俠意季布
匿其所迺許曰諾待閒果言如朱家指上迺赦
季布當是時諸公皆多季布能摧剛爲柔朱家
亦以此名聞當世季布召見謝上拜爲郎中孝
惠時爲中郎將單于嘗爲書嫚呂后不遜呂后
大怒召諸將議之上將軍樊噲曰臣願得十萬
衆橫行匈奴中諸將皆阿呂后意曰然季布曰

通鑑鞭荊平王之墓也胡注伍子胥楚大夫伍奢之子也楚平王信讒而殺伍奢子胥奔吳 吳師以破楚入郢鞭平王墓

通鑑十二惠帝三年以宗室女爲公主嫁匈奴冒頓單于是時冒頓方彊爲書使使遺高后辭極褻嫚 高后大怒召將相大臣議斬其使者發兵擊之

辭褻嫚也 嫚 傲也

汝陰侯師古曰夏侯嬰也本爲滕令奉車故號爲滕公

師古曰多猶重也

通鑑中郎將季布 胡注漢有五官左右中郎將秩二千石 中郎屬郎中令

師古曰阿曲從其意

正義曰謂諸郡國邸朝宿之舍在京師也

樊噲可斬也夫高帝將兵四十餘萬衆困於平城今噲奈何以十萬衆橫行匈奴中面欺且秦以事於胡陳勝等起于今創痍未瘳噲又面諛欲搖動天下是時殿上皆恐太后罷朝遂不復議擊匈奴事季布爲河東守孝文時人有言其賢者孝文召欲以爲御史大夫復有言其勇使酒難近 索隱曰使音如字近音其靳反因酒縱性謂之使酒即酗酒也 至留邸一月見罷季布因進曰臣無功竊寵待罪河東 索隱曰季布言己無功竊寵承恩寵得待罪河東其詞典而文之也 陛下無故召臣此人必有以臣欺陛下者今臣至無所受事罷去

以漢宋本二有次字

卑較 師說曰次卑較請專因其利說者云以木橫水上度人爲較不從者無由得濟是禁他家而已獨專禮之意

此人必有以毀臣者夫陛下以一人之譽而召臣一人之毀而去臣臣恐天下有識聞之有以闚陛下也韋昭曰闚見陛下深淺也上默然慙良久曰河東吾股肱郡故時召君耳布辭之官楚人曹丘生辯士數招權顧金錢孟康曰招求也以金錢事權貴而求得其形勢以自炫燿也文穎曰事權貴也與通勢以其所有卑較請託金錢以自顧○索隱曰義如孟康文穎所說卑較音姑角○正義曰言曹丘生依倚貴人用權勢屬請數求他人顧錢貨金錢也事貴人趙同等徐廣曰漢書作趙談司馬遷以其父名譏故改之與竇長君善季布聞之寄書諫竇長君曰吾聞曹丘生非長者勿與通及曹丘生歸欲得書請季布張晏曰欲使竇長君爲介於布請見竇長君曰季將

師古曰說讀曰悅

師古曰先使人致書於布發視之按此未先也謂使人先發書遣其書送季布也

亦使

漢書說作悅師古曰說讀曰悅 故厲

一本說足下足下無往固請書遂行使人先發書

季布果大怒待曹丘曹丘至即揖季布曰楚人

諺曰得黃金百斤不如得季布一諾足下何以

得此聲於梁楚閒哉且僕楚人足下亦楚人也

僕游揚足下之名於天下顧不重邪何足下距

僕之深也季布迺大說引入留數月為上客厚

送之季布名所以益聞者曹丘揚之也季布弟

季心徐廣曰一作子氣蓋關中遇人恭謹為任俠方數

千里士皆爭為之死嘗殺人亡之吳從袁絲匿

索隱曰盎字絲長事袁絲弟畜灌夫籍福之屬嘗為中

漢書重作美師古曰顧念也仰也讀曰顧

猶及 氣蓋

季布欒布傳

正義曰以兄礼事袁盎也

弟畜曰

通鑑十一臣光曰高祖起豐沛以來罔羅豪傑招亡納叛亦已多矣及即帝位而丁公獨以不忠受戮何哉夫進取之與守成其勢不同當群雄角逐之際民無定主來者受之固其宜也及貴為天子四海之內無不為臣苟不明禮義以示之使為臣者人懷貳心以徼大利則國家其能久安乎是故斷以大義使天下曉然皆知為臣不忠者無所自容而懷私結恩者雖至於活己猶以義不與也戮一人而千萬人懼其慮事豈不深且遠哉子孫享有天祿四百餘年宜矣

呂君耳

辜較 師說曰次辜較諸專固其利說者云以木横水上度人為較不從者無由得濟是禁他家而已獨專禮之意

脫郡故時呂君耳布辭之官趙人曹丘生辯士數招權顧金錢孟康曰招求也以金錢事權貴而求得其形勢以自炫燿也文穎曰事權貴也與通勢以其所有辜較請託金錢以自顧○索隱曰義如孟康文穎所說辜較音姑角○正義曰言曹丘生依倚貴人用權勢屬請數求他人顧錢貨金錢也事貴人趙同等徐廣曰漢書作趙談司馬遷以其父名談故改之與竇長君善季布聞之寄書諫竇長君曰吾聞曹丘生非長者勿與通及曹丘生歸欲得書請季布張晏曰欲使竇長君為介於布請見竇長君曰季將軍

顧金錢 漢書平帝紀天下女徒已論歸家顧山錢月三百 如淳曰已論者罪已定也令甲女子犯罪作如徒六月顧山遣歸說以為當於山伐木聽使入錢顧功直故謂之顧山 應劭曰舊刑鬼薪取薪於山以給宗廟今使女徒出錢顧薪故曰顧山也 師古曰如說近之謂女徒論罪已定並放歸家不親役之但一月出錢三百以顧人也為此恩者所以行太皇太后之德施惠政於婦人

日使酒 師古曰……

師古曰說讀曰悅

師古曰先使人齎書自於布發視之按此未先也謂使人先發書遣其書送季布也　亦使

美說　師古曰說讀曰悅

正義曰以見礼事袁盎也

不說足下足下無往固請書遂行使人先發書
季布果大怒待曹丘曹丘至即揖季布曰楚人
諺曰得黃金百斤不如得季布一諾足下何以
得此聲於梁楚閒哉且僕楚人足下亦楚人也
僕游揚足下之名於天下顧不重邪何足下距
僕之深也季布廼大說引入留數月爲上客厚
送之季布名所以益聞者曹丘揚之也季布弟
季心徐廣曰一作子氣蓋關中遇人恭謹爲任俠方數
千里士皆爭爲之死嘗殺人亡之吳從袁絲匿
長事袁絲索隱曰盎字絲弟畜灌夫籍福之屬嘗爲中

漢書重作美　師古曰顧念也

季布欒布傳

通鑑十一　臣光曰高祖起豐沛以來罔羅豪桀招亡納叛亦已多矣及即帝位而丁公獨以不忠受戮何哉夫進取之与守成其勢不同當羣雄角逐之際民無定主来者受之固其宜也及貴為天子四海之内無不為臣苟不明禮義以示之使為臣者人懷貳心以徼大利則國家其能久安乎是故斷以大義使天下曉然皆知為臣不忠者無所自容而懷私結恩者雖至於活己猶以義不与也戮一人而千萬人懼其慮事豈不深且遠哉子孫享有天禄四百餘年宜矣

司馬〔如淳曰中尉之司馬○索隱曰漢書作中尉司馬〕中尉郅都不敢不加禮少年多時時竊籍其名以行〔索隱曰籍音子亦反〕當是時季心以勇布以諾著聞關中季布母弟丁公〔晉灼曰楚漢春秋云薛人名固〕爲楚將丁公爲項羽逐窘高祖彭城西短兵接高祖急顧丁公曰兩賢豈相戹哉於是丁公引兵而還漢王遂解去及項王滅丁公謁見高祖高祖以丁公徇軍中曰丁公爲項王臣不忠使項王失天下者迺丁公也遂斬丁公曰使後世爲人臣者無效丁公

欒布者梁人也始梁王彭越爲家人時嘗與布〔師古曰家人猶言編戶之人也〕

季布欒布傳

游索隱曰謂居家之人無官職也窮困賃傭於齊爲酒人保漢書音義曰酒家作保傭也可保信故謂之保數歲彭越去之巨野中爲盜而布爲人所略賣爲奴於燕爲其家主報仇燕將臧荼舉以爲都尉臧荼後爲燕王以布爲將及臧荼反漢擊燕虜布梁王彭越聞之迺言上請贖布以爲梁大夫使於齊未還漢召彭越責以謀反夷三族已而梟彭越頭於雒陽下詔曰有敢收視者輒捕之布從齊還奏事彭越頭下祠而哭之吏捕布以聞上召布罵曰若與彭越反邪吾禁人勿收若獨祠而哭之與越反明矣趣

司馬如淳曰中尉之司馬○索隱曰漢書作中尉司馬中尉郅都不敢不加禮少年多時時竊籍其名以行索隱曰籍音子亦反當是時季心以勇布以諾著聞關中季布母弟丁公晋灼曰楚漢春秋云薛人名固爲楚將丁公爲項羽逐窘高祖彭城西短兵接高祖急顧丁公曰兩賢豈相戹哉於是丁公引兵而還漢王遂解去及項王滅丁公謁見高祖高祖以丁公徇軍中曰丁公爲項王臣不忠使項王失天下者廼丁公也遂斬丁公曰使後世爲人臣者無效丁公

欒布者梁人也始梁王彭越爲家人時嘗與布游

兩賢 漢書注孟康曰丁公及彭城賴齡追上故曰兩賢也師古曰孟説非也兩賢高祖自謂并謂固耳言吾与固俱是賢豈相厄困哉故固感此言而止也雖与賴齡俱追而高祖獨與固言耳

漢書作不敢如之多籍其名師古曰詐自称爲心之賓客徒黨也

正義曰兩賢高祖謂丁固也

丁公 漢書注曰晋灼曰楚漢春秋云薛人名固師古曰季布母弟爲同母異父之弟

師古曰家人猶言編戸之人也

季布欒布傳

游。索隱曰謂居家之人無官職也窮困賃傭於齊為酒人保。漢書音義曰酒家作保傭也可保信故謂之保數歲彭越去之巨野中為盜而布為人所略賣為奴於燕為其家主報仇燕將臧荼舉以為都尉臧荼後為燕王以布為將及臧荼反漢擊燕虜布梁王彭越聞之迺言上請贖布以為梁大夫使於齊未還漢召彭越責以謀反夷三族已而梟彭越頭於雒陽下詔曰有敢收視者輒捕之布從齊還奏事彭越頭下祠而哭之吏捕布以聞上召布罵曰若與彭越反邪吾禁人勿收若獨祠而哭之與越反明矣趣亨之索隱曰趣音促亨音普盲反謂疾令赴鑊也方提趣湯徐廣曰趣一作走索隱曰提音啼趣音娶徐廣云一作走走亦趣向之也布顧曰願一言而死上曰何言布曰方上之困於彭城敗滎陽成皐間項王所以遂不能西徒以彭王居梁地與漢合從苦楚也當是之時彭王一顧與楚則漢破與漢而楚破且垓下之會微彭王項氏不亡天下已定彭王剖符受封亦欲傳之萬世今陛下一徵兵於梁彭王病不行而陛下疑以爲反反形未見以苛小徐廣曰小一作峭案誅滅之臣恐功臣人人自危也今彭王已死臣生不如死請就亨於

是上迺釋布罪拜爲都尉孝文時爲燕相至將軍布迺稱曰窮困不能辱身下志非人也富貴不能快意非賢也於是嘗有德者厚報之有怨者必以法滅之吳軍反時以軍功封俞侯徐廣曰擊齊有功也復爲燕相燕齊之間皆爲欒布立社號曰欒公社景帝中五年薨子賁嗣爲太常犧牲不如令國除

太史公曰以項羽之氣而季布以勇顯於楚身屨典軍徐廣曰屨一作僂一曰覆駰案孟康曰屨猶蹈也之也瓚曰屨數也○索隱曰案徐氏云一作覆下而下去搴旗則覆軍爲是愈於屨之與覆者也搴旗者數矣可謂壯士然

百金然諾通鑑綱目田横客蓋節云云此固趙國之義不侵乃然諾者也集覧史記張耳陳餘傳贊太史公曰耳餘始居約時相然信以死豈顧問哉注何耳餘初在貧賤時然諾相信雖死不顧也灌夫傳好任俠已然諾索隠曰謂然己許諾必使副其言也孫等太史公意其必守道義重然諾一以意許知己死之不顧乃爲之耶此

材

能誠也

被刑戮爲人奴而不死何其下也彼必自負其材故受辱而不羞欲有所用其未足也故終爲漢名將賢者誠重其死夫婢妾賤人感慨而自殺者徐廣曰或作概字音義同非能勇也其計畫無復之耳徐廣曰復一作冀欒布哭彭越趣湯如歸者彼誠知所處如淳曰非死者難處死者難不自重其死雖往古烈士何以加哉

正義曰慨歎也或作槩諸蒿槩

索隱述贊曰布也弟季布季心有聲梁楚楚諺曰得黄金百斤不如季布一諾百金然諾十萬致距出守河東股肱是與

十萬 樊噲曰臣願得十万衆横行匈奴中季布曰樊噲可斬也

季布孝惠時爲河東守

季文曰河東吾股肱郡

欒布哭越犯禁見虜赴鼎非冤

誠知所處

知死之所處也

[illegible]

季布欒布列傳第四十　史記一百

[illegible]

百金然諾通鑑綱目用田孙宗盡節云々此圖趙國交義不復乃然諾者也慕曹見史記張耳陳餘
仍後太史公曰耳餘始居約時相然信以死豈顧問哉注河耳陳初在貧賤時然諾相
信雖死不顧也灌夫仍好任俠已然諾索隱曰許死已許諾必使副其前言也孫策言河
太史慈其必宗道義重然諾一以意許知己死亡不相負之即此

材

能誠也

被刑戮爲人奴而不死何其下也彼必自負其材故受辱而不羞欲有所用其未足也故終爲漢名將賢者誠重其死夫婢妾賤人感慨而自殺者（徐廣曰或作慨字音義同）非能勇也其計畫無復之耳（徐廣曰復一作巽）欒布哭彭越趣湯如歸者彼誠知所處（如淳曰非死者難處死者難）不自重其死雖往古烈士何以加哉

正義慨歎也或作槩

索隱述贊曰（布之弟）

季布季心　有聲梁楚　百金然諾（楚諺曰得黃金百斤不如季布一諾）

十萬致距　出守河東　股肱是與（季文曰河東吾股肱郡）

十萬之　樊噲曰臣願得十万衆橫行匈奴中季布曰樊噲可斬也

季布奉惠時爲河東守

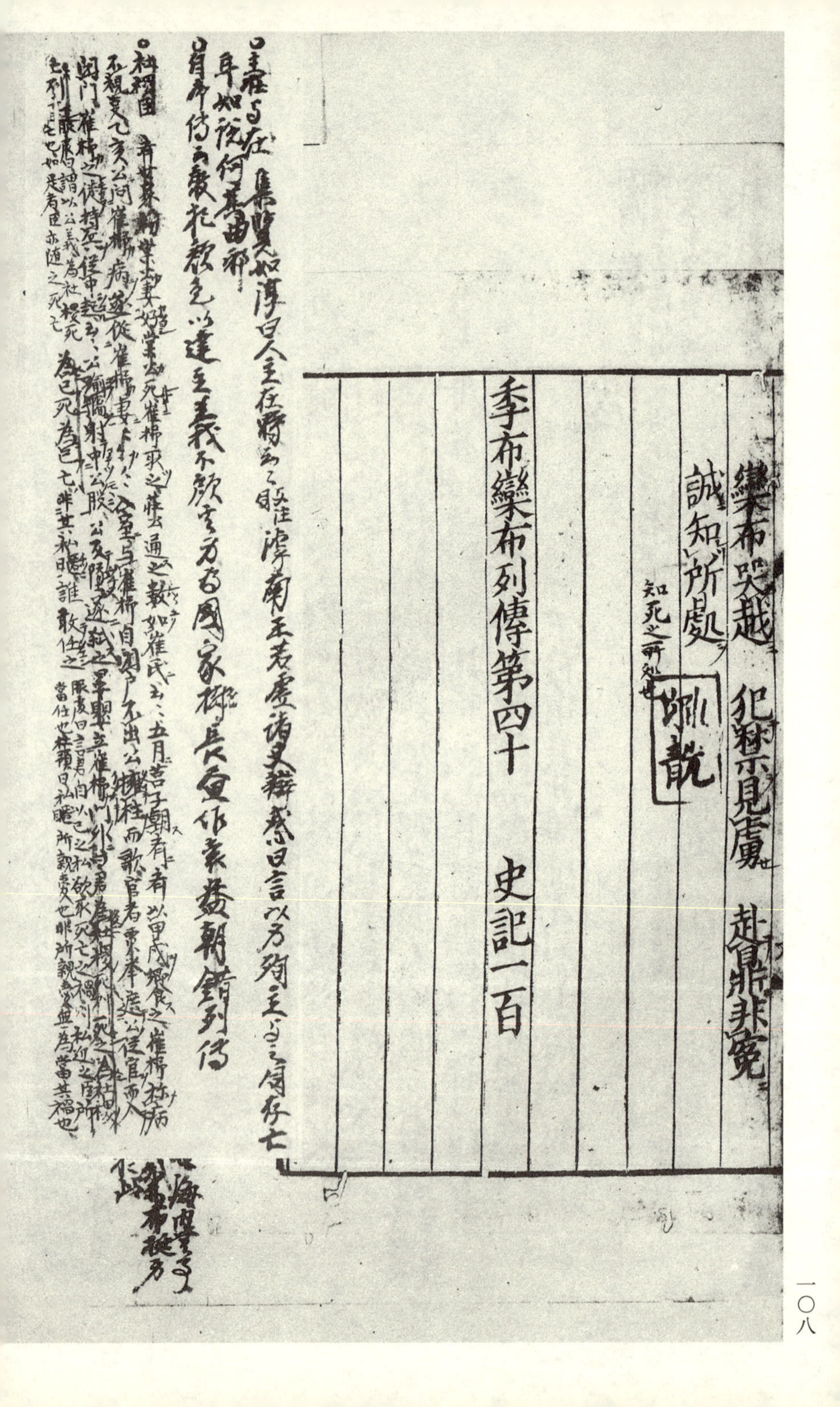

欒布哭越，犯禁見虜，赴鼎非寃，誠知所處。

知死之所处也

雙龍

季布欒布列傳第四十　史記一百

袁盎鼂錯列傳第四十一　史記一百一

袁盎者楚人也索隱曰盎音如周禮盎齊烏浪反字絲父故爲羣盜徙處安陵高后時盎嘗爲呂祿舍人及孝文帝即位盎兄噲任盎爲中郎如淳曰盎爲兄所保任故得爲中郎絳侯爲丞相朝罷趨出意得甚上禮之恭常自送之徐廣曰自一作目袁盎進曰陛下以丞相何如人上曰社稷臣盎曰絳侯所謂功臣非社稷臣社稷臣主在與在如淳曰人主在時與共治在時之事主亡與亡如淳曰不以主亡而不行其政令○索隱曰如淳說爲得方呂后時諸呂用事擅相王劉氏不絕如帶是時絳侯爲太尉主兵柄弗能正呂后

崩大臣相與共畔諸呂太尉主兵適會其成功所謂功臣非社稷臣丞相如有驕主色陛下謙讓臣主失禮竊為陛下不取也後朝上益莊索隱曰莊嚴也丞相益畏已而絳侯望袁盎曰吾與正義曰望怨也而兄善今兒廷毀我盎遂不謝及絳侯免相之國國人上書告以為反徵繫清室漢書作請室應劭曰請室請罪之室若今鍾下也如淳曰請室獄也若古刑於甸師氏也宗室諸公莫敢為言唯袁盎明絳侯無罪絳侯得釋盎頗有功絳侯乃大與盎結交淮南厲王朝殺辟陽侯居處驕甚袁盎諫曰諸侯大驕必生患可適削地上弗用

本紀曰孝文六年有司言淮南王長廢先帝法不聽天子詔居处毋度出入擬於天子擅為法令與棘蒲侯太子奇謀反遣人使閩越及匈奴發其兵欲以危宗廟社稷云云

正義曰聞ヒ於天子

師古曰輟止也

或本聞上作上聞

高世ニ

淮南王益横及棘蒲侯柴武太子謀反事覺治連淮南王淮南王徵上因遷之蜀轞車傳送袁盎時為中郎將乃諫曰陛下素驕淮南王弗稍禁以至此今又暴摧折之淮南王為人剛如有遇霧露行道死陛下竟為以天下之大弗能容有殺弟之名柰何上弗聽遂行之淮南王至雍病死聞上輟食哭甚哀盎入頓首請罪上曰以不用公言至此盎曰上自寬此往事豈可悔哉且陛下有高世之行者三此不足以毁名上曰吾高世行三者何事盎曰陛下居代時太后嘗

[illegible]音

盎[illegible]反

聞上 漢書劉攽曰上字衍下

請罪 正義曰請罪者不[illegible]謝也

病三年陛下不交睫不解衣湯藥非陛下口所嘗弗進夫曾參以布衣猶難之今陛下親以王者脩之過曾參孝遠矣夫諸呂用事大臣專制然陛下從代乘六乘傳馳不測之淵瓚曰大臣共誅諸呂禍福尚未可知故曰不測也雖賁育之勇不及陛下孟康曰孟賁夏育皆古勇者也○索隱曰尸子云孟賁水行不避蛟龍陸行不避虎兕戰國策云夏育叱呼駭三軍身死庸夫高誘曰育衛人為申繻所殺賁音奔陛下至代邸西向讓天子位者再南面讓天子位者三夫許由一讓而陛下五以天下讓過許由四矣且陛下遷淮南王欲以苦其志使改過有司衛不謹故病死於是上乃解曰將奈

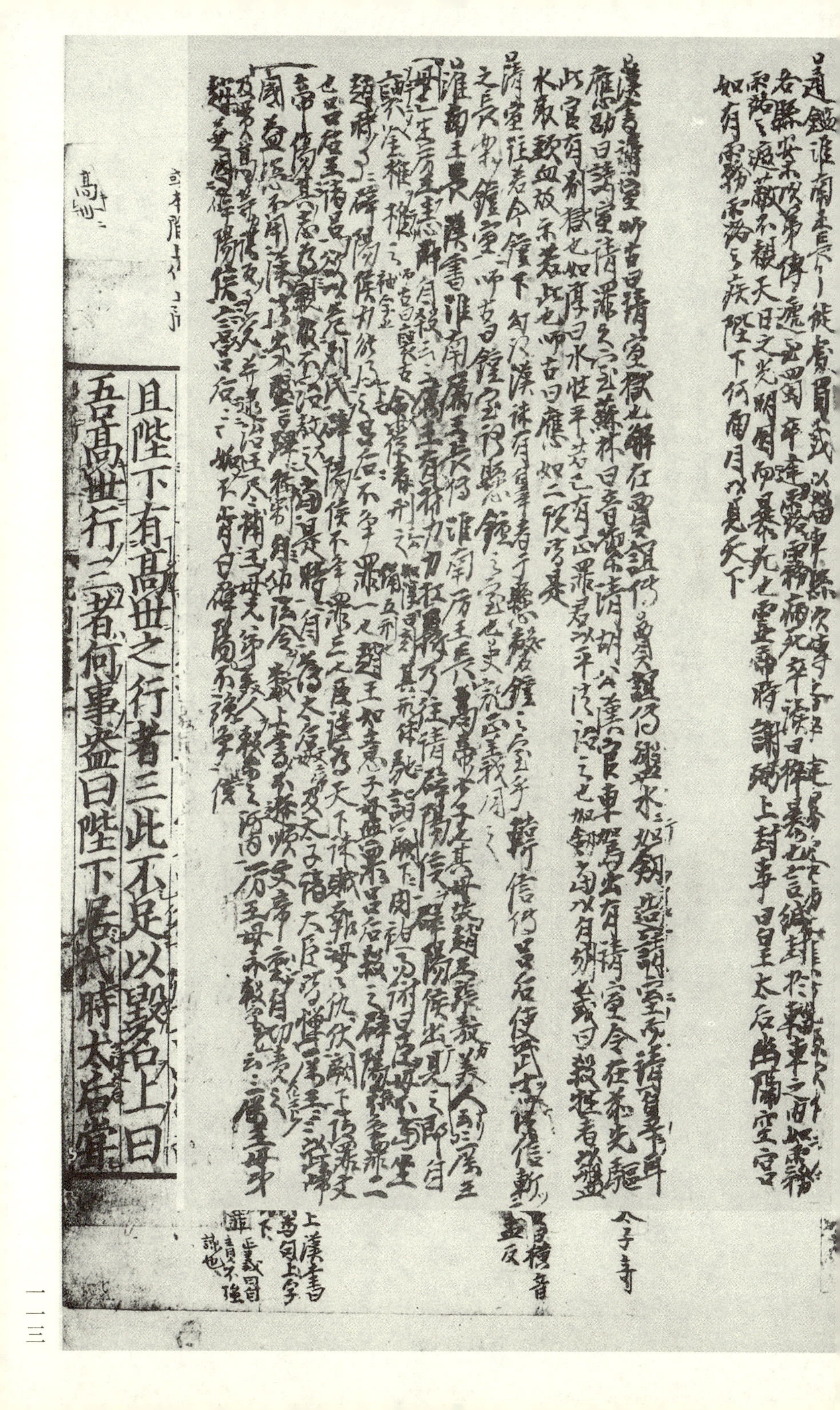

日通鑑淮南王[illegible]從者[illegible]以轞車[illegible]縣次傳[illegible]
右縣不敢發[illegible]傳[illegible]雍[illegible]霧露病死[illegible]
[illegible]遮蔽不覩天日之光明[illegible]暴死也[illegible]帝[illegible]上封事曰皇太后幽隔空宮
如有霧露之疾陛下何面目以見天下

漢書[illegible]請室 師古曰請室獄也 解在[illegible]
應劭曰請室請罪之室 蘇林曰[illegible]請 [illegible]
此官有別獄也 如淳曰水性平 若已有正罪 君以平法治之也 [illegible]
水[illegible]血[illegible]不若此也 師古曰應[illegible]如二說[illegible]是
請室注若今鐘下 [illegible]漢[illegible]
之長[illegible]鐘室 師古曰鐘室[illegible]鐘[illegible]也[illegible]
淮南王[illegible]漢書淮南厲王長[illegible]淮南[illegible]高帝少子也其母故趙王張敖美人[illegible]
[illegible]辟陽侯[illegible]
[illegible]
高帝[illegible]呂后[illegible]
[illegible]

且陛下有高世之行者三此不足以毀名上曰
吾高世行三者何事盎曰陛下居代時太后嘗

今子青

[illegible]音

上漢書曰[illegible]

師古曰睫目旁毛也交睫謂睡寐也

病三年陛下不交睫不解衣湯藥非陛下口所嘗弗進夫曾參以布衣猶難之今陛下親以王者脩之過曾參孝遠矣夫諸呂用事大臣專制然陛下從代乘六乘傳馳不測之淵（贊曰大臣共誅諸呂禍福尚未可知故曰不測也）雖賁育之勇不及陛下（孟康曰孟賁夏育皆古勇者也○索隱曰尸子云孟賁水行不避蛟龍陸行不避虎兕戰國策云夏育叱呼駭三軍身死庸夫高誘曰育衛人爲申繻所殺賁音奔）陛下至代邸西向讓天子位者再南面讓天子位者三夫許由一讓而陛下五以天下讓過許由四矣且陛下遷淮南王欲以苦其志使改過有司衛不謹故病死於是上乃解曰將奈

袁盎鼂錯傳二

何盎曰淮南王有三子唯在陛下耳於是文帝立其三子皆為王盎由此名重朝廷袁盎常引大體忼慨宦者趙同徐廣曰漢書作談字以數幸常害袁盎袁盎患之盎兄子種為常侍騎持節夾乘索隱曰案本漢書音義云持節夾乘輿車騎從者云常侍騎也說盎曰徐廣曰說一作謀君與鬭廷辱之使其毀不用孝文帝出趙同參乘袁盎伏車前曰臣聞天下所與共六尺輿者皆天下豪英今漢雖乏人陛下獨奈何與刀鋸餘人載於是上笑下趙同趙同泣下車文帝從霸陵上欲西馳下峻阪袁盎騎並車擥轡上曰將軍怯邪

盎曰臣聞千金之子坐不垂堂索隱曰案張揖云恐簷瓦墮中人或云臨堂邊垂恐墮墜也百金之子不騎衡徐廣曰一作行駰案服虔曰自持身不騎衡如淳曰騎倚也衡樓殿邊欄楯也韋昭曰衡車衡○索隱曰衡木行馬也如淳云奇音於歧反韋昭云騎音奇案諸家說如淳為長如云欄楯者案纂要云宮殿四面欄縱者云欄橫者云楯是也聖主不乘危而徼幸今陛下騁六騑如淳曰六馬之疾若飛馳下峻山如有馬驚車敗陛下縱自輕奈高廟太后何上乃止上幸上林皇后慎夫人從其在禁中常同席坐及坐郎署長布席正義曰蘇林云郎署上林中直衛之署袁盎引卻慎夫人坐如淳曰盎時爲中郎將天子幸署豫設供待之故得卻慎夫人坐慎夫人怒不肯坐上亦怒起入禁中盎因前說曰臣聞尊卑

漢書同作日飲亡何師古曰無何言更無餘事今此傳作日飲毋苛　家說云苛猶煩苛

師古曰同坐謂所坐之處高下齊同無尊卑也

漢書盎傳作人彘　呂后紀作人豕

齊悼惠王劉肥者高祖長庶男也

毋苛　正義曰苛音何言無苛細勾當也　本多作何　漢書亦作何言無何猶何說王也

有序則上下和今陛下既已立后愼夫人乃妾妾主豈可與同坐哉且陛下幸之即厚賜之陛下所以爲愼夫人適所以禍之陛下獨不見人彘乎（張晏曰戚夫人）於是上乃說召語愼夫人愼夫人賜盎金五十斤然袁盎亦以數直諫不得久居中調爲隴西都尉（如淳曰調選）仁愛士卒士卒皆爭爲死遷爲齊相徙爲吳相辭行種謂盎曰吳王驕日久國多姦今苟欲劾治彼不上書告君即利劍刺君矣南方卑溼君能日飲毋苛時說王曰毋反而已如此幸得脫盎用種之計吳王厚

袁盎還愧其吏
顏師古曰慙不見礼也

使君所言公事

請間
隙私有所白也

正義曰所類交如淳

云隊師事中小官

說 漢書作 說

遇盎盎告歸道逢丞相申屠嘉下車拜謁丞相
從車上謝袁盎袁盎還愧其吏乃之丞相舍上
謁求見丞相丞相良久而見之盎因跪曰願請
閒丞相曰使君所言公事之曹與長史掾議吾
且奏之即私邪吾不受私語袁盎即跪說曰君
為丞相自度孰與陳平絳侯丞相曰吾不如袁
盎曰善君即自謂不如夫陳平絳侯輔翼高帝
定天下為將相而誅諸呂存劉氏君乃為材官
蹶張遷為隊率積功至淮陽守非有奇計攻城
野戰之功且陛下從代來每朝郎官上書疏未

袁盎鼂錯傳 四

[illegible]

王、楚王，又謂吳、楚七國亂也。吳王濞 齊南王辟光 楚王戊 趙王遂 膠西王卬 菑川王賢 膠東王雄渠

鉗 漢書作鉗 師古曰鉗，籋也，音其炎切

鄙野 正義曰謂边邑野外之人也

正義曰按百官表御史大夫有兩丞

嘗不止輦受其言，言不可用置之，言可受採之，未嘗不稱善。何也？則欲以致天下賢士大夫。上日聞所不聞，明所不知，日益聖智；君今自閉鉗天下之口而日益愚。夫以聖主責愚相，君受禍不久矣。」丞相乃再拜曰：「嘉鄙野人，乃不知，將軍幸教。」引入與坐，爲上客。盎素不好鼂錯，鼂錯所居坐，盎去；盎坐，錯亦去：兩人未嘗同堂語。及孝文帝崩，孝景帝即位，鼂錯爲御史大夫，使吏案袁盎受吳王財物，抵罪，詔赦以爲庶人。吳楚反，聞，鼂錯謂丞史曰如淳曰百官表御史大夫有兩丞丞史丞相史也：「夫袁盎

多受吳王金錢，專為蔽匿，言吳不反。今果反，欲請治盎宜知計謀。丞史曰：事未發，治之有絕。如淳曰：事未發之時治之，乃有所絕。索隱曰：案謂有絕吳反之心也。今兵西鄉，治之何益。且袁盎不宜有謀。如淳曰：盎大臣，不宜有姦謀。鼂錯猶與未決。人有告袁盎者，袁盎恐，夜見竇嬰，為言吳所以反者，願至上前口對狀。竇嬰入言上，上乃召袁盎入見。鼂錯在前，及盎請辟人賜閒，錯去，固恨甚。袁盎具言吳所以反狀，以錯故，獨急斬錯以謝吳，吳兵乃可罷。其語具在吳事中。使袁盎為太常，竇嬰為大將軍。兩人素相與善。逮吳反，諸陵長漢書曰盎從欲以致天下賢士大夫日聞所不聞以益聖智君自閉鉗天下之口而日益愚 今文有異字 呂韓延之師說聖益聖愚益愚古文有異字呂云猶得主意今閉鉗使衰益得意摸寫注 爵父 漢書馮唐傳上疏閔閔之厚數李牧爲又良將也 如淳曰良善也師古曰說讀曰悅閔數猶數 善帝意大悅曰列傳曰閔度數李牧爲人良也 郎是知其爲良說者甚矣 善之 猶良久也 居歸 散會稱歎曰居號切廣歎歎之又休假曰告陳忠得光武絕告寧之典音義曰 告寧休謁之名吏休假曰告吏二千石有予告賜告元帝時告者在官有功法所當得 賜告者病三月當免天子優賜其告使帶印綬將官屬歸家養病爲諸侯注 古曰請休歲功之開謝亦告也又唐宋賴曰吏告予音文樓又屋汝歆是民曰元告 令告假之告上音玄邑休沐吏告示有音無焉合二韻通用

鉗 漢書作鉗 師古曰鉗簾也音其炎切

鄙野 正義曰謂邊邑野外之人也

正義曰按百官表御史大夫有兩丞及御史員十五人而此無丞史者是御史丞也

嘗不止輦受其言言不可用置之言可受採之未嘗不稱善何也則欲以致天下賢士大夫上日聞所不聞明所不知日益聖智君今自閉鉗天下之口而日益愚夫以聖主責愚相君受禍不久矣丞相乃再拜曰嘉鄙野人乃不知將軍幸教引入與坐爲上客盎素不好晁錯晁錯所居坐盎去盎坐錯亦去兩人未嘗同堂語及孝文帝崩孝景帝即位晁錯爲御史大夫使吏案袁盎受吳王財物抵罪詔赦以爲庶人吳楚反聞晁錯謂丞史曰如淳曰百官表御史大夫有兩丞丞史丞相史也夫袁盎

多受吳王金錢專爲蔽匿言吳不反今果反欲請
治盎宜知計謀丞史曰事未發治之有絕（如淳曰事未發
之時治之乃有所絕○索隱曰案謂有絕吳反心也）今兵西鄉治之何益且袁
盎不宜有謀（如淳曰盎大臣不宜有姦謀）鼂錯猶與未決人有
告袁盎者袁盎恐夜見竇嬰爲言吳所以反者
願至上前口對狀竇嬰入言上上乃召袁盎入
見鼂錯在前及盎請辟人賜閒錯去固恨甚袁
盎具言吳所以反狀以錯故獨急斬錯以謝吳
吳兵乃可罷其語具在吳事中使袁盎爲太常
竇嬰爲大將軍兩人素相與善逮吳反諸陵長

者長安中賢大夫爭附兩人車隨者日數百乘

及鼂錯已誅袁盎以太常使吳吳王欲使將不

肯欲殺之使一都尉以五百人圍守盎軍中袁

盎自其為吳相時嘗有從史從史嘗盜愛盎侍

兒（文穎曰婢也）盎知之弗泄遇之如故人有告從史言君

知爾與侍者通乃亡歸袁盎驅自追之遂以侍

者賜之復為從史及袁盎使吳見守從史適為

守盎校尉司馬乃悉以其裝齎置二石醇醪會

天寒士卒飢渴飲酒醉西南陬卒皆臥司馬夜

引袁盎起曰君可以去矣吳王期旦日斬君盎

弗信曰公何爲者司馬曰臣故爲從史盜君侍兒者盎乃驚謝曰公幸有親文穎曰言汝有親老吾不足以累公司馬曰君弟去臣亦且亡避吾親如淳曰藏匿亡吾親不使人遇害也○索隱曰案張晏云辟隱也言自隱辟我親不擬遇禍也君何患乃以刀決張道如淳曰決開當所從出者之道張音帳索隱曰案帳軍幕也決之以出也從醉卒直隧出司馬與分背袁盎解節毛懷之如淳曰不欲令人見也杖步行七八里明見梁騎騎馳去文穎曰梁騎擊吳楚者也或曰得梁馬馳去也遂歸報吳楚已破上更以元王子平陸侯禮爲楚王袁盎爲楚相嘗上書有所言不用袁盎病免居家與閭里浮沈相隨行鬬雞走狗雒陽

明見梁騎馳去

師古曰遇梁軍之騎

遂因得脫歸報天子

袁盎鼂錯傳　六

劇孟嘗過袁盎盎善待之安陵富人有謂盎曰吾聞劇孟博徒如淳曰博盪之徒或曰博戲之徒將軍何自通之盎曰劇孟雖博徒然母死客送葬車千餘乘此亦有過人者且緩急人所有夫一旦有急叩門不以親為解張晏曰不語云親不聽也瓚曰凡人之於赴難濟危多以有父母為解而孟兼行之索隱曰案謂不以親為辭也今此云解者亦謂不以親在而自解不以存亡為辭天下所望者獨季心劇孟耳今公常從數騎徐廣曰常一作詳一旦有緩急寧足恃乎罵富人弗與通諸公聞之皆多袁盎袁盎雖家居景帝時時使人問籌策梁王欲求為嗣袁盎進說其後語塞索隱曰鄒氏一云

塞當作蹇路非也案以盎言不宜立弟之義其後立梁王之語塞絕也梁王以此怨盎曾使人刺盎刺者至關中問袁盎諸君譽之皆不容口乃見袁盎曰臣受梁王金來刺君君長者不忍刺君然後刺君者十餘曹如淳曰曹輩也備之袁盎心不樂家又多怪乃之棓生所問占徐廣曰棓一作服駰案文穎曰棓音陪秦時賢士善術者○索隱曰韋昭云棓姓也還梁刺客後曹輩果遮刺殺盎安陵郭門外

鼂錯者潁川人也索隱曰朝音朝錯音厝一如字讀案鼂氏出南陽今西鄂鼂氏自謂子鼂之後也學申商刑名於軹張恢先所徐廣曰先即先生○索隱曰軹縣人張恢先生所學申商之法與雒陽宋孟及劉禮同師以文學

袁盎鼂錯傳　七

爲太常掌故應劭曰掌故百石吏主故事○索隱曰服虔云百石卒吏漢舊儀云太常博士弟子試射策中甲科補郎中乙科補掌故也錯爲人陗直刻深韋昭曰術岸高曰陗贊曰陗峻○索隱曰按韋昭注本無術字或云術道路也陗音七笑反孝文帝時天下無治尚書者獨聞濟南伏生故秦博士治尚書年九十餘老不可徵乃詔太常使人往受之太常遣錯受尚書伏生所正義曰衛宏詔定古文尚書序云徵之老不能行遣太常掌故鼂錯往讀之年九十餘不能正言言不可曉使其女傳言教錯齊人語多與潁川異錯所不知者凡十二三略以其意屬讀而已也還因上便宜事以書稱說詔以爲太子舍人門大夫家令服虔曰太子稱家贊曰茂陵書太子家令秩八百石以其辯得幸太子太子家號曰智囊數上書孝文時言削諸

正義曰太子漢書作天子也

袁盎鼂錯傳

事及法令可更定者書數十上孝文不聽然奇其材遷為中大夫當是時太子善錯計策袁盎諸大功臣多不好錯景帝即位以錯為內史錯常數請閒言事輒聽寵幸傾九卿（徐廣曰九一作八）法令多所更定丞相申屠嘉心弗便力未有以傷內史府居太上廟壖中門東出不便錯乃穿兩門南出鑿廟壖垣（索隱曰壖音乃亂反謂墻外之短垣也又音而緣反）丞相嘉聞大怒欲因此過為奏請誅錯錯聞之即夜請閒具為上言之丞相奏事因言錯擅鑿廟垣為門請下廷尉誅上曰此非廟垣乃壖中垣（正義曰上人緣反石）

爲太常掌故應劭曰掌故百石吏主故事○索隱曰服虔云百石卒吏漢舊儀云太常博士弟子試射策中甲科補郎中乙科補掌故也錯爲人陗直刻深韋昭曰術岸高曰陗瓚曰陗峻○索隱曰按韋昭注本無術字或云術道路也陗音七笑反孝文帝時天下無治尚書者獨聞濟南伏生故秦博士治尚書年九十餘老不可徵乃詔太常使人往受之太常遣錯受尚書伏生所正義曰衛宏詔定古文尚書序云徵之老不能行遣太常掌故鼂錯往讀之年九十餘不能正言言不可曉使其女傳言教錯齊人語多與潁川異錯所不知者凡十二三略以其意屬讀而已也還因上便宜事以書稱說詔以爲太子舍人門大夫家令服虔曰太子稱家瓚曰茂陵書太子家令秩八百石以其辯得幸太子太子家號曰智囊數上書孝文時言削諸

事及法令可更定者書數十上孝文不聽然奇其材遷爲中大夫當是時太子善錯計策袁盎諸大功臣多不好錯景帝即位以錯爲内史錯常數請閒言事輒聽寵幸傾九卿（徐廣曰九一作八）法令多所更定丞相申屠嘉心弗便力未有以傷史府居太上廟壖中門東出不便錯乃穿兩門南出鑿廟壖垣（索隱曰壖音乃亂反謂墻外之短垣也又音而緣反）丞相嘉聞大怒欲因此過爲奏請誅錯錯聞之即夜請閒具爲上言之丞相奏事因言錯擅鑿廟垣爲門請下廷尉誅上曰此非廟垣乃壖中垣（正義曰上人緣反石）

丞相謝 以奏請不合上意故謝

請削諸侯之地

堧者廟內垣外游地也不致於法丞相謝罷朝怒謂長史曰吾當先斬以聞乃先請為兒所賣固誤丞相遂發病死錯以此愈貴遷為御史大夫請諸侯之罪過削其地徐廣曰一云言景帝曰諸侯或連數郡非古之制非久長策不便請削之上令公卿云云收其枝郡奏上上令公卿列侯宗室集議莫敢難獨竇嬰爭之由此與錯有郤錯所更令三十章諸侯皆諠譁疾鼂錯錯父聞之從潁川來謂錯曰上初即位公為政用事侵削諸侯別疏人骨肉人口議徐廣曰一作讙多怨公者何也鼂錯曰固也不如此天子不尊宗廟不安錯父曰劉氏安矣

而鼂氏危矣吾去公歸矣遂飲藥死曰吾不忍見禍及吾身死十餘日吳楚七國果反以誅錯爲名及竇嬰袁盎進說上令鼂錯衣朝衣斬東市鼂錯已死謁者僕射鄧公（正義曰漢書音作鄧先孔文祥云名先）爲校尉擊吳楚軍爲將還上書言軍事謁見上上問曰道軍所來（如淳曰道路從吳軍所來也瓚曰道由也）聞鼂錯死吳楚罷不鄧公曰吳王爲反數十年矣發怒削地以誅錯爲名其意非在錯也且臣恐天下之士噤口不敢復言也（索隱曰噤音其錦反又音其禁反）上曰何哉鄧公曰夫鼂錯患諸侯彊大不可制故請削地

壖者廟內垣外游地也不致於法丞相謝罷朝怒謂長史曰吾當先斬以聞乃先請爲兒所賣固誤丞相遂發病死錯以此愈貴遷爲御史大夫請諸侯之罪過削其地徐廣曰一云言景帝曰諸侯或連數郡非古之制非久長策不便請削之上令公卿云云收其枝郡奏上上令公卿列侯宗室集議莫敢難獨竇嬰爭之由此與錯有郤錯所更令三十章諸侯皆諠譁疾鼂錯錯父聞之從潁川來謂錯曰上初即位公爲政用事侵削諸侯別疏人骨肉人口議徐廣曰一作讙多怨公者何也鼂錯曰固也不如此天子不尊宗廟不安錯父曰劉氏安矣

而鼂氏危矣吾去公歸矣遂飲藥死曰吾不忍見禍及吾身死十餘日吳楚七國果反以誅錯爲名及竇嬰袁盎進說上令鼂錯衣朝衣斬東市鼂錯已死謁者僕射鄧公正義曰漢書作鄧先孔文祥云名先爲校尉擊吳楚軍爲將還上書言軍事謁見上上問曰道軍所來如淳曰道路從吳軍所來也瓚曰道由也聞鼂錯死吳楚罷不鄧公曰吳王爲反數十年矣發怒削地以誅錯爲名其意非在錯也且臣恐天下之士噤口不敢復言也索隱曰噤音其錦反又音其禁反上曰何哉鄧公曰夫鼂錯患諸侯彊大不可制故請削地

以尊京師萬世之利也計畫始行卒受大戮內杜忠臣之口外爲諸侯報仇臣竊爲陛下不取也於是景帝默然良久曰公言善吾亦恨之乃拜鄧公爲城陽中尉鄧公成固人也正義曰梁州成固縣也括地志云成固故城在梁州成固縣東六里漢成固城也多奇計建元中上招賢良公卿言鄧公時鄧公免起家爲九卿一年復謝病免歸其子章以脩黃老言顯於諸公閒

太史公曰袁盎雖不好學亦善傅會仁心爲質引義忼慨遭孝文初立資適逢世張晏曰資才也適值其世得騁其才時以變易張晏曰謂景帝立及吳楚一說說雖行哉

然復不遂。好聲矜賢，竟以名敗。鼂錯為家令時，數言事不用，後擅權，多所變更。諸侯發難，不急匡救，欲報私讎，反以亡軀。語曰「變古亂常，不死則亡」，豈錯等謂邪！

索隱述贊曰：

袁盎公直，亦多附會。攬轡見重，（文帝從霸陵上欲西馳下峻阪袁盎騎並車攬轡上曰將軍怯邪）卻席翳賴。鼂錯建策，屢陳利害。尊主卑臣，家危國泰。悲彼二子，名立身敗。（錯父曰劉氏安矣而鼂氏危矣）

袁盎鼂錯列傳第四十一　史記一百一

張釋之馮唐列傳第四十二　史記一百二

張廷尉釋之者堵陽人也索隱曰韋昭堵音赭又音如字地名屬南陽正義曰應劭曰哀帝改爲順陽水東南入蔡括地志云順陽故城在鄧州穰縣西三十里楚之郇邑也及蘇秦傳云楚北有郇陽並謂此也字季有兄仲同居以訾爲騎郎蘇林曰雇錢若出穀也如淳曰漢儀注訾五百萬得爲常侍郎○索隱曰訾音子移反字苑云訾積財也事孝文帝十歲不得調無所知名釋之曰久宦減仲之産不遂欲自免歸中郎將袁盎知其賢惜其去乃請徙釋之補謁者正義曰百官表云謁者掌賓讃受事員十七人秩比六百石也釋之既朝畢因前言便宜事文帝曰卑之毋甚高論令今可施行也索隱曰卑下也欲令且卑下其志無甚高談論語但令依今時事無說古遠也於

是釋之言秦漢之間事秦所以失而漢所以興者久之文帝稱善乃拜釋之爲謁者僕射釋之從行登虎圈正義曰求遠反上問上林尉索隱曰漢書表上林有八丞十二尉百官志云尉秩三百石諸禽獸簿十餘問尉左右視盡不能對虎圈嗇夫正義曰掌虎圈百官表有鄉嗇夫此其類也從旁代尉對上所問禽獸簿甚悉欲以觀其能口對響應無窮者文帝曰吏不當若是邪尉無賴張晏曰才無可恃乃詔釋之拜嗇夫爲上林令釋之久之前曰陛下以絳侯周勃何如人也上曰長者也又復問東陽侯張相如何如人也上曰長者釋之曰

張釋之馮唐列傳第四十二　史記一百二

張廷尉釋之者堵陽人也 索隱曰韋昭堵音赭又音如字地名屬南陽正義曰應劭曰後漢作改爲順陽水東南入蔡括地志云順陽故城在鄧州穰縣西三十里楚之郇邑也及蘇秦傳云楚北有郇陽並謂此也 字季有兄仲同居以訾爲騎郎 蘇林曰産貲若出穀也如淳曰漢儀注訾五百萬得爲常侍郎○索隱曰訾言其子移反字苑云貲積財也 事孝文帝十歲不得調無所知名釋之曰久宦減仲之産不遂欲自免歸中郎將袁盎知其賢惜其去乃請徙釋之補謁者 正義曰百官表云謁者掌賓讚受事員十七人秩比六百石也 釋之既朝畢因前言便宜事文帝曰卑之毋甚高論令今可施行也 索隱曰案卑下也欲令且卑下其志無其高談論語但令依今時事無説古遠也 於

師古曰圈養獸之所也
正義曰上林尉爲水衡也
師古曰簿謂簿書也音步戶反
盡不能對師古曰視其屬官皆不能對也
師古曰觀猶示也

是釋之言秦漢之間事秦所以失而漢所以興者久之文帝稱善乃拜釋之爲謁者僕射釋之從行登虎圈[正義曰求遠反]上問上林尉[索隱曰漢書表上林有八丞十二尉百官志云尉秩三百石]諸禽獸簿十餘問尉左右視盡不能對虎圈嗇夫[正義曰掌虎圈百官表有鄉嗇夫此其類也]從旁代尉對上所問禽獸簿甚悉欲以觀其能口對響應無窮者文帝曰吏不當若是邪尉無賴[張晏曰才無可恃]乃詔釋之拜嗇夫爲上林令釋之久之前曰陛下以絳侯周勃何如人也上曰長者也又復問東陽侯張相如何如人也上復曰長者釋之曰

嗇夫 韻會曰田吏謂之嗇夫嗇與穡通穀可收穡

惻隱 漢書作憯隱 孟子云無惻隱之心非人也惻隱者仁之端

夫絳侯東陽侯稱爲長者此兩人言事曾不能出口豈斅此嗇夫諜諜晉灼曰音牒○索隱曰漢書作喋喋喋喋多言也利口捷給哉且秦以任刀筆之吏吏爭以亟疾苛察相高然其敝徒文具耳索隱曰安謂空具其文而無其實無惻隱之實以故不聞其過陵遲而至於二世天下土崩今陛下以嗇夫口辯而超遷之臣恐天下隨風靡靡爭爲口辯而無其實且下之化上疾於景響舉錯不可不審也文帝曰善乃止不拜嗇夫上就車召釋之參乘徐行問釋之秦之敝具以質言如淳曰質誠也至宮上拜釋之爲公車令

也太子與梁王共車入朝不下司馬門如淳曰宮衛令諸出入殿門公車司馬門乘軺傳者皆下不如令罰金四兩於是釋之追止太子梁王無得入殿門遂劾不下公門不敬奏之薄太后聞之文帝免冠謝曰教兒子不謹薄太后乃使使承詔赦太子梁王然後得入文帝由是奇釋之拜為中大夫頃之至中郎將從行至霸陵居北臨廁李奇曰霸陵北頭廁近霸水帝登其上以遠望也如淳曰居高臨垂邊曰廁也蘇林曰廁邊側也韋昭曰高岸夾水為廁○索隱曰劉氏廁音初吏反包愷音側義亦兩通是時慎夫人從上指示慎夫人新豐道曰此走邯鄲道也張晏曰慎夫人邯鄲人也如淳曰走音奏趣也○索隱曰案走猶向也使慎夫人鼓瑟上自倚

梁孝王武

孝

集覽從行考句從文帝隨從至上行也

北漢書作外

通鑑中大夫胡注中大夫掌論議屬郎中令其後在太中大夫之下諫大夫之上武帝太初元年更名中大夫曰光祿大夫秩比二千石太中大夫秩比千石如故至後漢志有光祿大夫太中大夫中散大夫諫議大夫胡廣曰光祿大夫本為中大夫武帝元狩五年置為光祿大夫諫大夫世祖中興以為諫議大夫又有太中中散大夫此四等於古皆為天子之下大夫視列國之上卿

張釋之馮唐傳 二

通鑑以北山石一胡注師古曰美石出京師北山今宜州石是斮如字以漆著其間也紵竹吕翻康曰紵麻屬細者為絟粗者為紵陸璣草木疏曰紵以麻也科生數十莖宿根在地中至春自生不歲種也荊揚之間一歲三收今官園種之歲再刈刈便生剝之以鐵若竹挾之表厚皮自脫但得其裏韌如筋者謂之徽紵今南越紵布皆用此麻絮口賴斮側略翻 翻

夫絳侯東陽侯稱爲長者此兩人言事曾不能出口豈斅此嗇夫諜諜（集解徐廣曰音牒○索隱曰漢書作喋喋喋喋多言也）利口捷給哉且秦以任刀筆之吏吏爭以亟疾苛察相高然其敝徒文具耳（索隱曰案謂空具其文而無其實）無惻隱之實以故不聞其過陵遲而至於二世天下土崩今陛下以嗇夫口辯而超遷之臣恐天下隨風靡靡爭爲口辯而無其實且下之化上疾於景響舉錯不可不審也文帝曰善乃止不拜嗇夫上就車召釋之參乘徐行問釋之秦之敝具以質言（如淳曰質誠也）至宮上拜釋之爲公車令頃

梁孝王武

孝

世太子與梁王共車入朝不下司馬門 如淳曰宫衛令諸出入殿門公車司馬門乘軺傳者皆下不如令罰金四兩 於是釋之追止太子梁王無得入殿門遂劾不下公門不敬奏之薄太后聞之文帝免冠謝曰教兒子不謹薄太后乃使使承詔赦太子梁王然後得入文帝由是奇釋之拜為中大夫頃之至中郎將從行至霸陵居北臨廁 李奇曰霸陵北頭廁近霸水帝登其上以遠望也如淳曰居高臨垂邊曰廁也蘇林曰廁邊側之也韋昭曰高岸夾水為廁○索隱曰劉氏廁音初吏反包愷音側義亦兩通 是時慎夫人從上指示慎夫人新豐道曰此走邯鄲道也 張晏曰慎夫人邯鄲人也如淳曰走音奏趨也○索隱曰奏走猶向也 使慎夫人鼓瑟上自倚

集覽從行為句從去聲隨從主上行也

[北]漢書作外

通鑑中大夫胡注中大夫掌論議屬郎中令其位在太中大夫之下諫大夫之上武帝太初元年更名中大夫曰光祿大夫秩比二千石太中大夫秩比千石如故至後漢志有光祿大夫太中大夫中散大夫諫議大夫胡廣曰光祿大夫本為中大夫武帝元狩五年置為光祿大夫諫大夫世祖中興以為諫議大夫又有太中中散大夫此四等於古皆為天子之下大夫視列國之上卿

張釋之馮唐列傳 二

日通鑑以北臨為句胡注師古曰美石出京師北山今宜州石是斮如絮以漆著其間也紵竹呂翻康曰紵麻屬細者為絟麤者為紵陸璣草木疏曰紵以麻也科生數十莖宿根在地中至春自生不歲種也荊揚之間一歲三收今官園種之歲再刈刈便生剝之以鐵若竹挾之表厚皮自脫但得其裏韌如筋者謂之徽紵今南越紵布皆用此麻絮口穎斮側略翻 翻

瑟而歌漢書音義曰聲氣依倚瑟也書曰聲依咏○索隱曰倚於綺反案謂歌聲合於瑟聲相依倚也意慘悽悲懷顧謂羣臣曰嗟乎以北山石為槨正義曰顏師古云美石出京師北山今宜州石是用紵絮斮陳蕠漆其間徐廣曰斮一作錯駰案漢書音義曰斮絮以漆著其間也○索隱曰紵音竹呂反絮音息慮反斮音側略反絮音女居反案斮陳絮以漆著其間也豈可動哉左右皆曰善釋之前進曰使其中有可欲者雖錮南山猶有郄張晏曰錮鑄也帝北向故云北山迴顧南向故云南山○索隱曰案太顏云北山青石肌理細密堪為埤槨至今猶然故秦本紀云作阿房作酈山發北山石槨乃寫是也故帝欲北山之石為槨取其精牢釋之荅言但使薄葬冢中無可貪雖無石槨有何憂焉若使厚葬并冢中有物雖并錮南山猶為人所發掘也言南山者取其高厚之意張晏殊失其旨也使其中無可欲者雖無石槨又何戚焉文帝稱善其後拜釋

之爲廷尉頃之上行出中渭橋張晏曰在渭橋中路瓚曰中渭橋兩岸之中○索隱曰張晏臣瓚之說皆非也案今渭橋有三所一所在城西北咸陽路曰西渭橋一所在東北高陵路曰東渭橋其中渭橋在故城之北也有一人從橋下走出乘輿馬驚於是使騎捕屬之廷尉釋之治問曰縣人來如淳曰長安縣人聞蹕匿橋下久之以爲行已過即出見乘輿車騎即走耳廷尉奏當一人犯蹕當罰金如淳曰乙令蹕先至而犯者罰金四兩蹕止行人○索隱曰崔浩云當謂處其罪也案百官志云廷尉掌平刑罰奏當所應郡國讞疑罪皆處當以報之也文帝怒曰此人親驚吾馬吾馬賴柔和令他馬固不敗傷我乎而廷尉乃當之罰金釋之曰法者天子所與天下公共也索隱曰小顏云公謂

一作錯鋼案漢書音義曰斮絮以漆著其間也○索隱曰紵音竹呂反絮音息慮反斮音側略反絮音女居反案斮𨻶絮以漆著其間也豈可動哉左右皆曰善釋之前進曰使其中有可欲者雖錮南山猶有郄張晏曰錮鑄也帝北向故云北山廻顧南向故云南山○索隱曰案大顔云北山青石肌理細密堪爲碑槨至今猶然故秦本紀云作阿房徙酈山發北山石槨乃寫是也故帝欲北山之石爲槨取其精牢釋之荅言但使薄葬冢中無可貪雖無石槨有何憂焉若使厚葬并冢中有物雖并錮南山猶爲人所發掘也言南山者取其高厚之意張晏殊失其旨也使其中無可欲者雖無石椁又何戚焉文帝稱善其後拜釋

之爲廷尉頃之上行出中渭橋[張晏曰在渭橋中路 瓚曰中渭橋兩岸之中○索隱曰張晏臣瓚之說皆非也案今渭橋有三所一所在城西北咸陽路曰西渭橋一所在東北高陵路曰東渭橋其中渭橋在故城之北也]有一人從橋下走出乘輿馬驚於是使騎捕屬之廷尉釋之治問曰縣人來[如淳曰長安縣人]聞蹕匿橋下久之以爲行已過即出見乘輿車騎即走耳廷尉奏當一人犯蹕當罰金[如淳曰乙令蹕先至而犯者罰金四兩蹕止行人○索隱曰崔浩云當謂處其罪也案百官志云廷尉掌平刑罰奏當所應郡國讞疑罪皆處當以報之也]文帝怒曰此人親驚吾馬吾馬賴柔和令他馬固不敗傷我乎而廷尉乃當之罰金釋之曰法者天子所與天下公共也[索隱曰小顏云公謂

今法如此而更重之是法不信於民也且方其時上使立誅之則已今既下廷尉廷尉天下之平也一傾而天下用法皆為輕重民安所錯其手足唯陛下察之良久上曰廷尉當是也其後有人盜高廟坐前玉環捕得文帝怒下廷尉廷尉治釋之案律盜宗廟服御物者為奏奏當棄市上大怒曰人之無道乃盜先帝廟器吾屬廷尉者欲致族之而君以法奏之（索隱曰案以法者謂依律法）非吾所以共承宗廟意也釋之免冠頓首謝曰法如是足也（徐廣曰足一作止也）且罪等然

然以逆順爲差今盜宗廟器而族之有如萬分之一假令愚民取長陵一抔土張晏曰不欲指言故以取土譬也○索隱曰抔音步侯反案禮運云汙尊而抔飲鄭氏云抔手掬之字從手字本或作盃言一勺一抔音並通又音並廻反抔者塼之未燒之名也張晏云不欲指言故以取土譬者蓋不欲言盜開長陵及侵抠恐傷迫切先帝故也陛下何以加其法乎文帝與太后言之乃許廷尉當是時中尉條侯周亞夫與梁相山都侯王恬開徐廣曰一作閭漢書作啓啓者景帝諱也故或爲開見釋之持議平乃結爲親友張廷尉由此天下稱之後文帝崩景帝立釋之恐索隱曰景帝爲太子時與梁王入朝不下司馬門釋之嘗奏劾故恐也稱病欲免去懼大誅至欲見謝則未知何

如用王生計卒見謝景帝不過也王生者善爲

黃老言處士也嘗召居廷中三公九卿盡會立

王生老人曰吾襪解正義曰上萬越反下閑買反顧謂張廷尉

爲我結襪索隱曰結音如字又音計釋之跪而結之既已人

或謂王生曰獨奈何廷辱張廷尉使跪結襪王

生曰吾老且賤自度終無益於張廷尉張廷尉

方今天下名臣吾故聊辱廷尉使跪結襪欲以

重之諸公聞之賢王生而重張廷尉張廷尉事

景帝歲餘爲淮南王相猶尚以前過也久之釋

之卒其子曰張摯字長公官至大夫免以不能

取容當世故終身不仕[索隱曰謂性公直不能曲屈見容於當世故至免官不仕也]馮唐者其大父趙人父徙代漢興徙安陵唐以孝著爲中郎署長[應劭曰此云孝子郎也或曰以至孝聞○索隱曰案謂爲郎署之長也]事文帝文帝輦過[索隱曰過音戈謂文帝乘輦過郎署也]問唐曰父老何自爲郎[索隱曰案崔浩云自從也帝詢唐何從爲郎又小顏云年老矣何乃自爲郎恠之也]家安在唐具以實對文帝曰吾居代時吾尚食監高祛數爲我言趙將李齊之賢戰於鉅鹿下今吾每飯意未嘗不在鉅鹿也[張晏曰每食念監所說李齊在鉅鹿時]父知之乎唐對曰尚不如廉頗李牧之爲將也上曰何以唐曰臣大父在趙時爲官卒將[徐廣曰一

漢書主臣師古曰恐懼之言解在陳平傳 案漢書列傳第十卷陳平王陵蓋同傳也主臣
乃陳平語乃在王陵傳也

師古曰說讀曰悅李齊頗牧之善帝意大說貢文曰青廣頗李牧爲人即是知其賢良說者喜說也猶良久也聞廣頗李牧爲人良說而搏髀曰

主臣文穎曰惶恐之辭也猶今言死罪也孟康曰主臣主臣也若今言人主晉灼曰主擊手也臣服也言擊手服也言擊手服惶恐之辭師古曰文晉二說是也

一云官士將騶案晉灼曰百人爲徹行亦皆師將也○索隱曰安案國語闔閭卒百人爲徹行行頭皆官師賈逵云百人爲隊也官師隊大夫也善李牧臣父故爲代相善趙將李齊知其爲人也上既聞廉頗李牧爲人良說如淳曰良善也而搏髀曰嗟乎吾獨不得廉頗李牧時爲吾將吾豈憂匈奴哉唐曰主臣索隱曰案樂彥云人臣進對前稱主臣猶上書前云昧死案志林云馮唐面折萬乘何言不懼主臣爲驚怖其言益著也又魏武謂陳琳云卿爲本初檄何乃上及父祖琳謝曰主臣益明主臣是驚怖也解已見前篇陛下雖得廉頗李牧弗能用也上怒起入禁中良久召唐讓曰公柰何衆辱我獨無間處乎唐謝曰鄙人不知忌諱當是之時匈奴新大入朝那索隱曰上音朝遥反下音乃何反縣名屬[illegible]西安定也○正義故城在原州百泉縣

西北十里漢朝那縣是也殺北地正義曰北地郡今寧州也都尉卬索隱曰案卬都尉姓孫上

以胡寇爲意乃卒復問唐曰公何以知吾不能

用廉頗李牧也唐對曰臣聞上古王者之遣將

也跪而推轂曰閫以內者韋昭曰此郭門之閫也門中橛曰閫○索隱曰橛音其月反○正義曰閫音苦本反謂門根也寡人制之閫以外者將軍制

之軍功爵賞皆決於外歸而奏之此非虛言也

臣大父言李牧爲趙將居邊軍市之租皆自用

饗士索隱曰案謂軍中立市市有稅稅即租也賞賜決於外不從中擾

也委任而責成功故李牧乃得盡其智能遣選

車千三百乘索隱曰案六韜書云有選車之法十彀騎萬三千索隱曰如淳云

張釋之馮唐列傳 六

云官士將騶案晉灼曰百人爲徹行亦皆師將也○索隱曰案國語闔閭卒百人爲徹行行頭皆官師賈逵云百人爲隊也官師隊大夫也善李牧臣父故爲代相善趙將李齊知其爲人也上既聞廉頗李牧爲人良說如淳曰良善也而搏髀曰嗟乎吾獨不得廉頗李牧時爲吾將吾豈憂匈奴哉唐曰主臣索隱曰案樂彥云人臣進對前稱主臣猶上書前云昧死案志林云憑唐面折萬乘何言不懼主臣爲驚怖其言益著也又魏武謂陳琳云卿爲本初檄何乃上及父祖琳謝曰主臣益明主臣是驚怖也解已見前篇陛下雖得廉頗李牧弗能用也上怒起入禁中良久召唐讓曰公柰何衆辱我獨無間處乎唐謝曰鄙人不知忌諱當是之時匈奴新大入朝那索隱曰上音朝遥下音乃何反縣名屬安定也○正義括地志云故城在原州百泉縣

西北十里漢朝那縣是也殺北地正義曰北地郡今寧州也都尉卬索隱曰案上都尉姓孫

以胡寇爲意乃卒復問唐曰公何以知吾不能

用廉頗李牧也唐對曰臣聞上古王者之遣將

也跪而推轂曰閫以内者韋昭曰此郭門之閫也門中橛曰閫○索隱曰橛音其月反○正義曰閫音苦本反謂門根也寡人制之閫以外者將軍制

之軍功爵賞皆決於外歸而奏之此非虛言也

臣大父言李牧爲趙將居邊軍市之租皆自用

饗士索隱曰案謂軍中立市市有税税即租也賞賜決於外不從中擾

也委任而責成功故李牧乃得盡其智能遣選

車千三百乘索隱曰案六韜書云有選車之法十彀騎萬三千索隱曰如淳云

張釋之馮唐傳　六

彀音構彀騎張弓之騎也百金之士十萬服虔曰良士直百金也或曰直百金言重○索隱曰晉灼云百金喻其貴重也注云或者服晉之說也劉氏云其功可賞百金者事見管子及小爾雅是以北逐單于破東胡滅襜林徐廣曰襜一作䄡○索隱曰崔浩云東胡九之先也國在匈奴之東故云東胡襜音丁甘反一本作襜襤西抑彊秦南支韓魏當是之時趙幾霸索隱曰幾音祈其後會趙王遷立其母倡也索隱曰案列女傳云邯鄲之倡也○正義曰趙幽王母樂家之女也王遷立乃用郭開讒卒誅李牧索隱曰案開是趙王寵臣戰國策云秦多與開金使爲反間令顏聚代之索隱曰聚音似喻反漢書作最最本齊將○正義曰絕瘦也是以兵破士北爲秦所禽滅今臣竊聞魏尚爲雲中守漢書曰尚槐里人也○正義曰雲中郡故城在勝州榆林縣東北三十里其軍市租盡以饗士卒私[illegible]

錢服虔曰私廩假錢○索隱曰案漢所肆租稅之入為私奉養故服虔云私廩假錢是也或云官所別廩給也五日一椎牛饗賓客軍吏舍人是以索隱曰椎音直追反擊也匈奴遠避不近雲中之塞虜曾一入尚率車騎擊之所殺甚眾夫士卒盡家人子索隱曰案謂庶人之家子也起田中從軍安知尺籍伍符如淳曰漢軍法曰吏卒斬首以尺籍書下縣移郡令人故行不行奪勞二歲伍符亦什伍之符約節度也或曰以尺簡書故曰尺籍也○索隱曰案尺籍者謂書其斬首之功於一尺之板伍符者命軍人伍伍相保不容姦詐也故行不行謂故命人行而身不自行奪勞一歲也故與雇同終日力戰斬首捕虜上功莫府索隱曰案莫訓大也又崔浩云古者出征為將治無常處以幕為府舍故云莫府莫當為幕古字少耳一言不相應索隱曰應音乙陵反謂數不同也文吏以法繩之其賞不行而吏奉法必

李牧傳趙王遷七年秦使王翦將攻趙趙使李牧司馬尚御之秦多與趙王寵臣郭開金為反間

言李牧司馬尚欲反趙王使趙葱及齊將顏聚代李牧趙使人捕得李牧斬之王翦因急擊趙大破殺趙葱

趙王遷及其將顏聚以為滅趙欲反 趙世家太史公曰吾聞馮王孫曰趙王遷其母倡也嬖於悼襄

本 廢適子嘉而立遷遷素無行信讒故誅其良將李牧用郭開豈不繆哉

閫以內者 六韜第三武王問太公曰立將之道奈何太公曰凡國有難君避正殿召將而

詔之曰社稷安危一在將軍今某國不臣願將軍帥師應之將既受命乃令太史

卜齋三日之太廟鑽靈龜卜吉日以授斧鉞君入廟門西面而立將入廟門北面而

立君親操鉞持首授將其柄曰從此上至天者將軍制之復操斧持柄授將其刃曰

從此下至淵者將軍制之云云 正義曰授鉞者取其斬截授斧者

斧授刃者取其專斷

趙車 六韜書云云 六韜第六武王問太公曰戰車奈何太公曰步貴知變動

車貴知地形騎貴知別徑奇道三軍同名而異用也凡車之死地有十其勝

地有八武王曰十死之地奈何太公曰往而無以還者車之死地也越絕險阻

乘敵遠行者車之竭地也前易後險者車之困地也陷之險阻而難出者

車之絕地也圮下漸澤黑土黏埴者車之勞地也左險右易上陵仰阪者

車之逆地也殷草橫畝犯歷深澤者車之拂地也車少地易與步不敵者車之敗地也

後有溝瀆左有深水右有峻阪者車之壞地也日夜霖雨旬日不止道路潰陷前不能進

後不能解者車之陷地也此十者車之死地也故拙將之所以見擒明將之所以能避也

王曰八勝之地奈何云云

索隱曰冣音似胥反漢書作冣 冣本齊將○正義曰絕䫉也 是以兵破士北為秦

所禽滅今臣竊聞魏尚為雲中守 集解漢書曰尚槐里人也○正義曰

雲中郡故城在勝州榆林縣東北三十里 其軍市租盡以饗士卒

錢（服虔曰私廩假錢○索隱曰案漢所肆租稅之入為私奉養服虔云私廩假錢是也或云官所別廩給也）五日一椎牛饗賓客軍吏舍人（索隱曰椎音直追反擊也）是以匈奴遠避不近雲中之塞虜曾一入尚率車騎擊之所殺甚衆夫士卒盡家人子（索隱曰案謂庶人之家子也）起田中從軍安知尺籍伍符（如淳曰漢軍法曰吏卒斬首以尺籍書下縣移郡令人故行不行奪勞二歲伍符亦什伍之符約節度也或曰以尺簡書故曰尺籍也○索隱曰案尺籍者謂書其斬首之功於一尺之板伍符者命軍人伍伍相保不容姦詐也故行不行謂故命人行而身不自行奪勞一歲也故與雇同）終日力戰斬首捕虜上功莫府（索隱曰案莫訓大也又崔浩云古者出征為將治無常處以幕為府舍故云莫府莫當為幕古字少耳）一言不相應（索隱曰應音乙陵反謂數不同也）文吏以法繩之其賞不行而吏奉法必

用臣愚以爲陛下法太明賞太輕罰太重且雲中守魏尚坐上功首虜差六級陛下下之吏削其爵罰作之由此言之陛下雖得廉頗李牧弗能用也（班固稱揚子曰孝文帝親詘帝尊以信亞夫之軍曷爲不能用頗牧彼將有激云）臣誠愚觸忌諱死罪死罪文帝說是日令馮唐持節赦魏尚復以爲雲中守而拜唐爲車騎都尉主中尉及郡國車士（服虔曰車軍之士）七年景帝立以唐爲楚相免武帝立求賢良舉馮唐唐時年九十餘不能復爲官乃以唐子馮遂爲郎遂字王孫亦奇士與余善

太史公曰張季之言長者守法不阿意馮公之論將率有味哉有味哉語曰不知其人視其友二君之所稱誦可著廊廟書曰不偏不黨王道蕩蕩不黨不偏王道便便徐廣曰一作辨張季馮公近之矣

索隱述贊曰

張季未偶　見識袁盎　太子懼法

嗇夫無狀　驚馬罰金　盜環悟上

馮公白首　味哉論將　因對李齊

收功魏尚

第四十二卷終

用臣愚以爲陛下法太明賞太輕罰太重且雲中守魏尚坐上功首虜差六級陛下下之吏削其爵罰作之由此言之陛下雖得廉頗李牧弗能用也（班固稱揚子曰孝文帝親詘帝尊以信亞夫之軍曷爲不能用頗牧彼將有激）臣誠愚觸忌諱死罪死罪文帝說是日令馮唐持節赦魏尚復以爲雲中守而拜唐爲車騎都尉主中尉及郡國車士（服虔曰車軍之士）七年景帝立以唐爲楚相免武帝立求賢良舉馮唐唐時年九十餘不能復爲官乃以唐子馮遂爲郎遂字王孫亦奇士與余善

張季謂張釋之也 釋之曰夫絳侯東陽侯稱為長者此兩人言事曾不能出口豈斆此嗇夫諜諜利口便捷哉

文帝拜虎圈嗇夫為上林令釋之諫之文帝乃止不拜嗇夫

罰金 文帝行出中渭橋有一人從橋下走出乘輿馬驚廷尉奏當此人犯蹕當罰金

盜環 有人盜高廟坐前玉環文帝怒下廷尉釋之作長陵一抔土喻令文帝感悟也

太史公曰張季之言長者守法不阿意馮公之論將率有味哉有味哉語曰不知其人視其友二君之所稱誦可著廊廟書曰不偏不黨王道蕩蕩不黨不偏王道便便（徐廣曰便一作辨）張季馮公近之矣

因對李齊 文帝曰吾居代時吾尚食監高袪數為我言趙將李齊之賢戰於鉅鹿下今吾每飯意未嘗不在鉅鹿也父知之乎唐對曰尚不如廉頗李牧之為將也

索隱述贊曰張季未偶見識袁盎（欲自免歸中郎將袁盎知其賢惜其去）太子懼法（太子入朝不下司馬門釋之追止太子梁王無得入殿門）嗇夫無狀驚馬罰金盜環悟上馮公白首味哉論將因對李齊收功魏尚（論廣頗李牧之事）

第四十二卷終

張釋之馮唐傳八 因頗牧之事論魏尚罪赦之故云收功

史記列傳 七十三

四十三 萬石君 衛綰 直不疑

周文 張叔

四十四 田叔 田仁 孟舒 任安

是道便便之敬會先敬便便往便便辯也論語便便言又平[illegible]平平辯治也書王道平平之文同也

曰尚書洪範篇云無偏無黨王道蕩蕩孔氏傳云言開闢無黨無偏王道平平孔氏傳言辯治平平婢綿反

疏無偏私無阿黨王家所行之道蕩蕩然開闢矣無阿黨無偏私王者所立之道平平然辯治矣

萬石張叔列傳第四十三　史記一百三

萬石君正義曰以父及四子皆二千石故號奮爲萬石君名奮其父趙人也正義曰洺州邯鄲本趙國都姓石氏趙亡徙居溫正義曰故溫城在懷州溫縣三十里漢縣在也高祖東擊項籍過河內時奮年十五爲小吏侍高祖高祖與語愛其恭敬問曰若何有對曰奮獨有母不幸失明家貧有姊能鼓琴高祖曰若能從我乎曰願盡力於是高祖召其姊爲美人以奮爲中涓正義曰顏師古云中涓官名居中而涓潔也如淳云主通書謁出入命也受書謁徙其家長安中戚里索隱曰小顏云於上有姻戚者皆居之故名其里爲戚里長安記戚里在城內以姊爲美人故也其官至孝文時積

功勞至太中大夫無文學恭謹無與比文帝時東陽侯張相如爲太子太傅免選可爲傅者皆推奮奮爲太子太傅及孝景即位以爲九卿迫近憚之張晏曰以其恭敬履度故難之徙奮爲諸侯相奮長子建次子甲次子乙徐廣曰一作仁○正義曰顏師古云史失其名故云甲乙耳非其名也次子慶皆以馴行孝謹徐廣曰馴一作訓索隱曰馴音巡官皆至二千石於是景帝曰石君及四子皆二千石人臣尊寵乃集其門號奮爲萬石君孝景帝季年萬石君以上大夫祿歸老于家以歲時爲朝臣過宮門闕萬石君必下車趨見路馬必式焉子孫

爲小吏來歸謁萬石君必朝服見之不名子孫有過失不譙讓爲便坐對案不食索隱曰譙音才笑反譙讓責讓也爲音于僞反便音婢綿反蓋謂爲之不處正室別坐也處故曰便坐坐音如座便坐非正坐處也故王者所居有便殿便旁義亦然也又音婢見反亦通然後諸子相責因長老肉袒固謝罪改之乃許子孫勝冠者在側雖燕居必冠索隱曰燕謂閒燕之時燕安也申申如也僮僕訢訢如也晉灼曰訢許慎曰古欣字韋昭曰聲和貌唯謹上時賜食於家必稽首俯伏而食之如在上前其執喪哀戚甚悼子孫遵教亦如之萬石君家以孝謹聞乎郡國雖齊魯諸儒質行皆自以爲不及也建元二年郎中令正義曰百官表云郎

中人名奉官掌居宮殿門戶武帝太初元年更名光祿勳也王臧以文學獲罪皇太后以爲儒者文多質少今萬石君家不言而躬行乃以長子建爲郎中令少子慶爲內史正義曰百官表云內史周官秦因之掌治京師景帝分置左內史武帝太初元年更名京兆尹左內史名左馮翊也建老白首萬石君尚無恙建爲郎中令每五日洗沐歸謁親文穎曰郎五日一下○正義曰孔文祥云建爲郎中令即光祿勳九卿之職也直五日一下也按五日一下直洗沐入子舍索隱曰案劉氏謂小旁內非正堂也小顏以爲諸子之舍若今諸旁也竊問侍者取親中裙廁牏身自浣滌徐廣曰牏築垣短板也音住廁牏謂一側溷垣牆建隱於其側浣滌也一讀牏爲竇竇音豆言建又自洗蕩廁竇則竇瀉除穢惡之穴也呂靜曰械窬褻器也音威且馴案蘇林曰牏音投賈逵解周官牏虎子也窬行清也孟康曰廁行清窬行中受糞者也東南人謂鑿木空中如曹

爲小吏來歸謁萬石君必朝服見之不名子孫有過失不譙讓爲便坐對案不食索隱曰譙音才笑反譙讓責讓也爲音于僞反便音婢綿反蓋謂爲之不處正室別坐也處故曰便坐坐音如座便坐非正坐處也故王者所居有便殿便旁義亦然也又音婢見反亦通然後諸子相責因長老肉袒固謝罪改之乃許子孫勝冠者在側雖燕居必冠索隱曰燕謂閒燕之時燕安也申申如也僮僕訢訢如也晉灼曰訢許慎曰古欣字韋昭曰聲和貌唯謹上時賜食於家必稽首俯伏而食之如在上前其執喪哀戚甚悼子孫遵教亦如之萬石君家以孝謹聞乎郡國雖齊魯諸儒質行皆自以爲不及也建元二年郎中令正義曰百官表云郎

中大夫秦官掌居宮殿門戶武帝太初元年更名光祿勳也王臧以文學獲罪皇太

后以爲儒者文多質少今萬石君家不言而躬

行乃以長子建爲郎中令少子慶爲内史正義曰百官表

云内史周官秦因之掌治京師景帝分置左内史武帝太初元年更名京兆尹左内史名左馮翊也建老白

首萬石君尚無恙建爲郎中令每五日洗沐歸

謁親文穎曰郎五日一下○正義曰孔文祥云建爲郎中令即光祿勳九卿之職也直五日一下也按五日一

下直洗沐竊問入子舍索隱曰案劉氏謂小房内非正堂也小顏以爲諸子之舍若今諸房也

侍者取親中帬廁牏身自浣滌徐廣曰牏築垣短板也音住廁牏謂

一則溷垣牆建隱於其側浣滌也一讀牏爲窬竇窬竇音豆言建又自洗蕩廁窬竇瀉除穢惡之穴也呂靜曰槭窬褻器也音

威○豆駰案蘇林曰牏音投賈逵解周官槭虎子也窬行凊也孟康曰廁行凊窬行中受糞者也東南人謂鑿木空中如曹

萬石張叔傳 二

謂之裔晉灼曰今世謂反閉小衫袖爲侯裔廁此最廁近身之衣也○索隱曰案親謂父也中裙近身衣也徐廣云牏短板以築廁牆未知其義何從恐非也復與侍者不敢令萬石君知以爲常建爲郎中令事有可言屏人恣言極切至廷見如不能言者是以上乃親尊禮之萬石君徙居陵里徐廣曰陵一作鄰○索隱曰小顏云陵里里名在茂陵非長安之戚里也○正義曰茂陵邑中里也茂陵故城漢茂陵縣也在雍州始平縣東北二十里內史慶醉歸入外門不下車萬石君聞之不食慶恐肉袒請罪不許舉宗及兄建肉袒萬石君讓曰內史貴人入閭里里中長老皆走匿而內史坐車中自如固當乃謝罷慶慶及諸子弟入里門趨至家萬石君以

元朔五年中卒長子郎中令建哭泣哀思扶杖乃能行歲餘建亦死諸子孫咸孝然建最甚甚於萬石君建爲郎中令書奏事事下建讀之曰誤書馬字與尾當五今乃四不足一服虔曰作馬字下曲而五建時上事書誤作四○正義曰顏師古云馬字下曲者尾并四點爲四足凡五上譴死矣甚惶恐其爲謹慎雖他皆如是萬石君少子慶爲太僕御出上問車中幾馬慶以策數馬畢舉手曰六馬慶於諸子中最爲簡易矣正義曰漢書音慶爲太僕御出上問車中幾馬慶以策數馬畢舉手曰六馬按慶於兄弟最爲簡易矣然猶如此也然猶如此爲齊相舉齊國皆慕其家行不言而齊國大治爲立

萬石張叔傳 三

石相祠元狩元年上立太子選羣臣可爲傅者慶自沛守爲太子太傅七歲遷爲御史大夫元鼎五年秋丞相有罪罷（趙周坐酎金免○索隱曰案漢書而知也）制詔御史萬石君先帝尊之子孫孝其以御史大夫慶爲丞相封爲牧丘侯是時漢方南誅兩越東擊朝鮮北逐匈奴西伐大宛中國多事天子巡狩海內脩上古神祠封禪興禮樂公家用少桑弘羊等致利王温舒之屬峻法兒寬等推文學至九卿更進用事事不關決於丞相丞相醇謹而已在位九歲無能有所匡言嘗欲請治上近

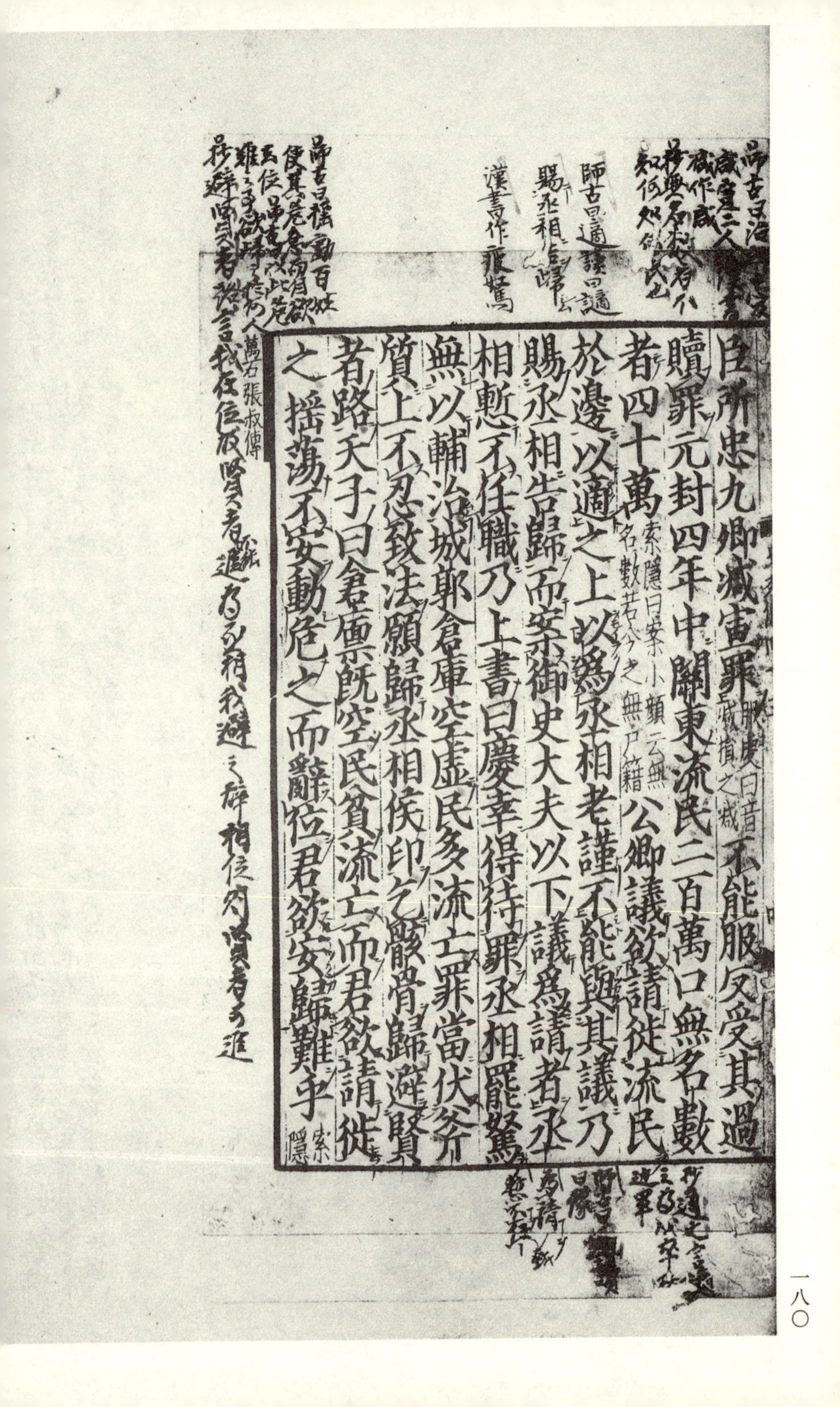

師古曰適讀曰謫

賜丞相告歸

漢書作疲駑

萬石張叔傳

臣所忠九卿減宣罪[服虔曰音減損之減]不能服反受其過

贖罪元封四年中關東流民二百萬口無名數

者四十萬[索隱曰案小顔云無名數若今之無戸籍]公卿議欲請徙流民

於邊以適之上以為丞相老謹不能與其議乃

賜丞相告歸而案御史大夫以下議為請者丞

相慙不任職乃上書曰慶幸得待罪丞相罷駑

無以輔治城郭倉庫空虛民多流亡罪當伏斧

質上不忍致法願歸丞相侯印乞骸骨歸避賢

者路天子曰倉廩既空民貧流亡而君欲請徙

之搖蕩不安動危之而辭位君欲安歸難乎[索隱]

曰難音乃彈反言欲歸於何人以書讓慶慶甚慙遂復視事慶文深審謹然無他大略爲百姓言後三歲餘太初二年中丞相慶卒謚爲恬侯慶中子德慶愛用之上以德爲嗣代侯後爲太常坐法當死贖免爲庶人慶方爲丞相諸子孫爲吏更至二千石者十三人及慶死後稍以罪去孝謹益衰矣

建陵侯正義曰括地志云漢建陵縣故城在沂州丞縣界也衛綰者代大陵人也索隱曰地理志縣名在代○正義曰括地志云大陵縣城在并州文水縣北十三里桉代王耳時都中都大陵屬焉故云代大陵人也綰以戲車爲郎應劭曰能左右超乘也如淳曰櫟機轉之類○索隱曰案今亦有弄車之戲是也櫟音歷謂超踰之也轄音衛謂車軸頭也事文帝功次遷爲

中郎將醇謹無他孝景爲太子時召上左右飲而綰稱病不行（張晏曰恐文帝謂豫有二心以事太子）文帝且崩時屬孝景曰綰長者善遇之及文帝崩景帝立歲餘不譙呵綰（索隱曰譙呵音誰何猶借訪也一曰譙呵責讓也不譙呵言不嗔責綰也）綰日以謹力景帝幸上林詔中郎將參乘還而問曰君知所以得參乘乎綰曰臣從車士幸得以功次遷爲中郎將不自知也上問曰吾爲太子時召君君不肯來何也對曰死罪實病上賜之劍綰曰先帝賜臣劍凡六劍不敢奉詔上曰劍人之所施易獨至今乎（如淳曰施讀曰移言劍者人之所好故多數移易貿換之也○索隱）

通鑑十六卷六年初 [illegible]

文帝 竇皇太后

館陶公主嫖

景帝

陳皇后

武帝

王皇后

金王孫

武帝

武帝 衛皇后

諸邑公主

陽石公主

戾太子據

漢書曰千乘 [illegible]

建陵侯正義曰括地志云漢建陵縣故城在沂州丞縣界也衛綰者代大陵人也索隱曰地理志縣名在代○正義曰括地志云大陵縣城在并州文水縣北十三里按代王耳時都中都大陵屬焉故云代大陵人也綰以戲車爲郎應劭曰能左右超乘也如淳曰櫟機轉之類○索隱曰案今亦有弄車之戲是也櫟音歷謂超踰之也轄音衛謂車軸頭也事文帝功次遷爲

中郎將醇謹無他孝景爲太子時召上左右飲而綰稱病不行張晏曰恐文帝謂豫有二心以事太子文帝且崩時屬孝景曰綰長者善遇之及文帝崩景帝立歲餘不譙呵綰索隱曰譙呵音譙何猶借訪也一曰譙呵責讓也不譙呵言不嗔責綰也綰曰以謹力景帝幸上林詔中郎將參乘還而問曰君知所以得參乘乎綰曰臣從車士幸得以功次遷爲中郎將不自知也上問曰吾爲太子時召君君不肯來何也對曰死罪實病上賜之劍綰曰先帝賜臣劍凡六劍不敢奉詔上曰劍人之所施易獨至今乎如淳曰施讀曰移言劍者人之所好扶多數移易貿換之也○索隱

師古曰盛謂在削室之中也盛音成削音先召反

曰旋音移易音亦綰曰具在上使取六劍劍尚盛未嘗服也郎官有譴常蒙其罪不與他將爭有功常讓他將上以為廉忠實無他腸索隱曰案小顏云心腸之內無他惡也乃拜綰為河間王太傅吳楚反詔綰為將將河間兵擊吳楚有功拜為中尉三歲以軍功孝景前六年中封綰為建陵侯其明年上廢太子誅栗卿之屬蘇林曰栗太子舅也如淳曰栗氏親屬也卿其名也○索隱曰栗姬之族也○正義曰顏師古云太子廢為臨江王故誅其外家親屬也上以為綰長者不忍乃賜綰告歸而使郅都治捕栗氏既已上立膠東王為太子召綰拜為太子太傅久之遷為御史大夫五

蒙罪 正義曰蒙謂受罪

河間獻王德 景帝子也

景帝本紀曰六年春封中尉趙綰為建陵侯 本紀趙字誤

臨江閔王 景帝子也前四年為皇太子四歲廢為臨江王

栗姬臨江王母也

漢書尚作常

孝武本紀曰孝景中子也母曰王太后孝景四年以皇子為膠東王孝景七年栗太子廢為臨江王以膠東王為太子

歲代桃侯舍（正義曰故桃城在滑州胙城縣東三十里劉舍所封也）爲丞相朝奏事如職所奏（索隱曰以言但守職分而已不別有所奏議也）然自初官以至丞相終無可言天子以爲敦厚可相少主尊寵之賞賜甚多爲丞相三歲景帝崩武帝立建元年中丞相以景帝疾時諸官囚多坐不辜者而君不任職免之其後綰卒子信代坐酎金失侯

塞侯（正義曰上音先代反古塞國今陝州桃林縣以西至潼關皆桃林塞地也）直不疑者南陽人也（索隱曰案塞國名今桃林之塞也直姓也不疑名也與雋不疑同字）爲郎事文帝其同舍有告歸誤持同舍郎金已去而金主覺妄意不疑（索隱曰謂妄疑其盜取之也）不疑謝有之買金償而

告歸者來而歸金而前郎亡金者大慙以此稱爲長者文帝稱舉稍遷至太中大夫徐廣曰漢書云稱爲長者稍遷至太中大夫無文帝稱舉四字也朝廷見人或毀曰不疑狀貌甚美然獨無奈其善盜嫂何也索隱曰案小顏云盜謂私之不疑聞曰我乃無兄然終不自明也吳楚反時不疑以二千石將兵擊之景帝後元年拜爲御史大夫天子脩吳楚時功乃封不疑爲塞侯武帝建元年中與丞相綰俱以過免不疑學老子言其所臨爲官如故唯恐人知其爲吏跡也不好立名稱稱爲長者不疑卒子相如代孫望坐酎金

漢書十三矣
師古曰見於天子

失侯 索隱曰漢書作鄗祖坐酎金國除

郎中令周文者名仁其先故任城人也 正義曰任城兖州縣也

以醫見景帝爲太子時拜爲舍人積功稍遷孝文帝時至太中大夫景帝初即位拜仁爲郎中令仁爲人陰重不泄常衣敝補衣溺袴 服虔曰質重不泄人之陰謀也張晏曰陰重不泄下溼故溺袴是以得此官者得入後宮仁有子孫先未得此病時所生韋昭曰陰重如今帶下病泄利○索隱曰案其解二亦各有異小顔云陰密也爲性密重不泄人言也霍去病少言不泄亦其類也其人又常衣弊補衣及溺袴故爲不潔清之服是以得幸入卧内也二者未知誰得其實

期爲不絜清 索隱曰謂心中常期不絜之服則期是故之意也小顔亦同○正義曰清清淨期猶當也言爲不潔淨下溼故得入卧内後宮比宦者

以是得幸景帝入卧内於後宮秘戲 索隱曰謂後宮

師古曰故爲不潔清之事而弊敗其衣服也溺讀曰尿尿袴者爲小袴以藉其尿

仲馮曰袴非小袴能藉則近潔矣此常袴溺漉其上不洗濯之

万石張叔傳六

中戲劇宜可祕也仁常在旁至景帝崩仁尚爲郎中令終無所言上時問人正義曰顔師古云問以他人之善惡也仁曰上自察之然亦無所毁以此景帝再自幸其家家徙陽陵上所賜甚多然常讓不敢受也諸侯羣臣賂遺終無所受武帝立以爲先帝臣重之仁乃病免以二千石祿歸老子孫咸至大官矣

御史大夫張叔者名歐史記音隱曰歐於友反○索隱曰歐音烏後反漢書作毆孟康音驅也安丘侯說之庶子也徐廣曰張說起於方與縣從高祖以入漢也○索隱曰說音悅孝文時以治刑名言韋昭曰有刑名之書欲令名實相副也○索隱曰案劉向別錄云申子學號曰刑名者循名以責實其尊君

賂音路遺也贈也

六家之二也
事太子。然歐雖治刑名家 正義曰：刑名家也。名家在太史公自有傳序

言治刑法及名實也
其人長者。景帝時尊重，常為九卿。至武帝元朔四年，韓安國免，詔拜歐為御史大夫。自歐為吏，未嘗言案人，專以誠長者處官。官屬以為長者，亦不敢大欺。上具獄事，有可卻，卻之；不可者，不得已，為涕泣面對而封之。其愛人如此。老病篤，請免。於是天子亦策罷，以上大夫祿歸老于家。家於陽陵。子孫咸至大官矣。皆

太史公曰：仲尼有言曰「君子欲訥於言 徐廣曰：訥字多作詘。

音同耳，古字假借。
而敏於行」，其萬石、建陵、張叔之謂邪？是

万石張叔傳　七

以其教不肅而成不嚴而治塞侯微巧正義曰不疑學老子所臨官恐人知其爲吏跡不好立名稱稱爲長者是微巧也而周文處讇索隱曰案直不疑以吳楚反時爲二千石將景帝封之微巧也周文處讇者謂爲郎中令陰重得幸出入卧内也故班固曰石建之澣衣周仁之垢汙君子譏之是也○正義曰上時問人仁曰上自察之上所賜常不受又諸侯群臣賂遺終無所受此爲處讇故君子譏此二人爲其近於佞也君子譏之爲其近於佞也然斯可謂篤行君子矣

索隱述贊曰萬石孝謹自家形國郎中數馬内史匍匐綰無他腸塞有陰德刑名張歐垂涕恤獄敏行訥言

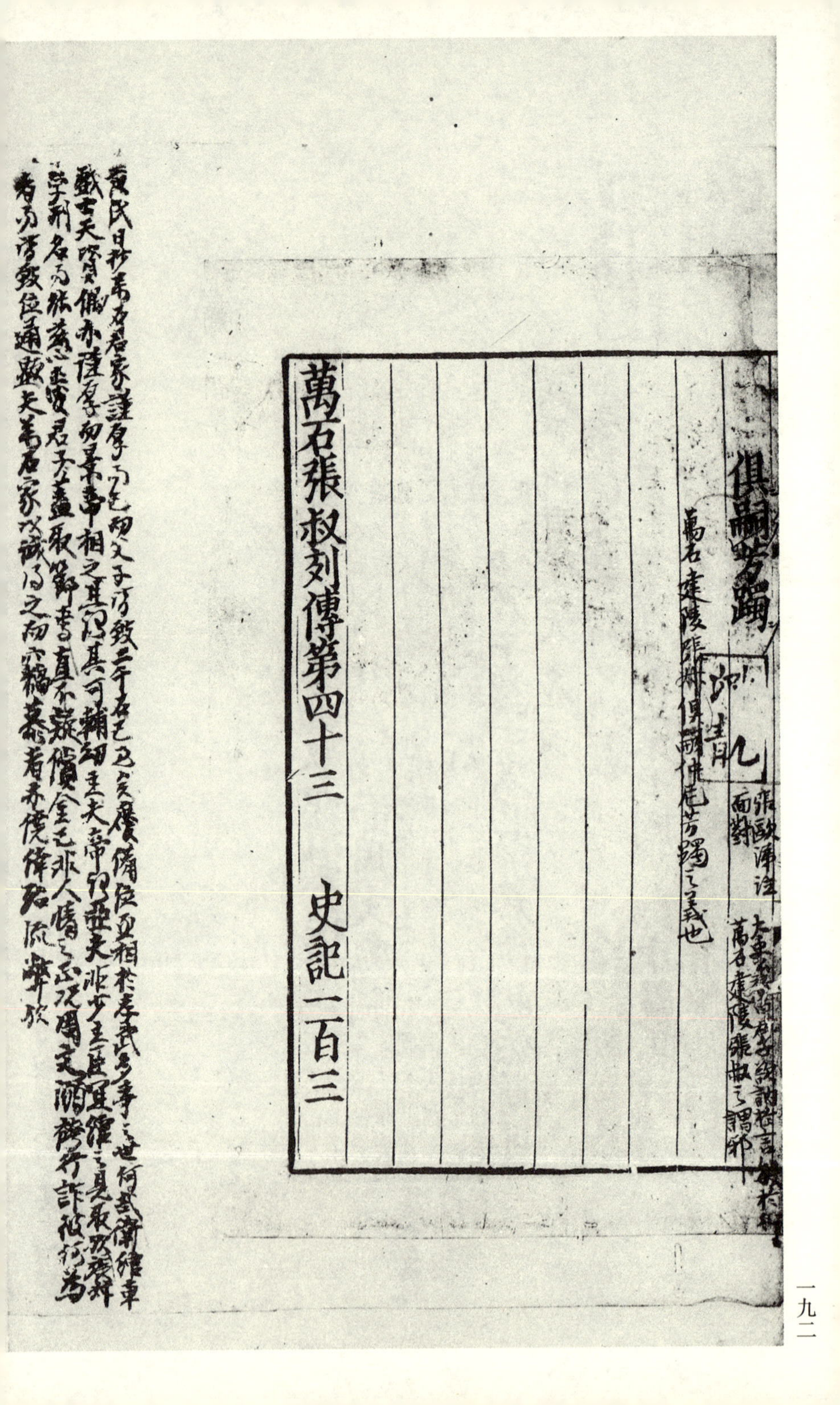

俱嗣芳躅

萬石張叔列傳第四十三　史記一百三

內史匍匐謂少子石慶也慶爲內史醉歸入外門不下車萬石君聞之不食慶恐肉袒請罪

他腸上以爲衛綰廉忠實無他腸

上所賜常不受又諸侯君羣臣賂遺終無所受此爲諷諫故君子譏此二人爲其近於佞也 君子譏之爲其近於佞也然斯可謂篤行君子矣 恭謹無匹匹比

索隱述贊曰 萬石君家以孝謹聞 石建爲郎中令書誤書馬字

萬石孝謹 自家形國 郎中數馬

內史匍匐 綰無他腸 塞有陰德 直不疑 長者

刑名張歐 垂涕恤獄 敏行訥言

俱謂出芳躅

萬石建陵張叔俱謂佳芳躅之義也

萬石張叔列傳第四十三　史記一百三

田叔列傳第四十四　史記一百四

田叔者趙陘城人也索隱曰案下文字少卿陘音刑縣名屬中山其先齊田氏苗裔也叔喜劍學黃老術於樂巨公所索隱曰本燕人樂毅之後○正義樂姓巨公名叔爲人刻廉自喜喜游諸公正義曰喜音許記反諸公謂文人行也趙人舉之趙相趙午午言之趙王張敖所趙王以爲郎中數歲切直廉平趙王賢之未及遷會陳豨反代徐廣曰七年韓王信反高帝征之十年代相陳豨反漢七年高祖往誅之過趙趙王張敖自持案進食禮恭甚高祖箕踞罵之是時趙相趙午等數十人皆怒謂張王曰王事上禮備矣今遇王

如是臣等請爲亂趙王齧指出血曰先人失國
微陛下臣等當蟲出索隱曰案謂死而蟲出也左傳齊桓死未葬蟲流於戶外是也
公等奈何言若是毋復出口矣於是貫高等曰
王長者不倍德卒私相與謀弒上會事發覺徐廣
曰九年十二月捕貫高等也漢下詔捕趙王及群臣反者於是
趙午等皆自殺唯貫高就繫是時漢下詔書趙
有敢隨王者罪三族唯孟舒田叔等十餘人赭
衣自髡鉗稱王家奴隨趙王敖至長安貫高事
明白趙王敖得出廢爲宣平侯乃進言田叔等
十餘人上盡召見與語漢廷臣毋能出其右者

刻横京口記曰有竜目湖秦始皇東遊觀地勢曰有天子氣使赭衣徒三千人鑿此

田叔傳一 赭衣 刑徒所服也漢刑法志曰姦邪並生赭衣塞路囹圄成市天下愁怨

上說盡拜爲郡守諸侯相叔爲漢中守十餘年
會高后崩諸呂作亂大臣誅之立孝文帝孝文
帝既立召田叔問之曰公知天下長者乎對曰
臣何足以知之上曰公長者也宜知之叔頓首
曰故雲中守孟舒長者也是時孟舒坐虜大入
塞盜劫雲中尤甚免上曰先帝置孟舒雲中十
餘年矣虜曾一入孟舒不能堅守毋故士卒戰
死者數百人長者固殺人乎公何以言孟舒爲
長者也叔叩頭對曰是乃孟舒所以爲長者也
夫貫高等謀反上下明詔趙有敢隨張王罪三

師古曰罷讀爲疲下亦同

族然孟舒自髡鉗隨張王敖之所在欲以身死

師古曰言不驅之令戰也

之豈自知爲雲中守哉漢與楚相距士卒罷敝

匈奴冒頓新服北夷來爲邊害孟舒知士卒罷

敝不忍出言士爭臨城死敵如子爲父弟爲兄

以故死者數百人孟舒豈故驅戰之哉是乃孟

舒所以爲長者也於是上曰賢哉孟舒復召孟

孝王与景帝同母竇太后子也

舒以爲雲中守後數歲叔坐法失官梁孝王使

人殺故吳相袁盎景帝召田叔案梁具得其事

有之乎 師古曰案其狀也

還報景帝曰梁有之乎叔對曰死罪有之上曰

其事安在田叔曰上毋以梁事爲也上曰何也

師古曰言不須更論之也

漢書曰敵

漢書爲字下有害字

曰今梁王不伏誅是漢法不行也如其伏法而太后食不甘味臥不安席此憂在陛下也景帝大賢之以爲魯相魯相初到民自言相訟王取其財物百餘人田叔取其渠率二十人各笞五十餘各搏二十索隱曰搏音博怒之曰王非若主邪何自敢言若主魯王聞之大慙發中府錢正義曰王之財物所藏也使相償之相曰王自奪之使相償之是王爲惡而相爲善也相毋與償之於是王乃盡償之

魯王好獵正義曰魯共王景帝子都兗州曲阜縣故魯城中相常從入苑中王輒休

相就館舍，相出，常暴坐（索隱曰：暴音步卜反）待王苑外。王數使人請相休，終不休，曰：我王暴露苑中，我獨何爲就舍。魯王以故不大出游。數年，叔以官卒，魯以百金祠，少子仁不受也，曰：不以百金傷先人名。仁以壯健爲衛將軍舍人，（張晏曰：衛青也）數從擊匈奴。衛將軍進言仁，仁爲郎中。數歲，爲二千石丞相長史，失官。其後使刺舉三河。（正義曰：百官表云監御史秦官，掌監郡，漢省，丞相遣御史分刺州，不常置也。案三河，河南、河東、河內也。）上東巡，仁奏事有辭，上說，拜爲京輔都尉。（正義曰：百官表云右扶風、左馮翊、京兆尹，是爲三輔。元鼎四年置三輔都尉，服虔云皆治長安城中也。）月餘，上遷拜爲司直。（正義曰：百官表云武

田叔傳　三

漢書曰戾太子舉兵仁部閉城門令太子得亡仁坐縱反者族 師古曰遣仁主閉城門乃令太子得亡故云縱反者也

帝元狩五年初置司直秩比二千石掌佐丞相舉不法也數歲坐太子事正義曰謂戾太子時左丞相自將兵徐廣曰劉屈氂時為丞相也令司直田仁主閉守城門漢書百官表曰武帝元狩五年初置司直秩比二千石掌佐丞相舉不法坐縱太子下吏誅死仁發兵長陵令車千秋上變仁仁族死陘城今在中山國徐廣曰陘城縣名也○正義曰今定州也

太史公曰孔子稱曰居是國必聞其政田叔之謂乎義不忘賢明主之美以救過仁與余善余故并論之

索隱述贊曰

田叔長者謂田叔髡鉗衣隨趙王也 重義輕生 張王既雪趙王免罪得出

漢中是榮　孟舒見廢　抗說相明

案梁以禮　相魯得情　子仁坐事

刺舉有聲

褚先生曰臣為郎時聞之曰田仁故與任安相善任安滎陽人也少孤貧困為人將車之長安索隱曰將車猶御車也留求事為小吏未有因緣也因占著名數家於武功索隱曰言卜日而自占著家口名數隸於武功猶今附籍然也占音之豔反武功扶風西界小邑也谷口蜀剗道近山正義曰括地志云漢武功縣在渭水南今盩厔縣西界也駱谷關在雍州盩厔縣西南二十里開駱谷道以通梁州也按行谷有棧道也安以為武功小邑無豪易高也索隱曰易音以豉反言邑小無

田叔傳

易曰壯劇易少处 壯者不壯者當劇处 老者當易处也 句讀不可説剋義剋者小者一隊盡老弱也或説壯劇易三字當連讀剋者小之小卽

高祖紀曰高祖爲亭長乃以竹皮爲冠令求盜之薛治之 應劭曰舊時亭有兩卒一云

師說剋曰强壯者當難处老小者當易处

或説壯劇易連音而讀

正義曰説又云傷憂

親民 師説曰親治也

豪易得高名也 **安留代人爲求盗亭父** 郭璞曰亭卒也○正義曰安留武功替人爲求盗亭父也應劭云舊時亭有兩卒其一爲亭父掌關閉掃除一爲求盗掌逐捕盗賊也 **後爲亭長** 正義曰百官表云十里一亭亭有長也 **邑中人民俱出獵任安常爲人分麋鹿雉兎部署老小當壯劇易處衆人皆喜** 麋作糜 **曰無傷也任少卿** 正義曰少卿安字 **分別平有智略明日復合會會者數百人任少卿曰某子甲何爲不來乎諸人皆怪其見之疾也其後除爲三老** 正義曰百官表云十亭一鄉鄉有三老一人掌教化也 **舉爲親民出爲三百石長** 正義曰百官表云萬戸已上爲令秩千石至六百石減萬戸爲長秩五百石至三百石皆有丞尉也 **治民坐上行出游共帳不辦斥免乃爲衛將軍舍人與**

田仁會俱爲舍人居門下同心相愛此二人家貧無錢用以事將軍家監家監使養惡齧馬兩人同牀臥仁竊言曰不知人哉家監也任安曰將軍尚不知人何乃家監也衛將軍（正義曰衛青也）從此兩人過平陽主主家令兩人與騎奴同席而食此二子拔刀列斷席別坐主家皆怪而惡之莫敢呵其後有詔募擇衛將軍舍人以爲郎將軍取舍人中富給者令具鞍馬絳衣玉具劒欲入奏之會賢大夫少府趙禹來過衛將軍將軍呼所舉舍人以示趙禹趙禹以次問之十餘人

高祖紀曰高祖爲亭長乃以竹皮爲冠令求盜之薛治之 應劭曰舊時亭有兩卒一云

師說剡曰強壯者當難處老小者當易處

或說壯劇易連音而讀

正義曰說文云傷憂

親民 師說曰親民治也

豪易得蒿名也 安留代人爲求盜亭父 郭璞曰亭卒也○正義曰安留田武功替人爲求盜亭父也應劭云舊時亭有兩卒其一爲亭父掌關閉掃除一爲求盜掌逐捕盜賊也 後爲亭長 正義曰百官表云十里一亭亭有長也 邑中人民俱出獵任安常爲人分麋鹿雉兔部署老小當壯劇易處衆人皆喜曰無傷也任少卿 正義曰少卿安字 分別平有智略明日復合會會者數百人任少卿曰某子甲何爲不來乎諸人皆怪其見之疾也其後除爲三老 正義曰百官表云十亭一鄉鄉有三老一人掌教化也 舉爲親民出爲三百石長 正義曰百官表云萬戶已上爲令秩千石至六百石減萬戶爲長秩五百石至三百石皆有丞尉也 治民坐上行出游共帳不辦斥免乃爲衛將軍舍人與

麋小顏作麇

田仁會俱爲舍人居門下同心相愛此二人家貧無錢用以事將軍家監家監使養惡齧馬兩人同牀臥仁竊言曰不知人哉家監也任安曰將軍尚不知人何乃家監也衛將軍（正義曰衛青也）從此兩人過平陽主主家令兩人與騎奴同席而食此二子拔刀列斷席別坐主家皆怪而惡之莫敢呵其後有詔募擇衛將軍舍人以爲郎將軍取舍人中富給者令具鞍馬絳衣玉具劍欲入奏之會賢大夫少府趙禹求過衛將軍將軍呼所舉舍人以示趙禹趙禹以次問之十餘人

無一人習事有智略者趙禹曰吾聞之將門之下必有將類傳曰不知其君視其所使不知其子視其所友今有詔舉將軍舍人者欲以觀將軍而能得賢者文武之士也今徒取富人子上之又無智略如木偶人衣之綺繡耳將柰之何於是趙禹悉召衛將軍舍人百餘人以次問之得田仁任安曰獨此兩人可耳餘無可用者衛將軍見此兩人貧意不平趙禹去謂兩人曰各自具鞍馬新絳衣兩人對曰家貧無用具也將軍怒曰今兩君家自為貧何為出此言鞅鞅如

有移德於我者何也徐廣曰移猶施將軍不得已上籍以聞有詔召見衛將軍舍人此二人前見詔問能略相推第也田仁對曰提桴鼓立軍門使士大夫樂死戰鬬仁不及任安任安對曰夫決嫌疑定是非辯治官使百姓無怨心安不及仁也武帝大笑曰善使任安護北軍使田仁護邊田穀於河上此兩人立名天下其後用任安為益州刺史正義曰地理志云武帝改曰梁州百官表云元封五年初置部刺史掌奉詔條察州秩六百石員十三按昔分採訪按察六條也以田仁為丞相長史正義曰百官表云丞相有兩長史秩千石田仁上書言天下郡太守多為姦利三河尤甚

臣請先刺舉三河三河太守皆内倚中貴人與三公有親屬無所畏憚宜先正三河以警天下姦吏是時河南河内太守皆御史大夫杜父兄子弟也杜杜周也河東太守石丞相子孫也師古曰謂石慶是時石氏九人為二千石方盛貴田仁數上書言之杜大夫及石氏使人謝謂田少卿曰吾非敢有語言也願少卿無相誣汙也仁已刺三河三河太守皆下吏誅死仁還奏事武帝説以仁為能不畏彊禦拜仁為丞相司直威振天下其後逢太子有兵事丞相自將兵使司直主城門司

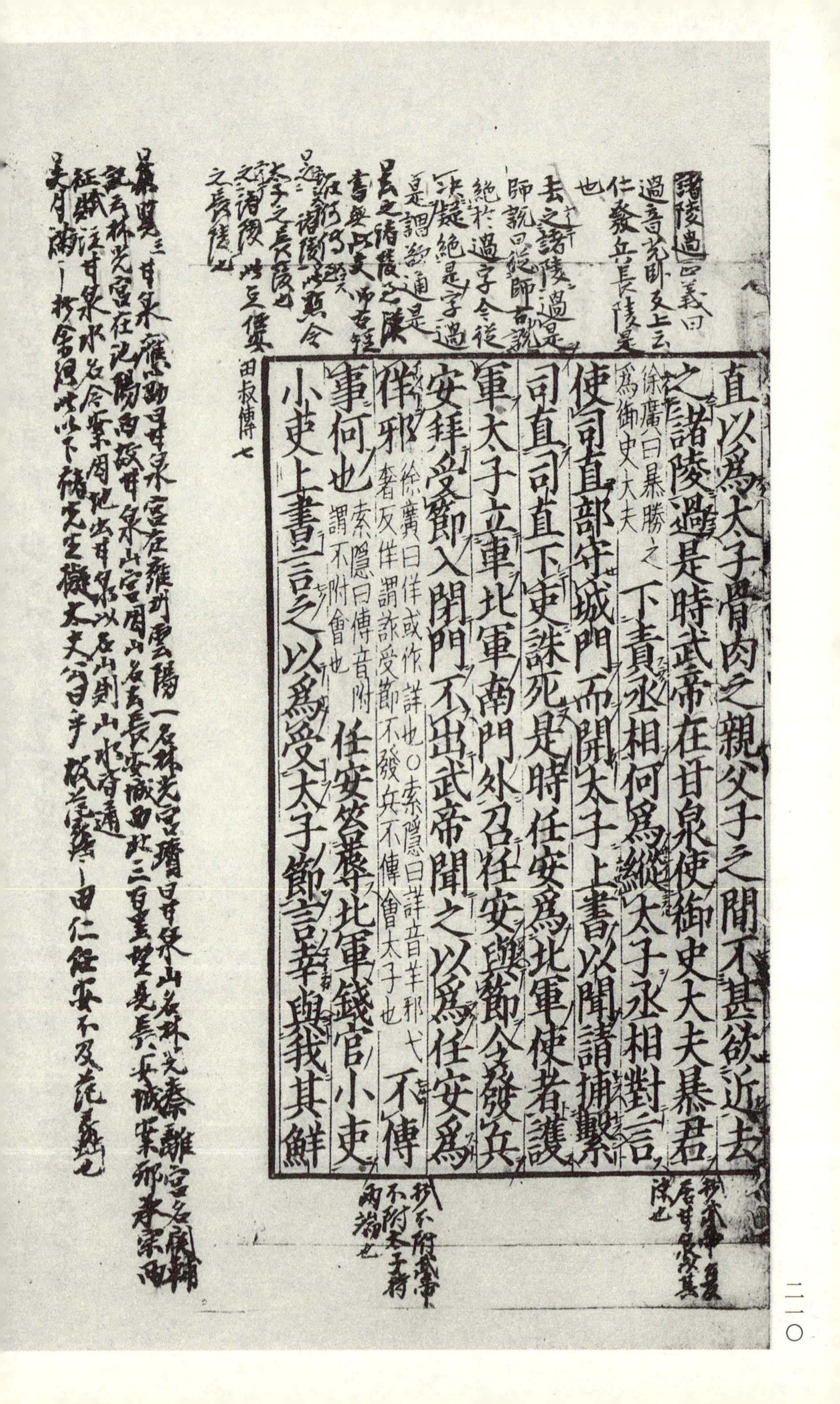

諸陵過 正義曰過音戈即又上云仁發兵長陵是也

去之諸陵過是師說曰從師古說絕於過字令從決疑絕是字過是謂繇通是

直以爲太子骨肉之親父子之閒不甚欲近去之諸陵過是時武帝在甘泉使御史大夫暴君（徐廣曰暴勝之爲御史大夫）下責丞相何爲縱太子丞相對言使司直部守城門而開太子上書以聞請捕繫司直司直下吏誅死是時任安爲北軍使者護軍太子立車北軍南門外召任安與節令發兵安拜受節入閉門不出武帝聞之以爲任安爲佯邪（徐廣曰佯或作詳也○索隱曰詳音羊耶反佯謂詐受節不發兵不傳會太子也）不傳事何也（索隱曰傳音附謂不附會也）任安笞辱北軍錢官小吏小吏上書言之以爲受太子節言幸與我其鮮

抄不附武帝不附太子兩端也

田叔傳 七

好者（索隱曰鮮音仙謂太子請其鮮好之兵甲也）書上聞武帝曰是老吏也見兵事起欲坐觀成敗見勝者欲合從之有兩心安有當死之罪甚衆吾常活之今懷詐有不忠之心下安吏誅死

夫月滿則虧物盛則衰天地之常也知進而不知退久乘富貴禍積爲祟故范蠡之去越辭不受官位名傳後世萬歲不忘豈可及哉後進者愼戒之

田叔列傳第四十四　史記一百四

黃氏日抄：叔以死事趙王敖，既仕漢，益厲直節，案梁王獄，其焚辭使景帝母子相安，相魯能救其君之非。叔蓋堅忍有用之才，非如萬石張叔輩徒曰長者而已。　褚先生附載田仁、任安事。衛將軍不見知，而趙禹遴選於一席間之頃，兩人者立名天下。大將軍青居其家，徒以衣服衣士而以將百萬眾何哉。

田叔八紙

（漢）司馬遷　撰
（南朝宋）裴駰　集解
（唐）司馬貞　索隱
（唐）張守節　正義

宋本史記

第二十三册

國家圖書館出版社

第二十三册目録

史記列傳

七十四

四十五

扁鵲

倉公

黄帝八十一難經 見醫學源流所載注難經者七人又加[illegible]八人也

盧國秦越人撰

吳太醫令呂廣注 一本作呂博按呂氏本名廣隋代避國諱遂轉為博

前歙州歙縣尉楊玄操演

[illegible]醫學源流云神應王扁鵲云云得桑君[illegible]之旨後為問答作八十一難以釋疑義云云為醫之祖[illegible]醫學源流呂廣吳人為太醫令重編難經[illegible]丁德用補注難經歷代傳之一人至魏華佗乃燔其文於獄下於晉宋間雖有仲景叔和之書然各示其支而[illegible]其說[illegible]是呂廣之重編此經而尚文義差迭[illegible]氏[illegible]為[illegible]之文其[illegible]重經[illegible]之年[illegible]不能無缺失也[illegible]無量虞庶[illegible]即廣也又[illegible]楊康侯天[illegible]人[illegible]八十一難經又丁德用宋朝人有難經補注又紀天錫[illegible]宋朝人[illegible]林[illegible]注解黄帝難經三卷又[illegible]古宋人有難經[illegible]臨川人集注神[illegible]又有難經[illegible]解並行世[illegible]號了翁[illegible]宗[illegible]間許昌人著難經本義又滑壽字伯仁元至正間許昌人著難經本義[illegible]又張[illegible]元云[illegible]字[illegible]著[illegible]通方[illegible]注難經[illegible]引[illegible]書[illegible]語及近代[illegible]云云[illegible]書[illegible]今所見[illegible]古今[illegible]書[illegible]相[illegible]言[illegible]止此不相似不知何自遂及[illegible]又[illegible]者[illegible]耶[illegible]宋[illegible]庭號廣成先生作難經注元人[illegible]作難經注如之[illegible]十一人也

新刊補註釋文黃帝內經素問卷之一　啓玄子次注林億孫奇高保衡等奉勅校正孫兆重改誤

校正黃帝內經素問序云在昔黃帝之御極也以理身緒餘治天下云云乃與岐伯上窮天紀下極地理遠取諸物近取諸身更相問難垂法以福萬世於是雷公之倫授業傳之而內經作矣歷代寶之未有失墜蒼周之興秦和述六氣之論具明於左史厥後越人得其一二演而述難經西漢倉公傳其舊學東漢仲景撰其遺論晉皇甫謐刺而為甲乙及隋楊上善纂而為太素時則有全元起者始為之訓解闕第七一通迄唐寶應中太僕王冰篤好之得先師所藏之卷大為次注猶是三皇遺文爛然可觀云云頃在嘉祐中仁宗念聖祖之遺事將墜于地迺詔通知其學者俾之是正臣等承乏典校伏念旬歲遂乃搜訪中外裒集衆本寖尋其義正其訛舛十得其三四餘不能具云云國子博士臣高保衡光祿卿直秘閣臣林億等謹上

黃帝內經素問序　啓玄子王冰撰

夫釋縛脫艱全真導氣云云班固漢書藝文志曰黃帝內經十八卷素問即其經之九卷也兼靈樞九卷迺其數焉新校正云詳王氏此說蓋本皇甫士安甲乙經之序彼云七略藝文志黃帝內經十八卷今有鍼經九卷素問九卷共十八卷即內經也故王氏遵而用之又素問外九卷漢張仲景及西晉王叔和脈經只謂之九卷皇甫士安名為鍼經亦專名九卷楊玄操云黃帝內經二帙帙各九卷按隋書經籍志謂之九靈王冰名為靈樞雖復年移代革而授學猶存懼非其人而時有所隱故第七一卷師氏藏之今之奉行惟八卷爾云云時於先生郭子齋堂受得先師張公秘本

扁鵲倉公列傳　蓋而自序何抄云余以何數相求天地之理古今之常也雷公仕

云云附晉內扁鵲之冠倉公其數世醫冠乎古隋代難口于今者皇之文藝醫術

云云異乎隋之君子不可不知之云云帰

舊譯云倉高以下為諸儀王所以殺臣載列傳末蓋由是逆筆誅也衛青霍去病非有大功惟以外戚與兵開邊遂得爵不少爾倉熊施藥活人之命豈同衛霍與兵殺人哉故其王凜亦存云不及于日者龜策二傳者可知矣

秘本文字昭晰義理環周一以參詳群疑冰釋新校正云詳素問第七卷亡已久矣按皇甫士安晉人也序甲乙經云亦有亡失隋書經籍志載梁七錄亦云止存八卷全元起隋人所注本乃無第七王冰唐寶應中人上至晉皇甫謐甘露中已六百餘年而冰自為得舊藏之卷今竊疑之仍觀天元紀大論

舊藏之卷合八十一篇二十四卷勒成一部

註本乃是第七王冰唐寶應中人上至晉皇甫謐甘露中已六百餘年五運行論六微旨論氣交變論五常政論六元正紀論至真要論七篇居今素問四卷篇卷浩大不與素問前後篇卷等又且所載之事與素問餘篇略不相通竊疑此七篇乃陰陽大論之文王氏取以補所亡之卷猶周官亡冬官以考工記補之之類也又按漢張仲景傷寒論序云撰用素問九卷八十一難經陰陽大論是素問與陰陽大論兩書甚明乃王氏并陰陽大論於素問中也要之陰陽大論亦古醫經終非素問第七矣

泰定養生主論　正德四年積菴徐叔案作序曰醫始於神農而經歷漢魏來方書不傳近時
立言惟仲景東垣河間丹溪四家最著爲内經羽翼云云群奇志者數篇
案不必遠求泰定養生主論而良醫所發也可見對於泰定亦元朝年號又假天殊序曰集存衛氏字
泰定者以年號及養生主之語遂名曰泰定養生主論　河間醫學源流劉氏名守真字
河間人也居河間居士　養生主論師之人淵　王中陽和善　丹溪者
名醫雜著　大明弘治十五年慈溪節齋王綸和善　醫論或問仲景東垣河間丹溪諸
書孰優學之宜何主曰宜專主内經而博觀乎四子斯無弊矣蓋醫之有内經猶
儒道之六經無所不備四子之說則猶學庸語孟爲六經之階梯不可缺一者也四子之書初無
優劣但各發明一義耳云云外感法仲景内傷法東垣熱病用河間雜病用丹溪一以
貫之歸於内經斯醫道之大全矣　或問仲景處方甚少及東垣用藥多至二十
餘味丹溪云予每治病用東垣之藥效仲景處方庶品味數少則藥
力專精丹溪何以不法東垣而效仲景耶曰明察藥性莫如東垣蓋所謂聖於
醫者也故在東垣則可多他人而效之多斯亂矣東垣如韓信將兵多多益善
丹溪不及之將十萬故不敢多其多也
採摭主論醫學統宗淵源神農嘗百草翰淮南子云神農嘗百草一百七十毒
予嘗誦其書每至于此未嘗不嘆夫孟子所稱今之信書則不如無書夫神農立極之
大聖也閔生民之不能以無疾故嘗夫物性之可以愈疾者以拯民人固不待物物而嘗而
始知也苟待乎物物之嘗而始知則不足以爲聖且一日而遇七十毒則雖聖
者亦殆矣使其所知果有待乎必嘗則愈疾之功非疾不能以知之其神農氏療疾
俱備而歷試之乎況污穢之物有不可嘗者亦嘗乎且味固可以嘗而知其氣其善
達其行經主治及畏惡反忌之數亦可以嘗而知乎苟嘗其所可嘗而不可嘗者
不可以嘗其所不可嘗者況于知而可嘗者未必不待乎嘗之而後知其不嘗而知之理
其愚嘗者亦不足也然後於醫藥名下不言性氣味者其字以經字不嘗之者曰神農入於
本草是後世又有本草中雜有出名醫數之數其皆神農本草者也故遂曰嘗百草耳豈
謂嘗草者之有嘗而嘗之者日遇七十毒者之說以其七十毒

是言見之五藏結知思而龍了徹見諸形雖於見徹結而君知有得為是也上有絶玄一千玄下而後稱曰見藏結
蠡焉抄云是以之上池之水三十日當知物一言以上池水飲此藥者三十日則可知見物也上池水義露
杜蘭木上也
抄云秦穆公之繆或書繆或書穆穆美號也繆惡謚也
実夏無中近晉飢晉比月秦伐之不可河西城而殺黑秦人晉早來請粟於秦秦許繆公弗
与用其飢而伐之繆公問公孫支支曰飢穰更事耳不可不與問百里傒傒曰
夷吾得罪於君其百姓何罪於是用百里傒公孫支言卒與之粟以船漕車轉
自雍相望至絳十四年秦飢請粟於晉晉君謀之群臣虢射曰因其飢伐之
可有大功晉君從之十五年興兵將攻秦繆公與晉合戰於韓地晉君棄其軍
園於是岐下食善馬者三百人馳冒晉軍晉軍解圍遂脫繆公而反生得晉君初繆公亡
於善馬岐下野人共得而食之者三百人吏逐得欲法之繆公曰君子不以畜產害人吾聞食
善馬肉不飲酒傷人乃皆賜酒而赦之三百人者聞秦擊晉皆求從從而見繆公窘亦
皆推鋒爭死以報食馬之德蒼蒼者天往以考穆公求賢哉三十九年穆公卒
葬於雍從死者百七十七人秦之良臣子輿氏三人名曰奄息仲行鍼虎亦在從死之中
中秦人哀之為作歌黃鳥之詩君子曰秦繆公廣地益國東服強晉西霸戎夷
然不為諸侯盟主亦宜哉死而棄民收其良臣而從死且先王崩尚猶遺德垂法況奪之
善人良臣百姓所哀者乎是以知秦不能復東征也隨云有於此不得益缺不可宜
哉　案隱曰子輿氏三人未詳奄息仲行鍼虎為子輿氏父子缺哉
抄曰秦何第三歃吏精微論焉夫歃者血之言府取紫也言血之多者歃是於德歃也之中故刺
志論曰歃更益害歃度血處此其正常也反以者痛血是故也
之則林和方抄云靈靈方足秋正歃其秋標語注宗通有夫子到之
五藏結語注王叔和脉經諸脉歃秘標語注王叔和脉訣補注且脉訣補注
九年撰脉經秘訣五年七月望日撰脉訣補注王叔和脉訣機要女各一冊
列編甬文又曰補注王叔和脉訣以諸候入式歌為第一但脉訣機要
一本補注脉訣并脉訣機要以諸候入式歌為第一但脉訣機要
和脉訣後而字和之
宇和子

二十四脈序而七表八裏九道名其義六自錢事序柳詮廣大序林億等序陳孜序

又餘依和自序孟詵諸家序於小朔五朝步郎何後郛亦云流傳于世矣今止撮之要

俾人知脈法求脈訣也

且注凡之脈候　王叔和脈經第八卷

寸口脈沈而橫者脇下及腹中有橫積痛其脈弦腹中急痛腰背痛相引腹中

有寒疝瘕脈弦緊而微細者癥也夫寒痺癥瘕積聚之脈皆弦緊若在心下即

寸弦緊在胃管即關弦緊在臍下即尺弦緊一曰關脈弦長有積在臍左右上下也

又脈癥法左手脈橫癥在左右手脈橫癥在右脈頭大者在上頭小者在下

又法橫脈見左積在右見右積在左偏得橫脈者而濇亦為積弦緊亦為積為寒痺為疝痛

內有積不見脈難治見一脈一作脇相應為易治諸不相應為不治

勾案永泰旋脈察病指上卷諸癥病脈法左手脈橫癥在右二手脈橫癥在左脈頭在上

大者脈上脈頭小者脈下南　勾又詳王氏脈經第二條勾又詳左手脈橫脈上

又曰寸口脈沈而伏者此文亦左手寸口脈橫盡散也

又手脈結上部者脈經第四卷兩手脈結上部者濡結中部者緩結三里者豆起弱反

在關濡反在脈微在其上濡反在下微即陽氣不足沾熱汗出濡即無血厥而寒

數脈經第一數脈極數而浮細　輕手相得　一日按之無有舉之有餘一日小而軟　數亦作濡曰濡者如帛衣在水中

察病指南濡脈按之似有舉之全無　一云按之似無舉之有力極數而浮細一云按之不見輕手乃得

不然隱於故名曰濡即黃帝所問軟脈集數濡軟二字皆呼同用主惡寒

緩脈經第一緩脈去來亦遲小駛於遲　一日浮大而軟陰浮與陽同等

緩　察病指南緩脈指下尋之浮大而軟去來微遲故名曰緩主風結

結　勾詳結上部結中部結三里等之結並小之以結之一脈脈經脈論何以辨之

脈經第一結脈往來緩時一止復來　按之來緩時一止者名結陰

察病指南結脈指陰之盛則結脈往來遲緩時一止復來曰結主胸滿煩躁積聚氣在於

脾腎之傷大腸傳痺疼痛眼三里瀉三焦結為痃癖為欬為血為積為氣

又結三里者豆之起　太平聖惠方一百卷之三里二穴在膝下三寸骱骨外大筋內

者主之中冬火三壯主胃脹久積冷氣氣心腹脹滿胃氣不足聞食臭腸鳴腹痛

病痛日食氣水氣蠱毒癥瘕四肢腫滿腿膝酸痛目不明華佗云亦主五勞羸瘦七

傷虛乏大小人熱皆調三里外臺明堂云凡人年三十歲已上若不灸三里令氣上眼闇所以三

文脉数奉[illegible]人[illegible]

[illegible]

星下氣也 ○[illegible]楊[illegible]中國[illegible]當切[illegible]也 ○[illegible]明堂方有五部也 一岐伯明堂

方二[illegible]明堂方三[illegible]明堂方四[illegible]明堂方也 又[illegible]方之[illegible]二穴一名手三里

在曲池下二寸[illegible]不[illegible]胃氣不[illegible]黃[illegible]養調和[illegible]

食針三里補之[illegible]第六[illegible]陽明病[illegible]

而痛[illegible]明不通飲食不下取三里[illegible]手少陽經[illegible]腹病[illegible]不

得小便邪在三焦[illegible]取太陽大絡視其結絡[illegible]血者[illegible]胃[illegible]和三里

[illegible]取三里[illegible]取三里[illegible]第一食飲不下取之三里也[illegible]下針也

○足趺 [illegible]第一[illegible]上[illegible]尾大[illegible]陽寒[illegible]陰陽相搏名曰[illegible]陽動

[illegible]

陽邪來見浮洪 [illegible]陽邪來見浮洪 陰邪來見沈細 水穀來不見[illegible]

[illegible]

○診脉[illegible]

○[illegible]

偏見於一日而說之則其義小也周不充而可解其義大也則死矣孰能解之存亡氣絕所復生之
乎史記淮南之書多名言大皇不信 金 論四之論教令五帝通教論藥論 所如
說文遊流而上曰溯四溯洄之水欲下者道下之而上也云云文作 所
哉詞所陳未嘗備先生曰醫之有文切脈察病用藥先往以讀儒書者能之何也是以四書
經以究窮性命之性微物致知之功亦易經以知陰陽造化功用浮長生成之道升降浮沈之
理吾黄人曰不知易者不足以言大醫

鶻　ロヨリ二

蓋其乎究九飛明首爲符注會經開秀宣寶家皇楊玄操 中以詞敢之文義不相發者校求經論者
有愚迷移以補其處云云 將大唐宣寶廣慶元年歳次壬寅 下注新校正云按唐人 令年八十餘以壽終
說天錫進難經表臣天錫向讀世之所者大於醫識病之原在乎經今有八十一難經爲醫之祖是秦越人所
黄帝素問難之義八十一篇而難之故曰八十一難經云云然其文義閒奥後學難知雖近代以來有其書
撰者楊康侯丁德用王宗正之徒或作注解或爲疏義考其文理差殊違經於其義乖離學者從遠而不
解者寔其多矣云云 虞庶錫念此爲醫之要遂乃精加訪求有庶十餘年同方始識其經旨云云
又初以素問經十二卷付上古天真論至解精微論總八十一篇也第七卷亡刪除論篇亡矣雖經八十一難
舉其大綱演其奥旨者也 又云藝雜錄云覺範傳宋僧始名百譯師傳天臺大初見為之法為刻出一十九人
發之一源後覺範經書乃其筆記智和尚云宗某宮弱者乃吾百譯師傳敦林英去者一十九人不知何者
覺範雖一時不敢彼十九人從而以歎矣多見人議傳實何止於八十一人欲准乎九九之數乃具人筆
爛之說也 又初以素問八十一篇蓋准乎九九之數者乎而為傳空人所傳要求書
判校定醫經序云臣等兼部典校古醫方書所校雖言中醫經一部乃王叔和之所撰集也叔和西
晉高平人性度沈靜尤好著述博通經方精意診處洞識修養之道其行事具唐甘伯宗名

醫傳中，臣等觀其書，叙陰陽表裏三部九候，分人迎氣口神門，條十二經二十四氣奇經八脉，以舉五藏六
腑三焦四時之疴，若綱在綱，有條而不紊云云。蓋其書一本黃帝內經，間有[illegible]未至者，而又輔以諸論，
仲景元化之法，自餘奇怪異端不經之說，一切不取，不知是何以歷數千百年而傳用無毫髮之失
云云。今則考以素問九墟靈樞太素難經甲乙仲景之書，并千金方及翼說脉之篇以校之，除去重複，
補其脫漏，其篇第亦為改易，使以類相從，仍舊為一十卷，總九十七篇，施之於人，俾披卷者足
以占外知內，視死而別生，無待飲上池之水矣。國子博士高保衡、尚書屯田郎中孫奇、光祿卿直秘
閣林億等謹上。　熙寧元年七月十六日進呈。　奉　聖旨鏤板施行。　蜀本無序之次有　臣[illegible]
校定校正，校正醫書臣高保衡，同校正醫書臣孫奇，光祿大夫守光祿卿直秘閣判登聞檢
院上護軍臣林億之名。又其次有　王安石　趙抃　曾公亮　富弼名　官銜甚多，殊不書之。惟全書稱億等

鄭人注高密為鄭。按大明一統志第二河間府縣十六，任丘縣在府城北七十里，本漢鄭縣地，屬涿郡，平帝使中
郎將任丘城此，因名任丘。隋有入高陽縣，唐復置，屬瀛州，後屬莫州，宋屬金，復置，元省入河間
縣，平等復置。本朝洪武七年省莫州省入，改今屬河間府，户三十二里。

上池之水，謂[illegible]索隱注雖淺之說如刊點平。蓋義取雨露之[illegible]
之類也。及竹木上之露，義取雨露未至地。又取雨露之降竹木上之露，義取天雨露[illegible]
言之[illegible]而義之雨露降竹木上之雨露合而成水，用之[illegible]
其義。字本月筆[illegible]或水字在上字之次[illegible]又曰[illegible]隱本水字在上字之下，於是[illegible]水數[illegible]

呈藏敬借　正義所引脉經鄭解

[illegible]

关明一统志第之河间府鄚长桑君庙在任丘县北莫州城东北三里长桑君者周人扁鹊师　扁
鹊庙在长桑君庙西旧有正殿及楼内有像又有井及古树数株
[illegible]重刊脉经序云予少时母多疾[illegible]因留意三学为方求古今医书而读之
其广以王叔和脉诀者怪其词俚而指谬及访天医得脉经十卷善祖黄帝时伯扁鹊
孙之及于张氏伤寒论条理贯甚明真王氏书也繁之乃达本自是求之建阳书坊从无获
后板于不存嘉定己巳宗识疫朝音会孙硕叢议医治方术以拯氏之病医学不得[illegible]者不从
[illegible]
板遂[illegible]亦不存今之俗医问以王氏书则[illegible]
诸候引脉诀中[illegible]议之又以叔和[illegible]
脉又[illegible]一律[illegible]因取而[illegible]脉经[illegible]
是医家[illegible]脉为难事自[illegible]
唐孙思邈著千金方及[illegible]
三月[illegible]序脉云六朝[illegible]有高阳生者剽窃[illegible]歌诀[illegible]
而于[illegible]又自著七表八里九道之名[illegible]
形状秘诀二十四种[illegible]表里九道[illegible]
则为虚实相搏妇人则[illegible]产漏下男子则亡血失精[illegible]
为[illegible]诀乃以芤为七表之阳脉[illegible]
而脉诀九道以动为阳[illegible]
为九道者[illegible]
硕之序[illegible]脉诀出而[illegible]
本[illegible]
九月[illegible]
慕[illegible]之新刊王氏脉经序
由[illegible]
今脉诀[illegible]人口[illegible]叔和作[illegible]不知叔和一所辑者脉经耳当叔和时有[illegible]一经矣
疑宋之中世[illegible]为歌[illegible]便[illegible]
藏古医经方书今光禄卿林亿等[illegible]校[illegible]镂板行世而脉经与王[illegible]宋[illegible]
钱郡[illegible]阳医书[illegible]俗间所传脉诀词最鄙浅[illegible]叔和本书[illegible]世之高[illegible]

集注難經俗解序　素問靈樞醫家之大經法該備證治悉有極然其[illegible]
賴扁鵲之聖重而明之後以問答為八十一難[illegible]
難[illegible]世使醫家之道[illegible]
[illegible]
從其俗解間有[illegible]是望[illegible]明[illegible]
[illegible]春正人日[illegible]
[illegible]楊氏曰難音乃[illegible]反　[illegible]
[illegible]曰過音戈　[illegible]
[illegible]

龍泉醫學序　甲　教授謝縉翁曰切脉[illegible]字以仁義立教欲使庶民使生民不致夭疾醫
扶植綱常使天下不犯刑罰[illegible]之書章宋[illegible]醫道與儒道六經相為表裏聖人以利天下後
世為心者也醫經之千萬[illegible]千春歲為醫門不朽之法如業將脈經刻布流傳鄉
司碑國朝存至一端為之泰定四年十有一月初四日[illegible]醫學[illegible]以仁[illegible]立教
日新刻王叔和脈經脈訣脈要秘括醫經之宋通真子劉元賓所撰九年撰脈要秘括元
故至年二月初三日序脈經脈要又編注又補注脈訣有書年載數號日新刊通真子補
注王叔和脈訣[illegible]註王叔和脈訣[illegible]脈要秘括以立脈色脈為第一補注
脈訣又脈訣撮要以紀綱入式歌為第一但脈訣撮要[illegible]脈入式歌之[illegible]刻而見其[illegible]
李潛[illegible]序[illegible]不引脈經脈訣[illegible]脈西安秘括序余[illegible]註王叔和脈訣其[illegible]
脫誤[illegible]都谷[illegible]和之作而後人增之以[illegible]不[illegible]之如五節諸[illegible]又式[illegible]
非得脫誤[illegible]又逸注[illegible]今積有年矣又參[illegible]
余曰[illegible]更[illegible]醫書[illegible]切用者謹而述之[illegible]
[illegible]通解[illegible]學者[illegible]手[illegible]年[illegible]
要[illegible]者或不教[illegible]叔和[illegible]
活切[illegible]脈[illegible]晚年[illegible]
訣序云夫醫之道元自[illegible]黃帝[illegible]流於盧人[illegible]倉公[illegible]
仲景王叔和之[illegible]
王叔和脈訣觀[illegible]同語[illegible]
[illegible]未有以和之元者難不知叔和之意[illegible]
大約[illegible]八十一難[illegible]
故五年七月[illegible]
[illegible]又非[illegible]
者數[illegible]秘括[illegible]序者[illegible]
日本[illegible]宗之醫學[illegible]黃帝[illegible]
附以[illegible]東漢張機字仲景南陽人[illegible]
作神農本經三卷[illegible]
天聖[illegible]王叔和以仲景之書[illegible]

秦氏之所獨取於直指高陽生脈訣，以寸關尺定陰陽之候，以為脈經之
傳已隱，難文學者似未知其所出脈經也。嘉定始元上溯，龐安守一百四十年，長樂陳孔碩始得
醫局本，是書用闕，李參訂，至於劉之廣西漕司並發以來，板復不存，知者亦寡，況註
其傳者。予至江右之明年，與醫學教授謝君縉翁將論古書之廢，慨然欲以脈經刊置學宮，
人知古昔聖賢用示醫道之源，秦季常遺予於謹者如此云云。周陳氏廣西之舊刊而不廢，輒加增
損，志存古也云云。泰定四年秋九月二十五日序。大元晉泰定四年即嘉曆二年也
羅陽宣刊王氏脈經序　古聖人立言垂教，以之經，以之言可守而不可變也。醫有軒岐內經，扁
鵲脈難經，華佗經論要訣之書。至西晉太醫令高陽平王叔和氏，則又取內經等書，著其要
奧，而條分類例為脈經十卷，總九十七篇，其言可守而不可變也，故亦以之經。歷年唐孫思邈
著千金方，特以為持脈法是也。宋初以劉元賓脈訣出，而叔和之名隱於世，及託叔和脈訣行，而醫經
之隆遂微。蓋叔和義世所信重，故假其名而得行，於醫經之道日淺，未必不由此而誤也。
初光祿卿林億校諸經方書，而脈經當在其中。泰定初長樂陳孔碩始為脈訣詞，探而指議求
叔和作也，乃詳懇覆得其經，刊廣西漕司，後教授謝縉翁文升龍興儒學醫學之淵源不泯。
及其經亡世遠，人復口訣脈訣以為脈家之論，從心究其經之為瑾。武淮陽畢玉任南豐學進士，
擢曲陽尹，歸于家，日以濟人利物為心，遂念其父友義翁存目閱脈經一書，成醫家之寶，
曲學親者不可無求之藏，年不得。近偶於武昌吳[illegible]舟中獲覩，遂乞歸，手錄命梓以傳，
且曰吾父志也。夫念父而成其志，好古而廣其施，為仁者可也。父周義，蓋鄉邦人稱長者，孰若
於天下後世，躋民于仁壽之域，而無復傷夭札之患，其仁不忘，博月遂年，放為序。
之義甚孝也。成化十年甲午歲季夏望日，翰林侍讀學士奉直大夫協正庶尹國史總[illegible]
表省文萃殿縣一番[illegible]序
大明成化十年，當日本文明六年也。
家隱序
脈經序　晉太醫令王叔和撰
脈理精微，其體難辨，弦緊浮芤，展轉相類，在心易了，指下難明。
謂沉為伏，則方治永乖；以緩為遲，則危殆立至。況有數候俱見，異病同脈者乎！夫醫藥為
用，性命所繫，和鵲至妙，猶或加思；仲景明審，亦候形證，一毫有疑，則考校以求驗。故傷
寒有承氣之戒，嘔噦發下焦之問。而遺文遠旨，代寡能用，舊經秘述，奧而不售，遂令末學，昧
於原本，斥茲偏見，各逞己能，致微痾成膏肓之變，滯固絕振起之望，良有以也。今撰集岐伯
以來，逮于華佗，經論要訣，合為十卷。百病根原，各以類例相從，聲色證候，靡不該備。其王、
阮、傅、戴、吳、葛、呂、張，所傳異同，咸悉載錄。誠能留心研窮，究其微賾，則可以比蹤
古賢，代無夭橫矣。　全篇

扁鵲倉公列傳第四十五　史記一百五

索隱曰王劭云盤方宜與日者龜策相接不合列於此後人誤之也○正義曰此傳是醫方合與日者相次以倉公漢文帝時醫奉詔問之又爲齊太倉令故太史公以次述之扁鵲乃春秋時良醫不可別序故引爲傳首太倉公次之也

扁鵲者正義曰黃帝八十一難序云秦越人與軒轅時扁鵲相類仍號之爲扁鵲又家於盧國因命之曰盧醫也勃海郡鄭人也徐廣曰鄭當爲鄚鄚縣名今屬河間○索隱曰案勃海無鄭縣徐說是也姓秦氏名越人少時爲人舍長索隱曰劉氏云守客館之師故號云舍長也○正義曰長音丁丈反舍客長桑君過索隱曰隱者蓋神人也○正義曰過音戈扁鵲獨奇之常謹遇之長桑君亦知扁鵲非常人也出入十餘年乃呼扁鵲私坐閒與語曰正義曰

我有禁方年老欲傳與公公毋泄扁鵲曰敬諾乃出其懷中藥予扁鵲飲是以上池之水三十日當知物矣索隱曰案舊說云上池水謂水未至地蓋承取露及竹木上取水之以和藥服之三十日當見鬼物也乃悉取其禁方書盡與扁鵲忽然不見殆非人也扁鵲以其言飲藥三十日視見垣一方人索隱曰方猶邊也言能隔墻見彼邊之人則服通神也以此視病盡見五藏癥結正義曰五藏謂心肺脾肝腎也六府謂大腸胃膽膀胱三焦也王叔和脉經云左手脉橫癥在左右手脉橫癥在右脉頭大者在上頭小者在下兩手脉結上部者濡結中部者緩結三里者豆起陽邪來見浮洪陰邪來見沉細水穀來見堅實特以診脉為名耳索隱曰診鄒氏音丈忍反劉氏音陳忍反司馬彪云診占也為醫或在齊正義曰號盧醫今濟州盧縣或在趙在趙者

名扁鵲當晉昭公時（索隱曰案左氏簡子專國在定頃二公之時非當昭公之世且趙系家敘此事亦在定公之初）諸大夫彊而公族弱趙簡子為大夫專國事簡子疾五日不知人（索隱曰案韓子云十日不知人所記異也）大夫皆懼於是召扁鵲扁鵲入視病出董安于問扁鵲扁鵲曰血脈治也（正義曰下云色發脈亂故形靜如死狀也）而何怪昔秦穆公嘗如此七日而寤寤之日告公孫支與子輿（索隱曰案二子皆秦大夫公孫支子桑也子輿未詳）曰我之帝所甚樂吾所以久者適有所學也（索隱曰適音釋言我適來有所受教命故云學也）帝告我晉國且大亂五世不安其後將霸未老而死霸者之子且令而國男女無別公孫支書

而藏之秦策於是出夫獻公之亂文公之霸而襄公敗秦師於殽而歸縱淫此子之所聞今主君之病與之同不出三日必間間必有言也居二日半簡子寤語諸大夫曰我之帝所甚樂與百神遊於鈞天廣樂九奏萬舞不類三代之樂其聲動心有一熊欲援我帝命我射之中熊熊死有羆來我又射之中羆羆死帝甚喜賜我二笥皆有副吾見兒在帝側帝屬我一翟犬曰及而子之壯也以賜之帝告我晉國且世衰七世而亡正義曰晉定公出公哀公幽公烈公孝公靜公爲七世靜公二年爲三晉所滅據此及趙世家簡子疾在

秦穆公寐〻七日而寤〻之日聚晉國且大亂以下至男女無別二十九字以為秦史所書而藏之府也
帝〻天帝也夫獻公之亂不得晉國且大亂之文公之霸而得五世不安也獻公之次驪姬子
奚齊立其臣里克殺奚齊荀息立卓子里克又殺卓子及荀息惠公晉使人請秦求入晉
於是繆公許之使百里傒將兵送夷吾〻〻謂曰誠得立請割晉之河西八城與秦及已立使丕鄭謝
秦背約不與河西城晉惠公夷吾立十四年卒子圉立為君秦怨圉亡去乃迎晉公子重耳於楚而
妻以故子圉妻重耳初謝後乃受繆公益禮厚遇之二十四年春秦使人告晉大臣欲
入重耳二月重耳立為晉君是為文公　五世不安者自獻公奚齊卓子惠公懷公
子圉為五世也其後將霸未老而死謂文公重耳也　霸者之子且令而國男女
無別者三十三年春秦兵遂東更晉地過周北門周王孫滿曰秦師無禮不敗何待兵至滑
鄭販賣賈人弦高持十二牛將賣之周見秦兵恐死虜因獻其牛曰聞大國將誅鄭
鄭君謹修守御備使臣以牛十二勞軍士秦三將軍相謂曰將襲鄭〻今已覺之往無及
已滅滑〻晉之邊邑也當是時晉文公喪尚未葬太子襄公怒曰秦侮我孤因喪
破我滑遂墨衰絰發兵遮秦兵於殽擊之大破秦軍無一人得脫者虜秦三將以歸文
公夫人秦女也為秦三囚將請曰繆公之怨此三人入於骨髓願令此三人歸令我君得自快烹之晉
君許之歸秦三將〻〻至繆公素服郊迎嚮三人哭曰孤以不用百里傒蹇叔言以辱三子〻〻何
罪乎子其悉心雪恥毋怠遂復三人官秩如故愈益厚之
於是襄公敗秦師於殽而歸霸者之子且令而國男女無別也陽帝淫者而淫男女無別也
有一熊欲援我〻〻日本欲援我帝命我射之熊義雖通未見注解發令為之殺援謂之射也
也廣雅熊罷也孟子手援天下又劉援上援猶助也熊罷援字恐作罷字
熊援助也熊欲援援熊殺
〻有熊於云二字同音有一熊罷也吾見兒在帝側於云兒者簡子之兒子帝屬我一翟犬
熊雄也伊雄南秦俗呼五色者備或為熊曰翟犬江淮以南青質五色者備成章曰
及兒長以賜之於云獨在帝側之兒也此兒曰毋恤〻〻母淑賤翟住之婢
翟生也翟犬〻之謂翟犬〻年乃世翟不用鸞為犬年〻舊翟之戎翟國犬戎
日蔡子古文曰戶不趙世家簡子病寤之後以為三國不可以語怪及高説列則其載其悉且最為
是本並盡非子作春秋亦人事不言而左丘明所記鬼神妖怪世所未信者猶之無咎世有達者當辯
此耳許後

趙世家 將以敗周人於范魁之西，而亦不能有也。今余思虞舜之勳，適余將以其胄女孟姚配而七世之孫。董安于受言而書藏之。以扁鵲言告簡子，簡子賜扁鵲田四萬畝。

他日，簡子出，有人當道，辟之不去，從者怒，將刃之。當道者曰：吾欲有謁於主君。從者以聞。簡子召之，曰：譆，吾有所見子晰也。當道者曰：屏左右，願有謁。簡子屏人。當道者曰：主君之疾，臣在帝側。簡子曰：然，有之。子之見我，我何為？當道者曰：帝令主君射熊與羆，皆死。簡子曰：是，且何也？當道者曰：晉國且有大難，主君首之。帝令主君滅二卿，夫熊與羆皆其祖也。簡子曰：帝賜我二笥，皆有副，何也？當道者曰：主君之子將克二國於翟，皆子姓也。簡子曰：吾見兒在帝側，帝屬我一翟犬，曰及而子之壯也以賜之。夫兒何謂以賜翟犬？當道者曰：兒，主君之子也。翟犬者，代之先也。主君之子且必有代。及主君之後嗣，且有革政而胡服，并二國於翟。簡子問其姓而延之以官。當道者曰：臣野人，致帝命耳。遂不見。簡子書藏之府。

異日，姑布子卿見簡子，簡子遍召諸子相之。子卿曰：無為將軍者。簡子曰：趙氏其滅乎？子卿曰：吾嘗見一子於路，殆君之子也。簡子召子毋卹。毋卹至，則子卿起曰：此真將軍矣。簡子曰：此其母賤，翟婢也，奚道貴哉？子卿曰：天所授，雖賤必貴。自是之後，簡子盡召諸子與語，毋卹最賢。簡子乃告諸子曰：吾藏寶符於常山上，先得者賞。諸子馳之常山上，求，無所得。毋卹還，曰：已得符矣。簡子曰：奏之。毋卹曰：從常山上臨代，代可取也。簡子於是知毋卹果賢，乃廢太子伯魯，而以毋卹為太子。

後二年，晉定公之十四年，范、中行作亂。明年春，簡子謂邯鄲大夫午曰：歸我衛士五百家，吾將置之晉陽。午許諾……

孟姚 ……舜生於姚墟，因以為姓……

……趙氏本姓……

……鈹石……古者以砭石為針……九針……

定公之十一年也嬴姓將大敗周人於范魁之西索隱曰范魁地名未詳○正義曰嬴趙氏本姓也周人謂范衛也晉云之後趙成侯三年伐衛取鄉邑七十三是也賈逵云月阜曰魁也而亦不能有也董安于受言書而藏之以扁鵲言告簡子簡子賜扁鵲田四萬畝其後扁鵲過虢正義曰陜州城古虢國又陜州河北縣東北下陽故城古虢即晉獻公滅者又洛州汜水縣古東虢國而未知扁鵲過何者蓋虢至此並滅也虢太子死索隱曰案傳玄云虢是晉獻所滅先此百二十餘年此時焉得有虢則此云虢太子非也然案虢後改稱郟春秋有郟公蓋郟之太子也扁鵲至虢宮門下問中庶子喜方者索隱曰喜音許既反喜好也愛也方方伎之人也○正義曰中庶子古官號也喜方好方術不書姓名也曰太子何病國中治穰過於衆事中庶子曰太子病血氣不時交錯而不得泄暴發

於外則爲中害精神不能止邪氣邪氣畜積而不得泄是以陽緩而陰急故暴蹷而死索隱曰蹷音厥○正義曰釋名云蹷是氣從下蹷起上行外及心脅也扁鵲曰其死何如時曰雞鳴至今曰收乎曰未也收謂棺斂其死未能半日也言臣齊勃海秦越人也家在於鄭未嘗得望精光侍謁於前也聞太子不幸而死臣能生之中庶子曰先生得無誕之乎何以言太子可生也臣聞上古之時醫有俞跗索隱曰音臾附下又音趺○正義曰臾附二音應劭云黃帝時將也治病不以湯液醴灑正義曰上音禮下山解反鑱石撟引案杌毒熨索隱曰鑱音仕咸反謂石針也撟音九兆反謂爲按摩之法夭撟引身如熊顧鳥伸也杌

[illegible]俞在第十一椎下[illegible]俞在第十四椎下[illegible]

俞在第九椎下云二[illegible]俞在第十一椎下云三[illegible]俞在第十四椎下[illegible]

工椎下云三三焦俞在第十三椎下云大腸俞在第十六椎下云小腸俞在[illegible]

第十九椎下云[illegible]新校正云詳[illegible]者類經中齊五谷六以谷字為誤[illegible]

各六椎[illegible]兩旁各五分[illegible]

輸我俞 靈樞經第一九針十二原第一云血脈者在腧横居視之獨澄切之獨堅[illegible]

過切[illegible]會至色為款 輸香過切 揣款兀以獨遠之曰輸音年意指所送之物曰輸音為色史角觸傳用

五藏之輸 鈔曰脊過切 脊宜作脊

[illegible]見病之應[illegible]見病體早知五藏之輸 五藏過款戒 春過切 [illegible]史角觸傳[illegible]

之輸又[illegible]輸ノ事ヲ[illegible]輸[illegible]

有輸穴 肺俞在第三椎下兩旁各一寸半 有之心俞在第五椎下兩旁各一寸半 肝俞在第九

椎下兩旁各一寸半 脾俞在第十一椎下兩旁各一寸半 腎俞在第十四椎兩旁各一寸半 大腸俞

在第十六椎兩旁各一寸半 小腸俞在第十八椎兩旁各一寸半 膀胱俞在第十九椎下兩旁各一寸半

[illegible]三焦輸在第十三顀下兩旁各一寸半

胃輸在第十二顀下兩旁各一寸半 膀胱輸在第十九顀下兩旁各一寸半

[illegible]輸字[illegible]舊本[illegible]俞或作輸 顀或作椎 中膂內輸在第二十顀下兩旁各一寸半

湯液醪醴論篇第十四 黃帝問曰為五穀湯液及醪醴奈何

岐伯對曰必以稻米炊以稻薪稻米者完稻薪者堅

帝曰何以然 岐伯曰此得天地之和高下之宜故能至完伐取得時故能至堅也

[illegible]

帝曰上古聖人作湯液醪醴為而不用何也 岐伯曰自古聖人之作湯液醪醴者以為備耳

夫上古作湯液故為而弗服也 中古之世道德稍衰邪氣時至服之萬全

[illegible]帝曰今之世不必已何也 岐伯曰當今之世必齊毒藥攻其中鑱石鍼艾治其[illegible]

外也

黃帝內經素問序 啟玄子王冰撰

[illegible]孔安國序尚書曰伏羲神農黃帝之書謂之三墳言大道也

[illegible]漢書藝文志曰黃帝內經十八卷素問即其經之九卷也兼靈樞九卷乃其數焉

[illegible]又素問外九卷漢張仲景及西晉王叔和[illegible]

春宮上有素問名為鍼經亦未可以九卷是指為黃帝內經之一隋…名九卷之按隋書經籍志謂之
難經九卷王冰名為靈樞後學相存…其人所撰有新隋…第九一卷…今之奉…非…參…然
而其文簡其意深特其經…其趣…故…好養生者遇真經…為…鏡…特於先生
鄉…有…受乃先聖張公秘…之因而撰註用…杨…受旧卷之卷合八十一篇二十四卷…勒成一
部…特…大唐…元年歲次壬寅序　將仕郎守殿中…丞…臣…楊…序
察…宋…將仕郎守殿中…通…靈…經…

素問撰之一經新校正云按王氏不解所以名素問之義及素問之名起於何代按隋書經籍志始有素
問之名甲乙經序晉皇甫謐之文已云素問論病精辨王叔和西晉人撰脉經云出素問鍼經漢
張仲景撰傷寒卒病論集云撰用素問是則素問之名著於隋志上見於漢代也自仲景已前
無文可見莫得而知據今世所存之書則素問之名起漢世也所以名素問之義全元起有說云素
者本也問者黃帝問岐伯也方陳性情之源五行之本故曰素問元起雖有此解義未甚明按乾鑿度
云夫有形者生於無形故有太易有太初有太始有太素太易者未見氣也太初者氣之始也太始者
形之始也太素者質之始也氣形質具而疴瘵由是萌生故黃帝問此太素質之始也素問之名
義或由此　前謂王氏唐王冰也

註肺之原出於太淵　難經六十六難曰經言肺之原出於太淵…心之原出于大陵…
之原出于太衝…脾之原出于太白…腎之原出于太谿…少陰之原
出于兌骨…膽之原出于丘墟…胃之原出于衝陽…三焦之原
脉…膀胱之原出于京骨…大腸之原出于合谷…小腸之原出于腕骨…
治外經…
汜…
中…十二經皆以俞為原者何也然五藏俞者三焦之所行氣之所留止也
三焦所行之俞為原者何也然臍下腎間動氣者人之生命也十二經之根本也故名曰原
三焦者原氣之別使也主通行三氣經歷於五藏六府原者三焦之尊號也故所止輒為原五藏六府之有病者
皆取其原也…
太…
…
…

命一名泰禎一名五撿ミ有五真人即五藏神也五撿ミ有八復有神八自有[illegible]
卦ミ外有十二樓ミ有十二子也并三焦神為二十七大夫八十一元士寿中央名太一君ミ係王ミ天大
将軍特進侯主人身中萬二千神也郊在頭上脳戸中廟在項後天上社在脾左端稷在大腸窮
風伯在八门ミ八门在齊傍雨師在小腸窮[illegible]四瀆雲氣在崑崙弱水在胞中所以備言此者欲[illegible]皆
為人生之根本也故知丹田性命之根也道士思神比丘坐禅皆行心氣於臍下者良為此也故云原
者三焦之尊號也三焦合氣於腎故也
[illegible]案[illegible]注紀氏曰十二經之俞皆係三焦所行氣留止之処然三焦所行以俞為原者假原氣以
名之也原氣隱於腎間動而為人之生命十二經之根本三焦者即原氣之別使道
下焦稟承原氣者即真元之氣也上達至於中焦主受五藏六府水穀精悍之氣化而為営衛
営衛之氣得真元之氣相合主氣通行達於上焦入肺係自肺經始經歴五藏六府也
蓋原者乃三焦尊號之名故三焦所行留止之処輒為原也若五藏六府之有病皆取之於原
者行原為生氣之根原故也
黄帝内經明堂巻第一九鍼十二原第一云十二原者五藏之所以稟三百六十五節氣味
也五藏之有疾也應出十二原ミ各有所出明知其原覩其應而知五藏之害矣陽中之少陰
肺也其原出於太淵ミ淵二陽中之太陽心也其原出於大陵ミ陵二陰中之少陽
肝也其原出於太衝ミ衝二陰中之至陰脾也其原出於太白ミ白二陰中之太陰腎也其原
出於太谿ミ谿二膏之原出於鳩尾ミ尾一肓之原出於脖胦ミ胦一凡此十二原者主治五藏
六府之有疾者也張取三陰輸池取三陽云ミ 楊玄操文山音釋 脖胦上蒲没反下烏朗反
校之音釋也
口靈樞巻第一本輸第二岐伯曰請言其次也肺出於少商ミ商者
手大指端内側也為井木溜于魚際ミ魚際者手魚也為滎注于大淵ミ淵魚後一寸陥者中
也心出於中衝ミ中衝手中指之端也為井木溜於労宮ミ労宮掌中中指本節之内間也
為滎注于大陵ミ大陵掌後両骨之間方下者也為兪行於間使ミ[illegible]
足大指之端及三毛之中也為井木溜于行間ミ行間足大指間也為滎注于大衝ミ大衝行間上二寸
陥者之中也為兪行于中封云ミ脾出于隠白ミ隠白者足大指之端内側也為井木溜于大都ミ
之後下陥者之中也為滎注于太白ミ太白腕骨之下也為兪行于商丘云ミ腎出于湧泉ミ泉
足心也為井木溜于然谷ミ然谷然骨之下者也為滎注于大谿ミ大谿内踝之後跟骨之上
陥中者也為兪行于復溜云ミ膀胱出於至陰ミ至陰者足小指之端也為井金溜于通谷

通谷本節之前外側也為滎注于束骨束骨本節之後陷者中也為腧過于京骨

[illegible]足之外側大骨之下為原行于崑崙[illegible]云云膽出于竅陰竅陰者足小指次指之端也為井金

溜于俠谿俠谿足小指次指之間也為滎注于臨泣臨泣上行一寸半陷者中也為腧過于丘墟

[illegible]

之端也為井金溜于內庭內庭次指外間也為滎注于陷谷陷谷者上中指內間上行二

寸陷者中也為腧過于衝陽衝陽足跗上五寸陷者中也為原搖足而得之行于解谿

云云三焦者上合手少陽出于關衝關衝者手小指次指之端也為井金溜于液門液門小指

次指之間也為滎注于中渚中渚本節之後陷者中也為腧過于陽池陽池在腕上

陷者中也為原行于支溝云云手太陽小腸者上合於太陽出于少澤少澤小指之端

也為井金溜于前谷前谷在手外廉本節前陷者中也為滎注于後谿後谿者在手外側本節

之後也為腧過于腕骨腕骨在手外側腕骨之前為原行于陽谷云云大腸上合手陽明

出于商陽商陽大指次指之端也為井金溜于本節之前二間為滎注于本節之後三間

為腧過于合谷合谷在大指岐骨之間為原[illegible]

注少陰心脈起於心中出屬心系下膈絡小腸其支者從

心系上挾咽繫目系其直者復從心系卻上肺上出腋下下循臑內後廉行太陰心主之

後下肘內廉循臂內後廉抵掌後兌骨之端

循臑內注[illegible]臑內天府穴也

揲荒[illegible]

[illegible]

[illegible]

[illegible]

[illegible]

[illegible]

太子今日乃死也[illegible]

[illegible]

[illegible]

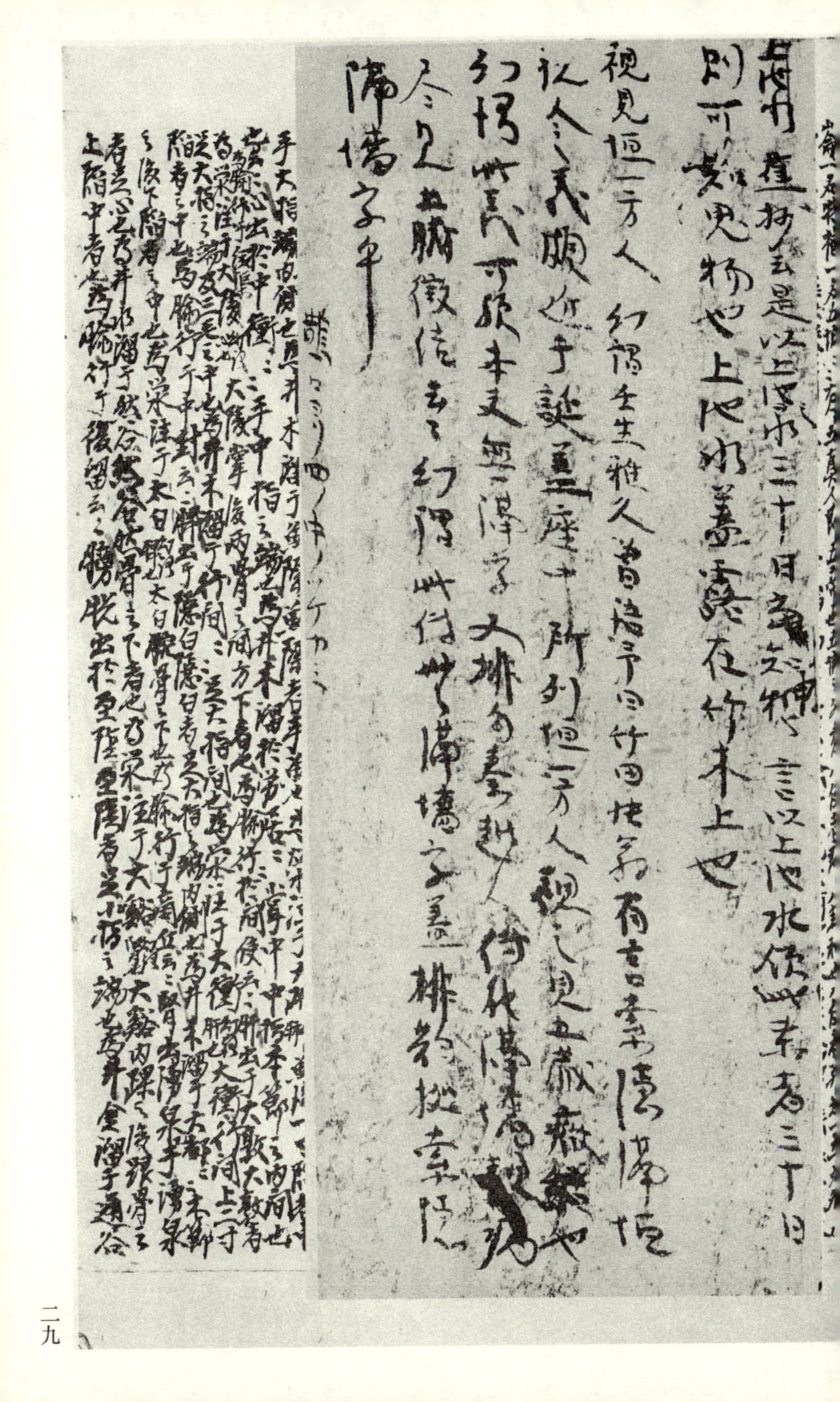

崙一名…[illegible]

崙山崖抄云是以上池水三十日為之神仙 言以上池水飲此者為三十日
則可以見物也 上池水蓋露在竹木上也
視見垣一方人 幻陽壬生雅久曾語予曰竹田槐宮有古寫本傳扁鵲
以人之氏[illegible]于[illegible]壁中所列垣一方人 視之見五藏癥結也
幻陽此[illegible]可[illegible]本文無得字 又排有[illegible]之人[illegible]
今見[illegible]徵信去之 幻陽此作 此撲墻字蓋排[illegible]
撲墻字乎

[illegible]

[illegible]

通谷本節之前外側也為滎注于束骨束骨本節之後陷者中也為腧過于京骨京骨足外側大骨之下為原行于崑崙
行于崑崙崑崙在外踝之後跟骨之上為經入于委中委中膕中央為合委而取之足太陽也膀胱出于至陰至陰者足小指之端也為井金
膕中央 伏而取之 小指次指之間也為滎注于中渚中渚本節之後陷者中也為腧過于陽池陽池在腕上陷者中也為原行于支溝
膀胱足太陽 上腕三寸兩骨之間陷者中也為經入于天井天井在肘外大骨之上陷者中也為合屈肘乃得之
之端也為井金溜于內庭內庭次指外間也為滎注于陷谷陷谷者上中指內間上行二
寸陷者中也為腧過于衝陽衝陽足跗上五寸陷者中也為原搖足而得之行于解谿
云三焦者上合手少陽出于關衝關衝者手小指次指之端也為井金溜于液門液門小指
次指之間也為滎注于中渚中渚本節之後陷者中也為腧過于陽池陽池在腕上
陷者中也為原行于支溝支溝云手太陽小腸者上合於太陽出于少澤少澤小指之端
也為井金溜于前谷前谷在手外廉本節前陷者中也為滎注于後谿後谿者在手外側
之後也為腧過于腕骨腕骨在手外側腕骨之前為原行于陽谷陽谷在銳骨之下陷者
將出于商陽商陽大指次指之端也為井金溜于本節之前二間為滎注于本節之後三間
為腧過于合谷合谷在大指岐骨之間為原行于陽谿陽谿在兩筋間陷者中也為經
陰少陰心脈出於中衝 掌中中指本節之內間也為滎注于大陵其主者陽 從心系卻上肺上出腋下下循臑內後廉行太陰心主之後
心系上挾咽 後下肘內後廉循臂內後廉抵掌後兌骨之端 神門
循臑內後廉 肘內 循臂內 後廉 掌中 手太陰肺下
揉荒 穀字 揉食列切 疫文 兌 持也 廣雅 殺也 養白 或作 瘂 穀 亦作 世 菹 文帖 [illegible]
持也 荒 揉 荒 [illegible] 也 柘 荒 十九 [illegible] 蓋月 澤 [illegible] 下 [illegible]
蓋 直月 也 斬 文 第 二 卻 思 蓋月 之 賦 祭 注 直月 音 荒 又 發 [illegible]
訟脈 殺 含 看 [illegible] 訣 通 作 決 決 [illegible] 武 決 玄 手 [illegible] 通 作 缺
占 辟 利 之 決 同 於 注 [illegible] 也 辭 文 [illegible] 訣 或 作 [illegible] 蓋 扶 [illegible] 義 乎
決 扶 通 手 蓋 自 行 [illegible] 不 能 者 [illegible] 可 [illegible] 太 子 [illegible] 不 [illegible]
太子 今 日 可 死 也 蓋 會 [illegible] 何 [illegible] 不 作 [illegible] 不 見 [illegible] 也 [illegible] 名 之 [illegible]
之 見 古 文 作 [illegible] 見 [illegible] 古 也
蓬 [illegible] 相 [illegible] 行 [illegible] 意 [illegible] 武 [illegible] 針 [illegible] 注 [illegible] 行 [illegible] 切 [illegible] 也

音玩亦謂按摩而玩弄身體使調也毒熨火謂毒病之處以藥物熨帖也一撥見病之應因五藏之輸索隱曰音東注反○正義曰八十一難云肺之原出於太淵心之原出于太陵肝之原出于太衝脾之原出于太白腎之原出于太谿少陰之原出于兌骨膽之原出于丘虛胃之原出于衝陽三焦之原出于陽池膀胱之原出于京骨大腸之原出于合谷小腸之原出于腕骨十二經皆以輸為原也按此五藏六府之輸也乃割皮解肌訣脈結筋搦髓腦揲荒徐廣曰揲音舌○索隱曰搦音女角反揲荒膏荒也爪幕正義曰以爪決其闌幕也湔浣正義曰上子錢反下胡管反腸胃漱滌五藏練精易形先生之方能若是則太子可生也不能若是而欲生之曾不可以告咳嬰之兒終日扁鵲仰天歎曰夫子之為方也若以管窺天以郄視文越人之為方也不待切脈正義曰黃帝素

問云待切脉而知病寸口六脉三陰三陽皆隨春秋冬夏觀其脉之變也則知病之逆順也楊玄操云切按也望色正義曰素問云面色青脉當弦急面色赤脉當浮而短面色黑脉當沉浮而滑也聽聲正義曰素問云好哭者肺病好歌者脾病好妄言者心病好呻吟者腎病好叫呼者肝病也寫形正義曰素問云欲得溫而不欲見人者藏家病欲得寒而見人者府家病也言病之所在聞病之陽論得其陰聞病之陰論得其陽正義曰八十一難云陰病行陽陽病行陰故令募在陰俞在陽楊玄孫云腸爲陰五藏募皆在腹故云募皆在陰背爲陽五藏俞皆在背故云俞皆在陽內藏有病則出行於陽陽俞在背也外體有病則入行於陰陰募在腹也針法云從陽引陰從陰引陽也病應見於大表不出千里決者至衆不可曲止也索隱曰止語助也不可委曲具言○正義曰言病皆有應見不可曲言病之止住所在也子以吾言爲不誠試入診太子當聞其耳鳴而鼻張正義音漲循其兩

王冰素問序　兼舊藏之卷，合八十一篇二十四卷，勒成一部。注：新校正云，詳素問第七卷亡已久矣。按皇甫士安晉人也，序甲乙經云亦有亡失。隋書經籍志載梁七錄亦云止存八卷。全元起隋人，所注本乃無第七。王冰唐寶應中人，上至晉皇甫謐甘露中已六百餘年，而冰自為得舊藏之卷，今竊疑之。仍觀天元紀大論、五運行論、六微旨論、氣交變論、五常政論、六元正紀論、至真要論七篇，居今素問四卷，篇卷浩大，不與素問前後篇卷等，又且所載之事與素問餘篇略不相通，竊疑此七篇乃陰陽大論之文，王氏取以補所亡之卷，猶周官亡冬官，以考工記補之之類也。又按漢張仲景傷寒論序云，撰用素問九卷、八十一難、陰陽大論，是素問與陰陽大論兩書甚明，乃王氏并陰陽大論於素問中也。要之，陰陽大論亦古醫經，終非素問第七矣。

[illegible]

三三

七陵中ニ陽設将此陰陽ニ脈相配[illegible]無残脈然其意亦相同

[illegible]劉元解取言九人沿経脈皮ヲキリサキテ此ソモケツリノケテ傳来也訣脈ハ脈字雖解[illegible]

[illegible]

○脉

天台陶宗儀南村輟耕録巻之十九云人稟天地五行之気以生手三陽三陰足三陽三陰合為十二経以環絡一身往来流通無少間斷其脈應於両手三部吾夫脈者血也脈不自動気實使之故有九候之法内経云脈者血之府説文云血理分衺行體者從𠂢從血亦作脈通釋云五蔵六府之気血分流四肢也釋名脈幕也幕絡一體字從肉從𠂢𠂢音普拜切水之邪流也脈字從𠂢取脈行之象無求者脈之字從肉從𠂢又作衇蓋脈以肉為陽絶以血為陰華佗云脈者血気之先也気血盛則脈盛気血衰則脈衰血熱則脈数血寒則脈遅血微則脈弱気血平則脈緩晋王叔和分為七表八裏可謂詳且至矣然文理繁多学者卒難究白宋有崔紫虚中隠君崔嘉彦以難経於六難専言浮沈九難専言遅数故用為宗以統七表八裏而総萬病其説以為浮者為表為陽外得之病也有力主風無力主気浮而無力為芤有力為洪又沈者為裏為陰内受之病也有力主積無力主気沈而極小為微至骨為伏無力為弱遅者為陰主寒内受之病也有力主痛無力主冷遅而少駃為緩短細為濇無力為濡数者為陽主熱外得之病也有力主熱無力主瘡数而極弦為緊有力為弦流利為滑他若九道六極之殊三焦五蔵之辯与夫持脈之道療病之方其間玄妙具在四脈玄文及西原脈訣等書世以為秘授始由崔君傳之劉復真先生々々傳之朱宗陽錬師々々傳之張玄白高士今往々有得其法者学者其求諸

[illegible]

注寸口六脈雖經曰四難曰脈有陰陽之法何謂也然呼出心與肺吸入腎與肝呼吸之間

脾受穀味也其脈在中[illegible]浮者陽也沉者陰也故曰陰陽也心肺

俱浮何以別之然浮而大散者心也浮而短濇者肺也腎肝俱沉何以別之然牢而長

者肝也按之濡舉指來實者腎也脾者中州故其脈在中是陰陽之法也脈有一陰一陽一陰二陽

一陰三陽有一陽一陰一陽二陰一陽三陰如此之言寸口有六脈俱動耶然此言者非有六脈俱動也謂浮沉長短滑濇也

浮者陽也滑者陽也長者陽也沉者陰也短者陰也濇者陰也所謂一陰一陽者謂脈來沉而滑也

一陰二陽者謂脈來沉滑而長也一陰三陽者謂脈來浮滑而長時一沉也所言一陽一陰者謂脈來浮而濇也一陽二陰者

者謂脈來長而沉濇也一陽三陰者謂脈來沉濇而短時一浮也各

以其經所在名病逆順也

[illegible]

[illegible]

日素問平人氣象論篇曰平人之常氣稟於胃胃者平人之常氣也人無胃氣曰逆

逆者死春胃微弦曰平弦多胃少曰肝病但弦無胃曰死

夏胃微鉤曰平鉤多胃少曰心病但鉤無胃曰死

長夏胃微耎弱曰平[illegible]

秋胃微毛曰平毛多胃少曰肺病但毛無胃曰死

冬胃微石曰平石多胃少曰腎病但石無胃曰死

[illegible]

凡脈大為陽浮為陽數為陽動為陽滑為陽沉為陰濇為陰弱為陰弦為陰短為陰微為陰是為三陰三陽也

[illegible]

為曰沉而浮滑[illegible]

[illegible]

[illegible]然[illegible]反云云

然注謂夏脈當鈎鈎者耳[illegible]脈如反則為心病云云

秋脈毛反者為病何謂反云云

然注謂秋脈當毛若反毛脈而反則為肺病云云

冬脈石反者為病何謂反云云

然注謂冬脈當石若石者脈反則為腎病云云面色赤脈當浮而[illegible]面

若謂秋然春夏秋冬脈注推之面色青脈當弦而急[illegible]脈何其注者[illegible]面色白[illegible]

色黑脈當沈而滑浮字在滑字上文謂[illegible]也

若謂所脈[illegible]急者也四月[illegible]故後世[illegible]見難經十三難則望色注其解

又一本云寸口[illegible]面色黃脈當緩而大

難經十三難曰經言見其色而不得其脈反得相勝之脈者即死得相生之脈者病即自已

然注見其色而不得其脈者是色脈不相應也假如肝之青色其於脈而脈反浮濇而短者是肺脈也肺金剋肝木為賊邪是相勝之脈病即死也若得沈滑腎之脈腎水生肝木是相生之脈其病自愈也

色之與脈當參相應為之奈何然五藏有五色皆見於面亦當與寸口尺內相應假令色青當其脈弦而急色赤其脈浮大而散色黃其脈中緩而大色白其脈浮濇而短色黑其脈沈濡而滑此所謂五色之與脈當參相應也云云

然注五藏五色肝青心赤脾黃肺白腎黑也若一色現於面即當與寸口尺內相應是色與脈當參相應也假如青色現於面其脈弦而急是肝[illegible]此相應也[illegible]

[illegible]者肝色之脈急者肝脈之為相應也色赤者[illegible]浮濇而短是肺脈也色黑者腎色也[illegible]

黃者脾色也中而緩大者脾之脈[illegible]

水之性沈腎之在五藏之下故其脈沈濡而滑

假令色青其脈浮濇而短若大而緩為相勝浮大而散若小而滑為相生也

然注色青是肝木也其脈浮濇而短是肺脈金剋木也是為賊邪若大而緩是脾脈木剋土也是為微邪此二者謂之相勝其脈浮大而散是心脈木生火也若小而滑是腎脈水生木也二者謂之相生餘色做此數推之

[illegible]文[illegible]年表難經大意耳

難經四十九難肺主聲入肝為呼入心為言入脾為歌入腎為呻自入為哭[illegible]

注[illegible]云呼者長呼之聲歌者歌詠之聲[illegible]

者呼吸之數有數嘆之神者神也數…來中陰病

是病之陰陽論 難經六十七難曰五藏募皆在陰而俞在陽者何謂也然陰病行陽陽病行陰故

令募在陰俞在陽也 募音暮 紀氏曰腹為陰背為陽募在腹俞在背陽募在腹故為陰病

生於內而行於外即陽也 故陽俞在背 陽病生於外而行於內 即陰行陽也 故為陽陰募在

腹也 募俞完法載在陰陽 楊氏注 黎吉注經言於為陽腹為陰背為陽者於俞之腹陰

者腹募也 故陽勝則陰病灸俞 故四時會大禪陰俞 此例陰勝則陽病灸於府

募於咽喉不利 脉細沈者 脉遲灸腧 輸下一二日五月 見於深 所以陽病行陰陰病

行陽腹背者陰陽之總論也

是其義 脉居陰部 難經二十難曰經言脉有伏匿伏匿於何藏而言伏匿耶然謂陰陽

更相乘更相伏也 脉居陰部反陽脉見者為陽乘陰也 脉雖時沈濇而短 脉居陽部而陰脉見者為陰乘陽也

此陽中伏陰也 丁氏曰尺中已浮滑而長 此又云陽中伏陰也 濇而短故云陽中伏陰也 脉雖時浮滑而長 此謂陰中伏陽也

曰寸口關中沈濇 脉雖時浮滑而長 此謂陰中伏陽 浮滑而長 故云陰中之伏陽也

而論也

然注伏匿者陰陽偏勝更相乘更相伏也 尺之陰部見浮滑長大之脉為陽乘陰也 若寸口陽部

不足之故陽入乘之又於寸口陽脉之中有時或見沈濇短小之脉 陽中伏陰也 寸口陽部

是沈濇短經之陰為陰乘陽也 陽虛不足故陰往乘之又於尺部陰脉之中有時或見浮

滑長大浮數之脉是陰中伏陽也 柔去邑

經言 名 脉居陰中伏陽也 難經十三難曰色黃其脉中緩而大是色脉相應也又上

文曰經言 脉有伏匿 經中陰蓋解曰月經也解經于乎 雖 盛陽不解曰月經哉

曰文水陽入陰中 陰陽偏勝 脉 血氣並不吸 李益カラテクナラテ利

然中ウ 三医 陽盛 五下 陰陽 而行下八陰不通 而上陰陽 下

後而不有度 陰盛上下不而陽 下流 陽不行 下而陰陽 陽上

外陰之陽也令陽 而陰陽 一而陰在內陽 字也陽在

以陰入陽 其文 以 而 下有以陰入陽 美者 語 以字屬陽也

是 病之有 膈 證 五九 候其病則 經 刺 其痛 病 經刺 病 刺

股以至於陰當尚溫也中庶子聞扁鵲言目眩然而不瞚舌撟然而不下乃以扁鵲言入報虢君虢君聞之大驚出見扁鵲於中闕曰竊聞高義之日久矣然未嘗得拜謁於前也先生過小國幸而舉之偏國寡臣幸甚 索隱曰謂虢君自謙云已是偏遠之國寡小之臣也 有先生則活無先生則棄捐填溝壑長終而不得反言未卒因噓唏服臆 索隱曰上音皮力反下音憶 魂精泄橫流涕長潸 徐廣曰一云言未卒因涕泣交流噓唏不能自止也○索隱曰潸音山長潸謂長垂涕也 忽忽承睞 索隱曰音接睞即睫也承睞言淚恒垂以承於睫也 悲不能自止容貌變更扁鵲曰若太子病所謂尸蹷者也夫以陽入陰中動胃

十一難云脉居陰部反陽脉見者爲陽入陰中是陽乘陰也脉雖時沉澁而短此謂陽中伏陰也脉居陽部而陰脉見者是陰乘陽也脉雖時浮滑而長此謂陰中伏陽也胃水穀之海也**纏緣**正義曰上音直延反纏緣謂脉纏繞胃也素問云延緣落絡脉也恐非此義也**中經維絡**徐廣曰維一作結○索隱曰纏音直延反○正義曰八十一難云十二經脉十五絡脉陽維陰維之脉也**别下於三焦膀胱**正義曰八十一難云三焦者水穀之道路氣之所終始也上焦在心下下鬲在胃上口也中焦在胃中脘不上不下也下焦在臍下當膀胱上口也膀胱者津液之府也溺九升九合也言經絡下于三焦及膀胱也**是以陽脉下遂**徐廣曰一作隊**陰脉上争**正義曰遂音直類反素問云陽脉下遂難反陰脉上争如絃也**會氣閉而不通**正義曰八十一難云府會太倉藏會季脇筋會陽陵泉髓會絶骨血會鬲俞骨會大杼脉會大淵氣會三焦此謂八會也**陰上而陽内行下内鼓而不起上外絶而不爲使上有絶陽之絡下有破陰之紐**正義曰女九反

龍[illegible]海戊[illegible]下[illegible]龍[illegible]第一[illegible]山有傳[illegible]通古[illegible]術[illegible]世[illegible]所用[illegible]
人[illegible]知[illegible]從之学[illegible]得其術遂以醫[illegible]於世[illegible]年中[illegible]遍[illegible]廣都[illegible]古今術
同異[illegible]言其[illegible]各[illegible]數[illegible]論五臟六腑其[illegible]有[illegible]者[illegible]相[illegible]欲[illegible]人
誠信者[illegible]其[illegible]三[illegible]丈夫以為精女子以[illegible]之
三焦[illegible]有形[illegible]和言三焦有[illegible]無形[illegible]
[illegible]有所[illegible]其[illegible]何以[illegible]其所以[illegible]三焦者何也三焦[illegible]布
人[illegible]中有上中下之[illegible]方人[illegible]不起[illegible]在三焦[illegible]百[illegible]其[illegible]
會一[illegible]三焦[illegible]而[illegible]此[illegible]為三焦耳世[illegible]和
之[illegible]而[illegible]為[illegible]太[illegible]其[illegible]其[illegible]為[illegible]有一[illegible]子[illegible]通[illegible]
胃也[illegible]学[illegible]於[illegible]高[illegible]遂[illegible]
[illegible]大[illegible]相[illegible]有一人[illegible]骨[illegible]全者[illegible]以学[illegible]其[illegible]
[illegible]大者[illegible]相對有一日[illegible]其[illegible]中[illegible]上[illegible]
引家[illegible]有[illegible]者而[illegible]如手大者之為三焦也[illegible]
異[illegible]其人[illegible]合可以正古人之[illegible]其奇經八脈者[illegible]
其經絡[illegible]義陽維陰維[illegible]云二維[illegible]二十八脈[illegible]
環流[illegible]陰諸經者也故陽維起於諸陽[illegible]陰維起於諸陰交也[illegible]
也陽維[illegible]持諸陽陰維[illegible]持諸陰[illegible]絡[illegible]維持一身[illegible]任天[illegible]陽維者[illegible]
於陽[illegible]陰維者維絡於諸經之[illegible]所以[illegible]陽[illegible]相維者[illegible]
絡於諸經也 秦[illegible]三[illegible]陰三陽[illegible]曰三陽為經二陽為維一陽為[illegible]手[illegible]經
謂經絡[illegible]以[illegible]成[illegible]維持[illegible]天[illegible]行[illegible]為[illegible]也故主[illegible]
谷者[illegible]天[illegible]者[illegible]新校正云[illegible]三陽之太陽[illegible]
上[illegible]上下六道以行於[illegible]為經[illegible]陽[illegible]明[illegible]下[illegible]四
道并[illegible]上下[illegible]維於[illegible]一陽[illegible]陽脈之[illegible]四道下[illegible]道
上下[illegible]故曰陽[illegible]
二十八[illegible]九[illegible]內有十二經[illegible]以[illegible]世[illegible]人有十二經脈以[illegible]所以[illegible]之血[illegible]
[illegible]也

義哉十二經脈十五絡脈 難經二十三難云經脈十二絡脈十五何始何窮也……經脈者行血氣通陰陽以榮於身者也云云

通陰陽以榮於身者也云云 [illegible]

絡者經之支別者也 [illegible]

絡也共成十五絡也 楊氏曰經脈十二絡脈十五凡二十七氣 [illegible]

而決死生也 [illegible]

其經絡流行 [illegible] 朝會於寸口人迎 [illegible]

十五絡 [illegible]

[illegible]

陰支原於陽支蘭形抄云支蘭者八腎精所在小腸所治以[illegible]右腎大腸[illegible]

四件門三焦左右兩月命門二藏[illegible]陽支蘭者[illegible]陰支蘭者[illegible]

支蘭者命門即相火[illegible]陽支蘭者[illegible]

者為使[illegible]一陰陽二陰[illegible]論天地者萬物之上下也陰陽[illegible]

左右者陰陽之道路也[illegible]水火者陰陽之徵兆也[illegible]

能始之[illegible]故曰陰在內陽之守也陽在外陰之使也[illegible]

日乘[illegible]雖知三焦有[illegible]曰手少陽者主三焦之氣也[illegible]太陽之

證入膀胱下焦是知三焦有二也

三焦 難經三十一難曰三焦者何稟何生何始何終其治常在何許可曉以不然三焦者

水穀之道路氣之所終始也 楊氏曰焦元也天有三元之氣所以生成萬物人法天地所以亦有三元之氣[illegible] 上焦者在

心下下膈在胃上口主內而不出其治在膻中玉堂下一寸六分直兩乳間陷者是

上焦主出陽氣溫於皮膚分肉之間若霧露之溉焉 中焦者在胃中脘不上不下

主腐熟水穀其治在臍傍 楊氏曰[illegible] 下焦者

當膀胱上口主分別清濁主出而不內以傳道也其治在臍下一寸 楊氏曰[illegible]

故名曰三焦其府在氣街 楊氏曰氣街者氣之道路也[illegible]

也

王氏集註[illegible]三焦者[illegible]原氣之別使[illegible]上焦如霧中焦如漚下焦如瀆

天錄[illegible]

內作水穀之道路為氣之所終始也[illegible]

胃下[illegible]上於胃中[illegible]

下一寸六分[illegible]中焦者[illegible]

陽乃完[illegible]

者[illegible]

之字從火[illegible]

下[illegible]

之道[illegible]

則曰[illegible]曰三焦[illegible]

謹義云人受水穀々納於胃々穀氣從胃而將於三焦々々始傳於肺而通於十二經 則三焦之首
在胃口中胃矣是不在氣衝也 楊玄操云三焦爲原氣之別使主持周身之氣衝下乃藥合亦藥
氣而達於四旁通十二經治是府故氣衝之理明矣 謹案義云言不合本經之意云女生之別
謂本中謹
上工取之 難經十三難曰經言見其色而不得其脈反得相勝之脈者即死得相生之脈者病即自已
然氏注見其色而不得其脈反得相勝之脈者即死也假如肝之色青其脈當弦急而反得肺脈浮澀而短者是
脈也肺金剋肝木爲賊邪是相勝之脈病即死也若乃沈滑腎之脈腎水生肝木是相生之脈者病
病自愈也 本經色之與脈當參相應爲之奈何 然五藏有五色皆見於面亦當與寸口尺內
相應假令色青其脈當弦而急色赤其脈浮大而散色黃其脈中緩而大色白其脈浮澀而短
而短色黑其脈沈濡而滑此所謂五色之與脈當參相應也 脈數尺之皮膚亦數脈急尺之皮膚
赤解黃帝白脈牢塞也若一色現於面即當與寸口尺內相應 天雖之相應是色之與脈當參相應
色現於面其脈當弦而急是肝之脈此相應也 李經假令色青云云 經言知一爲下工
工知二爲中工云云下工者十全六 此之謂也 天錫言知一爲下工者是知五藏色之臭味及寸口尺內之相應
知三者十全九中工知二者十全八下工知一者十全六
知相勝及不知相勝相生之病也 知二爲中工者是知五藏色臭味及寸口尺內之相勝相生之病也
此三者治病十全 知三爲上工者是知五藏色臭味及寸口尺內之相應相勝相生之病也故上工
論者色臭味寸尺之脈知生相勝也 今呂廣注言知一爲下工二爲中工三爲上工 天錫言此難
一知二知三不知者曰五又王叔和言知陰知陽 知陰陽之用此藥治不論陰陽爲用但說色臭味
寸尺之脈知生知勝數三人之論治本中經 學古注上來者謂上知天文下知地理中知人事可
以長久中工者中知人事下知地理以十全八下工者三中得一謂之下工也全不知者此之謂也工者法
武道可以遠可以上今十三難言陰虧滋疾盛痛謂相勝十四難故近者之以爲言矣
若會 本藍王公刺編鍼灸資生經第一百會一名三陽五會曰在前頂後寸半頂中央旋毛中可容豆
灸七壯止七七壯至一百壯 不得多鍼二分得氣即瀉 唐秦鳴鶴刺微出血
刺一 舊傳 本藍王公刺鍼經云刺四分 舊傳素問鍼經 甄權云唐書本集武后目盲有頭痛上出血頭痛
數痛立愈 數痛立止後取金帛賜之知此穴能治頭風矣次二
而 微出血頭痛立止 後第一聽會 聽會曰二穴在耳微前陷中上關下一寸動脈宛宛中張口得之鍼七分留
聽會 從灸五壯上三七壯十日後依前報灸 甄權注聽會一名聽呵在耳前 生經不載
三呼得氣即瀉不須補日灸五壯止三七壯十日後依前報灸 安老資生經不載
三呼得氣即瀉 中三七壯 三寸宛三中鍼七分留三呼得氣即瀉灸七壯 前在厭陷中
宜又明堂 中興銅人經不載之 鍼下膂手少陰心脈 宜
鍼心生之膂々中絡脾胃 手少陰心脈之下絡脾絡 內接

素問云紐赤脈也破陰絶陽之色已發徐廣曰一作發脈亂故形靜如死狀太子未死也夫以陽入陰支蘭藏者生正義曰素問云支者順節蘭者横節陰支蘭膽藏也以陰入陽支蘭藏者死凡此數事皆五藏蹷中之時暴作也良工取之正義曰八十一難云知一爲下工知二爲中工知三爲上工上工者十全九中工者十全八下工者十全七○正義云五藏一病輒有五解一藏爲下工解三藏爲中工解五藏爲上工也拙者疑殆扁鵲乃使弟子子陽厲鍼砥石以取外三陽五會索隱曰陽扁鵲之弟子也鍼音針厲謂磨也砥音脂○正義曰素問云手足各有三陰三陽太陰少陰厥陰太陽少陽陽明也五會謂百會胸會聽會氣會臑會也有閒太子蘇乃使子豹爲五分之熨以八減之齊和煮之以更正義曰[illegible]彭反熨兩脅下索隱曰案[illegible]五分之熨[illegible]

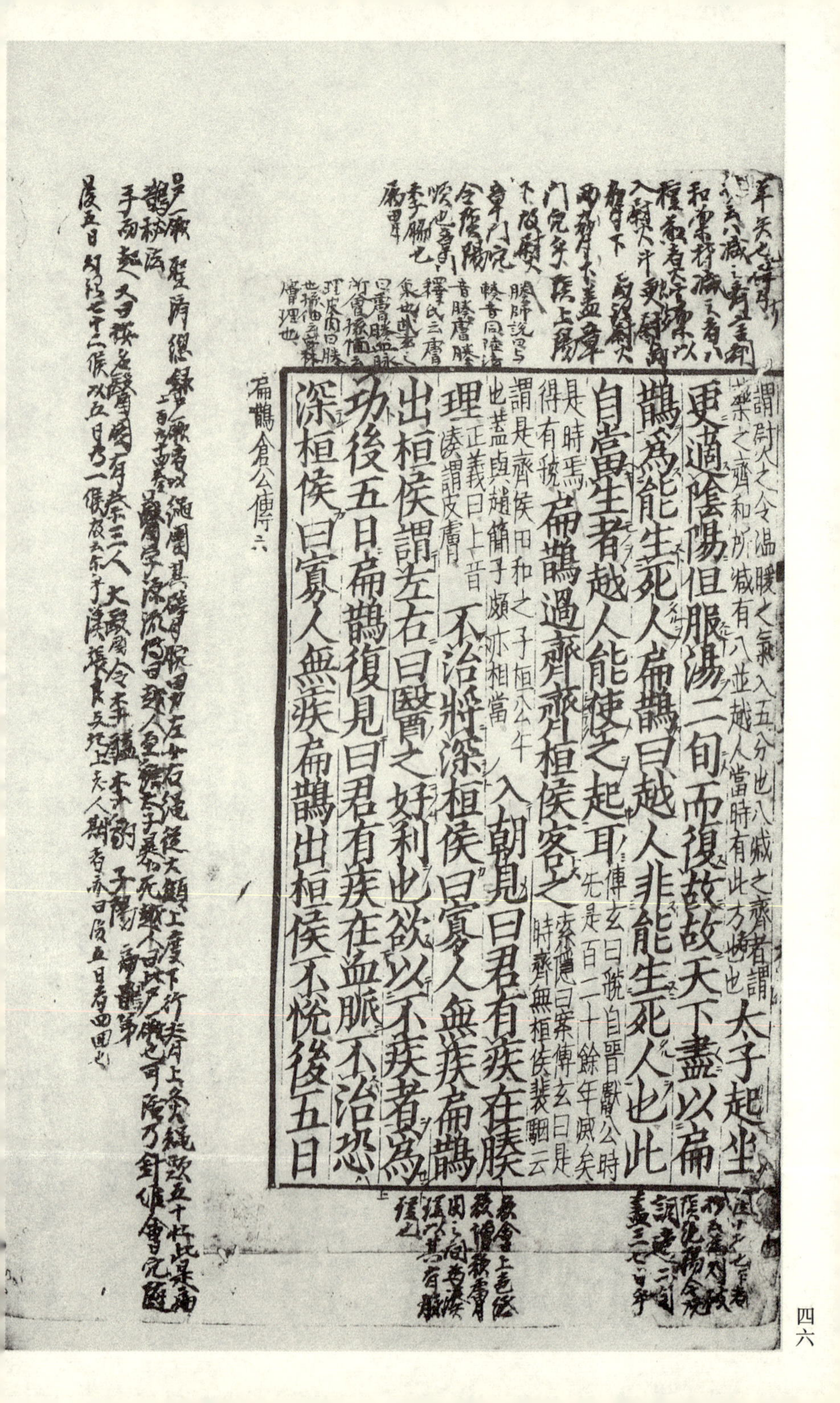

謂尉火之令温暖之氣入五分也八減之齊者謂藥之齊和所減有八並越人當時有此方也太子起坐更適陰陽但服湯二旬而復故故天下盡以扁鵲爲能生死人扁鵲曰越人非能生死人也此自當生者越人能使之起耳傳玄曰虢自晉獻公時先是百二十餘年滅矣是時焉得有虢扁鵲過齊齊桓侯客之索隱曰案傳玄曰是時齊無桓侯裴駰云謂是齊侯田和之子桓公午也蓋與趙簡子頗亦相當入朝見曰君有疾在腠理正義曰上音湊謂皮膚不治將深桓侯曰寡人無疾扁鵲出桓侯謂左右曰醫之好利也欲以不疾者爲功後五日扁鵲復見曰君有疾在血脈不治恐深桓侯曰寡人無疾扁鵲出桓侯不悅後五日

扁鵲倉公傳　六

三焦□□和脉訣卷上 黄帝作三焦論式歌 三焦無狀空有名寄在胸中膈相應 通身上補注經曰
三焦者元氣之別有三元之氣所以生成萬物人法天地所以有三元之氣以養身形三焦各有其位而無正
藏自膈已上名曰上焦自膈已下名曰中焦自臍已下名曰下焦下焦之氣□精和善濟液化為精微上於
於肺脈乃化而為血主不上不行也下焦之氣別迴腸注於膀胱而滲入膀主出而不內以求其
常居於胃或糟粕而俱下於大腸也此三焦之氣泌糟粕蒸津液分別清濁故云三焦
並屬帝脈訣集解第四 三焦無狀空有名寄在胸中膈相應 雖係一假云三焦□□十二經
五藏六府十一經此之一絡者手少陽三焦之經別脈之心主与三焦為表裏心主与三焦乃表裏俱有名而無
形故言經有十二 下屬三焦為表裏 心主与三焦乃表裏□少陽真心□君火心主者其三焦
相火別之相行君令下故有名無形經曰三焦之也 真經云 三焦曰大凡有一物者以一物成之無實有此三者
雖以實物成之實有此心成以不勝實有此肺成以大腸實有此腎成以膀胱實此脾成之以胃
至如手心主乃有名無形者也只得以三焦之有名無形者成之耕和之三焦□□我前之忽曰人之
五藏者有實形至於三焦有名無形上焦寄於胃上口中焦寄於胃中脘下焦寄於胃下口
正脈合天天地有餘不足所寄之造化何以見之哉蓋三百六十五日周期之大數似有餘也
周歲三百五十四日是所餘十二日之閏此正周期之數不足天之若是積餘盈閏之妙周期之
數三百六十五度四分度之一周天之度似有餘也一宮三十度十二宮三百六十度一反寄餘度
于女之宿之中此正周天之度有不足者是歸寄女之宿之妙機周天之度死矣何足以言周天之度
滿水下百刻除十二時九十六刻之外餘四刻以寄四維水火金木土除四時所屬水火金木之外
餘有土以寄四季天且如此人胡不然天有三元之氣所以養身形三焦者三元上合於天
以主下合於人主謂諸氣名為使者也上焦在心下下膈在胃上口主內而不出心肺養氣上焦何以宗
中焦在胃中脘主不上不下主腐熟水穀下焦在臍下一寸主出而不內所以傳糟粕
下焦何以流決津液此三焦有名無形正為府中有解和於天之三焦府也上肝心脾肺
所寄之府是人身与天地為三元合於兩相者謂之以形之於膈相稱若是經循經
身二百七十日急寄二十日急于脾肝之間任脈交五十日一萬三千五百四十日急于肝
脾之中如是則天地人一府以隱然所寄為造化三焦之有名無形誠有同乎天地所寄之造
夫何疑
最(?)焦集釋 三周方
等指□如歸大盛勝 古人謂左腎為腎右腎為命門其所屬膀胱左腎為命門屬膀胱右
子數屬以經證之三焦若如上說有形者則其人為是虛(?)離乃為三焦存經屬三焦三焦者

為上中下三焦如漚如霧下焦如瀆有名無形故曰有位無形而主持諸氣事失其意焉遂

云無狀空有名行慎勿率爾縷々不已且右以明其實名曰果無形故所以為精鬱隆

為盛甚所謂三關者何也上焦在膻中中焦在中脘而應脾下焦在臍下即腎

間動氣分布人身有上中下三焦之名分人謹之歟總相思不息則精氣蒙在三焦學者

百骸及其相思念一起総火熾然命門脈三焦精氣流溢並命門輸寫無數故

號此府為三焦耳學者不悟可謂痛矣太息 [illegible]龍川暑志之號

曰君火相火 素問第十六徵音大論篇曰改假顯明之右君火之位君火之右退行一步相火治之

注曰出隣之顯明則卯地之氣分春分日春分後六十日有奇斗建卯正至于巳正君火位也自斗建巳

正未之中三之氣分相火治之所謂少陽也君火之位所謂少陰熱之分也天度至此暄淑大行居熱之分

不行大火君子之德也少陽居之為僭逆大熱早行疫癘乃生陽明居之為温涼不時太陽居之為寒

雨間熱厥陰居之為風濕雨生羽蟲少陰居之為天下疵疫以其得位君令宣行故也太陰居之

為時雨火有二位故以君火為六氣之始也相火則夏至日前後各三十日也少陽之分火之位也天度至

此炎熱大行少陽居之為熱暴至草萎河乾炎亢濕化晚布陽明居之為涼氣間發太陽居

之為寒氣間至熱爭冰雹厥陰居之為風熱大行雨生羽蟲少陰居之為大暑炎亢太陰居

之為雲雨雷電退其南面視之在位之右也一步凡六十日又八十七刻半餘氣同法

曰難經六十二難曰藏井榮有五府獨有六者何謂也然府者陽也三焦行於諸陽故置一俞名曰原

府有六者亦與三焦共一氣也 紀氏注 藏井榮有五者謂五藏井榮俞經合五也云云 又置一

俞名曰原原者取原氣之為名 又置此一俞即是井榮俞原經合五也云云 丁德用注云三

焦者原氣之別使主行氣相火言君火行令故行諸陽經中故置一俞名曰原所以府有六者

亦是三焦共一氣也 天錫曰忌為君火手心主經為相火宣行君火之命令三焦乃原氣之

別使主持原氣之氣與心主經相合通行十二經絡令于諸用言三焦宣行君火命令鄭氏言相

火又況原者非君火之名故六十六難曰原者乃三焦下腎間動氣人之生命十二經之根本也故曰原

三焦者乃原氣之別使主通行三氣經歷五藏六府言宣行君火命令陽承中焦

藏原學稗三関方五之譬君火論云五行各一唯火有二者乃君相之不同相火則寄于五行

人之日用者出也 至於君火乃二氣之未運方物之所資以爲人初生於交精血之中

以成形精屬腎二屬水血屬心二屬火故兆一而生火藏為之屬水故以氣而不求

乃太一含三乳之義故之亦有此一生二二生三 [illegible]則知精血乃胎形於[illegible]以藏[illegible]

猶好[illegible]則息静肖思果[illegible]可以[illegible]命此[illegible]藏以為君火之所由以行所謂[illegible]藏[illegible]思之二

還將壽命者是也其所以謂之君者以不行[illegible]夫君者象君之德爲萬物所貴故象君之

化位居少陽曲象君之政神明出入曲象君之令故君者天之[illegible]是也氣以之[illegible]而還

行於其上君以德化政令而轉於其下天道從帝[illegible]生長化收藏不失其時君道

動從放進退存之不失其正其要存一往也成象取法雖主所[illegible]心[illegible]明之一

點[illegible]明[illegible]不備是見君[illegible]之用上合[illegible]下合[illegible]五方[illegible]所[illegible]

也醫者[illegible]不明此[illegible]

是[illegible]天[illegible]人[illegible]於天下後世也悲[illegible]

極動而生陽靜而生陰陽[illegible]

[illegible]

[illegible]

日藏同方者一心部在左手寸口屬手少陰經与小腸手太陽經合　肝部在左手關上屬足厥

陰經与膽足少陽經合　腎部在左手尺中屬足少陰經与膀胱足太陽經合　肺部

在右手寸口屬手太陰經与大(?)腸手陽明經合　[illegible]手之陰經与[illegible]

陽手陽明經合　脾部在右手關上屬足太陰經与胃足陽明經合　右腎部在右手

尺中屬手厥陰經心包經与三焦手少陽經合　日表同者一陰陽離合論[illegible]厥陰[illegible]於

大敦陰之絶陽名曰陰之絶陰[illegible]大敦見名在足之大指之端三毛之中也兩陰相合故日陰之絶陽厥陰盡

也陰氣至此而盡故名曰陰之絶陰

[illegible]

[illegible]

[illegible]

陰于陽者亦不獨乎六陽陰合故能至乎少陰陽曰陽支蘭乎[illegible]況[illegible]
巻血脈　黃帝問第[illegible]鍼解篇云黃帝問曰願聞九鍼之解虛實之道岐伯對曰刺虛則
實之者鍼下熱也氣實乃熱也滿而泄之者鍼下寒也氣虛乃寒也[illegible]九鍼最妙者為其
各有所宜也[illegible]夫一天二地三人四時五音六律七星八風九野身形亦應之鍼各有所
宜故曰九鍼人皮應天人肉應地人脈應人人筋應時人聲應音人陰陽合氣應律人齒面目應星人
出入氣應風人九竅三百六十五絡應野故一鍼皮二鍼
肉三鍼脈四鍼筋五鍼骨六鍼調陰陽七鍼益精八鍼除風九鍼通九竅除三百六十五
節氣此之謂各有所主也　注一鑱針二員針三鍉針四鋒針五鈹針六員利針
七毫針八長針九大針　新校正云按別本鍉一作鍉[illegible]又曰九鍼[illegible]各不同形
者鍼窮其所當補瀉也　新校正云按九針[illegible]今自[illegible]其[illegible]針[illegible]實[illegible]
鍼解第一九針十二原第[illegible]黃帝本輸第二[illegible]不針解第三[illegible]
以陰入陽支蘭者[illegible]令[illegible]以陽入陰支蘭[illegible]生者以陰入陽支蘭[illegible]死
孟陽支蘭[illegible]陽支蘭[illegible]全[illegible]

扁鵲復見曰君有疾在腸胃間不治將深桓侯不應扁鵲出桓侯不悅後五日扁鵲復見望見桓侯而退走桓侯使人問其故扁鵲曰疾之居腠理也湯熨之所及也在血脈鍼石之所及也其在腸胃酒醪之所及也其在骨髓雖司命無奈之何今在骨髓臣是以無請也後五日桓侯體病使人召扁鵲扁鵲已逃去桓侯遂死傅玄曰是特齊無桓侯駰謂是齊侯田和之子桓公午也使聖人預知微能使良醫得蚤從事則疾可已身可活也人之所病病疾多正義曰病猶患也言人所患患疾病多甚也而醫之所病病道少徐廣曰一作病猶

扁鵲倉公傳

故病有六不治驕恣不論於理一不治也輕身重財二不治也衣食不能適三不治也陰陽并藏氣不定四不治也形羸不能服藥五不治也信巫不信醫六不治也有此一者則重難治也扁鵲名聞天下過邯鄲聞貴婦人即為帶下醫過雒陽聞周人愛老人即為耳目痺醫

曰痺音必二反

來入咸陽聞秦人愛小兒即為小兒醫隨俗為變秦太醫令李醯自知伎不如扁鵲也使人刺殺之至今天下言脈者由扁鵲也

太倉公者齊太倉長臨菑人也姓淳于氏名意

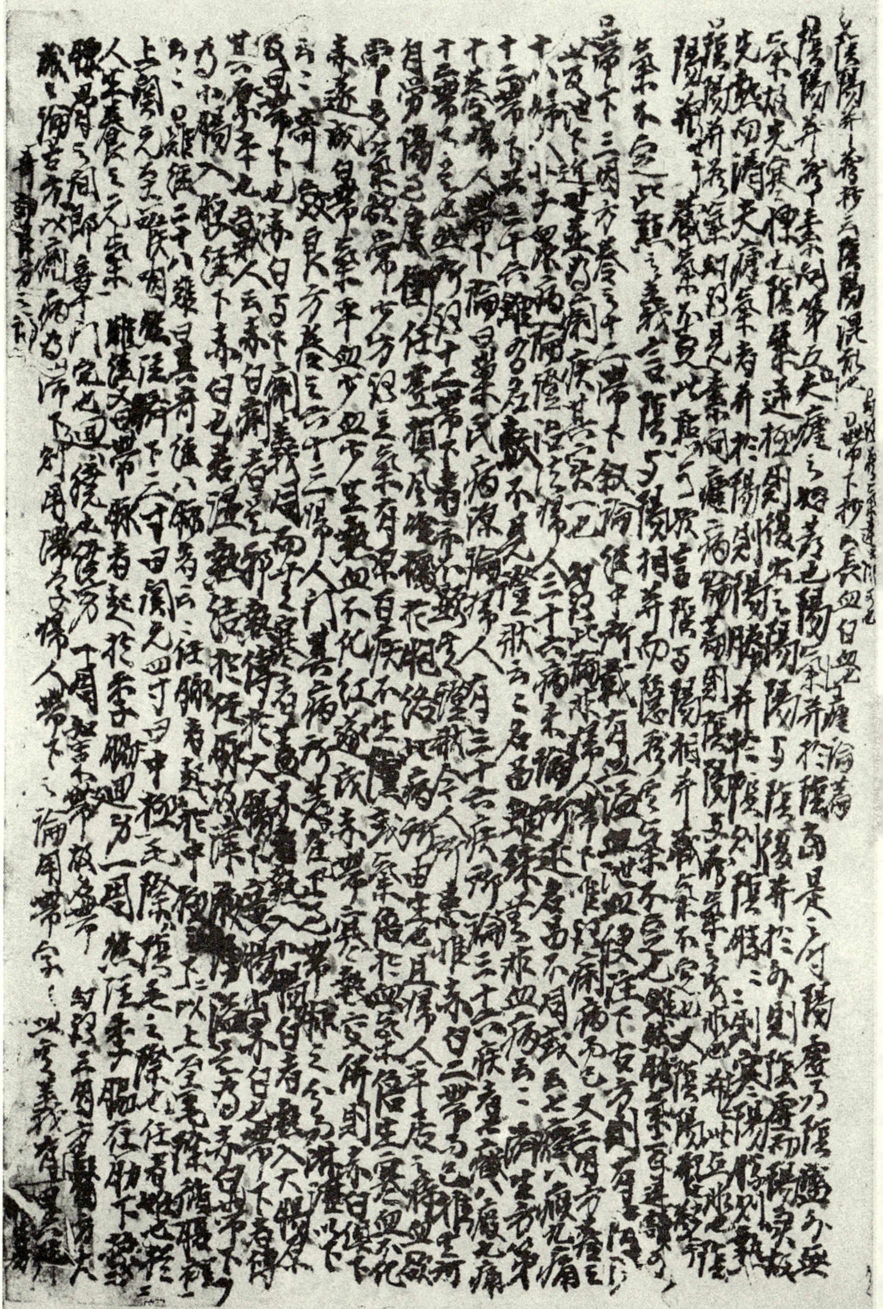

又数會者也雷公問[illegible]人[illegible]也三者[illegible]下病名云下[illegible]
廣義我作[illegible]人常下也　則言[illegible]難義
又要術之抄云又[illegible]元[illegible]公[illegible]陽[illegible]上之[illegible]文[illegible]祖[illegible]兼[illegible]比則[illegible]
可也
黄帝[illegible]原[illegible]之[illegible]帝神農氏[illegible]人[illegible]云[illegible]精[illegible]草木[illegible]草[illegible]醫[illegible]
云[illegible]神農[illegible]百草[illegible]一日[illegible]醫[illegible]上世[illegible]字
[illegible]云[illegible]草[illegible]天云黄帝[illegible]公孫[illegible]云[illegible]帝世[illegible]征伐[illegible]
[illegible]平[illegible]不[illegible]天下[illegible]王天下[illegible]帝之
[illegible]天下[illegible]十[illegible]八[illegible]建立[illegible]而相
[illegible]相[illegible]信[illegible]禮[illegible]國家代[illegible]
[illegible]五福[illegible]數[illegible]民[illegible]上[illegible]天[illegible]下[illegible]語[illegible]
[illegible]相[illegible]後世[illegible]倫[illegible]素問[illegible]
伯者黄帝之[illegible]天[illegible]伯[illegible]
曰五色[illegible]見[illegible]色[illegible]素問[illegible]詳見難經十二難
注曰難經[illegible]八十一難經[illegible]二十三難[illegible]
[illegible]黄[illegible]口訣[illegible]一[illegible]二[illegible]
[illegible]黄青[illegible]五色[illegible]
[illegible]王[illegible]五色[illegible]神[illegible]
[illegible]神[illegible]五色[illegible]神之[illegible]
[illegible]不和[illegible]色不[illegible]五色[illegible]中[illegible]令五音[illegible]令五[illegible]

正義曰括地志云淳于國城在密州安丘縣東北三十里古之斟灌國也春秋公如曹傳云冬淳于公如曹注水經云淳于縣故夏后氏之斟灌國也周武王以封淳于公號淳于國也 少而喜醫方術高后八年更受師同郡元里公乘陽慶正義曰百官表云公乘第八爵也顔師古云言其得乘公之車也 慶年七十餘無子使意盡去其故方更悉以禁方予之傳黃帝扁鵲之脈書五色診病正義曰八十一難云五藏有色皆見於面亦當與寸口尺内相應也其面色與相應已見前也知人死生決嫌疑定可治及藥論甚精受之三年爲人治病決死生多驗然左右行游諸侯不以家爲家或不爲人治病病家多怨之者文帝四年中人上書言意以刑罪當傳西之長安索隱曰傳音

意有五女隨而泣意怒罵曰生子不生男緩急無可使者於是少女緹縈傷父之言索隱曰緹音啼縈音紆營反乃隨父西上書曰妾父爲吏齊中稱其廉平今坐法當刑妾切痛死者不可復生而刑者不可復續徐廣曰一作贖雖欲改過自新其道莫由終不可得妾願入身爲官婢以贖父刑罪使得改行自新也書聞上悲其意此歲中亦除肉刑法徐廣曰案年表孝文十二年除肉刑○正義曰漢書刑法志云孝文帝即位十三年除肉刑三孟康云黥劓二左右止一凡三也班固詩曰三王德彌薄惟後用肉刑太倉令有罪就遞長安城自恨身無子困急獨煢煢小女痛父言死者不可生上書詣闕下思古歌雞鳴憂心摧折裂晨風揚激聲聖漢孝文帝惻然感至情百男何憒憒不如一緹

[illegible]関刺法餞就寔　欽會云竜[illegible]欽　寔遠大計切[illegible]也　廣欽[illegible]遠也　增欽文傳寔遠也或作[illegible]文[illegible]
欽　匈阿就遠乃[illegible]傳東[illegible]乎　[illegible]欽欽會度欽懼[illegible]切懼[illegible]也[illegible]
作[illegible]亦作[illegible]鈞[illegible]下　欽[illegible]議[illegible]也[illegible]釋也[illegible]通作[illegible]鷄鳴[illegible]
于[illegible]文王之[illegible]子[illegible]季[illegible]三雞初鳴而衣服至於寢門外問[illegible]今日安否
何如[illegible]曰安文王乃喜　[illegible]第五鷄鳴思賢妃也哀公荒淫怠慢故陳賢妃貞女夙夜警
戒相成之道焉　鷄既鳴[illegible]朝既盈矣匪鷄則鳴蒼蠅之聲　[illegible]傳鷄鳴而夫人作朝盈
而君作也　賢[illegible]鷄鳴[illegible]朝[illegible]盈[illegible]夫人也君也可以[illegible]也　毛傳蒼蠅之[illegible]
之鳴[illegible]蒼蠅[illegible]夫人[illegible]蒼蠅[illegible]遠[illegible]鷄[illegible]則作[illegible]常[illegible]禮[illegible]也[illegible]鷄鳴用
[illegible]男女[illegible]一也又用鷄鳴[illegible]則[illegible]業鷄[illegible]
晨風[illegible]晨風[illegible]剌[illegible]棄其賢臣[illegible]鴥彼晨風[illegible]古[illegible]也[illegible]
[illegible]也鴥疾[illegible]晨風[illegible]鸇也鬱積也北林林名也先君招賢人[illegible]鴥疾如晨風之飛
入北林[illegible]未見君子[illegible]也　欽會[illegible]鴥[illegible]切[illegible]文[illegible]風[illegible]北林[illegible]鸇也[illegible]
心欽[illegible]晨風[illegible]也　百男[illegible]情[illegible]玉[illegible]情[illegible]情也[illegible]也[illegible]
也[illegible]情[illegible]

也意家居詔召問所爲治病死生驗者幾何人
主名爲誰詔問故太倉長臣意方伎所長及所
能治病者徐廣曰一作爲爲不治有其書無有皆安受學受
學幾何歲甞有所驗何縣里人也何病醫藥已
其病之狀皆何如具悉而對臣意對曰自意少
時喜醫藥醫藥方試之多不驗者至高后八年
徐廣曰意年二十六得見師臨菑元里公乘陽慶慶年七十
餘意得見事之謂意曰盡去而方書非是也慶
有古先道遺傳黄帝扁鵲之脈書五色診病知
人生死決嫌疑定可治及藥論書甚精我家給

曰心愛公欲盡以我禁方書悉教公臣意即曰幸甚非意之所敢望也臣意即避席再拜謁受其脉書上下經五色診奇咳（奇音羈咳音該○正義曰八十一難云奇經八脉者有陽維有陰維有陽蹻有陰蹻有衝有督有任有帶之脉凡此八者皆不拘於經故云奇經八脉也顧野王云晐當宊也又云晐指毛皮也藝文志有五音奇晐用兵二十六卷許慎云晐軍中約也）術揆度陰陽外變藥論石神接陰陽禁書受讀解驗之可一年所明歲即驗之有驗然尚未精也要事之三年所即嘗已為人治診病決死生有驗精良今慶已死十年所臣意年盡三年年三十九歲也

齊侍御史成自言病頭痛臣意診其脉告曰君

本文陰陽外變　素問第二十五徵論黃帝問曰余聞揆度奇恒所指不同用之奈何岐伯對
曰揆度者度病之淺深也奇恒者言奇病也請言道之至數五色脈變揆度奇恒道在於一
注一謂色脈之應也知色脈之應則可以參度奇恒矣　本文　女子右為逆左為從男子左為逆
右為從　注左為陽故男子右為從而左為逆右為陰故女子右為逆而左為從　本文　易重陽死
重陰死　注女子色見於左男子色見於右是變易也男子色見於左是曰重陽女子色見於右
是曰重陰陰氣極則反故皆死也　本文　陰陽反他治在權衡相奪奇恒事也揆度事也　注權
衡相奪謂陰陽二氣不得高下之宜是奇恒之常事也揆度其氣使得高下之宜
廉之之　曰素問十三疏五過論篇上經下經揆度陰陽奇恒五中決以明堂
之通天也下經者言病之變化也言此二經揆度陰陽之氣奇恒五[illegible]
中下者五中決明堂之部分也揆度者度病之淺深也奇恒者言奇病也五中者謂五藏之[illegible]
又曰[illegible]五者所以觀萬物[illegible]審長短[illegible]故曰決以明堂也　謂素問揆度奇恒
難經二十七難曰脈有奇經八脈者不拘於十二經何謂也然有陽維有陰維有陽
蹻有陰蹻有衝有督有任有帶之脈凡此八脈者皆不拘於經故曰奇經八脈也
楊氏曰奇異也此八脈與十二經不相拘制別道而行與正經有異故曰奇經也
[illegible]經注經者常[illegible]而不變也奇經者[illegible]異於正經不在十二經之拘制也
經有十二絡有十五絡三絡者是何等絡也然有陽絡有陰絡有脾之大絡陽絡者陽蹻
之絡陰絡者陰蹻之絡故絡有十五焉　又曰[illegible]之大絡者[illegible]有一大絡也
楊氏云人兩足蹻脈男子以[illegible]外者為經其內者為絡女子足內者為經其外者為絡又曰
當數者為經不當數者為絡　又銅[illegible]云經[illegible]絡相通但經之[illegible]出者為絡又[illegible]
直分之也又[illegible]絡[illegible]其經之支派[illegible]有蓋不可勝數也如楊[illegible]者[illegible]之論恐有所未審
張秦先生陽蹻者肌肉之上陽脈所行[illegible]之陽蹻通貫五府[illegible]主持諸表其名為
陽蹻之絡陰蹻者肌肉之下陰脈所行為之陰蹻通貫五藏主持諸裏故名為陰
蹻之絡也脾之大絡者通主陰陽[illegible]表裏上下通貫[illegible]諸經為之大絡通於陽則使
寒不[illegible]陰於五藏通於陰則致穀味不獨陽於五府故云大絡也
二十五難云十二經[illegible]五十五絡有三絡[illegible]陰陽二蹻與脾之大絡是也[illegible]
[illegible]在素[illegible]有[illegible]大絡
名曰虛里[illegible]也不言[illegible]何[illegible]

二十七難曰：經有十二，絡有十五，凡二十七氣，相隨上下，何獨不拘於經也？然：聖人圖設溝渠，通利水道，以備不然。天雨降下，溝渠溢滿，當此之時，霶霈妄行，聖人不能復圖也。此絡脈滿溢，諸經不能復拘也。

二十八難曰：其奇經八脈者，既不拘於十二經，皆何起何繼也？然：督脈者，起於下極之俞，並於脊裏，上至風府，入屬於腦。任脈者，起於中極之下，以上至毛際，循腹裏，上關元，至喉咽。衝脈者，起於氣衝，並足陽明之經，夾臍上行，至胸中而散也。帶脈者，起於季脇，迴身一周。陽蹻脈者，起於跟中，循外踝上行，入風池。陰蹻脈者，亦起於跟中，循內踝上行，至咽喉，交貫衝脈。陽維、陰維者，維絡於身，溢畜不能環流灌溉諸經者也。故陽維起於諸陽會也，陰維起於諸陰交也。比於聖人圖設溝渠，溝渠滿溢，流於深湖，故聖人不能拘通也。而人脈隆盛，入於八脈，而不環周，故十二經亦不能拘之。

文別道所行郡[illegible]因於路能故十二[illegible]八郷用以變其郷遂[illegible]

乃在用見為信[illegible]其破石而[illegible]射[illegible]刺也

日抄曰變讀辭駁[illegible]一年所變讀辭駁八四之從前變之一也變[illegible]二之後而辭[illegible]

義[illegible]解[illegible]義[illegible]病[illegible]四之[illegible]明[illegible]即明年[illegible]明年識[illegible]有[illegible]明[illegible]

即[illegible]有[illegible]二字為一句[illegible]五字[illegible]一句[illegible]

[illegible]雖[illegible]有[illegible]二字為一句[illegible]尚未精也五字為一句[illegible]雖有[illegible]尚未精[illegible]

日抄[illegible]三年[illegible]即[illegible]上文[illegible]年[illegible]一字[illegible]

字[illegible]一字盖[illegible]以上文[illegible]文[illegible]

[illegible]六字[illegible]一句[illegible]

[illegible]儀有[illegible]事[illegible]盖日本人[illegible]儀[illegible]也今此文[illegible]

[illegible]又[illegible]未[illegible]見[illegible]義[illegible]其[illegible]

日抄[illegible]意[illegible]二十[illegible]此文[illegible]三十[illegible]四十此文[illegible]辭令以[illegible]今[illegible]年

所[illegible]言[illegible]年所也[illegible]三年[illegible]言[illegible]三年[illegible]天下之[illegible]盖父母[illegible]三年[illegible]

達[illegible]也師[illegible]三年之不[illegible]而[illegible]中[illegible]傷[illegible]父[illegible]陽[illegible]師

[illegible]心[illegible]二年[illegible]三年[illegible]我年[illegible]三十九歳也[illegible]學[illegible]八年

下[illegible]曰[illegible]年[illegible]二十六而[illegible]二年[illegible]二十九歳也[illegible]十歳[illegible]二十九

歳之[illegible]十九歳[illegible]二十[illegible]又曰[illegible]三年[illegible]之三年[illegible]

十[illegible]年[illegible]三年[illegible]三十九[illegible]之[illegible]二年文[illegible]十歳之後[illegible]

[illegible]

三寸九分　解説　二難曰脈有尺寸何謂也然尺寸者脈之大要會也從關至尺是尺內陰之所治也從關至魚際是寸口內陽之所治也故分寸為尺分尺為寸　楊氏曰脈有三部寸關尺也關者川也關之川乎中從關至尺澤穴為一尺故名之曰尺從關至魚際穴故取寸之名也關界之上寸口所屬為陽之所主治也關界之下尺之所屬為陰之所主治也故自魚際穴起一寸之後分得為尺自尺澤穴起一尺之前分得為寸也

故陰得尺中一寸陽得寸內九分尺寸終始一寸九分故曰尺寸也　楊氏曰一寸者十數偶也故陰得尺內一寸應天陰之數九分者九數奇也故陽得寸內九分應天陽之數尺寸之分陰陽終始一寸九分是脈要會之處也可以察病之來由

欲會於歌謠柯亦切謂之單中謂之條業字書謂之謂歌亦作歌謠周

謌 詠文是大指毛也又莊子釋名存歌 歌又海歌 海歌 歌已更切類下曰歌本作頂前漢東方朔

傳杭頻頭哉作歌 歌增歌文是大指也又脩也又啗歌 又屎歌 傍柯切奇傍非常也集藝

通作歌又海歌 知段從歌當作歌 知段從歌單中約之歌當作謌

是顧野王以下正義不引用也 句業奉約五義今未有歌論之丁字奇字唯術 奇唯蓋

非責歌予歌論而載歌歌之歌 歌 歌 歌 歌也 歌 歌也

己后神抄云 石藥神靈之醫書有玉石部之言辭 石藥有其驗也

己弄奇責術未詳 唯有其歌唯遂之一聽唯而在驗病知死安予驗之驗病訣矣

一病指南 句詞抄而詞義未必是 如正義則奇唯 詞奇儀八術乎又驗是大指毛也云云完

任天務乎又藝文志曰 有其列傳驗書與兵書 術未詳

難陰関之前者陽之動也 張氏注関前寸口陽脈之部 脈當見九分而浮合陽奇九數 溢浮部陰

脈之動 關後一寸而沉合陰偶十數 二者之脈 尺寸分别 陰陽常和調之偏脈一

有偏勝則脈有太過不及曰覆溢 陰偏勝 陰氣太甚 拒陽使陽氣不得相營於下故脈一

上出魚際 是名曰溢 陰偏勝 乘於陽 是陰太過乃陽不及也 是陽乘

大甚拒陰使陰氣不得相營於上 故脈下入於尺 是名曰覆 內關外格 陽偏勝

於陰是陽太過乃陰不及也 覆如上 陰乘下也 溢如溢 決出之也 覆溢之脈是陰陽相乘

各得偏勝 所謂獨陽不生 獨陰不長 必致上下相離 其藏之脈 …四月…和之人

雖不病脈則死也

己弄陰陽 …書曰 男女交接 …延壽數 象之未載 房中 …曰 …祖曰

以人…真人云 天房中術者其道甚近而人莫能行 …云云 黃帝御女一千

二百而登仙 而俗人以一女伐命 知與不知 豈不遠乎 …年卅者八日一泄 四十者十六

日一泄 五十者廿日一泄 六十者閉精勿泄 若體力猶壯者一月一泄 云云 舊抄為…陽…

曰正義曰關遂入尺云云三難經三難 脉有太過有不及有陰陽相乘有覆有溢有關有格何謂也

然關之前者陽之動也脉當見九分而浮過者法曰太過減者法曰不及遂上魚爲溢爲外關內格此陰乘之脉也

呂氏曰已者謂脉過九分出一寸名曰太過

分也此爲不及之脉也遂上魚者出一寸至魚際也一名溢脉一名外關之脉一名內格之脉也一名陰乘之脉

難經 一脉有四名也

關以後者陰之動也脉當見一寸而沉過者法曰太過減者法曰不及

[illegible]

黃帝問云病在心愈在夏 [illegible] 病在肝愈於夏 [illegible] 夏不愈
甚於秋 [illegible] 秋不死持於冬 [illegible] 起於春
[illegible] 於肝 [illegible] 肝病者愈在丙丁 [illegible] 丙丁不愈加於庚辛
[illegible] 壬癸 [illegible] 病在心愈在長夏 [illegible] 長夏不愈甚於冬
[illegible] 食熱衣 [illegible] 心病者愈在戊己 [illegible] 戊己不愈加於壬癸
於甲乙 [illegible] 起於丙丁 [illegible] 病在脾愈在秋 [illegible] 秋不愈甚於春
[illegible] 溫食飽食 [illegible] 濕地濡衣 [illegible] 脾病者愈在庚辛
辛不愈加於甲乙 [illegible] 不死持於丙丁 [illegible] 起於戊己
[illegible] 不愈甚於長夏起於秋 [illegible] 不死持於 [illegible]
[illegible] 肺病者愈在壬癸 [illegible] 不愈加於丙丁 [illegible]
於庚辛 [illegible] 病在腎愈在春 [illegible] 春不愈甚於長夏 [illegible] 長夏不死持於秋起於冬 [illegible]
[illegible] 起於甲乙 [illegible] 腎病者 [illegible]
在甲乙 [illegible] 長夏不死持於庚辛 [illegible]

[illegible]

之病惡不可言也即出獨告成弟昌曰此病疽（七如反）也內發於腸胃之閒後五日當𪴋腫（正義曰上於恭反下之勇反）後八日嘔膿（正義曰女東也）死成之病得之飲酒且內成即如期死所以知成之病者臣意切其脈得肝氣肝氣濁（徐廣曰一作𪓐）而靜（徐廣曰一作清）此內關之病也（正義曰八十一難云關遂入尺爲內關呂廣云脈從關至尺澤名內關也）而弦不得代四時者（正義曰王叔和脈經云來數而中止不能自還因而復動者名曰代代者死素問云病在心愈在夏甚於冬病在脾愈在秋甚於春病在肺愈在冬甚於夏病在腎愈在春甚於夏病在肝愈在夏甚於秋也）其病主在於肝和即經主病也（正義曰王叔和脈經云脈長而弦病於肝也素問云得病於筋肝之和也）代則絡脈有過（正義曰素問云）

過有經有絡和即經主病大則絡有過也八十一難云關之前者陽之動也脉當見九分而浮過者法曰太過減者法曰不及遂上魚爲溢爲外關内格此陰乘之脉也關以後者陰之動也脉當見一寸而沉過者法曰太過減者法曰不及遂入尺爲覆爲内關外格此陽乘之脉也故曰覆溢是其眞藏之脉人不病而死也呂廣云過九分出一寸各各太過也不及九分至二分或四分五分此太過不滿一寸見八分或五分六分此不及經主病和者其病得之筋髓裏其代絶而脉賁者病得之酒且内所以知其後五日而癰腫八日嘔膿死者切其脉時少陽初代代者經病病去過人則去絡脉主病當其時少陽初關一分故中熱而膿未發也及五分則至少陽之界徐廣曰一作分下章曰肝與心相去五分故曰五日盡也○正義曰王叔和脉經云分別三門鏡界脉候所主云從魚際至高骨却行一寸其中名曰寸口其骨自

○進 抄云 舟主ノ中子ト清顯安見亦[illegible] 言ハ舟主ノ中子ノ病又吋ニ清顯安見ノ小子ナトモ同可ニ病多[illegible]勾治

舟主中子者 中男也 不史小兒 ニ曰 舟主中子 有清顯安見ニ ニ之中 最小子 有病之 秘 神[illegible]者 則小子長大

於顯安見 此文不分 其子 那 [illegible] 文 顯安見ノ中ニ長者曰病 那[illegible] 又 [illegible] 抄不分 顯安見 小子 考[illegible] 武者 上中子[illegible]

二顯安見二小子 [illegible] 中子 小子顯安見也 [illegible] 病者 故顯安見ニ[illegible]列 小子也 [illegible]

則非顯安見也 病[illegible]傳[illegible] 大[illegible] 此 數也

○抄云 病[illegible] [illegible] 數 [illegible] 飲 言心[illegible]

[illegible] 病[illegible] [illegible] 如此 數 [illegible] 言 此病[illegible] 時 [illegible] 則非小子也 此義 [illegible]

多而不下 [illegible] 病也 [illegible] 字 [illegible] 勇 [illegible] 發 [illegible] 會 [illegible] 勾 [illegible]

勇大 [illegible] 不可 [illegible] 不 [illegible] 索隱曰 [illegible] 不 [illegible] 動 盡 [illegible] 字義 [illegible]

[illegible] 雅 [illegible] 也 勾[illegible] 數 [illegible] 會飲 [illegible] 病 [illegible]

下是即 [illegible] 也 又索隱 [illegible] 不 [illegible] 動 [illegible] 中 [illegible] 又 [illegible]

勾[illegible] 是即 [illegible] 不 [illegible] 勾[illegible] 病 [illegible] 三字 [illegible] 病 [illegible] 二字

多 [illegible] 病 [illegible] 數 [illegible] 飲 此 [illegible] 病 [illegible]

○抄云 [illegible] 經也 ○ 發會 [illegible] 經 [illegible] 抄 [illegible] 者 [illegible] 雖 [illegible]

小 [illegible] 也 此 [illegible] 三字 [illegible] 經 [illegible]

○心 [illegible] 也 勾[illegible] 者 [illegible] 也 經 [illegible] 大 [illegible] 也

○[illegible] 飲 勾[illegible] 此 [illegible] 東 [illegible] 病 [illegible] 若 [illegible] 飲 [illegible]

○注 [illegible] 別二門 鏡 [illegible] 主 [illegible] 鏡 作 [illegible] 王 [illegible] 經 卷 第一 [illegible]

別三 [illegible] 境 [illegible] 御 [illegible] 主 云 [illegible] 至 高 [illegible] 一寸 [illegible] 曰 寸 [illegible]

世注 其 [illegible] 高 [illegible] 四字 [illegible] 在 寸 [illegible] 字 [illegible] 經 高 [illegible]

○[illegible] 者 抄 [illegible] 二 [illegible] 下云 ハ [illegible] 文 [illegible] ハ [illegible] 八 大 [illegible] 心 アリ [illegible] [illegible]

天 [illegible] 下 云 [illegible] 心 [illegible]

○病 云 [illegible] 人 抄云 [illegible] 四字 [illegible] 若 [illegible] 二十 [illegible] 八 病 [illegible] 人 [illegible] 人 天下 [illegible]

家 [illegible] 病 [illegible] 三 [illegible] 寸 [illegible] 法 天 主 上 [illegible] 人 主 中 [illegible]

自 [illegible] 下 [illegible] 天 [illegible] 下 [illegible] 三 部 [illegible] 上 [illegible] 下 [illegible]

寸 [illegible] 天 [illegible] 三 [illegible] 自 [illegible] 天人 [illegible] 上 [illegible] 天 [illegible] 人 [illegible]

高從寸至尺名曰尺澤故曰尺寸後尺前名曰關陽出陰入以關爲界陽出三分故曰三陰三陽陽生於尺動於寸陰生於寸動於尺寸主射上焦出頭及皮毛竟手關主射中焦腹及於腰尺主射下焦少腹至足也又八日則嘔膿死故上二分而膿發至界而癰腫盡泄而死熱上則熏陽明爛流絡流絡動則脈結發脈結發則爛解故絡交熱氣已上行至頭而動故頭痛

齊王中子諸嬰兒小子病召臣意診切其脈告曰氣鬲病病使人煩懣食不下時嘔沫病得之少憂數忔食飲索隱曰忔音疑乞反忔者風痺忔然不得動也臣意即爲之作下氣湯以飲之一日氣下二日能食三日即

病愈所以知小子之病者診其脈心氣也濁徐廣曰一作黽又作猛躁而經也此絡陽病也脈法曰脈來數病去難而不一者病主在心周身熱脈盛者為重陽索隱曰上音直隴反重陽者逿心主徐廣曰逿音唐逿者盪也謂病盪心者猶刺其心○索隱曰逿依字讀○正義曰八十一難云手心主中宮在中部楊玄操云手心主胞絡也自臍已上至帶為中焦也故煩懣食不下則絡脈有過絡脈有過則血上出血上出者死此悲心所生也病得之憂也[illegible]齊郎中令循病衆醫皆以為蹷入中而刺之臣意診之曰湧疝也索隱曰上音勇下音訕所諫反鄒誕生疝音山反也令人不

扁鵲倉公傳

歸來數數也 [illegible]陽[illegible]重[illegible]重[illegible]宗隱重為[illegible]反[illegible]反在上[illegible]體欲重[illegible]

重之重也 欲會[illegible]宗欲重歸用[illegible]案旧[illegible]注[illegible]重之重在上[illegible]重[illegible]重在[illegible]今按[illegible]文

厚也即[illegible]雜重美哉[illegible]數申明動靜字[illegible]許表上[illegible]二[illegible]通押[illegible]重字示合通押

又中[illegible]和[illegible]說數人中[illegible]二日[illegible]知[illegible]所[illegible]注人中[illegible]青[illegible]數

之[illegible]知[illegible]手[illegible]句[illegible]通[illegible]人中[illegible]一百九十四[illegible]

足[illegible]指之[illegible]甲[illegible]陽明[illegible]

[illegible]人[illegible]中[illegible]文[illegible]人中[illegible]

[illegible]下人中[illegible]

日人中[illegible]刺之 抄云人中[illegible]刺[illegible]

日濟病 奇效良方卷之四十七[illegible]氏病源論[illegible]病者痛也其名曰[illegible]曰[illegible]曰寒曰[illegible]曰氣曰[illegible]曰根

此元者病之名[illegible]厥逆心痛[illegible]飲食吐不下曰厥病[illegible]其[illegible]則[illegible]病[illegible]文[illegible]病[illegible]小血

病[illegible]病[illegible]病此五者有名而[illegible]形也外有[illegible]病寒[illegible]飢[illegible]病[illegible]數者其名不[illegible]病[illegible]天[illegible]

是世俗[illegible]不[illegible]氣[illegible]

病其名[illegible]和[illegible]病曰寒[illegible]病水病[illegible]病血病[illegible]病[illegible]病名[illegible]諸論[illegible]

病者外[illegible]也痛者為[illegible]痛者為木[illegible]云[illegible]冷飲之[illegible]求[illegible]

得留[illegible]則[illegible]病[illegible]經曰[illegible]痛者通也病[illegible]不通[illegible]宜[illegible]不宜寒[illegible]宜溫不宜寒[illegible]通謂[illegible]

其實不[illegible]其[illegible]實[illegible]實者[illegible]氣也虛者[illegible]氣也云云 內經又云任脈為病[illegible]

子[illegible]七[illegible]女子帶下瘕聚[illegible]衝脈逆[illegible]急[illegible]任脈雖[illegible]病有七病之名而無七病之狀

而任脈者是[illegible]病之[illegible]原各經[illegible]病[illegible]病之[illegible]風也又云厥陰脈滑為狐病少陽脈滑為肝

風病[illegible]陰脈滑為[illegible]風病少陰脈滑為心風病太陽脈滑為腎風病陽明脈[illegible]為脾[illegible]

病[illegible]風[illegible]非外入之風[illegible]乃肝木陽[illegible]動之風也此六病者[illegible]乎六經在於五藏何[illegible]病[illegible]

肝病生於[illegible]在下云云

為[illegible]圖[illegible]生等諸方論[illegible]病者[illegible]若於奇效良方[illegible]奇效所論[illegible]七病[illegible]病又[illegible]病

又病之[illegible]不[illegible]子和七病又肝[illegible]等五病[illegible]不[illegible]湯病之名[illegible]載

日[illegible]有之[illegible]任脈[illegible]等[illegible]脈故血上[illegible]

竹又[illegible]此[illegible]有[illegible]病[illegible]奇效良方等不載

難經十八難手心主與三焦[illegible]水木土金火為序者以其相生有子母之道也今火與木[illegible]

府者以爲五藏上下相次而言也[illegible]心主爲心之別脈三焦不屬於五藏[illegible]乃君主[illegible]

不受邪氣若邪犯心即死其言包絡者[illegible]在心主脈耳[illegible]居腎間[illegible]

上下經來[illegible]於陰陽之中[illegible]三焦[illegible]行於三府[illegible]火[illegible]

能生土故[illegible]中部[illegible]左寸口[illegible]天三焦之[illegible]火爲手經[illegible]

命門相[illegible]居下部腎有兩枝[illegible]氣相通亦一藏之數而分爲手心主經係十二經數

遠而不用命門於十二經不載[illegible]於尺部[illegible]當 天[illegible]

者脈者陰陽一氣而已上下相通往來不息[illegible]曰天道與[illegible]曰陰陽

人爲脈道不一一[illegible]而總[illegible]曰陰陽夫人五藏六府之脈乃陰陽一氣而已若

分於兩手者[illegible]有[illegible]部以分上下[illegible]在三部之[illegible]何在將五藏六府[illegible]

五藏之高下立言[illegible]

寄以候上中部[illegible]中下部以候下[illegible]脈在[illegible]

[illegible]

[illegible]

[illegible]

[illegible]

[illegible]

[illegible]

[illegible]

[illegible]人迎[illegible]

脈出人迎氣口在[illegible]

口人迎氣口三月[illegible]第一五藏傳[illegible]脈右手關前一分為氣口者以候藏氣[illegible]

[illegible]過五不及[illegible]傳變[illegible]穀氣入胃滿精於脈[illegible]口出故候於[illegible]

五臟[illegible]五藏[illegible]脈絡得致於手太陰[illegible]

[illegible]故病甚[illegible]脈[illegible]則[illegible]又云經中傷病脈左手關前一分為

人迎者以候[illegible]熱中傷於人其邪[illegible]藏脈絡而入以迎納之故曰人迎

左為下[illegible]右[illegible]用文[illegible]左[illegible]人故左為下右為上手[illegible]文人[illegible]然

[illegible]故右為上手

[illegible]第六[illegible]論[illegible]數者何也[illegible]陽[illegible]上也[illegible]陽[illegible]表於下則為

裏之脈[illegible]表於下則為數[illegible]

[illegible]火[illegible]第三[illegible]一[illegible]之火[illegible]數也[illegible]如

[illegible]金[illegible]之如蟬羽[illegible]之刀如[illegible]又云[illegible]數也亦[illegible]入藥

[illegible]雖知[illegible]府有[illegible]一名[illegible]為六[illegible]小腸[illegible]大

腸膀胱[illegible]三焦為六府討之十二矣故包則為一府矣是為十二矣[illegible]移熱於膀胱則[illegible]血

又云[illegible]者[illegible]以陽[illegible]膀胱[illegible]內外二[illegible]膀胱者[illegible]室

也[illegible]是知為十三藏矣[illegible]為十三[illegible]

難經十八難注[illegible]三部[illegible]不[illegible]為少陽[illegible]五行子

母[illegible]少陰經心經[illegible]手少陽三焦[illegible]

[illegible]火[illegible]第二[illegible]火[illegible]

解曰火[illegible]火[illegible]

[illegible]金[illegible]如[illegible]

陰心包絡經[illegible]

是[illegible]五行[illegible]

[illegible]心[illegible]手少陰[illegible]三陰二陽[illegible]

[illegible]心包[illegible]二[illegible]手心主[illegible]

赤色[illegible]如[illegible]古曰[illegible]火[illegible]

蟲心主 難經十八難曰脉有三部部有四經手有太陰陽明足有太陽少陰為上下部
何謂也然手太陰陽明金也足少陰太陽水也金生水水流下行而不能上故在下部也
足厥陰少陽木也生手太陽少陰火火炎上行而不能下故為上部手心主少陽火生足太陰陽明土
土主中宮故在中部也楊氏曰手心主包絡也手少陽三焦脉也
合為左手中部此太陰脾經足陽明胃經是故合為右手中部此經作如此分別
者依脉訣說脉三部又云此不同也然丁氏曰三部寸關尺也部有四經通兩手為言
有四經合為十二經也云一肺為手太陰大腸手陽明二者屬金相為表裏金居於上居於上
部腎足少陰膀胱足太陽二者屬水相為表裏云手太陰肺手陽明大腸二
經屬金足少陰腎足太陽膀胱二經屬水金能生水金降於上而不下故為上部
水性下流而不能上故為下部主之數陰肝手少陽膽二經屬木手少陽三焦手心主包絡二經
陽二經屬火火炎上行而不下故為上部手少陽三焦手心主包絡屬火手太陽小腸二
承屬火足太陰脾足陽明胃二經屬土手心主相火並之三焦三火共生五行以土主中
宮土故為中部十二經之脉始於右寸金生左尺水水生左關木木生左寸君火君火生右
尺相火相火生右關土土生右寸金五又生中部中上五行母子相生而養之之道
六難又曰上部者寸關尺之九候者浮中沉也上部法天主胸以上至頭之有疾
智有膈以上中部法人主膈以下至臍之有疾下部法地主臍以下至足之有疾
為上經也
隋 上下部者之有上疾楊氏曰所謂上部之上有疾
意心主經也按楊氏三經不同其義取意 知不難經楊氏經文異也蓋取義取意
手少陰心主一經者手少陰正經也心主一經者手少陰是也心主
難經二十五難曰有十二經五藏六府十一耳其一經者何等經也然一經者手少陰與心主
別脉也心主與三焦為表裏俱有名而無形故言經有十二也楊氏曰手少陰真心
脉也手心主心包絡脉也二脉俱是心脉而少陰與小腸合心主與三焦合三焦有位而
無形心主有名而無形故二經為表裏也五藏六府合一十一脉為十一脉之心有兩脉
十二經焉其總此為言六府亦止五府耳然氏曰手少陰是真心脉也君火手心主是心包
絡脉相火相火為表裏合為一經表裏俱有其名而無形其心包絡乃膻中之外有細筋膜
如絲與心肺相連依手心主經從膻五藏六府為十二經也

得前後溲[索隱曰溲音所留反前溲謂小便後溲大便也]循曰不得前後溲三日矣臣意飲[正義曰於禁反]以火齊湯一飲得前溲再飲大溲三飲而疾愈病得之内所以知循病者切其脈時右口氣急[徐廣曰右一作有○正義曰王叔和脈經云右手寸口氣口也]脈無五藏氣右口[正義曰謂右手寸口也]脈大而數數者中下熱而湧左爲下右爲上皆無五藏應故曰湧疝中熱故溺赤也[正義曰上徒弔反]

齊中御府長信病臣意入診其脈告曰熱病氣也然暑汗脈少衰不死曰此病得之當浴流水而寒甚已則熱信曰唯然[正義曰唯惟癸反]冬時爲王

使於楚至莒縣陽周水而莒橋梁頗壞信則擥正義音牽車轅未欲渡也馬驚即墮信身入水中幾死吏即來救信出之水中衣盡濡有閒而身寒已熱如火至今不可以見寒臣意即爲之液湯火齊逐熱一飲汗盡再飲熱去三飲病已即使服藥出入二十日身無病者所以知信之病者切其脈時并陰脈法曰熱病陰陽交者死切之不交并陰并陰者脈順清而愈其熱雖未盡猶活也腎氣有時閒濁徐廣曰一作黽在太陰脈口而希是水氣也腎固主水故以此知之未

正義曰莒密州縣

欲洞是內於之所以為病也 後入寸口 一度六十動 一度行 故曰此病之所在
內不出外為寸口 令所以內之所以闗 堅度後也 知其曰[illegible]內[illegible]多[illegible]書也用[illegible]
陰為四病不出[illegible]度[illegible]寸入寸身
所以闗而靜[illegible]者為天[illegible]者[illegible]只盡陰者陽[illegible]者陰也 陰者靜而不動
靜者淨通[illegible]乾[illegible]陰[illegible]故此注曰 一作清 然則陰而陽也 所屬三陽
陰注曰[illegible]見少陽注合 又寸闗[illegible]上為陽[illegible]十二月建丑 二陽四陰 ䷒ 臨卦也
所乘陰氣相并入尺也 察病指南[illegible]四季六[illegible]平脉[illegible]春所脉欲弦而長[illegible]欲弦而
洪[illegible]所脉長而弦者[illegible]少病[illegible]難[illegible]於此[illegible]十一月[illegible]又云所[illegible]少陽相代
又十二月[illegible]十一月[illegible]為少陽 一陽五陰 ䷗ 坤上 復 十二月[illegible]為陽時 二陽四陰 ䷒ 乾上
所平脉[illegible]所脉欲沈而弦 寸[illegible]所脉長而弦者[illegible]內闗[illegible]此則所脉不[illegible]四時
而代也 又[illegible]和脉[illegible]長[illegible]所長而弦[illegible]病[illegible]所[illegible]病[illegible]由是觀之
察病指南云[illegible]非[illegible]尺[illegible]論[illegible]日春胃微弦曰
平 注言微似弦 不謂微而弦 又注曰 弦多胃少曰所病 但弦無胃曰死 蓋取和緩[illegible]
闗也
已代則[illegible]脉[illegible]知[illegible]中[illegible]代也[illegible]注而[illegible]闗[illegible]入尺也[illegible]入尺[illegible]平脉[illegible]所
注天[illegible]注曰 大則[illegible]有[illegible]代[illegible]大音[illegible]以[illegible]
注至病[illegible]和者[illegible]注[illegible]病三字[illegible]和者為病下[illegible]文[illegible]
對[illegible]可則[illegible]脉字曰[illegible]有脉字[illegible]又[illegible]文[illegible]注[illegible]病也 今於此文注[illegible]
義也 或注至病和者為[illegible]且[illegible]有[illegible]義[illegible]和[illegible]病[illegible]和[illegible]一[illegible]
此和為病[illegible]和為病[illegible]義[illegible]
已[illegible]
癰生所[illegible]人[illegible]太陽[illegible]入絡於[illegible]五[illegible]精[illegible]和合而[illegible]
者因[illegible]入[illegible]
日長代[illegible]而脉[illegible]者[illegible]見上四時[illegible]代之脉[illegible]而[illegible]脉[illegible]入[illegible]

虎二脈中七同陽解甲田中得之數入（脈從中五先水七）雞位之寸十二難曰寸下眼中司
三動氣者人之生命也十二經之根本也其氣絕而脈者脅部右手天中神氣以度脈處至春夏
代字下於不可代脈李氏王叔和脈經第二段月灸部右手天中神脈以[illegible]
少陰經也而言是脈小論恩風寒代絕將不至足寒上至下經行不可以[illegible]見少腹脹
滿上攝者月勝痛引動下　勾[illegible]脈經曰代絕時不至足係似來代脈
五日而難循經勾為五日者[illegible]二候之中一候謂香必邪五勝謂香邪而[illegible]是又相候以
五日為期　徐廣曰[illegible]曾山湖[illegible]論之吳氏注大也不及之義　五[illegible]之[illegible]勝[illegible]
脈訣第三血液三心主血行蒼血人動則血運於諸經人靜則血歸於肝藏肝主血液
卧則血歸於肝　勾又[illegible]心主血液肝[illegible]心[illegible]則[illegible]
日少陽初代勾[illegible]者[illegible]三部言之達子[illegible]建寅少陽之少陽初代者是子月之初半[illegible]
以[illegible]言之[illegible]者是少陽經也[illegible]日少陽初[illegible]是[illegible]隆[illegible]日[illegible]三[illegible]三陽[illegible]之五運六
氣也[illegible]少陽[illegible]少陽[illegible]月[illegible]少陽[illegible]

日[illegible]之人　勾[illegible]三部[illegible]伏人[illegible]指南[illegible]為之在[illegible]十二經
不[illegible]之[illegible]天[illegible]人[illegible]天[illegible]心[illegible]所[illegible]五[illegible]勝[illegible]經
陽[illegible]人[illegible]門[illegible]人[illegible]陽[illegible]門[illegible]之人[illegible]門[illegible]
日少陽相[illegible]一分勾[illegible]又[illegible]陽[illegible]太陽[illegible]關[illegible]天[illegible]
年[illegible]天[illegible]少陽[illegible]所[illegible]二[illegible]經[illegible]少陽[illegible]分[illegible]
日少陽之界勾[illegible]小[illegible]所[illegible]小[illegible]一分五分[illegible]大[illegible]不及[illegible]
者之[illegible]勝[illegible]第二[illegible]陽[illegible]之關[illegible]十二月[illegible]門外[illegible]六月[illegible]人[illegible]
格[illegible]三月[illegible]九月[illegible]天門[illegible]陽[illegible]陽[illegible]
勾[illegible]大陽陽明少陽之三陽[illegible]天人三部[illegible]五運六氣[illegible]
[illegible]上五運六氣[illegible]水[illegible]明[illegible]建辰[illegible]七[illegible]
[illegible]少陰[illegible]建[illegible]少陽[illegible]建[illegible]太陰[illegible]建[illegible]
大[illegible]陽明[illegible]建子[illegible]丑[illegible]為太陽
[illegible]陽明[illegible]少陽[illegible]天[illegible]少陽[illegible]陽明也

沈之而大堅 正義王冰和脉経云：王冰和脉経遅疾短長雜脉法曰脉大而緊者病在[illegible]

十而風氣

蘇秦問云脉經云寧可數 陶弘景云案周經首此語不審 王冰和脉経第一卷脉形狀指下秘訣第一

云數者脉數如切繩狀 一曰如轉索之無常 劉翔云數以切繩之以字[illegible]熱未治之故一時[illegible]

蘇氏一將月春至夏也 劉翔一時未必陽四時言信入水[illegible]病平治之[illegible]

動和弃 可以是寒 赵云此病有寒之發波後難熱 惡寒是寒之也 是義云不可以是寒 謂熱而不寒之也

足陰脉口 肺部在右手寸口屬手太陰経與大腸手陽明経合 寸口大陰脉口即氣口也腎

氣上而氣口其脉當動數者水氣也 蓋金生水則子就母也

病得之於淅出之 淅淅者寒之而沂沂上 淅字或作溺 溺字乃業訛也 錯會上者有歡溺留心

有切素[illegible]也 說死因則溺溺 隨以溺之文溺也 崔氏發讀發溺詳蕩切 流日之氣汗出溺之

腎切之而相反 切經脉浮而沉之而大堅 浮之大緊者浮與沈相反也 誰發脣病主在腎也

肺浮短 書脉浮爲熱也 弃陰者陽來侵陰 脉陽爲寒 陰爲主陽不能勝 不陰者腑也

治一時即轉爲寒熱

齊王太后病召臣意入診脈曰風癉客脬索隱曰癉病也難於大小溲溺赤音亶脬音普交反字或作胞○正義曰癉音單旱干反也脬亦作胞膀胱也言風癉之病客居在膀胱臣意飲以火齊湯一飲即前後溲再飲病已溺如故病得之流汗出滫索隱曰劉氏音巡滫者去衣而汗晞也所以知齊王太后病者臣意診其脈切其太陰之口溼然風氣也脈法曰沈之而大堅正義曰深一作沉王叔和脈經云脈大而堅病出於腎也浮之而大緊者正義曰緊音吉忍反素問云脈短實而數有以切繩名曰緊也病主在腎腎切之而相反也脈大而躁大者膀胱氣也躁者中有熱

而溺赤

齊章武里曹山跗病索隱曰跗方符反臣意診其脈曰肺消癉也加以寒熱即告其人曰死不治適其共養此不當醫索隱曰適音釋共音恭案謂山跗家適近所恃財物供養我我不敢當以言其人不堪療也治法曰後三日而當狂妄起行欲走後五日死即如期死山跗病得之盛怒而以接內所以知山跗之病者臣意切其脈肺氣熱也脈法曰不平不鼓形弊正義曰王叔和脈經云平謂春肝木王其脈細而長夏心火王其脈洪大而散六月脾土王其脈大阿阿而緩秋肺金王其脈浮濇而短冬腎水王其脈沉而滑名平脈也此五藏高之遠數以經病也故切之時不平而代正義曰素問云血氣易處

秋之益大曰毅平脉云云秋胃微毛曰平毛多胃少曰肺病但毛無胃曰死云云肺脉來汎汎之輕如微風吹

鳥之積上毛存五曰平云云腎象水云云其脉沈沈腎脉之大形也其相秋三月秋金王水相其王冬三月廢

春三月囚夏三月其死季夏六月云云腎脉來喘喘累累如鉤按之而堅曰腎平云云冬胃微石曰平

石多胃少曰腎病但石無胃曰死云云冬腎水主其脉沈濡而滑曰平脉云云腎脉沈細而緊乗

至曰平云云　右素問鍼經張仲景　[illegible]不審歟今案疑向往一曰慢癰也　見素問中三平

人之氣象論巨民養胃微與弱曰平　韻會上声[illegible]向[illegible]舊作[illegible]

胃氣和緩[illegible]第三脾[illegible]第一[illegible]第二[illegible]第三脾大[illegible]第四[illegible]第五陽[illegible]十一

消癉　素問第三脉要精微論篇云癉成為消中注癉謂濕熱也熱積於内故變為消中

之消中之證善食而瘦曰新校正云詳王注以善食而瘦為消中按本經多食數溲為之消中善食

而瘦乃是食㑊之證當云善食而瘦數　食㑊之㑊[illegible]　見素問和脉經

中三肝脉急緩引少腹不甚為多飲微小為消癉　又肺脉鄰小甚為發泄微小為消癉

不穀　素問第七陰陽別論篇云一陽曰鉤數一陰曰毛數陽勝急曰弦數陽至而絶曰石云云注

言何以知陰陽之病脉耶一陽鼓動是鉤也何以然一陽謂三焦心脉之府然一陽鼓動者

則鈎脉當之鈎脉則心脉也　局何不數言不數鼓動之　見鍼灸甲乙經第四卷金天食[illegible]日食[illegible]

素問第四通評虚實論篇消癉注消謂内消癉謂伏熱

見正義素問云血氣不和乃變化而生是故守經隧焉　素問第五調經論篇五藏之道皆出於經隧以行

血氣血氣不和百病乃變化而生是故守經隧焉　神邪侵之則血氣不正血氣不正故變化而百病乃生矣

然經脉者所以決死生處百病調虚實故守經隧焉　[illegible]經脉伏行而不見故謂之經隧焉血氣者人之

見新校正云[illegible]經隧作經[illegible]義各通隧音遂

其人尸奪　新云尸奪未詳　何謂尸奪盡行奪其數也

血氣　素問第四血氣形志篇云夫人之常數太陽常多血少氣少陽常少血多氣陽明常多氣

多血少陰常少血多氣厥陰常多氣少血太陰常多氣少血　[illegible]此天之常

數　足太陽與少陰為表裏少陽與厥陰為表裏陽明與太陰為表裏是為足陰陽也手太陽與

少陰為表裏少陽與心主為表裏陽明與太陰為表裏是為手之陰陽也

既不當賤 智以去多供通 更漢多用共養食之往蓮道所持財物並養哉 哉不藏當
言之適事以財物雖竊哉之不妻之盡其病不可救哉當四字爲句 哉雖當
是文見爲之熱者不當字互本文違 如何之 雖然當字解少用本文乎哉 哉不藏之當
以言其人不進之醫療也 如此讀之 反覆也 言以財物贈哉豈言人所以療哉能
道師其思故辭之
曰 平不鼓形弊 曰足少陰言氣平則病甚脈不鼓動則弊力不平不鼓則形弊言形容衰弊也
鼓云一不平二不鼓三形弊也
曰 所五藏高之遠 所有五藏肺心肝脾左右腎是也 肺在上腎在下也高之遠也
曰 參之數等並至 所云脈循則他脈來而未至故下躁作大也
曰 此爲絡脈絶 絡以不平互代 相爲絡脈 絡脈者血氣未通也 代者不數也
曰 療肝剛二絶深 旧熟於此言多剛柔 剛則陽也柔則陰 少陰脈腎經也 腎水生肝木令
少陰脈則懷肝少陽者其深哉 是懷肝三字爲句 剛絶深三字爲句 令腎懷則腎熟
脾肝水雖其脊肝木是懷肝之剛絶深言熱甚深也
曰 肝一絡違屬絡 旧熟違絡屬三字爲句 哉達屬二字爲句 絡字之繞下陽明胃絡也胃是屬肝
木也 肝違胃故絶陽明也
曰 薄絡絶開陽明脈 旧熟於此其主哉未當 句以肝一絡絶而開陽明脈則宮之大等
肝一絡絶陽明之理哉 儒薄解之則絡絶則開陽明脈之二傷則即當在主二
句一意也 上句反覆也 下句正題也
曰 狂走 三陽方狂譫論云 夫三陽并三陰則陽虛而陰實 陰虛而陽
實故狂 調曰 陽入陰其病靜 陰入陽其病怒 怒則狂矣 病者棄衣走不食登
是哉但神登高而歌棄衣而走登高上屋云之 故經曰 陽明常動 太陽少陽不動 不動而動爲
大病以云偏也
曰 氣下陽明未通 謂雖知氣下難依仲景合而爲一 仲景云太陽少陽陽明後少陽有與形傳有
形經外而之內者也 仲景云和之言夫合而爲者也 雖謹見少陽次陽明後太陽自有形傳與
邪從內而之外者也 故雖從之言言雜病而久病者也

曰不平脉候動不定曰代不平者血不居其處代者時參擊並至乍躁乍大也此兩絡脈絶故死不治所以加寒熱者言其人尸奪尸奪者形弊形弊者不當關灸鑱石及飲毒藥也臣意未往診時齊太醫先診山跗病灸其足少陽脈口而飲之半夏丸病者即泄注腹中虛又灸其少陰脈是壞肝剛絶深如是重損病者氣以故加寒熱所以後三日而當狂者肝一絡連屬結絶乳下陽明正義曰素問云乳下陽明胃絡也故絡絶開陽明脈陽明脈傷即當狂走後五日死者肝與心相去五分故曰五日盡盡

即死矣

齊中尉潘滿如病少腹痛正義曰少音式妙反王叔和脈經云脈急弦瘕少腹痛也臣意診其脈曰遺積瘕也索隱曰劉氏音加雅反舊音瘕鄒氏音嫁○正義曰龍魚反圖云犬狗魚鳥不熟食之成瘕痛臣意即謂齊太僕臣饒內史臣繇曰中尉不復自止於內則三十日死後二十餘日溲血死病得之酒且內所以知潘滿如病者臣意切其脈深小弱其卒然合徐廣曰一云來然合只然合合也是脾氣也正義曰卒音蔥忽反卒一本作來素問云疾病之生於五藏五藏之合各合於六府肝合氣於膽心合氣於小腸脾合氣於胃肺合氣於大腸腎合氣於膀胱三焦內主勞右脈口氣至緊小正義曰上音結忍反見瘕氣也以次相乘故三十日死

遺陰候[illegible]右素問第三脈要精微論篇心脈搏堅而長[illegible]

陰陽別論篇陰搏陽別謂之有子注陰脈大甲也搏陽獨搏[illegible]於手也又素問第一

陽氣後絕則為有任[illegible]何者陰中有別陽故任者也

是脈口曰少陰[illegible]此全元起注[illegible]陰陽數論篇[illegible]

陰陽數論篇[illegible]下[illegible]素問第一陰陽離合論篇

素問經第一陰陽離合論篇黃帝問曰余聞天為陽地為陰日為陽月為陰大小月三

百六十日成一歲人亦應之[illegible]今三陰三陽不應陰陽其故何也[illegible]

曰天覆地載[illegible]

大衝之地名曰少陰[illegible]少陰之上名曰太陽[illegible]

[illegible]太陽根起於至陰結於命門名曰陰中之陽[illegible]

名曰太陰[illegible]

[illegible]厥陰之表名曰少陽[illegible]

陰[illegible]名曰陰中之少陽[illegible]是故三陽之離合也太陽為開陽明為闔少陽為樞[illegible]

[illegible]三經者不得相失也搏而勿浮命曰一陽[illegible]

[illegible]

陰其衝在下名曰太陰[illegible]帝曰願聞三陰[illegible]外者為陽內者為陰然則中為陰[illegible]太陰根起於隱白名曰陰中

之陰[illegible]太陰之後名曰少陰[illegible]少陰根起於涌泉名曰陰中

之少陰[illegible]少陰之前名曰厥陰[illegible]厥陰根起於大敦陰之絕陽名

曰陰之絕陰[illegible]是故三陰之離合也太陰為開厥陰為闔少陰為

樞[illegible]三經者不得相失也搏而勿沉名曰一陰[illegible]

曰三陰俱搏[illegible]陰陽離合論[illegible]陰虛陽搏[illegible]三陰俱搏二

十日夜半死[illegible]二陰俱搏十三日夕時死[illegible]

俱搏十日平旦死[illegible]一陽俱搏且鼓三日死[illegible]三陰三陽俱搏[illegible]

不得隱曲五日死[illegible]二陰二陽俱搏其人[illegible]不過十日死[illegible]

曰素問注云藏之數 肺在脉訣第四 五生數三 土五 四一 五藏數八七十九六
曰三陰俱搏者如何 答曰法乃素問不過十日死者乎
曰不俱搏者 答曰脉硬參乎 疲死在急期乎
曰復血如前上 如前如難于意而冠息而死 止者死也哉 曰禹錫僧病應見於大衆不求許
莫決者 如果分界西止也 素隱曰止 語助也 此止字亦語助乎
曰前云分界法 答曰如前而弱分界法也 分界法 齊侍御史成偁云分五分則望其陽之學
此謂偁所云如云五分散日五日參
曰中焦實 答曰脾肺也 脾居中則肺居上 亦藏之中之肺也
曰酒是何 答曰金華朱彥脩格致餘論 醇酒宜冷飲論云 醇酒之性大熱有大毒 清香美味
既適於口 行氣和血 亦宜於體 由是飲者不自覺其過於多也 不思肺屬金 性畏火 其
體脆 其位高 為氣之宗 為腎之母 木之夫 酒下咽膈 肺先受之 若是醇者 理宜冷
飲也 過於肺入於胃 然後漸溫 肺先得溫中之寒 可以補氣 一益也 次得寒中之溫 可以
養胃 二益也 冷酒行遲 傳化以漸 不可恣飲 三益也 古人終日百拜 不過三爵 既無
酒病 亦免酒禍 云云

三陰俱搏者〔正義曰如淳云音徒端反素問云左脈口曰少陰少陰之前名厥陰右脈口曰太陰〕〔此三陰之脈也〕如法不俱搏者決在急期一搏一代者近也故其三陰搏溲血如前止〔徐廣曰前一作筋也〕陽虛侯相趙章病召臣意衆醫皆以爲寒中臣意診其脈曰迵風〔迵音洞言洞徹入四支○索隱曰下云飲食下嗌輒出之是風疾洞徹五藏故曰迵風〕迵風者飲食下嗌〔音益謂喉下也〕而輒出不留法曰五日死而後十日乃死病得之酒所以知趙章之病者臣意切其脈脈來滑是內風氣也飲食下嗌而輒出不留者法五日死皆爲前分界法〔正義曰分扶問反〕後十日乃死所以過期者其人嗜粥故

中藏實中藏實故過期師言曰安穀者過期不安穀者不及期濟北王病召臣意診其脈曰風蹶胷滿即爲藥酒盡三石病已得之汗出伏地所以知濟北王病者臣意切其脈時風氣也心脈濁（徐廣曰一作歸）病法過入其陽陽氣盡而陰氣入陰氣入張則寒氣上而熱氣下故胷滿汗出伏地者切其脈氣陰陰氣者病必入中出及瀺水也（索隱曰瀺音士咸反○正義曰顧野王云手足液身躰汋音常灼也）

齊北宮司空命婦出於病（徐廣曰一作奴奴盖女奴○正義命婦名也）衆

扁鵲倉公傳

[illegible]

曰積聚痃癖女子邪王叔和脉經第八卷曰脉積滑而細又曰男子積病女子瘕淋者[illegible]

方病論男子內結七疝女子帶下瘕聚此類也女子重病陰也　或曰女奴女之奴之命婦之奴

出於卯

畢恒好事異知集卷下　仲景叔和合而為一

張仲景

王叔和

論張濟周(?)

宋江山(?)撰　沈陽正

王鎡(?)著　周頌(?)校

仲景言三陰三陽為陰叔和言弦濡為陽何者蓋大抵弦濡中求而已以南北之分故有陰

陽之別濡本燥火弦本水也雖分南北之分總而言之則不離諸數為熱諸遲為寒

仲景叔和之言本同遠取相遠大合而論之亦是也仲景亦言三言陽病其外而入者叔和

和言言五藏自內而出者　陽病之從氣而入故仲景以浮脈為陰陽以長而之因從外入先太

先太陽也經在東北　雜病從血而出故叔和以沉脈為陽以至而之外從內出先少陽也

經在東南

大抵弦濡為陰陽又云弦為陽東[illegible]　局取叔和之三表八裏九道之名弦濡為陽[illegible]又叔和脉經第一卷[illegible]

醫皆以為風入中病主在肺（徐廣曰一作肝）刺其足少陽脈臣意診其脈曰病氣疝客於膀胱難於前後溲而溺赤病見寒氣則遺溺使人腹腫出於病得之欲溺不得因以接內所以知出於病者切其脈大而實其來難是蹶陰之動也（正義曰蹶厥陰之脉也）脈來難者疝氣之客於膀胱也腹之所以腫者言蹶陰之絡結小腹也蹶陰有過則脈結動動則腹腫臣意即灸其足蹶陰之脈左右各一所即不遺溺而溲清小腹痛止即更為火齊湯以飲之三日而疝氣散即愈

故濟北王阿母徐廣曰濟一作齊王○索隱曰即王之妳母也○正義曰服虔云乳母也鄭茲巳者自言足熱而懣臣意告曰熱蹶也則刺其足心各三所案之無出血病旋已索隱曰言尋則已止也○正義曰謂旋轉之間病則已止也病得之飲酒大醉濟北王召臣意診脈諸女子侍者至女子豎豎無病臣意告永巷長曰豎傷脾不可勞法當春嘔血死臣意言王曰才人女子豎何能王曰是好為方多伎能為所是案法新徐廣曰所一作取○索隱曰謂於舊方技能生新意也往年市之民所四百七十萬曹偶四人索隱曰案當今之四千七百貫也曹偶猶等輩也王曰得毋有病乎臣意對曰豎病重在死法

日本良[illegible] 證類本草[illegible] 莨菪[illegible]子 味苦甘寒有毒 主[illegible]痛[illegible]
人食之見鬼[illegible]風[illegible]云[illegible]食令人狂走 久服輕身[illegible]通神 一
名[illegible] 一名[illegible]
[illegible]方用[illegible]
今方[illegible]作[illegible]
[illegible]
即令人[illegible]
[illegible]
採[illegible]日[illegible]
狂乱[illegible]
[illegible]
[illegible]
[illegible]
[illegible]
莨菪[illegible]
之上[illegible]
[illegible]
[illegible]
火[illegible]
[illegible]
日[illegible]
[illegible]

匕撮　本草凡散藥有云刀圭者十分方寸匕之一準如梧桐子大也方寸匕者作匕正方一寸抄散取不落為度錢
五匕者今五銖錢邊五字者以抄之亦令不落為度一撮者四刀圭也十撮為一勺十勺為一合以藥升分之者謂
藥升方作上徑一寸下徑六分深八分內散藥勿按抑之正爾微動令平調爾今人分藥不復用此

㕮咀　㕮字皇甫謐為平帝本為全啟開之㕮字也
口含及所開口含而不嚼所開口而含言含人容含于口不得嚼也哉云所開口者含之又也咀一也
所開口二也含而不嚼二也

中王召視之其顏色不變以爲不然不賣諸侯所至春豎奉劔從王之廁王去豎後王令人召之即仆於廁嘔血死索隱曰仆音赴又音歩北反病得之流汗流汗者同法病内重毛髮而色澤脈不衰此亦關内之病也

齊中大夫病齲齒正義曰上丘羽反釋名云齲朽也蟲齧齒之缺朽也臣意灸其左大陽明脈即爲苦參湯日嗽三升出入五六日病已得之風及卧開口食而不嗽

菑川王美人懷子而不乳索隱曰乳音人喻反乳生也來召臣意臣意往飲以莨礍正義曰浪宕二音藥一撮以酒飲之

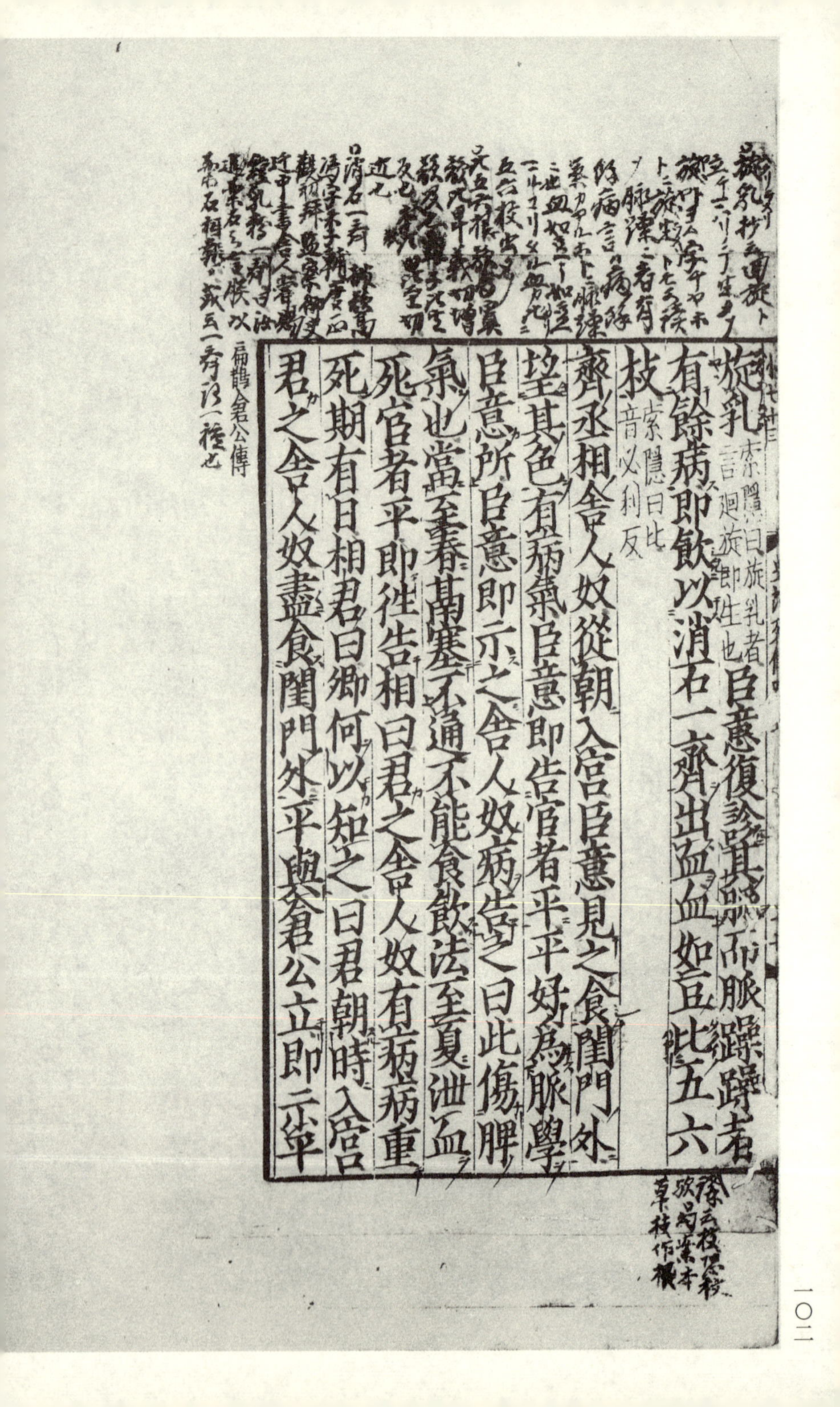

旋乳索隱曰旋乳者言迴旋即生也臣意復診其脈而脈躁躁者
有餘病即飲以消石一齊出血血如豆比五六
枚索隱曰比音必利反
齊丞相舍人奴從朝入宮臣意見之食閨門外
望其色有病氣臣意即告宦者平平好為脈學
臣意所臣意即示之舍人奴病告之曰此傷脾
氣也當至春鬲塞不通不能食飲法至夏泄血
死宦者平即往告相曰君之舍人奴有病病重
死期有日相君曰卿何以知之曰君朝時入宮
君之舍人奴盡食閨門外平與倉公立即示平

望之穀於留ニ（ハ次ニ在リ）後云此占示者也如本草畜名枯之色斗
杉云察之如三死畜所蓄之蔽　穀含哥未歌薜是字毋葉葛切下穀ハ蔽穀史記望之穀時若又生怪點
脊曲穀　穀設ト云府ハサイト黄十色ヲ向ニテツテ見ヘヌ／里秋亞穀ニ字試字莊良穀君也左傳莊自屋其
君曰穀云ニ穀以穀穀所傳穀其ハ君所高祖紀項羽無道放殺其主云穀亦作穀怪穀穀鍬字
堪所穀切ノ下穀疾也刑也周禮注穀裏中云也又唯ニ穀傳文ヲ字就其音ハ穀　無殺穀字要山高
四穀也脊骨穀ニ入ヌホトニ穀ノ音ヲホシヲノ也真穀ハサリニ穀ノ下後
穀ヲ日府重ニ而州吹キ向者ニ杉日黃ニ若役不知ニ若一病則貝也死于中春一日愈暁ノ
已愈吹ニ知我愈者症也當實春天寿症又一時ニ之而至四月死矣
消石神農本草第三消石大寒無毒主五藏積熱云ニ療五藏十二經脈中百二十疾暴傷
寒腹中大熱之鍊之服其有大船輕身天尺皇神之化成十二種石一名芒消云ニ陶隱居
云療痛乃與朴消相似仙經多用此消化諸石今無別此處往ニ面中本注云此即芒消
也朴消一名消石朴今鍊底惠朴消取汁煮鍊作芒消即是消石本經一名芒消
後人更出芒消謬矣今注此即地霜也所在山澤冬月地上有霜掃取以水淋汁後乃
煎鍊而成蓋以能消化諸石故名消石與朴消芒消之類
其相煎鍊而有細芒而狀若消故名芒消
多不明識之故也今不辨
鍊形消鍊化霜雪之狀如鈎
武云消石神農本經苦
療瘀消腸根出破血一名芒消
意菩川王懷子而不氣云ニ血知
海藏王好古湯液本草硝石之氣寒味苦辛作苦辛大寒
取云硝石者硝之總名也但不經火者謂之生硝朴硝經火者謂之盆硝芒硝古人用辛今人用
用辛鹹辛能潤燥鹹能軟堅其意皆是老弱虛人可下者宜用云ニ又盆硝即芒硝

日中春一寒脈急者瘕人意曰高回在春薄寒不通能然中春收痛一急者而以脈脈也而躁

脈脈高者也收痛中者少力徵瘕者診生人時言始者急也三知有病後少陰其脈也風

時痛瘕爲脈者逆者三病煩懣脈者病甚三痛者也

曰病如是者死相即召舍人奴而謂之曰公奴有病不舍人曰奴無病身無痛者至春果病至四月泄血死所以知奴病者脾氣周乘五藏傷部而交故傷脾之色也望之殺然黃（徐廣曰殺音蘇葛反○正義曰殺蘇亥反）察之如死青之茲衆醫不知以為大蟲（索隱曰即蚳蛭也）不知傷脾所以至春死病者胃氣黃黃者土氣也土不勝木故至春死所以至夏死者脈法曰病重而脈順清者曰內關內關之病人不知其所痛心急然無苦若加以一病死中春一愈順及一時其所以四月死者診其人時愈

順愈順者人尚肥也奴之病得之流汗數出炙於火而以出見大風也

菑川王病召臣意診脈曰蹶上（正義時掌反 蹶逆氣上也）爲重頭痛身熱使人煩懣（正義曰亡本反 上但有煩也） 臣意即以寒水拊其頭（索隱曰拊音附又音撫） 刺足陽明脈左右各三所病旋已病得之沐髮未乾而臥診如前所以蹶頭熱至肩

齊王黃姬兄黃長卿家有酒召客召臣意諸客坐未上食臣意望見王后弟宋建告曰君有病往四五日君要脅痛不可俛仰（正義曰上音免） 又不得

小溲。不亟治，病即入濡腎，及其未舍五藏，急治之。病方今客腎濡，正義曰：濡，溺也。病方客在腎，欲弱腎也。此所謂腎痺也。宋建曰：然。建故有要脊痛。往四五日，天雨，黃氏諸倩徐廣曰：倩者，女婿也。駰案：方言曰：東齊之間婿謂之倩。郭璞曰：言可假倩也。○正義曰：倩音七姓反。見建家京下方石，徐廣曰：京者，倉廩之屬也。即弄之。建亦欲效之，效之不能起，即復置之。暮，要脊痛，不得溺，至今不愈。建病得之好持重。所以知建病者，臣意見其色，太陽色乾，腎部上及界要以下者枯四分所，故以往四五日知其發也。臣意即為柔湯使服之，十八日所而病愈。

濟北王侍者韓女病要背痛寒熱衆醫皆以爲寒熱也臣意診脈曰内寒月事不下也即竄以藥（索隱曰謂以煙燻之故云竄音七亂反）旋下病已病得之欲男子而不可得也所以知韓女之病者診其脈時切之腎脈也嗇而不屬嗇而不屬者其來難堅故曰月不下肝脈弦出左口故曰欲男子不可得也

臨菑氾里女子薄吾病甚（索隱曰氾音凡）衆醫皆以爲寒熱篤當死不治臣意診其脈曰蟯瘕（徐廣曰蟯音饒○索隱曰音饒撓音遶瘕○正義曰人腹中短虫）蟯瘕爲病腹大上膚黃麤循

小溲不亟治病即入濡腎及其未舍五藏急治之病方今客腎濡（正義曰濡溺也病方客在腎欲弱腎也）此所謂腎痺也宋建曰然建故有要脊痛往四五日天雨黃氏諸倩（徐廣曰倩者女婿也駰案方言曰東齊之間婿謂之倩郭璞曰言可假倩也○正義曰倩音七姓反）見建家京下方石（徐廣曰京者倉廩之屬也）即弄之建亦欲效之效之不能起即復置之暮要脊痛不得溺至今不愈建病得之好持重所以知建病者臣意見其色太陽色乾腎部上及界要以下者枯四分所故以往四五日知其發也臣意即爲柔湯使服之十八日所而病愈

濟北王侍者韓女病要背痛寒熱衆醫皆以爲寒熱也臣意診脈曰内寒月事不下也即竄以藥索隱曰謂以燻燻之故云竄音七亂反旋下病已病得之欲男子而不可得也所以知韓女之病者診其脈時切之腎脈也嗇而不屬嗇而不屬者其來難堅故曰月不下肝脈弦出左口故曰欲男子不可得也

臨菑氾里女子薄吾病甚索隱曰氾音凡衆醫皆以爲寒熱篤當死不治臣意診其脈曰蟯瘕徐廣曰蟯音饒○索隱曰音饒[illegible]蕉音遶○正義曰人腹中短蟲蟯瘕爲病腹大上膚黃麤循

新服十六上審月黃帝言八歲力大行從ノ審ナ力若火也二テ八ケ力火後ノ術メテテ
十大六八歲足メヤワケッノ數會虛新歲文子六腑起也又從也集發或作盛術之義本義藏去兵藏痛也術
術曰 一難曰十二經皆有動脈獨取寸口以決五藏六腑死生吉凶之候者何謂也然寸口
者脈之大會手太陰之動脈也人一呼脈行三寸一吸脈行三寸呼吸定息脈行六寸人一
日一夜凡一萬三千五百息脈行五十度周於身漏水下百刻榮衛行陽二十五度行陰
亦二十五度為一周也故五十度而復會於手太陰寸口者五藏六腑
之所終始故法取於寸口也又二難曰脈有尺寸何謂也然尺寸者脈之大會要也從關至尺是
尺內陰之所治也從關至魚際是寸口內陽之所治也故分寸為尺分尺為寸故陰得
尺內一寸陽得寸內九分尺寸終始一寸九分故曰尺寸也
天鍼云陰陽者脈之本也尺寸者脈之部令二難所論尺寸而不言寸尺者欲明陰陽而言也尺為陰
寸為陽尺寸之部為陽諸經要會之所可以察病之由來故為脈之要會從關至尺是尺內
陰之所治者按陽寒論云尺澤一尺名曰人部是關之後云尺澤宜一尺而取尺之名也關稱
陽也從關以下是尺部所屬為陰之所治也文保曰魚當一寸名曰寸口是從關至魚際完一寸而
取寸之名也以關為界從寸以上寸口所屬為陽之所治也故分寸為尺分尺為寸者從關以上除寸之外
為尺也從關以下除尺之外為寸也疑形殊而未章曰九者陽也十者陰也故陰窮於十陽窮於九
為陰應其陰之數故脈一寸寸為陽應其陽之數故脈九分所以尺寸終始一寸九分也今有
脈分三部初以有尺寸之數不言關者關在尺寸之中陰陽氣之交乃也有其名而無其實故常言
兩境之間名為廣陰陽部出三分陰部入三分上下於尺寸內共假六分而為之部是雖有其名
無其實數也故此難所以言尺寸終始一寸九分也
楊玄操注云皇甫士安脈訣以掌後三指為三部脈一指之下各有六分共一寸八分也華佗
脈法云三部脈三寸備三才之義所論各有不同使後學者疑惑是非莫辨
天鍼云素問曰陰陽者天地之道也萬物之綱紀變化之父母益脈者亦陰陽一氣所包故寸
為陽乃九分之數尺為陰乃一寸之數關居陰陽之中假寸三分假尺三分乃共六分之數所為
三部脈今本經言一寸九分當從此為正餘者之說其為大謬蓋未悉其精微也
虞庶注脈有三部寸關尺也關在寸尺中從關至尺名曰尺從關至魚際
完當一寸故取寸之名也關居寸之上寸口所屬為陽之所主治也關前寸之下尺之所治

陰之所治也故自魚際至尺一寸之陰分爲尺尺至澤究爲一尺之第分爲寸也　樊氏注云　寸

十數偶也故陰得尺中一寸應其陰之數九分者九數奇也故陽得寸内九分應其陽之數尺寸

之分　陰陽所處終始一寸九分是脉要會　而三部[illegible]

曰察病指南卷上元説撰其身長則脉下指疎身短則脉下指密古人身長其身亦長故寸部

古九分関尺部各占一寸三部共二寸九分今人身短其身亦短有三分共不及二寸者若依古

法診之則頭指診在関部次指診在尺部第三指診在関處如何知病之所在今但以高

骨爲準先以一指診按其部位不必拘九分一寸之説[illegible]可也

曰芫花　陸翁本草曰　芫花味辛苦[illegible]温有小毒主欬逆上氣云云[illegible]

云云欬　蟲魚云云一名去水一名毒魚云云　藥性論云芫花云云能治心腹脹滿去水氣利五

藏云云　風俗云漢太倉公淳于意療臨淄女子[illegible]晉錢云云[illegible]

曰戚　戚之數會鍚　欬[illegible]　説文[illegible]　或書作戚通作戚　論語小人長戚戚[illegible]

曰大索　切韻索字雖解強解之[illegible]　今案脉如切索收盡　又天脉[illegible]　今案[illegible]普各

切　一曰盡也　書非家之索　文礼記檀弓吾離群而索居　鄭玄云索散也　物散[illegible]

曰穰之　漢書[illegible]漢祖及漢相[illegible]云云　因[illegible]曰漢興五十年之東[illegible]亂[illegible]

呼吉曰　拊摩手循之也　一曰拊[illegible]摩之　音[illegible]反　史記注索隱曰拊音[illegible]

照天下同姓一家　漢書[illegible]云云　郡國諸侯各務自拊循其民云云[illegible]

云云　索一成二　且[illegible]如循[illegible]

義　拊[illegible]

之戚戚然㠯意飲以芫華一撮即出蟯可數升病已三十日如故病蟯得之於寒溼寒溼氣宛音鬱○索隱曰又如字篤不發化爲蠱㠯意所以知寒薄吾病者切其脈循其尺正義曰王叔和云寸關尺寸謂三分尺謂八分寸口在關上尺在關下寸關尺共有一寸九分也其尺索刺麤而毛美奉髮徐廣曰奉一作奏又作奏奈○索隱曰循音巡索謂手循其尺索也刺音七賜反麤音七胡反言循其尺索刺人手而麤見婦人之病也徐氏云奉一作奏奏非其義也又云一作秦秦謂蓁首言髮如螓螬事蓋近也是蟲氣也其色澤者中藏無邪氣及重病

齊淳于司馬病㠯意切其脈告曰當病迵風迵風之狀飲食下嗌輒後之徐廣曰病得之飽食

而疾走淳于司馬曰我之王家食馬肝食飽甚見酒來即走去驅疾至舍即泄數十出臣意告曰爲火齊米汁飲之七八日而當愈時醫秦信在旁臣意去信謂左右閣都尉曰（索隱曰案閣者姓也爲都尉一云閣即宮閣都尉掌之故曰閣都尉也）意以淳于司馬病爲何曰以爲迵風可治信即笑曰是不知也淳于司馬病法當後九日死即後九日不死其家復召臣意臣意往問之盡如意診臣即爲一火齊米汁使服之七八日病已所以知之者診其脈時切之盡如法其病順故不死

齊中郎破石病臣意診其脈告曰肺傷不治當後十日丁亥溲血死即後十一日溲血而死破石之病得之墮馬僵石上所以知破石之病者切其脈得肺陰氣其來散數道至而不一也色又乘之所以知其墮馬者切之得番陰脈番陰脈音芳遠反入虛裏乘肺脈肺脈散者固色變也乘之所以不中期死者師言曰病者安穀即過期不安穀則不及期其人嗜黍黍主肺故過期所以溲血者診脈法曰病養喜陰處者順死喜養陽處者逆死其人喜自靜不躁又久安坐

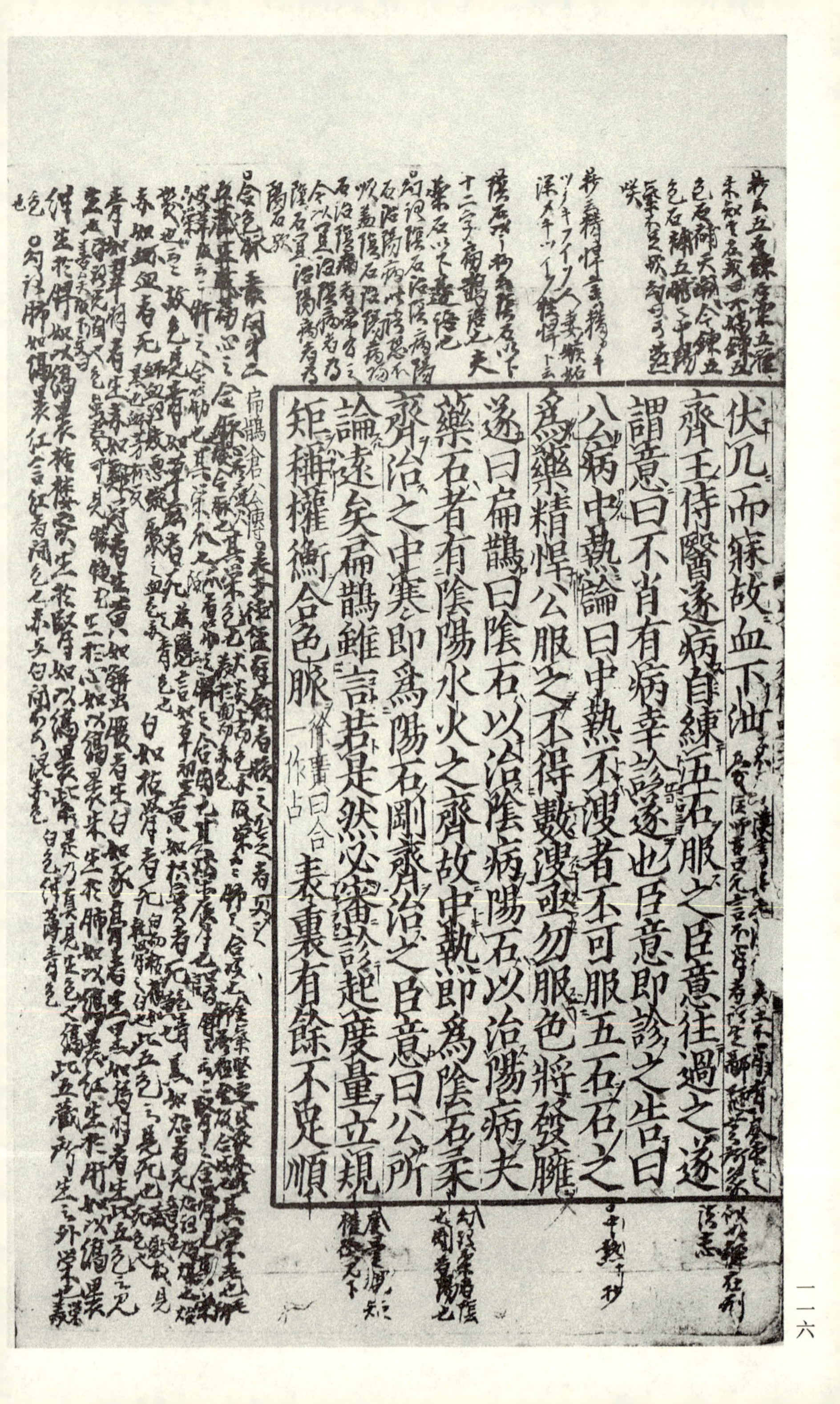

伏几而寐故血下泄

齊王侍醫遂病自練五石服之臣意往過之遂謂意曰不肖有病幸診遂也臣意即診之告曰公病中熱論曰中熱不溲者不可服五石石之爲藥精悍公服之不得數溲亟勿服色將發臃遂曰扁鵲曰陰石以治陰病陽石以治陽病夫藥石者有陰陽水火之齊故中熱即爲陰石柔齊治之中寒即爲陽石剛齊治之臣意曰公所論遠矣扁鵲雖言若是然必審診起度量立規矩稱權衡合色脈（徐廣曰合一作占）表裏有餘不足順

五石□□方云療男子五勞七傷虛羸著床久醫不瘥宜服此五石更生散方

鍾乳二兩 白石英細研水飛 紫石英細研水飛 赤石脂 硫黃 海蛤細研已上各一兩 防風一兩去蘆頭

栝樓 細辛 桂心 人參去蘆頭各半兩 乾薑炮裂 防葵 白朮已上各三分 苽蔞根一兩

右件藥搗細羅為散入研了藥和勻每服空心及晚食前以溫酒調下二錢

同 治虛勞百病宿癖冷疾遶臍脹滿胸脅間有熱四肢煩疼或腹脹鳴疼痛大小便不利尿多

手足黃軟胸膈冒悶虛氣上衝食飲不消宜服五石護命散方

鍾乳二兩 紫石英二兩細研水飛過 白石英二兩水飛過細研 硫黃二兩 赤石脂二兩 海蛤二兩細研

防風三分去蘆頭 黃耆一兩 麥門冬二兩去心焙 生乾地黃一兩 桂心三分 桔梗一兩去蘆頭

苽蔞根二兩 白朮一兩 乾薑一兩炮裂剉 細辛一兩 人參一兩去蘆頭 附子三分炮裂去皮臍

右件藥搗細羅為散入研了藥和合令勻每服空心及晚食前以溫酒調下二錢食前服

後補有力者宜行百餘步行藥勢歸下

同 風勞積冷臟腑虛損諸病三石□方

鍾乳二兩 紫石英一兩細研水飛過 白石英一兩細研 人參三分去蘆頭 白朮三分 白茯苓一兩

細辛三分 附子三分炮裂去皮臍 桂心一兩 苽蔞根一兩 川椒三分去目及閉口者微炒去汗 杜仲一兩去粗皮炙微黃剉

牡蠣一兩燒為粉 乾薑三分炮裂剉 防風一兩去蘆頭 桔梗半兩去蘆頭

右件藥搗細羅為散入研了藥令勻每服空心及晚食前以溫酒調下二錢

同 大凡服五石散及鍾乳諸石藥等既服節度觸動多端若不將慎殊將相倚凡年人調其養

氣為病之源凡取定石之劑更求藥性相將性情者自將遊推為石遇深

有其候未曾令宜知者專當立相應是以之人多有單服乳石多未有藥草鍊服之以

等雖服五石並取將息慎忌者動病由將息增減未足五石之例或人既見單石而不輕

便乃輕之以諸石散及丸散者動乃致用殊若於將於節度則深要之亦忽宜凡五石散

皆忌寒食散者言此散宜寒冷食及水洗取寒唯酒即欲清美飲之不爾即五百

病也

鍾乳種數本草第三石鍾乳味甘溫無毒主益精安五臟通百節利九竅散五痊虛常補

虛令人服之延年益壽好顏色不老云云

白石英　味甘辛微温無毒云云療肺痿下氣利小便補五藏云云　臣爲錄等謹按[illegible]氏

云白石英神農甘岐伯黄帝雷公鹹無毒云云以上本草第三陰款

紫石英　味甘辛温無毒云云療上氣心腹痛寒熱邪氣結氣補心氣不足云云　除

四月中大寒云云久服温中輕身延年云云　本草第三

硫黄　味酸温大熱有毒云云療心腹積聚邪氣冷癖在脅[illegible]云云臣爲錄等謹按

[illegible]呉氏云硫黄一名石留黄神農黄帝雷公鹹有毒醫和扁鵲苦無毒[illegible]

赤石脂　味甘酸辛大温無毒主養心氣明目益精療腹痛泄澼下痢赤白小便

利云云久服補髓好顏色益智不飢輕身延年云云陰款本草第三之[illegible]

白[illegible]石古今不詳[illegible]石竹由[illegible]按[illegible]惠方[illegible]亦幻[illegible]曰[illegible]有子

白文案陰款本草第三青石赤石黄石白石黒石脂等味甘平主黄疸泄痢腸澼膿

膿血云云下血赤白云云久服補髓益氣肥健不飢輕身延年五石脂各隨五色補五

藏　青石脂味酸平無毒主養肝膽氣明目療[illegible]云云　赤石脂

日[illegible]　黄石脂味苦平無毒主養脾氣安五藏調中云云　白石脂[illegible]

[illegible]　白石脂味甘[illegible]平無毒主養肺氣[illegible]

安心不飢輕身延年[illegible]同經曰五色石脂[illegible]

[illegible]所出[illegible]用亦別用之[illegible]

色石脂爲五石者[illegible]用五石[illegible]

合色脈　難經十二難曰經言見其色而不得其脈反得相勝之脈者即死[illegible]

也　[illegible]曰[illegible]知[illegible]青色見於面而脈反浮濇而短者是肺脈也肺金[illegible]

脈病[illegible]沈[illegible]脈[illegible]相生之脈雖病自愈

相[illegible]五[illegible]五色[illegible]見於面[illegible]以[illegible]相[illegible]今色青其脈[illegible]而急

色赤[illegible]其脈浮大而散色黄其脈中緩而大色白其脈浮濇而短色黒其脈沈濡而滑[illegible]

[illegible]

[illegible]天理[illegible]陰陽[illegible]文理[illegible]

色脈[illegible]所[illegible]色脈者上帝之所貴也[illegible]所[illegible]

上古[illegible]理色脈而通神明

逆之法參其人動靜與息相應乃可以論論曰陽疾處內陰形應外者不加悍藥及鑱石夫悍藥入中則邪氣辟矣（索隱曰辟音必亦反猶聚也）而宛氣愈深（索隱曰愈音臾）診法曰二陰應外一陽接內者不可以剛藥剛藥入則動陽陰病益衰陽病益著邪氣流行爲重困於俞（徐廣曰音始喻反）忿發爲疽意告之後百餘日果爲疽發乳上入缺盆死（索隱曰按缺盆人乳上骨名也）此謂論之大體也必有經紀拙工有一不習文理陰陽失矣

齊王故爲陽虛侯時病甚（徐廣曰齊悼惠王子將閭也以文帝十六年爲齊王）

王即位十一年卒諡孝王衆醫皆以爲蹷臣意診脈以爲痺根在右脅下大如覆杯令人喘逆氣不能食臣意即以火齊粥且飲六日氣下即令更服丸藥出入六日病已病得之內診之時不能識其經解大識其病所在臣意常診安陽武都里成開方開方自言以爲不病臣意謂之病苦沓風索隱曰沓音徒合反風病之名也三歲四支不能自用使人瘖徐廣曰一作瘠音才亦反○索隱曰瘖者失瘖也讀如音又作瘖瘖者罝也言使人運罝其手足也瘖即死今聞其四支不能用瘖而未死也病得之數飲酒以見大風氣所以知成開方病者診之其脈法奇咳言

索隠云経解ハ経ハ二十ツスデ也解ハ節ノ二十ツスタ二三十ヒイキテヤル心也言ハ経解ツハオルトアルトハ解テモ不識トモ云
大ハ二十ノ微ノ大識ハ大又ハイテ病ノ所在ヲハ識タリ
○臣意常診安陽武都里成開方 抄一本ノ傳ヨリ下此一段有斉安陵阪里公乗項處傳之
意字在上元例与但誌 句讀臣意以下疏同者何也元例不合而同天脈當也
○使人瘖 注一作喑 句讀瘖 猶瘂 瘖 說文瘖不能言也 正義所謂入中其毒者陽盛
寅ハ太陽也正月陽気出在上而陰気盛陽未得自次也云云 ……
瘖也 注陽気衰盛入中而為瘖於胞 脈月則胞絡 脈絡気不通故瘖也胸之脈繋於腎
腎脈之 俠舌本故瘖不能言
○經解 句讀經脈之解也 素問第七脈解篇注此篇殊与前後經文不相連接別出經脈病之源
病之源 六氣 兼經脈流注君臣所指殊異 又素問同參鍼解篇黄帝問曰願聞九鍼之解虚實之
道 岐伯對曰刺虚者實之者鍼下熱也 句讀經解乃脈解鍼解類也
○蹴踘 索隱注蹴鞠ハ行出ス 折蹴踘徐廣ハ一作蹴蹴鞠ハフムニテ也蹴ハ躡也文躡也逐也史目錄文蹴踘
墨子不悉之從 蹴踘ト云 人トツイコノラテスルヲ云 敖余何蹴 鞠 毀蹴鞠ハ鞠ヲ足ニ毀學毬或毬蹴
蹴踘 以木為毬子用之古云今我為折毬 進士状元及第 云云 折毬 句讀 八何為於前 蹴學々四列之圓之
折手下文 廣說兵書文 鞠文 律人蹴 鞠 欲會鞠注說文蹴鞠也 徐廣 躡鞠 以革為囊實之
以毛蹴 踏 蹋為 蹴亦曰蹋鞠 古今注 黄帝作之 兼以刺鑄 蹴鞠黄帝造 以練武士
或云起戰國 廣韻云 為傷寒 蹴蹋鞠 注 脈處曰 穿地作鞠室也 句讀蹴鞠會日屋 藝非
脇同筆 說文 蹴蹴多發有之注 蹴蹋
○臣意常診安陽 云云 句讀成開方不可說 陽虚侯 五 盖 一 成開方安陽虚侯 藝者律夜之時 云
句讀年

律呂圖遺[illegible] 起度量 [illegible]三國方第二 凡看古方數例最是朝代沿革升合分兩差殊[illegible]

[illegible]

曰藏氣相反者死徐廣曰反一作及切之得腎反肺徐廣曰反一作及法曰三歲死也

安陵阪里公乘項處病索隱曰案公乘官名也項姓處名故上云倉公之師元里公乘陽慶亦然也臣意診脈曰牡疝索隱曰上音母下音色諫反牡疝在鬲下上連肺病得之内臣意謂之愼毋爲勞力事則必嘔血死處後蹴踘徐廣曰一作蹹○正義曰上千六反下九六反蹹謂打毬也要蹷寒汗出多即嘔血臣意復診之曰當旦日日夕死索隱曰案旦日明日也言明日之夕死也即死病得之内所以知項處病者切其脈得番陽索隱曰脈病之名曰番陽者以言陽脈之翻入虛裏也番陽入虛裏處旦日死一番一絡者徐廣曰絡一作

結牡疝也臣意曰他所診期決死生及所治已病衆多久頗忘之不能盡識不敢以對

問臣意所診治病病名多同而診異或死或不死何也對曰病名多相類不可知故古聖人爲之脈法以起度量立規矩縣權衡案繩墨調陰陽別人之脈各名之與天地相應參合於人故乃別百病以異之有數者皆異之索隱曰數音色住反謂術數之人乃可異其狀也無數者同之然脈法不可勝驗診疾人以度異之乃可別同名命病主在所居今臣意所診者皆有診籍所以別之者臣意所受師方

設古醫人爲之脈法 抄云延度量トハ五藏ノ大小幾丈幾尺幾寸徑幾寸長幾丈幾人幾重五
府之容各寸尺カアルナ受穀幾斗幾升幾合水ヲノ受ナモイクラホト二ニ二ニアルソノ量ハ斗升合
サス云ナノ度ハ丈尺寸ヲ云ナリ又ハ肝ノ重サハ四斤四両心ノ重サハ十二両脾ノ重サハ二斤十四両小腸重
二斤十四両大腸重二斤十二両膀胱重九両二銖此様ニ寸トニモ寸尺斤両カアルソノ趣度量
也立規矩トハトコハ圓ノトコハ方ナリト落チヤウト定タコツ類衆ヨコ縣權衡トハ上ノ斤両ヨソ調權
衡ノハカリニカケ父モノヨ安備義室トハトコハトコノトラリトモ室ワヱツハアナリタ樣十ス調陰陽
八象ハ陽也血ハ陰也六府ハ陽也五藏ハ陰也足ノ小指ハ太陽膀胱至陰完也足ノ四指ハ少陽
經穴數陰完也足ノ中指ハハツムテナイア足ノ才ニ指ハ陽明胃經屬兌完也足ノ大拇指ニ
アリ指ノウラハ太陰脾經隱白完也因ツクノ爪ノハツムハ厥陰肝經大敦完也足ノ心ハ少陰腎
經湧泉完也手ノ小指ニ処ヤリ指ノウラハ大陽小腸經小澤完也爪ノ下指ノ才手ハ少陰心經也
所出也小衝完也手ノ才四指ハ少陽三焦關衝完也手ノ中指ハ厥陰心包絡一云命門
中衝完也一云神門一云心主手ノ食指ハ陽明大腸經商陽完也手大指ハ太陰肺經小
商完也

脈 左手ノ寸口手少陰心爲部爲帝王一云君主之官扇朱雀南方丙丁君火其色赤其臭焦其味苦
左手ノ關上足厥陰肝爲部爲尚書一云將軍之官扇青龍東方甲乙木其色青其臭臊其味酸
左手尺中足少陰腎爲部爲列女一云作強之官扇玄武北方壬癸水其色黑其臭腐其味鹹
右手寸口手太陰肺藏部爲將軍一云相傳之官扇白虎西方庚辛金其色白其臭腥其味辛
右手關上足太陰脾爲部爲大夫一云倉廩之官扇勾陳中央戊己土其色黄其臭香其味甘
右手尺中手厥陰命門部屬相火一名神門一名心包絡主男子以藏精女子繫胞
脈其府手少陽三焦上焦其卦乾中焦其卦艮下焦其卦坤
易有太極是生兩儀兩儀生四象四象生八卦八卦成六十四卦所易道大哉
之太陽少陰少陽太陰是四象也八卦則乾爲父坤爲母坤求於乾得其初九而
爲震長男故曰一索而得男乾求於坤得其初六而爲巽長女故曰一索而得女
而得乾之九二以爲坎中男故曰再索而得男乾求而得坤之六二以爲離中女故曰再索
而得女坤三求而得乾之九三以爲艮少男故曰三索而得男乾三求而得坤之六三以爲兌
少女故曰三索而得女然則乾坤父母也六卦皆子也乾爲正陽坤爲正陰爲太陽六子

且爲男女上下少矣今歲不害以爲家如陽明厥陰之二名何爲三陰六陽耳

左手寸口 手少陰心藏 手太陽小腸府 左手關上 足厥陰肝藏 足少陽膽府 左手尺內 足少陰腎藏 足太陽膀胱府

右手寸口 手太陰肺藏 手陽明大腸府 右手關上 足太陰脾藏 足陽明胃府 右手尺內 手厥陰命門 手少陽三焦府

上焦乾 中焦艮 下焦巽

手少陽所繫太同小異是亦要易之易也少有壞惡故手

口都游某 陽脈和編環中周

手三陽陽爲表陰爲裏

手太陽小腸與手少陰心合

手少陽三焦與手心主包絡合

手陽明大腸與手太陰肺合

足三陰三陽陽爲表陰爲裏

足太陽膀胱與足少陰腎合

足少陽膽與足厥陰肝合

足陽明胃與足太陰脾合

適成師死以故表籍所診期決死生觀所失所得者合脈法以故至今知之問臣意曰所期病決死生或不應期何故對曰此皆飲食喜怒不節或不當飲藥或不當鍼灸以故不中期死也問臣意意方能知病死生論藥用所宜諸侯王大臣有嘗問意者不及文王病時徐廣曰齊文王也以文帝十五年卒不求意診治何故對曰趙王膠西王濟南王吳王皆使人來召臣意臣意不敢往文王病時臣意家貧欲為人治病誠恐吏以除拘臣意也徐廣曰時諸侯得自拜除吏故移名數左右以名籍屬左右之人不脩

家生出行游國中問善爲方數者事之 索隱曰數音術數之數

久矣見事數師 正義曰上色庚反 悉受其要事盡其方書意及解論之身居陽虛侯國因事侯侯入朝臣意從之長安以故得診安陵項處等病也

問臣意知文王所以得病不起之狀臣意對曰不見文王病然竊聞文王病喘頭痛目不明臣意心論之以爲非病也以爲肥而蓄精身體不得搖骨肉不相任故喘不當醫治脈法曰年二十脈氣當趨年三十當疾步年四十當安坐年五十當安臥年六十已上氣當大董 徐廣曰董謂深藏之一作

扁鵲倉公傳

十九

吳王皆使人來召臣意臣意不敢往文王病時臣意家貧欲爲人治病誠恐吏以除拘臣意也徐廣曰時諸侯得自拜除吏故移名數左右漢書音義曰以名籍[illegible]不脩

家生出行游國中問善爲方數者事之（索隱曰數音術數之數）久矣見事數師（正義曰上色庚反）悉受其要事盡其方書意及解論之身居陽虛侯國因事侯侯入朝臣意從之長安以故得診安陵項處等病也

問臣意知文王所以得病不起之狀臣意對曰不見文王病然竊聞文王病喘頭痛目不明臣意心論之以爲非病也以爲肥而蓄精身體不得搖骨肉不相任故喘不當醫治脈法曰年二十脈氣當趨年三十當疾步年四十當安坐年五十當安臥年六十已上氣當大董（徐廣曰董謂深藏之一作

彩ノ餘象南趨言餘象正盛于趨时也文王不趨為徐步不能矣益田何殷肩已庸肩之尖火病郎

鳥写此肩瞖論病之名也曰鬚瓔交易義也一略䌸瓦の瓔易䌸の瓔全芸采ノ並道ニソハル二

蔵夜有語俟不言語藻不知之名瞖肩手 蹟母令我ニ母令我ヱノ葬学我方

堇○索隱曰堇音謹文王年未滿二十方脈氣之趨也而徐之不應天道四時後聞醫灸之即篤此論病之過也臣意論之以為神氣爭而邪氣入非年少所能復之也以故死所謂氣者當調飲食擇晏日車步廣志以適筋骨肉血脈以瀉氣故年二十是謂易貿徐廣曰一作賀又作償法不當砭灸砭灸至氣逐問臣意師慶安受之聞於齊諸侯不對曰不知慶所師受慶家富善為醫不肯為人治病當以此故不聞慶又告臣意曰慎毋令我子孫知若學我方也

問臣意師慶何見於意而愛意欲悉教意方對曰臣意不聞師慶為方善也意所以知慶者意少時好諸方事臣意試其方皆多驗精良臣意聞菑川唐里公孫光善為古傳方索隱曰謂好能傳得古方也○正義曰謂全傳寫得古人之方書臣意即往謁之得見事之受方化陰陽及傳語法徐廣曰法一作五臣意悉受書之臣意欲盡受他精方公孫光曰吾方盡矣不為愛公所索隱曰言於意所不愛惜方術也吾身已衰無所復事之是吾年少所受妙方也悉與公毋以教人臣意曰得見事侍公前悉得禁方幸甚意死不敢妄傳人

居有間公孫光閒處正義曰上音閑下昌汝反臣意深論方見言百世爲之精也師光喜曰公必爲國工吾有所善者皆疏同產處臨菑善爲方吾不若其方甚奇非世之所聞也吾年中時嘗欲受其方索隱曰案年中謂中年時也中年亦壯年也古人語自爾楊中倩不肯索隱曰倩音七見反人姓名也曰若非其人也胥與公往見之徐廣曰胥猶言須也當知公喜方也其人亦老矣其家給富時者未往會慶子男殷來獻馬因師光奏馬王所意以故得與殷善光又屬意於殷曰意好數索隱曰數色句反謂好術數也公必謹遇之其人聖儒索隱曰言意儒德慕聖人之道故云聖儒也即爲書

以意屬楊慶以故知慶臣意事慶謹以故愛意也

問臣意曰吏民嘗有事學意方及畢盡得意方不何縣里人對曰臨菑人宋邑徐廣曰一作昆邑學臣意教以五診正義曰謂診五藏之脉歲餘濟北王遣太醫高期王禹徐廣曰一作鱅學臣意教以經脉高下及奇絡結正義曰素問云奇經八脉往來舒時一止而復來名之曰結也當論俞式喻反所居及氣當上下出入邪逆順以宜鑱石定砭灸處歲餘菑川王時遣太倉馬長馮信正方臣意教以案法逆順論藥法定五味及和齊湯法高永

[illegible]化張陽 張陽ノ化ニ口[illegible]ナレトノ能[illegible]タリ [illegible]

[illegible]ニ公所ニハ貴所ニ乏教化禰内ニハ[illegible]スルコトハナイツ[illegible]

[illegible]國王トハ天下上手ニナラタスト云タソ [illegible]

[illegible]ハ常ニハ先吹ニ云ソ此ハ周[illegible]ヤウニサタタツタト云心 [illegible]

日者非其人也 [illegible]中[illegible]也 [illegible]

[illegible]

[illegible]

龍谷全本十一 養備物館論 三十四字 人迎氣口論六陽六陰脈分屬左右手心肝腎脾肺命
在左主血肺大腸脾胃命門三焦在右右主氣男以氣鼓脈故藥爲之主女以血鼓脈故血爲之主
爲之主若男子久病氣口充於人迎者有胃氣也病雖重可治女子久病人迎充於氣口
又若有胃氣也病雖重可治反此者逆或曰人迎在左氣口在右男女所同不易之位
也脈法讚曰左大順男右大順女何予言之憒耶曰脈經一部叔和譔譔於數醫者
此左右之以醫者爲主而言若主於病者奚止千里之謬又左大順男右大順女
氣其脈居右寸腎有命門三焦合以氣爲變化運用故爲附正心主血其脈居左寸肝
腎膀胱爲精血之道道爲之庫故亦附焉男以氣藏精胎則氣爲之主女以血鼓胎則血
爲之主男子久病右脈充於左者有胃氣也病雖重可治女子久病左脈充於右者有胃
氣也病雖重可治反此者虛之甚也或曰左心小腸肝膽腎膀胱右肺大腸脾胃命門三焦
從男女所同不易之位也脈法讚曰左大順男右大順女吾子之言不一左右倒置
以大爲充果有從以通之乎曰大本病脈也今以大爲順蓋有充之之義故取以充之言
之脈經一部譔之於數醫者不以左右當以醫者爲主言之若主於病者奚止於千里之
謬或曰上文言肝心出左肺脾出右左主司官右主司府下文言左爲人迎右爲氣口以
病人之左右而爲言何者是之相反耶曰脈經第九篇之第五章上文言天地陰陽
陰陽沈濁弱強經織此言脈之陰陽關前關後等語文言部位之陰陽
陽附陰陰附陽言血氣之陰陽同爲論脈之陰陽而所指不同若此上下異文何足疑乎
讚曰陰病治官非治血乎陽病治府非治氣乎由此參考義悠於經意有合
口難經十九難曰脈有逆順男女有恒而反者何謂也然男子生於寅寅爲木陽也女子生
生於申申爲金陰也故男脈在關上女脈在關下是以男子尺脈恒弱女子尺脈恒盛
是其常也反者男得女脈女得男脈也註恒常也脈有陰陽逆順之理男女各有常陰
令而反者何也且如男子得女脈從子至巳陽從巳至亥陰
子者陰位天一生水萬物之所始起於子男從子左行三十至巳陽也故三十而娶女子從子
右行二十至巳陰也故二十而嫁男嫁自巳左旋十月而生於寅
寅三陽全也女懷自巳右旋十月而生於申申三陰全女子曰寅爲木三生火火之生在寅
而位於上故男脈在關上申爲金金生水水之生在申而位於下故女脈在關下所以男脈在
關上故尺脈常弱女脈在關下故尺脈常盛反者是男子之尺脈盛而女子之尺脈反弱也

侯家丞杜信喜脈來學臣意教以上下經脈五診二歲餘臨菑召里唐安來學臣意教以五診上下經脈奇咳四時應陰陽重未成除爲齊王侍醫

問臣意診病決死生能全無失乎臣意對曰意治病人必先切其脈乃治之敗逆者不可治其順者乃治之心不精脈所期死生視可治時時失之臣意不能全也

太史公曰女無美惡居宮見妬士無賢不肖入朝見疑故扁鵲以其伎見殃倉公乃匿迹自隱

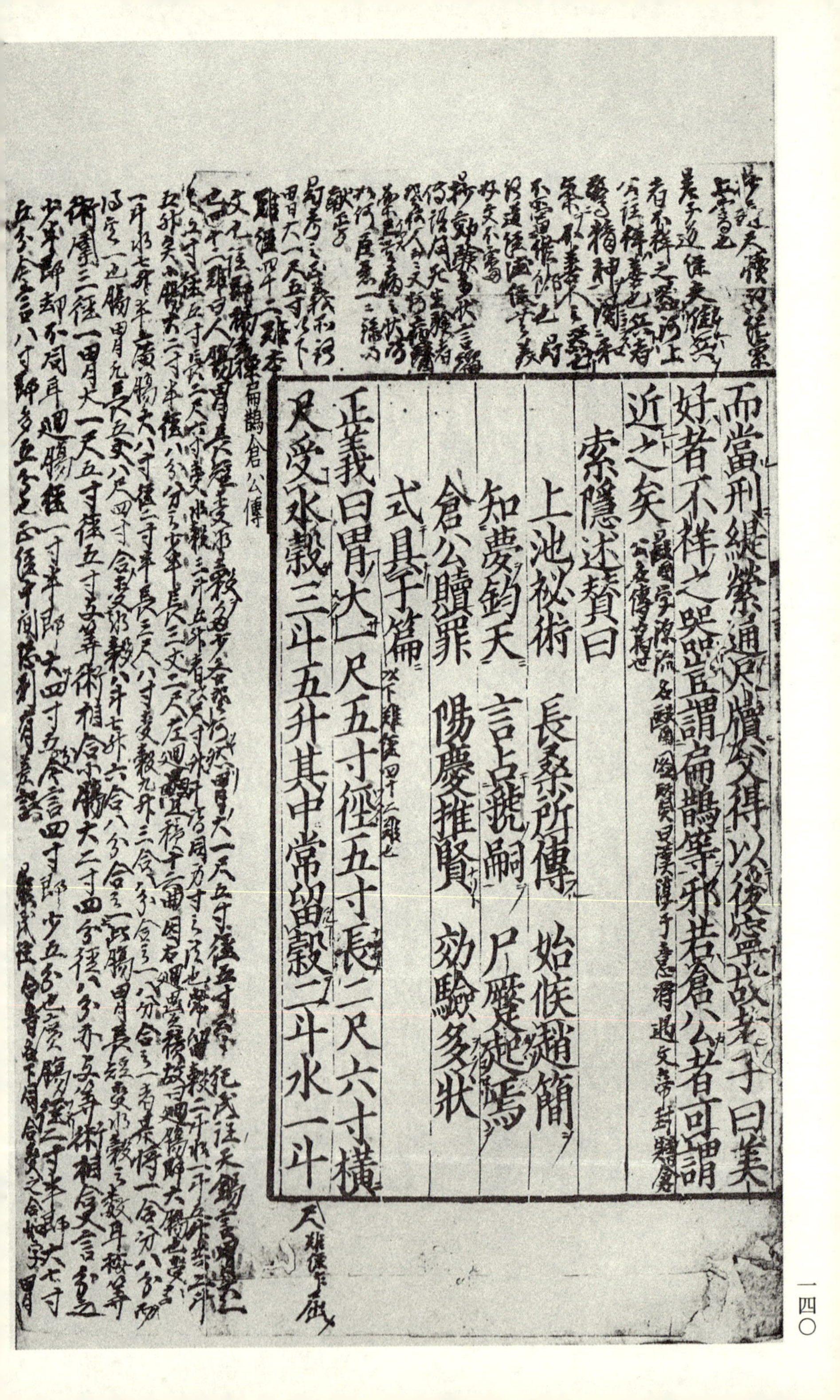

而當刑緹縈通尺牘父得以後寧故老子曰美好者不祥之器豈謂扁鵲等邪若倉公者可謂近之矣

索隱述贊曰

上池祕術　長桑所傳　始候趙簡
知夢鈞天　言占虢嗣　尸蹷起焉
倉公贖罪　陽慶推賢　効驗多狀
式具于篇

正義曰胃大一尺五寸徑五寸長二尺六寸橫屈受水穀三斗五升其中常留穀二斗水一斗

又句程奇絡絡之絡脉絡脉有三部也條素初為診絡脉〻經中也血之則經
奇絡經素問第三〻部九候論上云下者切而從之索其結絡脉刺出其血以見通之經語脉血絡於
邃〻蹻奚大彙〻係乃先夫血脉而後調復時之語後乃先夫也□新校正云詳經文以見通之
甲乙經作以見通之〻其〻索
並蹻陰陽奎〻難經二十難曰重陽者狂重陰者癲 然經重陽者狂陽部中更加大滑數浮長
之部故令人發狂等疾也重陰者謂陰部中更加微濇沉短之甚故令人發癲僵仆於地閉
目不醒也久久復甦也

脉有司下的據奇經八脉四字出于素問不必云定〻復奇經〻以下除廿四脉中之絡脉之
素問謬逆順 謂素問標和脉經卷一問曰脉有相乘有縱有橫有逆有順何謂也師曰
水行乘火金行乘木名曰縱火行乘水木行乘金名曰橫水行乘金火行乘木名曰逆
金行乘水木行乘火名曰順
出處正味 素問第一陰陽應象大論篇東方生風〻生木〻生酸〻生肝〻生筋云〻在味為酸 南方
云〻南方生熱〻生火〻生苦〻生心云〻在味為苦云〻中央生濕〻生土〻生甘云〻在味為甘云〻西方
生燥〻生金〻生辛〻生肺云〻在味為辛云〻北方生寒〻生水〻生鹹〻生腎云〻在味為鹹云〻
輪和劑 稍蘭雷公云藥有三品病有三階藥有甘苦輕重不同病有新舊寒
溫亦異云〻 夫藥有君臣佐使人有強弱虛實服餌之法輕重不同云〻 凡藥有君臣佐
使以相宣攝合和宜用一君二臣三佐五使又可一君三臣九佐使也又有陰陽配合云〻上藥
一百二十種為君主養命以應天無毒云〻中藥一百二十種為臣主養性以應人無毒有毒
有毒云〻下藥一百二十五種為佐使主治病以應地多毒云〻
和劑濟 劑食云聲雷劑劑劑子詣切被文劑也唐儒學術武為蔽世破劑遂作劑當丸
食醫 周禮食醫掌和齊之數也前漢藝文志百家藥劑和及劑同史記封禪書語藥劑萌
漢藝文志醫經七家二百一十六卷云〻經方百家藥劑和之所以至齊之得石取鐵云〻
師古曰劑音才詣反其下並同和音乎卧反

曰：上下經脈抄云：上下經脉手足十二經脈也。切詳上下二字，抄爲手足之義，手也或爲左右手義乎未有

即手令循行有左爲下右爲上之語。

曰：五臟抄：五臟脉能五行、五味、五色、五臭、五方等也。

曰：營病壞天生，抄云：浹天生之二不差。讀乎？

曰：心不精循，良惠亦有不精于脉候，天生九宮之沿之付則不能治之焉。

曰：通天體，抄緩榮上焦以故變文也。曰：然則等字係于天下，據世叙之，黃帝岐公于倉公，扁鵲當利故

云通之。

曰：數逆，脉訣第四一數。感曰：經脉一周於身，凡行十六丈二尺，減其十二丈五寸，上行四丈一尺五寸。

感曰：一者數之始，天一生水，水屬腎，腎之元氣生於腎，腎之元氣耗竭，則百脉無所存，所以呼吸之間去

須一云：脉，此一至爲數之元脉也。二數素問曰：人一呼脉一動，一吸脉一動，曰少氣。呼吸各一動

準候藏乎？人一日一夜計一萬三千五百息，凡行八丈一尺，以一萬三千五百息息氣都行八百五十丈，少氣之

經既可知。感曰：二至爲數，何以見之？盡離經云：一呼一至，一吸一至，名曰損人，雖能行猶當著

床。所以然者，血氣衰不足故也。血氣衰不足之又何以見之？盡天一生水，水屬腎，腎生氣，氣而倉稟

歸於肺，肺藏氣，氣之不足也。說云：天生火，火屬心，心生血，血歸肝，肝藏血，血之不足也，血既已不

精神消散，雖有此方，如羞此方者，屬於脉于何？乃不散然。病人乃此二至之脉，困病不能

元產婦乃此二至之脉，別當將息之說云云。曰：素問第一陰陽別論：凡陽有五，五五二十五陽

所謂陰者，真藏也，見則爲敗，敗必死也。注：五藏爲陰，陰陽之氣也，五藏之氣各一脉之

又曰：五藏相乘，五五二十五陽，又曰：五藏者藏府陰陽，故曰真藏。藏之見者，肝脉至中外急，

如循刀刃責責然，如按琴瑟絃。心脉至堅而搏，如循薏苡子累累然。脉如是見者，隋

藏神去也，必死矣。

五升凡人食入於口而聚於胃中穀熟傳入小腸也小腸大二寸半徑八分分之少半長三丈二尺受穀二斗四升水六升三合合之太半小腸謂之穀而傳入於大腸也回腸大四寸徑一寸半長二丈二尺受穀一斗水七升半廣腸大八寸徑二寸半長二尺八寸受穀九升三合八分合之一故腸胃凡長五丈八尺四寸合受水穀八斗七升六合八分合之一此腸胃長短受水穀之數也甲乙經腸胃凡長六丈四寸四分從口至腸而數之此經從胃至腸而數之故短也

肝重四斤四兩左三葉右四葉凡七葉主藏魂肝者幹也於五行為木其體狀有枝幹也肝之神七人老子名曰明堂宮蘭臺府從官三千六百人又云

肝神六童子三世子也

心重十二兩中有七孔三毛盛精汁三合主藏神

心心纖也所識纖微也其神九人太尉公名曰絳宮太始南極老人負光之身其從官三千六百人又爲帝王身之王也

脾重二斤三兩扁廣三寸長五寸有散膏半斤主裹血溫五藏主藏榮

脾裨也在脅氣主化穀其神裨光主女子母其從官三千六百人也

肺重三斤三兩六葉兩耳凡八葉主藏魂魄

肺孛也言其氣孛故短也尉也其神八人太和君名曰玉堂宮尚書府其從官三千六百人又云肺神十四童子七女子七也

腎有兩枚重一斤一兩主藏志

腎引也腎屬水主引水氣灌注諸脉也其神六人司徒司空司命司錄司隸校尉廷尉卿也

膽在肝之短葉間重三兩三銖盛精汁三大合

膽敢也言人有膽氣而能果敢也其神五人太一道君居紫房宮中其從官三千六百人也

胃重二斤十四兩紆

曲屈申長二尺六寸大一尺五寸徑五寸盛穀二斗水一斗五升胃圍也言圍受食物也其神十二人五元之氣諫議大夫也小腸重二斤十四兩長三丈二尺廣二寸半徑八分分之少半迴積十六曲盛穀二斗四升水六升三合合之太半腸暢也言通暢胃氣去滓穢也其神二人元梁使者也大腸重二斤十二兩長二丈一尺廣四寸徑一寸半當臍右迴十六曲盛穀一斗水七升半大腸即迴腸也其迴曲因以名之其神二人元梁使者也膀胱重九兩二銖縱廣九寸盛溺九升九合膀橫也胱廣也體短而又名胞胞虛空也並以虛承水液口廣二寸半脣至齒長九分齒以後至會厭深三寸半大容

五合也舌重十兩長七寸廣二寸半（舌泄也言可舒泄言語也）咽門重十兩廣二寸半至胃長一尺六寸（咽嚥也言咽物也又謂之咽主地氣胃爲土故云主地氣也）喉嚨重十二兩廣二寸長一尺二寸九節（喉嚨空虛也言其中空虛可以通氣息焉心肺之系也呼吸之道路喉嚨與咽並行其實兩異而人多惑也）肛門重十二兩大八寸徑二寸大半長二尺八寸受穀九升三合八分合之一（肛釭也言其處似車釭故曰釭門即廣腸之門又名䐐也）手三陽之脉從手至頭長三尺五六合三丈（手有三陽兩手爲六陽故云五六三丈也）手三陰之脉從手至胷中長三尺五寸三六一丈八尺五六三尺合二丈一尺（兩手各有三陰合爲六陰故云三六一丈八尺也）足

俗名肚也大圓也徑寸也廻腸即大腸也當臍右廻疊積十六曲故名廻腸廣腸即肛門也

肝重四斤四兩天錫云肝為陰中之陽今經云肝重四斤四兩者為陰之數也凡六葉者七乃陽之數

也以其藏有陰有陽以其形分重乃有陰陽之數故經曰肝為魂乃神明之輔弼也

又藏名曰肝有七葉應春木之有甘葉也隨神往來謂之魂也魂是者神明之輔弼也肝為魂也

心重十二兩 形有七孔三毛是上智之人也五竅二毛中智人也三竅一毛下智人也常人心有二竅無毛愚人心有一

竅下愚之人心有一竅甚小心為神之舍竅則出入其門故發色其所精相持謂之神神者精氣新故也

心重十二兩天錫云心為牡藏為陽中之陽天曰任榮物者也心有所憶為之意意有所思

謂曰神神者五藏之專精也心為帝王監領四方心者君主之官神明出焉重十二兩中有七孔三毛精汁三

合且五藏各安唯心有七孔三毛者何令精為神生血通利三毛散氣察人之聰惠精汁所以注心靈

宣明五藏論云心為神而精相持謂之神

無所任養有故乎若強論之七孔三毛七至三陽數也

小腸有存真觀云小腸者受盛之官化物出焉 九月中有實朝水穀之津液

入於小腸上口有小腸下口泌別而水入膀胱上口其津液傳入大腸上口所謂同

又腸存真觀大腸手陽明經一名回腸以其回屈而受小腸之穀因以名之也乃腑之六 帝

書曰大腸者傳導之官變化出焉

廣腸存真觀廣腸又曰肛門云其似車釭形故曰肛門即廣腸也一名直腸一名魄門

帝書曰直腸者廣腸也一名洞腸亦名肛門受大腸之穀出焉故魄門亦為五藏使水穀

不得久藏

黃民曰秒之所謂姓秦名越人

之死有府使無三沃望而退

惡而見殺大倉公淳于意

召問殿國治疾

難經四十二難曰人不食飲七日而死者何然人胃中常有留穀二斗水一斗五升故平人日再至圊一行二升半日

中五升七日五七三斗五升而水穀盡矣故平人不食飲七日而死者水穀津液俱盡即死矣

三陽之脉從足至頭長八尺六八合四丈八尺兩足各有三陽故曰六八四丈八尺也足三陰之脉從足至胸長六尺五寸六六三丈六尺五六三尺合三丈九尺兩足各有陰故云六六三丈六尺也按足太陰少陰皆至舌下厥陰至於項上今言至胸中者蓋據其相接之交者也人兩足蹻脉從足至目長七尺五寸二七一丈四尺二五一尺合一丈五尺督脉任脉各長四尺五寸二四八尺二五一尺合九尺凡脉長一十六丈二尺也此所謂十二經脉長短之數也督脉起於[illegible]頭上於面至口齒縫計此脉止長四尺五寸當取與上極於風府而言之也手足各十二脉為二十四并督任兩蹻四脉都合二十八脉以應二十八宿凡長十六丈二尺營衛行周此數則一度也

寸口脉之大會手太

陰之動也太陰者脉之會也肺諸藏主蓋十二通陰陽故十二經皆會手太陰所以決吉凶者十二經有病皆寸口知其何經之動浮沉滑濇逆順知其死生之兆也人一呼脉行三寸一吸脉行三寸呼吸定息脉行六寸十二經十五絡二十七氣皆候於寸口隨呼吸上下呼脉上行三寸吸脉下行三寸二十七氣皆逐上下行無有息時人一日一夜凡一萬三千五百息脉行五十周於身漏水下百刻營衛行陽二十五度行陰二十五度為一周也故五十度復會於手太陰寸口者五藏六府之所終始故法取於寸口也人一息行六寸十息六尺百息六丈千息六十丈萬息六百丈一萬三千五百息合為八百一十丈陽脉出行二十五度陰脉入行二十五度陰陽出入行二十五度陰陽呼吸覆行周畢度數也脉行身畢即水下百刻亦畢謂一日一夜刻盡天明日出東方脉還得寸口當更始也故寸口者五藏六府之所終始也

脾重二斤一兩 天錫言脾爲神，爲在胃之下，與胃行其津液，又曰所以受存意謂之思，用而遠慕

謂之慮，用慮處物謂之智，智從乃生，生之意，意者主脾之，爲土脾重二斤三兩，二三即五之數，爲土其

數五，廣扁三寸，長五寸，有散膏半斤，主裹血，脾受胃水穀之氣，氣之數散於五藏，是通於五藏

也，五藏受其氣，氣化而爲血，脈血流榮華於外，蓋自脾所主，故言主爲榮也

脾主 鍼氏注 [illegible] 裹血 [illegible] 血爲榮故脾爲榮 一本作爲意

肺重三斤一兩 天錫言肺爲陽中之陰 今注云 肺重三斤三兩者即陽之數也，六葉兩耳，凡八葉之者

即陽之數，此數其有陽有陰以[illegible]爲三斤，重亦有陽之[illegible]陰之[illegible]

精氣之一區 [illegible] 肺者 [illegible] 第四 [illegible] 五藏爲五藏之 [illegible] 神 [illegible] 精 [illegible]

[illegible] 精而出入 肝藏魂 神氣之 [illegible] 随神而往 [illegible] 肝爲 [illegible] 意

[illegible] 之所存 [illegible] 五藏 [illegible] 精 [illegible]

肝 [illegible] 左爲腎 右爲命門 [illegible] 精 [illegible] 根 [illegible]

腎所藏五藏所主心主脉 [illegible] 肝主 [illegible]

[illegible] 行衛 腎主骨 [illegible] 化 [illegible] 是 [illegible] 五 [illegible]

腎有兩枚重一斤一兩 天錫言腎爲北藏爲陰中之陰 故存兩枚左者曰腎 右者曰命門

又曰 [illegible] 動而生 [illegible] 爲之精 精舍志 [illegible] 一斤二兩者合水之生數也 腎居水故 [illegible] 數一 [illegible] 曰腎

藏志意之所存謂之志 [illegible] 張素之 [illegible] 雖 [illegible] 一斤一兩 [illegible] 注 [illegible]

斤二兩二字 [illegible] 筆 [illegible] 鍼氏注與天錫注同而 [illegible] 也

膽在肝之短葉間 [illegible] 膽 [illegible] 膽神名 [illegible]

天錫言膽爲肝之府，故在肝之短葉間，重三兩三銖，雖與 [illegible] 但 [illegible] 精汁不 [illegible]

清淨之府，主果決，故斷而不傳 [illegible] 鍼氏注三兩三銖 [illegible] 一銖二 [illegible]

脾重二斤，廣三寸 [illegible] 扁字 [illegible] 字 [illegible]

[illegible] 又 [illegible] 通 [illegible] 文 [illegible] 通

也

胃重二斤，盛八升，合言之一千錢三尺。壽問曰：天食人以五氣，五氣入鼻，藏於心肺，故喉嚨主天氣。

重十二兩，廣二寸，長一尺二寸，九節，下連於肺，為肺之系，故內經曰天氣通於肺也。食人以五味，

五味入口，藏於腸胃，故飲食自口而入。直口者廣二寸半，脣至齒長九分，齒以後至會厭深三寸半，大容

容物五合。舌重十兩，長七寸，廣二寸半。食飲入口之咽門。夫咽者，嚥也，主通地氣，言其嚥物，又謂之

嗌。喉嚨、咽門二者並行，其實各異。故咽門重十兩，廣二寸，至胃長一尺六寸，而通於胃。胃者，會

主之地氣也。故素問曰地氣通於嗌。且飲食入口之咽門，而聚於胃，胃為水穀之府，行

曲屈伸，行曲屈伸者，言其便咽往而復有也。雖然，不留其物而不得久停，復伸者之發

行曲屈伸。然小穀在胃，則胃實而腸虛，下食則腸實而胃虛，故內經曰滿而不能實。

宗腸受胃之糟粕，後傳入於大腸，大腸為傳導之官，變化物之形，而注於廣腸，廣腸即肛

門也，又曰直腸，又名廣腸，受大腸所化之物，轉而出也。其水液在大腸下口，泌化滲泄，入於膀胱，重九

兩二銖，縱廣九寸，受溺九升九合。膀胱主出而不內，此乃腸胃長短受穀之數

也。

呂廣曰：素問第六節藏象論篇曰：天食人以五氣，地食人以五味。五氣入鼻，藏於心肺，上使五色脩明，音聲能彰。

五味入口，藏於腸胃，味有所藏，以養五氣，氣和而生，津液相成，神乃自生。

義同。經第一陰陽應象大論篇曰：積陽為天，積陰為地。故清陽為天，濁陰為地，地氣上

為雲，天氣下為雨。云：清陽發腠理，濁陰走五藏；清陽實四支，濁陰歸六府。云云。

胃重二斤，呂氏注：廣二寸大，一尺五寸二銖，郎八分六銖，郎二斤半也。會厭、咽喉也。咽，嚥也。咽

門透胃，可嚥物而至于胃也。喉嚨通氣往來者也。咽喉二者雖並行，其實各異。肛門又名

廣腸。呂廣舌注：古之一升，今之一合；一盞一升，一口；一口謂古之一升也。三斗五升乃三十五口。

注從其言詳，升斗秤人亦從依之，公注新說。

呂曰：會厭積何存，喉嚨應天氣，乃肺之系也。以肺為金，金乃為天，天氣金也，故天氣通於肺而

肺應天，上連會厭。會厭者，五音之戶門。肺屬金，金者聲，故金之音也。

一五二

[illegible]

氣通於鼻鼻和則知臭香矣肝氣通於目目和則知白黑矣脾氣通於口口和則知穀味矣心氣通於舌舌和則知五味矣腎氣通於耳耳和則聞五音矣五藏不和則九竅不通六府不和則留為癰也

[illegible]

師説曰扁鵲倉公傳莫傳先儒雖不加點為備遺忘切句耳或不當書云云此奏稱有忌諱不傳

師説試云察試時讀扁鵲傳時座上有講唯之者弥感恐且不讀之云云予案此事不熟但不知醫道事何難義不通之事多矣何古又於忌諱不傳訓欲業次疑滞扁鵲

巢而傳不入破書疑若不訓説耳久欲至之日著入次疑滞

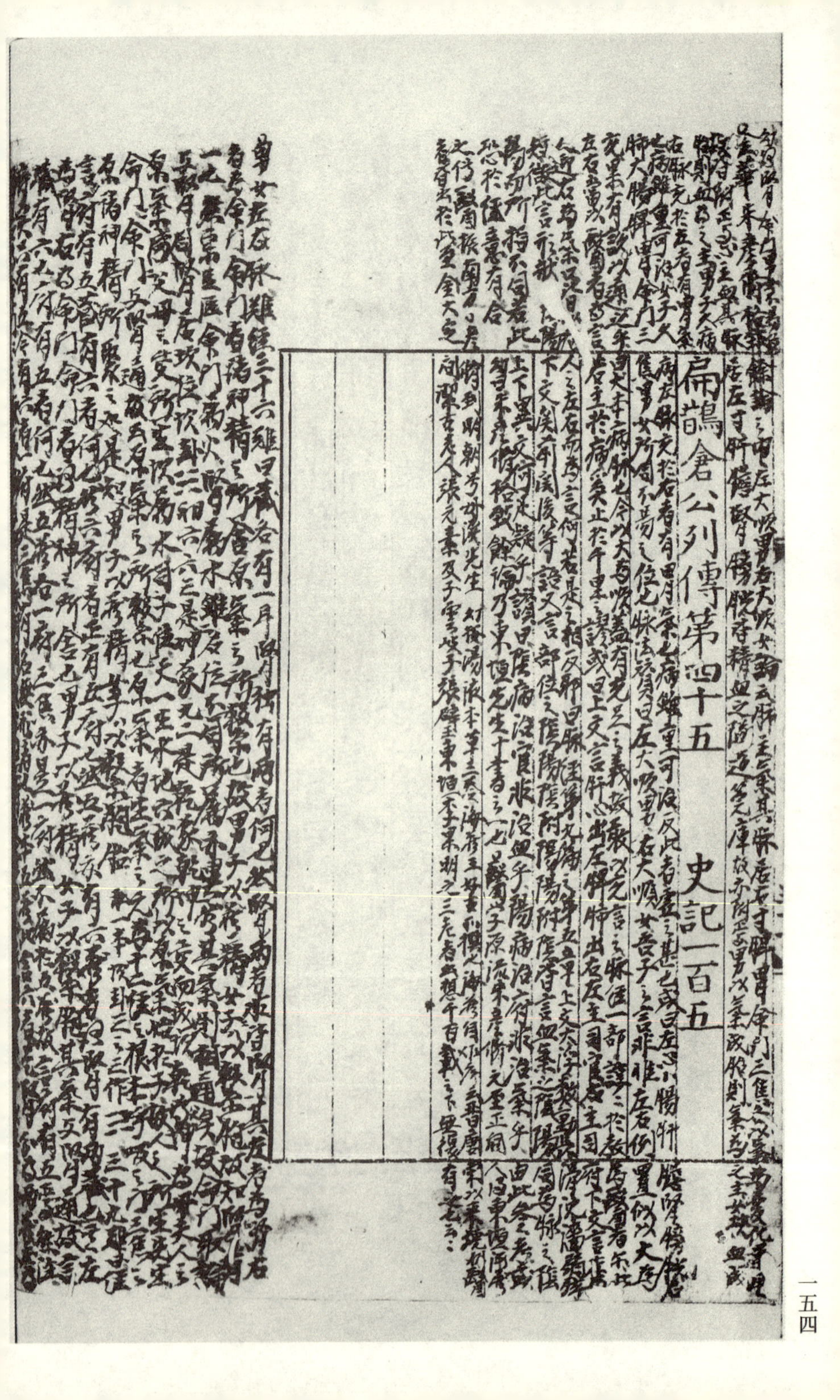

扁鵲倉公列傳第四十五　史記一百五

畫工往觀決膜摘膏肓曲折圖之盡識悉乃取以校之其自喉咽而下心肺肝脾膽胃之系屬小腸大腸腰腎膀胱之營壘其中經絡聯附水穀泌別精血運輸源委流達悉如古書無少異者政和二年　又嘗見宜州推官吳簡云凡二日剖歐希範等五十有六腹皆詳視之喉中有竅三一食一水一氣互令人吹之各不相戾肺之下則有心肝膽脾胃之下有小腸小腸下有大腸小腸皆瑩潔無物大腸則為滓穢大腸之傍則有膀胱若心有大者小者方者長者斜者直者有竅者有無竅者了無相類唯希範之心則紅而硾如所繪焉肝則有獨片者有二片者有三片者腎則有一在肝之右微下一在脾之左微上脾則有在心之左至若蒙干多病嗽則肺且胆黑歐詮少得目疾肝有白點此又別內外之應其中黃漫者脂也此說於經不合仍又所圖蓋益矣

歐希範五藏圖

蜀以決竅不能寫五藏圖唯以字擬列云度有驗人之

而雜辨僅圖云形乃已詳見存真圖云爾

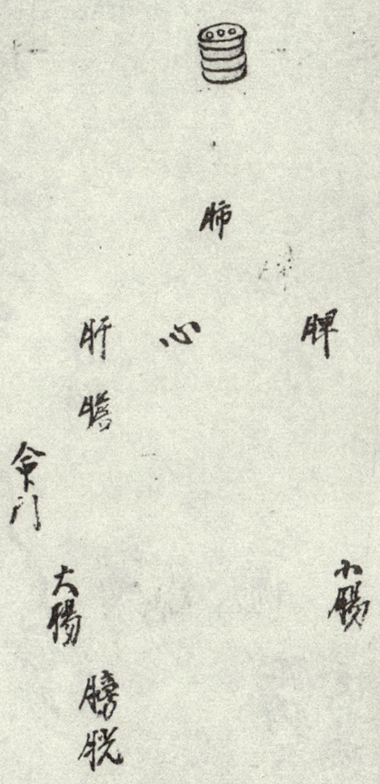

五藏正背圖

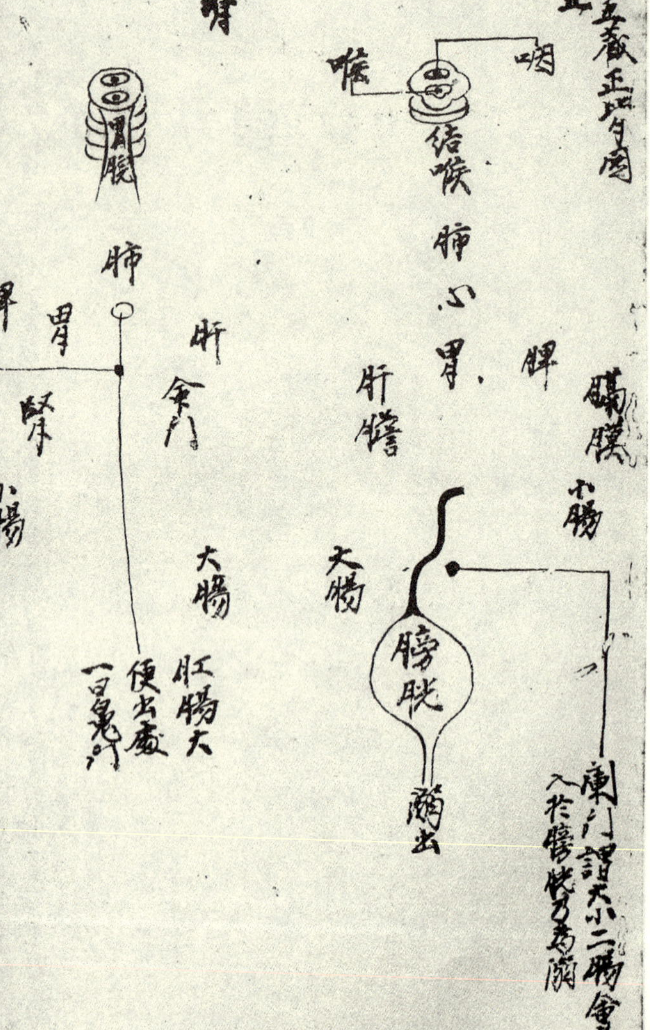

其系上貫於心下通於腎 心腎水火相感而精氣溢瀉乃化血似精而赤

喉嚨已下言六藏為手足三陰 咽门已下言六府為手足三陽 蓋諸藏屬陰為裏諸府屬陽為表

以藏者藏也 音藏諸神而精神流通也 府者庫府 六府主出納水穀糟粕轉輸之謂也

喉嚨已下六藏 肺手太陰經 心手少陰經 心包手厥陰經 脾足太陰經 肝足厥陰經 腎足少陰經

咽門已下六府 胃足陽明經 膽足少陽經 少腸手太陽經 大腸手陽明經 廣腸 膀胱足太陽經

三焦乃手少陽 對以六府三陽除廣腸

曰三焦和脈經第二三卷脈有奇經八脈者何謂也然有陽維有陰維有陽蹻有陰蹻有衝有督有任
有帶之脈凡此八脈者皆不拘於經故曰奇經八脈也經有十二絡有十五凡二十七氣相隨上下何獨不拘
於經也然聖人圖設溝渠通利水道以備不虞天雨降下溝渠溢滿霶霈妄行當此之時聖
人不能復圖也此絡脈流溢諸經不能復拘也

寸口脈之大會 難經一難曰十二經皆有動脈獨取寸口以決五藏六府死生吉凶之法何謂也然寸口者脈之大會手太陰之動脈也人一呼脈行三寸一吸脈行三寸呼吸定息脈行六寸人一日一夜凡一萬三千五百息脈行五十度周於身漏水下百刻榮衛行陽二十五度行陰亦二十五度為一周也故五十度復會於手太陰寸口者五藏六府之所終始故法取於寸口也

一難曰十二經皆有動脈……

人一日一夜凡一萬三千五百息脈行五十度周於身……

二十五度……一日一夜……寸口者五藏六府之所終始……

曰一難曰十二經皆有動脈……經脈十二絡脈十五……

……寸口是太淵……

曰十二經……

……度……

……

……

……

……

……

……

……

……

畢於平旦將再會日於手太陰所以手太陰爲五藏六府經脈之所終始故法取於寸口也素問脈要精微論曰
診脈法常以平旦爲候以其陰氣未動陽氣未散飲食未進經脈未盛絡脈調勻氣血未亂故乃可診有
過之脈取其戟虛静脈會之精明
楊玄操疏云經脈者大者爲經小者爲脈又云脈何以独知五藏六府之病緣其氣五藏之氣皆從肺出
通之知肺者主氣寒有凝滞即諸藏受氣不足之者病也
呂廣注云經脈晝則行於身夜則行於藏
天錫言肺朝百脈故百脈之変見於寸口今高承德云肺有室塞凝滞即者藏受寒氣
是爲病是肺一藏有病而五藏皆病也夫經乃肺行之經並有大小之別于晝夜間
計行五十度是出入藏府周於四支行十二經周遍即爲一度之數皆有晝行於身夜行於藏
之經也注疏所從總爲未審　丁德用注曰中焦注手太陰行其經絡計二十四復會於
太陰故合計二十五度都是將二十四時應二十四氣人陰陽之氣並行一時應一度一日一夜
行二十四時畢東交於手太陰乃爲二十五度也　天錫言二十五度者乃晝行二十五度
夜行二十五度也今丁德用所説實妄生分別有未可當
呂廣注三十七難曰五藏之氣於何發起通於何許不然五藏者當上関於九竅也故肺氣通於
於鼻　楊氏曰七竅者五藏之門戸藏氣平和則竅和　五藏不和則九竅不通
楊氏曰五藏失和於内則九竅壅塞於外今止有七竅而云九竅者　天錫注云竅有陰陽
天錫言九竅者耳目口舌鼻二陰也目主視口主知穀味舌主知五味鼻主知香臭耳主
聽五音肺不和則鼻不利故素問曰五氣入鼻藏於心肺心肺有病而鼻爲不和也肝不和則目
不能視素問曰肝受血而能視若肝不和則不能受血故目不能視也脾不
和則口不知穀味脾主之主稼穡脾氣不和也心不和則不知五味舌所以思辨五味
素問曰南方生熱熱生火火生苦苦生心心主舌故開竅於舌心氣不和則舌不知其味也腎不和則
耳聾素問曰北方黒色入通於腎開竅於耳主水耳所司聽五音腎不和則五音
閉矣又曰腎六府不和則經脈不通於九竅故九竅不通
通也且六府之源所在五藏陽生於六府邪在六府之經則血氣不和
素問曰言氣不通通於肉理乃生癰瘍　本經言心氣不通於舌舌爲心之竅
論云南方赤色入通於心開竅於耳北方黒色入通於腎開竅於二陰
方生熱熱生火火生苦苦生心心主舌

手命門女子繫[illegible]關于右手命門而已蓋雖經三十六難等文并男女左右易位之文

[illegible]

命門者命之根本也又命門実為土而出脾 脾為長故左手寸下之関為脾 脾土生金 故関下之
尺為肺 肺金生水 故左手之尺脉 右手之寸為腎 腎之水生木 故右手寸下之関為肝 肝之木生火 故関下之
下之尺為心 男子右手尺脉常弱 初生微弱之者也 女子右手尺脉常強 心火之位也 [illegible]
女之身感 以婦人則男脉應 [illegible]之動 以男子則女脉順 猶不容[illegible]手氏 雖其言[illegible]猶[illegible]尚
其有宗[illegible]為都尉之察脉如神 其書十[illegible]日寸生秘律 比其一也
猶應為寸生経之說

右手 男子順自下生上
肺金　脾土　命門
左手
心火　肝木　腎水　極下之說 是命之根本

左手 女子陰逆自上生下
命門 極上之說 是命之根本　脾土　肺金
右手
腎水　肝木　心火

[illegible]和詮 假人式歌
左心小腸肝膽腎 右肺大腸脾胃命
女人反此背看之 尺脉第三同斷病
[illegible]
[illegible]
女子以左腎為命門 [illegible]
脉[illegible]

[illegible]

素問十六陰陽類論 [illegible] 帝曰三陽為經二陽為維一陽為游部 [illegible]

此知五藏終始 [illegible] 三陽為表二陰為裏一陰至絶作朔晦 [illegible]

却具合以正其理 [illegible]

[illegible] 帝曰所謂三陽者太陽為經 [illegible]

所謂二陽者陽明也 [illegible]

一陽者少陽也 [illegible]

三陰者六經之所主也 [illegible] 交於太陰 [illegible]

二陰至肺其氣歸膀胱外連脾胃 [illegible] 一陰獨至經絶氣浮不鼓鉤而滑 [illegible]

此六脈者乍陰乍陽交屬相并繆通五藏合於陰陽 [illegible] 先至為主後至為客 [illegible]

男子以左爲命門右爲腎　李䗍范脉訣弟曰甲乙經曰腎者引也能引
氣通於骨髓（小字：和濡）左爲腎女右爲命門其腎有二文腑相對兵甲相應腎神
名曰濡濡　左屬壬右屬癸位居坎辰星所管神者神武也丈夫以
右爲命門左爲腎女子以左爲命門右爲命門以男子命氣爲神傳得所氣
壬癸之位女子命氣爲根傳經絡逃藏離女之位又曰奏離經曰藏命存
一身腎精有所何也然腎者藏於腎也左爲腎右爲命門命門者諸神
精之所舍元氣之所繫也故男子以藏精女子以繫胞故知腎有一也
命門者爲人生命之門正經論曰三焦者上合於手心主下合右腎主謁道
諸氣之名爲使者也屬其母諸家所書唯言命門自三焦爲原者唯難經以三
焦爲心主爲表裏又左寸火右寸金左關木右關土左尺水右尺火
男右尺女可驗經有夫妻對位者三焦配命門者表裏聚水火同
位也
李䗍范以男子寸脉常（小字：弱）女子尺脉常強爲閏叙夫主爲命爲解曰寸爲天以男子天脉常弱
令自天將而得之陰陽相委天地建子十一月建子陽從下長一陽生於子䷗復（小字：地雷）
復卦　關脉建丑十二月建丑二陽䷒澤臨卦　寸脉建寅男子生於寅三陽䷊泰（小字：地天）
卦　又天爲少陽男子之氣始於少陽少陽之至下大下小下經下長關爲陽和陽尉
之至浮大而短　寸爲太陽太陽之至陰陽而長䷡大壯　女子天脉常盈閏大脉建卯中女
子生於申三陰䷋否卦　關脉六月建未二陰䷠天山遯卦　寸脉五月建午陰從天生陰
生於午　又天爲太陰女子之氣始於太陰太陰之至大而長　關爲少
陰少陰之至緊細而微　寸爲厥陰厥陰之至沉短以敦
難經手心主難范司解其左者爲命門右是腎月之義　又男子以精之曰解五藏六府精氣陰溢而
以男子言之左是腎右是命門紅反歛
滲灌於腎月之義又男子以藏精之曰解五藏六府精氣陰溢而
玄府女子以繫胞下盟司解男女左右脉李范分明不注破字大存氣曰解春元
氣起於子之春坎之方位坎者卽父母之元氣乾爲天父坤爲地母令坎之初六二三乃
坤之初六三之坎之九二乃乾之九二之坤氣坤六爻於六三一九二而成坎卦所以象參寄係
於腎

（漢）司馬遷　撰
（南朝宋）裴駰　集解
（唐）司馬貞　索隱
（唐）張守節　正義

宋本史記

第二十四册

國家圖書館出版社

卷八之六

第二十四册目録

史記列傳

七十五

四六 吳王濞　周丘　四七 竇嬰

田蚡　灌夫

吳王濞
竇嬰
田蚡
灌夫

謂社之國　譙周云、史記三王世家、褚先生所補。王夫人世家曰、諸侯王始封者、必受土於天子之社、歸立之以爲國社、以歲時祠之。春秋大傳曰、天子之國有泰社、東方青、南方赤、西方白、北方黑、上方黃。故將封於東方者取青土、封於南方者取赤土、封於西方者取白土、封於北方者取黑土、封於上方者取黃土。各取其色物、裹以白茅、封以爲社。此始受封於天子者也。此之爲主土。主土者、立社而奉之也。譙周云、王夫人世家和□之國也、吳在東方、故爲青社。今吳亦在東方、故曰青社、蓋取青土封東方也。凡三晉、趙韓魏分晉爲三國、位于諸侯、謂之三晉、蓋爲臣者取國之暴秦。秦滅周、亦爲臣也。吳王濞非臣而高帝之兄子也。然則索隱云、五宗三王同世家、吳王濞、文帝之子同淮南王、文帝悼惠王同傳、錫諸世家。然則五宗三王載于世家、而陳涉義、陳馬遷義、深爲遷意、與吳王濞爲叙。其所載列傳、兼萬將爲功臣、叙載世家、所以勸善者懲惡也。不載于列傳。

五宗　孝景帝子十三人爲五宗

河間獻王德　臨江哀王閼于　音謁　臨江閔王榮

魯共王餘　江都易王非　膠西于王端

趙王彭祖　中山靖王勝

長沙定王發　膠東康王寄　清河哀王乘

廣川惠王越　　　　　　　常山憲王舜

右三國本王皆栗姬之子也

右三國本王皆程姬之子也

右二國本王皆賈夫人之子也

右一國本王唐姬之子也

右四國本王皆王夫人兒姁之子也

三王孝武帝子

齊王閎　王夫人子　燕王旦　李姬之子　廣陵王胥

楚元王交者、高祖之同母少弟也。漢書作同父。字游。世家第二十也。

荊王賈者、高帝從父兄也。世家第二十一也。　齊悼惠王肥者、高祖長

高祖兄弟四人　長兄伯　伯劉□亭侯信之父　次兄仲　吳王濞父　次季　高祖　少弟交　楚之王

四

吳王濞列傳第四十六　史記一百六

索隱曰五宗之國俱享大邦雖復逆亂萌心取汙朝典豈可謂非青社之國哉然淮南猶有後不絕衡山亦其罪蓋輕比三邦之分晉亦桑秦之滅周可不優乎安得出其王國不上同五宗三王列於世家其吳濞請與楚元王同爲一篇淮南宜與齊悼惠王爲一篇

吳王濞者索隱曰案濞字也音披位反高帝兄劉仲之子也徐廣曰仲名喜高帝已定天下七年立劉仲爲代王而匈奴攻代劉仲不能堅守棄國亡閒行走雒陽索隱曰謂獨行從他道逃走閒音紀閑反自歸天子天子爲骨肉故不忍致法廢以爲郃陽侯索隱曰地理志馮翊縣名在郃水之陽音合○正義曰郃陽故城在同州河西縣南三十里高帝十一年秋淮南王英布反東并

荆地劫其國云西度淮擊楚高帝自將往誅之劉仲子沛侯濞年二十有氣力以騎將從破布軍蘄西會甀（索隱曰地名也在蘄縣之西會音古外反甀音錘）布走荆王劉賈爲布所殺無後上患吳會稽輕悍無壯王以填之（索隱曰填音鎮）諸子少乃立濞於沛爲吳王（徐廣曰十二年十月辛丑）王三郡五十三城已拜受印高帝召濞相之謂曰若狀有反相心獨悔業已拜因拊其背（索隱曰拊音撫）告曰漢後五十年東南有亂者豈若邪（徐廣曰漢元年至景帝三年反五十有三年駰案應劭曰克期五十占者所知若秦始皇東巡以厭氣後劉項起東南疑當如此耳如淳曰度其貯積足用爲難又吳楚世不賓服○索隱曰案應氏之意以後五十年東南有乱本是）

占氣者所說高祖素聞此說自以前難未弭恐後究更生故說此言更以戒濞如淳之說亦合事理然天下同姓爲一家也慎無反濞頓首曰不敢會孝惠高后時天下初定郡國諸侯各務自拊循其民吳有豫章郡銅山韋昭曰今故章○索隱曰案鄣郡後改曰故章或稱豫章爲衍字也○正義括地志云秦兼天下以爲鄣郡今湖州長城縣西南八十里故章城是也銅山今宣州及潤州句容縣有並屬章也濞則招致天下亡命者益鑄錢煑海水爲鹽以故無賦正義曰按既盜鑄錢何以收其利足國之用吳國之民又何得無賦如說非也言吳國山既出銅民多盜鑄錢及煑海水爲鹽以山海之利不賦之故言無賦也其民無賦國用乃富饒也國用富饒如淳曰鑄錢煑鹽收其利以足國用故無賦於民孝文時吳太子入見索隱曰姚氏案楚漢春秋云吳太子名賢字德明得侍皇太子飲博吳太子師傅

皆楚人輕悍又素驕博爭道不恭皇太子引博局提吳太子殺之索隱曰提音啼又音底又音弟於是遣其喪歸葬至吳吳王慍曰正義曰於問反怨也天下同宗死長安即葬長安何必來葬爲復遣喪之長安葬吳王由此稍失藩臣之禮稱病不朝京師知其以子故稱病不朝驗問實不病諸吳使來輒繫責治之吳王恐爲謀滋甚及後使人爲秋請應劭曰冬當斷獄秋先請擇其輕重也孟康曰律春曰朝秋曰請如古諸侯朝聘也如淳曰濞不得行使人代已致請禮也○索隱曰音淨孟說是也張晏所云斷獄先請不知何憑如淳云代已致請亦是聽說且文云使人爲秋請謂使人爲此秋請之禮也上復責問吳使者使者對曰王實不病漢繫治使者

吳王濞傳　二

數輩以故遂稱病且夫察見淵中魚不祥張晏曰喻人君不當見盡下之私○索隱曰案此語見韓子及文子韋昭曰知臣下陰私使憂患生變爲不祥故當赦宥使自新也今王始詐病及覺見責急愈益閉恐上誅之計乃無聊唯上棄之而與更始於是天子乃赦吳使者歸之而賜吳王几杖老不朝吳得釋其罪謀亦益解然其居國以銅鹽故百姓無賦索隱曰案吳國有鑄錢煑鹽之利故百姓不別徭賦也卒踐更輒與平賈漢書音義曰以當爲更卒出錢三百文謂之過更自行爲卒爲之踐更吳王欲得民心爲卒雇者其庸隨時月與平賈如漢桓靈時有所興作以少府錢借民比也○索隱曰案漢律卒更有三踐更居更過更也此言踐更輒與平賈者謂爲踐更合自出錢今王欲得人心乃與平價官讎之也○正義曰踐更若今唱更行更者也言民自著卒更有三品有卒更有踐更有過更古者正卒無常人

皆當[illegible]是爲卒更貧者欲得雇更錢者次直者出錢顧之月二千是爲踐更天下人皆直戍邊三日亦名爲更律所謂繇戍也雖丞相子亦在戍邊之調不可人人自行三日戍又行者出錢三百入官官給戍者是爲過更此漢初因秦法而行之後改爲謫乃戍邊一歲歲時存問茂材賞賜閭里佗郡國吏欲來捕亡人者訟共禁弗予徐廣曰訟音松駰按如淳曰訟公也○正義曰訟音容言其相容共禁止不與也如此者四十餘年正義我曰言四十餘年者太史公盡言吳王一代行事也漢書作三十餘年而班固見其語在孝文之代乃減十年是班固不曉其理也以故能使其衆鼂錯爲太子家令得幸太子數從容言吳過可削數上書說孝文帝文帝寬不忍罰以此吳日益横及孝景帝即位錯爲御史大夫說上曰昔高帝初定天下昆弟少諸子弱大封同姓

故王孽子悼惠王王齊七十餘城庶弟元王王楚四十餘城兄子濞王吳五十餘城封三庶孽分天下半今吳王前有太子之郄詐稱病不朝於古法當誅文帝弗忍因賜几杖德至厚當改過自新乃益驕溢即山鑄錢索隱曰案即山山名也即者就也煑海水爲鹽誘天下亡人謀作亂今削之亦反不削之亦反削之其反亟禍小不削反遲禍大三年冬楚王朝鼂錯因言楚王戊往年爲薄太后服私姦服舍服虔曰服舍在喪次而私姦宮中也請誅之詔赦罰削東海郡因削吳之豫章郡會稽郡及前二年趙

王有罪削其河閒郡索隱曰案漢書作常山郡也膠西王卬以
賣爵有姦削其六縣漢廷臣方議削吳吳王濞
恐削地無已因以此發謀欲舉事念諸侯無足
與計謀者聞膠西王勇好氣喜兵諸齊皆憚畏
韋昭曰故爲齊分爲國者膠東濟北之屬於是乃使中大夫應高誂膠
西王索隱曰誂音徒鳥反無文書口報曰吳王不肖有宿
夕之憂不敢自外使喻其驩心王曰何以教之
高曰今者主上興於姦飾於邪臣好小善聽讒
賊擅變更律令侵奪諸侯之地徵求滋多誅罰
良善日以益甚里語有之舐糠及米索隱曰案言舐糠盡則至

日漢書景帝紀三年以前遣更出錢[illegible]如淳曰更有三品有卒更有踐更有過更古者正卒無常人皆當迭為之一月一更是為卒更也貧者欲得顧更錢者次直者出錢顧之月二千是為踐更也天下人皆直戍邊三日亦名為更律所謂繇戍也雖丞相子亦在戍邊之調不可人人自行三日戍又行者當自戍三日不可往便還因便住一歲一更諸不行者出錢三百入官官以給戍者是為過更也律說卒踐更者居也居更縣中五月乃更也後從尉律卒踐更一月休十一月也食貨志曰月為更卒已復為正一歲屯戍一歲力役三十倍於古此漢初因秦法而行之也後遂改易有謫乃戍邊一歲耳

日漢書音義 漢書曰注作[illegible] 為卒顧者[illegible]

日漢書服虔注 更賦 卒更 踐更 過更 [illegible]

[illegible]

誘 アサムキテ

小 スコシキナラン ヲソナケン

師古曰言於服舍為姦姦非宮中也服舍居喪之次聖室之屬也

薄太后孝景前二年崩

[illegible]海水爲鹽誘天下亡人謀作亂今削之亦反不削之亦反削之其反亟禍小不削反遲禍大三年冬楚王朝鼂錯因言楚王戊往年爲薄太后服私姦服舍（服虔曰服舍在喪次而私姦宮中也）請誅之詔赦罰削東海郡因削吴之豫章郡會稽郡及前二年趙

師古曰[illegible]音居力反

[illegible]郡

高帝[illegible]

王有罪削其河閒郡索隱曰案漢書作常山郡也膠西王卬以賣爵有姦削其六縣漢廷臣方議削吳吳王濞恐削地無已因以此發謀欲舉事念諸侯無足與計謀者聞膠西王勇好氣喜兵諸齊皆憚畏韋昭曰故爲齊今分爲國者膠東濟北之屬於是乃使中大夫應高誂膠西王索隱曰誂音徒鳥反無文書口報曰吳王不肖有宿夕之憂不敢自外使喻其驩心王曰何以教之高曰今者主上興於姦飾於邪臣好小善聽讒賊擅變更律令侵奪諸侯之地徵求滋多誅罰良善日以益甚里語有之舐糠及米索隱曰案言舐糠盡則至

吳與膠西知名諸侯也一時見察恐米謂削土盡則至滅國也不得安肆矣吳王身有內病不能朝請二十餘年嘗患見疑無以自白今脅肩累足猶懼不見釋竊聞大王以爵事有適正義曰張華反所聞諸侯削地罪不至此此恐不得削地而已王曰然有之子將奈何高曰同惡相助同好相留同情相成同欲相趨同利相死今吳王自以為與大王同憂願因時循理棄軀以除患害於天下億亦可乎王瞿然駭曰索隱曰劉氏瞿音九具反又說文云瞿視貌音九縛反寡人何敢如是今主上雖急固有死耳安得不戴高曰

熒惑 漢書作…… 師古曰……惑之也

正義曰孔文祥云案唯愁勞則有聖人

倍畔 漢書作背叛 宋祁曰叛當作畔

正義曰彷徉猶依倚也 漢書作方洋 師古曰方洋猶翱翔也

師古曰次舍息止之処也 須待也

不與 漢書作不果 與 通鑑全

吳 漢書通鑑有吳字 使者至膠西面約之 師古曰面約……而言也

[illegible]

御史大夫鼂錯熒惑天子侵奪諸侯蔽忠塞賢朝廷疾怨諸侯皆有倍畔之意人事極矣彗星出蝗蟲數起此萬世一時而愁勞聖人之所以起也 索隱曰案所謂殷憂以啓明聖也 故吳王欲內以鼂錯爲討外隨大王後車彷徉天下所鄉者降所指者下天下莫敢不服大王誠幸而許之一言則吳王率楚王略函谷關守滎陽敖倉之粟距漢兵治次舍須大王大王有幸而臨之則天下可并兩主分割不亦可乎王曰善高歸報吳王吳王猶恐其不與乃身自爲使使於膠西面結之膠西

吳王濞傳 五

[illegible]

羣臣或聞王謀諫曰承一帝至樂也今大王與吳西鄉弟令事成兩主分爭患乃始結諸侯之地不足爲漢郡什二而爲畔逆以憂太后非長策也文穎曰王之太后也王弗聽遂發使約齊菑川膠東濟南濟北皆許諾而曰城陽景王有義攻諸呂勿與事定分之耳徐廣曰爾時城陽共王喜景王之子諸侯既新削罰振恐多怨鼂錯及削吳兵會稽豫章郡書至則吳王先起兵膠西正月丙午誅漢吏二千石以下膠東菑川濟南楚趙亦然遂發兵西齊王後悔飲藥自殺畔約濟北王城壞未完其郎中令

劫守其王不得發兵膠西爲渠率膠東菑川濟南共攻圍臨菑趙王遂亦反陰使匈奴與連兵七國之發也吳王悉其士卒下令國中曰寡人年六十二（徐廣曰吳王即位四十二年矣）身自將少子年十四亦爲士卒先諸年上與寡人比下與少子等者皆發發二十餘萬人南使閩越東越東越亦發兵從孝景帝三年正月甲子初起兵於廣陵（徐廣曰荆王劉賈都吳吳王移都廣陵也）西涉淮因并楚兵發使遺諸侯書曰吳王劉濞敬問膠西王膠東王菑川王濟南王趙王楚王淮南王衡山王廬江王故長沙王

吳王濞傳　六

曰吳楚七國　高帝從弟二人孫五人合爲七國也

劉賈仲　吳王濞

高帝　趙幽王　趙王遂

齊悼惠王　膠西王卬　濟南王辟光　菑川王賢　膠東王雄渠

楚元王交　楚王郢　楚王戊

子徐廣曰吳芮之玄孫靖王著以文帝七年卒無嗣國除駰案如淳曰吳芮後四世無子國除庶子二人為列侯不得嗣王志將不滿故誘與之反也幸教寡人以漢有賊臣無功天下

侵奪諸侯地使吏劾繫訊治以僇辱之為故漢書音義曰故事也○正義曰按專以僇辱諸侯為事不以諸侯人君禮遇劉氏

骨肉絕先帝功臣進任姦宄詿亂天下正義曰詿音卦欲

危社稷陛下多病志失不能省察欲舉兵誅之

謹聞教敝國雖狹地方三千里人雖少精兵可

具五十萬寡人素事南越三十餘年其王君皆

不辭分其卒以隨寡人又可得三十餘萬寡人

雖不肖願以身從諸王越直音值長沙者索隱曰謂其境相接

也因王子定長沙以北如淳曰南越直長沙者因王子定地也○索隱曰案謂南越之地與長沙地相接值者因長沙王子以定長沙以北也西走蜀漢中正義曰走音奏向也王子長沙王子也南越之地對長沙之南者其民因王子而鎮定長沙以北西向蜀及漢中咸委王子定矣告越如淳曰告東越使定之楚王淮南三王與寡人西面正義曰越東越也又告東越楚淮南三王與吳王共西面擊之三王謂淮南衡山廬江也齊諸王與趙王定河間河內或入臨晉關正義曰今蒲津關或與寡人會雒陽燕王趙王固與胡王有約燕王北定代雲中摶胡眾索隱曰摶音專專謂專統領胡兵入蕭關正義曰今古隴山關在原州平涼縣界走長安匡正天子以安高廟願王勉之楚元王子淮南三王或不沐洗十餘年怨入骨髓欲一有

告越 如淳曰告東越使定之也師古曰此說非也言王子定長沙以北而西趨蜀及漢中平定已訖使報南越也

三王 淮南安 衡山勃 廬江賜

三王 師古曰謂高帝子厲王子為王者淮南衡山廬江也

胡 胡王者盧綰孫東胡王

燕 燕王劉澤高祖從祖昆弟也文帝元年王燕二年薨子康王嘉嗣二十六年薨子定國嗣立二十四年自殺國除見年表

匡正天子 漢書作匡正天下 宜文曰史記作天子誤矣

又楚王淮南三王 師古曰淮南三王謂厲王三子為王者淮南衡山廬江也

義不沐洗 猶言父曾被殺故憂服[?]攻除[?]稍以愁慕不洗沐也

告越 句讀 如淳告越二字為句 師古以如淳說為非 告越楚王淮南三王八字為句

所懷志不在洗沐也

二〇

所出之久矣寡人未得諸王之意未敢聽今諸王苟能存亡繼絕振弱伐暴以安劉氏社稷之所願也敝國雖貧寡人節衣食之用積金錢修兵革聚穀食夜以繼日三十餘年矣凡為此願諸王勉用之能斬捕大將者賜金五千斤封萬戶列將三千斤封五千戶裨將二千斤封二千戶二千石千斤封千戶千石五百斤封五百戶皆為列侯其以軍若城邑降者卒萬人邑萬戶如得大將人戶五千如得列將人戶三千如得裨將人戶二千如得二千石其小吏皆以差次受爵

金帛封賜皆且倍軍法（服虔曰封賜倍漢之常法）其有故爵邑者更益勿因願諸王明以令士大夫弗敢欺也寡人金錢在天下者往往而有非必取於吳諸王日夜用之弗能盡有當賜者告寡人寡人且往遺之敬以聞七國反書聞天子天子乃遣太尉條侯周亞夫將三十六將軍往擊吳楚遣曲周侯酈寄擊趙將軍欒布擊齊大將軍竇嬰屯滎陽監齊趙兵吳楚反書聞兵未發竇嬰未行言故吳相袁盎時家居詔召入見上方與晁錯調兵笇軍食上問袁盎曰君嘗為吳相知吳臣

吳王濞傳　八

田祿伯爲之乎今吳楚反於公何如不足憂也今破矣上曰吳王即山鑄錢煮海水爲鹽誘天下豪桀白頭舉事若此其計不百全豈發乎何以言其無能爲也袁盎對曰吳有銅鹽利則有之安得豪桀而誘之誠令吳得豪桀亦且輔王爲義不反矣吳所誘皆無賴子弟亡命鑄錢姦人故相率以反鼂錯曰袁盎策之善上問曰計安出盎對曰願屏左右上屏人獨錯在盎曰臣所言人臣不得知也乃屏錯錯趨避東廂恨甚上卒問盎盎對曰吳楚相遺書曰高帝王子弟

各有分地。今賊臣晁錯擅適過諸侯，〔索隱曰：適音直革反，又音宅。〕削奪之地，故以反為名，西共誅晁錯，復故地而罷。方今計獨斬晁錯，發使赦吳楚七國，復其故削地，則兵可無血刃而俱罷。」於是上嘿然良久，曰：「顧誠何如，吾不愛一人以謝天下。」盎曰：「臣愚計無出此，願上孰計之。」乃拜盎為太常，〔正義曰：今盎為太常，史失奉宗廟之指意。〕吳王弟子德侯為宗正。〔徐廣曰：名通，其父名廣。　索隱：漢書曰吳王弟子德侯廣為宗正也。〕盎裝治行。後十餘日，上使中尉召錯，紿載行東市。錯衣朝衣斬東市。則遣袁盎奉宗廟，宗正輔親戚，〔正義曰：以親戚之意輔漢訓諭。〕使告吳，如

通鑑 宗正德侯通遣使吳 胡注高祖兄仲之子廣封德侯生通通嗣侯國在泰山郡

通鑑 曰是乘六乘傳將會兵滎陽發至霸上趙涉遮說亞夫曰吳王素富懷輯死士久

矣此知將軍且行必置間人於殽澠阨陿之間 胡注阨於懈反陿音狹 且兵事尚

神密將軍何不從此右去走藍田出武關抵洛陽間不過差一二日 胡注自霸上右趨藍田出

武關至洛陽甚近 直入武庫擊鳴鼓諸侯聞之以爲將軍從天而下也太尉

如其計至洛陽喜曰七國反吾乘傳至此不自意全今吾據滎陽滎陽以東

以東無足憂者 胡注 漢書音義 太尉得劇孟喜如得一敵國云

天下騷動宰相得之若得一敵國 孟一游俠之士耳亞夫乃得之爲輕重

使吏搜殽澠間果得吳伏兵乃請趙涉爲護軍 太尉

蕭盎爲太常 胡注史失其宗廟之表 盎爲太常者爲奉宗廟之吏 不書官 表於其

漢書以盎爲奉常奉宗廟使吳王 師古曰奉宗廟之禮者也

良久 漢書傳上從間於盎 數季子孫 良從如淳曰良善也 師古曰從間

之義 帝默然良久曰顧誠何如吾不愛一人以謝天下 盎曰 愚計出此

曰景帝六年 漢書百官表 曰景帝中六年更名太常

曰乘六乘傳 驛傳長安 漢書 曰 以爲大臣召 乘一乘傳 如淳曰急者乘一乘

曰乘一乘傳張晏曰乘六乘傳 盎備漢爲有處 欲急 故乘傳車六乘也 文乘傳注是

景帝五年

通鑑 錯衣朝衣斬東市 使盎使吳 錯爲御史大夫 請削諸侯

錯父聞之從潁川來 謂錯曰上初即位 公爲政用事 侵削諸侯

請削之 以尊天子 令天下 畏敬也 錯爲天子計 欲安宗廟 今謁者僕射鄧公爲校尉

世帝聞 夫吾非天子所 擊吳楚 上問曰 聞鼂錯死 吳楚罷不

報罪 尋年數以固其強 欲 後 乃 上許之 景帝見鄧公 漢書作鄧先 孔

盎策之吳兵已攻梁梁壁矣宗正以親故先
入見諭吳王使拜受詔吳王聞袁盎來亦知其
欲說己笑而應曰我已爲東帝尚何誰拜不肯
見盎而留之軍中欲劫使將盎不肯使人圍守
且殺之盎得夜出步亡去走梁軍遂歸報條侯
將乘六乘傳（正義曰上音乘下竹戀反）會兵滎陽至雒陽見劇
孟喜曰七國反吾乘傳至此不自意全（正義曰上言不自意洛陽得全及見劇孟）又以爲諸侯已得劇孟劇孟今無動吾
據滎陽以東無足憂者至淮陽問父絳侯故客
鄧都尉曰策安出客曰吳兵銳甚難與爭鋒楚

兵輕（輕正義曰輕正反）不能久方今爲將軍計莫若引兵東北壁昌邑以梁委吳吳必盡銳攻之將軍深溝高壘使輕兵絕淮泗口塞吳饟道彼吳梁相敝而糧食竭乃以全彊制其罷極破吳必矣條侯曰善從其策遂堅壁昌邑南（正義曰在曹州城武縣東北四十二里也）輕兵絕吳饟道吳王之初發也吳臣田祿伯爲大將軍田祿伯曰兵屯聚而西無佗奇道難以就功臣願得五萬人別循江淮而上收淮南長沙入武關與大王會此亦一奇也吳王太子諫曰王以反爲名此兵難以藉人藉人亦且反王奈

〇通鑑向諸大將胡注大將即大行將爲將句 〇鑑將校尉候司馬胡注凡軍行有大將裨將領軍皆有部曲部有校尉曲有軍候軍司馬又有假候假司馬皆有副其別營領屬爲別部司馬 〇孟康曰行伍間假爲安曰在行伍間或爲假候或爲司馬

敖倉見本史記酈食其傳注正義曰敖倉在鄭州滎陽縣西十五里石門之東北臨汴水南帶三皇山秦將置倉於敖山上故名敖倉

多它利害師古曰穌說非也上云言難以籍又云人亦且疑王是則已疑祿伯矣下乃云多佗利害謂分兵而去前事不測或有利害難可決識耳非重云畏其降漢者

東城〇已進爲固敵過整鄭氏女中原鵩

少年推鋒可耳

何且擅兵而別多佗利害未可知也蘇林曰祿伯儻將兵降漢徒自損耳吳王即不許田祿伯吳少自爲己利於吳爲生患也將桓將軍說王曰吳多步兵步兵利險漢多車騎車騎利平地願大王所過城邑不下直棄去疾西據雒陽武庫食敖倉粟阻山河之險以令諸侯雖毋入關天下固已定矣即大王徐行留下城邑漢軍車騎至馳入梁楚之郊事敗矣吳王問諸老將老將曰此少年推鋒之計可耳安知大慮乎於是王不用桓將軍計吳王專并將其兵未度淮諸賓客皆得爲將校尉候司馬獨

〇漢書無計之字

周丘不得用周丘者下邳人亡命吳酤酒無行吳王濞薄之弗任周丘上謁說王曰臣以無能不得待罪行間臣非敢求有所將願得王一漢節必有以報王王乃予之周丘得節夜馳入下邳下邳時聞吳反皆城守至傳舍召令令入戶使從者以罪斬令遂召昆弟所善豪吏告曰吳反兵且至至屠下邳不過食頃今先下家室必完能者封侯矣出乃相告下邳皆下周丘一夜得三萬人使人報吳王遂將其兵北略城邑比至陽城（正義曰地理志云城陽國故齊漢文帝二年別爲國屬兗州）兵十餘萬破城陽中

吳王濞傳 十一

尉軍聞吴王敗走自度無與共成功即引兵歸下邳未至痘發背死二月中吴王兵既破敗走於是天子制詔將軍曰蓋聞為善者天報之以福為非者天報之以殃高皇帝親表功德建立諸侯幽王悼惠王絶無後孝文皇帝哀憐加惠王幽王子遂悼惠王子卬等令奉其先王宗廟為漢藩國德配天地明並日月吴王濞倍德反義誘受天下亡命皋人亂天下幣（如淳曰幣錢也以私錢淆亂天下錢也）稱病不朝二十餘年有司數請濞罪孝文皇帝寛之欲其改行為善今乃與楚王戊趙王

遂膠西王卬濟南王辟光菑川王賢膠東王雄
渠約從反爲逆無道起兵以危宗廟賊殺大臣
及漢使者迫劫萬民夭殺無罪燒殘民家掘其
丘冢甚爲暴虐今卬等又重逆無道燒宗廟鹵
御物（如淳曰鹵抄掠也宗廟在郡縣之物皆爲御物○正義曰顏師古曰御物宗廟之服器也）朕甚
痛之朕素服避正殿將軍其勸士大夫擊反虜
擊反虜者深入多殺爲功斬首捕虜比三百石
以上者皆殺之無有所置（正義曰置放釋也）敢有議詔
及不如詔者皆要斬　初吳王之度淮與楚王遂
西敗棘壁（正義曰在宋州寧陵縣西南七十里）乘勝前銳甚梁孝王

尉軍聞吳王敗走自度無與共成功即引兵歸
下邳未至疽發背死二月中吳王兵既破敗走
於是天子制詔將軍曰蓋聞爲善者天報之以
福爲非者天報之以殃高皇帝親表功德建立
諸侯幽王悼惠王絶無後孝文皇帝哀憐加惠
王幽王子遂悼惠王子卬等令奉其先王宗廟
爲漢藩國德配天地明並日月吳王濞倍德反
義誘受天下亡命辠人亂天下幣如淳曰幣錢也以私錢淆亂天下錢也
稱病不朝二十餘年有司數請濞罪孝文
皇帝寬之欲其改行爲善今乃與楚王戊趙王

遂膠西王卬濟南王辟光菑川王賢膠東王雄渠約從反爲逆無道起兵以危宗廟賊殺大臣反漢使者迫劫萬民夭殺無罪燒殘民家掘其丘冢甚爲暴虐今卬等又重逆無道燒宗廟鹵御物如淳曰鹵抄掠也宗廟在郡縣之物皆爲御物○正義曰顏師古曰御物宗廟之服器也朕甚痛之朕素服避正殿將軍其勸士大夫擊反虜擊反虜者深入多殺爲功斬首捕虜比三百石以上者皆殺之無有所置正義曰置赦釋也敢有議詔及不如詔者皆要斬初吳王之度淮與楚王遂西敗棘壁正義曰在宋州寧陵縣西南七十里乘勝前銳甚梁孝王

吳王濞傳 十二

恐遣六將軍擊吳又敗梁兩將士卒皆還走梁梁數使使報條侯求救條侯不許又使使惡條侯於上上使人告條侯救梁復守便宜不行梁使韓安國及楚死事相弟張羽為將軍徐廣曰楚相張尚諫王而死○正義曰按羽尚弟也乃得頗敗吳兵吳兵欲西梁城守堅不敢西即走條侯軍會下邑徐廣曰屬梁國○正義曰宋州碭山縣本漢下邑縣欲戰條侯壁不肯戰吳糧絕卒飢數挑戰遂夜犇條侯壁驚東南條侯使備西北果從西北入吳大敗士卒多飢死乃畔散於是吳王乃與其麾下壯士數千人夜亡去度江走丹徒保

太尉條侯亞夫也

梁孝王也

東越（正義曰東越傳云獨東甌受漢之購殺吳王丹徒潤州也東甌即東越也東越將兵從吳在丹徒也）東越兵可萬餘人乃使人收聚亡卒漢使人以利啗東越（韋昭曰啗音徒覽反）東越即紿吳王吳王出勞軍即使人鏦殺吳王（孟康曰方言戟謂之鏦○索隱曰鏦音七江反謂以戈刺殺之鄒氏又音春音從容之從謂撞殺之也○正義曰括地志云漢吳王濞冢在潤州丹徒縣東練壁聚北今入于江吳錄云丹徒有吳王冢在縣北其處名爲相唐）盛其頭馳傳以聞（吳地記曰吳王濞葬武進縣南地名相唐○索隱曰張勃云吳王濞葬丹徒縣南其地名相唐今云武進縣恐錯也）吳王子子華子駒亡走閩越吳王之棄其軍亡也軍遂潰往往稍降太尉梁軍楚王戊軍敗自殺三王之圍齊臨菑也三月不能下漢兵至膠西膠東菑川王各引

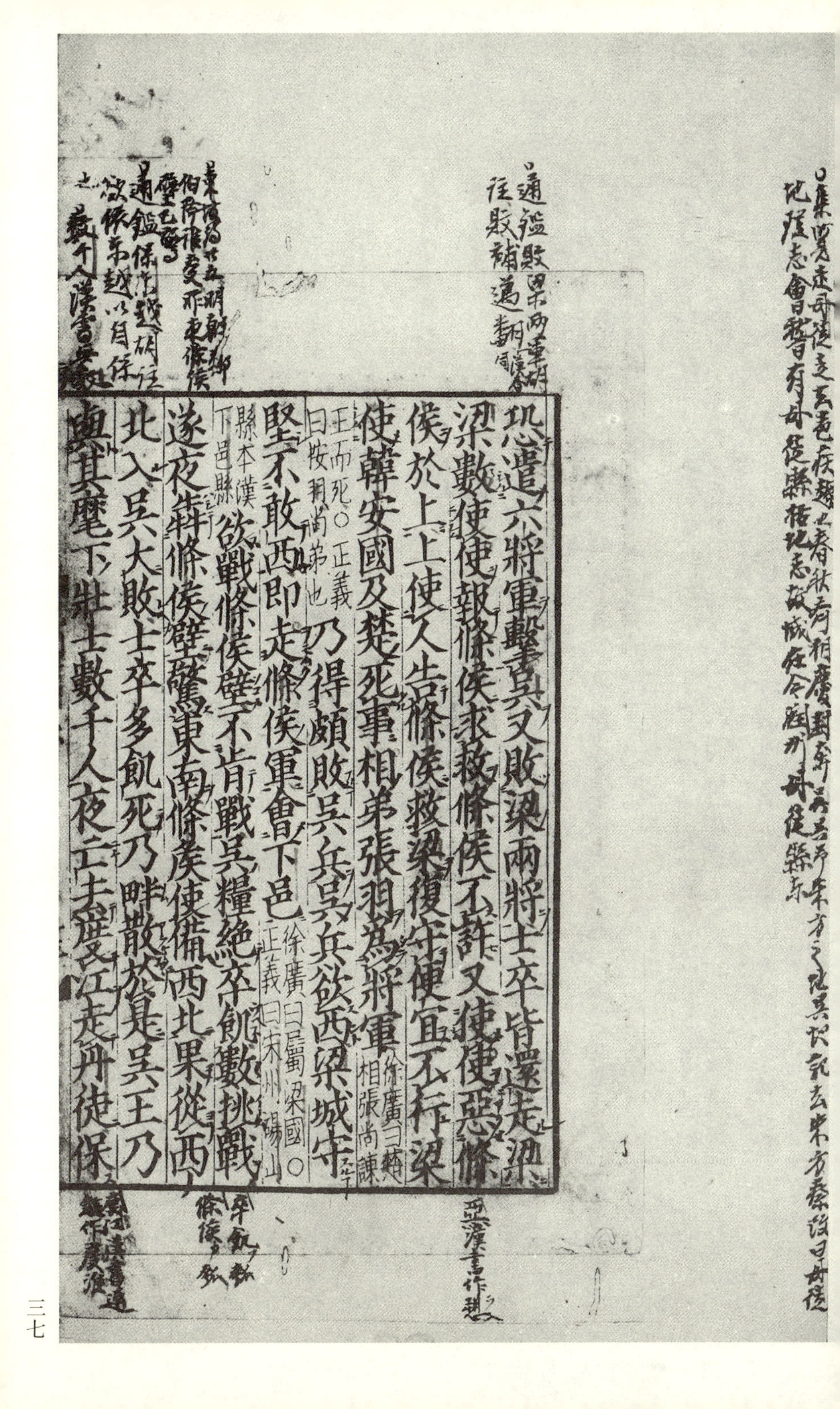

恐遣六將軍擊吳又敗梁兩將士卒皆還走梁梁數使使報條侯求救條侯不許又使使惡條侯於上上使人告條侯救梁復守便宜不行梁使韓安國及楚死事相弟張羽為將軍（徐廣曰楚相張尚諫王而死○正義曰按羽尚弟也）乃得頗敗吳兵吳兵欲西梁城守堅不敢西即走條侯軍會下邑（徐廣曰屬梁國○正義曰宋州碭山縣本漢下邑縣）欲戰條侯壁不肯戰吳糧絕卒飢數挑戰遂夜犇條侯壁驚東南條侯使備西北果從西北入吳大敗士卒多飢死乃畔散於是吳王乃與其麾下壯士數千人夜亡去度江走丹徒保

東越正義曰東越傳云獨東甌受漢之購殺吳王丹徒潤州也東甌即東越也東越將兵從吳在丹徒也東越兵可萬餘人乃使人收聚亡卒漢使人以利啗東越韋昭曰啗音徒覽反東越即紿吳王吳王出勞軍即使人鏦殺吳王孟康曰方言戟謂之鏦○索隱曰鏦音七江反謂以戈刺殺之鄒氏又音舂舂亦音從容之從謂撞殺之也○正義曰括地志云漢吳王濞冢在潤州丹徒縣東練壁聚北今入于江吳錄云丹徒有吳王冢在縣北其處名為相唐盛其頭馳傳以聞吳地記曰吳王濞葬武進縣南地名相唐○索隱曰張勃云吳王濞葬丹徒縣南其地名相唐今云武進縣恐錯也吳王子子華子駒亡走閩越吳王之棄其軍亡也軍遂潰往往稍降太尉梁軍楚王戊軍敗自殺三王之圍齊臨菑也三月不能下漢兵至膠西膠東菑川王各引

袒洗徐曰袒者跣足也

索隱本祖作袒

遠漢書作還

已壞不可用

兵歸膠西王乃袒洗席藁飲水謝太后王太子德曰漢兵遠臣觀之已罷可襲願收大王餘兵擊之擊之不勝乃逃入海未晚也王曰吾士卒皆已壞不可發用弗聽漢將弓高侯頽當徐廣曰姓韓遺王書曰奉詔誅不義降者赦其罪復故不降者滅之王何處須以從事王肉袒叩頭漢軍壁謁曰臣卬奉法不謹驚駭百姓乃苦將軍遠道至于窮國敢請葅醢之罪弓高侯執金鼓見之曰王苦軍事願聞王發兵狀王頓首膝行對曰今者鼂錯天子用事臣變更高皇帝法令侵

奪諸侯地卬等以爲不義恐其敗亂天下七國
發兵且以誅錯今聞錯已誅卬等謹以罷兵歸
將軍曰王苟以錯不善何不以聞及未有詔虎
符擅發兵擊義國以此觀之意非欲誅錯也乃
出詔書爲王讀之讀之訖曰王其自圖王曰如
卬等死有餘罪遂自殺太后太子皆死膠東菑
川濟南王皆死 徐廣曰一云自殺 國除納于漢酈將軍圍
趙十月而下之趙王自殺濟北王以劫故得不
誅徙王菑川初吳王首反并將楚兵連齊趙正
月起兵三月皆破獨趙後下復置元王少子平

吳王濞傳 十四

兵歸膠西王乃祖洗席稾飲水謝太后王太子
徳曰漢兵遠臣觀之巳罷可襲願收大王餘兵
擊之擊之不勝乃逃入海未晚也王曰吾士卒
皆巳壞不可發用弗聽漢將弓高侯頽當徐廣曰姓韓
遺王書曰奉詔誅不義降者赦其罪復故不
降者滅之王何處須以從事王肉袒叩頭漢軍
壁謁曰臣卬奉法不謹驚駭百姓乃苦將軍遠
道至于窮國敢請葅醢之罪弓高侯執金鼓見
之曰王苦軍事願聞王發兵狀王頓首膝行對
曰今者鼂錯天子用事臣變更高皇帝法令侵

漢書祖洗作徒跣 太后膠西王之后也

遠漢書作還

索隱本祖作祖

巳壞不可用

嘗及舉率其衆降漢〃封穎當為弓高侯吳楚之反時功冠諸将〃韓隤當傳

奪諸侯地卬等以為不義恐其敗亂天下七國發兵且以誅錯今聞錯已誅卬等謹以罷兵歸將軍曰王苟以錯不善何不以聞及未有詔虎符擅發兵擊義國以此觀之意非欲誅錯也乃出詔書為王讀之讀之訖曰王其自圖王曰如卬等死有餘罪遂自殺太后太子皆死膠東菑川濟南王皆死徐廣曰一云自殺國除納于漢酈將軍圍趙十月而下之趙王自殺濟北王以劫故得不誅徙王菑川初吳王首反并將楚兵連齊趙正月起兵三月皆破獨趙後下復置元王少子平

濟北王志堅守不与諸侯合謀吳楚已平徙王菑川

上曰濟北城壞未完其郎中令劫守其王不得發兵

吳王濞傳 十四

陸侯禮爲楚王續元王後徙汝南王非王吳故地爲江都王

太史公曰吳王之王由父省也音所幸反○索隱曰省音所景反省者減也謂父仲從代王省封郃陽侯也能薄賦斂使其衆以擅山海利逆亂之萌自其子興爭技發難索隱曰謂與太子爭博是爭技也卒亡其本親越謀宗竟以夷隕鼂錯爲國遠慮禍反近身袁盎權說初寵後辱故古者諸侯地不過百里山海不以封毋親夷狄以疏其屬蓋謂吳邪毋爲權首反受其咎豈盎錯邪

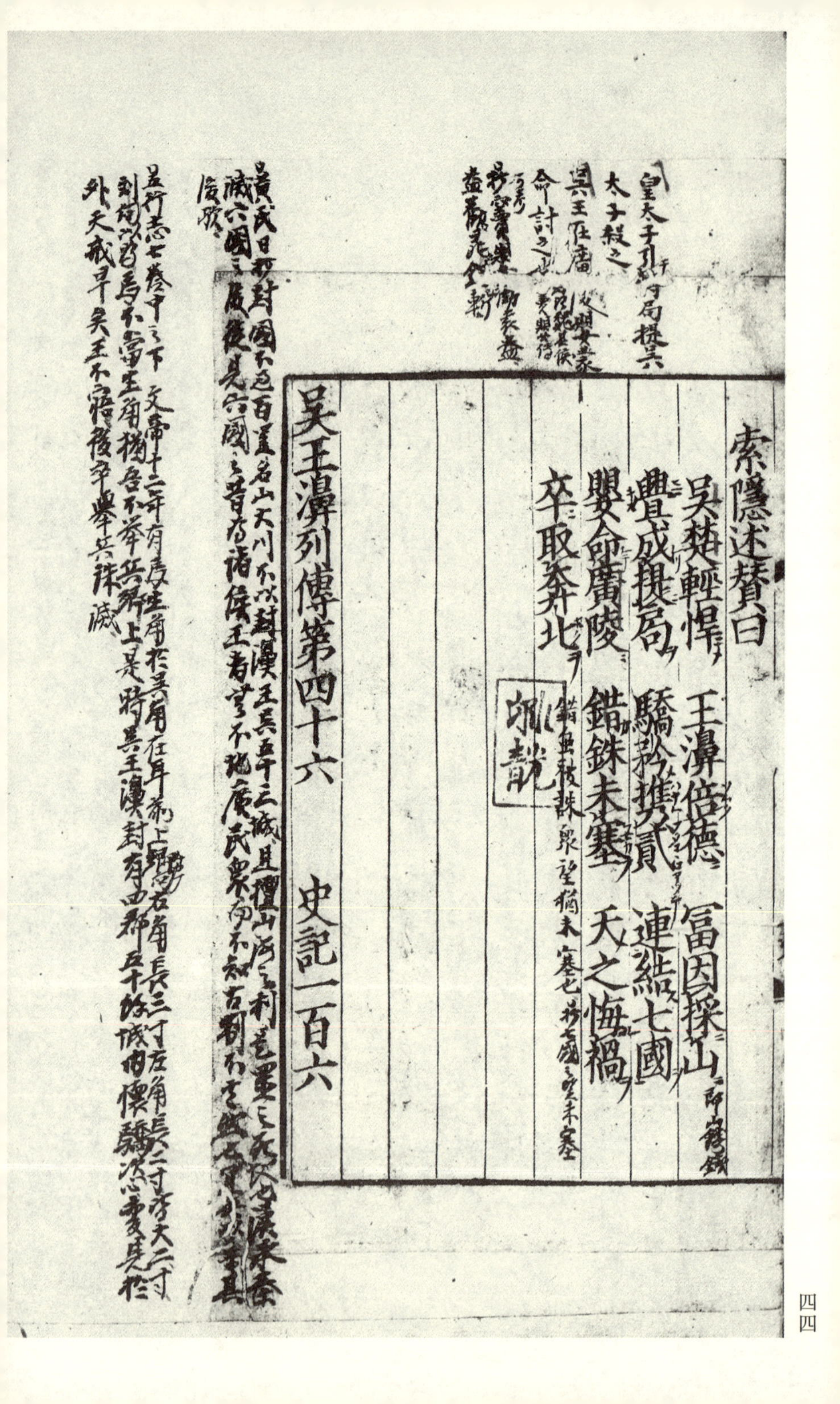

索隱述贊曰

吳楚輕悍　王濞倍德　富因採山　錢

由煮海　驕矜貳志　連結七國

嬰命廣陵　錯誅未塞　天之悔禍

卒取奔北

吳王濞列傳第四十六　史記一百六

魏其武安侯列傳第四十七　史記一百七

魏其侯竇嬰者，孝文后從兄子也。父世觀津人。索隱曰案地理志觀津縣屬信都以言其累葉在觀津故云父世也○正義曰觀津城在冀州武邑縣東南二十五里喜賓客。孝文時，嬰為吳相，病免。孝景初即位，為詹事。正義曰百官表云詹事秦官掌皇后太子家也梁孝王者，孝景弟也，其母竇太后愛之。梁孝王朝，因昆弟燕飲。是時上未立太子，酒酣，從容言曰：千秋之後傳梁王。太后驩。竇嬰引卮酒進上，曰：天下者，高祖天下，父子相傳，此漢之約也，上何以得擅傳梁王！太后由此憎竇嬰。竇嬰亦薄其官，因病免。太后除竇嬰門籍不得入朝請律諸侯春朝天子曰朝秋曰請○正義曰才性反孝景三年吳楚反上察宗室諸竇索隱曰案謂宗室之中及諸竇父宗室也又姚氏案酷吏傳周陽由其父趙兼以淮南王舅侯周陽故因改氏由以宗室任爲郎則似是與國有親戚屬籍者亦得呼爲宗室也毋如竇嬰賢乃召嬰嬰入見固辭謝病不足任太后亦慚於是上曰天下方有急王孫寧可以讓邪漢書曰竇嬰字王孫乃拜嬰爲大將軍賜金千斤嬰乃言袁盎欒布諸名將賢士在家者進之所賜金陳之廊廡下軍吏過輒令財取爲用蘇林曰自人之裁度取爲用也金無入家者竇嬰守滎陽監齊趙兵正義曰監音甲衫反吳王濞傳云竇嬰屯滎陽監齊趙兵也七國兵已盡破封嬰

師古曰財與裁同謂裁量而用之也

魏其武安侯傳一

爲魏其侯諸游士賓客爭歸魏其侯孝景時每
朝議大事條侯魏其侯諸列侯莫敢與亢禮孝
景四年立栗太子正義曰栗姬之子後廢之故書母姓也使魏其侯
爲太子傅孝景七年栗太子廢魏其數爭不能
得魏其謝病屏居田南山之下數月諸賓客辯
士說之莫能來梁人高遂乃說魏其曰能富貴
將軍者上也能親將軍者太后也今將軍傅太
子太子廢而不能爭爭不能得又弗能死自引
謝病擁趙女屏閒處正義曰上音閑下昌汝反而不朝相提而
論徐廣曰提音徒抵反○索隱曰提音弟又音啼相提猶相抵也論音路頓反是自明揚主

上之過有如兩宮螫將軍（張晏曰兩宮太后景帝也螫恐也毒蟲怒必螫人又火各反○索隱曰螫音釋謂怒也漢書作蘡蘡即螫也○正義曰兩宮太子景帝也）則妻子毋類矣（索隱曰謂見誅滅無遺類）魏其侯然之乃遂起朝請如故桃侯免相（服虔曰劉舍也）竇太后數言魏其侯孝景帝曰太后豈以爲臣有愛不相魏其（索隱曰愛猶惜也）魏其者沾沾自喜耳多易（徐廣曰沾一作怗又昌兼反又當牒反張晏曰沾沾言自整頓也多易多輕易之行也或曰沾音擔也○索隱曰小顏沾音他兼反擔音尺占反）難以爲相持重遂不用用建陵侯衞綰爲丞相

武安侯田蚡者孝景后同母弟也（索隱曰蚡音扶粉反又如蚡鼠之蚡音墳）生長陵魏其已爲大將軍後方盛蚡爲諸

爲魏其侯諸游士賓客爭歸魏其侯孝景時每朝議大事條侯魏其侯諸列侯莫敢與亢禮孝景四年立栗太子（正義曰栗姬之子後廢之故書母姓也）使魏其侯爲太子傅孝景七年栗太子廢魏其數爭不能得魏其謝病屏居藍田南山之下數月諸賓客辯士說之莫能來梁人高遂乃說魏其曰能富貴將軍者上也能親將軍者太后也今將軍傅太子太子廢而不能爭爭不能得又弗能死自引謝病擁趙女屏閒處（正義曰上音閑下昌汝反）而不朝相提而論（徐廣曰提音徒抵反○索隱曰提音弟又音啼相提猶相抵也論音路頓反）是自明揚主

上之過有如兩宮螫將軍張晏曰兩宮太后景帝也螫怒也毒蟲怒必螫人又火各反○索隱曰螫音釋謂怒也漢書作蘦蘦即螫也○正義曰兩宮太子景帝也則妻子毋類矣索隱曰謂見誅滅無遺類魏其侯然之乃遂起朝請如故

桃侯免相服虔曰劉舍也竇太后數言魏其侯孝景帝曰太后豈以爲臣有愛不相魏其索隱曰愛猶惜也魏其者沾沾自喜耳多易徐廣曰沾一作怗又昌兼反又當牒反張晏曰沾沾言自整頓也多易多輕易之行也或曰沾音擔也○索隱曰小顏沾音他兼反擔音尺占反難以爲相持重遂不用用建陵侯衞綰爲丞相

武安侯田蚡者孝景后同母弟也索隱曰蚡音扶粉反又如蚡鼠之蚡音實生長陵魏其已爲大將軍後方盛蚡爲諸

魏其武安侯傳 二

郎徐廣曰一云諸卿時人相號長老老者爲諸公年少者爲諸卿如今人相號爲士大夫未貴往來侍酒魏其跪起如子姪及孝景晚節索隱曰按謂晚年也蚡益貴幸爲太中大夫蚡辯有口學槃盂諸書應劭曰黃帝史孔甲所作銘也凡二十六篇書槃盂中所以爲法戒諸書諸子文書也孟康曰孔甲槃盂二十六篇雜家書兼儒墨名法王太后賢之徐廣曰即蚡同母姊者孝景崩即日太子立稱制所鎮撫多有田蚡賓客計筴蚡弟田勝皆以太后弟孝景後三年徐廣曰孝景後三年即是孝武初嗣位之年也封蚡爲武安侯勝爲周陽侯正義曰絳州聞喜縣東二十里周陽故城也武安侯新欲用事爲相卑下賓客進名士家居者貴之欲以傾魏其諸將相建元元年丞相綰

病免上議置丞相太尉籍福說武安侯曰魏其貴久矣天下士素歸之今將軍初興未如魏其即上以將軍爲丞相必讓魏其魏其爲丞相將軍必爲太尉太尉丞相尊等耳又有讓賢名武安侯乃微言太后風上於是乃以魏其侯爲丞相武安侯爲太尉籍福賀魏其侯因弔曰君侯資性喜善疾惡方今善人譽君侯故至丞相然君侯且疾惡惡人衆亦且毀君侯君侯能兼容則幸久不能今以毀去矣魏其不聽魏其武安俱好儒術推轂趙綰爲御史大夫索隱曰案推轂謂自卑下之如

魏其武安侯傳 三

漢書作子姓 所古曰姓生也言同子礼若己所生

正義曰晉灼曰按藝文志孟説是也

郎徐廣曰一云諸卿時人相號長老者爲諸公年少者爲諸郎如今人相號爲士大夫未貴往來侍酒魏其跪起如子姪及孝景晚節索隱曰按謂晚年也蚡益貴幸爲太中大夫蚡辯有口學槃盂諸書應劭曰黄帝使孔甲所作銘也凡二十六篇書槃盂中所爲法戒諸書諸子文書也孟康曰孔甲槃盂二十六篇雜家書兼儒墨名法王太后賢之徐廣曰即蚡同母姊者孝景崩即日太子立稱制所鎮撫多有田蚡賓客計筴蚡弟田勝皆以太后弟孝景後三年徐廣曰孝景後三年即是孝武初嗣位之年也封蚡爲武安侯勝爲周陽侯正義曰絳州聞喜縣東二十里周陽故城也武安侯新欲用事爲相卑下賓客進名士家居者貴之欲以傾魏其諸將相建元元年丞相綰

病免上議置丞相太尉籍福說武安侯曰魏其貴久矣天下士素歸之今將軍初興未如魏其即上以將軍爲丞相必讓魏其魏其爲丞相將軍必爲太尉太尉丞相尊等耳又有讓賢名武安侯乃微言太后風上於是乃以魏其侯爲丞相武安侯爲太尉籍福賀魏其侯因弔曰君侯資性喜善疾惡方今善人譽君侯故至丞相然君侯且疾惡惡人衆亦且毀君侯君侯能兼容則幸久不能今以毀去矣魏其不聽魏其武安俱好儒術推轂趙綰爲御史大夫索隱曰案推轂謂自卑下之如

（爲之推車載也）王臧爲郎中令迎魯申公欲設明堂令列侯就國除關（索隱曰謂除關門之稅也）以禮爲服制（索隱曰案其時禮度踰侈多不依古今吉凶服制皆法於禮也）以興太平舉適諸竇（索隱曰適音直革反）宗室毋節行者除其屬籍時諸外家爲列侯列侯多尚公主皆不欲就國以故毀日至竇太后太后好黃老之言而魏其武安趙綰王臧等務隆推儒術貶道家言是以竇太后滋不說魏其等及建元二年御史大夫趙綰請無奏事東宮（韋昭曰欲奪其政也）竇太后大怒乃罷逐趙綰王臧等而免丞相太尉以柏至侯許昌爲丞相武彊侯莊青

灌爲御史大夫魏其武安由此以侯家居武安侯雖不任職以王太后故親幸數言事多效天下吏士趨勢利者皆去魏其歸武安武安日益橫建元六年竇太后崩丞相昌御史大夫靑翟坐喪事不辦免以武安侯蚡爲丞相以大司農韓安國爲御史大夫天下士郡國諸侯愈益附武安（索隱曰按謂仕諸郡又仕諸侯王國者猶言仕郡國也）武安者貌侵（韋昭曰侵音寢短小也又云醜惡也刻确也音核）生貴甚（索隱曰小顏云生貴謂自尊高示貴寵其誇跡也按生謂蚡自生尊貴之勢特甚故下云又以諸侯王多長年蚡以肺腑爲相非痛折節以禮屈之則天下不肅者也）又以爲諸侯王多長（張晏曰多長年）上初卽位富於春秋蚡

以肺腑爲京師相正義曰顔師古曰舊解云肺腑如肝肺之相附着也一説肺碎木札也喻其輕薄附着大材按顔此説並是陳諺又改腑爲附就其義重謬矣八十一難云寸口者脉之大會手太陰之動脉也呂廣云太陰者肺之脉也肺爲諸藏之主通陰陽故十二經脉皆會手太陰所以決吉凶者十二經有病皆寸口知其何經之動浮沉濇滑春秋逆順知其死生顔野王云肺腑腹心也案説田蚡爲相若人之肺知陰陽逆順又爲帝之腹心親戚也非痛折節以禮詘之天下不肅索隱曰案痛甚也欲令上折節詘下於已不然天下不肅或解以爲蚡欲折節下士非也案下文不讓其兄蓋侯知或説爲非也當是時丞相入奏事坐語移日所言皆聽薦人或起家至二千石權移主上上乃曰君除吏已盡未吾亦欲除吏嘗請考工地益宅漢書百官表曰少府有考工室如淳曰官名也上怒曰君何不遂取武庫是後乃退嘗召客飲

坐其兄蓋侯徐廣曰王后兄王信也大山有蓋縣樂安有益縣也南鄉自坐東鄉以爲漢相尊不可以兄故私撓武安由此滋驕治宅甲諸第徐廣曰爲諸第之上也田園極膏腴而市買郡縣器物相屬於道前堂羅鍾鼓立曲旃如淳曰旌旗之名通帛曰旃曲旃僭也蘇林曰禮大夫立曲旃曲柄上曲也〇索隱曰說文曰曲旃者所以招士也後房婦女以百數諸侯奉金玉狗馬玩好不可勝數魏其失竇太后益疏不用無勢諸客稍稍自引而怠傲唯灌將軍獨不失故魏其日默默不得志而獨厚遇灌將軍

灌將軍夫者潁陰人也夫父張孟嘗爲潁陰侯

魏其武安侯傳　五

嬰舍人得幸因進之至二千石故蒙灌氏姓爲灌孟吳楚反時潁陰侯灌何爲將軍索隱曰案何是嬰子漢書作嬰誤屬太尉請灌孟爲校尉夫以千人與父俱漢書音義曰官主千人如候司馬灌孟年老潁陰侯彊請之鬱鬱不得意故戰常陷堅遂死吳軍中軍法父子俱從軍有死事得與喪歸灌夫不肯隨喪歸奮曰張晏曰自奮自勵也願取吳王若將軍頭以報父之仇於是灌夫被甲持戟募軍中壯士所善願從者數十人及出壁門莫敢前獨二人及從奴十數騎馳入吳軍至吳將麾下正義曰謂大將之旗所殺傷數十人不

得前復馳還走入漢壁皆亡其奴獨與一騎歸夫身中大創十餘適有萬金良藥故得無死夫創少瘳又復請將軍曰吾益知吳壁中曲折請復往將軍壯義之恐亡夫乃言太尉太尉乃固止之吳已灌夫以此名聞天下潁陰侯言之上上以夫為中郎將數月坐法去後家居長安長安中諸公莫弗稱之孝景時至代相孝景崩今上初即位以為淮陽天下交勁兵處故徙夫為淮陽太守建元元年入為太僕二年夫與長樂衛尉竇甫飲輕重不得（晉灼曰飲酒輕重不得其平也）夫醉搏甫

索隱曰搏音博謂擊之甫，竇太后昆弟也。上恐太后誅夫，徙爲燕相。數歲，坐法去官，家居長安。灌夫爲人剛直使酒，不好面諛。貴戚諸有勢在己之右，不欲加禮，必陵之；諸士在己之左，愈貧賤，尤益敬，與鈞。稠人廣衆，薦寵下輩。士亦以此多之。夫不喜文學，好任俠，已然諾。索隱曰已音以謂已許諾必使副其前言也諸所與交通，無非豪桀大猾。家累數千萬，食客日數十百人。陂池田園，宗族賓客爲權利，橫於潁川。潁川兒乃歌之曰：潁水清，灌氏寧；潁水濁，灌氏族。灌夫家居雖富，然失勢，卿相侍中賓客益衰。及魏其侯失勢亦欲倚灌夫引繩批根生平慕之後棄之者蘇林曰二人相倚引繩直之意批根賓容也去之者不與交通孟康曰根根括引繩以持彈○索隱曰案劉氏云二人相倚事如合繩共相依引也批音步結反批者排也漢書作排根小顏根音痕括音昫謂人生平慕嬰夫後見其失職而頗蔑慢如此者共排退之不復與交也譬如相對挽繩而根括之也持彈案漢書本作抨彈音普耕反灌夫亦倚魏其而通列侯宗室為名高兩人相為引重張晏曰相薦達為聲勢其游如父子然相得驩甚無厭恨相知晚也灌夫有服過丞相丞相從容曰吾欲與仲孺過魏其侯漢書曰灌夫字仲孺會仲孺有服索隱曰案服謂朞功之服也故漢書曰仲孺不辭同生之服也灌夫曰將軍乃肯幸臨況魏其侯夫安敢以服為解請語魏其

侯帳具將軍旦日蚤臨武安許諾灌夫具語魏其侯如所謂武安侯魏其與其夫人益市牛酒夜灑埽早帳具至旦平明令門下候伺至日中丞相不來魏其謂灌夫曰丞相豈忘之哉灌夫不懌曰夫以服請宜往（徐廣曰一云以服請不宜往○索隱曰案徐廣云以服請不宜往其說非也正言灌夫請不以服爲解蚡不宜忘故駕自往迎也）乃駕自往迎丞相丞相特前戲許灌夫殊無意往及夫至門丞相尚臥於是夫入見曰將軍昨日幸許過魏其魏其夫妻治具自旦至今未敢嘗食武安鄂（徐廣曰一作梧）謝曰吾昨日醉忽忘與仲孺言乃駕往又徐行

灌夫愈益怒及飲酒酣夫起舞屬丞相索隱曰屬音之欲反屬猶委也付也小顔云若今人舞訖相勸也丞相不起夫從坐上語侵之魏其乃扶灌夫去謝丞相丞相卒飲至夜極驩而去丞相嘗使籍福請魏其城南田魏其大望曰老僕雖棄將軍雖貴寧可以勢奪乎不許灌夫聞怒罵籍福籍福惡兩人有郤乃謾自好謝丞相曰魏其老且死易忍且待之已而武安聞魏其灌夫實怒不予田亦怒曰魏其子嘗殺人蚡活之蚡事魏其無所不可何愛數頃田且灌夫何與也吾不敢復求田武安由此大怨灌夫

侯帳具將軍旦日蚤臨武安許諾灌夫具語魏其侯如所謂武安侯魏其與其夫人益市牛酒夜灑埽早帳具至旦平明令門下候伺至日中丞相不來魏其謂灌夫曰丞相豈忘之哉灌夫不懌曰夫以服請宜往徐廣曰一云以服請不宜往○索隱曰案徐廣云以服請不宜往其說非也正言灌夫請不以服爲解蚡不宜忘故駕自往迎也乃駕自往迎丞相丞相特前戲許灌夫殊無意往及夫至門丞相尚臥於是夫入見曰將軍昨日幸許過魏其魏其夫妻治具自旦至今未敢嘗食武安鄂徐廣曰一作捂謝曰吾昨日醉忽忘與仲孺言乃駕往又徐行

灌夫愈益怒及飲酒酣夫起舞屬丞相索隱曰屬音之欲反屬猶委也付也小顏云若今之舞訖相勸也丞相不起夫從坐上語侵之魏其乃扶灌夫去謝丞相丞相卒飲至夜極驩而去丞相嘗使籍福請魏其城南田魏其大望曰老僕雖棄將軍雖貴寧可以勢奪乎不許灌夫聞怒罵籍福籍福惡兩人有郤乃謾自好謝丞相曰魏其老且死易忍且待之已而武安聞魏其灌夫實怒不予田亦怒曰魏其子嘗殺人蚡活之蚡事魏其無所不可何愛數頃田且灌夫何與也吾不敢復求田武安由此大怨灌夫

九

魏其元光四年春（徐廣曰疑此當是三年也其說在後）丞相言灌夫家在潁川橫甚民苦之請案上曰此丞相事何請灌夫亦持丞相陰事為姦利受淮南王金與語言賓客居閒遂止俱解夏丞相取燕王女為夫人（索隱曰案蚡娶燕王劉澤子康王嘉之女也）有太后詔召列侯宗室皆往賀魏其侯過灌夫欲與俱夫謝曰夫數以酒失得過丞相丞相今者又與夫有郄魏其曰事已解彊與俱飲酒酣武安起為壽（如淳曰上酒為稱壽詩非大行酒）坐皆避席伏已魏其侯為壽獨故人避席耳餘半膝席（蘇林曰下席而膝半在席上如淳曰以膝踦席上也）灌夫不悅

起行酒至武安武安膝席曰不能滿觴夫怒因嘻笑曰將軍貴人也屬之徐廣曰屬一作畢○索隱曰案漢書作畢畢盡也時武安不肯行酒次至臨汝侯徐廣曰灌嬰孫名賢也○索隱曰案漢書云臨汝侯灌賢則賢是嬰之孫臨汝是改封也臨汝侯方與程不識耳語又不避席夫無所發怒乃罵臨汝侯曰生平毀程不識不直一錢今日長者爲壽乃效女兒呫囁耳語韋昭曰呫囁附耳小語聲○索隱曰女兒猶云兒女也漢書作女曹兒曹輩也猶言兒女輩呫鄒氏音蚩輙反囁音汝輙反武安謂灌夫曰程李俱東西宮衞尉漢書音義曰李廣爲東宮程不識爲西宮今衆辱程將軍仲孺獨不爲李將軍灌地乎如淳曰李將軍李廣也猶今人言爲除地也○索隱曰案小顏云言今既毀程令李何地自安處也

魏其元光四年春徐廣曰疑此當是三年也其說在後丞相言灌夫家在潁川橫甚民苦之請案上曰此丞相事何請灌夫亦持丞相陰事爲姦利受淮南王金與語言賓客居閒遂止俱解夏丞相取燕王女爲夫人索隱曰案蚡娶燕王劉澤子康王嘉之女也有太后詔召列侯宗室皆往賀魏其侯過灌夫欲與俱夫謝曰夫數以酒失得過丞相丞相今者又與夫有郄魏其曰事已解彊與俱飲酒酣武安起爲壽如淳曰上酒爲稱壽非大行酒坐皆避席伏已魏其侯爲壽獨故人避席耳餘半膝席蘇林曰下席而膝半在席上如淳曰以膝跪席上也灌夫不悅

起行酒至武安武安膝席曰不能滿觴夫怒因嘻笑曰將軍貴人也屬之徐廣曰屬一作畢○索隱曰案漢書作畢畢盡也時武安不肯行酒次至臨汝侯徐廣曰灌嬰孫名賢○索隱曰案漢書云臨汝侯灌賢則賢是嬰之孫臨汝是改封也臨汝侯方與程不識耳語又不避席夫無所發怒乃罵臨汝侯曰生平毀程不識不直一錢今日長者爲壽乃效女兒呫囁耳語韋昭曰呫囁附耳小語聲○索隱曰女兒猶云兒女也漢書作女曹兒曹輩也猶言兒女輩呫鄒氏音蚩輒反囁音汝輒反武安謂灌夫曰程李俱東西宮衛尉漢書音義曰李廣爲東宮程不識爲西宮今衆辱程將軍仲孺獨不爲李將軍地乎如淳曰李將軍李廣也猶今人言爲除地也○索隱曰案小顏云言今既毀程令李何地自安處也灌

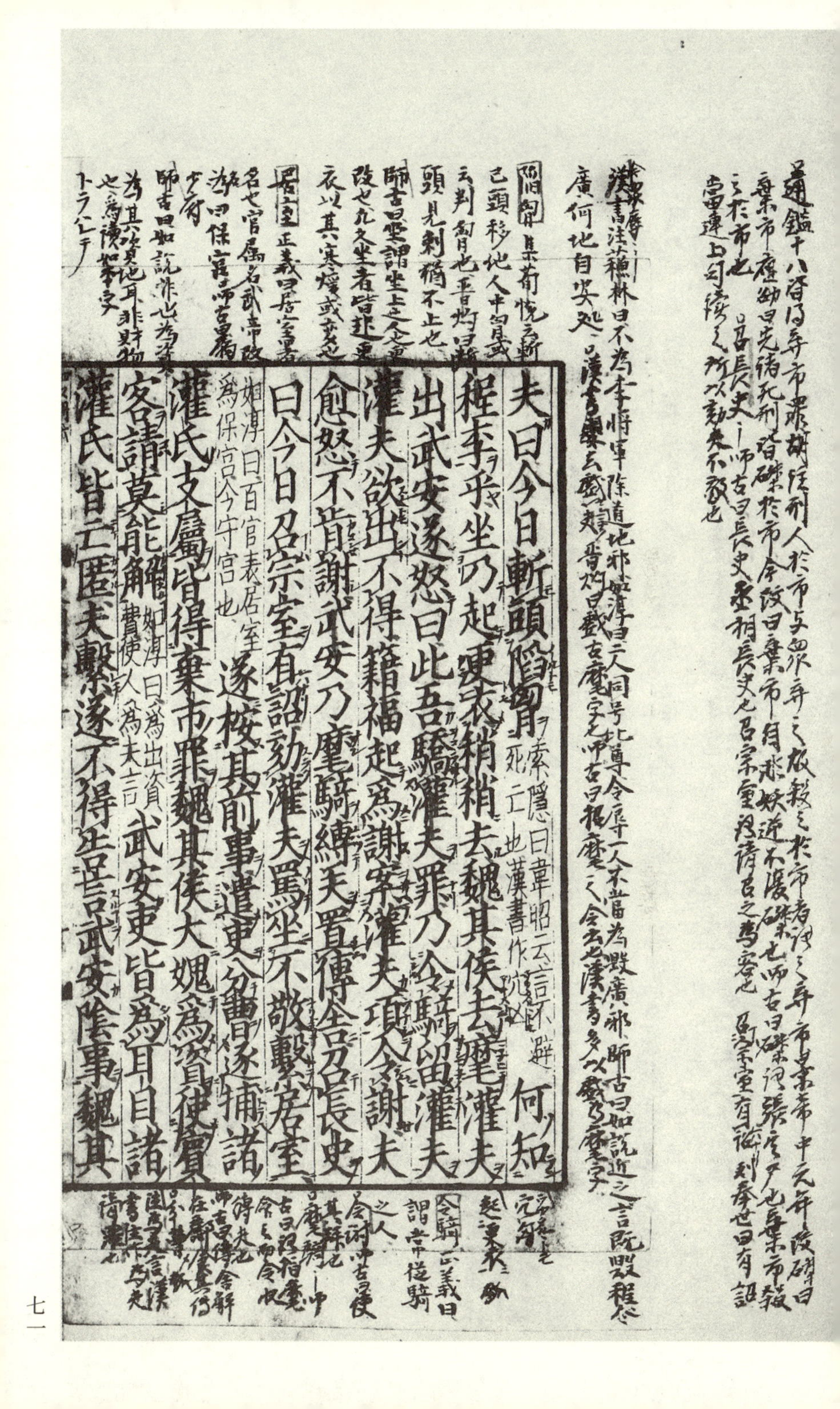

夫曰今日斬頭陷胸（索隱曰韋昭云言不避死亡也漢書作穴匈）何知程李乎坐乃起更衣稍稍去魏其侯去麾灌夫出武安遂怒曰此吾驕灌夫罪乃令騎留灌夫灌夫欲出不得籍福起爲謝案灌夫項令謝夫愈怒不肯謝武安乃麾騎縛夫置傳舍召長史曰今日召宗室有詔劾灌夫罵坐不敬繫居室（如淳曰百官表居室爲保宮今守宮也）遂按其前事遣吏分曹逐捕諸灌氏支屬皆得棄市罪魏其侯大媿爲資使賓客請莫能解（如淳曰爲出資費使人爲夫言）武安吏皆爲耳目諸灌氏皆亡匿夫繫遂不得告言武安陰事魏其

銳身爲救灌夫夫人諫魏其曰灌將軍得罪丞相與太后家忤寧可救邪魏其侯曰侯自我得之自我捐之無所恨且終不令灌仲孺獨死嬰獨生乃匿其家晉灼曰恐其夫人復諫止也竊出上書立召入具言灌夫醉飽事不足誅上然之賜魏其食曰東朝廷辯之如淳曰東朝太后朝魏其之東朝盛推灌夫之善言其醉飽得過乃丞相以他事誣罪之武安又盛毀灌夫所爲橫恣罪逆不道魏其度不可奈何因言丞相短武安曰天下幸而安樂無事蚡得爲肺腑所好音樂狗馬田宅蚡所愛倡優

巧匠之屬不如魏其灌夫日夜招聚天下豪桀壯士與論議腹誹而心謗不仰視天而俯畫地張晏曰視天占三光也畫地知分野所在也畫地謝欲作反事辟倪兩宮閒徐廣曰辟音芳細反倪音詣張晏曰占太后與帝吉凶之期○索隱曰辟普係反倪五係反埤蒼云睥睨邪視也幸天下有變而欲有大功張晏曰幸爲反者當得爲大將立功也瓚曰天下有變謂天子崩因變難之際得立大功臣乃不知魏其等所爲於是上問朝臣兩人孰是御史大夫韓安國曰魏其言灌夫父死事身荷戟馳入不測之吳軍身被數十創名冠三軍此天下壯士非有大惡爭杯酒不足引他過以誅也魏其言是也丞相亦言灌夫通姦猾

侵細民家累巨萬橫恣潁川淩轢宗室侵犯骨肉此所謂枝大於本脛大於股不折必披索隱曰披音疋彼反○正義曰鋪被反披分折也丞相言亦是唯明主裁之主爵都尉汲黯是魏其內史鄭當時是魏其後不敢堅對餘皆莫敢對上怒內史曰公平生數言魏其武安長短今日廷論局趣效轅下駒張晏曰駒頭款車轅下隨母而已瓚曰小馬在轅下○正義曰服云駒馬加著轅局趣纖小之貌按應說為長也吾并斬若屬矣即罷起入上食太后太后亦已使人候伺具以告太后太后怒不食曰今我在也而人皆藉吾弟索隱曰案晉灼云藉蹈也以言蹂藉也令我百歲後皆魚

內之矣且帝寧能爲石人邪索隱曰謂帝不如石人得長存也正義曰顏師古云言徒有人耳不知好惡按今俗云人不辨事罵云杌杌若木人也此特帝在即錄錄設百歲後是屬寧有可信者乎索隱曰案設者脫也上謝曰俱宗室外家正義曰嬰景帝從舅蚡太后同母弟故廷辯之不然此一獄吏所決耳是時郎中令石建爲上分別言兩人事武安已罷朝出止車門召韓御史大夫載怒曰與長孺共一老禿翁何爲首鼠兩端漢書音義曰禿翁言嬰無官位扳援也首鼠一前一卻也○索隱曰案謂共治一老禿翁指竇嬰也韓御史良久謂丞相曰君何不自喜蘇林曰何不自解釋爲喜樂邪○索隱曰案小顏云何不自謙遜爲可喜之事音許既反夫魏其毀君君當免冠解印綬歸

曰臣以肺腑幸得待罪固非其任魏其言皆是

如此上必多君有讓不廢君魏其必內愧杜門

齰舌自殺（索隱曰案說文云齰齧也士白反）今人毀君君亦毀人

譬如賈豎女子爭言何其無大體也武安謝罪

曰爭時急不知出此於是上使御史簿責魏其

所言灌夫頗不讎（正義曰讎音市周反對也言簿責魏其所言灌夫實頗川事故魏其不對爲欺謾者也）欺謾劾繫都司空（索隱曰案百官表云宗正屬官有都司空主詔獄也○正義曰如淳云律司空主水及罪人）孝景時魏其常受遺詔曰事有不便以

便宜論上及繫灌夫罪至族事日急諸公莫敢

復明言於上魏其乃使昆弟子上書言之幸得

復召見書奏上而案尚書大行無遺詔（如淳曰大行主諸侯官也○索隱曰案尚書無此景帝崩時大行遺詔乃魏其家臣印封之如淳說非也○正義曰天子崩曰大行也按尚書之中景帝崩時無遺詔賜魏其也百官表云諸受尚書事也）詔書獨藏魏其家家丞封（漢書音義曰以家臣印封遺詔）乃劾魏其矯先帝詔罪當棄市五年十月（徐廣曰疑非五年亦非十月○索隱曰徐氏云疑非者案武帝四年三月蚡薨死在前今云五年故疑非也○正義曰漢書云元光四年冬魏其侯嬰又有罪棄市春三月乙卯丞相蚡薨按五年者誤也）悉論灌夫及家屬魏其良久乃聞聞即恚病痱（索隱曰痱音肥又音扶味反風病也）不食欲死或聞上無意殺魏其魏其復食治病議定不死矣乃有蜚語為惡言聞上（張晏曰蚡為作飛揚誹謗之語）故以十二月晦（徐廣曰疑非十二月也駰案張晏曰月晦

者春垂至也〇索隱曰著日月者見春垂至恐遇赦贖也論棄市渭城正義曰故咸陽也其春武安侯病正義曰其春即四年春也元光四年十月灌夫弃市十二月末魏其弃市至三月乙卯田蚡薨則三人死同在一年明矣漢以十月爲歲首故也秦楚之際者云十一月十二月端月二月三月至九月爲終周建子爲正月十一月爲正月十二月爲二月正月爲三月二月爲四月至十月爲歲終漢初至武帝太初以前並依秦法以後改用夏正月至今不改然夫子作春秋依夏正專呼服謝罪漢書音義曰言蚡號呼謝服罪也使巫視鬼者視之見魏其灌夫共守欲殺之竟死子恬嗣徐廣曰蚡疾見魏其灌夫鬼殺之則其春共在一春內耶武帝本紀四年三月乙卯田蚡薨死嬰死在蚡薨之前何復云五年十二月邪疑十二月當爲二月也案侯表蚡事武帝九年而卒元光四年侯恬之元年建元元年訖元光三年而九年大臣表蚡以元光四年卒亦云嬰四年棄市未詳此正安在然蚡薨在嬰死後分明元朔三年武安侯坐衣襜褕正義曰爾雅云今蔽前謂之襜郭璞云蔽膝也說文

魏其武安侯傳　十三

字林並謂之短衣入宮不敬徐廣曰表云坐衣不敬國除○索隱曰襜褕尺占反褕音踰謂非正朝衣若婦人服也淮南王安謀反覺治王前朝徐廣曰建元二年武安侯爲太尉時迎王至霸上謂王曰上未有太子大王最賢高祖孫即宮車晏駕非大王立當誰哉淮南王大喜厚遺金財物上自魏其時不直武安特爲太后故耳索隱曰案武帝以魏其灌夫事爲枉於武安侯爲不直特爲太后故耳及聞淮南王金事上曰使武安侯在者族矣

太史公曰魏其武安皆以外戚重灌夫用一時決筴而名顯魏其之舉以吳楚武安之貴在日

月之際然魏其誠不知時變灌夫無術而不遜

兩人相翼乃成禍亂武安負貴而好權杯酒責

望陷彼兩賢嗚呼哀哉遷怒及人命亦不延衆

庶不載竟被惡言嗚呼哀哉禍所從來矣

索隱述贊曰

竇嬰田蚡　勢利相雄　咸倚外戚

或恃軍功　灌夫自喜　引重其中

意氣杯酒　辟睨兩宮　事竟不直

冤哉二公

魏其武安侯列傳第四十七　史記一百七

曰意氣、、於云意氣以杯酒、、　叔仲、、落於此念恨是也

曰黄公戚日秋　魏其侯竇嬰、、孝文后從兄子也。景帝謂解夫言千秋萬歲後傳梁王

嬰獨引高帝約折之，太后憎嬰。嬰報病免。後七國反，太子而太子之廢，數爭不能得，復謝病免。嘗為大

將，賜金千斤，金陳廊下，軍吏所過，輒令財取為用。得賢士，士在家者，蓋亦贊於人。竇嬰以失勢，帳之，一旦使

酒不遜之灌夫，以觸罪，貴賤為田蚡所譖，以滅族，雖死不悔，乎不愿哉，乃可酒忍之，抵嘗護

於吉之義，士大夫不可一朝不奉之，嗟雖齊月也

曰在日月之際　勾踐未出谷為之春　日月進也。儒陵諄之，其歌之任潤注日月，以言曰一聲，蓋一聲詩題

宗宣化乙山谷見祐中之為五日月者多矣，道山隣日月落樾深，澗戶文為道，日月哉，年不如君

中原日月九萬里，知禮求哀聽日月，無那請者，以日月光耀而宣化乎，任潤也，由是觀之，太史公西府曰

序云：除指紫帝王留宣后乎

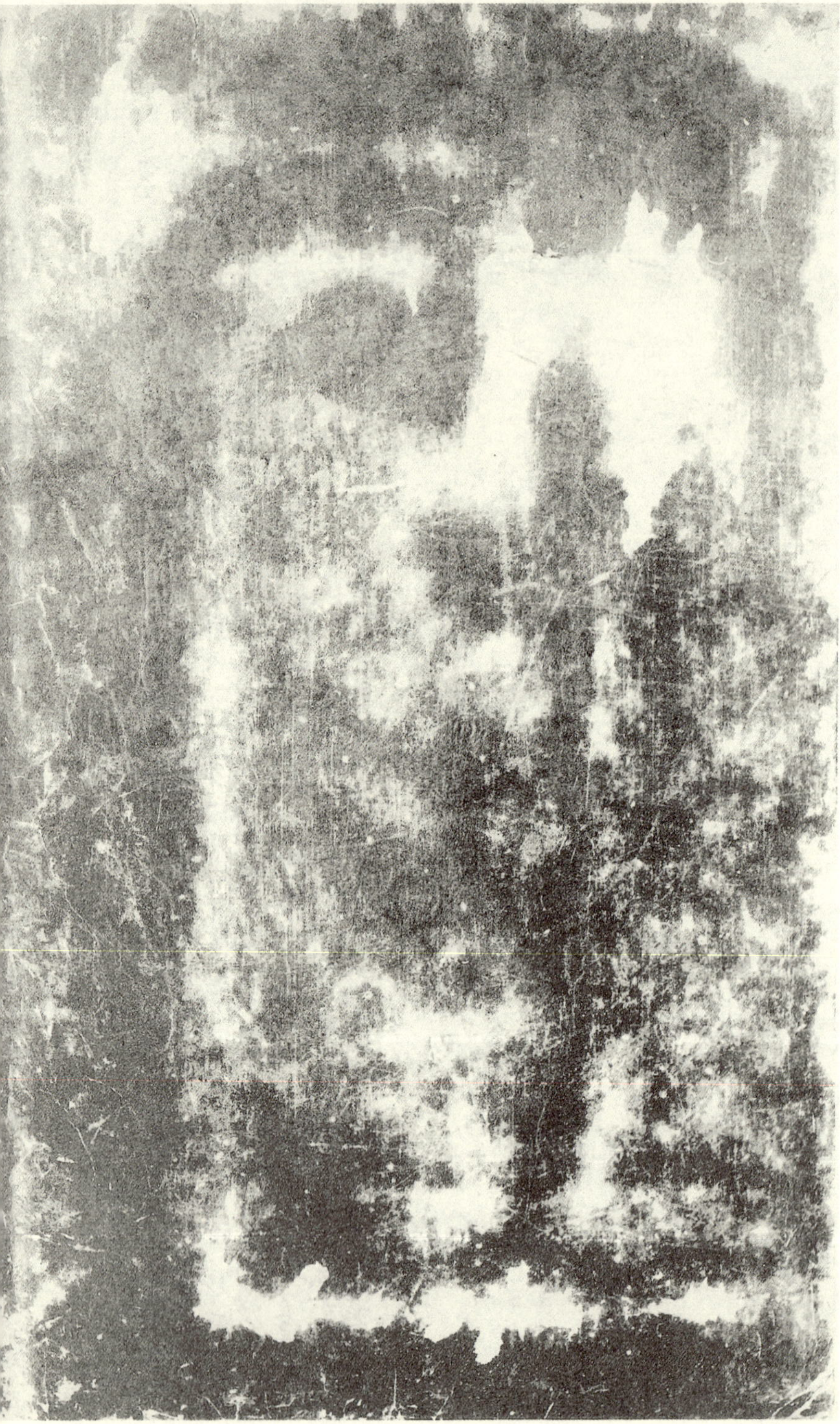

史記列傳 七十六

四八 韓安國 長孺也

附王恢 壺遂

四九 李廣

附陵 李敢 李蔡

程不識

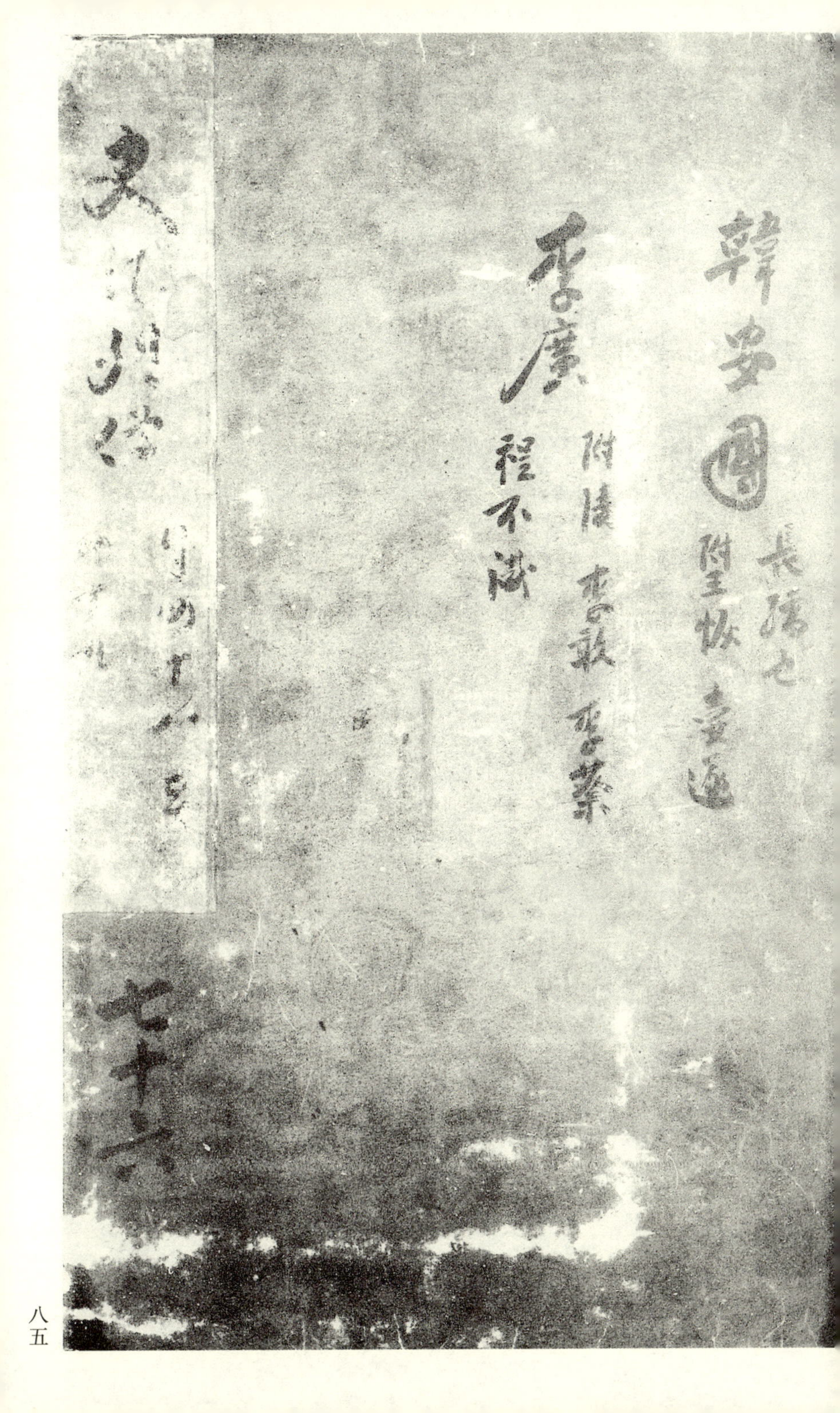

韓安國 長孺也 附王恢 壺遂

李廣 附陵 李敢 李蔡

程不識

七十六

曰皮犀璲ニ朳云犀璲ノアル処ヲ攻テ乃尉史也啟剥尉史ハ刺ハ備ニ向フ也剥知字状
卜云ヘト同ジ曰杪當帙挺榱音挺榱トハナシテヤカテヤトヱテ戩ニセイテ又テアルイタスナリ
毬聚辱耳毅舎支毅紙章耳杪切適也譜毅適所以之辭一曰但也云ニ戩作戩福戩擾戩必
作戩荊空鬩鬢作紙加褻呼古曰字从衣司馬墨遣作紙取辱耳又作緑葛無紙悔注本
爾歷讀亦作緹又說轉長隱作緹取辱又作毅多葛光家本作毅是龍氏曰古文紙明
多字毅多毅音支反作多見説也脈慶作紙注適也論語多見不知量也衣古紙
字又作紙鄉陽作紙經怒而不見之從又亦紛曰古文易注曰紙作紙者紅非說文紙
觸疑衣也曰亦見倫為紙兩音曰音岐者神紙之紙音支者訓適是以如得亦紙以是為
于曰嵇者也紙其所以為厚本也欲益音支紅得轉文或書作紙而以俗讀曰紙音也
也如紙言記未滿紙是穢鞍就紙知闊信占洛當平聲讀至如敍佋曰延
表張應學水作不作平聲讀可乎俗又作秖亦亦秖禾始熟也某韻秖竹
尸切穀始熟

蕉氏自序傳抄知之以應近世之變寬之謂乎又作韓長孺列傳安國當武帝時稱將之始耶

不如年在乎李將軍之上哉

漢書列傳二十二之卷

梁孝王者孝文帝子也与景帝同母々竇太后也

天子景帝也

韓長孺列傳第四十八　史記一百八

御史大夫韓安國者梁成安人也徐廣曰在汝潁之間也○索隱曰漢書地理志云縣名屬陳留○正義曰括地志云成安故城在汝州梁縣東二十三里括地志云成安屬潁川郡陳留郡又有成安縣亦屬梁未知孰是也後徙睢陽正義曰今宋州宋城嘗受韓子雜家說於騶田生所索隱曰安國學韓子及雜家說於騶縣田生之所事梁孝王爲中大夫吳楚反時孝王使安國及張羽爲將扞吳兵於東界索隱曰將音將扞音汗張羽力戰安國持重以故吳不能過梁吳楚已破安國張羽名由此顯梁孝王景帝母弟竇太后愛之令得自請置相二千石出入游戲僭於天子天子

聞之心弗善也太后知帝不善乃怒梁使者弗見案責王所爲韓安國爲梁使見大長公主徐廣曰景帝姊○索隱曰案即館陶公主○正義曰如淳云景帝妹也而泣曰何梁王爲人子之孝爲人臣之忠太后曾弗省也索隱曰省音仙井反省者察也夫前日吳楚齊趙七國反時自關以東皆合從西鄉惟梁最親爲艱難梁王念太后帝在中正義曰謂關中也又云京師在天下之中而諸侯擾亂一言泣數行下跪送臣等六人將兵擊卻吳楚吳楚以故兵不敢西而卒破亡梁王之力也今太后以小節苛禮責望梁王索隱曰案謂苛細小禮以責之梁王父兄皆帝王

所見者大故出稱蹕入言警車旗皆帝所賜也即欲以侘鄙縣徐廣曰侘一作紾也駰案侘音丑亞反誇也○索隱曰漢書作㜳音少亞反紾音寒子孟反驅馳國中以夸諸侯令天下盡知太后帝愛之也今梁使來輒案責之梁王恐日夜涕泣思慕不知所爲何梁王之爲子孝爲臣忠而太后弗恤也大長公主具以告太后太后喜曰爲言之帝言之帝心乃解而免冠謝太后曰兄弟不能相教乃爲太后遺憂悉見梁使厚賜之其後梁王益親驩太后長公主更賜安國可直千餘金名由此顯結於漢其後安國坐法抵罪蒙

然本作燃 師古曰溺讀曰尿 徒中因徒也

蒙縣名○索隱曰抵音丁禮反蒙縣名屬梁國也 獄吏田甲辱安國安國曰死灰獨不復然乎田甲曰然即溺之居無何梁內史缺漢使使者拜安國為梁內史起徒中為二千石田甲亡走安國曰甲不就官我滅而宗甲因肉袒謝安國笑曰可溺矣公等足與治乎索隱曰案謂不足與繩持之治音持也卒善遇之梁內史之缺也孝王新得齊人公孫詭說之欲請以為內史竇太后聞乃詔王以安國為內史公孫詭羊勝說孝王求為帝太子及益地事恐漢大臣不聽乃陰使人刺漢用事謀臣及殺故吳相袁盎景帝遂

師古曰而汝也

師古曰詭讀曰恑

袁盎傳曰袁盎雖家居景帝時時使人問籌策梁王欲求為嗣袁盎進說其後語塞梁王以此怨盎曾使人刺盎云云 果遮刺殺盎安陵郭門外

公等足與治乎 師古曰治謂當獄之人稱云對治之治音丈吏反一曰不足繩治之治讀如本字 殺吳相袁盎 劉奉世曰刺漢謀臣在漢已立太子之後此云求為太子恐大臣不聽故刺之此語倘不同當是此傳誤

韓長孺傳 二

所見者大故出稱蹕入言警車旗皆帝所賜也即欲以侘鄙縣徐廣曰侘一作誇也駰案侘音丑亞反誇也○索隱曰漢書作嫮音火亞反嫮驅馳國中以夸諸侯令天下盡知太后帝愛之也今梁使來輒案責之梁王恐日夜涕泣思慕不知所爲何梁王之爲子孝爲臣忠而太后弗恤也大長公主具以告太后太后喜曰爲言之帝言之帝心乃解而免冠謝太后曰兄弟不能相教乃爲太后遺憂悉見梁使厚賜之其後梁王益親驩太后長公主更賜安國可直千餘金名由此顯結於漢其後安國坐法抵罪蒙

蒙縣名○索隱曰抵音丁禮反蒙縣名屬梁國也

獄吏田甲辱安國安國曰死灰獨不復然乎田甲曰然即溺之居無何梁內史缺漢使使者拜安國為梁內史起徒中為二千石田甲亡走安國曰甲不就官我滅而宗甲因肉袒謝安國笑曰可溺矣公等足與治乎

索隱曰案謂不足與繩持之治音持也

卒善遇之梁內史之缺也孝王新得齊人公孫詭說之欲請以為內史竇太后聞乃詔王以安國為內史公孫詭羊勝說孝王求為帝太子及益地事恐漢大臣不聽乃陰使人刺漢用事謀臣及殺故吳相袁盎景帝遂

袁盎傳曰袁盎……景帝時使人問籌策梁王欲求為嗣袁盎進說其後語塞梁王以此怨盎曾使人刺盎云云……果遮刺殺安陵郭門外

臨江閔王榮以孝景前四年為皇太子四歲廢為臨江王

閭師說集註說云閭謂巷閭也

聞詭勝等計畫乃遣使捕詭勝必得漢使十輩至梁相以下舉國大索月餘不得內史安國聞詭勝匿孝王所安國入見王而泣曰主辱臣死索隱曰此語見國語大王無良臣故事紛紛至此今詭勝不得請辭賜死王曰何至此安國泣數行下曰大王自度於皇帝孰與太上皇之與高皇帝及皇帝之與臨江王親孝王曰弗如也安國曰夫太上臨江親父子之間然而高帝曰提三尺劒取天下者朕也故太上皇終不得制事居于櫟陽臨江王適長太子也以一言過廢王臨江

皆嘗屬諸姬太子母栗姬言不遜由是廢太子栗姬憂死用宮垣事卒自殺中尉府何者治天下終不以私亂公語曰雖有親父安知其不為虎雖有親兄安知其不為狼今大王列在諸侯悦一邪臣浮說索隱曰悦漢書作怵說文云怵誘也犯上禁橈明法天子以太后故不忍致法於王太后日夜涕泣幸大王自改而大王終不覺寤有如太后宮車即晏駕大王尚誰攀乎語未卒孝王泣數行下謝安國曰吾今出詭勝詭勝自殺漢使還報梁事皆得釋安國之力也於是景帝太后益重安國孝王卒共王即位安國坐法失

田蚡者景帝后同母弟也故云親貴也

漢書上下其議 師古曰下音胡亞反

通鑑胡注 言其輕疾遷徙若鳥之舉也

官居家建元中武安侯田蚡爲漢太尉親貴用
事安國以五百金物遺蚡蚡言安國太后天子
亦素聞其賢即召以爲北地都尉遷爲大司農
閩越東越相攻安國及大行王恢將未至越越
殺其王降漢兵亦罷建元六年武安侯爲丞相
安國爲御史大夫匈奴來請和親天子下議大
行王恢燕人也數爲邊吏習知胡事議曰漢與
匈奴和親率不過數歲即復倍約不如勿許興
兵擊之安國曰千里而戰兵不獲利今匈奴負
戎馬之足懷禽獸之心遷徙鳥舉難得而制也

漢書作家居

兵二

漢書其年田蚡乃爲相

胡注倍蒲妹翻 師古曰負恃也

舉 漢書作羣

得其地不足以爲廣有其衆不足以爲彊自上古不屬爲人索隱曰案晉灼云不内屬於漢爲人漢數千里爭利則人馬罷虜以全制其敝且彊弩之極矢不能穿魯縞許慎曰魯之縞尤薄衝風之末力不能漂鴻毛非初不勁末力衰也擊之不便不如和親羣臣議者多附安國於是上許和親其明年則元光元年鴈門馬邑豪聶翁壹張晏曰豪猶帥也○索隱曰聶翁壹姓也翁壹名也漢書云聶壹因大行王恢言上曰匈奴初和親親信邊可誘以利陰使聶翁壹爲閒亡入匈奴謂單于曰吾能斬馬邑令丞吏以城降財物可盡得單于愛

信之以爲然許聶翁壹聶翁壹乃還詐斬死罪囚縣其頭馬邑城示單于使者爲信曰馬邑長吏已死可急來於是單于穿塞將十餘萬騎入武州塞徐廣曰在鴈門○索隱曰崔浩云今平城西百里有武州城是也當是時漢伏兵車騎材官三十餘萬匿馬邑旁谷中衛尉李廣爲驍騎將軍漢書曰北貉燕人來致驍騎○驍健也張晏曰驍勇也若六博之梟太僕公孫賀爲輕車將軍正義曰司馬續漢書云輕車古之戰車大行王恢爲將屯將軍正義曰李奇云監主諸屯太中大夫李息爲材官將軍正義曰臣瓚云材官騎射之官御史大夫韓安國爲護軍將軍諸將皆屬護軍約單于入馬邑而漢

兵縱發王恢李息李廣別從代主擊其輜重正義曰釋名云輜廁也所載衣服雜廁其中於是單于入漢長城武州塞未至馬邑百餘里行掠鹵徒見畜牧於野不見一人單于怪之攻烽燧得武州尉史欲刺問尉史尉史曰漢兵數十萬伏馬邑下單于顧謂左右曰幾爲漢所賣正義曰幾音祈乃引兵還出塞曰吾得尉史乃天也命尉史爲天王塞下傳言單于已引去漢兵追至塞度弗及即罷王恢等兵三萬聞單于不與漢合度往擊輜重必與單于精兵戰漢兵勢必敗則以便宜罷兵皆無功天子怒

攻烽燧 漢匈奴傳曰單于既入漢塞未至馬邑百餘里見畜布野而無人牧者怪之乃攻亭時雁門尉史行徼見寇保此亭單于得欲刺之尉史知漢謀迺下具告單于單于大驚曰吾固疑之乃引兵還出曰吾得尉史天也云云

後漢書曰遣驃騎大將軍杜茂屯北邊築亭候脩烽燧由是觀之攻烽燧之亭候也 攻烽燧得雁門尉史 是適鑑得雁門尉史欲殺之師古曰漢律近塞郡置尉百里一人士史尉史各二人時雁門尉史行徼見寇保此亭 韓長孺傳 立

漢書云輜重下師古曰輜衣車也重謂載重物車也故行者之資總曰輜重重音直用反

適近之見畜布野以往畜牧 赦卻

攻 攻烽燧匈奴傳作攻亭

於是

胡注度徒洛翻又音 立用翻

王恢不出擊單于輜重擅引兵罷也恢曰始約虜入馬邑城兵與單于接而臣擊其輜重可得利今單于聞不至而還臣以三萬人衆不敵禔取辱耳徐廣曰禔一作秖也臣固知還而斬然得完陛下士三萬人於是下恢廷尉廷尉當恢逗撓當斬漢書音義曰逗曲行避敵也橈顧望軍法語也○索隱曰案如淳云軍法行而逗留畏橈者要斬逗音豆又音住逗留也橈屈弱也恢私行千金丞相蚡蚡不敢言上而言於太后曰王恢首造馬邑事今不成而誅恢是爲匈奴報仇也上朝太后太后以丞相言告上上曰首爲馬邑事者恢也故發天下兵數十萬從其

慰 漢書作尉師古曰古尉安之字正如此其後流俗乃加心耳

師古曰合也取合言苟取則取可止則即止也

漢書曰於梁舉壺遂臧固至他皆天下名士師古曰至他也言至於他者皆天下名士也

國器 師古曰言臣下皆敬重之其天子亦以爲國器

國器者言其器用重大施於國政也

言爲此且縱單于不可得恢所部擊其輜重猶頗可得以慰士大夫心今不誅恢無以謝天下於是恢聞之乃自殺安國爲人多大略智足以當世取合而出於忠厚焉索隱曰案出者去也言安國爲人無忠厚之行貪嗜於財所推舉皆廉士賢於己者也於梁舉壺遂臧固郅他皆天下名士索隱曰郅音質他徒何反謂三人姓名也壺遂也臧固也郅他也若漢書則云至他言至於他處亦舉名士也士亦以此稱慕之唯天子以爲國器安國爲御史大夫四歲餘丞相田蚡死安國行丞相事奉引墮車蹇如淳曰爲天子導引而墮車跛足天子議置相欲用安國使使視之蹇甚乃更

韓長孺傳 六

通鑑引隨車蹇之胡注如淳云云案漢制大駕鹵簿公卿奉引安國蓋因奉引而墮車也

宋祁曰姚本引字上有奉字他本只云引今從作奉引爲是

以平棘侯薛澤爲丞相安國病免數月蹇愈上復以安國爲中尉歲餘徙爲衛尉車騎將軍衛青擊匈奴（徐廣曰元光六年也）出上谷破胡龍城（龍音龍）將軍李廣爲匈奴所得復失之公孫敖大亡卒皆當斬贖爲庶人明年匈奴大入邊殺遼西太守及入鴈門所殺略數千人車騎將軍衛青擊之出鴈門衛尉安國爲材官將軍屯於漁陽（正義曰幽州縣）安國捕生虜言匈奴遠去即上書言方田作時請且罷軍屯罷軍屯月餘匈奴大入上谷漁陽安國壁乃有七百餘人出與戰不勝復入壁匈奴

虜略千餘人及畜產而去天子聞之怒使使責讓安國徙安國益東屯右北平正義曰幽州漁陽縣東南七十七里北平城即漢右北平也是時匈奴虜言當入東方安國始爲御史大夫及護軍後稍斥疏下遷而新幸壯將軍衛青等有功益貴安國既疏遠默默也將屯又爲匈奴所欺失亡多甚自愧幸得罷歸乃益東徙屯意忽忽不樂數月病歐血死安國以元朔二年中卒

太史公曰余與壺遂定律歷觀韓長孺之義壺遂之深中隱厚徐廣曰一云廉正忠厚世之言梁多長者不

虛哉壺遂官至詹事天子方倚以爲漢相會遂卒不然壺遂之內廉行脩斯鞠躬君子也

索隱述贊曰

安國忠厚　初爲梁將　因事坐法

免徒起相　死灰更然　生虜失防

推賢見重　賂金貽謗　雪泣悟王

臣節可亮

日録曰李將軍廣ハ材氣天下無双求韓長孺等企及所可去ゝ今立傳在長孺後為可怪焉
日抄李氏竟將為理官子孫以理為氏殷末有理徵改為李梁武昭王乃李將軍之後也唐
三祖追尊將贈封武昭王夫子賜為李牛為板東出関西之惟武根蓋為死之矣　李廣者李夫子
三録云以大司桃墨也　日録云良家子　日本ニハ良公卿
良家云微隨ハ一ツサキガケナトト云心ゾ

韓長孺

八

韓長孺列傳第四十八　史記一百八

勇於當敵仁愛士卒號令不煩師徒鄉之作李將軍列傳漢家將軍言
李將軍一人而已以防匈奴矣

漢書列傳二十四卷

正義曰惡好也習也廣漢作世世善射顏師古作世々受射謂受射法也

正義作蔘

首

從行從天子行也
漢書曰數從射獵格猛獸

生

帝

李將軍列傳第四十九　史記一百九

李將軍廣者隴西成紀人也（正義曰成紀秦州縣）其先曰李信秦時為將逐得燕太子丹者也故槐里徙成紀廣家世世受射（索隱曰案小顏云世世受射也）孝文帝十四年匈奴大入蕭關而廣以良家子從軍擊胡（索隱曰案如淳云非醫巫商賈百工也）用善騎射殺首虜多為漢中郎廣從弟李蔡亦為郎皆為武騎常侍（索隱曰案謂為郎而補武騎常侍）秩八百石嘗從行有所衝陷折關及格猛獸而文帝曰惜乎子不遇時如令子當高帝時萬戶侯豈足道哉及孝景初立廣為隴西都尉徙

故槐里 新豐

用善騎射殺首虜

爲騎郎將張晏曰爲武騎郎將○索隱曰小顔云爲騎郎將謂主騎郎也吳楚軍時廣爲驍騎都尉從太尉亞夫擊吳楚軍取旗顯功名昌邑下以梁王授廣將軍印還賞不行曰廣爲漢將私受梁印故不以賞也徙爲上谷太守匈奴日以合戰典屬國公孫昆邪昆音魂○索隱曰案典屬國官名公孫姓昆邪名服虔云中國人也爲上泣曰李廣才氣天下無雙自負其能數與虜敵戰恐亡之於是乃徙爲上郡太守後廣轉爲邊郡太守徙上郡嘗爲隴西北地鴈門代郡雲中太守皆以力戰爲名匈奴大入上郡天子使中貴人從廣漢書音義曰內官之寵貴者○索隱曰案董巴輿服志云黃門丞主密近使聽察天

爲騎郎將張晏曰爲武騎郎將○索隱曰小顔云爲騎郎將謂主騎郎也吳楚軍時廣爲驍騎都尉從太尉亞夫擊吳楚軍取旗顯功名昌邑下以梁王授廣將軍印還賞不行文穎曰廣爲漢將私受梁印故不以賞也徙爲上谷太守匈奴日以合戰典屬國公孫昆邪昆音魂○索隱曰案典屬國官名公孫姓昆邪名服虔云中國人也爲上泣曰李廣才氣天下無雙自負其能數與虜敵戰恐亡之於是乃徙爲上郡太守後廣轉爲邊郡太守徙上郡嘗爲隴西北地鴈門代郡雲中太守皆以力戰爲名匈奴大入上郡天子使中貴人從廣漢書音義曰内官之幸貴者○索隱曰案董巴輿服志云黄門丞主密近使聽察天

縱漢書作從張晏曰放從遊獵也師古曰張讀作縱此說非也直言將數十騎自隨在大軍前行而忽遇敵也從音才用反

騎

往馳 師古曰疾馳而逐之也

左右翼 師古曰旁引其騎若鳥翼之為

誘騎

通鑑十六注胡騎

下天下謂之中貴人使者崔浩云在中而貴幸非德望故云中貴也勒習兵擊匈奴中貴人將騎數十縱縱徐廣曰放縱馳騁見匈奴三人與戰三人還射正義射音石還謂轉也傷中貴人殺其騎且盡中貴人走廣廣曰是必射鵰者也文穎曰鵰鳥也故使善射者射也○索隱曰案服虔云鵰大鷙鳥也一名鷲黑色多子可以其毛作矢羽韋昭云鵰一名鶚也廣乃遂從百騎往馳三人三人亡馬步行數十里廣令其騎張左右翼而廣身自射彼三人者殺其二人生得一人果匈奴射鵰者也已縛之上馬望匈奴有數千騎見廣以為誘騎皆驚上山陳廣之百騎皆大恐欲馳還走廣曰吾去大軍數十里今

山 馬漢書曰作

師古曰陳以待廣

如此以白騎走匈奴追射我立盡今我留匈奴
必以我爲大將軍誘之必不敢擊我廣令諸騎
曰前前未到匈奴陳二里所止令曰皆下馬解
鞍其騎曰虜多且近即有急奈何廣曰彼虜以
我爲走今皆解鞍以示不走用堅其意於是胡
騎遂不敢擊有白馬將（正義曰其將乘白馬而將監護也）出護其
兵李廣上馬與十餘騎犇射殺胡白馬將而復
還至其騎中解鞍令士皆縱馬卧是時會暮胡
兵終怪之不敢擊夜半時胡兵亦以爲漢有伏
軍於旁欲夜取之胡皆引兵而去平旦李廣乃

李將軍傳 二

師古曰縱放也

其騎中 漢書作其百騎中

正義曰按部伍領也五五相次也在廣亦無此事也

正義曰鐎三足有柄者也

歸其大軍大軍不知廣所之故弗從居久之孝景崩武帝立左右以爲廣名將也於是廣以上郡太守爲未央衛尉而程不識亦爲長樂衛尉程不識故與李廣俱以邊太守將軍屯及出擊胡而廣行無部伍行陣索隱曰案百官志云將軍領軍皆有部曲大將軍營五部部校尉一人部有曲曲有軍候一人也就善水草屯舍止人人自便不索隱曰音頻面反擊刁斗以自衛孟康曰以銅作鐎器受一斗晝炊飯食夜擊持行名曰刁斗○索隱曰刁音貂案荀悅云刁斗小鈴如宮中傳夜鈴也蘇林曰形如銷以銅作之無緣受一斗故云刁斗鐎即鈴也埤蒼云鐎溫器有柄斗似銚無緣音譙莫府省約文書籍事索隱曰案大顏云凡將軍謂之莫府者蓋兵門合施帷帳故稱莫府古字通用遂作莫耳小顏輒訓莫爲大非也然亦遠斥

正義曰晉灼云將軍戰在征行無常处所立為治故言莫府莫大也或曰衛青征匈奴絶大幕大克獲帝就拜大將軍於幕中府故曰莫府莫之名始於此顔師古曰二說皆非莫府者以軍幕為義古字通用耳軍旅無常居止以帳幕言之廉頗李牧市租皆入幕府此則非因衛青始有其号又莫訓大義乖矣商之

通鑑廿元光元年衛尉李廣為驍騎將軍屯雲中胡注曰末置左右前後將軍秦漢因之位上卿至武帝置驍騎車騎等將軍從來名號漢多不可勝紀謂之雜號將軍盤洲洪氏曰西漢雜號將軍掌征伐北月報了絶則罷不常置也號盤土事

候未嘗遇害。索隱曰案許慎淮南云斥度也候視也望也程不識正部曲行伍營陳擊刁斗士吏治軍簿至明軍不得休息然亦未嘗遇害不識曰李廣軍極簡易然虜卒犯之無以禁也而其士卒亦佚樂咸樂為之死我軍雖煩擾然虜亦不得犯我是時漢邊郡李廣程不識皆為名將然匈奴畏李廣之略士卒亦多樂從李廣而苦程不識程不識孝景時以數直諫為太中大夫為人廉謹於文法後漢以馬邑城誘單于使大軍伏馬邑旁谷而廣為驍騎將軍領屬護軍將軍是時單于覺之去漢

武帝紀…文簿書…反

胡注治也言治下言治…師古曰卒讀曰猝

卒…

胡注覃音海下同

師古曰佚與逸同逸樂謂…

緣

師古曰苦謂…

…云…

干也

護軍…師古曰將屬焉

軍皆無功其後四歲廣以衛尉為將軍出鴈門擊匈奴匈奴兵多破敗廣軍生得廣單于素聞廣賢令曰得李廣必生致之胡騎得廣廣時傷病置廣兩馬間絡而盛臥廣行十餘里廣佯死睨其旁有一胡兒騎善馬廣暫騰而上胡兒馬因推墮兒（徐廣曰一云抱兒鞭馬南馳也）取其弓鞭馬南馳數十里復得其餘軍因引而入塞匈奴捕者騎數百追之廣行取胡兒弓射殺追騎以故得脫於是至漢漢下廣吏吏當廣所失亡多為虜所生得當斬贖為庶人頃之家居數歲廣家與故穎陰

侯孫屛野居藍田南山中射獵嘗夜從一騎出從人田間飲還至霸陵亭霸陵尉醉（索隱曰案百官志云尉大縣二人主盜賊凡有賊發則推索尋案之也）呵止廣廣騎曰故李將軍尉曰今將軍尚不得夜行何乃故也止廣宿亭下居無何匈奴入殺遼西太守敗韓將軍韓將軍後徙右北平（蘇林曰韓安國）於是天子乃召拜廣爲右北平太守廣即請霸陵尉與俱至軍而斬之廣居右北平匈奴聞之號曰漢之飛將軍避之數歲不敢入右北平廣出獵見草中石以爲虎而射之中石沒鏃（徐廣曰一作沒羽）視之石也因復

更射之終不能復入石矣廣所居郡聞有虎嘗自射之及居右北平射虎虎騰傷廣廣亦竟射殺之廣廉得賞賜輒分其麾下飲食與士共之終廣之身為二千石四十餘年家無餘財終不言家產事廣為人長猨臂（如淳曰臂如猨通肩）其善射亦天性也雖其子孫他人學者莫能及廣廣訥口少言與人居則畫地為軍陳射闊狹以飲（如淳曰射戲求跡密持酒以飲不勝者〇正義曰飲音於禁反）專以射為戲竟死（索隱曰謂終竟廣身至死以為恒也）廣之將兵乏絕之處見水士卒不盡飲廣不近水士卒不盡食廣不嘗食寬緩不苛士以

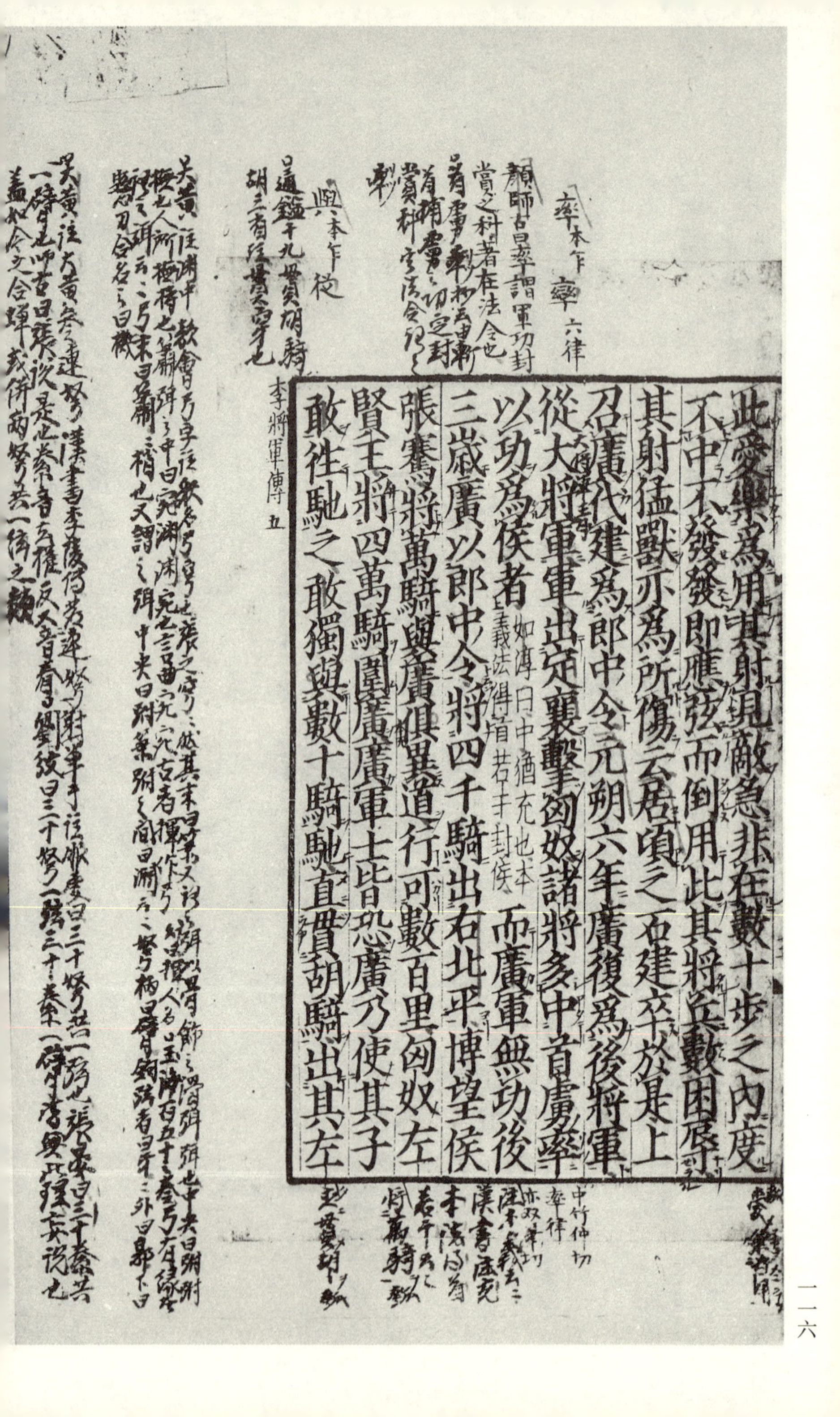

率 本作 率 六律

顔師古曰率謂軍功封賞之科著在法令也

與 本作 從

此愛樂爲用其射見敵急非在數十步之内度不中不發發即應弦而倒用此其將兵數困辱其射猛獸亦爲所傷云居頃之石建卒於是上召廣代建爲郎中令元朔六年廣復爲後將軍從大將軍軍出定襄擊匈奴諸將多中首虜率以功爲侯者如淳曰中猶充也本表義法得首若干封侯而廣軍無功後三歳廣以郎中令將四千騎出右北平博望侯張騫將萬騎與廣俱異道行可數百里匈奴左賢王將四萬騎圍廣廣軍士皆恐廣乃使其子敢往馳之敢獨與數十騎馳直貫胡騎出其左

終廣之身爲二千石四十餘年家無餘財終不言家產事廣爲人長猨臂〔如淳曰臂如猨臂通肩〕其善射亦天性也雖其子孫他人學者莫能及廣廣訥口少言與人居則畫地爲軍陳射闊狹以飲〔如淳曰射戲求勝負者持酒以飲不勝者 ○正義曰飲音於禁反〕專以射爲戲竟死〔索隱曰謂終竟廣身不至死〕以爲恒也廣之將兵乏絕之處見水士卒不盡飲廣不近水士卒不盡食廣不嘗食寬緩不苛士以

率 本作 率 六律

顔師古曰率謂軍功封賞之科著在法令也

與 本作 從

世愛樂爲用其射見敵急非在數十步之內度不中不發發即應弦而倒用此其將兵數困辱其射猛獸亦爲所傷云居頃之石建卒於是上召廣代建爲郎中令元朔六年廣復爲後將軍從大將軍軍出定襄擊匈奴諸將多中首虜率以功爲侯者如淳曰中猶充也本義法得首若干封侯而廣軍無功後三歲廣以郎中令將四千騎出右北平博望侯張騫將萬騎與廣俱異道行可數百里匈奴左賢王將四萬騎圍廣廣軍士皆恐廣乃使其子敢往馳之敢獨與數十騎馳直貫胡騎出其左

中竹仲切 率律

右而還告廣曰胡虜易與耳軍士乃安廣爲圜陳外嚮胡急擊之矢下如雨漢兵死者過半漢矢且盡廣乃令士持滿毋發而廣身自以大黄射其裨將徐廣曰南都賦曰黄閒機張善弩之名駰案鄭德曰黄肩弩淵中黄朱之孟康曰太公六韜曰陷堅敗強敵用大黄連弩韋昭曰角弩色黄而體大也○索隱曰案大黄黄閒弩名韋昭說是也殺數人胡虜益解會日暮吏士皆無人色而廣意氣自如益治軍軍中自是服其勇也明日復力戰而博望侯軍亦至匈奴軍乃解去漢軍罷弗能追是時廣軍幾沒罷歸漢法博望侯留遲後期當死贖爲庶人廣軍功自如無賞初廣之從弟李蔡

無人色 師古曰甚懼

自如 師古曰自如猶言如旧

博望侯 張騫也

自如無賞 漢書作自當歸 師古曰自當謂爲虜所勝又能勝虜功過相當也

樂安侯 師古曰此傳及百官表並爲樂安侯而功臣表作安樂侯是功臣表誤也

中人 師古曰中謂中庸之人也

正義曰不及中平之人

[illegible]

與廣俱事孝文帝景帝時蔡積功勞至二千石孝武帝時至代相以元朔五年爲輕車將軍從大將軍擊右賢王有功中率封爲樂安侯索隱曰中音丁仲反率音律亦音類筆反小顏云率謂軍功封賞之科著在法令故云中率元狩二年中代公孫弘爲丞相蔡爲人在下中索隱曰案以九品而論在下之中當第八名聲出廣下甚遠然廣不得爵邑官不過九卿而蔡爲列侯位至三公諸廣之軍吏及士卒或取封侯廣嘗與望氣王朔燕語曰自漢擊匈奴而廣未嘗不在其中而諸部校尉以下才能不及中人然以擊胡軍功取侯者數十人而

師古曰在下中 漢書作甚遠

諸部校尉 漢書作諸校尉

師古曰并合也合軍而同道

不爲後人

師古曰恨悔也

廣不爲後人索隱曰案謂不在人後然無尺寸之功以得
封邑者何也豈吾相不當侯邪且固命也朔曰
將軍自念豈嘗有所恨乎廣曰吾嘗爲隴西守
羌嘗反吾誘而降降者八百餘人吾詐而同日
殺之至今大恨獨此耳朔曰禍莫大於殺已降
此乃將軍所以不得侯者也後二歲大將軍驃
騎將軍大出擊匈奴廣數自請行天子以爲老
弗許良久乃許之以爲前將軍是歲元狩四年
也廣既從大將軍青擊匈奴既出塞青捕虜知
單于所居乃自以精兵走之而令廣并於右將

軍。軍（徐廣曰主爵趙食其爲右將軍）出東道東道少回遠而大軍行水草少其勢不屯行（張晏曰以水草少不可羣輩）廣自請曰臣部爲前將軍今大將軍乃徙令臣出東道且臣結髮而與匈奴戰今乃一得當單于（索隱曰案賈誼言自少時結髮而與匈奴戰唯今若得與單于相當遇也）臣願居前先死單于大將軍青亦陰受上誡以爲李廣老數奇（如淳曰數爲匈奴所敗奇爲不偶也○索隱曰案服虔云作事數不偶也音所角反奇音居宜反）毋令當單于恐不得所欲而是時公孫敖新失侯爲中將軍從大將軍大將軍亦欲使敖與俱當單于故徙前將軍廣廣時知之固自辭於大將軍大將軍不聽令長史封書與廣之莫府曰急詣部如書[正義曰令廣如其文牒急引兵從東道也]廣不謝大將軍而起行意甚慍怒而就部引兵與右將軍食其合軍出東道[索隱曰食其音異其案趙將軍名也或亦依字讀]軍亡導或失道[索隱曰謂无人道引軍故失道也]後大將軍大將軍與單于接戰單于遁走弗能得而還南絕幕[正義曰絕度也南歸度砂幕]遇前將軍右將軍廣已見大將軍還入軍大將軍使長史持糒醪遺廣因問廣食其失道狀青欲上書報天子軍曲折[正義曰言委曲而行迴折使軍後大將軍也]廣未對大將軍使長史急責廣之幕府對簿廣曰諸校尉

無罪乃我自失道吾今自上簿至莫府廣謂其麾下曰廣結髮與匈奴大小七十餘戰今幸從大將軍出接單于兵而大將軍又徙廣部行回遠而又迷失道豈非天哉且廣年六十餘矣終不能復對刀筆之吏遂引刀自剄廣軍士大夫一軍皆哭百姓聞之知與不知無老壯皆爲垂涕而右將軍獨下吏當死贖爲庶人廣子三人曰當戶椒敢爲郎天子與韓嫣戲索隱曰嫣或音偃又音許乾反嫣少不遜當戶擊嫣嫣走於是天子以爲勇當戶早死拜椒爲代郡太守皆先廣死當戶有遺

將軍不聽令長史封書與廣之莫府曰急詣部如書正義曰令廣如其文牒急引兵從東道也廣不謝大將軍而起行意甚慍怒而就部引兵與右將軍食其合軍出東道索隱曰食其音異其衆趙將軍名也或亦依字讀軍亡導或失道索隱曰謂无人道引軍故失道也後大將軍大將軍與單于接戰單于遁走弗能得而還南絶幕正義曰絶度也南歸度沙幕遇前將軍右將軍廣已見大將軍還入軍大將軍使長史持糒醪遺廣因問廣食其失道狀青欲上書報天子軍曲折正義曰言委曲而行廻折使軍後大將軍也廣未對大將軍使長史急責廣之幕府對簿廣曰諸校尉

無罪乃我自失道吾今自上簿至莫府廣謂其麾下曰廣結髮與匈奴大小七十餘戰今幸從大將軍出接單于兵而大將軍又徙廣部行回遠而又迷失道豈非天哉且廣年六十餘矣終不能復對刀筆之吏遂引刀自剄廣軍士大夫一軍皆哭百姓聞之知與不知無老壯皆爲垂涕而右將軍獨下吏當死贖爲庶人廣子三人曰當戶椒敢爲郎天子與韓嫣戲（索隱曰嫣或音偃又音許乾反）嫣少不遜當戶擊嫣嫣走於是天子以爲勇當戶早死拜椒爲代郡太守皆先廣死當戶有遺

通鑑二十元狩六年郎中令李敢怨大將軍之恨其父云云又云云敢從上雍至甘泉宮獵驃騎
將軍去病射殺敢胡注射邪亦翻考異曰史記封禪書云明年天子病鼎湖甚病愈幸
甘泉大赦莫知定為何年本紀皆無之今按義縱傳及漢書百官公卿表義縱
李敢死皆在今年敢傳云從上雍至甘泉宮雍蓋衍字也平準書云自造白金五銖錢後
五歲赦按武紀元狩四年造白金元狩元年赦首尾四年若今年更有赦則四年赦
五年準平書不合今從百官表
又原卷何所云曰元狩年多將也平云云所在地形積高故云上上音時掌反比皆數皆而且上云云義索隱
為大赦從漢書為不取從義以小顏仍大赦義故六年或和字說為大年

李蔡者李廣從弟也
說坐下
其中上
會百步為一畝百
畝為二頃
下獄
賜爵關內侯食邑二百戶
敢父廣依恨青而死也
恨
漢書无幸
後云宮上雍

腹子名陵。廣死軍時，敢從驃騎將軍。廣死明年，李蔡以丞相坐侵孝景園壖地，索隱曰壖音人緣反又音乃緞反又音而宣二反安案壖地神道之地也黃圖云陽陵闕門西出神道四通茂陵神道廣四十二丈也○正義曰漢書云詔賜冢地陽陵當得二十畝蔡盜取三頃頗賣得四十餘萬又盜取神道外壖地一畝葬其中當下獄自殺當下吏治，蔡亦自殺，不對獄，國除。李敢以校尉從驃騎將軍擊胡左賢王，力戰，奪左賢王鼓旗，斬首多，賜爵關內侯，食邑二百戶，代廣為郎中令。頃之，怨大將軍青之恨其父，索隱曰小顏云以其父恨而死乃擊傷大將軍，大將軍匿諱之。居無何，敢從上雍，索隱曰劉氏音尚大顏云雍地形高故云上至甘泉宮獵，驃騎將軍去病與青有親，

陵
陽陵景帝廟也
註恨其死漢書注文作恨
胡注上將掌翻雍於用
反

射殺敢。去病時方貴幸，上諱云鹿觸殺之。居歲餘，去病死。徐廣曰元狩六年 而敢有女為太子中人，愛幸，敢男禹有寵於太子，然好利，李氏陵遲衰微矣。

李陵既壯，選為建章監，監諸騎。善射，愛士卒。天子以為李氏世將，而使將八百騎。嘗深入匈奴二千餘里，過居延徐廣曰屬張掖。正義曰括地志云居延海在甘州張掖縣東北六十四里。地理志云居延澤古文以為流沙。甘州在京西北二千四百六十里 視地形，無所見虜而還。拜為騎都尉，將丹陽楚人五千人，教射酒泉、張掖以屯衛胡。數歲，天漢二年秋，貳師將軍李廣利將三萬騎擊匈奴右賢王於祁連天山，徐廣曰出敦煌至天山○索隱曰案晉灼云在西域近蒲類又西河舊事云白山冬夏有雪匈奴謂之天山也○正義曰括地志云祁連山在甘州張掖縣西南二百里天山一名白山今名初羅漫山在伊吾縣北百二十里伊州在京西北四千四百一十六里 而使陵將其射士步兵五千人出居延北可千餘里欲以分匈奴兵毋令專走貳師也陵既至期還而單于以兵八萬圍擊陵軍陵軍五千人兵矢既盡士死者過半而所殺傷匈奴亦萬餘人且引且戰連鬬八日還未到居延百餘里匈奴遮狹絕道陵食乏而救兵不到虜急擊招降陵陵曰無面目報陛下遂降匈奴其兵盡沒餘亡散得歸漢者四百餘人單于既得陵素

聞其家聲及戰又壯乃以其女妻陵而貴之漢聞族陵母妻子自是之後李氏名敗而隴西之士居門下者皆用爲恥焉

太史公曰傳曰其身正不令而行其身不正雖令不從其李將軍之謂也余睹李將軍悛悛如鄙人（索隱曰悛音七旬反漢書作恂恂音詢）口不能道辭及死之日天下知與不知皆爲盡哀彼其忠實心誠信於士大夫也諺曰桃李不言下自成蹊（索隱曰案姚氏云桃李本不能言但以華實感物故人不期而往其下自成蹊徑也以喻廣雖不能道辭能有所感而忠心信物故也）此言雖小可以諭大也

抄傳曰〻其另云〻論語文也　論語或曰傳或曰經周易毛詩尚書周禮禮記為五經加左傳以為六經兼孝經論語孟子是為九經以公羊穀梁為經十一經石經考異又添爾雅為十二經蜀人更以大戴小戴乃為十四經云〻

廣為人長猨臂其善射亦天性也

廣為圜陣外嚮胡急擊之矢下如雨

大軍再從　廣曰吾去大軍數十里今如此以百騎走匈奴追射我立盡今我留匈奴必以我為大軍誘之必不敢擊我云〻　胡即引兵而去平旦李廣乃歸大軍云〻

索隱述贊曰　自負其能數令廣用之

猨臂善射　實負其能　解鞍却敵　未到匈奴陣二里所止曰皆下馬解鞍

圓陣摧鋒　邊郡屢守　大軍再從　廣轉為边郡太守

失道見斥　數奇不封　惜哉名將　軍亡導失道　李廣老數奇

天下無雙　公孫昆邪為上泣曰李廣才氣天下無双自負其能

李將軍列傳第四十九　史記一百九

李將軍十一 終

又黄氏日抄李廣天下無双死〻日天下知与不知皆流涕尚可想見其人矣方武帝有事匈奴諸校尉才能不及中人以功取侯者數十獨廣結髮与匈奴大小七十餘戰卒不得侯且死非其罪廣自恨殺降所致然則豈非有將者將哉耶李陵降匈奴隴西之士皆用爲恥尚可想見其俗之風聲矣

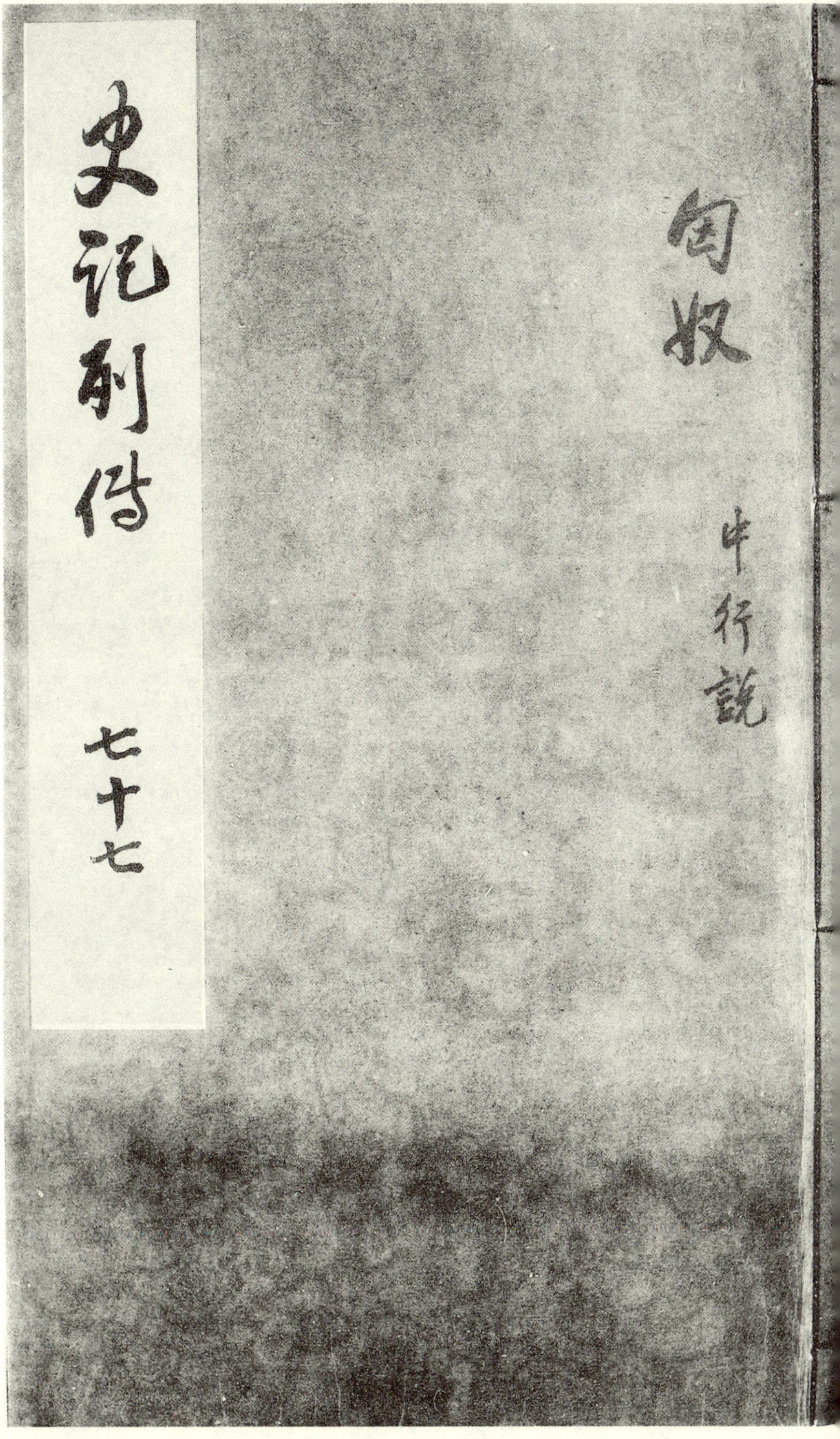
匈奴
中行說
史記列傳
七十七

匈奴 中行說

匈奴列傳 卷十

七十七

匈奴ノ付錄

抄曰漢書注眾妾ハ軍中ニ母ノ中ニ居ル者ヲ為妻也匈奴為夏之苗裔居雖然不行仁義不

衣冠故勧之以仁義其嚴威者聞之孔子ニ見也

曰自序傳抄將軍ニ役為征匈奴故從之事者也

漢書列傳六十四之卷

匈奴列傳第五十　史記一百十

正義曰此卷或有本次平津侯後第五十二今第五十者先生舊本如此劉伯莊音亦然若先諸傳而次四夷則司馬汲鄭不合在後也

匈奴其先祖夏后氏之苗裔也曰淳維漢書音義曰匈奴始祖名○索隱曰張晏曰淳維以殷時奔北邊又樂產括地譜云夏桀無道湯放之鳴條三年而死其子獯粥妻桀之衆妾避居北野隨畜移徙中國謂之匈奴其言夏后苗裔或當然也故應劭風俗通曰殷時曰獯粥改曰匈奴又晉灼云堯時曰葷粥周曰獫狁秦曰匈奴韋昭云漢曰匈奴葷粥其別名則淳維是其始祖蓋與獯粥是一也唐虞以上有山戎正義曰左傳莊三十年齊人伐山戎杜預云山戎北戎無終三名也括地志云幽州漁陽縣本北戎無終子國獫狁葷粥晉灼曰堯時曰葷粥周曰獫狁秦曰匈奴居于北蠻隨畜牧而轉移其畜之所多則馬牛羊其奇畜則

橐駞索隱曰韋昭曰背肉似橐故云橐駞包愷音託佗○正義曰畜許又反驢臝索隱曰按古今注云驢特馬牝生贏○正義曰贏音力戈反駃騠徐廣曰北狄駿馬○索隱曰說文云駃騠馬父贏子也廣志云決蹄也發蒙記刳其母腹而生列女傳云生七日超其母騊駼徐廣曰似馬而青○索隱曰按郭璞注爾雅云騊駼馬青色音淘塗又字林云野馬山海經云北海內有獸其狀如馬其名騊駼也驒騱徐廣曰音顛巨奚之屬○索隱曰說文云野馬屬一云青驪驎驒又如驒魚鄒誕生本騱字作奚逐水草遷徙毋城郭常處耕田之業然亦各有分地索隱曰分音扶糞反毋文書以言語為約束兒能騎羊引弓射鳥鼠少長則射狐兔用為食索隱曰少音式紹反長陟兩反少長謂年稍長士力能彎弓索隱曰彎音烏還反盡為甲騎其俗寬則隨畜因射獵禽獸為生業急則人習戰攻以侵伐其天性

匈奴列傳第五十　史記一百十

正義曰此卷或有本次平津侯後第五十二今第五十者先生舊本如此劉伯莊音亦然若言諸傳而次四夷則司馬汲鄭不合在後也

匈奴其先祖夏后氏之苗裔也曰淳維漢書音義曰匈奴始祖名○索隱曰張晏曰淳維以殷時奔北邊又樂彥括地譜云夏桀無道湯放之鳴條三年而死其子獯粥妻桀之眾妾避居北野隨畜移徙中國謂之匈奴其言夏后苗裔或當然也故應劭風俗通曰殷時曰獯粥改曰匈奴又服虔云堯時曰葷粥周曰獫狁秦曰匈奴韋昭云漢曰匈奴葷粥其別名則淳維是其始祖蓋與獯粥是一也唐虞以上有山戎正義曰左傳莊三十年齊人伐山戎杜預云山戎北戎無終三名也括地志云幽州漁陽縣本北戎無終子國獫狁葷粥晉灼曰堯時曰葷粥周曰獫狁秦曰匈奴居于北蠻隨畜牧而轉移其畜之所多則馬牛羊其奇畜則

匈奴傳一

橐駞索隱曰韋昭曰背肉似橐故云橐駞包愷音託佗。○正義曰畜許又反 驢贏索隱曰按古今注云驢特馬牝生贏。○正義曰贏音力戈反 駃騠徐廣曰北狄駿馬。○索隱曰說文云駃騠馬父贏子也。廣志云決蹄也。發蒙記刳其母腹而生。列女傳云生七日超其母 騊駼徐廣曰似馬而青。○索隱曰按郭璞注爾雅云騊駼馬青色音淘塗。又字林云野馬。山海經云北海內有獸其狀如馬其名騊駼也 驒騱徐廣曰音顛巨奚之𩣡。○索隱曰說文云野馬驒𩣡，一云青驪驎驒。又如驒魚鄉誕生本騱字作奚 逐水草遷徙毋索隱曰毋音扶糞反城郭常處耕田之業然亦各有分地毋文書以言語為約束兒能騎羊引弓射鳥鼠少長則射狐兔用為食索隱曰少音式紹反長陟兩反少長謂年稍長士力能彎弓索隱曰彎音烏還反盡為甲騎其俗寬則隨畜因射獵禽獸為生業急則人習戰攻以侵伐其天性也其長兵則弓矢短兵則刀鋋韋昭曰鋋形似矛鐵柄音時年反○索隱曰音蟬埤蒼云鋋小矛鐵矜古今字詁云矜矛㯻也利則進不利則退不羞遁走苟利所在不知禮義自君王以下咸食畜肉衣其皮革被旃裘壯者食肥美老者食其餘貴壯健賤老弱父死妻其後母兄弟死皆取其妻妻之其俗有名不諱而無姓字漢書曰單于姓攣鞮氏○索隱曰攣音六緣反鞮音丁啼反夏道衰而公劉失其稷官徐廣曰后稷之曾孫○正義曰周本紀云不窋失其官此云公劉未詳也變于西戎邑于豳其後三百有餘歲戎狄攻大王亶父徐廣曰公劉九世孫亶父亡走岐下而豳人悉從亶父而邑焉作周索隱曰按謂始作周國也其

後百有餘歲周西伯昌伐畎夷氏索隱曰韋昭云春秋以為犬戎按畎音犬小顏云即昆夷也山海經云黃帝生苗苗生龍龍生融融生吾吾生并明并明生白白生犬犬有二牡是為犬戎說文云赤狄本犬種字從犬又山海經云有人面獸身名犬夷賈逵云犬夷戎之別種也後十有餘年武王伐紂而營雒邑復居于酆鄗放逐戎夷涇洛之北索隱曰晉灼曰洛水在馮翊懷德縣東南入渭又案水海云出上郡彫陰泰昌山過華陰入渭即漆沮水也以時入貢命曰荒服其後二百有餘年周道衰索隱曰案周紀云懿王時王室遂衰詩人作怨刺之詩不能復雅也而穆王伐犬戎得四白狼四白鹿以歸自是之後荒服不至於是周遂作甫刑之辟穆王之後二百有餘年周幽王用寵姬褒姒之故與申侯有郤正義曰故申城在鄧

周本紀曰於是諸侯乃即申侯而共立故幽王太子宜臼是爲平王以奉周祀平王立東遷于雒邑 正義曰即王城也

漢書驪作麗師古曰麗讀曰驪

州南陽縣北三十里周宣王舅所封申侯怒而與犬戎共攻殺周幽王于驪山之下韋昭曰戎後來居此山故號曰驪戎遂取周之焦穫正義曰括地志云焦穫亦名瓠口亦曰瓠中在雍州涇陽縣北城十數里周有焦穫也而居于涇渭之間侵暴中國秦襄公救周於是周平王去酆鄗而東徙雒邑當是之時秦襄公伐戎至岐正義曰今岐州也高誘云秦襄公救周有功受周故地酆鎬列爲諸侯也始列爲諸侯是後六十有五年而山戎越燕而伐齊索隱曰服虔云山戎蓋今鮮卑胡廣云鮮卑東胡別種又案應奉云秦築長城徒士亡出塞外依鮮卑山因爲號齊釐公與戰于齊郊索隱曰釐音僖名諸兒也其後四十四年而山戎伐燕燕告急于齊齊桓公北伐山戎山戎走其後二

十有餘年而戎狄至洛邑伐周襄王襄王奔于鄭之氾邑索隱曰鄭林氾音凡今潁川襄城是初周襄王欲伐鄭故娶戎狄女爲后與戎狄兵共伐鄭已而黜狄后狄后怨而襄王後母曰惠后有子子帶欲立之於是惠后與狄后子帶爲內應開戎狄戎狄以故得入破逐周襄王而立子帶爲天子於是戎狄或居于陸渾徐廣曰一爲陸邑索隱曰春秋左氏秦晉遷陸渾之戎于伊川杜預以爲允姓之戎居陸渾在秦晉之閒二國誘而徙之伊川遂從戎號今爲陸渾縣是也東至於衛侵盜暴虐中國中國疾之故詩人歌之曰戎狄是應薄伐獫狁至於大原毛詩傳曰言逐出之而已出輿彭彭城彼朔方

王于驪山之下（韋昭曰戎後來居此山故號曰驪戎）遂取周之焦穫（正義曰括地志云焦穫亦名瓠口亦曰瓠中在雍州涇陽縣北城十數里周有焦穫也）而居于涇渭之間侵暴中國秦襄公救周於是周平王去酆鄗而東徙雒邑當是之時秦襄公伐戎至岐（正義曰今岐州岐陽云秦襄公救周有功受周故地酆鎬列為諸侯也）始列為諸侯是後六十有五年而山戎越燕而伐齊（索隱曰服虔云山戎蓋今鮮卑）齊釐公與戰于齊郊（索隱曰釐音僖名諸兒也　胡廣云鮮卑東胡別種又案應奉云秦築長城徒士亡出塞外依鮮卑山因為號）其後四十四年而山戎伐燕燕告急于齊齊桓公北伐山戎山戎走其後二

十有餘年而戎狄至洛邑伐周襄王襄王奔于鄭之氾邑索隱曰蘇林氾音凡今潁川襄城是初周襄王欲伐鄭故娶戎狄女爲后與戎狄兵共伐鄭已而黜狄后狄后怨而襄王後母曰惠后有子子帶欲立之於是惠后與狄后子帶爲內應開戎狄戎狄以故得入破逐周襄王而立子帶爲天子於是戎狄或居于陸渾徐廣曰一爲陸邑也○索隱曰春秋左氏秦晉遷陸渾之戎于伊川杜預以爲允姓之戎居陸渾在秦晉之間二國誘而從之伊川遂從戎號今陸渾縣是也東至於衛侵盜暴虐中國中國疾之故詩人歌之曰戎狄是應薄伐獫狁至於太原毛詩傳曰言逐出之而已出輿彭彭城彼朔方

毛詩傳曰彭彭四馬皃朔方北方○正義曰言玁狁既去北方安靜乃築城守之也周襄王既居外四年乃使使告急于晉晉文公初立欲修霸業乃興師伐逐戎翟誅子帶迎內周襄王居于雒邑當是之時秦晉爲彊國晉文公攘戎翟居于河西圁洛之間徐廣曰圁在西河音銀洛在上郡馮翊間○索隱曰三蒼圁作圜地理志云圜水出上郡白土縣西東流入河韋昭云圜當爲圁續郡國志及太康地理志並作圁字也○正義曰括地志云白土故城在鹽州白池東北三百九十里又云近延州綏州銀州本春秋時白狄所居七國屬魏後入秦秦置三十六郡洛漆沮也號曰赤翟白翟索隱曰案左氏傳云晉師滅赤狄潞氏杜氏以潞赤翟之別種也今上黨潞縣又春秋地名云今曰赤狄胡又晉師敗翟于箕郤缺獲白翟子杜氏以爲白翟之別種故西河郡有白部胡又國語云桓公西征攘白翟之地遂至于西河也○正義曰括地志云潞州本赤狄地延銀綏三州白翟地按文言圁洛之間號

赤狄。未詳。秦穆公得由余，西戎八國服於秦，故自隴以西有緜諸、正義曰括地志云緜諸城秦州秦嶺縣北五十六里漢緜諸道屬天水郡緄戎、正義曰上音昆字當作混顏師古云混夷也韋昭云春秋以爲犬戎翟、豲之戎，徐廣曰在天水豲音丸○索隱曰地理志天水有緜諸道狄道應劭以豲戎邑音桓○正義曰括地志云豲道故城在渭州襄武縣東南三十七里古之豲戎邑漢豲道屬天水郡岐、梁山、涇、漆之北有義渠、正義曰括地志云寧州慶州西戎即劉拘邑城時爲義渠戎國秦爲北地郡也大荔、徐廣曰後更名臨晉在馮翊○索隱曰韋昭云義渠本西戎國有王秦滅之今在北地郡秦本紀厲共公伐大荔取其王城後更名臨晉故地理志云臨晉故大荔國也○正義曰括地志同州馮翊縣及朝邑縣本漢臨晉縣地古大荔戎國今朝邑縣東三十步故三城即大荔三城荔力計反烏氏、徐廣曰在安定○正義曰氏音支括地志云烏氏故城在涇州安定縣東三十里周之故地後入戎秦惠王取之置烏氏縣也朐衍之戎。徐廣曰在北地朐音頁○索隱曰案地理志朐衍縣名在北地鄭氏音呼○正義曰括地志云鹽州古戎狄居之即朐衍戎之地秦北地郡也而晉北有林胡正義曰括地志云朔州春秋時北地也如淳云即儋林也爲李牧滅樓煩之戎索隱曰如淳云林胡即儋林爲李牧所滅也地理志樓煩縣名屬鴈門應劭云故樓煩胡也○正義曰括地志云嵐州樓煩胡地也風俗通云故樓煩故地也燕北有東胡山戎漢書音義曰烏丸或云鮮卑○索隱曰服虔云東胡烏丸之先後爲鮮卑在匈奴東故曰東胡案續漢書曰漢初匈奴冒頓滅其國餘類保烏桓山以爲號俗隨水草居無常處桓以之名烏號爲姓父子男女悉髡頭爲輕便也各分散居谿谷自有君長往往而聚者百有餘戎然莫能相一自是之後百有餘年晉悼公使魏絳和戎翟戎翟朝晉後百有餘年趙襄子踰句注音鉤山名在鴈門○索隱曰服虔云勾音拘韋昭云山名在陰館而破并代以臨胡貉索隱曰案貉即濊也音亡格反其

後既與韓魏共滅智伯分晉地而有之則趙有代句注之北魏有河西上郡以與戎界邊其後義渠之戎築城郭以自守而秦稍蠶食至於惠王遂拔義渠二十五城惠王擊魏魏盡入西河及上郡于秦秦昭王時義渠戎王與宣太后（昭王母也）亂有二子宣太后詐而殺義渠戎王於甘泉遂起兵伐殘義渠於是秦有隴西北地上郡築長城以拒胡而趙武靈王亦變俗胡服習騎射北破林胡樓煩築長城（正義曰括地志云趙武靈王長城在朔州善陽縣北案長城水經云白道長城北山上有長垣若頹毀焉沿溪亘嶺東西无極蓋趙武靈王所築也）自代並（音傍）

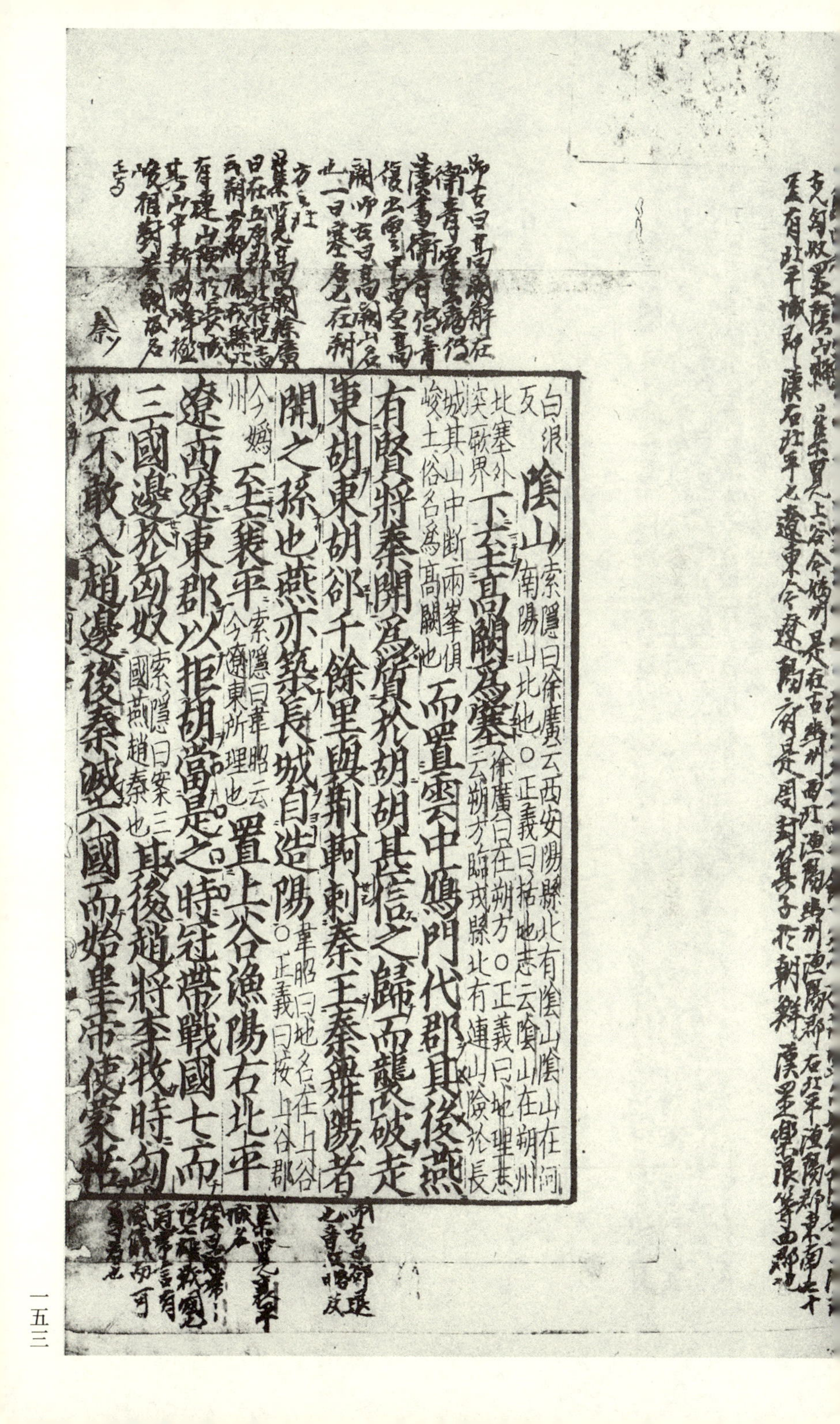

白狼反

陰山索隱曰徐廣云西安陽縣北有陰山陰山在河南陽山北也○正義曰括地志云陰山在朔州北塞外突厥界下至高闕為塞徐廣曰在朔方○正義曰地理志云朔方臨戎縣北有連山險於長城其山中斷兩峯俱峻土俗名為高闕也而置雲中鴈門代郡其後燕有賢將秦開為質於胡胡甚信之歸而襲破走東胡東胡卻千餘里與荊軻刺秦王秦舞陽者開之孫也燕亦築長城自造陽韋昭曰地名在上谷○正義曰按上谷郡今嬀州至襄平索隱曰韋昭云今遼東所理也置上谷漁陽右北平遼西遼東郡以拒胡當是之時冠帶戰國七而三國邊於匈奴索隱曰安案三國燕趙秦也其後趙將李牧時匈奴不敢入趙邊後秦滅六國而始皇帝使蒙恬

將十萬之衆北擊胡悉收河南地因河爲塞索隱曰案太康地記秦塞自五原北九里謂之過湯渠行絡利賁山南漢陽西是也築四十四縣城臨河徙適戍以充之適音丁革反而通直道索隱曰蘇林云去長安八千里正南北相直道也自九原至雲陽索隱曰韋昭云九原縣屬五原也○正義曰括地志云勝州連谷縣本秦九原郡漢武帝更名五原雲陽雍縣秦之林光宮即漢之甘泉宮在焉又云秦故道在慶州華池縣西四十五里子午山上自九原至雲陽千八百里因邊山險塹谿谷可繕者治之起臨洮至遼東萬餘里索隱曰韋昭曰臨洮隴西縣○正義曰括地志云秦隴西郡臨洮縣即今岷州城本秦長城首起岷州西十二里延袤萬餘里東入遼水又度河據陽山北假中北假北方田官主以田假與貧人故云北假○索隱曰應劭云北假在北地陽山北韋昭云北假地名也○正義曰括地志云漢五原郡河目縣故城在北假中北假地名也在河北今屬勝州銀城縣漢書云王莽

匈奴傳 六

白狼反

陰山（索隱曰徐廣云西安陽縣北有陰山陰山在河南陽山北也○正義曰括地志云陰山在朔州北塞外突厥界）下至高闕為塞（徐廣曰在朔方○正義曰地理志云朔方臨戎縣北有連山險於長城其山中斷兩峯俱峻土俗名為高闕也）而置雲中鴈門代郡其後燕有賢將秦開為質於胡胡甚信之歸而襲破走東胡東胡卻千餘里與荊軻刺秦王秦舞陽者開之孫也燕亦築長城自造陽（韋昭曰地名在上谷○正義曰按上谷郡今嬀州）至襄平（索隱曰韋昭云今遼東所理也）置上谷漁陽右北平遼西遼東郡以拒胡當是之時冠帶戰國七而三國邊於匈奴（索隱曰案三國燕趙秦也）其後趙將李牧時匈奴不敢入趙邊後秦滅六國而始皇帝使蒙恬

徒戍者令徒者之

適戍 謫有罪謫合

河目未詳

匈奴傳 六

將十萬之衆北擊胡悉收河南地因河爲塞索隱曰案太康地記秦塞自五原北九里謂之渦灘東行絲利賈山南漢陽西是也築四十四縣城臨河徙適戍以充之適音丁華反而通直道索隱曰蘇林云去長安八千里正南北相值道也自九原至雲陽索隱曰韋昭云九原縣屬五原也○正義曰括地志云勝州連谷縣本秦九原郡漢武帝更名五原雲陽雍縣秦之林光宮即漢之甘泉宮在焉又云秦故道在慶州華池縣西四十五里子午山上自九原至雲陽千八百里因邊山險塹谿谷可繕者治之起臨洮至遼東萬餘里索隱曰韋昭曰臨洮隴西縣○正義曰括地志云秦隴西郡臨洮縣即今岷州城本秦長城首起岷州西十二里延袤萬餘里東入遼水又度河據陽山北假中北假北方田官主以田假與貧人故云北假○索隱曰應劭云北假在北地陽山北韋昭云北假地名也○正義曰括地志云漢五原郡河目縣故城在北假中北假地名也在河北今屬勝州銀城縣漢書王莽

傳云五原北假膏壤殖穀也當是之時東胡彊而月氏盛正義曰氏音支括地志云涼甘肅延沙等州地本月氏國匈奴單于漢書音義曰單于者廣大之貌言其象天單于然○索隱曰案單于姓攣鞮氏其國稱之曰撐犁孤塗單于而匈奴謂天為撐犁謂子為孤塗單于者廣大之貌也言其象天故曰撐犁孤塗單于又玄晏春秋云士安讀漢書不詳此言有胡奴在側言之曰此胡所謂天子與古書所說符會也曰頭曼韋昭曰曼音瞞○索隱曰曼音莫官反頭曼不勝秦北徙十餘年而蒙恬死諸侯畔秦中國擾亂諸秦所徙適戍邊者皆復去於是匈奴得寬復稍度河南與中國界於故塞單于有太子名冒頓索隱曰冒音墨又如字後有所愛閼氏索隱曰閼氏舊音曷氏匈奴皇后號也習鑿齒與燕王書云山下有紅藍足下先知不北方人採取其花染緋黃接取其上英鮮者作煙肢婦人將用為顏色吾少時再三過見烟肢今日始視

紅藍後當足致其種匈奴名妻作閼氏今可音烟支想足下先亦不作此讀漢書也生少子而單于欲廢冒頓而立少子乃使冒頓質於月氏冒頓既質於月氏而頭曼急擊月氏月氏欲殺冒頓冒頓盜其善馬騎之亡歸頭曼以爲壯令將萬騎冒頓乃作爲鳴鏑漢書音義曰鏑箭也如今鳴射也韋昭曰矢鏑飛則鳴。索隱曰應劭云髐箭也習勒其騎射令曰鳴鏑所射而不悉射者斬之行獵鳥獸有不射鳴鏑所射者輒斬之已而冒頓以鳴鏑自射其善馬左右或不敢射者冒頓立斬不射善馬者居頃之復以鳴鏑自射其愛妻左右或頗恐不敢射冒頓又復斬之居頃之冒頓出獵以鳴鏑射單于善馬左右皆射之於是冒頓知其左右皆可用從其父單于頭曼獵以鳴鏑射頭曼其左右亦皆隨鳴鏑而射殺單于頭曼遂盡誅其後母與弟及大臣不聽從者冒頓自立爲單于冒頓既立徐廣曰秦二世元年壬辰歲立是時東胡彊盛聞冒頓殺父自立乃使使謂冒頓欲得頭曼時有千里馬冒頓問羣臣羣臣皆曰千里馬匈奴寶馬也勿與冒頓曰奈何與人鄰國而愛一馬乎遂與之千里馬居頃之東胡以爲冒頓畏之乃使使謂冒頓欲得單于

一閼氏冒頓復問左右左右皆怒曰東胡無道
乃求閼氏請擊之冒頓曰奈何與人鄰國愛一
女子乎遂取所愛閼氏予東胡東胡王愈益驕
西侵與匈奴閒中有棄地莫居千餘里各居其
邊為甌脫（韋昭曰界上屯守處○索隱曰服虔云作土室以伺漢人又纂文曰甌脫土穴也又云是地名故下云生得甌脫王甌音一侯反脫音同活反○正義曰按境上斥候之室為甌脫也）東胡使使
謂冒頓曰匈奴所與我界甌脫外棄地匈奴非
能至也吾欲有之冒頓問羣臣羣臣或曰此棄
地耳予之亦可勿予亦可於是冒頓大怒曰地者
國之本也奈何予之諸言予之者皆斬之冒頓

上馬今國中有後者斬遂東襲擊東胡東胡初
輕冒頓不為備及冒頓以兵至擊大破滅東胡
王而虜其民人及畜產既歸西擊走月氏南并
樓煩白羊河南王（索隱曰如淳曰白羊王居河南）侵燕代悉復收
秦所使蒙恬所奪匈奴地者與漢關故河南塞
至朝那膚施（徐廣曰在上郡○正義曰漢朝那故城在原州百泉縣西七十里屬安定郡膚施縣秦因不改今延州膚施縣是）遂侵燕代是時漢兵與項羽相距中
國罷於兵革以故冒頓得自彊控弦之士三十
餘萬自淳維以至頭曼千有餘歲時大時小別
散分離尚矣其世傳不可得而次云然至冒頓

而匈奴最彊大盡服從北夷而南與中國爲敵國其世傳國官號乃可得而記云置左右賢王左右谷蠡王服虔曰谷音鹿蠡音離○索隱曰蠡又音黎左右大將左右大都尉左右大當戶左右骨都侯骨都異姓大臣○索隱曰裴氏所引據後漢書下呼衍注亦然匈奴謂賢曰屠耆徐廣曰屠一作諸故常以太子爲左屠耆王自如左右賢以下至當戶大者萬騎小者數千凡二十四長立號曰萬騎諸大臣皆世官呼衍氏呼衍氏須卜氏常與單于婚姻蘭氏正義曰顏師古云呼衍即今鮮卑姓呼延者也蘭姓今亦有之其後有須卜氏須卜氏主獄訟○正義曰後漢書云呼衍氏須卜氏常與單于婚姻此三姓其貴種也諸左方王

漢書匈奴傳諸左王將居東方直上谷以東……接穢貉朝鮮右王將居西方直上郡以西接氐羌

一六二

將居東方直上谷索隱曰案姚氏云古字例以直為值值者當也○正義曰上谷郡今嬀州也言匈奴東方南出直當嬀州也以往者東接穢貉朝鮮右方王將居西方直上郡正義曰上郡故城在綏州上縣東南五十里言匈奴西方南直當綏州也以西接月氏氐羌索隱曰案風俗通云氐本西南夷種地理志武都有白馬氐又魚豢魏略云漢置武都郡排其種人分竄山谷或號青氐或號白氐[illegible]文云氐亦羊種說文云羌西方牧羊人續漢書云羌三苗姜姓之別舜徙于三危今河關之西南羌是也而單于之庭直代雲中索隱曰案謂匈奴所都處為庭樂彥云單于無城郭不知何以國之穹廬前地若庭故云庭○正義曰代郡城北狄代國秦漢代縣城也在蔚州羌胡縣北百五十里雲中故城趙雲中城秦雲中郡在勝州榆林縣東北四十里言匈奴之南直當代雲中也各有分地逐水草移徙而左右賢王左右谷蠡王最為大國左右骨都侯輔政諸二十四長

亦各自置千長百長什長 索隱曰案續漢書郡國志云里有魁又有什伍里魁掌一里百家什主十家伍長五家以相檢察故賈誼過秦論以爲俛起什百之中是也 裨小王相封 徐廣曰一作將 都尉當戶且渠之屬 正義曰且子餘反顏師古云今之沮渠姓蓋本因此官 歲正月諸長小會單于庭祠五月大會蘢城 索隱曰漢書作龍城亦作蘢字崔浩云西方胡皆事龍神故名大會處爲龍城後漢書云匈奴俗歲有三龍祠祭天神 祭其先天地鬼神秋馬肥大會蹛林 漢書音義曰匈奴秋社八月中皆會祭處蹛音帶○索隱曰鄭氏云蹛林地名也晉灼曰李陵與蘇武書云相競趍蹛林則服虔說是也又韋昭音多藍反姚氏案李牧傳大破匈奴滅襜襤此字與韋昭音頗同然林襤聲相近或以林爲襤也○正義曰顏師古云蹛者遶林木而祭也鮮卑之俗自古相傳秋祭无林木者尚豎柳枝衆騎馳遶三周乃止此其遺法也 課校人畜 正義曰許又反 計其法拔刃尺者死坐盜者沒

匈奴傳 十

入其家有小者軋漢書音義曰刃刻其面○索隱曰軋音烏八反鄧展云軋歷也如淳云槅杖也三蒼云軋輾也說文云輾轢也○正義曰顏師古云軋者謂輾轢其骨節若今之厭之厭也大者死獄久者不過十日一國之囚不過數人而單于朝出營拜日之始生夕拜月其坐長左而北鄉正義曰其坐北向長者在左以左爲尊也日上戊己其送死有棺槨金銀衣裘而無封樹喪服張華曰匈奴名冢曰逗落近幸臣妾從死者多至數千百人正義曰漢書作數十百人顏師古云或數十人或百人舉事而候星月月盛壯則攻戰月虧則退兵其攻戰斬首虜賜一卮酒而所得鹵獲因以予之得人以爲奴婢故其戰人人自爲趣利善爲誘兵

以冒[illegible]故其見敵則逐利如鳥之集其困敗則瓦解雲散矣戰而扶輿死者盡得死者家財後北服渾庾屈射丁靈索隱曰魏略云丁靈在康居北去匈奴庭接習水七千里又云匈奴北有渾窳國射音亦又音石鬲昆新犁之國正義曰已上五國在匈奴北於是匈奴貴人大臣皆服以冒頓單于為賢是時漢初定中國徙韓王信於代都馬邑匈奴大攻圍馬邑韓王信降匈奴匈奴得信因引兵南踰句注攻太原至晉陽下高帝自將兵往擊之會冬大寒雨雪卒之墮指者十二三於是冒頓詳敗走誘漢兵漢兵逐擊冒頓冒頓匿其精兵見其

入其家有小者軋漢書音義曰刃刻其面○索隱曰軋音烏八反鄧展云軋歷也如淳云擖杖也三蒼云軋輾也說文云輾轢也○正義曰顏師古云軋者謂輾轢其骨節若今之厭之厭也大者死獄久者不過十日一國之囚不過數人而單于朝出營拜日之始生夕拜月其坐長左而北鄉正義曰其座北向長者在左以左為尊也日上戊己其送死有棺槨金銀衣裘而無封樹喪服張華曰匈奴名家曰逗落近幸臣妾從死者多至數千百人正義曰漢書作數十百人顏師古云或數十人或百人舉事而候星月月盛壯則攻戰月虧則退兵其攻戰斬首虜賜一卮酒而所得鹵獲因以予之得人以為奴婢故其戰人人自為趣利善為誘兵

以冒敵故其見敵則逐利如鳥之集其困敗則瓦解雲散矣戰而扶輿死者盡得死者家財後北服渾庾屈射丁靈鬲昆薪犁之國北有渾窳國射音亦又音石索隱曰魏略云丁靈在康居北去匈奴庭接習水七千里又云匈奴北正義曰已上五國在匈奴北於是匈奴貴人大臣皆服以冒頓單于為賢是時漢初定中國徙韓王信於代都馬邑匈奴大攻圍馬邑韓王信降匈奴匈奴得信因引兵南踰句注攻太原至晉陽下高帝自將兵往擊之會冬大寒雨雪卒之墮指者十二三於是冒頓詳敗走誘漢兵漢兵逐擊冒頓冒頓匿其精兵見其

羸弱，於是漢悉兵，多步兵，三十二萬，北逐之。高帝先至平城，（徐廣曰：在鴈門。）步兵未盡到，冒頓縱精兵四十萬騎圍高帝於白登，（正義曰：白登臺在白登山上，朔州定襄縣東三十里。定襄縣，漢平城縣也。）七日，漢兵中外不得相救餉。匈奴騎，其西方盡白馬，東方盡青駹馬，（索隱曰：駹音武江反。案：青駹，青色馬也。○正義曰：鄭玄云：駹，不純也。說文云：駹，面顙皆白。爾雅云：黑馬面白也。）北方盡烏驪馬，（索隱曰：說文云：驪，黑色。）南方盡騂馬。（索隱曰：案詩傳曰：赤黃曰騂。）高帝乃使使間厚遺閼氏，閼氏乃謂冒頓曰：「兩主不相困。今得漢地，而單于終非能居之也。且漢主亦有神，單于察之。」冒頓與韓王信之將王黃、趙利期，而黃利兵又不來疑其與漢有謀亦取閼氏之言乃解圍之一角於是高帝令士皆持滿傅矢外鄉（索隱曰傳音附）從解角直出竟與大軍合而冒頓遂引兵而去漢亦引兵而罷使劉敬結和親之約是後韓王信為匈奴將及趙利王黃等數倍約侵盜代雲中居無幾何陳豨反又與韓信合謀擊代漢使樊噲往擊之復拔代鴈門雲中郡縣不出塞是時匈奴以漢將衆往降故冒頓常往來侵盜代地於是漢患之高帝乃使劉敬奉宗室女公主為單于閼氏歲奉匈奴絮繒酒米食

匈奴傳 十二

物各有數約爲昆弟以和親冒頓乃少止後燕王盧綰反率其黨數千人降匈奴往來苦上谷以東高祖崩孝惠呂太后時漢初定故匈奴以驕冒頓乃爲書遺高后妄言高后欲擊之（索隱曰案漢書云高后時冒頓寖驕乃使使遺高后書曰孤僨之君生於沮澤之中長於平野牛馬之域數至邊境願遊中國陛下獨立孤僨獨居兩主不樂無以自娛願以所有易其所無高后怒欲擊之）諸將曰以高帝賢武然尚困於平城於是高后乃止（索隱曰案漢書季布諫高后乃止）復與匈奴和親至孝文帝初立復脩和親之事其三年五月匈奴右賢王入居河南地侵盜上郡葆塞蠻夷殺略人民於是孝文帝詔丞相

灌嬰發車騎八萬五千詣高奴正義延州城本漢高奴縣舊都擊右賢王右賢王走出塞文帝幸太原是時濟北王反文帝歸罷丞相擊胡之兵其明年單于遺漢書曰天所立匈奴大單于敬問皇帝無恙前時皇帝言和親事稱書意合歡漢邊吏侵侮右賢王右賢王不請聽後義盧侯難氏徐廣曰音支○索隱曰匈奴將名也等計與漢吏相距絕二主之約離兄弟之親皇帝讓書再至發使以書報不來漢使不至漢以其故不和鄰國不附今以小吏之敗約故罰右賢王使之西求月氏擊之以天之福吏卒

漢書云高后時冒頓寖驕乃使使遺高后書曰孤僨之君生於沮澤之中長於平野牛馬之域數至邊境願遊中國陛下獨立孤僨獨居兩主不樂無以自娛願以所有易其所無高后怒欲擊之諸將曰以高帝賢武然尚困於平城於是高后乃止索隱曰案漢書季布諫高后乃止復與匈奴和親至孝文帝初立復脩和親之事其三年五月匈奴右賢王入居河南地侵盜上郡葆塞蠻夷殺略人民於是孝文帝詔丞相

漢興發車騎八萬五千詣高奴（正義括地志延州城本漢高奴縣舊都）擊右賢王右賢王走出塞文帝幸太原是時濟北王反文帝歸罷丞相擊胡之兵其明年單于遺漢書曰天所立匈奴大單于敬問皇帝無恙前時皇帝言和親事稱書意合歡漢邊吏侵侮右賢王右賢王不請聽後義盧侯難氏（徐廣曰音支○索隱曰匈奴將名也）等計與漢吏相距絕二主之約離兄弟之親皇帝讓書再至發使以書報不來漢使不至漢以其故不和鄰國不附今以小吏之敗約故罰右賢王使之西求月氏擊之以天之福吏卒

良馬彊力以夷滅月氏盡斬殺降下之定樓蘭徐廣曰一云樓湟○正義曰漢書云鄯善國名樓蘭去長安一千六百里也烏孫呼揭音桀○索隱曰又音丘列反○正義曰揭音桀又其例反二國皆在瓜州西北烏孫戰國時居瓜州及其旁二十六國皆以為匈奴索隱曰案謂皆已入匈奴國也諸引弓之民并為一家北州已定願寢兵休士卒養馬除前事復故約以安邊民以應始古使少者得成其長老者安其處世世平樂未得皇帝之志也故使郎中係雩淺奉書雩音火胡反○索隱曰係音計雩漢書作雽請獻橐他一匹騎馬二匹駕二駟正義曰顏師古云駕可駕車也駟八疋馬也皇帝即不欲匈奴近塞則且詔吏民遠舍使者至即

遣之以六月中來至薪望之地漢書音義曰塞下地名○索隱曰服虔云漢界上塞下之地今匈奴使至於此也書至漢議擊與和親孰便公卿皆曰單于新破月氏乘勝不可擊且得匈奴地澤鹵正義曰上音息非可居也和親甚便漢許之孝文皇帝前六年漢遺匈奴書曰皇帝敬問匈奴大單于無恙使郎中係雩淺遺朕書曰右賢王不請聽後義盧侯難氏等計絕二主之約離兄弟之親漢以故不和鄰國不附今以小吏敗約故罰右賢王使西擊月氏盡定之願寢兵休士卒養馬除前事復故約以安邊民使少者得成

其長老者安其處世世平樂朕甚嘉之此古聖王主之意也漢與匈奴約為兄弟所以遺單于甚厚倍約離兄弟之親者常在匈奴然右賢王事已在赦前單于勿深誅單于若稱書意明告諸吏使無負約有信敬如單于書使者言單于自將伐國有功甚苦兵事服繡袷綺衣繡袷長襦徐廣曰一本無袷字○索隱曰案小顏云服者言天子自所服也以繡為表綺為裏以賜單頓字林云袷衣無絮也音公洽反錦袷袍各一比余一徐廣曰或作疏比也○索隱曰小顏云辮髮之飾也以金為之廣雅云比櫛也蒼頡篇云靡者為比麤者為梳蘇林云今亦謂之梳黃金飾具帶一漢書音義曰要中大帶黃金胥紕一徐廣曰或作犀毗亦無一字○索隱曰漢書見

匈奴傳

作犀毗此作胥者犀聲相近或誤張晏云鮮卑郭洛帶瑞獸名也東胡好服之戰國策云趙武靈王賜周紹具帶黄金師比延篤云胡革帶鉤也則此帶鉤亦名師比則胥犀與師並相近而說各異耳班固與竇憲牋云賜犀比金頭帶是也

繡十匹錦三十匹赤綈正義曰綈音啼緑繒各四十匹索隱曰案說文云綈厚繒也使中大夫意謁者令肩遺單于後頃之冒頓死子稽粥立索隱曰稽音雞粥音育號曰老上單于老上稽粥單于初立徐廣曰一云稽粥第二單于自後皆以稽粥別之孝文皇帝復遣宗室女公主為單于閼氏使宦者燕人中行說正義曰行音胡郎反中行姓說名也傅公主說不欲行漢彊使之說曰必我行也為漢患者中行說既至因降單于單于甚親幸之初匈奴好漢繒絮

食物中行說曰匈奴人衆不能當漢之一郡然所以彊者以衣食異無仰於漢也今單于變俗好漢物漢物不過什二則匈奴盡歸於漢矣韋昭曰言漢物十中之二入匈奴匈奴則動心歸漢矣其得漢繒絮以馳草棘中衣袴皆裂敝以示不如旃裘之完善也得漢食物皆去之以示不如湩酪之便美也湩乳汁也音都奉反○索隱曰字林云湩音竹用反穆天子傳云牛馬之湩臣瓚以所具也於是說教單于左右疏記以計課其人衆畜物正義曰上許又反漢遺單于書牘以尺一寸辭曰皇帝敬問匈奴大單于無恙所遺物及言語云云中行說令單于遺漢書以

飲本作服　盡本作盡

尺二寸牘及印封皆令廣大長倨傲其辭曰天地所生日月所置匈奴大單于敬問漢皇帝無恙所以遺物言語亦云云漢使或言曰匈奴俗賤老中行説窮漢使曰而漢俗屯戍從軍當發者其老親豈有不自脱温厚肥美以齎送飲食行戍乎漢使曰然中行説曰匈奴明以戰攻為事其老弱不能鬭故以其肥美飲食壯健者蓋以自為守衛如此父子各得久相保何以言匈奴輕老也漢使曰匈奴父子乃同穹廬而臥漢書（正義曰穹廬氊帳）父死妻其後母兄弟死盡取其妻妻之

如本作以

匈奴傳　十六

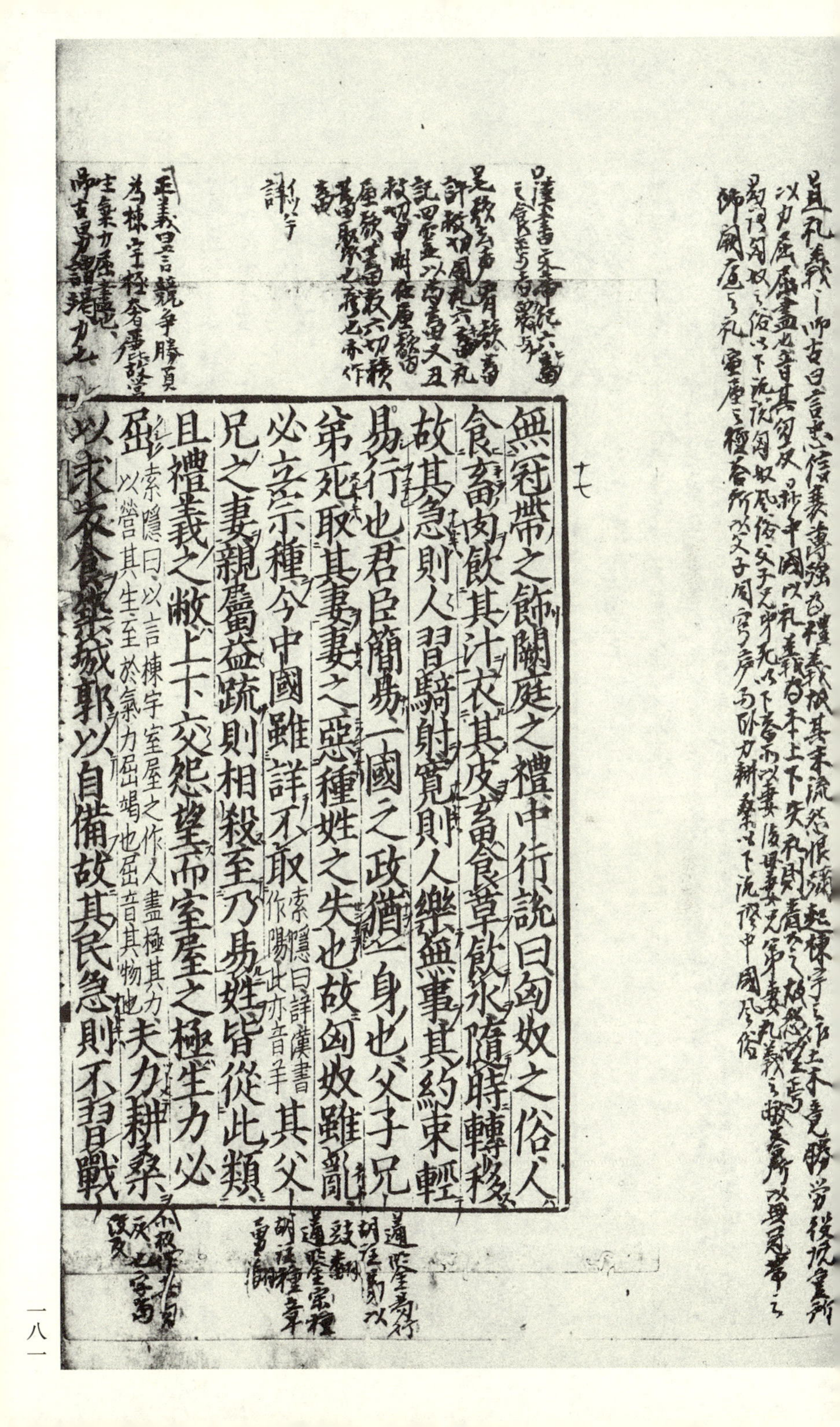

無冠帶之飾闕庭之禮中行說曰匈奴之俗人食畜肉飲其汁衣其皮畜食草飲水隨時轉移故其急則人習騎射寬則人樂無事其約束輕易行也君臣簡易一國之政猶一身也父子兄弟死取其妻妻之惡種姓之失也故匈奴雖亂必立宗種今中國雖詳不取索隱曰詳漢書作陽此亦音羊其父兄之妻親屬益疏則相殺至乃易姓皆從此類且禮義之敝上下交怨望而室屋之極生力必屈索隱曰以言棟宇室屋之作人盡極其力以營其生至於氣力屈竭也屈音其物切夫力耕桑以求衣食築城郭以自備故其民急則不習戰

功緩則罷於作業嗟土室之人顧無多辭令喋喋音諜利口也而佔佔昌占反衣裳貌冠固何當言雖復著冠固何當所益乎索隱曰鄧展曰佔囁耳語服虔曰口舌爲喋如淳曰汝漢人多口居窟中固自宜著冠且不足貴也小顏云言漢人且當思念無爲喋喋佔佔耳雖自謂著冠何所當益也自是之後漢使欲辯論者中行說輒曰漢使無多言顧漢所輸匈奴繒絮米糵令其量中必善美而已矣何以爲言乎且所給備善則已不備苦惡韋昭曰苦音麤也音若麤鹽之鹽則候秋孰以騎馳蹂而稼穡耳徐廣曰蹂音而九反日夜教單于候利害處漢孝文皇帝十四年匈奴單于十四萬騎入朝那蕭關殺北地都尉卬徐廣曰姓孫其子單封爲缾侯白丁反索隱曰

卬音五郎反虜人民畜産甚多遂至彭陽徐廣曰在安定○正義曰城字誤也括地志云彭城故城在涇州臨城縣東二十里安案彭城在寧州與北地郡甚遠明非彭城也使奇兵入燒回中宮索隱曰服虔云回中在北地武帝作宮始皇本紀三十七年巡雞頭山過回中武帝元封四年通回中道○正義曰括地志云秦回中宮在岐州雍縣西四十里郎匈奴所燒者也候騎至雍甘泉索隱曰崔浩云候邏騎○正義曰括地志云雲陽也秦之林光宮漢之甘泉在雍州雲陽西北八十里秦始皇作甘泉宮去長安三百里望見長安秦皇帝以來祭天圜丘處於是文帝以中尉周舍郎中令張武爲將軍發車千乘騎十萬軍長安旁以備胡寇而拜昌侯盧卿爲上郡將軍索隱曰案表盧作旅古今字異耳甯侯魏遬爲北地將軍隆慮侯周竈爲隴西將軍東陽侯張相如爲大將軍成

侯董赤音赫爲前將軍，大發車騎往擊胡。徐廣

曰內史欒布亦爲將軍單于留塞內月餘乃去，漢逐出塞即還，不能有所殺。匈奴日已驕，歲入邊，殺略人民畜產甚多，雲中、遼東最甚，至代郡萬餘人。漢患之，乃使使遺匈奴書。單于亦使當戶報謝，復言和親事。孝文帝後二年，使使遺匈奴書曰：皇帝敬問匈奴大單于無恙。使當戶且居雕渠難、索隱曰漢書作且渠。且渠，匈奴官號。樂彥云當戶且渠各自一官。雕渠難爲此官也。○正義曰雕渠難者其姓名也。且子余反郎中韓遼遺朕馬二匹，已至，敬受。先帝制：長城以北，引弓之國，受命單于；長城以內，冠帶之室，朕

卬音五郎反虜人民畜產甚多遂至彭陽徐廣曰在安定。正義曰城字誤也括地志云彭城故城在涇州臨涇縣東二十里案彭城在嬀州與北地郡甚遠明非彭城也使奇兵入燒回中宮索隱曰服虔云回中在北地武帝作宮始皇本紀三十七年巡雞頭山過回中武帝元封四年通回中道。正義曰括地志云秦回中宮在岐州雍縣西四十里即匈奴所燒者也候騎至雍甘泉索隱曰崔浩云候邏騎。正義曰括地志云雲陽也秦之林光宮漢之甘泉在雍州雲陽西北八十里秦始皇作甘泉宮去長安三百里望見長安秦皇帝以來祭天圜丘處於是文帝以中尉周舍郎中令張武為將軍發車千乘騎十萬軍長安旁以備胡寇而拜昌侯盧卿為上郡將軍索隱曰案表盧作旅古今字異耳甯侯魏遫為北地將軍隆慮侯周竈為隴西將軍東陽侯張相如為大將軍成侯董赤音赫為前將軍大發車騎往擊胡徐廣曰內史欒布亦為將軍單于留塞內月餘乃去漢逐出塞即還不能有所殺匈奴日已驕歲入邊殺略人民畜產甚多雲中遼東最甚至代郡萬餘人漢患之乃使使遺匈奴書單于亦使當戶報謝復言和親事孝文帝後二年使使遺匈奴書曰皇帝敬問匈奴大單于無恙使當戶且居雕渠難郎索隱曰漢書作且渠匈奴官號樂彥云當戶且渠各自一官雕渠難為此官也○正義曰雕渠難者其人姓名也且子余反中韓遼遺朕馬二匹已至敬受先帝制長城以北引弓之國受命單于長城以內冠帶之室朕

亦制之使萬民耕織射獵衣食父子無離臣主相安俱無暴逆今聞渫惡民貪降其進取之利倍義絕約忘萬民之命離兩主之驩然其事已在前矣書曰二國已和親兩主驩說寢兵休卒養馬世世昌樂闟然更始徐廣曰闟音翕安定意也朕甚嘉之聖人者日新改作更始使老者得息幼者得長各保其首領而終其天命朕與單于俱由此道順天恤民世世相傳施之無窮天下莫不咸便漢與匈奴鄰國之敵匈奴處北地寒殺氣早降故詔吏遺單于秫蘖金帛絲絮佗物歲有數今

天下大安萬民熙熙朕與單于為之父母朕追念前事薄物細故謀臣計失皆不足以離兄弟之驩朕聞天不頗覆地不偏載朕與單于皆捐往細故俱蹈大道墮壞前惡以圖長久使兩國之民若一家子元元萬民下及魚鼈上及飛鳥跂行喙息蠕動之類索隱曰案跂音岐又音企言蟲鳥之類或以踵而行或以喙而息皆得其安也三蒼云蠕蠕動貌音軟淮南云昆蟲蠕動也莫不就安利而辟危殆故來者不止天之道也俱去前事朕釋逃虜民單于無言章尼等索隱曰案文帝云我今日並釋放彼國逃亡虜遣之歸本國故單于無得更以言詞詐於章尼等責其違逃也朕聞古之帝王約分明而無

正義曰凡有足而行曰跂行凡有口之業而息曰喙息同書之屬之類為跂行並以足跳不著地如人企

又音企

尼女利反

章尼等章于來降也師古曰降漢者

食言 漢書師古曰允言食言者終為不信棄其前言如食而盡

食言單于留志天下大安和親之後漢過不先

單于其察之單于既約和親於是制詔御史曰

匈奴大單于遺朕書言和親已定亡人不足以

益衆廣地匈奴無入塞漢無出塞犯今約者殺

之可以久親後無咎俱便朕已許之其布告天

下使明知之後四歲老上稽粥單于死子軍臣

立為單于既立 徐廣曰後元三年立 孝文皇帝復與匈奴和

親而中行說復事之軍臣單于立四歲 徐廣曰孝文後元七年崩而二年答單于書其間五年而此云後四年文立四歲數不容爾也孝文後六年冬匈奴入上郡雲中也 匈奴

復絕和親大入上郡雲中各三萬騎所殺略甚

過不先 師古曰言更不負約

趙王遂者趙王由之子
高帝之孫也

衆而去於是漢使三將軍軍屯北地代屯句注
趙屯飛狐口縁邊亦各堅守以備胡寇又置三
將軍軍長安西細柳渭北棘門霸上以備胡胡
騎入代句注邊烽火通於甘泉長安數月漢兵
至邊匈奴亦去遠塞漢兵亦罷後歳餘孝文帝
崩孝景帝立而趙王遂乃陰使人於匈奴呉楚
反欲與趙合謀入邊漢圍破趙匈奴亦止自是
之後孝景帝復與匈奴和親通關市給遺匈奴
遣公主如故約終孝景時時小入盜邊無大寇
武帝即位明和親約束厚遇通關市饒給之匈

自單于以下皆親漢往來長城下漢使馬邑下人聶翁壹（索隱曰衛青傳唯稱聶壹故顏氏云壹名也老故稱翁義或然也）姦蘭（姦音干）（蘭犯禁私出物也）出物與匈奴交（漢書音義曰私出塞與匈奴交市）詳為賣馬邑城以誘單于單于信之而貪馬邑財物乃以十萬騎入武州塞（索隱曰蘇林云在鴈門也）漢伏兵三十餘萬馬邑旁御史大夫韓安國為護軍護四將軍以伏單于單于既入漢塞未至馬邑百餘里見畜布野而無人牧者怪之乃攻亭是時鴈門尉史行徼（索隱曰如淳云近塞郡皆置尉百里一人士史尉史各二人也）見寇葆此亭知漢兵謀單于得欲殺之（徐廣曰一云乃下具告單于漢謀）尉史乃

告單于漢兵所居單于大驚曰吾固疑之乃引兵還出曰吾得尉史天也天使若言以尉史爲天王漢兵約單于入馬邑而縱單于不至以故漢兵無所得漢將軍王恢部出代擊胡輜重聞單于還兵多不敢出漢以恢本造兵謀而不進斬恢韓長孺傳曰恢自殺自是之後匈奴絶和親攻當路塞索隱曰蘇林云直當道之塞往往入盜於漢邊不可勝數然匈奴貪尚樂關市嗜漢財物漢亦尚關市不絶以中之正義曰如淳云得具以利中傷之自馬邑軍後五年之秋漢使四將軍各萬騎擊胡關市下將軍衛青出

自單于以下皆親漢往來長城下漢使馬邑下人聶翁壹（索隱曰衛青傳唯稱聶壹故顔氏云壹名也老故稱翁義或然也）姦蘭（姦音干）蘭犯禁私出物也出物與匈奴交（漢書音義曰私出塞與匈奴交市）詳為賣馬邑城以誘單于單于信之而貪馬邑財物乃以十萬騎入武州塞（索隱曰蘇林云在鴈門也）漢伏兵三十餘萬馬邑旁御史大夫韓安國為護軍護四將軍以伏單于單于既入漢塞未至馬邑百餘里見畜布野而無人牧者怪之乃攻亭是時鴈門尉史行徼（索隱曰姚氏云近塞郡皆置尉百里一人士史尉史各二人也）見寇葆此亭知漢兵謀單于得欲殺之（徐廣曰一云乃下具告單于漢謀）尉史乃

告單于漢兵所居單于大驚曰吾固疑之乃引兵還出曰吾得尉史天也天使若言以尉史爲天王漢兵約單于入馬邑而縱單于不至以故漢兵無所得漢將軍王恢部出代擊胡輜重聞單于還兵多不敢出漢以恢本造兵謀而不進斬恢（韓長孺傳曰恢自殺）自是之後匈奴絕和親攻當路塞（索隱曰蘇林云直當道之塞）往往入盜於漢邊不可勝數然匈奴貪尚樂關市嗜漢財物漢亦尚關市不絕以中之（正義曰如淳云得具以利中傷之）自馬邑軍後五年之秋漢使四將軍各萬騎擊胡關市下將軍衛青出

匈奴傳 九一

上谷至蘢城得胡首虜七百人公孫賀出雲中無所得公孫敖出代郡爲胡所敗七千餘人李廣出鴈門爲胡所敗而匈奴生得廣廣後得亡歸漢因敖廣敖廣贖爲庶人其冬匈奴數入盜邊漁陽尤甚漢使將軍韓安國屯漁陽備胡其明年秋匈奴二萬騎入漢殺遼西太守略二千餘人胡又入敗漁陽太守軍千餘人圍漢將軍安國安國時千餘騎亦且盡會燕救至匈奴乃去匈奴又入鴈門殺略千餘人於是漢使將軍衛青將三萬騎出鴈門李息出代郡擊胡得首

虜數千人。其明年，衛青復出雲中以西至隴西，擊胡之樓煩、白羊王於河南，得胡首虜數千，牛羊百餘萬。於是漢遂取河南地，築朔方，復繕故秦時蒙恬所爲塞，因河爲固。漢亦棄上谷之什（音斗）辟縣造陽地以予胡。（漢書音義曰言縣斗辟西近胡○索隱曰辟音僻造陽即斗辟縣中地○正義曰按曲幽辟縣入匈奴界者造陽地弃與胡也）是歲，漢之元朔二年也。其後冬，匈奴軍臣單于死，軍臣單于弟左谷蠡王伊稚斜自立爲單于。（索隱曰稚音持利反斜音士嗟反斜鄒誕生音直牙反蓋稚斜胡人語近得其實）攻破軍臣單于太子於單。（索隱曰單音丹）於單亡降漢，漢封單于爲涉安侯，數月而死。伊稚斜單于既立其夏匈奴數萬騎入殺代郡太守恭及略千餘人其秋匈奴又入鴈門殺略千餘人其明年匈奴又復入代郡定襄正義曰括地志云定襄故城在朔州善陽縣北三百八十里地理志定襄郡高帝置也上郡各三萬騎殺略數千人匈奴右賢王怨漢奪之河南地而築朔方數為寇盜邊及入河南侵擾朔方殺略吏民甚衆其明年春漢以衞青為大將軍將六將軍十餘萬人出朔方高闕擊胡右賢王以為漢兵不能至飲酒醉漢兵出塞六七百里夜圍右賢王右賢王大驚脫身逃走諸精騎往往隨後去漢

得右賢王衆男女萬五千人裨小王十餘人其秋匈奴萬騎入殺代郡都尉朱英略千餘人其明年春漢復遣大將軍衛青將六將軍兵十餘萬騎乃再出定襄數百里擊匈奴得首虜前後凡萬九千餘級而漢亦亡兩將軍軍三千餘騎（徐廣曰合有三千耳）右將軍建（正義曰蘇建武父也）得以身脫而前將軍翕侯趙信兵不利降匈奴趙信者故胡小王降漢漢封爲翕侯以前將軍與右將軍并軍分行（正義曰與大軍別行也）獨遇單于兵故盡沒單于既得翕侯以爲自次王（正義曰自次者尊重次於單于）用其姊妻之與其謀漢信

數單于益北絕幕應劭曰幕沙幕匈奴之南界瓚曰沙土曰幕直度曰絕以誘罷漢兵徼極而取之索隱曰罷音疲徼要也謂要其疲極而取之○正義曰徼音古堯反徼要也要漢兵疲極則取之無近塞居止無近塞單于從其計其明年胡騎萬人入上谷殺數百人其明年春漢使驃騎將軍去病將萬騎出隴西過焉支山正義曰焉音煙括地志云焉支山一名刪丹山在甘州刪丹縣東南五十里西河故事云匈奴失祁連焉支二山乃歌曰亡我祁連山使我六畜不蕃息失我焉支山使我婦女無顏色其慜惜乃如此千餘里擊匈奴得胡首虜騎萬八千餘級破得休屠王祭天金人漢書音義曰匈奴祭天處本在雲陽甘泉山下秦奪其地後徙之休屠王右地故休屠有祭天金人象祭天人也○索隱曰韋昭云作金人以為祭天主崔浩云胡祭以金人為主今浮圖金人是也[illegible]不然案得休屠金人後置之於甘泉也○正義曰括

地志云徑路神在雍州雲陽縣西北九十里甘泉山下本匈奴祭天處秦奪其地後徙休屠右地按金人即金佛像是其遺法立以為祭天主也其夏驃騎將軍復與合騎侯數萬騎出隴西北地二千里擊匈奴過居延索隱曰韋昭曰張掖縣攻祁連山索隱曰西河舊事云山在張掖酒泉二界上東西二百餘里北百里有松柏五木美水草冬溫夏涼宜畜牧養匈奴失二山乃歌云亡我祁連山使我六畜不蕃息失我燕支山使我嫁婦無顏色祁連一名天山亦曰白山也得胡首虜三萬餘人裨小王以下七十餘人是時匈奴亦來入代郡鴈門殺略數百人漢使博望侯及李將軍廣出右北平擊匈奴右賢王右賢王圍李將軍卒可四千人且盡殺虜亦過當會博望侯軍救至李將軍得脫漢失亡數

徼單于益北絕幕（應劭曰幕沙幕匈奴之南界 臣瓚曰沙土曰幕直度曰絕）以誘罷漢兵徼極而取之（索隱曰罷音疲徼要也謂要其疲極而取之○正義曰徼音古堯反徼要也要漢兵疲極則取之無近塞居上）無近塞單于從其計其明年胡騎萬人入上谷殺數百人其明年春漢使驃騎將軍去病將萬騎出隴西過焉支山（正義曰焉音烟括地志云焉支山一名刪丹山在甘州刪丹縣東南五十里西河故事云匈奴失祁連焉支二山乃歌曰亡我祁連山使我六畜不蕃息失我焉支山使我婦女無顏色其愍惜乃如此）千餘里擊匈奴得胡首（漢書音義曰匈）虜騎萬八千餘級破得休屠王祭天金人（奴祭天處本在雲陽甘泉山下秦奪其地後徙之休屠王右地故休屠有祭天金人象祭天人也○索隱曰韋昭云作金人以為祭天主○崔浩云胡祭以金人為主今浮圖金人是也[illegible]恐不然得休屠金人後置之於甘泉也○正義曰括

地志云徑路神在雍州雲陽縣西北九十里甘泉山下本匈奴祭天處秦奪其地後徙休屠右地按金人即金佛像是其遺法立以爲祭天主也其夏驃騎將軍復與合騎侯數萬騎出隴西北地二千里擊匈奴過居延索隱曰韋昭曰張掖縣攻祁連山索隱曰西河舊事云山在張掖酒泉二界上東西二百餘里北百里有松柏五木美水草冬溫夏涼宜畜牧養匈奴失二山乃歌云亡我祁連山使我六畜不蕃息失我燕支山使我嫁婦無顔色祁連一名天山亦曰白山也得胡首虜三萬餘人裨小王以下七十餘人是時匈奴亦來入代郡鴈門殺略數百人漢使博望侯及李將軍廣出右北平擊匈奴右賢王右賢王圍李將軍卒可四千人且盡殺虜亦過當會博望侯軍救至李將軍得脫漢失亡數

千人。命驃騎侯後驃騎將軍期，及與博望侯皆當死，贖為庶人。其秋，單于怒渾耶王休屠王居西方為漢所殺虜數萬人，欲召誅之。渾耶王與休屠王恐，謀降漢。徐廣曰元狩二年也 漢使驃騎將軍往迎之。渾耶王殺休屠王，并將其衆降漢，凡四萬餘人，號稱十萬。於是漢已得渾邪王，則隴西北地河西益少胡寇，徙關東貧民處所奪匈奴河南新秦中以實之，索隱曰如淳云在長安以北朔方以南。漢書食貨志云徙貧民充朔方以南新秦中是也。〇正義曰服虔云地名，在北地，廣六七百里，長安北，朔方南。史記以為秦始皇遣蒙恬斥逐北胡，得肥饒之地七百里，徙內郡人民皆往充實之，號曰新秦中也 而減北地以西戍卒半。其明年匈奴入右北平定襄各數萬騎殺略千餘人而去其明年春漢謀曰翕侯信爲單于計居幕北以爲漢兵不能至乃粟馬發十萬騎負私從正義曰謂負擔衣粮私募從者凡十四萬疋馬凡十四萬匹糧重不與焉令大将軍青驃騎将軍去病中分軍大将軍出定襄驃騎将軍出代咸約絶幕擊匈奴匈奴單于聞之遠其輜重以精兵待於幕北與漢大将軍接戰一日會暮大風起漢兵縱左右翼圍單于單于自度戰不能如漢兵單于遂獨身與壯騎數百潰漢圍西北遁走漢兵夜追不得行斬

捕匈奴首虜萬九千級北至闐顏山趙信城而還如淳曰信前降匈奴匈奴築城居之單于之遁走其兵往往與漢兵相亂而隨單于單于久不與其大衆相得其右谷蠡王以爲單于死乃自立爲單于眞單于復得其衆而右谷蠡王乃去其單于號復爲右谷蠡王漢驃騎將軍之出代二千餘里與左賢王接戰漢兵得胡首虜凡七萬餘級左賢王將皆遁走驃騎封於狼居胥山禪姑衍臨翰海而還如淳曰翰海北海名○正義曰按翰海自一大海名羣鳥解羽伏乳於此因名也是後匈奴遠遁而幕南無王庭漢度河自朔方以西至

【徐廣曰在金城○索隱曰地理志云張掖令居縣姚氏令音連小顏音零】往往通渠置
田官吏卒五六萬人稍蠶食地接匈奴以北【正義曰匈奴舊以幕為王庭今遠徙幕北更蠶食之漢境連接匈奴舊地以北也】初漢兩將軍大
出圍單于所殺虜八九萬而漢士卒物故亦數
萬【索隱曰案釋名云漢以來謂死為物故就朽故也又魏臺訪議高堂崇對曰聞之先師物無也故事也言無復所能於事者也】漢馬死者十餘萬匈奴雖病遠去而漢亦
馬少無以復往匈奴用趙信之計遣使於漢好
辭請和親天子下其議或言和親或言遂臣之
丞相長史任敞曰匈奴新破困宜可使為外臣
朝請於邊漢使任敞於單于單于聞敞計大怒

留之不遣先是漢亦有所降匈奴使者單于亦輒留漢使相當漢方復收士馬會驃騎將軍去病死於是漢久不北擊胡數歲伊稚斜單于立十三年死子烏維立爲單于是歲漢元鼎三年也烏維單于立而漢天子始出巡郡縣其後漢方南誅兩越正義曰南越東越不擊匈奴匈奴亦不侵入邊烏維單于立三年漢已滅南越遣故太僕賀將萬五千騎出九原二千餘里至浮苴井而還索隱曰苴音子餘反臣瓚云去九原二千里見漢輿地圖不見匈奴一人漢又遣故從驃侯趙破奴萬餘騎出令居數千里至匈

奴河水而還索隱曰臣瓚云河水名去令居千里亦不見匈奴一人

是時天子巡邊至朔方勒兵十八萬騎以見武

節而使郭吉風告單于郭吉既至匈奴匈奴主

客韋昭曰主使來客官也○正義官名若鴻臚卿問所使郭吉禮卑言好曰

吾見單于而口言單于見吉吉曰南越王頭已

縣於漢北闕今單于能即前與漢戰天子自將

兵待邊單于即不能即南面而臣於漢何徒遠

走亡匿於幕北寒苦無水草之地毋為也語卒

而單于大怒立斬主客見者而留郭吉不歸遷

之北海上正義曰北海即上海也蘇武亦遷也而單于終不肯為寇

於漢邊休養息士馬習射獵數使使於漢好辭甘言求請和親漢使王烏等窺匈奴匈奴法漢使非去節而以墨黥其面者不得入穹廬王烏北地人習胡俗去其節黥面得入穹廬單于愛之詳許甘言爲遣其太子入漢爲質正義音致以求和親漢使楊信於匈奴是時漢東拔穢貉朝鮮以爲郡正義曰即玄菟樂浪二郡而西置酒泉郡正義曰今肅州以鬲絶胡與羌通之路漢又西通月氏大夏正義曰漢書西域傳云大月氏國去長安城萬一千六百里本居燉煌祁連閒至冒頓單于破月氏而老上單于殺月氏王以頭爲飲器月氏乃遠去過大宛西擊大夏而臣之都嬀水北爲王庭也又以公主妻烏孫王以分

匈奴西方之援國又北益廣田至胘靁為塞

音義曰胘靁地名在烏孫北

而匈奴終不敢以為言是歲翕侯信死漢用事者以匈奴為已弱可臣從也楊信為人剛直屈彊素非貴臣單于不親單于欲召入不肯去節單于乃坐穹廬外見楊信楊信既見單于說曰即欲和親以單于太子為質於漢單于曰非故約故約漢常遣翁主給繒絮食物有品以和親而匈奴亦不擾邊今乃欲反古令吾太子為質無幾矣

正義曰幾音祈言及古無所冀望也

漢使非中貴人其儒先

先先生也漢書作儒生也

以為欲說折

匈奴傳

其辯其少年以爲欲刺折其氣每漢使入匈奴匈奴輒報償漢留匈奴使匈奴亦留漢使必得當乃肯止楊信既歸漢使王烏而單于復讇以甘言欲多得漢財物紿謂王烏曰吾欲入漢見天子面相約爲兄弟王烏歸報漢漢爲單于築邸于長安匈奴曰非得漢貴人使吾不與誠語匈奴使其貴人至漢病漢予藥欲愈之不幸而死而漢使路充國佩二千石印綬往使因送其喪厚葬直數千金曰此漢貴人也單于以爲漢殺吾貴使者乃留路充國不歸諸所言者單于

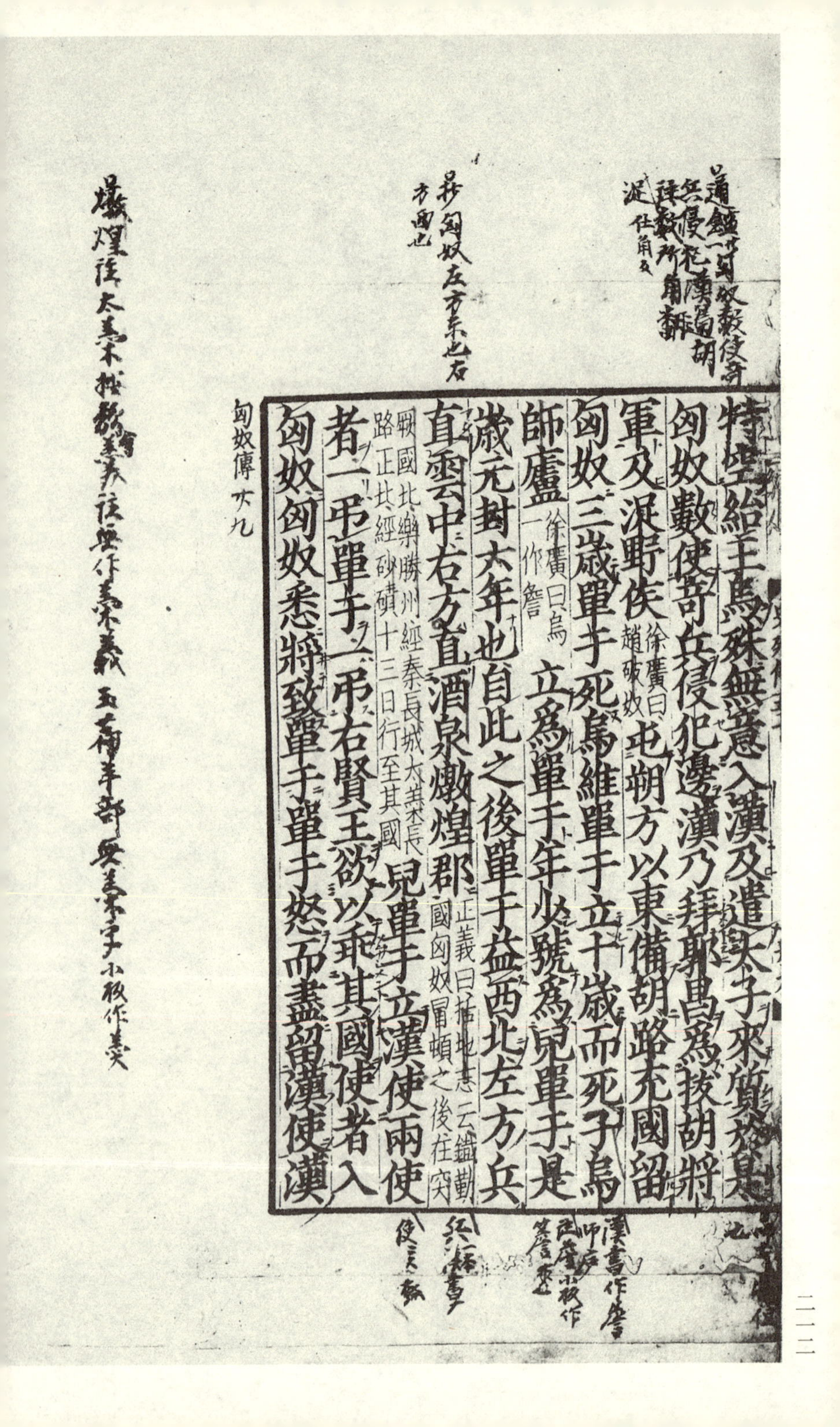

特空給王烏殊無意入漢及遣太子來質於是匈奴數使奇兵侵犯邊漢乃拜郭昌爲拔胡將軍及浞野侯徐廣曰趙破奴屯朔方以東備胡路充國留匈奴三歲單于死烏維單于立十歲而死子烏師廬徐廣曰烏一作詹立爲單于年少號爲兒單于是歲元封六年也自此之後單于益西北左方兵直雲中右方直酒泉燉煌郡正義曰括地志云鐵勒國匈奴冒頓之後在突厥國北樂勝州經秦長城大漠長路正北經砂磧十三日行至其國兒單于立漢使兩使者一弔單于一弔右賢王欲以乖其國使者入匈奴匈奴悉將致單于單于怒而盡留漢使漢

匈奴左方東也右方西也

使留匈奴者前後十餘輩而匈奴使來漢亦輒留相當是歲漢使貳師將軍廣利西伐大宛而令因杅[正義曰音于]將軍敖築受降城其冬匈奴大雨雪畜多飢寒死兒單于年少好殺伐國人多不安左大都尉欲殺單于使人閒告漢曰我欲殺單于降漢漢遠即兵來迎我我即發初漢聞此言故築受降城猶以爲遠其明年春漢使浞野侯破奴將二萬餘騎出朔方西北二千餘里期至浚稽山而還[索隱曰服虔云在武威縣北]浞野侯既至期而還左大都尉欲發而覺單于誅之發左方兵

擊浞野侯行捕首虜數千人還未至受降城四百里匈奴兵八萬騎圍之浞野侯夜自出求水匈奴閒捕生得浞野侯因急擊其軍軍中郭縱爲護維王爲渠（正義曰爲渠帥也）相與謀曰及諸校尉畏亡將軍而誅之莫相勸歸軍遂沒於匈奴匈奴兒單于大喜遂遣奇兵攻受降城不能下乃寇入邊而去其明年單于欲自攻受降城未至病死兒單于立三歲而死子年少匈奴乃立其季父烏維單于弟右賢王呴（音鉤又音吁）犁湖爲單于是歲太初三年也呴犁湖單于立漢使光祿

徐自為出五原塞正義曰即五原郡榆林塞也在勝州榆林縣四十里也數百里遠者千餘里築城鄣列亭正義曰顧胤云鄣山中小城亭候望所居也至盧朐音衢匈奴地名又山名○正義曰括地志云五原郡稒陽縣北出石門鄣得光祿城又西北得支就縣又西北得頭曼城又西北得牢城河又西北得宿虜城按即築城鄣列亭至盧朐也服虔云盧朐匈奴地名也張晏云山名也而使游擊將軍韓說長平侯衛伉屯其旁使彊弩都尉路博德築居延澤上正義曰括地志云漢居延縣故城在甘州張掖縣東北千五百三十里有漢遮虜鄣強弩都尉路博德之所築李陵敗與士眾期至遮虜鄣即此也長老傳云鄣北百八十里直居延之西北是李陵戰地也其秋匈奴大入定襄雲中殺略數千人敗數二千石而去行破壞光祿所築城列亭鄣又使右賢王入酒泉張掖略數千人會

任文擊救，漢書音義曰漢將也盡復失所得而去。是歲，貳師將軍破大宛，斬其王而還。匈奴欲遮之，不能至。其冬，欲攻受降城，會單于病死。呴犁湖單于立一歲死。匈奴乃立其弟左大都尉且鞮侯爲單于。索隱曰且音子餘反鞮音低漢既誅大宛，威震外國。天子意欲遂困胡，乃下詔曰：「高皇帝遺朕平城之憂，高后時單于書絕悖逆。昔齊襄公復百世之讎，春秋大之。」公羊傳曰九世猶可以復讎乎雖百世可知也是歲太初四年也。

且鞮侯單于既立，盡歸漢使之不降者。路充國等得歸。單于初立，恐漢襲之，乃自謂：「我兒子，安敢望漢天子。漢天子我丈人行也。正義曰：胡郎反。漢遣中郎將蘇武厚幣賂遺單于。單于益驕，禮甚倨，非漢所望也。其明年，浞野侯破奴得亡歸漢。其明年，漢使貳師將軍廣利以三萬騎出酒泉，擊右賢王於天山，正義曰：在伊州。得胡首虜萬餘級而還。匈奴大圍貳師將軍，幾不脫。漢兵物故什六七。漢復使因杅將軍敖出西河，與彊弩都尉會涿涂山，徐廣曰：涂音邪。○索隱曰：涿音卓。涂音以奢反。○正義曰：匈奴中山也。毋所得。又使騎都尉李陵將步騎五千人，出居延北千餘里，與單于會，合戰，陵所殺傷萬餘人，兵及食盡，欲解歸匈奴圍陵降匈奴其兵遂没得還者四百人單于乃貴陵以其女妻之後二歲復使貳師將軍將六萬騎步兵十萬出朔方彊弩都尉路博德將萬餘人與貳師會游擊將軍說將步騎三萬人出五原因杅將軍敖將萬騎步兵三萬人出鴈門匈奴聞悉遠其累重於余吾水北徐廣曰余一作斜音邪○索隱曰山海經云北鮮之山鮮水出焉北流注余吾○正義曰累力爲反重丈用反而單于以十萬騎待水南與貳師將軍接戰貳師乃解而引歸與單于連戰十餘日貳師聞其家以巫蠱族滅因并衆降匈奴徐廣曰案史記將相年表及漢書征和二年巫

師古曰丈人尊老之稱也行音胡浪反

敢望漢天子漢天子我丈人行也（正義曰胡郎反）漢遣中郎將蘇武厚幣賂遺單于單于益驕禮甚倨非漢所望也其明年浞野侯破奴得亡歸漢其明年漢使貳師將軍廣利以三萬騎出酒泉擊右賢王於天山（正義曰在伊州）得胡首虜萬餘級而還匈奴大圍貳師將軍幾不脫漢兵物故什六七漢復使因杅將軍敖出西河與彊弩都尉會涿涂山（徐廣曰一作余音邪○索隱曰涿音卓涂音以奢反○正義曰匈奴中山也）毋所得又使騎都尉李陵將步騎五千人出居延北千餘里與單于會合戰陵所殺傷萬餘人兵及食盡

欲解歸匈奴圍陵降匈奴其兵遂没得還者四百人單于乃貴陵以其女妻之後二歲復使貳師將軍將六萬騎步兵十萬出朔方彊弩都尉路博德將萬餘人與貳師會游擊將軍說將步騎三萬人出五原因杅將軍敖將萬騎步兵三萬人出鴈門匈奴聞悉遠其累重於余吾水北徐廣曰余一作斜音邪○索隱曰山海經云北鮮之山鮮水出焉北流注余吾○正義曰累力爲反重丈用反而單于以十萬騎待水南與貳師將軍接戰貳師乃解而引歸與單于連戰十餘日貳師聞其家以巫蠱族滅因并衆降匈奴徐廣曰案史記將相年表及漢書征和二年巫

蠱始起三年廣利與商丘成出擊胡軍敗乃降得來還千人一兩人耳正義曰自此以下上至貳師聞其家非天漢四年事似錯悞人所知游擊說無所得因杅數與左賢王戰不利引歸是歲徐廣曰天漢四年漢兵之出擊匈奴者不得言功多少功不得御正義曰御音語其功不得相御當也有詔捕太醫令隨但言貳師將軍家室族滅使廣利得降匈奴索隱曰漢書云明年且鞮死長子狐鹿姑單于立張晏云自狐鹿姑單于已下皆劉向褚先生所録班彪又撰而次之所以漢書匈奴傳有上下兩卷

太史公曰孔氏著春秋隱桓之間則章至定哀之際則微索隱曰案韓國要禮云也仲尼仕於定哀故其著春秋不切論當世而微其詞也為其切當世之文而罔褒忌諱之辭也索隱曰……無

之是也忌諱當代故也世俗之言匈奴者患其徼一時權徐廣曰徼音皎○索隱曰徼音工堯反言求一時權寵也劉伯莊音叫徐音皎皆非也而務讇納其說索隱曰說音稅以便偏指不參索隱曰案謂說者謀匈奴皆患其直徼求一時權幸但務諂進其說以自便其偏指不參詳終始利害也彼已將率詩云彼已之子○索隱曰彼已者猶詩人譏詞云彼已之子是也將率則指樊噲衛霍等也席中國廣大氣奮人主因以決策是以建功不深堯雖賢興事業不成得禹而九州寧正義曰言堯雖賢聖不能獨理得禹而九州安寧以刺武帝不能擇賢將相而務諂納小人浮說多伐匈奴故壞齊民敝太史公引禹聖成其太平以攻當代之罪且欲興聖統唯在擇任將相哉唯在擇任將相哉

索隱述贊曰

載彘發屋尉軍以徇要斬東市妻子梟首華陽街貳師妻子亦收貳師聞之憂懼其掾胡亞夫亦避罪從軍說貳師曰夫人室家皆在吏若還不稱意適與獄會郅居以北可復得見乎貳師由是狐疑深入要功遂北至郅居水上虜已去貳師遣護軍將二萬騎度郅居之水逢左賢王左大將將二萬騎與漢兵合戰一日漢軍殺左大將虜死傷甚眾軍長史與決眭都尉煇渠侯謀曰將軍懷異心欲危眾求功恐必敗謀共執貳師貳師聞之斬長史引兵還至速邪烏燕然山單于知漢軍勞倦自將五萬騎遮擊貳師相殺傷甚眾夜塹漢軍前深數尺從後急擊之軍大亂敗貳師降單于素知其漢大將以女妻之尊寵在衛律上宗族遂滅

[illegible]

是也忌諱當代故也

世俗之言匈奴者，患其徼一時之權，徐廣曰徼音皎○索隱曰徼音工堯反言求一時權寵也劉伯莊音叫徐音皎皆非也 而務讇納其說，索隱曰說音稅 以便偏指，不參索隱曰案謂說者謀匈奴皆患其直徼求一時權幸但務諂進其說以自便其偏指不參詳終始利害也 彼已；將率索隱曰彼已者猶詩人譏詞云彼已之子是也將率則指樊噲衛霍等也詩云彼已之子○索 席中國廣大，氣奮，人主因以決策，是以建功不深。堯雖賢，興事業不成，得禹而九州寧。正義曰言堯雖賢聖不能獨理得禹而九州安寧以刺武帝不能擇賢將相而務諂納小人浮說多伐匈奴故壞齊民故太史公引禹聖成其太平以攻當代之罪 且欲興聖

堯時曰葷粥周曰獫狁

居北邊隨畜牧而轉移

韻會虛空也帑藏金帛所藏也

獫狁葷粥　居于北邊　旣稱夏裔

式憬周篇　頗隨畜牧　屢擾塵煙

爰自頭曼　尤聚控弦　雖空帑藏

未盡中權

其先夏后氏之裔

單于有太子名頭曼

冒頓得自強控弦之士三十餘萬

冒頓之倒敗

閩學紀聞云乾道元年鄭穀文云前年親指揮念乎薄物細故恐然感又舜永分于東界此
皆漢文書意而當年也東文公可謂正獻書以單于辭厚禮乞和於仇讎之戎狄拳而為之辭於
以令於天下曰凡前日之薄物細故吾既捐之矣竊有大於祖宗陵廟之讎者而忍以薄物
細故捐之哉

匈奴列傳第五十　史記一百十

曰黄氏曰我傳之叙匈奴詳矣大抵六者頗中國強弱之故[illegible]

駁周道衰戎狄交侵秦并天下始築長城欲禦之單于遁走[illegible]

復興雖高帝不免白登之圍[illegible]其後中國為強弱[illegible]

何復以三代之前三代以天下為公諸侯各自為守設不幸有寇警方伯連帥以諸侯兵[illegible]

而已盛不常有也秦漢以天下為私自京師至匈奴塞上皆天子所自制[illegible]

里雖聯之長城不及馬腹故秦之備胡不得不出於長城[illegible]

以身殉死不可為也故漢之求安不得不出於結約雖[illegible]

之書有曰天下[illegible]不倫[illegible]使兩國之民若一家[illegible]

之數莫不就安利而辟危殆嗚呼大哉言乎文帝之心天地之心也[illegible]

終之大冠武帝即位之初匈奴信漢[illegible]單于以下往來長城下[illegible]

於匈奴兵連禍結使天下生靈肝腦塗地匈奴益驕[illegible]

我太祖將不忍周秦漢[illegible]

夷三代公天下之可也[illegible]南北文帝得[illegible]之道也[illegible]

御下遇如三代之待夷狄之得自天地以來未有如我太祖者也[illegible]

欲為劉弟置如在目睫之下[illegible]

不日接於中國耶

曰[illegible]

[illegible]

[illegible]

不如[illegible]

（漢）司馬遷 撰　（南朝宋）裴駰 集解
（唐）司馬貞 索隱　（唐）張守節 正義

宋本史記

第二十五册

國家圖書館出版社

第二十五册目録

史記列傳 七十八

衛青 霍去病 公孫賀 李息 公孫敖

李沮 李蔡 張次公

蘇建 趙信 張騫

趙食其 曹襄 郭昌

荀彘 路博德 趙破奴

史[illegible]列傳 五十

衛青霍去病 公孫賀
李沮 李蔡 韓說
李息 [illegible] 張騫
趙食其 曹襄 郭昌
荀彘 路博德 趙破奴

三

漢書舊本

景帝　王皇后

陽信長公主

平陽侯曹壽

衛青

曹壽子曹襄

後平陽侯曹襄，尚平陽長公主

鄭季　衛媼

衛長君　公孫敖　衛長子　霍仲孺　衛少兒　衛子夫　衛步廣　衛青

霍去病　霍光

霍仲孺後娶

後為陳掌妻

又七

霍去病侍為大將軍青侍中上〔嘗欲教〕之孫吳兵法對曰顧方略何如耳不至學古兵法上為治第令視之對曰匈奴不滅無以家為……

一名又七

去病……

之……匈奴……

衛將軍驃騎列傳第五十一　史記百一十一

大將軍衛青者平陽人也正義曰漢書云其父鄭季河東平陽人以縣吏給事平陽侯之家也其父鄭季為吏給事平陽侯家與侯妾衛媼通索隱曰衛姓也媼婦人老少通稱漢書曰與主家僮衛媼通案既云家僮故知非老或者媼是年老之稱後追呼耳然外戚傳云薄姬父與魏王宗女魏媼通則少亦稱媼也而小顏云衛者舉其夫家姓也然案此云侯妾衛媼則似無夫下云同母是衛長子及姊衛子夫皆冒衛氏又似有夫耳其所冒之姓為父與母皆未明也生青青同母兄衛長子而姊衛子夫自平陽公主家得幸天子徐廣曰曹參曾孫平陽侯曹時尚武帝姊平陽公主生子襄○索隱曰案姚淳云本陽信長公主為平陽侯所尚故稱平陽公主世家及功臣表時或作疇漢書作壽並文字殘缺故不同也故冒姓為衛氏字仲卿長子更字長君長君母號為

衛媼。媼長女衛孺【索隱曰漢書云君孺】次女少兒，次女即子夫。後子夫男弟步廣【徐廣曰步一作少】皆冒衛氏。青為侯家人，少時歸其父，其父使牧羊。先母之子【服虔曰先母適妻也青之適母○索隱曰漢書作民母顧氏云鄭季本妻編於民戶之間故曰民母今本亦或作民母也】皆奴畜之，不以為兄弟數。【索隱曰音去聲】青嘗從入至甘泉居室【正義曰按居室署名武帝改曰保宮灌夫繫居室是也】有一鉗徒【張晏曰甘泉中徒所居也】相青曰：「貴人也，官至封侯。」青笑曰：「人奴之生，得毋笞罵即足矣，安得封侯事乎！」青壯，為侯家騎，從平陽主。建元二年春，青姊子夫得入宮幸上。皇后，堂邑大長公主女也【徐廣曰堂邑安侯陳嬰之孫陳午尚景】

漢書曰平陽侯曹壽尚武帝姊陽信長公主、

師古曰壽姓曹為平陽侯當是曹參之後然參傳及功臣侯表並無之未詳其意也、

通鑑注曰姓曹名壽

本姓鄭氏子而冒衛姓也

衛將軍驃騎列傳第五十一　史記百一十一

大將軍衛青者平陽人也 正義曰漢書云其父鄭季河東平陽人以縣吏給事平陽侯之家也 其父鄭季為吏給事平陽侯家與侯妾衛媼通 索隱曰衛姓也媼婦人老少通稱漢書曰與主家僮衛媼通案既云家僮故知非老或者媼是年老之稱後追呼耳然外戚傳云薄姬父與魏王宗女魏媼通則少亦稱媼也而小顏云衛者舉其夫家姓也然案此云侯妾衛媼則似無夫下云同母是衛長子及姊衛子夫皆冒衛氏又似有夫耳其所冒之姓為父與母皆未明也 生青青同母兄衛長子而姊衛子夫自平陽公主家得幸天子 徐廣曰曹參曾孫平陽夷侯時尚武帝姊陽信長公主為平陽侯所尚故稱平陽公主生子襄○索隱曰案姉淳云本功臣表時或作時漢書作壽並文字殘缺故不同也 故冒姓為衛氏字仲卿長子更字長君長君母號為

衛媼長女衛孺（索隱曰漢書云君孺）次女少兒次女即子夫後子夫男弟步廣（徐廣曰步一作少）皆冒衞氏青爲侯家人少時歸其父其父使牧羊先母之子（服虔曰先母適妻也青之適母○索隱曰漢書作民母顧氏云鄭季本妻編於民戶之間故曰民母今本亦或作民母也）皆奴畜之不以爲兄弟數（索隱曰數音去聲）青嘗從入至甘泉居室（正義曰按居室署名武帝改曰保宮灌夫繫居室是也）有一鉗徒（張晏曰甘泉中徒所居也）相青曰貴人也官至封侯青笑曰人奴之生得毋笞罵即足矣安得封侯事乎青壯爲侯家騎從平陽主建元二年春青姊子夫得入宮幸上皇后堂邑大長公主女也（徐廣曰堂邑安侯陳嬰之孫陳午尚主）

建元武帝年号也

帝姊長公主子季須元鼎年季須坐奸自殺○正義曰文穎云陳皇后武帝姑女也無子妬大長公主聞衛子夫幸有身妬之乃使人捕青青時給事建章未知名索隱曰案晉灼云建章上林中宮名也大長公主執囚青欲殺之其友騎郎公孫敖與壯士篡取之以故得不死索隱曰篡猶劫也奪也上聞乃召青爲建章監侍中及同母昆弟貴賞賜數日閒累千金孺爲太僕公孫賀妻少兒故與陳掌通徐廣曰陳平曾孫名掌也上召貴掌公孫敖由此益貴子夫爲夫人青爲大中大夫元光五年青爲車騎將軍擊匈奴出上谷太僕公孫賀爲輕車將軍出雲中太中大夫

公孫敖爲騎將軍出代郡衛尉李廣爲驍騎將軍出鴈門軍各萬騎青至蘢城斬首虜數百騎將軍敖亡七千騎衛尉李廣爲虜所得得脫歸皆當斬贖爲庶人賀亦無功元朔元年春衛夫人有男（索隱曰即衛太子據也）立爲皇后其秋青爲車騎將軍出鴈門三萬騎擊匈奴斬首虜數千人明年匈奴入殺遼西太守虜略漁陽二千餘人敗韓將軍軍漢令將軍李息擊之出代令車騎將軍青出雲中以西至高闕（索隱曰高闕山名小顏云一曰塞名在朔方之北也）遂略河南地至于隴西捕首虜數千畜數十萬走

白羊樓煩王。遂以河南地爲朔方郡。正義曰今夏州也。以三千八百戶封青爲長平侯。青校尉蘇建有功。以千一百戶封建爲平陵侯。使建築朔方城。正義曰謂也括地志云夏州朔方縣北什賁故城是按子蘇建築什賁之號蓋出蕃語也。青校尉張次公有功。封爲岸頭侯。索隱曰案晉灼云河東皮氏縣之亭名也○正義曰服虔云鄉名也。天子曰。匈奴逆天理。亂人倫。暴長虐老。以盜竊爲務。行詐諸蠻夷。造謀藉兵。數爲邊害。張晏曰從蠻夷借兵鈔暴邊也。故興師遣將。以征厥罪。詩不云乎。薄伐玁狁。至于太原。索隱曰此小雅六月詩美宣王北伐也薄伐者言逐出之也。出車彭彭。城彼朔方。索隱曰小雅出車之詩也。今車騎將軍青度西河。正義曰即雲中郡之西河云勝州東河也至高闕獲首虜二千三百級車輜畜產畢收爲鹵已封爲列侯遂西定河南地按榆谿舊塞如淳曰案行也榆谿舊塞名或曰按尋也○索隱曰案水經云上郡之北有諸次山諸次水出焉東經榆林塞爲榆谿是榆谿舊塞也絶梓領梁北河如淳曰絶度也爲北河作橋梁○正義曰括地志云梁北河在靈州界也討蒲泥破符離晉灼曰二王號○索隱曰崔浩云北塞名斬輕銳之卒捕服聽者三千七十一級張晏曰伏於隱處聽軍虛實執訊獲醜正義曰訊問也醜衆言執其生口問之知虜衆獲得衆類也驅馬牛羊百有餘萬全甲兵而還益封青三千戶其明年匈奴入殺代郡太守友徐廣曰友者太守名也姓共也入略鴈門千餘人其明年匈奴大入代定襄上郡殺

略漢數千人其明年元朔之五年春漢令車騎將軍青將三萬騎出高闕衛尉蘇建爲游擊將軍左內史李沮文穎曰音組爲彊弩將軍太僕公孫賀爲騎將軍代相李蔡爲輕車將軍皆領屬車騎將軍俱出朔方大行李息岸頭侯張次公爲將軍出右北平咸擊匈奴匈奴右賢王當衛青等兵以爲漢兵不能至此飲醉漢兵夜至圍右賢王右賢王驚夜逃獨與其愛妾一人壯騎數百馳潰圍北去漢輕騎校尉郭成等逐數百里不及得右賢裨王十餘人索隱曰晉灼云裨益也小顏云裨王小王也若裨將

然音頻移反衆男女萬五千餘人畜數千百萬於是引兵而還至塞天子使使者持大將軍印即軍中拜車騎將軍青爲大將軍諸將皆以兵屬大將軍大將軍立號而歸索隱曰案謂立大將軍之號令而歸也天子曰大將軍青躬率戎士師大捷獲匈奴王十有餘人益封青六千戶而封青子伉正義曰口浪反爲宜春侯青子不疑爲陰安侯青子登爲發干侯青固謝曰臣幸得待罪行閒賴陛下神靈軍大捷皆諸校尉力戰之功也陛下幸已益封臣青臣青子在繈緥中正義曰繈長尺二寸闊八寸以約小兒於背緥小兒被也未有勤

勞上幸列地封爲三侯非臣待罪行閒所以勸士力戰之意也伉等三人何敢受封天子曰我非忘諸校尉功也今固且圖之乃詔御史曰護軍都尉公孫敖三從大將軍擊匈奴常護軍傅校獲王索隱曰顧秘監云傅領也五百人謂之校小顏云傅音附言敖總護諸軍每附部校以致克捷而獲王也以千五百戶封敖爲合騎侯索隱曰安樂非邑地因戰功爲號謂軍合驃騎故云合騎若將軍從驃然也都尉韓說從大將軍出窳渾徐廣曰窳渾在朔方音庾○索隱曰服虔云窳渾塞名漢書作窴渾窴音田至匈奴右賢王庭爲麾下搏戰獲王索隱曰搏音博搏擊也小顏同今史記漢書本多作傅傅猶轉也以千三百戶封說爲龍頟侯騎將軍公孫賀從大

將軍獲王以千三百戶封賀爲南窌侯徐廣曰窌宜作窌音匹孝反○索隱曰韋昭云縣名或作窌字林云大下卯與穴下卯並音匹孝反輕車將軍李蔡

再從大將軍獲王以千六百戶封蔡爲樂安侯

校尉李朔校尉趙不虞校尉公孫戎奴各三從

大將軍獲王以千三百戶封朔爲涉軹侯以千

三百戶封不虞爲隨成侯以千三百戶封戎奴

爲從平侯將軍李沮李息及校尉豆如意有功

賜爵關內侯食邑各三百戶其秋匈奴入代殺

都尉朱英其明年春大將軍青出定襄合騎侯

敖爲中將軍太僕賀爲左將軍翕侯趙信爲前

春二月大將軍青 衞青 五

出定襄擊匈奴 胡注杜佑曰漢定襄郡在今馬邑北三百餘里後魏

勞上幸列地封爲三侯非臣待罪行閒所以勸士力戰之意也伉等三人何敢受封天子曰我非忘諸校尉功也今固且圖之乃詔御史曰護軍都尉公孫敖三從大將軍擊匈奴常護軍傅校獲王索隱曰顧秘監云傅領也五百人謂之校小顏云傅音附言敖總護諸軍每附部校以致克捷而獲王也以千五百戸封敖爲合騎侯索隱曰案非邑地因戰功爲號謂軍合驃騎故云合騎若左軍從驃然也都尉韓說從大將軍出窳渾徐廣曰窳渾在朔方音庾○索隱曰服虔云窳渾塞名漢書作窴渾窴音田至匈奴右賢王庭爲麾下搏戰獲王索隱曰搏音博搏擊也小顏同今史記漢書本多作傅傅猶轉也以千三百戸封說爲龍頟侯騎將軍公孫賀從大

將軍獲王以千三百户封賀爲南窌侯徐廣曰窌宜作竂音四孝反○索隱曰韋昭云縣名或作窌字林云大下卯與穴下卯並音匹孝反輕車將軍李蔡再從大將軍獲王以千六百户封蔡爲樂安侯校尉李朔校尉趙不虞校尉公孫戎奴各三從大將軍獲王以千三百户封朔爲涉軹侯以千三百户封不虞爲隨成侯以千三百户封戎奴爲從平侯將軍李沮李息及校尉豆如意有功賜爵關内侯食邑各三百户其秋匈奴入代殺都尉朱英其明年春大將軍青出定襄合騎侯敖爲中將軍太僕賀爲左將軍翕侯趙信爲前

衛青 五

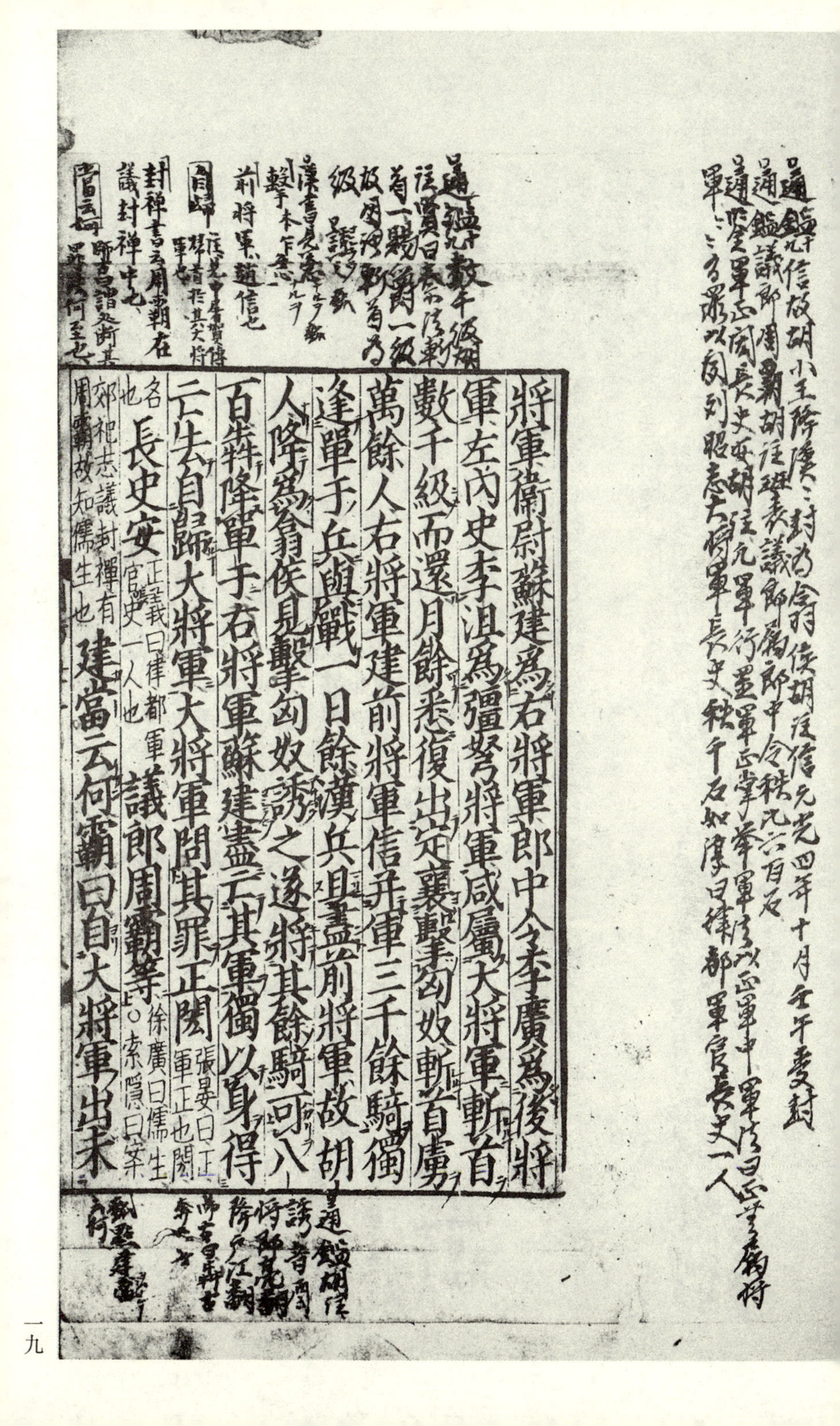

將軍衛尉蘇建爲右將軍郎中令李廣爲後將軍左內史李沮爲彊弩將軍咸屬大將軍斬首數千級而還月餘悉復出定襄擊匈奴斬首虜萬餘人右將軍建前將軍信并軍三千餘騎獨逢單于兵與戰一日餘漢兵且盡前將軍故胡人降爲翕侯見急匈奴誘之遂將其餘騎可八百奔降單于右將軍蘇建盡亡其軍獨以身得亡去自歸大將軍大將軍問其罪正閎（張晏曰正軍正也閎名也）長史安（正義曰律都軍官長史一人也）議郎周霸等（徐廣曰儒生○索隱曰案郊祀志議封禪有周霸故知儒生也）建當云何霸曰自大將軍出未

肯斬裨將今建棄軍可斬以明將軍之威閎安曰不然兵法小敵之堅大敵之禽也今建以數千當單于數萬力戰一日餘士盡不敢有二心自歸自歸而斬之是示後無反意也不當斬大將軍曰青幸得以肺腑待罪行閒不患無威而霸說我以明威甚失臣意且使臣職雖當斬將以臣之尊寵而不敢自擅專誅於境外而具歸天子天子自裁之於是以見爲人臣不敢專權不亦可乎軍吏皆曰善遂囚建詣行在所蔡邕曰天子自謂所居曰行在所言今雖在京師行所至耳巡狩天下所奏事處皆爲宮在長安則曰奏長安宮在泰山則曰奉高宮唯

將軍衛尉蘇建爲右將軍郎中令李廣爲後將軍左内史李沮爲彊弩將軍咸屬大將軍斬首數千級而還月餘悉復出定襄擊匈奴斬首虜萬餘人右將軍建前將軍信幷軍三千餘騎獨逢單于兵與戰一日餘漢兵且盡前將軍故胡人降爲翕侯見擊匈奴誘之遂將其餘騎可八百犇降單于右將軍蘇建盡亡其軍獨以身得亡去自歸大將軍大將軍問其罪正閎『張晏曰正軍正也閎名也』長史安『正義曰律都軍官長史一人也』議郎周霸等『徐廣曰儒生也○索隱曰案郊祀志議封禪有周霸故知儒生也』建當云何霸曰自大將軍出未

小敵ノ禽之師古曰言衆寡不敵以其堅戰無有退心故士卒喪盡也一説若建恥敗而不自歸亦被匈奴禽之而去

顔師古云肺腑親戚也亦腹心也

嘗斬裨將今建棄軍可斬以明將軍之威閎安曰不然兵法小敵之堅大敵之禽也今建以數千當單于數萬力戰一日餘士盡不敢有二心自歸自歸而斬之是示後無反意也不當斬大將軍曰青幸得以肺腑待罪行間不患無威而霸說我以明威甚失臣意且使臣職雖當斬將以臣之尊寵而不敢自擅專誅於境外而具歸天子天子自裁之於是以見爲人臣不敢專權不亦可乎軍吏皆曰善遂囚建詣行在所蔡邕曰天子自謂所居曰行在所言今雖在京師行所至耳巡狩天下所奏事處皆爲宮在長安則曰奏長安宮在泰山則曰奉高宮唯

當時所在

入塞罷兵。是歲也，大將軍姊子霍去病徐廣曰姊即少兒也年十八，幸，為天子侍中。善騎射，再從大將軍，受詔與壯士，為剽姚校尉，索隱曰服虔音飄搖顏案荀悅漢紀作票鷂票鷂勁疾之貌也票音頻妙反鷂音弋召反與輕勇騎八百直棄大軍數百里赴利，斬捕首虜過當。索隱曰案小顏云計其所將之人數則捕首虜為多過於所當也一云漢軍亡失者少而殺獲匈奴數多故曰過當也於是天子曰：「剽姚校尉去病斬首虜二千二十八級，及相國、當戶，斬單于大父行籍若侯產，張晏曰籍若胡侯○索隱曰行音胡浪反謂籍若侯是匈奴祖之行第產即大父之名生捕季父羅姑比，索隱曰案顏氏云羅姑比單于季父名小顏云比頻也案下既云再無容更言頻也再冠軍，以千六百戶封去病爲冠軍侯上谷太守郝賢四從大將軍捕斬首虜二千餘人以千一百戶封賢爲衆利侯是歲失兩將軍軍亡翕侯軍功不多故大將軍不益封右將軍建至天子不誅赦其罪贖爲庶人大將軍既還賜千金是時王夫人方幸於上甯乘說大將軍曰將軍所以功未甚多身食萬戶三子皆爲侯者徒以皇后故也今王夫人幸而宗族未富貴願將軍奉所賜千金爲王夫人親壽大將軍乃以五百金爲壽天子聞之問大將軍大將軍以實言上乃拜甯乘爲東海都尉張騫

上者武帝也

外戚傳云衛后色衰趙王夫人幸有子為齊王王夫人早卒

衛青也

師古曰親上壽也

衛青傳七

從大將軍以嘗使大夏正義曰大夏國在大宛西留匈奴中久導軍知善水草處軍得以無飢渴因前使絕國功封騫博望侯冠軍侯去病既侯三歲元狩二年春以冠軍侯去病為驃騎將軍徐廣曰驃一亦作剽○正義曰漢書云霍去病征匈奴有絕幕之勳始置驃騎將軍位在三司品秩同大將軍說文云驃騎黃馬髮白色一曰髮毛尾將萬騎出隴西有功天子曰驃騎將軍率戎士踰烏盭漢書音義曰音安山名也討遬濮索隱曰遬音速濮音卜崔浩云匈奴部落名案下有遬濮王則是國名也涉狐奴晉灼曰水名也歷五王國輜重人眾懾慴者弗取文穎曰恐懼也○索隱曰案說文云懾慴失氣也劉氏云懾式涉反慴之涉反冀獲單于子徐廣曰一作與轉戰六日過焉支山千有餘里

合短兵殺折蘭王斬盧胡王張晏曰折蘭盧胡國名也殺者殺之而已斬者獲其首○正義曰顏師古云折蘭匈奴中姓也今鮮卑有其蘭姓者即其種誅全甲徐廣曰全一作金○正義曰全甲謂具足不失落也執渾邪王子及相國都尉首虜八千餘級收休屠祭天金人如淳曰祭天爲主○索隱曰案張晏云佛徒祠金人也屠音諸益封去病二千戶其夏驃騎將軍與合騎侯敖俱出北地異道博望侯張騫郎中令李廣俱出右北平異道皆擊匈奴郎中令將四千騎先至博望侯將萬騎在後至匈奴左賢王將數萬騎圍郎中令郎中令與戰二日死者過半所殺亦過當博望侯至匈奴兵引去博望侯坐行

從大將軍以嘗使大夏（正義曰大夏國在大宛西）留匈奴中久導軍知善水草處軍得以無飢渴因前使絕國功封騫博望侯冠軍侯去病既侯三歲元狩二年春以冠軍侯去病為驃騎將軍（徐廣曰驃一亦作剽○正義曰漢書云霍去病征匈奴有絕幕之勳始置驃騎將軍位在三司品秩同大將軍說文云驃騎黃馬髮鬣白色一曰髮髦尾）將萬騎出隴西有功天子曰驃騎將軍率戎士踰烏盭（漢書音義曰音戾山名也）討遬濮（索隱曰遬音速濮音卜崔浩云匈奴部落名案下有遬濮王則是國名也）涉狐奴（晉灼曰水名也）歷五王國輜重人衆懾慴者弗取（索隱曰案說文云懾失氣也劉氏云懾式涉反慴之涉反）冀獲單于子（徐廣曰一作與）轉戰六日過焉支山千有餘里

合短兵殺折蘭王斬盧胡王張晏曰折蘭盧胡國名也殺者殺之而已斬者獲其首○正義曰顏師古云折蘭匈奴中姓也今鮮卑有其蘭姓者即其種誅全甲徐廣曰全一作金○正義曰全甲謂具足不失落也執渾邪王子及相國都尉首虜八千餘級收休屠祭天金人如淳曰祭天爲主○索隱曰案張晏云佛徒祠金人也屠音儲益封去病二千戶其夏驃騎將軍與合騎侯敖俱出北地異道博望侯張騫郎中令李廣俱出右北平異道皆擊匈奴郎中令將四千騎先至博望侯將萬騎在後至匈奴左賢王將數萬騎圍郎中令郎中令與戰二日死者過半所殺亦過當博望侯至匈奴兵引去博望侯坐行

衛青傳 八

留當斬贖爲庶人而驃騎將軍出北地已遂深入與合騎侯失道不相得驃騎將軍踰居延至祁連山捕首虜甚多天子曰驃騎將軍踰居延張晏曰水名也遂過小月氏索隱曰韋昭氏音支西域傳大月氏本居敦煌祁連間餘衆保南山遂號小月氏攻祁連山索隱曰小顏云即天山也匈奴謂天爲祁連案西河舊事謂白山即天山祁連恐非也得酋涂王張晏曰胡王也○索隱曰酋音才由反涂音徒漢書云揚武乎鱳得得單于單桓酋涂王此文省也以衆降者二千五百人斬首虜三萬二百級獲五王五王母單于閼氏王子五十九人相國將軍當户都尉六十三人師大率正義曰率音律也減什三索隱曰案漢書作減什七小顏云破匈奴之師十減其七一云漢兵亡失之數下皆類此案一說爲

是也（小字）益封去病五千戶賜校尉從至小月氏爵左庶長鷹擊司馬破奴再從驃騎將軍斬遬濮王（正義曰遬卜二音）捕稽且王（索隱曰且音子余反）千騎將得王王母各一人（索隱曰漢書作右千騎將王然則此云千騎將是漢之將屬趙破奴得匈奴王及王母也或云右千騎將即匈奴王號也）王子以下四十一人捕虜三千三百三十人前行捕虜千四百人以千五百戶封破奴為從驃侯（張晏曰從驃騎將軍有功因以為號）校尉句王高不識（徐廣曰句音鉤匈奴以為號○索隱曰案二人並匈奴人也）從驃騎將軍捕呼于屠王（索隱曰案三字共為王號）王子以下十一人捕虜千七百六十八人以千一百戶封不識為宜冠侯（正義曰孔文祥云從冠軍將軍

戰故冝寇從驃之類者也校尉僕多有功封爲煇渠侯索隱曰案漢表作僕朋疑多是誤煇音暉也合騎侯敖坐行留不與驃騎會當斬贖爲庶人諸宿將所將士馬兵亦不如驃騎驃騎所將常選索隱曰選音宣亦變反謂驃騎常選擇取精兵然亦敢深入常與壯騎先其大將軍軍亦有天幸未嘗困絶也然而諸宿將常坐留落不遇索隱曰案謂遲留零落不遇合也由此驃騎日以親貴比大將軍其秋單于怒渾邪王居西方數爲漢所破亡數萬人以驃騎之兵也單于怒欲召誅渾邪王渾邪王與休屠王等謀欲降漢使人先遣使向邊境要遮漢人索隱

曰案謂先於邊境要候漢人言其欲降令報天子要邊是時大行李息將城河上得渾邪王使即馳傳以聞天子聞之於是恐其以詐降而襲邊乃令驃騎將軍將兵往迎之驃騎既渡河與渾邪王衆相望渾邪王裨將見漢軍而多欲不降者頗遁去驃騎乃馳入與渾邪王相見斬其欲亡者八千人遂獨遣渾邪王乘傳先詣行在所盡將其衆渡河降者數萬號稱十萬既至長安天子所以賞賜者數十巨萬封渾邪王萬戶爲漯陰侯索隱曰漯音他合反案地理志縣名在平原封其裨王呼毒尼韋昭曰胡王名爲下摩侯鷹

庇為煇渠侯徐廣曰一云篇訾○索隱曰漢書鷹作離庇音必二反又音疋履反案漢書功臣表元狩二年以煇渠封僕明至三年又封鷹庇其地俱屬魯陽未詳所以○正義曰煇渠表作順梁禽犁為河綦侯徐廣曰禽一作烏○索隱曰案表作烏犁大當戶銅離徐廣曰一作調離也○索隱曰徐注與漢書功臣表同此文云銅漢書云調字又異也為常樂侯於是天子嘉驃騎之功曰驃騎將軍去病率師攻匈奴西域王渾邪王及厥眾萌咸相犇率以軍糧接食并將控弦萬有餘人誅獟駻晉灼曰獟音歡譙二反○索隱曰說文獟作趬行疾貌悍音胡旦反獲首虜八千餘級降異國之王三十二人戰士不離傷十萬之眾咸懹集服仍與之勞爰及河塞正義曰言匈奴右地渾邪王降而塞外並河諸郡之民無寇患也庶幾無患

幸既永綏矣以千七百戶益封驃騎將軍減隴西北地上郡戍卒之半以寬天下之繇居頃之乃分徙降者邊五郡故塞外（正義曰五郡謂隴西北地上郡朔方雲中並是故塞外又在北海之南）而皆在河南因其故俗為屬國（正義曰以降來之民徙置五郡各依本國之俗而屬於漢故言屬國也）其明年匈奴入右北平定襄殺略漢千餘人其明年天子與諸將議曰翕侯趙信為單于畫計常以為漢兵不能度幕輕留（索隱曰案幕即沙幕古字少耳輕留者謂匈奴以漢軍不能至故輕易留而不去也）今大發士卒其勢必得所欲是歲元狩四年也元狩四年春上令大將軍青驃騎將軍去病將各五萬騎

步兵轉者踵軍（正義曰言轉軍之士及步兵接後又數十萬人）數十萬而敢力戰深入之士皆屬驃騎驃騎始為出定襄當單于捕虜言單于東乃更令驃騎出代郡令大將軍出定襄郎中令為前將軍太僕為左將軍主爵趙食其為右將軍平陽侯襄為後將軍皆屬大將軍兵即度幕人馬凡五萬騎與驃騎等咸擊匈奴單于趙信為單于謀曰漢兵既度幕人馬罷匈奴可坐收虜耳乃悉遠北其輜重皆以精兵待幕北而適值大將軍軍出塞千餘里見單于兵陳而待於是大將軍令武剛車自

兵法曰有巾有蓋謂之武剛車也 自環爲營而縱五千騎往當匈奴匈奴亦縱可萬騎會日且入大風起砂礫擊面兩軍不相見漢益縱左右翼繞單于單于視漢兵多而士馬尚彊戰而匈奴不利薄暮單于遂乘六驘壯騎可數百直冒漢圍西北馳去時已昏漢匈奴相紛拏正義曰三蒼解詁云紛拏相牽也殺傷大當索隱曰以言所殺傷大略相當漢軍左校捕虜言單于未昏而去漢軍因發輕騎夜追之大將軍軍因隨其後匈奴兵亦散走遲明正義曰上音值行二百餘里徐廣曰遲一作黎○索隱曰遲音值遲者待也待天欲明也漢書作會明諸本多作黎明鄒氏云黎遲也然黎黑也候天將明而猶黑也不

得單于頗捕斬首虜萬餘級遂至窴顏山趙信
城（徐廣曰窴音田）得匈奴積粟食軍軍留一日而還悉
燒其城餘粟以歸大將軍之與單于會也而前
將軍廣右將軍食其軍別從東道或失道後擊
單于大將軍引還過幕南乃得前將軍右將軍
大將軍欲使使歸報令長史簿責前將軍廣廣
自殺右將軍至下吏贖為庶人大將軍軍入塞
凡斬捕首虜萬九千級是時匈奴衆失單于十
餘日右谷蠡王聞之自立為單于（索隱曰谷音鹿蠡音黎又音離）
單于後得其衆右王乃去單于之號驃騎將軍

亦將五萬騎車重與大將軍軍等而無裨將悉以李敢等爲大校當裨將出代右北平千餘里直左方兵所斬捕功已多大將軍軍既還天子曰驃騎將軍去病率師躬將所獲葷粥之士徐廣曰粥一作允騶案應劭曰所降士有材力者約輕齎絕大幕涉獲章渠徐廣曰獲一作護○索隱曰小顏云涉謂涉水也章渠單于之近臣謂涉水而破獲之漢書云涉獲單于章渠也以誅比車耆晉灼曰王號也○索隱曰比音必耳反轉擊左大將索隱曰案漢書名雙斬獲旗鼓歷涉離侯索隱曰漢書作度難侯小顏云山名歷度也濟弓閭晉灼曰水名也○索隱曰包愷弓音穹亦如字讀獲屯頭王漢書音義曰胡王號也韓王等三人徐廣曰王一作藉○索隱曰李奇云皆匈奴王號將軍相國

當戶都尉八十三人封狼居胥山禪於姑衍正義曰積土爲壇於山上封以祭天也除地曰禪登臨翰海張晏曰登海邊山以望海也○索隱曰按崔浩云北海名羣鳥之所解羽故云翰海廣異志在沙漠北執鹵獲醜七萬有四百四十三級師率減什三取食於敵逴行殊遠而糧不絕索隱曰逴與卓同卓遠也以五千八百戶益封驃騎將軍右北平太守路博德屬驃騎將軍會與城正義曰上音余不失期從至檮余山索隱曰檮余音挑徒斬首捕虜二千七百級以千六百戶封博德爲符離侯北地都尉邢山徐廣曰一作衛山從驃騎將軍獲王以千二百戶封山爲義陽侯故歸義因淳王復陸支樓專王

衛將軍驃騎傳 十四

伊即軒皆從驃騎將軍有功 索隱曰劉氏復音伏小顏音旨芳福反漢書專作剸並音專字小顏音之兗反軒音九言反 以千三百戶封復陸支為壯侯以千八百戶封伊即軒為衆利侯從驃侯破奴昌武侯安稽 徐廣曰姓趙 姑句奴王 從驃騎有功益封各三百戶校尉敢得旗鼓為關內侯食邑二百戶 索隱曰敢李廣子也 校尉自為爵大庶長 索隱曰案 徐廣曰為也 軍吏卒為官賞賜甚多而大將軍不得益封軍吏卒皆無封侯者兩軍之出塞塞閱官及私馬凡十四萬匹而復入塞者不滿三萬匹乃益置大司馬位大將軍驃騎將軍皆為大司馬 如淳曰大將軍驃騎將軍皆有大司

馬之號也○索隱曰案如淳云本無大司馬今新置耳案前
謂太尉其官又省今武帝始置此但衞將軍驃騎皆加此
官定令令驃騎將軍秩祿與大將軍等自是之
後大將軍青日退而驃騎日益貴舉大將軍故
人門下多去事驃騎輒得官爵唯任安不肯驃
騎將軍為人少言不泄索隱曰案孔文祥云謂質重
少言膽氣在中也周仁陰重
不泄其行
亦同也
有氣敢任索隱曰謂果
敢任氣也
天子嘗欲教之孫
吳兵法對曰顧方略何如耳不至學古兵法天
子為治第令驃騎視之對曰匈奴未滅無以家
為也由此上益重愛之然少而侍中貴不省士
其從軍天子為遣太官齎數十乘既還重車餘

棄粱肉而士有飢者其在塞外卒乏糧或不能自振而驃騎尚穿域蹋鞠徐廣曰穿地爲營域○索隱曰鞠戲以皮爲之中實以毛蹴蹋爲戲也劉向別錄云蹋鞠兵勢所以陳武事知有材也三蒼云鞠毛可蹋以毛爲戲故云鞠戲鞠音巨六反○正義曰按蹴鞠書有域說篇即今之打毬也黃帝所作起戰國時程武士知其材力也若講武事多此類

大將軍爲人仁善退讓以和柔自媚於上然天下未有稱也驃騎將軍自四年軍後三年元狩六年而卒天子悼之發屬國玄甲正義曰屬國即上分置邊五郡者也玄甲鐵甲也軍陳自長安至茂陵爲冢象祁連山索隱曰案崔浩云去病破昆邪於此山故今爲冢象之以旌功也姚氏案冢在茂陵東北與衛青冢並西者是青東者是去病冢上有豎石前有石馬相對又有石人也謚之并武與廣地曰景桓侯蘇林

嬗音善

後

宜春侯衛青之子也

酎金解在漢書武帝紀

曰景武謚也柏廣地謚也張晏曰謚法布義行剛曰景闢土服遠曰桓○索隱曰案景桓兩謚也布義行剛是武謚也辟土主服遠是廣地之謚也以去病平生有武藝及廣邊地之功故云謚之并武與廣地曰景桓子嬗代侯索隱曰嬗音市戰反嬗少字子侯上愛之幸其壯而將之居六歲元封元年嬗卒謚哀侯無子絕國除自驃騎將軍死後大將軍長子宜春侯伉坐法失侯後五歲伉弟二人陰安侯不疑及發干侯登皆坐酎金失侯失侯後二歲冠軍侯國除其後四年大將軍青卒徐廣曰元封五年謚為烈侯子伉代為長平侯自大將軍圍單于之後十四年而卒竟不復擊匈奴者以漢馬少而方南誅兩越東伐

朝鮮擊先西南夷以故父不伐胡大將軍以其得尚平陽公主正義曰漢書云平陽侯曹壽有惡疾就國乃詔青尚平陽公主姊傳云本陽信長公主為平陽侯所尚故稱平陽公主云故長平侯伉代侯六歲坐法失侯

左方兩大將軍及諸裨將名最索隱曰謂凡計也大將軍青凡七出擊匈奴斬捕首虜五萬餘級一與單于戰收河南地遂置朔方郡再益封凡萬一千八百戶封三子為侯侯千三百戶幷之萬五千七百戶其校尉裨將以從大將軍侯者九人其裨將及校尉已為將者十四人索隱曰案漢書云為特將者十五人蓋通李廣也此李廣一人自有傳者漢書則七人自有傳八人附見七人謂李廣張騫公孫賀李蔡曹襄韓說蘇建

也為裨將者曰李廣自有傳無傳者曰將軍公孫賀賀義渠人正義曰今慶州本義渠戎國也地理志云北義渠道也其先胡種賀父渾邪景帝時為平曲侯徐廣曰為隴西太守坐法失侯賀以武帝為太子時舍人武帝立八歲以太僕為輕車將軍軍馬邑後四歲以輕車將軍出雲中後五歲以騎將軍從大將軍有功封為南窌侯後一歲以左將軍再從大將軍出定襄無功後四歲以坐酎金失侯後八歲徐廣曰元鼎六年以浮沮將軍出五原索隱曰沮音子餘反二千餘里無功後八歲徐廣曰太初二年以太僕為丞相封葛繹侯賀七歲為

將軍出擊匈奴無失功而再侯為丞相坐子敬聲與陽石公主姦（徐廣曰陽石一云德邑）為巫蠱族滅無後

將軍李息郁郅人（服虔曰郅音窒○索隱曰小顏音質案北地縣名也○正義曰之栗反今慶州弘化縣是）事景帝至武帝立八歲為材官將軍軍馬邑後六歲為將軍出代後三歲為將軍從大將軍出朔方皆無功凡三為將軍其後常為大行

將軍公孫敖義渠人以郎事武帝武帝立十二歲為驍騎將軍出代亡卒七千人當斬贖為庶人後五歲以校尉從大將軍有功封為合騎侯後一歲以中將軍從大將軍再出定襄無功後

衛青傳　十七

二歲以將軍出北地後驃騎期當斬贖為庶人後二歲以校尉從大將軍無功後十四歲以因杅將軍築受降城（索隱曰杅音于）七歲復以因杅將軍再出擊匈奴至余吾（索隱曰余音餘又音徐案水名在朔方）亡士卒多下吏當斬詐死亡居民間五六歲後發覺復擊坐妻為巫蠱族凡四為將軍出擊匈奴一侯

將軍李沮（索隱曰音組亘之組）雲中人（正義曰今嵐勝州也）事景帝武帝立十七歲以左內史為彊弩將軍後一歲復為彊弩將軍

將軍李蔡成紀人也（正義曰秦州縣也）事孝文帝景帝武

帝以輕車將軍從大將軍有功封爲樂安侯已
爲丞相坐法死
將軍張次公河東人以校尉從衛將軍青有功
封爲岸頭侯其後太后崩爲將軍軍北軍後一
歲爲將軍從大將軍再爲將軍坐法失侯次公
父隆輕車武射也以善射景帝幸近之也
將軍蘇建杜陵人以校尉從衛將軍青有功爲
平陵侯以將軍築朔方後四歲爲游擊將軍從
大將軍出朔方後一歲以右將軍再從大將軍
出定襄亡翕侯失軍當斬贖爲庶人其後爲代

後二歲以校尉從大將軍無功後十四歲以因杅將軍築受降城（索隱曰杅音于）七歲復以因杅將軍再出擊匈奴至余吾（索隱曰余音餘又音徐案水名在朔方）亡士卒多下吏當斬詐死亡居民間五六歲後發覺復繫坐妻為巫蠱族凡四為將軍出擊匈奴一侯

將軍李沮（索隱曰音組且之組）雲中人（正義曰今嵐勝州也）事景帝武帝立十七歲以左内史為彊弩將軍後一歲復為彊弩將軍

將軍李蔡成紀人也（正義曰秦州縣也）事孝文帝景帝武

帝以輕車將軍從大將軍有功封爲樂安侯已爲丞相坐法死

將軍張次公河東人以校尉從衞將軍青有功封爲岸頭侯其後太后崩爲將軍軍北軍後一歲爲將軍從大將軍再爲將軍坐法失侯次公父隆輕車武射也以善射景帝幸近之也

將軍蘇建杜陵人以校尉從衞將軍青有功爲平陵侯以將軍築朔方後四歲爲游擊將軍從大將軍出朔方後一歲以右將軍再從大將軍出定襄亡翕侯失軍當斬贖爲庶人其後爲代

郡太守卒家在大猶鄉

將軍趙信以匈奴相國降爲翕侯武帝立十七歲爲前將軍與單于戰敗降匈奴

將軍張騫以使通大夏還爲校尉從大將軍有功封爲博望侯三歲爲將軍出右北平失期當斬贖爲庶人其後使通烏孫爲大行而卒家在漢中

將軍趙食其祋栩人也索隱曰縣名在馮翊祋音都活反又音丁外反栩音詡○正義曰上都海反雍州同官縣本漢祋栩縣也武帝立二十二歲以主爵爲右將軍從大將軍出定襄迷失道當斬贖爲庶

人

將軍曹襄以平陽侯爲後將軍從大將軍出定

襄襄曹參孫也將軍韓說弓高侯庶孫也以校

尉從大將軍有功爲龍頟侯坐酎金失侯元鼎

六年以待詔爲橫海將軍擊東越有功爲按道

侯以太初三年爲游擊將軍屯於五原外列城

爲光祿勳掘蠱太子宮衛太子殺之

將軍郭昌雲中人也以校尉從大將軍元封四

年以太中大夫爲拔胡將軍屯朔方還擊昆明

毋功奪印

將軍荀彘太原廣武人以御見正義曰以書御求見也侍中爲校尉數從大將軍以元封三年爲左將軍擊朝鮮無功以捕樓船將軍坐法死最驃騎將軍去病凡六出擊匈奴其四出以將軍徐廣曰再出以剽姚校尉也斬捕虜首十一萬餘級及渾邪王以衆降數萬遂開河西酒泉之地正義曰河謂隴右蘭州之西河也謂涼肅等州漢書西域傳云驃騎將軍擊破匈奴右地置酒泉郡後分置武威張掖燉煌等郡西方益少胡寇四益封凡萬五千一百戶其校吏有功爲侯者凡六人而後爲將軍二人

將軍路博德平州人正義曰漢書云西河平州按西河郡今汾州以右北

平太守從驃騎將軍有功爲符離侯驃騎死後
博德以衛尉爲伏波將軍伐破南越益封其後
坐法失侯爲彊弩都尉屯居延卒
將軍趙破奴故九原人正義曰今勝州嘗亡入匈奴已
而歸漢爲驃騎將軍司馬出北地時有功封爲
從驃侯坐酎金失侯後一歲爲匈河將軍攻胡
至匈奴水無功後二歲徐廣曰元封二年擊虜樓蘭王
復封爲浞野侯後六歲徐廣曰太初二年爲浚稽將軍
將二萬騎擊匈奴左賢王左賢王與戰兵八萬
騎圍破奴生爲虜所得遂沒其軍居匈奴中十

衛將軍驃騎傳　二十

歲復與其太子安國亡入漢徐廣曰以太初二年入匈奴天漢元年亡歸涉四年後坐巫蠱族

自衛氏興大將軍青首封其後枝屬爲五侯凡二十四歲而五侯盡奪衛氏無爲侯者

太史公曰蘇建語余曰吾嘗責大將軍至尊重而天下之賢大夫毋稱焉索隱曰謂不爲賢士大夫所稱譽願將軍觀古名將所招選擇賢者勉之哉大將軍謝曰自魏其武安之厚賓客天子常切齒彼親附士大夫招賢絀不肖者人主之柄也人臣奉法遵職而已何與招士索隱曰與音預驃騎亦放此意其爲

將如此

索隱述贊曰

君子豹變　貴賤何常　青本奴虜

忽揔戎行　姊配皇極　身尚平陽

寵營斯僭　取亂彝章　剽姚繼踵

再靜邊方

衛將軍驃騎列傳第五十一　史記百一十一

〻爾〻氏曰步衛青者奴隸鄭季之遠孽而寵任其病也漢武帝以青之姊曰子夫者為
后因寵之秉秋以官青曰大將軍官去病曰驃騎將軍其子孫襲爵牧衛青於難未官
之武將軍青之上以姊家以孫為大將軍為將軍上武帝相其將帥者非兩將軍類戚何者
門下人也它日武帝將軍亦以後宮故至於大究而使之者帝平生寵幸無出武使後宮兵未
武觀其所出焉以為宗室之女也爾而曰春秋大復讎之義其誰敢欺天乎且中國與
婦人書者以變言也夫其和親相安已久至於爲嚴守備則罷之求將軍自收不聚入
塞者何得也

五十二 公孫弘 主父偃 徐樂 嚴

五十三 南越王尉佗

史記列傳 七十九

私云、番川國トハ某國ト云ツルニ如キナルソ云イツケソ

私云、春秋雜説ト云書名、春秋之義有雜説

漢書列傳二十八

平津牧豕

平津侯主父列傳第五十二　史記百一十二

丞相公孫弘者齊菑川國薛縣人也索隱曰案薛縣本屬魯澳置菑川國後割入齊也。正義曰表云菑川國文帝分齊置都劇括地志云故劇城在青州壽光縣南三十一里故薛城在徐州滕縣界地理志云薛縣屬魯國按薛與劇隔南兗州及太山未詳公孫弘墓又在青州北海縣西二十里也字季少時爲薛獄吏有辠免家貧牧豕海上年四十餘乃學春秋雜說養後母孝謹建元元年天子初即位招賢良文學之士是時弘年六十徵以賢良爲博士使匈奴還報不合上意上怒以爲不能弘廼病免歸元光五年有詔徵文學菑川國復推上公孫弘弘讓謝國人曰臣已

爲第一　正義曰其策在漢書弘傳此一節今在緣飾字上也

應命以不能罷歸願更推選國人固推弘至太常太常令所徵儒士各對策百餘人弘第居下策奏天子擢弘對爲第一召入見狀貌甚麗拜爲博士是時通西南夷道置郡巴蜀民苦之詔使弘視之還奏事盛毀西南夷無所用上不聽弘爲人恢奇多聞常稱以爲人主病不廣大人臣病不儉節弘爲布被食不重肉後母死服喪三年每朝會議開陳其端令人主自擇不肯面折庭爭於是天子察其行敦厚辯論有餘習文法吏事而又緣飾以儒術上大說之索隱曰謂以儒術飾

文法如衣服之有領緣以爲飾也

二歲中（徐廣曰一云一歲）至左內史弘奏事有不可不庭辯之嘗與主爵都尉汲黯請間汲黯先發之弘推其後天子常說所言皆聽以此日益親貴嘗與公卿約議至上前皆倍其約以順上旨汲黯庭詰弘曰齊人多詐而無情實始與臣等建此議今皆倍之不忠上問弘弘謝曰夫知臣者以臣爲忠不知臣者以臣爲不忠上然弘言左右幸臣每毀弘上益厚遇之元朔三年張歐免以弘爲御史大夫是時通西南夷東置滄海北築朔方之郡弘數諫以爲罷敝中國

中國以奉無用之地願罷之於是天子乃使朱買臣等難弘置朔方之便發十策弘不得一曰以弘之才非不能得一也以爲不可不敢逆上耳○正義曰顔師古曰言其利害十條弘無以應弘廼謝曰山東鄙人不知其便若是願罷西南夷滄海而專奉朔方上乃許之汲黯曰弘位在三公奉祿甚多然爲布被此詐也上問弘弘謝曰有之夫九卿與臣善者無過黯然今日庭詰弘誠中弘之病夫以三公爲布被誠飾詐欲以釣名且臣聞管仲相齊有三歸侈擬於君桓公以霸亦上僭於君晏嬰相景公食不重肉妾不衣絲齊

二歲中（徐廣曰一云一歲）至左内史弘（文法如衣服之有領緣以爲飾也）
奏事有不可不庭辯之嘗與主爵都尉汲黯請
間汲黯先發之弘推其後天子常說所言皆聽
以此日益親貴嘗與公卿約議至上前皆倍其
約以順上旨汲黯庭詰弘曰齊人多詐而無情
實始與臣等建此議今皆倍之不忠上問弘弘
謝曰夫知臣者以臣爲忠不知臣者以臣爲不
忠上然弘言左右幸臣每毀弘上益厚遇之元
朔三年張歐免以弘爲御史大夫是時通西南
夷東置滄海北築朔方之郡弘數諫以爲罷弊

漢書作一歲

所

常說胡注 說讀曰悅 又倍蒲妹翻

師古曰不於朝廷顯辯論之

師古曰承空隙之暇

約議 師古曰約要也之

以情實 漢書無以 實

上

通鑑十八元光五年公孫弘云二一歲中遷至左内史胡注考異曰漢書武紀云元光元年五月詔舉賢良
於是董仲舒公孫弘等出焉按弘傳元光五年復徵賢良文學菑川國推上弘其策文與武紀
元年策文相類又云一歲中至左内史百官表元光五年弘爲左内史然則弘之再舉賢良不在元光
元年明矣荀紀著於此年徵吏民明當世之務下葛洪西京雜記亦云弘以元光五年爲國
士所推上爲賢良今此續會之詔在八月則弘不容於今年已爲左内史蓋此詔在今年不知何月
故班氏繫之於年末耳其策文相類蓋出偶然或者此策乃弘先舉賢良時所對班氏
誤以爲此年之策疑未能明今從漢紀

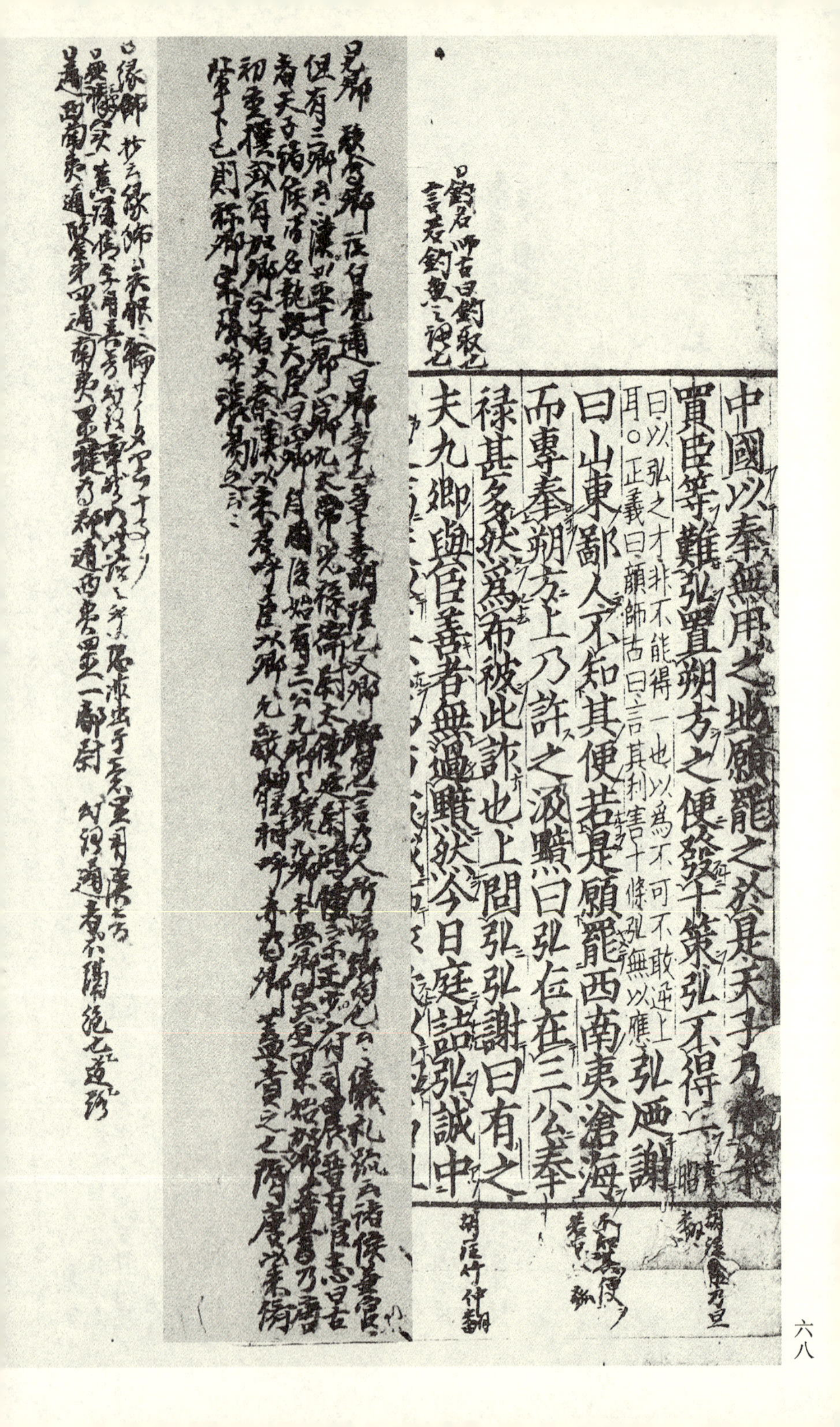

中國以奉無用之地願罷之於是天子乃使朱買臣等難弘置朔方之便發十策弘不得一曰以弘之才非不能得一也以為不可不敢逆上耳○正義曰顏師古曰言其利害十條弘無以應弘迺謝曰山東鄙人不知其便若是願罷西南夷滄海而專奉朔方上乃許之汲黯曰弘位在三公奉祿甚多然為布被此詐也上問弘弘謝曰有之夫九卿與臣善者無過黯然今日庭詰弘誠中

國亦治此下比於民索隱曰比音鼻比者近也小顏音比方之比今臣弘位爲御史大夫而爲布被自九卿以下至於小吏無差誠如汲黯言且無汲黯忠陛下安得聞此言天子以爲謙讓愈益厚之卒以弘爲丞相封平津侯徐廣曰大臣表曰元朔五年十一月乙丑弘爲丞相功臣表曰元朔三年十一月乙丑封平津侯駰案漢書高成之平津鄉也○索隱曰案漢書曰漢興皆以列侯爲丞相弘本無爵乃詔封弘高成之平津鄉六百五十戶爲平津侯丞相封侯自弘始也弘爲人意忌外寬內深索隱曰謂弘外寬內深意多有忌害也諸嘗與弘有郤者雖詳與善陰報其禍殺主父偃徙董仲舒於膠西皆弘之力也食一肉脫粟之飯索隱曰案一肉言不兼味也脫粟纔脫穀而已言不精鑿也故人

仰　音牛向反

淮南王安衡山王賜二人淮南王長之子　厲　淮南厲王長者高帝少子也

師古曰由從也

師古曰稱副也

師古曰塞當也

所善賓客仰衣食弘奉祿皆以給之家無所餘士亦以此賢之淮南衡山謀反治黨與方急弘病甚自以為無功而封位至丞相宜佐明主填撫國家使人由臣子之道今諸侯有畔逆之計此皆宰相奉職不稱恐竊病死無以塞責索隱曰案人臣委質於君死生由君臣若一朝病死是竊死也乃上書曰臣聞天下之通道五所以行之者三索隱曰案此語出子思子今見禮中庸篇曰君臣父子兄弟夫婦長幼之序此五者天下之通道也智仁勇此三者天下之通德所以行之者也故曰力行近乎仁好問近乎智知恥近乎勇知此三

罷駑之質無汗馬之勞 旧点以質字宜属下句今属上句則佳歟

病本作疾

宋本一本并曰不副其語也

者則知所以自治知所以自治然後知所以治人天下未有不能自治而能治人者也此百世不易之道也今陛下躬行大孝鑒三王建周道兼文武厲賢予祿（徐廣曰厲一作廣也）量能授官今臣光罷駑之質無汗馬之勞陛下過意擢臣光卒伍之中封爲列侯致位三公臣光行能不足以稱素有負薪之病恐先狗馬塡溝壑終無以報德塞責願歸侯印乞骸骨避賢者路天子報曰古者賞有功褒有德守成尚文遭遇右武（索隱曰……一云右亦上也言遭遇亂時則上武也）未有易此者也朕宿昔庶幾……

駰曰惟忠也知謂知治道也

駰曰間言有空隙也間讀曰閑

位懼不能寧惟所與共為治者君宜知之蓋君子善善惡惡君宜知之君若謹行常在朕躬君不幸罹霜露之病何恙不已漢書音義曰何恙喩小疾不以時愈○索隱曰恙憂也以言罹霜露寒涼之疾輕何憂於病不止禮曰疾止復初也迺上書歸侯乞骸骨是章朕之不德也今事少閒君其省思慮一精神輔以醫藥因賜告牛酒雜帛居數月病有瘳視事元狩二年弘病竟以丞相終漢書曰年八十○索隱曰案弘凡為御史丞相六歲年八十終子度嗣為平津侯度為山陽太守十餘歲坐法失侯索隱曰漢書云坐不遣鉏野令史成詣公車論為城旦元始中詔復弘後為關內侯也

罷駑之質無汗馬之勞 旧点以質字並属下句今属上句則佳歟

病本作疾 [illegible]

者則知所以自治知所以自治然後知所以治人天下未有不能自治而能治人者也此百世不易之道也今陛下躬行大孝鑒三王建周道兼文武厲賢予祿（徐廣曰厲一作廣也）量能授官今臣弘罷駑之質無汗馬之勞陛下過意擢臣弘卒伍之中封爲列侯致位三公臣弘行能不足以稱素有負薪之病恐先狗馬塡溝壑終無以報德塞責願歸侯印乞骸骨避賢者路天子報曰古者賞有功褒有德守成尚文遭遇右武（索隱曰[illegible]云右亦上也[illegible]言遭遇亂時則上武也）未有易此者也朕宿昔庶幾[illegible]

駰曰惟思也知謂知治道也

駰曰閒言有空隙也閒讀曰閑

公孫弘傳

位懼不能寧惟所與共爲治者君宜知之蓋君子善善惡惡君宜知之君若謹行常在朕躬君不幸罹霜露之病何恙不已漢書音義曰何恙謂小疾不以時愈○索隱曰恙憂也以言罹霜露寒涼之疾輕何憂於病不止禮曰疾止復初也乃上書歸侯乞骸骨是章朕之不德也君事少閒君其省思慮一精神輔以醫藥因賜告牛酒雜帛居數月病有瘳視事元狩二年弘病竟以丞相終○漢書曰年八十索隱曰案弘凡爲御史丞相六歲年八十終子度嗣爲平津侯度爲山陽太守十餘歲坐法失侯索隱曰漢書云坐不遣鉅野令史成詣公車論爲城旦元始中詔復弘後爲關內侯也

漢書列傳三十四
服虔曰短長術興於
六國時長短其語隱
謬用相激怒也張
晏曰蘇秦張儀之
謀趣彼為短歸此
為長戰國策名短
長術也 漢書張湯傳

漢書主父偃傳
注師古曰夷狄解
在張湯傳從横
說在藝文志

主父偃者齊臨菑人也學長短縱横之術晚乃學易春秋百家言游齊諸生間莫能厚遇也齊諸儒生相與排擯不容於齊家貧假貸無所得廼北游燕趙中山皆莫能厚遇為客甚困孝武元光元年中以為諸侯莫足游者乃西入關見衛將軍衛將軍數言上上不召資用乏留久諸公賓客多厭之乃上書闕下朝奏暮召入見所言九事其八事為律令一事諫伐匈奴其辭曰臣聞明主不惡切諫以博觀忠臣不敢避重誅以直諫是故事無遺策而功流萬世今臣不

貸土得切

師古曰司馬穰苴善用兵著書言兵法謂之司馬法一說司馬古主兵之官有軍陣用兵之法

師古曰春爲陽中其行木也秋爲陰中其行金也金木兵器所資故於此蒐獮治兵也蒐之索也取不孕也獮應殺氣也

振整旅衆也

戢師古曰重難也

公孫弘傳五

隱忠避死以效愚計願陛下幸赦而少察之司

馬法曰國雖大好戰必亡天下雖平忘戰必危

天下既平天子大凱（應劭曰大凱周禮還師振旅之樂）春蒐秋獮

諸侯春振旅秋治兵所以不忘戰也（宋均曰春秋少陽少陰氣弱未全須人功而後用士庶法之教而後成宗仁本之義天子諸侯必春秋講武簡閲車徒以順時氣不忘戰也）且

夫怒者逆德也兵者凶器也爭者末節也古之

人君一怒必伏尸流血故聖王重行之夫務戰

勝窮武事者未有不悔者也昔秦皇帝任戰勝

之威蠶食天下并吞戰國海内爲一功齊三代

務勝不休欲攻匈奴李斯諫曰不可夫匈奴無

城郭之居委積之守遷徙鳥舉難得而制也輕兵深入糧食必絕踵糧以行重不及事得其地不足以為利也遇其民不可役而守也勝必殺之非民父母也靡獘中國快心匈奴非長策也（索隱曰靡音縻獘猶竭獘也）秦皇帝不聽遂使蒙恬將兵攻胡辟地千里以河為境地固澤（徐廣曰一作斥）鹹鹵（瓚曰其地多水澤又有鹵）不生五穀然後發天下丁男以守北河暴兵露師十有餘年死者不可勝數終不能踰河而北是豈人眾不足兵革不備哉其勢不可也又使天下蜚芻輓粟（文穎曰轉芻輓粟就戰場是也）起於東腄（徐廣曰腄……）

蜚芻 師古曰運載芻稾令其疾至故曰飛芻也輓謂引車船也音晩

東腄 漢書作黃腄 師古曰黃腄二縣名也並在東萊言自東萊及琅邪緣海諸郡皆令轉輸至

此河也腄音直瑞反又音誰

散 師古曰搏擊也搏人之墮景言不可得也

蓋 或作盍 平城之圍漢王七年也

琅邪負海之郡轉輸北

在東萊音縋○索隱曰腄音逐瑞反注音縋其音同也

河率三十鍾而致一石男子疾耕不足於糧饟女子紡績不足於帷幕百姓靡敝孤寡老弱不能相養道路死者相望蓋天下始畔秦也及至高皇帝定天下略地於邊聞匈奴聚於代谷之外而欲擊之御史成進諫曰不可夫匈奴之性獸聚而鳥散從之如搏影今以陛下盛德攻匈奴臣竊危之高帝不聽遂北至於代谷果有平城之圍高皇帝蓋悔之甚乃使劉敬往結和親之約然後天下忘干戈之事故兵法曰興師十

師古曰六斛四斗爲鍾計其道路所費凡用百九十二石乃得一石至

公孫弘傳六

常

程督 師古曰程課也督視責也

固 本作皆

脩 本作循

慮易 師古曰言思慮變易失其常也

萬曰費千金夫秦常積衆暴兵數十萬人雖有覆軍殺將係虜單于之功亦適足以結怨深讎不足以償天下之費夫上虛府庫下敝百姓甘心於外國非完事也夫匈奴難得而制非一世也行盜侵驅所以爲業也天性固然上及虞夏殷周固弗程督禽獸畜之不屬爲人夫上不觀虞夏殷周之統而下脩近世之失此臣之所大憂百姓之所疾苦也且夫兵久則變生事苦則慮易乃使邊境之民靡敝愁苦而有離心將吏相疑而外市（張晏曰與外國交市……若章邯之比）故尉佗章[illegible]

師古曰此周書者本周書之餘

徐樂 本作其辭

嚴

棘矜 韻會穜本矜矛柄也見于真韻又収文欣韻漢書項籍傳曰鉏櫌棘矜 服虔曰以鉏柄及棘作矛穜也 晉灼曰櫌椎塊椎 公孫弘傳 七 也師古曰服說非也櫌摩田器也棘戟也矜穜同謂矛鋋之杷也往者秦銷兵及陳涉起時但用鉏櫌及戈戟之穜以相攻戰也

以成其私也夫秦政之所以不行[illegible]
子此得失之效也故周書曰安危在出令存亡
在所用願陛下詳察之少加意而熟慮焉是時
趙人徐樂齊人嚴安俱上書言世務各一事索隱曰樂音岳嚴本姓莊者明帝諱後並改姓嚴也安及徐樂並拜郎中樂後為中大夫徐樂曰臣聞
天下之患在於土崩不在於瓦解古今一也何
謂土崩秦之末世是也陳涉無千乘之尊尺土
之地身非王公大人名族之後無鄉曲之譽非
有孔墨曾子之賢陶朱猗頓之富也然起窮巷
奮棘矜矜音勤偏袒大呼而天下從風此其故何

師古曰攘謂侵取漢地

也由民困而主不恤下怨而上不知也俗已亂而政不脩此三者陳涉之所以為資也是之謂土崩故曰天下之患在於土崩何謂瓦解吳楚齊趙之兵是也七國謀為大逆號皆稱萬乘之君帶甲數十萬威足以嚴其境內財足以勸其士民然不能西攘尺寸之地而身為禽於中原者此其故何也非權輕於匹夫而兵弱於陳涉也當是之時先帝之德澤未衰而安土樂俗之民衆故諸侯無境外之助此之謂瓦解故曰天下之患不在瓦解由是觀之天下[illegible]

漢書作首難 師古曰謂首唱而作難也

三晉 師古曰韓魏趙三國本共分晉故称三晉

且 漢書作且

勢雖布衣窮處之士或首惡而危海內陳涉是
也況三晉之君或存乎天下雖未有大治也誠
能無土崩之勢雖有彊國勁兵不得旋踵而身
爲禽矣吳楚齊趙是也況群臣百姓能爲亂乎
哉此二體者安危之明要也賢主所留意而深
察也間者關東五穀不登年歲未復民多窮困
重之以邊境之事推數循理而觀之則民且有
不安其處者矣不安故易動易動者土崩之勢
也故賢主獨觀萬化之原明於安危之機脩之
廟堂之上而銷未形之患其要期使天下無土

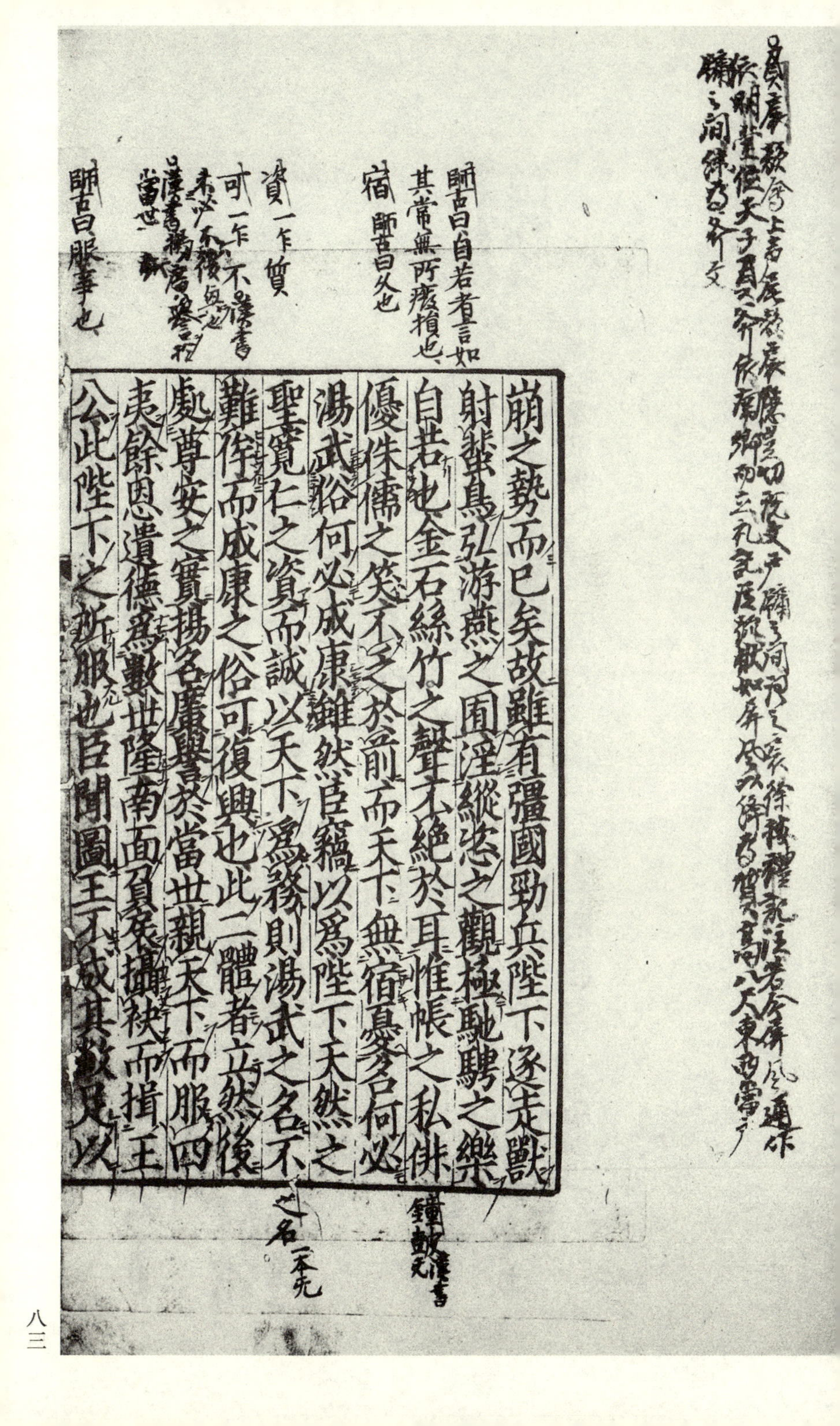

[illegible]

師古曰自若者言如其常無所廢損也

宿 師古曰久也

資一作質

可一作不 ○漢書 未必不復與也

○漢書揚雄傳 當世

師古曰服事也

崩之勢而已矣故雖有彊國勁兵陛下逐走獸射蜚鳥弘游燕之囿淫縱恣之觀極馳騁之樂自若也金石絲竹之聲不絕於耳帷帳之私俳優侏儒之笑不乏於前而天下無宿憂名何必湯武俗何必成康雖然臣竊以爲陛下天然之聖寬仁之資而誠以天下爲務則湯武之名不難侔而成康之俗可復興也此二體者立然後處尊安之實揚名廣譽於當世親天下而服四夷餘恩遺德爲數世隆南面負扆攝袂而揖王公此陛下之所服也臣聞圖王不成其敝足以

之名 一本无

鐘鼓 漢書无

安安則陛下何求而不得何爲而不成何征而
不服乎哉嚴安上書曰臣聞周有天下其治三
百餘歲成康其隆也刑錯四十餘年而不用及
其衰也亦三百餘歲故五伯更起五伯者常佐
天子興利除害誅暴禁邪匡正海内以尊天子
五伯既沒賢聖莫續天子孤弱號令不行諸侯
恣行彊陵弱衆暴寡田常篡齊六卿分晉並爲
戰國此民之始苦也於是彊國務攻弱國備守
合從連横馳車轂擊介胄生蟣蝨民無所告愬
及至秦王蠶食天下并吞戰國稱號曰皇帝十

其本作甚

師古曰伯讀曰霸又音工衛反下皆同

漢書備作脩

十或作主

或作一

師古曰車轂相擊言其衆多也從音子容反

公孫弘傳 九

海內之政壞諸侯之城銷其兵鑄以爲鍾虡索隱曰虡音巨鄒氏本作鐻音同云不復用元元黎民得免於戰國逢明天子人人自以爲更生鄉使秦緩其刑罰薄賦斂省繇役貴仁義賤權利上篤厚下智巧索隱曰上猶尚也貴也下謂以智巧爲下也變風易俗化於海內則世世必安矣秦不行是風而循其故俗爲智巧權利者進篤厚忠信者退法嚴政峻諂諛者衆日聞其美意廣心軼欲肆威海外乃使蒙恬將兵以北攻胡辟地進境戍於北河蜚芻輓粟以隨其後又使尉佗屠睢索隱曰案尉官也佗趙佗也音[illegible]徒何反屠睢人姓[illegible]

樓船之士南攻百越使監祿鑿渠運（韋昭曰監御史名祿也）糧深入越越人遁逃曠日持久糧食絕乏越人擊之秦兵大敗秦乃使尉佗將卒以戍越當是時秦禍北構於胡南挂於越宿兵無用之地進而不得退行十餘年丁男被甲丁女轉輸苦不聊生自經於道樹死者相望及秦皇帝崩天下大叛陳勝吳廣舉陳（索隱曰謂勝廣起兵據陳舉音如字或音據恐踈也下同）武臣張耳舉趙項梁舉吳田儋舉齊景駒舉郢周市舉魏韓廣舉燕窮山通谷豪士並起不可勝載也然皆非公侯之後非長官之吏也無尺寸

長官　師古曰長官為一官之長者

公孫弘傳十

之勢起閭巷杖棘矜應時而皆動不謀而俱起
不約而同會壤長地進張晏曰壤進益也至于霸王時教
使然也秦貴為天子富有天下滅世絕祀者窮
兵之禍也故周失之弱秦失之彊不變之患也
今欲招南夷朝夜郎降羌僰略濊州如淳曰東夷也○索隱曰僰音白北反又皮逼反濊州地名即古濊陌國也音紆發反建城邑深入匈奴燔
其龍城索隱曰匈奴城名音龍燔音煩燔燒也議者美之此人臣之
利也非天下之長策也今中國無狗吠之驚而
外累於遠方之備靡敝國家非所以子民也行
無窮之欲甘心快意結怨於匈奴非所以安邊

駰曰蹻止與但直也挃引也

蹻

或作封

漢書作帶脅諸侯駰曰帶者言諸侯之於郡守譬若佩帶謂輕小也脅謂其威力足以脅之也一曰帶在脅旁附著之義也

也禍結而不解兵休而復起近者愁苦遠者離駭非所以持久也今天下鍛甲砥劒橋箭累弦轉輸運糧未見休時此天下之所共憂也夫兵久而變起事煩而慮生今外郡之地或幾千里列城數十形束壤制服虔曰言所束在郡守土壤足以專民制蘇林曰言其土地形勢足以東制其民也○索隱曰案謂地形及土壤皆束制在諸侯也旁脅諸侯非公室之利也上觀齊晉之所以亡者公室卑削六卿大盛也下觀秦之所以滅者嚴法刻深欲大無窮也今郡守之權非特六卿之重也地幾千里非特閭巷之資也甲兵器械非特棘矜之用也以

遭萬世之變則不可稱諱也書奏天子天子召見三人謂曰公等皆安在何相見之晩也徐廣曰佗史記本皆不見嚴安此旁所纂者取漢書耳然漢書亦不宜乃容大異或爲史記相承闕脫也○索隱曰纂音撰於是上乃拜主父偃徐樂嚴安爲郎中數見上疏言事詔拜偃爲謁者遷爲中大夫一歲中四遷偃偃說上曰古者諸侯不過百里彊弱之形易制今諸侯或連城數十地方千里緩則驕奢易爲淫亂急則阻其彊而合從以逆京師今以法割削之則逆節萌起前日朝錯是也今諸侯子弟或十數而適嗣代立餘雖骨肉無尺寸地封

則仁孝之道不宣願陛下令諸侯得推恩分子弟以地侯之彼人人喜得所願上以德施實分其國不削而稍弱矣於是上從其計（徐廣曰元朔二年始令諸侯王分封子弟也）又說上曰茂陵初立天下豪桀并兼之家亂衆之民皆可徙茂陵内實京師外銷姦猾此所謂不誅而害除上又從其計尊立衛皇后及發燕王定國陰事偃有功焉大臣皆畏其口賂遺累千金人或說偃曰太橫矣主父曰臣結髮游學四十餘年身不得遂親不以爲子昆弟不收賓客棄我我阨日久矣且丈夫生不五鼎

燕王劉澤者高祖從祖昆弟也王劉二年薨謚爲敬王子康王孫定國生父康王姬奸奪弟妻爲姬元朔元年郢人昆弟上書具言定國陰事以此發覺詔下公卿皆議曰定國禽獸行亂人倫逆天道當誅上許之定國自殺國除

平津主父列傳十二

通鑑十八茂陵初立胡注初立於建元二年 通鑑十七建元二年初置茂陵邑胡注班志茂陵邑屬扶風黃圖曰本槐里之茂鄉武帝起陵邑在長安西北八十里

通鑑綱目元朔二年燕王定國與父康王姬姦奪弟妻殺肥如令郢人郢人兄弟告之主父偃從中發之公卿請誅之定國自殺國除齊厲王次昌亦與其姊紀翁主通主父偃欲納其女於齊王不許偃因言於上曰[illegible]上拜偃爲齊相[illegible]偃至齊急治王後宮宦者辭及王王懼自[illegible]上大怒以爲偃劫其王令自殺乃徵下吏偃服[illegible]不劫上欲勿誅公孫弘曰齊王自殺國除[illegible]乃族誅之[illegible]

食死即五鼎亨耳吾日暮途遠故倒行暴施之

索隱曰按偃言吾日暮途遠恐赴前塗不跌故須倒行而逆施乃可及耳今此本作暴暴暴者言已困久得申當須急暴行事以快意也暴者卒也急也

偃盛言朔方地肥饒外阻河蒙恬城之以逐匈奴内省轉輸戍漕廣中國滅胡之本也上覽其說下公卿議皆言不便公孫弘曰秦時常發三十萬衆築北河終不可就已而棄之主父偃盛言其便上竟用主父計立朔方郡

元朔二年主父言齊王内淫佚行僻上拜主父爲齊相至齊遍召昆弟賓客散五百金予之數之曰始吾貧時昆弟不我衣食賓客不我内門

數元漢書

燕王者定國也

偃

趙王者景帝子字彭祖自吳楚亂趙王遂滅王于趙以武帝政和元年薨

今吾相齊諸君迎我或千里吾與諸君絶矣毋
復入偃之門乃使人以王與姊姦事動王王以
爲終不得脱罪恐效燕王論死乃自殺有司以
聞主父始爲布衣時嘗游燕趙及其貴發燕事
趙王恐其爲國患欲上書言其陰事爲偃居中
不敢發及爲齊相出關即使人上書告言主父
偃受諸侯金以故諸侯子弟多以得封者及齊
王自殺上聞大怒以爲主父劫其王令自殺乃
徵下吏治主父服受諸侯金實不劫王令自殺
上欲勿誅是時公孫弘爲御史大夫乃言曰齊

其

日太皇太后〻[illegible]外孫徐廣云[illegible]王太后[illegible]漢書[illegible]帝紀不載〻[illegible]王太后[illegible]不載之[illegible]

食死即五鼎烹耳吾日暮途遠故倒行暴施之

索隱曰按偃言吾日暮途遠恐赴前塗不跌故須倒行而逆施乃可及耳今此本作暴暴者言已困久得申當須急暴行事以快意也暴猶卒也急也

偃盛言朔方地肥饒外阻河蒙恬城之以逐匈奴内省轉輸戍漕廣中國滅胡之本也上覽其說下公卿議皆言不便公孫弘曰秦時常發三十萬衆築北河終不可就已而棄之主父偃盛言其便上竟用主父計立朔方郡元朔二年主父言齊王内淫佚行僻上拜主父爲齊相至齊遍召昆弟賓客散五百金予之數之曰始吾貧時昆弟不我衣食賓客不我内門

數 漢書

燕王者定國也

偃

趙王者景帝子字彭祖自吳楚亂誅王遂滅王子趙以武帝政和元年薨

今吾相齊諸君迎我或千里吾與諸君絕矣毋復入偃之門乃使人以王與姊姦事動王王以爲終不得脫罪恐效燕王論死乃自殺有司以聞主父始爲布衣時嘗游燕趙及其貴發燕事趙王恐其爲國患欲上書言其陰事爲偃居中不敢發及爲齊相出關即使人上書告言主父偃受諸侯金以故諸侯子弟多以得封者及齊王自殺上聞大怒以爲主父劫其王令自殺乃徵下吏治主父服受諸侯金實不劫王令自殺上欲勿誅是時公孫弘爲御史大夫乃言曰齊

其

公孫弘傳 十三

王自殺無後國除為郡入漢主父偃本首惡陛下不誅主父偃無以謝天下乃遂族主父偃主父方貴幸時賓客以千數及其族死無一人收者唯獨洨孔車（徐廣曰孔車洨人也沛有洨縣 索隱曰洨戶交反車尺奢反）收葬之天子後聞之以為孔車長者也

太史公曰公孫弘行義雖脩然亦遇時漢興八十餘年矣（徐廣曰漢初至元朔二年八十年也）上方鄉文學招俊乂以廣儒墨弘為舉首主父偃當路諸公皆譽之及名敗身誅士爭言其惡悲夫太皇太后詔大司徒大司空（徐廣曰此詔是平帝元始中王元后詔後人寫此以班固所稱以續卷後○索隱曰案齊）

也

所云則又非備先生所録也

蓋聞治國之道富民爲始富民之要在於節儉孝經曰安上治民莫善於禮禮與奢也寧儉昔者管仲相齊桓覇諸侯有九合一匡之功而仲尼謂之不知禮以其奢泰侈擬於君故也夏禹卑宮室惡衣服後聖不循由此言之始之盛也德優矣莫高於儉儉化俗民則尊卑之序得而骨肉之恩親爭訟之原息斯乃家給人足刑錯之本也歟可不務哉夫三公者百寮之率萬民之表也未有樹直表而得曲影者也孔子不云乎子率而正孰敢不正舉善而教

曰論語哀公問爲季康子問政於孔子孔子對曰政者正也子帥以正孰敢不正

減 或作減

羅 本作雜

不能則勸繼漢興以來股肱宰臣身行儉約輕財重義較然著明索隱曰較音角較明也未有若故丞相平津侯公孫弘者也位在丞相而爲布被脫粟之飯不過一肉故人所善賓客皆分奉祿以給之無有所餘誠內自克約而外從制汲黯詰之乃聞于朝此可謂減於制度應劭曰禮貴有常尊衣服有常品而可施行者也德優則行否則止與內奢泰而外爲詭服以釣虛譽者殊科以病乞骸骨孝武皇帝即制曰賞有功褒有德善善惡惡君宜知之其省思慮存精神輔以醫藥賜告治病牛酒雜帛

故

居數月有瘳視事至元狩二年竟以丞相終至相位夫知自莫若君此其效也弘子度嗣爵後爲山陽太守坐法失侯夫表德章義所以率俗厲化聖王之制不易之道也其賜弘後子孫之次當爲後者爵關内侯食邑三百户徵詣公車上名尚書朕親臨拜焉

班固稱曰公孫弘卜式兒寬皆以鴻漸之翼困於燕雀李奇曰漸進也鴻一舉而進千里者羽翼之材也弘等皆以大材初爲俗所薄若燕雀不知鴻鵠之志也○索隱曰案謂公孫等未遇時所輕若飛鴻之未漸受困於燕雀也遠迹羊豕之閒韋昭曰遠跡謂耕牧在於遠方○索隱曰案公孫牧豕卜式牧羊也非遇其時焉能致此

位乎是時漢興六十餘載海內乂安索隱曰乂理也府庫充實而四夷未賓制度多闕上方欲用文武求之如弗及始以蒲輪迎枚生索隱曰案謂枚乘也漢始詔申公亦以蒲輪謂以蒲裹車輪恐傷草木也且蒲是草之美者故禮有蒲璧蓋或畫繢以爲榮飾也見主父而歎息索隱曰案上文嚴安等上書上曰公等安在何相見之晩者是也群士慕嚮異人並出卜式試於芻牧弘羊擢於賈豎衛青奮於奴僕日磾出於降虜斯亦曩時版築飯牛之明矣漢之得人於茲爲盛儒雅則公孫弘董仲舒兒寬篤行則石建石慶質直則汲黯卜式推賢則韓安國鄭當時定令則趙禹張湯文章則司

師古曰滑稽轉利之稱也滑亂也稽礙也言其變乱無留礙也一說稽考也言其滑亂不可考校也滑音骨稽音工奚反

馬遷相如滑稽則東方朔枚皐應對則嚴助朱買臣曆數則唐都洛下閎協律則李延年運籌則桑弘羊奉使則張騫蘇武將帥則衛青霍去病受遺則霍光金日磾其餘不可勝紀是以興造功業制度遺文後世莫及孝宣承統纂修洪業亦講論六藝招選茂異而蕭望之梁丘賀夏侯勝韋玄成嚴彭祖尹更始以儒術進劉向王褒以文章顯將相則張安世趙充國魏相邴吉于定國杜延年治民則黃霸王成龔遂鄭弘召信臣韓延壽尹翁歸趙廣漢之屬皆有功迹見

師古曰紀記也

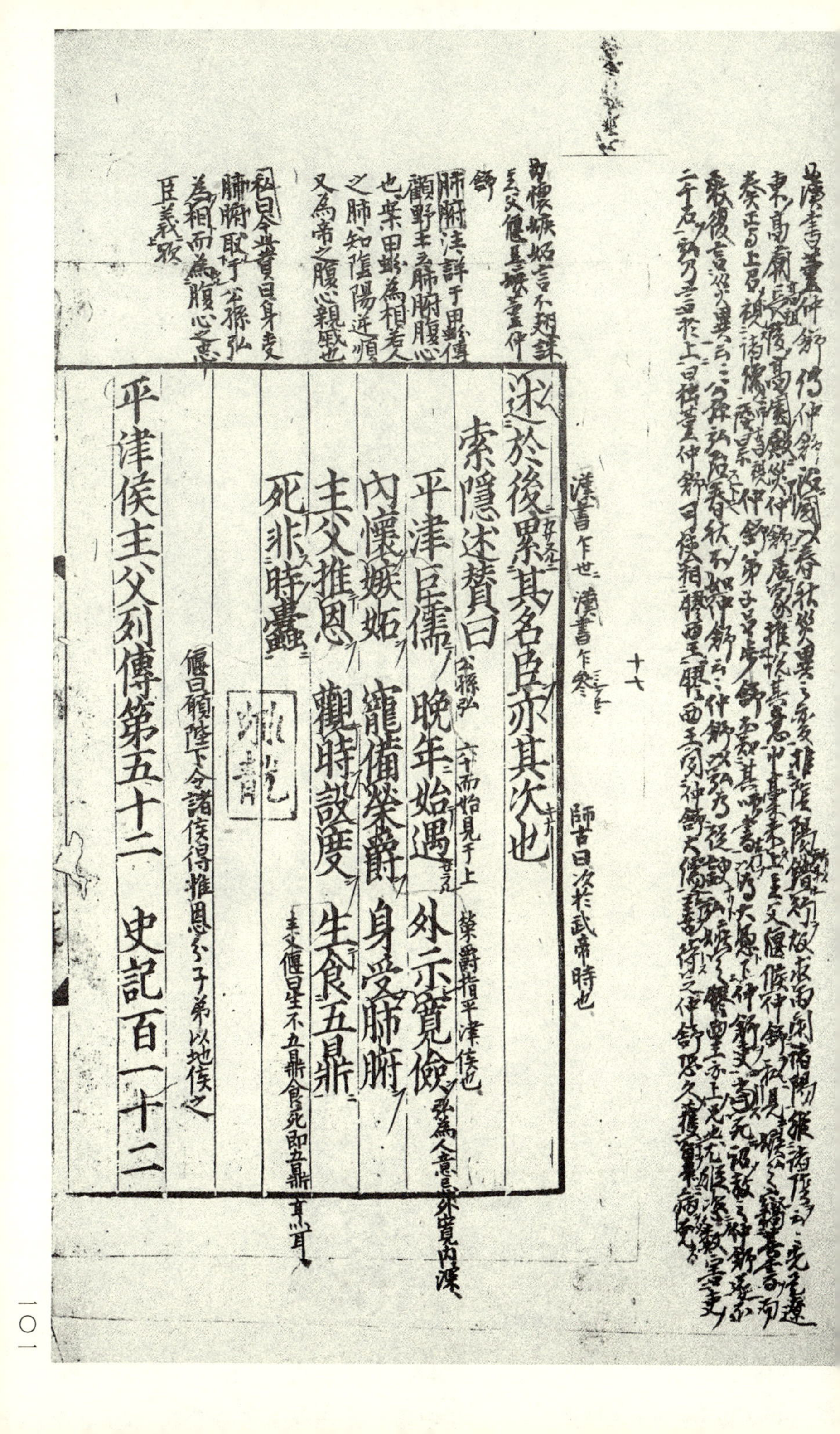

漢書作世 漢書作參

十七

師古曰次於武帝時也

述於後累其名臣亦其次也

索隱述贊曰 公孫弘六十而始見于上

平津巨儒 晚年始遇 外示寛儉

榮爵指平津侯也

弘為人意忌外寛內深

內懷嫉妒 寵備榮爵 身受肺腑

主父推恩 觀時設度 生食五鼎

主父偃曰生不五鼎食死即五鼎烹耳

死非時蠹

偃曰願陛下令諸侯得推恩分子弟以地侯之

平津侯主父列傳第五十二 史記百一十二

日黄氏日抄云：主父偃茂陵无赖小人，其敢为王侯之特，何速其族灭之祸耶？何其言当数。武帝谏伐匈奴一书，不当以人废言。然究日郁郁不得方伸气，衣蒙垢，尚老郎，令日举奏事以谏伐匈奴之偃也。何郸其劝分王诸侯，则横拾贵生之路也；其御徙豪民实茂陵，则鄭之禾，穰秦之陈言也。何能为汉廷决一策，乃而承大臣全，承诸侯全，自以日暮途远，自分倒行暴施，坐於齐而劫齐王毂之，以潜於燕而终陷王毂之召，卒日见其穷愈甚，卒为燕云毋入偃门，以一切谢绝之。於是偃之为人也，其背取而覆灭也，固宜其为偃之族者之悲耳。

主父物不载为之败。自序传云：汉既平中国，而佗能集杨越以保南藩，纳贡职（下作贡），作南越列传。

肺腑 注詳于田蚡傳 顧野王云肺腑腹心也 案田蚡為相若人之肺 知陰陽逆順 又為帝之腹心親戚也

私曰今此賛曰身受肺腑取于公孫弘為相而為腹心之意且義叛

述於後，累其名，良亦其次也。

索隱述贊曰：平津巨儒，晚年始遇。公孫弘六十而始見于上 外示寬儉，弘為人意忌，外寛内深 內懷嫉妬。寵備榮爵，榮爵指平津侯也 身受肺腑。主父推恩，偃曰願陛下令諸侯得推恩分子弟以地侯之 觀時設度。生食五鼎，主父偃曰生不五鼎食死即五鼎烹耳 死非時蠱。

平津侯主父列傳第五十二　史記百一十二

黄氏日抄：三朱勔炎陵無賴小人，其致身寺宰之特，何速也，族滅之禍，并何足道。衆類蔡攸陳我死奴
一書不甫以人，廣言監宅日勸，蔡衆方得，郭衣崇店，放寧者即令日舉奉，宰宰謀我納奴之禮也，何
卿其之勸勞王請侯，則稱詩責生之者，路乃其之勸從，宮家氏宰誤陵刺栗，言稱叢蠻之陳言之也，何緣
為漢庭諫一策，鄭而承大臣全承請侯全，自以日暮途遠，自分倒行逆施，究於劫之，劫其王黻之
以潜於慈而紹懲王黻之，及年日更其實，實寡為識，害伊入健門，以一切殊死之行，武健之者人也，其為省
取西後滅也，图之是為健之於春之慈耳

三農物不敢入高之限，有原傳方漢境平中國為絕，能集三十禍趣一，以保簡者，滿上紀藏（作蕃）獄，俱有趣
列傳

通鑑十二卷高帝十一年五月詔立秦南海尉趙佗為南粵王胡注晉志秦使任囂趙佗攻粵略取陸梁地遂定南粵以為桂林南海象三郡非三十六郡之限乃置南海尉以典之所謂東南一尉也余謂始皇二十六年分天下為三十六郡置守尉監三十三年取南粵置南海桂林象郡此南海尉止典南海一郡耳猶三十六郡之尉也安得為典桂林象郡任囂死秦已破滅趙佗始擊并桂林象郡以此知非兼典也佗徒河翻

漢書列傳六十五之卷

師古曰真定本趙國之縣也

師古曰本楊州之分故曰楊粵

師古曰有罪者徙之於越地與其土人雜居

南越尉佗列傳第五十三　史記一百一十三

南越王（正義曰都廣州南海縣）尉佗者真定人也（索隱曰尉官也佗名也姓趙佗音徒河反又十三州記云大郡曰守小郡曰尉韋昭云真定故郡名後更為縣在常山也）姓趙氏秦時已并天下略定楊越（張晏曰楊州之南越也○索隱曰案戰國策云吳起為楚收楊越○正義曰夏禹九州本屬楊州故云楊越）置桂林南海象郡（索隱曰地理志武帝更名桂林曰鬱林秦本紀始皇三十三年略陸梁地以為南海鬱林象郡地理志云武帝更名日南）以謫徙民（索隱曰謫音陟革反）與越雜處十三歲（徐廣曰秦并天下至二世元年十三年并天下八歲乃平越地至二世元年六年耳）佗秦時用為南海龍川令（索隱曰地理志云龍川屬南海也○正義曰顏師古云龍川南海縣也即今之循州也裴氏廣州記云本博羅縣之東鄉有龍穿地而出即穴流東泉因以為號也）至二世時南海尉任囂病且死

徐廣曰：爾時未言都尉也。○索隱曰：嚻音五刀反。召龍川令趙佗語曰：「聞陳勝等作亂，秦爲無道，天下苦之，項羽、劉季、陳勝、吳廣等州郡各共興軍聚衆，虎爭天下，中國擾亂，未知所安，豪傑畔秦相立。南海僻遠，吾恐盜兵侵地至此，吾欲興兵絶新道，索隱曰：案蘇林云秦所通越道。自備，待諸侯變，會病甚。且番禺負山險，阻南海，東西數千里，頗有中國人相輔，此亦一州之主也，可以立國。郡中長吏無足與言者，故召公告之。」即被佗書，韋昭曰：被之以書，音光被之。○索隱曰：被音皮義反。行南海尉事。索隱曰：服虔云嚻詔書使爲南海尉。嚻死，佗即移檄告橫浦、陽山、湟谿關曰（徐廣曰在桂陽通四會也○索隱曰案南康記云南野大庾嶺三十里至橫浦有秦時關其下謂爲塞上○姚氏案地理志云桂陽有陽山縣今此縣上流百餘里有騎田嶺當是陽山關○鄒氏劉氏本湟並作湼音年結反漢書作湟谿音皇又衛青傳云出桂陽下湟水是也○姚察云史記作匯今本有湟湼及匯不同蓋由隨見輒改故也水經云含匯縣南有匯浦關未知孰是○鄒誕作湼漢書作湟蓋近於古）盜兵且至急絕道聚兵自守因稍以法誅秦所置長吏以其黨爲假守（索隱曰案謂佗立其所黨爲郡縣之職或假守也）秦已破滅佗即擊幷桂林象郡自立爲南越武王（韋昭曰生以武爲號亦稽於古也）高帝已定天下爲中國勞苦故釋佗弗誅漢十一年遣陸賈因立佗爲南越王與剖符通使和集百越毋爲南邊患害與長沙接境高后時有

司請禁南越關市鐵器佗曰高帝立我通使物
今高后聽讒臣別異蠻夷隔絕器物此必長沙
王計也欲倚中國擊滅南越而并王之自爲功
也於是佗乃自尊號爲南越武帝發兵攻長沙
邊邑敗數縣而去焉高后遣將軍隆慮侯竈往
擊之（索隱曰韋昭云竈姓周隆慮縣名屬河內音林閭）會暑溼士卒大疫兵
不能踰嶺（索隱曰案即陽山嶺也）歲餘高后崩即罷兵佗
因此以兵威邊財物賂遺閩越西甌駱役屬焉
（漢書音義曰駱越也○索隱曰姚氏案廣州記云交趾有駱田仰潮水上下人食其田名爲駱侯諸縣自名爲駱將銅印青綬即今之令後蜀王子將兵討駱侯自稱爲安陽王治封溪縣後南越王尉佗攻破安陽王令二使典主交阯九眞二）

通鑑辨誤卷一趙佗以兵威財物賂遺閩越西甌駱役屬焉史炤釋文曰師古注駱役爲駱越余按師古注西甌即駱越也未嘗以駱役爲駱越蓋閩越之一種西甌駱是一種役屬者役使而服屬之

纛 正義曰音導又音獨蔡邕云纛以旄牛尾置馬頭上也

親冢 師古曰親謂父母也

郡即甌駱也東西萬餘里迺乘黄屋左纛稱制與中國

侔及孝文帝元年初鎮撫天下使告諸侯四夷

從代來即位意喩盛德焉乃爲佗親冢在眞定

置守邑歲時奉祀召其從昆弟尊官厚賜寵之

詔丞相陳平等擧可使南越者平言好畤陸賈

先帝時習使南越迺召賈以爲太中大夫往使

因讓佗自立爲帝曾無一介之使報者陸賈至

南越王甚恐爲書謝稱曰蠻夷大長老夫臣佗

前日高后隔異南越竊疑長沙王讒臣又遥聞

高后盡誅佗宗族掘燒先人冢以故自棄犯長

師古曰言不以威武加於遠方也

𣲖邊境且南方卑溼蠻夷中閒其東閩越千人
衆號稱王其西甌駱裸國亦稱王（索隱曰裸音和寡反裸露形也）
老臣妄竊帝號聊以自娛豈敢以聞天王哉乃
頓首謝願長爲藩臣奉貢職於是乃下令國中
曰吾聞兩雄不俱立兩賢不並世皇帝賢天子
也自今以後去帝制黃屋左纛陸賈還報孝文
帝大說遂至孝景時稱臣使人朝請然南越其
居國竊如故號名其使天子稱王朝命如諸侯
至建元四年卒佗孫胡爲南越王（徐廣曰皇甫謐曰越王趙佗以建元四年卒爾時漢興七十年佗蓋百歳矣）
此時閩越王郢興兵擊南越

邊邑。胡使人上書曰：兩越俱為藩臣，毋得擅興兵相攻擊。今閩越興兵侵臣，臣不敢興兵，唯天子詔之。於是天子多南越義，守職約，為興師，遣兩將軍往討閩越。索隱曰：王恢、韓安國。兵未踰嶺，閩越王弟餘善殺郢以降，於是罷兵。天子使莊助往諭意，南越王胡頓首曰：天子乃為臣興兵討閩越，死無以報德。遣太子嬰齊入宿衛。謂助曰：國新被寇，使者行矣。胡方日夜裝入見天子。助去後，其大臣諫胡曰：漢興兵誅郢，亦行以驚動南越。且先生昔言事天子期無失禮，要之不可以說好語入見（索隱曰：漢書說作怵。韋昭云：誘怵好語。）入見則不得復歸，亡國之勢也。」於是胡稱病，竟不入見。後十餘歲，胡實病甚，太子嬰齊請歸。胡薨，謚為文王。嬰齊代立，即藏其先武帝璽。（索隱曰：李奇云：藏其僭號之璽也。）嬰齊其入宿衛在長安時，取邯鄲樛氏女，生子興。（徐廣曰：一作典。○索隱曰：樛音紀虯反。樛姓，出邯鄲。）及即位，上書請立樛氏女為后，興為嗣。漢數使使者風諭嬰齊，嬰齊尚樂擅殺生自恣，懼入見要用漢法，比內諸侯，固稱病，遂不入見。遣子次公入宿衛。嬰齊薨，謚為明王。太子興代立，其母為太后。太后自未為嬰齊姬時，嘗與覇陵人安國少季通（索隱曰安國姓也少季名也）及嬰齊薨後元鼎四年漢使安國少季往諭王王太后以入朝比內諸侯令辯士諫大夫終軍等宣其辭勇士魏臣等輔其缺（徐廣曰一作決）衛尉路博德將兵屯桂陽待使者王年少太后中國人也嘗與安國少季通其使復私焉國人頗知之多不附太后太后恐亂起亦欲倚漢威數勸王及羣臣求內屬即因使者上書請比內諸侯三歲一朝除邊關於是天子許之賜其丞相呂嘉銀印及內史中尉太傅印餘得自置除其故黥劓刑用漢法

比內諸侯使者皆留塡撫之王王太后飭治行

裝重齎爲入朝具其相呂嘉年長矣相三王宗

族官仕爲長吏者七十餘人男盡尚王女女盡

嫁王子兄弟宗室及蒼梧秦王有連漢書音義曰蒼梧越中王自名爲秦王連親婚也○索隱曰案蒼梧秦王即趙光是也有連者連姻也趙與秦同姓故稱秦王其居

國中甚重越人信之多爲耳目者得衆心愈於

王王之上書數諫止王王弗聽有畔心數稱病不

見漢使者使者皆注意嘉勢未能誅王王太后

亦恐嘉等先事發乃置酒介漢使者權韋昭曰恃使者爲介胄也○索隱曰志林云介者因也欲因使者權誅呂嘉也韋昭○以介爲恃介者間也以言間恃漢使之權意即得矣然云

南越尉佗傳 五

侍爲介冑則非也案晝以介爲因亦有所由案介者賓主所由也謀誅嘉等使者皆東鄉太后南鄉王北鄉相嘉大臣皆西鄉侍坐飲嘉弟爲將將卒居宮外酒行太后謂嘉曰南越內屬國之利也而相君苦不便者何也以激怒使者使者狐疑相杖遂莫敢發嘉見耳目非是即起而出太后怒欲鏦嘉以矛韋昭曰鏦撞也○索隱曰案字林鏦音七凶反又吳王濞傳鏦殺吳王与此同王止太后嘉遂出分其弟兵就舍索隱曰案謂分取其兵也漢書作介介被也持也稱病不肯見王及使者乃陰與大臣作亂王素無意誅嘉嘉知之以故數月不發太后有淫行國人不附欲獨誅嘉

等力又不能天子聞嘉不聽王王太后弱孤不能制使者怯無決又以爲王王太后已附漢獨呂嘉爲亂不足以興兵欲使莊參以二千人往使參曰以好往數人足矣以武往二千人無足以爲也辭不可天子罷參也郟壯士（徐廣曰縣屬潁川音古洽反○正義曰今汝州郟城縣）故濟北相韓千秋奮曰以區區之越又有王太后應獨相呂嘉爲害願得勇士二百人必斬嘉以報於是天子遣千秋與（徐廣曰爲校尉）王太后弟樛樂將二千人往入越境呂嘉等乃遂反下令國中曰王年少太后中國人也又與

使者亂事，欲內屬，盡持先王寶器入獻天子以自媚，多從人，行至長安，虜賣以為僮僕，取自脫一時之利，無顧趙氏社稷，為萬世慮計之意。乃與其弟將卒攻殺王太后及漢使者，遣人告蒼梧秦王及其諸郡縣，立明王長男越妻子術陽侯建德為王（徐廣曰：元鼎四年以南越王兄越封高昌侯。○索隱曰：案功臣表術陽屬下邳。）而韓千秋兵入，破數小邑。其後越直開道給食，未至番禺四十里，越以兵擊千秋等，遂滅之。使人函封漢使者節置塞上（索隱曰：案南康記以為大庾嶺名塞上也。），好為謾辭謝罪，發兵守要害處。於是天子曰：韓千秋雖無成功亦軍鋒之冠封其子延年爲成安侯索隱曰案功臣表成安屬郟樛樂其姊爲王太后首願屬漢封其子廣德爲龍亢侯索隱曰案龍亢屬譙國漢書作龍侯服虔作功音灼云龍古龍字乃下赦曰天子微諸侯力政譏臣不討賊今呂嘉建德等反自立晏如令罪人及江淮以南徐廣曰淮一作匯也樓船十萬師應劭曰時欲擊越非水不至故作大船船上施樓故號曰樓船也往討之元鼎五年秋衛尉路博德爲伏波將軍出桂陽下匯水徐廣曰一作湟駰案地理志曰桂陽有匯水通四會或作淮字○索隱曰劉氏云匯當作湟漢書云下湟水也主爵都尉楊僕爲樓船將軍出豫章下横浦故歸義越侯二人張晏曰故越人降爲侯爲弋船下厲

樓船楊僕也

伏波路博德也

將軍徐廣曰厲一作瀨駰案張晏曰越人於水中負人船又有蛟龍之害故置戈於船下因以爲名也應劭曰瀨水流涉上也瓚曰伍子胥書有戈船以載干戈因謂之戈船也出零陵或下離水徐廣曰在零陵通廣信○正義曰地理志云零陵縣有離水東至廣信入鬱林九百八十里或抵蒼梧使馳義侯徐廣曰越人也名遺因巴蜀罪人發夜郎兵正義曰曲川協州以南是夜郎國下牂柯江正義曰江出南徼外東通四會至番禺入海也咸會番禺元鼎六年冬樓船將軍將精卒先陷尋陝破石門索隱曰姚氏云尋陝在始興西三百里近連口也廣州記石門在番禺縣北二十里昔呂嘉拒漢積石於江名曰石門又俗云石門水名貪泉飲之則令人變故吳隱之至石門酌水飲乃爲歌也得越船粟因推而前挫越鋒以數萬人待伏波伏波將軍將罪人道遠會期後與樓船會乃有千餘人遂

俱進樓船居前至番禺建德嘉皆城守樓船自擇便處居東南面伏波居西北面會暮樓船攻敗越人縱火燒城越素聞伏波名日暮不知其兵多少伏波乃爲營遣使者招降者賜印復縱令相招樓船力攻燒敵反驅而入伏波營中犂旦城中皆降伏波徐廣曰呂靜曰犂結也音力奚反結猶連及逮至也漢書犂旦爲遲旦謂待明也○索隱曰鄒氏云犂一作比比音必至反然犂即比義不須更釋又解犂黑也天未明而尚黑也漢書史記亦作遲明遲音稚遲待也亦犂之義也呂嘉建德已夜與其屬數百人亡入海以船西去伏波又因問所得降者貴人以知呂嘉所之遣人追之以其故校尉司馬蘇

弘得建德，封爲海常侯；徐廣曰：在東萊。越郎都稽徐廣曰：表曰孫都。得嘉，封爲臨蔡侯。索隱曰：案表屬河內。蒼梧王趙光者，越王同姓，聞漢兵至，及越揭陽令定韋昭曰：揭音其逝反。索隱曰：地理志揭陽縣屬南海。揭音桀。劉氏音求例反。定者，令之名也。案漢功臣表云史定揭陽令又別。自定屬漢；越桂林監居翁漢書音義曰：桂林郡中監姓居，名翁也。諭甌駱屬漢：索隱曰：案漢書甌駱三十餘萬口降漢。皆得爲侯。索隱曰：案漢書云光聞漢兵至降，封爲隨桃侯；揭陽令定爲安道侯；越將畢取爲膫侯；桂林監居翁爲湘城侯。韋昭云湘城屬堵陽。桃、安道、膫三縣皆屬南陽。膫音遼也。戈船、下厲將軍兵及馳義侯所發夜郎兵未下，南越已平矣。遂爲九郡。徐廣曰：儋耳、珠崖、南海、蒼梧、九真、鬱林、日南、合浦、交阯。○索隱曰：徐廣皆據漢書爲說。伏波將軍益封。

樓船將軍兵以陷堅爲將梁侯自尉佗初王後五世九十三歲而國亡焉

太史公曰尉佗之王本由任囂遭漢初定列爲諸侯隆慮離溼疫佗得以益驕甌駱相攻南越動搖漢兵臨境嬰齊入朝其後亡國徵自樛女呂嘉小忠令佗無後樓船從欲怠傲失惑伏波困窮智慮愈殖因禍爲福成敗之轉譬若糾墨（一作纆）

索隱述贊曰

中原鹿走　羣雄莫制　漢事西馳

越推南裔　陸賈騁說　尉佗去帝

南越尉佗傳　九

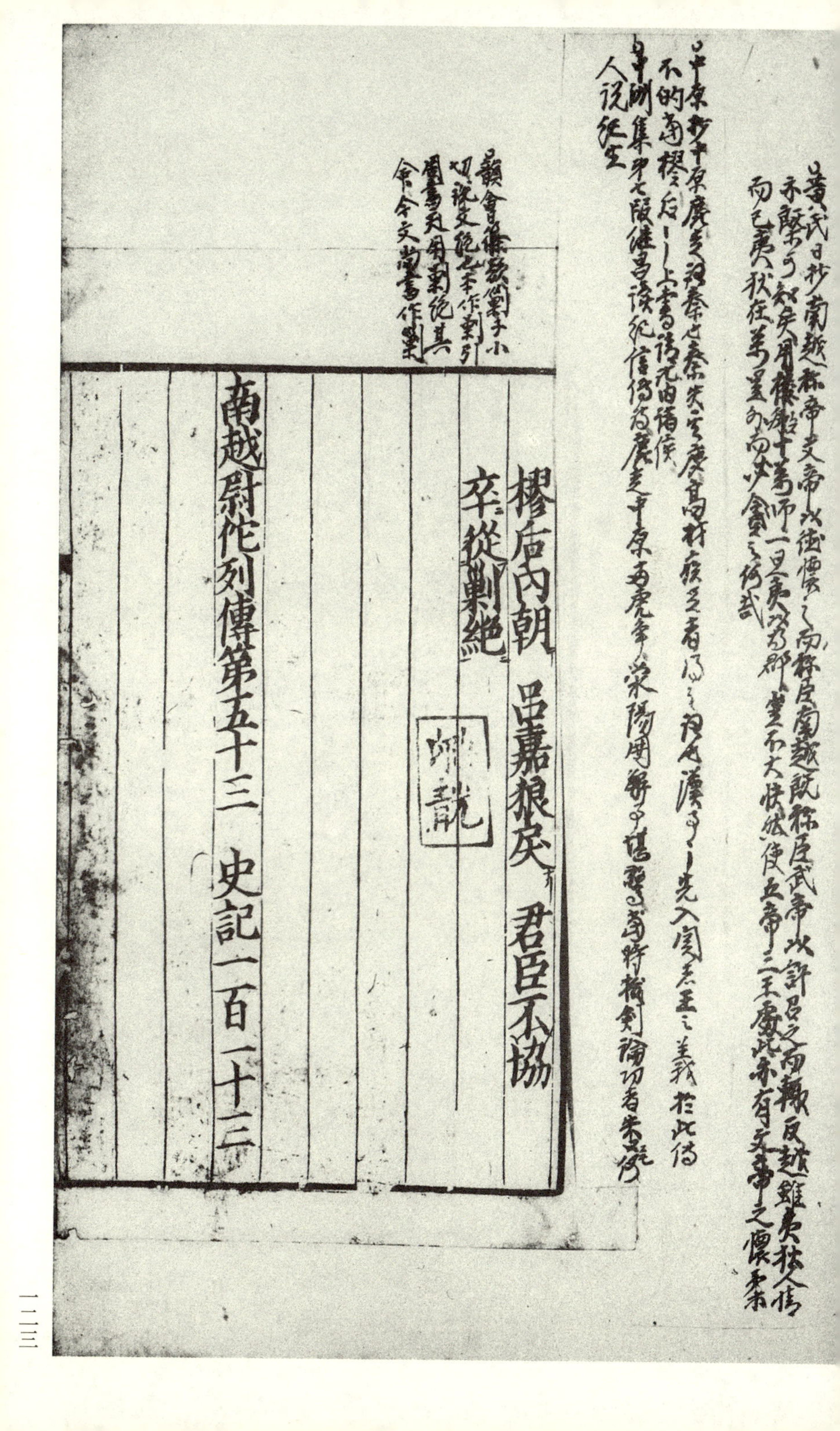

樛后内朝　呂嘉狼戾　君臣不協

卒從剿絶

南越尉佗列傳第五十三　史記一百一十三

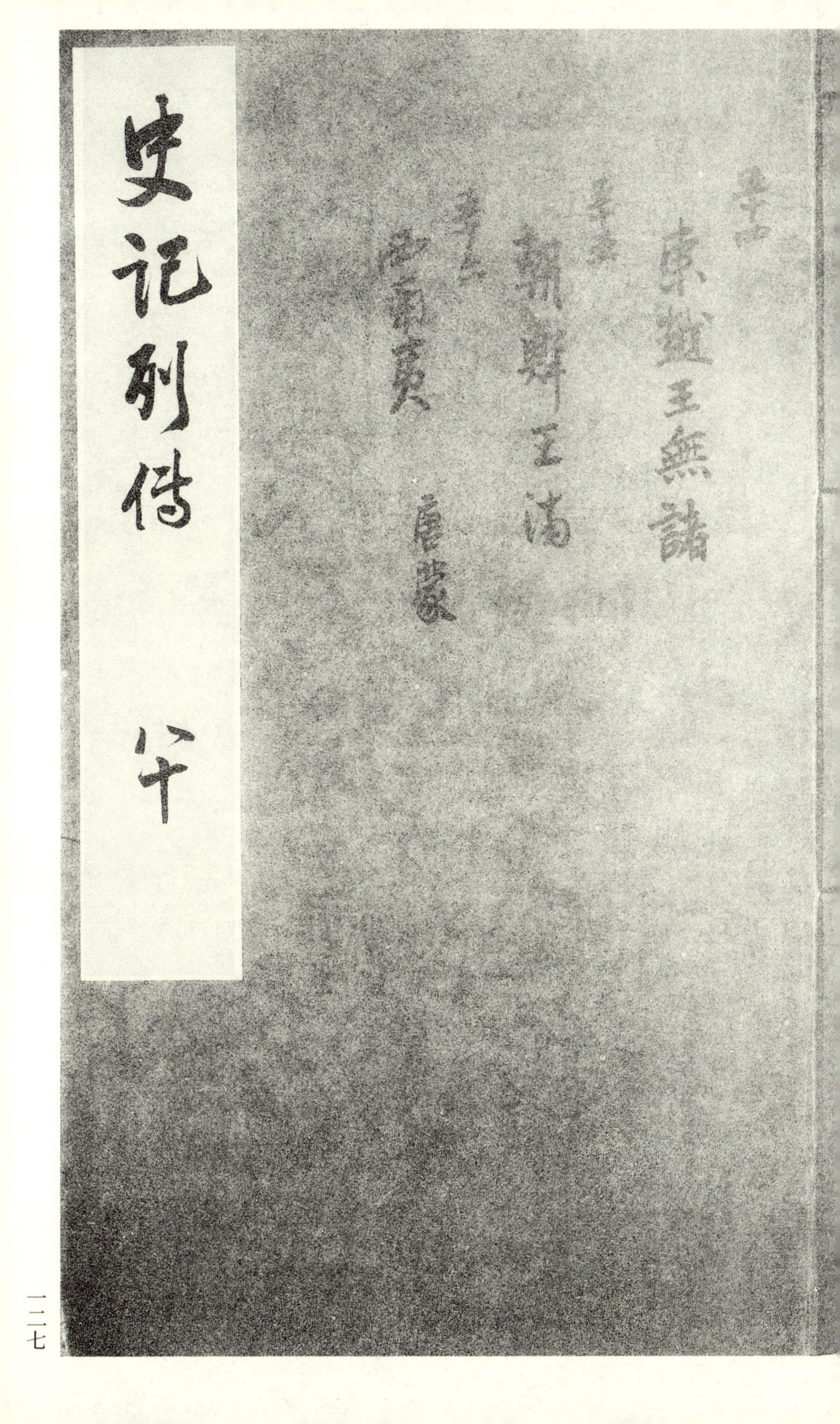

史記列傳　卅

東越王無諸

朝鮮王滿

西南夷

唐蒙

漢書列傳六十五卷

東越列傳第五十四　史記一百一十四

閩越王無諸韋昭曰閩音武巾反東越之別名○索隱曰按說文云閩東越蛇種也故字從虫閩聲音旻及越東海王搖者其先皆越王句踐之後也姓騶氏徐廣曰騶一作駱○索隱曰徐廣說是上云甌駱此別云閩不姓騶也秦已并天下皆廢爲君長以其地爲閩中郡徐廣曰今建安侯官是○索隱曰小顏以爲即今之泉州建安也○正義曰今閩州又改爲福也及諸侯畔秦無諸搖率越歸鄱陽令吳芮所謂鄱君者也從諸侯滅秦當是之時項籍主命弗王漢書音義曰主號令諸侯不王無諸搖等以故不附楚漢擊項籍無諸搖率越人佐漢漢五年復立無諸爲閩越王王閩中故地都東冶

鄱 音婆

閩

顏師古曰冶地名即候官縣是也 冶音弋者反

鄱 漢書作番 蒲河切

東越傳

孝惠三年舉高帝時越功曰閩君搖功多其民便附乃立搖爲東海王徐廣曰在吳郡東南濱海云都東甌徐廣曰今之永寧也○索隱曰姚氏云甌水名永嘉記水出永寧山行三十餘里去郡城五里入江昔有東甌王都城有亭積石爲道今猶在也世俗號爲東甌王後數世至孝景三年吳王濞反欲從閩越閩越未肯行獨東甌從吳及吳破東甌受漢購殺吳王丹徒以故皆得不誅歸國吳王子子駒亡走閩越怨東甌殺其父常勸閩越擊東甌至建元三年閩越發兵圍東甌東甌食盡困且降乃使人告急天子天子問太尉田蚡蚡對曰越人相攻擊固其常又數反覆

上初即位故不欲發兵也是田蚡之意也

不足以煩中國往救也自秦時棄弗屬於是中大夫莊助詰蚡曰特患力弗能救德弗能覆誠能何故棄之且秦舉咸陽而棄之何乃越也今小國以窮困來告急天子天子弗振當安所告愬又何以子萬國乎上曰太尉未足與計吾初即位不欲出虎符發兵郡國乃遣莊助以節發兵會稽會稽太守欲距不爲發兵助乃斬一司馬諭意指遂發兵浮海救東甌未至閩越引兵而去東甌請舉國徙中國乃悉舉衆來處江淮之間徐廣曰年表曰東甌王廣武侯望率其衆四萬餘人來降家廬江郡○索隱曰[illegible]

建元六年閩越擊南越南越守天子約不敢擅發兵擊而以聞上遣大行王恢出豫章大農韓安國出會稽皆為將軍兵未踰嶺閩越王郢發兵距險其弟餘善乃與相宗族謀曰王以擅發兵擊南越不請故天子兵來誅今漢兵衆彊今即幸勝之後來益多終滅國而止今殺王以謝天子天子聽罷兵固一國完不聽乃力戰不勝即亡入海皆曰善即鏦殺王索隱曰鏦音七恭反鏦撞也使使奉其頭致大行大行曰所為來者誅王今王頭至謝罪不戰而耘徐廣曰漢書作運耘義當取耘除或言耘音于粉反此楚人聲重耳頗耘

當同音但字有假借聲有輕重利莫大焉乃以便宜案兵告大農軍而使使奉王頭馳報天子詔罷兩將兵曰郢等首惡獨無諸孫繇君丑不與謀焉索隱曰繇音搖繇者邑號也丑名乃使郎中將立丑爲越繇王奉閩越先祭祀餘善已殺郢威行於國國民多屬竊自立爲王繇王不能矯其衆持正天子聞之爲餘善不足復興師曰餘善數與郢謀亂而後首誅郢師得不勞因立餘善爲東越王與繇王並處至元鼎五年南越反東越王餘善上書請以卒八千人從樓船將軍擊呂嘉等兵至揭揚以海風波

為解不行持兩端陰使南越及漢破番禺不至是時樓船將軍楊僕使使上書願便引兵擊東越上曰士卒勞倦不許罷兵令諸校屯豫章梅嶺待命[徐廣曰在會稽界○索隱曰徐説非也案今豫章三十里有梅嶺在供崖山當古驛道此又豫章梅嶺知非會稽也○正義曰括地志云梅嶺在虔化縣東北百二十八里虔州漢亦屬豫章郡二所未詳]元鼎六年秋餘善聞樓船請誅之漢兵臨境且往乃遂反發兵距漢道號將軍騶力等為吞漢將軍入白沙武林[徐廣曰在豫章界○索隱曰案今豫章北二百里接鄱陽界地名白沙有小水入湖名曰白沙沙東南八十里有武陽亭亭東南三十里地名武林此白沙武林今當閩越之京道]梅嶺殺漢三校尉是時漢使大農張成故山州侯齒[徐廣曰成

趙佗曰自称南越武帝

若邪 漢 作 如邪

胡三省注 班志 錢唐縣屬會稽郡

將屯弗敢擊，却就便處，皆坐畏懦誅。餘善刻武帝璽自立，詐其民，為妄言。天子遣橫海將軍韓說出句章，索隱曰：鄭氏句音鉤，會稽縣也。○正義曰：句章故城在越州鄮縣西一百里。漢縣。浮海從東方往；樓船將軍楊僕出武林；中尉王溫舒出梅嶺；越侯為戈船、下瀨將軍，出若邪、白沙。索隱曰：案姚氏云若邪地名，今闕。○正義曰：越州有若耶山、若耶溪，若如字。一頂州有白沙山，蓋從如此耶。白沙東故閩州。元封元年冬，咸入東越。東越素發兵距險，使徇北將軍守武林，敗樓船軍數校尉，殺長吏。樓船將軍率錢唐轅終古音袁。正義曰：錢唐，杭州縣。轅，姓；終古，名。斬徇北將軍，為御兒侯。漢書音義曰：今吳南亭是也。○正義[illegible]嘉興[illegible]

終

縣南七十里，臨官道也。自兵未往，故越衍侯吳陽前在漢。漢使歸諭餘善，餘善弗聽。及橫海將軍先至，越衍侯吳陽以其邑七百人反，攻越軍於漢陽。從建成侯敖（徐廣曰：亦東越臣。）與其率，從繇王居股謀曰：「餘善首惡，劫守吾屬。今漢兵至，衆彊，計殺餘善，自歸諸將，儻幸得脫。」乃遂俱殺餘善，以其衆降橫海將軍。故封繇王居股為東成侯（索隱曰：韋昭云在九江。），萬戶；封建成侯敖為開陵侯（索隱曰：徐廣云敖東越臣。韋昭云開陵屬臨淮。）；封越衍侯吳陽為北石侯；封橫海將軍說為按道侯；封橫海校尉福為繚嫈侯。（漢書音義曰：音遼縈。○索隱曰：繚嫈，縣名。）

東越傳 四

舊一本作奮

悍本作捍

[illegible]

服虔嫈音瑩劉伯莊音紆營反福者成陽共王子故爲海常侯坐法失侯舊從軍無功以宗室故侯諸將皆無成功莫封東越將多軍漢書音義曰多軍名也索隱曰韋昭云多姓軍名也漢兵至棄其軍降封爲無錫侯於是天子曰東越狹多阻閩越悍數反覆詔軍吏皆將其民徙處江淮間東越地遂虛

太史公曰越雖蠻夷其先豈嘗有大功德於民哉何其久也歷數代常爲君王句踐一稱伯然餘善至大逆滅國遷衆其先苗裔繇王居股等猶尚封爲萬戶侯由此知越世世爲公侯矣蓋

禹之餘烈也

索隱述贊曰

句踐之裔　是曰無諸　旣席漢寵

寔因秦餘　騶駱爲姓　閩中是居

王搖之立　爰處東隅　後嗣不道

自相誅鋤

東越列傳第五十四　史記一百一十四

漢書列傳六十五

朝鮮列傳第五十五　史記一百一十五

張晏曰朝鮮有濕水洌水汕水三水合為洌水疑樂浪朝鮮取名於此也○索隱曰案朝音潮直驕反鮮音仙以有汕水故名也汕一音訕

朝鮮正義曰潮仙二音括地志云高驪都平壤城本漢樂浪郡王險城又古云朝鮮地也王滿者故燕人也索隱曰案漢書滿燕人姓衛擊破朝鮮王而自王之自始全燕時嘗略屬眞番徐廣曰一作莫遼東有番汗縣番音普寒反○索隱曰始全燕時謂六國燕方全盛之時常略二國以屬己也應劭云玄菟本眞番國徐氏云遼東有番汗縣者據地理志而知也朝鮮為置吏築鄣塞秦滅燕屬遼東外徼漢興為其遠難守復修遼東故塞至浿水為界漢書音義曰浿音滂沛反○正義曰地理志云浿水出遼東塞外西南至樂浪縣西入海浿普大反屬燕燕王盧綰反入匈奴

正義作主險臣瓚云主險城在樂浪也

滿亡命，[正義曰命謂教令] 聚黨千餘人，魋結蠻夷服而東走出塞，渡浿水，居秦故空地上下鄣，[索隱曰案地理志樂浪有雲鄣] 稍役屬真番、朝鮮蠻夷及故燕、齊亡命者，王之，都王險。[徐廣曰昌黎有險瀆縣也。○索隱曰韋昭云古邑名。應劭注地理志云遼東有險瀆縣，朝鮮王舊都。臣瓚云王險城在樂浪郡浿水之東也] 會孝惠、高后時天下初定，遼東太守即約滿為外臣，保塞外蠻夷，無使盜邊；諸蠻夷君長欲入見天子，勿得禁止。以聞，上許之，以故滿得兵威財物侵降其旁小邑，真番、臨屯皆來服屬，[索隱曰東夷小國，後以為郡] 方數千里。[正義曰括地志云朝鮮、高驪、貊、東沃沮五國之地。國東西千三百里，南北二千里，在京師東，東至大海四百里，北至營州界九百二十里，南至

朝鮮傳

朝鮮列傳第五十五　史記一百一十五

張晏曰朝鮮有濕水洌水汕水三水合爲洌水疑樂浪朝鮮取名於此也○索隱曰案朝音潮直驕反鮮音仙以有汕水故名也汕一音訕

朝鮮王滿者正義曰潮仙二音括地志云高驪都平壤城本漢樂浪郡王險城又古云朝鮮地也故燕人也索隱曰案漢書滿燕人姓衛擊破朝鮮王而自王之自始全燕時嘗略屬眞番徐廣曰一作莫遼東有番汗縣番音普寒反○索隱曰始全燕時謂六國燕方全盛之時常略二國以屬已也應劭云玄菟本眞番國徐氏云遼東有番汗縣者據地理志而知也朝鮮爲置吏築鄣塞秦滅燕屬遼東外徼漢興爲其遠難守復修遼東故塞至浿水爲界漢書音義曰浿音滂沛反○正義曰地理志云浿水出遼東塞外西南至樂浪縣西入海浿普大反屬燕燕王盧綰反入匈奴

滿亡命（正義曰命謂教令）聚黨千餘人魋結蠻夷服而東走出塞渡浿水居秦故空地上下鄣（索隱曰案地理志樂浪有雲鄣）稍役屬真番朝鮮蠻夷及故燕齊亡命者王之都王險（徐廣曰昌黎有險瀆縣也○索隱曰韋昭云古邑名應劭注地理志云遼東有險瀆縣朝鮮王舊都臣瓚云險城在樂浪郡浿水之東也）會孝惠高后時天下初定遼東太守即約滿為外臣保塞外蠻夷無使盜邊諸蠻夷君長欲入見天子勿得禁止以聞上許之以故滿得兵威財物侵降其旁小邑真番臨屯皆來服屬（索隱曰東夷小國後以為郡）方數千里（正義曰括地志云朝鮮高驪貊東沃沮五國之地國東西千三百里南北二千里在京師東東至大海四百里北至營州界九百二十里南至

朝鮮傳

正義曰後漢書朝鮮有三韓一曰馬韓二曰辰韓三曰弁韓

魏志云韓有帶方閣東西以海為限南与倭方可四千里馬韓在西辰韓在中弁韓在東

括地志曰新羅百濟在西馬韓之地新羅在東辰韓弁韓之地也

稗

新羅國六百里北至靺鞨國千四百里傳子至孫右渠正義曰其孫名也所誘漢亡人滋多又未嘗入見真番旁眾國欲上書見天子又擁閼不通元封二年漢使涉何誘諭右渠索隱曰誘一作譙說文云譙讓也諭曉也譙音才笑反終不肯奉詔何去至界上臨浿水使御刺殺送何者索隱曰即送何之御也朝鮮裨王長正義曰顏師古云長者裨王名也送何至浿水何因刺殺也按裨王及將士長恐顏非也即渡馳入塞正義曰入平州榆林關也遂歸報天子曰殺朝鮮將上為其名美即不詰索隱曰有殺將之美名拜何為遼東東部都尉正義曰地理志云遼東郡武次縣東部都尉所理也朝鮮怨何發兵襲攻殺何天子募罪人擊朝鮮其秋遣樓船將軍

眾正義作辰

擁漢書作雍讀曰壅

漢書浿水下有水字

一四五

楊僕從齊浮渤海兵五萬人左將軍荀彘出遼
東討右渠右渠發兵距險左將軍卒正多率遼
東兵先縱敗散多還走坐法斬樓船將軍將齊
兵七千人先至王險右渠城守窺知樓船軍少
即出城擊樓船樓船軍敗散走將軍楊僕失其
衆遁山中十餘日稍求收散卒復聚左將軍擊
朝鮮浿水西軍未能破自前天子為兩將未有
利乃使衛山因兵威往諭右渠右渠見使者頓
首謝願降恐兩將詐殺臣今見信節請服降遣
太子入謝獻馬五千匹及饋軍糧人衆萬餘持

兵方渡浿水使者及左將軍疑其爲變謂太子已服降宜命人毋持兵太子亦疑使者左將軍詐殺之遂不渡浿水復引歸山還報天子天子誅山左將軍破浿水上軍乃前至城下圍其西北樓船亦往會居城南右渠遂堅守城數月未能下左將軍素侍中幸將燕代卒悍乘勝軍多驕樓船將齊卒入海固已多敗亡其先與右渠戰困辱亡卒卒皆恐將心慙其圍右渠常持和節左將軍急擊之朝鮮大臣乃陰閒使人私約降樓船往來言尚未肯決左將軍數與樓船期

戰樓船欲急就其約不會左將軍亦使人求間
郤降下朝鮮朝鮮不肯心附樓船以故兩將不
相能左將軍心意樓船前有失軍罪今與朝鮮
私善而又不降疑其有反計未敢發天子曰將
率不能前及使衛山諭降右渠右渠遣太子山
使不能剸決與左將軍計相誤卒沮約今兩將
圍城又乖異以故久不決使濟南太守公孫遂
往征之有便宜得以從事遂至左將軍曰朝鮮
當下久矣不下者有狀言樓船數期不會具以
素所意告遂曰今如此不取恐為大害非獨樓

船又且與朝鮮共滅吾軍遂亦以爲然而以節召樓船將軍入左將軍營計事即命左將軍麾下執捕樓船將軍并其軍以報天子天子誅遂左將軍已并兩軍即急擊朝鮮朝鮮相路人相韓陰尼谿相參將軍王唊漢書音義曰凡五人也戎狄不知官紀故皆稱相唊音頰○索隱曰路人漁陽縣人如淳云相其國相路人路也唊一音協相與謀曰始欲降樓船樓船今執獨左將軍并將戰益急恐不能與戰王又不肯降陰唊路人皆亡降漢路人道死元封三年夏尼谿相參乃使人殺朝鮮王右渠來降王險城未下故右渠之大臣成巳又反

復攻吏左將軍使右渠子長（徐廣曰表云長路）降相路人之子最（索隱曰最名路人之子也）告諭其民誅成巳以故遂定朝鮮為四郡（臣瓚曰真番臨屯樂浪玄菟也）封參為澅清侯（韋昭曰屬齊○索隱曰顧氏澅音獲）陰為荻苴侯（韋昭曰屬勃海○索隱曰荻音狄苴音子餘反）唊為平州侯（韋昭曰屬梁父）長為幾侯（韋昭曰屬河東○索隱曰幾縣名）最以父死頗有功為溫陽侯（韋昭曰屬齊）左將軍徵至坐爭功相嫉乖計棄市樓船將軍亦坐兵至列口當待左將軍擅先縱失亡多當誅贖為庶人（索隱曰蘇林云列口縣名度海先得之）

太史公曰右渠負固國以絕祀涉何誣功為兵

一五〇

番禺南越傳曰至番禺建德嘉城守樓船自擇便處居東南面伏波居西北面樓船攻敗越人縱火驅而入伏波營中城中皆降伏波

發首樓船將狹（徐廣曰言其所將卒狹少）及難離咎悔失番禺乃反見疑荀彘爭勞與遂皆誅兩軍俱辱將率莫侯矣

索隱述贊曰

衛滿燕人（姓衛名滿也）朝鮮是王　王險置郡

路人作相　右渠首差　涉何誚上

兆禍自斯　狐疑二將　山遂伏法

紛紜無狀（右渠自恐兩將詐殺臣　衛山　公孫遂也）

卯龍

朝鮮列傳第五十五　史記一百一十五

晉鑑選抄朝鮮王者右渠也其祖名滿本燕人出塞居秦故空地本無預中國事也漢孝武
帝生事其國漢卒盛兵以滅之爲眞番臨屯樂浪玄菟四郡漢固貪其地右渠爲其國
自取滅亡亦何怨也

西南夷列傳第五十六　史記一百一十六

西南夷君長（正義曰在蜀之南）以什數，夜郎最大。（索隱曰劉氏數音所具反鄒氏音所主反荀悅云夜郎犍為屬國也韋昭云漢為縣屬牂柯案後漢書云夜郎東接交趾其地在胡南其君長本出於竹以竹為姓也○正義曰今瀘州南大江南岸協州曲州本夜郎國）其西靡莫之屬（正義曰在蜀南以下及西也靡非在姚州北去京西南四千九百三十五里即靡莫之夷）以什數，滇最大。（如淳曰滇音顛顛馬出其國也○索隱曰靡莫夷邑名滇與同姓也崔浩云滇後為縣屬越嶲太守所理也○正義曰昆州郎州等本滇國去京西五千三百七十里也）自滇以北君長以什數，邛都最大。此皆魋結，（索隱曰魋漢書作椎音直追反結音計）耕田，有邑聚。其外西自同師以東，（韋昭曰邑名也○索隱曰漢書作桐鄉）北至楪榆，（韋昭曰在益州楪音葉○正義曰上音楪楪澤在靡北百餘里漢楪榆縣在澤西益州都廟州本楪榆生汪）

騃 漢書音自毛…

著 直略反

土著 師古曰有常居著於土地也

國 也 名為嶲昆明 徐廣曰永昌有嶲唐縣○索隱曰崔浩云嶲昆明二國名韋昭云益州縣○正義曰嶲音髓今嶲州也昆明嶲州縣蓋南接昆明之地因名也 皆編髮隨畜遷徙 正義曰編步典反畜許又反皆嶲昆明之俗也 毋常處毋君長地方可數千里自嶲以東北君長以什數徙筰都最大 徐廣曰徙在漢嘉筰音昨在越嶲○索隱曰服虔云徙筰二國名韋昭云徙縣在蜀筰縣在越嶲○正義曰徙音斯括地志云筰州本西蜀徼外曰猫羌嶲地理志云徙縣也華陽國志雅州邛郲山本名邛筰山故邛人筰人界 自筰以東北君長以什數冉駹最大 索隱曰案應劭云汶江郡本冉駹音亡江反○正義曰括地志云蜀西徼外羌茂州冉州本冉駹國地也後漢書云冉駹其山有六夷七羌九蠻各有部落也 其俗或土著或移徙在蜀之西自冉駹以東北君長以什數白馬最大 索隱曰案夷邑名即白馬氐也○正義曰括地志云隴右成州武州皆白

馬氏其豪族楊氏居成州仇池山上皆氐類也此皆巴蜀西南外蠻夷也始楚威王時使將軍莊蹻正義曰其略反郎州昆州即莊蹻所王將兵循江上略巴蜀黔中以西莊蹻者故楚莊王苗裔也索隱曰蹻音炬灼反楚莊王弟爲盜者蹻至滇池地方三百里索隱曰地理志益州滇池縣澤在西北後漢書云其池水源深廣而更淺狹有似到流故謂滇池也〇正義曰括地志云滇池澤在昆州晉寧縣西南三十里其水源深廣而更淺狹有似倒流故謂滇也旁平地肥饒數千里以兵威定屬楚欲歸報會秦擊奪楚巴黔中郡道塞不通因還以其衆王滇變服從其俗以長之秦時常頞音案略通五尺道索隱曰謂棧道廣五尺〇正義曰括地志云五尺道在郎州顔師古云其處險阨故道纔廣五尺如淳云道廣

此國頗置吏焉十餘歲秦滅及漢興皆棄此國而開蜀故徼巴蜀民或竊出商賈取其筰馬僰僮正義曰今益州南戎州北臨大江古僰國髦牛以此巴蜀殷富索隱曰韋昭云僰屬犍爲音蒲北反服虔云舊京師有僰婢建元六年大行王恢擊東越東越殺王郢以報恢因兵威使番陽令正義曰番音婆唐蒙風指曉南越南越食蒙蜀枸醬徐廣曰枸一作蒟音窶駟案漢書音義曰枸木似榖樹其葉如桑葉用其葉作醬酢美蜀人以爲珍味○索隱曰案晉灼枸音矩劉德云枸樹如桑其椹長二三寸味酢取其實以爲醬美小顔云枸者緣木而生非樹也今蜀土家出枸實不長二三寸味辛似薑不酢劉説非也廣志云枸色黑味辛下氣消穀窶音求羽反蒙問所從來曰道西北牂牁牂牁江正義曰崔浩云牂牁繫船杙也常氏華陽國志云楚頃襄王時遣莊蹻伐夜郎軍至且蘭椓船於岸

冄駹氏其豪族楊氏居成州仇池山上皆氐類也此皆巴蜀西南外蠻夷也始楚威王時使將軍莊蹻正義曰其略反郎州昆州即莊蹻所王將兵循江上略巴蜀黔中以西莊蹻者故楚莊王苗裔也索隱曰蹻音炬灼反楚莊王弟為盜者蹻至滇池地方三百里索隱曰地理志益州滇池縣澤在西北後漢書云其池水源深廣而更淺狹有似到流故謂滇池也○正義曰括地志云滇池澤在昆州晉寧縣西南三十里其水源深廣而更淺狹有似倒流故謂滇也旁平地肥饒數千里以兵威定屬楚欲歸報會秦擊奪楚巴黔中郡道塞不通因還以其衆王滇變服從其俗以長之秦時常頞音案略通五尺道索隱曰謂棧道廣五尺○正義曰括地志云五尺道在郎州顏師古云其處險阸故道纔廣五尺如淳云道廣五尺

此國頗置吏焉十餘歲秦滅及漢興皆棄此國而開蜀故徼巴蜀民或竊出商賈取其筰馬僰僮（正義曰今益州南戎州北臨大江古僰國）髦牛以此巴蜀殷富（索隱曰韋昭云僰屬犍爲音蒲北反服虔云舊京師有僰婢）建元六年大行王恢擊東越東越殺王郢以報恢因兵威使番陽令（正義曰番音婆）唐蒙風指曉南越南越食蒙蜀枸醬（徐廣曰枸一作蒟音窶駰案漢書音義曰枸木似穀樹其葉如桑葉用其葉作醬酢美蜀人以爲珍味○索隱曰案晉灼音矩劉德云枸樹如桑其椹長二三寸味酢取其實以爲醬美小顏云蒟者緣木而生非）

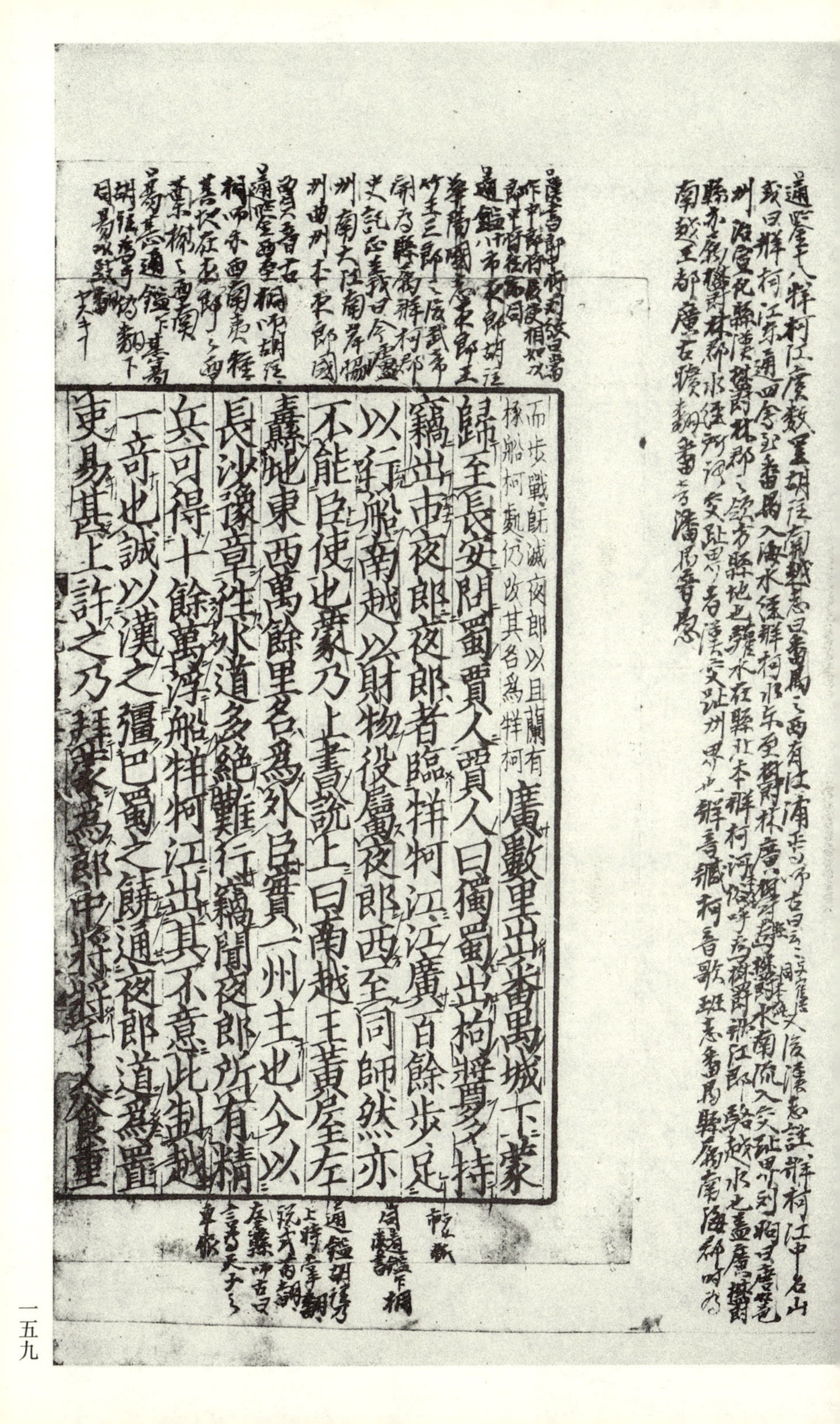

而步戰既滅夜郎以且蘭有
椓船牂柯處仍改其名為牂柯
廣數里出番禺城下蒙
歸至長安問蜀賈人賈人曰獨蜀出枸醬多持
竊出市夜郎夜郎者臨牂柯江江廣百餘步足
以行船南越以財物役屬夜郎西至同師然亦
不能臣使也蒙乃上書說上曰南越王黃屋左
纛地東西萬餘里名為外臣實一州主也今以
長沙豫章往水道多絕難行竊聞夜郎所有精
兵可得十餘萬浮船牂柯江出其不意此制越
一奇也誠以漢之彊巴蜀之饒通夜郎道為置
吏易甚上許之乃拜蒙為郎中將將千人食重

正義作符關曰地理志云犍爲郡有符縣按蓋符關在符縣犍爲郡今戎州也

漢書作暑濕

正義作離濕音濕言士卒歷暑熱之氣而死者衆多也

萬餘人索隱曰聚食饟之饟重車也音持用反從巴蜀筰關入遂見夜郎侯多同蒙厚賜喻以威德約爲置吏使其子爲令夜郎旁小邑皆貪漢繒帛以爲漢道險終不能有也乃且聽蒙約還報乃以爲犍爲郡發巴蜀卒治道自僰道指牂牁江索隱曰崔浩云牂牁繫船杙以爲地名道猶從也地理志云夜郎又有豚水東至南海四會入海此牂牁江也蜀人司馬相如亦言西夷邛筰可置郡使相如以郎中將往喻皆如南夷爲置一都尉十餘縣屬蜀當是時巴蜀四郡徐廣曰漢中巴郡廣漢蜀郡通西南夷道戍轉相饟數歲道不通士罷餓離濕死者甚衆西南夷又數

西南夷傳 三

反發兵興擊耗費無功上患之使公孫弘往視問焉還對言其不便及弘爲御史大夫是時方築朔方以據河逐胡弘因數言西南夷害可且罷專力事匈奴上罷西夷獨置南夷夜郎兩縣一都尉（徐廣曰元光六年南夷始置郵亭）稍令犍爲自葆就（正義曰今犍爲自葆守而漸修成其郡縣也）及元狩元年博望侯張騫使大夏來言居大夏時見蜀布邛竹杖（韋昭曰邛縣之竹屬蜀 瓚曰邛山名此竹節高實中可作杖）使問所從來曰從東南身毒國（徐廣曰字或作竺漢書直云身毒史記一本作乾毒駰案漢書音義曰一名天竺則浮屠胡是也○索隱曰身音捐毒音篤小顏亦曰捐篤也）可數千里得蜀賈人市或聞邛西可二千里有

身毒國騫因盛言大夏在漢西南慕中國患匈奴
隔其道誠通蜀身毒國道便近有利無害於是
天子乃令王然于柏始昌呂越人等使間出西
夷西指求身毒國至滇滇王嘗羌徐廣曰嘗一作賞乃
留為求道西十餘輩歲餘皆閉昆明如淳曰為昆明所閉道○
正義曰昆明在今巂州南昆縣是也莫能通身毒國滇王與漢使者
言曰漢孰與我大及夜郎侯亦然以道不通故
各自以為一州主不知漢廣大使者還因盛言
滇大國足事親附天子注意焉及至南越反上
使馳義侯因犍為發南夷兵且蘭君恐遠行旁

正義曰身毒即東天竺國

問焉還對言其不便及弘爲御史大夫是時方築朔方以據河逐胡弘因數言西南夷害可且罷專力事匈奴上罷西夷獨置南夷夜郎兩縣一都尉徐廣曰元光六年南夷始置郵亭稍令犍爲自葆就正義曰令犍爲自葆守而漸修成其郡縣也及元狩元年博望侯張騫使大夏來言居大夏時見蜀布邛竹杖韋昭曰邛縣之竹屬蜀瓚曰邛山名此竹節高實中可作杖使問所從來曰從東南身毒國徐廣曰字或作竺漢書直云身毒史記一本作乾毒駰案漢書音義曰一名天竺則浮屠胡是也○索隱曰身音捐毒音篤小顏亦曰捐篤也可數千里得蜀賈人市或聞邛西可二千里有

間出西夷 師古曰求間隙而出也

漢書作當羌 師古曰當羌滇王名

身毒國。騫因盛言大夏在漢西南，慕中國，患匈奴隔其道，誠通蜀，身毒國道便近，有利無害。於是天子乃令王然于、柏始昌、呂越人等，使間出西夷西，指求身毒國。至滇，滇王嘗羌徐廣曰：嘗一作賞。乃留，為求道西十餘輩。歲餘，皆閉昆明，如淳曰：為昆明所閉道。○正義曰：昆明在今巂州南昆縣是也。莫能通身毒國。滇王與漢使者言曰：「漢孰與我大？」及夜郎侯亦然。以道不通故，各自以為一州主，不知漢廣大。使者還，因盛言滇大國，足事親附。天子注意焉。及至南越反，上使馳義侯因犍為發南夷兵。且蘭君恐遠行，旁

主 漢作王

國虜其老弱索隱曰且音子餘反小國名也後爲縣屬牂牁乃與其衆反殺使者及犍爲太守漢乃發巴蜀罪人嘗擊南越者八校尉擊破之會越已破漢八校尉不下即引兵還行誅頭蘭索隱曰即且蘭也頭蘭常隔滇道者也已平頭蘭遂平南夷爲牂牁郡夜郎侯始倚南越南越已滅會還誅反者夜郎遂入朝上以爲夜郎王南越破後及漢誅且蘭邛君并殺筰侯冉駹皆振恐請臣置吏乃以邛都爲越巂郡筰都爲沈犂郡冉駹爲汶山郡應劭曰今蜀郡岷江廣漢西白馬爲武都郡上使王然于以越破及誅南夷

扶本作杖 漢書
正義曰杖直亮反顔師古云杖猶倚也相倚爲援而不聽滇王入朝

見于楚世家

兵威風喩滇王入朝滇王者其衆數萬人其旁東北有勞寖靡莫皆同姓相扶未肯聽勞寖靡莫數侵犯使者吏卒元封二年天子發巴蜀兵擊滅勞寖靡莫（索隱曰二國與滇王同姓）以兵臨滇滇王始首善以故弗誅滇王離難西南夷舉國降請置吏入朝於是以爲益州郡賜滇王王印復長其民西南夷君長以百數獨夜郎滇受王印滇小邑最寵焉

太史公曰楚之先豈有天祿哉在周爲文王師封楚及周之衰地稱五千里秦滅諸侯唯楚苗

西南夷傳 九

令番易令唐蒙風曉南越

揃

厥尚有滇王漢誅西南夷國多滅矣唯滇復爲寵王然南夷之端見枸醬番禺大夏杖邛竹西夷後揃剽分二方史記音義曰音翦○索隱曰揃謂被分割也剽音疋妙反言西夷後被揃割剽居西南二方各屬郡縣剽亦分義卒爲七郡徐廣曰犍爲牂牁越嶲益州武都沈黎汶山地也

索隱述贊曰

西南外徼　莊蹻首通　漢因大夏

乃命唐蒙　勞浸靡莫　異俗殊風

夜郎最大　邛筰稱雄　及置郡縣

萬代推功

西南夷列傳第五十六　史記一百一十六

黄氏日抄　唐蒙食枸醬於南越知其蜀物道西北牂牁江而來也遂使夜郎以爲犍爲郡而治道指牂牁江此通南夷也司馬相如又言西夷邛筰可置郡自是通西夷道數歲道不通西南夷又數反上用公孫弘之言罷西夷獨置南夷夜郎兩縣矣張騫居見蜀布邛竹杖於大夏知其從東南身毒國來而邛之西二千里可到也自是天子注意誅滅西南夷諸國爲七郡惟滇王者楚之苗裔也以爲善不誅與夜郎皆受王印云

（漢）司馬遷　撰
（南朝宋）裴駰　集解
（唐）司馬貞　索隱
（唐）張守節　正義

宋本史記

第二十六册

國家圖書館出版社

第二十六册目録

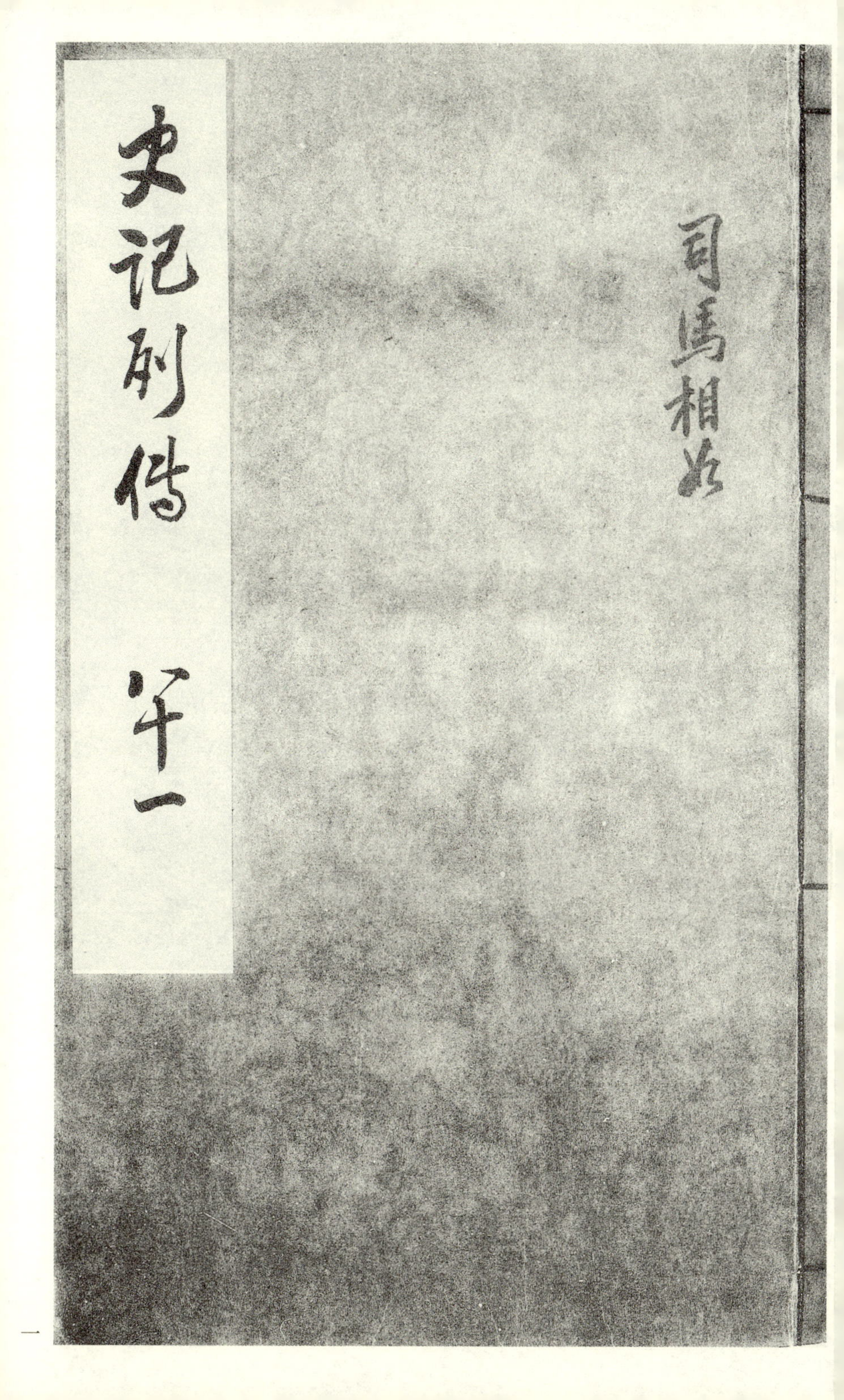

史記列傳　卅一

司馬相如

司馬相如

或家駰史記集解序云班固有言曰司馬遷拠左氏国語采世本戦国策

述楚漢春秋接其後事訖于天漢其言秦漢詳矣至於采経摭伝

分散数家之事甚多疎略或有抵牾論大道則先黄老而後六経

序游侠則退処士而進姦雄述貨殖則崇勢利而羞賤貧此其所蔽也

然自劉向揚雄博極群書皆称遷有良史之才

〇道仏道寿物一偽史書階道班位部如季遷作史将老子与韓非共伝而遷

代未崇重之年夫立伝同科権重趣類相対史官列而偶出也豈知伯陽

之道前廣於老君之魏黄初三年下勅日告豫州刺史考駒賢人来至先

孔子云云由是観之廣魏之間未露鋒鋩至唐有華甫之現厳道疲鼻

隠作祖之秩冊為帝号此君有為雄推数不雄若史遷在唐作伝必設為

帝紀也以仲尼同伝孫皓氏不亦欺韵右也豈可韓非之女冥之劃鄙懐

魏之人随見馬史者当豈数年靡靡不倫者之近世之語也云云自晋宋

斉梁陳周魏斉隋大随伝班位在貴冥之上云云唐自貞観十一年正月下

詔云云道士女冠可在僧尼之上云云及高宗以有重来台舎人溥禅往上表

請仍旧僧尼在道士前云云則天天授二年四月詔令釈教在道門之上僧尼處

道士女冠之前睿宗景雲元年二月詔以釈典玄宗雅均迹異拯人救俗教

別功齊自今毎縁法事集会僧尼道士女冠宜並行並集

令大宗毎寺設集僧尼道流並之厳延僧東道西間雑列遷郊天則道

在僧右東知始之設也

〇桓武天皇延暦十七年戊寅（唐徳宗貞元十四年也）二月十四日太政官宣一諸読書出身人等皆令読漢

音勿用呉音一大学生年十六已下欲就明経者先令読誦音然後学業者先令読

音雅互讃上方　右大納言従三位神王宣奉勅件二條可宣行不可承令施行

延暦十七年十四日二月

漢書列傳二十七　之卷

師古曰擊劍者以劍遥擊而中之非斬刺也

正義曰藺相如六國時趙人義而有勇也

以貲為郎　正義曰

司馬相如列傳第五十七　史記一百一十七

索隱曰古不宜在西夷之下

司馬相如者蜀郡成都人也字長卿少時好讀書學擊劍索隱曰呂氏春秋劍伎云持短入長倏忽縱橫之術也魏文典論云餘好擊劍以短乘長是也故其親名之曰犬子索隱曰孟康云愛而字之也相如既學慕藺相如之為人更名相如索隱曰案秦密云文翁遣相如受七經以貲為郎事孝景帝為武騎常侍索隱曰張揖曰秩六百石常侍從格猛獸非其好也會景帝不好辭賦是時梁孝王來朝從游說之士齊人鄒陽淮陰枚乘吳莊忌夫子之徒徐廣曰名忌字夫子○索隱曰案鄒陽傳云枚先生嚴夫子則此夫子是美稱時人以為……

相如見而説之因病

而徐廣云忌字爲非漢書作嚴忌者案忌本姓莊避明帝諱改姓嚴也

免客游梁梁孝王令與諸生同舍相如得與諸生游士居數歲乃著子虛之賦會梁孝王卒相如歸而家貧無以自業素與臨邛令王吉相善吉曰長卿久宦遊不遂而來過我於相如往舍是都亭（索隱曰案臨邛郭下之亭也）臨邛令繆爲恭敬日往朝相如相如初尚見之後稱病使從者謝吉吉愈益謹肅臨邛中多富人而卓王孫家僮八百人程鄭亦數百人二人乃相謂曰令有貴客爲具召之并召令令既至卓氏客以百數至日中謁司

都亭 正義曰臨邛縣之亭名也

師古曰程鄭亦人姓名 [illegible]

正義曰程鄭山東遷虜

謁 漢書作請

師古曰説讀曰悦

師古曰遂達也

師古曰繆詐也

師古曰僮謂奴

司馬相如

[illegible]

漢書列傳二十七之卷

師古曰擊劒者以劒遝擊而中之非斬刺也

正義曰藺相如六國時趙人義而有勇也

以貲爲郎 正義曰以貲財多得拜爲郎

司馬相如列傳第五十七　史記一百一十七

司馬相如者蜀郡成都人也 索隱曰古不宜在西夷之下 字長卿少時好讀書學擊劒 索隱曰呂氏春秋劒伎云持短入長倏忽縱橫之術也魏文典論云餘好擊劒以短乘長是也 故其親名之曰犬子 索隱曰孟康云愛而字之也 相如既學慕藺相如之爲人更名相如 索隱曰案秦密云文翁遣相如受七經 以貲爲郎事孝景帝爲武騎常侍 索隱曰張揖曰秩六百石常侍從格猛獸 非其好也會景帝不好辭賦是時梁孝王來朝從游說之士齊人鄒陽淮陰枚乘吳莊忌夫子之徒 徐廣曰名忌字夫子○索隱曰案鄒陽傳云……嚴夫子則此夫子是美稱時人以……

徐廣曰一云字夫子爲非漢書作嚴忌者 案忌本姓莊避明帝諱改姓嚴也 相如見而說之因病免客游梁梁孝王令與諸生同舍相如得與諸生游士居數歲乃著子虛之賦會梁孝王卒相如歸而家貧無以自業素與臨邛令王吉相善吉曰長卿久宦遊不遂而來過我於是相如往舍都亭 索隱曰案臨邛郭下之亭也 臨邛令繆爲恭敬日往朝相如相如初尚見之後稱病使從者謝吉吉愈益謹肅臨邛中多富人而卓王孫家僮八百人程鄭亦數百人二人乃相謂曰令有貴客爲具召之并召令令既至卓氏客以百數至日中謁司

司馬相如

馬長卿長卿謝病不能往臨邛令不敢嘗食自往迎相如相如不得已彊往一坐盡傾酒酣臨邛令前奏琴曰竊聞長卿好之願以自娛相如辭謝為鼓一再行索隱曰案古樂府長歌行短歌行皆曲引也此言鼓一再行謂一兩曲是時卓王孫有女文君新寡好音故相如繆與令相重而以琴心挑之郭璞曰以琴中音挑動之索隱曰張揖云挑娆也以琴中娆之挑音徒了反娆音如了反其詩曰鳳兮鳳兮歸故鄉遊遨四海求其皇有一艷女在此堂室邇人遐毒我腸何由交接為鴛鴦也又曰鳳兮鳳兮從皇棲得托子尾永為妃交情通體必和諧中夜相從別有誰相如之臨邛從車騎雍容閒雅甚都韋昭曰閒讀曰閑甚得邑之容也郭璞曰都猶姣也詩曰恂美且都及飲卓氏弄琴文君竊從戶窺之

悅而好之恐不得當也既罷相如乃使人重賜

文君侍者通殷勤文君夜亡奔相如索隱曰郭璞云婚不以禮爲節也相如乃與馳歸家居徒四壁立郭璞曰言貧窮也○索隱曰案孔文祥云徒空也家空無資儲但有四壁而已言就此中以安立也卓王孫大怒曰女至不材我不忍殺不分一錢也人或謂王孫王孫終不聽文君久之不樂曰長卿第俱如臨邛索隱曰文穎云第且也郭璞云第發語之急耳如往也從昆弟假貸猶足爲生何至自苦如此相如與俱之臨邛盡賣其車騎買一酒舍酤酒而令文君當鑪韋昭曰鑪酒肆也以土爲墮邊高似鑪相如身自著犢鼻褌韋昭曰今三尺作形如犢鼻矣稱此者言其無恥也今銅

司馬相

正義曰第且也俱共也

正義曰顏云賣酒之處累土為鑪以居酒瓮四邊隆起其一面高形如鍛鑪耳而俗之學者皆謂當鑪為對鑪温酒火鑪失其義也

卬言犢紖此其類矣與保庸雜作方言曰保庸謂之南方奴婢賤稱也滌器於市
中韋昭曰瓦器也毎食必滌漑者卓王孫聞而恥之爲杜門不出
昆弟諸公郭璞曰諸公父行也更謂王孫曰有一男兩女所
不足者非財也今文君已失身於司馬長卿長
卿故倦游郭璞曰厭游宦也雖貧其人材足依也且又
令客獨奈何相辱如此卓王孫不得已分予文
君僮百人錢百萬及其嫁時衣被財物文君乃
與相如歸成都買田宅爲富人居久之蜀人楊
得意爲狗監侍上郭璞曰主獵犬也上讀子虛賦而善之
曰朕獨不得與此人同時哉得意曰臣邑人司

筆札正義曰說文札牒也折木簡之薄小者也此時未用紙也

馬相如自言爲此賦上驚乃召問相如相如曰有是然此乃諸侯之事未足觀也請爲天子游獵賦賦成奏之上許令尚書給筆札相如以子虛虛言也爲楚稱（郭璞曰稱說楚之美）烏有先生者（徐廣曰烏一作惡）烏有此事也爲齊難（郭璞曰詰難楚事也）無是公者無是人也明天子之義（郭璞曰以爲折中之談也）故空藉此三人爲辭（索隱曰藉音假借與積同音）以推天子諸侯之苑囿其卒章歸之於節儉因以風諫奏之天子天子大說其辭曰楚使子虛使於齊齊王悉發境內之士備車騎之衆與使者出田田罷子虛過詫烏

司馬相如

有先生郭璞曰詑誇也音託夏反。索隱曰過音戈詑音勑亞反。而無是公在焉

坐定烏有先生問曰今日田樂乎子虛曰樂獲多乎曰少然則何樂曰僕樂齊王之欲夸僕以車騎之衆而僕對以雲夢之事也曰可得聞乎子虛曰可王駕車千乘選徒萬騎田於海濱列卒滿澤罘罔彌山郭璞曰罘罝也音浮。正義曰說文云罘兔罟也兮幡車罟也弥覓也揜兔轔鹿射麋格麟徐廣曰轔音吝駰案郭璞曰腳掎足轔車轢。○索隱曰韋昭云腳謂持一腳也司馬彪曰腳掎也說文云掎偏引一腳也鶩於鹽浦割鮮染輪郭璞曰鹽浦海邊地多鹽鹵鮮生肉也染擩也音而泓反又音而悅反擩之於輪鹽而食之鶩馳也音務。○索隱曰染或爲淬與下文將割輪淬意同也射中獲多矜而自功顧謂僕曰楚亦有

正義曰唯唯恭應也

平原廣澤游獵之地饒樂若此者乎楚王之獵何與寡人（郭璞曰與猶如也）僕下車對曰臣楚國之鄙人也幸得宿衛十有餘年時從出游游於後園覽於有無然猶未能徧覩也又惡足以言其外澤者乎齊王曰雖然略以子之所聞見而言之僕對曰唯唯臣聞楚有七澤嘗見其一未覩其餘也臣之所見蓋特其小小者耳（索隱曰郭璞曰特獨也）名曰雲夢（索隱曰褚詮音亡棟反又音莫風反裴駰云孫叔敖激沮水作此澤張揖云楚藪也在南郡華容縣郭璞曰江夏安陸有雲夢城南郡枝江亦有雲夢城華容縣又有巴丘湖俗云即古雲夢澤也則張揖云在華容者指此湖也今案安陸東見有雲夢城雲夢縣而枝江亦有者盖縣名遠取此澤故有城也）雲夢者方九

司馬相如

盤紆岪鬱 正義曰岪音佛。郭璞曰言相樛結而崚屈竦起。

正義曰言綠色相曜閒雜若龍鱗

百里其中有山焉其山則盤紆岪鬱隆崇嵂崒岑巖參差日月蔽虧漢書音義曰高山壅蔽日月虧缺半見。索隱曰案漢書注此卷多不題注者姓名解者云是張揖亦兼有餘人也交錯糾紛上干青雲罷池陂陀下屬江河其土則丹青赭堊徐廣曰一作瑕。索隱曰張揖云赭赤土出少室山堊白堊本草云一名白墡也雌黃白坿徐廣曰音符駰案漢書音義曰白符白石英也。索隱曰白坿出魯陽山蘇林音附。正義曰藥對曰雌黃出武都山谷與雄黃同山錫碧金銀正義曰顏云錫青金也碧謂玉之青白色者也衆色炫燿照爛龍鱗郭璞曰如龍之鱗采其石則赤玉玫瑰郭璞曰赤瑾也見楚辭玫瑰石珠也琳瑉琨珸漢書音義曰琳球也瑉石次玉者琨珸山名也出善金尸毋曰昆吾之金者。索隱曰司馬彪曰琨珸石之次玉也河圖云流州多積石名琨珸石鍊之成鐵以作劍光明如水精案字或作昆吾也瑊玏玄厲徐廣

罷 疲
陂 婆
堊 惡
坿 附

正義曰武夫赤地白采蒸黄白黑不分出長沙

曰㺀音古咸反玏音勒皆次玉者。駰案漢書音義曰玄厲黑石可用磨者。**瓀石武夫**徐廣曰石似玉。駰案漢書音義曰瓀石出鴈門武夫出長沙也。**其東則有蕙圃衡蘭芷若射干穹窮昌蒲**漢書音義曰衡杜衡也其狀若葵其臭如蘪蕪芷白芷若杜若。○索隱曰司馬彪云蕙香草也。本草云薰草一名蕙廣志云蕙草緑葉紫莖魏武帝以此燒香今東下田有草莖葉似麻其華正紫也張揖云衡杜衡東下田有草生天帝之山案山海經云葉如葵臭如蘪蕪可以走馬博物志云一名土杏味亂細辛葉似葵故藥對亦以爲似細辛也蘭秋蘭本草云芷一名藍埤蒼云齊苢一曰囂芳林曰茝音昌亥反又音昌里反囂音火高反本草又曰杜若一名杜衡今杜若葉似薑而有文理莖葉皆有長毛古今名號不同故其所呼別也廣雅云烏蓬射干本草名烏扇也司馬彪云芎藭似藁本郭璞云今蜀陽呼嫣江離淮南子云夫亂人者若芎藭之與藁本也**江離蘪蕪諸柘猼且**上音博徐廣曰猼音四沃反。駰案漢書音義曰江離香草蘪蕪蘄芷也似蛇牀而香諸蔗甘柘也猼且蘘荷也。○索隱曰吳録曰臨海縣開水中生江離正青似亂髮即離騷所云者是也廣志云赤葉紅華則與張

㺀入而兖反 顔注漢書 射音增

二

蘄 漢書作析音斯

醬 作醬

莨 落唐切

勃所説、又別案今芎藭苗曰江離綠葉白華、又不同樊光曰、
稾本一名蘼蕪根名蘄芷藥對以爲蘼蕪、一名江離芎藭苗
也則芎藭稾本江離蘼蕪並相似備是一物也、猼音普各反
且音子餘反漢書作巴且、文穎云巴蕉也郭璞以爲蘘荷屬蜀
未知孰是 **其南則有平原廣澤登降陁靡** 音移 靡 **案衍**
壇曼 索隱曰、司馬彪云、案衍窊下、壇曼平博也、衍音弋單反壇音徒旦反 **緣以大江限**
以巫山 郭璞曰、巫山今在建平巫縣也 **其高燥則生葴蔪苞荔** 徐廣
曰葴音針、馬藍也、蔪或曰草生水中華可食荔音力詣反草
似蒲、騆案漢書音義曰苞藨也、○索隱曰蔪音斯、郭璞云葴
酸醬、江東名烏葴析漢書作斯孟康云斯禾似燕
麥廣志云涼州地生析草皆中國苗燕麥是也、 **薜莎青**
薠 徐廣曰薜音先結反、騆案漢書音義曰薜
賴蒿也、莎鎬侯也青薠似莎而大也音煩 **其埤溼則**
生藏莨蒹葭東蘠雕胡 徐廣曰烏相國有蘠似蓬草實如葵子十月熟騆案漢書
音義曰藏似薍而葉大莨莨尾草也蒹蘼也葭蘆也○索隱
曰埤音婢埤下也鄭璞云莨尾似茅蒹葭音兼加孟康云蔣

陁 羊尔反

衍 弋戰反

壇 徒旦反

曼 莫幹反

葭似蘆也、郭璞云蒹薕也似雚而細小、江東人呼爲蒹蒿、又云葭蘆也似葦而細小、江東人呼爲烏蘞、蘞音五患反、蔵音斂、廣雅云東薔子色青黑、河西記云、貸我東薔償我白粱也雕胡謂菰米、蓮藕觚盧徐廣曰生水中。索隱曰郭璞云菰蔣也蘆蘆葦也、菴䕡軒芋、漢書音義曰菴閭蒿也軒芋、蕕草也。索隱曰郭璞云菴䕡子可療病也軒芋生水中今楊州有也衆物居之不可勝圖、郭璞曰圖畫也、其西則有涌泉清池激水推移外發芙蓉菱華內隱鉅石白沙其中則有神龜蛟鼉正義曰郭注山海經云蛟似蛇而四脚小細頭有白癭大者數十圍卵生子如一二斛卵吞人鼉似蜥蜴而大身有甲皮可以冒鼓瑇瑁正義曰似觜蠵甲有文出南海可以飾器物也鼈黿其北則有陰林巨樹、郭璞曰林在山北陰地楩枏豫章郭璞曰楩杞也似梓枏葉似桑豫章大木也生七年乃可知也。正義曰按溫活人云豫今之枕木也章今之樟木也二木生至七年枕樟乃可分別、桂椒正義曰郭云桂似枇杷葉

青

樗栗 正義樗栗音敕云而善反字亦作㮇音同

而大白花花而不著子蔾生巖嶺間無雜木冬夏常青按今諸寺有桂樹葉若枇杷而小光静冬夏常青其皮不中食蓋二色桂樹**木蘭**正義曰廣雅云似桂皮辛可食葉冬夏常似冬其實如小柿辛美南人以爲梅也**蘗離朱楊**徐廣曰蘗音扶戾反駰案郭璞曰木蘭樹皮辛香可食漢書音義曰離山梨朱楊赤楊也○索隱曰郭璞云朱楊赤莖柳生水邊爾雅云檉河柳是也**樝梸樗栗橘柚芬芳**徐廣曰樗音郢駰案漢書音義曰樗樗棗也○正義曰小曰橘大曰柚樹有刺冬不凋葉青花白子黃赤二樹相似非橙也**其上則有赤猨蠼蝚**徐廣曰音劬柔○正義曰蠷蝚劬蝚蝚柔皆猿猴類**鵷鶵孔鸞騰遠射干**郭璞曰鵷鶵鳳屬也孔孔雀鸞鸞鳥也漢書音義曰騰遠鳥名射干似狐能緣木○索隱曰孟康云騰遠鳥名非也司馬彪云騰遠蛇也郭璞云騰蛇龍屬能興雲霧**其下則有白虎玄豹蟃蜒貙犴**郭璞曰蟃蜒大獸長百尋貙似貍而大漢書音義曰犴胡地野犬似狐而小也○索隱曰應劭云犴音顏韋昭曰音岸鄒誕生音苦姦反協音是**兕象野犀**正義曰兕狀如水牛象大

野犀

正義曰專諸刺吳王僚者也

獟 女考反

干將

閒 一本作周

名

獸長鼻牙長一丈俗呼爲江獲犀頭似猨一角在額漢書無此一句窮奇獌狿於是乃使專諸之倫手格此獸楚王乃駕馴駮之駟漢書音義曰馴擾也駮如馬白身黑尾一角鋸牙食虎豹而駕之以當駟馬也乘雕玉之輿靡魚須之橈旃郭璞曰以海魚須爲旃旌言橈弱也通帛爲旃也曳明月之珠旗漢書音義曰以明月珠綴飾旗建干將之雄戟漢書音義曰干將韓王劒師雄戟胡中有鮔干將所造也○索隱曰應劭曰干將吳善冶者姓如淳曰干將韓國劒師鐵所出晉灼曰闔閭鑄干將劒應劭說是若言云戟中小子刺者所謂雄戟也周處風土記云戟爲五兵雄也鮔音巨案周禮冶氏爲戈胡三之注云胡其子也又周禮圖謂戟反曲下爲胡也左烏嗥之雕弓索隱曰張揖云黃帝乘龍上仙小臣不得上挽持龍髯髯拔墮黃帝弓羣臣抱弓而號故鳴烏號見封禪書及郊祀志文又韓詩外傳云弓工之妻曰此弓是太山南烏號之柘案淮南子云烏號柘桑其材堅勁烏棲其上將飛枝勁復起摽呼其上伐取其材爲弓因曰烏號古史考風俗通皆同此說也右

聃　漢作聃，式刃反

淒浰

夏服之勁箭。徐廣曰：韋昭云：夏，夏羿也。矢室名曰服。呂静曰：步叉謂之服也。○索隱曰：案夏羿善射者，又服箭之室，故云夏服。又夏后氏有良弓，名繁弱，其矢亦良，即繁弱箭服也。陽子驂乘，纖阿為御，漢書音義曰：陽子，僊人陽陵子。纖阿，月御也。韋昭曰：陽子，古賢也。○索隱曰：張揖云陽子伯樂也。孫陽字伯樂，秦繆公臣，善御者也。或曰纖阿，美女姣好貌。又樂產曰：纖阿，山名。有女子處其巖，月歷數度，躍入月中，因為月御也。郭璞云：纖阿，古之善御者。案節未舒，索隱曰：郭璞曰：言頓轡也。司馬彪云：案槃轡而行，得節，故曰案節。馬足未展，故曰未舒，亦為得也。即陵狡獸，轔邛邛，蹵距虛，郭璞曰：邛邛似馬而青。距虛即邛邛，變文互言之耳。穆天子傳曰：邛邛距虛，日走五百里也。軼野馬而轊騊駼，徐廣曰：轊音銳。騊，案郭璞曰：野馬如馬而小。騊駼似馬。轊，車軸頭。○索隱曰：轊音衛，謂軸頭轊而殺之。騊音陶，駼音塗。乘遺風而射游騏。漢書音義曰：遺風，千里馬。騏騏曰：騏如馬，一角，不角者騏也。○索隱曰：呂氏春秋云遺風之乘。古今注曰：秦始皇馬名。韋昭曰：騏如馬，無角，非麒麟之騏。舊音其。儵眒淒浰，徐廣曰：淒音七見反。浰音

浰　力見反

熛 丈午颮
心 漢書註張揖曰自
左射之貫胸通右
髃中心絶系也師
古曰髃謂肩前骨
也音五口反繫讀
曰系也

力詣反駰案漢書音義曰眥皆瞸觀靁動猋至星流霆擊弓不虛發中必決眥韋昭曰在目所指中必決於眼眥也洞胸達腋絕乎心繫獲若雨獸揜草蔽地於是楚王乃弭節裴回郭璞曰或云節今之所杖信節也○索隱曰司馬彪云弭猶低也翱翔容與索隱曰郭璞曰言自得覽乎陰林觀壯士之暴怒與猛獸之恐懼徼𠜇受詘徐廣曰𠜇音劇駰案郭璞曰𠜇疲極也詘盡也言獸有倦游者則徼而取之○索隱曰司馬彪云徼遮也𠜇倦也謂遮其倦者𠜇音劇詘音屈說文云𠜇勞也燕人謂勞為𠜇徼音古堯反殫睹衆物之變態於是鄭女曼姬郭璞曰曼姬謂鄭曼姬婦人之總稱○正義曰文穎云鄭國出好女曼者其色理曼澤也如淳云鄭女夏姬也曼姬楚武王夫人鄧被阿錫漢書音義曰阿細繒也錫布也○正義曰按東阿出繒也揄紵縞徐廣曰揄音臾○正義曰揄曳也韋云紵之色若縞也顏云紵織紵也縞鮮支也雜

繫 系
雨 于具反
徼 古堯反

司馬相如

縐 周救反

髾 所交反

呷 呼甲反 翠

纖羅，垂霧縠。郭璞曰：言細如霧，垂以覆頭。襞積褰縐，紆徐委曲，鬱橈谿谷。漢書音義曰：襞積，簡齰也。褰，縮也。縐，栽也。其縐中文理，弗鬱迴曲，有似於谿谷也。○索隱曰：小顏云此說非也。襞積，今之帬攝，古謂之皮弁素積是也。蘇林曰：褰縐，縮蹙之也。縐音側救反，齰音助革反，栽音在代反，曲字林音丘欲反。衯衯裶裶，索隱曰：郭璞曰：衣長貌。○正義曰：上芳云反，下方非反。揚袘卹削，徐廣曰：袘音迤，衣袖也。駰案：漢書音義曰：卹削，栽制貌也。○索隱曰：張揖云：揚，舉也。卹削，刻除貌也。蜚纖垂髾，徐廣曰：纖音其炎反。駰案：郭璞曰：纖，袿衣飾。髾，髾髾也。扶與猗靡，郭璞曰：雒南所謂曾折摩地，扶與猗委也。○正義曰：輿音餘，猗於綺反。謂鄭女曼姬侍從王者，扶其車輿而猗靡。噏呷萃蔡，漢書音義曰：噏呷，衣裳張起也。萃蔡，衣聲也。○索隱曰：韋昭云：呷音呼甲反。郭璞云：萃蔡猶璀璨也。○正義曰：呷，火甲反。萃音翠，蔡千賄反。下摩蘭蕙，上拂羽蓋，錯翡翠之威蕤，徐廣曰：錯音措，或作錯紛翠蕤。繆繞玉綏。郭璞曰：綏，所執以登車。○正義曰：顏云：下摩蘭蕙，謂垂髾也。上拂羽

袘 以豕反

與 作 輿

繳 之若反

蓋謂飛纖也。玉綏以玉飾綏也。言飛纖垂髾錯雜翡翠之旌旍，或繞玉綏也。張揖云翡翠大小一如雀，雄赤曰翡，雌青曰翠。博物志云翡身通黑，唯胷前背上翼後有赤毛；翠身通青黄，唯六翮上毛長寸餘，青，其飛則羽鳴翠翡翠翡然，因以為名也。**縹乎忽忽若神仙之仿佛**。正義曰：佛言似神仙也。戰國策云鄭之美女粉白黛黑而立於衢，不知者謂之神仙。**於是乃相與獠於蕙圃**，郭璞曰：獠，獵也。音遼。○索隱曰：爾雅云宵獵曰獠。**媻珊勃窣上金隄**，索隱曰：媻珊，匍匐上下也。窣音素忽反。**揜翡翠射鵕鸃**，漢書音義曰：鵕鸃，鳥似鳳也。○索隱曰：司馬彪曰鵕鸃，山鷄也。許慎云鷩鳥也。郭璞曰似鳳有光彩，音浚宜。李彤云鵕鸃神鳥，飛光竟天也。**微矰出纖繳施**，廣徐曰：繳音斫。**弋白鵠連駕鵝**，郭璞曰：野鵝也。駕鵝音加。○索隱曰：爾雅云舒鴈鵞也。○正義曰：鵠，水鳥也。駕鵝，鵞連，謂兼獲也。抱朴子云千歲之鵠純白，能登於木。**雙鶬下玄鶴加**，郭璞曰：詩云弋言加之，是也。○正義曰：司馬彪云鶬似鴈而黑，亦呼為鶬括。韓詩外傳云胎生也。相鶴經云鶴壽二百六十歲則色純黑。按弋雙鶬

榪 一作楊　桂 作旌
アミモチイトリ　ツリモチナシ
摐 楚江反
礧 路對反
纚 力是反

既下又加玄鳥之上也怠而後發游於清池浮文鷁漢書音義曰鷁水鳥也畫其象於船首淮南子曰龍舟鷁首天子之乘也揚桂枻徐廣曰音曳駰案韋昭曰枻檝也張翠帷建羽蓋罔瑇瑁釣紫貝郭璞曰紫貝黑文也○正義曰毛詩蟲魚疏云貝水之介蟲大者蚢音下郎反小者為貝其白質如玉紫點為文皆成行列當大者徑一尺小者七八寸今九貞䟳以為杯盤寶物也貨殖傳云貝寶龜是摐金鼓吹鳴籟漢書音義曰摐橦也籟簫也榜人歌郭璞曰唱櫂歌也榜船也音謗聲流喝徐廣曰烏邁反水蟲駭波鴻沸涌泉起奔揚會礧石相擊硠硠礚礚若雷霆之聲聞乎數百里之外將息獠者擊靈鼓郭璞曰靈鼓六面也起烽燧車案行騎就隊纚乎淫淫班乎裔裔郭璞曰皆羣行貌也於是楚王乃登陽雲之臺徐廣曰宋玉云楚王游於

榜 方孟反
獠 良照反
班 漢作般 音盤

勺知略反

藥意略反

賴云淬亦揾染之義言齊割其肉揾車輪鹽而食之

況ハモノセリ

先生即子虛也論盧頓反正義

陽雲之臺 駰案郭璞曰在雲夢之中 泊乎無爲澹乎自持勺藥之和具而後御之 駰案郭璞曰勺藥五味也 不若大王終日馳騁而不下輿脟割輪淬自以爲娛 徐廣曰淬千內反駰案郭璞曰脟臠淬染也脟音臠也 臣竊觀之齊殆不如於是王默然無以應僕也

烏有先生曰是何言之過也足下不遠千里來況齊國 駰案郭璞曰言有惠況也 王悉發境內之士而備車騎之衆以出田乃欲戮力致獲以娛左右也何名爲夸哉問楚地之有無者願聞大國之風烈先生之餘論也今足下不稱楚王之德厚而盛推雲夢以爲高奢言淫樂而顯侈靡竊爲足下不

脟ミナクフツ力轉反

司馬相如

正義曰文穎云勺藥五味和也顏云勺藥草名其根主安和五藏又辟毒氣故合之於蘭桂五味以助調食因呼五味和爲勺藥耳今人食馬腸馬肝者猶合勺藥而煮之豈非古遺法乎伏儼云勺藥以蘭桂調食

正義曰張揖說非也

顏曰邪讀爲左

取也必若所言固非楚國之美也有而言之是章君之惡無而言之是害足下之信章君之惡而傷私義二者無一可而先生行之必且輕於齊而累於楚矣且齊東有巨海索隱曰有作陼蘇林云陼音渚小州曰陼謂東有大海之渚也南有琅邪郭璞曰山名在琅邪縣界○正義曰山名在密州東南百三十里琅邪臺在山上觀乎成山徐廣曰在東萊不夜縣○索隱曰張揖云觀闕也於山上築宮闕郭璞言在小遊觀音一喚反○正義曰封禪書云成山斗入海言上山觀也括地志云成山在萊州文登縣東北百八十里也射乎之罘漢書音義曰之罘山在牟平縣射獵其上也○正義曰括地志云罘山在萊州文登縣西北百九十里言射獵其上也罘音浮浮勃澥漢書音義曰海別枝名也○索隱曰案齊都賦云海傍曰勃斷水曰澥也游孟諸郭璞曰宋之藪澤名○正義曰周禮職方氏青州藪曰望諸鄭玄云望諸孟豬也邪與

月作日
摸作㬮
千
正義曰俶儻猶非常也

肅愼爲鄰正義曰邪謂東北接之括地志云靺鞨國古肅愼也亦曰挹婁在京東北八千四百里南去扶餘千五百里東及北各抵大海也右以湯谷爲界正義曰言右者比向天子也海外經云湯谷在黑齒北上有扶桑木水中十月所落張揖云日所出也許愼云熱如湯秌田乎青丘正義曰服虔云青丘國東海東三里郭云青丘山名上有田亦有國出九尾狐在海外吞若雲夢者八九其於胸中曾不蔕芥索隱曰張揖云蔕芥刺鯁也郭璞云言不覺有也若乃俶儻瑰偉異方殊類珍怪鳥獸萬端鱗萃充仞其中者不可勝記禹不能名契不能計正義曰禹爲堯司空辨九州土地山川草木禽獸契爲司徒敷五教主四方會計言二人猶不能名計其數然在諸侯之位不敢言游戲之樂苑囿之大先生又見客索隱曰先生指子虛也如淳曰見賓客禮待故也李善曰言見先生是賓客之也是以

禁淫 正義曰郭云天子有道守在四夷立境界者欲以禁絕淫放非御禦捍

越海而田 正義曰言度海田獵於青丘

王辭而不能復（索隱曰郭璞曰復荅也）何爲無用應哉無是公听然而笑（郭璞曰听笑貌也○索隱曰听音斷又音牛隱反）曰楚則失矣齊亦未爲得也夫使諸侯納貢者非爲財幣所以述職也（郭璞曰諸侯朝於天子曰述職言述所職見孟子）封疆畫界者非爲守禦所以禁淫也（郭璞曰禁絕淫放也）今齊列爲東藩而外私肅慎捐國踰限越海而田其於義故未可也且二君之論不務明君臣之義而正諸侯之禮徒事爭游獵之樂苑囿之大欲以奢侈相勝荒淫相越此不可以揚名發譽而適足以貶君自損也且夫齊楚之事又焉足道邪君未睹

巨大麗美也

夫巨麗也獨不聞天子之上林乎左蒼梧右西極郭璞曰西極國也○正義曰文穎云蒼梧郡屬交州在長安東南故言左爾雅云西至於豳國爲極在長安西故言右丹水更其南漢書音義曰丹水出上洛冢領山紫淵徑其北郭璞曰紫淵所未詳○正義曰山海經云紫淵水出根耆之山西流注河文穎云西河穀羅縣有紫澤其水紫色往亦紫在縣北於長安爲北終始灞滻出入涇渭索隱曰張揖曰灞出藍田西北而入渭滻亦出藍田谷北至霸陵入霸霸滻二水盡於苑中不出故云終始也涇渭二水從苑外來又出苑去也涇水出安定涇陽縣幵頭山東至陽陵入渭渭水出隴西首陽縣鳥鼠山東北至華陰入河酆鄗潦潏郭璞曰皆水流貌音決○索隱曰張揖曰酆水出鄠縣南山酆谷北入涇渭鎬水在昆明池北郭璞云鎬水豐水下流也應劭云潦流也潏涓出聲也案張揖云潏水出南山姚氏云潦或作澇澇水出鄠縣北注渭潏水出杜陵今名沇水自南山皇子陂西北流注昆明池入渭案此下文八川分流則從涇渭霸滻豐鎬潦潏爲八晉灼則云計從丹水以下至潏除潦爲行潦九從云

来盡代切

泱莽 正義曰顔云凡言泱水流之長遠

潦以下爲數凡七案今灞既是水名除丹水紫淵自霸以下通數適足八川是經營乎其内也又潘岳關中記曰涇渭灞滻豐鎬潦潏上林賦所謂八川分流也 紆餘委蛇經營乎其内蕩蕩兮八川分流相背而異態郭璞曰八川名在上 東西南北馳騖往來出乎椒丘之闕行乎洲淤之浦郭璞曰椒丘丘名言有巖闕也見楚辭淤亦洲名蜀人云見方言○索隱曰服虔云丘名也案兩山俱起象雙闕故云椒丘之闕楚詞曰馳椒丘且焉止息是也張揖云丘多椒也 經乎桂林之中郭璞曰桂林林名也見南海經也 過乎泱莽之野漢書音義曰山海經所謂大荒之野 汨乎渾流順阿而下郭璞曰阿大陵 赴隘陝之口觸穹石激堆埼郭璞曰穹隆大石貌堆沙堆埼曲岸頭音祈 沸乎暴怒洶涌滂潰洶音許勇反涌音勇滂音浦橫反潰音浦拜反○索隱曰司馬彪曰洶湧跳起貌澎濞波相淚也湧或作容濞或作滂 滭浡

潏汩索隱曰司馬彪云潗沸盛貌潏汩去疾也○正義曰畢勃窣三音汩于筆反湢測泌㴔郭璞曰逼側筆櫛四音○索隱曰司馬彪曰湢測相迫也泌㴔相楔也橫流逆折轉騰潎洌索隱曰蘇林曰流輕疾也滂濞沆溉索隱曰溉亦作漑司馬彪云滂濞水聲沆溉徐流也郭璞云鼓怒鬱鯁之貌也○正義曰滂普彭反濞普秘反沆胡朗反溉胡代反穹隆雲橈索隱曰服虔云水急旋回如雲屈曲也郭璞云水瀧起回繞也宛潬膠盭索隱曰司馬彪云蜿潬展轉也膠盭邪曲也音宛善父戾四音○正義曰蜿音婉蟬音善踰波趨浥徐廣曰烏狹反○索隱曰司馬彪云踰波後陵前也趨浥踰於深泉也莅莅下瀨索隱曰司馬彪云莅莅聲也音利批巖衝壅正義曰批白結反巖嚴司馬彪云批反擊也縈紆曲隈也奔揚滯沛索隱曰郭璞云滯沛水灑散貌滯音丑制反臨坻注壑正義曰坻音遲坻水中沙微起出水者也爾雅云水阯曰坻壑墟也瀺灂霣墜索隱曰瀺音士湛反灂音士卓反說文云水之小聲也○正義曰霣

撓女教反

音損隊直類反湛湛徐廣曰湛音沈隱隱砰磅訇磕正義曰砰披萌反磅蒲黃
反訇呼宏反磕苦蓋反皆水流鼓怒之聲也潏潏淈淈湁潗鼎沸郭璞曰湁
音敕立反潗音緝○索隱曰郭璞云皆水微轉細湧貌潏淈音夬骨反廣雅云湁潗決流也周成雜字云湁潗水沸之貌也
馳波跳沫徐廣曰一云吸呷汩濦漂疾索隱曰濦音灼一云急音華給反郭璞云許立反汩
濦急轉貌也悠遠長懷正義曰放散貌也寂漻無聲肆乎永
歸然後灝溔潢漾正義曰晃養二音郭云皆水無涯際也安翔徐徊
翯乎滈滈索隱曰翯音鶴滈音縞詩曰白鳥翯翯郭璞云水白光貌翯音皓滈音昊也東
注大湖正義曰太湖在蘇州西南衍溢陂池於是乎蛟龍赤螭
正義曰螭丑知反文穎云龍子爲螭張揖曰螭龍也一說肯非廣雅云有角曰虯无角曰螭按虯皆龍類而非龍䲛
鰽螹離徐廣曰螹音漸駰案郭璞曰䲛鰽鮪也音亘瞢離未聞○正義曰䲛古鄧反鰽末鄧反李奇云

硬如況反
其中正義曰昏玉石
符采映耀蘘積於
水中也

目

洛曰鮪蜀曰鱣鮪出鞏山穴中三月鰅鰫鰬魠徐廣曰鰅音娛彼
遡河上能度龍門之限則為龍矣
文也樂浪鰬音虔魠音託多口魚駰案郭璞禺禺鱋魶徐廣
曰鰫似鰱而黑漢書音義曰鰬似鯉而大也
曰禺禺魚牛也鱋一作魼音榻魶音納一作
鰨駰案漢書音義曰魼比目魚也魶鯢魚揵鰭擢尾振
鱗奮翼潛處于深巖魚鱉讙聲萬物眾夥明月
珠子玓瓅江靡郭璞曰靡崖也○索隱曰應劭云明月珠子生於江中其光耀乃照於江邊也
○正義曰揵音乾鰭音祁揵舉也鰭者魚背上鬛也蜀石黃碝郭璞曰碝石黃色也水玉磊
砢郭璞曰水一云水精也磷磷爛爛采色澔汗叢積乎其中鴻
鷫鵠鴇鴐鵝屬鳿郭璞曰鷫鷞鴈屬鳿鳥似鴨而大長頸赤目紫紺色也○索隱曰鴇音保郭
璞云鳿似鴈而無後指毛詩鳥獸疏云鴇似鴈而虎文也○
正義曰鸀鳿鸀玉二音郭云似鴨而大長頸赤紫紺色辟水
毒生子在深谷間中若時有兩鴨
雌者生子善鬭江東呼為鸀玉鵁鶄䴉目徐廣曰䴉音環索隱曰郭

璞

鷛六容 鸈六渠

鵁火交反

璞

璞云鱴目未詳小顏云荆郢間有水鳥大如鷺而短尾色紅白深目目旁毛皆長而旋此其是乎鱴音旋漢書亦作旋目○正義曰郭云交青似鳧而脚高有毛冠辟火災 **煩鶩鷛鸈** 徐廣曰煩鶩一作番鱢鷛音容鸈案漢書音義曰煩鶩鳧也鷛鸈似鶩灰色而雞足○索隱曰郭璞云煩鶩鴨屬鷛鸈一名章渠也 **鱵鵁鶄鸕** 駰案漢書音義徐廣曰鱵音斟水鳥也鵁音斯鶄音火交反駰案漢書音義曰鱵鵁蒼黑色郭璞曰鶄魚鶄也鸕近尾鸕鸕鵁也○索隱曰張揖曰鱵鵁似魚虎而蒼黑雝誕本作鵝鵁也 **羣浮乎其上汎淫泛濫** 索隱曰郭璞云皆鳥任風波自縱漂貌汎音馮泛音芳劒反廣雅云汎汎汜汜羣浮也 **隨風澹淡與波搖蕩掩薄草渚** 正義曰掩覆也薄依也言或依草者而遊戲也 **唼喋菁藻** 郭璞曰菁水草目氏春秋曰太湖之菁也○索隱曰左傳云蘋蘩蘊藻蘊聚也○正義曰唼跡甲反喋文甲反鳥食之聲也 **咀嚼菱藕於是乎崇山巃嵸崔巍嵳峩** 正義曰龍力孔反嵸子孔反崔在回反巍五回反郭云皆峻貌 **深林巨木嶄巖嵾差** 正義

璞

曰嶃音咸又仕銜反嵾音楚林反差楚宜反顧氏云嶃巖尖鋭貌嵾差不齊也九嵕巀嶭南山

嵳峩漢書音義曰九嵕山在左馮翊谷口縣西巀嶭山在池陽縣北○正義曰嵕子公反巀才切反嶭五結反

巖陁音遲甗錡摧崣崛崎郭璞曰陁崖際甗音魚晚反錡音蟻摧音作罪反○

索隱曰陁音豸皆隆屈衆折貌崎音倚崛音掘振谿通谷索隱曰張揖云振㧞也水注川曰溪注溪

曰谷郭璞云振猶灑之也蹇産溝瀆漢書音義曰蹇産屈折也谽呀豁閜郭璞

曰皆閜谷之形容也谽音呼含反呀音呼加反閜音呼下反○索隱曰司馬彪云谽呀大貌豁閜空虛也阜陵

別島正義曰高平曰陸大陸曰阜大阜曰陵水中山曰島崴磈嵔瘣正義曰崴於鬼反磈魚鬼

反嵔烏罪反瘣胡罪反皆高峻貌丘墟堀礨正義曰虛音墟堀口忽反又口罪反礨力罪反皆堆

壟不平貌隱轔鬱壘正義曰壘音律郭云皆其形勢也登降施靡正義曰郭

云施靡猶連延陂池貏豸郭璞曰貏音衣被豸音蟲豸也○索隱曰郭璞云陂池旁頹貌陂音皮貏音被

璞 璞

正義曰蘼蕪香草也

尃正義作尃、

蘘 而羊反

流溶淫鬻索隱曰郭璞云游激淳衍貌。○正義曰溶音容鬻音育張云水流谿谷之間散渙夷陸索隱曰司馬彪曰夷平也廣平曰陸亭皐千里靡不被築郭璞曰言爲亭候於皐隰皆築地令平貫山所謂隱以金椎也掩以綠蕙正義曰張云綠王芻也蕙薰草也顏云綠蕙言蕙草色綠耳非王芻也爾雅云蘪一名王芻被以江離糅以蘼蕪正義曰糅女又反雜以流夷漢書音義曰流夷新夷也尃結縷徐廣曰尃古布字一作怖駰案漢書音義曰結縷似白茅蔓聯而生布種之者欑戾莎徐廣曰草可染紫揭車衡蘭槀本射干徐廣曰揭音桀駰案郭璞曰揭車一名乞輿槀本槀茇射干十月生皆香草○索隱曰案桐君藥錄槀本苗似芎藭茈薑蘘荷索隱曰張揖云茈薑子薑也案四民月令生薑謂之茈薑音紫○正義曰蘘人羊反柯根旁生筍若芙蓉可以爲葅又治蠱毒也葴橙若蓀郭璞曰葴未詳橙柚若蓀香草也○索隱曰姚氏以爲此前後皆草非橙柚也漢書作葴持小顏云葴寒漿也持當爲符字之誤爾符鬼目也案今讀者

肸蠁布寫正義曰肸蠁盛也寫吐也司馬彪云若蠁虫之布吐也

其

亦呼為登謂登草也姚氏云蓀草似昌蒲而無脊也生溪澗中蓀音孫鮮枝黃礫郭璞曰皆未詳○索隱曰張揖云皆草也司馬彪云鮮支即今支子或云鮮支亦香草也小顏云黃礫者黃胥木恐非也蔣苧青薠徐廣曰苧音佇駰案漢書音義曰蔣菰也苧三稜○索隱曰薠音煩布濩閎澤延曼太原麗靡廣衍應風披靡吐芳揚烈郭璞曰香酷烈也郁郁斐斐眾香發越肸蠁布寫晻薆咇茀正義曰晻薆奄愛二音皆芳香之盛也詩云苾苾芬芬氣也於是乎周覽氾觀瞋盼軋沕徐廣曰瞋音丑人反盼一作緍駰案郭璞曰皆不可分貌芒芒恍忽視之無端察之無崖日出東沼入於西陂索隱曰張揖云日朝出苑之東池暮入於苑西陂中也其南則隆冬生長踊水躍波獸則𤝔旄貘犛徐廣曰𤝔音容獸類也犛音狸一音茅駰案郭璞曰旄旄牛貘似熊庳腳銳頭犛牛黑色出西南徼外也○索

令見神不死之帝即回啟載稽首之前志神武氏淵水功成天所飛北芄日行二万里為來
嘗普言天后土歸之之獸至善言而來風其秘角志新穫獲飛黃八而秘藩武獲獸
并角而立歸天來嘗聞其能善歌也及醒祖誕雁月天食而角端出乎矣一角者所以
永濟乎丁々南方八千里々河者所以示要遠而西戎又天將命天下於一統之兆也至正庚
寅江浙鄉試八月二十一日夜二鼓後甲寅御見一物象乎其疾其狀若種獸者畢卒從
而寶之聞周出角端當獸變之歸

其六

隱曰郭璞云㺞㺞牛領有肉堆即今之犎牛也張揖云旄旄
牛其狀如牛而四節生毛獏白豹也似熊庳脚銳髻骨無髓
食銅鐵音陌犛音狸又音茅
或以爲猫牛毛可爲罽是也
沈牛麈麋漢書音義曰沈牛水牛也○正
義曰麈似鹿而
大按麋似水牛
赤首圜題郭璞曰題額也所未詳
窮奇象犀漢書
音義曰窮奇狀如牛而蝟毛其音如嘷狗食人也○索隱曰
郭璞云象大獸長鼻牙長一丈犀頭似猪庳脚一角在頭也
其北則盛夏含凍裂地涉冰揭河郭璞曰言水漫
凍不解地拆裂
也揭
褰衣
獸則麒麟角端郭璞曰角端音端似猪角在鼻上堪
作弓李陵嘗以此弓十張遺蘇武也
○索隱曰張揖曰雄曰麒雌曰麟其狀麋身牛尾狼蹄一角
郭璞云麒似麟而無角毛詩疏云麟黃色角端有肉東考傳
云麟有五綵腹下有黃色也張
揖云角端似牛角可以爲弓
騊駼橐駝蛩蛩驒騱
駃騠驢騾正義曰騊駼桃徒二音橐音託駝徒河
反驒音顛騱奚二音駃騠決啼
於是乎離宮別館彌山跨谷正義曰彌滿也跨猶騎也
言宮館滿山又跨谿谷
高

驒

師古曰橑椽也

廊四注重坐曲閣郭璞曰重坐重軒也曲閣閣道曲也華榱璧璫索隱
曰韋昭曰裁玉爲璧以當榱頭司馬彪曰以璧爲瓦之當也輦道纚屬步櫩周流
長途中宿郭璞曰途樓閣間陛道中宿言長遠也夷嵏築堂累臺增
成巖窔洞房郭璞曰嵏山名平之以安堂其上成亦重也周禮曰爲壇三成在巖穴底爲室潛通臺上
者○索隱曰服虔曰平嵏山以爲堂也張揖云重累而成之故曰增成窔音一弔反釋名以爲窔幽也楚詞云冬有窔夏
室寒王逸以爲複室也俛杳眇而無見仰攀撩而捫天奔星
更於閨闥宛虹拖於楯軒徐廣曰楯音食尹反○正義曰拖音徒我反顔云宛
虹屈曲之虹拖謂中加於上也楯軒之闌板也言室宇之高故星虹得經加之青虯蚴蟉於東
箱正義曰蚴一糺反蟉力糺反象輿婉僤於西清漢書音義曰山出象輿瑞應車
也郭璞曰西清西箱清淨地也○正義曰婉蟬宛善二音顔云蚴蟉婉蟬皆行動之貌也靈圉燕於

師古曰嶕音捷嶫、
音業、

閒觀、郭璞曰靈圉淳圉仙人名也。○索隱曰張揖云靈圉衆仙號淮南子云騎飛龍從淳圉是也、偓

佺之倫暴於南榮、漢書音義曰偓佺仙人名也。○索隱曰韋昭曰古仙人姓偓列仙傳云槐

里採藥父也食松形體生毛數寸方眼能行逮走馬也應劭曰南榮屋檐兩頭如翼也故鄭玄云榮屋翼也七諺云飛榮

似鳥翮是也暴偃臥日中也醴泉涌於清室、通川過乎中庭。槃

石振崖、徐廣曰振音脣。○索隱曰姑淳曰振音振振盛皮也李奇云振整也墼頓池外之厓音之忍反嶔

巖倚傾嵳峩磼礏、徐廣曰峩一作池磼音雜礏音五合反。○索隱曰埤蒼云磼礏高貌也磼

音士劫反礏音揖反又宜林音磼才匝反礏五帀反刻削崢嶸、正義曰郭云言自然若彫刻也玫

瑰碧琳珊瑚叢生、正義曰郭云珊瑚生水底石邊大者樹高二尺餘枝格交錯無有葉瑉

玉旁唐、索隱曰郭璞云旁唐言盤薄璸斒文鱗、徐廣曰璸音彬斒音班、赤瑕

駁犖、索隱曰說文云瑕玉之小赤色張揖曰赤玉也司馬彪云駁犖采點也犖音洛角反雜臿其

閒徐廣曰雜一云插插一云遝垂綏琬琰和氏出焉徐廣曰垂綏一作郭木開案郭璞曰汲冢竹書曰桀伐岷山得女二人曰琬曰琰桀愛二女斲其名于苕華之玉苕是琬華是琰也於是乎盧橘夏孰郭璞曰今蜀中有給客橙似橘而非若柚而芬香冬夏華實相繼或如彈丸或如拳通歲食之即盧橘也○索隱曰應劭云伊尹書曰果之美者箕山之東青馬之所有盧橘夏孰晉灼曰此雖賦上林博引異方珍奇不係於一也案廣州記云盧橘皮厚大小如甘酢多九月結實正赤明年二月更青黑孰吳録云建安有橘冬月樹上覆裹明年夏色變青黑其味甚甘美盧即黑色是也黃甘橙楱徐廣曰音湊橘屬枇杷橪柹徐廣曰橪音而善反果也○索隱曰張揖一云橪橪支香草也韋昭曰橪音汝蕭反郭璞云橪支木也橪音烟此說爲近說文曰橪酸小棗也淮南子云伐橪棗以爲矜音勤○索隱曰司馬彪曰上黨謂之楟㮈齊都賦云楟㮈孰也厚朴藥名也楟㮈厚朴徐廣曰楟音亭山梨梬棗楊梅徐廣曰梬音弋井反梬棗似柹○索隱曰張揖曰楊梅實似穀子而有核其味酢出江南荆楊異物志其實外内著核孰時正赤味甘酸

司馬相如

隱夫正義曰未詳

楊作揚

為神

也

櫻桃蒲陶郭璞曰蒲陶似燕薁可作酒也○索隱曰張揖曰櫻桃一名含桃呂氏春秋云鸎鳥所含故曰含桃爾雅謂之荊桃也隱夫鬱棣榙㯓荔枝徐廣曰鬱一作薁榙音荅駰案郭璞曰鬱車下李也棣實似櫻桃荅㯓似李棣音逮㯓音沓隱夫未聞○索隱曰晉灼曰荔枝大如鷄子皮麤剝去皮肌如鷄子中黃其味甘多酢少廣志云樹高五六丈如桂樹綠葉冬夏青茂有華朱色荔字或作離音力致反羅乎後宮列乎北園貤丘陵郭璞曰貤猶延也音施下平原楊翠葉扤紫莖郭璞曰扤搖也發紅華秀朱榮煌煌扈扈照曜鉅野沙棠櫟櫧漢書音義曰沙棠似棠黃華赤實其味如李呂氏春秋曰果之美者沙棠之實櫟果名櫧似樜葉冬冬不落也華氾檘櫨徐廣曰氾一作楓駰案漢書音義曰華不皮可以為索也○索隱曰呂氏春秋云櫨合樺也郭璞云楓似白楊葉圓而岐有脂而香謂為舍人曰楓為樹厚葉弱莖大風則鳴故曰欇欇檘平仲木也亦云小人索木一云土精食其子得仙也留落胥餘仁頻并閭

夸郭璞曰張布也

攢アツマリ

徐廣曰頻一作賓駰案郭璞曰落櫰也胥餘似并閭并閭椶也皮可作索餘未詳○索隱曰晉灼曰留𨷲未詳司馬彪云胥邪樹高十尋葉在其末異物志實大如瓠繫在顛若挂物實外有皮中有核如胡桃核裏有膚厚半寸如猪膏裏有汁斗餘清如水味美於蜜也孟康曰仁頻椶也姚氏云檳一名椶即仁頻也林邑記云樹葉似甘焦頻音賓

欃檀木蘭豫章女貞

漢書音義曰欃檀檀別名也女貞木葉冬不落○索隱曰欃音讒埤蒼云孔安墓後有欃檀樹也荆州記曰宜都有喬木叢生名爲女貞

長千仞大連抱夸條直暢實葉葰茂攢立叢倚連卷累佹崔錯癹骫

古委字

阬衡閜砢

徐廣曰癹音拔駰案郭璞曰骫音委閜音惡可反砢音魯可反○索隱曰郭璞云崔錯癹骫者蟠戾相樛也阬衡閜砢者竭孽傾欹貌也

垂條扶於落英幡纚

郭璞曰扶於猶扶踈也幡纚偏幡也音灑○索隱曰皆飛揚貌也纚音所綺反

紛容蕭蔘旖旎從風

索隱曰張揖云旖旎猶阿那也

瀏莅芔吸

徐廣曰莅音栗○索隱曰郭璞云皆林木鼓動之声瀏音

留落如字[illegible]古卞学切音翁 蓋象金石之聲 正義曰金鐘石磬 管籥之音

正義曰廣雅云象篪長一尺圍一寸有六孔無底籥謂之笛有七孔說文云籥三孔籟也 柴池茈虒 徐廣曰柴音差虒音豸○索隱曰張揖云柴池參差也茈虒不齊也茈音差虒音側氏反 旋環後宮雜還累輯 徐廣曰雜一作襍 被山緣谷循阪下隰視之無端究之無窮於是玄猿素雌蜼玃飛鸓 徐廣曰蜼音于季反駰案漢書音義曰蜼似獼猴仰鼻而長尾玃似獼猴而大飛鸓飛鼠也其狀如兎而鼠首以其顏飛也○索隱曰郭璞曰蝙蝠鼯鼠也紫毛赤色飛且生一名飛生蜼音贈遺之遺蠝音誄玄猿猿之雄者黑色也素雌猿之雌者素色也玃音古約反蜼今狖尾端爲兩岐天雨便以尾插鼻兩孔郭璞云玃色蒼黑能攫搏人故云玃也 蛭蜩蠼蝚 徐廣曰蛭音質駰案漢書音義曰山海經曰不咸之山有飛蛭四翼郭璞曰蠼蝚似獼猴而黃蜩未聞○索隱曰張揖云蛭蟣也蜩蟬也蠼猱獮猴也顧氏云蠼音途卓反山海經云臯塗之山下有獸似鹿馬足人首四角名爲蠼猱即此也字或作

玃郭璞云玃亦也，上巳有蜼玃，此不應重見。又按山海經云西方崇山有獸，毛色如猴，能緣高木，其名爲蛃。字林云蠗音狄。蜼蛃二獸名。蠗胡穀蛫徐廣曰：蠗音在廉反，似猨黑身。穀音呼谷反。蛫音詭。駰案漢書音義曰：穀，白狐子也。○索隱曰：張揖云蠗胡似獮猴，頭上有髮，要以後黑。郭璞曰：穀似鼬而大，要以後黃，一名黃要，食獮猴。蛫未聞。姚氏案山經云即山有獸，狀如龜，白身赤首，其名曰蛫。又說文云：蠗胡，黑身白要若帶，手有長白毛，似握板也。棲息乎其間，長嘯哀鳴，翩幡互經，正義曰：郭云互經，互相經過。夭蟜枝格，偃蹇杪顛。正義曰：夭音妖。蟜音矯。杪音弭沼反。郭云皆猨猴在樹共戲恣態也。夭蟜，頻申也。於是乎隃絕梁，正義曰：張云絕梁，斷橋也。郭云梁，厚石絕水也。騰殊榛，正義曰：榛，仕斤反。爾雅云木叢生爲榛。榛也。殊，異也。捷垂條，正義曰：捷音才業反。張云捷，持懸垂之條。踔稀間，郭璞曰：踔縣踔也。託釣反。牢落陸離，爛曼遠遷。正義曰：郭云奔走崩騰走也。顏云言其聚散不常，雜亂移徙。若此輩者，數千百處。嬉游往

客 本作舍

校獵 李奇曰以五教校兵出獵也周礼校人云中大夫掌王田獵也馬一校千二百九十六匹 顏云以木相貫穿為闌校遮止禽獸而獵取之 恐顏義非也

鼓嚴簿

陸 蓰林曰獵者圍陣遮禽獸也

來宮宿館寓廬廚不徙後宮不移正義曰說文云庖廚屋鄭玄注周禮云之庖言苞也苞裹肉曰苞苴也後宮內人也言宮館各自有百官備具於是乎背秋涉冬天子校獵乘鏤象六玉虯徐廣曰以玉為飾駟案郭璞曰鏤象山所出輿言有雕鏤蚪龍屬也韓子曰黃帝駕象車六交龍是也拖蜺旌正義曰拖音徒可反張云析毛羽染以五采綴以縷為旌有似虹蜺氣靡雲旗正義曰張云畫熊於旂旌似云氣也前皮軒後道游郭璞曰皮軒革車也或曰即曲禮前有士師則載虎皮者也道道車游車皆見周礼也孫叔奉轡衛公驂乘漢書音義曰孫叔者大僕公孫賀也衛公者衛青也大僕御大將軍驂乘也扈從橫行出乎四校之中郭璞曰言跋扈縱次不安鹵簿矣○索隱曰晉灼曰扈大也文穎曰凡五校今言四者一隨天子乘輿也鼓嚴簿縱獵者漢書音義曰鼓嚴嚴鼓也簿鹵簿也騶鼓嚴於林簿之中然後縱獵也江河為阹泰山為櫓

虎

正義曰殷[illegible]也。

淫淫裔裔 正義曰郭璞曰各有所逐。

陸離 正義曰分散也，言各有所追也。

班文 漢書作班文。師古曰被謂衣著之也，班文亦謂豹之皮也。

郭璞曰櫓，望樓也，因山谷遮禽獸爲陸者。夫車反。車騎靁起，殷天動地，先後陸離，散別追淫，淫淫裔裔，緣陵流澤，雲布雨施。生貔豹，郭璞曰貔，執夷，虎屬也。音毗。搏豺狼，正義曰搏，擊也。豺林云豺似狛，白色，[illegible]其云狼爪。手熊羆，正義曰張揖云熊似犬身人足，黑色；羆大於熊，黃白色，皆能攀沿上高樹，冬至入穴而蟄，沿春而出也。足野羊，郭璞曰野羊如羊，千斤，手足謂相蹈殺人。蒙鶡蘇，徐廣曰蘇，尾也。○索隱曰孟康云鶡鶡尾也，蘇，析羽也。張揖曰鶡似雉，雞鬭死不卻。案蒙謂罩覆而取之。鶡以蘇爲奇，故特言之以成文耳。鶡音曷。決疑注云鳥毛爲蘇也。絝白虎，徐廣曰絝音誇。駰案郭璞曰絝謂絆絡之。○索隱曰張揖曰著白虎文絝也。被班文，郭璞曰著班衣。○索隱曰輿服志云虎賁騎鶡冠武文單衣，即此班紋也。跨野馬，索隱曰跨，乘之也。陵三嵕之危，漢書音義曰三嵕，三成之山。下磧歷之坻，郭璞曰磧歷，崖陂名也。○正義坻音遲。一曰磧歷，淺水中沙石也。坻，水中高處，言獵人下此也。經峻赴險，越壑厲水。

相如

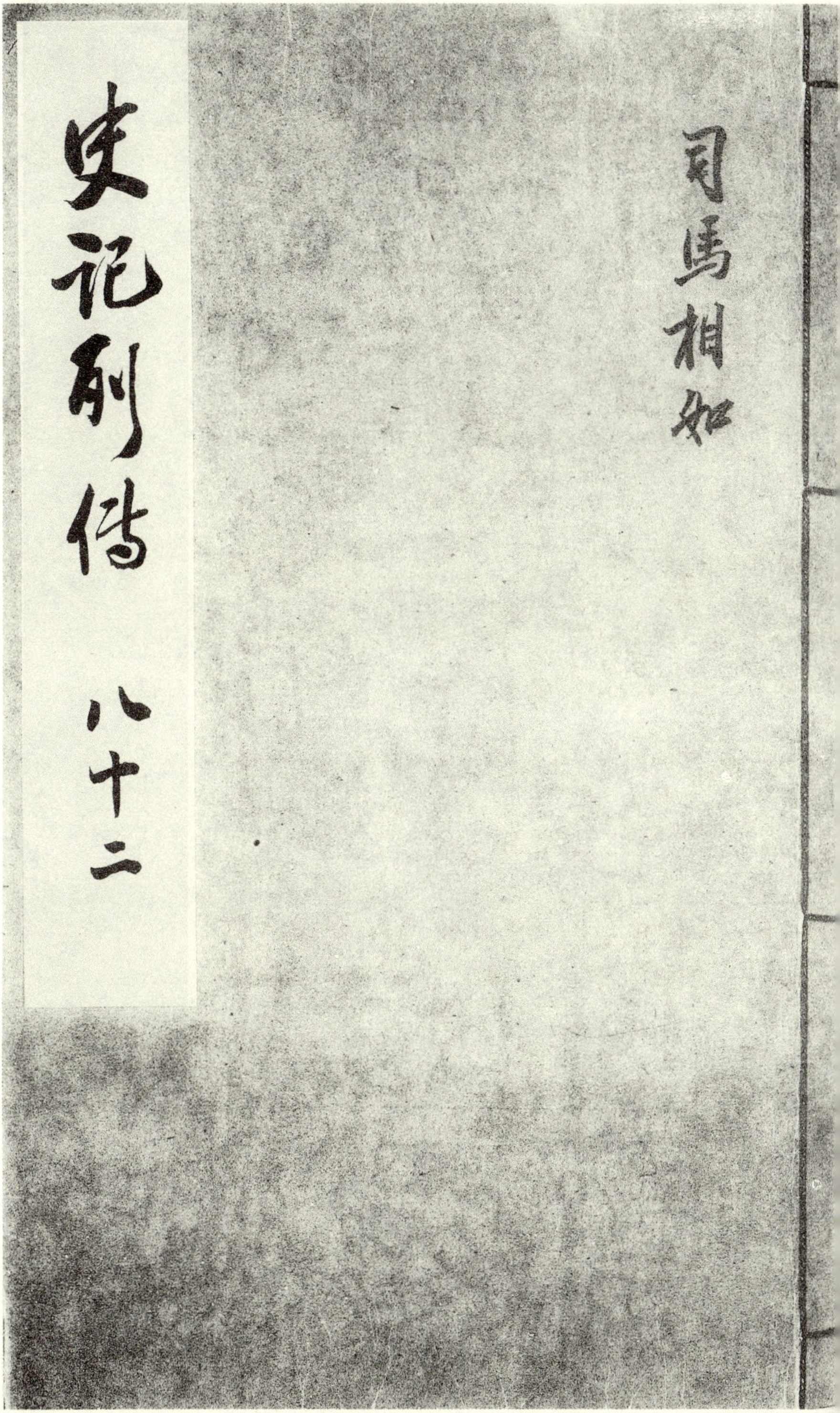
史記列傳 八十二
司馬相如

列傳

正義曰睨五計反，睨，遠視也。續漢書百官志云，將軍部領皆有部曲，大將軍營五部，校尉一人；部下有曲，曲有軍候一人也。

推蜚廉，郭璞曰，飛廉，龍雀也，鳥身鹿頭者。弄解豸，漢書音義曰，解豸似鹿而一角，人君刑罰得中則生於朝廷，主觸不直者，可得而弄也。○索隱曰，廌音蟹，豸音丈姊反。格瑕蛤，鋋猛氏，漢書音義曰，瑕蛤、猛氏皆獸名。○索隱曰，[illegible]曰，蝦蛤，獸。郭璞曰，今蜀中有獸狀如熊而小，毛淺有光澤，名猛氏。鋋，小矛也，音蟬。罥騕褭，射封豕。郭璞曰，騕褭，神馬，日行万里。封豕，大猪。兩音窈嬝。箭不苟害，解脰陷腦；索隱曰，張揖云，脰，項也。陷音苦念反，亦依字讀也。弓不虛發，應聲而倒。於是乎乘輿弭節裴回，翱翔往來，睨部曲之進退，覽將率之變態。然後浸潭促節，索隱曰，浸潭猶漸冉也。漢書作浸淫，或作乘輿案節也。儵夐遠去，郭璞曰，儵夐，音詡盛反。流離輕禽，蹴履狡獸，轊白鹿，捷狡兎，徐廣曰，轊音銳，一作恵也。○正義曰，轊音衛。抱朴子云，白鹿壽千歲，滿五百歲色純白也。晉徵祥記云，白鹿色若霜，不與他鹿爲羣。軼赤電，遺光耀

津作潯

散也

正義曰上浮騰遊

徐廣曰超陵赤電電光不及言去速也追怪物出宇宙正義曰追怪物游梟飛虡也張揖云天地四方曰宇往古來今曰宙許慎云宙舟輿所極也按許說宙是也彎蕃弱正義曰上烏繁孚反求袁云彎弓牽也繁弱夏后氏良弓名左傳云分魯公以夏后氏之璜封父之繁弱滿白羽正義曰求頡云羽弓尺箭鏃為蒲以白羽羽笴削如云白羽也射游梟櫟蜚虡郭璞曰梟梟羊也似人長脣反踵被髮食人飛虡鹿頭龍身神獸櫟梢也擇肉後發先中命處弦矢分藝殪仆徐廣曰射準的曰藝仆音赴然後揚節而上浮陵驚風歷駭飇正義曰上音必遙反小雅云扶搖暴風從下升上故曰飇乘虛無與神俱正義曰張揖云虛无寥廓與元通靈言其所乘氣之高故能出飛鳥之上而與神俱也轔玄鶴亂昆雞徐廣曰轔音藺○正義曰轔音吝鶴二百六十歲則淺黑色也遒孔鸞促鵕鸃拂翳鳥捎鳳皇漢書音義曰遒秦由反翳烏雞反張云山海經云九疑之山有五采之鳥名曰翳鳥也正義捎山交反鳳

身易傳云鳳皇之爲鳥前麟後雞喙燕頷蛇頸龜背魚尾駢翼高丈二尺東山經云其狀如鶴五采而首文曰德翼文曰順背文曰義膺文曰仁腹文曰信是鳥自歌自舞雄曰鳳雌曰皇**捷鴛鷞掩焦明**鷦明鳥似鳳○索隱曰張揖云鷦明西方之鳥也樂汁圖徵曰鷦明狀似鳳皇宋衷曰水鳥也○正義曰按長喙疏翼員尾非幽閑不集非珍物不食**道盡塗殫迴車而還招搖乎襄羊**索隱曰郭璞曰襄羊猶彷徉**降集乎北紘**郭璞曰紘維也北方之紘曰委羽**率乎直指閶乎反鄉蹷石闕歷封巒過鳷鵲望露寒**徐廣曰鳷音支鵲案漢書音義曰皆甘泉宮左右觀名也**下棠梨**漢書音義曰宮名也在雲陽縣東南三十里**息宜春**正義曰括地志云宜春宮在雍州萬年西南三十里**西馳宣曲濯鷁牛首**漢書音義曰宣曲宮名在昆明池西牛首池名在上林苑西頭**登龍臺**漢書音義曰觀名在豐水西北近渭**掩細柳**正義曰郭云觀名在昆明南柳市**觀士大夫之勤略鈞獠者**

閶乎反鄉正義曰日晲南歸也

蹷正義曰息也

鷁正義曰鷁首之船也

勤略正義曰言巡行士大夫之懃巧智略也

師古曰平平原也 倦𠜱

之所得獲徐廣曰鈞一作診也觀徒車之所轔轢正義曰轔踐也轢輾也乘騎之所蹂若徐廣曰蹂音人久反人民之所蹈躤與其窮極倦𠜱徐廣曰音劇驚憚讋伏不被創刃而死者佗佗籍籍填阬滿谷揜平彌澤於是乎游戲懈怠置酒乎昊天之臺索隱曰張揖曰臺高上干皓天也張樂乎膠葛之宇徐廣曰輵音葛○索隱曰郭璞云言曠遠深貌也撞千石之鍾立萬石之鉅建翠華之旗樹靈鼉之鼓郭璞曰木貫鼓中加羽葆其上所謂樹鼓奏陶唐氏之舞聽葛天氏之歌漢書音義曰葛天氏古帝王號也呂氏春秋曰葛天氏之樂三人操牛尾投足以歌○索隱曰張揖曰葛天氏三皇時君號也呂氏春秋云其樂三人持牛尾投足以歌八闋一曰戴民二曰玄鳥三曰遂草木四曰奮五穀五曰敬天常六曰建帝功七曰依地德八

師古曰族衆也聚居而遞奏也

曰揔翕翕之極千人唱萬人和山陵爲之震動徐廣曰一作動川谷爲之蕩波巴俞宋蔡淮南于遮郭璞曰巴西閬中有俞水獠人居其人皆剛勇好舞漢高募此以平三秦後使樂府習之因名巴俞舞也漢書音義曰于遮歌曲名○索隱曰張揖曰禮樂記云宋音宴女溺志蔡人謳員三人淮南鼓員四人于遮曲是其意也文成顛歌郭璞曰未聞也○索隱曰文穎曰文成遼西縣名其縣人善歌顛益州顛縣其人能作西南夷歌顛即滇字族舉遞奏徐廣曰舉一作居金鼓迭起鏗鎗闛鞈洞心駭耳郭璞曰鏜鼕鼓音荊吳鄭衛之聲韶濩武象之樂陰淫案衍之音鄢郢繽紛激楚結風郭璞曰激楚歌曲也列女傳曰聽激楚之遺風也○索隱曰激楚急風也結風回風亦急風也楚地風氣既自漂疾然歌樂者猶復依激結之急風以爲節其樂促迅哀切也俳優侏儒狄鞮之倡徐廣曰韋昭云狄鞮地名在河內出善倡者所以

娛耳目而樂心意者，麗靡爛漫於前，索隱曰：郭璞云言恣其觀也。列女傳曰：桀造爛漫之樂。靡曼美色於後。索隱曰：張揖曰靡，細也。曼，澤也。韓子曰曼服皓齒也。若夫青琴宓妃之徒，漢書音義曰：皆古神女名也。○索隱曰：伏儼曰青琴古神女也。如淳曰：宓妃伏羲女，溺死洛水，遂為洛水之神。宓音伏。絕殊離俗，索隱曰：郭璞曰俗無雙也。妖冶嫻都，索隱曰：郭璞云姣好也。都，雅也。埤蒼云姣人嫽兮。方言云自關而東河濟之間凡好或謂之姣。音絞。說文曰嫺，雅也。或作閑。漢書本作閑。靚莊刻飭，便嬛綽約，郭璞曰：靚莊，粉白黛黑也。柔橈嬛嬛，徐廣曰：音娟。○索隱曰：柔橈嬛嬛，皆骨體耎弱長豔貌也。廣雅云嬛嬛，容也。張揖曰嬛嬛猶婉婉也。嫵媚姌嫋，徐廣曰：姌音乃冉反。嫋音弱。○索隱曰：埤蒼云嫵媚，悅也。通俗文云頰輔謂之嫵媚。郭璞云姌嫋，細弱也。小顏曰細弱，揔謂骨體也。抴獨繭之褕袘，徐廣曰：抴音曳。襜褕。○索隱曰：張揖曰袘，袖也。郭璞曰獨繭，繭絲也。埤蒼云袘，衣長貌也。眇閻易以戌削，徐廣曰：閻易，衣長貌。

媥白服反未詳恐字誤歟

無事弃日正義曰言聽政餘暇不能弃日也

順天道郭云因秋氣也

休息於此正義曰郭云謂苑囿之中

農郊正義曰邑外曰郊言於郊野之中營農事也

成削言如刻畫作之媥姺徶循郭璞曰衣服婆娑貌。○正義曰媥白服反姺音先徶音白結反循音屑與世殊服芬香漚鬱酷烈淑郁皓齒粲爛宜笑的皪索隱曰郭璞曰鮮明貌也楚詞曰美人皓齒以姱又曰娥眉笑以的皪音皪也長眉連娟微睇緜藐索隱曰郭璞曰連娟眉曲細也緜藐視遠貌也娟音一全反睇音大計反藐音邈色授魂與心愉於側索隱曰張揖曰彼色來授我我魂往與接也愉音踰往也、悦也二義並通於是酒中樂酣天子芒然而思似若有亡曰嗟乎此泰奢侈朕以覽聽餘閒無事棄日順天道以殺伐時休息於此恐後世靡麗遂往而不反非所以為繼嗣創業垂統也於是乃解酒罷獵而命有司曰地可以墾辟悉為農郊以贍萠隸隤

得至焉　正義曰：言重得芻牧樵采也。

正義曰：朝服謂襲衣之服也。法駕，六馬也。如淳曰：春秋義理繁茂，故比之於林藪也。

墻填塹，使山澤之民得至焉。實陂池而勿禁，正義曰：實，滿也。言人滿陂池，任采捕所取也。虛宮觀而勿仞，正義曰：仞音刃，亦滿也。言離宮別館勿令人居上，並廢罷也。發倉廩以振貧窮，補不足，恤鰥寡，存孤獨。出德號，省刑罰，改制度，易服色，更正朔，與天下為始。於是歷吉日以齋戒，襲朝衣，乘法駕，建華旗，鳴玉鸞，游乎六藝之囿，正義曰：六藝云云，言田獵訖，則遍游六藝，而疾驅於仁義之道也。騖乎仁義之塗，覽觀春秋之林，郭璞曰：春秋所以觀成敗，明善惡者。射貍首，兼騶虞，禮射義曰：天子以騶虞為節，諸侯以貍首為節。騶虞者，樂官備也；貍首者，樂會時也。弋玄鶴，建干戚，載雲罕，揜群雅，漢書音義曰：大雅、小雅也。○索隱曰：張揖曰罕，車也。前有九旒雲罕之車。說者以雲罕為旌旗，皆非也。且案中朝鹵簿圖云：雲罕駕駟，不兼言

騶虞　正義曰：說文云騶虞，白虎黑文，尾身長大，乎乃至天子射以為節。山海經云：如虎，五采，日行千里。周礼云：凡射，王以騶虞為節，諸侯以貍首為節，大夫以采蘩為節。鄭云樂章名也。礼射義云：騶虞者，樂官備也；貍首者，樂會時也；采蘋，樂循法也；采蘩者，樂不失職也。是故天子以備官為節，諸侯以時會天子為節，卿大夫以循法為節，士以不失職為節。按貍首逸詩，節士以不失職為節，名騶虞，即邵南之卒章。正義誤，故考本經以改之也。

弋玄鶴　正義曰：鶴，古或反。礼射義作鵠，音同。射義云：孔子曰，射者發而不失正鵠者，其賢者乎。

正之侯中朱次白次蒼次黃玄居其外三正損玄黃二正去蒼白而畫以朱綠其外之廣皆居侯中
東依云虎侯之道九十弓々長六尺每侯弓取二寸中央方一丈八尺三分之一為鵠々方六尺制皮云足
也熊侯之道七十弓々取二寸二七十四中央方一丈四尺三分之一為鵠々方四尺七寸皮亦如之豹侯五十
弓々取二寸二五一十中央方一丈三分之一為鵠々方三尺三寸皮亦如之六耦十二人四耦八人三耦六人獲
者執旌之後射中唱獲之者各以旌指之容隱也正音征正者尽射朶圍也鵠者佔虎熊豹皮
於正中心若今鹿齊也前以朝玄鶴又鮮酒羅猿其猿既竟豈弋鳥哉為先暫不淇為正鵠
義故廣引射之弋亦射也文家避前射字故云弋也

悲伐檀 正義曰伐檀魏國之詩刺在位貪鄙也

羨乎[illegible]曰饒也

九旒罕車與九旒車別也揜捕也張揖曰詩小雅之材七十四人大雅之材三十一人故曰羣雅也**悲伐檀**索隱曰張揖曰其詩刺賢者不遇明主**樂樂胥**索隱曰毛詩桑扈云君子樂胥受天之祐言王者樂得賢材之人使在位故天與之福祿也胥音先呂反樂音洛**修容乎禮園**正義曰禮所以自修修飾整威儀也**翱翔乎書圃**正義曰尚書所以明帝王君臣之道也**述易道**正義曰易所以絜靜微妙上辨二儀陰陽中知人事下明地理也言田獵乃射藝又歷涉六經之要也**放怪獸**正義曰張云苑中奇怪之獸不伏獵也**登明堂坐清廟**正義曰明堂有五帝廟故言清廟王者朝侯之處**恣羣臣奏得失四海之內靡不受獲**正義曰言天下之人無不受恩惠**於斯之時天下大說嚮風而聽隨流而化喟然興道而遷義**索隱曰漢書作嘳然猶歔然也音許貴反**刑錯而不用德隆乎三皇功羨於五帝**索隱曰司馬彪云羨溢也音拾戰反**若此**

抗 正義曰捍也蔽也

故獵乃可喜也若夫終日暴露馳騁勞神苦形罷車馬之用抗士卒之精索隱曰抗音五官反費府庫之財而無德厚之恩務在獨樂不顧衆庶忘國家之政而貪雉兔之獲則仁者不由也從此觀之齊楚之事豈不哀哉地方不過千里而囿居九百是草木不得墾辟而民無所食也夫以諸侯之細而樂萬乘之所侈僕恐百姓之被其尤也於是二子愀然改容索隱曰郭璞云愀變色貌音作酉反超若自失逡巡避席曰鄙人固陋不知忌諱乃今日見教謹聞命矣賦奏天子以爲郎無是公言天子上林

正々侯中朱次白次倉次黄々玄居其外々三正損玄黄々二正去倉白而畫以朱緑其外之廣皆居侯中

六尺制皮云尺

如之豹侯五十

人三耦六人獲

皆虎熊豹皮

皆不以為正鵠

鄭玄云畫曰正栖皮曰鵠正之言正也鵠之言梏也梏直也言人正直乃能中之周礼云王射法

射義王以六耦射三侯三獲三容樂以騶虞九節五正諸侯以四耦射二侯三獲二容樂以狸首

七節三正孤卿大夫以三耦射二侯二獲一容樂以采蘋五節二正士以三耦射犴侯一獲一容

樂以采蘩五節二正鄭注云三侯虎熊豹也容者乏也特獲者所蔽也九節折羽九重設於長

江所射也侯道者各以弓為度九節者九十弓七節者七十弓五節五十弓六寸制長六尺五

悲伐檀正義曰伐檀魏國之詩刺在位貪鄙也

義乎成曰饒也

九旒罕車與九旒車別也揜捕也張揖曰詩小雅之材七十四人大雅之材三十一人故曰羣雅也**悲伐檀**索隱曰張揖曰其詩刺賢者不遇明主**樂樂胥**索隱曰毛詩桑扈云君子樂胥受天之祜言王者樂得賢材之人使在位故天與之福祿也胥音先呂反樂音洛**修容乎禮園**正義曰禮所以自修飾整威儀也**翱翔乎書圃**正義曰尚書所以明帝王君臣之道也**述易道**正義曰易所以絜靜微妙上辨二儀陰陽中知人事下明地理也言田獵乃射說文蠶紗六經之要也**放怪獸**正義曰張云苑中奇怪之獸不伏獵也**登明堂坐清廟**正義曰明堂有五帝廟故言清廟王者朝侯之處**恣群臣奏得失四海之內靡不受獲**正義曰言天下之人無不受恩惠**於斯之時天下大說鄉風而聽隨流而化喟然興道而遷義**索隱曰漢書作喟然猶歎然也音許貴反**刑錯而不用德隆乎三皇功羨於五帝**索隱曰司馬彪云羨溢也音怡戰反**若此**

抗　正義曰捍也蔽也

故獵乃可喜也若夫終日暴露馳騁勞神苦形罷車馬之用抗士卒之精索隱曰抗音五官反費府庫之財而無德厚之恩務在獨樂不顧衆庶忘國家之政而貪雉兔之獲則仁者不由也從此觀之齊楚之事豈不哀哉地方不過千里而囿居九百是草木不得墾辟而民無所食也夫以諸侯之細而樂萬乘之所侈僕恐百姓之被其尤也於是二子愀然改容索隱曰郭璞云愀變色貌音作酉反超若自失逡巡避席曰鄙人固陋不知忌諱乃今日見教謹聞命矣賦奏天子以爲郎無是公言天子上林

刪取 仲馮曰觀傳所云則是當刪其……顏說刪字爲長詞恐非傳意

以下漢書爲下卷

諭蜀檄

廣大山谷水泉萬物及子虛言楚雲夢所有甚衆侈靡過其實且非義理所尚故刪取其要歸正道而論之索隱曰大顏云不取其夸奢靡麗之論唯取終篇歸於正道耳小顏云刪取非謂削除其詞而說者謂此賦已經史家刋剟失其意也

相如爲郎數歲會唐蒙使略通夜郎西僰中徐廣曰羌之別種也音扶逼反○索隱曰張揖曰蒙故鄱陽令爲郎中使行略取之文穎曰夜郎僰中皆西南夷後以爲牂牁犍爲二郡僰音步北反發巴蜀吏卒千人索隱曰案巴蜀二郡名郡又多爲發轉漕萬餘人用興法漢書曰用軍興法也誅其渠帥巴蜀民大驚恐上聞之乃使相如責唐蒙因喻告巴蜀民以非上意檄曰告巴蜀太守蠻夷自擅不討之日

淮南子云群生莫不喁然仰其治也 正義曰往賓服而賜之

久矣時侵犯邊境勞士大夫陛下即位存撫天下輯安中國然後興師出兵北征匈奴單于怖駭交臂受事詘膝請和康居西域重譯請朝稽首來享移師東指閩越相誅右弔番禺太子入朝 索隱曰案顏曰番禺南海郡理也弔至也東伐閩越後至番禺故言右至非也案姚氏弔讀如字小顏云兩國相伐漢發兵救之南越蒙天子德惠故遣太子入朝所以云弔爾非訓至也 南夷之君西僰之長常效貢職不敢怠墮延頸舉踵喁喁然 正義曰喁五恭反口向上也 皆爭歸義欲爲臣妾道里遼遠山川阻深不能自致夫不順者已誅而爲善者未賞故遣中郎將往賓之 索隱曰賈逵云賓伏也 發巴蜀士民各五百人以奉幣帛

張云不然之変

師古曰賊猶害也

攝

師古曰攝謂張弓注矢而持之也

衛使者不然靡有兵革之事戰鬭之患今聞其乃發軍興制驚懼子弟憂患長老索隱曰張揖曰發軍謂發三軍之衆興制謂起軍法誅渠帥也案唐蒙爲使而用軍興法制故驚懼蜀人也郡又擅爲轉粟運輸皆非陛下之意也當行者或亡逃自賊殺亦非人臣之節也夫邊郡之士聞烽舉燧燔漢書音義曰烽如覆米䉛縣著桔槔頭有寇則舉之燧積薪有寇則燔然之○索隱曰字林云䉛漉米藪也音一六反纂要云䉛淅箕也烽見敵則舉燧有難則焚烽主晝燧主夜皆攝弓而馳索隱曰攝音女頰反荷兵而走流汗相屬唯恐居後觸白刃冒流矢義不反顧計不旋踵人懷怒心如報私讎彼豈樂死惡生非編列之民而與巴蜀異主哉計深慮遠

急國家之難而樂盡人臣之道也故有剖符之封析珪而爵（索隱曰如淳曰析中分也白藏天子青在諸侯也）位爲通侯居列東第（索隱曰列甲第在帝城東故云東第也）終則遺顯號於後世傳土地於子孫行事甚忠敬居位甚安佚名聲施於無窮功烈著而不滅是以賢人君子肝腦塗中原膏液潤野草而不辭也今奉幣役至南夷即自賊殺或亡逃抵誅身死無名謚爲至愚恥及父母爲天下笑人之度量相越豈不遠哉然此非獨行者之罪也父兄之教不先子弟之率不謹也寡廉鮮恥而俗不長厚也其被刑戮不

正義曰百官表云十里一亭亭有長十亭一鄉鄉有三老秩有嗇夫游徼三老掌教化嗇夫職聽訟收賦稅游徼徼備盜賊也

正義物故死也如衆物之故而零落也

亦宜乎陛下患使者有司之若彼悼不肖愚民之如此故遣信使曉喻百姓以發卒之事因數之以不忠死亡之罪讓三老孝弟以不教誨之過方今田時重煩百姓索隱曰重猶難也已親見近縣恐遠所谿谷山澤之民不徧聞檄到亟下縣道漢書百官表曰縣有蠻夷曰道○索隱曰亟音紀力反亟急也使咸知陛下之意唯毋忽也相如還報唐蒙已略通夜郎因通西南夷道發巴蜀廣漢卒作者數萬人治道二歲道不成士卒多物故費以巨萬計索隱曰案巨萬猶萬萬也數有大小二法張揖曰算法萬萬為億是小數也蜀民及漢用事者多言其不便索隱

曰案謂○卿所言也是時邛筰之君長索隱曰漢書曰邛者今爲邛都縣筰者今爲定筰縣比皆屬越巂郡也聞南夷與漢通得賞賜多多欲願爲內臣妾請吏比南夷索隱曰謂請置漢吏與南夷爲比例也天子問相如相如曰邛筰冄駹者近蜀道亦易通秦時嘗通爲郡縣至漢興而罷今誠復通爲置郡縣愈於南夷索隱曰張揖曰愈差也又云愈猶勝也晉灼曰南夷謂犍爲牂牁也西夷謂越巂益州也天子以爲然乃拜相如爲中郎將索隱曰四百石五歲遷補大縣令建節往使副使王然于壺充國索隱曰案漢書公卿表太初元年爲大鴻臚卿也呂越人馳四乘之傳因巴蜀吏幣物以賂西夷至蜀蜀太守以下郊迎縣令負弩矢先驅索隱曰案

正義曰邛筰二國在蜀西以鮮在西南夷傳也

冄駹一國在蜀西鮮西南夷傳也

正義曰愈勝也

[illegible]

通鑑邛筰冉駹斯榆之君胡注康曰本葉榆澤名君長因以之號後隨畜移在徙師古曰徙音斯從又號為徙榆

斯榆國在蜀南鮮在西南夷傳也通鑑胡注李文子曰若水出旄牛至大筰入繩水

亭吏名亭長弩矢合是亭長負之今縣令自負矢則亭長當負弩也且負弩是守宰無定或隨時輕重耳按霍去病出擊匈奴河東太守郊迎負弩又魏公子救趙擊秦秦軍解去平原君負蘭矢迎公子於界上是也蜀人以為寵索隱曰華陽國志云蜀大城北十里有升僊橋送客觀相如初入長安題其門云不乘赤車駟馬不過汝下也於是卓王孫臨邛諸公皆因門下獻牛酒以交驩卓王孫喟然而歎自以得使女尚司馬長卿晚索隱曰小顏云尚猶配也本或作當蓋後人改爾而厚分與其女財與男等同司馬長卿便略定西夷邛筰冉駹斯榆之君皆請為內臣索隱曰鄭氏斯音曳張揖云斯俞才俞國也案今斯讀如字益部耆舊傳謂之斯叟華陽國志云邛都縣有四部斯叟一也除邊關關益斥索隱曰張揖曰斥廣也西至沫若水索隱曰張揖曰沫水出蜀廣平徼外與青衣水合也若水出旄牛徼外至僰道入江華陽國志漢嘉

縣有沫水音妹又音末南至牂柯為徼【索隱曰張揖曰徼塞也以木柵水為蠻夷界】通零關道【徐廣曰越巂有零關縣】橋孫水【韋昭曰為孫水作橋】以通邛都【索隱曰案華陽國志云相如卒開僰道通南中置越巂郡韓說開益州唐蒙開牂牁斬筰王首置牂牁郡也】還報天子天子大說相如使時蜀長老多言通西南夷不為用唯大臣亦以為然相如欲諫業已建之不敢【索隱曰案業者本也本由相如立此事故不敢更諫】乃著書籍以蜀父老為辭而己詰難之以風天子且因宣其使指令百姓知天子之意其辭曰漢興七十有八載【徐廣曰元光六年也】德茂存乎六世【正義曰高祖惠帝高后孝文孝景孝武】威武紛紜湛恩汪濊【索隱曰韋昭云湛音沈】群生澍濡洋溢

正義曰籍音借

難蜀檄

籍假也

正義曰紛紜言盛武盛也汪濊深廣也澍濡顏野王云時雨所以澍生萬物也

司馬相如

漢書作蒲

師古曰屈盡也卒終也

業事也

乎方外於是乃命使西征隨流而攘索隱曰攘却也音女羊反
風之所被罔不披靡因朝冄從駹定筰存邛略
斯榆舉苞滿索隱曰服虔云夷種也滿也或作蒲也結軌還轅索隱曰張
揖云結屈也軌車迹也東鄉將報至于蜀都耆老大夫薦紳
先生之徒二十有七人儼然造焉辭畢因進曰
蓋聞天子之於夷狄也其義羈縻勿絶而已索隱
曰案羈馬絡頭也縻牛紖也漢官儀云馬云羈牛云縻言制四夷如牛馬之受羈縻也今罷三郡之
士通夜郎之塗三年於茲而功不竟士卒勞倦
萬民不贍今又接以西夷百姓力屈恐不能卒
業此亦使者之累也竊爲左右患之且夫邛筰

西僰之與中國並也歷年茲多不可記已仁者不以德來彊者不以力并意者其殆不可乎今割齊民以附夷狄弊所恃以事無用鄙人固陋不識所謂使者曰烏謂此邪必若所云則是蜀不變服而巴不化俗也余尚惡聞若說（索隱曰張揖云惡聞若曹之言也包愷音一故反又音烏烏者安也）然斯事體大固非觀者之所覯也余之行急其詳不可得聞已請為大夫粗陳其略蓋世必有非常之人然後有非常之事有非常之事然後有非常之功非常者固常之所異也（索隱曰案常人見之以為異也）故曰非常之原黎民懼焉

人

司馬相如　卅七

正義曰言蜀徼西僰之國〻来与中國年月甚〻可記錄

正義曰言自古帝王雖仁治不能招来雖強力不能并兼以其路遠不可通

事無用　正義曰所恃即齊民言帝王依恃無用謂夷狄也

不變服　正義曰言巴蜀蠻夷本椎髻左衽今從中國服俗也若西南夷不可通即巴蜀服俗不應變改

師古曰尚猶也若如也言僕猶惡聞如此之說况乎遠識之人也

行急　師古曰言行程急速不假為汝詳言之

索隱曰張揖云非常之事其本難知衆人懼也及臻厥成天下晏如也昔者鴻水浡出氾濫衍溢民人登降移徙陭嶇而不安夏后氏戚之乃堙鴻水決江疏河灑沈贍菑徐廣曰灑一作釃○索隱曰灑音鹿釃音灾漢書作釃沉澹災解者云灑分也音所宜反澹安也沉深也澹音徒暫反東歸之於海而天下永寧當斯之勤豈唯民哉索隱曰案謂非獨人勤禹亦親其勞也心煩於慮而身親其勞躬胝無胈膚不生毛徐廣曰胝音竹移反胈種也一作腠音湊膚理也胈音魃○索隱曰張揖曰腠一作戚躬躬也戚湊理也韋昭曰胈戚中小毛也胝音真尸反莊子云禹胝無胈脛不生毛李頤云胈白肉也音蒲末反故休烈顯乎無窮聲稱浹乎于茲且夫賢君之踐位也豈特委瑣握齪索隱曰孔文祥云委瑣細碎握齪急促也拘文牽俗

正義曰浹徹也

正義曰言武帝當拘繫俗滯之文牽引隨從之化

師古曰說讀曰悅非直因循因誦所傳聞取美說於當時而已、

正義曰六合天地四方八方及四維也、

循誦習傳當世取說云爾哉必將崇論閎議創業垂統爲萬世規故馳騖乎兼容并包而勤思乎參天貳地（索隱曰案天子比德於地是二地也地與己并天爲三是參天地故禮曰天子與天地參）且詩不云乎普天之下莫匪王土率土之濱莫非王臣（毛詩傳曰濱涯也）是以六合之內八方之外浸潯衍溢（索隱曰案浸潯猶漸浸也）懷生之物有不浸潤於澤者賢君恥之今封疆之內冠帶之倫咸獲嘉祉靡有闕遺矣而夷狄殊俗之國遼絕異黨之地舟輿不通人迹罕至政教未加流風猶微內之則犯義侵禮於邊境外之則邪行橫作放弑其上

係累號泣 正義曰累音力追反言為人掠獲而係累為奴離别號泣内向怨天子化不至也

師古曰曷何也已謂怨者之身也

遺已 音紀言中國至仁天子棄已不化

正義曰鏤灵通山閑也

正義曰零作灵

孫水源也

正義曰言柔撫安長駕御

言帝德廣被若親臨

君臣易位尊卑失序父兄不辜幼孤為奴係纍號泣内嚮而怨曰蓋聞中國有至仁焉德洋而恩普物靡不得其所今獨曷為遺已舉踵思慕若枯旱之望雨盭夫為之垂涕徐廣曰盭音戾○索隱曰張揖云狠戾之夫也字或作戾盭古戾字况乎上聖又惡能已故北出師以討彊胡南馳使以誚勁越四面風德二方之君鱗集仰流索隱曰二方謂西夷邛僰南夷牂柯夜郎也願得受號者以億計故乃關沫若漢書音義曰以沫若水為關徼牂柯鏤零山梁孫原創道德之塗垂仁義之統將博恩廣施遠撫長駕使疏逖不閉索隱曰逖遠言其疏遠者不被閉絶也阻深闇昧

得耀乎光明索隱曰阻深漢書作曶案三蒼云曶爽早朝也曶音妹案字林又音忽也以偃
甲兵於此而息誅伐於彼遐邇一體中外提福徐廣曰提作禔音支○索隱曰說文云禔安也音市支反
不亦康乎夫拯民於沈
溺奉至尊之休德反衰世之陵遲繼周氏之絕
業斯乃天子之急務也百姓雖勞又惡可以已
哉且夫王事固未有不始於憂勤而終於佚樂
者也然則受命之符合在於此矣索隱云張揖云合在於憂勤佚
樂之中也方將增泰山之封加梁父之事鳴和鸞揚
樂頌上咸五下登三徐廣曰咸一作函駰案韋昭曰咸同於五帝登三王之上○索隱曰
李奇曰五帝之德漢比爲減三王之德漢出其上故云減五登三此說非也漢書蘇林云相如欲減五帝之一以漢盈之

惡可以已哉正義曰惡音烏言漢奉至尊休德救民沈溺繼周絕業反陵遲之變代是天子之急事百姓雖勞苦何以止住哉

咸作減

師古曰咸皆也言漢德与五帝皆盛而登於三王之上也相如不當言漢減於五帝

司馬相如云云

上咸五

上咸五

正義曰寥廓天上寬廣之处

喪其下注 師古曰初有所懷而來欲進而陳之今並喪失其來意也

常 一本作嘗

然以漢爲五帝之數自然是登於三王之上也今本減或作誠是與韋昭之說符也觀者未睹指聽者未聞音猶鷦明已翔乎寥廓而羅者猶視乎藪澤悲夫於是諸大夫芒然喪其所懷來而失厥所以進喟然並稱曰允哉漢德此鄙人之所願聞也百姓雖怠請以身先之敞罔靡徙因遷延而辭避索隱曰案敞罔失容也靡非從失正也其後人有上書言相如使時受金失官居歲餘復召爲郎相如口吃而善著書常有消渴疾與卓氏婚饒於財其進仕宦未嘗肯與公卿國家之事稱病閒居不慕官爵常從上至長楊獵正義曰括地志云秦長楊宮在雍州盩厔縣東南三十一里

諫獵賦

正義作予

起以宮內有長楊樹以爲名是時天子方好自擊熊彘馳逐野獸相如上疏諫之其辭曰臣聞物有同類而殊能者故力稱烏獲索隱曰張揖曰秦武王力士舉龍文鼎者也捷言慶忌索隱曰張揖曰吳王僚之子勇期賁育正義曰賁音奔孟賁古之勇士水行不避蛟龍陸行不避豺狼發怒吐氣聲音動天夏育亦古之猛士也臣之愚竊以爲人誠有之獸亦宜然今陛下好陵阻險射猛獸卒然遇軼材之獸索隱曰廣雅云卒暴也音倉没反駭不存之地索隱曰謂所不慮而猛獸駭發也犯屬車之清塵索隱曰古者諸侯貳車九乘秦滅九國兼其車服故大駕屬車八十一乘輿不及還轅人不暇施巧雖有烏獲逢蒙之伎力不得用吳越春秋曰羿傳射於逢蒙○索隱曰孟子云逢蒙學射於羿盡羿之道是也枯木朽

顏云屬者言相連續不絕也塵謂行而起塵也清者尊貴之意也而說者乃以爲清道澆塵謂之清塵非也屬之欲反

通鑑胡注射而亦劖

司馬相如通鑑十七和帝胡注直兼上文為句

廿四

廿四

正義曰：橛謂車鉤心也。言馬銜或斷，鉤心或出，則致傾敗以傷人也。按二說未詳也。

突

株盡爲害矣。是胡越起於轂下，而羌夷接軫也，豈不殆哉！雖萬全無患，然本非天子之所宜近也。且夫清道而後行，中路而後馳，猶時有銜橛之變。徐廣曰：橛音巨月反。鉤逆者謂之橛。○索隱曰：張揖曰：銜，馬勒銜也。橛，騑馬口長銜也。周遷輿服志云：鉤逆上者爲橛。橛在銜中，以鐵爲之，大如雞子。鹽鐵論云：無銜橛而御捍馬，是也。而況涉乎蓬蒿，馳乎丘墳，前有利獸之樂而內無存變之意，其爲禍也不亦難矣！夫輕萬乘之重不以爲安，而樂出於萬有一危之塗以爲娛，臣竊爲陛下不取也。蓋明者遠見於未萌而智者避危於無形，禍固多藏於隱微而發於人之所忽者也。故

哀二世賦

鄙諺曰家累千金者坐不垂堂索隱曰張揖曰畏檐瓦墮中人樂產云垂邊也近堂邊恐其墮墜也非謂畏檐瓦此言雖小可以喻大臣願陛下之留意幸察上善之還過宜春宮正義曰括地志云秦宜春宮在雍州萬年縣西南三十里宜春苑在宮之東杜之南顏師古云葬二世杜南宜春苑中按今宜春宮見二世陵故作賦以哀也相如奏賦以哀二世行失也其辭曰登陂陁之長阪兮索隱曰陂普何反陁徒何反坌入曾宮之嵯峨漢書音義曰坌並也○索隱曰坌步寸反臨曲江之隑州兮漢書音義曰隑長也苑中有曲江之象泉中有長洲也○索隱曰隑音祈隑即碕字謂曲岸頭也有宮闕路今猶謂之曲江在杜陵西北五里文三輔舊事云樂游廣在西北是也望南山之參差巖巖深山之谾谾兮徐廣曰谾音力工反○索隱曰谾古江反番炯曰谾音巃古巃字蕭該云谾或作巃巃長大貌也通谷豁兮谽

呼一本作何

正義曰榛〻盛皃也

顏云揭褰衣而渡也

石而淺水曰瀨也

佅 礼記曰作昧

閜索隱曰谽音呼含反閜音呼加反 汩淢噏習以永逝兮索隱曰汩音于筆反汩淢疾
貌也噏音許及反漢書作潝靸然輕舉意也 注平皋之廣衍觀眾樹之蓊
薆兮覽竹林之榛榛東馳土山兮北揭石瀨彌
節容與兮歷弔二世持身不謹兮亡國失勢信
讒不寤兮宗廟滅絕嗚呼哀哉操行之不得兮
墳墓蕪穢而不脩兮魂無歸而不食夐邈絕而
不齊兮彌久遠而愈佅精罔閬而飛揚兮拾九
天而永逝嗚呼哀哉相如拜為孝文園令索隱曰百
官志云陵園令六百石掌按行掃除也 天子既美子虛之事相如見上
好僊道因曰上林之事未足美也尚有靡者臣

正義曰作列仙之儒注曰儒柔也凡有道術皆為儒

大

中州中國也

〔書〕正義作桑張云桑用也彩氣為幡綴以白氣也如淳云絳氣以虹蜺為幡

嘗爲大人賦索隱曰張揖曰大人喻天子向秀云聖人在位謂之大人張華云相如作遠遊之體以大人賦之也未就請具而奏之相如以爲列僊之傳居山澤閒索隱曰案傳者謂相傳以列仙居山澤閒音持全反小顏及劉氏並作儒讀云儒柔術士之稱也未就請具而奏之相如以爲列僊之傳居山澤閒索隱曰案傳者謂相傳以列仙居山澤閒音持全反小顏及劉氏並作儒讀云儒柔術士之稱非也形容甚臞徐廣曰臞瘦也○索隱曰韋昭曰臞瘠也云臞瘦音巨俱反此非帝王之僊意也乃遂就大人賦其辭曰世有大人兮在于中州宅彌萬里兮曾不足以少留悲世俗之迫隘兮朅輕舉而遠遊索隱曰大顏曰武帝云誠得如黃帝去妻子如脫屣是悲世俗迫隘也垂絳幡之素蜺兮載雲氣而上浮建格澤之長竿

應龍 正義曰文頴云有翼曰應龍其神妙者也瑞應圖云虬龍神無鱗甲女媧時乘服應龍驂青虬是也

師古 招音韶

攙 初咸反

屈 其勿反

正義曰顏云蠖略委麗蚴蟉宛蜒皆其闊步之進止之貌也

正義曰据直項也驕驁縱恣也詘折委曲也[illegible]首也[illegible]

兮總光耀之采旄漢書音義曰格澤之氣如炎火狀黃白色起地上至天以此氣為竿旄旟也總係也係光耀之氣於長竿以為旟者垂旬始以為幓兮抴彗星而為髾漢書音義曰旬始氣如雄雞縣於旟下以為旒也髾燕尾也抴彗星綴著旒以為燕尾掉指橋以偃蹇兮又旖旎以招搖漢書音義曰指橋隨風指靡○索隱曰掉音徒弔反橋音居夭反偃蹇高貌攬欃槍以為旌兮正義曰天官書云天欃長四尺末銳天槍長數丈兩頭銳其形類彗也靡屈虹而為綢漢書音義曰綢韜也以斷虹為旌杠之韜○索隱曰應劭云旌旂屈橈之貌綢音直留反或音韜屈虹斷虹也紅杳渺以眩湣兮猋風涌而雲浮漢書音義曰旬始屈虹氣色紅杳眇眩湣闇冥無光也○索隱曰蘇林曰眩音炫湣音麪又音泯云紅赤色貌杳渺深遠眩湣混合也紅或作虹駕應龍象輿之蠖略逶麗兮驂赤螭青虬之蚴蟉蜿蜒低卬夭蟜据以驕驁

麗 力尔反

蟉 [illegible]一糾反

跳也連卷句踡也
正義曰沛艾駊騀也
正義曰畔自縱之皃
張云驤舉也孱顏不
齊也

兮詘折隆窮索隱曰張揖曰㨊直項也驕驁縱恣也㨊音據驕音居召反驁音五到反蠼以連卷索隱曰韋昭曰蠼龍之形貌也音起碧反連卷音權卷沛艾赳螑仡以佁儗兮漢書音義曰赳螑申頸低卬也儗不前也○索隱曰張揖曰赳螑牙跳也赳音居幼反螑音許救反仡舉頭也仡音魚乙反佁音勑吏反儗音魚吏反放散畔岸驤以孱顏索隱曰服虔曰馬仰頭其口開正孱矜顏也韋昭曰頭音五板反詩云兩服上驤注云驤馬是也跮踱輵螛容以委麗兮綢繆偃蹇怵㚇以梁倚徐廣曰跮踱乍前乍卻也跮音丑栗反踱音勑略反輵烏葛反螛音曷綢一作雕㚇音他略反駰案漢書音義曰怵㚇走也梁倚相著也○索隱曰張揖曰跮踱疾行乍前卻也輵螛搖目吐舌也跮音丑栗反踱音褚畧反輵音遏螛音曷綢音徒弔反張揖曰偃蹇却器也廣雅曰偃蹇夭矯也韋昭曰㚇音谷畧反相如傳云修㚇遠去㚇猶決也糾蓼叫奡蹋以艐路兮徐廣曰艐音介至也○索隱曰蓼音了奡音五到反小顏云叫奡高舉之貌踏音徒荅反艐音屆字林云跕著也孫炎云艐古界字

司馬相如三十七

正義曰莅颯飛相及也、卉翕走相追也、霍然忽々秋々白、

正義曰靈圉仙人也、

陸離正義曰漢書作長離如淳云長離朱爵也、

作伯

也、蔑蒙踊躍騰而狂趭、漢書音義曰蔑蒙飛揚也趭走 音離 莅颯卉翕 音諦 熛至電過兮煥然霧除、霍然雲消、邪絶少陽而登太陰兮、與真人乎相求、漢書音義曰少陽東極太陰北極邪度東極而升北極者也、互折窈窕以右轉兮、橫厲飛泉以正東、正義曰張云泉飛谷也、在崑崙山西南厲渡也、悉徵靈圉而選之兮、部乘衆神於瑤光、漢書音義曰搖光北斗標頭第一星、使五帝先導兮、正義曰導道也應云五帝五時帝太皓之屬也、反太一而從陵陽、漢書音義曰仙人陵陽子明也○正義曰天官書云中宫天極星其一明者太一常居也列仙傳云子明於沛銍縣旋溪釣得白龍放之後白龍來迎子明去止陵陽山上百餘年遂得仙也、左玄冥而右含靁兮、漢書音義曰含靁黔嬴也天上造化神名也或曰水神、前陸離而後潏湟、漢書音義曰皆神名、廝征北僑、徐廣曰燕人也形解而仙

正義作警

警

也○索隱曰獲娭曰廝役也張揖曰王子喬也漢書姚祝作王伯僑此當是别人恐非王子僑也而役羨門兮正義曰張云羨門碣石山上仙人羨門高也屬岐伯使尚方徐廣曰岐伯黄帝臣駰案漢書音義曰尚主也岐伯黄帝太醫屬使主方藥祝融驚而蹕御兮正義曰張云祝融南方炎帝之佐也獸身人面乘兩龍應火正也火正祝融警蹕清氛氣也清氛氣而後行也余車其萬乘兮綷雲蓋而樹華旗索隱曰綷音祖內反如淳云蓋有五綵也使句芒其將行兮正義曰張云句芒東方青帝之佐也鳥身人面乘兩龍顏云將行須從者也吾欲往乎南嬉歷唐堯於崇山兮過虞舜於九疑正義曰張云崇山狄山也海外經云狄山帝堯葬其陽九疑山零陵營道縣舜所葬處紛湛湛其差錯兮索隱曰湛音徒感反雜遝膠葛以方馳索隱曰廣雅云膠葛驅馳也騷擾衝蓯其相紛挐兮索隱曰衝音昌勇反蓯音息冗

湛湛厚積貌也

衝蓯相入貌也

總極　正義曰括地志嶺山在京西九千八百六十里葱茂於常故云葱嶺其山東至于闐國西踰罽賓國云

滂濞，衆盛皃。
泱軋，不前也。
漢書灑作麗，張揖曰麗美也。
贅，本作贅
九江，以酈夏本紀
總，漢作惣
汜作濫

普即　普備　烏萌

林離，摻攦也。

反滂濞泱軋灑以林離鑽羅列聚叢以蘢茸兮衍曼流爛壇以陸離徐廣曰壇音坦徑入雷室之砰磷鬱律兮洞出鬼谷之崛礨嵬瓌漢書音義曰鬼谷在北辰下衆鬼之所聚也駰駰曰贅負鬼谷於北辰也○正義曰崛口骨反礨音力罪反嵬音烏迴反瓌音回張云崛礨嵬瓌不平也徧覽八紘而觀四荒兮朅渡九江而越五河正義曰顧云五色之河也仙云紫碧絳青黃之河也經營炎火而浮弱水兮正義曰姚丞云大荒西經云崑崙之岳其外有炎火之山投物輒物然括地志云弱水有二原俱出女國北阿傳達山南流會于國北又南歷國北東去一里深丈餘闊六十步非乘舟不可濟流入海阿傳達山一名崑崙山其王爲王在繩州西南一萬五千三百七十里又云弱水在甘州張掖縣南山下也杭絕浮渚而涉流沙漢書音義曰總極葱領山也在西域中也奄息總極氾濫水嬉兮使靈媧鼓瑟而舞馮夷

陸離，參差也。

杭，絕也，絕度也。浮渚，渚在流沙中也。

正義曰軋沕恍惚不明白

云一本作亡　樂一本作家

達　有

徐廣曰嫣一作貽駰案漢書音義曰靈嫣女嫣也馮夷河伯字也淮南子曰馮夷得道以潛大川○正義曰姓馮名夷以庚日溺死河常以庚日好溺死人

時若薆薆將混濁兮召屏翳正義曰應劭云屏翳天神使也韋昭云雷師也

誅風伯正義曰張云風伯字飛廉**而刑雨師**正義曰沙州有雨師祠**西望崐崘之軋**

正義曰張云海內經云崐崘去中國五萬里天帝之下都也其山廣袤百里高八萬仞增城九重面九井以玉爲檻旁有五門開明獸守之括地志云在崑崙肅州酒泉縣南八十里十六國春秋云後魏昭成帝建十年涼張駿酒泉太守馬岌上言酒泉南山即崑崙之體周穆王見西王母樂而忘歸即謂此山有石室王母堂珠璣鏤飾煥若神宮又刪丹西河名云弱水禹貢崑崙在臨羌之西即此明矣括地志云又阿耨達山亦名建山達山亦名崑崙山恒河出其南吐師子口經天竺入達山嬀水今名爲滸海出於西河北隅吐馬口經安息入大夏國入西海黃河出東北隅吐牛口東北流經濫澤潛出大積石山至華山北東入海其三河去山入海各三萬里此謂大崑崙肅州謂小崑崙也禹本紀云河出崑崙二千五百餘里日月所相隱避爲光明也

洸洸忽兮直徑馳乎三危三危山名也○正義

司馬相如　卅九

舒 本作登

目 本作睹

漢書注無代字

赤 作亦

幽都 正義曰山名在北方海內經云北海之內有山名曰幽都

曰括地志云、三危山在沙州東南三十里、排閶闔而入帝宮兮正義曰、韋云、閶闔天門也、淮南子曰、西方曰西極之山、閶闔之門、載玉女而與之歸正義曰、張云、玉女青要乘弋等也、舒閬風而搖集兮正義曰、張云閬風在崑崙閶闔之中、楚辭云、登閬風而渫馬也、亢烏騰而一止漢書音義曰、亢然高飛如烏之騰也、低回陰山翔以紆曲兮正義曰、張云、陰山在崑崙西二千七百里、吾乃今目睹西王母皬然白首徐廣曰、皬音下沃反、○索隱曰、皬音鶴、○正義曰、張云、西王母其狀如人、豹尾虎齒、蓬髮皬然白首、石城金穴居其中、戴勝而穴處兮郭璞曰、勝、玉勝也、○正義曰、顏云、勝婦人首飾也、漢代謂之華勝也、赤幸有三足烏為之使正義曰、張云、三足烏青鳥也、主為西王母取食、在昆墟之北、必長生若此而不死兮、雖濟萬世不足以喜、回車朅來兮絕道不周漢書音義曰、不周山在崑崙東南、會食幽都

十 本作大

列仙傳云陵陽子曰春食朝霞，朝霞者日始欲出赤黃氣也。夏食沆瀣，沆瀣者北方夜半氣也。并天地玄黃之氣，為六氣也。

芝英 張云芝英蒻也，榮而不實謂之英。顏云芝英，芝之英也。

瓊華 張云瓊樹生崑崙西流沙濱，大三百圍，高萬仞，華華食之長生。

騖遺霧 正義曰言馳車從長路而下，馳遺棄其霧而遠逝也。

呼吸沆瀣兮餐朝霞，噍咀芝英兮嘰瓊華。徐廣曰嘰音祈，小食也。駰案韋昭曰瓊華，玉英。嬐侵潯而高縱兮，紛鴻涌而上厲。徐廣曰嬐音纖。○索隱曰漢書嬐作㯎，㯎，仰也，音禁。嬐音魚錦反。貫列缺之倒景兮，涉豐隆之滂沛。漢書音義曰列缺，天閃也。倒景，日在下。○正義曰張云豐崇雲師也。淮南子云季春三月豐崇乃出，以將雨。按豐崇將雲雨，故云滂沛。馳游道而脩降兮，正義曰游，游車也。道，道車也。脩，長也。降，下也。騖遺霧而遠逝。迫區中之隘陝兮，舒節出乎北垠。遺屯騎於玄闕兮，軼先驅於寒門。漢書音義曰玄闕，北極之山。寒門，天北門。下崢嶸而無地兮，上寥廓而無天。視眩眠而無見兮，聽惝恍而無聞。乘虛無而上假兮，超無友而獨存。徐廣曰假音古下反，至也。相如既奏大

日 一本作日

似　本作以

遺

正義曰封禪国之大礼故云礼書顏云書札也而番之故云遺札恐非

昊穹下兮字漢書無之

尔雅云春天為蒼天夏為昊天也

人之頌天子大説飄飄有凌雲之氣似游天地之間意相如既病免家居茂陵天子曰司馬相如病甚可往從悉取其書若不然後失之矣使所忠往正義曰姓所名忠也風俗通姓氏云漢書有諫大夫所忠氏而相如已死家無書問其妻對曰長卿固未嘗有書也時時著書人又取去即空居長卿未死時為一卷書曰有使者來求書奏之無他書其遺札書言封禪事奏所忠忠奏其書天子異之其書曰伊上古之初肇自昊穹兮生民歷撰列辟以迄于秦徐廣曰撰一作選○索隱曰文穎曰選數也率邇者踵武徐廣曰率循也邇近也武迹也循省

列辟列君也

傳 逐戀反

世近之遺迹○索隱曰言循覽近代之事則踵蹈者可知也逖聽者風聲徐廣曰逖遠也聽察遠古之風聲○索隱曰風聲風雅之聲以言聽遠古之事則著在風雅之聲也紛綸葳蕤堙滅而不稱者不可勝數也索隱曰胡廣曰紛亂也綸没也葳蕤委頓也張揖曰亂貌續韶夏崇號謚略可道者七十有二君漢書音義曰昭明也夏大也德明大相繼封禪於泰山者七十有二人○索隱曰見韓詩外傳及封禪書也罔若淑而不昌疇逆失而能存徐廣曰若順也駰案韋昭曰疇誰也言順善必昌逆失必亡軒轅之前遐哉邈乎其詳不可得聞也五三六經載籍之傳維見可觀也索隱曰胡廣云五五帝也三三王也案六經詩書禮樂易春秋也書曰元首明哉股肱良哉因斯以談君莫盛於唐堯臣莫賢於后稷后稷創業於唐公劉發迹於西

昭

疇 タレカ

司馬相如

繈褓 正義曰博物志云襁織縷為廣八寸長大尺以約小兒於背上也呂氏春秋云褓小兒被

郅 文穎曰郅至也

正義云言軌法蹤跡平易之遵奉也

正義曰滲遍布也涌出也

戎文王改制爰周郅隆徐廣曰郅盖字誤皇甫謐曰王季宅程故周書曰維王季宅程孟子稱文王生於畢程或者郅字宜為程乎或為脛北地有郁郅縣脛大也晉灼曰郅至也○索隱曰爰於及也郅大也盛也裴光云郅可見之大也徐及皇甫之說皆非也以言文王改制及周而大盛也大行越成漢書音義曰行道也文王始開王業改正朔易服色太平之道於是成矣○索隱曰應劭云大行謂以言道德大行也而後陵夷衰微千載無聲徐廣曰周之王四海千載之後聲教乃絕駰案韋昭曰無惡聲豈不善始善終哉然無異端慎所由於前謹遺教於後耳故軌迹夷易易遵也湛恩濛涌易豐也憲度著明易則也垂統理順易繼也是以業隆於繈褓而崇冠于二后漢書音義曰繈褓謂成王也二后謂文武也周公負成王致太平功德冠於文武者道成法易故也揆厥所元終都攸

湛 音沈深也

汋音勺正義曰汋濇漫衍言漢恩廣大也

正義曰澤音懌文穎云凱懌皆樂也

正義曰騶虞義獸也白虎黑文不食生物有至信之法則應之按以此故言珎群将充圃也

卒。漢書音義曰卒都於卒終也未有殊尤絶迹可考于今者也然猶躡梁父登泰山建顯號施尊名大漢之德逢涌原泉韋昭曰漢德逢火涌如泉原也○索隱曰張揖曰逢遇也喻其德盛若遇泉原之流也又作峯讀胡廣曰自此已下論漢家之德也汋濇漫衍旁魄四塞雲尃霧散徐廣曰尃音布上暢九垓下泝八埏徐廣曰音衍駰案漢書音義曰暢達垓重也泝流也埏若八埏地之際也言其德上達於九重之天下流於地之八際也懷生之類霑濡浸潤協氣橫流武節飄逝邇陝游原迥闊泳沫漢書音義曰邇近也原本也迥遠也闊廣也泳浮也因德北之於水近者游其原遠者浮其沫首惡湮沒闇昧昭晳漢書音義曰始爲惡者皆湮滅闇昧喻夷狄皆化昆蟲凱澤回首面內韋昭曰面向也然後囿騶虞之珍群徼麋鹿之怪獸漢書音義曰徼遮也麋鹿得其

司馬相如 四十二

王鈞交

奇怪者謂獲白麟也導一莖六穗於庖徐廣曰導禾也駰案漢書音義曰謂嘉禾之米於庖廚以供祭祀○索隱曰鄭德云導擇水說文嘉禾一名導禾字林云禾一莖六穗謂之導禾也犧雙觡共抵之獸徐廣曰抵音底駰案漢書音義曰犧牲也觡角也底本也武帝獲白麟兩角共一本因以爲牲也獲周餘珍收龜于岐徐廣曰一作放龜駰案漢書音義曰餘珍得周鼎也岐水名也招翠黃乘龍於沼漢書音義曰翠黃乘黃也龍翼馬身黃帝乘而登仙言見乘黃而招呼之禮樂志曰紫黃湛河不下來余吾渥洼水中出神馬故曰乘龍於沼○索隱曰服虔云乘龍四龍也翠黃孟説是也周書云乘黃似狐背上有兩角也鬼神接靈圉賓於閒館徐廣曰言至德與神明通接故靈圉爲賓旅於閒館矣郭璞曰靈圉仙人名也奇物譎詭俶儻窮變欽哉符瑞臻茲猶以爲薄不敢道封禪蓋周躍魚隕杭休之以燎索隱曰杭舟也胡廣云武王渡河白魚入王舟俯取以燎隕墜之於舟中也微夫斯

之爲符也以登介丘不亦恧乎漢書音義曰介大也丘山也言周以白魚爲瑞登太山封禪不亦慙乎進讓之道其何爽與徐廣曰爽差異也駰案漢書音義曰進周也讓漢也言周未可封禪爲進漢可封禪而不封禪爲讓也○索隱曰爽猶差也言漢周進讓之道皆差也於是大司馬進曰陛下仁育羣生義征不憓漢書音義曰大司馬上公也故先進議憓音惠憓順也諸夏樂貢百蠻執贄德侔往初功無與二休烈浹洽符瑞衆變期應紹至不特創見徐廣曰不但初顯符瑞而已蓋將終以封禪之事○索隱曰丈讀云不獨一物初創見也胡廣云符瑞衆多應期相繼而至也意者泰山梁父設壇場望幸蓋號以況榮徐廣曰以況受上天之榮爲名號○索隱曰案本或作望華蓋華蓋星名在紫微大帝之上今言望聖帝之臨幸也義亦兩通而孟康服虔注本皆幸下有華字而虞喜流別集則唯云幸幸當是也於義亦通直以後人見幸下有蓋字又幸字似華故因

司馬相如

儲祉チシ
漢書曰薦作慶
正義曰挈猶持言漢帝執持三神之驩乃不封禪今缺王道之儀羣孔文祥云三神天地人也按三家說帝氏為長也　挈ケイ口計反

疑惑遂定華字使誤也文穎云蓋合也言考合前代之君撰其榮而相比況以為號也大顏云蓋欲也言欲化功立號受天之況賜榮名也於義為暱然其文云蓋詞義典質又上與幸字連文致令有華蓋之謬也**上帝垂恩儲祉將以薦成**徐廣曰以衆瑞物初至封禪處薦之上天告成功也○索隱曰案漢書作慶成義亦通也**陛下謙讓而弗發也挈三神之驩**徐廣曰挈猶言垂也駰案韋昭曰挈缺也三神上帝泰山梁父也○索隱曰徐氏云挈猶垂非也應劭缺作絕李奇韋昭作缺意亦不遠三神如淳謂地祇天神山嶽也與韋不同**缺王道之儀羣臣恧焉或謂且天為質闇珍符固不可辭**漢書音義曰言天道質昧以符瑞見意不可辭讓也**若然辭之是泰山靡記而梁父靡幾也**漢書音義曰大山之上無所表記梁父壇場無所庶幾○索隱曰案幾音冀**亦各並時而榮咸濟世而屈**漢書音義曰屈絕之也言古帝王但作一時之榮畢代而絕也**說者尚何稱於後**徐廣曰若

正義曰符瑞盛而辭之則是太山無碑記梁父無望祭祀云也

皇皇盛貌

無封禪之遺迹則榮盡於當時至於歷世之後人何所述而云七十二君乎索隱曰言古封禪之帝王是各並時而榮貴盛有濟世之勳而屈者謂言抑屈摠不封禪使說者尚何稱述後代而云七十二君乎夫修德以錫符奉符以行事不為進越索隱曰文穎云越踰也不為苟進踰禮也故聖王弗替而修禮地祇謁欵天神漢書音義曰欵誠也謁告之報誠也勒功中嶽以彰至尊舒盛德發號榮受厚福以浸黎民也皇皇哉斯事天下之壯觀王者之不業不可貶也願陛下全之而後因雜薦紳先生之略術使獲燿日月之末光絕炎以展采錯事徐廣曰錯音厝駰案漢書音義曰采官也使諸儒記功著業得覲日月末光殊絕之用以展其官職設厝其事業者也猶兼正列其義校飭厥文作春秋一藝

正義曰攄飾也

徐廣曰校一作祓祓猶拂也音廢也駰案漢書音義曰春秋者正天時列人事諸儒既得展事業因兼正天時列人事叙述大義為一經

將襲舊六為七 韋昭曰今漢書增一仍舊六為七也

攄之無窮 徐廣曰攄一作臚臚叙也○索隱曰廣雅云攄張舒也

俾萬世得激清流揚微波蜚英聲騰茂實 索隱曰胡廣曰飛揚英偉之聲騰馳茂盛之實也

前聖之所以永保鴻名而常為稱首者用此 索隱曰案謂用此封禪也

宜命掌故悉奏其義而覽焉 漢書音義曰掌故太史官屬主故事也

於是天子沛然改容曰愉乎朕其試哉乃遷思回慮總公卿之議詢封禪之事詩大澤之博廣符瑞之富 漢書音義曰詩歌詠功德也下四章之頌也大澤之博謂自我天覆雲之油油廣符瑞之富謂斑斑之獸以下三章言符瑞廣大富饒也

乃作頌曰自我天覆雲之油油

顏云言雨露滂沛澤可以游泳接水行貝、

專 本作專

嘉 漢作喜許記反、

熊 索隱本作能又漢書作態

昔義曰油油雲行貌孫子曰油然作雲沛然下雨 甘露時雨厥壤可游滋液滲漉何生不育 徐廣曰滲音色蔭反○索隱曰案郭璞云滲漉水下流之貌也 嘉穀六穗我穡曷蓄 徐廣曰何所畜邪畜嘉穀 非唯雨之又潤澤之非唯濡之氾專濩之 徐廣曰古布字作專○索隱曰胡廣曰氾普也言雨澤非偏於我普遍布散無所不濩也 萬物熙熙懷而慕思名山顯位望君之來 韋昭曰名山大山也顯位封禪也 君乎君乎侯不邁哉 索隱曰小顏云侯何也邁行也言君何不行封禪 般般之獸樂我君囿 索隱曰案般般文彩之貌也音班胡廣曰謂騶虞也 白質黑章其儀可嘉旼旼睦睦君子之能 徐廣曰旼音旻和貌也能一作態○駰案漢書音義曰旻和穆敬言和且敬有似君子 蓋聞其聲今觀其來厥塗靡蹤天瑞之徵 徐廣曰其所來路非有迹蓋自天降瑞不行而至也 茲亦

司馬相如 漢書蹤作從

漢作尔

正義曰黃龍者四龍之長四方之正色神靈之精能巨細剛柔文明章應和氣游池沼也

記作訖ツテ

於舜虞氏以興（索隱曰文穎曰舜百獸率舞則騶虞亦在其中也）濯濯之麟游彼靈畤（漢書音義曰武帝祠五畤獲白麟故言游靈畤○索隱曰詩人云麀鹿濯濯注云濯濯嬉遊也）孟冬十月君徂郊祀馳我君輿帝以享祉三代之前蓋未嘗有宛宛黃龍興德而升（索隱曰胡廣曰宛宛屈伸也）采色炫燿熿炳煇煌（徐廣曰熿音晃煇音輝）正陽顯見覺寤黎烝（索隱曰文穎云正陽陽明也謂南面受朝也）於傳載之云受命所乘（索隱曰如淳曰書傳所載援其比類以爲漢土德黃龍爲之應見之於成紀故云受命所乘也）厥之有章不必諄諄（徐廣曰諄止純反告之丁寧駰案漢書音義曰天之所命表以符瑞章明其德不必諄諄然有語言也）依類託寓諭以封巒（漢書音義曰寓寄也巒山也言依事類託寄以喻封禪）

者

披藝觀之天人之際已交上下相發允答聖

王之德兢兢翼翼也故曰興必慮衰安必思危是以湯武至尊嚴不失肅祗舜在假典顧省厥遺此之謂也徐廣曰假大也司馬相如既卒徐廣曰元狩五年五歲天子始祭后土八年而遂先禮中嶽正義曰嵩高也在洛州陽城縣西北二十二里封于太山正義曰在兖州博城縣西北三十里至梁父禪肅然徐廣曰小山在泰山下趾東北相如他所著若遺平陵侯書徐廣曰蘇建也與五公子相難草木書篇不采采其尤著公卿者云

太史公曰春秋推見至隱韋昭曰推見事至於隱諱謂若晉文召天子經言狩河陽之屬○索隱曰李奇曰隱猶微也言其義彰而文微若隱公見弑而經不書諱之也易本隱之以

困學紀聞十一史記司馬相如傳贊揚雄以為靡麗之賦勸百而風一江氏曰此贊後於遷甚久遷得引雄辭何哉蓋後人以漢書贊附益之

師古曰小己者謂卑小之人以對上言大人耳

正義曰從傳至小雅殊異其合德化民者一用比相如虛詞浮濫後要歸於節儉與詩之諷諫同德也

顯韋昭曰易本隱微妙出為人事乃顯著也○索隱曰虞喜志林曰春秋以人事通天道是推見至隱也易以天道接人事索隱以之明顯也大雅言王公大人而德逮黎庶韋昭曰先言王公大人之德乃後及衆庶也○索隱曰張揖曰謂文王公劉在位大人之德下及衆民者也小雅譏小己之得失其流及上韋昭曰小雅言人志狹小先道己之憂苦其流乃及上政之得失者○索隱曰張揖云已詩人自謂也已小有得失不得其所作詩流言以諷其上也故詩緯云小雅譏已得失及之於上也所以言雖外殊其合德一也相如雖多虛辭濫說然其要歸引之節儉此與詩之風諫何異揚雄以為靡麗之賦勸百風一猶馳騁鄭衛之聲曲終而奏雅不已虧乎余采其語可論者著于篇

外本無

索下之

索隱述贊曰

相如縱誕　竊貲卓氏　其學無方

其才足倚　子虛過吒　上林非侈

駟馬還邛　百金獻伎　惜哉封禪

遺文悼爾

史玖阡貳伯肆拾伍字

注萬捌阡捌伯貳拾字

司馬相如列傳第五十七　史記一百一十七

黄氏曰司馬相如文人無行不足美予以識司馬遷偶讀傳等書並言之許留舞者亦重之多事者惟封禪
書稱廣天下於身後且稱後世罪不勝誅蔺相如信威藏國名重太山太子何人亦皆言名
嗚呼烏能神也而有張禹之術而異其王也而有張湯之陽蔺相如今世人直家也而有司
馬相如之相如放曰人於義者之不於義人被能賢之名亦有附不爲年而降尊於小人也　曰相如之
賦果何爲者卿素帝之不好此人情之而也而武帝溺之焉嗚呼於相如表爲才長生於兵
則窮威宋矣於宮室則千門萬戶而於文則好相如之賦而縱之有清雲之氣數人於世
武帝之志若之六矣　曰　漢史記謂月其文往往勝達陽千歲如觀而斯亦奇矣其文宜如
何游獵賦然不勝游之蓋文所以載經要有不關義理而可以言文哉往歲寒之村後凋也
益之而者徒有亡集書名不離字句必四字方點物名乃字多隱僻義理寡聞余爲輯劃
之然未其所由作以識器物之名於世尚爲可用今游獵所賦草木禽獸句亦四字排凡
積多字於世所希

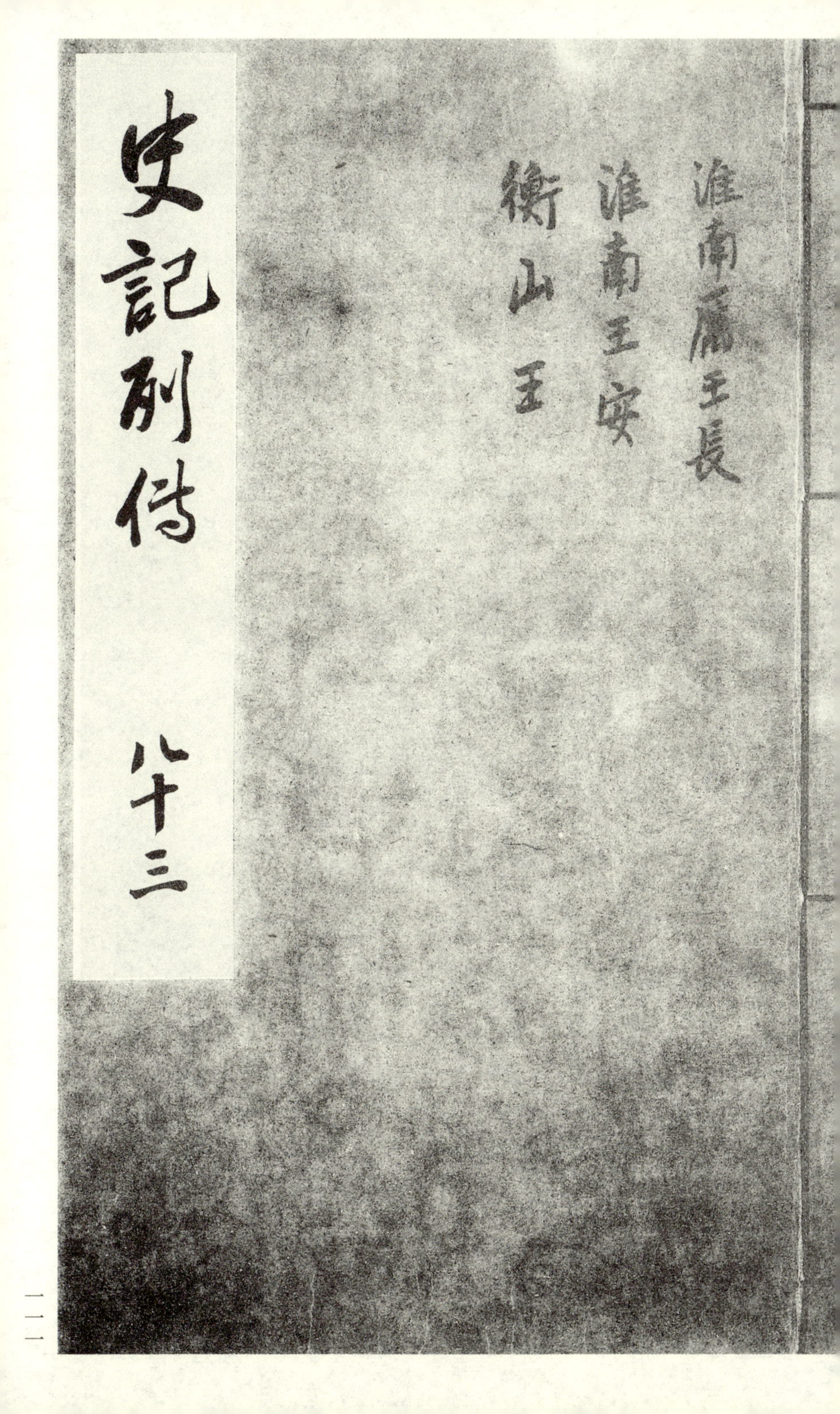

史記列傳 八十三

淮南厲王長
淮南王安
衡山王

淮南厲王長

衡山[illegible]

外戚世家曰呂后長女為宣平侯張敖妻

田叔傳曰會陳豨反代高祖往誅之過趙趙王張敖自持案進食禮恭甚高祖箕踞罵之是時趙相趙午等數十人皆怒謂張王曰王事上禮備矣今遇王如是臣等請為亂趙王齧指出血曰先人失國微陛下臣等當蟲出公等柰何言若是毋復出口矣於是貫高等曰王長者不倍德卒私相與謀弑上會事發覺漢下詔捕趙王及群臣反者

排說

漢書列傳十四之卷

漢五年張耳薨諡為景王子敖嗣立為趙王高祖長女魯元公主為趙王敖后

詳見于張耳陳餘傳

辟陽侯 審食其也

淮南衡山列傳第五十八　史記一百一十八

淮南厲王長者高祖少子也其母故趙王張敖美人高祖八年從東垣過趙（正義曰趙張耳所都今邢州也）趙王獻之美人厲王母得幸焉有身趙王敖弗敢內宮爲築外宮而舍之及貫高等謀反柏人事發覺并逮治王盡收捕王母兄弟美人繫之河内厲王母亦繫告吏曰得幸上有身吏以聞上上方怒趙王未理厲王母厲王母弟趙兼因辟陽侯言呂后呂后妒弗肯白辟陽侯不彊爭及厲王母已生厲王恚即自殺吏奉厲王詣上上悔

ハラムコト

正義曰悔不理厲王母 令呂后母之而葬厲王母眞定眞定

厲王母之家在焉父世縣也索隱曰案漢書作母家縣謂父祖代居眞定也

高祖十一年十月淮南王黥布反立子長爲淮

南王王黥布故地凡四郡徐廣曰九江廬江衡山豫章也上自將

兵擊滅布厲王遂即位厲王蚤失母常附呂后

孝惠呂后時以故得幸無患害而常心怨辟陽

侯弗敢發及孝文帝初即位淮南王自以爲最

親驕蹇數不奉法上以親故常寬赦之三年入

朝甚橫從上入苑囿獵與上同車常謂上大兄

厲王有材力力能扛鼎乃往請辟陽侯辟陽侯

薄太后者孝文帝之母也

出見之即自袖鐵椎椎辟陽侯（索隱曰漢書作褏金椎椎之案信陵君使朱亥袖四十斤鐵椎也）令從者魏敬剄之（正義曰剄古鼎反剄謂刺剄）厲王乃馳走闕下肉袒謝曰臣母不當坐趙事其時辟陽侯力能得之呂后弗爭罪一也趙王如意子母無罪呂后殺之辟陽侯弗爭罪二也呂后王諸呂欲以危劉氏辟陽侯弗爭罪三也臣謹為天下誅賊臣辟陽侯報母之仇謹伏闕下請罪孝文傷其志為親故弗治赦厲王當是時薄太后及太子諸大臣皆憚厲王厲王以此歸國益驕恣不用漢法出入稱警蹕稱制自為法令

文帝六年

漢書作輂車。師古曰：輂車，人輓行以載兵器也。

擬於天子。六年，令男子但等七十人與棘蒲侯柴武太子奇謀，以輂車四十乘徐廣曰：大車駕馬曰輂，音己足反。反谷口，漢書音義曰：谷口在長安北，故縣也，處多險阻。○正義括地志云：谷口故城在雍州醴泉縣東北四十里，漢谷口縣也。令人使閩越、匈奴。事覺，治之，使使召淮南王。淮南王至長安。丞相臣張倉、典客臣馮敬行御史大夫事、宗正臣逸、廷尉臣賀、備盜賊中尉臣福昧死言：淮南王長廢先帝法，不聽天子詔，居處無度，爲黃屋蓋乘輿，出入擬於天子，擅爲法令，不用漢法。及所置吏，以其郎中春爲丞相，聚收漢諸侯人及有罪亡者，匿與居，爲治家室，賜其財物爵祿田宅爵或至關內侯奉以二千石所不當得欲以有為如淳曰賜亡畔來者如賜其國二千石也瓚曰奉以二千石之秩祿大夫但張晏曰大夫姓也上云男子但明其姓大夫也瓚曰官爲大夫名但者也○索隱曰張晏云大夫姓非也案上文云男子但此云大夫但及仕五開章則知大夫是官也士五開章等七十人如淳曰律有罪失官爵稱士伍者也開章名與棘蒲侯太子奇謀反徐廣曰棘蒲侯柴武以文帝後元年卒謚剛嗣子謀反不得置後國除欲以危宗廟社稷使開章陰告長與謀使閩越及匈奴發其兵開章之淮南見長長數與坐語飲食爲家室娶婦以二千石俸奉之開章使人告但已言之王春使使報但等吏覺知使長安尉奇等往捕開章長匿

不害與故中尉蕑忌謀殺以閉口【索隱曰蕑姓也音姦嚴助傳則作閒忌字音亦同○正義曰謀殺閒章以閉絕謀反之口也】為棺槨衣衾葬之肥陵邑【正義曰括地志云肥陵故縣在壽州安豐縣東六十里在故六城東北百餘里】謾吏曰不知安在【索隱曰謾音慢謾誑也實葬肥陵誑云不知處按肥陵地名在肥水之上】又佯聚土樹表其上曰開章死埋此下及長身自賊殺無罪者一人令吏論殺無罪者六人為命棄市罪詐捕命者以除罪【晉灼曰亡命者當棄市而王藏之詐捕不命者而言命以脫命者之罪】擅罪人罪人無告劾繫治城旦春以上十四人赦免罪人死罪十八人城旦春以下五十八人賜人爵關內侯以下九十四人前日長病陛下憂

為命棄市罪 孟康云亡逃曰命王藏亡逃罪人以無罪者代之死也

謾 イツハチ アセムイチ

苦之使使者賜書棗脯長不欲受賜不肯見拜
使者南海民處廬江界中者反淮南吏卒擊之
陛下以淮南民貧苦遣使者賜長帛五千匹以
賜吏卒勞苦者長不欲受賜謾言曰無勞苦者
南海民王織上書獻璧皇帝忌擅燔其書不以
聞文穎曰忌蘭忌吏請召治忌長不遣謾言曰忌病春又
請長願入見長怒曰女欲離我自附漢長當棄
市臣請論如法制曰朕不忍致法於王其與列
侯二千石議臣倉臣敬臣逯臣福臣賀昧死言
臣謹與列侯吏二千石臣嬰等四十三人議皆

師古曰子母者所生子之姬妾

廩食作皆日三食

正義曰官給食也雜物並官供也

師古曰上言子母則有子者令從之今此云美人才人則無子者則亦令從之

淮南王四

曰長不奉法度不聽天子詔乃陰聚徒黨及謀反者厚養亡命欲以有為臣等議論如法制曰朕不忍致法於王其赦長死罪廢勿王臣倉等昧死言長有大死罪陛下不忍致法幸赦廢勿王臣請處蜀郡嚴道邛郵徐廣曰嚴道有邛僰九折阪又有郵置駰案張晏曰嚴道蜀郡縣○索隱曰縣有蠻夷曰道嚴道有邛郲山有郵置故曰嚴道邛郵也遣其子母從居索隱曰案樂彥云妾媵之有子者從夫也縣為築蓋家室皆廩食給薪菜鹽豉炊食器席蓐臣等昧死請請布告天下制曰計食長給肉日五斤酒二斗令故美人才人得幸者十人從居他可索隱曰謂它事可其制也盡誅所

通鑑邛郵胡注邛郵置名師古曰郵行書之舍余按班志蜀嚴道有邛來山邛水所出蓋於其地置郵驛也杜佑曰邛州臨邛縣有邛來山在雅州百丈縣嚴道今雅州宋白曰秦滅楚徙嚴王之族以實此地故曰嚴道

與謀者。於是乃遣淮南王，載以輜車，令縣以次傳。是時袁盎諫上曰：上素驕淮南王，弗爲置嚴傅相，以故至此。且淮南王爲人剛，今暴摧折之，臣恐卒逢霧露病死。陛下爲有殺弟之名，奈何。上曰：吾特苦之耳，今復之。縣傳淮南王者皆不敢發車封。漢書音義曰：檻車有檻封也。淮南王乃謂侍者曰：誰謂乃公勇者。索隱曰：乃汝也。汝公，淮南王自謂也。吾安能勇。吾以驕故不聞吾過至此。人生一世間，安能邑邑如此。乃不食死。至雍，正義曰：今岐州雍縣也。雍令發封，以死聞上。上哭甚悲。謂袁盎曰：吾不聽公言，卒亡淮南王。盎

通鑑以次傳之，胡注：傳音張戀翻，下同

上，文帝也

令，漢作今

吾特苦之耳，師古曰：暫困苦之，令其自悔

悔即追還也

復，音扶目反

胡注：爲，于僞翻；相，息亮翻

曰不可奈何願陛下自寬上曰爲之奈何盎曰獨斬丞相御史以謝天下乃可索隱曰案劉氏云袁盎此言亦太過也上即令丞相御史逮考諸縣傳送淮南王不發封餽侍者皆棄市乃以列侯葬淮南王於雍守冢三十戶孝文八年上憐淮南王淮南王有子四人皆七八歲乃封子安爲阜陵侯子勃爲安陽侯子賜爲周陽侯子良爲東成侯孝文十二年民有作歌歌淮南厲王曰一尺布尚可縫一斗粟尚可舂兄弟二人不能相容漢書音義曰尺布斗粟猶尚不棄況於兄弟而更相逐乎瓚曰一尺布尚可縫而共衣一斗粟尚可舂而共食也況以天下之廣而不能相容上

聞之乃歎曰堯舜放逐骨肉正義曰帝系云堯黃帝之後舜顓頊之後四凶之内有承黃帝顓頊者而堯舜竄之故放逐骨肉耳四凶者共工三苗伯鯀及驩兜皆堯舜之同姓故云骨肉也周公殺管蔡天下稱聖何者不以私害公天下豈以我爲貪淮南王地邪乃徙城陽王王淮南故地徐廣曰景王章之子而追尊謚淮南王爲厲王正義曰謚法云暴慢無親曰厲置園復如諸侯儀孝文十六年徙淮南王喜復故城陽索隱曰故城陽景王章子也上憐淮南厲王廢法不軌自使失國蚤死乃立其三子阜陵侯安爲淮南王安陽侯勃爲衡山王周陽侯賜爲廬江王皆復得厲王時地參分之東城侯良前薨無後

也孝景三年吳楚七國反吳使者至淮南淮南王欲發兵應之其相曰大王必欲發兵應吳臣願爲將王乃屬相兵淮南相已將兵因城守不聽王而爲漢漢亦使曲城侯徐廣曰曲城侯姓蟲名捷其父名逢高祖功臣將兵救淮南淮南以故得完吳使者至廬江廬江王弗應而往來使越吳使者至衡山衡山王堅守無二心孝景四年吳楚已破衡山王朝上以爲貞信乃勞苦之曰南方卑溼徙衡山王王濟北所以褒之及薨遂賜謚爲貞王廬江王邊越數使使相交故徙爲衡山王王江北淮南王

如故

淮南王安爲人好讀書鼓琴不喜弋獵狗馬馳騁亦欲以行陰德拊循百姓流譽天下時時怨望厲王死時欲畔逆未有因也及建元二年淮南王入朝素善武安侯武安侯時爲太尉乃逆王霸上與王語曰方今上無太子大王親高皇帝孫（正義曰漢書云武帝以安爲諸侯）行仁義天下莫不聞即宮車一日晏駕非大王當誰立者淮南王大喜厚遺武安侯金財物陰結賓客（索隱曰淮南要略云養士數千高材者八人蘇非李尚左吳田由雷被五被毛被晉昌號曰八公）拊循百姓爲畔逆事建元

六年彗星見淮南王心怪之或說王曰先吳軍起時彗星出長數尺然尚流血千里今彗星長竟天天下兵當大起王心以爲上無太子天下有變諸侯並爭愈益治器械攻戰具積金錢賂遺郡國諸侯游士奇材諸辨士爲方略者妄作妖言諂諛王王喜多賜金錢而謀反滋甚淮南王有女陵彗有口辯王愛陵常多予金錢爲中詗長安徐廣曰詗伺候采察之名也音空政反安平侯鄂千秋玄孫伯與淮南王女陵通而中絕又遺淮南王書稱臣盡力故棄市○索隱曰鄧展曰詗捕也孟康曰詗音偵西方人以反閒爲偵劉氏及包愷並音丑政反服虔云偵候之也約結上左右元朔三年上賜淮南王几杖

王太后 脩成君 武帝

脩成君女 服虔云武帝異姓姊之女也 脩成君事見于外戚傳

令

不朝淮南王王后荼王愛幸之王后生太子遷遷取王皇太后外孫脩成君女爲妃（徐廣曰王太后先適金氏）王謀爲反具畏太子妃知而內泄事乃與太子謀令詐弗愛三月不同席王乃詳爲怒太子閉太子使與妃同內三月太子終不近妃妃求去王乃上書謝歸去之王后荼太子遷及女陵得愛幸王擅國權侵奪民田宅妄致繫人（徐廣曰一云毆擊）元朔五年太子學用劍自以爲人莫及聞郎中雷被巧（索隱曰案巧者謂善用劍也）乃召與戲被一再辭讓誤中太子（索隱曰樂彥云初一讓王王一讓後遂不讓故云一再讓而誤中太子也）太子怒

金氏金王孫也王太后先在民間之夫也

通鑑十九太子恐被
｜｜胡注恐毀惡也
如字
通鑑下廷尉治
胡注下遐嫁翻
｜｜｜番太子逮不遣
候伺師古曰入京師
候伺其事

被恐此時有欲從軍者輒詣京師被即願奮擊
匈奴太子遷數惡被於王王使郎中令斥免欲
以禁後（正義曰言并斥免郎中令官而令後人不敢效也）被遂亡至長安上
書自明詔下其事廷尉河南（正義曰雷被告言下廷尉及河南共治之）河
南治逮淮南太子（正義曰逮謂追赴河南也）王王后計欲無遣
太子遂發兵反計猶豫十餘日未定會有詔即
訊太子（索隱曰案樂產云即就淮南案之不逮詣河南也）當是時淮南相怒
壽春丞留太子逮不遣（如淳曰丞主刑獄囚徒丞順王意不遣太子應逮書）劾不
敬王以請相相弗聽王使人上書告相事下廷
尉治蹤跡連王王使人候伺漢公卿公卿請逮

淮南王安

捕治王王恐事發太子遷謀曰漢使即逮王王令人衣衞士衣持戟居庭中王旁有非是則刺殺之臣亦使人刺殺淮南中尉乃舉兵未晚是時上不許公卿請而遣漢中尉宏即訊驗王（索隱曰案百官表云宏姓殷也）王聞漢使來即如太子謀計漢中尉至王視其顏色和訊王以斥雷被事耳王自度無何（如淳曰無何罪）不發中尉還以聞公卿治者曰淮南王安擁閼奮擊匈奴者雷被等廢格明詔當棄市（索隱曰崔浩云詔書募擊匈奴而被雍遏應募者漢律所謂廢格案如淳注梁孝王傳云謂格閣不行也音各）詔弗許公卿請廢勿王詔弗許公卿請削五縣詔

通鑑十九詔削二縣 這史作削五縣說是

削五縣使中尉宏赦淮南王罪罰以削地中尉入淮南界宣言赦王王初聞漢公卿請誅之未知得削地聞漢使來恐其捕之乃與太子謀刺之如前計及中尉至即賀王王以故不發其後自傷曰吾行仁義見削甚恥之然淮南王削地之後其爲反謀益甚諸使道從長安來爲妄妖言索隱曰如淳曰道猶言路由長安來姚丞云道或作從言上無男漢不治即喜即言漢廷治有男王怒以爲妄言非也王日夜與伍被漢書曰伍被楚人或言其先伍子胥後左吳等案輿地圖蘇林曰輿猶盡載之意○索隱曰志林云輿地圖漢家所畫非出遠也部署兵所從入王曰上

道從長安 師古曰道從也

通鑑淮南王安與賓客左吳等日夜為反謀

遇我厚 正義曰漢書云帝以安屬為諸父辯博善為文辭甚尊重之每為報書及賜常召司馬相如等視草迺遣初安入朝每宴見談說得失昏暮然後罷

見宮中生荊棘露霑衣

畫耳 正義曰上音獲言畫計謀反

無太子宮車即晏駕廷臣必徵膠東王不如常山王（徐廣曰皆景帝子也）諸侯並爭吾可以無備乎且吾高祖孫親行仁義陛下遇我厚吾能忍之萬世之後吾寧能北面臣事豎子乎王坐東宮召伍被與謀曰將軍上被悵然曰上寬赦大王王復安得此亡國之語乎臣聞子胥諫吳王吳王不用乃曰臣今見麋鹿游姑蘇之臺也今臣亦見宮中生荊棘露霑衣也王怒繫伍被父母囚之三月復召曰將軍許寡人乎被曰不直來為大王畫耳臣聞聰者聽於無聲明者見於未形故聖

索隱李充王作聖人

人萬舉萬全昔文王一動而功顯于千世列爲三代此所謂因天心以動作者也故海内不期而隨此千歲之可見者夫百年之秦近世之吳楚亦足以喩國家之存亡矣臣不敢避子胥之誅願大王毋爲吳王之聽昔秦絶先王之道殺術士燔詩書棄禮義尚詐力任刑罰轉負海之粟致之西河當是之時男子疾耕不足於糟糠女子紡績不足於蓋形遣蒙恬築長城東西數千里暴兵露師常數十萬死者不可勝數僵尸千里流血頃畝百姓力竭欲爲亂者十家而五

振子 振字可作侲
韻會真韻注曰侲子
童男女称

又使徐福入海求神異物還爲僞辭曰臣見海中大神言曰汝西皇之使邪臣荅曰然汝何求曰願請延年益壽藥神曰汝秦王之禮薄得觀而不得取即從臣東南至蓬萊山見芝成宮闕有使者銅色而龍形光上照天於是臣再拜問曰宜何資以獻海神曰以令名男子若振女徐廣曰西京賦曰振子萬童駰案薛綜曰振子童男女與百工之事即得之矣秦皇帝大說遣振男女三千人資之五穀種種百工而行徐福得平原廣澤止王不來正義曰括地志云亶州在東海中秦始皇遣徐福將童男女遂止此州其後復有數洲萬家其上人有至會稽市易者闕文於是百

韻會曰侲之言善也

帝

淮南王安

姓悲痛相思欲爲亂者十家而六又使尉佗踰
五嶺攻百越尉佗知中國勞極止王不來使人
上書求女無夫家者三萬人以爲士卒衣補秦
皇帝可其萬五千人於是百姓離心瓦解欲爲
亂者十家而七客謂高皇帝曰時可矣高皇帝
曰待之聖人當起東南間不一年陳勝吳廣發
矣高皇始於豐沛一倡天下不期而響應者不
可勝數也此所謂蹈瑕候間因秦之亡而動者
也百姓願之若旱之望雨故起於行陳之中而
立爲天子功高三王德傳無窮今大王見高皇

帝得天下之易也獨不觀近世之吳楚乎夫吳王賜號爲劉氏祭酒應劭曰禮飲酒必祭示有先也故稱祭酒尊也復不朝王四郡之衆地方數千里內鑄消銅以爲錢東煮海水以爲鹽上取江陵木以爲船一船之載當中國數十兩車國富民衆行珠玉金帛賂諸侯宗室大臣獨竇氏不與計定謀成舉兵而西破於大梁敗於狐父徐廣曰在梁碭之間奔走而東至於丹徒越人禽之身死絕祀爲天下笑夫以吳越之衆不能成功者何誠逆天道而不知時也方今大王之兵衆不能十分吳楚之一天下安寧有萬倍

淮南王安

於吳楚之時願大王從臣之計大王不從臣之計今見大王事必不成而語先泄也臣聞微子過故國而悲於是作麥秀之歌是痛紂之不用王子比干也故孟子曰紂貴爲天子死曾不若匹夫是紂先自絶於天下久矣非死之日而天下去之今臣亦竊悲大王棄千乘之君必且賜絶命之書爲羣臣先死於東宮也如淳曰王時所居也於是王氣怨結而不揚涕滿匡而横流即起歷階而去王有孽子不害最長王弗愛王王后太子皆不以爲子兄數如淳曰不以爲子兄秩數不害有子建材高有

子

氣常怨望太子不省其父服虔曰不省錄著兄弟數中又怨時

諸侯皆得分子弟爲侯而淮南獨二子一爲太

子建父獨不得爲侯建陰結交欲告敗太子以

其父代之太子知之數捕繫而榜笞建建具知

太子之謀欲殺漢中尉即使所善壽春莊芷索隱

曰漢書作嚴正以元朔六年上書於天子曰毒藥苦於口

利於病忠言逆於耳利於行今淮南王孫建材

能高淮南王王后荼荼子太子遷常疾害建建

父不害無罪擅數捕繫欲殺之今建在可徵問

具知淮南陰事書聞上以其事下廷尉廷尉下

治亂

求

河南治是時故辟陽侯孫審卿善丞相公孫弘怨淮南厲王殺其大父乃深購淮南事於弘弘乃疑淮南有畔逆計謀深窮治其獄河南治建辭引淮南太子及黨與淮南王患之欲發問伍被曰漢廷治亂伍被曰天下治王意不說謂伍被曰公何以言天下治也被曰被竊觀朝廷之政君臣之義父子之親夫婦之別長幼之序皆得其理上之舉錯遵古之道風俗紀綱未有所缺也重裝富賈周流天下道無不通故交易之道行南越賓服羌僰入獻東甌入降廣長榆

淮南王安

集義重裝謂商賈裝裹貨物重襲之多也

正義曰今榆木塞也在勝州北

（曰廣謂拓大之也長楡塞名王恢所謂樹楡爲塞）開朔方匈奴折翅傷翼失援不振雖未及古太平之時然猶爲治也王怒被謝死罪王又謂被曰山東即有兵漢必使大將軍將而制山東公以爲大將軍何如人也被曰被所善者黃義從大將軍擊匈奴還告被曰大將軍遇士大夫有禮於士卒有恩衆皆樂爲之用騎上下山若蜚材幹絶人被以爲材能如此數將習兵未易當也及謁者曹梁使長安來言大將軍號令明當敵勇敢常爲士卒先休舍穿井未通須士卒盡得水乃敢飲軍罷卒盡已

正義曰言男子出一言至死無改言必反也

正義曰言吳不解反故敗也

渡河乃度皇太后所賜金帛盡以賜軍吏雖古名將弗過也王默然淮南王見建已徵治恐國陰事且覺欲發被又以為難乃復問被曰公以為吳興兵是邪非也被曰以為非也吳王至富貴也舉事不當身死丹徒頭足異處子孫無遺類徐廣曰一作噍音寂笑反臣聞吳王悔之甚願王熟慮之無為吳王之所悔王曰男子之所死者一言耳徐廣曰一本無此言字駰案張晏曰不成則死一計耳瓚曰或有一言之云以死執之矣且吳何知反瓚曰言吳王不知舉兵反○索隱曰案知猶解也漢將一日過成皋者四十餘人如淳曰言吳不塞成皋曰而令漢將得出之今我令樓緩漢書直云緩無

通鑑令我絶成皐之口據三川之險胡注漢河南秦三川郡也其地爲伊洛河三川之合

僂字樓緩乃六國時人疑此後人所益也李奇曰緩似人姓名韋昭曰淮南臣名先要成皐之口正義曰成皐故在河南汜水縣東南二里周被下潁川兵塞轘轅伊闕之道正義曰轘轅故關在河南緱氏縣南四十里伊闕故關在河南縣南十九里陳定發南陽兵守武關正義曰故武關在商州商洛縣東九十里春秋時關文河南太守獨有雒陽耳何足憂然此北尚有臨晉關河東上黨與河内趙國人言曰絶成皐之口天下不通據三川之險正義曰即成皐關也招山東之兵舉事如此公以爲何如被曰臣見其禍未見其福也王曰左吳趙賢朱驕如皆以爲有福什事九成公獨以爲有禍無福何也被曰大王之羣臣近幸

正義曰聚謂聚落也

正義曰矜音槿柄也

言不如陳勝用謫戍棘矜等物

半一本作平

淮南王安

秦能使衆者皆前繫詔獄餘無可用者王曰陳勝吳廣無立錐之地千人之聚起於大澤奮臂大呼而天下響應西至於戲而兵百二十萬今吾國雖小然而勝兵者可得十餘萬非直適戍之衆鐖鑿棘矜也徐廣曰大鐮謂之鐖音五哀反或是鐖乎○索隱曰劉氏鐖音五裏反鑿音自各反又鐖鄉音機鐮音廉公何以言有禍無福被曰往者秦爲無道殘賊天下興萬乘之駕作阿房之宮收太半之賦發閭左之戍正義曰閭左邊不役之民秦則役之也父不寧子兄不便弟政苛刑峻天下熬然若焦索隱曰音消反民皆引領而望傾耳而聽悲號仰天叩心而

怨亡故陳勝大呼天下響應當今陛下臨制天下一齊海内汎愛蒸庶布德施惠口雖未言聲疾雷霆令雖未出化馳如神心有所懷威動萬里下之應上猶影響也而大將軍材能不特章邯楊能也大王以陳勝吳廣諭之被以爲過矣王曰苟如公言其不可徼幸邪被曰被有愚計王曰奈何被曰當今諸侯無異心百姓無怨氣朔方之郡田地廣水草美民徙者不足以實其地臣之愚計可僞爲丞相御史請書徙郡國豪傑任俠及有耐罪以上

應劭曰輕罪不至於髡完其耐鬢故曰耐字與彡髮膚之意蘇林以

爲法度之守皆從寸後改如是耐音若能如淳曰律耐爲司寇耐爲鬼薪白粲耐猶任也蘇林曰一歲爲罰作二歲刑已上爲耐耐能任其罪赦令除其罪產五十萬以上者皆徙其家屬朔方之郡益發甲卒急其會曰又僞爲左右都司空上林中都官詔獄逮書諸侯太子幸臣如淳曰百官表宗正有左右都司空上林有水司空皆主囚徒官也如此則民怨諸侯懼即使辯武徐廣曰淮南人名士曰武隨而說之儻可徼幸什得一乎王曰此可也雖然吾以爲不至若此於是王乃令官奴入宮作皇帝璽丞相御史大將軍軍吏中二千石都官令丞印及旁近郡太守都尉印漢使節法冠索隱曰法冠楚王冠也秦滅楚以其君冠賜御史○索隱

淮南王安

正義曰按辯武謂辯口而武列說必行之

通鑑又偽爲諸獄書胡注漢時左右都司空上林中都官皆有詔獄蓋本詔以獄因以爲名

○汲黯付之丞相弘如發蒙耳

通鑑九十渾罪而西胡注言使人詐為得罪而逃亡西如京師

集西謂如京師也

丞相指公孫弘也

漢書有弘字也

晋灼曰如發去物上之蒙直取其六易也

師古曰晋說是

正義曰求盜掌逐捕盜賊者解在高祖本紀

○通鑑衣求盜衣胡注求盜卒也掌逐捕盜賊漢書

崔浩云一名獬豸冠也欲如伍被計使人僞得罪而西蘇林曰詐作罪人而西也事大將軍丞相一日發兵如淳曰發淮南兵也○索隱曰崔浩曰一日猶一朝卒然無定時也使人即刺殺大將軍青而說丞相下之如發蒙耳如淳曰以物蒙覆其頭而為發去其人欲之耳韋昭曰如蒙巾發之其易王欲發國中兵恐其相二千石不聽王乃與伍被謀先殺相二千石僞失火宮中相二千石救火至即殺之計未決又欲令人衣求盜衣漢書音義曰卒衣也持羽檄從東方來呼曰南越兵入界欲因以發兵乃使人至廬江會稽為求盜未發王問伍被曰吾舉兵西鄉諸侯必有應我者即無應奈何被

胡注刺七亦翻

石

鑑胡注呼火故翻

本紀高帝河為亭長令求盜之薛治竹皮冠人衣於冠翻

正義曰屈求勿反彊其兩反

以出為解師古曰不應召而云已出也解者解說也若今言分疏矣

曰南收衡山以擊廬江有尋陽之船守下雉之城徐廣曰在江夏駰案蘇林曰下雉縣名○索隱曰雉音全爾反縣名在江南結九江之浦絕豫章之口正義曰即彭蠡湖口北流出大江者彊弩臨江而守以禁南郡之下東收江都會稽正義曰江都揚州也會稽蘇州也南通勁越屈彊江淮閒猶可得延歲月之壽王曰善無以易此急則走越耳於是廷尉以王孫建辭連淮南王太子遷聞上遣廷尉監因拜淮南中尉逮捕太子至淮南淮南王聞與太子謀召相二千石欲殺而發兵召相相至內史以出為解中尉曰臣受詔使不得見王王念獨殺相而內

淮南王安

通鑑十九索隱反具以聞上下公卿 治字當無 胡注索山客翻求也 捜也 以上將掌翻下公卿以上句斷

正義曰會逮謂追捕以應逮書

自剄不殊 正義曰顏師古云殊絕也雖自刑殺而身首不絕

辟

史中尉不來無益也即罷相王猶豫計未決太子念所坐者謀刺漢中尉所與謀者已死以爲口絕乃謂王曰羣臣可用者皆前繫今無足與舉事者王以非時發恐無功臣願會逮王亦偷欲休徐廣曰偷苟且也即許太子太子即自剄不殊晉灼曰不殊不死伍被自詣吏因告與淮南王謀反反蹤跡具如此吏因捕太子王后圍王宮盡求捕王所與謀反賓客在國中者索得反具以聞上下公卿治所連引與淮南王謀反列侯二千石豪傑數千人皆以罪輕重受誅衡山王賜淮南王弟也

師古曰遣出去

剄 漢作刑 胡注剄古頂翻下同

會肆丞相者議 肄一作

叔孫通傳曰人臣無將將即反罪死無赦 注瓚曰將謂逆亂也 公羊傳曰君親無將將而必誅 正義曰將將謂將帥群衆也

淮南王安

當坐收有司請逮捕衡山王天子曰諸侯各以其國爲本不當相坐與諸侯王列侯會肆丞相諸侯議徐廣曰皆都坐就丞相共議也○索隱曰案肄習也音異趙王彭祖列侯臣讓等四十三人議皆曰淮南王安甚大逆無道謀反明白當伏誅膠西王臣端議曰淮南王安廢法行邪懷詐偽心以亂天下熒惑百姓倍畔宗廟妄作妖言春秋曰臣無將將而誅安罪重於將謀反形已定臣端所見其書節印圖及他逆無道事驗明白甚大逆無道當伏其法而論國吏二百石以上及比者徐廣曰比吏而非真宗室近幸

師古曰近幸之人非吏者

皆免削　師古曰若李有重罪自從其法縱無反狀者亦皆免

官　ミヤツカフチ

曰通鑑十九伍被雅辭　胡注雅素也雅辭素來言語也

之作王　謀作計

臣不在法中者不能相教當皆免官削爵為士伍毋得宦為吏其非吏他贖死金二斤八兩〔蘇林曰非吏故曰他〕以章臣安之罪使天下明知臣子之道毋敢復有邪僻倍畔之意丞相弘廷尉湯等以聞天子使宗正以符節治王未至淮南王安自剄殺〔徐廣曰即位凡四十二年元狩元年十月死〕王后荼太子遷諸所與謀反者皆族天子以伍被雅辭多引漢之美欲勿誅廷尉湯曰被首為王畫反謀被罪無赦遂誅被國除為九江郡〔徐廣曰又為六安國以陳縣為都〕衡山王賜王后乘舒〔正義曰衡山王后名也〕生子三人長男

胡注為子偽書

通鑑十九丁子衡山王賜相責胡注賜淮南王安之弟也孝文十六年立爲王同孝文封

榜服　師古曰榜擊也擊笞之令其自服死罪也榜音彭

冢

許

上

爽爲太子次男孝次女無采又姬徐來生子男女四人美人厥姬生子二人衡山王淮南王兄弟相責望禮節間不相能衡山王聞淮南王作爲畔逆反具亦心結賓客以應之恐爲所并元光六年衡山王入朝其謁者衞慶有方術欲上書事天子王怒故劾慶死罪彊榜服之衡山內史以爲非是卻其獄王使人上書告內史內史治言王不直王又數侵奪人田壞人冢以爲田有司請逮治衡山王天子不許爲置吏二百石以上如淳曰漢儀注吏四百石已下自調除國中今王惡天子皆爲置之衡山王以此

故

卻　師古曰卻退也

衡山王

毀惡師古曰惡謂讒毀之也下皆類此

棄歸師古曰為天下所棄而歸也

以計愛之師古曰非心實慈念但以事計須撫之

正義曰從子勇反容讀曰勇從容謂勸奨也

漢書作縱臾如淳曰臾讀曰勇縱臾猶言勉彊也師古曰縱音子勇反縱臾謂奨勸也

恚與奚慈張廣昌謀求能為兵法候星氣者日夜從容王密謀反事（徐廣曰密一作計校）王后乘舒死立徐來為王后厥姬俱幸兩人相妬厥姬乃惡王后徐來於太子曰徐來使婢蠱道殺太子母太子心怨徐來徐來兄至衡山太子與飲以刃刺傷王后兄王后怨怒數毀惡太子於王太子女弟無采嫁棄歸與奴姦又與客姦太子數讓無采無采怒不與太子通王后聞之即善遇無采無采及中兄孝少失母附王后王后以計愛之與共毀太子王以故數擊笞太子元朔四年中

集云假母繼母也、一曰父之旁妻也

惡 哀各切

人有賊傷王后假母者漢書音義曰傅母屬王疑太子使人傷之笞太子後王病太子時稱病不侍孝王后無采惡太子太子實不病自言病有喜色王大怒欲廢太子立其弟孝王后知王決廢太子又欲并廢孝王后有侍者善舞王幸之王后欲令侍者與孝亂以汙之欲并廢兄弟而立其子廣代太子太子爽知之念后數惡己無已時欲與亂以止其口王后飲太子前爲壽因據王后股求與王后臥王后怒以告王王乃召欲縛而笞之太子知王常欲廢己立其弟孝乃謂王曰孝

與王御者姦無采與奴姦王彊食請上書即倍王去王使人止之莫能禁乃自駕追捕太子太子妄惡言王械繫太子宮中孝日益親幸王奇孝材能乃佩之王印號曰將軍令居外宅多給金錢招致賓客賓客來者微知淮南衡山有逆計日夜從容勸之王乃使孝客江都人救赫陳喜作輣車鍛矢徐廣曰輣車戰車也音扶萌反○索隱曰救漢書作故劉向別錄云易家有救氏之法也刻天子璽將相軍吏印上日夜求壯士如周丘等數稱引吳楚反時計畫以約束衡山王非敢效淮南王求即天子位畏淮南起并其國以

昆弟語　師古曰爲相親愛之言

約束反具　師古曰共契約爲反具

稱　本作捕

爲淮南已西發兵定江淮之閒而有之望如是元朔五年秋衡山王當朝六年過淮南淮南王乃昆弟語除前郤約束反具衡山王即上書謝病上賜書不朝元朔六年中衡山使人上書請廢太子爽立孝爲太子爽聞即使所善白嬴之長安上書（索隱曰嬴音盈人姓名也）言孝作輣車鍛矢與王御者姦欲以敗孝白嬴至長安未及上書吏捕嬴以淮南事繫王聞爽使白嬴上書恐言國陰事即上書反告太子爽所爲不道弃市罪事下沛郡治元朔七年冬有司公卿下沛郡求捕所

告セルハ

師古曰即就也

與淮南謀反者未得得陳喜於衡山王子孝家吏劾孝首匿喜孝以爲陳喜雅數與王計謀反恐其發之聞律先自告除其罪又疑太子使白嬴上書發其事即先自告告所與謀反者救赫陳喜等廷尉治驗公卿請逮捕衡山王治之天子曰勿捕遣中尉安索隱曰按漢書表司馬安也大行息索隱曰案漢書表李息即問王王具以情實對吏皆圍王宮而守之中尉大行還以聞公卿請遣宗正大行與沛郡雜治王王聞即自剄殺孝先自告反除其罪坐與王御婢姦棄市王后徐來亦坐蠱殺前王

師古曰此魯頌閟宮之章也膺當也懲艾也荊楚也舒群舒也言北有戎狄南有荊舒其俗疆横好爲寇乱常須以兵膺當而懲艾也

師古曰靡謂相隨從

后乘舒及太子爽王告不孝皆棄市諸與衡山王謀反者皆族國除爲衡山郡

太史公曰詩之所謂戎狄是膺荊舒是懲信哉是也淮南衡山親爲骨肉疆土千里列爲諸侯不務遵蕃臣職以承輔天子而專挾邪僻之計謀爲畔逆仍父子再亡國各不終其身爲天下笑此非獨王過也亦其俗薄臣下漸靡使然也夫荊楚僄勇輕悍好作亂乃自古記之矣

師古曰仍頻也

索隱述贊曰

淮南多横　舉事非正　天子寛仁

淮南王有女陵爲之云

中詞長安

其過不更　輣車致禍　斗粟成詠

王安好學　女陵作詞　兄弟不和

傾國殞命

淮南衡山列傳第五十八　史記一百一十八

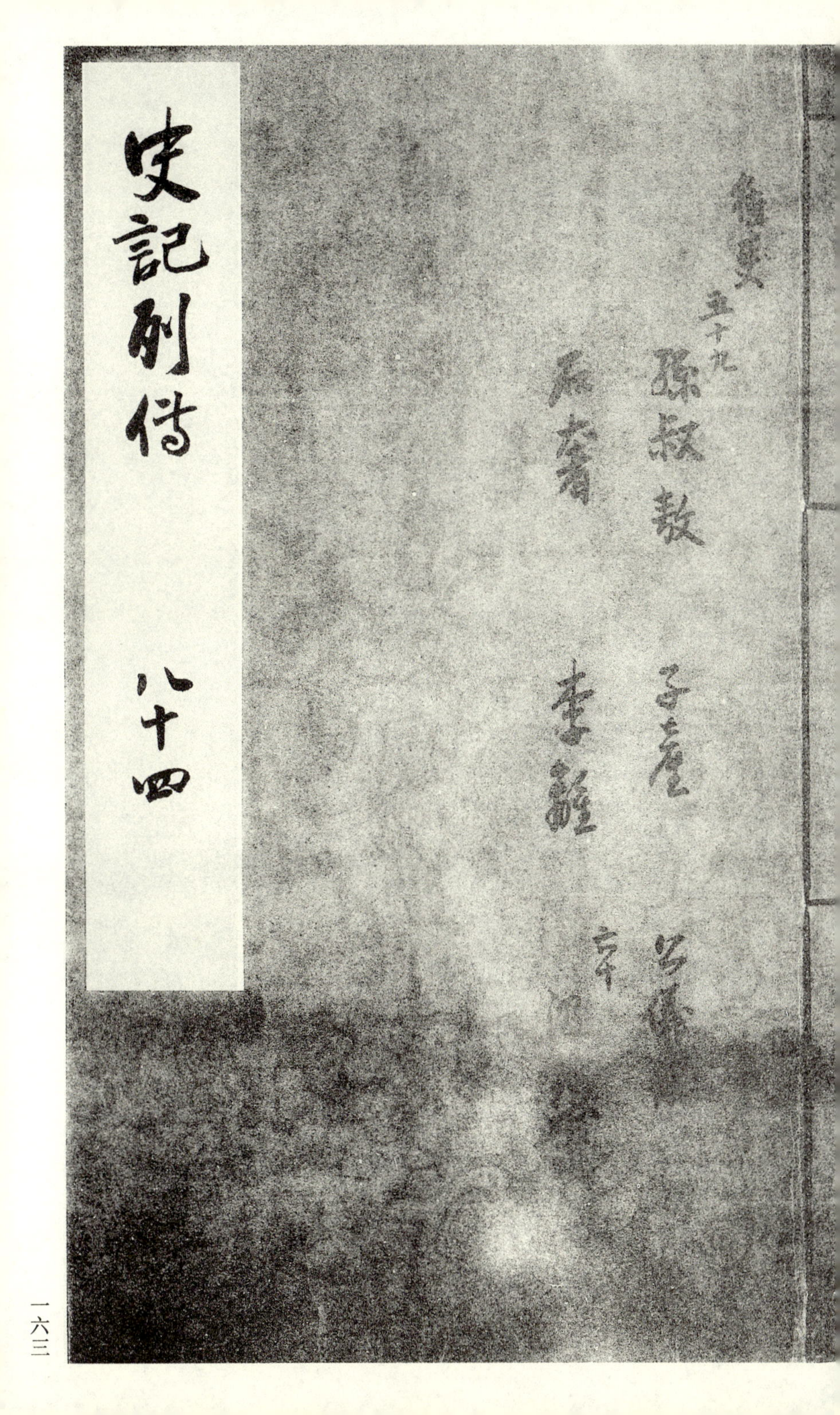

史記列傳

八十四

循吏 五十九 孫叔敖 子產 公儀休

石奢 李離

謄史

孫衍毅 下存 介儀傳

李鼐 沈顯

史列傳

八十四

漢書有循吏傳 文翁 王成 黃霸 朱邑 龔遂 召信臣 載此六人 不載孫叔敖等五人

循吏列傳第五十九 索隱曰謂本法循理之吏也

史記一百一十九

太史公曰法令所以導民也刑罰所以禁姦也文武不備良民懼然身修者官未曾亂也奉職循理亦可以爲治何必威嚴哉

孫叔敖者正義曰説苑云孫叔敖爲令尹一國吏民皆來賀有一老父衣麤衣冠白冠後來弔曰有身貴而驕人者民亡之位已高而擅權者君惡之祿已厚而不知足者患處之叔敖再拜敬受命願聞餘教父曰位已高而意益下官益大而心益小祿已厚而愼不取君謹守此三者足以治楚楚之處士也虞丘相進之於楚莊王以自代也三月爲楚相施教導民上下和合世俗盛美政緩禁止吏無姦邪盜

賊不起秋冬則勸民山採春夏以水徐廣曰乘多水時而出材竹各得其所便民皆樂其生莊王以爲幣輕更以小爲大百姓不便皆去其業市令言之相曰市亂民莫安其處次行不定相曰如此幾何頃乎市令曰三月頃相曰罷吾今令之復矣後五日朝相言之王曰前日更幣以爲輕今市令來言曰市亂民莫安其處次行之不定臣請遂令復如故王許之下令三日而市復如故楚民俗好庳車索隱曰庳下也音婢王以爲庳車不便馬欲下令使高之相曰令數下民不知所從不可王必欲高

車臣請教閭里使高其梱 索隱曰梱門限也音口本反 乘車者皆君子君子不能數下車王許之居半歲民悉自高其車此不教而民從其化近者視而效之遠者四面望而法之故三得相而不喜知其材自得之也三去相而不悔知非己之罪也 皇覽曰孫敖冢在南郡江陵故城中曰土里民傳孫叔敖曰葬我廬江陂後當爲萬户邑去故楚都郢城北二十里所或曰孫叔敖激沮水作雲夢大澤之池也

子產者鄭之列大夫也 索隱曰按有管晏列傳其國僑并舌肸等亦古之賢大夫合著在管晏之下不宜散入循吏之篇 鄭昭君之時以所愛徐摯爲相 索隱曰按鄭系家云子產鄭成公之少子事簡公定公封以六邑子產不事昭君亦無徐贄欲相之事抑別有所出太史

卒十六年爲相故

正義曰狎謂輕侮之言各肅謹也

不犂畔 徐廣曰畔田界也相讓也故不犂畔也

正義曰豫音預嫁謂賈價其數不豫豫定也

喪期不令 正義曰言士民自遵五服之制也

訖異耳國亂上下不親父子不和大宮子期言之君以子產爲相索隱曰子期亦鄭之公子也左傳國語亦無其說按系家鄭相子西子駟之子與子產同時蓋亦子期之兄弟也爲相一年豎子不戲狎斑白不提挈僮子不犂畔二年市不豫賈索隱曰賈音價謂臨時評其貴賤不豫定賈三年門不夜關徐廣曰一作閉道不拾遺四年田器不歸五年士無尺籍正義曰言士民無一尺方板之籍書什伍什伍相保也喪期不令而治治鄭二十六年而死丁壯號哭老人兒啼曰子產去我死乎民將安歸皇覽曰子產冢在河南新鄭城外大冢是也○索隱曰按左傳及系家云子產死孔子泣曰子產古之遺愛也又韓詩稱子產卒鄭人耕者輟耒婦人捐其佩玦也

子產

疾一作逐

公儀休者魯博士也以高弟為魯相奉法循理無所變更百官自正使食祿者不得與下民爭利受大者不得取小客有遺相魚者相不受客曰聞君嗜魚遺君魚何故不受也相曰以嗜魚故不受也今為相能自給魚今受魚而免誰復給我魚者吾故不受也食茹而美拔其園葵而棄之見其家織布好而疾出其家婦燔其機云欲令農士工女安所讎其貨乎

石奢者楚昭王相也堅直廉正無所阿避行縣道有殺人者相追之乃其父也縱其父而還自

繫焉使人言之王曰殺人者臣之父也夫以父立政不孝也廢法縱罪非忠也臣罪當死王曰追而不及不當伏罪子其治事矣石奢曰不私其父非孝子也不奉主法非忠臣也王赦其罪上惠也伏誅而死臣職也遂不受令自刎而死

李離者晉文公之理也（正義曰理獄官也）過聽殺人自拘當死文公曰官有貴賤罰有輕重下吏有過非子之罪也李離曰臣居官為長不與吏讓位受祿為多不與下分利今過聽殺人傳其罪下吏非所聞也辭不受令文公曰子則自以為有罪

寡人亦有罪邪李離曰理有法失刑則刑失死則死公以臣能聽微決疑〔索隱曰言能聽察微理以決疑獄故周禮司寇以五聽察獄詞氣色耳目也又尚書曰服念五六日至于旬時是也〕故使爲理今過聽殺人罪當死遂不受令伏劍而死

太史公曰孫叔敖出一言郢市復子產病死鄭民號哭公儀子見好布而家婦逐石奢縱父而死楚昭名立李離過殺而伏劍晉文以正國法

索隱述贊曰

奉職循理　爲政之先　恤人體國

良史述焉　叔孫鄭產　自昔稱賢

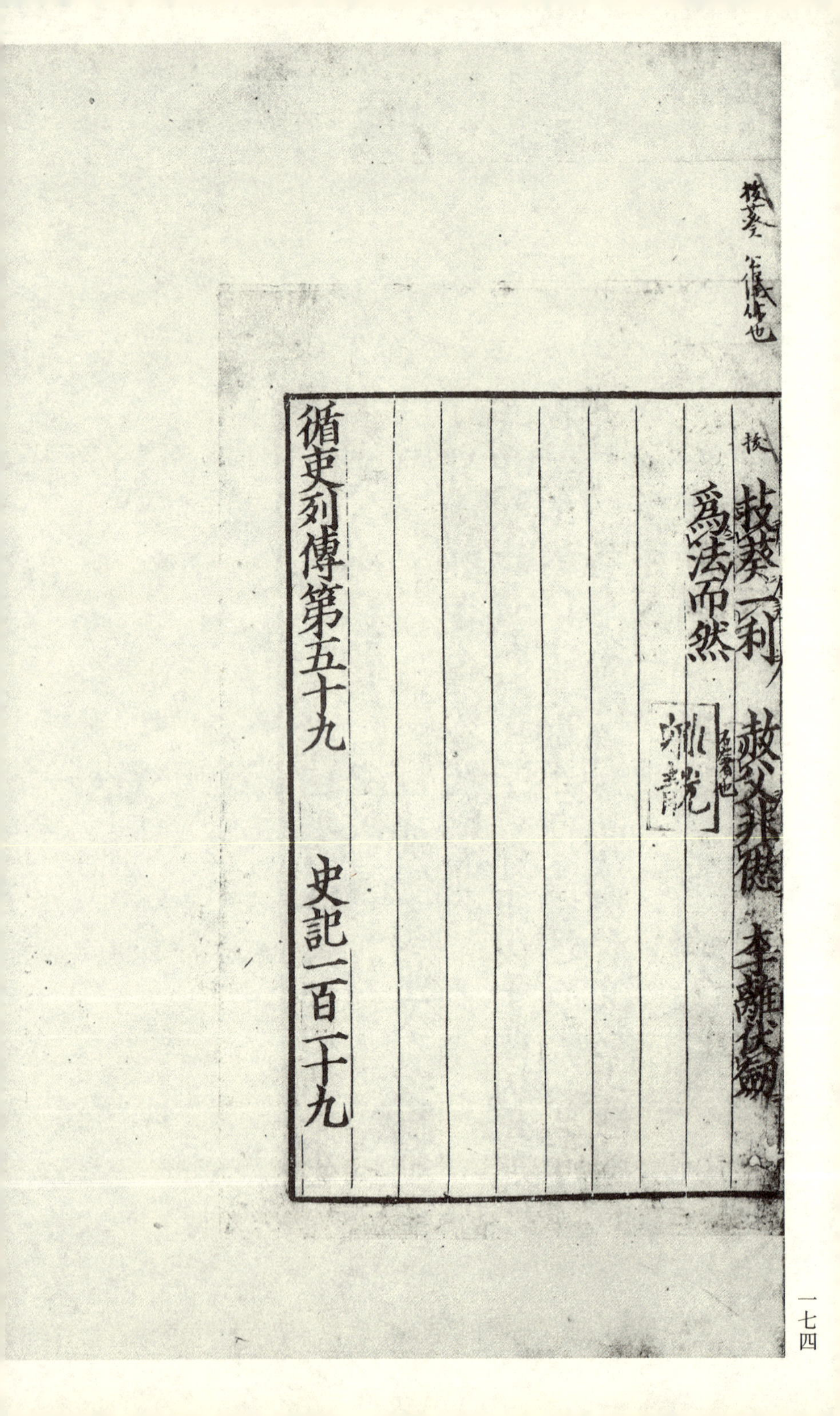

拔葵一利　赦父非德　李離伏劍

爲法而然

循吏列傳第五十九　史記一百一十九

通鑑十七濮陽汲黯 胡注按汲黯傳其先有寵於衛君至黯十世世爲卿大夫蓋食采於汲因以爲氏 漢傳

汲鄭列傳第六十　史記一百二十

漢書曰列傳二十卷

汲黯字長孺濮陽人也其先有寵於古之衛君文穎曰六國時衛但稱君至黯七世世爲卿大夫黯以父任孝景時爲太子洗馬以莊見憚索隱曰莊者嚴也謂嚴威也自漢明帝諱莊故已後莊皆云嚴孝景帝崩太子即位黯爲謁者東越相攻上使黯往視之不至至吳而還報曰越人相攻固其俗然不足以辱天子之使河内失火延燒千餘家上使黯往視之還報曰家人失火屋比延燒索隱曰比音鼻不足憂也臣過河南河南貧人傷水旱萬餘家或父子相食臣謹以便宜持節發

孟康云大臣任其子弟爲官

太子武帝也

正義曰比近也 師古曰言屋相近故連延而燒也

河南倉粟以振貧民臣請歸節伏矯制之罪上
賢而釋之遷爲滎陽令黯恥爲令病歸田里上
聞乃召拜爲中大夫以數切諫不得久留内遷
爲東海太守黯學黄老之言治官理民好清靜
擇丞史而任之如淳曰律太守都尉諸侯内史史各一人卒史書佐各十人今總言丞史或以爲擇郡丞及史使任之鄭當時爲大農推官屬丞史亦是也其治責大指而已不
苛小黯多病卧閨閤内不出歲餘東海大治稱
之上聞召以爲主爵都尉列於九卿治務在無
爲而已弘大體不拘文法黯爲人性倨少禮面
折不能容人之過合己者善待之不合己者不

能忍見士亦以此不附焉然好學游俠任氣節內行脩絜好直諫數犯主之顏色常慕傅柏袁盎之爲人也應劭曰傅柏梁人爲孝王將素伉直○索隱曰傅音付人姓柏名善灌夫鄭當時及宗正劉棄徐廣曰一云名棄疾○索隱曰漢書見名棄疾亦以數直諫不得久居位當是時太后弟武安侯蚡爲丞相中二千石來拜謁蚡不爲禮然黯見蚡未嘗拜常揖之天子方招文學儒者上曰吾欲云云張晏曰所言欲施仁義也黯對曰陛下內多欲而外施仁義奈何欲效唐虞之治乎上默然怒變色而罷朝公卿皆爲黯懼上退謂左右曰甚矣汲黯之戇

正義曰數音朔也

孔文祥云病滿三月則應自免上賢之故賜自休不使滿三月也

也索隱曰戇愚也音陟降反羣臣或數黯曰天子置公卿輔弼之臣寧令從諛承意陷主於不義乎且已在其位縱愛身柰辱朝廷何黯多病病且滿三月上常賜告者數如淳曰杜欽所謂病滿賜告詔恩也數者非一也或曰賜告得去官歸家與告居官不視事○索隱曰數音所角反終不愈最後病莊助爲請告徐廣曰最一作其也上曰汲黯何如人哉助曰使黯任職居官無以踰人索隱曰踰音庾案漢書作揄揄猶勝也然至其輔少主守城深堅招之不來麾之不去雖自謂賁育亦不能奪之矣上曰然古有社稷之臣至如黯近之矣大將軍青侍中上踞廁而視之如淳曰廁音側謂牀邊踞牀視之一云溷

胡注爲手偃翻

胡注音賁奔

汲黯

仲馮云古者見大臣則御坐爲起然則踞廁者輕之也

東萊通鑑節要注云廁側御坐之側古者見大臣御坐爲起踞廁言安坐不動也

廁也廁牀邊側 丞相弘燕見上或時不冠至如黯見上不冠不見也上嘗坐武帳中應劭曰武帳織成爲武士象也孟康曰今御武帳置兵闌五兵於帳中韋昭曰以武名之示威黯前奏事上不冠望見黯避帳中使人可其奏其見敬禮如此張湯方以更定律令爲廷尉黯數質責湯於上前曰公爲正卿上不能褒先帝之功業下不能抑天下之邪心安國富民使囹圄空虛二者無一焉非苦就行放析就功何乃取高皇帝約束紛更之爲如淳曰紛亂也公以此無種矣黯時與湯論議湯辯常在文深小苛黯伉厲守高不能屈忿發罵曰天下謂

汲黯

刀筆吏不可以爲公卿果然必湯也令天下重足而立側目而視矣是時漢方征匈奴招懷四夷黯務少事上閒常言與胡和親無起兵上方向儒術尊公孫弘及事益多吏民巧弄（索隱曰音路洞反）上分別文法湯等數奏決讞以幸（索隱曰讞音魚列反）而黯常毀儒面觸弘等徒懷詐飾智以阿人主取容而刀筆吏專深文巧詆（索隱曰音丁禮反）陷人於罪使不得反其真以勝爲功上愈益貴弘湯深心疾黯唯天子亦不說也欲誅之以事弘爲丞相乃言上曰右內史界部中多貴人宗室難治非

通鑑如發蒙振落耳胡注發蒙謂物所蒙覆發而去之振落謂木葉將落振而隕之皆言其易說式芮翻

通鑑并胡注右内史後爲右扶風今[illegible]是翔任音壬

亢禮 正義曰應劭云長揖不拜

又不重邪 正義曰言能降貴禮賢是益尊重也

正義曰如發蒙而復反振欲落之物言易也

素重臣不能任請徙黯爲右内史爲右内史數
歲官事不廢大將軍青既益尊姊爲皇后然黯
與亢禮人或説黯曰自天子欲羣臣下大將軍
大將軍尊重益貴君不可以不拜黯曰夫以大
將軍有揖客反不重邪大將軍聞愈賢黯數請
問國家朝廷所疑遇黯過於平生淮南王謀反
憚黯曰好直諫守節死義難惑以非至如説丞
相弘如發蒙振落耳天子既數征匈奴有功黯
之言益不用始黯列爲九卿而公孫弘張湯爲
小吏及弘湯稍益貴與黯同位黯又非毀弘湯

汲黯

等已而弘至丞相封爲侯湯至御史大夫故黯時丞相史皆與黯同列或尊用過之黯褊心不能無少望見上前言曰陛下用羣臣如積薪耳後來者居上上默然有閒黯罷上曰人果不可以無學觀黯之言也日益甚居無何匈奴渾邪王率衆來降漢發車二萬乘縣官無錢從民貰馬索隱曰貰音時夜反貰賒也鄒氏音勢民或匿馬馬不具上怒欲斬長安令黯曰長安令無罪獨斬黯民乃肯出馬且匈奴畔其主而降漢漢徐以縣次傳之何至令天下騷動罷獘中國而以事夷狄之人乎上

黙然及渾邪至賈人與市者坐當死者五百餘人黯請間見高門如淳曰黃圖未央宮中有高門殿曰夫匈奴攻當路塞絶和親中國興兵誅之死傷者不可勝計而費以巨萬百數臣愚以爲陛下得胡人皆以爲奴婢以賜從軍死事者家所鹵獲因予之以謝天下之苦塞百姓之心今縱不能渾邪率數萬之衆來降虛府庫賞賜發良民侍養譬若奉驕子愚民安知市買長安中物而文吏繩以爲闌出財物于邊關乎應劭曰闌妄也律胡市吏民不得持兵器出關雖於京師市買其法一也臣瓚曰無符傳出入爲闌陛下縱不能得匈奴之資以謝

正義曰郊謂郊道衝要之處也

漢書曰有狗馬之心 師古曰思報效 今病力 師古曰力謂甚也

汲黯

天下又以微文殺無知者五百餘人是所謂庇
其葉而傷其枝者也臣竊爲陛下不取也上默
然不許曰吾久不聞汲黯之言今又復妄發矣
後數月黯坐小法會赦免官於是黯隱於田園
居數年會更五銖錢徐廣曰元狩五年行五銖錢民多盜鑄錢
楚地尤甚上以爲淮陽楚地之郊乃召拜黯爲
淮陽太守黯伏謝不受印詔數彊予然後奉詔
詔召見黯黯爲上泣曰臣自以爲塡溝壑不復
見陛下不意陛下復收用之臣常有狗馬病力
不能任郡事臣願爲中郎出入禁闥補過拾遺

通鑑二十卷元狩五年乃召拜汲黯為淮陽太守胡三省注黯去年免故召拜之

臣之願也上曰君薄淮陽邪吾今召君矣（索隱曰今猶即今也謂今日後即召君）顧淮陽吏民不相得吾徒得君之重臥而治之黯既辭行過大行李息曰黯棄居郡不得與朝廷議也然御史大夫張湯智足以拒諫詐足以飾非務巧佞之語辯數之辭非肯正爲天下言專阿主意主意所不欲因而毀之主意所欲因而譽之好興事舞文法（如淳曰舞猶弄也）內懷詐以御主心外挾賊吏以爲威重公列九卿不早言之公與之俱受其僇矣息畏湯終不敢言黯居郡如故治淮陽政淸後張湯果敗上聞黯

汲黯　鄭當時

與息言，抵息罪。令黯以諸侯相秩居淮陽。如淳曰：諸侯王相在郡守上，秩眞二千石。律，眞二千石奉月二萬，二千石月萬六千。七歲而卒。徐廣曰：元鼎五年。

卒後，上以黯故，官其弟汲仁至九卿，子汲偃至諸侯相。黯姑姊子司馬安亦少與黯為太子洗馬。安文深巧善宦，官四至九卿，以河南太守卒。昆弟以安故，同時至二千石者十人。濮陽段宏索隱曰：案漢書作段宏。始事蓋侯信，徐廣曰：太后兄王信。信任宏，宏亦再至九卿。然衛人仕者皆嚴憚汲黯，出其下。

鄭當時者，字莊，陳人也。其先鄭君漢書音義曰：當時父。嘗為項籍將；籍死，已而屬漢。高祖令諸故項籍

常置驛馬長安諸郊
正義曰姚承云邑外謂之郊言長安四面之郊也此言當時任俠賓客游於邑野每休下或請謝去故置馬於郊以往來速也言驛馬常去來不得停住也

戹 漢書作阸

諸郊 師古曰二說皆非也此謂長安城外四面之郊耳邑外謂之郊

近郊二十里

漢書作如恐不稱 師古云恐不稱其意

又見字上有自字 自見之二字屬上句

師古曰大父謂祖父行音胡浪反 貴之言黃[illegible] 長者礼音不稱自見即以為愽矣自見當屬上句

旦名籍鄭君獨不奏詔詔盡拜名籍者為大夫
而逐鄭君鄭君死孝文時鄭莊以任俠自喜脫
張羽於戹服虔曰梁孝王之將楚相之弟聲聞梁楚之閒孝景時
為太子舍人每五日洗沐常置驛馬長安諸郊
如淳曰六交道四通馳也請賓客便贊曰諸郊謂長安四面郊祀之馳閑靜可以請賓客○索隱曰置即驛馬謂於置著馬也
存諸故人請謝賓客夜以繼日至其明旦常
恐不徧莊好黃老之言其慕長者如恐不見年
少官薄然其游知交皆其大父行天下有名之
士也武帝立莊稍遷為魯中尉濟南太守江都
相至九卿為右內史以武安侯魏其時議貶秩

名籍　文

奉音俸

鄭玄云算竹器以竹為之

正義曰其言之也此四字屬下句

正義曰治行謂莊嚴也

鄭當時

爲詹事，遷爲大農令。莊爲太史，誡門下：「客至，無貴賤無留門者。」執賓主之禮，以其貴下人。莊廉，又不治其產業，仰奉賜以給諸公。然其餽遺人，不過算器食。徐廣曰：算音先管反，竹器。○索隱曰：算謂竹器，以言無銅漆也。漢書作具器食。每朝，候上之間，說未嘗不言天下之長者。其推轂士及官屬丞史，誠有味其言之也，常引以為賢於己。未嘗名吏，與官屬言，若恐傷之。聞人之善言，進之上，唯恐後。山東士諸公以此翕然稱鄭莊。鄭莊使視決河，自請治行五日。如淳曰：治行謂莊嚴也。上曰：「吾聞鄭莊行，千里不齎糧，請治行者何也？」然

正義曰匱乏也

正義曰僦人傭載運之人莊為大農任人及賓客等為大農僦僦貸載運官多侵欺故多逋負也

鄭莊在朝常趨和承意不敢甚引當否及晚節漢征匈奴招四夷天下費多財用益匱莊任人賓客為大農僦人徐廣曰一作入一云賓客為大農僦人僦人蓋與生財利如今方宜矣駰案晉灼曰當時為大農而任使其賓客辜較任僦也瓚曰任人謂保任見舉者○索隱曰僦音卽僦反辜較音姑角謂當時作大農任賓客僦人取庸直也或者貴物以應官取庸故下云多逋負也辜較字亦作酤搉搉者獨也言國家獨搉酤也此云辜較亦謂令賓客任人專其利故云辜較也多逋負司馬安為淮陽太守發其事莊以此陷罪贖為庶人頃之守長史如淳曰丞相長史也上以為老以莊為汝南太守數歲以官卒鄭莊汲黯始列為九卿廉內行脩絜此兩人中廢家貧賓客益落索隱曰落零落猶散落也及居郡卒後

家無餘貲財。莊兄弟子孫以莊故至二千石六七人焉

太史公曰夫以汲鄭之賢有勢則賓客十倍無勢則否況衆人乎下邽翟公有言（徐廣曰邽一作邳○索隱曰邽音圭縣名屬京兆）始翟公爲廷尉賓客闐門及廢門外可設雀羅翟公復爲廷尉賓客欲往翟公乃大署其門曰一死一生乃知交情一貧一富乃知交態一貴一賤交情乃見汲鄭亦云悲夫

索隱述贊曰河南矯制自古稱賢淮南卧理天子伏焉積薪興歎伉直愈堅鄭莊推士天

鄭當時

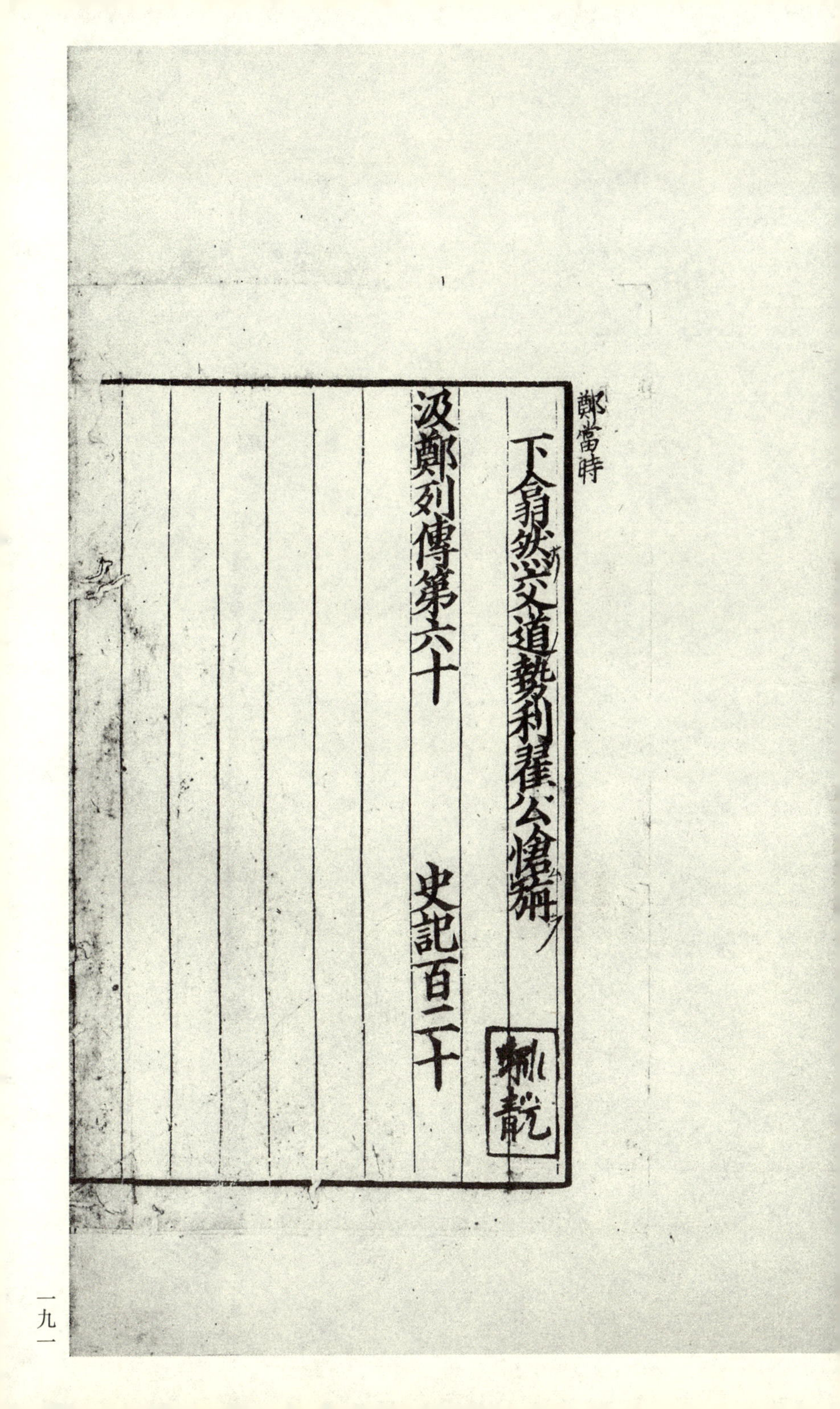

鄭當時

下翕然交道埶利翟公愴然

汲鄭列傳第六十　史記百二十

(漢)司馬遷　撰
(南朝宋)裴駰　集解
(唐)司馬貞　索隱
(唐)張守節　正義

宋本史記

第二十七册

國家圖書館出版社

第二十七册目録

史記列傳

八十五

儒林 第一
申公 轅固生 韓生
伏生 兒寬 董仲舒 胡母生
江生 酷吏 第二 郅都 瞯氏
甯成 周陽由 趙禹
張湯 朱買臣 義縱 王溫舒
尹齊 楊僕 減宣
杜周

儒林

申公 轅固生 韓生

伏生 董仲舒 胡母生

[illegible] 郅都 甯成

[illegible] 周陽由 趙禹

張湯 義縱 王溫舒

尹齊 楊僕 減宣

杜周

史 列傳 [illegible]

通鑑十七漢紀武帝建元三年趙人吾丘壽王、胡三省注姓譜吾丘虞大夫師虞丘氏史記有楚之相虞丘子

先史官立傳各有異同也史記有儒林傳無文苑傳西漢書有藝文志并儒林傳無文苑傳後漢書有儒林文苑二傳三國志無儒林文苑二傳西晉東晉書南史有儒林文苑二傳南齊書有儒林文學二傳北史有文苑無儒林隋書有儒林文學二傳唐書有儒學文藝二傳五代史無儒林文苑二傳東都事略有儒學文藝二傳

不知肉味　師古曰美韶樂之善也

儒林列傳第六十一　史記百二十一

正義曰姚承云儒謂博士爲儒雅之林綜理古文宣明舊藝咸勸儒者以成王化者也

太史公曰余讀功令索隱曰案謂學者課功著之於令即今之學令是也至於廣厲學官之路未嘗不廢書而歎也曰嗟乎夫周室衰而關雎作幽厲微而禮樂壞諸侯恣行政由彊國故孔子閔王路廢而邪道興於是論次詩書修起禮樂適齊聞韶三月不知肉味自衞返魯然後樂正雅頌各得其所正義曰鄭玄云魯哀公十一年是時道衰樂廢孔子還修正之故雅頌各得其所也世以混濁莫能用是以仲尼干七十餘君無所遇索隱曰後之記者失辭也案家語等說則孔子歷聘國莫

初

正義曰括地志云在鄆州鉅野縣東十一里東去魯城可二百餘里

正義曰因魯史記年月而作春秋意見諸國史所記之事

能用謂周鄭齊宋曹衛陳楚杞莒等爾縱雖小國亦無七十餘君也曰苟有用我者期月而已矣西狩獲麟曰吾道窮矣故因史記作春秋以當王法其辭微而指博後世學者多錄焉徐廣曰錄一作綴自孔子卒後七十子之徒散游諸侯大者為師傅卿相索隱曰案子夏為魏文侯師子貢為齊魯聘吳越蓋亦卿也而宰予亦仕齊為卿餘則未聞小者友教士大夫或隱而不見故子路居衛案仲尼弟子列傳子路死於衛時孔子尚存也子張居陳正義曰今陳州澹臺子羽居楚正義曰今蘇州城南五里有澹臺湖湖北有澹臺子夏居西河正義曰今汾州子貢終於齊正義曰今青州如田子方段干木吳起禽滑釐之屬皆受業於子夏之倫為王者師

儒林列傳第六十一　史記百二十一

太史公曰余讀功令（正義曰姚承云儒謂博士爲儒雅之林綜理古文宣明舊藝咸勸儒者以成王化者也）（索隱曰案謂學者課功著之於令即今之學令是也）至於廣厲學官之路未嘗不廢書而歎也曰嗟乎夫周室衰而關雎作幽厲微而禮樂壞諸侯恣行政由彊國故孔子閔王路廢而邪道興於是論次詩書修起禮樂適齊聞韶三月不知肉味自衞返魯然後樂正雅頌各得其所（正義曰鄭玄云魯哀公十一年是時道衰樂廢孔子還修正之故雅頌各得其所也）世以混濁莫能用是以仲尼干七十餘君無所遇（索隱曰後之記者失辭也案家語等說則孔子歷聘國莫

正義曰括地志云在鄆州鉅縣東十一里東去魯城可三百餘里正義曰因魯史記年月而作春秋義見諸國史所記之事

能用謂周鄭齊宋曹衛陳楚杞莒等國雖繼小國亦無七十餘君也曰苟有用我者朞月而已矣西狩獲麟曰吾道窮矣故因史記作春秋以當王法其辭微而指博後世學者多錄焉徐廣曰錄一作綴自孔子卒後七十子之徒散游諸侯大者為師傅卿相索隱曰案子夏為魏文侯師子貢為齊魯聘吳越蓋亦卿也而宰予亦仕齊為卿餘則未聞小者友教士大夫或隱而不見故子路居衛索隱案仲尼弟子列傳子路死於衛時孔子尚存也子張居陳正義曰今陳州澹臺子羽居楚正義曰今蘇州城南五里有澹臺湖湖北有澹臺子夏居西河正義曰今汾州子貢終於齊正義曰今青州如田子方段干木吳起禽滑釐之屬皆受業於子夏之倫為王者師

是時獨魏文侯好學後陵遲以至于始皇天下並爭於戰國儒術既絀焉然齊魯之閒學者獨不廢也於威宣之際孟子荀卿之列咸遵夫子之業而潤色之以學顯於當世及至秦之季世焚詩書坑術士（正義曰顏云今新豐縣溫湯之處號愍儒鄉溫湯西南三里有馬谷谷之西岸有坑古相傳以秦坑儒處也衛宏詔定古文尚書序云秦既焚書恐天下不從所改更法而諸生到者拜為郎前後七百人乃密種瓜於驪山陵谷中溫處瓜實成詔博士諸生說之人言不同乃令就視為伏機諸生賢儒皆至焉方相難不決因發機從上填之以土皆壓終乃無聲也）六藝從此缺焉陳涉之王也而魯諸儒持孔氏之禮器往歸陳王於是孔甲為陳涉博士（徐廣曰孔子八世孫名鮒字甲也）卒與涉俱死陳

白虎通云匹夫匹庶也正義曰言如衆瓦之合聚蓋無屋先無計謀也

涉起匹夫驅瓦合適戍（索隱曰適音直革反）旬月以王楚不滿半歲竟滅亡其事至微淺然而縉紳先生之徒負孔子禮器往委質爲臣者何也以秦焚其業積怨而發憤于陳王也及高皇帝誅項籍舉兵圍魯魯中諸儒尚講誦習禮樂絃歌之音不絶豈非聖人之遺化好禮樂之國哉故孔子在陳曰歸與歸與吾黨之小子狂簡斐然成章不知所以裁之夫齊魯之閒於文學自古以來其天性也故漢興然後諸儒始得脩其經藝講習大射鄉飲之禮叔孫通作漢禮儀因爲太常

具官（正義曰言滿員而已）

諸生弟子共定者咸爲選首於是喟然歎興於學然尚有干戈平定四海（正義曰顏云陳豨盧綰韓信黥布之徒相以反叛征討也）亦未暇遑庠序之事也孝惠呂后時公卿皆武力有功之臣孝文時頗徵用（正義曰言孝文稍用文學之士居位）然孝文帝本好刑名之言及至孝景不任儒者而竇太后又好黃老之術故諸博士具官待問未有進者及今上卽位趙綰王臧之屬明儒學而上亦鄉之於是招方正賢良文學之士自是之後言詩於魯則申培公（徐廣曰一作陪韋昭曰培申公名培音扶尤反○索隱曰鄒氏音普來反）於齊則轅固生（正義曰申轅姓固名也公生其史號也）於燕

則韓太傅（索隱曰韓嬰為常山王太傅）言尚書自濟南伏生（索隱曰按張華云名勝 紀年云字子賤）言禮自魯高堂生（索隱曰謝承云秦氏季代有魯人高堂伯則伯是其字云生者自漢已來儒者皆號生亦先生者省字呼之耳）言易自菑川田生 言春秋於齊魯自胡毋生（索隱曰毋音無 毋姓也字子都）於趙自董仲舒 及竇太后崩 武安侯田蚡為丞相 絀黃老刑名百家之言 延文學儒者數百人 而公孫弘以春秋白衣為天子三公（徐廣曰一云自齊為天子三公）封以平津侯 天下之學士靡然鄉風矣 公孫弘為學官 悼道之鬱滯 乃請曰 丞相御史言（正義曰自此已下皆弘奏請之辭）制曰 蓋聞導民以禮 風之以樂 婚姻

儒林三

韓太傅　正義曰名嬰 藝文志云漢興魯申公為詩訓故 為尚書言中王二家不同 仲尼思存前聖之業 以魯周公之國 禮文備物 史官有法 何休云孔子還國史記集百二十國書 故與左丘明觀其史記 據行事 仍人道 因興以立功 就敗以成罰 假日月以定曆數 藉朝聘以正禮樂 有所褒諱貶損 不可書見 口授弟子 弟子退而異言 丘明恐弟子各安其意以失其真 故論本事而作傳 明夫子不以空言說經也 所貶損 有威權勢形於傳 是以隱其書而不宣 所以免時難也 末代口說流行 故有公羊穀梁鄒夾之傳 七錄云漢興公羊穀梁並立 同學左氏 始出于張蒼家 本無傳

之者建武中鄭興氏皆滅絕自漢末稍貴左氏服虔杜預二注与公羊穀梁傳之國学榜
左丘明書之也夾音頰也

者居室之大倫也今禮廢樂崩朕甚愍焉故詳延天下方正博聞之士咸登諸朝其令禮官勸學講議洽聞舉遺興禮以爲天下先太常議與博士弟子崇鄉里之化以廣賢材焉謹與太常臧百官表孔臧也博士平等議曰聞三代之道鄉里有教夏曰校正義曰校教也言可教道藝也殷曰序正義曰序舒也言舒禮教周曰庠正義曰庠詳也言詳審經典其勸善也顯之朝廷其懲惡也加之刑罰故教化之行也建首善自京師始由內及外今陛下昭至德開大明配天地本人倫勸學修禮崇化厲賢以風四方太平之原也古者政

一作上庠下學

教未洽不備其禮請因舊官而興焉為博士官置弟子五十人復其身太常擇民年十八已上儀狀端正者補博士弟子郡國縣道邑有好文學敬長上肅政教順鄉里出入不悖所聞者令相長丞上屬所二千石索隱曰上音時兩反屬音燭屬委也所二千石謂郡所部之郡守相也二千石謹察可者當與計偕索隱曰計計吏也偕俱也謂令與計吏俱詣太常也詣太常得受業如弟子一歲皆輒試能通一藝以上補文學掌故缺其高弟可以為郎中者太常籍奏即有秀才異等輒以名聞其不事學若下材及不能通一藝輒罷之而請諸不

所聞者正義曰言好文学敬順出入不悖所聞者也縣令相侯相長縣長丞縣丞也

正義曰掌故有缺而取補之

籍

正義曰為名籍而奏之

儒林四

稱者：臣謹案詔書律令下者明天人分際通古今之義文章爾雅訓辭深厚索隱曰謂詔書文章雅正訓辭深厚也恩施甚美小吏淺聞不能究宣無以明布諭下治禮次治掌故徐廣曰一云次治禮學掌故以文學禮義為官遷留滯請選擇其秩比二百石以上及吏百石通一藝以上補左右內史正義曰補左右內史後改為左馮翊右扶風大行卒史比百石已下補郡太守卒史皆各二人邊郡一人先用誦多者若不足乃擇掌故補中二千石屬文學掌故補郡屬索隱曰如淳云漢儀弟子射策甲科百人補郎中乙科二百人補太子舍人皆秩比二百石次郡國文學秩百石也備員請著功

令佗如律令制曰可自此以來則公卿大夫士吏斌斌多文學之士矣

申公者魯人也高祖過魯申公以弟子從師入見高祖于魯南宮索隱曰案漢書云申公少與楚元王俱事齊人浮丘伯受詩○正義曰括地志云泮宮在兖州曲阜縣西南二百里魯城內宮之內鄭云泮之言半也其制半於天子之璧雍呂太后時申公游學長安與劉郢同師索隱曰案漢書云呂太后時浮丘伯在長安申公與元王子郢俱卒學也郢即郢客已而郢為楚王令申公傅其太子戊徐廣曰楚元王劉交以文帝元年薨子夷王郢立四歲薨子戊立郢以呂后二年封上邳侯文帝元年立為楚王戊不好學疾申公及王郢卒戊立為楚王胥靡申公徐廣曰腐刑申公恥之歸魯退居家

師古曰胥靡相係而作役解具在楚元王傳也

教終身不出門復謝絶賓客獨王命召之乃往

徐廣曰魯恭王也 弟子自遠方至受業者百餘人申公獨

以詩經爲訓以教無傳疑疑者則闕不傳 索隱曰謂申公不作詩傳但教授有疑則闕耳 蘭陵王臧既受詩以事孝景帝爲

太子少傅免去今上初即位臧迺上書宿衞上

累遷一歲中爲郎中令及代趙綰亦嘗受詩申

公綰爲御史大夫綰臧請天子欲立明堂以朝

諸侯不能就其事乃言師申公於是天子使使

束帛加璧安車駟馬迎申公弟子二人乘軺傳

從 徐廣曰馬車 至見天子天子問治亂之事申公時已

獨

通鑑十七 綰請立明堂 胡注 王者之堂所以正四時出教化 自秦滅先王之禮其制不存

通鑑 束帛加璧 胡注 古者高車立乘 安車坐乘 按申公傳安車以蒲裹輪 孔穎達曰安車者

今小車者古者乘四馬之車立乘 此是老人故乘一馬小車坐乘也 按孔氏所謂小車乃古之大夫致仕

者適四方所乘私車也 今加駟申公 迎以四馬安車 非小車也

申公

八十餘老對曰爲治者不在多言顧力行何如耳是時天子方好文詞見申公對默然然已招致則以爲太中大夫舍魯邸議明堂事太皇竇太后好老子言不說儒術得趙綰王臧之過以讓上上因廢明堂事盡下趙綰王臧吏後皆自殺申公亦疾免以歸數年卒弟子爲博士者十餘人孔安國至臨淮太守徐廣曰孔鮒之弟子襄爲惠帝博士遷爲長沙太傅生忠忠生武及安國安國爲博士臨淮太守周霸至膠西內史夏寬至城陽內史碭魯賜至東海太守蘭陵繆生至長沙內史索隱曰繆音亡救反繆氏出蘭陵一音目穆繆所謂繆生爲楚元王所禮也徐偃爲膠

與天下之心

西中尉鄭人關門慶忌（漢書音義曰姓關門名慶忌）爲膠東內史其治官民皆有廉節稱其好學學官弟子行雖不備而至於大夫郎中掌故以百數言詩雖殊多本於申公

清河王太傅轅固生者齊人也以治詩孝景時爲博士與黃生爭論景帝前黃生曰湯武非受命乃弒也轅固生曰不然夫桀紂虐亂天下之心皆歸湯武湯武與天下之心而誅桀紂桀紂之民不爲之使而歸湯武湯武不得已而立非受命爲何黃生曰冠雖敝必加於首履雖新必

關於足何者上下之分也今桀紂雖失道然君上也湯武雖聖臣下也夫主有失行臣下不能正言匡過以尊天子反因過而誅之代立踐南面非弒而何也轅固生曰必若所云是高帝代秦即天子之位非邪於是景帝曰食肉不食馬肝正義曰論衡云氣熱而毒盛故食馬肝殺人又盛夏馬行多渴死殺氣爲毒也不爲不知味言學者無言湯武受命不爲愚遂罷是後學者莫敢明受命放殺者竇太后好老子書召轅固生問老子書固曰此是家人言耳索隱曰服虔云如家人言也案老子道德篇雖微妙難通然近而觀之理國理身而已故言此家人之言也太后怒曰安得

關 漢書作貫 師古曰語見太公六韜

師古曰馬肝有毒食之憙殺人幸得無食言湯武爲殺是背經義故以爲喩也

正義曰桉言凡讀論不論湯武放殺亦謂爲讀論猶如食肉不食馬肝未爲不知味言詩於魯則申於齊則轅固生於燕則韓太傅中

轅固生

云為詩訓故而齊轅固生皆為傳或取春秋雜說咸非其本義與不得已三家皆列於學官又有毛公之學自謂子夏所傳而河間獻王好之未得立錄毛公詩傳後鄭玄箋之魏儒者為注解其齊詩久亡魯詩亡於西晉韓詩雖有無傳之者毛詩鄭氏獨立國學也

儒林卷次七

臺書志林云道家之法尚於無為之教儒家動有所防憲之於律令故言得司空城旦書也

司空城旦書乎 徐廣曰司空主刑徒之官也駰案漢書音義曰道家以儒法爲急比之於律令

乃使固入圈刺豕景帝知太后怒而固直言無罪乃假固利兵下圈刺豕正中其心一刺豕應手而倒太后默然無以復罪罷之居頃之景帝以固爲廉直拜爲清河王太傅 徐廣曰景王乘也 久之病免今上初即位復以賢良徵固諸諛儒多疾毀固曰固老罷歸之時固已九十餘矣固之徵也薛人公孫弘亦徵 徐廣曰薛縣在畨川 側目而視固固曰公孫子務正學以言無曲學以阿世自是之後齊言詩皆本轅固生也諸齊人以詩顯貴皆固

者

側目、一師古曰言畏懼也

資治通鑑十八作古文固

之弟子也

韓生者燕人也孝文帝時爲博士景帝（漢書曰名嬰）時爲常山王太傅（徐廣曰憲王舜也）韓生推詩之意而爲内外傳數萬言其語頗與齊魯閒殊然其歸一也淮南賁生受之（索隱曰賁音肥）自是之後而燕趙閒言詩者由韓生韓生孫商爲今上博士

伏生者（張晏曰伏生名勝伏氏碑云）濟南人也故爲秦博士孝文帝時欲求能治尚書者天下無有乃聞伏生能治欲召之是時伏生年九十餘老不能行於是乃詔太常使掌故朝錯往受之秦時焚書伏

儒林卷內八

正義曰藝文志云孔子纂書尚書上斷于堯下訖于秦凡百篇而爲之序言其作意秦燔書禁學濟南伏生獨壁藏之漢興求得二十九篇以教齊魯之間訖孝宣之代有歐陽大小夏侯氏立於学官七録云魯恭王時壞孔子旧宅得古文尚書孔安國爲之傳以隸古寫之凡五十八篇其餘錯乱靡滅不可復知至漢明帝並傳歐陽氏書獨擅一代三家至西晉並亡今古文孔氏鄭玄注之列於國学也

正義曰衛宏詔定古文尚書序云徵之老不能行遣太常掌故朝錯往讀之生年九十餘不能正言故錯齊人語多与潁川異錯所不知者凡十二三略以其意屬讀而已

師古曰都凡衆也養主給烹炊者也貧無資用故供諸弟子烹炊也

爲弟子都養

生壁藏之其後兵大起流亡漢定伏生求其書亡數十篇獨得二十九篇即以教于齊魯之閒學者由是頗能言尚書諸山東大師無不涉尚書以教矣伏生教濟南張生及歐陽生（漢書曰字和伯千乘人）歐陽生教千乘兒寬兒寬既通尚書以文學應郡舉詣博士受業受業孔安國兒寬貧無資用常爲弟子都養（索隱曰謂兒寬家貧爲弟子造食也何休注公羊傳炊烹爲養案有廝養卒廝掌馬養造食也）及時時閒行傭賃以給衣食行常帶經止息則誦習之以試第次補廷尉史是時張湯方鄉學以爲奏讞掾以古法議決疑大獄而

倪五奚切

兒寬漢書別有傳列傳廿八卷

長無弟子

讞魚列切

自持 師古曰持衛也 以智自衛護也

官作朝

賈嘉 賈誼之孫

伏生

儒林卷以儿

愛幸寬寬爲人溫良有廉智自持而善著書書奏敏於文口不能發明也湯以爲長者數稱譽之及湯爲御史大夫以寬爲掾薦之天子天子見問說之張湯死後六年兒寬位至御史大夫徐廣曰元狩元年九年而以官卒寬在三公位以和良承意從容得久然無有所匡諫於官官屬易之不爲盡力張生亦爲博士而伏生孫以治尚書徵不能明也自此之後魯周霸孔安國雒陽賈嘉頗能言尚書事孔氏有古文尚書而安國以今文讀之因以起其家逸書得十餘篇蓋尚書

高堂生 正義曰謝承云秦氏季代有魯人高堂伯人也藝文志云易有夫婦父子君臣上下礼義有所錯而帝王質文世有損益至周曲為之防事為之制故曰礼経三百威儀三千及周衰諸侯將踰法度惡其害己皆滅去其籍自孔子時而不具至秦大壞漢興魯高堂生傳士礼十餘篇訖孝宣世后蒼最明戴德戴聖慶普皆其弟子三家立於学官 七録云自後漢諸儒多為小戴訓即今礼記是也後又為曲臺記而慶氏傳之並亡大戴立於國学又古経出魯淹中其書同周宗伯所掌五礼威儀之事有六十六篇無敢傳者後博士侍其生得十七篇鄭玄注今之儀礼是也餘皆已亡周官六篇周代所理天下之書也鄭玄注今二経立於國学猶礼経周礼也威儀儀礼也

滋多於是矣 索隱曰案孔臧與安國書云舊書潛於壁室欻爾復出古訓復申臧聞尚書二十八篇取象二十八宿何圖乃有百篇耶知以今文讎古篆隸推科斗以定五十餘篇並爲之傳也藝文志曰安國悉得其書以考二十九篇得多十六篇起者謂起發以出也 諸學者多言禮而魯高堂生最本禮固自孔子時而其經不具及至秦焚書書散亡益多於今獨有士禮高堂生能言之而魯徐生善爲容 索隱曰漢書作頌亦音容也 孝文帝時徐生以容爲禮官大夫傳子至孫徐延徐襄襄其天姿善爲容不能通禮經延頗能未善也襄以容爲漢禮官大夫至廣陵內史延及徐氏弟子公戶滿意 索隱曰公戶姓滿意名也案鄒展云二人姓字非也 桓生單次 索隱曰單

音善單姓次名也皆常為漢禮官大夫而瑕丘蕭奮徐廣曰屬山陽也以禮為淮陽太守是後能言禮為容者由徐氏焉自魯商瞿受易孔子索隱曰案商姓瞿名字子木瞿音劬孔子卒商瞿傳易六世至齊人田何字子莊索隱曰案漢書云商瞿授魯橋庇子庸子庸授江東馯臂子弓子弓授燕周醜子家子家授東武孫虞子乘子乘授何六代也仲尼弟子傳作瞿傳馯臂子弘弘傳江東人矯子庸疵疵傳燕人周子家豎豎傳淳于人光子乘羽羽傳齊人田子莊何與漢書不同馯音寒庇音必利反疵音自移反而漢興田何傳東武人王同子仲子仲傳菑川人楊何索隱曰案田何傳東武王同傳菑川楊何何以易元光元年徵官至中大夫齊人即墨成以易至城陽相廣川人孟但以易為太子門大

伏生

正義曰即墨姓成名也

儒林卷四十

夫魯人周霸莒人衡胡徐廣曰莒一作呂臨菑人主父偃皆以易至二千石然要言易者本於楊何之家

董仲舒廣川人也以治春秋孝景時爲博士下帷講誦弟子傳以久次相受業或莫見其面蓋三年董仲舒不觀於舍園其精如此進退容止非禮不行學士皆師尊之今上即位爲江都相索隱曰案仲舒事易王王武帝兄以春秋災異之變推陰陽所以錯行故求雨閉諸陽縱諸陰其止雨反是行之一國未嘗不得所欲中廢爲中大夫居舍著災

通鑑書建元二年仲舒云云，天子擢為中大夫。胡注按史書仲舒傳又云遼東高廟長陵高園災，仲舒推說其意，主父偃竊其書奏之，仲舒由是得罪。按二災在建元六年，主父偃待上書召見在元光元年，蓋仲舒追述二災而作書，或作書不上，而偃後來方見其草藁也

異之記。是時遼東高廟災，主父偃疾之，取其書奏之天子。徐廣曰：建元六年。○索隱曰：案漢書以為遼東高廟及長陵園殿災也。仲舒以為僭異，著記書。（而未奏之 偃竊而奏之）天子召諸生示其書，有刺譏。董仲舒弟子呂步舒徐廣曰：一作荼，亦音舒。不知其師書，以為下愚。於是下董仲舒吏，當死，詔赦之。於是董仲舒竟不敢復言災異。董仲舒為人廉直。是時方外攘四夷，公孫弘治春秋不如董仲舒，而弘希世用事，位至公卿。董仲舒以弘為從諛。弘疾之，乃言上曰：「獨董仲舒可使相膠西王。」膠西王素聞董仲舒有行，亦善待之。董仲舒恐久獲罪，疾免居

著書為夏正義曰：漢書云仲舒上疏條教，凡百二十三篇，而說春秋事得失，有聞舉、玉杯、繁露、清明、竹林之屬數十篇，十餘萬言，皆傳於世。七錄云：春秋繁露十七卷，春秋斷獄五卷

董仲舒 儒林卷四十一

希 師古曰：希，觀相也。集注云：希言謂之諂。說文云：希，望也

此傳大誤
江公傳詳于漢書是也
仲舒自此以下董仲舒之事不詳江公之事

家貧，卒終不治産業，以脩學著書為事，故漢興至于五世之間，唯董仲舒名為明於春秋，其傳公羊氏也。

胡毋生，漢書曰：字子都。齊人也。孝景時為博士，以老歸教授，齊之言春秋者多受胡毋生，公孫弘亦頗受焉。

自此以下仲舒之事又不詳江公之事

瑕丘江生為穀梁春秋。自公孫弘得用，嘗集比其義，卒用董仲舒。仲舒弟子遂者：蘭陵褚大，廣川殷忠，徐廣曰：殷一作段，又作瑕也。溫呂步舒。褚大至梁相。步舒至長史，持節使決淮南獄，於諸侯擅專斷，不

報以春秋之義正之天子皆以爲是弟子通者至於命大夫爲郎謁者掌故者以百數而董仲舒子及孫皆以學至大官

索隱述贊曰孔氏之衰經書緒亂言諸六學始自炎漢著令立官四方扼腕曲臺壞壁書禮之冠傳易言詩雲蒸霧散興化致理鴻猷克贊

韓生推詩之意而爲内外傳數万言

商瞿受易於孔子

儒林列傳第六十一　史記百二十一

胡毋生　瑕丘江生

儒林卷四十二

曲臺者高堂生傳士礼十餘篇之事礼記又爲曲臺記也藝文志曰曲臺記后倉記九篇如淳注曰行礼射曲臺后倉爲記故曰曲臺記漢官曰大射于曲臺晋灼曰天子射宮也西京無大学於此行禮也

壞壁老休生尚書之事也

酷吏列傳第六十二　史記一百二十二

孔子曰導之以政齊之以刑民免而無恥孔安國曰免苟免也道之以德齊之以禮有恥且格何晏曰格正也老氏稱上德不德是以有德下德不失德是以無德法令滋章盜賊多有太史公曰信哉是言也法令者治之具而非制治清濁之源也昔天下之網嘗密矣索隱曰案鹽鐵論云秦法密於凝脂然姦偽萌起其極也上下相遁至於不振當是之時吏治若救火揚沸索隱曰言本弊不除則其末難止也非武健嚴酷惡能勝其任而愉快乎言道德者溺其職矣故曰聽訟吾猶人

清濁之源　顏云為治之體非須法令而法令非治之本也

也必也使無訟乎下士聞道大笑之非虛言也漢興破觚而爲圜漢書音義曰觚方。索隱曰應劭云觚八稜有隅者高祖反秦之政破觚爲圜謂除其嚴法約三章耳斲雕而爲朴索隱曰應劭云削琱爲璞也晉灼云凋弊也斲理凋弊之俗使反質樸也網漏於吞舟之魚而吏治烝烝不至於姦黎民艾安由是觀之在彼不在此韋昭曰在道德不在嚴酷高后時酷吏獨有侯封刻轢宗室侵辱功臣呂氏已敗遂禽侯封之家孝景時鼂錯以刻深頗用術輔其資而七國之亂發怒於錯錯卒以被戮其後有郅都甯成之屬

郅都者楊人也徐廣曰屬河東。索隱曰郅音質漢書云河東大楊人。正義曰括地志云故

楊城本秦時楊國漢楊縣城也今晉州洪洞縣也至隋爲楊唐初改爲洪縣北故洪洞鎮爲名也秦及漢皆屬河東郡郅都墓在洪洞縣東南二十里漢書云郅都河東大陽人班固失之甚也大陽今陝州河北縣是亦屬河東郡也

以郎事孝文帝孝景時都爲中郎將敢直諫面折大臣於朝嘗從入上林賈姬如廁索隱曰案姬生趙王彭祖也野彘卒入廁上目都都不行上欲自持兵救賈姬都伏上前曰亡一姬復一姬進天下所少寧賈姬等乎陛下縱自輕奈宗廟太后何上還彘亦去太后聞之賜都金百斤由此重郅都

濟南瞷氏漢書音義曰音小兒癇病也。○索隱曰荀悅音閑鄒氏劉氏音並同宗人三百餘家豪猾二千石莫能制於是景帝乃拜都

胡注復扶又翻

正義曰栗懼也

爲濟南太守至則族滅瞷氏首惡餘皆股栗曰髀脚戰揺也居歲餘郡中不拾遺旁十餘郡守畏都如大府都爲人勇有氣力公廉不發私書問遺無所受請寄無所聽常自稱曰已倍親而仕身固當奉職死節官下終不顧妻子矣郅都遷爲中尉丞相條侯至貴倨也而都揖丞相是時民朴畏罪自重而都獨先嚴酷致行法不避貴戚列侯宗室見都側目而視號曰蒼鷹臨江王徵詣中尉府對簿臨江王欲得刀筆爲書謝上而都禁吏不予魏其侯使人以閒與臨江王臨江王

師古曰伺閒隙而私与也

中都 師古曰謂擿成其罪也
正義曰以危惡之法中射於㧞今有罪也
便道之官 正義曰言從家便往鴈門上官不令蚤朝廷謝
臨江閔王榮以孝景前四年為皇太子四年廢為臨江王三歲坐侵廟壖地為宮上徵榮榮行祖於江陵北門既上車軸折車廢江陵父老流涕竊言曰吾

既為書謝上，因自殺。竇太后聞之，怒，以危法中
都，索隱曰案中如字讀謂以法中傷之都免歸家。孝景帝乃使使持
節拜都為鴈門太守，而便道之官，得以便宜從
事。匈奴素聞郅都節，居邊，為引兵去，竟郅都死
不近鴈門。匈奴至為偶人象郅都，索隱曰漢書作寓人象案寓即
偶也謂刻木偶類人形也一云寄人形於木也令騎馳射，莫能中，見憚如
此。匈奴患之。竇太后乃竟中都以漢法。景帝曰：
都忠臣。欲釋之。竇太后曰：臨江王獨非忠臣邪？
於是遂斬郅都。
寧成者，徐廣曰寧一作甯穰人也。徐廣曰屬南陽以郎謁者事景

帝好氣，為人小吏，必陵其長吏；為人上，操下如束溼薪。徐廣曰一無此字駰案韋昭曰言急也○索隱曰操音七刀反操執也滑賊任威。稍遷至濟南都尉，正義曰百官表云都尉秦官掌佐守典武職甲卒秩比二千石有丞秩皆六百石景帝中二年更名都尉若周之司馬而郅都為守。始前數都尉索隱曰數音所注反皆步入府，因吏謁守如縣令，其畏郅都如此。及成往，直陵都出其上。都素聞其聲，於是善遇，與結驩。久之，郅都死，後長安左右宗室多暴犯法，於是上召寧成為中尉。正義曰百官表云中尉秦官掌徼循京師武帝太初元年更名執金吾顏云金吾鳥名也主辟不祥天子出行職主先道以禦非常故執此鳥之象因以名官其治效郅都，其廉弗如，然宗室豪桀皆人

寧成

儒林 巻内 十五

困學紀聞十二 酷吏周陽由何與汲黯俱為忮司馬安之文惡俱在二千石列同車未嘗敢均茵伏
漢書作為 呂成公曰吾觀汲黯廷折公孫弘張湯揖衛青可謂眼高四海空無人者乃彼周陽由
[illegible]何乃與之同車而反謂黯不敢均茵者湯班固之隨聲
[illegible]學[illegible]採班史實[illegible]本於史記

惴 正義曰之瑞反怖懼
師古曰極刑者言殘毀之重也
師古曰傳出關之符也
正義曰言假貸貧民共分其利也
喜

人惴恐武帝即位徙為內史外戚多毀成之短抵罪髡鉗是時九卿罪死即死少被刑而成極刑自以為不復收於是解脫詐刻傳出關索隱解音紀買反脫音他活反謂脫鉗鈦也歸家稱曰仕不至二千石賈不至千萬安可比人乎乃貰貸買陂田千餘頃索隱曰貰音世又音食夜反貰賒也又音日勢代貸音天得反假貧民役使數千家數年會赦致產數千金為任俠持吏長短出從數十騎其使民威重於郡守

周陽由者其父趙兼以淮南王舅父侯周陽故因姓周陽氏徐廣曰侯五年孝文六年國除。正義曰周陽故城在絳州聞喜縣東二十九里由

撓

詩曰忮之危 師古曰忮意堅也

周陽由

以宗家任爲郎索隱曰案與國家有外戚姻屬比於宗室故曰宗家也事孝文及景帝景帝時由爲郡守武帝即位吏治尚循謹甚然由居二千石中最爲暴酷驕恣所愛者撓法活之所憎者曲法誅滅之所居郡必夷其豪爲守視都尉如令爲都尉必陵太守奪之治與汲黯俱爲忮漢書音義曰堅忮也司馬安之文惡漢書音義曰以文法傷害人俱在二千石列同車未嘗敢均茵伏徐廣曰漢書作馮伏者軾 索隱曰案均等也茵車蓐也言二人與由同載一車上不敢與之均茵軾也謂下之也馮音凭由後爲河東都尉時與其守勝屠公爭權相告言罪索隱曰風俗通云勝屠即申屠也勝屠公當抵罪義不受

無害言無人能勝之者 仲馮曰足以知調處平之類為無害也 正義曰無害言禹作文法無損害 正義曰謂見有罪知有罪皆須擧之

刑自救而由棄市自寧成周陽由之後事益多民巧法大抵吏之治類多成由等矣

趙禹者斄人 徐廣曰屬扶風音台。正義曰音胎故斄城在雍武功縣西南二十二里古邰國后稷所封漢斄縣也 以佐史補中都官 正義曰若京都府史 用廉為令史事太尉亞夫亞夫為丞相禹為丞相史府中皆稱其廉平然亞夫弗任曰極知禹無害然文深 漢書音義曰禹持文法深刻 不可以居大府今上時禹以刀筆吏積勞稍遷為御史上以為能至太中大夫與張湯論定諸律令 徐廣曰論一作編 作見知吏傳得相監司用法益刻蓋自此始張湯者杜人也徐廣曰時未為陵其父為長安丞出湯為兒守舍還而鼠盜肉其父怒笞湯湯掘窟得盜鼠及餘肉劾鼠掠治傳爰書訊鞫論報蘇林曰謂傳囚也爰易也以此書易其辭處鞫窮也張晏曰傳考證驗也爰書自證不如此言反受其罪訊考三日復問之知與前辭同不也鞫一吏為讀狀論其報行也○索隱曰韋昭云爰換也古者重刑嫌有愛惡故移換獄書使他官考實之故曰傳爰書也并取鼠與肉具獄磔堂下鄧展曰罪備具其父見之視其文辭如老獄吏大驚遂使書獄如淳曰決獄之書謂律令也父死後湯為長安吏久之周陽侯始為諸卿時徐廣曰田勝也武帝母王太后之同母弟也武帝始立而封為周陽侯嘗繫長安湯傾身為之韋昭曰為之先後及出為侯大與湯交徧見湯

趙禹　張湯

儒林卷九十七

師古曰大府丞相府也　正義曰服云藏壙中長皆有亞尉中用地一頃餘又家以墓云以是為城然後錯石基草白沙及山岸

貴人湯給事內史為甯成掾以湯為無害言大府調為茂陵尉治方中漢書音義曰方中陵上土作方也湯主治之蘇林曰天子即位豫作陵諱之故言方中如淳曰大府幕府地茂陵尉主作陵之尉也韋昭曰大府公府武安侯

田蚡也

為丞相徵湯為史時薦言之天子補御史使案事治陳皇后蠱獄深竟黨與於是上以為能稍遷至太中大夫與趙禹共定諸律令務在深文拘守職之吏蘇林曰拘刻守職之吏已而趙禹遷為中尉徙為少府而張湯為廷尉兩人交驩而兄事禹禹為人廉倨為吏以來舍毋食客公卿相造請禹禹終不報謝務在絕知友賓客之請孤立行一

通鑑十八元朔三年張湯為廷尉

顏曰舞弄其智

御制他人

如淳曰豫居物以

待之得利為乾

失利為沒師古曰

乾音干

交私正義曰謂私

便財物也

傳 音附

讞 魚列反

正其獄也

師古曰亭均也調也

言平均疑訟為張湯

讞疑奏之

挈 漢書作挈師古曰著謂明書之也挈獄訟之要也書於讞法挈令以為後式也

儒林卷六十八

挈 口計切

意而已見文法輒取亦不覆案求官屬陰罪湯

為人多詐舞智以御人韋昭曰制御人始為小吏乾沒徐廣曰隨勢沈浮也服虔曰射成敗也如淳曰得利為乾失利為沒。正義曰此二說非也按乾沒謂無潤及之而取他人也又云陽浮慕為乾心內不合為沒也與長安富賈田甲魚翁叔

之屬交私徐廣曰姓魚也及列九卿收接天下名士大

夫己心內雖不合然陽浮慕之是時上方鄉文

學湯決大獄欲傅古義索隱曰傅音附乃請博士弟子

治尚書春秋補廷尉史亭疑法李奇曰亭平也。索隱曰使之平疑事也

奏讞疑事必豫先為上分別其原上所是受

而著讞決法廷尉挈令韋昭曰在板挈。正義曰按謂律令也古以板書之言[illegible]

胡庄鄉讀

曰嚮

通鑑十八又監史深禍者謂在漢官曰廷尉獄史二十七人深禍謂猶文深刻欲及人於禍者

正義曰財讀如裁古少字故也

所是著之爲正獄以廷尉法令決平之揚主之明監也揚主之明奏事即譴湯應謝徐廣曰應一作權鄉上意所便必引正監掾史賢者正義曰百官表云廷尉秦官有正左右監皆秩千石也按上即責湯應對謝之如上意必引正監等賢者本爲臣建識如上意臣不用愚昧不從至此也曰固爲臣議如上責臣臣弗用愚抵於此蘇林曰正坐不用諸掾語故至於此罪常釋閒徐廣曰詔若聞也如淳曰閒矣駰案瓚曰謂常見原即奏事上善之曰臣非知爲此奏乃正監掾史某爲之其欲薦吏揚人之善蔽人之過如此所治即上意所欲罪予監史深禍者即上意所欲釋與監史輕平者所治即豪必舞文巧詆即下戶羸弱時口言雖文致法上財察

湯所言 正義曰顏
之言下戶人高瞰所謂湯
欲佐助雖見文奏之
之而又口言雖律令
之文合致此罪聽上
裁深意蓋為此人希
恩宥也於是上得湯
此言往往釋其罪非
未奏之前口豫言
也

伍被与淮南王謀
反蹤跡如此天子以
伍被雅辭多引
漢美欲勿誅張湯
進曰被首為王畫
反計罪無赦遂誅
被

李奇曰謂覺上向言之欲與輕平也 於是往往釋湯所言 李奇曰湯先言皆見原釋

湯至於大吏內行脩也通賓客飲食於故人子
弟為吏及貧昆弟調護之尤厚其造請諸公不
避寒暑是以湯雖文深意忌不專平然得此聲
譽而刻深吏多為爪牙用者依於文學之士丞
相弘數稱其美及治淮南衡山江都反獄皆窮
根本嚴助及伍被上欲釋之湯爭曰伍被本畫
反謀而助親幸出入禁闥爪牙臣乃交私諸侯
如此弗誅後不可治於是上可論之其治獄所
排大臣自為功多此類於是湯益尊任遷為御

及淮南王反事与助相連 張湯 上薄其罪欲勿誅廷尉張湯爭以為助出入禁門腹心之臣而外與諸侯交私如 傳林卷四十九
此不誅後不可治助竟棄市

通鑑湯雖文深胡注文深謂持文深意忌謂其意忌刻也不專平謂不專於持平也

史大夫。（徐廣曰元狩二年）會渾邪等降，漢大興兵伐匈奴，山東水旱，貧民流徙，皆仰給縣官，縣官空虛。於是丞上指，請造白金及五銖錢，籠天下鹽鐵，排富商大賈，出告緡令，（正義曰緡音岷錢貫也武帝伐四夷國用不足故稅民田宅船乘畜產奴婢等皆平作錢數每千錢一筭出一等賈人倍之若隱不稅有告之半與告人餘半入官謂緡出此令用鉏築豪強兼并富商大賈之家也一筭百二十文也）鉏豪彊并兼之家，舞文巧詆以輔法。湯每朝奏事，語國家用，日旰，天子忘食。丞相取充位，（徐廣曰時李蔡莊青翟為丞相）天下事皆決於湯。百姓不安其生，騷動，縣官所興，未獲其利，姦吏並侵漁，於是痛繩以罪。則自公卿以下，至于

正義曰天下有鹽鐵之處皆籠合稅之令利入官也

師古曰籠羅其事皆令利入官

詆　杜周傳師古注曰　詆誣也

漁作薄

通鑑十九狄山胡注
姓譜狄春秋狄
國之後又曰周文
王封少子於狄城

師古曰蕭然猶騷然
擾動之貌
兩宮間 顏云謂
謁於太后也 漢書作東宮

正義曰吳景帝世不
言伐匈奴也 師古曰謂
景帝之身更不議
征伐之事也

庶人咸指湯湯嘗病天子至自視病其隆貴如
此匈奴來請和親羣臣議上前博士狄山曰和
親便上問其便山曰兵者凶器未易數動高帝
欲伐匈奴大困平城乃遂結和親孝惠高后時
天下安樂及孝文帝欲事匈奴北邊蕭然苦兵
矣孝景時吳楚七國反景帝往來兩宮間寒心
者數月吳楚已破竟景帝不言兵天下富實今
自陛下舉兵擊匈奴中國以空虛邊民大困貧
由此觀之不如和親上問湯湯曰此愚儒無知
狄山曰臣固愚忠若御史大夫湯乃詐忠若湯

張湯

儒林卷內二十

之治淮南江都以深文痛詆諸侯別疏骨肉使蕃臣不自安臣固知湯之爲詐忠於是上作色曰吾使生居一郡能無使虜入盜乎曰不能曰居一縣對曰不能復曰居一障閒正義曰障謂塞上要險之處別築城置吏士守之以扞寇盜也山自度辯窮且下吏曰能於是上遣山乘鄣至月餘匈奴斬山頭而去自是以後羣臣震慴湯之客田甲雖賈人有賢操始湯爲小吏時與錢通徐廣曰以利交及湯爲大吏甲所以責湯行義過失亦有烈士風湯爲御史大夫七歲敗河東人李文嘗與湯有郤已而爲御史中丞

師古曰博士之官故呼爲生也

師古曰度計也見詰自辯爲辭窮盡

師古曰乘登也

師古曰爲小吏之時與田甲爲錢財之交

恚數從中文書事有可以傷湯者不能爲地湯有所愛史魯謁居知湯不平使人上蜚變告文姦事下湯湯治論殺文而湯心知謁居爲之上問曰言變事蹤跡安起湯詳驚曰此殆文故人怨之謁居病臥閭里主人湯自往視疾爲謁居摩足趙國以冶鑄爲業王數訟鐵官事湯常排趙王趙王求湯陰事謁居嘗案趙王趙王怨之并上書告湯大臣也史謁居有病湯至爲摩足疑與爲大姦事下廷尉謁居病死事連其弟弟繫導官如淳曰太官之別也主酒湯亦治他囚導官見謁居

漢書曰恚忘作鷙
服虔曰鷙鷙猶也文
与湯故有隙已而爲
御史中丞以轄己在內
其至中文書有可用
傷湯者因會致之
不能爲湯作道地

蘇林曰漢儀注獄二十六所導官獄也

師古曰導擇也以主擇米故曰導官也事見百官表時或張湯以謀獄皆滿故權寄在此署繫之非本獄所也

儒林卷四廿一

百官表曰少府屬官有導官

胡注 張晏導官主擇米

鷙數從中文書事有可以傷湯者不爲作道地也 蘇林曰鷙伺也 師古曰鷙數

文書事文可用傷湯者不爲作道地也 鷙音至

字亦如此 音義曰鷙數猶言窺數

仲馮曰太史公作悉從中文書蓋其特文参閲數從中所下文書

者文以前隙亦不能与之爲地然文似本無意造事中之也

湯欲陰爲之而詳不省謁居弟弗知怨湯使人上書告湯與謁居謀共變告李文事下減宣宣嘗與湯有卻及得此事窮竟其事未奏也會人有盜發孝文園瘞錢如淳曰瘞埋錢於園陵以送死丞相青翟朝與湯約俱謝至前湯念獨丞相以四時行園當謝湯無與也不謝丞相謝上使御史案其事湯欲致其文丞相見知張晏曰見知故縱以其罪罪之丞相患之三長史皆害湯欲陷之始長史朱買臣會稽人也正義曰朱買臣吳人也此時蘇州爲會稽郡也讀春秋莊助使人言買臣買臣以楚辭與助俱幸侍中爲太中大夫用事而

通鑑二年湯殺不附明庭湯以至相四時行園陵者自附御史大夫不欲屬湯故不附

與湯約 師古曰將入朝之相爲要約也

正義曰百官表云丞相有兩長史今云三長蓋權宜置之非正員也

胡注減宣人姓名減古斬翻

至前 師古曰至天子之前也

湯乃爲小吏跪伏使買臣等前已而湯爲廷尉治淮南獄排擠莊助買臣固心望及湯爲御史大夫買臣以會稽守爲主爵都尉列於九卿數年坐法廢守長史見湯湯坐牀上丞史遇買臣弗爲禮買臣楚士正義曰周末越王無彊伐楚楚威王滅越吳之地總屬楚故謂朱買臣爲楚士深怨常欲死之王朝齊人也以術至右內史邊通學長短漢書音義曰長短術興於六國時行長入短其語隱謬用相激怒剛暴彊人也官再至濟南相故皆居湯右已而失官守長史詘體於湯湯數行丞相事知此三長史素貴常凌折之以故三長史合謀曰始湯約與君

杜預云擠墜也

士 作人

張晏云蘇秦張儀之謀趣彼爲短歸此爲長戰國策云短長術

通鑑二十卷云三長史皆怨恨欲以死陷之

張湯

儒林卷四 廿二

與湯約 師古曰將入朝之始爲之要約也

正義曰百官表云丞相有兩長史今云三長史蓋權守置之非正員也

湯欲陰爲之而詳不省謁居弟弗知怨湯使人上書告湯與謁居謀共變告李文事下減宣宣嘗與湯有郤及得此事窮竟其事未奏也會人有盜發孝文園瘞錢（如淳曰瘞埋錢於園陵以送死）丞相青翟朝與湯約俱謝至前湯念獨丞相以四時行園當謝湯無與也不謝丞相謝上使御史案其事湯欲致其文丞相見知（張晏曰見知故縱以其罪罪之）丞相患之三長史皆害湯欲陷之始長史朱買臣會稽人也（正義曰朱買臣吳人也此時蘇州爲會稽郡也）讀春秋莊助使人言買臣買臣以楚辭與助俱幸侍中爲太中大夫用事而

胡注減宣人姓名減古斬翻

至前 師古曰至天子之前

三長史 王朝 邊通

杜預云擠墜也

士 作人

張晏云蘇秦張儀之謀趣彼爲短歸此爲長戰國策亦云短長術

通鑑卷二十 三長史皆怨恨欲以死之

張湯

湯乃爲小吏跪伏使買臣等前已而湯爲廷尉治淮南獄排擠莊助買臣固心望及湯爲御史大夫買臣以會稽守爲主爵都尉列於九卿數年坐法廢守長史見湯湯坐牀上丞史遇買臣弗爲禮買臣楚士（正義曰周末越王勾踐滅吳楚滅越吳之地總屬楚故謂朱買臣爲楚士）深怨常欲死之王朝齊人也以術至右內史邊通學長短（漢書音義曰長短術興於六國時長入短其語隱謬用相激怒）剛暴彊人也官再至濟南相故皆居湯右已而失官守長史詘體於湯湯數行丞相事知此三長史素貴常凌折之以故三長史合謀曰始湯約與君

師古曰謂之左者言除罪人正身之外又取其左右者考問也

簿責 師古曰以文簿次第一一責之也

分 師古曰様問也

謝已而賣君今欲劾君以宗廟事此欲代君耳
吾知湯陰事使使捕案湯左田信等漢書音義曰左證左也
正義曰言湯與田信為左道之交故言左田信等曰湯且欲奏請信輒先知
之居物致富與湯分之及他姦事事辭頗聞上
問湯曰吾所為賈人輒先知之益居其物是類
有以吾謀告之者湯不謝湯又詳驚曰固宜有
減宣亦奏謁居等事天子果以湯懷詐面欺
使八輩簿責湯蘇林曰簿音主簿之簿采悉責也湯具自道無此
不服於是上使趙禹責湯禹至讓湯曰君何不
知分也君所治夷滅者幾何人矣今人言君皆

師古曰重獨難也

對爲 師古曰言何用多對

塞 師古曰塞當也

業 漢書作產業 師古曰產業[illegible]也

顏云古者駕馬爲貴駕牛爲鄙

以下漢書爲趙禹傳[illegible]也

有狀天子重致君獄欲令君自爲計何多以對簿爲湯乃爲書謝曰湯無尺寸功起刀筆吏陛下幸致爲三公無以塞責然謀陷湯罪者三長史也遂自殺湯死家產直不過五百金皆所得奉賜無他業昆弟諸子欲厚葬湯湯母曰湯爲天子大臣被汙惡言而死何厚葬乎載以牛車有棺無槨天子聞之曰非此母不能生此子乃盡案誅三長史丞相青翟自殺出田信上惜湯稍遷其子安世趙禹中廢已而爲廷尉始條侯以爲禹賊深弗任及禹爲少府比九卿禹酷急

爲計 師古曰言引決也

胡注 被皮義翻 汙烏故翻

戰國策先王以為慊于志 [illegible]

師古曰謂之左者言除罪人正賞之外又取其左右者考問也

簿責 師古曰以文簿次第一一責之也

分 師古曰猶限也

謝已而賣君今欲劾君以宗廟事此欲代君耳吾知湯陰事使吏捕案湯左田信等（漢書音義曰左證左也　正義曰言湯與田信為左道之交故言左田信等）曰湯且欲奏請信輒先知之居物致富與湯分之及他姦事事辭頗聞上問湯曰吾所為賈人輒先知之益居其物是類有以吾謀告之者湯不謝湯又詳驚曰固宜有減宣亦奏謁居等事天子果以湯懷詐面欺使八輩簿責湯（蘇林曰簿音主簿　如淳曰簿采惡責也）湯具自道無此不服於是上使趙禹責湯禹至讓湯曰君何不知分也君所治夷滅者幾何人矣今人言君皆

重 師古曰重猶難也

對爲 師古曰言何用多對

塞 師古曰塞當也

業 漢書作贏 師古曰贏餘也

顏云古者駕馬爲貴駕牛爲鄙

以下漢書爲趙禹傳之文也

有狀天子重致君獄欲令君自爲計何多以對
簿爲湯乃爲書謝曰湯無尺寸功起刀筆吏陛
下幸致爲三公無以塞責然謀陷湯罪者三長
史也遂自殺湯死家產直不過五百金皆所得
奉賜無他業昆弟諸子欲厚葬湯湯母曰湯爲
天子大臣被汙惡言而死何厚葬乎載以牛車
有棺無槨天子聞之曰非此母不能生此子乃
盡案誅三長史丞相青翟自殺出田信上惜湯
稍遷其子安世趙禹中廢已而爲廷尉始條侯
以爲禹賊深弗任及禹爲少府比九卿禹酷急

爲計 師古曰言引決也

胡注被皮義翻 汙烏故翻

張湯 儒林卷之四廿三

通鑑廿卷及禹爲少府ゝ胡三省注言以當時九卿同列秩比之禹爲酷急也

王太后 師古曰武帝母也

至晚節，事益多，吏務為嚴峻，而禹治加緩，而名為平。王溫舒等後起，治酷於禹。禹以老，徙為燕相。數歲，亂悖有罪，免歸。（師古曰悖惑也言其心意昏惑也悖音布內反）後湯十餘年，以壽卒于家。（通鑑卷十九義縱胡三省注義姓縱名）

義縱者，河東人也。為少年時，嘗與張次公俱攻剽為群盜。（徐廣曰剽音扶召反。索隱曰說文云剽刺也一云剽劫人音數妙反）縱有姊姁，（索隱曰李奇音吁孟康音詡）以醫幸王太后。王太后問：「有子兄弟為官者乎？」姊曰：「有弟無行，不可。」太后乃告上，拜義姁弟縱為中郎，（漢書音義曰姁音煦縱姊名也）補上黨郡中令。（索隱曰案謂補上黨郡中之令史失其縣名）治敢行，少蘊藉，

師古曰逋亡也直也 音必明反

師古曰弘公孫弘也

漢書音義曰敢行暴政而少蘊藉也○索隱曰蘊音
愠藉音才夜反張晏云爲人無所避故少所假借也縣無
逋事舉爲第一遷爲長陵及長安令直法行治
不避貴戚以捕案太后外孫脩成君子仲索隱曰案
王太后之女號脩成君其子名仲上以爲能遷爲河內都尉至則
族滅其豪穰氏之屬河內道不拾遺而張次公
亦爲郎以勇悍從軍敢深入有功爲岸頭侯徐廣
曰受封五年與淮南王女陵姦及受財物國除寧成家居上欲以爲郡守
御史大夫弘曰臣居山東爲小吏時寧成爲濟
南都尉其治如狼牧羊成不可使治民上乃拜
成爲關都尉歲餘關東吏隸郡國出入關者漢書

義縱

師古曰臨獸産乳養護其子則搏噬過當故以喻也

通鑑 重足一迹 胡注言累足也畏懼之甚重直龍翻

通鑑 一捕鞫 胡注一切皆捕而鞫問之也

通鑑十九 側行 胡注側行不敢正行言恭之甚

漢書注師古曰平氏杜衍二縣名也

廷史 漢書作廷尉史

索隱曰縱掩定襄獄一切捕鞫而去是日皆報殺則非奏請可知然則以論決爲難

音義曰隸閱也號曰寧見乳虎無値寧成之怒義縱自河內遷爲南陽太守聞寧成家居南陽及縱至關寧成側行送迎然縱氣盛弗爲禮至郡遂案寧氏盡破碎其家成坐有罪及孔暴之屬皆犇亡徐廣曰孔暴三姓大族南陽吏民重足一迹而平氏朱彊杜衍杜周爲縱爪牙之吏任用遷爲廷史軍數出定襄定襄吏民亂敗於是徙縱爲定襄太守縱至掩定襄獄中重罪輕繫二百餘人及賓客昆弟私入相視亦二百餘人縱一捕鞫曰爲死罪解脫漢書音義曰一切皆捕之也律諸囚徒私解脫桎梏鉗赭加罪一等爲人解脫與同罪縱鞫相贍餉

胡注乳人 翰翻

師古曰鞫窮也 窮治也

者二百人為解脫死罪盡殺也是日皆報殺四百餘人其後郡中不寒而栗猾民佐吏為治索隱曰案謂豪家猾之人于掾吏故云佐吏為理也是時趙禹張湯以深刻為九卿矣然其治尚寬輔法而行而縱以鷹擊毛摯為治徐廣曰鷙鳥將擊必張羽毛也後會五銖錢白金起民為姦京師尤甚乃以縱為右內史王溫舒為中尉溫舒至惡其所為不先言縱縱必以氣凌之敗壞其功其治所誅殺甚多然取為小治姦益不勝直指始出矣吏之治以斬殺縛束為務閻奉以惡用矣縱廉其治放郭都上幸鼎湖病久已而卒起幸甘泉索隱卒音七

道多不治上怒曰縱以我爲不復行此道乎嗛之徐廣曰嗛音御至冬楊可方受告緡韋昭曰人有告言不出緡者可方受之○索隱曰緡錢貫也漢氏有告緡令楊可主之謂緡錢出等人有不以錢通者令得告之也縱以爲此亂民部吏捕其爲可使者索隱曰謂求楊可之使天子聞使杜式治以爲廢格沮事漢書音義曰武帝使楊可主告緡沒入其財物縱捕爲可使者此爲廢格詔書沮已成之事○索隱曰格音閣棄縱市後一歲張湯亦死

王溫舒者陽陵人也徐廣曰屬馮翊少時椎埋爲姦徐廣曰椎殺人而埋之○索隱謂發冢已而試補縣亭長數廢爲吏以治獄至廷史事張湯遷爲御史督盜賊殺傷甚多

精選至廣平都尉擇郡中豪敢任吏十餘人以
爲爪牙皆把其陰重罪而縱使督盜賊快其意
所欲得此人雖有百罪弗法即有避因其事夷
之亦滅宗以其故齊趙之郊盜賊不敢近廣平
廣平聲爲道不拾遺上聞遷爲河內太守素居
廣平時皆知河內豪姦之家及往九月而至令
郡具私馬五十疋爲驛自河內至長安部吏如
居廣平時方略捕郡中豪猾郡中豪猾相連坐
千餘家上書請大者至族小者乃死家盡沒入償
臧奏行不過二三日得可事論報至流血十餘

師古曰豪傑而性果敢往無所顧者以爲吏也
縱使言縱恣使
督盜賊
師古曰避回謂不盡意捕擊也回音迴
內反
正義曰驛傳也以私馬相傳於境上
業性相侍
償臧 師古曰以臧獲罪者既沒入之又令出倍臧或收入官
還其主也
得可 師古曰論報
日天子可其奏而
論決之殺人既多故血流十餘里

正義曰言擇郡中豪強敢行威之人即任用為吏使作爪牙伺把其惡發其姦以防禦盜

王溫舒 鑑奏行胡注奏而天子可之殺之而可
原文曰駿此可與辭互為黑矣
儒林卷四廿六
通鑑十九廣平都尉胡三省注廣平本屬趙國，孝武之間分為廣平郡，征和元年
立為平干國
通鑑家盡沒入償臧胡注師古曰以臧獲罪者，其家沒入官家，以償所費之臧，意義似應
臧獲曰贓

道多不治上怒曰縱以我爲不復行此道乎嗛之徐廣曰嗛音御至冬楊可方受告緡韋昭曰人有告言不出緡者方受之。索隱曰緡錢貫也漢氏有告緡令楊可主之謂緡錢出等人有不以錢通者令得告之也縱以爲此亂民部吏捕其爲可使者索隱曰謂求楊可之使天子聞使杜式治以爲廢格沮事漢書音義曰武帝使楊可主告緡沒入其財物縱捕爲可使者此爲廢格詔書沮已成之事。索隱曰格音閣棄縱市後一歲張湯亦死

王溫舒者陽陵人也徐廣曰屬馮翊少時椎埋爲姦徐廣曰椎殺人而埋之或謂發冢已而試補縣亭長數廢爲吏以治獄至廷史事張湯遷爲御史督盜賊殺傷甚多

稍遷至廣平都尉擇郡中豪敢任吏十餘人以爲爪牙皆把其陰重罪而縱使督盜賊快其意所欲得此人雖有百罪弗法即有避因其事夷之亦滅宗以其故齊趙之郊盜賊不敢近廣平廣平聲爲道不拾遺上聞遷爲河內太守素居廣平時皆知河內豪姦之家及往九月而至令郡具私馬五十疋爲驛自河內至長安部吏如居廣平時方略捕郡中豪猾郡中豪猾相連坐千餘家上書請大者至族小者乃死家盡沒入償臧奏行不過二三日得可事論報至流血十餘

漢書曰其頗不得失之旁郡追求

師古曰立春之後不復行刑故云然足伸也

師古曰温舒憚縱不得恣其酷暴

里河内皆怪其奏以爲神速盡十二月郡中毋聲毋敢夜行野無犬吠之盜其頗不得失之旁郡國黎來索隱曰黎音犁犁猶比也會春溫舒頓足歎曰嗟乎令冬月益展一月足吾事矣其好殺伐行威不愛人如此天子聞之以爲能遷爲中尉其治復放河内徙諸名禍猾吏徐廣曰有殘刻之名○索隱曰案漢書作徙請召猜禍吏又服虔曰徙但也猜惡也應劭曰猜疑也取吏好猜疑人作禍敗者而使之與從事河内則楊皆麻戊徐廣曰一云麻成關中楊贛成信等義縱爲内史憚未敢恣治及縱死張湯敗後徙爲廷尉而尹齊爲中尉

胡注古毋無通

會春 正義曰立春之後不復行刑

正義茌作茬

漢書曰數稱以爲廉武帝使督盜賊

廣字句絶武字下有帝字是也

是傳書在後楊僕傳之中

尹齊 楊僕 儒林表之内廿七

漢書曰作敢摯 師古曰果敢摯擊而行其治也

通鑑二十（元封二年）上募天下死罪爲兵遣樓船將軍楊僕從齊浮渤海 浮渤海蓋自青萊以北之海以南[illegible]瀕於海其海通以之南河北指渤海郡爲言之也

尹齊者東郡茌平人（徐廣曰茌音仕疑反）以刀筆稍遷至御史事張湯張湯數稱以爲廉武使督盜賊所斬伐不避貴戚遷爲關內都尉聲甚於甯成上以爲能遷爲中尉吏民益凋敝尹齊木彊少文豪惡吏伏匿而善吏不能爲治以故事多廢抵罪上復徙溫舒爲中尉而楊僕以嚴酷爲主爵都尉

師古曰不實也言如木石之爲也

楊僕者宜陽人也以千夫爲吏（漢書音義曰千夫官名若五大夫武帝所置）

用不足令民出錢穀爲之

河南守案舉以爲能遷爲御史使督盜賊關東治放尹齊以爲敢摯行稍遷至主爵都尉列九卿天子以爲能南越反拜爲樓船將

正義曰缿若今之錢筩
也古以瓦今以竹
以此器受投書也

雖

軍有功，封將梁侯，為荀彘所縛。徐廣曰：受封四年，征朝鮮，還贖為庶人。索隱曰：案漢書云與左將軍荀彘俱擊朝鮮，為彘所縛，還免為庶人，病死。居久之，病死。

而溫舒復為中尉。為人少文，居廷惛惛不辯，索隱曰：惛音昏。至於中尉則心開。督盜賊，素習關中俗，知豪惡吏，豪惡吏盡復為用，為方略。吏苛察，盜賊惡少年投缿徐廣曰：音項，器名也，如今之投書函中。索隱曰：缿受投書之器，入不可出也。音胡江反。購告言姦，置伯格長徐廣曰：一作落。古村落字亦作格。街陌屯落皆設督長也。○索隱曰：伯音阡陌，格音村落，言阡陌村落皆置長也。以牧司姦盜賊。溫舒為人讇，善事有勢者；即無勢者，視之如奴。有勢家，雖有姦如山，弗犯；無勢者，貴戚必侵辱。舞文

伯格長……
曰陌亦長
之称也置伯
各邑落之長
以收捕司察
姦人也

詆 師古曰詆誣也見子
漢書曰詆作請 杜周傳注
師古曰弄法巧詆而
治下戶之狡猾者
因諷動大豪也
家所以然為大
豪中有權要不
可治故也請謂奏
請
不中 正義曰不中天
子意也
通天臺 漢書云
高三十丈去長安
三百里望見長
安城

巧詆下戶之猾以焄大豪（焄音熏。索隱曰案熏猶熏灸之謂下戶之中有姦猾之人人令案之以熏逐大姦也）其治中尉如此姦猾窮治大抵盡靡爛獄中行論無出者其爪牙吏虎而冠於是中尉部中中猾以下皆伏有勢者為游聲譽稱治治數歲其吏多以權富溫舒擊東越還（徐廣曰元鼎六年出會稽破東越）議有不中意者坐小法抵罪免是時天子方欲作通天臺（正義曰漢書元封二年三輔舊事云起甘泉通天臺高五十丈）而未有人溫舒請覆中尉脫卒得數萬人作上說拜為少府徙為右內史治如其故姦邪少禁坐法失官復為右輔行中尉事如故操歲餘會宛軍發

權富 言吏見之家所擁積故積吏取數富貴者
也
脫卒 正義曰中尉部中脫漏之卒考校取之
脫卒 師古曰覆按脫漏未為卒者
也

楊僕
儒林卷收廿八
應劭云京兆尹左馮翊右扶風共治長安城中是為三輔

音義曰發兵伐大宛詔徵豪吏，溫舒匿其吏華成，及人有
變告溫舒受員騎錢，他姦利事，罪至族，自殺。其
時兩弟及兩婚家亦各自坐他罪而族。光祿徐
自爲曰：悲夫，夫古有三族，而王溫舒罪至同時
而五族乎！溫舒死，家直累千金。後數歲，尹齊亦
以淮陽都尉病死，家直不滿五十金。所誅滅淮
陽甚多，及死，仇家欲燒其尸，尸亡去歸葬。徐廣曰一云
齊死未及斂怨家欲燒之屍亦飛去自溫舒等以惡爲治，而郡守
都尉諸侯二千石欲爲治者，其治大抵盡放溫
舒，而吏民益輕犯法，盜賊滋起。南陽有梅免、白

以興擊 師古曰以軍興之法而討擊之也

正義曰渠大也

行

攻楚有殷中（徐廣曰殷一作假人亦有姓假者也）杜少齊有徐勃燕趙之間有堅盧范生之屬大羣至數千人擅自號攻城邑取庫兵釋死罪縛辱郡太守都尉殺二千石為檄告縣趣具食小羣盜以百數掠鹵鄉里者不可勝數也於是天子始使御史中丞丞相長史督之猶弗能禁也乃使光祿大夫范昆諸輔都尉及故九卿張德等衣繡衣持節虎符發兵以興擊斬首大部或至萬餘級及以法誅通飲食坐連諸郡甚者數千人數歲乃頗得其渠率散卒失亡復聚黨阻山川者往往而羣

楊僕

儒林 卷廿九

應劭云敢蔽匿盜賊者沒其命也
發覺而捕弗滿品者 正義曰品程限也言群盜起不發覺及發覺不捕弗捕捉程限滿不獲者皆死也

韋昭曰縣有盜賊府亦并坐使縣不言之也

漢書音義曰作減宣

居無可奈何於是作沈命法漢書音義曰沈藏匿也命亡逃也○索隱
劭云沈匿不發覺之法韋昭云沈沒也曰羣盜起不發覺發覺而捕弗
滿品者二千石以下至小吏主者皆死其後小吏
畏誅雖有盜不敢發恐不能得坐課累府府亦
使其不言故盜賊寖多上下相爲匿以文辭避
法焉徐廣曰課爲匿文言無盜賊也 師古曰寖漸也 無一字見趙禹傳正義
減宣者楊人也以佐史無害給事河東守府衛
將軍青使買馬河東見宣無害言上徵爲大廄
丞正義曰百官表云大僕屬官有大廄令五丞一尉也官事辦稍遷至御史及
中丞使治主父偃及治淮南反獄所以微文深

累力瑞反
坐課累府 正義曰縣有盜賊府亦并坐使縣不言上故盜賊
寖多

難以爲經 正義曰言不可爲常法也

杜周任用之次在之明揭儒傳之末 杜周 漢書 [illegible] 列傳 三十三之卷 [illegible]

減宣 杜周

諸殺者甚衆稱爲敢決疑數廢數起爲御史及中丞者幾二十歲王溫舒免中尉而宣爲左內史其治米鹽事大小皆關其手自部署縣名曹實物官吏令丞不得擅搖痛以重法繩之居官數年一切郡中爲小治辦然獨宣以小致大能因力行之難以爲經中廢爲右扶風坐怨成信漢書曰成信宣吏信亡藏上林中宣使郿令正義曰今岐州岐縣也時屬右扶風格殺信吏卒格信時射中上林苑門宣下吏詆罪以爲大逆當族自殺而杜周任用

杜周者正義曰杜氏譜云字長孺南陽杜衍人索隱曰地名也義縱爲

正義曰米鹽細碎也

漢書無痛作痛

怨 漢作怒

儒林巻内 三十

晉灼曰謂邊郡被寇失亡人畜財物甲卒多故使案之

師古曰遲謂性非敏達也

擠

善候伺 晉灼曰審候也

師古曰備內也

師古曰著謂明表之也

南陽守以爲爪牙舉爲廷尉史事張湯湯數言其無害至御史使案邊失亡文穎曰邊卒多亡也或曰郡縣亡失有所亡失也所論殺甚衆奏事中上意任用與減宣相編更爲中丞十餘歲其治與宣相放然重遲外寛内深次骨李奇曰其用罪深刻至骨○索隱曰次至也宣爲左内史周爲廷尉其治大放張湯而善候伺上所欲擠者因而陷之上所欲釋者久繫待問而微見其寃狀客有讓周曰君爲天子決平不循三尺法漢書音義曰以三尺竹簡書法律也專以人主意指爲獄獄者固如是乎周曰三尺安出哉前主所是著爲律後主所是

左作右

師古曰擠墜也

天子作天下

疏爲令當時爲是何古之法乎至周爲廷尉詔獄亦益多矣二千石繫者新故相因不減百餘人郡吏大府舉之廷尉如淳曰郡吏郡太守也孟康曰舉之廷尉以章劾付廷尉一歲至千餘章章大者連逮證案數百小者數十人遠者數千近者數百里會獄吏因責如章告劾不服以笞掠定之於是聞有逮皆亡匿獄久者至更數赦張晏曰詔書有赦或有不從此令十有餘歲而相告言大抵盡詆以不道索隱曰案大抵猶大都也盡詆者盡至也以上廷尉及中都官詔獄逮至六七萬人吏所增加十萬餘人周中廢後爲執金吾逐盜捕治桑弘羊

知陰陽 正義曰言知人主意指輕重
從諛ヿ
師古曰耗亂也

衛皇后昆弟子刻深天子以爲盡力無私遷爲御史大夫徐廣曰天漢三年爲御史大夫四歲太始三年卒家兩子夾河爲守其治暴酷皆甚於王溫舒等矣杜周初徵爲廷史有一馬且不全及身久任事至三公列子孫尊官家訾累數巨萬矣

太史公曰自郅都杜周十人者此皆以酷烈爲聲然郅都伉直引是非爭天下大體張湯以知陰陽人主與俱上下時數辯當否國家賴其便趙禹時據法守正杜周從諛以少言爲重自張湯死後網密多詆嚴官事寖以耗廢九卿碌碌

奉其官救過不贍何暇論繩墨之外乎然此十人中其廉者足以為儀表其汙者足以為戒徐廣曰一本無此四字方略教導禁姦止邪一切亦皆彬彬質有其文武焉雖慘酷斯稱其位矣至若蜀守馮當暴挫廣漢李貞擅磔人東郡彌僕鋸項天水駱壁推減徐廣曰一作成○索隱曰推音直追反減作成是也謂推繫之以成獄也河東褚廣妄殺京兆無忌馮翊殷周蝮鷙索隱曰蝮音蝮虵鷙音至以言苛酷比之蝮毒焉水衡閻奉朴擊賣請何足數哉何足數哉

索隱述贊曰太上失德法令滋起破觚為圓

禁暴不止姦偽斯熾慘酷爰始乳獸揚威蒼
鷹側視舞文巧詆懷生可恃

張湯傳曰舞文巧詆以輔法

列侯宗室見郅都側目而視號曰蒼鷹

寧成傳曰寧見乳虎無值寧成之怒

酷吏列傳第六十二　　史記百二十二

儒林卷内廿四

史记列传

八十六

宇三 大宛 张骞 乌孙 康居

奄蔡 大月氏 安息

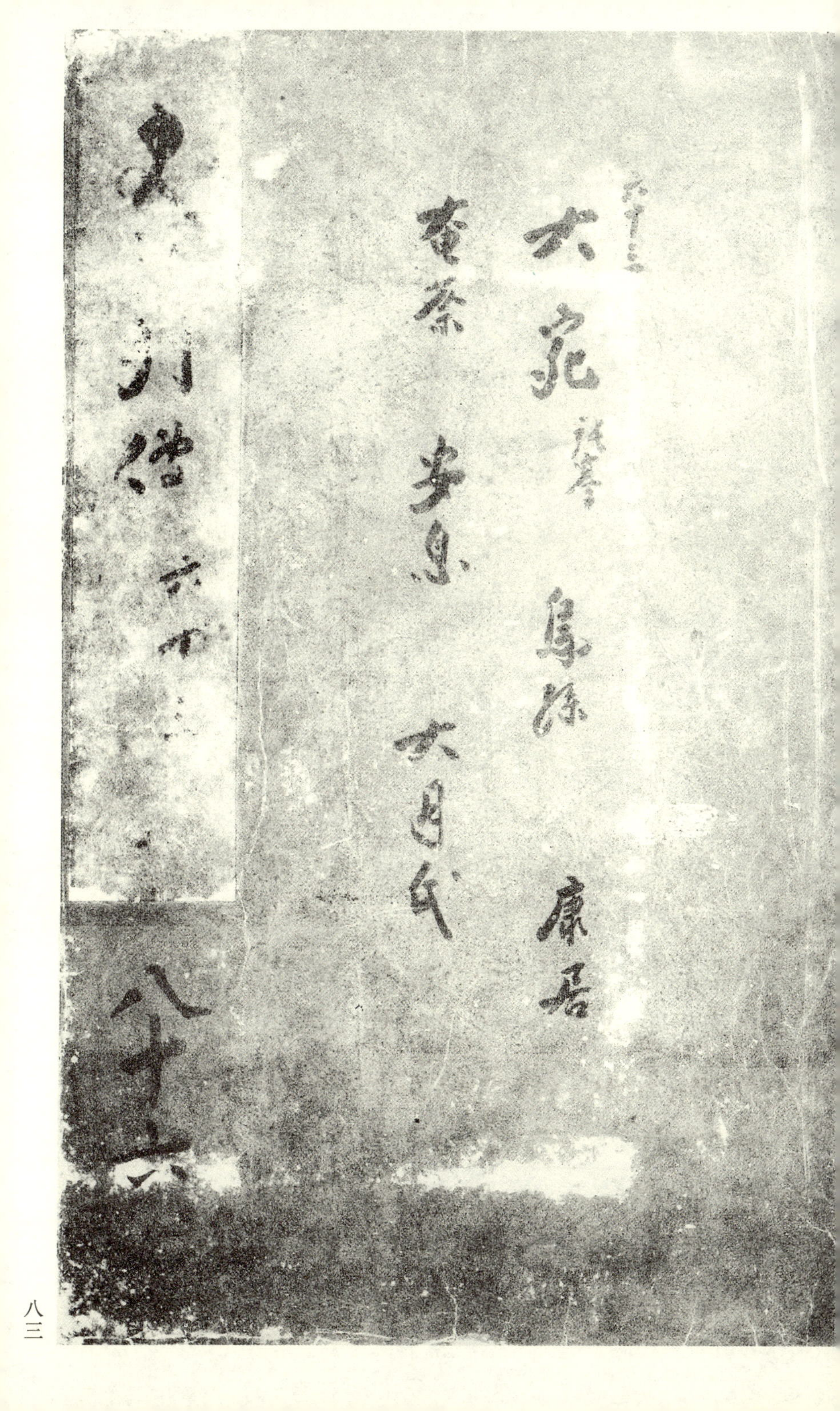

史 列傳 六十三

八十六

五十三

大宛 張騫 烏孫 康居

奄蔡 安息 大月氏

漢書列傳三十六之卷在西域傳中

張騫傳漢書在列傳三十一卷
梅在或本有此一字
椑榼 正義曰上音蒲迷反下音苦盍反音本此說乃成法如然

大宛列傳第六十三　史記一百二十三

索隱曰案此傳合在西南夷下不宜在酷吏游俠之間斯蓋並司馬公之殘缺褚先生補之失也幸不深尤焉

大宛之跡 正義曰漢書云大宛國去長安萬二千五百五十里東至都護治西南至大月氏南亦至大月氏北至康居括地志云率都沙那國亦名蘇對沙那國本漢大宛國○索隱曰宛音苑又於袁反 見自張騫張騫漢中人 索隱曰陳壽益部耆舊傳云騫漢中成固人 建元中爲郎是時天子問匈奴降者皆言匈奴破月氏王 正義曰氏音支涼甘肅瓜沙等州本月氏國之地漢書云本居敦煌祁連閒是也 以其頭爲飲器 韋昭曰飲器椑榼也單于以月氏王頭爲飲器晉灼曰飲器虎子之屬也或曰飲酒器也○正義曰漢書匈奴傳云元帝遣車騎都尉韓昌光祿大夫張猛與匈奴盟以老上單于所破月氏王頭爲飲器者共飲血盟

虎子 正義曰虎子蓋褻器用溲便者也按此說亦非

漢書注服虔曰堂
邑姓也漢人其奴名
甘父
師古曰堂邑氏之奴
本胡人名甘父下云
堂邑父者蓋取
主之姓以為氏而
單稱其名曰父
仲馮曰奴甘父直是
此人名号在非謂堂
邑氏之奴名甘父也
按胡人名字多以
奴為号文後言堂
邑父益知其人自
氏堂邑名奴甘
父也

儒林卷之收廿四

月氏遁逃而常怨仇匈奴無與共擊之漢方欲事滅胡聞此言因欲通使道必更匈奴中【索隱曰更經也】【音羌】乃募能使者騫以郎應募使月氏與堂邑氏故胡奴甘父【漢書音義曰堂邑氏姓胡奴甘父字○索隱案謂堂邑縣人家胡奴名甘父也下云堂邑父者蓋後史家徒省唯稱堂邑父而略甘字或甘其姓號也】俱出隴西經匈奴【索隱曰謂道經匈奴】匈奴得之傳詣單于單于留之曰月氏在吾北漢何以得往使吾欲使越漢肯聽我乎留騫十餘歲與妻有子然騫持漢節不失居匈奴中益寬騫因與其屬亡鄉月氏西走數十日至大宛大宛聞漢之饒財欲通不得見騫喜

曰若欲何之騫曰爲漢使月氏而爲匈奴所閉道今亡唯王使人導送我誠得至反漢漢之賂遺王財物不可勝言大宛以爲然遣騫索隱曰謂大宛發遣騫西也爲發導繹抵康居索隱曰發導謂發驛令人導引而至康居也導音道抵至也居音渠。正義曰抵至也居其居反括地志云康居國在京西一萬六百里其西北可二千里有奄祭酒國也康居傳致大月氏正義曰此大月氏在大宛西南於嬀水北爲王庭漢書云去長安萬一千六百里大月氏王已爲胡所殺立其太子爲王徐廣曰一云夫人爲王夷狄亦或女主。索隱曰案漢書張騫傳云立其夫人爲王也既臣大夏而居索隱曰居作君謂月氏以大夏爲臣而爲之作君也。正義曰顏書地也大夏國在嬀水南地肥饒少寇志安樂又自以遠漢殊無報胡之心騫從月

谷音鹿 蠡音離

正義曰言堂邑父者史省文也

氏至大夏竟不能得月氏要領漢書音義曰要領要契。索隱曰小顏以為要衣要領衣領凡持衣者必執要與領言騫不能得月氏意趣無以持歸於漢劉氏云不得其要害然頗是其意於文字為疏者也留歲餘還並南山正義曰並白浪反南山即連終南山從京南東至華山過河東北連延至海即中條山也從京南連接至葱嶺萬餘里故云並南山也西域傳云其南面山東出金城與漢南山屬焉欲從羌中歸正義曰說文云羌西方牧羊人也南方蠻閩從虫北方狄從犬東貊從豸西方羌從羊復為匈奴所得留歲餘單于死徐廣曰元朔三年左谷蠡王攻其太子自立國內亂騫與胡妻及堂邑父俱亡歸漢漢拜騫為太中大夫堂邑父為奉使君索隱曰堂邑父之官號也騫為人彊力寬大信人蠻夷愛之堂邑父故胡人善射窮急射禽獸給食

南

故以要領為喻

大宛

儒林參攷卅五

土著 師古曰土著者謂有城郭常居不隨畜牧移徙也著音直略反

正義曰按今有汗從前膊間出皆赤如血

正義曰烏孫本塞種塞本釋字謂佛姓釋氏世訛語訛傳

初騫行時百餘人，去十三歲，唯二人得還。騫身所至者大宛、大月氏、大夏、康居，而傳聞其旁大國五六，具為天子言之。曰：大宛在匈奴西南，在漢正西，去漢可萬里。其俗土著，耕田，田稻麥。有蒲陶酒。多善馬，索隱曰外國傳云外國稱天下有三衆中國人衆大秦寶衆月氏馬衆馬汗血，其先天馬子也。漢書音義曰大宛國有高山其上有馬不可得因取五色母馬置其下與交生駒汗血因號曰天馬子有城郭屋室。其屬邑大小七十餘城，衆可數十萬。其兵弓矛騎射。其北則康居，西則大月氏，西南則大夏，東北則烏孫，東則扜罙、于寘。徐廣曰漢紀曰拘彌國去于寘三百里。索隱曰扜罙國名也音汙彌寘音田又音。

通鑑元于寘胡注寘徒賢翻又徒見翻

闕漢紀謂葡梢所說漢紀拘音俱彌即寘也則拘彌與扜寘同是一名也于寘之西則水皆西流注西海其東水東流注鹽澤索隱曰鹽水也太康地記云河北得水為河塞外得水為海也◎正義曰漢書云鹽澤去玉門關三百餘里廣袤三四百里其水皆潛行地下南出於積石山為中國河括地志云蒲昌海一名泑澤一名鹽澤亦名輔日海亦名穿蘭亦名臨海在沙州西南玉門關在沙州壽昌縣西六里鹽澤潛行地下其南則河源出焉索隱曰案漢書西南夷傳云河有兩源一出葱嶺山一出于寘山海經云河出崑崙東北隅郭璞云河出崑崙潛行地下至葱嶺山于寘國復分流岐出合而東注泑澤已而復行積石為中國河泑澤即鹽澤也一名蒲昌海西域傳云于寘在南山下與郭璞注山海經不同廣志云蒲昌海在蒲類海東也多玉石河注中國樓蘭姑師正義曰二國名姑師即車師也邑有城郭臨鹽澤鹽澤去長安可五千里匈奴右方居鹽澤以東至隴西

滿 一本作蒲

日 通鑑胡注亦作輔日海

通鑑十九 鹽西流 胡注水經注崑崙山西有大水名新頭河度葱嶺入北天竺之境又西南流屈而東南流逕中天竺國又西逕安息南注於雷翥海即西海也在安息之西犂靬之東東南連交州海

通鑑鹽澤潛行地下胡注索隱云云 唐長慶中劉元鼎為盟會使言河之上流由洪濟西南行二千里水益狹冬春可涉夏秋乃勝舟其南三百里三山中高四下曰紫山直大羊同國古所謂崑崙者也虜曰悶摩黎山東距長安五千里河源其間流澄緩下稍合眾流色赤行益遠它水并注則濁河源東北直莫賀延磧尾隱測其地蓋劍南之西

大宛 儒林卷內廿六

胡注西域傳鹽澤一名蒲昌海云云括地志蒲昌海亦名輔日海

九〇

長城南接羌鬲漢道焉

烏孫在大宛東北可二千里行國隨畜與匈奴同俗控弦者數萬敢戰故服匈奴及盛取其羈屬不肯往朝會焉

康居在大宛西北可二千里行國與月氏大同俗控弦者八九萬人與大宛鄰國國小南羈事月氏東羈事匈奴

奄蔡正義曰漢書解詁云奄蔡即闔蘇也魏略云西與大秦通東南與康居接其國多貂畜牧水草故時羈屬康居也在康居西北可二千里行國與康居大同俗控弦者十餘萬臨大澤無崖蓋乃北海云

三國已見大宛善馬下

大月氏正義曰萬震南州志云在天竺北可七千里地高燥而遠國王稱天子國中騎乘常數十萬匹城郭宮殿與大秦國同人民赤白色便習弓馬土地所出及奇瑋珍物被服鮮好天竺不及也康泰外國傳云外國稱天下有三衆中國為人衆秦為寶衆月氏為馬衆也在大宛西可二三千里居嬀水北其南則大夏西則安息北則康居行國也隨畜移徙與匈奴同俗控弦者可一二十萬故時彊輕匈奴及冒頓立攻破月氏至匈奴老上單于殺月氏王以其頭為飲器始月氏居敦煌祁連閒正義曰初月氏居敦煌以東祁連山以西敦煌郡今沙州祁連山在甘州西南及為匈奴所敗乃遠去過宛西擊大夏而臣之遂都嬀水北為王庭其餘小衆不能去者保南山羌

大

烏孫　康居　奄蔡　大月氏

儒林卷內廿七

號小月氏

安息[正義曰地理志云安息國京西萬一千二百里自西關西行三千四百里至阿蠻國西行三千六百里至斯賓國從賓南行度河又西南行至于羅國九百六十里安息西界極矣自乘海乃通大秦國漢書云北康居東烏弋山離西條枝國臨嬀水土著以銀為錢錢如其王面王死輒更錢效王面焉]在大月氏西可數千里其俗土著耕田田稻麥蒲陶酒城邑如大宛其屬小大數百城地方數千里最為大國臨嬀水有市民商賈用車及船行旁國或數千里以銀為錢錢如其王面[索隱曰漢書云文獨為王面幕為夫人面荀悅云幕音漫無文面也張晏云錢之文面作人乘馬錢之幕作人面形韋昭云幕錢背也包愷音漫]王死輒更錢效王面焉畫革旁行以為書記[漢書音義曰橫

礎

安息

行爲書記。索隱曰畫音獲小顏云革皮之不柔者革[illegible]
云外國書皆旁行今南方林邑之徒書皆旁行不直下也

其西則條枝北有奄蔡黎軒 正義曰上力奚反下巨言反又巨連反後

漢書云大秦一名犂鞬在西海之西東西南北各數千里
有城四百餘所土地金銀奇寶夜有光璧明月珠駭雞犀
火浣布珊瑚琥珀琉璃瑯玕朱丹青碧珍怪之物率出大
秦康氏外國傳云其國城郭皆青水精爲及五色水精爲
壁人民多巧能化銀爲金國土市買皆金銀錢萬震南州
志云大家屋舍以珊瑚爲柱琉璃爲牆壁水精爲礎舄海
中斯調州上有木冬月往剝取其皮績以爲布極細手巾
齋數匹與麻焦布無異色小青黑若垢污欲浣之則入火
中便更精潔世謂之火浣布秦云定重參問門樹皮也括
地志云火山國在扶風南東大湖海中其國中山皆火然
火中有白鼠皮及樹皮績爲火浣布魏略云大秦在安條
支西大海之西故俗謂之海西從安息界乘船直截海西
遇風利時三月到風遲或一二歲其公私官室爲重屋郵
驛亭置如中國從安息繞海北陸到其國人民相屬十里
一亭三十里一置無盜賊其俗人長大平正似中國人而
胡服宋膺異物志云秦之北附庸小邑有羊羔自然生[illegible]

儒林卷内卅八

師古曰眩讀與幻同
辭在張騫傳

土中候其欲萌築墻繞之恐獸所食其臍與地連割絕則死擊物驚之乃驚鳴臍遂絕則逐水草爲羣又大秦金二枝皆大如卵爪擲之滋息無極觀之如用則眞金也括地志云小人國在大秦南人裁三尺其耕稼之時懼鶴所食大秦衛助之即焦僥國其人穴居也

條枝索隱曰漢書作犂牛續漢書一名大秦三國並臨西海後漢書云西海環其西惟西北通陸道然漢使自烏弋以還莫有至條枝者**在安息西數千里臨西海暑濕耕田田稻有大鳥卵如甕**正義漢書云條支出師子犀牛孔雀大雀其卵如甕和帝永元十三年安息王滿屈獻師子大鳥世謂之安息雀廣志云鳥鵶身蹄駱色蒼舉頭八九尺張翅丈餘食大麥卵大如甕**人衆甚多往往有小君長而安息役屬之以爲外國國善眩**應劭曰眩相詐惑。正義曰顏云今吞刀吐火殖瓜種樹屠人截馬之術皆是也**安息長老傳聞條枝有弱水西王母而未嘗見**索隱曰魏略云弱水在大秦西玄中記云天下之弱者有崑崙之弱水鴻毛不能載也山海經云玉山西王母所居穆天子傳云天子觴西王母瑤池之上括地圖云崑崙弱水非乘龍不至有三足神鳥為王母取食也。正義曰此弱水西王母既是安息長老傳聞而未曾見後漢書云桓帝時大秦國王安敦遣使自日南徼外來獻或云其國西有弱水流沙近西王母處幾於日所入也然先儒多引大荒西經云弱水云有二源俱出女國北阿耨達山南流會於女國東去國一里深丈餘闊六十步非毛舟不可濟南流入海阿耨達山即崑崙山也與大荒西經合矣然大秦國在西海中島上從安息西界過海好風用三月乃到弱水又在其國之西崑崙山弱水流在女國北出崑崙山南女國北山崑崙山南女國在于窴國南二千七百里于窴去京九千六百里七十里計大秦與大崑崙山相去幾四五萬里非所論及而前賢誤矣此皆據漢括地論之猶恐未審然弱水二所說皆有也

大夏在大宛西南二千餘里嬀水南其俗土著有城屋與大宛同俗無大王長往往城邑置小長其兵弱畏戰善賈市及大月

安息

儒林卷丙 卅九

通鑑十九市之身毒胡注鄧展曰毒音篤李奇曰一名天竺師古曰亦曰捐毒

氏西徙攻敗之皆臣畜大夏大夏民多可百餘萬其都曰藍市城有市販賣諸物其東南有身毒國徐廣曰身或作乾又作訖。索隱曰身音乾毒音篤孟康云即天竺也所謂浮圖胡也。正義曰一名身毒在月氏東南數千里俗與月氏同而卑濕暑熱其國臨大水乘象以戰其民弱月氏脩浮圖道不殺伐遂以成俗土有象犀瑇瑁金銀鐵錫鉛西與大秦通有大秦珍物明帝夢金人長大項有光明以問羣臣或曰西方有神名曰佛其形長丈六尺而黃金色帝於是遣使天竺問佛道法遂至中國畫形像焉萬震南州志云地方三萬里佛道所出其國王居城郭殿皆彫文刻鏤街曲市里各有行列左右諸大國凡十六皆共奉之以天地之中也浮屠經云臨兒國王生隱屠太子父曰屠頭邪母曰莫邪屠身色黃髮如青絲乳有青色爪赤如銅始莫邪夢白象而孕及生從母右脅出生有髮墮地能行七步又云太子生時有二龍王夾左右吐水一龍水暖一龍水冷遂成二池今猶一冷一暖初行七步處琉璃上有太子腳跡見在生處名祇洹精舍在舍衛國南四里是長者須達所起又有阿輸

窋作崛

欲

迦衛是夫人所攀生太子樹也括地志云沙祇大國即舍衛國也在月氏南萬里即波斯匿王治處此國其九十種知身後事城有祇樹給孤園又云天竺國有東西南北中央天竺國國方三萬里去月氏七千里大國隸屬凡二十一天竺在崑崙山南大國也治城臨恒水又云阿耨達山亦名建末達山亦名崑崙山水出一名拔扈利水一名恒伽河即經稱河者也自崑崙山以南多是平地而下濕土肥良多種稻歲四熟留役駝馬米粒亦極大又云佛上忉利天爲母説法九十日波斯匿王思欲見佛即刻牛頭旃檀象置精舍内佛坐此像是衆像之始後人所法也佛上天青梯今變爲石没入地唯餘十二蹬蹬間二尺餘彼耆老言梯入地盡佛法滅又云王舍國胡語曰罪悅祇國其國靈鷲山胡語曰耆闍崛山山是青石石頭似鷲鳥名耆闍鷲也崛山石也山周四十里外周圍水佛於此坐禪及諸阿難等俱在此坐又云小孤石石上有石室者佛坐其中天帝釋以四十二事問佛佛一一以指畫名其迹尚存又於山上起塔佛昔將阿難在此上山四望見稻田彊畔因制七條衣割截之法於此今袈裟衣是也

騫曰臣在大夏時見邛竹杖蜀布正義曰邛都邛山出此竹因名邛竹節高

安息　儒林奏收四十

賈中或音古可為杖布土蘆布　問曰安得此大夏國人曰吾賈人
往市之身毒身毒在大夏東南可數千里其俗
土著大與大夏同而卑濕暑熱云其人民乘象
以戰其國臨大水焉 正義曰大水河也 以騫度之大夏
去漢萬二千里居漢西南今身毒國又居大夏
東南數千里有蜀物此其去蜀不遠矣今使大
夏從羌中險羌人惡之少北則為匈奴所得從
蜀宜徑 如淳曰徑疾也或曰徑直 又無寇天子既聞大宛及大
夏安息之屬皆大國多奇物土著頗與中國同
業而兵弱貴漢財物其北有大月氏康居之屬

第一千六百五十二 俗亦五萬

偏作徧

鑑重九譯胡注譯傳言之人蓋官象胥之職也遠方之人言語不同更歷九譯乃能通於中國

集覽重九譯翰

出駹出冄出徙出邛僰皆求身毒國

胡注徙斯倫也以身毒國爲指使之

出求道身毒爲行從滇身毒國

僰又蒲北翻

兵彊可以賂遺設利朝也且誠得而以義屬之則廣地萬里重九譯正義曰言重重九遍譯語而致致殊俗威德徧於四海天子欣然以騫言爲然乃令騫因蜀犍爲正義曰犍其連犍爲郡今戎州也在益州南一千餘里發間使四道並出出駹出冄出徙徐廣曰屬蜀漢嘉。索隱曰李奇云徙音斯蜀郡有徙縣。正義曰茂州向州等冄駹之地在戎州西北也出邛僰正義曰僰蒲北反徙在嘉州邛今邛州僰今雅州皆在戎州西南也皆各行一二千里其北方閉氐筰服虔曰皆夷名漢使見閼於夷也。索隱曰韋昭云筰縣屬越巂音昨案南越破後殺筰侯作筰都爲沈黎郡又有定筰縣。正義曰今成州及武等州也筰作白狗羌也皆在戎州西北也南方閉巂昆明正義曰巂州及南昆明夷也皆在戎州西南昆明之屬無君長善寇盜輒殺略漢

胡注遺于季翻朝直遙翻

胡注間古莧翻使疏吏翻

胡注筰音昨又音作

巂先志反 明注同

安息

儒林奏內四十一

通鑑十九始通滇國胡三省注滇國地有滇池因以名國楚使莊蹻以兵定夜郎諸國至滇池因留王之華陽國志滇池周圍三百里所出深廣下流淺狹如倒流故謂之滇池漢為益州郡後改為永昌郡魏晉之間為寧州郡唐為昆州括地志滇池澤在昆州晉寧縣西南三十里長知引顏漢音顛

通鑑乃復事西南夷胡注元朔四年罷西南夷至是復通師古曰今按通鑑以為事也後校又翻

使終莫得通然聞其西可千餘里有乘象國名曰滇越（徐廣曰一作城。正義曰昆郎等州皆滇國也其西南滇越越巂則通號越細分而有巂滇等名也）而蜀賈姦出物者或至焉於是漢以求大夏道始通滇國初漢欲通西南夷費多道不通罷之及張騫言可以通大夏乃復事西南夷騫以校尉從大將軍擊匈奴知水草處軍得以不乏乃封騫為博望侯（索隱曰案張騫封號耳非地名小顏云取其能博廣瞻望也尋武帝置博望苑亦取斯義也。正義曰地理志南陽博望縣）是歲元朔六年也其明年騫為衞尉與李將軍俱出右北平擊匈奴匈奴圍李將軍軍失亡多而騫後期當斬贖為庶

莋漢作閒

人是歲漢遣驃騎破匈奴西城數萬人至祁連山其明年渾邪王率其民降漢而金城河西西並南山至鹽澤空無匈奴匈奴時有候者到而希矣其後二年漢擊走單于於幕北是後天子數問騫大夏之屬騫既失侯因言曰臣居匈奴中聞烏孫王號昆莫昆莫之父匈奴西邊小國也匈奴攻殺其父（索隱曰漢書父名難兜靡為大月氏所殺）而昆莫生棄於野烏嗛肉蜚其上（徐廣曰讀嗛與銜同酷吏傳義縱不治道上以銜之史記亦作嗛字○索隱曰嗛音銜蜚音亦飛字）狼往乳之單于怪以為神而收長之及壯使將兵數有功單于復以其父之民

安息

儒林卷之內　四十二

通鑑二嘉居故渾邪之地胡注張騫傳昆莫父難兜靡本與大月氏俱在敦煌祁連間小國也大月氏攻殺難兜靡奪其地而大月氏又為匈奴所破西擊塞王而奪其國昆莫報父怨西攻破大月氏因留居為烏

者

子昆莫令長守於西城昆莫收養其民攻旁小邑控弦數萬習攻戰單于死昆莫乃率其衆遠徙中立不肯朝會匈奴匈奴遣奇兵擊不勝以爲神而遠之因羈屬之不大攻今單于新困於漢而故渾邪地空無人蠻夷俗貪漢財物今誠以此時而厚幣賂烏孫招以益東居故渾邪之地與漢結昆弟其勢宜聽聽則是斷匈奴右臂也既連烏孫自其西大夏之屬皆可招來而爲外臣天子以爲然拜騫爲中郎將將三百人馬各二匹牛羊以萬數齎金幣帛直數千巨萬多

諭使指

師古曰言其材力優彊能爲將

持節副使道可使使遺之他旁國騫既至烏孫
烏孫王昆莫見漢使如單于禮騫大慙知蠻夷
貪乃曰天子致賜王不拜則還賜昆莫起拜賜
其他如故騫諭使指曰烏孫能東居渾邪地則
漢遣翁主爲昆莫夫人烏孫國分王老而遠漢
未知其大小素服屬匈奴日久矣且又近之其
大臣皆畏胡不欲移徙王不能專制騫不得其
要領昆莫有十餘子其中子曰大祿彊能將衆
將衆別居萬餘騎大祿兄爲太子太子有子曰
岑娶而太子蚤死臨死謂其父昆莫曰必以岑

娶爲太子無令他人代之昆莫哀而許之卒以
岑娶爲太子大祿怒其不得代太子也乃收其
諸昆弟將其衆畔謀攻岑娶及昆莫昆莫老常
恐大祿殺岑娶予岑娶萬餘騎別居而昆莫有
萬餘騎自備國衆分爲三而其大總取羈屬昆
莫昆莫亦以此不敢專約於騫騫因分遣副使
使大宛康居大月氏大夏安息身毒于窴扞罙
及諸旁國烏孫發道譯送騫還騫與烏孫遣
使數十人馬數十匹報謝因令窺漢知其廣大
騫還到拜爲大行列於九卿歲餘卒烏孫使既

駰案曰空孔也言始鑿其孔也故此下言當空道而西域傳謂之孔道

韋昭曰空音孔

顧秘監云往來西域諭如空中為道言非行跡也

決曰出其南出烏孫之北則為匈奴所得故也出南則抵番二國相屬言使多也

見漢人衆富厚歸報其國其國乃益重漢其後歲餘騫所遣使通大夏之屬者皆頗與其人俱來晉灼曰其國人於是西北國始通於漢矣然張騫鑿空蘇林曰鑿開空通也騫開通西域道○索隱曰案謂西域險阨本無道路今鑿空而通之也其後使往者皆稱博望侯以為質於外國如淳曰質誠信也博望侯有誠信故後使稱其意以喻外國李奇曰質信也外國由此信之自博望侯騫死後匈奴聞漢通烏孫怒欲擊之及漢使烏孫若徐廣曰漢書作及若意義亦及也出其南抵大宛大月氏相屬烏孫乃恐使使獻馬願得尚漢女翁主為昆弟天子問羣臣議計皆曰必先納聘然後乃遣

安息

儒林卷之內四十四

質之栗反

安初天子發書易（漢書音義曰發易書以卜）云神馬當從西北來得烏孫馬好名曰天馬及得大宛汗血馬益壯更名烏孫馬曰西極名大宛馬曰天馬云而漢始築令居以西（徐廣曰屬金城）初置酒泉郡以通西北國因益發使抵安息奄蔡黎軒條枝身毒國而天子好宛馬使者相望於道諸使外國一輩大者數百少者百餘人人所齎操大放博望侯時其後益習而衰少焉漢率一歲中使多者十餘少者五六輩遠者八九歲近者數歲而反是時漢既滅越而蜀西南夷皆震請吏入朝於

是置益州越巂牂柯沈黎汶山郡欲地接以前通大夏（李奇曰欲地界相接至大夏）乃遣使柏始昌呂越人等歲十餘輩出此初郡（索隱曰初郡謂越巂汶山等郡也謂之初者後皆叛而并廢之也）抵大夏皆復閉昆明為所殺奪幣財終莫能通至大夏焉於是漢發三輔罪人因巴蜀士數萬人遣兩將軍郭昌衛廣等往擊昆明之遮漢使者（徐廣曰元封二年）斬首虜數萬人而去其後遣使昆明復為寇竟莫能得通而北道酒泉抵大夏使者既多而外國益厭漢幣不貴其物自博望侯開外國道以尊貴其後從吏卒皆爭上書言

失指 正義曰失天子之本意也

正義曰縣官天子也言天子所給賜物竊用之如己私有

外國厭漢使人人有言輕重

外國奇怪利害求使天子爲其絶遠非人所樂往聽其言予節募吏民毋問所從來爲具備人衆遣之以廣其道來還不能毋侵盜幣物及使失指天子爲其習之輒覆案致重罪以激怒令贖復求使使端無窮而輕犯法其吏卒亦輒復盛推外國所有言大者予節言小者爲副故妄言無行之徒皆爭效之其使皆貧人子私縣官齎物欲賤市以私其利外國外國亦厭漢使人人有言輕重服虔曰漢使言於外國人人輕重不實 如淳曰外國人人自言數爲漢使所侵易度漢兵遠不能至而禁其食物以苦漢使

正義曰空道孔道也

師古曰服之則為利不討則為害也

浞 仕角反

乏絕積怨至相攻擊而樓蘭姑師小國耳（徐廣曰即車師）

當空道攻劫漢使王恢等尤甚（徐廣曰恢一作怪）而匈

奴奇兵時時遮擊使西國者使者爭徧言外國

災害皆有城邑兵弱易擊於是天子以故遣從

驃侯破奴將屬國騎及郡兵數萬至匈河水欲

以擊胡胡皆去其明年擊姑師破奴與輕騎七

百餘先至虜樓蘭王遂破姑師因舉兵威以困

烏孫大宛之屬還封破奴為浞野侯（徐廣曰元封三年）王

恢（徐廣曰為中郎將）數使為樓蘭所苦言天子天子發兵

令恢佐破奴擊破之封恢為浩侯（徐廣曰捕得車師王元封四年）

集解無使者之三字

安息

儒林卷内四十六

封浞侯於是酒泉列亭鄣至玉門矣韋昭曰玉門關在龍勒界。索隱曰韋昭又云玉門縣名在酒泉。正義曰括地志云沙州龍勒山在縣南百六十五里玉門關在縣西北百一十八里烏孫以千匹馬聘漢女漢遣宗室女江都翁主漢書曰江都王建女往妻烏孫烏孫王昆莫以為右夫人匈奴亦遣女妻昆莫昆莫以為左夫人昆莫曰我老乃令其孫岑娶妻翁主烏孫多馬其富人至有四五千匹馬初漢使至安息安息王令將二萬騎迎於東界東界去王都數千里行比至過數十城人民相屬甚多漢使還而後發使隨漢使來觀漢廣大以大鳥卵及黎軒善眩人獻

觳 六角
孝武紀注應劭曰抵者相觸抵声類曰抵者當也

一大息

儒林卷四四十七

于漢索隱曰韋昭云眩人變化惑人也魏略云黎軒多奇幻口中吹火自縛自解小顏亦以為今之吞刀吐火植瓜種樹屠人截馬之術皆是也及宛西小國驩潛大益宛東姑師扜罙蘇薤之屬皆隨漢使獻見天子天子大悅而漢使窮河源河源出于窴其山多玉石采來集解瓚曰漢使采取將持來至漢天子案古圖書名河所出山曰崑崙云是時上方數巡狩海上乃悉從外國客大都多人則過之散財帛以賞賜厚具以饒給之以覽示漢富厚焉於是大觳抵出奇戲諸怪物多聚觀者行賞賜酒池肉林令外國客徧觀名倉庫府藏之積見漢之廣大傾駭之及加

眩者 正義曰言漢幻人工妙更加於犂靬

其眩者之工而觳抵奇戲歲增變甚盛益興自
此始西北外國使更來更去宛以西皆自以遠
尚驕恣晏然未可詘以禮羈縻而使也自烏孫
以西至安息以近匈奴匈奴困月氏也匈奴使
持單于一信則國國傳送食不敢留苦及至漢
使非出幣帛不得食不市畜不得騎用所以然
者遠漢而漢多財物故必市乃得所欲然以畏
匈奴於漢使焉宛左右以蒲陶為酒富人藏酒
至萬餘石久者數十歲不敗俗嗜酒馬嗜苜蓿
漢使取其實來於是天子始種苜蓿蒲陶肥饒

畜 キチウ 許救反

地及天馬多外國使來衆則離宮別觀旁盡種蒲萄苜蓿極望自大宛以西至安息國雖頗異言然大同俗相知言其人皆深眼多鬚顏善市賈爭分銖俗貴女子女子所言而丈夫乃決正其地皆無絲漆不知鑄錢器（徐廣曰多作錢字又或作鐵字）及漢使亡卒降教鑄作他兵器得漢黃白金輒以爲器不用爲幣而漢使者往既多其少從率多進熟於天子（漢書音義曰少從一本少作計也或云從行之微者也進熟美語如成熟者也）言曰宛有善馬在貳師城匿不肯與漢使天子既好宛馬聞之甘心使壯士車令等持千金及金馬

少從師古曰漢時謂隨使而出外國者為少從猶言其少年而從使也從音才用反事見班固與弟仲升書 進熟 亦但塗進成熟之言

安息

索隱曰少從不如計也或曰少年從行之微者也

儒林英内四十八

饒漢物 師古曰言有漢地財物故不貪金馬之幣也

絶邑 師古曰言近道之處無城郭之居也

宛中貴人 正義曰言前漢使往時許賞賜也 師古曰中貴人中臣之貴也

以請宛王貳師城善馬宛國饒漢物相與謀曰漢去我遠而鹽水中數敗服虔曰水名道從此水中如淳曰道絶遠無穀草數敗正義曰孔文祥云鹽鹽澤也言水廣遠或致風波而數敗也裴矩西域記云在西州高昌縣東東南去瓜州一千三百里並沙磧之地水草難行四面危道路不可准記行人唯以人畜骸骨及駝馬糞爲標驗以其地道路惡人畜不約行曾有人於磧內時聞人喚聲不見形亦有歌哭聲數失人瞬息之間不知所在由此數有死亡蓋魑魅魍魎也出其北有胡寇出其南乏水草又且往往而絶邑乏食者多漢使數百人爲輩來而常乏食死者過半是安能致大軍乎無柰我何且貳師馬宛寶馬也遂不肯予漢使漢使怒妄言如淳曰罵詈椎金馬而去宛貴人怒曰漢使至輕我遂遣漢

師古曰椎破金馬也 其字從木 集義曰謂推棄金馬也字宜從手

使去令其東邊郁成遮攻殺漢使取其財物於是天子大怒諸嘗使宛姚定漢等言宛兵弱誠以漢兵不過三千人彊弩射之即盡虜破宛矣天子已嘗使浞野侯攻樓蘭以七百騎先至虜其王以定漢等言爲然而欲侯寵姬李氏拜李廣利爲貳師將軍發屬國六千騎及郡國惡少年數萬人以往伐宛期至貳師城取善馬故號貳師將軍趙始成爲軍正故浩侯王恢使導軍徐廣曰恢先受封一年坐使酒泉矯制國除而李哆爲校尉制軍事索隱曰哆音尺奢反又尺者反是歲太初元年也而關東蝗大起蜚西

至敦煌貳師將軍軍既西過鹽水當道小國恐各堅城守不肯給食攻之不能下下者得食不下者數日則去比至郁成士至者不過數千皆飢罷攻郁成郁成大破之所殺傷甚衆貳師將軍與哆始成等計至郁成尚不能舉況至其王都乎引兵而還往來二歲還至敦煌士不過什一二使使上書言道遠多乏食且士卒不患戰患飢人少不足以拔宛願且罷兵益發而復往天子聞之大怒而使使遮玉門曰軍有敢入者輒斬之貳師恐因留敦煌其夏漢亡浞野之兵

師古曰十人之中一二人得還

師古曰趙破奴後封浞野侯浞音捉

舉拔也

師古曰益多也

侖六純反
侖頭漢書作輪臺
師古曰西國名也
囚徒材官 正義曰
言赦囚徒及材官
之士從軍也
如淳曰赦囚徒使其
扞御寇盜
師古曰使從軍為介
使

一[illegible]矣匈奴（徐廣曰太初二年趙破奴為浚稽將軍二萬騎擊匈奴不還也）公卿
及議者皆願罷擊宛軍專力攻胡天子已業誅
宛宛小國而不能下則大夏之屬輕漢而宛善
馬絕不來烏孫侖頭易苦漢使矣（晉灼曰易輕）為外
國笑乃案言伐宛尤不便者鄧光等赦囚徒材
官益發惡少年及邊騎歲餘而出敦煌者六萬
人負私從者不與牛十萬馬三萬餘匹驢騾橐
它以萬數多齎糧兵弩甚設天下騷動傳相奉
伐宛凡五十餘校尉宛王城中無井皆汲城外
流水於是乃遣水工徙其城下水空以空其城

師古曰負私粮食及私從者不在六萬人數

徙其城下水空以空其城 漢書曰下空字作穴 師古曰空孔也徙其城下水令從他道流不迫其城也
空以穴其城者圍而攻之今作孔使深穿空也 下云決其水源移之 文云圍其城攻之皆再叙其事也 一曰既徙
其水不令於城下流而因其舊引水入城之孔攻向空之

儒林卷內五十

其城也言空者令城中渴之徐廣曰空一作穴盡以水蕩敗益發戍甲卒十八萬酒泉張掖北置居延休屠以衛酒泉如淳曰立二縣以衛邊也或曰置二部都尉以衛酒泉而發天下七科適正義曰音謫張晏云吏有罪一亡命二贅婿三賈人四故有市籍五父母有市籍六大父母有市籍七凡七科武帝天漢四年發天下七科謫出朔方也及載糒給貳師轉車人徒相連屬至敦煌而拜習馬者二人為執驅校尉備破宛擇取其善馬云於是貳師後復行兵多而所至小國莫不迎出食給軍至侖頭侖頭不下攻數日屠之自此而西平行至宛城漢兵到者三萬人宛兵迎擊漢兵漢兵射敗之宛走入葆乘其城貳師兵欲

留行 正義曰貳師兵欲行攻郁成恐留行而令宛益生詐

師古曰留行謂留止軍之廢其行

正義曰毋音曰無一宛王名

行攻郁成恐留行而令宛益生詐乃先至宛決其水源移之則宛固已憂困圍其城攻之四十餘日其外城壞虜宛貴人勇將煎靡宛大恐走入中城宛貴人相與謀曰漢所為攻宛以王毋寡匿善馬而殺漢使今殺王毋寡而出善馬漢兵宜解即不解乃力戰而死未晚也宛貴人皆以為然共殺其王毋寡持其頭遣貴人使貳師約曰漢毋攻我我盡出善馬恣所取而給漢軍食即不聽我盡殺善馬而康居之救且至至我居內康居居外與漢軍戰漢軍孰計之何從是

城

師古曰宛之貴人為將而勇者名

煎靡 正義曰煎靡將名

何從 師古曰今貳師孰計之而欲攻戰乎欲不攻而取馬乎

秦人漢書作漢人

師古曰起發也道上國
遍道諸國也

時康居候視漢兵漢兵尚盛不敢進貳師與趙始成李哆等計聞宛城中新得秦人知穿井而其内食尚多所爲來誅首惡者毋寡毋寡頭已至如此而不許解兵則堅守而康居候漢罷而來救宛破漢軍必矣軍吏皆以爲然許宛之約宛乃出其善馬令漢自擇之而多出食食給漢軍漢軍取其善馬數十匹中馬以下牡牝三千餘匹而立宛貴人之故待遇漢使善者爲昧蔡以爲宛王索隱曰昧蔡大宛將 昧音末蔡先葛反與盟而罷兵終不得入中城乃罷而引歸初貳師起敦煌西以爲

本作名

師古曰偩恃也恃大軍之威而輕敵人

毒 師古曰恨也

人多道上國不能食乃分為數軍從南北道校尉王申生故鴻臚壺充國等千餘人別到郁成郁成城守不肯給食其軍王申生去大軍二百里偩而輕之責郁成郁成食不肯出窺知申生軍日少晨用三千人攻戮殺申生等軍破數人脫亡走貳師貳師令搜粟都尉上官桀往攻破郁成郁成王亡走康居桀追至康居康居聞漢已破宛乃出郁成王予桀桀令四騎士縛守詣大將軍如淳曰時多別將故謂貳師為大將軍四人相謂曰郁成王漢國所毒今生將去卒失大事欲殺莫敢先擊

安息

儒林叢成 五十二

正義曰邽音圭 秦州縣

之東 晉灼曰破宛東歸

師古曰侵牟言如牟賊之食苗也 李奇曰牟食苗根虫也 侵牟食民比之蟊賊也

上邽騎士趙弟最少拔劍擊之斬郁成王齎頭
弟桀等逐及大將軍初貳師後行天子使使告
烏孫大發兵并力擊宛烏孫發二千騎往持兩
端不肯前貳師將軍之東諸所過小國聞宛破
皆使其子弟從軍入獻見天子因以為質焉貳
師之伐宛也而軍正趙始成力戰功最多及上
官桀敢深入李哆為謀計軍入玉門者萬餘人
軍馬千餘匹貳師後行軍非乏食戰死不能多
而將吏貪多不愛士卒侵牟之以此物故衆天
子為萬里而伐宛不錄過封廣利為海西侯又

物故謂死也 辭具在蘇建及蘇武傳

封身斬郁成王者騎士趙弟爲新畤侯軍正趙

始成爲光祿大夫上官桀爲少府李哆爲上黨

太守軍官吏爲九卿者三人諸侯相郡守二千

石者百餘人千石以下千餘人奮行者官過其

望漢書音義曰奮迅自樂入行者以適過行者皆絀其勞徐廣曰奮行者及以適行者雖俱有功勞今行賞計其前有罪而減其賜故曰絀其勞也絀抑退也此卒以適行故功勞不足重賞以絀降之不得與奮行者齊賞之士卒賜直四萬金伐宛再反凡

四歲而得罷焉漢已伐宛立昧蔡爲宛王而去

歲餘宛貴人以爲昧蔡善諛使我國遇屠乃相

與殺昧蔡立毋寡昆弟曰蟬封爲宛王而遣其

適過 正義曰適音謫 過光卧反 言有罪謫罰而行者免其所犯皆絀退其功也

曰蟬 本作日磾

師古曰再反猶今言兩廻

安息

儒林卷四五十三

子入質於漢漢因使使賂賜以鎮撫之而漢發使十餘輩至宛西諸外國求奇物因風覽以伐宛之威德而燉煌置（徐廣曰一本無置字）酒泉都尉（徐廣曰一云置都尉又云燉煌有淵泉縣或者酒字當為淵字）西至鹽水往往有亭而侖頭有田卒數百人因置使者護田積粟以給使外國者

太史公曰禹本紀言河出崑崙崑崙其高二千五百餘里日月所相避隱為光明也其上有醴泉瑤池今自張騫使大夏之後也窮河源惡睹本紀所謂崑崙者乎（鄧展曰漢以窮河源於何見崑崙乎尚書曰導河積石是為河）

正義曰按張騫之窮河源不審今本史公有疑也

正義曰言本紀及山海經所言奇怪之物余不敢叙之

源出於積石積石在金城河關不言出於崑崙也○索隱曰惡音烏烏於何也猶見也言張騫窮河源至大夏于窴於何見河出崑崙乎謂禹本紀及山海經為虛妄也然案山海經河出崑崙東北隅西域傳云南出積石山為中國河積石本非河之發源猶尚書導洛自熊耳然其實出於冢嶺山乃東經熊耳今推此義河亦然矣則河源本崑崙而潛流至于闐又東流至積石始入中國則山海經及禹貢各二云舉耳 故言九州山川尚書近之矣至禹本紀山海經所有怪物余不敢言之也 索隱曰案漢書作所有放哉如淳云放蕩迂闊言不可信也余不敢言者亦謂山海經難可即信耳○而荀悅作放効失之矣

誤以放為効因辭不效蓋失之矣

索隱述贊曰大宛之迹元因博望始究河源旋窺海上條枝西入天馬內向葱嶺無塵鹽池息浪曠哉絕域往往亭障

大宛傳終

儒林卷內五十四

史记列传

八十七

游侠 六十四 朱家 劇孟 郭解

佞幸 六十五 鄧通 韓嫣 李延年

滑稽 六十六 淳于髡 優孟 優旃

东方朔 东郭先生 王先生

西門豹 日者 六十七 司馬季主

朱家　劇孟　郭解

傳六十五　鄧通　韓嫣　李延年

滑稽　傳六十六　淳于髠　優孟　優旃

東方朔　東郭先生　王先生

西門豹

日者　六十七　司馬季主

文

通鑑十七漢紀武帝建元三年相如特以辭賦得幸（幸 表）
不根持論好詼 附胡三省注言其議論詼諧無所根據好（好呼到翻）
詼苦回翻李奇曰詼嘲也

通鑑十八元朔二年遂族郭解云云荀悅論曰世有三遊德之賊也一曰遊俠二曰遊說三曰遊行（胡注說式芮翻）
（行下孟翻）立氣勢作威福結私交以要持勢者謂之遊俠飾辯辭設詐謀馳逐於天下以要時勢
者謂之遊說（胡注要一遙翻）色取仁以合時好（好呼到翻）連黨類立虛譽以為權利者謂之遊行此三
者亂之所由生也傷道害德敗法惑世先王之所慎也云云凡此三遊之作生於季世周秦
之末尤甚焉云云

游俠列傳第六十四　史記一百二十四

荀悅曰立氣齊作威福結私交以立彊於世者謂之游俠

韓子曰儒以文亂法（正義曰言文之蔽小人以僻謂細碎苛法亂政）而俠以武犯禁二者皆譏（正義曰譏非言也儒敝亂法俠盛犯禁二道皆非而學士多稱於世者故太史公引韓子欲陳游俠之美）而學士多稱於世云至如以術取宰相卿大夫輔翼其世主功名俱著於春秋（索隱曰案春秋謂國史也以言人臣有功名則見記於其國之史是俱著春秋者也）固無可言者及若季次原憲閭巷人也（徐廣曰仲尼弟子傳曰公晳哀字季次未嘗仕孔子稱之）讀書懷獨行君子之德（索隱曰行音下孟反）義不苟合當世當世亦笑之故季次原憲終身空室蓬戶

(正義曰孔子云原憲處居環堵之室蓬戶不完以桑爲樞而甕牖上漏下濕獨坐而絃歌也)褐衣疏食不厭(索隱曰厭飽也於豔反)四百餘年而弟子志之不倦今游俠其行雖不軌於正義然其言必信其行必果已諾必誠不愛其軀赴士之阨困(索隱曰阨音厄)既已存亡死生矣而不矜其能羞伐其德蓋亦有足多者焉且緩急人之所時有也太史公曰昔者虞舜窘於井廩伊尹負於鼎俎傅說匿於傅險呂尚困於棘津(徐廣曰在廣川◎正義曰尉繚子云太公望行年七十賣食棘津云古亦謂之石濟津故南津)夷吾桎梏百里飯牛仲尼畏匡菜色陳蔡此皆學士所謂有道仁人也猶然

遭此菑況以中材而涉亂世之末流乎其遇害何可勝道哉鄙人有言曰何知仁義已饗其利者爲有德（索隱曰已音以嚮音香享也言已受其利則爲有德何知必仁義也）故伯夷醜周餓死首陽山而文武不以其故貶王跖蹻暴戾其徒誦義無窮由此觀之竊鉤者誅（索隱曰以言小竊則爲盜而受誅也）竊國者侯侯之門仁義存（索隱曰言人臣委質於侯王門則須存於仁義若游俠便爲非向必肯存仁義也）非虛言也今拘學或抱咫尺之義久孤於世豈若卑論儕俗與世沈浮而取榮名哉（索隱曰言拘學守義之士或抱咫尺纖微之事遂久以當代孤立貧我然而不若卑論儕俗以取榮名也）而布衣之徒設取予然諾千里誦義爲

正義曰跖秦大盜也
蹻楚大盜也
久孤於下正義曰儕等也言拘学之人或抱纖介之義久孤不宦者豈若卑論儕等之流隨其衰盛而取榮名何相比哉……布衣之徒也

左ハ胠篋篇彼竊鉤者ハ誅竊國者ハ爲諸侯諸侯之門而仁義存焉則是非竊仁義聖知耶

蹻 求略反

死不顧世此亦有所長非苟而已也故士窮窘而得委命此豈非人之所謂賢豪間者邪誠使鄉曲之俠予季次原憲比權量力效功於當世不同日而論矣要以功見言信俠客之義又曷可少哉古布衣之俠靡得而聞已近世延陵徐廣曰代郡亦有延陵縣駰案韓子云趙襄子召延陵生令車騎先至晉陽襄子時趙已并代可有延陵之号但未詳是此人非耳孟嘗春申平原信陵之徒皆因王者親屬藉於有土卿相之富厚招天下賢者顯名諸侯不可謂不賢者矣比如順風而呼聲非加疾其勢激也至如閭巷之俠修行砥名聲施於天下

擯正義曰棄也

猥正義曰烏罪切猥雜朱家郭解与真家暴豪之徒雜厠而同類共笑之故云猥使也別也

索隱曰施音以豉反莫不稱賢是為難耳然儒墨皆排擯不載自秦以前匹夫之俠湮滅不見余甚恨之以余所聞漢興有朱家田仲王公劇孟郭解之徒雖時扞當世之文罔索隱曰扞即捍也違扞當代之法網謂犯法禁也然其私義廉絜退讓有足稱者名不虛立士不虛附至如朋黨宗彊比周設財役貧豪暴侵凌孤弱恣欲自快游俠亦醜之余悲世俗不察其意而猥以朱家郭解等令與暴豪之徒同類而共笑之也

魯朱家者與高祖同時魯人皆以儒教而朱家

歆乍飲　孟康曰有德於人而不自美也師古曰歆羨也謂不矜顯之　仲瑪曰歆其德歆字當爲不字言淺非義也歆者言飽歆也自飫言不歆有其德

趨人之急　師古曰趨讀曰趣趣鄕也

朱家

用俠聞所藏活豪士以百數其餘庸人不可勝言然終不伐其能歆其德諸所嘗施唯恐見之振人不贍先從貧賤始家無餘財衣不完采食不重味乘不過軥牛徐廣曰音雛駰案漢書音義曰小牛○索隱曰軥音古侯反大牛當軛專趨人之急甚己之私既陰脫季布將軍之阸及布尊貴終身不見也索隱曰案季布爲漢所購求朱家以布髡鉗爲奴載以廣柳車而出之及布尊貴終不見之亦高介至義之士然布竟亦不報朱家之恩自關以東莫不延頸願交焉楚田仲以俠聞喜劍父事朱家自以爲行弗及田仲已死而雒陽有劇孟周人以商賈爲資而劇孟以任俠顯諸侯吳楚反

軥牛　正義曰軥牛在當前挽也晉灼曰軥挽也亦小牛也

通鑑十六太尉曰今吾據滎陽以東無足憂者胡注考異曰史記漢書皆云太尉得劇孟喜如得一敵國曰吳楚之舉大事者按孟一游俠之士耳亞夫得之何足爲輕重蓋其徒欲爲孟重名妄撰此言不足信也

師古曰已語終辭也

師古曰符離沛郡之縣也

正義曰音蘼梁人也

正義曰薛況河南陽翟人也韓孺陝縣人也不用符音

時條侯爲太尉乘傳車將至河南得劇孟喜曰吳楚舉大事而不求孟吾知其無能爲已矣天下騷動宰相得之若得一敵國云劇孟行大類朱家而好博索隱曰好六博之戲也多少年之戲然劇孟母死自遠方送喪蓋千乘及劇孟死家無餘十金之財而符離人王孟亦以俠稱江淮之閒是時濟南瞯氏索隱曰瞯音閑案瞯氏爲郅都所誅陳周庸索隱曰陳人姓周名庸亦以豪聞景帝聞之使使盡誅此屬其後代諸白梁韓無辟陽翟薛況陝韓孺紛紛復出焉徐廣曰陝疑當作郟字潁川有郟縣南越傳曰郟壯士韓千秋也○索隱曰代代郡人有白氏豪俠非一故言諸梁梁國人韓姓無

碎名碎音日辟陝當為郟陝音冉反郟音日紀洽反漢書作郟

郭解軹人也索隱曰漢書云河內軹人也字翁伯善相人者許負外孫也解父以任俠孝文時誅死解為人短小精悍不飲酒少時陰賊索隱曰以內心忍害慨不快意身所殺甚眾以軀借交報仇藏命作姦索隱曰案謂亡命也剽攻不休及鑄錢掘冢固不可勝數適有天幸窘急常得脫若遇赦及解年長更折節為儉以德報怨厚施而薄望然其自喜為俠益甚索隱曰喜事林一云言性喜為俠也既已振人之命不矜其功其陰賊著於心卒發於睚眦如故云而少年慕其行亦輒為

軹 師古曰軹音只

正義作陰城賊

漢書曰交作友

藏命 正義曰命名也謂藏匿其名而作姦惡也

卒 本作卒 著於心本

漢書作心本 師古曰心本猶言心中也

郭解 陰賊 師古曰陰賊者陰懷賊害之意也

精悍 正義曰精善好人悍勇健 漢書精作静 師古曰性沉靜而勇悍

借交 漢書作藉交 師古曰藉古借字也藉謂借助也

藏命 師古曰藏命藏亡命之人也

剽攻 師古曰剽劫也攻謂穿窬而盜也 仲馮曰攻直謂攻奪而取之耳 何用知其是穿窬也 穿窬而

盜亦不甚豪矣 剽是用力淺小之稱 攻則用力重音二者異耳

不休 漢書曰無不字至剽攻而句絕 休字屬下句

漢書曰藏命作姦剽攻休乃鑄錢掘冢 師古曰不報仇剽攻則鑄錢發冢也

窘急

自喜為俠 師古曰自好喜為此名也

慨不快意 正義曰慨若代反懷慨言不合意則殺之

著 師古曰著音直略反

通鑑十八解平生睚眦殺人甚衆胡注師古曰睚音崖舉眼也眦即眥字謂目匡也言舉眼相忤者即殺之也一說睚五懈翻眦士懈翻睚眦瞋目貌二說並通

師古曰翁伯解字也

微師古曰微伺問之也

自歸師古曰自歸首於天子也 中略 書張湯傳注也

漢書倨作踞
師古曰邑屋猶今人言村舍巷舍也

報仇不使知也解姊子負解之勢（索隱曰負恃也）與人飲使之嚼（徐廣曰音子妙反盡酒也）非其任彊必灌之人怒拔刀刺殺解姊子亡去解姊怒曰以翁伯之義人殺吾子賊不得棄其尸於道弗葬欲以辱解解使人微知賊處賊窘自歸具以實告解解曰公殺之固當吾兒不直遂去其賊（徐廣曰遣使去）罪其姊子乃收而葬之諸公聞之皆多解之義益附焉解出入人皆避之有一人獨箕倨視之解遣人問其名姓客欲殺之解曰居邑屋至不見敬是吾德不脩也彼何罪乃陰屬尉史曰是人吾所急

正義曰其人不能飲強使盡之

也（索隱曰案謂吾心中所急也言傳切急也漢書作重）至踐更時脫之每至踐更數過吏弗求（如淳曰更有三品有卒更有踐更有過更古有正卒無常人皆當迭為之一月一更是為卒更也貧者欲得顧更錢者次直者出錢顧之月二千是為踐更也律說卒更踐更者居縣中五月乃更也後從尉律卒踐更一月休十一月也○索隱曰數音朔數頻也謂頻免之也又音色主反）快之問其故乃解使脫之箕倨者乃肉袒謝罪少年聞之愈益慕解之行雒陽人有相仇者邑中賢豪居間者以十數（索隱曰邑具反）終不聽客乃見郭解解夜見仇家仇家曲聽解（索隱曰謂屈曲聽解也）解乃謂仇家曰吾聞雒陽諸公在此間多不聽者今子幸而聽解解奈何乃從他縣奪人邑中賢大夫權乎

郭解 五

通鑑十八衛將軍為言〻胡注為于偽翻言其家不當在徙之數中竹仲翻

待我去 正義曰解云且無用我言待我去後洛陽豪吏言之乃從也是不欲奪人權勢

乃夜去不使人知曰且無用待我待我去令雒陽豪居其間（索隱曰漢書作無庸蘇林曰且無便用吾言待我去令洛陽豪家居其間也）乃聽之解執恭敬不敢乘車入其縣廷之旁郡國為人請求事事可出出之不可者各厭其意然後乃敢嘗酒食諸公以故嚴重之爭為用邑中少年及旁近縣賢豪夜半過門常十餘車請得解客舍養之（索隱曰如淳云解多藏亡命者故喜事年少與解同志者知亡命者多必解故多待車來欲爲解匿亡者而藏之）又徙豪富茂陵也解家貧不中訾（索隱曰案訾不滿三百萬已上爲不中）吏恐不敢不徙衛將軍為言郭解家貧不中徙上曰布衣權至使將軍為

言其家不貧解家遂徙諸公送者出千餘萬軹人楊季主子爲縣掾舉徙解解兄子斷楊掾頭由此楊氏與郭氏爲仇解入關關中賢豪知與不知聞其聲爭交驩解解爲人短小不飲酒出未嘗有騎已又殺楊季主楊季主家上書人又殺之闕下上聞乃下吏捕解解亡置其母家室夏陽（徐廣曰屬馮翊○正義曰故城在同州韓城縣南二十里漢夏陽也）身至臨晉（正義曰故城在同州馮翊縣西南二里）臨晉籍少公素不知解解冒因求出關籍少公已出解解轉入太原所過輒告主人家吏逐之跡至籍少公少公自殺口絕

久之乃得解窮治所犯為解所殺皆在赦前軹有儒生侍使者坐客譽郭解生曰郭解專以姦犯公法何謂賢解客聞殺此生斷其舌吏以此責解解實不知殺者殺者亦竟絕莫知為誰吏奏解無罪御史大夫公孫弘議曰解布衣為任俠行權以睚眦殺人解雖弗知此罪甚於解殺之當大逆無道遂族郭解翁伯自是之後為俠者極眾敖而無足數者（徐廣曰敖倨也）然關中長安樊仲子槐里趙王孫長陵高公子西河郭公仲太原鹵公孺（徐廣曰鴈門有鹵城也 索隱曰漢書作魯公孺魯姓也與徐廣之說不同）臨淮

通鑑十八元朔二年遂族郭解胡注考異曰荀紀以郭解事著於建元二年按武紀建元之二年初置茂陵邑三年賜徙茂陵者錢為之时衛青為言公孫弘為未貴又元朔二年徙郡國豪傑于茂陵此乃徙解之時也

通鑑十八當大逆無道胡注當得知劇甚衆衆蓋以大逆無道之罪坐郭解也

侍通鑑亦作侍 余胡注卷十八

顏狀雖盡榮名者不盡也

兒長卿東陽田君孺索隱曰漢書作陳君孺然陳田聲相近亦本同姓也○正義曰其東陽蓋貝州縣亭縣者爲近齊故也雖爲俠而逡逡有退讓君子之風至若北道姚氏索隱曰蘇林云道猶方也如淳云京師四出道也西道諸杜南道仇景東道趙他羽公子索隱曰舊解以趙他與公子爲人今案此姓趙名他羽字公子也南陽趙調之徒此盜跖居民閒者耳曷足道哉此乃鄉者朱家之羞也

太史公曰吾視郭解狀貌不及中人言語不足採者然天下無賢與不肖知與不知皆慕其聲言俠者皆引以爲名諺曰人貌榮名豈有既乎徐廣曰人以顏狀爲貌者則貌有衰落矣惟用榮名爲飾表則稱譽無極也於戲惜哉

郭解 七

索隱述贊曰游俠豪倨藉藉有聲權行州里力折公卿朱家脫季劇孟定傾急人之難免讎於更偉哉翁伯人貌榮名

游俠列傳第六十四　史記一百二十四

漢書曰六十三巻

閎說　正義曰閎猶歷也言公卿有事歷閎兩人而說於上也 漢書音義曰關說者言由之而納說亦如行者之有關津

佞幸列傳第六十五　史記一百二十五

諺曰力田不如逢年善仕不如遇合徐廣曰遇一作偶固無虛言非獨女以色媚而士宦亦有之昔以色幸者多矣至漢興高祖至暴抗也索隱曰抗音苦浪反言暴猛抗直也然籍孺以佞幸孝惠時有閎孺正義曰籍閎皆名也孺幼小也此兩人非有材能徒以婉佞貴幸與上臥起公卿皆因關說索隱曰關通也謂公卿因之而通其詞說劉氏云有所言說皆關由之故孝惠時郎侍中皆冠鵕鸃貝帶漢書音義曰鵕鸃鳥名以毛羽飾冠以貝飾帶○索隱曰許慎云鵕鸃鷩鳥也淮南子云趙武靈王服貝鵕鸃漢官儀云秦破趙以其冠賜侍中三蒼云鵕鸃神鳥也飛光映天者也傅脂粉索隱曰傅音付化閎籍之屬也兩人

漢書註曰鵕鸃鳥也即鷩鳥

徙家安陵正義曰惠帝陵邑孝文時中寵臣士人則鄧通宦者則趙同索隱曰案漢書作趙談此云同者避太史公父名也北宮伯子正義曰顏云姓北宮名伯子也按百子名北宮之宦者也北宮伯子以愛人長者而趙同以星氣幸常為文帝參乘鄧通無伎能鄧通蜀郡南安人也徐廣曰後屬犍為以濯船為黃頭郎徐廣曰著黃帽也駰案漢書音義曰著濯船池中也一說能持擢行船也土水之母故施黃旄於船頭因以名其郎曰黃頭郎○索隱曰濯音棹直教反孝文帝夢欲上天不能有一黃頭郎從後推之上天顧見其衣裻徐廣曰一無此字○索隱曰裻音篤裻衣衫襦之橫者帶後穿覺而之漸臺索隱曰覺音教○正義曰括地志云漸臺在長安故城中關中記云未央宮西有蒼池池中有漸臺王莽死於此臺以夢中陰自求

推者郎，即見鄧通，其衣後穿，夢中所見也。召問其名姓，姓鄧氏，名通，文帝說焉。［索隱曰漢書云上曰鄧猶登也說之］尊幸之日異。通亦愿謹，不好外交，雖賜洗沐，不欲出。於是文帝賞賜通巨萬以十數，［正義曰言賜通巨萬以至於十也］官至上大夫。文帝時時如鄧通家遊戲。然鄧通無他能，不能有所薦士，獨自謹其身以媚上而已。上使善相者相通，曰「當貧餓死」。文帝曰：「能富通者在我也。何謂貧乎？」於是賜鄧通蜀嚴道銅山，［正義曰括地志云雍州滎經縣北三里有銅山即鄧通得賜銅山鑄錢者邑滎經即嚴道］得自鑄錢，「鄧氏錢」［正義曰錢譜云文字稱兩同漢四銖文］布天下。其富如其後文帝嘗病癰鄧通常為帝唶吮之 索隱曰唶音仕格反吮音仕兖反 文帝不樂從容問通曰天下誰最愛我者乎通曰宜莫如太子太子入問病文帝使唶癰唶癰而色難之已而聞鄧通常為帝唶吮之心慙由此怨通矣及文帝崩景帝立鄧通免家居居無何人有告鄧通盜出徼外鑄錢下吏驗問頗有之遂竟案盡沒入鄧通家尚負責數巨萬長公主賜鄧通 韋昭曰景帝姊也○索隱曰案即館陶公主也 吏輒隨沒入之 索隱曰謂長公主別有物吏輒沒入以充贓也 一簪不得著身於是長公主乃令假衣食 索隱曰謂公主令人假與衣食 竟不得名一

徼外 師古曰徼猶塞也東北謂之塞西南謂之徼

正義文曰遂字屬下句 師古曰遂成也成其罪狀也

責數巨萬 正義顏師古曰積前所犯合沒官數多除其現物財以外尚負官數巨萬故云吏輒隨沒入之

長公主 正義曰館陶長公主文帝之女

正義曰公主乃令通云假借給衣食而公主私給之

錢索隱曰始天下名鄧氏錢皆沒入卒竟無一錢名之也寄死人家孝景帝時

中無寵臣然獨郎中令周文仁索隱曰案漢書稱周仁此上稱周文仁今稱文仁恐後人如耳案仁字文仁寵最過庸不乃甚篤索隱曰案庸常也言仁最被恩寵過於常人乃不甚篤如韓嫣也今天子中寵臣士人則韓王孫嫣索隱曰音偃又音於建反宦者則李延年

嫣者弓高侯孽孫也徐廣曰韓王信之子穨當也今上爲膠東王時嫣與上學書相愛及上爲太子愈益親嫣嫣善騎射善佞上即位欲事伐匈奴而嫣先習胡兵以故益尊貴官至上大夫賞賜擬於鄧通時嫣常與上臥起江都王入朝有詔得從入

漢書曰車駕蹕道未行師古曰已稱蹕止行人訖而天子未出也

正義云漢御官也

獵上林中天子車駕蹕道未行而先使嫣乘副車從數十百騎騖馳視獸江都王望見以爲天子辟從者伏謁道傍嫣驅不見既過江都王怒爲皇太后泣曰請得歸國入宿衞比韓嫣索隱曰謂還爵封於天子而請入宿衞太后由此嗛嫣徐廣曰嗛讀與銜同漢書作銜字嫣侍上出入永巷不禁以姦聞皇太后皇太后怒使使賜嫣死上爲謝終不能得嫣遂死而案道侯韓說其弟也亦佞幸索隱曰說音悅

李延年中山人也父母及身兄弟及女皆故倡師古曰樂人也延年坐法腐給事狗中徐廣曰主獵犬也索隱曰或犬監而平

齊 上輔

漢書曰齊留刑給事佞幸

狗監中 師古曰掌天子之狗於其中供事也

十一

通鑑十九上方立樂府使司馬相如等造為詩賦以宦者李延年為協律都尉佩二千石印絃次初詩以合八音之調為之不雅之文 胡三省注協律都尉見西漢百官 武帝始置於此又 胡曰初詩新造之詩也 師古曰民歸也音丁禮反

十二

陽公主言延年女弟善舞上見心說之及入永巷而召貴延年延年善歌為變新聲而上方興天地祠欲造樂詩歌弦之延年善承意弦次初詩（師古曰初詩即新造樂章）其女弟亦幸有子男延年佩二千石印號協聲律與上臥起甚貴幸埒如韓嫣也（徐廣曰埒等也蜀都賦曰卓鄭埒名又云埒者疇等之名）久之寖與中人亂（徐廣曰一云坐弟季與中人亂）出入驕恣及其女弟李夫人卒後愛弛則禽誅延年昆弟也自是之後內寵嬖臣大底外戚之家然不足數也衛青霍去病亦以外戚貴幸然頗用材能自進

歌 通鑑下
埒 音劣
正義曰埒音劣埒如儆職

太史公曰甚哉愛憎之時彌子瑕之行足以觀後人佞幸矣雖百世可知也索隱曰彌子瑕衛靈公之臣事見說苑也

索隱述贊曰傳稱令色詩刺巧言冠鷄入侍傅粉承恩黄頭賜蜀宦者同軒新聲都尉挾彈王孫泣魚竊駕著自前論

韓王孫嫣

佞幸列傳第六十五　史記一百二十五

貝帶傅脂粉

鄧通以濯船為黄頭郎又賜蜀嚴道銅山得自鑄錢

孝惠時郎官皆冠鵕鸃

延年善歌為新聲

漢書曰貴為協律都尉

泣魚　戰國策曰魏王與龍陽君共船而釣龍陽君得十餘魚而涕下 [illegible]

正義曰顏師古曰滑稽轉利之稱也滑亂也稽礙也言其變亂無留礙也一說稽考也言其滑亂不可考校

滑稽列傳第六十六　史記百二十六

索隱曰滑謂亂也稽同也以言辯捷之人言非若是說是若非能亂同異也楚詞云將突梯滑稽如脂如韋崔浩云滑音骨稽流酒器也轉注吐酒終日不已言出口成章詞不窮竭若滑稽之吐酒故揚雄酒賦云鴟夷滑稽腹大如壺盡日盛酒人復籍沽是也又姚察云滑稽猶俳諧也滑讀如字稽音計也以言諧語滑利其知計疾出故云滑稽也

孔子曰六藝於治一也正義曰言六藝之文雖異禮節樂和導民立政天下平定其歸一揆至於談言微中亦以解其紛亂故治一也禮以節人樂以發和書以道事詩以達意易以神化春秋以義

太史公曰天道恢恢豈不大哉談言微中亦可以解紛

淳于髡者齊之贅婿也[索隱曰髡音苦昆反贅婿女之夫也比於子如人疣贅是餘剩之物也]長不滿七尺滑稽多辯數使諸侯未嘗屈辱齊威王之時喜隱[索隱曰喜音許既反喜好也喜隱謂好隱語]好為淫樂長夜之飲沈湎不治委政卿大夫百官荒亂諸侯並侵國且危亡在於旦暮左右莫敢諫淳于髡說之以隱曰國中有大鳥止王之庭三年不蜚又不鳴王知此鳥何也王曰此鳥不飛則已一飛沖天不鳴則已一鳴驚人於是乃朝諸縣令長七十二人賞一人誅一人奮兵而出諸侯振驚皆還齊侵地威行三十六年語在

呂關學紀聞十一 三年不蜚不鳴 楚世家以伍舉進隱於莊王 滑稽傳謂淳于髡說齊
威王 此一事而兩見 蓋為莊王時 楚人伍參之見 左氏以伍舉 其子也 新序以為士慶 呂氏春秋以
為成公賈 不言伍舉

野王云穰穰衆多也 福也
甌 烏侯也 窶 落侯反
漢書曰甌窶小兒 今江東猶謂窶物小
狹者為甌窶
正義云下田肥澤故得滿車

田完世家中威王八年楚大發兵加齊齊王使淳于髡之趙請救兵齎金百斤車馬十駟淳于髡仰天大笑冠纓索絕索隱曰案索訓盡言冠纓盡絕也孔衍春秋後語亦作冠纓盡絕也王曰先生少之乎髡曰何敢王曰笑豈有說乎髡曰今者臣從東方來見道傍有禳田者索隱曰案禳謂為田求福禳操一豚蹄酒一盂而祝曰甌窶滿篝徐廣曰篝籠也○索隱曰案甌窶猶杯樓也窶音如婁古字少耳言豐年收掇易可滿篝籠也○正義曰甌窶音樓篝音溝籠也甌樓謂高地狹小之區得滿篝籠也汙邪滿車司馬彪曰汙邪下地田也○索隱曰即下田之中有薪可滿車○正義曰汙音烏五穀蕃熟穰穰滿家臣見其所持者狹而所欲者奢故笑之於是齊威王乃

益齎黃金千鎰白璧十雙車馬百駟髡辭而行至趙趙王與之精兵十萬革車千乘楚聞之夜引兵而去威王大說置酒後宮召髡賜之酒問曰先生能飲幾何而醉對曰臣飲一斗亦醉一石亦醉威王曰先生飲一斗而醉惡能飲一石哉其說可得聞乎髡曰賜酒大王之前執法在傍御史在後髡恐懼俯伏而飲不過一斗徑醉矣若親有嚴客髡帣韝鞠䠠徐廣曰帣收衣褏也褏衿紨也韝臂捍也音溝鞠曲也䠠音其紀反又與跽同謂小跪也○索隱曰帣音卷紀免反謂收袖也侍酒於前時賜餘瀝奉觴上壽數起飲不過二斗徑醉矣若

正義曰珥珠玉在耳
正義曰襟巨襟反解開置交衿或作紟紟帶結也
正義曰言飲可至八斗二三升猶未遂醉
至日暮酒闌髡心最歡能飲於一石

朋友交游久不相見卒然相覩歡然道故私情相語飲可五六斗徑醉矣若乃州閭之會男女雜坐行酒稽留六博投壺相引爲曹握手無罰目眙不禁徐廣曰眙吐甑反直視貌。索隱曰眙音與瞪同謂直視也丑甑反音丑二反前有墮珥後有遺簪髡竊樂此飲可八斗而醉二參索隱曰案上云五六斗徑醉矣則此爲樂亦甚飲可八斗而未徑醉故云竊樂二參言十有二參醉也日暮酒闌合尊促坐男女同席履舄交錯杯盤狼藉堂上燭滅主人留髡而送客徐廣曰一本云留髡坐起送客羅襦襟解微聞薌澤當此之時髡心最歡能飲一石故曰酒極則亂樂極則悲萬事盡然言不可極

極之而罷以諷諫焉齊王曰善乃罷長夜之飲以髡爲諸侯主客正義曰今鴻臚卿也宗室置酒髡甞在側其後百餘年楚有優孟

優孟者故楚之樂人也索隱曰優者倡優也孟者字也優旃亦同旃其字耳優孟在楚旃在秦也長八尺多辯常以談笑諷諫楚莊王之時有所愛馬衣以文繡置之華屋之下席以露牀啗以棗脯馬病肥死使羣臣喪之欲以棺槨大夫禮葬之左右爭之以爲不可王下令曰有敢以馬諫者罪至死優孟聞之入殿門仰天大哭王驚而問其故優孟曰馬者王之所愛也以楚

楩作梗
正義湊作榛

正義曰言上壠爲竈居其外若槨
決謂竈形高如甑
壠也一云壠若竈也

國堂堂之大何求不得而以大夫禮葬之薄請以人君禮葬之王曰何如對曰臣請以彫玉爲棺文梓爲槨楩楓豫章爲題湊蘇林曰以木累棺外木頭皆內向故曰題湊○正義曰楩頻緜反發甲卒爲穿壙老弱負土齊趙陪位於前韓魏翼衛其後楚莊王時未有趙韓魏三國索隱曰案此辯說者之詞後人所增飾之矣廟食太牢奉以萬戶之邑諸侯聞之皆知大王賤人而貴馬也王曰寡人之過一至此乎爲之奈何優孟曰請爲大王六畜葬之以壠竈爲槨索隱曰皇覽亦說此事也以壠竈爲龍若笑也銅歷爲棺索隱曰歷即釜鬲也齎以薑棗索隱曰古者食肉用薑棗禮內則云實棗於其腹中屑桂與薑以洒諸上而鹽之也薦以

言以銅爲釜
置於竈中
若棺

木蘭祭以粳稻衣以火光葬之於人腹腸索隱曰皇覽云以火光之著端葬之腸中於是王乃使以馬屬太官無令天下久聞也楚相孫叔敖知其賢人也善待之病且死屬其子曰我死汝必貧困若往見優孟言我孫叔敖之子也居數年其子窮困負薪逢優孟與言曰我孫叔敖之子也父且死時屬我貧困往見優孟優孟曰若無遠有所之索隱曰案謂優孟語孫叔敖之子曰汝無遠有所之適他境恐王後求汝不得也即為孫叔敖衣冠抵掌談語戰國策曰蘇秦說趙王華屋之下抵掌而言張載曰談說之容則也歲餘像孫叔敖楚王左右不能別也莊王置酒優孟前為壽

正義曰說文云賕以財枉法相謝

莊王大驚以為孫叔敖復生也欲以為相優孟曰請歸與婦計之三日而為相莊王許之三日後優孟復來王曰婦言謂何孟曰婦言慎無為楚相不足為也如孫叔敖之為楚相盡忠為廉以治楚楚王得以霸今死其子無立錐之地貧困負薪以自飲食必如孫叔敖不如自殺因歌曰山居耕田苦難以得食起而為吏身貪鄙者餘財不顧恥辱身死家室富又恐受賕枉法為姦觸大罪身死而家滅貪吏安可為也念為廉吏奉法守職竟死不敢為非廉吏安可為也

楚相孫叔敖持廉至死方今妻子窮困負薪而食不足爲也於是莊王謝優孟乃召孫叔敖子封之寢丘徐廣曰在固始。正義曰今光州固始縣本寢丘邑也呂氏春秋云楚孫叔敖有功於國疾將死戒其子曰王數欲封我我辭不受我死必封汝汝無受利地荊楚閒有寢丘者其爲地不利而前有妬谷後有戾丘其名惡可長有也其子從之楚功臣封二世而收唯寢丘不奪也四百戶以奉其祀後十世不絕此知可以言時矣其後二百餘年

秦有優旃

優旃者秦倡朱儒也善爲笑言然合於大道秦始皇時置酒而天雨陛楯者皆沾寒優旃見而哀之謂之曰汝欲休乎陛楯者皆曰幸甚優旃

幸 本作古幸

陛 作 幸 言幸且

在雨中而立也

曰我即呼汝汝疾應曰諾居有頃殿上上壽呼萬歲優旃臨檻（正義曰胡覽反）大呼曰陛楯郎郎曰諾優旃曰汝雖長何益幸雨立我雖短也幸休居於是始皇使陛楯者得半相代始皇嘗議欲大苑囿東至函谷關西至雍陳倉（正義曰今岐州雍縣及陳倉縣也）優旃曰善多縱禽獸於其中寇從東方來令麋鹿觸之足矣始皇以故輟止二世立又欲漆其城優旃曰善主上雖無言臣固將請之漆城雖於百姓愁費然佳哉漆城蕩蕩寇來不能上即欲就之易為漆耳顧難為蔭室於是二世笑之

以其故止居無何二世殺死優旃歸漢數年而卒

太史公曰淳于髡仰天大笑齊威王橫行優孟搖頭而歌負薪者以封優旃臨檻疾呼陛楯得以半更豈不亦偉哉

褚先生曰臣幸得以經術為郎而好讀外家傳語竊不遜讓復作故事滑稽之語六章編之於左可以覽觀揚意以示後世好事者讀之以游心駭耳以附益上方太史公之三章武帝時有所幸倡郭舍人者發言陳辭雖不合大道然令人主和說武帝少時東武侯母索隱曰案東武縣名侯乳母姓也

宋趙與旹賓退錄第八云西京雜記載武帝欲殺乳母告急於東方朔朔曰帝忍而愎旁人言之益死
之速耳汝臨去但屢顧我我當設奇以激之乳母如言朔在帝側曰汝宜速去帝今
已大豈念汝乳哺時恩邪帝愴然遂舍之史記滑稽傳褚先生曰武帝時有所幸
倡郭舍人者發言陳辭云云乳母家子孫奴從者橫暴長安中云云乃下詔止無徙乳母云云
子耳一以為殺一以為從一以為東方朔一以為郭舍人西京雜記顏師古固常辨其妄
褚所書定可采據者亦多兩存之參信

正義曰糒乾飯飧水澆飯

倩音請七性反
正義曰倩七姓反倩借也

正義曰馳道謂御道也

常養帝正義曰高祖功臣表云東武侯郭家高祖六年封子他孝景六年棄市國除蓋他母常養武帝
帝壯時號之曰大乳母率一月再朝朝奏入有
詔使幸臣馬游卿以帛五十匹賜乳母又奉飲
糒飧養乳母乳母上書曰某所有公田願得假
倩之帝曰乳母欲得之乎以賜乳母乳母所言
未嘗不聽有詔得令乳母乘車行馳道中當此
之時公卿大臣皆敬重乳母乳母家子孫奴從
者橫暴長安中當道掣頓人車馬奪人衣服聞
於中不忍致之法有司請徙乳母家室處之於
邊奏可乳母當入至前面見辭乳母先見郭舍

疾言

東方朔傳 漢書 列傳三十五 東方朔

通鑑十七 東方朔 風俗通 胡注曰 伏羲之後 帝出乎震 主東方 子孫爲東方氏

人爲下泣舍人曰即入見辭去疾步數還顧乳母
如其言謝去疾步數還顧郭舍人疾言罵之曰
咄老女子何不疾行陛下已壯矣寧尚須汝乳
而活邪尚何還顧於是人主憐焉悲之乃下詔
止無徙乳母罰謫譖之者索隱曰謂武帝罰謫譖乳母之人也
武帝時齊人有東方生名朔索隱曰仲長統云遷爲滑稽傳叙優旃事不稱
東方朔非也朔之行事豈直旃孟之比哉而拒譚亦以遷
內爲是又非也○正義曰漢書云平原厭次人也輿地志
云厭次宜是富平縣之鄉聚名也括地志云富
平故城在滄州陽信縣東南四十里漢縣也以好古傳
書愛經術多所博觀外家之語索隱曰案東方朔亦多博觀外家之
語則外家非止經史即傳記雜說之書朔初入長安至公車上書正義曰酒

東方朔十九

三千奏牘 正義曰漢書云朔初來上書曰少失母長養兄嫂年十三学書三冬文史足用十五学擊
劍十六学詩書誦二十二万言十九学孫呉兵法亦誦二十二万言臣朔固已誦四十四万言朔年二十二長九尺三
寸目如懸珠齒若
編貝勇若孟賁
捷若慶忌廉若
鮑叔信若尾生
若此可以為天子
大臣朔昧死再拜
以聞按此略舉其
上書之首也

官表云衛尉屬官有公車司馬漢儀注云公車司馬掌殿司馬門夜徼宮天下上事及闕下凡所徵召皆摠領之秩六百石

凡用三千奏牘公車令兩人共持舉其書僅然能勝之人主從上方讀之止輒乙其處讀之二月乃盡詔拜以為郎常在側侍中數召至前談語人主未嘗不說也時詔賜之食於前飯已盡懷其餘肉持去衣盡汙數賜縑帛擔揭而去徙用所賜錢帛取少婦於長安中好女率取婦一歲所者即棄去更取婦所賜錢財盡索之於女子人主左右諸郎半呼之狂人人主聞之曰令朔在事無為是行者若等安能及之哉朔

乙 師說曰或說乙字絕也旧說乙表識也 …… 乙也 …… 談語

任其子爲郎又爲侍謁者常持節出使朔行殿中郎謂之曰人皆以先生爲狂朔曰如朔等所謂避世於朝廷間者也古之人乃避世於深山中時坐席中酒酣據地歌曰陸沈於俗（索隱曰司馬彪云謂無水而沈之）避世金馬門宮殿中可以避世全身何必深山之中蒿廬之下金馬門者宦署門也門傍有銅馬故謂之曰金馬門時會聚宮下博士諸先生與論議共難之（索隱曰案謂朔設詞對之即下文荅客難是也）曰蘇秦張儀一當萬乘之主而都卿相之位澤及後世今子大夫修先王之術慕聖人之義諷誦詩

一本義曰言四海之外皆賓服如席之相連環繞
師古曰言不可傾搖也

書百家之言不可勝數著於竹帛自以爲海内
無雙即可謂博聞辯智矣然悉力盡忠以事聖
帝曠日持久積數十年官不過侍郎位不過執
戟意者尚有遺行邪其故何也東方生曰是固
非子之所能備也彼一時也此一時也豈可同
哉夫張儀蘇秦之時周室大壞諸侯不朝力政
爭權相禽以兵并爲十二國未有雌雄得士者
云故說聽行通身處尊位澤及後世子孫長榮
今非然也聖帝在上德流天下諸侯賓服威振
四夷連四海之外以爲席安於覆盂天下平均

彊失士者亡
善曰言天下無事人安如
不動覆盂
器之下

合為一家動發舉事猶如運之掌中賢與不肖何以異哉方今以天下之大士民之衆竭精馳說並進輻湊者不可勝數悉力慕義困於衣食或失門户使張儀蘇秦與僕並生於今之世曾不能得掌故安敢望常時侍郎乎傳曰天下無害菑雖有聖人無所施其才上下和同雖有賢者無所立功故曰時異則事異雖然安可以不務修身乎詩曰鼓鐘于宮聲聞于外鶴鳴九臯聲聞于天苟能修身何患不榮太公躬行仁義七十二年逢文王得行其說封於齊七百歲而

失門户 師古曰言不得所由入也 一曰謂被誅戮者其家室

掌故者主故事也

小雅白華之詩也 言苟有於中必形於外

小雅鶴鳴之詩 九臯毛萇云臯澤也 言身隱而名著也 按臯九臯謂天下九澤也 聞音問 以惠問彼曰聞也

東方朔 廿一

其 侍

梁作粱

不絶此士之所以日夜孜孜修學行道不敢止也今世之處士時雖不用崛然獨立塊然獨處上觀許由下察接輿策同范蠡忠合子胥天下和平與義相扶寡耦少徒固其常也子何疑於余哉於是諸先生默然無以應也建章宮〔正義宮在長安縣西北二十里長安故城中〕後閣重櫟中有物出焉〔索隱曰重音逐龍反櫟音歷重櫟欄楯之下有重欄處也〕其狀似麋以聞武帝往臨視之問左右羣臣習事通經術者莫能知詔東方朔視之朔曰臣知之願賜美酒粱飯大飱臣臣乃言詔曰可已飱又曰某所有公田魚池蒲葦數頃

毛詩注曰騶虞義獸名白虎黑文不食生物者也

陛下以賜臣臣朔乃言詔曰可於是朔乃肯言曰所謂騶牙者也索隱曰騶音鄒此獸以意忽自立名而偶中也以有九牙齊等故謂之騶牙猶騶騶然也遠方當來歸義而騶牙先見其齒前後若一齊等無牙故謂之騶牙其後一歲所匈奴混邪王果將十萬衆來降漢乃復賜東方生錢財甚多至老朔且死時諫曰詩云營營青蠅止于蕃愷悌君子無信讒言讒言罔極交亂四國願陛下遠巧佞退讒言帝曰今顧東方朔多善言怪之居無幾何朔果病死傳曰鳥之將死其鳴也哀人之將死其言也善此之謂也

武帝時大將軍衛青者衛后兄也徐廣曰衛青傳曰子夫之弟也封為長平侯從軍擊匈奴至余吾水上而還斬首捕虜有功來歸詔賜金千斤將軍出宮門齊人東郭先生以方士待詔公車當道遮衛將軍車拜謁曰願白事徐廣曰衛青傳云寗乘說青而拜為東海都尉將軍止車前東郭先生旁車言曰王夫人新得幸於上家貧今將軍得金千斤誠以其半賜王夫人之親人主聞之必喜此所謂奇策便計也衛將軍謝之曰先生幸告之以便計請奉教於是衛將軍乃以五百金為王夫人之親壽王夫人以聞

武帝帝曰大將軍不知爲此問之安所受計策對曰受之待詔者東郭先生詔召東郭先生拜以爲郡都尉東郭先生久待詔公車貧困飢寒衣敝履不完行雪中履有上無下足盡踐地道中人笑之東郭先生應之曰誰能履行雪中令人視之其上履也其履下處乃似人足者乎及其拜爲二千石佩青緺（徐廣曰音瓜一音騧青綬）出宮門行謝主人故所以同官待詔者等比祖道於都門外榮華道路立名當世（徐廣曰東郭先生也）此所謂衣褐懷寶者也（索隱曰此指郭先生也其言身衣褐而懷寶玉也）當其貧困時人

齊懷王閎也漢武帝子母王夫人也

莫不自視至其貴也乃爭附之諺曰相馬失之瘦相士失之貧其此之謂邪王夫人病甚人主至自往問之曰子當爲王欲安所置之對曰願居洛陽人主曰不可洛陽有武庫敖倉當關口天下咽喉自先帝以來傳不爲置王然關東國莫大於齊可以爲齊王王夫人以手擊頭呼幸甚王夫人死號曰齊王太后薨昔者齊王使淳于髡獻鵠於楚（索隱曰案韓詩外傳齊使人獻鴻於楚不言髡又說苑云魏文侯使舍人無擇獻鵠於齊皆略同而事異殆相涉亂也）出邑門道飛其鵠徒揭空籠造詐成辭往見楚王曰齊王使臣來獻鵠過於

水上不忍鵠之渴出而飲之去我飛亡吾欲刺腹絞頸而死恐人之議吾王以鳥獸之故令士自傷殺也鵠毛物多相類者吾欲買而代之是不信而欺吾王也欲赴佗國奔亡痛吾兩主使不通故來服過叩頭受罪大王楚王曰善齊王有信士若此哉厚賜之財倍鵠在也

武帝時徵北海太守詣行在所索隱曰漢書宣帝徵勃海太守龔遂非武帝時此褚先生記謬耳有文學卒史王先生者自請與太守俱吾有益於君君許之諸府掾功曹白云王先生嗜酒多言少實恐不可與俱太守曰先生意

沽古胡反水名也壹音也又胡護反説文買酒也案沽榷酤乎

欲行不可逆遂與俱行至宮下待詔宮府門王先生徒懷錢沽酒與衛卒僕射飲日醉不視其太守太守入跪拜王先生謂戶郎曰幸為我呼吾君至門內遥語戶郎為呼太守太守來望見王先生王先生曰天子即問君何以治北海正義曰今青州令無盜賊君對曰何哉對曰選擇賢材各任之以其能賞異等罰不肖王先生曰對如是是自譽自伐功不可也願君對言非臣之力盡陛下神靈威武所變化也太守曰諾召入至于殿下有詔問之曰何以治北海令盜賊不起叩

頭對言非臣之力盡陛下神靈威武之所變化也武帝大笑曰於呼安得長者之語而稱之安所受之對曰受之文學卒史帝曰今安在對曰在宮府門外有詔召拜王先生爲水衡丞以北海太守爲水衡都尉傳曰美言可以市尊行可以加人君子相送以言小人相送以財

魏文侯時西門豹爲鄴令正義曰今相州縣也豹往到鄴會長老問之民所疾苦長老曰苦爲河伯娶婦正義曰河伯華陽童鄉人姓馮氏名夷浴於河中而溺死遂爲河伯娶婦也以故貧豹問其故對曰鄴三老廷掾常歲賦斂百姓收取其

河

錢得數百萬用其二三十萬爲河伯娶婦與祝巫共分其餘錢持歸當其時巫行視人家女好者云是當爲河伯婦即娉取洗沐之爲治新繒綺縠衣閒居齋戒爲治齋宮河上張緹絳帷（正義曰緹他礼反顧野王云黄赤色也又音啼厚繒也）女居其中爲具牛酒飯食行十餘日共粉飾之如嫁女床席令女居其上浮之河中始浮行數十里乃没其人家有好女者恐大巫祝爲河伯取之以故多持女遠逃亡以故城中益空無人又困貧所從來久遠矣民人俗語曰即不爲河伯娶婦水來漂沒溺其人民

云西門豹曰至爲河伯娶婦時願三老巫
祝父老送女河上幸來告語之吾亦往送女皆
曰諾至其時西門豹往會之河上三老官屬豪
長者里父老皆會以人民往觀之者三二千其
巫老女子也已年七十從弟子女十人所皆衣
繒單衣立大巫後西門豹曰呼河伯婦來視其
好醜即將女出帷中來至前豹視之顧謂三老
巫祝父老曰是女子不好煩大巫嫗爲入報河
伯得更求好女後日送之即使吏卒共抱大巫
嫗投之河中有頃曰巫嫗何久也弟子趣之復

以弟子一人投河中有頃曰弟子何久也復使一人趣之復投一弟子河中凡投三弟子西門豹曰巫嫗弟子是女子也不能白事煩三老為入白之復投三老河中西門豹簪筆磬折

正義曰簪筆謂以毛裝簪頭長五寸插在冠前謂之為筆言插筆備禮也磬折謂曲體揖之若石磬之形曲折也磬一片黑石凡十二片樹在虡上擊之其形皆中曲垂兩頭言人腰則似也

嚮河立待良久長老吏傍觀者皆驚恐西門豹顧曰巫嫗三老不來還奈之何欲復使廷掾與豪長者一人入趣之皆叩頭叩頭且破額血流地色如死灰西門豹曰諾且留待之須臾須臾豹曰廷掾起矣狀河

伯留客之久若皆罷去歸矣鄴吏民大驚恐從是以後不敢復言為河伯娶婦西門豹即發民鑿十二渠引河水灌民田正義曰括地志云梧橫渠首接漳水蓋西門豹史起所鑿之渠也溝洫志云魏文侯時西門豹爲鄴令有令名至文侯曾孫襄王與羣臣飲祝曰令吾爲臣皆非西門豹之爲人臣也史起進曰魏氏之行田也以百畝鄴獨二百畝是田惡也漳水在其傍西門不知用是不智知而不與是不仁仁智豹未之盡何足法也於是史起爲鄴令遂引漳水溉鄴以富漳魏之河内左思魏都賦云西門溉其前史起灌其後也田皆溉當其時民治渠少煩苦不欲也豹曰民可以樂成不可與慮始今父老子弟雖患苦我然百歲後期令父老子孫思我言至今皆得水利民人以給足富十二渠經絕馳道到

西門豹 廿七

接

以作與

漢之立而長吏以為十二渠橋絕馳道相比近不可欲合渠水且至馳道合三渠為一橋鄴民人父老不肯聽長吏以為西門君所為也賢君之法式不可更也長吏終聽置之故西門豹為鄴令名聞天下澤流後世無絕已時幾可謂非賢大夫哉傳曰子產治鄭民不能欺子賤治單父民不忍欺西門豹治鄴民不敢欺三子之才能誰最賢哉辯治者當能別之魏文帝問羣臣曰不欺於君德孰優太尉鍾繇司徒華歆司空王朗對曰臣以為君任德則臣感義而不忍欺君任察則臣畏覺而不敢欺君任刑則臣畏罪而不敢欺任德感義與夫導德齊禮有恥且格等趨者也任察畏罪與夫導政齊刑免而無恥同歸者也孔子

由是觀之一本有此四字

曰爲以言如此衣居其所而衆星共之於斯言論非以斯義臣等以爲不忍欺不能欺優劣之縣在於權衡非徒低卬之差乃鈞銖之覺也且前志稱仁者安仁智者利仁畏罪者強仁校其仁者功則無以殊核其爲仁者則不得不異安仁者性善者也利仁者力行者也強仁者不得已者也三仁相比則安仁優矣易稱神而化之使民宜之若君化使民然也然則安仁之化與夫強仁之化優劣亦不得不相縣絶也然則三臣之不欺雖同所以不欺異矣則純以恩義崇不欺與以威察成不欺既不可同概而比量又不得錯綜而易處。索隱曰案此三不欺自古傳記先達共所稱述今褚先生因記西門豹而稱之以成談也循吏傳記子產相鄭仁而且明故人不能欺之子賤爲政淸靜唯彈琴三年不下堂而化是人見思故不忍欺之豹以威化御俗故人不敢欺之其德優劣鍾華之評實爲允當也

索隱述贊曰滑稽鴟夷如脂如韋敏捷之變學不失詞淳于索絶趙國興師楚優拒相寢

楚辭註曰脂肥澤韋柔軟也又以脂灌韋而韜之是以突梯滑稽言而無所正

淳于髡仰天大笑冠纓索絶

拒相 優孟爲孫叔敖之子拒楚相

淳于髡之趙請救兵

呂源流至論前集第二論古史云西門豹循吏之流耳遷乃抑於滑稽之列使無古史之說則西門豹果徒滑稽者乎按史記滑稽傳載西門豹古史謂非滑稽

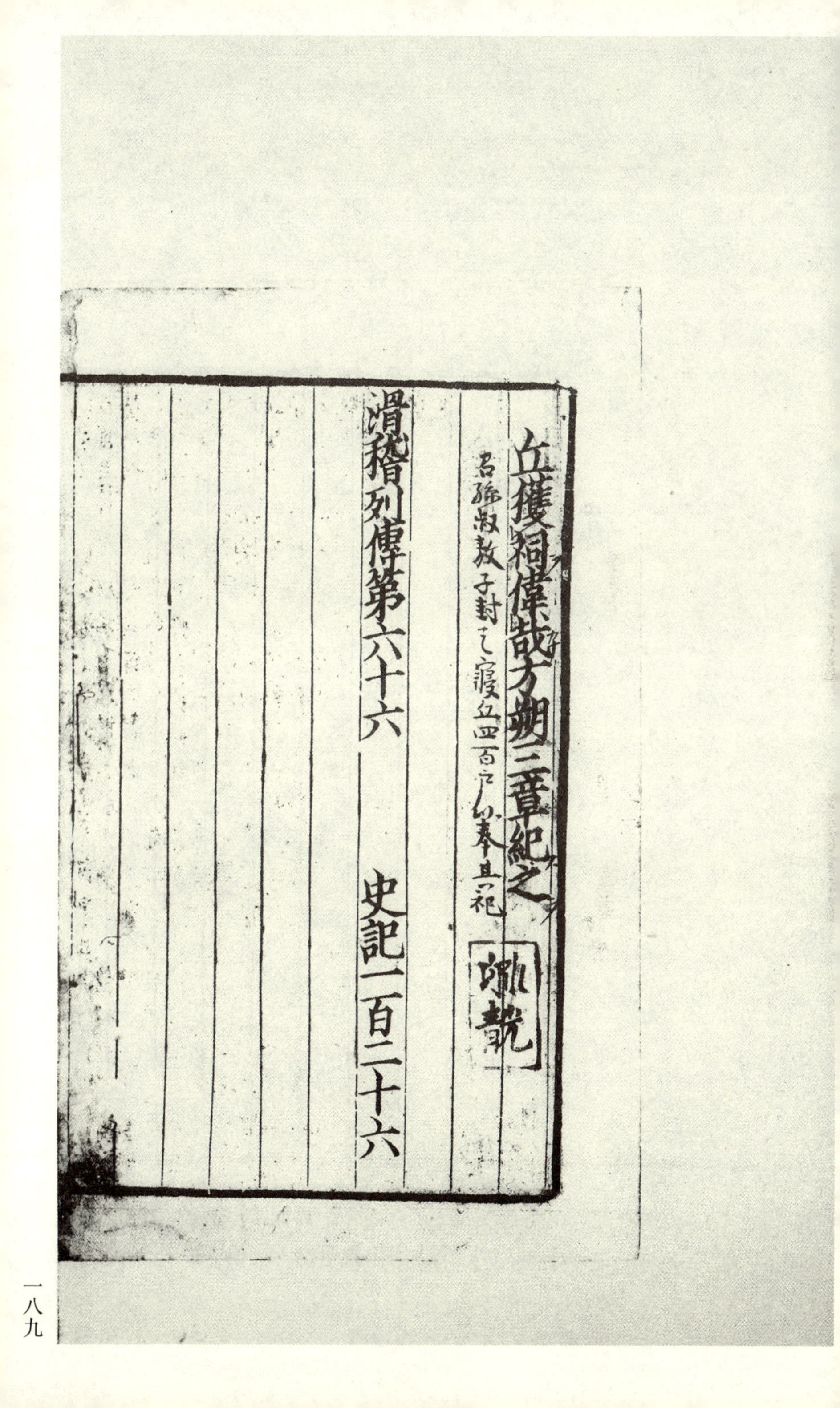

丘獲福偉哉方朔二章紀之

君孫叔敖子封之寢丘四百戶以奉其祀

滑稽列傳第六十六　史記一百二十六

廿九

文帝初為代王　本紀曰高帝子獨淮南王與大王大王又長賢聖仁孝聞於天下故大臣因
天下之心而欲迎立大王大王勿疑也代王報太后計之猶與未定卜之龜卦兆得大横占曰大
横庚庚余為天王夏啓以光代王曰寡人固已為王矣
任於卜者　正義曰漢文帝卜得大横與夏啓之卜同乃乘六乘傳入長安者也
漢興而有　周禮有太卜之官漢書百官表云奉常屬官有太卜初元年初置太卜博士秦官掌
通古今秩比六百石員多至數十人諸先生云由漢興前失之甚也

翻刻

日者列傳第六十七　史記一百二十七

墨子曰墨子北之齊遇日者日者曰帝以今日殺黑龍於北方而先生之色黑不可以北墨子不聽遂北至淄水墨子不遂而反焉日者曰我謂先生不可以北然則古人占候卜筮通謂之日者墨子亦云非但史記也○索隱曰案名卜筮曰日者以墨所以卜筮占候時日通名日者故也

自古受命而王王者之興何嘗不以卜筮決于天命哉其於周尤甚及秦可見代王之入任於卜者太卜之起由漢興而有索隱曰案周禮有太卜之官此云由漢興者謂漢自文帝卜太横之後其卜官更因盛焉

司馬季主者楚人也索隱曰按云楚人而太史公不序其系蓋楚相司馬[illegible]子[illegible]後姓

陸問卜筮之官由來尚矣此傳以為起自漢代其言何也諸先生所記治學既淺解多謬妄若強通其言則謂自漢文卜得大横之兆而其官遂盛也

也季主見列仙傳上於長安東市宋忠為中大夫賈誼為
博士同日俱出洗沐正義曰漢官五日一假洗沐也相從論議誦
易先生聖人之道術究徧人情相視而歎賈誼
曰吾聞古之聖人不居朝廷必在卜醫之中今
吾已見三公九卿朝士大夫皆可知矣試之卜
數中以觀采索隱曰卜數猶術數也音所具反劉氏云具數筮之亦通筮必以易易用大衍之數
也二人即同輿而之市游於卜肆中天新雨道
少人司馬季主閒坐弟子三四人侍方辯天地
之道日月之運陰陽吉凶之本二大夫再拜謁
司馬季主視其狀貌如類有知者即禮之使弟

王念孫曰危坐謂小坐

子延之坐。坐定，司馬季主復理前語，分別天地之終始，日月星辰之紀，差次仁義之際，列吉凶之符，語數千言，莫不順理。宋忠、賈誼瞿然而悟，獵纓正襟危坐。[索隱曰：獵，攬也。攬其冠纓而正其衣襟，謂變而自飾也。危，一作免，謂俛而為敬。]曰：「吾望先生之狀，聽先生之辭，小子竊觀於世，未嘗見也。今何居之卑，何行之汙？」[索隱曰：音烏故反。]司馬季主捧腹大笑曰：「觀大夫類有道術者，今何言之陋也，何辭之野也！今夫子所賢者何也？所高者誰也？今何以卑汙長者？」二君曰：「尊官厚祿，世之所高也，賢才處之。今所處非其地，故謂之果言不信行不驗取不當故謂之汙夫卜筮者世俗之所賤簡也世皆言曰夫卜者多言誇嚴以得人情索隱曰謂卜者自矜誇而莊嚴以得人情也虛高人祿命以說人志擅言禍災以傷人心矯言鬼神以盡人財厚求拜謝以私於己此吾之所恥故謂之卑汙也司馬季主曰公且安坐公見夫被髮童子乎日月照之則行不照則止問之日月疵瑕吉凶則不能理由是觀之能知別賢與不肖者寡矣賢之行也直道以正諫三諫不聽則退其譽人也不望其報惡人也不顧其怨以便國家利

衆爲務故官非其任不處也祿非其功不受也見人不正雖貴不敬也見人有汙雖尊不下也得不爲喜去不爲恨非其罪也雖累辱而不愧也今公所謂賢者皆可爲羞矣卑疵而前索隱曰疵音貲孅趨而言索隱曰孅音纖孅趨猶足恭也相引以勢相導以利比周賓正徐廣曰客旅謂之賓人求長官謂之正以求尊譽以受公奉事私利枉主法獵農民以官爲威以法爲機求利逆暴譬無異於操白刃劫人者也初試官時倍力爲巧詐飾虛功執空文以誑主上用居上爲右試官不讓賢陳功見僞增實以無爲有以

正義曰言賢才能審賢者爲賢

是不忠也 或点以是

正義曰言有家祿位者進用有錢財者禮敬之是僞也

少爲多以求便勢尊位食飲驅馳從姬歌兒不顧於親犯法害民虛公家此夫爲盜不操矛弧者也攻而不用弦刃者也欺父母未有罪而弒君未伐者也何以爲高賢才乎盜賊發不能禁夷貊不服不能攝姦邪起不能塞官耗亂不能治四時不和不能調歲穀不孰不能適索隱曰音釋適猶調也才賢不爲是不忠也才不賢而託官位利上奉妨賢者處是竊位也索隱曰奉音扶用反有人者進有財者禮是僞也子獨不見鴟梟之與鳳皇翔乎蘭芷芎藭棄於廣野蒿蕭成林使君子退而不

正義曰言鴟梟之與鳳皇翔乎蘭芷芎藭棄於廣野蒿蕭成林使君子退而不顯衆公等也

顯衆公等是也述而不作君子義也今夫卜者

必法天地象四時順於仁義分策定卦旋式正

棊徐廣曰式音栻○索隱曰按式即栻也旋轉也栻之形上圓象天下方法地用之則轉天綱加地之辰故云旋式棊者筮之狀正棊蓋謂卜以作卦也然後言天地之利害事之成敗

昔先王之定國家必先龜策日月而後乃敢代

正時日乃後入家產子必先占吉凶後乃有之索隱曰謂若卜之不祥則式不收也卜吉而後有故云有之自伏羲作八卦周文

王演三百八十四爻而天下治越王勾踐倣文

王八卦索隱曰倣音方往反以破敵國霸天下由是言之卜

筮有何負哉且夫卜筮者埽除設坐正其冠帶

正義曰言卜者於天下至利則大益天下至少財雖謝則少也

然後乃言害此有禮也言而鬼神或以饗忠臣以事其上孝子以養其親慈父以畜其子此有德者也而以義置數十百錢病者或以愈且死或以生患或以免事或以成嫁子娶婦或以養生此之為德豈直數十百錢哉此夫老子所謂上德不德是以有德今夫卜筮者利大而謝少老子之云豈異於是乎莊子曰君子內無飢寒之患外無劫奪之憂居上而敬居下不為害君子之道也今夫卜筮者之為業也積之無委藏之不用府庫徙之不用輜車負裝之不重止而

者　聚

正義曰索亦盡也

用之無盡索之時持不盡索之物游於無窮之世雖莊氏之行未能增於是也子何故而云不足哉天不足西北星辰西北移地不足東南以海為池日中必移月滿必虧先王之道作存作亡公者貴下者言必信不亦惑乎公見夫談士辯人乎慮事定計必是人也然不能以口舌說人主意故言必稱先王語必道上古慮事定計飾先王之成功語其敗害以恐喜人主之志以求其欲多言誇嚴徐廣曰一作險莫大於此矣然欲彊國成功盡忠於上非此不立今夫上者遵熟教[illegible]

也夫愚惑之人豈能以一言而知之哉言不厭多故騏驥不能與罷驢為駟而鳳皇不與燕雀為羣而賢者亦不與不肖者同列故君子處卑隱以辟衆自匿以辟倫微見德順以除羣害以明天性助上養下多其功利不求尊譽公之等喁喁者也何知長者之道乎宋忠賈誼忽而自失芒乎無色索隱曰芒音莫郎切悵然噤口不能言索隱曰悵音暢噤音禁劉氏音其錦反於是攝衣而起再拜而辭行洋洋也出市門僅能自上車伏軾低頭卒不能出氣居三日宋忠見賈誼於殿門外乃相引屏語相謂自

正義曰糈音所謂祠神米也

天冠地屨 正義曰言不相及

須一作與

師說曰曾作莊謂莊周

大宛傳師古曰毒恨也

歎曰道高益安勢高益危居赫赫之勢失身且有日矣夫卜而有不審不見奪糈徐廣曰音所案離騷經曰懷椒糈而要之王逸云糈精米所以享神爲人主計而不審身無所處索隱曰糈者卜求神之米也言卜之不中乃可見奪其糈米若爲人主計不審則身無所處也此相去遠矣猶天冠地屨也此老子之所謂無名者萬物之始也天地曠曠物之熙熙或安或危莫知居之我與若何足預彼哉彼久而愈安雖曾氏之義徐廣曰曾一作莊未有以異也久之宋忠使匈奴不至而還抵罪而賈誼爲梁懷王傅王墮馬薨誼不食毒恨而死此務華絕根者也索隱曰言宋忠賈誼皆務華而

喪其身是絶其根本也

太史公曰古者卜人所以不載者多不見于篇

及至司馬季主余志而著之

褚先生曰臣爲郎時游觀長安中見卜筮之賢

大夫觀其起居行步坐起自動誓正其衣冠而

當鄉人也有君子之風見性好解婦來卜對之

顔色嚴振未嘗見齒而笑也從古以來賢者避

世有居止舞澤者有居民閒閉口不言有隱居

卜筮閒以全身者夫司馬季主者楚賢大夫游

學長安通易經術黄帝老子博聞遠見觀其對

二大夫貴人之談言稱引古明王聖人道固非
淺聞小數之能及小筮立名聲千里者各往往
而在傳曰富爲上貴次之既貴各各學一伎能
立其身黃直丈夫也陳君夫婦人也以相馬立
名天下齊張仲曲成侯以善擊刺學用劒立名
天下留長孺以相彘立名滎陽褚氏以相牛立
名能以伎能立名者甚多皆有高世絕人之風
何可勝言故曰非其地樹之不生非其意教之
不成夫家之教子孫當視其所以好好含苟生
活之道因而成之故曰制宅命子足以觀士子

有處所可謂賢人臣爲郎時與太卜待詔爲郎者同署言曰孝武帝時聚會占家問之某日可取婦乎五行家曰可堪輿家曰不可建除家曰不吉叢辰家曰大凶歷家曰小凶天人家曰小吉太一家曰大吉辯訟不決以狀聞制曰避諸死忌以五行爲主人取於五行者也

索隱述贊曰

日者之名　有自來矣　吉凶占候

著於墨子　齊楚異法　書亡罕紀

後人斯繼　季主獨美　取免暴秦

卅六

此焉終否

日者列傳第六十七　史記一百二十七

卅七終

（漢）司馬遷 撰
（南朝宋）裴駰 集解
（唐）司馬貞 索隱
（唐）張守節 正義

宋本史記

第二十八册

國家圖書館出版社

第二十八册目録

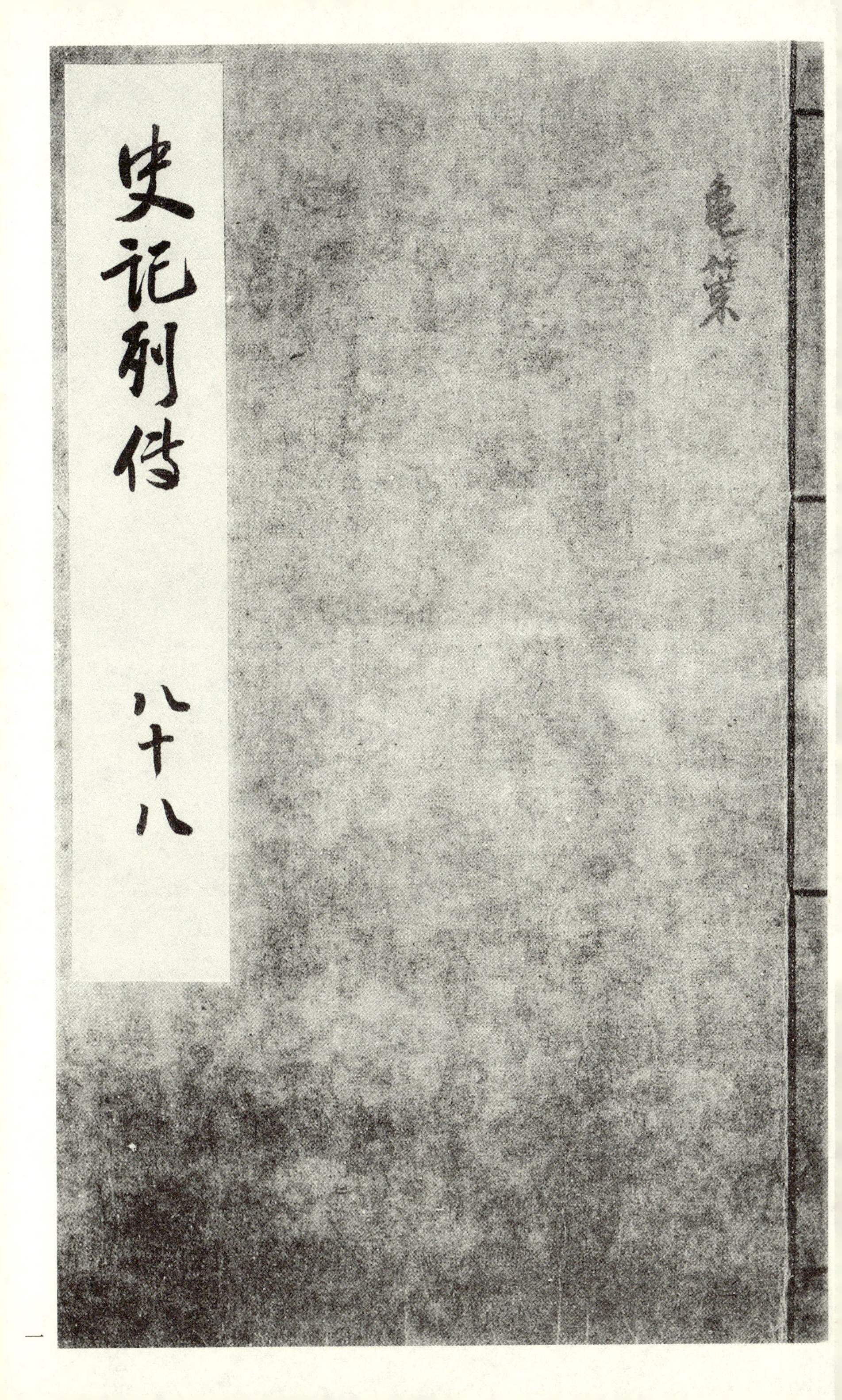

史記列傳

八十八

龜策

龜策列傳第六十八　史記一百二十八

索隱曰龜策傳有録無書褚先生所補其敘事煩蕪陋略無可取○正義曰史記至元成間十篇有録無書而褚少孫補景武紀將相年表禮書樂書律書三王世家蒯成侯日者龜策列傳日者龜策言辭最鄙陋非太史公之本意也

太史公曰自古聖王將建國受命興動事業何嘗不寶卜筮以助善唐虞以上不可記已自三代之興各據禎祥塗山之兆從而夏啓世飛燕之卜順故殷興百穀之筮吉故周王王者決定諸疑參以卜筮斷以蓍龜不易之道也蠻夷氐羌雖無君臣之序亦有決疑之卜或以金石或

正義曰昆蟲謂龜也

龜策

以草木徐廣曰一作華國不同俗然皆可以戰伐攻擊
推兵求勝各信其神以知來事略聞夏殷欲卜
者乃取蓍龜已則棄去之以爲龜藏則不靈蓍
久則不神至周室之卜官常寶藏蓍龜又其大
小先後各有所尚要其歸等耳或以爲聖王遭
事無不定決疑無不見其設稽神求問之道者
以爲後世衰微愚不師智人各自安化分爲百
室道散而無垠故推歸之至微要絜於精神也
或以爲昆蟲之所長聖人不能與爭其處吉凶
別然否多中於人至高祖時因秦太卜官天下

疇者等也
後漢桑遵傳曰死則疇其爵邑世無絕嗣
注曰疇等也言功臣死後子孫襲封世世与先人等
自効絕倫超奇者為右　如此可讀從
雖莊田無以絕倫為上也

始定兵革未息及孝惠享國日少呂后女主孝文孝景因襲掌故未遑講試雖父子疇官世世相傳其精微深妙多所遺失至今上即位博開藝能之路悉延百端之學通一伎之士咸得自效絕倫超奇者爲右無所阿私數年之間太卜大集會上欲擊匈奴西攘大宛徐廣曰攘一作襄襄除也南收百越卜筮至預見表象先圖其利及猛將推鋒執節獲勝於彼而蓍龜時日亦有力於此上尤加意賞賜至或數千萬如丘子明之屬富溢貴寵傾於朝廷至以卜筮射蠱道巫蠱時或頗中

素有眦睚不快因公行誅恣意所傷以破族滅門者不可勝數百僚蕩恐皆曰龜策能言後事覺姦窮亦誅三族夫摓策定數（徐廣曰摓音逢一作挻○索隱曰摓謂兩手執蓍分而扐之故云摓策）灼龜觀兆變化無窮是以擇賢而用占焉可謂聖人重事者乎周公卜三龜而武王有瘳紂爲暴虐而元龜不占晉文將定襄王之位卜得黃帝之兆（左傳曰遇黃帝戰于阪泉之兆）卒受彤弓之命獻公貪驪姬之色卜而兆有口象其禍竟流五世楚靈將背周室卜而龜逆（左傳曰靈王卜曰余尚得天[illegible]不吉投龜詬天而呼曰是區區者而不余畀余必自取之○索隱曰詬音火候反）終被乾溪之

敗兆應信誠於內而時人明察見之於外可不
謂兩合者哉君子謂夫輕卜筮無神明者悖背
人道（索隱曰悖音背音佩）信禎祥者鬼神不得其正故書
建稽疑五謀而卜筮居其二五占從其多明有
而不專之道也余至江南觀其行事問其長老
云龜千歲乃遊蓮葉之上（徐廣曰蓮一作領領与蓮聲相近或假借字也）蓍
百莖共一根（徐廣曰劉向云龜千歲而靈蓍百年而一本生百莖）又其所生獸
無虎狼草無毒螫江傍家人常畜龜飲食之以
為能導引致氣有益於助衰養老豈不信哉褚
先生曰臣以通經術受業博士治春秋以高第

為郎幸得宿衛出入宮殿中十有餘年竊好太史公傳太史公之傳曰三王不同龜四夷各異卜然各以決吉凶略闚其要故作龜策列傳臣往來長安中求龜策列傳不能得故之大卜官問掌故文學長老習事者寫取龜策卜事編于下方聞古五帝三王發動舉事必先決蓍龜傳曰（索隱曰此傳即太卜所得古龜之說也）下有伏靈上有兔絲上有擣蓍（索隱曰擣音逐留反擣蓍即藂蓍擣古稠字）下有神龜所謂伏靈者在兔絲之下狀似飛鳥之形新雨已天清靜無風以夜捎兔絲去之即以篝燭此地（徐廣曰篝籠也蓋然火而

伏靈

籠罩其上也音溝陳涉世家曰夜篝火也燭之火滅即記其處以新布四丈環置之明即掘取之入四尺至七尺得矣過七尺不可得伏靈者千歲松根也食之不死聞蓍生滿百莖者其下必有神龜守之其上常有青雲覆之傳曰天下和平王道得而蓍莖長丈其叢生滿百莖方今世取蓍者不能中古法度不能得滿百莖長丈者取八十莖已上蓍長八尺即難得也人民好用卦者取滿六十莖已上長滿六尺者即可用矣記曰能得名龜者財物歸之家必大富至千萬一曰北斗龜二曰南辰

龜三曰五星龜四曰八風龜五曰二十八宿龜六曰日月龜七曰九州龜八曰玉龜凡八名龜龜圖各有文在腹下文云云者此某之龜也略記其大指不寫其圖取此龜不必滿尺二寸民人得長七八寸可寶矣今夫珠玉寶器雖有所深藏之見其光必出其神明其此之謂乎故玉處於山而木潤淵生珠而岸不枯者徐廣曰一無不字許氏說淮南以爲滋潤鉅於明珠致令岸枯也潤澤之所加也明月之珠出於江海藏於蚌中蚗龍伏之徐廣曰許氏說淮南云蚗龍龍屬也音決○索隱曰蚗當爲蛟蠪音龍注音決誤也王者得之長有天下四夷賓服能

臑 臂節也

得百莖蓍并得其下龜以卜者百言百當足以決吉凶神龜出於江水中廬江郡常歲時生龜長尺二寸者二十枚輸太卜官太卜官因以吉日剔取其腹下甲龜千歲乃滿尺二寸王者發軍行將必鑽龜廟堂之上以決吉凶今高廟中有龜室藏內以為神寶傳曰取前足臑骨穿佩之（徐廣曰臑音乃毛反臑臂○索隱曰臑音乃高反一音乃導反）取龜置室西北隅懸之以入深山大林中不惑白為郎時見萬畢石朱方傳曰有神龜在江南嘉林中（索隱曰按萬畢術中有石朱方中說嘉林中故云傳曰）嘉林者獸無虎狼鳥無鴟梟草無毒

正義曰譺猶疑也

螯野火不及斧斤不至是爲嘉林龜在其中常
巢於芳蓮之上左脅書文曰甲子重光徐廣曰子一作予
得我者匹夫爲人君有土正徐廣曰正長也爲有土之官長諸侯
得我爲帝王求之於白蛇蟠杅林中者徐廣曰杅一音烏瓜反齋
戒以待譺然索隱曰按林名白蛇蟠杅林龜藏其中杅音烏謂白蛇嘗蟠杅此林中也譺音擬譺言
求龜者齋戒以待恒譺然也狀如有人來告之因以醮酒佗髮
徐廣曰佗一作被索隱曰佗音徒我切謂被髮也求之三宿而得由是觀之
豈不偉哉故龜可不敬與南方老人用龜支牀
足行二十餘歲老人死移牀龜尚生不死龜能
行氣導引問者曰龜至神若此然太卜官得生

龜策

左方指下所記

龜何爲輙殺取其甲乎近世江上人有得名龜畜置之家因大富與人議欲遣去人教殺之勿遣遣之破人家龜見夢曰送我水中無殺吾也其家終殺之殺之後身死家不利人民與君王者異道人民得名龜其狀類不宜殺也以往古故事言之古明王聖王皆殺而用之宋元王時得龜亦殺而用之謹連其事於左方令好事者觀擇其中焉爲宋元王二年江使神龜使於河至於泉陽漁者豫且舉網得而因之索隱曰且音子余切泉陽人網置之籠中夜半龜來見夢於宋元王曰我

爲江使於河而幕網當吾路泉陽豫且得我我不能去身在患中莫可告語王有德義故來告訴元王惕然而悟乃召博士衛平而問之（索隱曰宋元君之臣也）曰今寡人夢見一丈夫延頸而長頭衣玄繡之衣而乘輜車來見夢於寡人曰我爲江使於河而幕網當吾路泉陽豫且得我我不能去身在患中莫可告語王有德義故來告訴是何物也衛平乃援式而起（徐廣曰式一音栻）仰天而視月之光觀斗所指定日處鄉規矩爲輔副以權衡四維已定八卦相望視其吉凶介蟲先見乃對元

天

王曰今昔壬子（索隱曰今昔猶昨夜也以今日言之謂昨夜爲今昔）宿在牽牛河水大會鬼神相謀漢正南北（正義曰漢大河）江河固期南風新至江使先來白雲壅漢萬物盡留斗柄指日使者當囚玄服而乘輜車其名爲龜王急使人問而求之王曰善於是王乃使人馳而往問泉陽令曰漁者幾何家名誰爲豫且豫且得龜見夢於王王故使我求之泉陽令乃使吏案籍視圖水上漁者五十五家上流之廬名爲豫且泉陽令曰諾乃與使者馳而問豫且曰今昔汝漁何得豫且曰夜半時舉網得龜（[illegible]曰得白龜[illegible]圓五尺）

籠

使者曰今龜安在曰在籠中使者曰王知子得龜故使我求之豫且曰諾即系龜而出之籠中獻使者使者載行出於泉陽之門正晝無見風雨晦冥雲蓋其上五采青黃雷雨並起風將而行入於端門見於東箱身如流水潤澤有光望見元王延頸而前三步而止縮頸而卻復其故處元王見而怪之問衛平曰龜見寡人延頸而前以何望也縮頸而復是何當也衛平對曰龜在患中而終昔囚王有德義使人活之今延頸而前以當謝也縮頸而卻卻亟去也元王曰善

欲

哉神至如此乎不可久留趣駕送龜勿令失期
衛平對曰龜者是天下之寶也先得此龜者為
天子且十言十當十戰十勝生於深淵長於黃
土知天之道明於上古游三千歲不出其域安
平靜正動不用力壽蔽天地莫知其極與物變
化四時變色居而自匿伏而不食春倉夏黃秋
白冬黑明於陰陽審於刑德先知利害察於禍
福以言而當以戰而勝王能寶之諸侯盡服王
勿遣也以安社稷元王曰龜甚神靈降于上天
陷於深淵在患難中以我為賢德厚而忠信故

來告寡人寡人若不遣也是漁者也漁者利其肉寡人貪其力下爲不仁上爲無德君臣無禮何從有福寡人不忍奈何勿遣衛平對曰不然臣聞盛德不報重寄不歸天與不受天奪之寶今龜周流天下還復其所上至蒼天下薄泥塗還徧九州未嘗愧辱無所稽留今至泉陽漁者辱而囚之王雖遣之江河必怒務求報仇自以爲侵因神與謀淫雨不霽水不可治若爲枯旱風而揚埃蝗蟲暴生百姓失時王行仁義其罰必來此無佗故其祟在龜後雖悔之豈有及哉

訑 正義曰欺也

王勿遣也元王慨然而歎曰夫逆人之使絶人之謀是不暴乎取人之有以自爲寶是不彊乎寡人聞之暴得者必暴亡彊取者必後無功桀紂暴彊身死國亡今我聽子是無仁義之名而有暴彊之道江河爲湯武我爲桀紂未見其利恐離其咎寡人狐疑安事此寶趣駕送龜勿令久留衞平對曰不然王其無患天地之間累石爲山高而不壞地得爲安故云物或危而顧安或輕而不可遷人或忠信而不如誕謾徐廣曰誕一作訑訑音土和反○索隱曰誕音由爛切謾音漫又並如字或醜惡而宜大官或美好

逆人之使絶人之謀 如此可讀歟雖然且從旧点也

佳麗而爲衆人患非神聖人莫能盡言春秋冬
夏或暑或寒寒暑不和賊氣相奸同歲異節其
時使然故令春生夏長秋收冬藏或爲仁義或
爲暴彊暴彊有鄉仁義有時萬物盡然不可勝
治大王聽臣臣請悉言之天出五色以辨白黑
地生五穀以知善惡人民莫知辨也與禽獸相
若谷居而穴處不知田作天下禍亂陰陽相錯
怱怱疾疾徐廣曰一作病通而不相擇妖孽數見正義曰謂文二六衣服
謌謠草木之怪謂之妖禽獸蟲蝗之怪謂之孽也傳爲單薄聖人別其生使
無相獲禽獸有牝牡置之山原鳥有雌雄布之

龜策

蓍 嗜

羸 正義曰饒利也

林澤有介之蟲置之谿谷故牧民爲之城郭内經閭術外爲阡陌夫妻男女賦之田宅列其室屋爲之圖籍別其名族立官置吏勸以爵祿衣以桑麻養以五穀耕之耰之（徐廣曰音憂○正義曰耰覆種也說文云耰摩田器）鉏之耨之（徐廣曰耨除草也）口得所著目得所美身受其利以是觀之非彊不至故曰田者不彊囷倉不盈（正義曰說文云圓者謂之囷方者謂之稟）商賈不彊不得其贏婦女不彊布帛不精官御不彊其勢不成大將不彊卒不使令侯王不彊沒世無名故云彊者事之始也又之理也物之紀也所求於彊無不

有也王以為不然王獨不聞玉櫝隻雉（徐廣曰隻一作雙）
出於昆山明月之珠出於四海鐫石拌蚌（徐廣曰鐫
音子旋反拌音判○索隱曰拌剖也）傳賣於市聖人得之以為大寶
大寶所在乃為天子今王自以為暴不如拌蚌
於海也自以為彊不過鐫石於昆山也取者無
咎寶者無患今龜使來抵網而遭漁者得之見
夢自言是國之寶也王何憂焉元王曰不然寡
人聞之諫者福也諛者賊也人主聽諛是愚惑
也雖然禍不妄至福不徒來天地合氣以生百
財陰陽有分不離四時十有二月日至為期聖

人徹焉身乃無災明王用之人莫敢欺故云福
之至也人自生之禍之至也人自成之禍與福
同刑與德雙聖人察以知吉凶桀紂之時與
矣爭劫擁遏鬼神使不得通是固已無道矣諫
臣有衆桀有諛臣名曰趙梁教爲無道勸以貪
狼繫湯夏臺殺關龍逢左右恐死偷諛於傍國
危於累卵皆曰無傷稱樂萬歲或曰未央蔽其
耳目與之詐狂湯卒伐桀身死國亡聽其諛臣
身獨受殃春秋著之至今不忘紂有諛臣名爲
左彊誇而目巧教爲象郎禮記曰目巧之室鄭玄曰但用目巧善意作室不由

樂心也

法度許慎曰象牙郎將至於天又有玉牀犀玉之器象箸而

羹索隱曰箸音持慮反則箸即筯為與羹連或非箸樽也說曰羹之有菜者用梜梜者筯也聖人剖

其心壯士斬其胻胻音衡脚脛也箕子恐死被髮佯狂

殺周太子歷囚文王昌投之石室索隱曰按殺周太子歷在囚文王昌之上則近是季歷不被紂誅則其言近妄無容周更別有太子名歷也將以昔至明

陰兢活之徐廣曰兢一作兢○索隱曰陰姓兢名也與之俱亡入於周地

得太公望興卒聚兵與紂相攻文王病死載尸

以行太子發代將號為武王戰於牧野破之華

山之陽紂不勝敗而還走圍之象郎自殺宣室

徐廣曰天子之居名曰宣室身死不葬頭懸車軫四馬曳行寡

人念其如此腸如涫湯（徐廣曰涫音館一作沸○索隱曰涫沸也）是人
皆富有天下而貴至天子然而大傲欲無厭時
舉事而喜高貪狠而驕不用忠信聽其諛臣而
為天下笑今寡人之邦居諸侯之閒曾不如秋
毫舉事不當又安亡逃衛平對曰不然河雖神
賢不如崑崙之山江之源理不如四海而人尚
奪取其寶諸侯爭之兵革為起小國見亡大國
危殆殺人父兄虜人妻子殘國滅廟以爭此寶
戰攻分爭是暴彊也故云取之以暴彊而治以
文理無逆四時必親賢士與陰陽化鬼神為使

通於天地與之爲友諸侯賓服民衆殷喜邦家安寧與世更始湯武行之乃取天子春秋著之以爲經紀王不自稱湯武而自比桀紂爲暴彊也固以爲常桀爲瓦室（世本曰昆吾作陶張華博物記亦云桀作瓦蓋是昆吾爲桀作也）紂爲象郎徵絲灼之務以費民（索隱曰灼謂燔也音焫絲以當薪務費人也）賦斂無度殺戮無方殺人六畜以韋爲囊囊盛其血與人懸而射之與天帝爭彊逆亂四時先百鬼嘗諫者輒死諛者在傍聖人伏匿百姓莫行天數枯旱國多妖祥螟蟲歲生五穀不成民不安其處鬼神不享飄風日起正晝晦

冥日月並蝕滅息無光列星奔亂皆絕紀綱以
是觀之安得久長雖無湯武時固當亡故湯伐
桀武王剋紂其時使然乃為天子子孫續世終
身無咎後世稱之至今不已是皆當時而行見
事而彊乃能成其帝王今龜大寶也為聖人使
傳之賢士不用手足雷電將之風雨送之流水
行之侯王有德乃得當之今王有德而當此寶
恐不敢受王若遣之宋必有咎後雖悔之亦無
及已元王大悅而喜於是元王向日而謝索隱曰蓋欲神
之以謝天之貺向日者天之光明著見者也再拜而受擇日齋戒甲乙最

良乃刑白雉及與驪羊以血灌龜於壇中央以刀剝之身全不傷脯酒禮之橫其腹腸荊支卜之必制其創（正義曰音創）理達於理文相錯迎使工占之所言盡當邦福重寶（徐廣曰福音副藏也）聞于傍鄉殺牛取革被鄭之桐（徐廣曰牛革桐爲鼓也）草木畢分化爲甲兵戰勝攻取莫如元王元王之時衛平相宋宋國最彊龜之力也故云神至能見夢於元王而不能自出漁者之籠身能十言盡當不能通使於河還報於江賢能令人戰勝攻取不能自解於刀鋒免剝刺之患聖能先知亟見而不能令

掾說文緣也
掾恐又椽發未詳
正義作椽

衛平無言事百全至身而攣當時不利又焉事賢賢者有恒常士有適然是故明有所不見聽有所不聞人雖賢不能左畫方右畫圓日月之明而時蔽於浮雲羿名善射不如雄渠蓬門新序曰楚雄渠子夜行見伏石當道以為虎而射之應弦沒羽淮南子曰射者重以逢蒙門子之巧劉歆七略有逢門射法也禹名為辯智而不能勝鬼神地拄折天故毋掾又奈何責人於全孔子聞之曰神龜知吉凶而骨直空枯正義曰凡龜其骨空中而枯也直語發聲也今河東亦然日為德而君於天下辱於三足之烏月為刑而相佐見食於蝦蟇蝟辱於鵲郭璞曰蝟能制虎見毛仰地淮南萬畢曰鵲令蝟反腹者蝟憎其意而心

卯乍日

正義曰拘檢也

據音倨傲也

惡之也騰蛇之神而殆於即且郭璞曰騰蛇龍屬也蝍且似蝗大腹食蛇腦也○正義曰即津日反且則餘反即吳公也狀如蚰蜒而大黑色竹外有節理中直空虛松柏爲百木長而守門閭日辰不全故有孤虛甲乙謂之日子丑謂之辰六甲孤虛法甲子旬中無戌亥戌亥即爲孤辰巳即爲虛甲戌旬中無申酉申酉爲孤寅卯爲虛甲申旬中無午未午未爲孤子丑即爲虛甲午旬中無辰巳辰巳爲孤戌亥即爲虛甲辰旬中無寅卯寅卯爲孤申酉即爲虛甲寅旬中無子丑子丑爲孤午未即爲虛劉歆七略有風后孤虛二十卷○正義曰按歲月日時孤虛並得上法也黃金有疵白玉有瑕事有所疾亦有所徐物有所拘亦有所據罔有所數亦有所踈人有所貴亦有所不如何可而適乎物安可全乎天尚不全故世爲屋不成三瓦而陳之徐廣曰一云爲屋不成

蕭耕三十六陳衆仲先生嘗題楽全堂有[illegible]不成三瓦飛之句人多不知所出按
史記龜策傳云天尚不全故世爲屋不成三瓦而陳之注陳猶居也

欠三瓦而棟之也○索隱曰劉氏云陳猶居也注作棟音都
貢反○正義曰言爲屋不成欠三瓦以應天猶陳列而居之
以應之天天下有階物不全正義曰言萬物及日月天地皆不能全喻龜之
不全也乃生也
褚先生曰漁者舉網而得神龜龜自見夢宋元
王元王召博士衞平告以夢龜狀平運式定日
月分衡度視吉凶占龜與物色同平諫王留神
龜以爲國重寶美矣古者筮必稱龜者以其令
名所從來久矣余述而爲傳
三月　二月　正月正義曰言正月二月三月右轉周環終十二月者日
月之龜腹下十二黑點爲年日者若二十八宿也十二月　十一月中關內高外下

○正義曰此等下至首俛大者皆卜兆之狀也　四月索隱曰音魚兩反○正義曰謂兆首仰起

足開　肣開索隱曰音琴肣謂兆足歛也　首俛大索隱曰俛音免兆首伏也

五月　橫吉　首俛大正義曰俛音免謂兆首伏而大

六月　七月　八月

九月　十月

卜禁曰子亥戌不可以卜及殺龜日中如食已卜暮昏龜之徼也索隱曰徼音叫謂徼繞不明也不可以卜庚辛可以殺及以釁之常以月旦祓龜索隱曰祓音廢又音拂拂浣之以水雞卵摩之而呪先以清水澡之以卵祓之正義曰以常月朝清水洗之以雞卵摩仰祝之乃持龜而遂之若常以爲祖徐廣曰一作視○索隱曰

龜策

常

祖法也言以爲常法人若已卜不中皆祓之以卵東向立灼以荊若剛木土徐廣曰一作十一○索隱曰按古之灼龜取生荊枝及生堅木燒之斬斷以灼龜按土字合依劉氏說當連下句卵指之者三正義曰言卜不中以土爲卵三度指之三周繞之用厭不祥也持龜以卵周環之祝曰今日吉謹以粱卵焍黃索隱曰粱米也卵雞子也焍龜木也音次第之第言燒荊枝更遞而灼故有焍名一音梯言灼之以漸如有階梯也黃者以黃絹裹粱卵以祓龜也以黃者中之色王土而信故用雞也○正義曰焍音題焍焦也言以粱米雞卵祓去龜之不祥令灼之不焦不黃若色焦及黃卜之不中也祓去玉靈之不祥玉靈必信以誠知萬事之情辯兆皆可占不信不誠則燒玉靈揚其灰以徵後龜其卜必北向龜甲必尺二寸

正義曰造竈明是焌荊枝也
所謂三者 正身 灼首 正足
師說曰其欲卜以後無注又無音義并索隱前代已無注解後世何有訓說

龜策

卜先以造（徐廣曰音竈也）灼鑽（索隱曰造謂燒荊之處物若木也）鑽中已又灼龜首各三又復灼所鑽中曰正身灼首曰正足各三（徐廣曰一作上）即以造三周龜祝曰假之玉靈夫子夫子玉靈（索隱曰尊神龜而爲之作號）荊灼而心令而先知而上行於天下行於淵諸靈數𥳑（徐廣曰音策○索隱曰數音所其反𥳑音近策或𥳑是策之別名此卜筮之書其字亦無可覈他皆放此）莫如汝信今日良日行一良貞（徐廣曰行一作身）其欲卜某即得而喜不得而悔即得發鄉我身長大手足收人皆上偶不得發鄉我身挫折中外不相應手足滅去

靈龜卜祝曰假之靈龜五巫五靈不知神龜之

其思貞手

貞

靈知人死知人生其身良其欲求其物即得也頭見足發內外相應即不得也頭仰足肣內外自隨可得占

卜占病者祝曰今某病困死首上開內外交駿身節折不死首仰足肣卜病者祟曰今病有祟無呈無祟有呈兆有中祟有內外祟有外

卜繫者出不出横吉安若出足開首仰有外

卜求財物其所當得得首仰足開內外相應即不得呈兆首仰足肣

卜有賣若買臣妾馬牛得之首仰足開內外相
應不得首仰足肣呈兆若橫吉安
卜繫盜聚若干人在某所今某將卒若干人往
擊之當勝首仰足開身正內自橋外下不勝足
肣首仰身首徐廣曰一作簡內下外高
卜求當行不行行首足開不行足肣首仰若橫
吉安安不行
卜往擊盜當見不見見首仰足肣有外不見足
開首仰
卜往候盜見不見見首仰足肣肣勝有外不見

足開首仰
卜闌盜來不來來外高內下足肸首仰不來足
開首仰若横吉安期之自次
卜遷徙去官不去去足開有肸外首仰不去自
去即足肸呈兆若横吉安
卜居官尚吉不吉呈兆身正若横吉安不吉身
節折首仰足開
卜居室家吉不吉吉呈兆身正若横吉安不吉
身折節首仰足開
卜歲中禾稼孰不孰孰首仰足開內外自橋

自垂不執足肣手仰有外
卜歲中民疫不疫疫首仰足肣身節有彊外不
疫身正首仰足開
卜歲中有兵無兵無兵呈兆若横吉安有兵首
仰足開身作外彊情
卜見貴人吉不吉吉足開首仰身正內自橋不
吉首仰身節折足肣有外若無漁
卜請謁於人得不得得首仰足開內自橋不得
首仰足肣有外
卜追亡人當得不得得首仰足肣內外相應不

得首仰足開若横吉安
卜漁獵得不得得首仰足開內外相應不得足
胗首仰若横吉安
卜行遇盜不遇遇首仰足開身節折外高內下
不遇呈兆
卜天雨不雨雨首仰有外外高內下不雨首仰
足開若横吉安
卜天雨霽不霽霽呈兆足開首仰不霽横吉命
曰横吉安以占病病甚者一日不死不甚者卜
曰瘳不死繫者重罪不出輕罪環出過一日不

出父母傷也求財物買臣妾馬牛一日環得過一日不得不得行者不行來者環至過倉時不至不來擊盜不行行不遇聞盜不來從官不從居官家室皆吉歲稼不孰民疾疫無疾歲中無兵見人行不行不喜請謁人不行不得追亡人漁獵不得行不遇盜雨不雨霽不霽

命曰三兆病者不死繫者出行者行來者來市買得追亡人得過一日不得聞行者不到

命曰柱徹卜病不死繫者出行者行來者來而市買不得憂者毋憂追亡人不得

命曰首仰足肣有内無外占病病甚不死繫者
解求財物買臣妾馬牛不得行者聞言不行來
者不來聞盗不來聞言不至徙官聞言不徙居
官有憂居家多災歲稼中孰民疾疫多病歲中
有兵聞言不開見貴人吉請謁不行行不得善
言追亡人不得漁獵不得行不遇盗雨不雨甚
霽不霽故其莫字皆爲首備問之曰備者仰也
故定以爲仰此私記也
命曰首仰足肣有内無外占病病甚不死繫者
不出求財買臣妾不得行者不行來者不來繫

盜不見聞盜來內自驚不來徙官不徙居官家室吉歲稼不孰民疾疫有病甚歲中無兵見貴人吉請謁追亡人不得亡財物財物不出得漁獵不得行不遇盜雨不雨霽不霽凶

命曰呈兆首仰足肣以占病不死繫者未出求財物買臣妾馬牛不得行不行來不來擊盜不相見聞盜來不來徙官不徙居官久多憂居家室不吉歲稼不孰民病疫歲中毋兵見貴人不吉請謁不得漁獵得少行不遇盜雨不雨霽不霽不吉

命曰呈兆首仰足開以占病病篤死繫囚出求
財物買臣妾馬牛不得行者行來者來擊盜不
見盜聞盜來不來徙官徙居官不久居家室不
吉歲稼不孰民疾疫有而少歲中無兵見貴人
不見吉請謁追亡人漁獵不得行遇盜雨不雨
霽小吉
命曰首仰足肣以占病不死繫者久毋傷也求
財物買臣妾馬牛不得行者不行擊盜不行來
者來聞盜來徙官聞言不徙居家室不吉歲稼
不孰民疾疫少歲中毋兵見貴人得見請謁追

亡人漁獵不得行遇盜雨不雨霽不霽吉
命曰首仰足開有內以占病者死繫者出求財物買臣妾馬牛不得行者行來擊盜行不見盜聞盜來不來徙官徙居官不以居家室不吉歲孰民疾疫有而少歲中毋兵見貴人不吉請謁追亡人漁獵不得行不遇盜雨霽霽小吉不霽吉

命曰橫吉內外自橋以占病卜日毋瘳死繫者毋罪出求財物買臣妾馬牛得行者行來者來擊盜合交等聞盜來來徙官徙居家室吉歲孰

民疫無疾歲中無兵見貴人請謁追亡人漁獵
得行遇盜雨霽雨霽大吉
命曰橫吉内外自吉以占病病者死繫不出求
財物買臣妾馬牛追亡人漁獵不得行者不來
擊盜不相見聞盜不來徙官徙居官有憂居家
室見貴人請謁不吉歲稼不孰民疾疫歲中無
兵行不遇盜雨不雨霽不霽不吉
命曰漁人以占病者病者甚不死繫者出求財
物買臣妾馬牛擊盜請謁追亡人漁獵得行者
行來聞盜來不來徙官不徙居家室吉歲稼不

孰民疾疫歲中毋兵見貴人吉行不遇盜雨不
雨霽不霽吉

命曰首仰足肣内高外下以占病病者甚不死
繫者不出求財物買臣妾馬牛追亡人漁獵得
行不行來者來擊盜勝從官不從居官有憂無
傷也居家室多憂病歲大孰民疾疫歲中有兵
不至見貴人請謁不吉行遇盜雨不雨霽不霽
吉

命曰横吉上有仰下有柱病久不死繫者不出
求財物買臣妾馬牛追亡人漁獵不得行不行

來不來擊盜不行行不見聞盜來不來從官不
從居家室見貴人吉歲大孰民疾疫歲中毋兵
行不遇盜雨不雨霽不霽大吉
命曰橫吉揄仰以占病不死繫者不出求財物
買臣妾馬牛至不得行不行來不來擊盜不行
行不見聞盜來不來從官不從居官家室見貴
人吉歲孰歲中有疾疫毋兵請謁追亡人不得
漁獵至不得行不得行不遇盜雨霽不霽小吉
命曰橫吉下有柱以占病病甚不環有瘳無死
繫者出求財物買臣妾馬牛請謁追亡人漁獵

萬葉 十三

不得行來不來繫盜不合聞盜來來從官居官
吉不久居家室不吉歲不孰民毋疾疫歲中毋
兵見貴人吉行不遇盜雨不雨霽小吉
命曰載所以占病環有瘳無死繫者出求財物
買臣妾馬牛請謁追亡人漁獵得行者行來者
來繫盜相見不相合聞盜來來從官從居家室
憂見貴人吉歲孰民毋疾疫歲中毋兵行不遇
盜雨不雨霽霽吉
命曰根格以占病者不死繫久毋傷求財物買
臣妾馬牛請謁追亡人漁獵不得行不行來不

來繫盜盜行不合聞盜不來從官不從居家室
吉歲稼中民疾疫無死見貴人不得見行不遇
盜雨不雨大吉
命曰首仰足胕外高内下卜有憂無傷也行者
不來病久死求財物不得見貴人者吉
命曰外高内下卜病不死有罪而市買不得居
官家室不吉行者不行來者不來繫者久毋傷
吉
命曰頭見足發有内外相應以占病者起繫者
出行者行來者來求財物得吉

命曰呈兆首仰足開以占病病甚死繫者出有憂求財物買臣妾馬牛請謁追亡人漁獵不得行行不行來不來擊盜不合聞盜來來徙官居官家室不吉歲惡民疾疫無死歲中毋兵見貴人不吉行不遇盜雨不雨霽不吉

命曰呈兆首仰足開外高內下以占病不死有外祟繫者出有憂求財物買臣妾馬牛相見不會行行來聞言不來擊盜勝聞盜來不來徙官居官家室見貴人不吉歲中民疾疫有兵請謁追亡人漁獵不得聞盜遇盜雨不雨霽凶

命曰首仰足肣身折内外相應以占病病甚不
死繫者久不出求財物買臣妾馬牛漁獵不得
行不行來不來擊盜有用勝聞盜來來徙官不
徙居官家室不吉歲不孰民疾疫歲中有兵不
至見貴人喜請謁追亡人不得遇盜凶
命曰内格外垂行者不行來者不來病者死繫
者不出求財物不得見人不見大吉
命曰横吉内外自橋榆仰上柱上柱足足肣
以占病病甚不死繫久不抵罪求財物買臣妾
馬牛請謁追亡人漁獵不得行不行來不來居

官家室見貴人吉從官不從歲不大孰民疾疫

有兵有兵不會行遇盜聞言不見雨不雨霽不霽

大吉

命曰頭仰足肣内外自隨，上憂病者甚不死居

官不得居行者行來者不來求財物不得求人

不得吉。

命曰橫吉下有柱，卜來者來卜日即不至未來

上病者過一日毋瘳死行者不行求財物不得

繫者出。

命曰橫吉内外自舉以占病者久不死繫者久

不出求財物得而少行者不行來者不來見貴
人見吉
命曰內高外下疾輕足發求財物不得行者行
病者有瘳繫者不出來者來見貴人不見吉
命曰外格求財物不得行者不行來者不來繫
者不出不吉病者死求財物不得見貴人見吉
命曰內自舉外來正足發者行來者來求財物
得病者久不死繫者不出見貴人見吉
此橫吉上柱外內內自舉足肣以下有求得病
不死繫者毋傷未出行不行來不來見人不見

百事盡吉

此横吉上柈外內自舉柱足以依以卜有求得病死環起繫留毋傷環出行不行來不來見人不見百事吉可以舉兵

此挺詐有外以卜有求不得病不死數起繫禍罪聞言毋傷行不行來不來

此挺詐有內以卜有求不得病不死數起留禍罪無傷繫出行不行來者不來見人不見

此挺詐內外自舉以卜有求得病不死繫毋罪行行來來田賈市漁獵盡喜

狐本作支

此狐狢以有卜求不得病死難起繫留毋罪難出可居宅可娶婦嫁女行不行求不來見人不見有憂不憂

此狐徹以卜有求不得病者死繫留有抵罪行不行求不來不來見人不見言語定百事盡不吉

此首俯足肣身節折以卜有求不得病者死留繫有罪望行者不來行行求不來見人不見

此挺內外自垂以卜有求不晦病不死難起繫留毋罪難出行不行求不來見人不見不吉

此橫吉榆仰首俯以卜有求難得病難起不死

此一段重說誤殺一本削之

繫難出毋傷也可居家室以娶婦嫁女
此橫吉上柱載正身節折內外自舉以上病者
卜日不死其一日乃死
此橫吉上柱足肣內自舉外自垂以上病者卜
日不死其一日乃死
此橫吉上柱足肣內自舉外自垂以下病卜日
不死其一日乃死
爲人病首俯足詐有外無內病者占龜未已急
死卜輕失大一日不死
首仰足肣以卜有求不得以繫有罪人言語恐

者

正義曰以下北十七字可丢甚鄙拙

之毋傷行不行見人不見

大論曰索隱曰按褚先生所取太卜雜占卦體及命兆之辭義蕪辭重殆無足採凡此六十七條別是也

外者人也內者自我也外者女也內者男也首俛者憂大者身也小者枝也大法病者足肣者生足開者死行者足開至足肣者不至行者足肣不行足開行者求足開得足肣者不得繫者足肣不出開出其上病也足開而死者內高而外下也

索隱述贊曰

三王異龜　五帝殊卜　或長或短

若尾若玉　其記已亡　其繇後續
江使觸網　見留宋國　神能託夢
不衛其足

呱龍

龜策列傳第六十八　史記一百二十八

龜策傳雖如旧本加點未通義理待精史學之人以可究其深奧者也

貨殖

范蠡　子貢　白圭

猗頓　卓氏　程鄭

宛孔子　師史　任氏

史記列傳　八十九

至治之極　正義曰言至治之極時猶隣國相望其俗至老死不往来也
相望　正義曰遠見而不相往来故相望也
輓近世塗民耳目　正義曰輓与挽同輓引也塗塞也言輓引至於近世求利乃
塗塞民耳目則無所機其切近言不如古者
或本幾字有通曰先刑後陸決無引字諸本亦無行字
吾不知已　正義曰太史公云神農以前詩書不及至於貨殖不能知已
使俗之漸民久矣　正義曰言詩書述虞夏以来声色蒭豢佚樂奢矜有威勢
則能為榮華於被世漸深使民為之久矣
正義以使字連俗字
戸説以眇論　正義曰音路頓反雖戸戸説以其為之眇論終不能改貨殖奢矜之
俗化也
善者因之　正義曰言善政者因改清淨隨俗而誘之其次以利道引之其次
設化變改之整齊不貪之最下者与衆争利及奢矜也

漢書列傳六十一之卷

貨殖列傳第六十九　史記一百二十九

老子曰至治之極鄰國相望雞狗之聲相 索隱曰論語云賜不受命而貨殖焉廣雅云殖立也孔安國註尚書云殖生也生資貨財利也 正義曰音亡

聞民各甘其食美其服安其俗樂其業至老死

不相往來必用此爲務輓近世塗民耳目則幾

無行矣 索隱曰輓音晚古字通用

太史公曰夫神農以前吾不知已至若詩書所

述虞夏以來耳目欲極聲色之好口欲窮芻豢

之味身安逸樂而心誇矜勢能之榮使俗之漸

民久矣雖戶說以眇論終不能化 索隱曰眇音

善者因之，其次利道之，其次教誨之，其次整齊之，最下者與之爭。夫山西饒材、竹、穀、纑、徐廣曰紵屬可以為布○索隱曰穀音谷雒反穀木名皮可為紙纑山中紵可以為布音盧紵音佇今山間野紵亦作芋旄、玉石；山東多魚、鹽、漆、絲、聲色；江南出枏、梓、索隱曰南子二音薑、桂、金、錫、連、徐廣曰音蓮鉛之未鍊者丹沙、犀、瑇瑁、珠璣、齒革；龍門、碣石正義曰龍門山在徐州龍門縣碣石山在平州盧龍縣北多馬、牛、羊、旃裘、筋角；銅、鐵則千里往往山出棊置：索隱曰言如置棊子往往有之○正義曰言出銅鐵之山方千里如圍棊之置也管子云凡天下名山五千二百七十出銅之山四百六十七出鐵之山三千六百有九山上赭其下有鐵山上有鉛其下有銀山上有銀其下有丹山上有磁石其下有金也此其大較也。索隱曰較音角大較猶大略也皆中國人民所喜好，謠俗

貨殖列傳第六十九　史記一百二十九

老子曰至治之極鄰國相望（正義曰音亡）雞狗之聲相（索隱曰論語云賜不受命而貨殖焉廣雅云殖立也孔安國註尚書云殖生也生資貨財利也）聞民各甘其食美其服安其俗樂其業至老死不相往來必用此爲務輓近世塗民耳目則幾無行矣（索隱曰輓音晚古字通用）

太史公曰夫神農以前吾不知已至若詩書所述虞夏以來耳目欲極聲色之好口欲窮芻豢之味身安逸樂而心誇矜勢能之榮使俗之漸民久矣雖戶說以眇論終不能化（索隱曰眇音妙）

善者因之其次利道之其次教誨之其次整齊之最下者與之爭夫山西饒材竹穀纑徐廣曰紵屬可以為布○索隱曰穀音谷雒反穀木名皮可為紙纑山中紵可以為布音盧紵音佇今山間野紵亦作苧旄玉石山東多魚鹽漆絲聲色江南出枏梓索隱曰南子二音薑桂金錫連徐廣曰音蓮鉛之未鍊者丹沙犀瑇瑁珠璣齒革龍門碣石正義曰龍門山在徐州龍門縣碣石山在平州盧龍縣北多馬牛羊旃裘筋角銅鐵則千里往往山出棊置索隱曰言如置棊子往往有之○正義曰言出銅鐵之山方千里如圍棊之置也管子云凡天下名山五千二百七十出銅之山四百六十七出鐵之山三千六百有九山上有赭其下有鐵山上有鉛其下有銀山上有銀其下有丹沙上有磁石其下有金也此其大較也索隱曰較音角大較猶大略也皆中國人民所喜好謠俗

注曰徵求也此処賤求彼貴処賣之此処貴求彼賤処賣之

正義曰徵召也言物賤彼貴処徵召之

决虞山澤之人凡財用之物皆虞人取之入山澤不辟不開道

被服飲食奉生送死之具也故待農而食之虞而出之工而成之商而通之此寧有政教發徵期會哉人各任其能竭其力以得所欲故物賤之徵貴索隱曰徵者求也謂此物賤求彼貴賣之貴之徵賤各勸其業樂其事若水之趨下日夜無休時不召而自來不求而民出之豈非道之所符而自然之驗邪索隱曰符謂合於道也周書曰農不出則乏其食工不出則乏其事商不出則三寶絕虞不出則財匱少財匱少而山澤不辟矣索隱曰辟音闢辟闢也通也此四者民所衣食之原也原大則饒原小則鮮上則富國下

奪予 正義曰予音與言貧富之道無人奪予之及與之者大則饒足小則鮮少巧者有餘拙者不足

正義曰繈[illegible]兩反

三歸 論八佾註婦人謂嫁曰歸娶三姓女也

貝殖二

則貧富之道莫之奪予索隱曰言貧富自由无奪予也而巧者有餘拙者不足故太公望封於營丘地潟鹵徐廣曰潟音昔潟鹵鹹地也人民寡於是太公勸其女功極技巧通魚鹽則人物歸之繈至而輻湊故齊冠帶衣履天下海岱之間斂袂而往朝焉索隱曰言齊既富饒能冠帶天下豐厚被於他邦故海岱之間斂袵而朝齊言趨利者也其後齊中衰管子修之設輕重九府正義曰管子云輕重謂錢也夫治民有輕重之法周有大府王府內府外府泉府天府職內職金皆掌財幣之官故云九府也則桓公以霸九合諸侯一匡天下而管氏亦有三歸位在陪臣富於列國之君是以齊富彊至於威宣也故曰倉廩實而知禮

范蠡 計然 傳

夫只如客心不安也無所之心中無所趣向也不亦為客乎謂無所止薄也中國尚有礼義有將設夷狄益甚

節衣食足而知榮辱禮生於有而廢於無故君子富好行其德小人富以適其力淵深而魚生之山深而獸往之人富而仁義附焉富者得勢益彰失勢則客無所之以而不樂夷狄益甚諺曰千金之子不死於市此非空言也故曰天下熙熙皆為利來天下壤壤皆為利往夫千乘之王萬家之侯百室之君尚猶患貧而況匹夫編戶之民乎

昔者越王勾踐困於會稽之上乃用范蠡計然

徐廣曰計然者范蠡之師也名研故諺曰研桑心筭駰案[illegible]曰計然者葵丘濮上人姓辛字文子其先晉國亡公子

畢身事之其書則有
方物録著五方所出皆
述事見[illegible]
中經傳之計然者
名研[illegible]越
絶書[illegible]計倪研
然音相近乃一特
耳
歲在金穰正義曰[illegible]
不說者以土王四季
不得爲土故也
正義曰著猶呂[illegible]言
停[illegible]在[illegible]
之物也

也嘗南游於越范蠡師事之○索隱曰韋昭云計然范蠡師也蔡謨云蠡所著書名計然蓋非也案越絕春秋謂之計倪漢書古今人表計然列在第四則倪之與研是一人聲相近而相亂耳計然曰知鬭則修備時用則知物索隱曰言知時所用之物二者形則萬貨之情可得而觀已故歲在金穰水毀木饑火旱索隱曰五行不說土者土穰也旱則資舟水則資車索隱曰國語大夫種曰賈人旱資舟水資車以待乏物之理也六歲穰六歲旱十二歲一大饑夫糶二十病農九十病末索隱曰言米賤則農人病也故云病農若米斗直九十則商賈病故云病末末謂逐末爲商賈也末病則財不出農病則草不辟矣上不過八十下不減三十則農末俱利平糶齊物關市不乏治國之道也積著之理索隱曰著音張呂反務

貨殖 三

策七正義越紀云九術

一尊天事鬼 二重財幣以遺其君 三貴糴粟槀以空其邦 四遺之好美以熒其志 五遺之巧匠使起宮室高臺以盡其財以疲其力 六貴諛臣使之易伐 七彊其諫臣使之自殺 八邦家富而備器 九堅甲利兵以承其弊

無息幣 正義曰無停息幣帛惡物也

腐敗而食之貨勿留 正義曰腐音[illegible]反 言爛敗可食之貨物莫停留也

貴出 賤取 玉 正義曰夫物貴出賤之而收 賤者如糞土不惜 物賤而買若珠玉之言 如珠玉必惜也

策七 正義曰漢書作十 其越絕書云其術有九 辭在越世家篇

幣音備鐵反也

完物無息幣（索隱曰久停息）以物相貿易腐敗而食之貨勿留無敢居貴論其有餘不足則知貴賤貴上極則反賤賤下極則反貴貴出如糞土賤取如珠玉（索隱曰夫物極貴必賤極賤必貴貴出如糞土者既極貴後恐其必賤故乘時出之如糞土賤取如珠玉者既極賤後恐其必貴故乘時取之如珠玉此所以為貨殖也）財幣欲其行如流水修之十年國富厚賂戰士士赴矢石如渴得飲遂報彊吳觀兵中國稱號五霸范蠡既雪會稽之恥乃喟然而歎曰計然之策七越用其五而得意既已施於國吾欲用之家乃乘扁舟（漢書音義曰特舟也○索隱曰扁音篇又音符殄反國語云范蠡乘輕舟以）浮於江湖（正義曰國語云[illegible]）

與時逐 師古曰言豫居貨物隨時而逐利也

滅吳反至五湖范蠡辭於王曰君王勉之臣不復入國矣遂乘輕舟以浮於五湖莫知其所終極變名易姓適齊爲鴟夷子皮索隱曰大顏云若盛酒之鴟夷也用之則多所容納則可卷而懷之不忤於物也按韓子云鴟夷子皮事田成子成子去齊之燕子皮乃從之蓋范蠡也之陶正義曰括地志云即陶山在濟州平陽縣東三十五里陶山之陽也今南五里猶有朱公冢又云曹州濟陽縣東南三里有陶朱公冢又云在南郡華容縣西未詳也爲朱公索隱曰服虔云陶今定陶也朱公以爲陶天下之中諸侯四通貨物所交易也乃治產積居與時逐漢書音義曰逐時而居貨○索隱曰韋昭云隨時逐利也而不責於人索隱曰按謂擇人而與人不負之故云不責於人也故善治生者能擇人而任時十九年之中三致千金再分散與貧交疏昆弟此所謂富好行其德者也後年衰老而聽子孫

不責於人 正義曰言隨時積貨不出責於人

益本作盖

分庭一作畢迎

子孫脩業而息之遂至巨萬（徐廣曰萬萬也）故言富者皆稱陶朱公

子贛既學於仲尼退而仕於衞廢著鬻財於曹魯之間（徐廣曰子贛傳云廢居著猶居也著讀音如貯○索隱曰漢書亦作貯說文云貯積也）七十子之徒賜最為饒益原憲不厭糟糠（索隱曰厭飽也）匿於窮巷子貢結駟連騎束帛之幣以聘享諸侯所至國君無不分庭與之抗禮夫使孔子名布揚於天下者子貢先後之也此所謂得勢而益彰者乎

白圭周人也當魏文侯時李克務盡地力（索隱曰安本

漢書食貨志李悝爲魏文侯作盡地力之教國以富彊此及漢書言克皆誤也劉向別錄則云李悝也

圭樂觀時變故人棄我取人取我與夫歲孰取而白

穀予之絲漆繭出取帛絮與之食索隱曰食謂穀也太陰

在卯穰正義曰太陰歲也後二辰爲太陰明歲衰惡至午旱明歲美

至酉穰明歲衰惡至子大旱明歲美有水至卯

積著率正義曰貯律二音歲倍欲長錢取下穀長石斗取

上種能薄飲食忍嗜欲節衣服與用事僮僕同

苦樂趨時若猛獸摯鳥之發故曰吾治生產猶

伊尹呂尚之謀孫吳用兵商鞅行法是也是故

其智不足與權變勇不足以決斷仁不能以取

貨殖 九

猗乍犄

盬池玄鹽

予彊不能有所守雖欲學吾術終不告之矣蓋天下言治生祖白圭白圭其有所試矣能試有所長非苟而已也

猗頓用盬鹽起孔叢曰猗頓魯之窮士也耕則常飢桑則常寒聞朱公富往而問術焉朱公告之曰子欲速富當畜五牸於是乃適西河大畜牛羊于猗氏之南十年之間其息不可計貲擬王公馳名天下以興富於猗氏故曰猗頓○索隱曰盬音古按周禮盬人云共苦盬杜子春以爲苦讀如盬盬謂出盬直用不練也一說云盬鹽河東大盬散鹽東海煮水爲盬也○正義曰按猗氏蒲州縣也河東鹽池是畦盬作畦若種韭一畦天雨下池中鹹淡得均即畎池中水上畔中深一尺許以日暴之五六日則成盬若白礬石大小如雙陸及暮則呼爲畦盬或有花盬緣黃河盬池有八九所而盬州有烏池猶出三色盬有井盬畦盬花盬其池中鑿井深一二尺去泥即到盬掘取若至一丈則著平石無盬矣其色或白或青黑名曰井盬畦盬若河東者花盬池中有下隨而大小成盬其下方微空上頭隨雨下池中其

困学紀聞十二 食貨志李悝爲魏文侯作盡地力之教 貨殖傳云當魏文侯時李克務盡地力 以爲李克也

文攷之李克七篇在儒家 子夏弟子爲魏文侯相 李悝三十二篇在法家 相魏文侯富國彊兵

貨殖傳史記正義云則白文侯相

貨殖傳誤 別錄亦云李悝

埒等也

牧或音茂

師古曰辟時之禁故伺間陳私遺戎王也

正義曰谷音欲言畜多

衆多以山谷多少言

興列臣朝請

坑

滴高起若趷子形處曰花塩亦曰即成鹽焉池中心有

水淡所作池人馬盡汲此井其鹽四分入官一分入百姓也

池中又鑿得塩阬闊一尺餘高

二尺白色光明洞澈年貢之也　而邯鄲郭縱以鐵冶

成業與王者埒富。

烏氏倮　韋昭曰烏氏縣名屬安定倮名也○索隱曰漢書

作贏。烏氏姓氏音支倮音魯可反○正義曰縣古

城在涇州安定縣

東四十里倮名也　畜牧及衆斥賣求奇繒物間獻

遺戎王　徐廣曰間一作奸不以公正謂之奸也○索隱曰

謂畜牧及至衆多之時斥而賣之以求奇物也間

獻猶私

獻也　戎王什倍其償與之畜　索隱曰謂戎王償

之牛羊十倍也

畜至用谷量馬牛　韋昭曰滿谷則具不復

數○索隱曰谷音欲　秦始皇帝

令倮比封君以時與列臣朝請而巴蜀寡婦清

索隱曰漢書作巴寡婦

清巴寡婦之邑清其名　其先得丹穴　徐廣曰涪陵出丹○

正義曰括地志云寡婦

正義曰斥不

顧曰言盡

畜之

巴寡婦清

傳

貨殖　六

客 漢書作容

牧 或音茂

婦清臺山俗名貞女山在涪州永安縣東北七十里也而擅其利數世家亦不訾正義曰音子兒反言資財衆多不可訾量一云清多以財餙遺四方用衛其業故財亦不多積聚清寡婦也能守其業用財自衛不見侵犯秦皇帝以爲貞婦而客之爲築女懷清臺夫倮鄙人牧長清窮鄉寡婦禮抗萬乘名顯天下豈非以富邪

漢興海內爲一開關梁弛山澤之禁是以富商大賈周流天下交易之物莫不通得其所欲而徙豪傑諸侯彊族於京師關中自汧雍以東至河華膏壤沃野千里自虞夏之貢以爲上田而公劉適邠大王王季在岐文王作豐武王治鎬

陵康

千畦薑與千戸侯等

故其民猶有先王之遺風好稼穡殖五穀地重索隱曰言重於耕稼也重爲邪索隱曰重音逐龍反重者難也畏言不敢爲奸邪○正義曰重丕逐拱反言關中地重厚民亦重難不爲邪惡及秦文孝繆居雍隙徐廣曰隙者間孔也地居隴蜀之間要路故曰隙正義曰雍縣岐州雍縣也隴蜀之貨物而多賈索隱曰賈音古獻孝公徙櫟邑徐廣曰在馮翊○索隱曰櫟音藥即櫟陽櫟邑北卻戎翟東通三晉亦多大賈武昭治咸陽因以漢都長安諸陵四方輻湊並至而會地小人衆故其民益玩巧而事末也南則巴蜀巴蜀亦沃野地饒巵徐廣曰音支烟支也紫赤色也薑丹沙石銅鐵徐廣曰邛都出銅臨邛出鐵竹木之器南御滇僰僰僮西近邛笮笮馬旄

梁州記云萬石城許漢上七里有褒谷有南口曰褒北口曰斜長四百七十里

說文云轂下輻所湊也按褒斜道狹衆歸綰結其口若輻之湊車轂也言蜀向長安唯與棧道也

牛。然四塞，棧道千里，無所不通，唯褒斜綰轂其口，徐廣曰在漢中○索隱曰言褒斜道狹綰其道口有若車轂之湊故云綰轂也以所多易所鮮。索隱曰易音亦鮮音尠言以所多易其所少天水、隴西、北地、上郡與關中同俗，然西有羌中之利，北有戎翟之畜，畜牧爲天下饒。然地亦窮險，唯京師要其道。正義曰要音要言要東其路也故關中之地，於天下三分之一，而人衆不過什三；然量其富，什居其六。昔唐人都河東，徐廣曰堯都晉陽也殷人都河內，正義曰盤庚都殷墟地屬河內也周人都河南。正義曰周自平王已下都洛陽夫三河在天下之中，若鼎足，王者所更居也，建國各數百千歲，土地小狹，民人衆，

正義曰斜音也奈二反

都 一作郡

陳 衍字 晉字不審

懻忮 正義曰強直而恨也

全晉 正義曰全盛之時

都國諸侯所聚會，故其俗纖儉習事。楊、平陽陳西賈秦、翟，正義曰賈音古秦關內也翟隰石等州部落稽也延綏銀三州皇甫翟所居 北賈種、代。正義曰上之勇反種在恒州石邑縣北蓋蔚州也代今代州 種、代，石北也，徐廣曰石邑縣也在常山○索隱曰楊平陽二邑名在趙之西陳蓋衍字以下有陽平陽陳掾因此衍也言二邑之人皆西賈於秦翟北賈於種代種代在石邑之北也 地邊胡，數被寇。人民矜懻忮，晉灼曰懻音慨忮音堅忮瓚曰懻音慨今以土名彊直為懻中也○索隱曰懻音冀忮音寘 好氣，任俠為姦，不事農商。然迫近北夷，師旅亟往，中國委輸時有奇羨。索隱曰奇音羈羨音弋戰反奇羨謂時有餘衍也 其民羯羠不均，徐廣曰羠音兕一音因几反皆犍羊名○索隱曰羯音己紇反羠音慈紀反言其方人性若羊捷捍而不均也 自全晉之時固已患其慓悍，而武靈王益厲之，其謠

貨殖 八

正義曰言仰機巧之利也 巧姦冶 正義曰謂作巧僞之物姦蕩媱冶也 跕屣 沓曰躧足之蹤躧踵也謂足踵跕屣而行言其行步要徐也

其

俗猶有趙之風也故楊平陽陳掾其間得所欲索隱曰掾音逐緣反陳掾猶經營馳逐也溫軹西賈上黨正義曰澤潞等州也北賈趙中山索隱曰溫軹二縣名屬河內○正義曰洛州及定州中山地薄人衆猶有沙丘紂淫地餘民晉灼曰言地薄人衆猶復有沙丘紂淫地餘民通係之於淫風而言之○正義曰沙丘在邢州也民俗懁急徐廣曰懁急也音絹一作儇一作惠音翾也仰機利而食丈夫相聚游戲悲歌忼慨起則相隨椎剽索隱曰椎即椎煞人而剽掠之休則掘冢作巧姦冶徐廣曰一作蠱多美物徐廣曰美一作弄一作推為倡優女子則鼓鳴瑟跕屣徐廣曰跕音怗張晏曰跕屣也瓚曰躡跟爲跕也○索隱曰屣音所綺反游媚貴富入後宮徧諸侯然邯鄲亦漳河之閒正義曰洛水本名漳水邯鄲在其北一都會也

北通燕涿南有鄭衛鄭衛俗與趙相類然近梁魯微重而矜節徐廣曰矜一作務濮上之邑徙野王徐廣曰衛君角徙野王○正義曰秦拔衛徙其君於懷州野王野王好氣任俠衛之風也夫燕亦勃碣之間正義曰勃海碣石在西北一都會也南通齊趙東北邊胡上谷至遼東地踔遠索隱曰劉氏踔音卓一音勑教反亦遠騰貌也人民希數被寇大與趙代俗相類而民雕捍少慮索隱曰言如雕性之捷捍也有魚鹽棗栗之饒北鄰烏桓夫餘索隱曰啉一作臨臨者亦却背之義他並類此東綰穢貉朝鮮真番之利索隱曰綰者綰統其要津則上云臨者謂却背之也○正義曰番音潘洛陽東賈齊魯南賈梁楚故泰山之陽則魯其

正義曰如說非也

其

陰則齊。齊帶山海，徐廣曰：齊世家曰：齊自泰山屬之琅邪，北被于海，膏壤二千里，其民闊達多匿智。膏壤千里，宜桑麻，人民多文綵布帛魚鹽。臨菑亦海岱之間一都會也。其俗寬緩闊達，而足智，好議論，地重，難動搖，怯於衆鬭，勇於持刺，故多劫人者，大國之風也。其中具五民。服虔曰：士農商工賈也。如淳曰：游子樂其俗，不復歸，故有五方之民。而鄒、魯濱洙、泗，猶有周公遺風，俗好儒，備於禮，故其民齪齪。索隱曰：齪音則角反，又音側齪反。頗有桑麻之業，無林澤之饒。地小人衆，儉嗇，畏罪遠邪。及其衰，好賈趨利，甚於周人。夫自鴻溝以東，徐廣曰：在滎陽。芒、碭以北，徐廣曰：屬臨淮。屬巨野，正義曰：鄆州鉅野縣在西鉅野澤也。

正義曰輕音去声行剽殺人楚俗輕剽難与争鋒

陶

此梁宋也（徐廣曰今睢陽之渙儀○正義曰淮潁以東自碭以北至鉅野梁宋二國之地）陶睢陽（正義曰今曹州睢陽今宋州宋地也）亦一都會也（徐廣曰今之定陶）昔堯作游成陽（如淳曰作起也成陽在定陶）舜漁於雷澤（徐廣曰在成陽○正義曰澤在雷澤縣西北也）湯止于亳（徐廣曰今梁國薄縣○正義曰宋州穀熟縣西南四十五里南亳州故城是也）其俗猶有先王遺風重厚多君子好稼穡雖無山川之饒能惡衣食致其蓄藏越楚則有三俗（正義曰越滅吳則有江淮以北楚滅越兼有吳越之地故言越楚也）夫自淮北沛陳汝南南郡此西楚也（正義曰沛徐州沛縣也陳今陳州也汝汝州也南南郡今荊州也言從沛郡西至荊州並西楚也）其俗剽輕易發怒地薄寡於積聚江陵故郢都（正義曰荊州江陵縣故為郢楚之都）西通巫巴（正義曰巫郡巴郡在江陵之西也）

東有雲夢之饒（徐廣曰在華容）陳在楚夏之交（正義曰夏都計陽城言陳南則楚西及北則夏故云楚夏之交）通魚鹽之貨其民多賈徐僮取慮（徐廣曰皆在下邳○正義曰取音秋慮音閭徐即徐城故徐國也僮取慮二縣並在下邳今泗州）則清刻矜己諾（正義曰上音紀）彭城以東東海吳廣陵此東楚也（正義曰彭城徐州治縣也東海郡今海州也吳蘇州也廣陵揚州也言從徐州彭城歷揚州至蘇州並東楚之地）其俗類徐僮朐繒以北俗則齊（正義曰朐其俱反縣在海州故繒縣在沂州丞縣言二縣之北風俗同於齊）浙江南則越夫吳自闔廬春申王濞三人招致天下之喜游子弟東有海鹽之饒章山之銅三江五湖之利亦江東一都會也衡山（徐廣曰都邾邾縣屬江夏○正義曰故邾城在黃州東南百二十里）九江（正義曰九江郡都陰

或本削一之南楚

陵陰陵故城在濠州定遠縣西六十五里江南徐廣曰高帝所置江南者丹陽也秦置為鄣郡武帝改名丹陽○正義曰案徐說非秦置鄣郡在湖州長城縣西南八十里鄣郡故城是也漢改為丹陽郡徙郡宛城今宣州地也上言吳有章山之銅明是東楚之地此言大江之南豫章長沙二郡南楚之南楚之地耳徐裴以為江南丹陽郡屬南楚誤之甚矣豫章正義曰今洪州也長沙正義曰今潭州也十三州志云有萬里沙祠而西自湘州至東萊萬里故曰長沙也淮南衡山九江二郡及江南豫章長沙二郡並為楚也是南楚也其俗大類西楚郢之後徙壽春正義曰楚考烈王二十二年自陳徙都壽春號之曰郢故言郢之徙壽春也亦一都會也而合肥受南北潮正義曰合肥縣廬州治也言江淮之潮南北俱至廬州也皮革鮑木輸會也與閩中干越雜俗徐廣曰在臨淮故南楚好辭巧說少信江南卑溼丈夫早夭多竹木豫章出黃金○徐廣曰鄱陽有之正義曰括地志云

江州潯陽縣有黄金山山出金長沙出連錫然堇堇（正義曰音謹）物之所有取之不足以更費（應劭曰堇少也更償也言金少少耳取之不足用故費用也）九疑（徐廣曰山在營道縣南）蒼梧以南至儋耳者（正義曰今儋州在海中廣州南去京七千餘里言嶺南至儋耳之地與江南大同俗而揚州之南越民多焉）與江南大同俗而楊越多焉番禺（正義曰潘虞二音今廣州）亦其一都會也珠璣犀瑇瑁果布之湊（韋昭曰果謂龍眼離支之屬布葛布）潁川南陽夏人之居也（徐廣曰禹居陽翟○正義曰禹居陽城潁川南陽皆夏地也）夏人政尚忠朴猶有先王之遺風潁川敦愿秦末世遷不軌之民於南陽南陽西通武關鄖關（徐廣曰按漢中亦作隕字○索隱曰鄖音雲○正義曰武關在商州地理志云宛西通武關而無鄖關蓋鄖當

郇長和本有郇
關長和本合爲州上
漢陽縣武關在商洛
縣至義穀夫之

又作乃
領作嶺
風作除
窳作蓏

任楨孚信爲
任上同是非爲
欣

鹵音魚日
天生曰鹵人造曰
鹽曰鹽池

尚

爲莿循水上有關在金州洵陽縣按漢中是也洵亦作郇與鄖相似也東南受漢江淮。宛亦一都會也。俗雜好事，業多賈。其任俠，交通潁川，故至今謂之夏人。夫天下物所鮮所多，人民謠俗，山東食海鹽，山西食鹽正義曰謂西方鹹地也堅且鹹即出石鹽及池鹽鹵，領南沙北正義曰謂池漢之北也固往往出鹽。大體如此矣。總之，楚越之地，地廣人希，飯稻羹魚，或火耕而水耨。徐廣曰及溝反縣苴也○正義曰言風草下種苗生大而草生小以水灌之則草死而苗無損也耨除草也果隋徐廣曰地理志作窳○索隱曰隋音徒火反窳音郎果反蠃蛤正義曰隋今爲揺音同上古少字也蠃力和反果揺猶揺疊句裏也今楚越之俗向有裏揺之語楚越水鄉足螺魚鼈民多採捕積聚揺疊包裹煮而食之班固不曉裏揺之方言修太史公書述地云乃故云果蓏蠃蛤非太史公意班氏失之也不待

除草
地理志作之
隋
包

賈而足正義曰賈音古言楚越地勢饒食不用他賈而自足無饑饉之患地勢饒食無飢饉之患以故呰窳徐廣曰音紫呰窳苟且墮嬾之謂也駰案應劭曰呰弱也窳音爲曰窳病也○索隱曰窳音庾○正義曰按食螺蛤等物故多羸弱而足病也淮南子云古者民食蠃蛖之肉多疹毒之患也偷生無積聚正義曰言江淮以南有水族民多食物朝夕取給以偷生而已不爲積聚乃多貧也而多貧是故江淮以南無凍餓之人亦無千金之家沂泗水以北宜五穀桑麻六畜地小人衆數被水旱之害民好畜藏故秦夏梁魯好農而重民三河宛陳亦然加以商賈齊趙設智巧仰機利燕代田畜而事蠶由此觀之賢人深謀於廊廟論議朝廷守信死節隱居巖穴之士設爲

搴一作攓起連反
正義曰搴拔取也

正義曰言資鮮好顯而行之令人愛尚故云利屣也

名高者安歸乎歸於富厚也是以廉吏久久更富廉賈歸富歸者取利而不停貨也富者人之情性所不學而俱欲者也故壯士在軍攻城先登陷陣卻敵斬將搴旗前蒙矢石不避湯火之難者爲重賞使也其在閭巷少年攻剽椎埋劫人作姦掘冢鑄幣任俠并兼借交報仇篡逐幽隱不避法禁走死地如騖徐廣曰騖一作流其實皆爲財用耳今夫趙女鄭姬設形容揳鳴琴揄長袂躡利屣徐廣曰揄音臾躧一作跕跕音吐協反屣音山耳反舞屣也目挑正義曰挑田鳥反心招出不遠千里不擇老少者奔富厚也游閑公子飾冠劍

貨殖十三

糈 音所求也

連車騎亦爲富貴容也弋射漁獵犯晨夜冒霜雪馳阬谷不避猛獸之害爲得味也博戲馳逐鬭雞走狗作色相矜必爭勝者重失負也醫方諸食技術之人焦神極能爲重糈也吏士舞文弄法刻章僞書不避刀鋸之誅者沒於賂遺也農工商賈畜長固求富益貨也此有知盡能索耳終不餘力而讓財矣諺曰百里不販樵千里不販糴居之一歲種之以穀十歲樹之以木百歲來之以德德者人物之謂也今有無秩祿之奉爵邑之入而樂與之比者命曰素封索隱曰謂無爵邑之

入祿秩之奉則曰素封素空也○正義曰言不仕之人自有園田收養之給其利比於封君故曰素封也封者

食租稅歲率正義曰音律戶二百千戶之君則二十

萬索隱曰戶率二百故千戶二十萬朝覲聘享出其中庶民農工

商賈率亦歲萬息二千戶百萬之家則二十萬

索隱曰息二千故百萬之家亦二十萬而更傜租賦出其中衣食之欲

恣所好美矣故曰陸地牧馬二百蹄漢書音義曰五十匹○索

隱曰按馬有四足二百蹄有五十匹也漢書則云馬蹄噭千所記各異牛蹄角千漢書音義曰百六十

七頭也馬貴而牛賤以此為率千足羊澤中千足彘韋昭曰二百五十頭水居

千石魚陂徐廣曰魚以斤兩為計也○索隱曰陂音陂澤書作波音同○正義曰言陂澤養魚一歲收得

千石魚賣也山居千章之材徐廣曰一作楸駰案韋昭曰楸木所以為轅音秋○索隱曰漢書作

千章之萩服虔云章方也故孟康亦云言任方章者千枚謂章大材也樂彥云萩梓木也可以爲轅者

安邑千樹棗燕秦千樹栗蜀漢江陵千樹橘淮北常山已南河濟之間千樹萩陳夏千畝漆齊魯千畝桑麻渭川千畝竹及名國萬家之城帶郭千畝畝鍾之田徐廣曰六斛四斗也若千畝卮茜徐廣曰卮音支鮮支也茜音倩一名紅藍其花染繒赤黃也千畦薑韭徐廣曰千畦二十五畝駰案韋昭曰畦猶壠此其人皆與千戶侯等然是富給之資也不窺市井不行異邑坐而待收身有處士之義而取給焉若至家貧親老妻子軟弱歲時無以祭祀進醵飲食徐廣曰會聚飲食○索隱曰醵音渠略反被服不足以自通如此

不慙恥則無所比矣是以無財作力少有鬭智正義曰言少有錢財則鬭智巧而求勝也既饒爭時正義曰既饒足錢財乃逐時爭利也此其
大經也今治生不待危身取給則賢人勉焉是
故本富為上末富次之姦富最下無巖處奇士
之行而長貧賤好語仁義亦足羞也
凡編戶之民富相什則卑下之伯則畏憚之千
則役萬則僕物之理也夫用貧求富農不如工
工不如商刺繡文不如倚市門此言末業貧者
之資也通邑大都酤一歲千釀正義曰釀千瓮酤醯醬云酒酤醯
醬千瓨徐廣曰長頸甖○索隱曰瓨音閑江反醬千甔徐廣曰大甖缶○索隱曰音都

貨殖

黒作黒

苦

甘反漢書作儋孟康曰儋石甖石甖受一石故云儋石一音都濫反屠牛羊彘千皮販穀糶千鍾徐廣曰出穀也糶音掉也薪稾千車船長千丈索隱曰總積數長千丈木千章漢書音義曰洪洞方章材也舊將作大匠掌材曰章曹掾○索隱曰洪音胡孔反洞音動又並如字竹竿萬个徐廣曰古賀反○正義曰釋名云竹曰个木曰枚其軺車百乘徐廣曰馬車也○正義曰上音遥說文云軺小車也牛車千兩正義曰車一乘爲一兩風俗通云箱轅及輪兩兩而偶之稱兩也木器髤者千枚徐廣曰髤音休漆也○正義曰顔云以漆物謂之髤又音許昭反今關東俗器物一再漆者謂之稍漆即髤聲之轉耳今關西俗云黒髤盤朱兩義並通銅器千鈞徐廣曰三十斤素木鐵器若卮茜千石徐廣曰百二十斤爲石駰案漢書音義曰素木素器也馬蹄躈千徐廣曰躈若弔反馬八髎音料○索隱曰埤蒼云尻骨謂八髎一曰夜蹄小顔云躈口也蹄與口共千則爲二百匹若顔說則云上文馬二百蹄與牛千足等此[illegible]千

顏云手指謂有巧技者指千則一百也

榻本作荅

南書史傳云文皮千合則數兩相合也

至者云揹盛鹽豉之器音他荅反則荅揹之異名也

正義曰謂之千石也言棗栗三千石乃与上物[illegible]等

乘之家不容亦二百則竅謂九竅通四三而成一馬所謂生之徒十有三也**牛千足羊彘千雙僮手指千**漢書音義曰僮奴婢也古者無空手游日皆有作務作務須手指故曰手指以別馬牛蹄角也**筋角丹沙千斤其帛絮細布千鈞文采千匹榻布皮革千石**徐廣曰榻音吐合反駰案漢書音義曰榻布白疊也○正義曰顏師古曰麤厚之布也其價賤故與皮革同重耳非白疊也荅者厚之皃也按白疊木綿所織非中國有也**漆千斗蘗麴鹽豉千荅**徐廣曰或作台器名有瓵孫叔敖云瓵器受斗六升合為瓵音貽**鮐鮆千斤**漢書音義曰音如楚人言薺鮆魚與鮐魚也○正義曰鮐音臺又音貽說文云鮐海魚也鮆音薺禮反刀魚也**鯫千石鮑千鈞**徐廣曰鯫音輒鯫魚也○正義曰鯫音族苟反謂雜小魚也鮑白也然鮐鮆以斤論鮑鯫以千鈞論乃其九倍多故知鮐是大好者鯫鮑是雜者也徐云鯫膊魚也膊並各反謂破開中頭尾不相離為鮑謂之膊關者也此亦大魚為之也**棗栗千石者三之**正義曰謂之木

者

石也言棗栗三千石乃與上物相等狐鼦正義曰音彫裘千皮羔羊裘千石
榻席千具佗果菜千鍾正義曰鍾六斛四斗果菜謂雜果菜於山野采取之子
貸金錢千貫節駔會徐廣曰駔音祖朗反馬儈也駔案漢書音義曰會亦是儈也節
節物貴賤也謂估儈其餘利比千乘之家貪賈三之廉賈五之漢書音義曰貪賈未
當賣而賣未可買而買故得利少而十得三廉賈貴而賣賤乃買故十得五此亦比千乘之
家其大率也正義曰率音律佗雜業不中什二正義曰言雜惡業而
不在什分中得二分之利者非世之美財也則非吾財也請略道當世千
里之中賢人所以富者令後世得以觀擇焉
蜀卓氏之先徐廣曰卓一作淖趙人也用鐵冶富秦破趙
遷卓氏卓氏見虜略獨夫妻推輦行詣遷處諸

遷虜少有餘財爭與吏求近處處葭萌徐廣曰屬廣漢○正義曰葭萌今利州縣也唯卓氏曰此地狹薄吾聞汶山之下沃野下有蹲鴟徐廣曰古蹲字作踆駰案漢書音義曰水鄉多鴟其山下有沃野灌溉一曰大芋○正義曰汶音珉蹲鴟芋也言邛州臨邛縣其地肥又沃平野有大芋等也華陽國志云汶山郡都安縣有大芋如蹲鴟也至死不飢民工於市易賈乃求遠遷致之臨邛大喜即鐵山鼓鑄運籌策傾滇蜀之民富正義曰滇一作湞漢書亦作滇也今益州郡有蜀州亦因舊名及漢江爲名江在益州南入導江非漢中之漢江也至僮千人田池射獵之樂擬於人君

程鄭山東遷虜也亦冶鑄賈椎髻之民富埒卓氏俱居臨邛

孔氏傳

正義曰與音預 遊音遊閑暇之公子賜與亦相交通也

愈漢書作贏 師古曰贏勝也

師古曰贏讀為愈愈勝也 纖細也嗇吝也言其所得之利雖不汲汲苟得然所獲贏餘多於細吝也

纖漢書作孅

宛孔氏之先梁人也用鐵冶為業秦伐魏遷孔氏南陽大鼓鑄規陂池連車騎游諸侯因通商賈之利有游閑公子之賜與名韋昭曰優游閒暇也然其贏得過當愈於纖嗇正義曰音色嗇吝也言孔氏連車騎游於諸侯以資給之兼通商賈之利乃得游閑公子交名然其通計贏利過於所資給餉遺之富猶有交游公子之雍容而勝於慳悋也家致富數千金故南陽行賈盡法孔氏之雍容魯人俗儉嗇而曹邴氏尤甚以鐵冶徐廣曰魯縣出鐵起富至巨萬然家自父兄子孫約俛有拾仰有取貰貸行賈徧郡國鄒魯以其故多去文學而趨利者以曹邴氏也

計以本利

漢書曹邴人以下別為曲氏

得也

刁閒傳

寧爵無刁　孟康曰刁氏能畜豪奴々々或有連車騎交守相奴自謂寧欲免去作民有爵邪無將止爲刁氏作奴乎々無發声助也

齊俗賤奴虜而刁閒獨愛貴之〔正義曰刁丁遙反姓名〕桀黠奴人之所患也唯刁閒收取使之逐漁鹽商賈之利或連車騎交守相然愈益任之終得其力起富數千萬故曰寧爵毋刁〔漢書音義曰奴自相謂曰寧欲免去作民有爵邪將止爲刁氏作奴乎無發聲語助〕言其能使豪奴自饒而盡其力

周人既纖〔漢書音義曰儉嗇也〕而師史尤甚〔正義曰師史人姓名〕轉轂以百數賈郡國無所不至洛陽街居在齊秦楚趙之中〔正義曰洛陽在齊秦楚趙之中其街巷貧人學於富家相矜以久賈諸國過邑數不入里邑不入其門故前云洛陽東賈齊魯南賈梁楚是也〕貧人學事富家相矜以久賈〔漢書音義曰謂街巷居民無田地皆相矜以久賈在此諸國也〕數過邑不入門設任此等故

漢書纖作𢭏　師史傳

貨殖

師史能致七千萬。宣曲（正義曰按其地合在關內張揖云宣曲宮名在昆池西也）任氏之先（徐廣曰高祖功臣有宣曲侯○索隱曰上林賦云西馳宣曲當在京輔今闕其地也）爲督道倉吏（漢書音義曰若今吏督租穀吏也道輸在所也韋昭曰督道秦邊縣名）秦之敗也豪傑皆爭取金玉而任氏獨窖倉粟（徐廣曰窖音校穿地以藏也）楚漢相距滎陽也民不得耕種米石至萬而豪傑金玉盡歸任氏任氏以此起富富人爭奢侈而任氏折節爲儉力田畜田畜人爭取賤賈（索隱曰謂物云爭取賤賈金玉也○正義曰音價）任氏獨取貴善（索隱曰謂買物必取貴而善者不爭賤價也）富者數世然任公家約非田畜所出弗衣食公事不畢則身不得飲酒食肉以此為閭里率故富而主上重之塞之斥也正義曰孟康云邊塞主斥候卒也唯此人能致富若此顏云塞斥者言國斥開邊塞更令寬廣故橋姚得恣其畜牧也姓橋名姚也唯橋姚已致馬千匹牛倍之羊萬頭粟以萬鍾計漢書音義曰邊塞主斥候卒也唯此人能致富若此○索隱曰孟說非也按斥開也相如傳云邊塞益斥是也橋姓姚名也言橋姚因斥塞而致此資貨風俗通云馬稱疋者俗說云相馬及君子与人相疋故云疋或說馬夜行目照前四丈故云一疋或說度馬從横適得一疋韓詩外傳云孔子與顏回登山望見一疋練前有藍視之果馬光景一疋長也吳楚七國兵起時長安中列侯封君行從軍旅齎貸子錢索隱曰齎音子稽反貸假也音吐得反與人物云齎周禮注齎所給與也子錢家以為侯邑國在關東關東成敗未決莫肯與唯無鹽氏出捐千金貸索隱曰貸音吐代反其

貨殖

椎 逐追反

正義曰有節概也

息什之索隱曰謂出一得十倍三月吳楚平一歲之中則無
鹽氏之息什倍用此富埒關中關中富商大賈
大抵盡諸田田嗇田蘭韋家栗氏安陵杜杜氏
徐廣曰安陵及杜二縣名各有杜姓也宣帝以杜爲杜陵亦巨萬此其章尤異者
也徐廣曰異一作淑又作較皆非有爵邑奉祿弄法犯姦而富
盡椎埋去就與時俯仰獲其贏利以末致財用
本守之以武一切用文持之變化有概故足術
也若至力農畜工虞商賈爲權利以成富大者
傾郡中者傾縣下者傾鄉里者不可勝數夫纖
嗇筋力治生之正道也而富者必用奇勝田農

一作推埋是

掘冢 正義曰上求月反，言曲折田卅掘地為民作冢

正義曰雍縣人姓樂名成也

致 文大 致二

服虔曰治刀劍者如淳曰一作音 作刀劍削者師古曰二說皆非也洒灌也削謂刀劍室也謂人有刀劍削敗惡者主為洒刷之去其不垢穢更餙令新也

洒音先礼反削音先召反 化貝殖

拙業，徐廣曰古拙字亦作掘也而秦陽以蓋一州。索隱曰漢書甲一州服虔富田為州中之第一掘冢，姦事也，而曲叔以起。博戲，惡業也，而桓發用之富。索隱曰漢書桓作稽正義曰桓發人姓名行賈，丈夫賤行也，而雍樂成以饒。販脂，正義曰說文云戴角者脂，无角者膏也。辱處也，而雍伯千金。徐廣曰雍一作翁○索隱曰雍音於恭反漢書作翁伯也賣漿，小業也，而張氏千萬。洒削，薄技也，徐廣曰洒或作細駰案漢書作義曰治刀劍名○索隱曰洒音先禮反削刀者名洒削謂摩刀以水洒之又方言云劍削關東謂之削音肖亦依字讀而郅氏鼎食。胃脯，簡微耳，濁氏連騎。索隱曰晉灼云太官常以十月作沸湯燖羊胃以末椒薑坋之訖暴使燥則謂之脯故易售而致富也○正義曰按胃脯謂和五味而脯美故易售馬醫，淺方，張里擊鍾。此皆誠壹之所致。由是觀

正義曰桓工

號鍾：琴名

之富無經業則貨無常主能者輻湊不肖者瓦解千金之家比一都之君巨萬者乃與王者同樂豈所謂素封者邪非也

索隱述贊曰

貨殖之利　工商是營　廢居善積

倚市邪贏　白圭富國　計然彊兵

保參朝請　女築懷清　素封十戶

卓鄭齊名

貨殖列傳第六十九　史記一百二十九

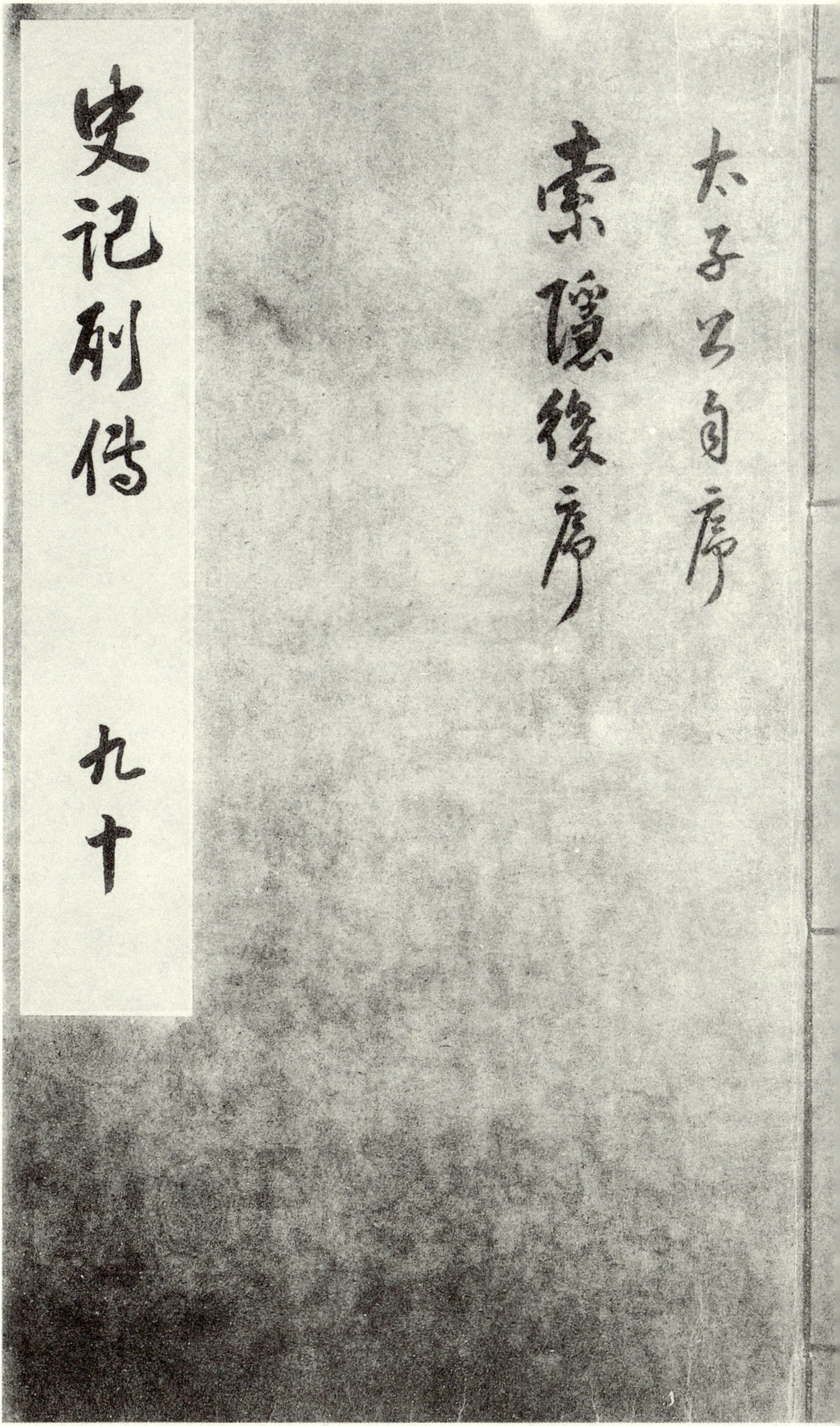

太史公自序
索隱後序

史記列傳　九十

太史公自序

太史公自序第七十　史記一百三十

昔在顓頊命南正重以司天北正黎以司地索隱曰張晏云南方陽也火水配也水為陰故命南方正重司天火正黎兼地職臣瓚以為重黎氏是司天地之官然司地者宜曰北正古文作北字非也案國語黎為火正以淳曜敦大光照四海又幽通賦云黎淳燿於稿辛則火正為是也唐虞之際紹重黎之後使復典之至于夏商故重黎氏世序天地其在周程伯休甫其後也應劭曰封為程國伯休甫字也○索隱曰重司天而黎司地是代序天地也據左氏重是少昊之子黎乃顓頊之胤二氏二正所出各別而史遷意欲合二氏為一故總云在周程伯休甫其後非也然後按彪之序及干寶皆云司馬氏黎之後是也今總稱伯休甫是重黎之後者凡言地即舉天稱黎則兼重自是相對之文其實二官亦通職然休甫則黎之後也亦是太史公欲以史為己任故言先代天官所以兼稱重耳○正義曰括地志云安陵故城在雍州咸陽東二十一里周之程邑也

當周宣王時，失其守而爲司馬氏。正義曰司馬彪序云南正黎後世爲司馬氏。

司馬氏世典周史。索隱曰司馬夏官卿不掌国史自是先代兼爲史衞宏云司馬氏周史佚之後恐或有所據

惠襄之間，司馬氏去周適晉。張晏曰周惠王襄王有子頹叔帶之難故司馬氏奔晉

晉中軍隨會奔秦，而司馬氏入少梁。索隱曰左氏隨會自晉奔秦後乃奔魏自魏還晉故漢書云會奔秦魏也少梁古梁國也秦滅之改曰少梁後名夏陽也○正義曰按春秋隨會奔秦其後自秦入魏而還晉也隨會爲晉中軍將少梁古梁國也嬴姓在同州韓城縣南二十二里是時屬晉

自司馬氏去周適晉，分散，或在衞，或在趙，索隱曰何法盛晉書及司馬氏系本名凱或在秦。其在衞者，相中山。徐廣曰名喜也在趙者，正義曰何法盛晉書及晉譙王司馬無忌司馬氏系本皆云名凱以傳劒論顯，服虔曰世善傳劒也蘇林曰傳手搏論而繹之晉灼曰史記吳起贊曰非信仁廉勇

阮本作拔

正義曰卬五郎反

不能傳劒論兵書也○索隱曰服虔一云善劒解所以稱傳也蘇林作搏言手搏論而知名也蒯聵其後也正義曰五佐反如淳云刺客傳之蒯聵也在秦者名錯與張儀爭論於是惠王使錯將伐蜀遂拔因而守之蘇林曰郡守也錯孫靳徐廣曰一作蘄○索隱曰錯音七各反靳音紀豈反事武安君白起而少梁更名曰夏陽靳與武安君阬趙長平軍索隱曰趙孝成時還而與之俱賜死杜郵索隱曰郵音尤李奇曰地名在咸陽西十里三秦記其地後改爲里李也葬於華池晉灼曰地名在鄠縣○索隱曰晉灼非也案司馬遷碑在夏陽西北四里○正義曰括地志云華地在同州韓城縣西南七十里在夏陽故城西北四里靳孫昌昌爲秦主鐵官當始皇之時蒯聵玄孫卬爲武信君將徐廣曰張耳傳云武臣自號武信君○索隱曰按晉灼而圖司馬無忌作司馬氏系本云蒯聵生昭豫昭豫生憲

漢

集注卬也而徇朝歌諸侯之相王王卬於殷索隱曰漢書云項羽封卬為殷王漢之伐楚卬歸漢以其地為河內郡昌生無澤索隱曰漢書作毋懌並音亦無澤為漢市長無澤生喜喜為五大夫卒皆葬高門蘇林曰長安北門也瓚曰長安城無高門○索隱曰蘇說非也案遷碑高門在夏陽西北去華池三里○正義曰括地云高門原俗名馬門原在同州韓城縣西南十八里漢司馬遷墓在韓城縣南二十二里夏陽縣故東南有司馬遷冢在高門原上也喜生談談為太史公如淳曰漢儀注太史公武帝置位在丞相上天下計書先上太史公副上丞相序事如古春秋遷死後宣帝以其官為令行太史公文書而已瓚曰百官表無太史公茂陵中書司馬談以太史丞為太史令○索隱曰八公者遷所著書尊其父云公也然遷雖稱述其父所作其實亦遷之詞而如淳引衛宏儀注稱位在丞相上謬矣按百官表又無其官且脩史之官国家別有著撰則令州縣所上国書皆先上之而後人不曉誤以為在丞相上耳○正義曰虞喜志林云

正義曰何字叔元菑川人見儒林傳也
建元元封前漢武帝之年号也
說乎天
師古曰陰陽家流出羲和之官敬順昊天

古者主天官者皆上公自周至漢其職轉卑然朝會坐位猶居公上尊天之道其官屬仍以舊名尊而稱也按下文太史公既掌天官不治民有子曰遷又云卒三歲而遷爲太史公又云太史公遭李陵之禍又云汝復爲太史則續吾祖矣觀此文虞喜說爲長又書談及遷爲太史公者皆遷自書之漢舊儀云太史公秩二千石卒史皆秩二百石然瓚及韋昭桓譚之說皆非也以桓譚之說釋在武本紀也太史公學天官於唐都正義曰天官書云星則唐都也受易於楊何徐廣曰菑川人習道論於黃子徐廣曰儒林傳曰黃生好黃老之術太史公仕於建元元封之間愍學者之不達其意而師悖正義曰布内反顏云悖惑也各習師書惑於所見也乃論六家之要指曰易大傳正義曰張晏云謂易繫辭案下二句是繫辭文也天下一致而百慮同歸而殊塗夫陰陽儒墨名法道德此務爲治者也直所從言之異路有省不

天歷象日月星辰敬授民時

師古墨家流出清廟之中茅屋采椽是以貴儉養三老五更是以兼愛選士大夫

顧曰儉當作檢謂拘檢人

省耳。索隱曰：案六家同歸於正，然所從之道殊塗，學或有傳習省察，或有不省之耳。竊觀陰陽之術，大祥徐廣曰：一作詳。駰案：李奇曰：月令星官，是其枝葉也。○索隱曰：漢書作大詳。言我觀陰陽之術大詳，今此作祥，於義爲疎。○正義曰：顧野王云：祥，善也，吉凶之先見也。而眾忌諱，使人拘而多所畏；正義曰：言拘束於日時，令人有所忌畏也。然其序四時之大順，不可失也。儒者博而寡要，勞而少功，是以其事難盡從；然其序君臣父子之禮，列夫婦長幼之別，不可易也。墨者儉正義曰：韋云墨翟之術也。尚儉，後有後巢子傳其術也。而難遵，是以其事不可徧循；索隱曰：徧音遍。徧循言難盡用也。然其彊本節用，不可廢也。法家嚴而少恩；然其正君臣上下之分，不可改矣。名家使人儉而善失真；

道家流出史官歷記成敗存亡禍福古今之道然後知秉要執本清虛以自守卑弱以自持

去健羨服云門户鍵也孟康羨善羨者無関健之音其偃蹇如説是

索隱曰劉向別錄云名家流出於禮官古者名位不同禮亦異數孔子曰必也正名乎按名家知禮亦異數是儉也受命不受辭或失其真也然其正名實不可不察也道家使人精神專一動合無形贍足萬物索隱曰贍音市豔反漢書作澹古今字異也其為術也因陰陽之大順采儒墨之善撮名法之要與時遷移應物變化立俗施事無所不宜指約而易操事少而功多儒者則不然以為人主天下之儀表也主倡而臣和主先而臣隨如此則主勞而臣逸至於大道之要去健羨如淳曰知雄守雌是去健也不見可欲使心不亂是去羨也絀聰明索隱曰如淳云不尚賢絕聖棄智也釋此而任術夫神大用則竭形大勞則敝形神騷

毛萇云張之為綱理之為紀也

六藝 正義曰謂五禮六樂五射五御六書九數也

家作世

動欲與天地長久非所聞也夫陰陽四時八位十二度二十四節張晏曰八位八卦位也十二度十二次也二十四節就中氣也各有禁忌謂日月也各有教令順之者昌逆之者不死則亡未必然也故曰使人拘而多畏夫春生夏長秋收冬藏此天道之大經也弗順則無以為天下綱紀故曰四時之大順不可失也夫儒者以六藝為法六藝經傳以千萬數累世不能通其學當年不能究其禮故曰博而寡要勞而少功若夫列君臣父子之禮序夫婦長幼之別雖百家弗能易也墨者亦尚堯舜道言其德行曰堂高三

尺索隱曰自此已下韓子之文故稱曰也土階三等茅茨不翦正義曰翦盡曰茨以茅覆屋采椽不刮索隱曰韋昭云采椽櫟榱也正義曰採取為椽不刮削也食土簋徐廣曰一作溜駰案服虔曰土簋用土作此器啜土刑糲粱之食張晏曰一斛粟七斗米為糲瓚曰五斗粟三斗米為糲音剌韋昭曰糲䊪也○索隱曰服虔云糲麤米也二升若云粱好粟也○正義曰顏云簋所以盛飯也刑所以盛羹也土謂燒土為之即瓦器也糲粗米也脫粟也粱粟也謂食脫粟之麤飯也藜藿之羹正義曰藜似藿而表赤藿豆葉也夏日葛衣冬日鹿裘其送死桐棺三寸正義曰以桐木為棺厚三寸也舉音不盡其哀教喪禮必以此為萬民之率使天下法若此則尊卑無別也夫世異時移事業不必同故曰儉而難遵要曰彊本節用則人給家足之道也此墨

正義以顔瀐云名家苛察多事還自纏繞不能通也

子之所長雖百家弗能廢也法家不別親疏不殊貴賤一斷於法則親親尊尊之恩絕矣索隱曰按禮親親父爲首尊尊君爲首也可以行一時之計而不可長用也故曰嚴而少恩若尊主卑臣明分職不得相踰越雖百家弗能改也名家苛察繳繞服虔曰繳音近叫呼謂煩也如淳曰繳繞猶纏繞不通大體也使人不得反其意專決於名而失人情故曰使人儉而善失真若夫控名責實參伍不失晉灼曰引名責實參錯交互明知事情此不可不察也道家無爲又曰無不爲正義曰無爲者守清淨也無不爲者生育萬物也其實易行正義曰各守其分故易行也其辭難知正義曰幽深微妙故難知也其術以

虛無為本，以因循為用（正義曰任自然也）。無成埶，無常形，故能究萬物之情。不為物先，不為物後（正義曰因物為制），故能為萬物主。有法無法，因時為業（正義曰因時之物成法為業）。有度無度，因物與合（正義曰因其万物之刑成度與合也）。故曰「聖人不朽，時變是守」（索隱曰此出鬼谷子，遷引之以成其章，故稱故曰也。○正義曰言聖人教迹不朽滅者順時變化）。虛者道之常也，因者君之綱也（正義曰言因百姓之心以教，唯執其綱而已）。羣臣並至，使各自明也。其實中其聲者謂之端，實不中其聲者謂之窾（徐廣曰音款空也。駰案李奇曰聲別名也。○索隱曰款空也。申子云款言無成是也。聲者名也。以言實不稱名，則謂之空，空有聲也）。窾言不聽，姦乃不生，賢不肖自分，白黑乃形。在

何由哉 顏云凡皆言道家之教為長

所欲用耳何事不成乃合大道混混冥冥正義曰上胡本反混混者元氣神者之皃也光燿天下復反無名凡人所生者神也所託者形也神大用則竭形大勞則敝形神離則死死者不可復生離者不可復反故聖人重之由是觀之神者生之本也形者生之具也韋昭曰聲氣者神也枝躰者形也不先定其神而曰我有以治天下何由哉太史公既掌天官不治民有子曰遷遷生龍門徐廣曰在馮翊夏陽縣駰案蘇林曰禹所鑿龍門也〇正義曰括地志云龍門在同州韓城縣北五十里其山更黃河夏禹所鑿者也龍門山在夏陽縣遷即漢夏陽縣人也至唐改曰韓城縣耕牧河山之陽正義曰河之北山之南也案在龍門山南也年十歲則誦古文

索隱曰迁及事伏生是學誦古文尚書劉氏以爲左傳國語系本等書是亦名之古文也

二十而南游江淮上會稽探禹穴

張晏曰禹巡狩至會稽而崩因葬焉上有孔穴民間云禹入此穴○索隱曰越絶書云禹上茅山大會計更名曰會稽張勃吴錄云本名苗山一名覆釜禹會諸侯計功改曰會稽○正義曰括地志云石簣山一名玉笥山又名宛委山即會稽山一峯也在會稽縣東南十八里吴越春秋云禹案黄帝中經九山東南天柱號曰宛委赤帝左闕之填承以文玉覆以盤石其書金簡青玉爲字編以白銀皆瑑其文禹乃東巡登衡山血白馬以祭禹乃登山仰天而笑忽然而卧夢見繡衣男子自稱玄夷倉水使者却倚覆釜之山東顧謂禹曰欲得我山神書者齋於黄帝之岳巖巖之下三月季庚登山發石禹乃登宛委之山發石乃得金簡玉字以水泉之脉山中又有一穴深不見底謂之禹穴史遷云上會稽探禹穴即此穴也

闚九疑

索隱曰山海經云南方蒼梧之丘蒼梧之泉在營道南其山九峯皆似故曰九疑張晏云九疑舜葬故窺之尋上探禹穴蓋以先聖所葬處有古冊文故探窺之亦搜採遠矣○正義曰九疑山在道州

浮於沅湘

正義曰沅水出朗州湘水出道州北東北入海

北涉

白 一本作田

嶧　末　奉　隱

太史公 七

汶泗〔正義曰汶水出兗州東北而南歷魯〕講業齊魯之都觀孔子之遺風鄉射鄒嶧〔正義曰鄒縣名嶧山名鄒山在鄒縣名二十二里地近曲阜於此行鄉射之礼〕戹困鄱〔正義曰括地志云徐州滕縣漢蕃縣音翻漢末陳蕃子逸為魯相改音皮白褒魯記曰靈帝汝南子游為魯相陳蕃子也國人為諱而改焉〕薛彭城〔徐廣曰嶧音亦縣名有山也鄱音皮鄒鄱薛三縣屬魯○索隱曰鄱本音蕃案田褒魯記云靈帝末有汝南陳子游為魯相子游太尉陳蕃子也國人諱而改焉若如其說則蕃改鄱鄱皮聲相近後漸訛耳然地理志魯國蕃縣應劭曰邾國也音皮〕過梁楚以歸於是遷仕為郎中奉使西征巴蜀以南南略邛笮昆明還報命〔徐廣曰元鼎六年平西南夷以為五郡其明年元封元年是也〕是歲天子始建漢家之封而太史公留滯周南〔徐廣曰摯虞曰古之周南今之洛陽○索隱曰張晏云自陜已東皆周南之地也〕不得與從事〔正義曰與音預〕故

奉

且卒 正義曰言欲將死

發憤且卒而子遷適使反見父於河洛之間太史公執遷手而泣曰余先周室之太史也自上世嘗顯功名於虞夏典天官事後世中衰絕於予乎汝復為太史則續吾祖矣今天子接千歲之統封泰山而余不得從行是命也夫命也夫余死汝必為太史為太史無忘吾所欲論著矣且夫孝始於事親中於事君終於立身揚名於後世以顯父母此孝之大者夫天下稱誦周公言其能論歌文武之德宣周邵之風達太王王季之思慮爰及公劉以尊后稷也幽厲之後王

道缺禮樂衰孔子脩舊起廢論詩書作春秋則學者至今則之自獲麟以來四百餘歲案年表魯哀公十四年獲麟至漢元封元年三百七十一年而諸侯相兼史記放絶今漢興海内一統明主賢君忠臣死義之士余爲太史而弗論載廢天下之史文余甚懼焉汝其念哉遷俯首流涕曰小子不敏請悉論先人所次舊聞弗敢闕卒三歲而遷爲太史令索隱曰博物志太史令茂陵顯武里大夫司馬年二十八三年六月乙卯除六百石也紬史記徐廣曰紬音抽○索隱曰如淳云抽徹舊書故事而次述之小顔云紬謂綴集之也石室金匱之書索隱曰案石室金匱皆國家藏書之處五年而當太初元年李奇曰遷爲太史後五年適當於武帝太初元年此時述

史記○正義曰按遷年四十二歲

十一月甲子朔旦冬至天歷始改建於明堂諸神受紀徐廣曰封禪序曰封禪則万靈罔不禋祀駰案韋昭曰告於百神與天下更始著紀於是○索隱曰虞喜志林云改歷於明堂班之於諸侯諸侯羣神之主故曰諸神受紀孟康云句芒祝融之屬皆受瑞紀也

太史公曰先人有言索隱曰先人謂先代賢人也○正義曰太史公司馬遷也先人司馬談也自周公卒五百歲而有孔子孔子卒後至於今五百歲索隱曰案孟子稱堯舜至湯五百餘歲湯至文王五百餘歲文王至孔子五百餘歲太史公此言略取於孟子而揚雄孫盛深所不然所謂多見不知量也以爲淳氣育才豈有常數五百之期何異一息是以上皇相次或以萬齡爲間而唐堯舜禹比肩並列降及周室聖賢盈朝孔子之後千載莫嗣安在於千年五百年乎具述作者蓋記注之志士耳豈聖人之論哉有能紹明世正易傳繼春秋本詩

正義曰案此言孔子卒後五百歲者欲取孟子以應一聖符也不言文王而言周公者孔子是述作設教之聖故方於己

書禮樂之際意在斯乎意在斯乎小子何敢讓焉索隱曰漢書音讓作攘晉灼云此古讓字言已當述先人之成業何敢自嫌値五百歲而讓之也上大夫壺遂曰索隱曰案遂爲詹事秩二千石故位上大夫也昔孔子何爲而作春秋哉太史公曰余聞董生曰服虔曰仲舒也周道衰廢孔子爲魯司寇諸侯害之大夫壅之孔子知言之不用道之不行也是非二百四十二年之中索隱曰是非謂褒貶諸侯之得失也以爲天下儀表貶天子退諸侯討大夫以達王事而已矣子曰我欲載之空言不如見之於行事之深切著明也索隱曰案孔子之言見春秋緯太史公引之以成說也空言謂褒貶是非也空立此文而亂臣賊子懼也孔子言我徒欲立空言設褒貶則不如附見於

當時所因事之人臣有僭侈簒逆因就此筆貶以褒貶深切著明而書之以爲將來之誡也夫春秋上明三王之道下辨人事之紀別嫌疑明是非定猶豫善善惡惡索隱曰公羊傳曰善善及子孫惡惡止其身也賢賢賤不肖存亡國繼絶世補敝起廢王道之大者也易著天地陰陽四時五行故長於變禮經紀人倫故長於行書記先王之事故長於政詩記山川谿谷禽獸草木牝牡雌雄故長於風樂樂所以立故長於和春秋辯是非故長於治人是故禮以節人樂以發和書以道事詩以達意易以道化春秋以道義撥亂世反之正莫近於春秋春

一本近字下有道字

戓 才 十

聚或本作聚

虚已當作言失人倫

綱紀

其漸久矣此易坤文言之辭

秋文成數萬其指數千 張晏曰春秋萬八千字當言減而云成數字誤也駰謂太史公此辭是述董生之言董仲舒自治公羊經傳凡有四萬四千餘字故云文成數萬也不得如張議但論經萬八千字便為之誤○索隱曰註非也小顏云史遷豈以公羊之傳為春秋乎春秋經一萬八千亦足稱數萬非字之誤 萬物之散聚皆在春秋春秋之中弒君三十六亡國五十二諸侯奔走不得保其社稷者不可勝數察其所以皆失其本已 索隱曰案弒君亡國及奔走者皆是失仁義之道本耳已者語終之辭也 故易曰失之豪釐差以千里 徐廣曰一云差以豪釐一云繆以千里駰案今易無此語易緯有之 故曰臣弒君子弒父非一旦一夕之故也其漸久矣故有國者不可以不知春秋前有讒而弗見後有賊而不知為人臣者不

字

可以不知春秋守經事而不知其宜遭變事而不知其權爲人君父而不通於春秋之義者必蒙首嚣之名爲人臣子而不通於春秋之義者必陷簒弑之誅死罪之名其實皆以爲善爲之不知其義正義曰其心實善爲之不知其義理則陷於罪惡被之空言而不敢辭張晏曰趙盾不知討賊而不敢辭其罪也夫不通禮義之旨至於君不君臣不臣父不父子不子君不君則犯正義曰顏云爲臣下所干犯也一違犯禮義臣不臣則誅父不父則無道子不子則不孝此四行者天下之大過也以天下之大過予之則受而弗敢辭故春秋者禮義之

太宗也夫禮禁未然之前法施已然之後法之
所爲用者易見而禮之所爲禁者難知壺遂曰
孔子之時上無明君下不得任用故作春秋垂
空文以斷禮義當一王之法今夫子上遇明天
子下得守職萬事既具咸各序其宜夫子所論
欲以何明太史公曰唯唯否否晉灼曰唯唯謙應也否否不通者也不
然余聞之先人曰伏羲至純厚作易八卦堯舜
之盛尚書載之禮樂作焉湯武之隆詩人歌之
春秋采善貶惡推三代之德褒周室非獨刺譏
而已也漢興以來至明天子獲符瑞封禪改正

正義曰罔無也極乃止也

朔易服色受命於穆清〔如淳曰受天命清和之氣○正義曰於音烏顏云於歎美辭也穆美也言天子有美德而教化清也〕澤流罔極海外殊俗重譯款塞〔應劭曰款叩也皆叩塞門來服從也如淳曰款寬也請除守塞者自保不爲寇害○正義曰重譯更譯其言也〕請來獻見者不可勝道臣下百官力誦聖德猶不能宣盡其意且士賢能而不用有國者之恥主上明聖而德不布聞有司之過也且余嘗掌其官廢明聖盛德不載滅功臣世家賢大夫之業不述墮先人所言罪莫大焉余所謂述故事整齊其世傳非所謂作也而君比之於春秋謬矣於是論次其文七年〔徐廣曰天漢三年○正義曰按從太初元年至天漢三年乃七年也〕而

太史公遭李陵之禍正義曰太史公舉李陵李陵降也幽於縲紲乃喟然而歎曰是余之罪也夫是余之罪也夫身毀不用矣退而深惟曰夫詩書隱約者索隱曰案謂其意隱微而言約也○正義曰詩書隱微而約省者遷深惟欲依其隱約而成其志意也欲遂其志之思也昔西伯拘羑里徐廣曰在湯陰演周易孔子戹陳蔡作春秋屈原放逐著離騷左丘失明厥有國語孫子臏腳而論兵法不韋遷蜀世傳呂覽正義曰即呂氏春秋也韓非囚秦說難孤憤詩三百篇大抵賢聖發憤之所為作也此人皆意有所鬱結不得通其道也故述往事思來者於是卒述陶唐以

來至于麟止（張晏曰武帝獲麟遷以爲述事之端上紀黄帝下至麟止猶春秋止於獲麟也○索隱曰服虔云武帝至雍獲白麟而鑄金作麟足形故云麟止遷作史記止於此猶春秋終於獲麟然也史記以黄帝爲首而云述陶唐者案五帝本紀贊云五帝尚矣然尚書載堯以來而百家言黄帝其文不雅馴故述黄帝爲本紀之首而以尚書雅正故稱起於陶唐也）自黄帝始

維昔黄帝法天則地四聖遵序（徐廣曰顓頊帝嚳堯舜）各成法度唐堯遜位虞舜不台（索隱曰台音怡悅也或音昭非也）厥美帝功萬世載之作五帝本紀第一（索隱曰應劭云有本則紀有家則代有年則表有名則傳）

維禹之功九州攸同光唐虞際德流苗裔夏桀淫驕乃放鳴條作夏本紀第二

湯六沈

維契正義曰音薛也作商爰及成湯太甲居桐德盛阿
衡武丁得說乃稱高宗帝辛湛湎諸侯不享作
殷本紀第三
維棄作稷德盛西伯武王牧野實撫天下幽厲
昏亂既喪酆鎬陵遲至赧洛邑不祀作周本紀
第四
維秦之先伯翳佐禹穆公思義悼豪之旅索隱曰豪
即崤之異音旅師旅也○正義曰穆公封崤山軍旅之尸以人為殉詩歌黃鳥昭
襄業帝作秦本紀第五
始皇既立并兼六國銷鋒鑄鐻徐廣曰嚴安上書曰銷其兵鑄以為鍾

歌黃鳥 正義曰傳云秦伯任好卒以子車氏之三子奄息仲行鍼虎為殉國人哀之為黃鳥之詩也

子羽 正義曰項羽也

鏤也○索隱曰鐻音巨鐻鐘也維偃干革尊號稱帝矜武任力二世受運子嬰降虜作始皇本紀第六

秦失其道豪桀並擾項梁業之子羽接之殺慶救趙徐廣曰宋義爲上將號慶子冠軍諸侯立之誅嬰背懷天下非之作項羽本紀第七

子羽暴虐漢行功德憤發蜀漢還定三秦誅籍業帝天下惟寧改制易俗作高祖本紀第八

惠之早霣正義曰音殞諸呂不台徐廣曰無台輔之德也一曰怡懌也不爲百姓所說○索隱曰案此贊本韻則怡懌爲是也崇彊祿產諸侯謀之殺隱幽幽友徐廣曰趙隱王如意趙幽王友大臣洞疑索隱曰洞是洞達義共所疑遂及

施武脩文言嘗博施恩惠也

武帝也

宗禍作呂太后本紀第九
漢既初興繼嗣不明迎王踐祚天下歸心蠲除肉刑開通關梁廣恩博施厥稱太宗作孝文本紀第十
諸侯驕恣吳首為亂京師行誅七國伏辜天下翕然大安殷富作孝景本紀第十一
漢興五世隆在建元外攘夷狄內脩法度封禪改正朔易服色作今上本紀第十二
維三代尚矣年紀不可考蓋取之譜牒舊聞本于茲於是略推作三代世表第一

繁本作煩

幽厲之後周室衰微諸侯專政春秋有所不紀而譜牒經略五霸更盛衰欲覩周世相先後之意作十二諸侯年表第二

春秋之後陪臣秉政彊國相王以至于秦卒并諸夏滅封地擅其號作六國年表第三

秦既暴虐楚人發難項氏遂亂漢乃扶義征伐八年之間天下三擅事繁變衆故詳著秦楚之際月表第四

漢興已來至于太初百年諸侯廢立分削譜紀不明有司靡踵彊弱之原云以世徐廣曰一作云已也天漢寧曰徹義

依霍庶幾云也○索隱曰踵繼也以當作已世皆作也並誤之耳云已也皆語助之辭○正義曰言漢興已來百年諸侯廢立分削譜紀不能明其嗣有司無所踵繼其後乃云彊弱之原云以世相代相不能有所錄紀也作漢興已來諸侯年表第五

維高祖元功輔臣股肱剖符而爵澤流苗裔忘其昭穆或殺身隕國作高祖功臣侯者年表第六

惠景之間維申功臣宗屬爵邑作惠景間侯者年表第七

北討彊胡南誅勁越征伐夷蠻武功爰列作建元以來侯者年表第八

列本作烈

諸侯既彊七國爲從子弟衆多無爵封邑推恩
行義其勢銷弱德歸京師作王子侯者年表第
九
國有賢相良將民之師表也維見漢興以來將
相名臣年表賢者記其治不賢者彰其事作漢
興以來將相名臣年表第十
維三代之禮所損益各殊務然要以近情性通
王道故禮因人質爲之節文略協古今之變作
禮書第一
樂者所以移風易俗也自雅頌聲興則已好鄭

衛之音鄭衛之音所從來久矣人情之所感遠俗則懷徐廣曰樂者所以感和人情人情既感則遠方殊俗莫不懷柔向化也比樂書以述來古索隱曰來古即古來也言此樂書以述自古已來樂之興衰也作樂書第二

非兵不彊索隱曰此律書之贊而云非兵不彊者則此律書即兵書也古者師出以律則凡出軍皆聽律聲故云聞律效勝負望敵知吉凶也非德不昌黃帝湯武以興索隱曰黃帝有阪泉之師湯武有鳴條牧野之戰而克桀紂桀紂二世以崩可不慎歟司馬法所從來尚矣正義曰古者師出以律凡軍出皆吹律聽聲律書云六律爲万事根本其於兵械尤所重望敵知吉凶聞聲效勝負故云司馬兵法所從來尚矣乎太公孫吳王子徐廣曰王子成甫能紹而明之切近世極人變作律書第三

惣作物

比音鼻

律居陰而治陽曆居陽而治陰律曆更相治間不容翲忽索隱曰案忽者物文之徵也翲者輕也言律曆窮陰陽之妙其間不容輕忽也言翲恐衍字耳○正義曰翲匹遥反今音匹沼反字當作秒秒禾芒表也忽一蠶口出絲也言律曆相治之間不容比微細之物也五家之文怫異索隱曰怫音悖一音扶物反怫亦悖也案言金木水火土五家之文各相悖異不同也○正義曰五家謂黃帝顓頊夏殷周之曆其文相戾乖異不同維太初之元論曆律爲是故曆書自太初之元論之也

維太初之元論作曆書第四徐廣曰論一作編

星氣之書多雜禨祥不經推其文考其應不殊比集論其行事驗于軌度以次作天官書第五

受命而王封禪之符罕徐廣曰一[illegible]用用則萬靈罔不禋祀追本諸神名山大川禮作封禪書第

玩本作抗

正義曰玩謂替也巧謂惡也

肖本作著

六

維禹浚川九州攸寧爰及宣防決瀆通溝作河渠書第七

維幣之行 索隱曰幣帛錢也 以通農商其極則玩巧并兼茲 索隱曰玩音五官反巧音苦孝反 殖爭於機利去本趨末作平準 正義曰謂爭機巧之利也 書以觀事變第八

太伯避歷江蠻是適文武攸興古公王跡闔廬弒僚賓服荊楚夫差克齊子胥鴟夷信嚭親越吳國既滅嘉伯之讓作吳世家第一

申呂肖矣 徐廣曰肖音痟痟猶衰微○索隱曰徐廣音訓不知從出案肖謂微弱而省少所謂申呂

雖衰也○正義曰肖音消呂尚之祖封於申申呂後消微故尚父微賤也尚父側微卒歸西伯文武是師功冠群公繆權于幽徐廣曰繆錯也猶云纏結也權智潛謀幽昧不顯所謂太公陰謀○索隱曰繆謂綢繆也音亡又反謂太公綢繆為權謀於幽昧不明著也○正義曰繆音武彪反言呂尚綢繆於幽權之策謂六韜三略陰符七術之屬也番番黃髮番音婆毛萇云番番威勇武皃色粱黃髮變言老人髮白而更黃也爰饗營丘不背柯盟桓公以昌九合諸侯霸功顯彰田闞爭寵姜姓解亡徐廣曰闞一云監解一作遷嘉父之謀作齊太公世家第二

依之違之周公綏之憤發文德天下和之輔翼成王諸侯宗周隱桓之際是獨何哉三桓爭彊魯乃不昌嘉旦金縢作周公世家第三

享作禋
杞音起

武王克紂天下未協而崩成王既幼管蔡疑之淮夷叛之於是召公率德安集王室以寧東土燕易之禪乃成禍亂索隱曰謂王噲禪其相子之後卒危亂也嘉甘棠之詩作燕世家第四

管蔡相武庚將寧舊商及旦攝政二叔不饗殺鮮放度索隱曰案系家云管叔名鮮蔡叔名度霍叔名處也周公爲盟大任十子周以宗彊索隱曰太任文王妃十子伯邑考武王管蔡霍曾衛毛聃曹是也嘉仲悔過正義曰蔡叔度之子蔡仲也作管蔡世家第五

王後不絶舜禹是說維德休明苗裔蒙烈百世享祀爰周陳杞楚實滅之齊田既起舜何人哉

作陳杞世家第六

牧殷餘民叔封始邑申以商亂酒材是告及朔之生衛頃不寧〔索隱曰衛頃公也〕南子惡蒯聵子父易名周德卑微戰國既彊衛以小弱角獨後嘉彼康誥作衛世家第七

嗟箕子乎嗟箕子乎正言不用乃反爲奴武庚既死周封微子襄公傷於泓〔正義曰泓水名公羊傳云宋與楚人期戰於泓之陽宋師大敗君子大其不鼓不成列臨大事而不忘禮雖文王之戰亦不過此也〕君子孰稱景公謙德熒惑退行剔成暴虐〔徐廣曰一云偃宋剔成君生偃○索隱曰剔音湯〕宋乃滅喜微子問太師作宋世家第八

武王既崩叔虞邑君子譏名（正義曰謂晉穆侯太子名仇少子名成師也）卒滅武公驪姬之愛亂者五世重耳不得意乃能成霸六卿專權（正義曰智伯范中行韓魏趙）晉國以耗嘉文公錫珪鬯作晉世家第九

重黎業之吳回接之殷之季世粥子牒之周用熊繹熊渠是續莊王之賢乃復國陳（正義曰楚莊王都陳）既赦鄭伯班師華元懷王客死蘭咎屈原好諛信讒楚并於秦嘉莊王之義作楚世家第十

少康之子實賓南海（正義曰吳越春秋云啓使歲時祭禹於越立宗廟南山之上封[illegible]無餘於越使祠禹至勾踐遷都山陰立禹廟為始祖廟越亡遂廢也案今禹廟在會稽山下）文身[illegible]

黿鼉與處〔索隱曰黿音元鼉音鼉〕既守封禺〔徐廣曰封禺山在武康縣南〕奉禹之祀勾踐困彼乃用種蠡嘉句踐夷蠻能修其德滅彊吳以尊周室作越王勾踐世家第十一

桓公之東太史是庸及侵周禾王人是議祭仲要盟鄭久不昌子產之仁紹世稱賢三晉侵伐鄭納於韓嘉厲公納惠王作鄭世家第十二

維驥騄耳乃章造父趙夙事獻衰續厥緒〔正義曰衰楚危反〕佐文尊王卒為晉輔襄子困辱乃禽智伯主父生縛餓死探爵王遷辟淫良將是斥嘉鞅討周亂作趙世家第十三

畢萬爵魏卜人知之及絳戮干戎翟和之文侯
慕義子夏師之惠王自矜齊秦攻之既疑信陵
諸侯罷之卒亡大梁王假廝之嘉武佐晉文申
霸道作魏世家十四
韓厥陰德趙武攸興紹絶立廢晉人宗之昭侯
顯列申子庸之疑非不信秦人襲之嘉厥輔晉
匡周天子之賦作韓世家第十五
完子避難適齊爲援陰施五世齊人歌之成子
得政田和爲侯王建動心乃遷于共嘉威宣能
撥濁世而獨宗周作田敬仲完世家第十六

追本作退

難本作亂

正義曰負恃也

偩作傾

周室既衰諸侯恣行仲尼悼禮廢樂崩追脩經術以達王道匡亂世反之於正見其文辭爲天下制儀法垂六藝之統紀於後世作孔子世家第十七

桀紂失其道而湯武作周失其道而春秋作正義曰周失其道至秦之時諸侯力事爭彊秦失其政而陳涉發迹諸侯作難風起雲蒸卒亡秦族天下之端自涉發難作陳涉世家第十八

成皋之臺薄氏始基詘意適代厥崇諸竇粟姬偩貴王氏乃遂陳后太驕卒尊子夫嘉夫德若

連

猶

斯作外戚世家第十九

漢既譎謀禽信於陳越荊剽輕乃封弟交爲楚王爰都彭城以彊淮泗爲漢宗藩戊溺於邪禮復紹之嘉游輔祖（正義曰游楚王交字也祖高祖也）作楚元王世家第二十

維祖師旅劉賈是與爲布所襲喪其荊吳營陵激呂乃王琅邪怵午（正義曰謂祝午也）信齊往而不歸遂西入關遭立孝文獲復王燕天下未集賈澤以族爲漢藩輔作荊燕世家第二十一

天下已平親屬既寡悼惠先壯實鎮東土哀王

擅興發怒諸呂駟鈞暴戾京師弗許厲之內淫禍成主父嘉肥股肱作齊悼惠王世家第二十二

楚人圍我滎陽相守三年蕭何填撫山西正義曰謂華山之西也推計踵兵給糧食不絕使百姓愛漢不樂爲楚作蕭相國世家第二十三

與信定魏破趙拔齊遂弱楚人續何相國不變不革黎庶攸寧嘉參不伐功矜能作曹相國世家第二十四

運籌帷幄之中制勝於無形子房計謀其事無

知名無勇功圖難於易爲大於細作留侯世家
第二十五
六奇既用諸侯賓從於漢呂氏之事平爲本謀
終安宗廟定社稷作陳丞相世家第二十六
諸呂爲從謀弱京師而勃反經合於權吳楚之
兵亞夫駐於昌邑以戹齊趙而出委以梁作絳
侯世家第二十七
七國叛逆蕃屏京師唯梁爲扞偩愛矜功幾獲
于禍嘉其能距吳楚作梁孝王世家第二十八
五宗既王親屬洽和諸侯大小爲藩爰得其宜

僭擬之事稍衰貶矣作五宗世家第二十九
三子之王文辭可觀作三王世家第三十
末世爭利維彼奔義讓國餓死天下稱之作伯
夷列傳第一
晏子儉矣夷吾則奢齊桓以霸景公以治作管
晏列傳第二
李耳無爲自化清淨自正韓非揣事情循勢理
作老子韓非列傳第三
自古王者而有司馬法穰苴能申明之作司馬
穰苴列傳第四

非信廉仁勇不能傳兵論劒與道同符内可以
治身外可以應變君子比德焉作孫子呉起列
傳第五
維建遇讒爰及子奢尚既匡父伍員奔呉作伍
子胥列傳第六
孔氏述文弟子興業咸爲師傅崇仁厲義作仲
尼弟子列傳第七
鞅去衛適秦能明其術彊霸孝公後世遵其法
作商君列傳第八
天下患衡秦毋饜而蘇子能存諸侯約從以抑

困學紀聞十一 獵儒墨之遺文明禮義之統紀絕惠王利端作孟子荀卿傳鄭氏曰孟子
距楊墨荀卿亦非墨子儒墨同異學者當審擇之遺文武

貪彊作蘇秦列傳第九

六國既從親而張儀能明其說復散解諸侯作

張儀列傳第十

秦所以東攘（徐廣曰一作壤）雄諸侯樗里甘茂之策作

樗里甘茂列傳第十一

苞河山（徐廣曰苞一作施）圍大梁使諸侯斂手而事秦者

魏冉之功作穰侯列傳第十二

南拔鄢郢北摧長平遂圍邯鄲武安爲率破荊

滅趙王翦之計作白起王翦列傳第十三

獵儒墨之遺文明禮義之統紀絕惠王利端列

案孟子荀卿傳貞自序傳孟嘗君十四與傳為十五蓋后人差降也

如 正義曰如往也言平原君往楚求救邯鄲之圍

往世興衰（徐廣曰一作衰）作孟子荀卿列傳第十四

好客喜士士歸于薛為齊扞楚魏作孟嘗君列傳第十五（或本孟嘗君為十六平原君為十五）

爭馮亭以權（徐廣曰以一作反太史公譏平原曰利令智昏故云爭馮亭反權）如楚以救邯鄲之圍使其君復稱於諸侯作平原君虞卿列傳第十六

能以富貴下貧賤賢能詘於不肖唯信陵君為能行之作魏公子列傳第十七

以身徇君遂脫彊秦使馳說之士南鄉走楚者黃歇之義作春申君列傳第十八

困学紀聞十一史記正誤曰自序桀紂失其道而湯武作周失其道而春秋作秦失其政而陳涉發迹夾漈鄭氏曰湯武伐大義乎殘賊易得以爲天應人乃與陳涉同日而並議哉

能忍詢於魏齊徐廣曰詢音詬○索隱曰詢音火候反詢辱也而信威於彊秦推賢讓位二子有之作范睢蔡澤列傳第十九

率行其謀連五國兵爲弱燕報彊齊之讎雪其先君之耻作樂毅列傳第二十

能信意彊秦而屈體廉子用徇其君俱重於諸侯作廉頗藺相如列傳第二十一

徇其君 正義曰以身從物曰徇

湣王既失臨淄而奔莒唯田單用即墨破走騎劫遂存齊社稷作田單列傳第二十二

能設詭說解患於圍城輕爵祿樂肆志作魯仲

連鄒陽列傳第二十三
作辭以諷諫連類以爭義離騷有之作屈原賈
生列傳第二十四
結子楚親使諸侯之士斐然爭入事秦作呂不
韋列傳第二十五
曹子匕首魯獲其田齊明其信豫讓義不爲二
心作刺客列傳第二十六
能明其畫因時推秦遂得意於海內斯爲謀首
作李斯列傳第二十七
爲秦開地益衆北靡匈奴據河爲塞因山爲固

塡作鎮

建榆中作蒙恬列傳第二十八

塡趙塞常山以廣河内弱楚權明漢王之信於天下作張耳陳餘列傳第二十九

收西河上黨之兵從至彭城越之侵掠梁地以苦項羽作魏豹彭越列傳第三十

以淮南叛楚歸漢漢用得大司馬殷至破子羽于垓下（徐廣曰堤塘之名也）作黥布列傳第三十一

楚人迫我京索而信拔魏趙定燕齊使漢三分天下有其二以滅項籍作淮陰侯列傳第三十

餉本作饟

楚漢相距鞏洛而韓信為填潁川盧綰絶籍糧
餉作韓信盧綰列傳第三十三
諸侯畔項王唯齊連子羽城陽漢得以閒遂入
彭城作田儋列傳第三十四
攻城野戰獲功歸報噲商有力焉非獨鞭策又
與之脫難作樊酈列傳第三十五
漢既初定文理未明蒼為主計整齊度量序律
歷作張丞相列傳第三十六
結言通使約懷諸侯諸侯咸親歸漢為藩輔作
酈生陸賈列傳第三十七

正義曰蒯古恠反括地志云古蒯亭在洛州河南縣西十里苑中也

欲詳知秦楚之事唯周緤常從高祖平定諸侯作傅靳蒯成列傳第三十八索隱曰蒯音裴其字從山朋邑又音淝

徙彊族都關中和約匈奴明朝廷禮次宗廟儀法作劉敬叔孫通列傳第三十九

能摧剛作柔卒為列臣欒公不劫於勢而倍死作季布欒布列傳第四十

敢犯顏色以達主義不顧其身為國家樹長畫作袁盎朝錯列傳第四十一

守法不失大理言古賢人增主之明作張釋之馮唐列傳第四十二

徙乍從

敦厚慈孝訥於言敏於行務在鞠躬君子長者
作萬石張叔列傳第四十三
守節切直義足以言廉行足以厲賢任重權不
可以非理撓作田叔列傳第四十四
扁鵲言醫爲方者宗守數精明後世修序弗能
易也而倉公可謂近之矣作扁鵲倉公列傳第
四十五
維仲之省（徐廣曰吳王之王由父省）厥濞王吳遭漢初定以塡
撫江淮之間作吳王濞列傳第四十六
吳楚爲亂宗屬唯嬰賢而喜士士鄉之率師抗

備一作循
靡シタケリ ナヒカセリ

山東滎陽作魏其武安列傳第四十七

智足以應近世之變寬足用得人作韓長孺列傳第四十八

勇於當敵仁愛士卒號令不煩師徒鄉之作李將軍列傳第四十九

自三代以來匈奴常為中國患害欲知彊弱之時設備征討作匈奴列傳第五十

直曲塞廣河南破祁連通西國靡北胡作衛將軍驃騎列傳第五十一

大臣宗室以侈靡相高唯弘用節衣食為百吏

正義曰封禺二山在湖州武康縣西也然按年表東越傳云東越徙處廬江郡而守禺未詳也

先作平津侯列傳第五十二

漢旣平中國而佗能集楊越以保南藩納貢職作南越列傳第五十三

吳之叛逆甌人斬濞（徐廣曰今之永寧是東甌也）葆守封禺爲臣（索隱曰葆音保言東甌披越攻破之後保封禺之山今在武康縣也）作東越列傳第五十四

燕丹散亂遼間滿收其亡民厥聚海東以集眞藩（徐廣曰一作莫　潘音普寒反）葆塞爲外臣作朝鮮列傳第五十五

唐蒙使略通夜郎而邛笮之君請爲內臣受吏

太史公　卅八

作西南夷列傳第五十六

子虛之事大人賦說靡麗多誇然其指風諫歸於无爲作司馬相如列傳第五十七

黥布叛逆子長國之以塡江淮之南安剽楚庶民作淮南衡山列傳第五十八

奉法循理之吏不伐功矜能百姓無稱亦無過行作循吏列傳第五十九

正衣冠立於朝廷而羣臣莫敢言浮說長孺矜焉好薦人稱長者壯有溉（徐廣曰一作慨）作汲鄭列傳第六十

自孔子卒京師莫崇庠序唯建元元狩之間文
辭粲如也作儒林列傳第六十一
民倍本多巧姦軌弄法善人不能化唯一切嚴
削爲能齊之作酷吏列傳第六十二
漢既通使大夏而西極遠蠻引領内鄉欲觀中
國作大宛列傳第六十三

本作來　或義削不字

救人於戹振人不贍仁者有乎不既信徐廣曰一云不概信
不倍言義者有取焉作游俠列傳第六十四
夫事人君能說主耳目和主顏色而獲親近非
獨色愛能亦各有所長作佞幸列傳第六十五

角学從殘十一仁者有乎義者有取焉作游俠仍鄭代日游侠〻儀来是為剽〻子〻〻義一说猶為仁義〻重名乎

不流世俗不爭勢利上下無所凝滯人莫之害以道之用作滑稽列傳第六十六

齊楚秦趙爲日者各有俗（索隱曰按日者傳亡無以知諸國之俗今褚先生唯記司馬季主之事也）所用欲循（徐廣曰一作總）觀其大旨作日者列傳第六十七

三王不同龜四夷各異卜（索隱曰其書既亡無以知其異今褚少孫唯取太卜占龜之雜說詞甚煩蕪不能裁前後妄加穿鑿此篇不才之甚也）然各以決吉凶略闚其要作龜策列傳第六十八

布衣匹夫之人不害於政不妨百姓取與以時而息財富智者有采焉作貨殖列傳第六十九

維我漢繼五帝末流接三代絕業周道廢秦撥
去古文焚滅詩書故明堂石室金匱玉版如淳曰刻
玉版以為文字圖籍散亂於是漢興蕭何次律令韓信
申軍法張蒼為章程如淳曰章歷數之章術也程者權衡丈尺斛斗之平法也瓚曰
茂陵書丞相為工用程數其中言百工用材多少之量及制度之程品者是也叔孫通定禮儀
則文學彬彬稍進詩書往往間出矣自曹參薦
蓋公言黃老索隱曰蓋姓也音古盍反而賈生晁錯明申商公
孫弘以儒顯百年之間天下遺文古事靡不畢
集太史公太史公仍父子相續纂其職曰於戲
余維先人嘗掌斯事顯於唐虞至于周復典之

正義曰言本紀世家及諸傳年月差別不同故作十表以明之也

故司馬氏世主天官索隱曰案此天官非周禮冢宰天官乃廣知天文星曆之事天官且遷實黎之後而黎氏後亦總稱重黎以重本司天故太史公代掌天官蓋天官統太史之職言史是歷代之職恐非實事然衛宏以爲司馬氏周史佚之後故太史談云予之先人周之太史蓋或得其實也至於余乎欽念哉欽念哉罔羅天下放失舊聞索隱曰案舊聞猶遺失放逸者綱羅而考論之王迹所興原始察終見盛觀衰論考之行事略推三代錄秦漢上記軒轅下至于茲著十二本紀既科條之矣並時異世年差不明作十表索隱曰案並時則年曆差殊亦略言難以明辨故作表禮樂損益律曆改易兵權山川鬼神索隱曰案兵權即兵書也遷沒之後亡褚少孫以律書補之今律書亦略言兵也山川即河渠書也鬼神即封禪書也故云山川鬼神天人之際承敝通變作

略

八書。二十八宿環北辰，三十輻共一轂（[illegible]曰象[illegible]已下三十世家者言輻三十輻運行無窮以象王者如此也。○正義曰顧云此說非也言衆星共繞北辰諸輻咸歸轂羣臣尊輔天子也）運行無窮，輔拂股肱之臣配焉，忠信行道，以奉主上，作三十世家。扶義俶儻，不令己失時，立功名於天下（索隱曰己音紀言扶義倜儻之士能立功名於當代不後於時也），作七十列傳。凡百三十篇，五十二萬六千五百字，為太史公書序（索隱曰桓譚云遷所著書成以示東方朔朔皆署曰太史公則謂太史公是朔稱亦恐其說未實蓋遷自尊其父著述稱之曰公或云遷外孫楊惲所稱事或當爾也）略以拾遺補蓺（李奇曰六藝也。○索隱曰漢書作補闕此作蓺藝謂補六藝之闕也），成一家之言，厥協六經異傳（索隱曰遷言以所撰取協於經異傳諸家之說耳謙不敢比經藝也異傳者如子夏易傳

毛公詩及韓嬰外傳伏
生尚書大傳之流者也

整齊百家雜語

正義曰太史公
撰史記言其協

于六經異文整齊諸子百家雜說之語謙不敢比經藝也異
傳謂如丘明春秋外傳國語子夏易傳毛公詩傳韓詩外傳

伏生尚書大
傳之流也

藏之名山副在京師

索隱曰言正本藏之
書府副本留京師也

穆天子傳云天子北征至于羣玉之山河平無險四徹中繩
先王所謂策府郭璞云古帝王藏策之府則此謂藏之名山

是
也

俟後世聖人君子

索隱曰此語出公羊傳言夫子制
春秋之義以俟後聖君子以君子

之爲亦有
樂乎此也

第七十

衛宏漢書舊儀注曰司馬遷作景帝本
紀極言其短及武帝過武帝怒而削去

之後坐舉李陵陵降匈奴故
下遷蠶室有怨言下獄死

太史公曰余述歷黃帝以來至太初而訖百三

十篇

漢書音義曰十篇缺有錄無書張晏曰遷沒之後亡
景紀武紀禮書樂書律書漢興以來將相年表日者

列傳三王世家龜策列傳傅靳蒯列傳元成之間褚先生補
缺作武帝紀三王世家龜策日者列傳言辭鄙陋非遷本意

也○索隱曰案景紀取班書補之武紀專取封禪書禮書取荀卿禮論樂書取禮樂記兵書亡不補略述律而言兵遂分歷書述以次之三王系家空取其策文以續此篇何率略且重非當也日者不能記諸國之同異而論司馬季主龜策直太卜所得占龜兆雜說而無筆削功何蕪鄙也

索隱述贊曰

太史良才　寔纂先德　周遊歷覽

東西南北　事覈詞簡　是稱實錄

報任投書　申李下獄　惜哉殘缺

非才妄續

太史公自序第七十　史記一百三十

廿二

史記索隱後序

夫太史公紀事上始軒轅下訖天漢雖博采古文及傳記諸子其間殘闕蓋多或訪搜異聞以成其說然其人好奇而詞省故事覈而文微是以後之學者多所未究其班氏之書成於後漢彪既依遷而述所以條流更明且又兼采衆賢羣理畢備故其旨富其詞文是以近代諸儒共所鑽仰其訓詁蓋亦多門蔡謨集解之時已有二十四家之說所以於文無所滯於理無所遺而太史公之書既上序軒黃中述戰國或得之名

名山壞字　　作　解者　音
句難究詳矣然古今
始後漢延篤乃有音義一卷又別有音隱五卷
不記作者何人近代鮮有二家之本宋中散大
夫徐廣作音義一十卷唯記諸本異同於義少
有解釋又中兵郎裴駰亦名家之子也作集解
註本合為八十卷見行於代仍云亦有音義前
代久已散亡南齊輕車録事鄒誕生亦撰音義
三卷音則尚奇義則罕說隋秘書監柳顧言尤
善此史劉伯莊云其先人曾從彼公受業或音

卅三

解隨而記録凡二 隋季喪亂遂失此書伯
莊以貞觀之初奉勑 於弘文館講授遂采鄒徐
二說兼記憶柳公音旨遂作音義二十卷音乃
周備義則更略惜哉古史微文遂由數賢秘寶
故其學殆絕前朝吏部侍郎許子儒亦作註義
不覩其書崇文館學士張嘉會獨善此書而無
註義貞少從張學晚更研尋初以殘缺處多兼
鄙褚少孫誣謬因憤發而補史記遂兼註之然
其功殆半乃自惟曰 良 史
義重作

卅四之終

（漢）司馬遷　撰
（南朝宋）裴駰　集解
（唐）司馬貞　索隱
（唐）張守節　正義

宋本史記

第十五册

國家圖書館出版社

第十五册目録

史記荟萃

五十一

第十八 陳涉

第十九 外戚

正義曰勝立數月而死無後為世家者以唱始起兵滅秦雖不終亦世家之道也

陳涉世家第十八　史記四十八

索隱曰勝立數月而死無後亦稱系家者以其所遣王侯將相竟滅秦爲首事故也然時因擾攘起自匹夫假託妖祥一朝稱楚歷年不永勳業蔑如繼之齊魯曾何等級可降爲列傳

陳勝者陽城人也索隱曰韋昭云陽城屬潁川地理志屬汝南不同者按郡縣之名隨代分割蓋陽城舊屬汝南史遷云今爲汝陰後又分隸潁川韋昭據以爲說故注共不同他皆放此。正義曰即河南陽城縣也字涉吳廣者陽夏人也索隱曰夏音賈韋昭云淮陽縣後屬陳。正義曰括地志云陳州太康縣本漢陽夏縣也字叔陳涉少時嘗與人傭耕索隱曰廣雅云傭役也謂役力而受雇直也輟耕之壟上悵恨久之曰苟富貴無相忘傭者笑而應曰若爲傭耕何富貴也陳涉太息曰嗟乎燕雀安知鴻鵠之志哉索隱曰尸子云鴻鵠之鷇

恨一本作然

五

羽翼未合而有四海之心是也鴻鵠是一鳥若鳳皇然非鴻鴈與黃鵠也鵠音戶酷反

二世元年七月發閭左適戍漁陽九百人屯大澤鄉

徐廣曰在沛郡蘄縣○索隱曰閭左謂居閭里之左也秦時復除者居閭左今力役凡在閭左者盡發之也又云凡居以富強為右貧弱為左秦役戍多富者役盡兼取貧弱者而發之者也適音直革反又音磔故漢書有七科適戍者屯兵而守也地理志漁陽縣名在漁陽郡也○正義曰括地志云漁陽故城在檀州密雲縣南十八里在漁水之陽也

陳勝吳廣皆次當行為屯長會天大雨道不通度已失期失期法皆斬陳勝吳廣乃謀曰今亡亦死舉大計亦死等死死國可乎

索隱曰謂欲經營國國假使不成而敗猶愈為戍卒而死也

陳勝曰天下苦秦久矣吾聞二世少子也不當立

索隱曰姚氏按隱士遺章邯書云李斯為二世廢十七兄而立今王則二世是始皇第十八子也

當

通鑑乃詐称公子云云 胡注以百姓賢扶蘇而楚人憐項燕也

卜之鬼乎正義曰故称公子扶蘇項燕爲天下倡宜多應者卜之是卜之鬼也

者乃公子扶蘇扶蘇以數諫故上使外將兵今或聞無罪二世殺之百姓多聞其賢未知其死也索隱曰如淳云扶蘇自殺故人不知其死或以爲不知何坐而死故天下寃二世殺之或說爲非今宜依文而解直是扶蘇爲二世所殺而百姓未知故欲詐自稱也項燕爲楚將數有功愛士卒楚人憐之或以爲死或以爲亡今誠以吾衆詐自稱公子扶蘇項燕爲天下唱宜多應者索隱曰漢書作倡倡謂先也說文云倡首也吳廣以爲然乃行卜索隱曰行者先也一云行往也卜者知其指意曰足下事皆成有功然足下卜之鬼乎蘇林曰狐鳴祠中則是也瓚曰假託鬼神以威衆也故勝廣曰此教我威衆也○索隱曰裴註引蘇林臣瓚義亦當矣而李奇又云卜者戒曰所卜事雖成當死爲鬼惡指斥言之而勝失其旨用依鬼神無怪蓋亦得

念鬼言當以狀猶項然曰此教々以威衆也

正義曰戍者將領戍人也

其指也陳勝吳廣喜念鬼索隱曰念者思也謂思念欲假鬼神之事曰此教我先威衆耳乃丹書帛曰陳勝王置人所罾魚腹中漢書音義曰罾音曾文穎曰罾魚網也卒買魚烹食得魚腹中書固以怪之矣又閒令吳廣之次所旁叢祠中張晏曰戍人所止處也叢鬼所憑焉。索隱曰服虔云閒音中閒之閒鄭氏云閒謂切令人行也孔文祥又云伺候閒隙不欲令衆知之也師所次舍處也墨子云建國必擇木之脩茂者以為叢位高誘註戰國策云叢祠神祠叢樹也夜篝火徐廣曰或作構也篝者籠也音溝。索隱曰漢書作構火郭璞云篝籠也狐鳴呼曰大楚興陳勝王卒皆夜驚恐旦日卒中往往語皆指目陳勝吳廣素愛人士卒多為用者將尉醉索隱曰尉官也漢舊儀大縣二人其尉將屯九百人故云將尉也廣故數言欲亡忿恚

正義曰梁弁賀侍之前
筑頭劍挺是也

藉　篇音　才令毋斬
服
應
顏

恚尉令辱之以激怒其衆尉果笞廣尉劍挺徐廣曰挺猶脫也○索隱曰按脫即奪也說文云挺拔也案謂尉劍拔而廣因奪之故得殺尉廣起奪而殺尉陳勝佐之并殺兩尉召令徒屬曰公等遇雨皆已失期失期當斬藉第令毋斬服虔曰藉假也第次第也應劭曰藉吏士名藉也今失期當斬就使藉第幸得不斬戍死者固十六七此激怒其衆也蘇林曰第且也○索隱曰第一音次第之第小顏云第但也劉氏云藉音子夜反應劭讀如字各以意言蘇說爲近也而戍死者固十六七且壯士不死即已死即舉大名耳索隱曰大名謂大名稱也王侯將相寧有種乎徒屬皆曰敬受命乃詐稱公子扶蘇項燕從民欲也袒右稱大楚爲壇而盟祭以尉首陳勝自立爲將軍吳廣爲都

言假令且失
期不斬也

尉攻大澤鄉收而攻蘄蘄下索隱曰蘄音機又音祈縣名屬沛郡下者降也謂以兵臨蘄而即降也乃令符離人葛嬰將兵徇蘄以東索隱曰韋昭云符離屬沛郡李奇云徇略也音辭峻反攻銍酇苦柘譙皆下之徐廣曰苦柘屬陳餘皆在沛也行收兵比至陳索隱曰地理志陳縣屬淮陽車六七百乘騎千餘卒數萬人攻陳正義曰今陳州城也本楚襄王築古陳國城也陳守令皆不在索隱曰張晏云郡守縣令皆不在非也地理志及秦三十六郡並無陳郡則陳止是縣令言守令則守非官也與下守丞同也則皆是衙守也獨守丞與戰譙門中索隱曰盖謂陳縣之城門一名麗譙故曰譙門中非上譙縣之門也譙縣守前巳下故弗勝守丞死乃入據陳數日號令召三老豪傑與皆來會計事三老豪傑皆曰將軍身被堅執銳伐無道誅

陳涉 三

暴秦復立楚國之社稷功宜爲王陳涉乃立爲王號爲張楚（索隱曰李奇云欲張大楚國故稱張楚也）當此時諸郡縣苦秦吏者皆刑其長吏殺之以應陳涉乃以吳叔爲假王監諸將以西擊滎陽令陳人武臣張耳陳餘徇趙地令汝陰人鄧宗徇九江郡當此時楚兵數千人爲聚者不可勝數葛嬰至東城立襄彊爲楚王（索隱曰東城縣名地理志屬九江○正義曰括地志云東城故城在濠州定遠縣東南五十里也）嬰後聞陳王已立因殺襄彊還報至陳陳王誅殺葛嬰陳王令魏人周市北徇魏地吳廣圍滎陽李由爲三川守（索隱曰三川今洛陽也地有伊洛河故曰三川秦曰三川漢曰河南）

郡李由李斯子也守滎陽吴叔弗能下陳王徵國之豪傑與計以上蔡人房君蔡賜爲上柱國漢書音義曰房君官號也始蔡名賜瓚曰房邑君也。索隱曰房邑也爵之於房號曰房君晉灼按張耳傳言相國房君者蓋誤耳渉始號楚因楚有柱國之官故以官蔡賜蓋其時草創亦未置相國之官也。正義曰豫州吴房縣本房子國是所封也周文陳之賢人也文穎曰即周章嘗爲項燕軍視日如淳曰視日時吉凶舉動之占也司馬季主爲日者事春申君自言習兵陳王與之將軍印西擊秦行收兵至關車千乘卒數十萬至戲正義曰即京東戲亭也軍焉秦令少府章邯免酈山徒人奴產子服虔曰家人之產奴也。索隱曰小顏云猶今言家產奴也悉發以擊楚大軍盡敗之周文敗走出關止次曹陽索隱曰晉灼云亭名也在弘農東十三里小顏云曹水之陽也其水出陜縣西南峴頭山北流入河魏武帝改爲好陽也○正義曰括地志云曹陽故亭亦名好陽亭在陝州桃林縣東南十四里崔浩云曹陽坑名自南出北通於河按魏武帝改曰好陽也二三

月章邯追敗之復走次澠池正義曰澠池河南府縣是也十餘

日章邯擊大破之周文自剄軍遂不戰徐廣曰十一月也

索隱曰越系家勾踐使罪人三行屬劒於頸曰不敢逃刑乃自剄郭璞注三蒼以爲剄刺也武臣到邯

鄲自立爲趙王陳餘爲大將軍張耳召騷爲左

右丞相陳王怒捕繫武臣等家室欲誅之柱國

曰秦未亡而誅趙王將相家屬此生一秦也不

如因而立之陳王乃遣使者賀趙而徙繫武臣

等家屬宮中而封其子張敖爲成都君正義曰成都蜀郡縣

趣趙兵亟入關索隱曰趣音促謂催促也亟音棘亟急也趙王將相相與謀曰王王趙非楚意也楚已誅秦必加兵於趙計莫如毋西兵使使北徇燕地以自廣也趙南據大河北有燕代楚雖勝秦不敢制趙若楚不勝秦必重趙趙乘秦之弊可以得志於天下趙王以為然因不西兵而還故上谷卒史韓廣將兵北徇燕地燕故貴人豪傑謂韓廣曰楚已立王趙又已立王燕雖小亦萬乘之國也願將軍立為燕王韓廣曰廣母在趙不可燕人曰趙方西憂秦南憂楚其力不能禁我且以楚

之彊不敢害趙王將相之家趙獨安敢害將軍之家韓廣以爲然乃自立爲燕王居數月趙奉燕王母及家屬歸之燕當此之時諸將之徇地者不可勝數周市北徇地至狄徐廣曰今之臨濟狄人田儋殺狄令自立爲齊王以齊反擊周市市軍散還至魏地欲立魏後故甯陵君咎爲魏王應劭曰魏諸公子咎欲立六國後以樹黨○索隱曰晉灼云甯陵今在梁國按今梁國有寧陵縣是字轉異耳○正義曰括地志云宋州寧陵縣城古甯陵城也時咎在陳王所不得之魏魏地已定欲相與立周市爲魏王周市不肯使者五反陳王乃立甯陵君咎爲魏王遣之國周市卒爲

相將軍田臧等相與謀曰周章軍已破矣秦兵旦暮至我圍滎陽城弗能下秦軍至必大敗不如少遺兵足以守滎陽索隱曰遣作遺遺謂留餘也悉精兵迎秦軍今假王驕不知兵權不可與計非誅之事恐敗因相與矯王令以誅吳叔獻其首於陳王陳王使使賜田臧楚令尹印使爲上將田臧乃使諸將李歸等守滎陽城自以精兵西迎秦軍於敖倉與戰田臧死軍破章邯進兵擊李歸等滎陽下破之李歸等死陽城人鄧說將兵居郟索隱曰地理志陽城縣屬潁川說音悅允人名皆曰音悅郟音談小顏云郟東海之縣名非也按章邯軍此時未至東海此

令或作命

郯別是也名或恐郯當作郟郟是郟鄏之地或見下有東海郯縣故設也○正義曰屬海州疑郯當作郟郟音紀給反郟即春秋時郟地楚郟敖葬之今汝州郟縣城是鄧說是陽城人陽城河南府縣与郟城縣相近又走陳蓋郟字誤作郯耳

章邯別將擊破之鄧說軍散走陳銍人伍徐徐廣曰一作逢○索隱曰地理志銍縣名屬沛漢書作伍逢將兵居許正義曰括地志云許州許昌縣本漢許縣地理志云許縣故國姜姓四岳之後大叔所封二十四君為楚所滅漢以爲縣魏文帝即位改許曰許昌也章邯擊破之伍徐軍皆散走陳陳王誅鄧說陳王初立時陵人秦嘉地理志泗水國有陵縣也銍人董緤符離人朱雞石取慮人鄭布索隱曰地理志取慮縣名屬臨淮音秋閭二音取又音子臾反徐人丁疾等皆特起將兵圍東海正義曰今海州也守慶於郯陳王聞乃使武平君畔為將軍張晏曰畔名也監郯

圍東海守慶於郯 胡注陳涉世家作張陳勝傳作凌人……秦嘉姓……秦嘉……

下軍。秦嘉不受命，嘉自立為大司馬，惡屬武平君，告軍吏曰：武平君年少，不知兵事，勿聽。因矯以王命殺武平君畔。章邯已破伍徐，擊陳柱國房君，死。章邯又進兵擊陳西張賀軍，陳王出監戰，軍破，張賀死。臘月，張晏曰：秦之臘月，夏之九月。瓚曰：建丑之月也。○索隱曰：顏遊秦云按史記表二世十月誅葛嬰，十一月周文死，十二月陳涉死，是也。宗懍荊楚記云臘節在十二月，故因是謂之臘月也。陳王之汝陰，還至下城父，索隱曰：按，猶讀以陳王從汝陰還至城父縣，因降下之，故云還至下城父。又，顏氏按郡國志，山桑縣有下城父聚，在城父縣東，下讀如字，其說為得之。其御莊賈殺以降秦。陳勝葬碭，正義曰：音唐，今宋州碭山縣是。謚曰隱王。陳王故涓人將軍呂臣應劭曰：涓人，知謁者。將軍姓呂名臣也。蘇林曰：呂氏春秋

胡注曰馬路翻　將翻 胡注監古銜翻

七

通鑑考異八初陳涉既為王其故人嘗往依之妻之父亦往焉陳王以眾賓待之長揖不拜妻之父怒曰怙亂僭號而傲長者不能久矣不辭而去陳王跪謝遂不為顧客出入愈益發舒言陳王故情或說陳王曰客愚無知顓妄言輕威陳王斬之諸故人皆自引去由是無親陳王者陳王以朱房為中正胡武為司過主司群臣諸將徇地至令之不是輒繫而罪之以苛察為忠其所不善者弗下吏輒自治之諸將以其故不親附此其所以敗也胡注史言陳王寡恩親故遂死於莊賈之手故先以故人二字發之端乃及僕其妻父之次及客事實先后陳王備

荊柱國莊伯令謁者駕令涓人取冠○索隱曰涓音公玄反服虔云給通如今謁者爲倉頭軍起新陽徐廣曰在汝南也○索隱曰韋昭云軍皆著青帽故曰倉頭○正義曰括地志云新陽故城在豫州真陽縣西南四十二里漢新陽縣城應劭云在新水之陽也攻陳下之殺莊賈復以陳爲楚索隱曰爲如字讀謂以陳地爲楚國初陳王至陳令銍人宋留將兵定南陽入武關留已徇南陽聞陳王死南陽復爲秦秦宋留不能入武關乃東至新蔡遇秦軍宋留以軍降秦秦傳留至咸陽車裂留以徇秦嘉等聞陳王軍破出走乃立景駒爲楚王徐廣曰正月嘉爲上將軍引兵之方與正義曰房預二音方與兗州縣也欲擊秦軍定陶下正義曰今曹州也使公孫慶使齊王欲與并力

俱進齊王曰聞陳王戰敗不知其死生楚安得不請而立王公孫慶曰齊不請楚而立王楚何故請齊而立王且楚首事當令於天下田儋誅殺公孫慶秦左右校（索隱曰即左右校尉軍也）復攻陳下之呂將軍走收兵復聚鄱盜（鄱音婆英布居江中爲群盜陳勝之起布歸番君吳芮故謂之鄱盜者也）當陽君黥布之兵相收復擊秦左右校破之青波（漢書音義曰地名也）復以陳爲楚會項梁立懷王孫心爲楚王陳勝王凡六月已爲王王陳其故人嘗與庸耕者聞之之陳扣宮門曰吾欲見涉宮門令欲縛之自辯數乃置（晉灼曰數音朔友數斯疏矣○索隱曰數音疎主反）

謂自辨說數與涉有故舊事驗也又音朔數謂自辨往數與涉有故也不肯爲通陳王出遮道而呼涉陳王聞之乃召見載與俱歸入宮見殿屋帷帳客曰夥頤涉之爲王沈沈者應劭曰沈沈宮室深邃之貌也沈音長含反含一作金○索隱曰服虔云楚人謂多爲夥又言頤者助聲之辭也謂涉爲王宮殿帷帳庶物夥多驚而偉之故稱夥頤也劉伯莊以沈沈猶談談謂故人呼爲沈沈猶俗云談談漢也楚人謂多爲夥故天下傳之夥涉爲王由陳涉始客出入愈益發舒言陳王故情或說陳王曰客愚無知顓妄言輕威陳王斬之諸陳王故人皆自引去由是無親陳王者索隱曰顓氏引孔叢子云陳勝爲王妻之父兄往焉勝以衆賓待之妻父怒云怙彊而傲長者不能久焉不辭而去是其事類也陳王以朱房爲中正胡

武為司過主司羣臣諸將徇地至令之不是者繫而罪之以苛察為忠其所不善者弗下吏輒自治之索隱曰謂朱房胡武等以素所不善者即自驗問不往下吏也陳王信用之諸將以其故不親附此其所以敗也陳勝雖已死其所置遣侯王將相竟亡秦由涉首事也高祖時為陳涉置守冢三十家碭至今血食

褚先生曰徐廣曰一作太史公駰案班固奏事云太史遷取賈誼過秦上下篇以為秦始皇本紀陳涉世家下贊文然則言褚先生者非也○索隱曰徐廣裴駰據班固奏事皆云合作太史公今據此是褚先生述史記加此贊首地形險阻數句然後始稱賈生之言因即改太史公之目而自題己位號也已下義並已見始皇之本紀地形險阻所以為固也兵革刑法所以為治也

正義曰言諸將不如令是已所不善者不下吏朱房胡武輒自治之乃苛察為忠陳王乃任用之

形一作刑

秦孝公以下師説不讀

猶未足恃也夫先王以仁義爲本而以固塞文
法爲枝葉豈不然哉吾聞賈生之稱曰秦孝公
據殽函之固韋昭曰殽謂二殽函函谷關也擁雍州之地君臣固守
以窺周室有席卷天下包舉宇内囊括四海之
意并吞八荒之心當是時也商君佐之内立法
度務耕織脩守戰之備外連衡而鬭諸侯於是
秦人拱手而取西河之外孝公既沒惠文王武
王昭王蒙故業因遺策南取漢中西舉巴蜀東
割膏腴之地收要害之郡諸侯恐懼會盟而謀
弱秦不愛珍器重寶肥饒之地以致天下之士

合從締交相與爲一當此之時齊有孟嘗趙有平原楚有春申魏有信陵此四君者皆明知而忠信寬厚而愛人尊賢而重士約從連衡兼韓魏燕趙宋衛中山之衆於是六國之士有甯越徐尚蘇秦杜赫之屬爲之謀齊明周最〔正義曰音聚〕陳軫邵滑〔正義邵作昭〕樓緩翟景蘇厲樂毅之徒通其意吳起孫臏帶他兒良王廖田忌廉頗趙奢之倫制其兵嘗以什倍之地百萬之師仰關而攻秦〔索隱曰仰字亦作卬並音仰謂秦地形高故並仰向關門而攻秦有作叩字排也〕秦人開關而延敵九國之師逡巡而不敢進〔索隱曰九國者謂六國之外更〕

有宋衛中山

秦無亡矢遺鏃之費而天下固已困矣於是從散約敗爭割地而賂秦秦有餘力而制其弊追亡逐北伏尸百萬流血漂櫓索隱曰說文云櫓大楯也因利乘便宰割天下分裂山河彊國請服弱國入朝施及孝文王莊襄王享國之日淺國家無事及至始皇奮六世之餘烈振長策而御宇內吞二周而亡諸侯履至尊而制六合執敲朴以鞭笞天下索隱曰臣瓚云短曰敲長曰朴威振四海南取百越之地以爲桂林象郡百越之君俛首係頸委命下吏乃使蒙恬北築長城而守藩籬却匈奴七百餘

正義鍉音的
注鏑音

里胡人不敢南下而牧馬士亦不敢貫弓而報怨（索隱曰貫音烏還反又如字貫謂上絃也）於是廢先王之道燔百家之言以愚黔首墮名城殺豪俊收天下之兵聚之咸陽銷鋒鍉（徐廣曰一作鏑）鑄以為金人十二（索隱曰各重千石坐高二丈號曰翁仲）以弱天下之民然後踐華為城因河為池據億丈之城臨不測之谿以為固良將勁弩守要害之處信臣精卒陳利兵而誰何（索隱曰誰何猶今巡更問何誰也）天下已定始皇之心自以為關中之固金城千里子孫帝王萬世之業也始皇既沒餘威振於殊俗然而陳涉甕牖繩樞之子甿隸之人（徐廣

（曰田民曰甿音亡更反）而遷徙之徒也，材能不及中人，非有仲尼、墨翟之賢，陶朱、猗頓之富，躡足行伍之間，俛仰仟佰之中，（索隱曰：仟佰謂千人百人之長也。漢書作阡陌，如淳云時皆僻屈在阡陌之中。陌音貊。）率罷散之卒，將數百之衆，而轉攻秦，斬木爲兵，揭竿爲旗，天下雲會響應，贏糧而景從，山東豪俊遂並起而亡秦族矣。且天下非小弱也，雍州之地，殽函之固自若也。陳涉之位，非尊於齊、楚、燕、趙、韓、魏、宋、衛、中山之君也；鉏耰棘矜，非銛於句戟長鎩也；（索隱曰：鉏耰謂鉏柄也。論語曰耰而不輟是也。棘，戟也。矜，戟柄，音勤。）適戍之衆，非儔於九國之師也；深謀遠慮，行軍用兵之道非及鄉時之士也索隱曰鄉音香亮反鄉時猶往時也蓋謂孟嘗信陵蘇秦陳軫之比也然而成敗異變功業相反也嘗試使山東之國與陳涉度長絜大索隱曰絜音下結反謂如結束知其大小也比權量力則不可同年而語矣然而秦以區區之地致萬乘之權抑八州而朝同列索隱曰謂秦強而抑八州使朝己也漢書作招八州亦通百有餘年矣然後以六合爲家殽函爲宮一夫作難而七廟隳身死人手爲天下笑者何也仁義不施而攻守之勢異也索隱曰施音式豉反言秦虎狼之国其仁心不施及於天下故亡也

索隱述贊曰

天下匈匈　海内乏主　掎鹿爭捷
瞻烏爰處　陳勝首事　厥號張楚
鬼怪是憑　鴻鵠自許　葛嬰東下
周文西拒　始親朱房　又任胡武
夥頤見殺　腹心不與　莊賈何人
反噬城父

陳涉世家第十八　史記四十八

正義曰繼體謂嫡子繼先祖者也守文謂守先祖法制也

正義曰內德謂皇后也外戚謂皇后親戚也

世本云帝嚳次妃有娀氏之女曰簡狄生契

外戚世家第十九　漢書列傳六十七　史記四十九

索隱曰外戚紀后妃也后族亦代有封爵故也漢書則編之列傳中王隱則謂之紀而在列傳之首

自古受命帝王及繼體守文之君索隱曰繼體謂非創業之主而是嫡子繼先帝之正體而立者也守文猶法也謂非受命創制之君但守先帝法度爲之主耳非獨內德茂也蓋亦有外戚之助焉索隱曰謂非獨君德於內茂盛亦有賢后妃外戚之親以助教化也夏之興也以塗山索隱曰韋昭云塗山國名禹所娶者今九江當塗有禹墟大戴禮云禹娶塗山氏之女謂之女憍生啓也而桀之放也以末喜索隱曰國語桀伐有施有施人以末喜女焉韋昭云有施喜姓之國末喜其女也殷之興也以有娀索隱曰有娀國名其女簡狄吞燕卵而生契故詩云天命玄鳥降而生商是也紂之殺也嬖妲己索隱曰國語殷辛伐有蘇有蘇氏以妲己女焉按有蘇國也己姓也妲字也

往憍作嬌

恒云妲音丁達反周之興也以姜原及大任索隱曰系本云帝嚳上妃有邰氏之女曰姜原鄭玄箋詩云姜姓嫄名履大人跡生后稷大任文王之母故詩云摯仲氏任毛詩云摯國任姓之中女也而幽王之禽也淫於褒姒索隱曰國語曰幽王伐有褒有褒人以褒姒女焉按褒是國名姒是其姓即龍漦之子褒人育而以女於幽王也然此文自夏之興至褒姒皆是史蘇之詞見國語及列女傳故易基乾坤詩始關雎書美釐降春秋譏不親迎索隱曰公羊紀裂繻來逆女傳曰外逆女書此何以書譏也何譏爾始不親迎也夫婦之際人道之大倫也禮之用唯婚姻為兢兢夫樂調而四時和陰陽之變萬物之統也索隱曰以言若樂聲調能令四時和而陰陽變陰陽變則能生萬物是陰陽即夫婦也夫婦道和而能化生萬物萬物人為之本故云萬物之統也可不慎與人能弘道無如命何甚哉妃匹

正義曰臣子有親愛之情父子雖尊猶不能除奪況乎卑下而能制止乎

之愛索隱曰妃音配又如字君不能得之於臣索隱曰以言夫婦親愛之情雖君父之尊而不奪臣子所好愛使移其本意是不能得也故曰匹夫不可奪志也父不能得之於子況卑下乎既驩合矣或不能成子姓索隱曰鄭玄註禮記云姓者子姓謂衆孫也即趙飛燕等是也能成子姓矣或不能要其終索隱曰按謂有如不能要其終也以言雖有子姓而意不能要終如栗姬衛后等是也豈非命也哉孔子罕稱命蓋難言之也非通幽明之變惡能識乎性命哉索隱曰惡音烏猶於何也

太史公曰秦以前尚略矣其詳靡得而記焉

漢興呂娥姁徐廣曰姁音況羽反呂后姊字長姁也索隱曰娥姁呂后字按漢書小顏云呂后名雉字娥姁為高祖正后男為太子及晚節色衰愛

成子姓正義曰言世世子孫

踈而戚夫人有寵（索隱曰漢書云得定陶戚姬）其子如意幾代太子者數矣及高祖崩呂氏夷戚氏誅趙王而高祖後宮唯獨無寵踈遠者得無恙（索隱曰爾雅云恙憂也一說古者野居露宿恙噬人蟲也故人相恤云得無恙乎）呂后長女為宣平侯張敖妻敖女為孝惠皇后（索隱曰皇甫謐云名嫣）呂太后以重親故欲其生子萬方終無子詐取後宮人子為子及孝惠帝崩天下初定未久繼嗣不明於是貴外家王諸呂以為輔而以呂祿女為少帝后欲連固根本牢甚然無益也高后崩合葬長陵（關中記曰高祖陵在西呂后陵在東漢帝后同塋則為合葬不合陵也諸陵皆如此）祿產等

懼誅謀作亂大臣征之天誘其統徐廣曰一作東卒滅

呂氏唯獨置孝惠皇后居北宮索隱曰在未央北故曰北宮。正義曰括地志云北宮在雍州長安縣西北十三里與桂宮相近在長安故城中迎立代王是爲

孝文帝奉漢宗廟此豈非天邪非天命孰能當

之

薄太后父吳人姓薄氏秦時與故魏王宗家女

魏媼通索隱曰媼音烏老反媼是婦人之老者通號故趙太后自稱媼及劉媼衛媼之屬是也生

薄姬而薄父死山陰因葬焉索隱曰韋昭云薄父冢在會稽縣西北襟山上今猶有兆域襟音莊給反。正義曰括地志云纖山在越州會稽縣西北三里一名稷山纖音莊給反

及諸侯畔秦魏豹立爲魏王而魏媼內其女於

魏宮媼之許負所相相薄姬云當生天子是時項羽方與漢王相距滎陽天下未有所定豹初與漢擊楚及聞許負言心獨喜因背漢而畔中立更與楚連和漢使曹參等擊虜魏王豹以其國為郡而薄姬輸織室豹已死漢王入織室見薄姬有色詔內後宮歲餘不得幸始姬少時與管夫人趙子兒相愛約曰先貴無相忘已而管夫人趙子兒先幸漢王漢王坐河南宮成皐臺索隱曰按是河南宮之成皐臺漢書作成皐靈臺西征記云武牢城內有高祖殿西南有武庫也○正義曰括地志云洛州氾水縣古東虢州故鄭之制邑漢之成皐縣也此兩美人相與笑

薄姬初時約漢王聞之問其故兩人具以實告
漢王漢王心慘然憐薄姬是日召而幸之薄姬
曰昨暮夜妾夢蒼龍據吾腹高帝曰此貴徵
也吾爲女遂成之一幸生男是爲代王其後薄
姬希見高祖高祖崩諸御幸姬戚夫人之屬呂
太后怒皆幽之不得出宮而薄姬以希見故得
出從子之代爲代王太后太后弟薄昭從如代
代王立十七年高后崩大臣議立後疾外家呂
氏彊皆稱薄氏仁善故迎代王立爲孝文皇帝
而太后改號曰皇太后弟薄昭封爲軹侯

理志云軹縣在河內恐地遠非其封案長安東有軹道亭或當是所封也薄太后母亦前死葬櫟陽北於是乃追尊薄父為靈文侯會稽郡置園邑三百家長丞已下吏奉守冢寢廟上食祠如法而櫟陽北亦置靈文侯夫人園如靈文侯園儀薄太后以為母家魏王後早失父母其奉薄太后諸魏有力者於是召復魏氏及尊賞賜各以親疏受之薄氏侯者凡一人薄太后後文帝二年以孝景帝前二年崩葬南陵索隱曰按廟記云在霸陵南十里故謂之南陵按今在長安東灞水東原上名曰少陰在霸陵西南故曰東望吾子西望吾夫是也。正義曰括地志云南陵故縣在雍州萬年縣東南二十四里漢南陵縣本薄太后陵邑陵在東北去縣六里

以呂后會葬長陵，故特自起陵，近孝文皇帝霸陵。徐廣曰：霸陵縣有軹道亭

竇太后，索隱曰：皇甫謐云名猗房 趙之清河觀津人也。正義曰：在冀州東強縣東北二十五里 呂太后時，竇姬以良家子入宮侍太后。太后出宮人以賜諸王，各五人，竇姬與在行中。竇姬家在清河，欲如趙近家，請其主遣宦者吏：正義曰：謂宦者為吏，主發遣宮人也 「必置我籍趙之伍中。」宦者忘之，誤置其籍代伍中。籍奏，詔可，當行。竇姬涕泣，怨其宦者，不欲往，相彊，乃肯行。至代，代王獨幸竇姬，生女嫖。索隱曰：嫖音匹消反 後生兩男。而代王王后生

四男先代王未入立爲帝而王后卒及代王立爲帝而王后所生四男更病死孝文帝立數月公卿請立太子而竇姬長男最長立爲太子立竇姬爲皇后女嫖爲長公主其明年立少子武爲代王已而又徙梁是爲梁孝王竇皇后親蚤卒葬觀津索隱曰摯虞決錄云竇太后父少遭秦亂隱身漁釣墜泉而死景帝立太后遣使者填父所墜淵起大墳於觀津城南人閒號爲竇氏青山○正義曰括地志云竇少君墓在冀州武邑縣東南二十七里於是薄太后乃詔有司追尊竇后父爲安成侯母曰安成夫人令清河置園邑二百家長丞奉守比靈文園法竇皇后兄竇長君索隱曰決錄云建字長君

弟曰竇廣國字少君少君年四五歲時家貧爲人所略賣其家不知其處傳十餘家至宜陽爲其主入山作炭寒臥岸下百餘人岸崩盡壓殺臥者少君獨得脫不死自卜數日當爲侯從其家之長安索隱曰謂從逐其宜陽之主人家而皆往長安爲居也聞竇皇后新立家在觀津姓竇氏廣國去時雖小識其縣名及姓又常與其姊採桑墮用爲符信上書自陳竇皇后言之於文帝召見問之具言其故果是又復問他何以爲驗對曰姊去我西時與我決於傳舍中索隱曰決別也傳音轉傳舍謂郵亭傳置之舍言竇后初入宮時別其弟於傳舍之中也

丐沐沐我（索隱曰丐音蓋丐者乞也沐米潘也謂乞潘為弟沐也）請食飯我乃去於是竇后持之而泣泣涕交橫下侍御左右皆伏地泣助皇后悲哀乃厚賜田宅金錢封公昆弟家於長安（索隱曰公亦祖也謂皇后同祖之昆弟如竇嬰即皇后從昆弟子之比亦得家於長安故劉氏云公昆弟謂廣國等也）絳侯灌將軍等曰吾屬不死命乃且縣此兩人兩人所出微不可不為擇師傅賓客又復效呂氏大事也於是乃選長者士之有節行者與居竇長君少君由此為退讓君子不敢以尊貴驕人竇皇后病失明文帝幸邯鄲慎夫人尹姬皆毋子孝文帝崩孝景帝立

東宮 通鑑十七太皇竇太后好黃老言不悅儒術趙綰請毋奏事東宮 胡注漢長樂宮在東太后居之故謂之東宮亦謂之東朝

乃封廣國爲章武侯索隱曰地理志縣名屬渤海。正義曰括地志云滄州魯城縣長君前死封其子彭祖爲南皮侯索隱曰地理志縣名屬渤海。正義曰括地志云故南皮城在滄州南皮縣北四里漢南皮縣也吴楚反時竇太后從昆弟子竇嬰任俠自喜將兵以軍功爲魏其侯索隱曰地理志縣名屬琅邪竇氏凡三人爲侯竇太后好黃帝老子言帝及太子諸竇不得不讀黃帝老子尊其術竇太后後孝景帝六歲建元六年崩索隱曰當武帝建元六年此文是也而漢書作元光誤也合葬霸陵遺詔盡以東宮金錢財物賜長公主嫖

王太后槐里人索隱曰皇甫謐云后名娡音志地理志扶風槐里本名廢丘。正義曰括地

師說曰自喜自矜貴也但大長公主曰何不自喜而倍本乎非矜貴之意歟

黃帝道書十卷

老子道德經二卷

志云大丘故城一名槐里亦曰廢丘城在雍州始平縣東南十里也母曰臧兒臧兒者故燕王臧荼孫也臧兒嫁為槐里王仲妻生男曰信與兩女索隱曰即后及兒姁也而仲死臧兒更嫁長陵田氏生男蚡勝臧兒長女嫁為金王孫婦生一女矣而臧兒卜筮之曰兩女皆當貴因欲奇兩女索隱曰奇者異之也漢書作倚倚倚依也乃奪金氏金氏怒不肯予決乃內之太子宮太子幸愛之生三女一男男方在身時王美人夢日入其懷以告太子太子曰此貴徵也未生而孝文帝崩孝景帝即位王夫人生男索隱曰即武帝也漢武故事云帝以乙酉年七月七日生於猗蘭

通鑑長公主嫖胡注
長知兩翻嫖文帝女
景帝之姊師古曰帝
最長以次乃長公主
余謂帝女稱公主帝
之姊妹稱長公主嫖
降堂邑侯陳午生
女為武帝陳皇
后嫖匹沼翻

臧兒又入其少女兒姁索隱曰姁音況羽反兒姁生四男索隱曰謂廣川王越膠東王寄清河王乘常山王舜也景帝爲太子時薄太后以薄氏女爲妃及景帝立立妃曰薄皇后皇后毋子毋寵薄太后崩廢薄皇后景帝長男榮其母栗姬栗姬齊人也立榮爲太子長公主嫖有女欲予爲妃栗姬妒而景帝諸美人皆因長公主見景帝得貴幸皆過栗姬索隱曰過音戈謂踰之栗姬日怨怒謝長公主不許長公主欲予王夫人王夫人許之長公主怒而日讒栗姬短於景帝曰栗姬與諸貴夫人幸姬會常使侍者祝唾其背

挾邪媚道景帝以故望之（索隱曰望猶責望謂恨之也）景帝常體不安心不樂屬諸子爲王者於栗姬曰可歲後善視之栗姬怒不肯應言不遜景帝恚心嗛之而未發也（索隱曰嗛音銜漢書作銜銜猶恨也）長公主日譽王夫人男之美景帝亦賢之又有曩者所夢日符計未有所定王夫人知帝望栗姬因怒未解陰使人趣大臣立栗姬爲皇后大行奏事畢（索隱曰大行禮官行音衡）曰子以母貴母以子貴（索隱曰此皆公羊傳之文也）今太子母無號宜立爲皇后景帝怒曰是而所宜言邪遂案誅大行而廢太子爲臨江王栗姬愈恚

正義望……恨也

百

通鑑辯誤第一云帝未與諸王夫人知帝嗛栗姬史炤釋文曰嗛音簟切恨也余按漢書音義嗛音銜監本注口有所銜曰嗛景帝心銜栗姬史炤用此字

通鑑十六曩者所夢胡注王夫人夢日入其懷所謂符也武帝也

通鑑同然集解傳

外戚世家使人趣大行胡注晉灼曰大行人小行人主謚官……大行令……

鑑是而胡注

曩者六餘胡注

恨不得見以憂死卒立王夫人爲皇后其男爲太子封皇后兄信爲蓋侯索隱曰地理志縣名屬太山景帝崩太子襲號爲皇帝尊皇太后母臧兒爲平原君正義曰德州縣也封田蚡爲武安侯索隱曰地理志縣名屬魏郡○正義曰括地志云武安故城在洛州武安縣西南七里六國時趙邑漢武安縣城也勝爲周陽侯索隱曰地理志縣名屬上郡○正義曰括地志云周陽故城在絳州聞喜縣東二十九里也景帝十三男一男爲帝十二男皆爲王而兒姁早卒其四子皆爲王王太后長女號曰平陽公主正義曰括地志云平陽故城即晉州城西面今平陽故城東面也城記云堯築也次爲南宮公主正義曰南宮冀州縣也次爲林慮公主索隱曰林慮縣名屬河內本名隆慮避殤帝諱改名林慮

慮音盧○正義曰林慮相州縣也蓋侯信好酒田蚡勝貪巧於文辭王仲早死葬槐里追尊為共侯置園邑二百家及平原君卒從田氏葬長陵置園比共侯園而王太后後孝景帝十六歲以元朔四年崩合葬陽陵正義曰括地志云陽陵在雍州咸陽縣東四十里王太后家凡三人為侯

衛皇后武帝后字子夫生微矣蓋其家號曰衛氏正義曰衛青傳云父鄭季為吏給事平陽侯家與侯妾衛媪通生青故冒衛氏出平陽侯邑徐廣曰平陽侯曹壽尚平陽公主子夫為平陽主謳者武帝初即位數歲無子平陽主求諸良家子女十餘人飾置其家武

帝祓徐廣曰三月上巳臨水祓除謂之禊呂后本紀亦云三月祓還過軹道蓋與游字相似故或定之也索隱曰小顏祓音廢今亦音拂謂祓禊之遊水自潔故云祓除也霸上還因過平陽主主見所侍美人上弗說既飲謳者進上望見獨說衛子夫是日武帝起更衣子夫侍尚衣軒中得幸正義曰尚主也於王衣車中得幸也上還坐驩甚賜平陽主金千斤主因奏子夫奉送入宮子夫上車平陽主拊其背曰行矣彊飯勉之即貴無相忘入宮歲餘竟不復幸武帝擇宮人不中用者斥出歸之衛子夫得見涕泣請出上憐之復幸遂有身尊寵日隆召其兄衛長君弟青爲侍中而

子夫後大幸有寵凡生三女一男索隱曰三女謂諸邑石邑及衛長公主後封爲當利公主也男名據索隱曰即戾太子初上爲太子時娶長公主女爲妃立爲帝妃立爲皇后姓陳氏索隱曰漢武故事云后名阿嬌即長公主嫖女也曾祖父陳嬰堂邑侯傳至午尚長公主生后也無子上之得爲嗣大長公主有力焉徐廣曰即景帝姊嫖也以故陳皇后驕貴聞衛子夫大幸恚幾死者數矣上愈怒陳皇后挾婦人媚道其事頗覺於是廢陳皇后索隱曰漢書云女子楚服等坐爲皇后呪詛大逆無道相連誅者三百餘人乃廢后居長門宮故司馬相如賦云陳皇后別在長門宮愁悶悲思奉黃金百斤爲相如取酒乃爲作頌以奉皇后復親幸作頌信工也復親幸之恐非實也而立衛子夫爲皇后陳皇后母大長公主

景帝姊也數讓武帝姊平陽公主曰帝非我不得立已而棄捐吾女壹何不自喜而倍本乎平陽公主曰用無子故廢耳陳皇后求子與醫錢凡九千萬然竟無子衞子夫已立爲皇后先是衞長君死乃以衞青爲將軍擊胡有功封爲長平侯（索隱曰地理志縣名屬汝南）青三子在襁褓中皆封爲列侯及衞皇后所謂姊衞少兒少兒生子霍去病以軍功封冠軍侯（索隱曰地理志冠軍屬河陽）號驃騎將軍青號大將軍立衞皇后子據爲太子衞氏枝屬以軍功起家五人爲侯及衞后色衰趙之王夫人

錢本作金

及或作乃

幸有子爲齊王【索隱曰名閎】王夫人早卒而中山李夫人有寵有男一人爲昌邑王【索隱曰名髆 正義曰名賀】李夫人早卒【索隱曰案李延年之女弟漢書云帝悼之李少翁致其形帝爲作賦】其兄李延年以音幸號協律協律者故倡也兄弟皆坐姦族是時其長兄廣利爲貳師將軍伐大宛不及誅還而上既夷李氏後憐其家乃封爲海西侯【正義曰漢武帝令李廣利征大宛國近西海故號海西侯也】

他姬子二人爲燕王廣陵王【索隱曰漢書云李姬生廣陵王胥燕王旦也】其母無寵以憂死及李夫人卒則有尹婕妤之屬更有寵然皆以倡見非王侯有土之女士不

可以配人主也

褚先生曰正義曰疑此元成之間褚少孫續之也臣為郎時問習漢家故事者鍾離生曰王太后在民間時所生子女者徐廣曰名俗○正義曰按後封修成君者父為金王孫王孫已死景帝崩後武帝已立王太后獨在而韓王孫名嫣素得幸武帝承閒白言太后有女在長陵也武帝曰何不蚤言乃使使往先視之在其家武帝乃自往迎取之蹕道先驅旄騎出橫城門如淳曰橫音光三輔黃圖云北面西頭門○正義曰括地志云渭橋本名橫橋架渭水上在雍州咸陽縣東南二十二里按此橋對門也乘輿馳至長陵當小市西入里里門閉暴

閉門乘輿直入此里通至金氏門外止使武騎
圍其宅為其亡走身自往取不得也即使左右
羣臣入呼求之家人驚恐女亡匿內中牀下扶
持出門令拜謁武帝下車泣曰嚄索隱曰烏百反蓋怯之辭耳
正義曰嚄叉青失聲驚愕貌也大姊何藏之深也詔副車載之廻
車馳還而直入長樂宮行詔門著引籍正義曰武帝道上詔令通名狀於門使引入至太后所
通謁太后太后曰帝倦矣
何從來帝曰今者至長陵得臣姊與俱來顧曰
謁太后太后曰女某邪曰是也太后為下泣女
亦伏地泣武帝奉酒前為壽奉錢千萬奴婢三

百人公田百頃甲第以賜姊太后謝曰爲帝費焉於是召平陽主南宮主林慮主三人俱來謁見姊因號曰脩成君有子男一人女一人男號爲脩成子仲（索隱曰金氏之男修成君之子也而名仲者與大外祖王氏同字恐非也）女爲諸侯王王后（徐廣曰嫁爲淮南王安太子妃也）此二子非劉氏以故太后憐之脩成子仲驕恣陵折吏民皆患苦之

衞子夫立爲皇后后弟衞青字仲卿以大將軍封爲長平侯四子長子伉爲侯世子侯世子常侍中貴幸其三弟皆封爲侯各千三百戶一曰

侯 本无

世 本作 太 下同

陰安侯索隱曰名不疑地理志陰安縣名屬魏郡○正義曰括地志云陰安故城在魏州頓丘縣北六十里地二曰發干侯索隱曰名登地理志發干縣名屬東郡○正義曰括地志云發干故城在博州堂邑縣西南二十三里三曰宜春侯索隱曰名伉地理志宜春縣名屬汝南○正義曰括地志云宜春故城在豫州汝陽縣西六十七里貴震天下天下歌之曰生男無喜生女無怒獨不見衛子夫霸天下是時平陽主寡居當用列侯尚主主與左右議長安中列侯可為夫者皆言大將軍可主笑曰此出吾家常使令騎從我出入耳奈何用為夫乎左右侍御者曰今大將軍姊為皇后三子為侯富貴振動天下主何以易之乎於是主乃許之言

外戚世家

之皇后今皇后之武帝乃詔衛將軍尚平陽公主焉

褚先生曰丈夫龍變傳曰蛇化爲龍不變其文家化爲國不變其姓丈夫當時富貴百惡滅除光耀榮華貧賤之時何足累之哉

武帝時幸夫人尹婕妤索隱曰韋昭云婕承好助也一云美好也聲類云幸也字亦從女漢舊儀云皇后爲婕妤下與禮比丞相邢夫人號娙娥索隱曰服虔云娙音近妍徐廣音三耕反鄒誕生音莖字林音五經反說文云娙長也好也許慎云秦晉之間謂好爲娙又方言云美貌謂之娙娥漢舊儀云娙娥秩比將軍御史大夫衆人謂之娙何娙何秩比中二千石索隱曰崔浩云中猶滿也漢制九卿已上秩一歲滿二千斛又漢官儀云中二千石俸月百八

十斛容華秩比二千石索隱曰二千石是郡守之秩漢官儀云其俸月百二十斛又有員二千石者如淳云諸侯王相在郡守上秩眞二千石漢律眞二千石俸月二萬按是二萬斛則二萬斗亦是二千石也崔浩云列卿已上秩石皆正二千石則是眞二千石也其云中二千石亦不滿二千其盖千八九百耳此崔氏說今兼引兩解之婕妤秩比列侯常從婕妤遷爲皇后尹
夫人與邢夫人同時並幸有詔不得相見尹夫
人自請武帝願望見邢夫人帝許之即令他夫
人飾從御者數十人爲邢夫人來前尹夫人前
見之曰此非邢夫人身也帝曰何以言之對曰
視其身貌形狀不足以當人主矣於是帝乃詔
使邢夫人衣故衣獨身來前尹夫人望見之曰

此世家褚先生有三

武帝后

此眞是也於是乃低頭俛而泣自痛其不如也諺曰美女入室惡女之仇

褚先生曰浴不必江海要之去垢馬不必騏驥要之善走士不必賢世要之知道女不必貴種要之貞好傳曰女無美惡入室見妬士無賢不肖入朝見嫉美女者惡女之仇豈不然哉

鉤弋夫人姓趙氏河間人也索隱曰漢書云武帝過河間望氣者言此有奇女天子亟使使召之女兩手皆拳上自披之手即伸由是得幸號曰拳夫人後居鉤弋宮號曰鉤弋夫人列仙傳云發手得一玉鉤故號焉黃圖云鉤弋宮在城外漢武故事云宮在直門南廟記云宮有千門萬戶不可記其名也昭帝即位追尊太后父趙父爲順成侯○正義曰括地志云鉤弋宮在長安城中門名堯母門也得幸武

室本作宮

室本作宮

正義曰　書曰後元年上疾病遂立昭帝太子年八歲明日武帝崩太子即皇帝位五歲者褚先生誤矣

帝生子一人昭帝是也武帝年七十乃生昭帝昭帝立時年五歲耳徐廣曰武帝崩年七十昭帝年八歲耳○索隱曰此衛先生之記漢書云元始三年生昭帝又誤按元始當作太始也衛太子廢後未復立太子而燕王旦上書願歸國入宿衛武帝怒立斬其使者於北闕上居甘泉宮召畫工圖畫周公負成王也於是左右羣臣知武帝意欲立少子也後數日帝譴責鉤弋夫人夫人脫簪珥叩頭帝曰引持去送掖庭獄夫人還顧帝曰趣行女不得活夫人死雲陽宮索隱曰三輔故事云葬甘泉宮南後昭帝起雲陵邑三千戶○漢武故事云既殯香聞十里上疑非常人發棺無尸衣履存焉○正義曰括地志云雲陽宮秦之甘泉宮在雍州

外戚世家　十五

雲陽縣西北八十里秦始皇作甘泉宮去長安三百里黃帝以來祭圜丘處也時暴風揚塵百姓感傷使者夜持棺往葬之正義曰括地志云雲陽陵漢鉤弋夫人陵也在雲陽縣西北五十八里葬武帝鉤弋趙婕妤昭帝之母齊人姓趙少好清靜六年臥病右手捲飲食少望氣者云東北有貴人推而得之召到姿色甚佳武帝持其手伸之得玉鉤後生昭帝武帝末年殺夫人殯之而尸香一月昭帝更葬之棺但存絲履也宮記云武帝思之為起通靈臺於甘泉常有一青鳥集臺上往來至宣帝時乃止封識其處其後帝閒居問左右曰人言云何左右對曰人言且立其子何去其母乎帝曰然是非兒曹愚人所知也往古國家所以亂也由主少母壯也女主獨居驕蹇淫亂自恣莫能禁也女不聞呂后邪故諸為武帝生子者無男女其母

無不譴咎豈可謂非聖哉昭然遠見爲後世
計慮固非淺聞愚儒之所及也諡爲武豈虛哉
索隱述贊曰禮貴夫婦易叙乾坤配陽成化
比月居尊河洲降淑天曜垂軒德著任姒慶
流娥媓祚建我炎曆斯道克存呂權大寶竇善
云言自茲已降立嬖以恩内無常主後嗣不繁

外戚世家第十九　史記四十九

史记世家　五十二

第二十　楚元王

第二十一　荆王刘贾　燕王刘泽

第二十二　齐悼惠王

第二十三　萧相国

張晏云丘大長嫂稱也
顏師古曰丘巨皆大也

楚元王世家第二十　史記五十

楚元王劉交者[正義曰年表云都彭城]高祖之同母[徐廣曰一作父索隱曰漢書作同父言同父以明異母也]少弟也字游高祖兄弟四人長兄伯伯蚤卒始高祖微時嘗辟事時時與賓客過巨嫂食[徐廣曰漢書云丘嫂也○索隱曰應劭云丘姓也孟康云丘空也兄亡空有嫂也今此作巨巨大也謂長嫂也劉氏云巨一作丘也]嫂厭叔叔與客來嫂詳爲羹盡櫟釜[索隱曰櫟音歷謂以杓櫟釜旁使爲聲漢書作轑音勞]賓客以故去已而視釜中尚有羹高祖由此怨其嫂及高祖爲帝封昆弟而伯子獨不得封太上皇以爲言高祖曰某非忘封之也爲其母不長者耳

是乃封其子信為羹頡侯徐廣曰羹頡侯以七年封封十三年高后元年有罪削爵一級為關內侯。索隱曰羹頡爵號非縣名以其櫟釜故也。正義曰括地志云羹頡山在嬀州懷戎縣東南十五里按高祖取其山名為侯號者怨故也而王次兄仲於代徐廣曰次兄名喜字仲以六年立為代王其年罷卒謚頃王有子曰濞高祖六年已禽楚王韓信於陳乃以弟交為楚王都彭城索隱曰漢書云楚王王薛郡東海彭城三十六郡也即位二十三年卒子夷王郢立索隱曰漢書名郢客也夷王四年卒子王戊立王戊立二十年冬坐為薄太后服私姦削東海郡索隱曰漢書云私姦服舍中姚察云姦於服舍非必宮中又按集註服虔云私姦中人以罪重故至削郡也春戊與吳王合謀反其相張尚太傅趙夷吾諫不聽戊則殺尚夷吾起兵與吳西攻梁破棘壁〔正義曰括地志云大棘故城在宋州寧陵縣西七十里即梁棘壁〕至昌邑南〔正義曰括地志云有梁丘故城在曹州成武縣東北三十二里也〕與漢將周亞夫戰漢絕吳楚糧道士卒飢吳王走楚王戊自殺軍遂降漢漢已平吳楚孝景帝欲以德侯子續吳〔徐廣曰德侯名廣吳王濞之弟也其父曰仲〕以元王子禮續楚竇太后曰吳王老人也宜為宗室順善今乃首率七國紛亂天下奈何續其後不許吳許立楚後是時禮為漢宗正乃拜禮為楚王奉元王宗廟是為楚文王文王立三年卒子安王道立安王二十二年卒子襄王注立襄王立

十四年卒子王純代立王純立地節二年中人上書告楚王謀反王自殺國除入漢為彭城郡 徐廣曰純立十七年卒謚節二子延壽立十九年死。索隱曰太史公唯記王純為國人告反國除蓋延壽後更封至十九年又謀反誅死故不同也。正義曰漢書云王純嗣十六年子延壽嗣與趙何齊謀反延壽自殺立三十二年國除與此不同地節是宣帝年號去天漢四年二十九年仍隔昭帝世言到地節二年以下者蓋褚先生誤也

趙王劉遂者 正義曰年表云都邯鄲 其父高祖中子名友謚曰幽幽王以憂死故為幽高后王呂祿於趙一歲而高后崩大臣誅諸呂呂祿等乃立幽王子遂為趙王孝文帝即位二年立遂弟辟彊 索隱曰音辟彊又音闢彊 取趙之河間郡為河間王 正義曰河間今瀛州也 以為

文王立十三年卒子哀王福立一年卒無子絶後國除入于漢遂既王趙二十六年孝景帝時坐鼂錯以適削趙王常山之郡吳楚反趙王遂與合謀起兵其相建德（索隱曰建德其相名史先失姓也）内史王悍諫不聽遂燒殺建德王悍發兵屯其西界欲待吳與倶西北使匈奴與連和攻漢漢使曲周侯酈寄擊之趙王遂還城守邯鄲相距七月吳楚敗於梁不能西匈奴聞之亦止不肯入漢邊欒布自破齊還乃并兵引水灌趙城趙城壞趙王自殺邯鄲遂降（正義曰邯鄲洛州縣也）趙幽王絶後

太史公曰國之將興必有禎祥君子用而小人退國之將亡賢人隱亂臣貴使楚王戊毋刑申公遵其言索隱曰漢書申公名培王戊胥靡之趙任防與先生趙堯傳曰趙人防與公也○索隱曰此及漢書雖不見趙不用防與公蓋當時猶知事迹或別有所見故太史公明引以結其贊豈有篡殺之謀爲天下僇哉賢人乎賢人乎非質有其内惡能用之哉甚矣安危在出令存亡在所任誠哉是言也

索隱述贊曰漢封同姓楚有令名既滅韓信王矣彭城穆生致醴韋孟作程王戊棄德與吳連兵太后命禮爲楚罪輕文襄繼立世挺

趙王劉遂 三一 ×

才英如何趙遂代殞厥聲興王之兆所任宜明

楚元王世家第二十　史記五十

趙王 四〆

荊燕世家第二十一　　史記五十一

荊王劉賈正義曰年表云都吳也諸劉者不知其何屬漢書賈高帝從父兄。索隱曰註引漢書則班固或別有所見也初起時漢王元年還定三秦劉賈為將軍定塞地索隱曰即桃林之塞從東擊項籍漢四年漢王之敗成皋北渡河得張耳韓信軍軍脩武深溝高壘使劉賈將二萬人騎數百渡白馬津入楚地正義曰括地志云黎陽一名白馬津在滑州白馬縣北三千里按賈從此津南過入楚地也燒其積聚以破其業無以給項王軍食而已楚兵擊劉賈賈輒壁不肯與戰而與彭越相保漢五年漢王追項籍至固陵徐廣曰在陽夏正義曰括地志云固陵陵名在陳州宛丘縣西北四十二里使劉賈南渡淮圍壽春正義曰今壽州壽春縣是也還至使人間招楚大司馬周殷周殷反楚佐劉賈舉九江迎武王黥布兵皆會垓下共擊項籍漢王因使劉賈將九江兵與太尉盧綰西南擊臨江王共尉索隱曰共敖之子共尉已死以臨江為南郡正義曰今荊州也漢六年春會諸侯於陳正義曰今陳州也廢楚王信囚之分其地為二國當是時也高祖子幼昆弟少又不賢欲王同姓以鎮天下乃詔曰將軍劉賈有功及擇子弟可以為王者羣臣皆曰立劉賈為荊王王淮東五十二城

荊王劉賈一

索隱曰表云劉賈都吳又漢書以東陽郡封賈東陽即臨淮故云王淮東。正義曰括地志云西北四十里蓋此縣是也

高祖弟交為楚王王淮西三十六城正義曰淮以西徐泗濠等州也因立子肥為齊王始王昆弟劉氏也高祖十一年秋淮南王黥布反東擊荊荊王賈與戰不勝走富陵索隱曰地理志縣名屬臨淮。正義曰括地志云富陵故城在楚州盱眙縣東北六十里為布軍所殺高祖自擊破布十二年立沛侯劉濞為吳王王故荊地

燕王劉澤者諸劉遠屬也漢書澤高祖從祖昆弟索隱曰楚漢春秋田子春説張卿云劉澤宗家也按言宗家似踈遠矣然則班固言從祖昆弟當別有所見高帝三年澤為郎中高帝十一年澤以將軍擊陳豨得王黃

爲營陵侯（索隱曰地理志縣名在北海。正義曰括地志云營陵故城在青州北海縣南三十里）高后時齊人田生（晉灼曰楚漢春秋田子春）游乏資以畫干營陵侯澤（服虔曰以計畫干之也文穎曰以工畫得寵也。索隱曰兩家之義並通）澤大說之用金二百斤爲田生壽田生已得金即歸齊二年澤使人謂田生曰弗與矣（孟康曰與黨與言不復與我爲與也文穎曰不得與汝相知）田生如長安不見澤而假大宅令其子求事呂后所幸大謁者張子卿（徐廣曰名澤　駰案如淳曰閹人也）居數月田生子請張卿臨親脩具張卿許往田生盛帷帳共具譬如列侯張卿驚酒酣乃屏人說張卿曰臣觀諸侯王邸第百餘皆高祖

正義曰張子卿漢書作澤卿音釋高后紀劉勃傳作釋子卿字也

臨親脩具　漢書師古曰親文也具供具也

請張卿臨親脩具

請張卿臨親脩具

盛帷帳共具譬如列侯

共具　漢書作具置

通鑑十三高后紀大　燕王劉澤二

張卿云云胡注張卿即前大謁者張釋也

六乂

音張澤見呂后紀八年

曰奉

盛　本元

一作帷帳盛辟言

大臣語正義曰語魚呂反

一切功臣（索隱曰此一切猶一例同時也非如他一切訓權時也）今呂氏雅故本推轂高帝就天下（如淳曰呂公知高祖相貴以女妻之推轂使爲長者瓚曰謂諸呂共推轂高祖征伐成帝業雅正意也○索隱曰雅訓素也謂呂氏素心奉推高祖取天下若人推轂欲前進塗然也推音昌誰反）功至大又親戚太后之重太后春秋長諸呂弱太后欲立呂產爲呂王王代太后又重發之（文頴曰欲發之恐大臣不聽鄒誕曰重難發事）恐大臣不聽今卿最幸大臣所敬何不風大臣以聞太后太后必喜諸呂已王萬戶侯亦卿之有（正義曰高后紀云封張卿爲建陵侯）太后心欲之而卿爲內臣不急發恐禍及身矣張卿大然之乃風大臣語太后太后朝因問大臣

雅故本

大臣請立呂產爲呂王太后賜張卿千斤金張卿以其半與田生田生弗受因說之曰呂產王也諸大臣未大服今營陵侯澤諸劉爲大將軍獨此尚觖望（索隱曰觖音決又音窺睡反）今卿言太后列十餘縣王之彼得王喜去諸呂王益固矣張卿入言太后然之乃以營陵侯劉澤爲琅邪王琅邪王乃與田生之國田生勸澤急行毋留出關太后果使人追止之已出即還及太后崩琅邪王澤乃曰帝少諸呂用事劉氏孤弱乃引兵與齊王合謀西（漢書音義曰澤至齊齊爲齊王所劫不得去乃說王求詣京師齊具車送之不爲本與齊合謀也）

漢書曰郢書云如淳說非也肥如燕之屬縣也郢人者縣令之名也定國劉欲誅其臣又欲誅肥如令郢人而郢人等不告也

索隱曰漢書齊王傳云使祝午紿琅邪王至齊因留琅邪王不得反國澤乃說求入關齊乃送之與此文不同若劉氏以爲燕齊兩史各言其王立功之迹太史公闕疑遂各記之則所謂實録欲誅諸呂至梁聞漢遣灌將軍屯滎陽澤還兵備西界遂跳驅至長安漢書音義曰跳驅馳至長安也○索隱曰跳他彫反脫獨去也又音條謂疾去也代王亦從代至諸將相與琅邪王共立代王爲天子天子乃徙澤爲燕王乃復以琅邪予齊復故地李奇曰本齊地分以王澤今復與齊也澤王燕二年薨謚爲敬王傳子嘉爲康王至孫定國與父康王姬姦生子男一人奪弟妻爲姬與子女三人姦定國有所欲誅殺臣肥如令郢人如淳曰定國自欲有所殺臣肥如令郢人以告之○索隱曰

兵本

乃本作初

嘉或作喜

如淳曰意以肥如亦臣名令郢人以告定國也小顏以爲定國欲有所誅殺餘臣而肥如令郢人乃告定國地按地理志肥如在遼西郢人等告定國定國使謁者以他法劾捕格殺郢人以滅口至元朔元年郢人昆弟復上書具言定國陰事以此發覺詔下公卿皆議曰定國禽獸行亂人倫逆天當誅上許之定國自殺國除爲郡

太史公曰荊王王也由漢初定天下未集故劉賈雖屬疏然以策爲王塡江淮之閒劉澤之王權激呂氏索隱曰謂田子春說王王劉澤先使張卿說封諸呂呂產乃恐以大臣歎望澤卒得王故爲權激也然劉澤卒南面稱孤者三世事發相重豈

不亦爲偉乎晉灼曰澤以金與田生以事張卿張卿言之呂后而劉澤得王故曰事發相重或曰事起於相重也○索隱曰謂先發呂氏令重而我亦得其功是事發相重也偉盛也蓋盛其能激發也

索隱述贊曰劉賈初從首定三秦既渡白馬遂圍壽春始迎黥布絕間周殷賞功胙土與楚爲鄰營陵始爵勳由擊陳田生遊說受賜千斤權激諸呂事發榮身徙封傳嗣亡於郢人

荊燕世家第二十一　史記五十一

齊言正義曰諸齊民言語不楚魏燕趙異者隨地割屬齊也
正義曰不尊惠帝如家人兄弟禮

齊悼惠王世家第二十二　史記五十二

齊悼惠王【正義曰年表云都臨淄】劉肥者高祖長庶男也其母外婦也曰曹氏高祖六年立肥爲齊王食七十城諸民能齊言者皆予齊王【索隱曰謂其語音及名物其於楚魏一云此時人多流亡故使齊言者皆還齊王】齊王孝惠帝兄也孝惠帝二年齊王入朝惠帝與齊王燕飲亢禮如家人【索隱曰謂齊王是兄不爲君臣禮而乃自亢敵如家人行兄弟之禮故太后怒】呂太后怒且誅齊王齊王懼不得脫乃用其内史勳計獻城陽郡【正義曰括地志云濮州雷澤縣本漢城陽縣後爲郡地】以爲魯元公主湯沐邑呂太后喜乃得辭就國悼惠王即位十三

辛衛讀 下同

崩衛讀不讀 下同

劉澤八高祖從祖昆弟也

齊悼惠王劉肥

年以惠帝六年卒子襄立是爲哀王哀王元年孝惠帝崩呂太后稱制天下事皆決於高后二年高后立其兄子酈侯（徐廣曰一作鄜○索隱曰二字皆音孚鄜縣名在馮翊酈縣在高陽○正義曰按音呈益反括地志云故酈城在鄧州新城縣西北四十里蓋此縣是也）呂台爲呂王（索隱曰台音胎呂后兄子）割齊之濟南郡（正義曰括地志云濟南故城在淄州長山縣西北三十五里）爲呂王奉邑哀王三年其弟章入宿衞於漢呂太后封爲朱虛侯（索隱曰地理志縣名屬琅邪）以呂祿女妻之後四年封章弟興居爲東牟侯（索隱曰地理志縣名屬東萊）皆宿衞長安中哀王八年高后割齊琅邪郡（正義曰今所州也）立營陵侯劉澤爲琅邪王其

注所作沂

趙王友高帝子也

年表曰燕王呂通趙王呂祿梁王呂産都梁也

三趙王 趙王如意 趙王友 趙王恢

明年趙王友入朝幽死于邸三趙王皆廢高后立諸呂爲三王徐廣曰燕趙梁擅權用事朱虛侯年二十有氣力忿劉氏不得職嘗入侍高后燕飲高后令朱虛侯劉章爲酒吏章自請曰臣將種也請得以軍法行酒高后曰可酒酣章進飲歌舞已而曰請爲太后言耕田歌高后兒子畜之笑曰顧而父知田耳若生而爲王子安知田乎索隱曰顧猶念也而及若皆訓汝章曰臣知之太后曰試爲我言田章曰深耕穊種立苗欲疏非其種者鉏而去之呂后默然頃之諸呂有一人醉亡酒章追拔劍斬

誅諸呂之亂自此始

之而還報曰有亡酒一人臣謹行法斬之太后
左右皆大驚業已許其軍法無以罪也因罷自
是之後諸呂憚朱虛侯雖大臣皆依朱虛侯劉
氏為益彊其明年高后崩趙王呂祿為上將軍
呂王產為相國皆居長安中聚兵以威大臣欲
為亂朱虛侯章以呂祿女為婦知其謀乃使人
陰出告其兄齊王欲令發兵西朱虛侯東牟侯
為內應以誅諸呂因立齊王為帝齊王既聞此
計乃與其舅父駟鈞索隱曰舅謂舅父猶姨稱姨母郎中令祝午
中尉魏勃陰謀發兵齊相召平聞之索隱曰廣陵人召平與東

軍

通鑑十三 益彊 胡注 ……

齊王 悼惠王子 哀王襄也

通鑑十三 高后紀 齊相召平 胡注 康曰廣陵人 召平 ……及此召平凡三人云云

悼惠王世家 肥 二 十七

通鑑自高帝將也胡注言澤自高帝時為將

陵矣召平及此召平皆自似別人也　功臣表平子奴以父功封黎侯也　乃發卒衛王宮魏勃紿召平曰王欲發兵非有漢虎符驗也而相君圍王固善勃請為君將兵衛衛王召平信之乃使魏勃將兵圍王宮勃既將兵使圍相府召平曰嗟乎道家之言當斷不斷反受其亂乃是也遂自殺於是齊王以駟鈞為相魏勃為將軍祝午為內史悉發國中兵使祝午東詐琅邪王曰呂氏作亂齊王發兵欲西誅之齊王自以兒子年少不習兵革之事願舉國委大王大王自高帝將也習戰事齊王不敢離兵　索隱曰服虔云不敢離其兵

使臣請大王幸之臨菑見齊王計事并將

到琅邪

齊兵以西平關中之亂琅邪王信之以爲然西馳見齊王齊王與魏勃等因留琅邪王而使祝午盡發琅邪國而并將其兵琅邪王劉澤旣見欺不得反國乃說齊王曰齊悼惠王高皇帝長子推本言之而大王高皇帝適長孫也當立今諸大臣狐疑未有所定而澤於劉氏最爲長年大臣固待澤決計今大王留臣無爲也不如使我入關計事齊王以爲然乃益具車送琅邪王琅邪王旣行齊遂舉兵西攻呂國之濟南於是齊

哀王遺諸侯王書曰高帝平定天下王諸子弟悼惠王於齊悼惠王薨惠帝使留侯張良立臣爲齊王惠帝崩高后用事春秋高聽諸呂擅廢高帝所立又殺三趙王正義曰隱王如意幽王友梁王恢徙趙並高祖子也滅梁燕趙正義曰梁王恢燕王建梁王恢徙趙分滅無後也以王諸呂分齊國爲四索隱曰謂濟南琅邪城陽并齊爲四也○正義曰琅邪郡封劉澤濟南郡以爲呂王台奉邑城陽爲魯元公主湯沐邑也忠臣進諫上惑亂不聽今高后崩皇帝春秋富索隱曰小顏云年幼也比之於財方未匱竭故謂之富也未能治天下固恃大臣諸侯今諸呂又擅自尊官聚兵嚴威劫列侯忠臣矯制以令天下宗廟所以危今寡

齊王代王爭位之事

人率兵入誅不當為王者漢聞齊發兵而西相
國呂產乃遣大將軍灌嬰東擊之灌嬰至滎陽
乃謀曰諸呂將兵居關中欲危劉氏而自立我
今破齊還報是益呂氏資也乃留兵屯滎陽使
使喻齊王及諸侯與連和以待呂氏之變而共
誅之齊王聞之乃西取其故濟南郡亦屯兵於
齊西界以待約呂祿呂產欲作亂關中朱虛侯
與太尉勃丞相平等誅之朱虛侯首先斬呂產
於是太尉勃等乃得盡誅諸呂而琅邪王亦從
齊至長安大臣議欲立齊王而琅邪王及大臣

章

將一作持

曰齊王母家駟鈞惡戾虎而冠者也張晏曰言鈞惡戾如虎而冠方以呂氏故幾亂天下今又立齊王是欲復爲呂氏也代王母家薄氏君子長者且代王又親高帝子於今見在且最爲長以子則順以善人則大臣安於是大臣乃謀迎立代王而遣朱虛侯以誅呂氏事告齊王令罷兵灌嬰在滎陽聞魏勃本教齊王反既誅呂氏罷齊兵使使召責問魏勃勃曰失火之家豈暇先言丈人而後救火乎索隱曰此蓋古俗之言謂救火之急不暇先啓白家長也亦猶國家有難不暇待詔命也因退立股戰而栗恐不能言者終無他語灌將軍

救火乎 顏師古曰言以社稷將危故舉兵以匡之不暇待有詔命

丈 或作 文

爲 下 栗字作慄

漢書師古曰物謂鬼神也

孰視笑曰人謂魏勃勇妄庸人耳（索隱曰妄庸言凡妄庸少力之人）何能爲乎乃罷魏勃（索隱曰罷謂不罪而放遣之）魏勃父以善鼓琴見秦皇帝及魏勃少時欲求見齊相曹參家貧無以自通乃常獨早夜掃齊相舍人門外相舍人怪之以爲物而伺之（索隱曰姚氏云物怪物）得勃勃曰願見相君無因故爲子掃欲以求見於是舍人見勃曹參因以爲舍人一爲參御言事參以爲賢言之齊悼惠王悼惠王召見則拜爲内史始悼惠王得自置二千石及悼惠王卒而哀王立勃用事重於齊相王既罷兵歸而代王來立

是爲孝文帝孝文帝元年盡以高后時所割齊之城陽琅邪濟南郡復與齊而徙琅邪王王燕益封朱虛侯東牟侯各二千戶是歲齊哀王卒太子則立是爲文王齊文王元年漢以齊之城陽郡立朱虛侯爲城陽王以齊濟北郡（正義曰分濟州濟北王所都郡）立東牟侯爲濟北王二年濟北王反漢誅殺之地入于漢後二年孝文帝盡封齊悼惠王子罷軍等七人（正義曰罷音不）皆爲列侯齊文王立十四年卒無子國除地入于漢後一歲孝文帝以所封悼惠王子分齊爲王齊孝王將閭以悼惠

王子楊虛侯爲齊王故齊別郡盡以王悼惠王子子志爲濟北王子辟光爲濟南王子賢爲菑川王子卬爲膠西王子雄渠爲膠東王與城陽齊凡七王索隱曰謂將閭爲齊王志爲濟北王卬膠西王辟光濟南王賢菑川王章城陽王雄渠爲膠東王

齊孝王十一年吳王濞楚王戊反興兵西告諸侯曰將誅漢賊臣鼂錯以安宗廟膠西膠東菑川濟南皆擅發兵應吳楚欲與齊齊孝王狐疑城守不聽三國兵共圍齊張晏曰膠西菑川濟南也齊王使路中大夫張晏曰姓路爲中大夫○索隱曰史失名故言姓及官顧氏按路氏譜中大夫名卬也卬五剛反告於天子天子復令路中大夫還告齊王

善堅守吾兵今破吳楚矣路中大夫至三國兵
圍臨菑數重無從入三國將劫與路中大夫盟
曰若反言漢已破矣齊趣下三國不且見屠路
中大夫既許之至城下望見齊王曰漢已發兵
百萬使太尉周亞夫擊破吳楚方引兵救齊齊
必堅守無下三國將誅路中大夫齊初圍急陰
與三國通謀約未定會聞路中大夫從漢來喜
及其大臣乃復勸王毋下三國居無何漢將欒
布平陽侯等兵至齊（索隱曰平陽侯按表是簡侯曹奇）擊破三國
兵解圍已而復聞齊初與三國有謀將欲移

兵伐齊齊王孝王懼乃飲藥自殺景帝聞之以爲齊首善以迫劫有謀非其罪也乃立孝王太子壽爲齊王是爲懿王續齊後而膠西膠東濟南菑川王咸誅滅地入于漢徙濟北王王菑川齊懿王立二十二年卒子次景立是爲厲王齊厲王其母曰紀太后太后取其弟紀氏女爲厲王后王不愛紀氏女太后欲其家重寵索隱曰重直龍反謂欲世寵貴於王宮令其長女紀翁主入王宮索隱曰如淳云諸王女云公翁主稱其母姓故謂之紀翁主正其後宮毋令得近王欲令愛紀氏女王因與其姊翁主姦齊有宦者徐甲入事漢皇

太后索隱曰謂王太后武帝母也皇太后有愛女曰脩成君脩成君非劉氏張晏曰王太后前嫁金氏所生太后憐之脩成君有女名娥太后欲嫁之於諸侯宦者甲乃請使齊必令王上書請娥皇太后喜使甲之齊是時齊人主父偃知甲之使齊以取后事亦因謂甲即事成幸言偃女願得充王後宮甲既至齊風以此事紀太后大怒曰王有后後宮具備且甲齊貧人急徐廣曰一作及乃為宦者入事漢無補益乃欲亂吾王家且主父偃何為者乃欲以女充後宮徐甲大窮還報皇太后曰王已願尚娥然有一

燕王定國[illegible]劉澤孫也
與父康王姬姦奪弟妻
為姬與子女三人姦[illegible]
獸行亂人倫
正義曰浸潯侵尋二音
又音淫浸潯猶漸潤
深也
帝市租千金 正義曰謂臨
淄之市所賣之物日出
稅利千金言齊人
衆殷富大千金[illegible]

害恐如燕王燕王者與其子昆弟姦新坐以死
亡國故以燕感太后太后曰無復言嫁女齊事
事浸潯不得聞於天子主父偃由此亦與齊有
郤主父偃方幸於天子用事因言齊臨菑十萬
戶市租千金（索隱曰言市租謂所賣之物出稅日得千金言齊人衆而且富也）人衆殷
富巨於長安此非天子親弟愛子不得王此今
齊王於親屬益疏乃從容言呂太后時齊欲反
吳楚時孝王幾為亂今聞齊王與其姊亂於是
天子乃拜主父偃為齊相且正其事主父偃既
至齊乃急治王後宮宦者為王通於姊翁主所

不[illegible]滅元
通[illegible]於翁主
[illegible]
況翻

者令其辭證皆引王王年少懼大罪爲吏所執誅乃飲藥自殺絶無後是時趙王懼主父偃一出廢齊恐其漸疏骨肉乃上書言偃受金及輕重之短索隱曰謂偃挾齊不娶女之恨因言齊之短爲輕重之短蓋言臨菑富及吳楚孝王時事是也天子亦既囚偃公孫弘言齊王以憂死毋後國入漢非誅偃無以塞天下之望遂誅偃齊厲王立五年死毋後國入于漢齊悼惠王後尚有二國城陽及菑川菑川地比齊天子憐齊爲悼惠王冢園在郡割臨菑東環悼惠王冢園邑盡以予菑川以奉悼惠王祭祀城陽景王章正義曰年表云

都莒也齊悼惠王子以朱虛侯與大臣共誅諸呂而章身首先斬相國呂王產於未央宮孝文帝既立益封章二千戶賜金千斤孝文二年以齊之城陽郡立章爲城陽王立二年卒子喜立是爲共王共王八年徙王淮南索隱曰當孝文帝之十二年也○正義曰年表云都陳也四年復還王城陽凡三十三年卒子建延立是爲頃王頃王二十八年卒子義立是爲敬王敬王九年卒子武立是爲惠王惠王十一年卒子順立是爲荒王荒王四十六年卒子恢立徐廣曰甘露二年是爲戴王戴王八年卒子景立至建

濟北王興居傳

始三年正義曰建始成帝年號從建始四年上至天漢四年六十七矣蓋褚先生次之十五
歲卒濟北王興居正義曰郡濟州也齊悼惠王子以東
牟侯助大臣誅諸呂功少及文帝從代來興居
曰請與太僕嬰入清宮廢少帝共與大臣尊立
孝文帝孝文帝二年以齊之濟北郡立興居為
濟北王與城陽王俱立立二年反始大臣誅呂
氏時朱虛侯功尤大許盡以趙地王朱虛侯盡
以梁地王東牟侯及孝文帝立聞朱虛東牟之
初欲立齊王故絀其功及二年王諸子乃割齊
二郡以王章興居章興居自以失職奪功章死

後 本ナ 下同

意 本ナ

濟南王辟光

而興居聞匈奴大入邊漢多發兵使丞相灌嬰擊之文帝親幸太原以為天子自擊胡遂發兵反於濟北天子聞之罷丞相及行兵皆歸長安使棘蒲侯柴將軍（張晏曰柴武）擊破虜濟北王王自殺地入于漢為郡後十二年文帝十六年復以齊悼惠王子安都侯（正義曰安都故城在瀛州高陽縣西南三十九里）志為濟北王（索隱曰地理志安都闕）十一年吳楚反時志堅守不與諸侯合謀吳楚已平徙志王菑川濟南王辟光（正義曰辟音壁都濟南郡）齊悼惠王子以勒侯（索隱曰勒漢書作扐皆音力地理志縣名屬平原也）孝文十六年為濟南王十一年與吳

棘 紀力反

齊悼惠王劉肥十

十九

菑川王賢

通鑑六武成侯　胡注武成史記作武城

楚反漢擊破殺辟光以濟南爲郡地入于漢菑川王賢正義曰年表云淄川王都劇故城在青州壽光縣西三十一里齊悼惠王子以武城侯索隱曰按地理志縣名屬平原也。正義曰貝州縣文帝十六年爲菑川王十一年卒與楚反漢擊破殺賢天子因徙濟北王志王菑川志以齊悼惠王子以安都侯王濟北菑川王反母後乃徙濟北王王菑川凡立三十五年卒謚爲懿王子建代立是爲靖王二十年卒子遺代立是爲頃王三十六年卒子終古立是爲思王二十八年卒子尚立是爲孝王五年卒子橫立至建始正義曰亦褚少孫次之三年

注見胡本爲義作　以下作

十一歲卒膠西王卬正義曰卬五郎反年表云都高苑括地志云西苑故城在淄州長川縣北四里齊悼惠王子以昌平侯正義曰括地志云昌平故城在幽州東南六十里也文帝十六年爲膠西王十一年與吳楚反漢擊破殺卬地入于漢爲膠西郡膠東王雄渠正義曰年表云都即墨按即墨故城在萊州膠東縣南六十里齊悼惠王子以白石侯索隱曰地理志縣名屬金城。正義曰白石古城在德州安德縣北二十里文帝十六年爲膠東王十一年與吳楚反漢擊破殺雄渠地入于漢爲膠東郡

太史公曰諸侯大國無過齊悼惠王以海內初定子弟少激秦之無尺土封故大封同姓以填

萬民之心及後分裂固其理也

索隱述贊曰漢矯秦制樹屏自彊表海大國悉封齊王呂后肆怒乃獻城陽哀王嗣立其力不量朱虛仕漢功大策長東牟受賞稱亂貽殃膠東濟北雄渠辟光齊雖七國忠孝者昌

齊悼惠王世家第二十二　史記五十二

有九一文

蕭相國世家第二十三　史記五十三

蕭相國何者沛豐人也索隱曰春秋緯蕭何感昴精而生典獄制律以文無害漢書音義曰文無害有文無所枉害也律有無害都吏如今言公平吏一曰無害者如言無比陳留間語也。索隱曰裴註已列數家今更引二說應劭云雖爲文吏而不刻害韋昭云爲有文理無傷害也爲沛主吏掾索隱曰漢書云何爲主吏主吏功曹也又云何爲沛掾是何爲功曹掾高祖爲布衣時何數以吏事護高祖索隱曰說文云護救視也高祖爲亭長常左右之高祖以吏繇咸陽吏皆送奉錢三何獨以五李奇曰或三百或五百也。索隱曰奉音扶用反謂資俸之如字讀謂奉送之也劉氏云時錢有重者一當百故有送錢三者秦御史監郡者與從事常辨之張晏曰何與共事將辨明何素有方略也蘇林曰辟何與從事也索時無刺史以御史監郡。索隱

[illegible]何數[illegible]吏從事 音辨明言辦職也 何乃給泗水卒史 徐廣曰沛縣有泗水亭又泰以泗為泗水郡駰按文穎曰何為泗水郡卒史。○索隱曰如淳按律郡卒史書佐各十人也卒祖忽反 事第一 索隱曰謂課最居第一 秦御史欲入言徵何何固請得毋行及高祖起為沛公何常為丞督事 索隱曰謂高祖起沛令何為丞常監督衆事也 沛公至咸陽諸將皆爭走金帛財物之府分之 索隱曰走音奏奏者趨向之也 何獨先入收秦丞相御史律令圖書藏之沛公為漢王以何為丞相項王與諸侯屠燒咸陽而去漢王所以具知天下阨塞戶口多少彊弱之處民所疾苦者以何具得秦圖書也何進言韓信漢王以信為大將軍

語在淮陰侯事中漢王引兵東定三秦何以丞相留收巴蜀填撫諭告使給軍食漢二年漢王與諸侯擊楚何守關中侍太子治櫟陽為法令約束立宗廟社稷宮室縣邑輒奏上可許以從事即不及奏上輒以便宜施行上來以聞應劭曰上來還乃以所為聞之關中事計戶口轉漕給軍索隱曰轉劉氏音張戀反漕水運也漢王數失軍遁去何常興關中卒輒補缺上以此專屬任何關中事漢三年漢王與項羽相距京索之閒上數使使勞苦丞相鮑生謂丞相曰王暴衣露蓋數使使勞苦君者有疑君心也

為君計莫若遣君子孫昆弟能勝兵者悉詣軍所上必益信君於是何從其計漢王大說漢五年既殺項羽定天下論功行封羣臣爭功歲餘功不決高祖以蕭何功最盛封為酇侯文穎曰音贊瓚曰今南陽酇縣也孫檢曰有二縣音字多亂其屬沛郡者音嵯屬南陽者音讚按茂陵書蕭何國在南陽宜呼讚今多呼嵯嵯舊字作䣜今皆作酇所由亂也○索隱曰瓚云今南陽酇縣顧氏云南陽郡名也太康地理志云魏武帝建安中分南陽立南鄉郡晉武帝改曰順陽郡是也所食邑多功臣皆曰臣等身被堅執銳多者百餘戰少者數十合攻城略地大小各有差今蕭何未嘗有汗馬之勞徒持文墨議論不戰顧反居臣等上何也高帝曰

蕭相國世家

諸君知獵乎曰知之知獵狗乎曰知之高帝曰夫獵追殺獸兔者狗也而發蹤指示獸處者人也今諸君徒能得走獸耳功狗也至如蕭何發蹤指示功人也且諸君獨以身隨我多者兩三人今蕭何舉宗數十人皆隨我功不可忘也羣臣皆莫敢言列侯畢已受封及奏位次皆曰平陽侯曹參身被七十創攻城略地功最多宜第一上已橈功臣多封蕭何索隱曰音女教反應劭曰橈屈也。至位次未有以復難之然心欲何第一關內侯鄂君進索隱曰功臣表鄂千秋封安平侯曰羣臣議皆誤夫曹參雖有野

通鑑諸君知獵乎云云胡注師古曰發縱謂解紲而放之也指示以手指示之今俗言放狗縱之周觀而讀者乃書蹤蹟之蹤非也書本皆不為蹤字自有逐蹤之狗不待人發也洪氏隸釋曰元祐中滄州治河堤得漢北海淳于長夏君碑其辭有曰紹縱先軌又北軍中侯郭仲奇碑云有山甫之縱又云徽縱顯又司隸校尉楊淮碑云比縱豹產又圍令趙君碑云羨其縱朱晝八令高彪碑云莫与比縱皆以縱為蹤蕭何傳發縱指示獸處顏師古注云書本皆不為蹤字讀者乃為蹤蹟之蹤非也據此數碑則漢人固多借用顏氏之注殆未然也

通鑑作引遁云々 宋胡注所出曰 ... 輕另走出也 數所
角音翔下同
通鑑見糧胡注
見 ... 通鑑

戰略地之功此特一時之事夫上與楚相距五
歲常失軍亡衆逃身遁者數矣然蕭何常從關
中遣軍補其處非上所詔令召而數萬衆會上
之乏絕者數矣夫漢與楚相守滎陽數年軍無
見糧蕭何轉漕關中給食不乏陛下雖數亡山東
蕭何常全關中以待陛下此萬世之功也今雖
亡曹參等百數何缺於漢漢得之不必待以全
奈何欲以一旦之功而加萬世之功哉蕭何第
一曹參次之高祖曰善於是乃令蕭何賜帶劍
履上殿入朝不趨上曰吾聞進賢受上賞蕭何

者一本无
數 或无
第一シテ

蕭相國世家

通鑑帶劍履上殿胡注古者君子必帶劍所以衛身且昭武備也秦法群臣上殿不得持尺寸之兵革曰履 ... 所以從軍 ... 上殿 ... 必趨 ... 敬也今賜何劍履上殿入朝不趨殊禮也

蹤指示功人也且諸君獨以身隨我多者兩三人今蕭何舉宗數十人皆隨我功不可忘也羣臣皆莫敢言列侯畢已受封及奏位次皆曰平陽侯曹參身被七十創攻城略地功最多宜第一上已橈功臣多封蕭何（應劭曰橈屈也。索隱曰音女教反）至位次未有以復難之然心欲何第一關內侯鄂君進曰（索隱曰功臣表鄂千秋封安平侯）羣臣議皆誤夫曹參雖有野戰略地之功此特一時之事夫上與楚相距五歲常失軍亡衆逃身遁者數矣然蕭何常從關中遣軍補其處非上所詔令召而數萬衆會上之乏絶者數矣夫漢與楚相守滎陽數年軍無見糧蕭何轉漕關中給食不乏陛下雖數亡山東蕭何常全關中以待陛下此萬世之功也今雖亡曹參等百數何缺於漢漢得之不必待以全奈何欲以一旦之功而加萬世之功哉蕭何第一曹參次之高祖曰善於是乃令蕭何賜帶劍履上殿入朝不趨上曰吾聞進賢受上賞蕭何

蕭相國世家

通鑑帶劍履上殿胡注古者君子必帶劍所以衛身且昭武備也秦法群臣侍殿上者不得持尺寸之兵……

何劍履上殿入朝不趨殊礼也

通鑑十二漢高帝九年是歲更以丞相何為相國胡注自丞相進相國則相國之位尊於丞相矣蓋漢通鑑為九年此係為十一年疑是

功雖高得鄂君乃益明於是因鄂君故所食關内侯邑封爲安平侯徐廣曰以謁者從定諸侯有功秩舉蕭何功故因侯二千戶封九年卒至玄孫但坐與淮南王安通遂棄市國除正義曰括地志云瀛州安平縣本漢安平縣是日悉封何父子兄弟十餘人皆有食邑乃益封何二千戶以帝嘗繇咸陽時何送我獨贏奉錢二也索隱曰謂人皆三何獨五所以爲贏二也音盈漢十一年陳豨反高祖自將至邯鄲未罷淮陰侯謀反關中呂后用蕭何計誅淮陰侯語在淮陰事中上已聞淮陰侯誅使使拜丞相何爲相國益封五千戶令卒五百人一都尉爲相國衛諸君皆賀召平獨弔召平者

故秦東陵侯秦破爲布衣貧種瓜於長安城東瓜美故世俗謂之東陵瓜從召平以爲名也召平謂相國曰禍自此始矣上暴露於外而君守於中非被矢石之事而益君封置衞者以今者淮陰侯新反於中疑君心矣夫置衞衞君非以寵君也願君讓封勿受悉以家私財佐軍則上心説相國從其計高帝乃大喜漢十二年秋黥布反上自將擊之數使使問相國何爲相國爲上在軍乃拊循勉力百姓悉以所有佐軍如陳豨時客有説相國曰君滅族不久矣夫君位爲

相國功第一可復加哉然君初入關中得百姓心十餘年矣皆附君常復孳孳得民和上所爲數問君者畏君傾動關中今君胡不多買田地賤貰貸正義曰貰音世又食夜反賖也下天得反以自汙上心乃安於是相國從其計上乃大說上罷布軍歸民道遮行上書言相國賤彊買民田宅數千萬上至相國謁上笑曰夫相國乃利民索隱曰謂相國取人田宅以爲已利故云乃利人也所以令相國自謝之民所上書皆以與相國曰君自謝民相國因爲民請曰長安地狹上林中多空地棄願令民得入田毋收稾爲禽獸食索隱曰苗子還種田人留稾以[illegible]

上大怒曰相國多受賈人財物乃爲請吾苑乃下相國廷尉械繫之數日王衛尉侍前問曰相國何大罪陛下繫之暴也上曰吾聞李斯相秦皇帝有善歸主有惡自與今相國多受賈豎金而爲民請吾苑以自媚於民故繫治之王衛尉曰夫職事苟有便於民而請之眞宰相事陛下奈何乃疑相國受賈人錢乎且陛下距楚數歲陳豨黥布反陛下自將而往當是時相國守關中搖足則關以西非陛下有也相國不以此時爲利今乃利賈人之金乎且秦

以不聞其過亡天下李斯之分過索隱曰李斯歸惡而自予是分過也
又何足法哉陛下何疑宰相之淺也韋昭曰用意淺高帝
不懌是日使使持節赦出相國相國年老素恭
謹入徒跣謝高帝曰相國休矣相國爲民請苑吾
不許我不過爲桀紂主而相國爲賢相吾故繫
相國欲令百姓聞吾過也何素不與曹參相能
及何病孝惠自臨視相國病因問曰君即百歲
後誰可代君者對曰知臣莫如主孝惠曰曹參
何如何頓首曰帝得之矣臣死不恨矣何置田
宅必居窮處爲家不治垣屋曰後世賢師吾儉

不賈毋爲勢家所奪孝惠二年相國何卒東觀漢記云蕭何墓在長陵東司馬門道北百步。正義曰括地志云蕭何墓在雍州咸陽縣東北三十七里諡爲文終侯徐廣曰功臣表蕭何以客初起從也後嗣以罪失侯者四世絶天子輒復求何後封續酇侯功臣莫得比焉

太史公曰蕭相國何於秦時爲刀筆吏錄錄未有奇節索隱曰錄音祿及漢興依日月之末光何謹守管籥因民之疾奉法順流與之更始淮陰黥布等皆以誅滅而何之勳爛焉位冠群臣聲施後世與閎夭散宜生等爭烈矣

索隱述贊曰蕭何爲吏文而無害及佐興王

舉宗從沛關中既守轉輸是賴漢軍屢疲秦兵必會約法可久收圖可大指獸發蹤其功實最政稱畫一居乃非泰繼絕寵勤式旌礪帶

蕭相國世家第二十三　史記五十三

史記世家　五十三

世二十四　曹參

世二十五　留侯

師古曰涓潔也言其在中主知潔清洒掃之事蓋親近左右也

曹參世家第二十四 相國本有 史記五十四

索隱曰蕭相國曹相國留侯絳侯五宗三王六篇可合爲一篇

平陽侯正義曰晉州城即平陽故城也曹參者沛人也張華曰曹參字敬伯秦時爲索隱曰地理志平陽縣屬河東春秋緯及博物志並云參字敬伯○正義曰按沛今徐州縣也沛獄掾而蕭何爲主吏居縣爲豪吏矣高祖爲沛公而初起也參以中涓從漢書音義曰中涓如中謁者○索隱曰涓音古玄反將擊胡陵正義曰縣名在方與南方與索隱曰地理志二縣皆屬山陽○正義曰方音房與音預兗州縣也攻秦監公軍漢書音義曰監御史監郡者公名秦一郡置守尉監三人○索隱曰本紀泗川監名平則平是名公爲相尊之稱大破之東下薛擊泗水守軍薛郭西復攻胡陵取之徙守方與方與

薛 仙刻

反爲魏擊之正義曰[illegible]秦擊方與豐反爲魏索隱曰時雍齒守豐爲魏反沛公攻之賜爵七大夫擊秦司馬𡰥正義曰音夷軍碭東破之取碭狐父徐廣曰伍被曰吳濞敗於狐父。索隱曰地理志碭屬梁國狐父地名在梁碭之間徐氏引伍被云吳濞敗於狐父是吳與梁相拒而敗處。正義曰括地志云狐父亭在宋州碭山縣東南三十里祁善置文穎曰善置置名也晉灼曰祁音坻孫檢曰漢謂驛曰置置善名也。索隱曰司馬彪郡國志穀熟有祁亭劉氏音遲又如字善置置名。正義曰括地志云故祁城在宋州下邑縣東北四十九里漢祁城縣也言取碭狐父及祁縣之善置又攻下邑以西至虞索隱曰地理志下邑虞皆屬梁國。正義曰宋州下邑縣在州東百一十里漢下邑城今碭山縣是虞城縣在州北五十里古虞國商均所封擊章邯車騎攻爰戚徐廣曰宣帝時有爰戚侯索隱曰蘇林云縣名屬山陽功臣表爰戚侯趙成。正義曰音寂劉音七歷反今在兗州南近亢父縣及亢父索隱曰地理志縣名

（屬東平。○正義曰括地志云亢父故城在兖州任城縣南五十一里）先登，遷爲五大夫。北救東阿（索隱曰時章邯圍田榮於東阿。○正義曰今濟州東阿也），擊章邯軍，陷陳，追至濮陽。攻定陶，取臨濟（正義曰淄州高苑縣西北二里北狄故城安縣改曰臨濟）。南救雍丘。擊李由軍，破之，殺李由，虜秦候一人。秦將章邯破殺項梁也，沛公與項羽引而東。楚懷王以沛公爲碭郡長，將碭郡兵。於是乃封參爲執帛（張晏曰孤卿也。或曰楚官名），號曰建成君（索隱曰地理志建成縣屬沛郡）。遷爲戚公（索隱曰遷參爲戚公令。○正義曰即爰戚縣也，是時屬沛郡），屬碭郡。其後從攻東郡尉軍，破之成武南（索隱曰地理志成武縣屬山陽）。擊王離軍成陽南（索隱曰地理志縣名在濟陰成[illegible]周武王封弟季載於成其[illegible]）[illegible]

後代遷於成之陽故曰成陽。正義曰成陽故城濮州雷澤縣是史記云武王封弟季載於成其後遷於成之陽故曰成陽也復攻之杠里大破之追北西至開封擊趙賁軍破之索隱曰賁音奔圍趙賁開封城中西擊秦將楊熊軍於曲遇徐廣曰在中牟。索隱曰曲丘禹反遇牛凶反。正義曰曲丘羽反遇牛恭反司馬彪郡國志云中牟有曲遇聚按中牟鄭州縣也破之虜秦司馬及御史各一人遷爲執珪張晏曰侯伯執珪以朝位比之如淳曰呂氏春秋得伍員者位執珪古爵名從攻陽武正義曰括地志云陽武故城在鄭州陽武縣東五十八里漢陽武縣城也下轘轅緱氏索隱曰地理志陽武緱氏二縣屬河南轘轅道名在緱氏南。正義曰緱氏洛州縣也括地志云環轅故關在洛州緱氏縣東南四十里十三州志云環轅道凡十二曲是險道也絕河津正義曰津濟渡處括地志云平陰故津在洛州洛陽縣東北五十里還擊趙賁軍尸北破

犨音者地理志犨陽縣屬南陽郡

漢書作北軍

正義曰其北藍田縣北也

之（徐廣曰尸在偃師孟康曰尸鄉北○正義曰破趙賁軍於尸鄉之北也括地志云尸鄉亭在洛州偃師縣在洛州東南也）從南攻犨與南陽守齮戰陽城郭東（應劭曰今犨陽○索隱曰徐廣云陽城在南陽應劭云今犨陽犨陽是南陽之縣）陷陳（正義曰陷南陽守於陽城郭東也）取宛虜齮盡定南陽郡從西攻武關嶢關（正義曰括地志云故武關在商州商洛縣東九十里藍田關在雍州藍田縣東南九十里即秦嶢關也）取之前攻秦軍藍田南（正義曰雍州藍田縣在州東南八十里因藍田山為名）又夜擊其北秦軍大破遂至咸陽滅秦項羽至以沛公為漢王漢王封參為建成侯從至漢中（正義曰梁州本漢中郡）遷為將軍從還定三秦初攻下辯故道（索隱曰地理志二縣名屬武都辯音皮莧反○正義曰括地志云成州同谷縣本漢下辯道又云鳳州兩當縣本漢故道）

縣在州西五十里。雍、斄。索隱曰地理志二縣名屬右扶風斄音胎○正義曰斄依斄音貽括地志云故雍縣南七里故斄城一名武功縣西南二十二里古邰國也擊章平軍於好畤南，正義曰括地志云好畤城在雍州好畤縣東南十三里。破之，圍好畤，取壤鄉，文穎曰地名、擊三秦軍壤東及高櫟，索隱曰櫟音歷按文穎云壤鄉高櫟皆地名在右扶風今其地闕○正義曰音歷皆村邑名壤鄉今在雍州武功縣東南二十餘里高壤坊是高櫟近壤鄉也破之。復圍章平，章平出好畤走。因擊趙賁、內史保軍，破之。東取咸陽，更命曰新城。索隱曰漢書高帝元年咸陽名新城武帝改名曰渭城。參將兵守景陵漢書音義曰縣名也二十日，三秦使章平等攻參，參出擊，大破之。賜食邑於寧秦。蘇林曰、今華陰參以將軍引兵圍章邯於廢丘。正義曰局

正義曰碭音唐宋州
碭山縣是也蕭彭城
徐州二縣
括地志曰故黃城在曹州
考城縣東二十四里左傳
云陳留外黃縣東有
黃城是也

曰弋邑莽更名發邑後漢更名魏里
今故城在雍州始平縣東南十里
以中尉從漢王出臨晉關
正義曰即蒲律關也在臨晉
縣故言臨晉關今在同州也
至河內下脩武
正義曰今懷州獲
嘉縣古脩武也
渡圍津
徐廣曰東郡白馬有圍津○
索隱曰顧氏按水經註白馬
津有韋鄉韋城圍與韋同古今字變爾○正義曰括地
志云黎陽津一名白馬津在滑州白馬縣北三十里帝王
世紀云白馬縣南有韋城故豕韋國
也續漢書郡國志云白馬縣有韋城
東擊龍且項他定陶破之東取碭蕭彭城
正義曰徐
州二縣
擊項籍軍漢軍大敗走參以中尉圍取雍丘王武反於黃
徐廣曰內黃
縣有黃澤
程處反於燕
徐廣曰東郡燕縣駰案
漢書音義曰皆漢將
往擊盡破之柱天侯反於衍氏
索隱曰柱天侯不知其
誰封衍氏魏邑地理志
云柱天在
盧丘國縣
又進破取衍氏擊羽嬰於昆陽追至葉

注魏字或作槐
注有韋城
葉式涉反

還攻武彊徐廣曰武彊城在陽武。○正義曰括地志云武彊故城在鄭州管城縣東北三十一里因至滎陽參自漢中爲將軍中尉從索隱曰才用反擊諸侯及項羽敗還至滎陽凡二歲高祖三年拜爲假左丞相入屯兵關中月餘魏王豹反以假左丞相別與韓信東攻魏將軍孫遫軍東張徐廣曰張者地名功臣表有張侯毛澤之。駰按蘇林曰屬河東。○索隱曰遫音速。○正義曰括地志云張陽故城一名東張城在蒲州虞鄉縣西北四十里大破之因攻安邑得魏將王襄擊魏王於曲陽正義曰括地志云上曲陽定州恒陽縣是下曲陽在定州鼓城縣西五里追至武垣徐廣曰河東有垣縣。○正義曰括地志云武垣縣今瀛州城是地理志云武垣縣屬涿郡也生得魏王豹取平陽正義曰晉州城是得魏王母妻子盡定

鄔 烏古反又於據反

鄔音烏

敖倉在滎陽西北也

上假密 正義曰即高密 地理志云高密

魏地凡五十二城賜食邑平陽因從韓信擊趙相國夏說軍於鄔東徐廣曰鄔縣在太原音烏古反大破之斬夏說韓信與故常山王張耳引兵下井陘擊成安君而令參還圍趙別將戚將軍於鄔城中戚將軍出走追斬之乃引兵詣敖倉漢王之所韓信已破趙爲相國東擊齊參以右丞相屬韓信攻破齊歷下軍遂取臨菑還定濟北郡攻著漯陰平原鬲盧索隱曰地理志著縣屬濟南盧縣屬泰山漯陰平原鬲三縣屬平原漯音吐荅反○正義曰括地志云平原故城在德州平原縣東南十里故鬲城在德州安德縣西北十五里盧縣今濟州理縣是也已而從韓信擊龍且軍於上假密文穎曰或以爲高密○索隱曰漢書

說音悅

濟 子禮反

著 張慮反

円密在□□括地志云濰州今俗謂百尺水在密州高密縣即韓信夾濰水戰處韓信傳云田廣走高密信東追廣至高密西楚使龍且救齊夾濰水陣信盛沙壅水流引軍渡水擊佯不勝走龍且追信渡水信決水囊水大至龍且軍大半不得渡信即急擊殺龍且龍且水東軍散走明殺龍且在高密縣濰水西也

索隱□作假密按□□定齊七十縣□□上假密非高密亦是齊地今闕大破之斬龍且虜其將軍周蘭定齊凡得七十餘縣得故齊王田廣相田光其守相許章及故齊膠東將軍田既韓信爲齊王引兵詣陳與漢王共破項羽而參留平齊未服者項籍已死天下定漢王爲皇帝韓信徙爲楚王齊爲郡參歸漢相印高帝以長子肥爲齊王而以參爲齊相國以高祖六年賜爵列侯與諸侯剖符世世勿絶食邑平陽萬六百三十戶號曰平陽侯除前所食邑以齊相國擊陳豨將張春軍破之黥布反參以齊相國從悼

惠王將兵車騎十二萬人與高祖會擊黥布軍大破之南至蘄還定竹邑相蕭留索隱曰地理志蘄竹邑相蕭四縣屬沛韋昭云留今屬彭城則漢初亦屬沛也○正義曰括地志云徐州符離縣城漢竹邑城也李奇云今竹邑也故相城在符離縣西北九十里輿地志云宋共公自睢陽徙相子城又還睢陽蕭徐州縣也古宋蕭叔國城也故留城在徐州沛縣東南五十里張良所封參功凡下二國縣一百二十二得王二人相三人將軍六人大莫敖漢書音義曰楚之卿號郡守司馬候御史各一人孝惠帝元年除諸侯相國法更以參為齊丞相參之相齊齊七十城天下初定悼惠王富於春秋參盡召長老諸生問所以安集百姓如齊故諸儒以百數言人

人殊參未知所定聞膠西有蓋公善治黃老言使人厚幣請之既見蓋公蓋公爲言治道貴清靜而民自定推此類具言之參於是避正堂舍蓋公焉其治要用黃老術故相齊九年齊國安集大稱賢相惠帝二年蕭何卒參聞之告舍人趣治行吾將入相居無何使者果召參參去屬其後相曰以齊獄市爲寄愼勿擾也後相曰治無大於此者乎參曰不然夫獄市者所以并容也今君擾之姦人安所容也吾是以先之漢書音義曰夫獄市兼受善惡若窮極姦人無所容竄姦人無所容竄久且爲亂秦人極刑而天下畔孝武峻法而獄繁此其效也

黃帝道書十卷老子二卷任自然之術也 老子曰我無為而民自化我好靜而民自正我無事而民自富我無欲而民自朴曹參祖之 宋本無引之

通鑑十二 告舍人趣治行 胡注師古曰舍人猶言家人也

曹參世家

[illegible]

通鑑胡注...

老子曰我無爲而民自化我好靜而民自正參欲以道化其本不欲擾其末參始微時與蕭何善及爲將相有郤至何且死所推賢唯參參代何爲漢相國舉事無所變更一遵蕭何約束擇郡國吏木詘於文辭重厚長者即召除爲丞相史吏之言文刻深欲務聲名者輒斥去之日夜飲醇酒卿大夫已下吏及賓客見參不事事如淳曰不事丞相之事來者皆欲有言至者參輒飲以醇酒閒之欲有所言復飲之醉而後去終莫得開說如淳曰開謂有所啓白以爲常相舍後園近吏舍吏舍日飲歌呼從吏惡之無如之何乃請參游園中聞

豈少朕與
正義曰少式紹反……言以朕年少不關國事故曰飲不治事也
自從
正義曰胡何也言何謂治窋二百 漢書師古注曰胡何也言其窋爲何治 曹參世家
治音丈吏反

吏醉歌呼從吏幸相國召按之乃反取酒張坐飲亦歌呼與相應和參見人之有細過專掩匿覆蓋之府中無事參子窋索隱曰音張律反爲中大夫惠帝怪相國不治事以爲豈少朕與索隱曰少者不足之詞故胡亥亦云丞相豈少我哉蓋帝以丞相豈不是嫌少於我哉小顏以爲我年少非也乃謂窋曰若歸試私從容問而父曰高帝新棄羣臣帝富於春秋君爲相日飲無所請事何以憂天下乎然無言吾告若也索隱曰謂惠帝語窋出無得言我告汝令諫汝父當自云是已意也窋既洗沐歸閒侍自從其所諫參參怒而笞窋二百曰趣入侍天下事非若所當言也至朝時惠

帝讓參曰與窋胡治乎如淳曰猶言用窋爲治。○索隱曰胡治也言語參何爲治窋也乃者我使諫君也參免冠謝曰陛下自察聖武孰與高帝上曰朕乃安敢望先帝乎曰陛下觀臣能孰與蕭何賢上曰君似不及也參曰陛下言之是也且高帝與蕭何定天下法令既明今陛下垂拱參等守職遵而勿失不亦可乎惠帝曰善君休矣參爲漢相國出入三年卒謚懿侯子窋代侯百姓歌之曰蕭何爲法顜若畫一徐廣曰顜音古項反一音較。○索隱曰漢書顜作講畫訓直又訓明言法明直若畫一也講亦作顜小顏云講和也畫一言其法整齊也曹參代之守而勿失載其清淨民以寧一

一平陽侯窋高后時爲御史大夫孝文帝立免
爲侯立二十九年卒謚爲靜侯子奇代侯立七
年卒謚爲簡侯子時代侯時尚平陽公主生子
襄時病癘歸國立二十三年卒謚夷侯子襄代
侯襄尚衞長公主生子宗立十六年卒謚爲共
侯子宗代侯征和二年中宗坐太子死國除
太史公曰曹相國參攻城野戰之功所以能多
若此者以與淮陰侯俱及信已滅而列侯成功
唯獨參擅其名參爲漢相國清靜極言合道
然百姓離秦之酷後參與休息無爲故天下俱

曹參世家 八

稱其美矣

索隱述贊曰曹參初起爲沛豪吏始從中涓先圖善置執圭執帛攻城略地衍氏既誅昆陽失位北禽夏說東討田既剖符定封功無與二市獄勿擾清淨不事尚主平陽代享其利

曹相國世家第二十四　　史記五十四

留侯世家第二十五　　史記五十五

留侯正義曰括地志云故留城在徐州沛縣東南五十五里今城內有張良廟也張良者

其先韓人也索隱曰韋昭云留今屬彭城按良求封留以始見高祖於留故也漢書云良字子房按王符皇甫謐並以良爲韓之公族姬姓也秦索賊急乃改姓名而韓先有張去疾及張譴恐非良之先代也良既歷代相韓故知其先韓人顧氏按後漢書云張良出於城父城父縣屬潁川也○正義曰括地志云父城在汝州郟縣東三十里韓里也

大父開地應劭曰大父祖父開地名相韓昭侯宣惠王襄哀王父平相釐王悼惠王索隱曰韓系家及系本並作桓惠王

悼惠王二十三年平卒卒二十歲秦滅韓良年少未宦事韓韓破良家僮三百人弟死不葬悉以家財求客刺秦王為韓報仇以大父父五世

相韓故。（索隱曰謂大父及父相韓五王故云五世）良嘗學禮淮陽（正義曰今陳州也）東見倉海君（如淳曰秦郡縣無倉海或曰東夷君長。○索隱曰姚察以武帝時東夷穢君降爲倉海郡或因以名蓋得其近耳。○正義曰漢書武帝紀云元年東夷穢君南閭等降爲倉海郡今貊穢國得之太史公修史時已降爲郡自書之括地志云穢貊在高麗南新羅北東至大海西）得力士爲鐵椎重百二十斤秦皇帝東游良與客狙（服虔曰狙伺候也狙七預反伺也徐廣曰伺候也音千恕反○索隱曰應劭云狙伺也一云狙伏伺也謂狙之伺物必伏而候之故今云狙候是也）擊秦皇帝博浪沙中（索隱曰服虔云地在陽武南按今陶巖西此四十里有博浪城。○正義曰晉地理志云鄭州陽武縣有博浪沙按今當官道也）誤中副車（索隱曰漢官儀天子屬車三十六乘屬車即副車而奉車郎御而從後）秦皇帝大怒大索天下求賊甚急爲張良故也良乃更名姓亡匿下邳。良嘗閒從容步游下邳圯上，徐廣曰：圯，橋也。東楚謂之圯，音怡。○索隱曰：嘗訓經也。閒，閑字也。從容，閒暇也。從容謂從任其容止，不矜莊也。邳，披眉反。按：地理志下邳縣屬東海。又云邳在薛，後徙此，有上邳，故此云下邳。李奇云：上下邳人謂橋為圯。文穎云：沂水上橋也。應劭云：圯水之上也。姚察見史記本有作土旁者，乃引今會稽東湖大橋名為靈圯，圯亦音夷，理或然也。有一老父，衣褐，至良所，直墮其履圯下，索隱曰：崔浩云直猶故也。亦恐不然。直言正也，謂至良所，正墮其履也。顧謂良曰：「孺子，下取履！」良愕然，欲毆之。○徐廣曰：一曰良怒，欲罵之。○索隱曰：毆音烏后反。為其老，彊忍，下取履。父曰：「履我！」良業為取履，因長跪履之。索隱曰：業猶本先也。謂良心先已為取，故遂跪而履之。父以足受，笑而去。良殊大驚，隨目之。父去里所，復還，徐廣曰：一曰為其老，強忍下取履，因進之，父以足受笑而

正義曰編謂連次之以為編連簡而書之也

去良殊大驚去里所復還曰孺子可教矣後五日平明與我會此良因怪之跪曰諾五日平明良往父已先在怒曰與老人期後何也去曰後五日早會五日雞鳴良往父又先在復怒曰後何也去曰後五日復早來五日良夜未半往有頃父亦來喜曰當如是出一編書徐廣曰編一作篇曰讀此則為王者師矣後十年興十三年孺子見我濟北穀城山下黃石即我矣正義曰括地志云穀城山一名黃山在濟州東阿縣東濟州故濟北郡孔文祥云黃石公鬚眉皆白杖丹黎履赤舄遂去無他言不復見旦日視其書乃太公兵法也正義曰七録云太公兵法一秩三卷太公姜子牙周文王

師封齊侯也

良因異之常習誦讀之居下邳為任俠項伯常殺人從良匿後十年陳涉等起兵良亦聚少年百餘人景駒自立為楚假王在留良欲往從之道遇沛公沛公將數千人略地下邳西遂屬焉沛公拜良為廐將漢書音義曰官名良數以太公兵法說沛公沛公善之常用其策良為他人言皆不省良曰沛公殆天授索隱曰殆訓近也故遂從之不去見景駒及沛公之薛見項梁項梁立楚懷王良乃說項梁曰君已立楚後而韓諸公子橫陽君成賢可立為王益樹黨項梁使良求

韓成立以為韓王，以良為韓申徒，徐廣曰：即司徒耳，但語音訛轉，故字亦隨改。與韓王將千餘人西略韓地，得數城，秦輒復取之，往來為游兵潁川。沛公之從雒陽南出轘轅，良引兵從沛公，下韓十餘城，擊破楊熊軍。沛公乃令韓王成留守陽翟，與良俱南，攻下宛，西入武關。沛公欲以兵二萬人擊秦嶢下軍，徐廣曰：嶢音堯。良說曰：「秦兵尚彊，未可輕。臣聞其將屠者子，賈豎易動以利。願沛公且留壁，使人先行，為五萬人具食，徐廣曰：五一作百。益為張旗幟諸山上，為疑兵，索隱曰：旗音其，幟音試。令酈食其持重寶啗秦將。」

賈音古

酈音歷

張良世家

注宋敏求長安志曰嶢關即藍田關在縣東南九十里

將果畔欲連和俱西襲咸陽沛公欲聽之良曰此獨其將欲叛耳恐士卒不從不從必危不如因其解擊之（索隱曰謂卒將離心而懈怠）沛公乃引兵擊秦軍大破之遂北至藍田再戰秦兵竟敗遂至咸陽秦王子嬰降沛公沛公入秦宮宮室帷帳狗馬重寶婦女以千數意欲留居之樊噲諫沛公出舍沛公不聽（徐廣曰一本噲諫曰沛公欲有天下耶將欲為富家翁耶沛公曰吾欲有天下噲曰今臣從入秦宮所觀宮室帷帳珠玉重寶鐘鼓之飾奇物不可勝極入其後宮美人婦女以千數此皆秦所以亡天下也願沛公急還霸上無留宮中沛公不聽）良曰夫秦為無道故沛公得至此夫為天下除殘賊宜縞素為資（晉灼曰資藉也欲沛

公反暴秦奢泰服儉素以為籍也今始入秦即安其樂此所謂助桀為虐且忠言逆耳利於行毒藥苦口利於病索隱曰見孔子家語願沛公聽樊噲言沛公乃還軍霸上項羽至鴻門下欲擊沛公項伯乃夜馳入沛公軍私見張良欲與俱去良曰臣為韓王送沛公今事有急亡去不義乃具以語沛公沛公大驚曰為將柰何良曰沛公誠欲倍項羽邪沛公曰鯫生徐廣曰呂靜曰鯫魚也音此垢反〇索隱曰鯫謂小魚也音趨勾反臣瓚按楚漢春秋鯫生本姓解教我距關無內諸侯秦地可盡王故聽之良曰沛公自度能卻項羽乎沛公默然良久曰固不能也

正義曰鯫……雜小人也
漢書服虔曰鯫音七垢反鯫小人也

今爲奈何良乃固要項伯項伯見沛公沛公與飲爲壽結賓婚令項伯具言沛公不敢倍項羽所以距關者備他盜也及見項羽後解語在項羽事中漢元年正月沛公爲漢王王巴蜀漢王賜良金百鎰珠二斗良具以獻項伯漢王亦因令良厚遺項伯使請漢中地如淳曰本但與巴蜀故請漢中地項王乃許之遂得漢中地漢王之國良送至褒中正義曰括地志云褒谷在梁州褒城縣北五十里南中山昔秦欲伐蜀路無由入乃刻石爲牛五頭置金於後僞言此牛能屎金以遺蜀蜀侯貪信之乃令五丁共引牛塹山堙谷致之成都秦遂尋道伐之因號曰石牛道蜀賊以石門在漢中之西褒中之北是又云斜水源出褒城縣西北衙嶺山與褒水同源而流派漢書溝洫志云褒水通沔斜

正義曰棧道閣道也

水通渭皆以行船

遣良歸韓良因說漢王曰王何不燒絕所過棧道示天下無還心以固項王意乃使良還行燒絕棧道良至韓韓王成以良從漢王故項王不遣成之國從與俱東良說項王曰漢王燒絕棧道無還心矣乃以齊王田榮反書告項王項王以此無西憂漢心而發兵北擊齊項王竟不肯遣韓王乃以為侯又殺之彭城良亡閒行歸漢王漢王亦已還定三秦矣復以良為成信侯從東擊楚至彭城漢敗而還至下邑漢王下馬踞鞍而問曰吾欲捐關以東等棄之誰

師古曰梟將謂最勇健也

通鑑特將胡注特將未嘗獨將兵也師古亮翁

撓正義曰女教反顏師古曰撓弱也其字從木

可與共功者良進曰九江王黥布楚梟將與項
王有郄彭越與齊王田榮反梁地此兩人可急
使而漢王之將獨韓信可屬大事當一面即欲
捐之捐之此三人則楚可破也漢王乃遣隨何
說九江王布而使人連彭越及魏王豹反使韓
信將兵擊之因舉燕代齊趙然卒破楚者此三
人力也張良多病未嘗特將也常為畫策臣時
時從漢王漢三年項羽急圍漢王滎陽漢王恐
憂與酈食其謀撓楚權食其曰昔湯伐桀封
其後於杞武王伐紂封其後於宋今秦失德棄

義復伐諸侯社稷滅六國之後使無立錐之地陛下誠能復立六國後世畢已受印此其君臣百姓必皆戴陛下之德莫不鄉風慕義願爲臣妾德義已行陛下南鄉稱霸楚必斂衽而朝漢王曰善趣刻印先生因行佩之矣食其未行張良從外來謁漢王方食曰子房前客有爲我計撓楚權者具以酈生語告於子房曰何如良曰誰爲陛下畫此計者陛下事去矣漢王曰何哉張良對曰臣請藉前箸爲大王籌之張晏曰求借所食之箸用指畫也或曰前世湯武箸明之事以籌度今時之不若也曰昔者湯伐桀而封其

張良世家

後於杞者度能制桀之死命也今陛下能制項籍之死命乎曰未能也其不可一也武王伐紂封其後於宋者度能得紂之頭也今陛下能得項籍之頭乎曰未能也其不可二也武王入殷表商容之閭〔索隱曰崔浩云表者標榜其里門商容紂時賢人也韓詩外傳曰商容執羽籥馮於馬徒欲以化紂而不能遂去伏於太行山武王欲以為三公固辭而不受餘解在商紀〕釋箕子之拘〔徐廣曰釋一作式拘一作囚〕封比干之墓今陛下能封聖人之墓表賢者之閭式智者之門乎曰未能也其不可三也發鉅橋之粟散鹿臺之錢以賜貧窮今陛下能散府庫以賜貧窮乎曰未能也

其不可四矣殷事已畢偃革爲軒如淳曰革者兵車也軒者赤幰乘軒也偃武備而治禮樂也○索隱曰蘇林云革者兵車也軒者朱軒皮軒也謂廢兵車而用乘車也說文云軒曲周屏車倒置干戈覆以虎皮以示天下不復用兵今陛下能偃武行文不復用兵乎曰未能也其不可五矣休馬華山之陽示以無所爲今陛下能休馬無所用乎曰未能也其不可六矣放牛桃林之陰索隱曰晉灼云在弘農南門鄉谷中應劭十二州記弘農有桃丘聚古桃林也山海經云夸父之山北有桃林廣三百里以示不復輸積今陛下能放牛不復輸積乎曰未能也其不可七矣且天下游士離其親戚棄墳墓去故舊從陛下游者徒欲日

夜望咫尺之地。今復六國，立韓魏燕趙齊楚之後，天下游士各歸事其主，從其親戚，反其故舊墳墓，陛下與誰取天下乎？其不可八矣。且夫楚唯無彊，六國立者復橈而從之，漢書音義曰：唯當使楚無彊，彊則六國弱從之。○索隱曰：荀悅漢紀此事云「獨可使楚無強，強則六國屈橈而從之」。又韋昭云「今無強楚者，若六國立，必復屈橈從楚」。是二說之意同。陛下焉得而臣之？誠用客之謀，陛下事去矣。」漢王輟食吐哺，罵曰：「豎儒幾敗而公事！」索隱曰：高祖罵酈生為豎儒，謂此儒生豎子耳。幾音祈，幾殆近也。而公，高祖自謂也。漢書作乃公。令趣銷印。漢四年，韓信破齊而欲自立為齊王，漢王怒。張良說漢王，漢王使良授齊王信印，語在淮陰事中時秋漢王追楚至陽夏南戰不利而壁固陵諸侯期不至良說漢王漢王用其計諸侯皆至語在項籍事中漢六年正月封功臣良未嘗有戰鬬功高帝曰運籌策帷帳中決勝千里外子房功也自擇齊三萬戶良曰始臣起下邳與上會留此天以臣授陛下陛下用臣計幸而時中臣願封留足矣不敢當三萬戶乃封張良爲留侯與蕭何等俱封六年上已封大功臣二十餘人其餘日夜爭功不決未得行封上在雒陽南宮從復道如淳曰復音複上下有道故謂之復道韋昭曰閣道望見諸

將往往相與坐沙中語上曰此何語留侯曰陛下不知乎此謀反耳上曰天下屬安定何故反乎留侯曰陛下起布衣以此屬取天下今陛下爲天子而所封皆蕭曹故人所親愛而所誅者皆生平所仇怨今軍吏計功以天下不足徧封此屬畏陛下不能盡封恐又見疑平生徐廣曰多作生平過失及誅故即相聚謀反耳上乃憂曰爲之奈何留侯曰上平生所憎羣臣所共知誰最甚者上曰雍齒與我故漢書音義曰未起時有故怨數嘗窘辱我我欲殺之爲其功多故不忍留侯曰今急先封雍

齒以示群臣群臣見雍齒封則人人自堅矣於是上乃置酒封雍齒爲什方侯（索隱曰縣名屬廣漢○正義曰括地志云雍齒城在益州什邡縣南四十步漢什邡縣漢初封雍齒爲侯國）而急趣丞相御史定功行封群臣罷酒皆喜曰雍齒尚爲侯我屬無患矣劉敬說高帝曰都關中上疑之左右大臣皆山東人多勸上都雒陽雒陽東有城皋西有殽黽倍河向伊雒其固亦足恃留侯曰雒陽雖有此固其中小不過數百里田地薄四面受敵此非用武之國也夫關中左殽函（正義曰殽三殽山也在洛州永寧縣西北二十八里函谷關在陝州桃林縣西南十二里）右隴蜀（正義曰隴山南連蜀之岷

山故云右隴蜀也沃野千里南有巴蜀之饒北有胡苑之利索隱曰崔浩云苑馬牧外接胡地馬生於胡故云胡苑之利○正義曰博物志云北有胡苑之塞按上郡北地之北與胡接可以牧養禽獸又多致胡馬故謂胡苑之利也阻三面而守獨以一面東制諸侯諸侯安定河渭漕輓天下西給京師諸侯有變順流而下足以委輸此所謂金城千里天府之國也索隱曰此言謂者蓋是依憑古語金城言秦有四塞之國如金城也故淮南子云雖有金城非粟不守又蘇秦說秦惠王云秦地勢形便所謂天府是所憑也劉敬說是也於是高帝即日駕西都關中索隱曰周禮三曰詢國遷乃爲大事高祖即日西遷者蓋謂其日即定計非即日遂行也留侯從入關留侯性多病即道引不食穀漢書音義曰服辟穀藥而靜居行氣杜門不出歲

餘上欲廢太子立戚夫人子趙王如意大臣多諫爭未能得堅決者也呂后恐不知所爲人或謂呂后曰留侯善畫計筴上信用之呂后乃使建成侯呂澤劫留侯曰君常爲上謀臣今上欲易太子君安得高枕而臥乎留侯曰始上數在困急之中幸用臣筴今天下安定以愛欲易太子骨肉之閒雖臣等百餘人何益呂澤彊要曰爲我畫計留侯曰此難以口舌爭也顧上有不能致者天下有四人索隱曰四人四皓也謂東園公綺里季夏黃公角里先生按陳留志云園公姓唐字宣明居園中因以爲號夏黃公姓崔名廣字少通齊人隱居夏里脩道故號曰夏黃公角里先

生河内軹人太伯之後姓周名術字元道京師號曰霸上先生一曰角里先生孔安國祕記作祿里皆王劭據崔氏周氏世譜及陶潛四八目而爲此說

四人者年老矣皆以爲上慢侮人故逃匿山中義不爲漢臣然上高此四人今公誠能無愛金玉璧帛令太子爲書卑辭安車因使辯士固請宜來來以爲客時時從入朝令上見之則必異而問之問之上知此四人賢則一助也於是呂后令呂澤使人奉太子書卑辭厚禮迎此四人四人至客建成侯所漢十一年黥布反上病欲使太子將往擊之四人相謂曰凡來者將以存太子太子將兵事危矣乃說建

張良世家

成侯曰太子將兵有功則位不益太子無功還則從此受禍矣且太子所與俱諸將皆嘗與上定天下梟將也今使太子將之此無異使羊將狼也皆不肯為盡力其無功必矣臣聞母愛者子抱（索隱曰此語出韓子）今戚夫人日夜侍御趙王如意常抱居前上曰終不使不肖子居愛子之上明乎其代太子位必矣君何不急請呂后承閒為上泣言黥布天下猛將也善用兵今諸將皆陛下故等夷（徐廣曰夷猶儕也○索隱曰如淳云等夷言等輩）乃令太子將此屬無異使羊將狼莫肯為用且使布聞之則鼓

行而西耳[illegible]曰鼓行而西言無所畏也上雖病彊載輜車臥而護之諸將不敢不盡力上雖苦爲妻子自彊於是呂澤立夜見呂后呂后承閒爲上泣涕而言如四人意上曰吾惟豎子固不足遣而公自行耳於是上自將兵而東羣臣居守皆送至灞上留侯病自彊起至曲郵司馬彪曰長安縣東有曲郵聚。索隱曰郵音尤按司馬彪漢書郡國志長安有曲郵聚今在新豐西俗謂之郵頭漢書舊儀云五里一郵郵人居閒相去二里半按郵乃今之候見上曰臣宜從病甚楚人剽疾願上無與楚人爭鋒因說上曰令太子爲將軍監關中兵上曰子房雖病彊臥而傅太子是時叔孫通爲太

張良世家

傳留侯行少傅事漢十二年上從擊破布軍歸疾益甚愈欲易太子留侯諫不聽因疾不視事叔孫太傅稱說引古今以死爭太子上詳許之猶欲易之及燕置酒太子侍四人從太子年皆八十有餘鬚眉皓白衣冠甚偉上怪之問曰彼何爲者四人前對各言名姓曰東園公角里先生綺里季夏黃公上乃大驚曰吾求公數歲公辟逃我今公何自從吾兒游乎四人皆曰陛下輕士善罵臣等義不受辱故恐而亡匿竊聞太子爲人仁孝恭敬愛士天下莫不延頸欲爲太

顏師古曰調謂和平也護謂保安之也

子死若故臣等來耳上曰煩公幸卒調護太子如淳曰調護猶營護也四人爲壽已畢趨去上目送之召戚夫人指示四人者曰我欲易之彼四人輔之羽翼已成難動矣呂后眞而主矣戚夫人泣上曰爲我楚舞吾爲若楚歌歌曰鴻鵠高飛一舉千里羽翮已就横絶四海横絶四海當可奈何雖有矰繳韋昭曰繳弋射也其矢曰矰。索隱曰馬融註周禮云繒者繳繫短矢謂之矰一說云矰一弦可以仰射高者故云矰也尚安所施歌數闋索隱曰音曲穴反謂曲終也說文云一闋事也戚夫人嘘唏流涕上起去罷酒竟不易太子者留侯本招此四人之力也留侯從上擊代出

正義曰韋昭云繳弋射繳絲繩也用繩繫弋射鳥引繳收之言一舉千里非繒繳所及太子羽翼已成難傾也

趨本作趍千

唏許既反

許馬邑下（徐廣曰：一云上許馬邑）及立蕭何相國（漢書音義曰：何時未爲相國，勸高祖立之）所與上從容言天下事甚衆，非天下所以存亡，故不著。留侯乃稱曰：家世相韓，及韓滅，不愛萬金之資，爲韓報讎彊秦，天下振動。今以三寸舌爲帝者師（索隱曰：春秋緯云舌在口，長三寸，象斗玉衡）封萬戶，位列侯，此布衣之極，於良足矣。願棄人間事，欲從赤松子游耳。（索隱曰：赤松子，神農時雨師，能入火自燒，崑崙山上隨風雨上下也）乃學辟穀，道引輕身。（徐廣曰：一云乃學道，欲輕舉也。○索隱曰：辟音壁，穀亦反）會高帝崩，呂后德留侯，乃彊食之，曰：人生一世間，如白駒過隙，何至自苦如此乎！留侯不得已

列仙傳云赤松子神農時雨師服水玉教神農能入火自燒至崑崙山上常止西王母石室隨風雨上下炎帝少女追之亦得仙俱去矣

聽而食後八年卒謚爲文成侯子不疑代侯徐廣曰文成侯立十六年卒子不疑代立十年坐與門大夫吉謀殺故楚內史當死贖爲城旦國除子房始所見下邳圯上老父與太公書者後十三年從高帝過濟北果見穀城山下黃石取而葆祠之徐廣曰史記珍寶字皆作葆留侯死并葬黃石冢正義曰括地志云漢張良墓在徐州沛縣東六十五里與留城相近也每上冢伏臘祠黃石留侯不疑孝文帝五年坐不敬國除

太史公曰學者多言無鬼神然言有物索隱曰物謂精怪及藥物也至如留侯所見老父予書亦可怪矣索隱曰詩緯云風后黃帝師又化爲老子以書授張良亦異說耳又後化爲黃石高祖離困者數

矣而留侯常有功力焉豈可謂非天乎上曰夫運籌策帷帳之中決勝千里外吾不如子房余以爲其人計魁梧奇偉應劭曰魁梧丘虛壯大之意索隱曰蘇林云梧音忤蕭該云今讀爲吾非也小顏云言其可警悟於人至見其圖狀貌如婦人好女蓋孔子曰以貌取人失之子羽索隱曰子羽澹臺滅明字也仲尼弟子傳云狀貌甚惡又家語云子羽有君子之容而行不稱其貌與史記文同也留侯亦云

索隱述贊曰

留侯倜儻志懷憤慨五代相韓一朝歸漢進履宜假運籌神筭橫陽既立申徒作扞灞上扶危固陵靜亂人稱三傑辯推八難

通鑑十一臣光曰夫生之有死譬諸夜旦之必然自古及今固未有超然而獨存者也以子房之明辯達
理足以知神僊之為虛詭矣然其欲從赤松子游者其智可知也夫功名之際人臣之所難處如高
帝所稱者三傑而已淮陰誅夷蕭何繫獄非以履盛滿而不止耶故子房託於神仙遺棄人間等
功名於外物置榮利而不顧所謂明哲保身者子房有焉
尊以保其身
斯謂為之說可見
未審孰正之

赤松願遊白駒難絆嗟彼雄略曾非魁岸

留侯張良世家第二十五　史記五十五

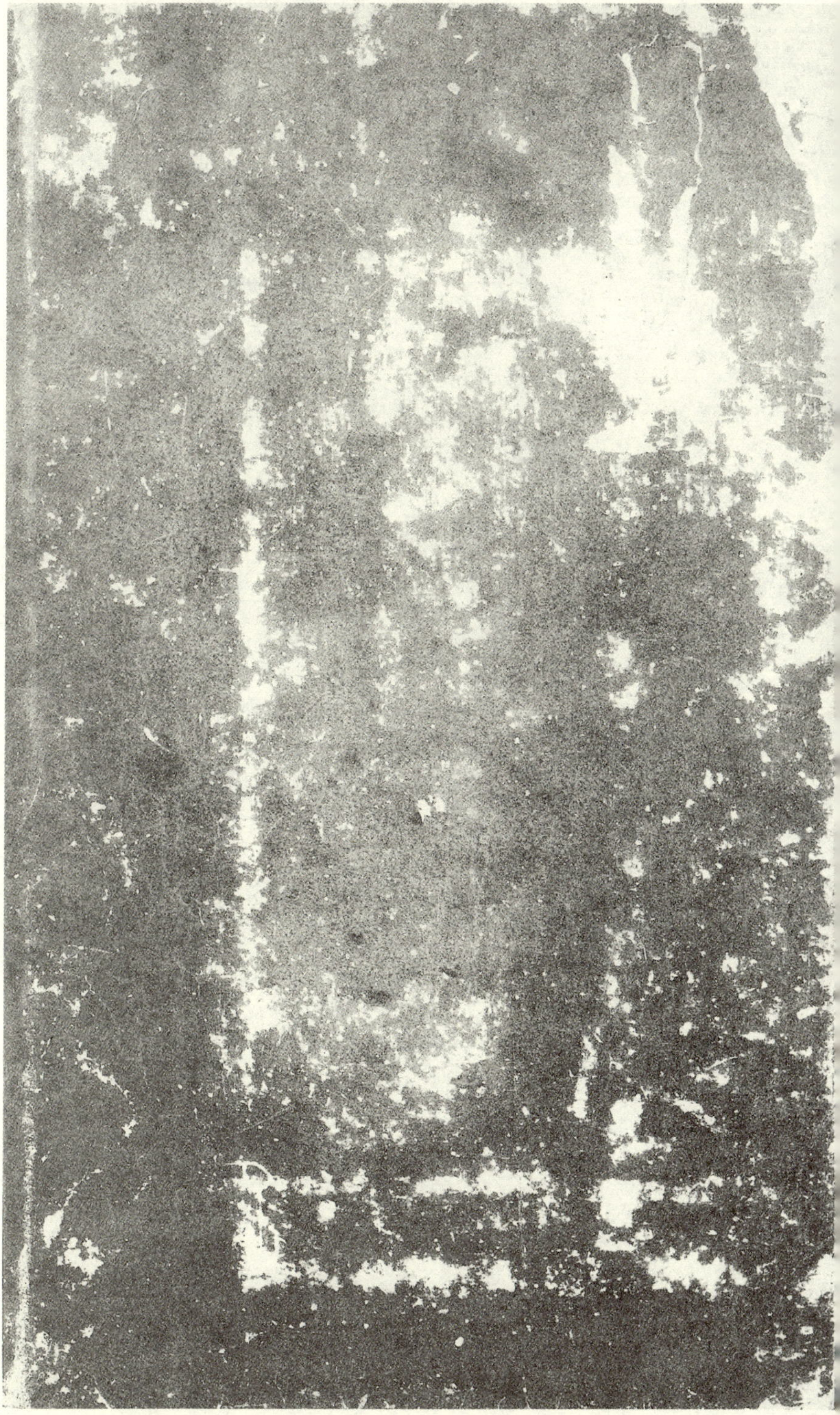

（漢）司馬遷　撰
（南朝宋）裴駰　集解
（唐）司馬貞　索隱
（唐）張守節　正義

宋本史記

第十六册

國家圖書館出版社

第十六册目録

史记世家

五十四

二十六 陈丞相平

二十七 绛侯周勃

二十八 梁孝王

陳丞相世家第二十六　史記五十六

陳丞相平者陽武戶牖鄉人也徐廣曰陽武屬魏地戶牖今為東昏縣屬陳留。索隱曰徐廣云陽武屬魏而地理志屬河南郡蓋後陽武分屬梁國耳徐又云戶牖今為東昏縣屬陳留与漢書地理志同按是秦時戶牖鄉屬陽武至漢以戶牖為東昏縣隸陳留郡也。正義曰陳留風俗傳云東昏縣衛地故陽武之戶牖鄉也括地志云東昏故城在汴州陳留縣東北九十里少時家貧好讀書有田三十畝獨與兄伯居伯常耕田縱平使游學平為人長美色人或謂陳平曰貧何食而肥若是其嫂嫉平之不視家生產曰亦食糠覈耳徐廣曰覈音核。駰案孟康曰麥糠中不破者也。晉灼曰覈音紇京師謂麁屑為紇頭有叔如此不如無有伯聞之逐其婦而棄之及平長可娶妻富人莫肯與者貧者平亦恥之久之戶牖富人有張負張負 索隱曰按負是婦人老宿之稱猶武負之類也然此張負既稱富人或恐是丈夫爾 張負女孫五嫁而夫輒死人莫敢娶平欲得之邑中有喪平貧侍喪以先往後罷為助張負既見之喪所獨視偉平平亦以故後去負隨平至其家家乃負郭窮巷 索隱曰高誘註戰國策云負背郭居也 以弊席為門然門外多有長者車轍 索隱曰一作軌按言長者所乘安車与載運之車軌轍或别 張負歸謂其子仲曰吾欲以女孫予陳平張仲曰平貧不事事一縣中盡笑其所為獨奈何予女乎負曰人固有好美如陳平而

□通鑑第九里中社胡三省注孔穎達曰按祭法曰大夫以下成群立社曰置社注云大夫不得
特立社与民族居百家以上則共立一社今時里社是也如鄭此言則周之政法百家以上得立社
其秦漢以来雖非大夫民二十五家以上則得立社故云今之里社又鄭志云月令命民社謂秦
社也自秦以下民始得立社

陳二

長貧賤者乎卒與女爲平貧乃假貸幣以聘予酒肉之資以內婦負誡其孫曰毋以貧故事人不謹事兄伯如事父事嫂如母（此兄伯以逐其婦此嫂疑後娶也）平既娶張氏女賫用益饒游道日廣里中社平爲宰（索隱曰其里名庫上里知者按蔡邕陳留東昏庫上里社碑云惟斯庫里古陽武之牖鄉陳平由此社宰遂相高祖也）分肉食甚均父老曰善陳孺子之爲宰平曰嗟乎使平得宰天下亦如是肉矣陳涉起而王陳使周市略定魏地立魏咎爲魏王與秦軍相攻於臨濟陳平固已前謝其兄伯（漢書音義曰謝語其兄往事魏）從少年往事魏王咎於臨濟魏王以爲太僕

通鑑全文漢紀胡注班表太僕秦官掌輿馬

說魏王不聽人或讒之陳平亡去久之項羽略

地至河上陳平往歸之從入破秦賜平爵卿如淳

曰礼秩如卿不治事項羽之東王彭城也漢王還定三秦而

東殷王反楚項羽乃以平為信武君將魏王咎

客在楚者以往擊降殷王而還項王使項悍拜

平為都尉賜金二十溢居無何漢王攻下殷王

項王怒將誅定殷者將吏陳平懼誅乃封其金

與印使使歸項王而平身閒行杖劍亡渡河船

人見其美丈夫獨行疑其亡將要中當有金玉

寶器目之欲殺平平恐乃解衣臝而佐刺船船

人知其無有，乃止。平遂至修武降漢，徐廣曰漢二年因魏無知求見漢王，索隱曰漢書曰張敞与朱邑書云陳平須魏倩而後進倩字無知也漢王召入。是時萬石君奮爲漢王中涓，徐廣曰亦曰涓人受平謁，入見平。平等七人俱進，賜食。王曰：「罷，就舍矣。」平曰：「臣爲事來，所言不可以過今日。」於是漢王與語而說之，問曰：「子之居楚何官？」曰：「爲都尉。」是日乃拜平爲都尉，使爲參乘，典護軍。諸將盡讙，索隱曰讙諠也音權又音喧漢書作皆怨曰：「大王一日得楚之亡卒，未知其高下，而即與同載，反使監護軍長者！」漢王聞之，愈益幸平。遂與東伐項王。至彭城，爲楚所敗引而還收散兵至滎陽以平為亞將屬於韓王信軍廣武絳侯灌嬰等咸讒陳平曰平雖美丈夫如冠玉耳其中未必有也（漢書音義曰飾冠以玉光好外見中非所有）臣聞平居家時盜其嫂事魏不容亡歸楚歸楚不中又亡歸漢今日大王尊官之令護軍臣聞平受諸將金金多者得善處金少者得惡處平反覆亂臣也願王察之漢王疑之召讓魏無知無知曰臣所言者能也陛下所問者行也今有尾生孝己之行（如淳曰孝己高宗之子有孝行）而無益於勝負之數陛下何暇用之乎楚漢相距臣進

奇謀之士顧其計誠足以利國家不耳且盜嫂受金又何足疑乎漢王召讓平曰先生事魏不中遂事楚而去今又從吾游信者固多心乎平曰臣事魏王魏王不能用臣說故去事項王項王不能信人其所任愛非諸項即妻之昆弟雖有奇士不能用平乃去楚聞漢王之能用人故歸大王臣裸身來不受金無以為資誠臣計畫有可采者顧大王用之使無可用者金具在請封輸官得請骸骨漢王乃謝厚賜拜為護軍中尉盡護諸將諸將乃不敢復言其後楚急攻絕

漢甬道圍漢王於滎陽城久之漢王患之請割滎陽以西以和項王不聽漢王謂陳平曰天下紛紛何時定乎陳平曰項王爲人恭敬愛人士之廉節好禮者多歸之至於行功爵邑重之士亦以此不附今大王慢而少禮士廉節者不來然大王能饒人以爵邑士之頑鈍如淳曰猶無廉隅嗜利無恥者亦多歸漢誠各去其兩短襲其兩長天下指麾則定矣然大王資侮人不能得廉節之士顧楚有可亂者彼項王骨鯁之臣亞父鍾離眛龍且周殷之屬不過數人耳大王誠能出

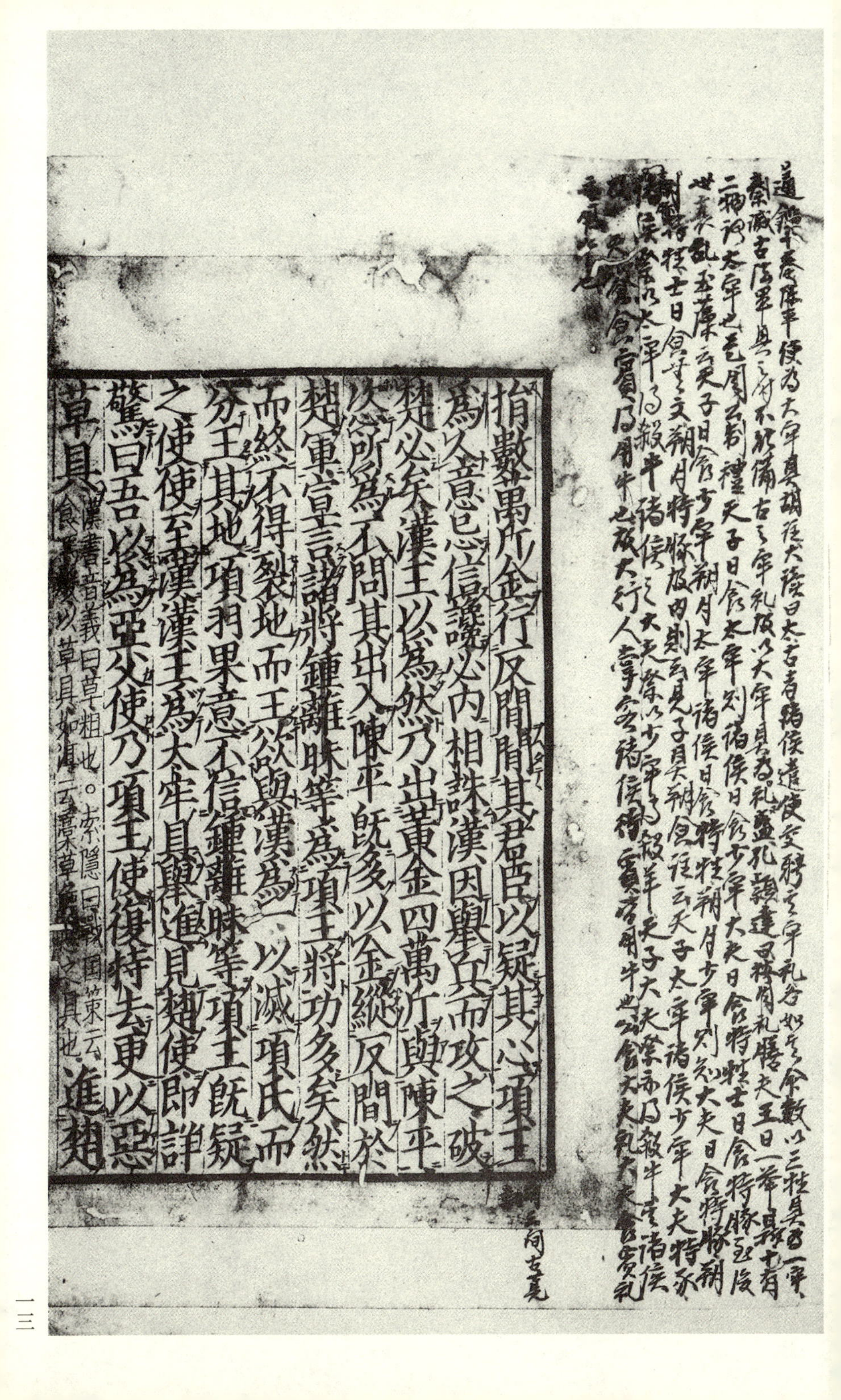

捐數萬斤金行反間間其君臣以疑其心項王爲人意忌信讒必内相誅漢因舉兵而攻之破楚必矣漢王以爲然乃出黄金四萬斤與陳平恣所爲不問其出入陳平既多以金縱反間於楚軍宣言諸將鍾離眛等爲項王將功多矣然而終不得裂地而王欲與漢爲一以滅項氏而分王其地項羽果意不信鍾離眛等項王既疑之使使至漢漢王爲太牢具舉進見楚使即詳驚曰吾以爲亞父使乃項王使復持去更以惡草具（漢書音義曰草粗也。索隱曰戰國策云 食[illegible]以草具如淳云[illegible]草[illegible]之具也）進楚

使楚使歸具以報項王項王果大疑亞父亞父欲急攻下滎陽城項王不信不肯聽亞父聞項王疑之乃怒曰天下事大定矣君王自為之願請骸骨歸歸未至彭城疽發背而死陳平乃夜出女子二千人滎陽城東門楚因擊之陳平乃與漢王從城西門夜出去遂入關收散兵復東其明年淮陰侯破齊自立為齊王使使言之漢王漢王大怒而罵陳平躡漢王（漢書音義曰躡謂躡漢王足）漢王亦悟乃厚遇齊使使張子房卒立信為齊王封平以戶牖鄉用其奇計策卒滅楚常以護軍

通鑑十一有會語
侯胡氏曰虎通曰、
天子所以巡狩者何
巡者循也狩者收也
謂循行天下收人道
德太平恐遠近不同
政化幽隱有不得其
所者故必自行之謹
敬重民之意也善言
曰天子適諸侯曰巡守

中尉從定燕王臧荼漢六年人有上書告楚王
韓信反高帝問諸將諸將曰亟發兵坑豎子耳
高帝默然問陳平平固辭謝曰諸將云何上具
告之陳平曰人之上書言信反有知之者乎曰
未有曰信知之乎曰不知陳平曰陛下精兵孰
與楚上曰不能過平曰陛下將用兵有能過韓
信者乎上曰莫及也平曰今兵不如楚精而將
不能及而舉兵攻之是趣之戰也竊爲陛下危
之上曰爲之奈何平曰古者天子巡狩會諸侯
南方有雲夢陛下第出僞游雲夢 索隱曰第且也

荼音徒

師古注趣促

通鑑釋文第一亟發兵坑豎子耳史炤釋文曰亟欺冀切又音急余按字書亟
者其義數也此言亟發兵猶言急發兵也亟音紀力翻其義疾也趣也急也亟字有急義
要之急音亟一百三十二卷宋明帝泰始三年亟字義多去吏紀力二切
審其義之各有攸當也

者巡所生也

[illegible]云但也會諸侯於陳陳楚之西界[illegible]曰陳今陳州也韓信都彭城號

楚王故陳州為楚西界也信聞天子以好出游其勢必無事而

郊迎謁謁而陛下因禽之此特一力士之事耳

高帝以為然乃發使告諸侯會陳吾將南游雲

夢上因隨以行行未至陳楚王信果郊迎道中

高帝豫具武士見信至即執縛之載後車信呼

曰天下已定我固當烹高帝顧謂信曰若毋聲

而反明矣武士反接之漢書音義曰反縛兩手遂會諸侯于

陳盡定楚地還至雒陽赦信以為淮陰侯而與

功臣剖符定封於是與平剖符世世勿絕為戶

㒰侯平辭曰此非臣之功也上曰吾用先生謀計戰勝剋敵非功而何平曰非魏無知臣安得進上曰若子可謂不背本矣乃復賞魏無知其明年以護軍中尉從攻反者韓王信於代卒至平城為匈奴所圍七日不得食高帝用陳平奇計使單于閼氏（蘇林曰閼氏音焉支如漢皇后）圍以得開高帝既出其計秘世莫得聞（桓譚新論或云陳平為高帝解平城之圍則言其事秘世莫得而聞也此以工妙踔善故藏隱不傳焉子能權知斯事否吾應之曰此策乃反薄陋拙惡故隱而不泄高帝見圍七日而陳平往說閼氏閼氏言於單于而出之以是知其所用說之事矣彼陳平必言漢有好麗美女為道其容貌天下無有今困急已馳使歸迎取欲進與單于單于見此人必大好愛之愛之則閼氏日以遠疏不如及其未到令漢

得脫去去亦不持女來矣閼氏婦女有妬媢之性必憎惡而事去之此說簡而要及得其用則欲使神怪故隱匿不泄也劉子駿聞吾言乃立稱善焉按漢書音義應劭說此事大旨與桓譚略同不知是應全取桓論或別有所聞乎今觀桓論似本無說

高帝南過曲逆地理志縣屬中山也　索隱曰章帝醜其名改云蒲陰也上其城望見其屋室甚大曰壯哉縣吾行天下獨見洛陽與是耳顧問御史曰曲逆戶口幾何對曰始秦時三萬餘戶閒者兵數起多亡匿今見五千戶於是乃詔御史更以陳平為曲逆侯盡食之除前所食戶牖其後常以護軍中尉從攻陳豨及黥布凡六出奇計輒益邑凡六益封奇計或頗祕世莫能聞也高帝從破布軍還

餘 本有

奇

能 本作得

病創徐行至長安燕王盧綰反上使樊噲以相
國將兵攻之既行人有短惡噲者高帝怒曰噲
見吾病乃冀我死也用陳平謀而召絳侯周勃
受詔牀下曰陳平亟馳傳載勃代噲將平至軍
中即斬噲頭二人既受詔馳傳未至軍行計之
曰樊噲帝之故人也功多且又乃呂后弟呂須
之夫有親且貴帝以忿怒故欲斬之則恐後悔
寧囚而致上上自誅之未至軍為壇以節召樊
噲噲受詔即反接載檻車傳詣長安而令絳侯
勃代將將兵定燕反縣平行聞高帝崩平恐呂

太后及呂嬃讒怒乃馳傳先去逢使者詔平與灌嬰屯於滎陽平受詔立復馳至宮哭甚哀因奏事喪前呂太后哀之曰君勞出休矣平畏讒之就因固請得宿衛中太后乃以爲郎中令曰傅教孝惠如淳曰傅相之傅也是後呂嬃讒乃不得行樊噲至則赦復爵邑孝惠帝六年相國曹參卒以安國侯王陵爲右丞相徐廣曰王陵以客從起豐以廄將別守豐上東因從戰不利奉孝惠魯元出睢水中封爲雍侯高祖八年定食安國二十一年卒諡武侯至玄孫坐酎金國除陳平爲左丞相王陵者故沛人始爲縣豪高祖微時兄事陵陵少文任氣好直言及高祖起沛入至

咸陽陵亦自聚黨數千人居南陽不肯從沛公
及漢王之還攻項籍陵乃以兵屬漢項羽取陵
母置軍中陵使至則東鄉坐陵母欲以招陵陵
母既私送使者泣曰為老妾語陵謹事漢王漢
王長者也無以老妾故持二心妾以死送使者
遂伏劒而死項王怒亨陵母陵卒從漢王定天
下以善雍齒雍齒高帝之仇而陵本無意從高
帝以故晚封為安國侯安國侯既為右丞相二
歲孝惠帝崩高后欲立諸呂為王問王陵王陵
曰不可問陳平陳平曰可呂太后怒乃詳遷陵

為帝太傅實不用陵陵怒謝疾免杜門竟不朝請七年而卒陵之免丞相呂太后乃徙平為右丞相以辟陽侯審食其為左丞相左丞相不治常給事於中孟康曰不在治事便止宮中也食其亦沛人漢王之敗彭城西楚取太上皇呂后為質食其以舍人侍呂后其後從破項籍為侯幸於呂太后及為相居中百官皆因決事呂嬃常以前陳平為高帝謀執樊噲數讒曰陳平為相非治事日飲醇酒戲婦女陳平聞日益甚呂太后聞之私獨喜面質呂嬃於陳平曰鄙語曰兒婦人口不可用

正義曰顧念思也

正義曰秦前漢以前右爲上左爲下晉宋以來左爲上也

顧君與我何如耳無畏呂媭之讒也呂太后立諸呂爲王陳平僞聽之及呂太后崩平與太尉勃合謀卒誅諸呂立孝文皇帝陳平本謀也審食其免相徐廣曰審食其初以舍人起侍呂后孝惠帝於沛又從在楚封二十五年文帝三年死子平代二十二年景帝三年坐謀反國除一本云食其免後三歲爲淮南王所殺文帝令其子平嗣侯菑川王反辟陽近菑川平降之國除孝文帝立以爲太尉勃親以兵誅呂氏功多陳平欲讓勃尊位乃病謝孝文帝初立怪平病問之平曰高祖時勃功不如臣平及誅諸呂臣功亦不如勃願以右丞相讓勃於是孝文帝乃以絳侯勃爲右丞相位次第一平徙爲

左丞相位次第二賜平金千斤益封三千戶居頃之孝文皇帝既益明習國家事朝而問右丞相勃曰天下一歲決獄幾何勃謝曰不知問天下一歲錢穀出入幾何勃又謝不知汗出沾背愧不能對於是上亦問左丞相平平曰有主者上曰主者謂誰平曰陛下即問決獄責廷尉問錢穀責治粟內史上曰苟各有主者而君所主者何事也平謝曰主臣張晏曰若今人謝曰惶恐也馬融龍虎賦曰勇怯見之莫不主臣孟康曰主臣主君群臣也若今言人主也韋昭曰言主臣道不敢欺也○索隱曰蘇林與孟康同既古人所未了故並存兩解陛下不知其駑下使待罪宰相宰相者

上佐天子理陰陽順四時下育萬物之宜外鎮撫四夷諸侯內親附百姓使卿大夫各得任其職焉孝文帝乃稱善右丞相大慙出而讓陳平曰君獨不素教我對陳平笑曰君居其位不知其任邪且陛下即問長安中盜賊數（漢書音義曰頭數也）君欲彊對邪於是絳侯自知其能不如平遠矣居頃之絳侯謝病請免相陳平專為一丞相孝文帝二年丞相陳平卒謚為獻侯子共侯買代侯二年卒子簡侯恢代侯二十三年卒子何代侯二十三年何坐略人妻棄市國除始陳平曰我

多陰謀是道家之所禁吾世即廢亦已矣終不能復起以吾多陰禍也然其後曾孫陳掌以衛氏親貴戚願得續封陳氏然終不得徐廣曰陳掌者衛青之子婿

太史公曰陳丞相平少時本好黃帝老子之術方其割肉俎上之時其意固已遠矣傾側擾攘楚魏之閒卒歸高帝常出奇計救紛糾之難振國家之患及呂后時事多故矣然平竟自脫定宗廟以榮名終稱賢相豈不善始善終哉非知謀孰能當此者乎

索隱述贊曰曲逆窮巷門多長者宰肉先均

佐喪後罷魏楚更用腹心難假棄印封金剌
船露倮間行歸漢委質麾下滎陽計全平城
圍解推陵讓勃見多益寡應變合權克定宗
社

陳丞相世家第二十六　　史記五十六

十二

絳侯周勃世家第二十七　史記五十七

絳侯周勃者沛人也其先卷人徐廣曰卷縣在滎陽。索隱曰韋昭云屬河南地理志亦然然則後置滎陽郡而卷隸焉音丘云反字林音丘權反。正義曰括地志云故卷城在鄭州原武縣西北七里釋例地名云卷縣所理垣雍城也徙沛勃以織薄曲為生蘇林曰薄一名曲月令曰具曲植。索隱曰謂勃本以織蠶薄為生業也韋昭云北方謂薄為曲許慎註淮南云曲葦薄也郭璞注方言云植縣曲柱也音直吏反常為人吹簫給喪事如淳曰以樂喪家若俳優瓚曰吹簫以樂喪賓若樂人也。索隱曰左傳歌虞殯猶今挽歌類也歌者或有簫管材官引彊漢書音義曰能引彊弓官如令挽彊司馬也。索隱曰晉灼云申屠嘉為材官蹶張高祖之為沛公初起勃以中涓從攻胡陵下方與方與反與戰却適攻豐擊秦軍碭東還軍留及蕭。復攻碭，破之。下下邑，先登。賜爵五大夫。攻蒙、虞，取之。索隱曰：二縣名，地理志屬梁國。擊章邯車騎，殿。服虔曰：略得殿兵也。如淳曰：殿，不進也。瓚曰：在軍後曰殿。孫檢曰：一說上功曰最，下功曰殿。戰功曰多。周勃事中有此三品，與諸將俱計功，則曰殿最；獨捷則曰多。多義見周禮。故此云擊章邯車騎殿，又云先至城下為多，又云攻堤里好時最是也。定魏地。攻爰戚、東緡，徐廣曰：屬山陽。○索隱曰：小顔音昬，非也。地理志山陽有東緡縣，音旻。然則户牖之為東緡，音民昬，是屬陳留者音昬，屬山陽者音旻也。○正義曰：緡，眉貧反。括地志云東緡故城，漢縣也，在兗州金鄉縣界。以往至栗，正義曰：括地志云屬沛郡也。取之。攻齧桑，先登。索隱曰：徐氏云在梁彭城閒。擊秦軍阿下，破之。索隱曰：謂東阿之下也。追至濮陽，下甄城。攻都關、索隱曰：地理志縣名，屬山陽。定陶，襲取宛朐，正義曰：宛劬二音。今曹州縣，在州西四十七里。得單父。正義曰：善甫二音。宋

周勃世家

顔

往一作東

甄下 蘄

州縣也令夜襲取臨濟攻張漢書音義曰攻壽張○索隱曰地理志東郡壽梁縣光武改曰壽張以前至卷破之擊李由軍雍丘下攻開封先至城下爲多文穎曰勃士卒至者多如淳曰周禮戰功曰多後章邯破殺項梁沛公與項羽引兵東如碭自初起沛還至碭一歲二月索隱曰謂初起沛又還至碭得一歲又更二月也楚懷王封沛公號安武侯爲碭郡長沛公拜勃爲虎賁令徐廣曰一云句盾令○索隱曰漢書云襄賁令賁音肥縣名屬東海徐廣又云句盾令所見本各別也以令從沛公定魏地攻東郡尉於城武破之擊王離軍破之攻長社先登攻潁陽緱氏正義曰緱音勾洛州縣絕河津正義曰即古平陰津在洛州洛陽縣東北五十里擊趙賁軍

安武 一下 武安

尸北索隱曰賁音肥人姓名也尸即尸鄉今偃師也謂尸縣之北南攻南陽守齮破武關嶢關破秦軍於藍田至咸陽滅秦項羽至以沛公爲漢王漢王賜勃爵爲威武侯索隱曰或是封號未必縣名也從入漢中拜爲將軍還定三秦至秦賜食邑懷德正義曰括地志云懷德故城在同州朝邑縣西南四十三里攻槐里好畤最如淳曰於將率之中功爲最○索隱曰地理志二縣屬右扶風擊趙賁內史保於咸陽最北攻漆索隱曰地理志漆縣在右扶風正義曰今幽州新平縣古漆縣也擊章平姚卬軍索隱曰卬音五郎反平下將西定汧正義曰口肩反今隴州汧源縣本漢汧縣地也還下郿正義曰音眉括地志云郿縣故城在岐州郿縣東北十五里頻陽索隱曰地理志頻陽屬左馮翊也○正義曰括地志云頻陽故城在宜州土門縣南三

里今土門縣併入同官縣屬雍州宜州廢也圍章邯廢丘索隱曰地理志槐里周曰犬丘懿王都之秦更名廢丘高祖三年更名槐里而此云槐里者槐里據後而書之又云廢丘者以章邯本都廢丘而云亦據舊書之破西丞徐廣曰天水有西縣。正義曰括地志云西縣故城在秦州上邽縣西南九十里本漢西縣也破西縣丞擊盜巴軍破之如淳曰章邯將攻上邽正義曰音圭秦州縣也東守峣關轉擊項籍攻曲逆最還守敖倉追項籍籍已死因東定楚地泗川東海郡凡得二十二縣還守雒陽櫟陽賜與潁陽侯共食鍾離索隱曰地理志縣名屬九江古鍾離子國。正義曰括地志云潁陰故城在陳州南頓縣西北鍾離故城在濠州鍾離縣東北五里以將軍從高帝擊反者燕王臧荼破之易下索隱曰荼如字讀易水名因以為縣在涿郡謂破荼軍於易水之下言近水也。正義曰括地志云易縣故城在幽州歸義縣東南十五里燕桓侯所徙都臨易是也所將卒當馳道爲多索隱曰小顏以當高祖所行之道或以馳道爲秦之馳道故賈山傳云秦爲馳道東窮燕齊也賜爵列侯剖符世世勿絕食絳正義曰括地志云絳邑城漢絳縣在絳州曲沃縣南二里或以爲秦之舊馳道也八千一百八十戶號絳侯以將軍從高帝擊反韓王信於代降下霍人索隱曰蕭該云左傳以偪陽予歸納諸霍人杜預云晉邑也或作霍鼠○正義曰霍音瑣又音蘇寡反顏師古云音山寡反按霍字當作葰地理志云葰人縣屬太原郡括地志云葰人故城在代州繁畤縣界漢葰人縣也按樊噲列傳作霍人其音亦同以前至武泉徐廣曰屬雲中○正義曰括地志云武泉故城在朔州北二百二十里擊胡騎破之武泉北轉攻韓信軍銅鞮正義曰括地志云銅鞮故城在潞州銅鞮縣東十五里州西六十五里在并州東南也破之還降太原正義曰并

州縣從銅鞮還并降六城也六城擊韓信胡騎晉陽下破之下
晉陽後擊韓信軍於硰石應劭曰沙石音沙或曰地名。索隱曰晉灼音赤
座反。正義曰按在樓煩縣西北破之追北八十里還攻樓煩正義
曰地理志云在鴈門郡括地志云在并州崞縣界三城因擊胡騎平城下正義
曰地理志云在鴈門郡括地志云朔州定襄本漢平城縣所將卒當馳道為多勃
遷為太尉擊陳豨屠馬邑所將卒斬豨將軍乘
馬絺徐廣曰姓乘馬。索隱曰絺名也乘音始證反擊韓信陳豨趙利軍於
樓煩破之得豨將宋最鴈門守圂索隱曰圂守之名音胡困反
因轉攻得雲中守遬索隱曰音速。正義曰括地志云雲中故城在勝州榆林縣東
北四十里秦雲中郡丞相箕肆將勳徐廣曰箕一作萁勳一作專一作轉。索隱曰[illegible]

圂 鄭 俟奔反

肆音如字𢬵音以四反漢書曰勳亦作慱字並誤耳定雁門郡十七縣雲中郡十二縣因復擊豨靈丘破之索隱曰地理志縣名屬代郡。正義曰括地志云靈丘故城在蔚州靈丘縣東十里漢縣也斬豨得豨丞相程縱將軍陳武都尉高肆定代郡九縣燕王盧綰反勃以相國代樊噲將擊下薊得綰大將抵丞相偃守陘張晏曰盧綰郡守陘其名太尉弱御史大夫施屠渾都徐廣曰在上谷。索隱曰施名也屠滅之也地理志渾都縣屬上谷二云御史大夫姓施屠名渾都。正義曰括地志云幽州昌平縣本漢渾都縣破綰軍上蘭正義曰括地志云嬀州懷戎縣東北有馬蘭溪水恐是也復擊破綰軍沮陽徐廣曰在上谷騶案服虔曰沮音阻。索隱曰按地理志沮陽縣屬上谷。正義曰括地志云上谷郡故城在嬀州懷戎縣東北百一十里燕上谷秦因不改漢為阻陽縣追至長城，正義曰：即馬邑長城，亦名燕長城，在嬀州北，今是。定上谷十二縣，右北平十六縣，遼西、遼東二十九縣，漁陽二十二縣。最從高帝索隱曰：最，都凡也。謂總舉其從高祖攻戰克獲之數也。得相國一人，丞相二人，將軍二千石各三人；別破軍二，下城三，定郡五，縣七十九，得丞相、大將各一人。勃為人木彊敦厚，高帝以為可屬大事。勃不好文學，每召諸生說士，東鄉坐而責之：如淳曰：勃自東鄉坐，責諸生說士，不以賓主之禮。「趣為我語。」其椎少文如此。瓚曰：令直言，勿稱經書也。韋昭曰：椎，不橈曲，直至如椎。○索隱曰：木彊云，俗謂愚為鈍椎，音直追反。今按椎如字讀之，謂勃召說士東向而坐責之云「趣為我語」，其質朴少文，推以斯推之，其少文皆如此。勃既定燕而歸高祖，已崩矣以列侯事孝惠帝孝惠帝六年置太尉官徐廣曰功臣表及將相表皆高后四年始置太尉○正義曰下云以勃為太尉十歲高后崩按孝惠六年高后八年崩是十年耳而功臣表及將相表云高后四年置太尉官未詳以勃為太尉十歲高后崩呂祿以趙王為漢上將軍呂產以呂王為漢相國秉漢權欲危劉氏勃為太尉不得入軍門陳平為丞相不得任事於是勃與平謀卒誅諸呂而立孝文皇帝其語在呂后孝文事中文帝既立以勃為右丞相賜金五千斤食邑萬戶居月餘人或說勃曰君既誅諸呂立代王威震天下而君受厚賞處尊位以寵久之即禍及

身矣勃懼亦自危乃謝請歸相印上許之歲餘丞相平卒上復以勃為丞相十餘月上曰前日吾詔列侯就國或未能行丞相吾所重其率先之乃免相就國歲餘每河東守尉行縣至絳絳侯勃自畏恐誅常被甲令家人持兵以見之其後人有上書告勃欲反徐廣曰文帝四年時下廷尉廷尉下其事長安逮捕勃治之勃恐不知置辭吏稍侵辱之勃以千金與獄吏獄吏乃書牘背示之李奇曰吏所執簿韋昭曰牘版○索隱曰簿即牘也故魏志秦宓以簿擊頰則亦簡牘之類也曰以公主為證公主者孝文帝女也勃太子勝之尚之

韋昭曰尚奉也不敢言娶故獄吏教引為證勃之益封受賜盡以予薄昭及繫急薄昭為言薄太后太后亦以為無反事文帝朝太后以冒絮提文帝徐廣曰提音弟駰案應劭曰陌額絮也如淳曰太后恚怒遭得左右物提之也晉灼曰巴蜀異物志謂頭上巾為冒絮○索隱曰服虔云綸絮也提音弟又音啼非也蕭該音底提者擲也蕭音為得恚者嗔也遭者逢也謂太后嗔乃逢冒絮因以提帝陌音蠻陌之陌入聲方言云幪巾南楚之間云陌額也曰絳侯綰皇帝璽應劭曰言勃誅諸呂發少帝手貫璽時尚不反況今更有異乎將兵於北軍不以此時反今居一小縣顧欲反邪文帝既見絳侯獄辭乃謝曰吏事方驗而出之於是使使持節赦絳侯復爵邑絳侯既出曰吾嘗將百萬軍然安知獄吏

之貴乎絳侯復就國孝文帝十一年卒謚爲武侯子勝之代侯六歲尚公主不相中（如淳曰猶言不相合當）坐殺人國除絕一歲文帝乃擇絳侯勃子賢者河内守亞夫封爲條侯（徐廣曰表皆作蓨字駰案服虔曰蓨音條○索隱曰地理志條縣屬渤海郡○正義曰括地志云故蓨城俗名南條城在德州蓨縣南十二里漢縣）續絳侯後

條侯亞夫自未侯爲河内守時許負相之（索隱曰應劭云負河内溫人老嫗也姚氏按楚漢春秋高祖封負爲鳴雌亭侯是知婦人亦有封邑）曰君後三歲而侯侯八歲爲將相持國秉（索隱曰音柄）貴重矣於人臣無兩其後九歲而君餓死亞夫笑曰臣之兄已代父侯矣有如卒子當代亞夫何說侯乎

然既已貴如負言又何說餓死指示我許負指其口曰有從理入口〔索隱曰從音子容反從理豎理〕此餓死法也居三歲其兄絳侯勝之有罪孝文帝擇絳侯子賢者皆推亞夫乃封亞夫為條侯續絳侯後文帝之後六歲匈奴大入邊乃以宗正劉禮為將軍軍霸上〔正義曰廟記云霸陵即霸上按霸陵城在雍州萬年縣東北二十五里〕祝茲侯徐厲為將軍軍棘門〔正義曰孟康云秦時宮門也括地志云棘門在渭北十餘里秦宮門名也〕以河內守亞夫為將軍軍細柳〔正義曰括地志云細柳倉在雍州咸陽縣西南二十里也〕以備胡上自勞軍至霸上及棘門軍直馳入將以下騎送迎已而之細柳軍軍士吏

周勃世家

被甲銳兵刃彀弓弩持滿索隱曰彀者張也天子先驅至不得入先驅曰天子且至軍門都尉曰將軍令曰軍中聞將軍令不聞天子之詔索隱曰六韜云軍中之事不聞君命居無何上至又不得入於是上乃使使持節詔將軍吾欲入勞軍亞夫乃傳言開壁門壁門士吏謂從屬車騎曰將軍約軍中不得驅馳於是天子乃按轡徐行至營將軍亞夫持兵揖曰介冑之士不拜請以軍禮見應劭曰禮介者不拜。索隱曰應劭云左傳晉郤克三肅使者而退杜預注肅若今揖鄭衆注周禮肅拜云但俯下手今時揖是天子爲動改容式車索隱曰軾者車前橫木若上有敬則俯身而憑之使人稱謝

皇帝敬勞將軍成禮而去既出軍門羣臣皆驚
文帝曰嗟乎此眞將軍矣曩者霸上棘門軍若
兒戲耳其將固可襲而虜也至於亞夫可得而
犯邪稱善者久之月餘三軍皆罷乃拜亞夫爲
中尉正義曰漢書百官表云中尉秦官掌徼循京師武帝太初元年更名執金吾應劭云吾者禦也掌執金吾以禦非常顔師古云金吾鳥名主辟不祥天子出行職主先導以備非常故執此鳥之象因以名官也孝文
且崩時誡太子曰即有緩急周亞夫眞可任將
兵文帝崩拜亞夫爲車騎將軍孝景三年吳楚
反亞夫以中尉爲太尉正義曰漢書百官表云太尉秦官掌武元狩四年置大將軍大司馬即今十二衛大將軍及兵部尚書也東擊吳楚因自請上曰楚

周勃世家

兵剽輕索隱曰漢書亞夫至淮陽問鄧都尉爲畫此計亞夫從之今此云自請者蓋此亦聞疑而傳疑或得其實也剽音七妙反輕讀從去聲難與爭鋒願以梁委之索隱曰謂以梁委之於吳使吳兵不得過也亦有作餧音亦通絕其糧道乃可制上許之

太尉既會兵滎陽吳方攻梁梁急請救太尉引兵東北走昌邑深壁而守梁日使使請太尉太尉守便宜不肯往梁上書言景帝景帝使使詔救梁太尉不奉詔堅壁不出而使輕騎兵弓高侯等索隱曰韓穨當也○正義曰弓高滄州縣也絕吳楚兵後食道吳兵乏糧飢數欲挑戰終不出夜軍中驚內相攻擊擾亂至於太尉帳下太尉終臥不起頃之復定

後吳奔壁東南陬[如淳曰陬隅也○索隱曰音騶又音子侯反]太尉使備西北已而其精兵果奔西北不得入吳兵既餓乃引而去太尉出精兵追擊大破之吳王濞弃其軍而與壯士數千人亡走保於江南丹徒[索隱曰地理志縣屬會稽○正義曰括地志云丹徒故城在潤州丹徒縣東南十八里漢丹徒縣也晉太康地志云吳王濞反走丹徒越人殺之於此城南徐州記云秦使赭衣鑿其地因謂之丹徒鑿坑今在故縣西北六里丹徒峴東南連亘盤紆屈曲有象龍形故秦鑿絕頸闕百餘步又夾坑龍首以毀其形坑之所在即今龍目二湖悉成田也]漢兵因乘勝遂盡虜之降其兵購吳王千金月餘越人斬吳王頭[正義曰越人即丹徒人越滅吳丹徒地屬越越滅屬楚秦滅楚後置三十六郡丹徒縣屬會稽郡故以丹徒爲越人也]以告凡相攻守三月而吳楚破平

於是諸將乃以太尉計謀爲是。由此梁孝王與太尉有郤。歸，復置太尉官。五歲，遷爲丞相，景帝甚重之。景帝廢栗太子，丞相固爭之，不得。景帝由此疏之。而梁孝王每朝，常與太后言條侯之短。竇太后曰：「皇后兄王信可侯也。」景帝讓曰：「始南皮、章武侯【瓚曰：南皮，竇彭祖，太后兄子；章武侯，太后弟廣國。】先帝不侯，及臣即位乃侯之，信未得封也。」竇太后曰：「人主各以時行耳。【索隱曰：謂人主各當其時而行事，不必一一相法也。○正義：人主，作人生。】自竇長君在時，竟不得侯，死後乃封其子彭祖顧得侯。【索隱曰：許慎註淮南子云：顧，反也。】吾甚恨之。帝趣侯信也。」景帝曰請得與丞相議之丞相議之亞夫曰高皇帝約非劉氏不得王非有功不得侯不如約天下共擊之今信雖皇后兄無功侯之非約也景帝默然而止其後匈奴王徐盧等五人降景帝欲侯之以勸後丞相亞夫曰彼背其主降陛下陛下侯之則何以責人臣不守節者乎景帝曰丞相議不可用乃悉封徐盧等爲列侯索隱曰功臣表唯徐盧封容城侯亞夫因謝病景帝中三年以病免相頃之景帝居禁中召條侯賜食獨置大胾韋昭曰大臠也胾音側吏反○索隱曰臠音李轉反謂肉臠也無切肉又不置櫡條侯心不平

周勃世家

通鑑作置大胾孔穎達曰熟肉帶骨而臠曰殽純肉而臠曰胾

顧謂尚席取櫡應劭曰尚席主席者。索隱曰顧氏按輿服雜事云古尚尚席掌武帳帷幔也櫡音筯漢書作箸箸者食所用也韋昭云借前箸以籌之禮曰羹之有菜者用挾挾亦箸之類故鄭玄云今人謂箸爲挾是也景帝視而笑曰此不足君所乎孟康曰設胾無筯者此非不足滿於君所乎嫌恨之如淳曰非故不足君之食具也偶失之。索隱曰言不設箸者此蓋非我意於君有不足乎故如淳云非故不足君之食具偶失之耳蓋當然也所以帝視而笑也若本不爲足當別有辭未必爲之笑也孟康當然雖據古人之情亦未必能得其實顧氏亦同孟氏之說又引魏武賜荀彧虛器各記異說也條侯免冠謝上起條侯因趨出景帝以目送之曰此快快者非少主臣也居無何條侯子爲父買工官尚方徐廣曰一作西。索隱曰工官即尚方之工所作物屬尚方故云工官尚方甲楯五百被徐廣曰音披駰案如淳曰工官官名也張晏曰被具也五百具甲楯可以葬者取庸苦之不予錢庸知其盜買縣官器索隱曰縣官謂天子也所以謂國家為縣官者夏家王畿內縣即國都也王者官天下故曰縣官也怒而上變告子事連汙條侯索隱曰汙音烏故反書既聞上上下吏吏簿責條侯如淳曰簿問責其情條侯不對景帝罵之曰吾不用也孟康曰不用女對欲殺之也如淳曰恐獄吏畏其復用事不敢折辱。索隱曰孟康如淳已備兩解大顏以孟說為得帝姚察又別一解云帝責此吏不得亞夫直辭以為不足任用故召亞夫別詣廷尉使責問召詣廷尉正義曰景帝見條侯不對簿因嗔罵之曰吾不任用汝也故召詣廷尉使重推劾耳餘說皆非也廷尉責曰君侯欲反邪亞夫曰臣所買器乃葬器也何謂反邪吏曰君侯縱不反地上即欲反地下耳吏侵之益急初吏捕條侯條侯欲自殺夫人止之以故不得死遂入廷尉因不食五日嘔血而死國除絕一歲景帝乃更封絳侯勃他子堅為平曲侯續絳侯後十九年卒謚為共侯子建德代侯十三年為太子太傅坐酎金不善元鼎五年有罪國除徐廣曰諸列侯坐酎金失侯者皆在元鼎五年但此辭句如有顛倒○索隱曰紀云坐酎金不善復云元鼎五年有罪國除似重有罪故云顛倒而漢書云為太子太傅坐酎金免官後有罪國除其文又錯也按表坐免官至元鼎五年坐酎金又失侯所以二史記之各有不同也條侯果餓死死後景帝乃封王信為蓋侯蓋音甲

太史公曰絳侯周勃始為布衣時鄙朴人也才能不過凡庸及從高祖定天下在將相位諸呂

欲作亂勃匡國家難復之乎正雖伊尹周公何以加哉亞夫之用兵持威重執堅刃穰苴曷有加焉足己而不學索隱曰亞夫自以己之智謀足而虛己不學古文所以不體權變而動有違忤守節不遜索隱曰守節謂爭栗太子不封王信徐盧等不遜謂顧尚席取箸不對制獄是也終以窮困悲夫

索隱述贊曰絳侯佐漢質厚敦篤始擊碭東亦圍尸北所攻必取所討咸克陳豨伏誅臧荼破國事居送往推功伏德列侯就第太尉下獄繼相條侯紹封平曲惜哉賢將父子代辱

絳侯周勃世家第二十七　史記五十七

梁孝王世家第二十八　史記五十八

梁孝王武者孝文皇帝子也而與孝景帝同母
母竇太后也孝文帝凡四男長子曰太子是爲
孝景帝次子武次子參次子勝正義曰漢書勝作揖又云諸姬生代孝王
參梁懷王揖言諸姬者衆妾卑賤史不書姓故云諸姬也孝文帝即位二年以武
爲代王徐廣曰都中都○正義曰括地志云中都故城在汾州平遥縣西十二里以參爲
太原王徐廣曰都晉陽○正義曰括地志云并州太原地名大明城即古晉陽城智伯與韓魏攻趙襄
子於晉陽即此城是也以勝爲梁王徐廣曰都睢陽○索隱曰漢書梁王名揖蓋是矣按景帝
子中山靖王名勝是史記誤耳○正義曰括地志云宋州宋城縣在州南二里外城中本漢之睢陽縣也漢文帝封
子武於大梁以其卑濕徙睢陽故改曰梁也二歲徙代王爲淮陽王徐廣曰都

陳。正義曰陳古陳國城也以代盡與太原王號曰代王參立十七年孝文後二年卒諡爲孝王子登嗣立是爲代共王立二十九年元光二年卒子義立是爲代王十九年漢廣關以常山爲限而徙代王王清河徐廣曰都清陽。正義曰括地志云清陽故城在貝州清陽縣西北八里也清河王徙以元鼎三年也初武爲淮陽王十年而梁王勝卒諡爲梁懷王懷王最少子愛幸異於他子其明年徙淮陽王武爲梁王梁王之初王梁孝文帝之十二年也梁王自初王通歷已十一年矣索隱曰謂自文帝二年初封代後徙淮陽又徙梁通數文帝二年至十二年徙梁爲十一年也梁王十四年入朝十七年十八年比年入朝留其明年乃之國二十一年入朝二十二年孝文帝崩二十四年入朝二十五年復入朝是時上未置太子也上與梁王燕飲嘗從容言曰千秋萬歲後傳於王王辭謝雖知非至言然心内喜太后亦然其春吳楚齊趙七國反吳楚先擊梁棘壁（文穎曰地名。索隱曰按左氏傳宣公二年宋華元戰于大棘杜預云在襄邑東南蓋即棘壁是也。正義曰括地志云大棘故城在宋州寧陵縣西南七十里）殺數萬人梁孝王城守睢陽而使韓安國張羽等為大將軍以距吳楚吳楚以梁為限不敢過而西與太尉亞夫等相距三月，吳楚破，而梁所破殺虜略與漢中分。正義漢書曰梁所虜吳楚之捷略與漢等明年，漢立太子。其後梁最親，有功，又為大國，居天下膏腴地。地北界泰山，西至高陽，徐廣曰在陳留圉縣。駰案司馬彪曰圉有高陽亭也。○索隱曰圉縣屬陳留。高陽，鄉名也。注引司馬彪者，出續漢書郡國志也。四十餘城，皆多大縣。孝王，竇太后少子也，愛之，賞賜不可勝道。於是孝王築東苑，索隱曰築謂建也。白虎通云苑所以東者何？蓋以東方生物故也。方三百餘里。索隱曰蓋言其奢，非實辭。或者梁國封域之方。○正義曰括地志云苑園在宋州宋城縣東南十里。葛洪西京雜記云梁孝王苑中有落猿巖、棲龍岫、鴈池、鶴洲、鳧島，諸宮觀相連，奇果佳樹，瑰禽異獸，靡不畢備。俗人言梁孝王竹園也。廣睢陽城七十里。索隱曰鄒林云廣其徑也。太康地理記云城方十三里，梁孝王築之，鼓倡節杵而後下和之者，稱睢陽曲今踵以爲故所以樂家有睢陽曲蓋採其遺音也大治宮室爲複道自宮連屬於平臺三十餘里徐廣曰睢陽有平臺里駰案如淳曰在梁東北離宮所在也晉灼曰或說在城中東北角○索隱曰如淳云在梁東北離宮所在者按今城東二十里臨新河有故臺址不甚高俗云平臺又一名脩竹苑西京雜記云有落猿巖棲龍岫鴈池鶴洲鳬渚連亘七十餘里是也得賜天子旌旗出從千乘萬騎索隱曰漢官儀曰天子法駕三十六乘大駕八十一乘皆備千乘萬騎而出也東西馳獵擬於天子出言趩入言警索隱曰漢舊儀云皇帝輦動稱警出殿則傳蹕止人清道言出入者互文耳出亦有蹕招延四方豪桀自山以東游說之士莫不畢至齊人羊勝公孫詭鄒陽之屬公孫詭多奇邪計索隱曰周禮有奇衺之人鄭玄云奇衺譎怪非常也奇音紀宜反邪音斜也初見王賜千金官至中尉梁

號曰千乘將軍。梁多作兵器弩弓矛數十萬，而府庫金錢且百巨萬，索隱曰：如淳云巨亦大，與大百萬同也。韋昭云大百萬，今萬萬。珠玉寶器多於京師。二十九年十月，梁孝王入朝。景帝使使持節乘輿駟馬，迎梁王於關下。鄧展曰：但將駟馬往。瓚曰：稱乘輿駟馬，則車馬皆往，言不駕六馬耳。天子副車駕駟馬。既朝，上疏因留，以太后親故。王入則侍景帝同輦，出則同車遊獵，射禽獸上林中。梁之侍中、郎、謁者著籍引出入正義曰：著，竹略反。籍謂名簿也，若今通引出入門也。天子殿門，與漢宦官無異。十一月，上廢栗太子，竇太后心欲以孝王為後嗣。大臣及袁盎等有所關說於景帝，索隱曰袁盎云漢家法周道立子是有所關涉之說於帝也一云關者隔也引事而關隔其說不得行也竇太后義格如淳曰歧閣不得下。索隱曰張晏云格止也服虔云格謂格閣不行蘇林音閣周成雜字或閣也通俗文云高置立歧棚云歧閣字林音紀又音詭也亦遂不復言以梁王為嗣事由此以事秘世莫知乃辭歸國其夏四月上立膠東王為太子梁王怨袁盎及議臣乃與羊勝公孫詭之屬陰使人刺殺袁盎及他議臣十餘人逐其賊未得也於是天子意梁王索隱曰謂意疑梁刺之逐賊果梁使之乃遣使冠蓋相望於道覆按梁捕公孫詭羊勝公孫詭羊勝匿王後宮使者責二千石急梁相軒丘豹正義曰姓軒丘名豹也及內史韓安國進諫王王乃令勝詭皆自殺出之上由此怨望於梁王梁王恐乃使韓安國因長公主謝罪太后然後得釋上怒稍解因上書請朝既至關茅蘭說王（漢書音義曰茅蘭孝王臣）使乘布車（張晏曰布車降服自比喪人）從兩騎入匿於長公主園漢使使迎王王已入關車騎盡居外不知王處太后泣曰帝殺吾子景帝憂恐於是梁王伏斧質於闕下謝罪然後太后景帝大喜相泣復如故悉召王從官入關然景帝益疏王不同車輦矣三十五年冬復朝上疏欲留上弗許歸國意忽忽不樂北獵

良山索隱曰漢書作梁山述征記云良山際清水今壽張縣南有良山服虔云是梁山也。正義曰括地志云梁山在鄆州壽張縣南三十五里即獵處也有獻牛足出背上索隱曰張晏云足當處下所以輔身也今出背上象孝王背朝以干上也北者陰也又在梁山明爲梁也牛者丑之畜衝在六月北方數六故六月六日薨也孝王惡之六月中病熱六日卒謚曰孝王索隱曰述征記碭有梁孝王之冢孝王慈孝每聞太后病口不能食居不安寢常欲留長安侍太后太后亦愛之及聞梁王薨竇太后哭極哀不食曰帝果殺吾子景帝哀懼不知所爲與長公主計之乃分梁爲五國索隱曰長子買梁共王子明濟川王子彭離濟東王子定山陽王子不識濟陰王盡立孝王男五人爲王女五人皆食湯沐邑於是

奏之太后大喜乃說爲帝加壹飡梁孝王長子
買爲梁王是爲共王子明爲濟川王子彭離爲
濟東王子定爲山陽王子不識爲濟陰王孝王
未死時財以巨萬計不可勝數及死藏府餘黃
金尚四十餘萬斤他財物稱是梁共王三年景
帝崩共王立七年卒子襄立是爲平王
梁平王襄索隱曰漢書作讓十四年母曰陳太后共王母
曰李太后李太后親平王之大母也而平王之
后姓任曰任王后任王后甚有寵於平王襄初
孝王在時有罍樽鄭德曰上蓋刻爲雲雷象○索隱曰應劭曰詩云酌彼金罍罍有書

雲雷之象以金飾之直千金孝王誡後世善保罍樽無得以與人任王后聞而欲得罍樽平王大母李太后曰先王有命無得以罍樽與人他物雖百巨萬猶自恣也任王后絕欲得之平王襄直使人開府取罍樽賜任王后李太后大怒漢使者來欲自言平王襄及任王后遮止閉門李太后與爭門措指晉灼曰許慎措置措以爲笮。索隱曰措音迮側格反漢書王陵傳迫迮前隊皆作此字說文云迫笮也謂爲門扇所笮遂不得見漢使者李太后亦私與食官長及郎中尹霸等士通亂正義曰張先生舊本有士字先生疑是衍字又不數除故以朱大點其字中心今按侯宮長及郎中尹霸等是士人太后與通亂其義亦通矣而王與

亂一作官

任太后以此使人風止李太后李太后內有淫行亦已後病薨病時任后未嘗請病薨又不持喪元朔中睢陽人類犴反者索隱曰韋昭云犴音岸按類犴反人姓名也反字或作友人有辱其父而與淮陽太守客出同車太守客出下車類犴反殺其仇於車上而去淮陽太守怒以讓梁二千石二千石以下求反甚急執反親戚反知國陰事乃上變事具告知王與大母爭樽狀時丞相以下見知之欲以傷梁長吏其書聞天子天子下吏驗問有之公卿請廢襄為庶人天子曰李太后有淫行而梁王襄無

顏師古曰剽劫也

良師傅故陷不義乃削梁八城梟任王后首于市梁餘尚有十城襄立三十九年卒謚爲平王子無傷立爲梁王也

濟川王明者梁孝王子以桓邑侯索隱曰地理志桓邑闕孝景中六年爲濟川王七歲坐射殺其中尉漢有司請誅天子弗忍誅廢明爲庶人遷房陵地入于漢爲郡

濟東王彭離者梁孝王子以孝景中六年爲濟東王二十九年彭離驕悍無人君禮昏暮私與其奴亡命少年數十人行剽殺人取財物以爲

好如淳曰以是爲好善之事所殺發覺者百餘人國皆知之莫
敢夜行所殺者子上書言漢有司請誅上不忍
廢以爲庶人遷上庸地入于漢爲大河郡
山陽哀王定者梁孝王子以孝景中六年爲山
陽王九年卒無子國除地入于漢爲山陽郡
濟陰哀王不識者梁孝王子以孝景中六年爲
濟陰王一歲卒無子國除地入于漢爲濟陰郡
太史公曰梁孝王雖以親愛之故王膏腴之地
然會漢家隆盛百姓殷富故能植其財貨廣宮
室車服擬於天子然亦僭矣褚先生曰臣爲郎

時聞之於宮殿中老郎吏好事者稱道之也竊
以爲令梁孝王怨望欲爲不善者事從中生今
太后女主也以愛少子故欲令梁王爲太子大
臣不時正言其不可狀阿意治小私說意以受
賞賜非忠臣也齊如魏其侯竇嬰之正言也索隱
曰竇嬰袁盎皆言如周家立子不合立弟何以有後禍景帝與王燕見
侍太后飲景帝曰千秋萬歲之後傳王太后喜
說竇嬰在前據地言曰漢法之約傳子適孫今
帝何以得傳弟擅亂高帝約乎於是景帝默然
無聲太后意不說故成王與小弱弟立樹下取

一桐葉以與之曰吾用封汝周公聞之進見曰天王封弟甚善成王曰吾直與戲耳周公曰人主無過舉不當有戲言言之必行之於是乃封小弟以應縣索隱曰此說與晉世家不同事與封叔虞同彼云封唐此云封應應亦成王之弟或別有所見故不同。正義曰括地志云故應城故應鄉也在汝州魯山縣東四十里呂氏春秋云成王戲削桐葉為圭以封叔虞非應侯也又汲冢古文云殷時已有應國非成王所造也是後成王沒齒不敢有戲言言必行之孝經曰非法不言非道不行此聖人之法言也今主上不宜出好言於梁王梁王上有太后之重驕蹇日久數聞景帝好言千秋萬世之後傳王而實不行又諸侯王朝見天子漢法凡當四見耳如到入小見到正月朔旦奉皮薦璧玉賀正月法見後三日為王置酒賜金錢財物後二日復入小見辭去凡留長安不過二十日小見者燕見於禁門內飲於省中非士人所得入也今梁王西朝因留且半歲入與人主同輦出與同車示風以大言而實不與令出怨言謀畔逆乃隨而憂之不亦遠乎非大賢人不知退讓今漢之儀法朝見賀正月者常一王與四侯俱朝見十餘歲一至今梁王常比年入朝見久留鄙語曰驕子不孝非惡言

也故諸侯王當為置良師傅相忠言之士如汲黯韓長孺等敢直言極諫安得有患害蓋聞梁王西入朝謁竇太后燕見與景帝俱侍坐於太后前語言私說太后謂帝曰吾聞殷道親親周道尊尊其義一也（索隱曰殷人尚質親親謂親其弟而授之周人尚文尊尊謂尊祖之正體故立其子尊其祖也）安車大駕用梁孝王為寄景帝跪席舉身曰諾罷酒出帝召袁盎諸大臣通經術者曰太后言如是何謂也皆對曰太后意欲立梁王為帝太子帝問其狀袁盎等曰殷道親親者立弟周道尊尊者立子殷道質質者法天親其所

親故立弟周道文文者法地尊者敬也敬其本
始故立長子周道太子死立適孫殷道太子死
立其弟帝曰於公何如皆對曰方今漢家法周
周道不得立弟當立子故春秋所以非宋宣公宋
宣公死不立子而與弟弟受國死復反之與兄之
子弟之子爭之以爲我當代父後即刺殺兄子爲
故國亂禍不絕故春秋曰君子大居正宋之禍
宣公爲之臣請見太后白之袁盎等入見太后
太后言欲立梁王梁王即終欲誰立太后曰吾
復立帝子袁盎等以宋宣公不立正生禍禍亂

後五世不絕小不忍害大義狀報太后太后乃解說音悅即使梁王歸就國而梁王聞其義出於袁盎諸大臣所怨望使人來殺袁盎袁盎顧之曰我所謂袁將軍者也公得毋誤乎刺者曰是矣刺之置其劍劍著身視其劍新治問長安中削厲工工曰梁郎某子來治此劍索隱曰謂梁國之郎是孝王官屬某子史失其姓名也以此知而發覺之發使者捕逐之獨梁王所欲殺大臣十餘人文吏窮本之謀反端頗見太后不食日夜泣不止景帝甚憂之問公卿大臣大臣以爲遣經術吏往治之乃可解於是

梁孝王世家十

遣田叔呂季主往治之此二人皆通經術知大
禮來還至霸昌廄正義曰括地志云漢霸昌廄在雍州萬年縣東北三十八里取
火悉燒梁之反辭但空手來對景帝景帝曰何
如對曰言梁王不知也造為之者獨其幸臣羊
勝公孫詭之屬為之耳謹以伏誅死梁王無恙
也景帝喜說曰急趨謁太后太后聞之立起坐
飡氣平復故曰不通經術知古今之大禮不可
以為三公及左右近臣少見之人如從管中闚
天也
索隱述贊曰文帝少子徙封於梁太后鍾愛

廣築睢陽旌旗警蹕勢擬天王功扞吳楚計醜孫羊竇嬰正議袁盎劫傷漢窮梁獄冠蓋相望禍成驕子致此猖狂雖分五國卒亦不昌

梁孝王世家第二十八　史記五十八

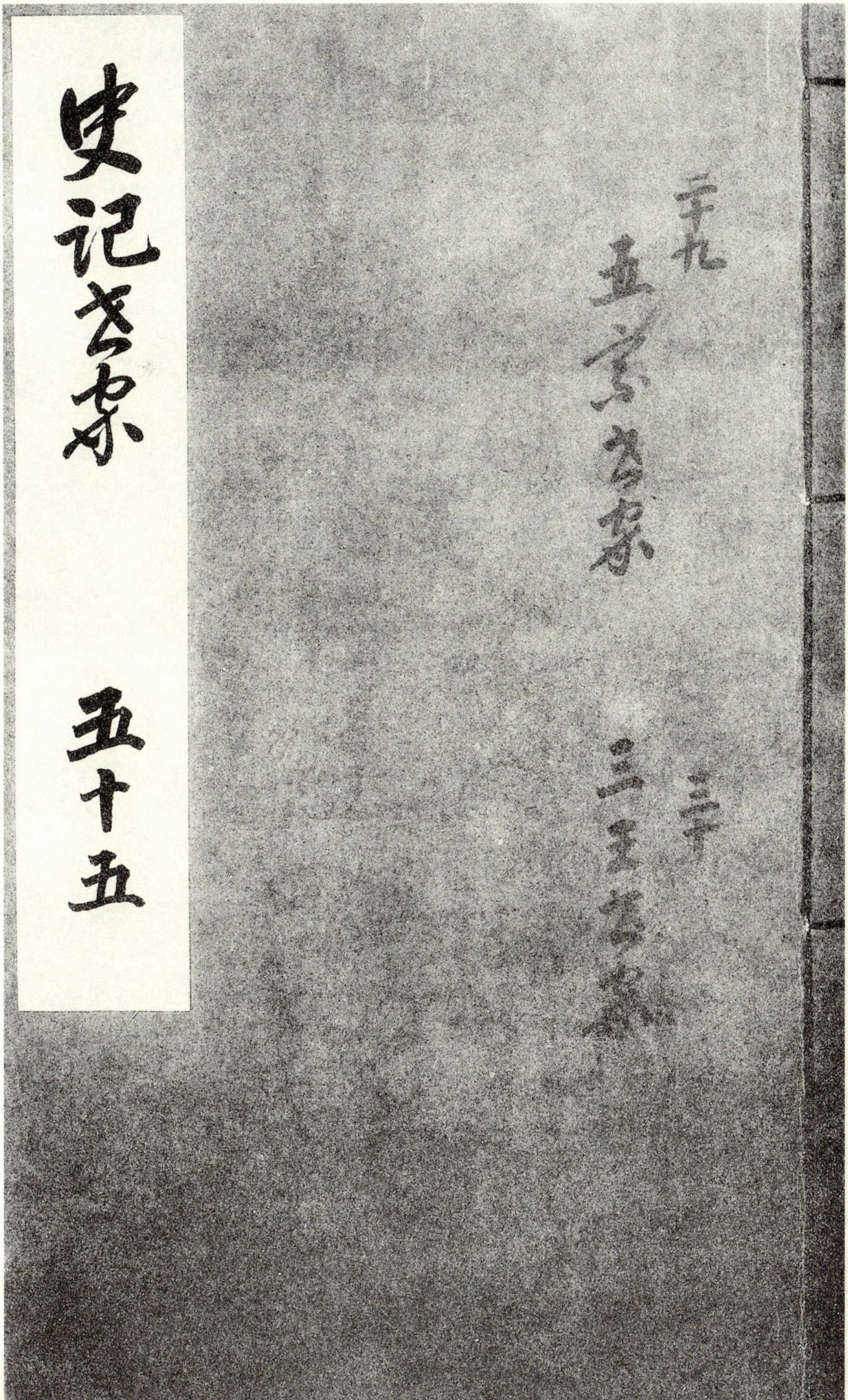
史記世家　五十五
二十九
五宗世家
三十
三王世家

河间郡五 [illegible]

晋安五 江都郡五 [illegible]

[illegible]

信都五 [illegible] 清河[illegible]

常山郡五 真定五 齐郡五 [illegible]

[illegible]五 广陵五 [illegible]

[illegible] 卷 [illegible] 廿九 [illegible]

通鑑十八元光五年河間王德脩學好古實事求是以金帛招求四方善書得書多與漢朝等 胡三省注德景帝子孝景帝前二年受封 師古曰實事求是務得事實每求真是也 好呼到翻

五宗世家第二十九　史記五十九

索隱曰景帝子十四人，一武帝，餘十三人爲王，漢書謂之景十三王，此名五宗者，十三人爲王，其母五人，同母者爲宗也

孝景皇帝子凡十三人爲王，而母五人，同母者爲宗親。栗姬子曰榮、德、閼于。索隱曰閼音曰過 漢書無于字 程姬子曰餘、非、端。賈夫人子曰彭祖、勝。唐姬子曰發。王夫人兒姁子曰越、寄、乘、舜。索隱曰姁音況羽反 兒姁夫人名王皇后之妹也

河間獻王德，索隱曰漢書云大行令奏謚法曰聰明睿智曰獻 以孝景帝前二年用皇子爲河間王。好儒學，被服造次必於

本有

儒者，山東諸儒多從之游。二十六年卒。

河間獻王經術通明，積德累行，天下雄俊衆儒皆歸之。孝武帝時，獻王朝，被服造次必於仁義。問以五策，獻王輒對無窮。孝武帝色然難之，謂獻王曰：「湯以七十里，文王百里，王其勉之。」王知其意，歸即縱酒聽樂，因以終。○索隱曰：問以五策，按漢書詔策問三十餘事。被服造次，按小顔云：被服言常居處其中，造次謂所向所行皆法於儒者。子共王不害立，四年卒。子剛王基代立，十二年卒。子頃王授代立。索隱曰：漢書云授，謚頃，音傾。

臨江哀王閼于，以孝景帝前二年用皇子爲臨江王，三年卒，無後，國除爲郡。

臨江閔王榮，以孝景前四年爲皇太子，四歲廢，用故太子爲臨江王。四年，坐侵廟壖垣爲宮，索隱曰服虔云宮外之餘地顔師古云牆外行馬內田音人掾反又音軟又音奴亂反壖垣牆外之短垣也上徵榮榮行祖於江陵北門索隱曰祖者行神行而祭之故曰祖也風俗通云共工氏之子曰脩好遠遊故祀爲祖神又崔浩云黃帝之子纍祖好遠遊而死於道因以爲行神亦不知其何據蓋見其謂之祖因以爲累祖非也據帝系及本紀皆言累祖黃帝妃無爲行神之由也又聘禮云出祖釋軷祭脯酒而已按今祭禮以軷壤土爲壇於道則用黃犬或用狗以其羝血釁左輪。正義曰荊州圖副云漢臨江閔王榮始都江陵城坐侵廟壖地爲宮被徵出城北門而車軸折父老切流涕曰吾王不反矣既而爲郅都所訊懼而縊死自此後北門存而不啓蓋爲榮不以道終也既已上車軸折車廢江陵父老流涕竊言曰吾王不反矣榮至詣中尉府簿中尉郅都責訊王王恐自殺葬藍田燕數萬銜土置冢上百姓憐之榮最長死正義曰[illegible]張[illegible]傳[illegible]二王後者以[illegible]

較作軷

蒲吏反 [illegible] 諸逸反

從太子廢後乃為王也無後國除地入于漢為南郡

右三國本王皆栗姬之子也

魯共王餘以孝景前二年用皇子為淮陽王二年吳楚反破後以孝景前三年徙為魯王好治宮室苑囿狗馬季年好音不喜辭辯為人吃二十六年卒子光代為王初好音輿馬晚節嗇義曰晚節猶言末年時嗇貪恡也惟恐不足於財

江都易王非索隱曰謚法好更故舊曰易以孝景前二年用皇子為汝南王吳楚反時非年十五有材力上書願擊吳景帝賜非將軍印擊吳吳已破二歲徙

通鑑十九江都王建游雷陂 胡注雷陂即雷塘 天大風建使郎二人乘小船入陂中船覆兩郎溺攀船乍見乍沒建臨觀大笑令勿救皆死凡殺不辜三十五人專爲淫虐自知罪多恐誅乃與后成光共使越婢下神祝詛上又聞淮南衡山陰謀建亦作兵器刻皇帝璽爲反具事覺有司請捕誅建自殺后成光等皆棄市國除

爲江都王治吳故國以軍功賜天子旌旗元光五年匈奴大入漢爲賊非上書願擊匈奴上不許非好氣力治宮觀招四方豪桀驕奢甚立二十六年卒子建立爲王七年自殺淮南衡山謀反時建頗聞其謀自以爲國近淮南恐一日發爲所幷即陰作兵器而時佩其父所賜將軍印載天子旗以出易王死未葬建有所說易王寵美人淖姬蘇林曰淖音泥淖 正義曰淖女孝反夜使人迎與姦服舍中索隱曰淖音女教反淖姓也齊有淖齒是也漢書云建召易王所愛淖姬等十人與姦服舍中也及淮南事發治黨與頗及江都王建建恐因使人多

通鑑十九淖姬 胡注淖鄭氏音卓師古音奴教翻淖姓也戰國時楚有淖齒

淖女教切

載立也

漢書下館戎下室

持金錢事絕其獄而又信巫祝使人禱祠妄言

建又盡與其姊弟姦索隱曰漢書云建女弟徵臣爲蓋侯子婦以易王喪來歸建復與姦也事既聞漢公卿請捕治建天子不忍使大臣即訊王王服所犯遂自殺國除地入于漢爲廣陵郡

膠西于王端索隱曰按廣周書謚法云能優其德曰于以孝景前三年吳楚七國反破後端用皇子爲膠西王端爲人賊戾又陰痿正義曰委危反不能御婦人一近婦人病之數月而有愛幸少年爲郎爲郎者頃之與後宮亂端禽滅之及殺其子母數犯上法漢公卿數請誅

端天子爲兄弟之故不忍而端所爲滋甚有司

再請削其國去太半端心慍遂爲無訾省（[illegible]）

（無所訾録無所省録。正義曰顔師古云訾財也省視也言不能視録資財）府庫壞漏盡

腐財物以巨萬計終不得收徙令吏毋得收租

賦端皆去衛（索隱曰謂不置宿衛人）封其宮門從一門出游

數變名姓爲布衣之他郡國相二千石往者奉

漢法以治端輒求其罪告之無罪者詐藥殺之

所以設詐究變（索隱曰究窮也故鄒誕云究謂窮盡）彊足以距諫智

足以飾非相二千石從王治則漢繩以法故膠

西小國而所殺傷二千石甚衆立四十七年卒

竟無男代後國除地入于漢爲膠西郡

右三國本王皆程姬之子也

趙王彭祖以孝景前二年用皇子爲廣川王趙王遂反破後彭祖王廣川四年徙爲趙王十五年孝景帝崩彭祖爲人巧佞卑諂足恭而心刻深（索隱曰刻害深無仁恩）好法律持詭辯以中人（索隱曰謂詭辯之辯以傷中人）彭祖多內寵姬及子孫相二千石欲奉漢法以治則害於王家是以每相二千石至彭祖衣皁布衣自行迎除二千石舍（索隱曰謂彭祖自爲二千石埽除其舍以迎之也）多設疑事以作動之得二千石失言中忌諱

五宗世家　四

輒書之二千石欲治者則以此迫劫不聽乃上
書告及汙以姦利事彭祖立五十餘年相二千
石無能滿二歲輒以罪去大者死小者刑以故
二千石莫敢治而趙王擅權使使即縣為賈人
榷會韋昭曰平會兩家買賣之賈也榷者禁他家獨王家得為之。索隱曰榷音角獨言榷謂酤榷也會音儈古外反謂為賈人專榷買賣之賈儈以取利若今之知市矣韋昭則訓榷為平其注解亦得入多
於國經租稅索隱曰經常也謂王家入多於國家常納之租稅以是趙王家
多金錢然所賜姬諸子亦盡之矣彭祖取故江
都易王寵姬王建所盜與姦淖姬者為姬甚愛
之彭祖不好治宮室禨祥服虔曰求福也。索隱曰鄒埤蒼云禨祆祥也列子

言荆人鬼越人禨謂楚信鬼神越信禨祥者也好為吏事上書願督國中盜賊常夜從走卒行徼邯鄲中索隱曰上音下孟反下音工堯反徼是邀外路謂巡徼而伺察境界諸使過客以彭祖險陂莫敢留邯鄲其太子丹與其女及同產姊姦與其客江充有郄充告丹丹以故廢趙更立太子

中山靖王勝以孝景前三年用皇子為中山王十四年孝景帝崩勝為人樂酒正義曰樂五教反好內有子枝屬百二十餘人常與兄趙王相非曰兄為王專代吏治事王者當日聽音樂聲色趙王亦非之曰中山王徒日淫不佐天子拊循百姓

何以稱爲藩臣立四十二年卒索隱曰漢書建元三年濟川中山王等來朝聞樂而泣天子問其故對以大臣內讒肺腑月疏其言甚雄壯詞切而理文天子加親親之好可謂儁之英藩矣

子哀王昌立一年卒子昆侈代爲中山王索隱曰漢書昆侈謚康王子順王輔嗣至孫國除也

右二國本王皆賈夫人之子也

長沙定王發發之母唐姬故程姬侍者景帝召程姬程姬有所辟不願進索隱曰姚氏按釋名云天子諸侯羣妾以次進御有月事者止不御更不口說故以丹注面目的的爲識令女史見之又王粲神女賦以爲脫桂裳免簪笄施玄的結羽釵的即釋名所云也說文云姅女汙也漢律云見姅變不得侍祠姅音半而飾侍者唐兒使夜進上醉不知以爲程姬而幸之遂有身已

乃覺非程姬也及生子因命曰發以孝景前二年用皇子爲長沙王以其母微無寵故王卑濕貧國應劭曰景帝後二年諸王來朝有詔更前稱壽歌舞定王但張袖小舉手左右笑其拙上怪問之對曰臣國小地狹不足廻旋帝以武陵零陵桂陽屬焉立二十七年卒子康王庸立二十八年卒子鮒鮈立服虔曰鮈音拘爲長沙王

右二國本王唐姬之子也

廣川惠王越以孝景中二年用皇子爲廣川王十二年卒子齊立爲王索隱曰漢書齊謚繆王謚法傷人蔽賢曰繆齊有幸臣桑距已而有罪欲誅距距亡王因禽其宗族距怨王乃上書告王齊與同產姦自是之後

王齊數上書告言漢公卿及幸臣所忠等索隱曰漢書告中尉秦彭祖子未嗣坐暴虐𢘫亂國除也。正義曰所忠姓名

膠東康王寄以孝景中二年用皇子爲膠東王二十八年卒淮南王謀反時寄微聞其事私作樓車鏃矢應劭曰樓車所以窺看敵國營壘之虛實也索隱曰左傳云登樓車以窺宋人謂看敵國營壘之虛實也李巡注爾雅金矢以金爲箭刑鏑鏃字林音子木反戰守備候淮南之起及吏治淮南之事辭出之如淳曰窮治其辭出此事寄於上最親徐廣曰其母武帝母妹。正義曰寄母王夫人即王皇后之妹於上爲從母故寄於諸兄弟最爲親愛也意傷之發病而死不敢置後於是上聞寄有長子者名賢母無寵少子名慶母愛幸寄常

欲立之爲後不次因有過適無言上憐之乃以賢爲膠東王奉康王嗣而封慶於故衡山地爲六安王膠東王賢立十四年卒謚爲哀王子慶爲王徐廣曰他本亦作慶字惟一本作建不宜得與叔父同名相承之誤六安王慶以元狩二年用膠東康王子爲六安王

清河哀王乘以孝景中三年用皇子爲清河王十二年卒無後國除地入于漢爲清河郡

常山憲王舜以孝景中五年用皇子爲常山王舜最親景帝少子驕怠多淫數犯禁上常寬釋之立三十二年卒太子勃代立爲王初憲王舜

有所不愛姬生長男棁蘇林曰音奪。索隱曰鄒氏音之悅反蘇林音奪許慎說解字林云他活反字從木棁以母無寵故亦不得幸於王王后脩生太子勃王內多所幸姬生子平子商王王后希得幸及憲王病甚諸幸姬常侍病故王后亦以妬媢不常侍病索隱曰媢音亡報反鄒氏作媢郭璞註三蒼云媢丈夫妬也又云妬女爲媢輒歸舍醫進藥太子勃不自嘗藥又不宿留侍病及王薨王后太子乃至憲王雅不以長子棁爲人數及薨又不分與財物郎或說太子王后令諸子與長子棁共分財物太子王后不聽太子代立又不收恤棁棁怨王后太子漢使者視憲王喪稅自言憲王病時王后太子不侍及薨六日出舍如淳曰服舍也太子勃私姦飲酒博戲擊筑與女子載馳環城過市入牢視囚天子遣大行騫索隱曰按是張騫驗王后及問王勃請逮勃所與姦諸證左王又匿之吏求捕勃大急使人致擊笞掠擅出漢所疑囚者有司請誅憲王后脩及王勃上以脩素無行使稅陷之罪勃無良師傅不忍誅有司請廢王后脩徙王勃以家屬處房陵上許之勃王數月遷于房陵國絕月餘天子爲最親乃詔有司曰常山憲王蚤夭后妾不和

五宗世家　八

適孽誣爭陷于不義以滅國朕甚閔焉其封憲王子平三萬戶爲眞定王封子商三萬戶爲泗水王（正義曰四水海州）

眞定王平元鼎四年用常山憲王子爲眞定王

泗水思王商以元鼎四年用常山王憲王子爲泗水王十一年卒子哀王安世立十一年卒無子於是上憐泗水王絕乃立安世弟賀爲泗水王

右四國本王皆王夫人兒姁子也其後漢益封其支子爲六安王泗水王二國凡兒姁子孫於今爲六王

太史公曰高祖時諸侯皆賦（徐廣曰國所出有皆入於王也）得自除內史以下漢獨爲置丞相黃金印諸侯自除御史廷尉正博士擬於天子自吳楚反後五宗王世漢爲置二千石去丞相曰相銀印諸侯獨得食租稅奪之權其後諸侯貧者或乘牛車也

索隱述贊曰景十三子五宗親睦栗姬既廢臨江折軸閼于早薨河閒儒服餘好宮苑端事馳逐江都有才中山隄福長沙地小膠東造鐵仁賢者代悖亂者族兒姁四王分封爲六

五宗世家第二十九　史記五十九

三王世家第三十　史記六十

大司馬臣去病（索隱曰姓霍）昧死再拜上疏皇帝陛
下陛下過聽使臣去病待罪行閒宜專邊塞之
思慮暴骸中野無以報乃敢惟他議以干用事
者誠見陛下憂勞天下哀憐百姓以自忘虧膳
貶樂損郎員皇子賴天能勝衣趨拜至今無號
位師傅官陛下恭讓不恤羣臣私望不敢越職
而言臣竊不勝犬馬心昧死願陛下詔有司因
盛夏吉時定皇子位（索隱曰明堂月令云季夏月可以封諸侯立大官是也）唯
陛下幸察臣去病昧死再拜以聞皇帝陛下三

月乙亥御史臣光守尚書令奏未央宮制曰下御史六年三月戊申朔乙亥御史臣光守尚書令丞非 索隱曰奏狀有尚書令官位而史闕其名耳丞非者或尚書左右丞非其名也 下御史書到言丞相臣青翟 索隱曰莊青翟也 御史大夫臣湯 索隱曰張湯 太常臣充 索隱曰趙充 大行令臣息 索隱曰李息 太子少傅臣安 索隱曰任安也 行宗正事昧死上言大司馬去病上疏曰陛下過聽使臣去病待罪行間宜專邊塞之思慮暴骸中野無以報乃敢惟他議以干用事者誠見陛下憂勞天下哀憐百姓以自忘虧膳貶樂損郎員皇子賴天能勝衣

趨拜至今無號位師傅官陛下恭讓不卹羣臣
私望不敢越職而言臣竊不勝犬馬心昧死願
陛下詔有司因盛夏吉時定皇子位唯願陛下
幸察制曰下御史臣謹與中二千石二千石臣
賀等正義曰公孫賀議古者裂地立國並建諸侯以承
天子所以尊宗廟重社稷也今臣去病上疏不
忘其職因以宣恩乃道天子卑讓自貶以勞天
下慮皇子未有號位臣青翟臣湯等宜奉義遵
職愚憧而不逮事方今盛夏吉時臣青翟臣湯
等昧死請立皇子臣閎徐廣曰一作關臣旦臣胥為諸

侯臣昧死請所立國名制曰蓋聞周封八百姬
姓並列或子男附庸禮支子不祭云並建諸侯
所以重社稷朕無聞焉且天非爲君生民也索隱
曰傳曰天生蒸民立君以司牧之是言生人
爲立君長司牧之耳非天爲君而生人也朕之不德
海內未洽乃以未教成者彊君連城即股肱何
勸徐廣曰二作敷一作勗二作觀也○索隱曰謂皇子等
並未習教義也皇子未習教義而彊使爲諸侯王君以
連城之人則大
臣何有所勸其更議以列侯家之三月丙子奏
未央宮丞相臣青翟御史大夫臣湯昧死言臣
謹與列侯臣嬰齊中二千石二千石臣賀諫大
夫博士臣安等議曰伏聞周封八百姬姓並列

奉承天子康叔以祖考顯而伯禽以周公立咸爲建國諸侯以相傅爲輔百官奉憲各遵其職而國統備矣竊以爲並建諸侯所以重社稷者四海諸侯各以其職奉貢祭支子不得奉祭宗祖禮也封建使守藩國帝王所以扶德施化陛下奉承天統明開聖緒尊賢顯功興滅繼絶續蕭文終之後于酇索隱曰蕭何謚文終也蕭何初封沛之酇音讚後其子續封南陽之酇音嵯也襃厲羣臣平津侯等索隱曰公孫弘之封平津侯也平津高成之鄉名○正義曰公孫弘所封平津鄉在滄州鹽山南四十一里也昭六親之序明天施之屬使諸侯王封君得推私恩分子弟戶邑錫號尊

建百有餘國索隱曰武帝廣推恩之詔王諸侯王子弟故有百餘國而家皇子爲列侯則尊卑相踰索隱曰謂諸侯王子已爲列侯而今又家皇子爲列侯是尊卑相踰越矣列位失序不可以垂統於萬世臣請立臣閎索隱曰齊王也王夫人子臣旦索隱曰燕王也漢書云李姬之子臣胥索隱曰廣陵王也爲諸侯王三月丙子奏未央宮制曰康叔親屬有十而獨尊者襃有德也周公祭天命郊故魯有白牡騂剛之牲公羊傳曰魯祭周公牲用白牡魯公用騂剛何休曰白牡殷牲也騂剛赤脊周牲也羣公不毛何休曰不毛不純色也賢不肖差也高山仰之景行嚮之朕甚慕焉所以抑未成家以列侯可四月戊寅奏未央宮丞相臣青翟御

史大夫臣湯昧死言臣青翟等與列侯吏二千石諫大夫博士臣慶等議昧死奏請立皇子爲諸侯王制曰康叔親屬有十而獨尊者褒有德也周公祭天命郊故魯有白牡騂剛之牲羣公不毛賢不肖差也高山仰之景行嚮之朕甚慕焉所以抑未成家以列侯可臣青翟臣湯博士臣將行等伏聞康叔親屬有十武王繼體周公輔成王其八人皆以祖考之尊建爲大國康叔之年幼周公在三公之位而伯禽據國於魯蓋爵命之時未至成人康叔後扞祿父之難伯禽

殄滅夷之亂。昔五帝異制，周爵五等，春秋三等，鄭玄曰：春秋變周之文，從殷之質，合伯子男以為一，則殷爵三等者，公侯伯也。皆因時而序尊卑。索隱曰：春秋公羊傳文。高皇帝撥亂世反諸正，昭至德，定海內，封建諸侯，爵位二等。索隱曰：謂王與列侯也。皇子或在繈緥而立為諸侯王，奉承天子，為萬世法則，不可易。陛下躬親仁義，體行聖德，表裏文武，顯慈孝之行，廣賢能之路，內褒有德，外討彊暴，極臨北海，正義曰：匈奴傳云霍去病伐匈奴，北臨翰海。西溱月氏，正義曰：溱音臻。氏音支。至月氏。月氏，西戎國名，在葱嶺之西也。匈奴西域，舉國奉師。輿械之費，不賦於民，虛御府之藏以賞元戎，詩云：元戎十乘，以先啓行。

三王世家四

韓嬰章句曰元戎大戎謂兵車也車有大戎十乘謂車縵
輪馬被甲衡扼之上盡有劒戟名曰陷軍之車所以冒突
先啓敵家之行伍也毛傳曰夏后氏曰鉤車
先正也殷曰寅車先疾也周曰元戎先良也

開禁倉以振貧窮減戍卒之半百蠻之君靡不鄉風承流稱意遠方殊俗重譯而朝澤及方外故珍獸至嘉穀興天應甚彰今諸侯支子封至諸侯王

索隱曰謂立膠東王子慶為六安王王常山
王子平為眞定王商為泗水王是也

臣青翟臣湯等竊伏孰計之皆以為尊卑失序使天下失望不可臣請立臣閎臣旦臣胥為諸侯王四月癸未奏未央宮留中不下丞相臣青翟太僕臣賀行御史大夫事太常臣充太子太傅臣安行宗正

事昧死言臣青翟等前奏大司馬臣去病上疏言皇子未有號位臣謹與御史大夫臣湯中二千石二千石諫大夫博士臣慶等昧死請立皇子臣閎等爲諸侯王陛下讓文武躬自切及皇子未教羣臣之議儒者稱其術或誖其心陛下固辭弗許家皇子爲列侯臣青翟等竊與列侯臣壽成（徐廣曰蕭何之玄孫酇侯壽成後爲太常也）等二十七人議皆曰以爲尊卑失序高皇帝建天下爲漢太祖王子孫廣支輔先帝法則弗改所以宣至尊也臣請令史官擇吉日具禮儀上御史奏輿地圖（索隱）

曰謂地爲輿者天地有覆載之德故謂天爲蓋謂地爲輿故地圖稱輿地圖疑自古有此名非始漢也他皆如前故事制曰可四月丙申奏未央宮太僕臣賀行御史大夫事昧死言太常臣充言卜入四月二十八日乙巳可立諸侯王臣昧死奏輿地圖請所立國名禮儀別奏臣昧死請制曰立皇子閎爲齊王旦爲燕王胥爲廣陵王四月丁酉奏未央宮六年徐廣曰一云元狩四月戊寅朔癸卯御史大夫湯下丞相丞相下中二千石二千石下郡太守諸侯相丞書從事下當用者如律令

維六年四月乙巳皇帝使御史大夫湯廟立子

閎爲齊王曰於戲小子閎索隱曰此封齊王策文也按武帝策此三王皆自製於戲如言嗚呼戲音稀受茲青社張晏曰王者以五色土爲大社封四方諸侯各以其方色土與之苴以白茅歸以立社○索隱曰蔡邕獨斷云皇子封爲王者受天子太社之土若封東方諸侯則割青土藉以白茅授之以立社謂之茅土齊在東方故云青社朕承祖考維稽古建爾國家封于東土世爲漢藩輔於戲念哉恭朕之詔惟命不于常人之好德克明顯光義之不圖俾君子怠索隱曰謂君不圖於義則君子懈怠無歸附心悉爾心允執其中天祿永終厥有僽不臧乃凶于而國害于爾躬於戲保國艾民可不敬與王其戒之徐廣曰立八年無後絕

右齊王策

維六年四月乙巳皇帝使御史大夫湯廟立子旦爲燕王曰於戲小子旦受茲玄社朕承祖考維稽古索隱曰褚先生解云維者度也稽者當也言當順古道也魏高貴鄉公云稽同也古天也謂堯能同天建爾國家封于北土世爲漢藩輔於戲葷粥氏虐老獸心索隱曰按匈奴傳其國貴壯賤老壯者食肥美老者食其餘也是虐老也侵犯寇盜加以姦巧邊萌索隱曰萌一作甿韋昭云甿民也三蒼云邊人云甿也於戲朕命將率徂征厥罪萬夫長千夫長三十有二君皆來張晏曰時所獲三十二師也降旗奔師如淳曰偃[illegible]旗鼓而來降索隱曰漢書君作帥期作旗而服虔云以三十二軍將之將下旗去之也如淳云即昆邪王偃旗鼓降時也[illegible]意則三十二軍非軍將蓋戎狄酋帥有三十二君來降也葷粥徙域張晏曰匈奴徙東也北

州以緩臣瓚曰緩安也悉爾心毋作怨毋俷德徐廣曰俷一作菲○索隱曰鄒林云棐發也本亦作俷俷敗也孔文祥云菲薄也漢書作棐○正義曰俷音符昧反毋乃廢

備索隱曰褚先生解云言無乏之武備常備匈奴也非教士不得從徵張晏曰士不素習不應召○索隱曰韋昭云士非素教習不得從軍徵發故孔子曰不教人戰是謂弃之正謂此也褚先生解云非習礼義不得在於側也於戲保國艾民可不敬與王其戒之徐廣曰立三十年自殺國除

右燕王策

維六年四月乙巳皇帝使御史大夫湯廟立子胥為廣陵王曰於戲小子胥受茲赤社朕承祖考維稽古建爾國家封于南土世為漢藩輔古

人有言曰大江之南〔正義曰謂京口南至荊州以南也〕五湖之間〔索隱曰五湖者具區洮滆彭蠡青草洞庭或曰太湖五百里故曰五湖也〕其人輕心楊州保疆〔徐廣曰一作壃駰案李奇曰保恃也〕三代要服不及以政於戲悉爾心戰戰兢兢乃惠乃順毋侗好佚毋邇宵人〔應劭曰無好逸游之事邇近小人張晏曰侗音同○索隱曰褚先生解云無好佚樂馳騁弋獵鄒氏宵音謏謏亦小人也或作佞人〕維法維則書云臣不作威不作福靡有後羞於戲保國艾民可不敬與王其戒之〔徐廣曰立六十四年自殺〕

右廣陵王策

太史公曰古人有言曰愛之欲其富親之欲其

貴故王者壃土建國封立子弟所以褒親親序
骨肉尊先祖貴支體廣同姓於天下也是以形
勢彊而王室安自古至今所由來久矣非有異
也故弗論箸也燕齊之事無足采者然封立三
王天子恭讓羣臣守義文辭爛然甚可觀也是
以附之世家
索隱述贊曰三王封冊舊史爛然褚氏後補
冊書存焉去病建議青翟上言天子沖挹志
在急賢太常具禮請立齊燕閎國負海旦社
惟云胥人不通輦粥遠邊明哉監戒式防厥

三王世家八

愆

褚先生曰臣幸得以文學為侍郎好覽觀太史公之列傳列傳中稱三王世家文辭可觀求其世家終不能得竊從長老好故事者取其封策書編列其事而傳之令後世得觀賢主之指意蓋聞孝武帝之時同日而俱拜三子為王封一子於齊一子於廣陵一子於燕各因子才力智能及土地之剛柔人民之輕重為作策以申戒之謂王世為漢藩輔保國治民可不敬與王其戒之夫賢主所作固非淺聞者所能知非博聞

彊記君子者所不能究竟其意至其次序分絶
文字之上下簡之參差長短皆有意人莫之能
知謹論次其真草詔書編于左方令覽者自通
其意而解說之
王夫人者趙人也與衛夫人並幸武帝而生子
閎閎且立為王時其母病武帝自臨問之曰子
當為王欲安所置之王夫人曰陛下在妾又何
等可言者帝曰雖然意所欲欲於何所王之王
夫人曰願置之雒陽武帝曰雒陽有武庫敖倉
天下衝阸漢國之大都也先帝以來無子王於

雒陽者去雒陽餘盡可王夫人不應武帝曰關東之國無大於齊者齊東負海而城郭大古時獨臨菑中十萬戶天下膏腴地莫盛於齊者矣王夫人以手擊頭謝曰幸甚王夫人死而帝痛之使使者拜之曰皇帝謹使使太中大夫明奉璧一賜夫人爲齊王太后子閎王齊年少無有子立不幸早死國絶爲郡天下稱齊不宜王云所謂受此土者諸侯王始封者必受土於天子之社歸立之以爲國社以歲時祠之春秋大傳曰天子之國有泰社東方青南方赤西方白北

方黒土方黄故謂封於東方者取青土封於南
方者取赤土封於西方者取白土封於北方者
取黒土封於上方者取黄土各取其色物裹以
白茅封以為社此始受封於天子者也此之為
主土主土者立社而奉之也朕承祖考祖者先
也考者父也維稽古維者度也念也稽者當也
當順古之道也齊地多變詐不習於禮義故戒
之曰恭朕之詔唯命不可以為常人之好德能明
顯光不圖於義使君子怠慢悉若心信執其中
天祿長終有過不善乃凶于而國而害于若身

齊王之國左右維持以禮義不幸中年早夭然全身無過如其策意傳曰青采出於藍而質青於藍者教使然也遠哉賢主昭然獨見誡齊王以慎内誡燕王以無作怨無俷德索隱曰本亦作肥案上策云作菲德下云勿使王背德也則肥當音扶味反亦音匪誡廣陵王以慎外無作威與福夫廣陵在吳越之地其民精而輕故誡之曰江湖之閒其人輕心楊州葆疆三代之時迫要使從中國俗服不大及以政教以意御之而已無侗好佚無邇宵人維法是則無長好佚樂馳騁弋獵淫康而近小人常念法度則無羞辱

矣三江五湖有魚鹽之利銅山之富天下所仰故誡之曰臣不作福者勿使行財幣厚賞賜以立聲譽爲四方所歸也又曰臣不作威者勿使因輕以倍義也會孝武帝崩孝昭帝初立先朝廣陵王胥厚賞賜金錢財幣直三千餘萬益地百里邑萬戶會昭帝崩宣帝初立緣恩行義以本始元年中裂漢地盡以封廣陵王胥四子一子爲朝陽侯正義曰括地志云朝陽故城在鄧州穰縣南八十里應劭云在朝水之陽也一子爲平曲侯正義曰地理志云平曲縣屬東海郡又云在瀛州文安縣北七十里一子爲南利侯正義曰括地志云南利故城在豫州上蔡縣東八十五里最愛少子弘

立以為高密王【正義曰括地志云高密故城在密州高密縣西南四十里】其後齊果作威福通楚王使者楚王宣言曰我先元王高帝少弟也封三十二城今地邑益少我欲與廣陵王共發兵云廣陵王為上我復王楚三十二城如元王時事發覺公卿有司請行罰誅天子以骨肉之故不忍致法於齊下詔書無治廣陵王獨誅首惡楚王傳曰蓬生麻中不扶自直【索隱曰已下並見荀卿子】白沙在泥中與之皆黑者土地教化使之然也其後齊復祝詛謀反自殺國除

土境埆北迫匈奴其人民勇而少慮故誡之曰

葷粥氏無有孝行而禽獸心以竊盜侵犯邊民
朕詔將軍往征其罪萬夫長千夫長三十有二
君皆來降旗奔師葷粥徙域遠處北州以安矣
悉若心無作怨者勿使從俗以怨望也無俷德
者勿使上背德也無廢備者無乏武備常備匈
奴也非教士不得從徵者言非習禮義不得在
於側也會武帝年老長而太子不幸薨未有所
立而旦使來上書請身入宿衛於長安孝武見
其書擊地怒曰生子當置之齊魯禮義之鄉乃
置之燕趙果有爭心不讓之端見矣於是使使

即斬其使者於闕下會武帝崩昭帝初立旦果作怨而望大臣自以長子當立與齊王子劉澤等謀爲叛逆出言曰我安得弟在者索隱曰案昭帝鉤弋夫人所生武帝崩時年纔七八歲耳旦早封在外實合有疑然武帝春秋高惑於內寵誅太子而立童孺能不使旦疑怨亦由權臣輔政貪立幼主之利遂得鉤弋子當陽斯實父德不弘遂令子道不順然犬各吠非其主太中宗正人臣之職亦當使奬諭之今立者乃大將軍子也欲發兵事發覺當誅昭帝緣恩寬忍抑案不揚公卿使大臣請遣宗正與太中大夫公戶滿意御史二人偕往使燕風諭之索隱曰宗正官名必以宗室有德者爲之不知時何人公戶姓滿意名爲太中大夫是使二人又有侍御史二人皆往使治廣陵也到燕各異日更見責王宗

正者主宗室諸劉屬籍先見王為列陳道昭帝
實武帝子狀侍御史乃復見王責之以正法問
王欲發兵罪名明白當坐之漢家有正法王犯
纖介小罪過即行法直斷耳安能寬王驚動以
文法王意益下心恐公户滿意習於經術最後
見王稱引古今通義國家大禮文章爾雅索隱曰爾雅近也雅正也其書於正字義訓爲近故云爾雅相承云周公作以教成王又云子夏作之以解詩書謂王
曰古者天子必内有異姓大夫所以正骨肉也
外有同姓大夫所以正異族也索隱曰內云有異姓大夫以正骨肉蓋錯也內合言同姓宗正是也外合言異姓太中大夫是也周公輔成王誅其兩弟

閒下開

正義曰公戶姓滿意名

誅兩弟正義曰管蔡叔于周度作亂周公誅管叔放蔡叔天下太平

三王世家　廿二

故治武帝在時尚能寬王今昭帝始立年幼富
於春秋未臨政委任大臣古者誅罰不阿親戚
故天下治方今大臣輔政奉法直行無敢所阿
恐不能寬王王可自謹無自令身死國滅爲天
下笑於是燕王旦乃恐懼服罪叩頭謝過大臣
欲和合骨肉難傷之以法其後旦復與左將軍
上官桀等謀反宣言曰我次太子太子不在我
當立大臣共抑我云云大將軍光輔政與公卿
大臣議曰燕王旦不改過悔正行惡不變於是
脩法直斷行罰誅旦旦自殺國除如其策指有司

讀謂旦妻子孝昭以骨肉之親不忍致法寬赦

旦妻子免為庶人。傳曰蘭根與白芷，漸之滫中，徐廣曰滫者淅米汁也音先糾反。索隱曰白芷香草也音止又音昌改反漸漬也滫如禮滫瀡之滫謂溲也音思酒反。正義曰言雖香草以米汁漬之無復香氣君子不欲附近庶人不服者為漸漬然也以旦謀叛君子庶人皆不附近君子不近，庶人不服者，所以漸然也。宣帝初立，推恩宣德，以本始元年中盡復封燕王旦兩子：一子為安定侯，正義曰[illegible]表在鉅鹿郡立燕故太子建為廣陽王，正義曰括地志云廣陵故城今在幽州良鄉縣東北三十七里以奉燕王祭祀。

三王世家第三十　史記六十

史记列传　五十六

第一　老子　莊子　伯夷

第二　管仲　晏平仲

第三　申不害　韓非子

冀天隱諸[illegible]漢書[illegible]宣[illegible]史記[illegible]者[illegible]有[illegible]大校史記[illegible]首[illegible]

惟之莫知其本所出，則閱諸傳書，亦莫知也。因閱國朝會要，見宣和某年有旨某年於列傳首，乃悟所見蓋宣和本，今亦行矣。史以人之善惡而致誣於世之傳載，推是道以行政於天下，其出身禍國也宜哉。全 所謂[illegible]漢只知宣和不知開元，蓋[illegible]列傳某本開元也。

補史記論史例曰：古者帝王右史記言，左史記事，言為尚書，事為春秋，太史公兼之，故名曰史記。并採六家雜說，以成一史，備論君臣父子夫妻長幼之序，天地山川國邑名號殊俗物類之品也。太史公作史記，起黃帝高陽高辛唐堯虞舜夏殷周秦，訖于漢武帝天漢四年，合三千四百一十三年，作本紀十二，象歲十二月也。作表十，象天之剛柔十日，以記封建世代終始也。作書八，象一歲八節，以記天地日月山川禮樂也。作世家三十，象一月三十日，三十輻共一轂，以記世祿之家輔弼股肱之臣忠孝得失也。作列傳七十，象一行七十二日，言七十者舉全數也，餘二日，象閏餘也。以記王侯將相英賢略立功名於天下可序列也。合百三十篇，象一歲十二月及閏餘也。而太史公作此五品，廢一不可，以統理天地，勸獎箴誡，為後之楷模也。

小司馬補史記序：本紀十二，象歲星之一周云云，七十列傳取懸車之暮齒，百三十篇象閏餘而成歲。[illegible]五品[illegible]而司馬張守節三品四同而二品異[illegible]本紀十二象歲十二月[illegible]曦于東方[illegible]百三十象一歲十二月及閏餘也[illegible]用小司馬本紀十二[illegible]

[illegible]四十二卷[illegible]天子諸侯必有國史以紀言行，後世多務[illegible]以上左史記言右史記事，[illegible]周則太史小史內史外史御史分掌之，而諸侯之國亦置史官。又同卷[illegible]官雖五，左史書言，動右史書言，見於玉藻，正義以大史為左史，內史為右史。又同卷編年紀傳各有所長，編年所載於一國治亂之事為詳，紀傳所載一人善惡之迹為詳，編年宜來最古，而人皆以紀傳便於披閱，獨行為正史。[illegible]紀傳編年為古史[illegible]

[illegible]集解序注正義曰：而周作漢書與史記同者五十餘卷，謹寫史記少加異云[illegible]更求刻史記乃是後士大夫所[illegible]，[illegible]史記五十二萬六千五百言，敘二千四百一十三年事，漢書八十一萬言，敘二百二十五年事，司馬遷引父致意，班固父修而蔽之，優劣可知矣。

[illegible]小司馬張守節皆唐明皇時人也，而索隱不知正義，正義不知索隱，各出己意而注史記，今合索隱正義為一本者，出于何人乎？[illegible]索隱本有正義[illegible]索隱與此注而載大同正義[illegible]此注[illegible]載者[illegible]補本之上書之書三[illegible]

雜於天隱注于前季昌注于後季昌天隱至不相知而後人以二人注合為一編且以
天隱為季注以季昌為補注則天隱詳而季昌略[illegible]季昌為帝注以天隱為補
注則季昌多而天隱陳言郎以五言八句為第一卷其以[illegible]郎以[illegible]目為第一卷蓋[illegible]世不識
合為一帝者姓名也史云孫[illegible]云[illegible]畧[illegible]保[illegible]為之[illegible]例可[illegible]年[illegible]
勒[illegible]十[illegible]不撰其說源流說玉藻云天子言則左史書之動則右史書之又源流注云
張守節論例云古者帝王右史記言左史記事言為尚書事為春秋云云荀子[illegible]二左
袁易也不易也簡易也變易也者陽識陰之識陽也不易也者天在上地在下也簡易也
者[illegible]為而為也云云玉藻以變易論之守節以不易從之兩得[illegible]之[illegible]按禮記玉藻動
則左史書之言則右史書之鄭氏注其書春秋尚書其存者也然則張守節論例
云說本于玉藻也又穎達疏史字注玉藻天子言則左史書之動則右史書之蓋[illegible]
不詳玉藻之說李[illegible]穎達[illegible]年[illegible]行亦引[illegible]起年山谷[illegible]第七卷子瞻[illegible]云[illegible]春傳云[illegible]英子由
秋[illegible]間相繼入仕作詩名述所[illegible]年[illegible]四云[illegible]第三首云對掌絲綸眾說言經湖注
禮記曰動則左史書之言則右史書之又曰左史記言右史記事東坡自右史遷中書
舍人翰林學士相繼子由自左史為舍人蓋於經湖注以存變易不易之兩說左史
記言右史記[illegible]之文偶人按禮記[illegible]不[illegible]文按[illegible]義曰經云動則
左史書之春秋是動作之文故以春秋當左史所書左陽陽主動故記動經云言則右史書之尚
書記言誥之事故以尚書當右史所書右是陰陰主靜故也春秋雖有言因動而言其言少
也尚書雖有動因言而稱動亦動為言也周禮有五史有內史外史大史小史御史無左史右史之
名者熊氏云按周禮大史之職云大師抱天時與大師同車又襄二十五年傳曰大史書曰崔杼
弒其君是大史記動作之文在君左廂記事則大史為左史也按周禮內史掌王之八柄其職
云凡命諸侯及孤卿大夫則策命之僖二十八年左傳曰王命內史叔興父策命晉侯為侯伯
是皆言誥之事是內史所掌在君之右故為右史是以酒誥云矧大史友內史友鄭注大史內
史掌記言記行是內史記言大史記行也此論正法若其有闕則得交相攝代故洛誥史逸命周
公伯禽服虔注文十五年傳云史佚周成王大史襄三十年鄭使大史命伯石為卿皆大史主策命
以內史闕故也以此言之若大史有闕則內史亦攝之[illegible]

侍相…又老及六藝之論云右史記事左史記言與禮正反於傳記不合其義非也

周禮春官下大史之職大師抱天時與大師同車注鄭司農云大師出師則太史主抱式以知天時處吉凶史官主知天道故

國語曰吾非瞽史焉知天道春秋傳曰楚之有雲如眾赤鳥夾日以飛楚子使問諸周大史大史主天道亦謂瞽

即大師大史瞽官之長

本書先十二字

老子伯夷列傳第一　史記六十一

五帝本紀第一注索隱上有司馬貞三字

索隱曰列傳者謂敘列人臣事跡令可傳於後世故曰列傳　正義曰其人行跡可序列故云列傳

監本老子與伯夷同傳第一莊子與韓非同傳第三

索隱本伯夷傳第一老子莊子韓非同傳第三

索隱云二人教跡全乖不宜同傳先賢已有成說今則不可依循宜令老子尹喜莊周同為傳其韓非可居商君傳末

正義本老子莊子伯夷居列傳之首正義曰老子莊子開元二十三年奉敕升為列傳首處夷齊上然漢武帝之時佛教未興道教已設道則禁惑咸致正理制馭邪人未有佛教可導故列老莊於申韓之上今既佛道齊妙興法乖流理居列傳之首也

老子者正義曰朱韜玉禮及神仙傳云老子楚國苦縣瀨鄉曲仁里人姓李名重耳字伯陽一名…

身長八尺八寸黄色美眉長耳大目廣額疏齒方口厚脣額

有二十五達理日角月懸鼻有双柱耳有三門足蹈二五手把

十文周時人李母八十一年而生又玄妙內篇云李母懷胎

八十一載逍遥李樹下迺割左腋而生又云玄妙王女夢流

星入口而有娠七十二年而生老子又上元經云李母晝夜

見五色珠大如彈丸自天下因呑之即有娠張君相云老子

者是號非名老考也子孳也考教衆理達成聖孳乃孳生萬物善化濟物無遺也

楚苦縣厲鄉

曲仁里人也地理志曰苦縣屬陳國○索隱曰地理志誤也苦縣本屬陳春秋時楚滅陳而苦又屬楚故云楚苦縣至高帝十一年立淮陽國陳縣苦縣皆屬焉裴氏所引不明見苦縣在陳縣下因云苦屬陳今檢地理志苦實屬淮陽郡苦音怙○正義曰國年表云淮陽國景帝三年廢至天漢脩史之時楚節王純都彭城相近疑苦此時屬楚國故太史公書之括地志云苦縣在亳州谷陽縣界有老子宅及廟廟中有九井尚存在今亳州眞源縣也厲音賴晉太康地記云苦縣城東有瀨鄉祠老子所生地也

姓李氏名耳字伯陽謚曰聃索隱曰按葛玄云李氏女所生因母姓也又云生而指李樹因以爲姓許慎云聃耳曼也故名耳字聃今作字伯陽非正

老子伯夷傳

也然老子號伯陽父此傳不稱○正義曰聃耳漫無輪也神仙傳云外字曰聃按字號也疑老子耳漫無輪故世號曰聃

周守藏室之史也 索隱曰按藏室史乃周藏書室之史也又張湯傳老子爲柱下史即藏室之柱下因以爲官名○正義曰藏在浪反

孔子適周將問禮於老子 索隱曰大戴記亦云然

老子曰子所言者其人與骨皆已朽矣獨其言在耳且君子得其時則駕不得其時則蓬累而行 索隱曰劉氏云蓬累猶扶持也累音六水反說者云頭戴物兩手扶之而行謂之蓬累也蓬蓋也累隨也以言若得明君則駕車服冕不遭時則自覆蓋相攜隨而去也○正義曰蓬沙磧上轉蓬也累轉行貌也言君子得明主則駕車而事不遭時則若蓬轉流移而行可止則止也蓬其狀若皤蒿細葉蔓生於沙漠中風吹則根斷隨風轉移也皤蒿江東呼爲斜蒿云

吾聞之良賈深藏若虛君子盛德容貌若愚 索隱曰良賈謂善貨賣之人賈音古深藏謂隱其寶貨不令人見故云若虛而君子之人身有盛德

其容貌謙退有若愚魯之人然也嵇康高士傳亦載此語文則小異云良賈深藏外形若虛君子盛德容貌若不足也去子之驕氣與多欲態色與淫志正義曰姿態之容色與淫欲之志皆無益於夫子須去除也是皆無益於子之身吾所以告子若是而已孔子去謂弟子曰鳥吾知其能飛魚吾知其能游獸吾知其能走走者可以爲罔游者可以爲綸飛者可以爲矰至於龍吾不能知其乘風雲而上天吾今日見老子其猶龍邪老子脩道德其學以自隱無名爲務居周久之見周之衰迺遂去至關正義曰抱朴子云老子西遊遇關令尹喜於散關爲喜著道德經一卷謂之老子或以爲函谷關括地志云散關在岐州陳倉縣東南五十二里函谷關在陝州桃林縣西南十二里關令

老子衍義云樓觀內傳云真人姓尹名喜字公文之七略云關尹子者關吏之名喜意云云上文又云函關在周之西理當西至函關矣說者見此爲尹喜城即疑散關是喜任官之地况以周關在此復出關皇在鎬京若老子去鎬京西出散關即不至函關相[illegible]至喜第矣二失其源乃偽將其考時驗事歷於可觀尹喜爲令之所[illegible]遠喜之地內外須以函關爲定妄得以他所亂之

老子伯夷傳

老子脩道德其学以自隱無名爲務

○郯梅宋呂宋濂諸子辯：關尹子一卷，周關令尹喜所撰。喜與老聃同時，著書九篇，頗見之漢志。自後諸史無及之者，意其亡已久矣。今所傳者，以一宇、二柱、三極、四符、五鑑、六匕、七釜、八籌、九藥爲名。蓋徐蔵子礼得於永嘉孫定，未知孫定又果從何而得也。前有劉向序，稱蓋公授曹參，參夢書葬。孝武帝時，有方士來上。淮南王安秘而不出。向父德治淮南王事，得之。文既與向不類……郎定之所爲也云云。

王安 蔵秘 展切

幻語以注……稱閟令尹子

○宋濂諸子辯：老子二卷云云。或稱周平王四十二年以其書授關尹喜。今按平王四十九年入春秋，實魯隱公之元年，孔子則生於襄公二十二年，自入春秋下距孔子之生已一百七十二年，老聃孔子所嘗問禮者，何其壽歟。豈史氏所言老子百有六十餘歲及或言二百餘歲者果可信歟云云。

尹喜曰：子將隱矣，彊爲我著書。索隱曰：李尤函谷關銘云尹喜要老子留作二篇，而崔浩以尹喜又爲散關令是也。○正義曰：彊，其兩反。爲，于僞反。於是老子廼著書上下篇，言道德之意五千餘言而去，莫知其所終。列仙傳曰：關令尹喜者，周大夫也。善內學星宿，服精華，隱德行仁，時人莫知。老子西遊，喜先見其氣，知眞人當過，候物色而迹之，果得老子。老子亦知其奇，爲著書。與喜俱之流沙之西，服巨勝實，莫知其所終。亦著書九篇，名關尹子。○索隱曰：列仙傳是劉向所記，物色而迹，謂視其氣物有異色而尋迹之。又按列異傳，老子西遊，關令尹喜望見有紫氣浮關，而老子果乘青牛而過也。或曰老萊子亦楚人也，正義曰：太史公疑老子或是老萊子，故書之。列仙傳云：老萊子，楚人。當時世亂，逃世耕於蒙山之陽，莞葭爲牆，蓬蒿爲室，杖木爲牀，蓍艾爲席，菹芰爲食，墾山播種五穀。楚王至門迎之，遂去，至於江南而止。曰：鳥獸之解毛可績而衣，其遺粒足食也。著書十五篇，言道家之用，與孔子同時云。蓋老子……

日正義作巨

師說巨勝者是胡麻之名也。但胡麻之中純黑者爲巨勝也。又或胡麻有一角者……莖者也。然則巨勝有兩說也。巨說今人多兩輕行者也。

有六十餘歲或言二百餘歲索隱曰此前古好事者據外傳以老子生年至孔子時故百六十歲或言二百餘歲者卽以周太史儋爲老子故二百餘歲○正義曰蓋或皆疑辭也世不的知故言蓋及或也玉清云老子以周平王時見衰於是去孔子世家云孔子問禮於老子在周景王時孔子蓋年三十也去平王十二王此傳云儋卽老子也秦獻公與烈王同時去平王二十一王說者不一不可知也故葛仙公序云老子體于自然生乎大始之先起乎無因經歷天地終始不可稱載以其脩道而養壽也自孔子死之後百二十九年徐廣曰實百一十九年而史記周太史儋見秦獻公曰始秦與周合而離五百歲而復合合七十歲而霸王者出焉索隱曰周秦二本紀並云始周與秦國合而別別五百載又合合七十歲而霸王者出然與此傳離合正反尋其意義亦並不違或曰儋卽老子或曰非也世莫知其然否老子隱君子

膠西卬者齊悼惠王之子也悼惠王者高祖長庶男孝惠帝兄也孝文帝時悼惠王諸子分齊為王志為濟北王辟光為濟南王賢為菑川王卬為膠西王雄渠為膠東王

注左傳云左傳隱公八年傳官有世功則有官族邑亦如之杜注云謂取其舊官舊邑之稱以為族皆稟之時君

也老子之子名宗宗爲魏將封於段干此云封於段干段干應是魏邑名也而魏世家有段干木段干子田完世家有段干朋疑此三人是姓段干也本蓋因邑爲姓左傳所謂邑亦如之是也風俗通氏姓注云姓段名干木恐或失之矣天下自別有段姓何必段干木邪宗子注索隱曰音鑄○正義曰之樹反注子宮宮玄孫假索隱曰音古雅反正義曰作瑕音霞假仕於漢孝文帝而假之子解爲膠西王卬太傅因家于齊焉世之學老子者則絀儒學索隱曰按絀音黜黜退而後之也儒學亦絀老子道不同不相爲謀豈謂是邪李耳無爲自化清靜自正索隱曰太史公因其行事於當篇之末結以此言亦是贊也又云此是昔人所評老聃之德故太史公引以記之○正義曰此都結老子之教也言無所造爲而自化清淨不撓而民自歸正也

寓一作偶

累本作猥　烏罪反

累　跡罪反

虛本作墟

莊子者，蒙人也，地理志蒙縣屬梁國○索隱曰劉向別錄云宋之蒙人也○正義曰郭緣生述征記云蒙縣莊周之本邑也名周。周嘗為蒙漆園吏，正義曰括地志云漆園故城在曹州冤句縣北十七里此云莊周為漆園吏即此按其城古屬蒙縣與梁惠王、齊宣王同時。其學無所不闚，然其要本歸於老子之言。故其著書十餘萬言，大抵率寓言也。索隱曰大抵猶言大略也其書十餘萬言率皆立主客使之相對語故云偶言又音寓寓寄也故別錄云又作人姓名使相與語是寄辭於其人故莊子有寓言篇○正義曰率音律寓音遇率猶類也寓寄也作漁父、盜跖、胠篋，索隱曰篋猶言開篋胠音袪亦有音去篋音去劫反○正義曰胠音丘魚反篋音苦頰反胠開也篋箱類也此莊子三篇名皆誣毀自古聖君賢臣孔子之徒營求名譽咸以喪身非抱素任真之道也以詆訿孔子之徒，索隱曰詆音邸訿音訾謂詆訐毀訾孔子也以明老子之術。畏累虛、亢桑子之屬，皆空語無事實。索隱曰：按莊子畏累虛，篇名也，即老聃弟子畏累。鄒氏畏音於鬼反，累音壘。劉氏畏音烏罪反，累路罪反。郭象云今東萊也。亢音庚。亢桑子，王劭本作庚桑。司馬彪云：庚桑楚人姓名。○正義曰：莊子云庚桑楚者，老子弟子，北居畏累之山。成玄英云山在魯，亦云在深州。此篇寄庚桑楚以明至人之德，衛生之經，若槁木無情，死灰無心，禍福不至，惡有人災。言莊子雜篇庚桑楚已下，皆空設言語，無有實事也。然善屬書離辭，正義曰：屬音燭。離辭猶分析其辭句也。指事類情，用剽剝儒墨，正義曰：剽，疋妙反。剽猶攻擊也。雖當世宿學不能自解免也。其言洸洋自恣以適己，索隱曰：洸洋音汪羊二字，又音晃養，又作瀁。○正義曰：洋音翔。己音紀。故自王公大人不能器之。楚威王聞莊周賢，正義曰：威王當周顯王三十年。使使厚幣迎之，許以為相。莊周笑謂楚使者曰：「千金，重利；卿相，尊位也。子獨不見史記正義曰伯夷叔齊讓位大統重器天下為難學者傳觀典籍詩書雖缺尚書載堯禪舜禹及諸子云堯讓許由夏禹讓卞隨務光引此者蓋美伯夷叔齊讓唯孝者能知

郊祭之犧牛乎養食之數歲衣以文繡以入大廟當是之時雖欲為孤豚豈可得乎索隱曰孤小也特也願為小豚不可得○正義曰不群也豚小猪臨宰時願為孤小豚不可得也子亟去索隱曰音棘亟猶急也無污我索隱曰汙烏故反我寧游戲污瀆之中自快索隱曰汙瀆音烏讀瀆汙之小渠也無為有國者所羈終身不仕以快吾志焉正義曰莊子云莊子釣於濮水之上楚王使大夫往曰願以境內累莊子持竿不顧曰吾聞楚有神龜死二千歲矣巾笥藏之廟堂之上此龜寧無為留骨而貴寧生曳尾泥中乎大夫曰寧曳尾塗中莊子曰往矣吾將曳尾於塗中與此傳不同也

夫學者載籍極博猶考信於六藝詩書雖缺索隱曰孔子系家稱古詩三千餘篇孔子刪三百五篇為詩今亡五篇又書緯稱孔子求得黃帝玄孫帝魁之書迄秦穆公凡

白虎通云學者覺也悟也言用先王之道導人情性使自覺悟也

伯夷

頌曰按尚書有堯典大禹謨備言虞夏禪讓之事故云虞夏之文可知也

老子伯夷傳五

說文曰籍簿書也張衡東京賦識前世之載公孫羅曰載籍謂書籍之載也

六藝者困學紀聞卷之八曰六經始見于莊子天運篇孔子曰治詩書禮樂易春秋六經

以禮樂詩書易春秋為六藝始見于太史公滑稽列傳孔子曰六藝於治一也

秋水篇

死 莊子本

六藝 正義曰禮樂射御書算

三千三百三十篇乃刪以一百篇爲尚書十八篇爲中候今百篇之内見亡四十二篇是詩書又有缺亡者也然虞夏之文可知也索隱曰尚書有堯典舜典大禹謨備言虞夏禪讓之事故云虞夏之文可知也堯將遜位讓於虞舜舜禹之閒岳牧咸薦乃試之於位典職數十年正義曰舜禹皆典職事二十餘年然後踐帝位功用既興然後授政示天下重器索隱曰言天下者是王者之重器故莊子云天下之大器是也則大器亦謂之重器王者大統傳天下若斯之難也而說者曰堯讓天下於許由正義曰皇甫謐高士傳云許由字武仲堯聞致天下而讓焉乃退而遁於中嶽潁水之陽箕山之下隱堯又召爲九州長由不欲聞之洗耳於潁水濱時有巢父牽犢欲飲之見由洗耳問其故對曰堯欲召我爲九州長惡聞其聲是故洗耳巢父曰子若處高岸深谷人道不通誰能見子子故浮游欲聞求其名譽汙吾犢口牽犢上流飲之許由歿葬此山亦名許由山在洛州陽城縣南十三里許

由不受恥之逃隱及夏之時有卞隨務光者此何以稱焉 索隱曰説者謂諸子雜記也然堯讓於許由及夏時有卞隨務光等殷湯讓之天下並不受而逃事具莊周讓王篇○正義曰經史唯稱伯夷叔齊不及許由卞隨務光者不少概見何以哉故言何以稱焉爲不稱說之也

太史公曰余登箕山 索隱曰蓋揚惲東方朔見其文稱余而加太史公曰也 其上蓋有許由冢云孔子序列古之仁聖賢人如吳太伯伯夷之倫詳矣余以所聞由光義至高 索隱曰謂太史公聞莊周說許由務光等也莊子堯讓天下於許由由遂逃箕山洗耳於潁水卞隨自投於桐水務光負石自沉於盧水是義至高 其文辭不少概見何哉 索隱曰按概是梗概謂略也蓋以由光義至高而詩書之文辭遂不少梗概載見何以如此哉是太史公疑於說者之言或非實也○正義曰概古代反

又太史公自序傳云爲太史公書序略云云
索隱曰桓譚云遷所著書成以示東方朔朔皆署曰太史公則謂太史公是朔稱亦恐其說未實蓋遷自尊其父著述稱之曰公或云遷外孫楊惲所稱事或當爾也
老子伯夷傳二
太史公曰世俗最秘說也
一説云太史公者東方朔也而據司馬遷作史記令見東方朔爰東方朔加之詞故太史公曰云云
一説云揚惲云著也揚惲母者司馬遷女也故爲司馬之外孫揚惲讀史記能通義訓故毎卷之末已記加之云云
一説云太史公司馬遷之父司馬談也稟其父之願命作史記仍以其父之詞加毎卷之末爲證明故尊父稱太史公云云

孔子曰伯夷叔齊不念舊惡怨是用希求仁得仁又何怨乎余悲伯夷之意睹軼詩可異焉 索隱曰謂悲其兄弟相讓又義不食周粟而餓死睹音覩軼音逸謂見逸詩之文即下采薇之詩是也不編入三百篇故云逸詩也可異焉者按論語云求仁得仁又何怨乎今其詩云我安適歸矣于嗟徂兮命之衰矣是怨詞也故云可異焉

其傳曰伯夷叔齊孤竹君之二子也 索隱曰其傳蓋韓詩外傳及呂氏春秋也其傳云孤竹君是殷湯三月丙寅日所封相傳至夷齊之父名初字子朝伯夷名允字公信叔齊名致字公達解者云夷齊謚也伯仲又其長少之字地理志孤竹城在遼西令支縣應劭云蓋伯夷之國君姓墨胎氏 正義本前注内寅作殷湯正月三日丙寅括地志云孤竹古城在盧龍縣南十二里殷時諸侯孤竹國也 父欲立叔齊及父卒叔齊讓伯夷伯夷曰父命也遂逃去叔齊亦不肯立而逃之國人立其中子於是

伯夷叔齊聞西伯昌善養老盍往歸焉盍者疑辭盍謂其年老歸就西伯也及至西伯卒武王載木主號爲文王東伐紂伯夷叔齊叩馬而諫曰父死不葬爰及干戈可謂孝乎以臣弒君可謂仁乎左右欲兵之太公曰此義人也扶而去之武王已平殷亂天下宗周而伯夷叔齊恥之義不食周粟隱於首陽山馬融曰首陽山在河東蒲坂華山之北河曲之中　正義曰曹大家注幽通賦云夷齊餓於首陽山在隴西首又戴延之西征記云洛陽東北首陽山有夷齊祠今在偃師縣西北又孟子云夷齊避紂居北海之濱首陽山說文云首陽山在遼西史傳及諸書夷齊餓於首陽凡五所各有案據先後不詳莊子云伯夷叔齊西至岐陽見周武王伐殷曰吾聞古之士遭治世不避其任遇亂世不爲苟存今天下闇周德衰其並乎周以塗吾身也不若

困學紀聞卷之七史記正義首陽山有五顙師古注漢書云伯夷歌登彼西山當以隴西為是石曼卿詩曰恥生湯武干戈日寧死唐虞揖遜區謂首陽在河東蒲坂乃舜都也余嘗考之曾子書以為夷齊死於濟澮之間其仁成名於天下又云二子居河濟之間則曼卿謂首陽在蒲為得其實澮水名 [illegible]

[illegible]

怨耶非耶 正義曰太史公觀夷齊作詩而餓死是怨時耶非怨時耶怨則兄弟相讓隱於深山豈合於世務非怨耶乃于世主作詩而餓死疑之甚也

可謂善人者非邪 正義曰太史公言夷齊之行可謂善人邪善人天道 [illegible]

避之以挈吾行以二子此至於首陽之山遂飢餓而死又下詩登彼西山是今清源縣首陽山在岐陽西北明即夷齊餓死處也**采薇而食之**索隱曰薇蕨也爾雅云蕨鼈也○正義曰陸璣毛詩草木疏云薇山菜也莖葉皆似小豆蔓生其味亦如小豆藿可作羹亦可生食也**及餓且死作歌其辭曰登彼西山兮采其薇矣**索隱曰西山即首陽山**以暴易暴兮不知其非矣**索隱曰以武王之暴臣易殷紂之暴主而不自知其非矣**神農虞夏忽焉沒兮我安適歸矣**索隱曰羲農虞夏敦樸禪讓之道超忽久矣終沒矣今逢此君臣爭奪故我安適歸**于嗟徂兮命之衰矣**索隱曰于嗟嗟嘆之辭也徂者往也死也言己今日餓死亦是運命之衰薄不遇大道之時至亙憂而餓死**遂餓死於首陽山由此觀之怨邪非邪**索隱曰太史公言己觀此詩之情以是有怨邪又疑其云非是怨邪**或曰天道無親常與善人若伯夷叔齊可謂善人**

正義爾雅注陸璣 [illegible] 毛詩草木鳥獸蟲魚疏 [illegible] 陸璣字元恪 [illegible] 撰 [illegible]

常與豈有餓死之善
非善人則有天誅之
潔之行天下絶倫哉
之甚
正義曰本史公嘆天之
報施顏回非之

者非耶索隱曰又自[illegible]天若秉彝之行如此可謂善人者邪又非善人者邪亦疑也積仁絜行如此而餓死且七十子之徒仲尼獨薦顏淵爲好學然回也屢空糟糠不厭索隱曰猒言飫也謂不猒飽也糟糠貧者之所食也故曰糟糠之妻是也然顏子一簞食一瓢飲未見有糟糠之文而卒蚤夭天之報施善人其何如哉盜跖日殺不辜索隱曰蹠與跖同竝音之石反盜跖柳下惠弟見莊子爲篇名○正義曰按蹠者黃帝時大盜之名以柳下惠弟爲天下大盜故世放古號之盜蹠肝人之肉索隱曰劉氏云謂取人肉爲生肝非也莊子云跖方休卒太山之陽膾人肝而餔之暴戾恣睢索隱曰暴戾謂凶暴而惡戾也鄒誕生恣音資睢音千餘反劉氏恣音如字睢音休季反恣睢謂恣行爲睢惡之貌也○正義曰睢仰白目怒貌也言盜蹠兇暴恣性怒白目也聚黨數千人橫行天下竟以壽終皇覽曰盜跖冢在河東大陽臨河曲直弘農華陰山潼鄉盜跖

劉音恣子利反

肝人之肉國師菅氏說曰劉氏以爲肝生肝也今如此文者訓肝爲膾也言取人之肉爲生膾也此肝訓爲膾也不用肝肺之義也然則依劉氏之意宜讀人之肉也膾以爲肝者是肝肺之義言盜跖取人之肝肺而爲膾以餔也宜讀肝人之肉也即是文通也今案劉氏但云生肝無訓肝爲膾書傳未有訓肝爲膾者也然則菅氏之說無所據也案劉氏之意以爲肝膾者是膾之最善者也言盜跖取人之肉以作膾猶如肝膾也是以人之肉爲膾之善者也易貞之說菅氏之義是也但依易貞之說肉字義未明也猶云肝膾人之身也然則劉易並用肝肺之義也雖然其意少異耳今即易義通菅氏爲文通又復可存但其由未似也又或說曰劉氏意以言盜跖食人之肉乃爲己之肝也猶云食人之肉爲己之身也此說文無所由也今又不從也爲義迫於事爲便也

老子伯夷傳八

即柳下惠弟也。○索隱曰：直音如字，直者當也，或音值，非也。潼音同，按潼，水名，因為鄉，今之潼津關是，亦為縣。○正義曰：括地志云盜跖冢在陝州河北縣西二十里，河北縣本漢大陽縣也。又今齊州平陵縣有盜跖冢，未詳也。是遵何德哉？索隱曰：言盜跖無道，橫行天下，竟以壽終，是其人遵行何德而致此哉。此其尤大彰明較著者也。索隱曰：較，明也。言伯夷有德而餓死，盜跖暴戾而壽終，是賢不遇而惡道長，尤大著明之證。若至近世，操行不軌，專犯忌諱，而終身逸樂，索隱曰：謂若魯桓、楚靈、晉獻、齊襄之比皆是。富厚累世不絕。或擇地而蹈之，索隱曰：謂不仕闇君，不飲盜泉，棲遲高山之巔，跡滄洲之濱是也。○正義曰：謂北郭騷、鮑焦等是也。時然後出言，索隱曰：論語夫子時然後言。行不由徑，索隱曰：澹臺滅明之行。非公正不發憤，而遇禍災者，不可勝數也。索隱曰：謂人臣之節，非公正之事不感激發憤，或出忠言，或致身命，而或遇禍災者，不可勝數，謂龍逢、比干、伍子胥之余甚惑焉儻所謂天道是耶非耶 索隱曰太史公惑於不軌而逮樂公正而遇害爲天道之非而又是耶深惑之也蓋天道玄遠聰聽暫遺或窮通數會不由行事所以行善未之福行惡未之禍故先達皆猶昧之也。正義曰儻音他蕩反儻未定之詞也爲天道不敢的言是非故云儻也

子曰道不同不相爲謀亦各從其志也 正義曰太史公引孔子之言證前事也言天道人道不同一任其運遇亦各從其志意也

故曰富貴如可求雖執鞭之士吾亦爲之 鄭玄曰富貴不可求而得之當脩德以得之若於道可求而得之者雖執鞭賤職我亦爲之

如不可求從吾所好 孔安國曰所好者古人之道

歲寒然後知松栢之後凋 何晏曰大寒之歲衆木皆死然後松栢少凋傷平歲衆木亦有不死者故須歲寒然後別之喻凡人處治世亦能自修整與君子同在濁世然後知君子之正不苟容也

舉世混濁清士乃見 索隱曰老子曰國家昏亂有忠臣是舉代混濁則士之清絜者乃彰見故上文歲寒

其重若彼其輕若此
師說馬貞以為輕重自
依伯夷之身為言也伯
夷議讓之德重其如
彼採薇之輕其如此也
此輕重自在伯夷之身也
一說以為是自相別也言
操行不軌者富厚而見
重於世若彼也公正發憤
者見輕於世如此也重
輕不軌公正相別為言
也是為六通也多於文
煩碎也　或說輕重義
通
恩劝曰徇営也

然後知松柏之後彫先爲此言張本也○正義曰**豈以其**
言天下泯亂清潔之士不撓不苟合於盜跖也
重若彼其輕若此哉索隱曰謂伯夷讓德之重若彼采
薇而餓死之輕若此又一解云操
行不軌富厚累代是其重若彼公正發憤而遇禍災是其
輕若此也○正義曰重謂盜跖等也輕謂夷齊由光等也**君**
子疾没世而名不稱焉索隱曰自此已下雖論伯夷
得夫子而名彰顔回附驥尾
而行著蓋亦欲微見己之著撰不已亦是疾没世而名不稱
焉故引賈子貪夫殉財烈士殉名是也又引同明相照同類
相求雲從龍風從虎者言物各從類以相求太史公言己亦
是操行廉直而不用於代卒陷非罪與伯夷相類故寄此而
發論○正義曰君子疾没後懼名堙滅而不稱若夷齊顔回
絜行立名後代稱述亦太史公欲漸見已立名著述之美也
賈子曰索隱曰賈誼也作鵩鳥賦云
然故太史公引而稱之也**貪夫徇財**正義曰
徇財迅
反徇求也瓚云
已身從物曰徇**烈士徇名夸者死權**索隱曰言貪權
勢以矜夸者至
死不休故
云死權也**衆庶馮生**索隱曰馮者恃也音凭言衆庶之
情盖馮恃於其生也鵩賦云生作

生□者冒也冒即貪之義○正義曰太史公引賈生□賦
作史記若貪夫徇名夸者死權衆庶馮生乃成其史記同

明相照索隱曰已下
並繫辭云同類同求正義曰天欲雨而柱
礎潤謂同德者相應雲

從龍風從虎王肅曰龍舉而景雲屬虎嘯而谷風
興張璠曰猶言龍從雲虎從風也聖人

作而萬物覩馬融曰作起也○索隱曰又引此句者謂聖
人起而居位則萬物之情皆得覩見故已今

日又得著書言世情之輕重也○正義曰此有識也聖人有
養生之德萬物有長養之情故相感應也此以上至同明相
照是周易乾象辭也太史公引此等相感者欲見述作之意
合萬物有睹也孔子沒後五百歲而已當之故作史記使萬
物見覩之也太史公序傳云先人有言自周公卒五百歲而
有孔子孔子卒後至於今五百歲有能紹明世正易傳繼春
秋本詩書禮樂之際意在斯乎小子何敢讓焉作述六經云
易著天地陰陽四時五行故長於變禮經紀人倫故長於行
書記先王之事故長於政詩記山川谿谷禽獸草木牝牡雌
雄故長於風樂樂所以立故長於和春秋辨是非故長於治
人是故禮以節人樂以發和書以道事詩以達意易以道化
春秋以道義撥亂世反之正莫近於春秋按述作而萬物睹見

伯夷叔齊雖賢得夫子而名益彰正義曰伯夷叔齊雖有賢行得夫子稱揚而名益彰著萬物雖有生養之性得太史作述而世事益睹見顏淵雖篤學附驥尾而行益顯索隱曰蒼蠅附驥尾而致千里以喻顏回因孔子而名彰巖穴之士趨舍有時若此類名堙滅而不稱悲夫正義曰趨音趨舍音捨捨趨向也捨廢也言隱處之士時有附驥尾而名曉達若堙滅不稱歎者亦可悲痛閭巷之人欲砥行立名者正義曰砥音旨礪行脩德在鄉閭者若不託貴大之士何得封侯爵賞而名留後代也非附青雲之士惡能施於後世哉

索隱述贊曰

天道平分　與善徒云　賢而餓死　盜且聚羣　吉凶倚伏　報施糾紛

縲紲…

表塗衷…紂縲紲…

附今…增日紂役也

縲索文索隠曰又通

俗文云含縄曰紂

黄氏日抄曰太史公疑許由非夫子所称不述而首述伯夷且悲其餓死為幸顔子盗跖反覆嗟嘆卒皈之各従其志

而名益彰其趣遠其来遠矣寄在言外詠味無窮然世知其心之無怨耶

堯讓許由蓋莊周寓言眇天下為不足道耳太史公疑箕山上有許由冢是意雖無其事必嘗有

其人猶…

載伯夷父死不葬之語与武王十一年伐紂之事皆駁然漢人旧説以武王上継文王受命之九年為十一年

故云爾

子罕言命 得自前聞 嗟彼素士 不附青雲

論語子罕篇子罕言利与命与仁 又伯夷叔斉 指下随務光等七 伯夷得夫子

訓説

老子伯夷列傳第一　史記六十一

斉世家…襄公被弑…私通…者襄…

公…弟之…管…伯公…襄公復通…伯公知之…以…

飲酔之使力士彭生抱上魯君車因拉殺魯桓公桓公下車則死矣魯人以為譲而斉襄公殺彭生以謝魯

斉…襄公立初襄公…酔殺魯桓公通其夫人殺誅不当淫於婦人数欺大臣群弟恐禍及故次弟

糾奔魯其母魯女也管仲召忽傅之次弟小白奔莒鮑叔傅之…公孫無知弑襄公自立為斉君雍林人襲殺無知

告斉大夫曰無知弑襄公自立臣謹行誅唯大夫更立公子之当立者於是斉大夫高傒陰召小白於莒魯又発

兵送公子糾使管仲別将兵遮莒道…射中小白帯鉤…小白先入斉是為桓公故斉与魯戦于乾時魯兵敗

遺書於魯曰子糾兄弟弗忍誅請魯自殺之召忽管仲讎也請得而甘心醢之…遂殺子糾召忽自殺管仲請囚鮑

叔牙謂斉桓公曰君将治斉高傒与叔牙足也欲覇王非管夷吾不可…於是桓公従之乃詳為召管仲欲甘心実欲

之管仲知之故請往鮑叔牙迎受管仲…及堂阜而脱桎梏…君…桓公厚礼以為大夫任政…

管晏列傳第二　史記六十二

管仲夷吾者潁上人也索隱曰潁水名地理志潁水出陽城漢有潁陽臨潁二縣今有潁上縣○正義曰韋昭云管夷姬姓之後管嚴之子敬仲也少時常與鮑叔牙游鮑叔知其賢管仲貧困常欺鮑叔索隱曰呂氏春秋管仲與鮑叔同賈南陽及分財利而管仲嘗欺鮑叔多自取鮑叔知其有母不以為貪鮑叔終善遇之不以為言已而鮑叔事齊公子小白管仲事公子糾及小白立為桓公公子糾死管仲囚焉鮑叔遂進管仲正義曰齊世家云鮑叔曰君將治齊即高傒與叔牙足矣君且欲霸王非管夷吾不可夷吾之居國國重不可失也桓公從之韋昭云鮑叔齊大夫姒姓之後鮑叔之子叔牙也管仲既用任政於齊正義曰管子云桓公以九惠之教一曰老老二曰慈幼三曰恤孤四曰養疾五曰合獨六曰問病七曰通窮八曰振困九曰絕

齊桓公以霸九合諸侯一匡天下管仲之謀也管仲曰吾始困時嘗與鮑叔賈分財利多自與鮑叔不以我為貪知我貧也吾嘗為鮑叔謀事而更窮困鮑叔不以我為愚知時有利不利也吾嘗三仕三見逐於君鮑叔不以我為不肖知我不遭時也吾嘗三戰三走鮑叔不以我為怯知我有老母也公子糾敗召忽死之吾幽囚受辱鮑叔不以我為無恥知我不羞小節而恥功名不顯於天下也生我者父母知我者鮑子也鮑叔既進管仲以身下之子孫世祿

管晏傳一

左傳僖公十二年王以戎難故討王子帶秋王子帶奔齊冬齊侯使管夷吾平戎于王使隰朋平戎于晉王以上卿之禮饗管仲管仲辭曰臣賤有司也有天子之二守國高在若節春秋來承王命何以禮焉陪臣敢辭王曰舅氏余嘉乃勳應乃懿德謂督不忘往踐乃職無逆朕命管仲受下卿之禮而還君子曰管氏之世祀也宜哉讓不忘其上詩曰愷悌君子神所勞矣杜注詩大雅愷樂也悌易也言樂易君子為神所勞來故世祀也管仲之後於齊沒不復見傳亦奇其無驗

於齊有封邑者十餘世索隱曰世本云莊仲山產敬仲夷吾夷吾產武子鳴鳴產桓子啓方啓方產成子孺孺產莊子盧盧產悼子其其產襄子武武產景子耐涉耐涉產微凡十代常爲

名大夫天下不多管仲之賢而多鮑叔能知人

也管仲旣任政相齊正義曰國語云齊桓公使鮑叔爲相辭曰臣之不若夷吾者五寬和惠民不若也治國家不失其柄不若也忠惠可結於百姓不若也制禮義可法於四方不若也執枹鼓立於軍門使百姓皆加勇不若也以區區之齊在海濱正義曰齊國東濱海也通貨積

財富國彊兵與俗同好惡故其稱曰索隱曰是夫吾著書所稱管子者其書有此言今舉其大略倉廩實而知禮節衣食足而知

榮辱上服度則六親固正義曰上之服御物有制度則六親堅固也六親謂外祖父母一父母二姊妹三妻兄弟之子四從母之子五女之子六也王弼云父母兄弟妻子也四維不張

國乃滅亡管子曰四維一曰禮二曰義三曰廉四曰恥下令如流水之原令順民心故論卑而易行正義曰言為政令卑下鮮少而百姓易作行也俗之所欲因而予之俗之所否因而去之其為政也善因禍而為福轉敗而為功貴輕重索隱曰輕重謂錢也管子有輕重篇慎權衡正義曰輕重謂恥辱也權衡謂得失也有恥辱甚貴重之有得失甚戒慎之桓公實怒少姬索隱曰謂怒蕩舟歸而未絕蔡人嫁之南襲蔡管仲因而伐楚責包茅不入貢於周室桓公實北征山戎而管仲因而令燕脩召公之政於柯之會正義曰今齊州東河也桓公欲背曹沫之約索隱曰沫音妹左傳作曹劌○正義曰沫莫葛反管仲因而信之正義曰以劫許之歸魯侵地也諸侯由是歸

管晏傳二

於齊有封邑者十餘世索隱曰世本云莊仲山産敬仲夷吾夷吾産武子鳴鳴産桓子啓方啓方産成子孺孺産莊子盧盧産悼子其夷其夷産襄子武武産景子耏涉耏涉産鼠凡十代常爲名大夫天下不多管仲之賢而多鮑叔能知人也管仲既任政相齊正義曰國語云齊桓公使鮑叔爲相辭曰臣之不若夷吾者五寬和惠民不若也治國家不失其柄不若也忠惠可結於百姓不若也制禮義可法於四方不若也執枹鼓立於軍門使百姓皆加勇不若也以區區之齊在海濱正義曰齊國東濱海也通貨積財富國彊兵與俗同好惡故其稱曰索隱曰是夷吾著書所稱管子者其書有此言今舉其大略倉廩實而知禮節衣食足而知榮辱上服度則六親固正義曰上之服御物有制度則六親堅固也六親謂外祖父母一父母二姊妹三妻兄弟之子四從母之子五女之子六也王弼云父母兄弟妻子四維不張

國乃滅亡（管子曰四維一曰禮二曰義三曰廉四曰恥）下令如流水之原令順民心故論卑而易行（正義曰言為政令卑下鮮少而百姓易作行也）俗之所欲因而予之俗之所否因而去之其為政也善因禍而為福轉敗而為功貴輕重（索隱曰輕重謂錢也管子有輕重篇）慎權衡（正義曰輕重謂恥辱也權衡謂得失也有恥辱甚貴重之有得失甚戒慎之）桓公實怒少姬（索隱曰謂怒蕩舟姬而未絕蔡人嫁之）南襲蔡管仲因而伐楚責包茅不入貢於周室桓公實北征山戎而管仲因而令燕脩召公之政於柯之會（正義曰今齊州東河也）桓公欲背曹沫之約（索隱曰沫音昧左傳作曹劌○正義曰沫莫葛反）管仲因而信之（正義曰以劫許之歸魯侵地）諸侯由是歸

齊故曰知與之爲取政之寶也索隱曰老子曰將欲取之必固與之是知此爲政之所寶也○管仲富擬於公室有三歸反坫正義曰三歸三姓女也婦人謂嫁曰歸齊人不以爲侈管仲卒正義曰括地志云管仲冢在青州臨淄縣南二十一里牛山之阿說苑云齊桓公使管仲治國管仲對曰賤不能臨貴桓公以爲上卿而國不治曰何故管仲對曰貧不能使富桓公賜之齊市租而國不治桓公曰何故對曰疏不能制近桓公立以爲仲父齊國大安而遂霸天下孔子曰管仲之賢而不得此三權者亦不能使其君南面而稱伯齊國遵其政常彊於諸侯後百餘年而有晏子焉

晏平仲嬰者萊之夷維人也劉向別錄曰萊者今東萊地也○索隱曰名嬰平謚仲字父桓子名弱也○正義曰晏氏齊記云齊城三百里有夷安即晏平仲之邑漢爲夷安縣屬高密國應劭云故萊夷

事齊靈公莊公景公

以節儉力行重於齊既相齊食不重肉妾不衣帛其在朝君語及之即危言正義曰謂己謙讓非云秀能語不及之即危行正義曰行下孟反謂君不知己增脩業行畏責及也國有道即順命無道即衡命正義曰衡秤也謂國無道則制秤量之可行即行以此三世顯名於諸侯越石父賢在縲紲中正義曰縲音力追反縲黑索也紲繫也晏子春秋云晏子之晉至中牟睹弊冠反裘負薪息於途側晏子問曰何者對曰我越石父也苟免饑凍為人臣僕晏子解左驂贖之載與俱歸按與此文小異也晏子出遭之塗解左驂贖之載歸弗謝入閨久之越石父請絕晏子戄然正義曰戄狀縛反皇覽云晏子冢在臨淄城南菑水南桓公冢西北括地志云齊桓公墓在青州臨淄縣東南二十三里鼎足上又云齊晏嬰冢在齊子城北門外晏子云吾生近市死豈易吾志乃葬故宅後人名曰清節里按恐皇覽誤乃

管晏傳三

齊故曰知與之爲取政之寶也索隱曰老子曰將欲取之必固與之是知此爲政管仲富擬於公室有三歸反坫正義曰三歸三姓女也婦人謂嫁曰歸齊人不以爲侈管仲卒正義曰括地志云管仲冢在青州臨淄縣南二十一里牛山之阿說苑云齊桓公使管仲治國管仲對曰賤不能臨貴桓公以爲上卿而國不治曰何故管仲對曰貧不能使富桓公賜之齊市租而國不治桓公曰何故對曰疏不能制近桓公立以爲仲父齊國大安而遂霸天下孔子曰管仲之賢而不得此三權者亦不能使其君南面而稱伯齊國遵其政常彊於諸侯後百餘年而有晏子焉

晏平仲嬰者萊之夷維人也劉向別錄曰萊者今東萊地也○索隱曰名嬰平謚仲字父桓子名弱也○正義曰晏氏齊記云齊城三百里有夷安即晏平仲之邑漢爲夷安縣屬高密國應劭云故萊夷事齊靈公莊公景公索隱曰[illegible]

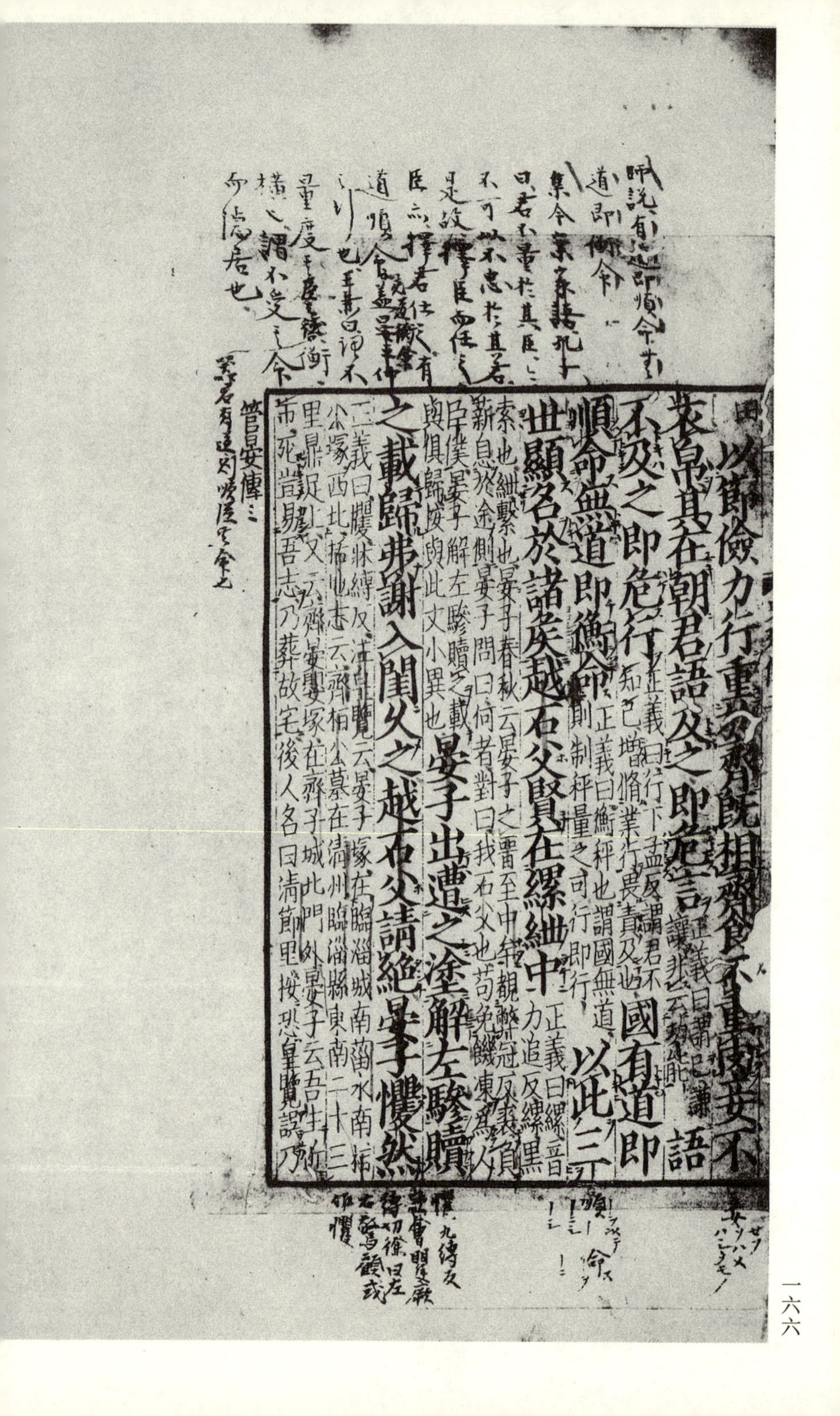

以節儉力行重於齊既相齊食不重肉妾不衣帛其在朝君語及之即危言正義曰謂己謙讓非云勢也語不及之即危行正義曰行下孟反謂君不知己增脩業行畏責及也國有道即順命無道即衡命正義曰衡秤也謂國無道則制秤量之可行即行以此三世顯名於諸侯越石父賢在縲紲中正義曰縲音力追反縲黑索也紲繫也晏子春秋云晏子之晉至中牟覩敝冠反裘負芻息於塗側晏子問曰何者對曰我石父也苟免飢凍為人臣僕晏子解左驂贖之載與俱歸按與此文小異也晏子出遭之塗解左驂贖之載歸弗謝入閨久之越石父請絕晏子懼然正義曰懼狀縛反皇覽云晏子冢在臨淄城南菑水南桓公冢西北括地志云齊桓公墓在淄州臨淄縣東南二十三里鼎足上又云齊晏嬰冢在齊子城北門外晏子云吾生近市死豈易吾志乃葬故宅後人名曰清節里按恐皇覽誤乃

管晏傳三

彼不知我者言世俗不知也。

列女傳晏子長不滿七尺集作七

管仲塚也。攝衣冠謝曰嬰雖不仁免子於厄何子求絕之速也石父曰不然吾聞君子詘於不知己而信於知己者（索隱曰信讀曰申周禮皆然申於知己謂以彼知我而我志獲申）方吾在縲紲中彼不知我也夫子既以感寤而贖我是知己知己而無禮固不如在縲紲之中晏子於是延入為上客晏子為齊相出其御之妻從門閒而闚其夫其夫為相御擁大蓋策駟馬意氣揚揚甚自得也既而歸其妻請去夫問其故妻曰晏子長不滿六尺身相齊國名顯諸侯今者妾觀其出志念深矣常有以自下者今子長

其御晏子僕御也

八尺乃為人僕御然子之意自以為足妾是以求去也其後夫自抑損晏子怪而問之御以實對晏子薦以為大夫

太史公曰吾讀管氏牧民山高乘馬輕重九府劉向別錄曰九府書民間無有山高一名形勢○索隱曰皆管仲著書篇名九府蓋錢之府藏其書論鑄錢之輕重故云輕重九府餘如別錄之說○正義曰七略云管子十八篇在法家及晏子春秋索隱曰嬰所著書名晏子春秋今其書有七十篇故下云其書世多有也○正義曰七略云晏子春秋七篇在儒家詳哉其言之也既見其著書欲觀其行事故次其傳至其書世多有之是以不論論其軼事正義曰軼音逸管仲世所謂賢臣然孔子小之豈以為周道衰微

桓公既賢而不勉之至王乃稱霸哉正義曰言管仲世所謂賢臣孔子所以小之者蓋以為周道衰桓公賢主管仲何不勸勉輔弼至於帝王乃自稱霸主哉故孔子小之云蓋為前疑夫子小管仲為此語曰將順其美匡救其惡故上下能相親也正義曰言管仲相齊順百姓之美匡救國家之惡令君臣百姓相親者是管之能也豈管仲之謂乎方晏子伏莊公尸哭之成禮然後去索隱曰左傳崔杼殺莊公晏嬰入枕莊公尸股而哭之成禮而出崔杼欲殺之是也豈所謂見義不為無勇者邪至其諫說犯君之顏此所謂進思盡忠退思補過者哉假令晏子而在余雖為之執鞭所忻慕焉索隱曰太史公之羨慕仰企平仲之行假令晏生在世已雖與之為僕隸為之執鞭亦所忻慕其好賢樂善如此賢哉良史可以示人臣之[illegible]也

論語憲問篇子貢曰管仲非仁者與桓公殺公子糾不能死又相之子曰管仲相桓公霸諸侯一匡天下民到于今受其賜微管仲吾其被髮左衽矣豈若匹夫匹婦之爲諒也自經於溝瀆而莫之知也

索隱述贊曰

晏子曰管仲世所謂賢臣 [illegible]

夷吾成霸　平仲稱賢　粟乃實廩　豆不獵肩

轉禍爲福　危言獲全　晏子君之諮 [illegible] 則危言

孔賴左衽　史忻執鞭　成禮而去

人望存焉　或以人望係管晏二人非矣始二句爲管平仲二子事說夷吾以賢見敬次二句又說晏子也人望存焉說民之望也

黃氏曰楊曰世之人見賢而稱其賢見知而稱其智未足言知人惟其人方困窮時其迹有甚於不賢不智者而己獨有以察其心若鮑叔之於管仲千古一人耳然晏子謂此管仲之所爲管仲也君子固窮視其所不爲貪視其所不取何至蒙不賢不知之迹耶其令論卑而易行其政善因禍而爲福太史公此論固切中其相齊之要領矣則苟於濟事不暇顧在我之王守已占於窮賤之時矣晏平仲功業不及管氏而相三君妾不衣帛則廉節過之越石父稱誣於不知己而信於知己蓋名言也宜晏子之敬待然景公相孔子嬰實沮之又豈賢於孔子哉

管晏列傳第二

史記六十二

申不害韓非列傳第三　史記六十三

開元二十三年勑升老子莊子爲列傳首故申韓爲此卷

申不害者京人也 索隱曰申子名不害按別錄云京今河南京縣也 正義曰按地志云京縣故城縣東南二十里鄭之京邑也

故鄭之賤臣學術以干韓昭侯 索隱曰術卽刑名法術

昭侯用爲相内脩政教外應諸侯十五年終申子之身國治兵彊無侵韓者 索隱曰王劭按紀年云韓昭侯之世兵寇屢交異乎此言

申子之學本於黃老而主刑名

著書二篇號曰申子 劉向別錄曰今民間所有上下二篇中書六篇皆合二篇已備過於太史公所記也 正義曰阮孝緒七略云申子三卷也

韓非者 正義曰阮孝緒七略云韓子二十[illegible]云王安五年[illegible]九年虜王安[illegible]韓之

諸公子也。喜刑名法術之學新序曰申子之書言人主當執術無刑因循以督責臣下其責深刻故號曰術商鞅所爲書號曰法皆曰刑名故號曰刑名法術之書○索隱曰著書三十餘篇號曰韓子而其歸本於黃老索隱曰劉氏云黃老之法不尚繁華清簡無爲君臣自正韓非之論詆駁浮淫法制無私而名實相稱故曰歸於黃老斯未爲得其本旨今按韓子書有解老喻老二篇是大抵亦崇黃老之學也。非爲人口吃正義曰音訖不能道說，而善著書。與李斯俱事荀卿正義曰孫卿子二十二卷名況趙人楚蘭陵令避漢宣帝諱改姓孫也，斯自以爲不如非。非見韓之削弱，數以書諫韓王，索隱曰韓王安也韓王不能用。於是韓非疾治國不務脩明其法制，執勢以御其臣下，富國彊兵而以求人任賢，反舉浮淫之蠹而加之於功實之上。以爲儒者用文亂法而俠者以武犯禁寬則寵名譽之人急則用介冑之士正義曰介甲也冑兜鍪也今者所養非所用索隱曰言非疾時君以祿養其臣者皆安祿養交之臣非勇悍忠梗及折衝禦侮之人也所用非所養索隱曰言人主臨事任用並非常所祿養之士故難可盡其死力也悲廉直不容於邪枉之臣索隱曰又非姦邪諂諛之臣不容廉直之士觀往者得失之變正義曰韓非見王安不用忠良今國消弱故觀往古有國之君則得失之變異而作韓子二十卷故作孤憤五蠹內外儲說林說難十餘萬言索隱曰此皆非所著書篇名也孤憤憤孤直不容於時也五蠹蠹政之事有五也內外儲按韓子有內儲外儲篇內儲言明君執術以制臣下制之在己故曰內也外儲言明君觀聽臣下之言行以斷其賞罰賞罰在彼故曰外也儲畜也一事所謂明君也說林者廣說諸事其多若林故曰說林也今韓子有說林上下二篇說難者說前人行事與己不同而詰難之故其

然韓非知說之難為說難書甚具終死於秦不能自脫說難曰索隱曰說音稅難音奴干反言游說之道為難故曰說難其書詞甚高故特載之然此篇亦與韓子微異煩省小不同劉伯莊亦隨其意粗釋其微文幽旨故有劉說也凡說之難非吾知之有以說之難也正義曰凡說難識情理不當人主之心恐犯逆鱗說之難知故言非吾知之有以說之乃為難又非吾辯之難能明吾意之難也正義曰能分明吾意以說之亦又未為難也尚非甚難又非吾敢橫失能盡之難也索隱曰韓子橫失作橫佚劉氏云吾之所言無橫無失陳辭發策能盡說情此雖是難尚非難也○正義曰橫擴孟反又非吾敢有橫失詞理能盡說己之情此難是難尚非極難凡說之難在知所說之心可以吾說當之索隱曰劉氏云關說之難正在於此也按說之心者謂人君之心也言以人臣疏末射尊重之意貴賤隔絕旨趣難知自非高識莫近幾會故曰說之難

私案菅氏非也不放何者負也訓顯爲陽也訓陽詐之義更无可疑也菅之說雖合負之意今又直存之

陽收其身 師菅氏曰訓陽爲詐也言說以說名高則陽詐而收用其身而其實疏之也今案此說非也陽於外之顯也言人名內意實爲厚利而顯假於而名高者也說者說之以名高則外收用其身也雖然不說之非意內之者故疏之也菅氏之說今不用

說之以名高下注 說者若公以帝道 正義曰前人好秦利攻伐彊國乃陳三皇五帝高遠事情必不收用矣若商鞅說秦孝公以帝道孝公欲彊國不收其說也

說之以厚利下注 前人好五帝三皇名高之道乃陳厚利說之見則卑賤之必見棄遠矣

也乃須審明人主之音必以說合其情故云吾說當之也○正義曰前者三說並未爲難凡說之難者正在於此言深辨知前人意可以吾說當之關與前人心會說則行乃是難矣

所說出於爲名高者也而說之以厚利則見下節而遇卑賤必棄遠矣索隱曰謂所說之主中心本出於欲立高名者也說臣乃陳厚利是其見下節也既不會高情故遇卑賤必弃遠矣劉氏云謂古義叔黃祖述堯舜是爲名高也

所說出於厚利者也而說之以名高則見無心而遠事情必不收矣索隱曰亦謂所說之君出意本規厚利而說臣乃陳名高之節則是說者無心遠於我之事情必不收用也故劉氏云若秦孝公志於彊國而商鞅說以帝王故怒而不用也

所說實爲厚利而顯爲名高者也索隱曰韓子實字作陰顯者陽也謂其君實爲厚利而詐作欲爲名高之節也○正義曰前人必欲厚利詐慕名高則陽收其說實

而說之以名高則陽收其身而實疏之

顯 陽之訓 先生說有詐義也

其說之以厚利，則陰用其言而顯棄其身。索隱曰：謂其下文云鄭武公陰欲伐胡而關其思，極論深計，雖知說當，終遭顯戮。○正義曰：前人好利厚詐慕名高，說之以厚利，則陰用說者之言而顯不收其身。說士不可不察。此之不可不知也。夫事以密成，語以泄敗。未必其身泄之也，而語及其所匿之事，正義曰：事多相類，語言或說其相類之事，前人覺悟，便成漏泄，故身危也。如是者身危。貴人有過端，而說者明言善議以推其惡者，則身危。正義曰：人主有過失之端緒，而引美善之議以推人主之惡，則身危。周澤未渥也，而語極知，正義曰：渥，霑濡也。人臣事君未滿周至之恩渥，而說事當理，事行有功，君不以爲恩德，故德亡。說行而有功則德亡，說不行而有敗則見疑，如是者身危。索隱曰：謂人臣事主，其道未合，至周之恩未洽渥於下，而輒吐誠極知其道，說有功

顯爲名高 師古氏曰此文之顯爲名高之名也 貞曰顯者陽也 謂其名實
節也今於貞意之訓顯爲陽訓陽爲詐也即以顯陽二字共爲詐偽之義也然則上文顯爲及此顯之訓之也今
并其訓爲詐也 直讀爲詐而并其共爲也 案此說非也 顯讀依字以何知之下文云彼顯有所出也
出乃以爲功也 則之顯於立也 自以爲功也 案氏又爲顯於之義也 但貞之訓顯爲陽者 蓋明訓也 葉氏之
顯爲外之意也 然則上下兩顯字皆爲顯於之義也

說敵者 出以帝道 出公欲彊國 而收其說也

說之以厚利下注
前人好五帝三皇之名高之道乃陳厚利說之見則卑賤必見棄遠矣

也乃須宋明人主之音必以說合其情故云吾說當之也〇正義曰前者三說並未爲難凡說之難者正在於此言深辯知前人意可以吾說當之關與前人心會說則行乃是難矣

所說出於爲名高者也而說之以厚利則見下節而遇卑賤必棄遠矣

索隱曰謂所說之主中心本出於欲立高名者也說臣乃陳厚利是其見下節也既不會高情故遇卑賤必弃遠矣劉氏云[illegible]是爲名高也

所說出於厚利者也而說之以名高則見無心而遠事情必不收矣

索隱曰亦謂所說之君出意本規厚利而說臣乃陳名高之節則是說者無心遠於我之事情必不收用也故劉氏云若秦孝公志於彊國而商鞅說以帝王故怒而不用也

所說實爲厚利而顯爲名高者也

索隱曰韓子實字作陰顯若陽也謂其君實爲厚利而詐作欲爲名高之節也〇正義曰前人必欲厚利詐慕名高則陽

收其說實 而說之以名高則陽收其身而實疏之

顯 陰 貞之意陽也 陽之詐也 先生說詐義也

若說之以厚利則陰用其言而顯棄其身 索隱謂并下文云鄭武公陰欲伐胡而關其思極論深計雖知說當終遇顯戮也○正義曰前人好利厚詐慕名高說之以厚利則陰用說者之言而顯不收其身說士不可不察 此之不可不知也夫事以密成語以泄敗未必其身泄之也而語及其所匿之事 正義曰事多相類語言或說其相類之事前人覺悟便成漏泄故身危也 如是者身危貴人有過端而說者明言善議以推其惡者則身危 正義曰人主有過失之端緒而引美善之議以推人主之惡則身危 周澤未渥也而語極知 正義曰渥霑濡也人臣事君未深周主之恩澤而說事當理事行有功君不以爲恩德故德亡 說行而有功則德亡說不行而有敗則見疑如是者身危 索隱曰謂人臣事上其道未合至周之恩未洽渥於下而輒吐誠極知其道說有功

見忘 見忘

故曰与之論大人 師說九云故曰述上文而成右辞也此故曰者与常異也上亨之了此又起端而更為一條也非連上辞也猶云故云故又曰也訓間首剌譏也言說其對人君而論大人則人君之心以為此說其稱譏彼人之長而識刺己之短也

則其德亦云云無也韓子作則見忘然見忘勝怨德主也又若說不行而有敗則見疑如是者身危是恩意未深輒評時政不幾所言更致嫌疑若下文所云隣父人以墻壞有盜却爲見疑即其類也○正義曰說事不行或行有敗壞則必致危殆若此者身危也

夫貴人得計而欲自以爲功說者與知焉則身危 正義曰與音預人主先得其計也功說者知前發其蹤跡身必危亡 彼顯有所出事迺自以爲也故說者與知焉則身危 索隱曰謂人主明有所出事乃自以爲功而說者與知是則以爲間故身危○正義曰人主明所出事乃以有所營爲說者預知其計而說者身亡危 彊之以其所必不爲 索隱曰劉氏云若項羽必欲衣錦東歸而說者彊述關中違已日怫情自招誅滅也○正義曰彊其兩反人主必不欲作爲而說者彊令爲之 止之以其所不能已者身危 索隱曰劉氏云若漢景帝欲廢栗太子而周亞夫強欲止之竟見不從其言後遂下獄也○正義曰人主意[illegible]彊止之者身危 故曰與之論大人則以

夫 本无

有 本ナシ

所必不為者 謂人主之不欲必之事也

則 本有

呂強云項羽本紀心懷思欲東歸曰富貴不歸故鄉如衣繡夜行誰知之者說者曰人言楚人沐猴而冠耳果然 項王聞之烹說者 [illegible]

爲間己正義曰間音紀莧反說彼大人之短以爲竊己之事情乃爲刺譏間與之論細人則以爲鬻權索隱曰韓子粥權作賣重謂薦彼細微之人言堪大用則疑其挾詐而賣我之權○正義曰粥音育劉伯莊云論則疑其挾詐賣己之權論其所愛則以爲借資正義曰說人主愛行人主以爲借己之資藉也論其所憎則以爲嘗己正義曰論說人主所憎惡之人主則以爲嘗試於己也徑省其辭則不知而屈之索隱曰謂人主意在文華而說者但徑捷省略其辭則以說者爲無知而見屈辱也○正義省山景反汎濫博文則多而久之索隱曰謂人主志在簡要而說者務於浮辭汎濫博涉文華則君上嫌其多迂誕文而無當○正義曰汎濫浮辭也博聞廣言句也言浮說廣陳必多詞理時乃永久人主疲倦順事陳意則曰怯懦而不盡正義曰懦音乃亂反說者陳言順人主之意則或怯懦而不盡事情也慮事廣肆則曰草野而倨侮正義曰草野猶鄙陋也廣肆陳言詞多有鄙陋乃成倨

申韓傳　四

此說之難不可不知也凡說之務在知飾所說之所敬而滅其所醜索隱曰所說謂所說之主也飾其所敬者說士當知人主之所敬而時以文飾之滅其所醜謂人主有所避諱而醜之遊說者當滅其事端而不言也彼自知其計則無以其失窮之正義曰前人自知其失誤說士無以失誤窮極之乃為說也自勇其斷則無以其敵怒之索隱曰謂人主自勇其斷說士無以己意而攻間之是以卑下之謀自敵於上以致譴怒也○正義曰斷音端亂反劉伯莊云貴人斷甲為是說者以乙破之乙之理難同怒以下敵謀也自多其力則無以其難概之索隱曰概猶格也劉氏云秦昭王決欲攻趙白起苦說其難遂己之心拒格君上故致杜郵之僇○正義概古代反規異事與同計譽異人與同行者則以飾之無傷也正義曰劉伯莊云貴人與甲同計與乙同事說者陳言無傷甲乙也有與同[illegible]

拂符勿反
辭本作悟

其無失也索隱曰按上文言人主規事與人同計行今說者之詞不得傷於同計同行之人故可又飾其類也又若人主與同失者而說者則可明飾其無失也○正義曰人主與甲同失說者文飾甲之無失大忠無所拂辭索隱曰拂音佛大忠志在匡君於善君初不從則且退止待君之悅而又幾諫即不拂悟於君也悟言無所擊排索隱曰謂大忠說諫之詞本欲歸於安人興化亦無別有所擊射排擯按韓子作擊摩迺後申其辯知焉此所以親近不疑正義曰拂悟當為咈忤古字假借耳咈違也忤逆也言大忠之事擬安民興化事在所匡君初亦不擊排乃後周浮歷說盡君臣道合乃敢辯知說爲此所以親近而不見疑是知盡之難知盡之難也徐廣曰知一作得難一作辭○索隱曰謂人臣盡知事上之道難也韓子作得盡之辭○正義曰言說士知談說之難也爲能盡此談說之道得當人主之心君臣相合乃是知盡之難也得曠日彌久而周澤既渥索隱曰謂君臣道合曠日已久誠著於君也君之渥澤周浹於臣魚水相須鹽梅相和也深計而不疑

申韓傳五

交爭而不罪。迺明計利害以致其功。直指是非以飾其身。以此相持。此說之成也。正義曰夫知盡之難則君臣道合故得曠日彌久而周澤既渥深計而君不疑與君交爭而不罪而得明計國之利害以致其功直指是非任爵祿於身以此君臣相執持此說之成也伊尹為庖。正義曰殷本紀云乃為有莘氏媵臣負鼎俎以滋味說湯致王道是也百里奚為虜。正義曰晉世家云虜虞公及大夫百里奚以媵秦穆姬也皆所由干其上也。故此二子者皆聖人也。猶不能無役身而涉世如此其汙也。正義曰汙音烏故反庖虜是汙則非能仕之所設也。索隱曰韓子作能仕之所恥也宋有富人。天雨墻壞。其子曰不築且有盜。其鄰人之父亦云。暮而果大亡其財。其家甚知其子而疑鄰人之父。正義

申韓傳 六

曰此二人鄰父之說皆當矣而戮薄見疑非處知則難乎

昔者鄭武公欲伐胡

本云胡歸姓也括地志云胡城在豫州郾城縣界

迺以其子妻之因問羣臣曰吾欲用兵誰可伐者關其思曰胡可伐迺戮關其思曰胡兄弟之國也子言伐之何也胡君聞之以鄭爲親己而不備鄭鄭人襲胡取之此二說者其知皆當矣正義當當浪反然而甚者爲戮薄者見疑非知之難也處知則難矣昔者彌子瑕見愛於衛君衛國之法竊駕君車者罪至刖既而彌子之母病人聞往夜告之彌子矯駕君車而出君聞之而賢之曰孝哉爲母之故而犯刖

妻七計反

刖五刮反又莫越反

罪與君游果園彌子食桃而甘不盡而奉君君曰愛我哉忘其口而念我及彌子色衰而愛弛得罪於君君曰是嘗矯駕吾車又嘗食我以其餘桃故彌子之行未變於初也前見賢而後獲罪者愛憎之至變也故有愛於主則知當而加親見憎於主則罪當而加疏故諫說之士不可不察愛憎之主而後說之矣夫龍之爲蟲也正義曰龍虫類也故言龍之爲虫可擾狎而騎也然其喉下有逆鱗徑尺人有嬰之則必殺人人主亦有逆鱗說之者能無嬰人主之逆鱗則幾矣索隱曰幾庶也謂庶幾於善諫說也○

王者亦有[illegible]說者能不犯人主之逆鱗則庶幾矣人或傳其書至秦秦王見孤憤五蠹之書曰嗟乎寡人得見此人與之游死不恨矣李斯曰此韓非之所著書也秦因急攻韓韓王始不用非及急迺遣非使秦秦王悅之未信用李斯姚賈害之毀之曰韓非韓之諸公子也今王欲并諸侯非終爲韓不爲秦此人之情也今王不用久留而歸之此自遺患也不如以過法誅之秦王以爲然下吏治非李斯使人遺非藥使自殺韓非欲自陳不得見秦王後悔之使人赦之非已死矣戰國策曰秦王封姚賈千戶以爲上卿韓非短之曰賈梁監門

子之盜於梁臣於趙而遂取世監門子梁大盜趙逐臣與同社稷之計非所以勵羣臣也王召賈問之賈荅云云迺誅韓非也

申子韓子皆著書傳於後世學者多有余獨悲韓子爲說難而不能自脫耳

太史公曰老子所貴道虛無因應變化於無爲故著書辭稱微妙難識莊子散道德放論要亦歸之自然申子卑卑自勉勵之意也施之於名實韓子引繩墨切事情明是非其極慘礉礉胡革反用法慘急而覈礉深刻少恩皆原於道德之意而老子深遠矣

索隱述贊曰

老子伯陽立教　清淨無爲　道尊東魯

寓物論……

迹竄西垂　莊蒙栩栩　申害卑卑

刑名有術　說難極知　悲彼周防

終亡李斯

孤憤

韓非依爲李斯姚賈不避害言見被亡也　指李斯姚賈也　所悲也

申不害韓非列傳第三　本下老子韓非　史記六十三

大歸本於黄老　師說刻本無大字也黄老之法不尚繁華清簡無為而於則刻之意黄老之法申韓非其道不異也然其大旨不異也依刻之意宜讀歸本於黄老貞以為刻之立意未得本旨也今案韓子見有解老喩老之篇也由之觀之韓非之學大旨崇黄老之法不異無也貞本有大字也故以大歸為大歸為大抵也依貞宜讀其大抵本於黄老也刻貞所見之本各異也有大字無依貞讀無大字無依刻讀不為之適也

禮記祭統……其先人……隨也……

○黄氏日抄老子与韓非同傳論：夫非之然，余觀太史公之旨，意豈苟然哉。於老子曰無為自化，於莊子曰其要本歸於老子之言，於申不害曰本於黄老而主刑名，於韓非曰喜刑名法術之學而其歸本於黄老。夫無為自化，去刑名固霄壤也。然聖人所以納天下於善者，政教也。非太古矣，無為安能自化？政教不施，則其弊不得不出於刑名。此太史公自源徂流，詳著之為後世戒也。老子孔子皆布衣也，太史公列孔子世家，贅其為至聖，至老子則傳之管晏之次，而亦彰其弊於申韓，豈不以申韓刑名之學本在管晏功利之下，而老子則申韓之發源歟？班固謂遷論大道則先黄老而後六經，或者未之深察也。

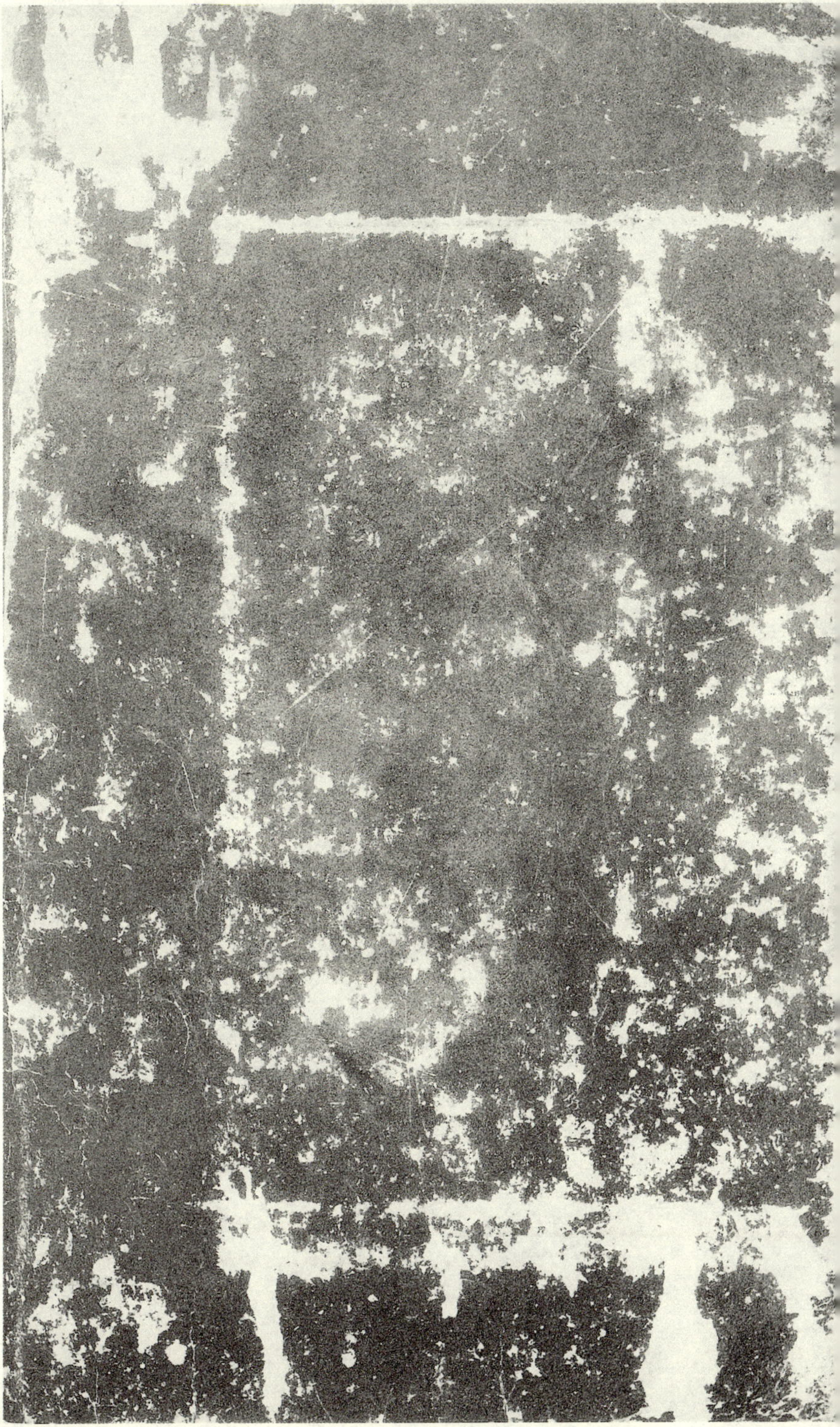

（漢）司馬遷　撰
（南朝宋）裴駰　集解
（唐）司馬貞　索隱
（唐）張守節　正義

宋本史記

第十七册

國家圖書館出版社

第十七册目録

第四 司馬穰苴

第五 吳起

第五 孫武

第六 伍子胥

史記列傳 五十七

列傳

一說云太史公者司馬遷自謂也先太史公云者司天文官名如淳引漢儀注云太史公官漢武帝置之之

位在丞相上云云其八秩（?）卑貴而掌天數也壁云如記百卷官時以神祇伺置一第一撰者司馬遷之

司馬談居此太史公官其子司馬遷又相繼居之故稱己官太史公曰書也所載之詞者皆司馬遷義也

史非他人之詞以之可知孝武紀非司馬遷撰之事

日百川學海所載宋章衷文斎筆記中衛宏漢儀注曰太史公武帝置位在丞相上天下計

書先上太史公副上丞相序事如古春秋司馬遷死後宣帝以其官為令行太史公

文書而已晉灼以宏言為非是也中在曰司馬談為太史令耳遷尊之為公[illegible]

位安書自言僕之先人文史星曆近乎卜祝之間固主上所戲弄倡優畜之流

俗之所輕也若是位在丞相上安得此言耶百官表不著言之言信云非[illegible]

日困學紀聞十一史記正義伯夷傳宋文公曰孔子謂求仁得仁又何怨太史公作伯夷傳但見伯夷滿身是怨[illegible]

叩馬之諫孔氏未嘗及之 程子曰史記所載諫詞皆非也武王伐商即位已十一年矣安得父死不葬之語

日困學紀聞十一伯夷傳天道無親常與善人若伯夷者可謂善人非耶 程子曰天道甚大安可以一

人之私意小知窺測如曰顏何為而夭跖何為而壽指一人計較天理非知天也

日困學紀聞十七[illegible]以文滑於稽後以文法於伯夷傳

司馬穰苴列傳第四　史記六十四

司馬穰苴者田完之苗裔也索隱曰穰苴田氏之族為大司馬故曰司馬穰苴也○正義曰穰音若羊反苴音子徐反曰穰苴為司馬官主兵齊景公時晉伐阿甄而燕侵河上索隱曰阿甄皆齊邑晉太康地記曰阿即東阿也地理志云甄城縣屬濟河○正義曰河上黃河南岸地即滄德二州北界齊師敗績景公患之晏嬰乃薦田穰苴曰穰苴雖田氏庶孽然其人文能附衆武能威敵願君試之景公召穰苴與語兵事大說之以為將軍索隱曰謂命之為將以將軍也將音即匠反遂以將軍為官名故尹子曰十萬之師無將軍則亂六國時有此官將兵扞燕晉之師穰苴曰臣素卑賤君擢之閭伍之中加之大夫之上士卒[illegible]

附百姓不信人微權輕願得君之寵臣國之所尊以監軍乃可於是景公許之使莊賈往穰苴既辭與莊賈約曰旦日日中會於軍門索隱曰按旦日謂明日日中時期會於軍門穰苴先馳至軍立表下漏待賈索隱曰立表謂立木爲表以視日景下漏謂下漏水以知刻數也賈素驕貴以爲將己之軍而已爲監不甚急正義已音紀監甲暫反親戚左右送之留飲日中而賈不至穰苴則仆表決漏索隱曰仆音赴作者臥其表也決漏謂決去壺中漏水以賈失期過日中故也入行軍勒兵申明約束約束既定夕時莊賈乃至穰苴曰何後期爲賈謝曰不佞大夫親戚送之故留穰苴曰將受命

白虎通云三軍者何法天地人也以五人為伍五伍為兩四兩為卒四卒為旅四旅為師二師者二千人也二師為軍三軍一万二千人易曰一人必死十人不當百人必死千人不横行天下

之日則忘其家臨軍約束則忘其親援枹鼓之急則忘其身索隱曰援音袁枹音浮○正義援亦作操枹音孚謂鼓挺也今敵國深侵邦内騷動士卒暴露於境君寢不安席食不甘味百姓之命皆懸於君何謂相送乎召軍正問曰軍法期而後至者云何對曰當斬莊賈懼使人馳報景公請救既往未及反於是遂斬莊賈以徇三軍三軍之士皆振慄久之景公遣使者持節赦賈馳入軍中穰苴曰將在軍君令有所不受魏武帝曰苟便於事不拘君命問軍正曰軍中不馳今使者馳云何正曰當斬使者大懼穰苴曰君之使

不可殺之乃斬其僕車之左駙馬之左驂以徇三軍【索隱曰謂斬其使者僕車之左駙又斬馬之左驂御者在左故也○正義曰駙音附劉伯莊云駙者箱外之立木承重較者殉行示也】遣使者還報然後行士卒次舍井竈飲食問疾醫藥身自拊循之悉取將軍之資糧享士卒身與士卒平分糧食最比【正義比作畀必耳反】其羸弱者三日而後勒兵病者皆求行爭奮出爲之赴戰晉師聞之爲罷去燕師聞之度水而解【正義曰度黄河水北去而解】於是追擊之遂取所亡封內故境而引兵歸未至國釋兵旅解約束誓盟而後入邑景公與諸大夫郊迎勞師成禮然後反歸寢

既見穰苴尊爲大司馬田氏日以益尊於齊已而大夫鮑氏高國之屬害之譖於景公景公退穰苴苴發疾而死田乞田豹之徒由此怨高國等索隱曰田乞田僖子豹亦僖子之族也其後及田常殺簡公盡滅高子國子之族至常曾孫和因自立爲齊威王索隱曰此文誤也當云田和自立至其孫因號爲齊威王故世家云田和自立號太公其孫號威王也用兵行威大放穰苴之法正義放方往反而諸侯朝齊齊威王使大夫追論古者司馬兵法而附穰苴於其中因號曰司馬穰苴兵法

太史公曰余讀司馬兵法閎廓深遠雖三代征

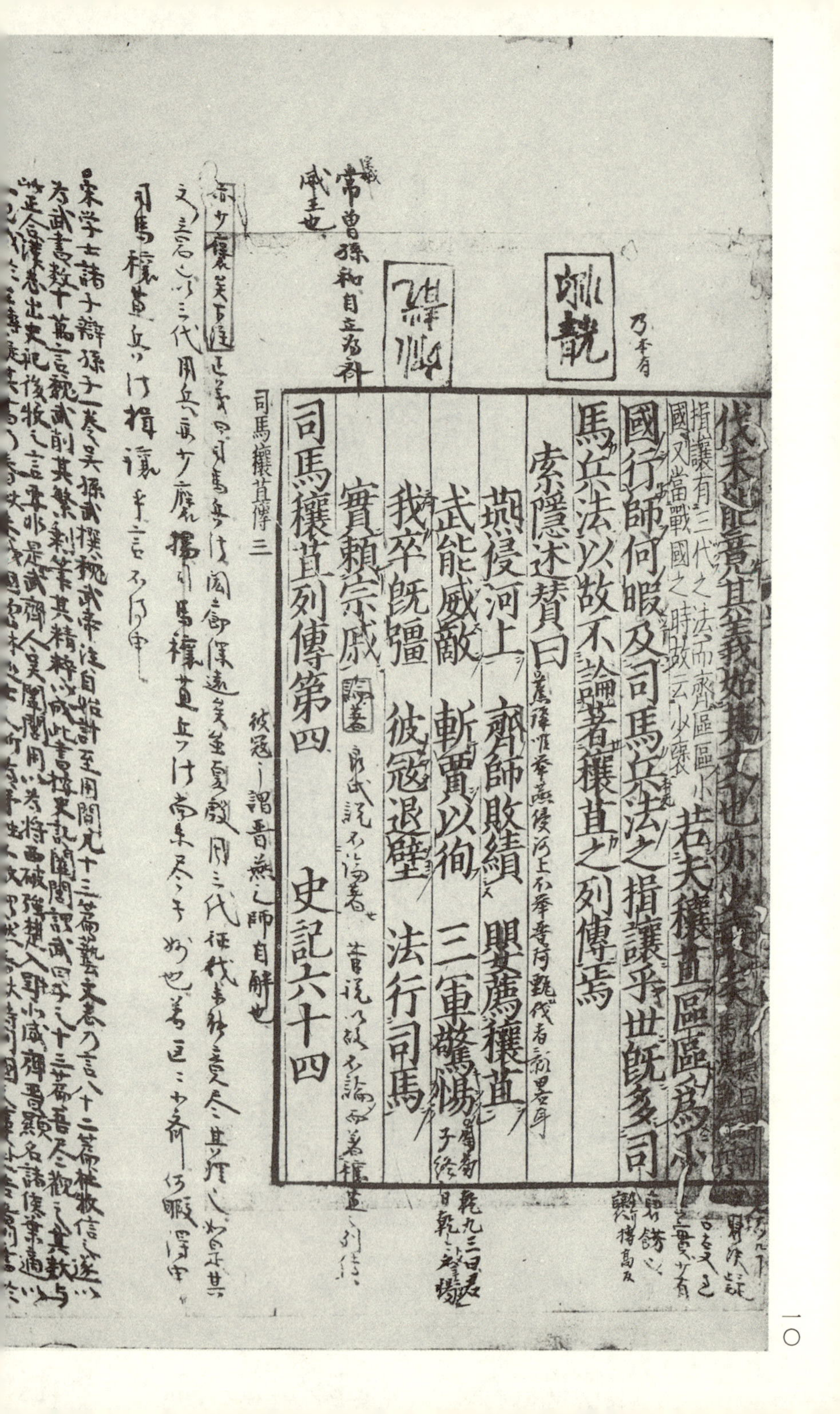

伐未能竟其義如其文也亦少褒矣若夫穰苴區區爲小

揖讓有三代之法而齊區區小國又當戰國之時故云少褒

國行師何暇及司馬兵法之揖讓乎世既多司馬兵法以故不論著穰苴之列傳焉

索隱述贊曰

燕侵河上　齊師敗績　嬰薦穰苴

武能威敵　斬寵以徇　三軍驚惕

我卒既彊　彼寇退壁　法行司馬

實賴宗戚

司馬穰苴列傳第四　史記六十四

司馬穰苴傳　三

孫子吳起列傳第五　史記六十五

孫子武者齊人也（正義曰魏武帝云孫子者齊人事於吳王闔閭爲吳將作兵法十三篇）以兵法見於吳王闔廬闔廬曰子之十三篇（正義曰七録云孫子兵法三卷案十三篇爲上卷又有中下二卷）吾盡觀之矣可以小試勒兵乎對曰可闔廬曰可試以婦人乎曰可於是許之出宮中美女得百八十人孫子分爲二隊以王之寵姬二人各爲隊長（索隱曰隊徒對反長竹兩反）皆令持戟令之曰汝知而心與左右手背乎婦人曰知之孫子曰前則視心左視左手右視右手後即視背婦人曰諾約束既布乃設鈇鉞即

三令五申之於是鼓之右婦人大笑孫子曰約束不明申令不熟將之罪也復三令五申而鼓之左婦人復大笑孫子曰約束不明申令不熟將之罪也既已明而不如法者吏士之罪也乃欲斬左右隊長吳王從臺上觀見且斬愛姬大駭趣使使下令索隱曰趣音促急也使音色吏反曰寡人已知將軍能用兵矣寡人非此二姬食不甘味願勿斬也孫子曰臣既已受命為將將在軍君命有所不受遂斬隊長二人以徇用其次為隊長於是復鼓之婦人左右前後跪起皆中規矩繩墨無

呉子二巻衛人呉起撰起嘗学於曾子其著書曰圖國料敵治兵論將應変勵士凡六篇夫干戈相尋至於戰國極矣往々以智術詐謀馳騁於利害之場其所不用夫全若曾子之徒矣起於斯時對魏武侯則曰在德不在險論制國治軍則曰教之以礼勵之以義論天下戰國則曰五勝者禍四勝者弊三勝者霸二勝者王一勝者帝數勝得天下者稀以亡者衆論為將之道則曰所慎者五一曰理二曰備三曰果四曰戒五曰約何起之異夫諸子也此所以守西河与諸侯大戰七十六全勝六十四闢土四面拓地千里宜也較之孫武則起幾於正武一乎奇其優劣判矣或者謂起為武之亞抑亦未之思歟然則我等求將帥當留意於所在取舎是

有十三篇今考孫子不分上巻五篇中巻四篇下巻四篇…三篇也

孫子吳起列傳第五　史記六十五

孫子武者齊人也（正義曰魏武帝云孫子者齊人事於吳王闔閭爲吳將作兵法十三篇）以兵法見於吳王闔廬闔廬曰子之十三篇（正義曰七録云孫子兵法三卷案十三篇爲上卷又有中下二卷）吾盡觀之矣可以小試勒兵乎對曰可闔廬曰可試以婦人乎曰可於是許之出宮中美女得百八十人孫子分爲二隊以王之寵姬二人各爲隊長（索隱曰隊徒對反長竹兩反）皆令持戟令之曰汝知而心與左右手背乎婦人曰知之孫子曰前則視心左視左手右視右手後即視背婦人曰諾約束既布乃設鈇鉞即

孫子上中下三巻魏武帝注之十三篇計中一…十三也

九十人為一隊

三令五申之於是鼓之右婦人大笑孫子曰約束不明申令不熟將之罪也復三令五申而鼓之左婦人復大笑孫子曰約束不明申令不熟將之罪也既已明而不如法者吏士之罪也乃欲斬左右隊長吳王從臺上觀見且斬愛姬大駭趣使使下令（索隱曰趣音促急也使音色吏反）曰寡人已知將軍能用兵矣寡人非此二姬食不甘味願勿斬也孫子曰臣既已受命為將將在軍君命有所不受遂斬隊長二人以徇用其次為隊長於是復鼓之婦人左右前後跪起皆中規矩繩墨無

孫臏

敢出聲於是孫子使使報王曰兵既整齊王可試下觀之唯王所欲用之雖赴水火猶可也吳王曰將軍罷休就舍寡人不願下觀孫子曰王徒好其言不能用其實於是闔廬知孫子能用兵卒以爲將西破彊楚入郢北威齊晉顯名諸侯孫子與有力焉孫武既死（越絶書曰吳縣巫門外大冢孫武冢也去縣十里○索隱曰越絶書子貢所著恐非也其書多記吳越亡後土地或後人所録○正義曰七録云越絶十六卷或云伍子胥撰）後百餘歲有孫臏臏生阿鄄之閒臏亦孫武之後世子孫也孫臏嘗與龐涓俱學兵法（索隱曰臏頻忍反龐皮江反涓古玄反）龐涓既事魏得爲惠王將軍而自

以爲能不及孫臏乃陰使召孫臏臏至龐涓恐其賢於己疾之則以法刑斷其兩足而黥之欲隱勿見齊使者如梁【正義曰今汴州】孫臏以刑徒陰見說齊使齊使以爲奇竊載與之齊齊將田忌善而客待之忌數與齊諸公子馳逐重射孫子見其馬足不甚相遠馬有上中下輩於是孫子謂田忌曰君弟重射【索隱曰弟且也重射好射也】臣能令君勝田忌信然之與王及諸公子逐射千金【正義曰射音石隨逐而射賭千金】及臨質【索隱曰質猶對也將欲對射之時也一云質謂堋䟽也】孫子曰今以君之下駟與彼上駟取君上駟與彼中駟取君

孫子吳起傳　二

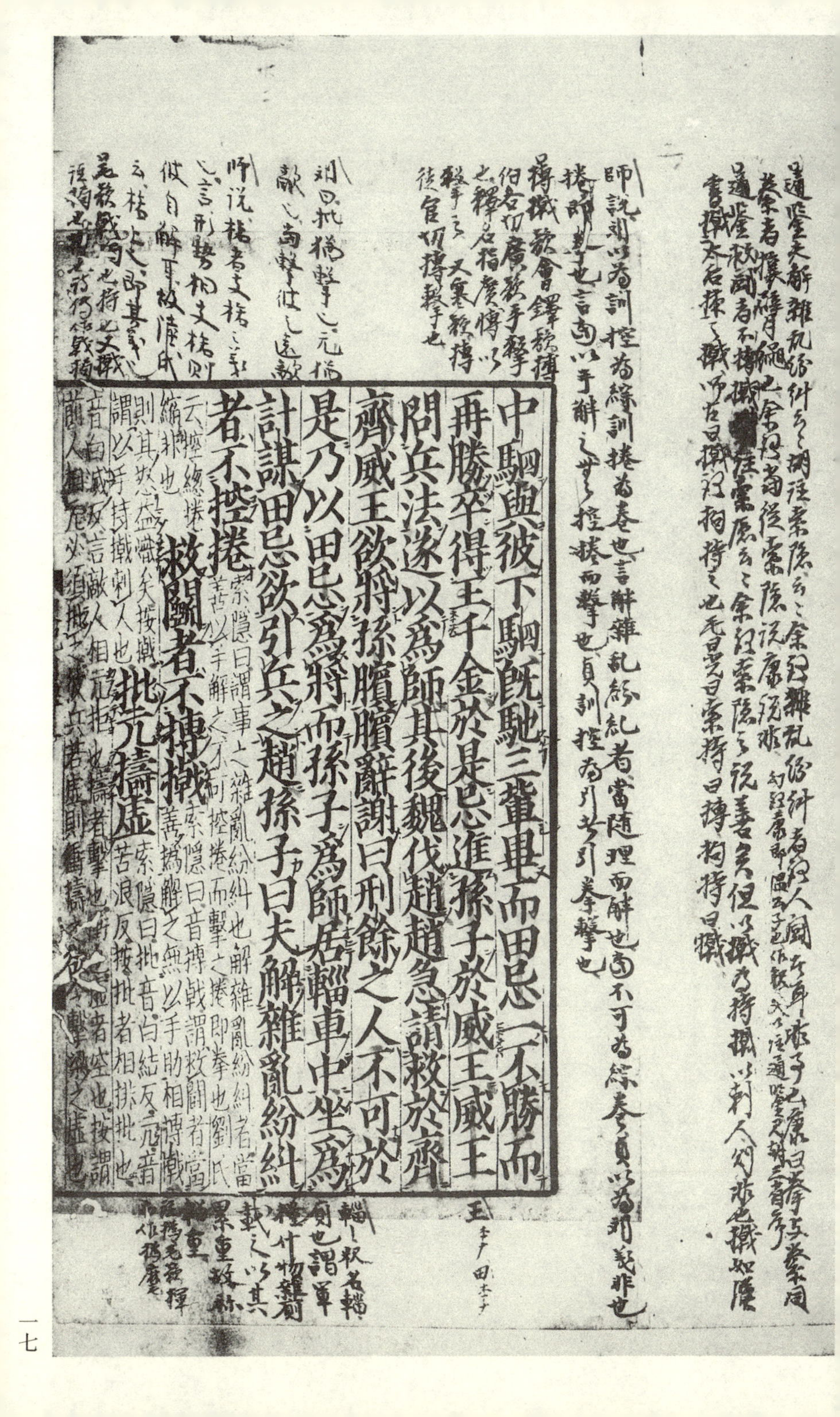

中駟與彼下駟既馳三輩畢而田忌一不勝而再勝卒得王千金於是忌進孫子於威王威王問兵法遂以爲師其後魏伐趙趙急請救於齊齊威王欲將孫臏臏辭謝曰刑餘之人不可於是乃以田忌爲將而孫子爲師居輜車中坐爲計謀田忌欲引兵之趙孫子曰夫解雜亂紛紏者不控捲索隱曰謂事上人雜亂紛紏也解雜亂紛紏者當善以手解之不可控捲而擊之捲即拳也劉氏云控總捲縮排也救鬭者不搏撠索隱曰音搏戟謂救鬭者當善擣解之無以手助相搏撠則其怒益熾矣按撠謂以手持撠刺人也批亢擣虛索隱曰批音白結反亢音苦浪反按批者相排批也音白戟反言敵人相亢拒也擣者擊也虛者空也按謂前人相亢必須批亢擣虛彼兵若虛則衝擣之擊衝之虛也

孫子吳起傳三

比當是舊語故孫子以言之也 形格勢禁則自爲解耳（索隱曰謂若批其相亢擣彼虛則是事形相格而其勢自禁止則彼自爲解兵也）今梁趙相攻輕兵銳卒必竭於外老弱罷於內君不若引兵疾走大梁據其街路衝其方虛彼必釋趙而自救是我一舉解趙之圍而收弊於魏也（索隱曰謂齊今引兵據大梁之衝是衝其方虛之時梁必釋趙而自救是一舉釋趙而弊魏）田忌從之魏果去邯鄲與齊戰於桂陵大破梁軍後十五年（索隱曰王劭按紀年梁惠王十七年齊田忌敗梁桂陵至二十七年十二月齊田肹敗梁馬陵計相去無十五歲也）魏與趙攻韓韓告急於齊齊使田忌將而往直走大梁魏將龐涓聞之去韓而歸齊軍既已過而西矣孫子謂田

中駟與彼下駟既馳三輩畢而田忌一不勝而再勝卒得王千金於是忌進孫子於威王威王問兵法遂以爲師其後魏伐趙趙急請救於齊齊威王欲將孫臏臏辭謝曰刑餘之人不可於是乃以田忌爲將而孫子爲師居輜車中坐爲計謀田忌欲引兵之趙孫子曰夫解雜亂紛糾者不控捲索隱曰謂事之雜亂紛糾也解雜亂紛糾者當若以手解之不可控捲而擊之捲即拳也劉氏云控總捲綰非也救鬬者不搏撠索隱曰音搏戟謂救鬬者當善爲解之無以手助相搏撠則其怒益熾矣按撠謂以手持撠刺人也批亢擣虛索隱曰批音白結反亢音苦浪反按批者相排批也

形格勢禁則自爲解耳（索隱曰謂若批其相亢觸手擣彼虛則是事形相格而其勢自禁止則彼自爲解兵也）今梁趙相攻輕兵銳卒必竭於外老弱罷於內君不若引兵疾走大梁據其街路衝其方虛彼必釋趙而自救是我一舉解趙之圍而收獘於魏也（索隱曰謂齊今引兵據大梁之衝是衝其方虛之時梁必釋趙而自救是一舉釋趙而獘魏）田忌從之魏果去邯鄲與齊戰於桂陵大破梁軍後十五年（索隱曰王劭按紀年梁惠王十七年齊田忌敗梁桂陵至二十七年十二月齊田肦敗梁馬陵計相去無十五歲也）魏與趙攻韓韓告急於齊齊使田忌將而往直走大梁魏將龐涓聞之去韓而歸齊軍既已過而西矣孫子謂田

孫子吳起傳三

患曰彼三晉之兵素悍勇而輕齊齊號爲怯善戰者因其勢而利導之兵法百里而趣利者蹶上將魏武帝曰蹶猶挫也○索隱曰蹶音巨月反劉氏云蹶猶斃死五十里而趣利者軍半至使齊軍入魏地爲十萬竈明日爲五萬竈又明日爲二萬竈龐涓行三日大喜曰我固知齊軍怯入吾地三日士卒亡者過半矣乃棄其步軍與其輕鋭倍日并行逐之孫子度其行暮當至馬陵馬陵道陜而旁多阻隘可伏兵乃斫大樹白而書之曰龐涓死于此樹之下於是令齊軍善射者萬弩夾道而伏期曰暮見火

舉火俱發龐涓果夜至斫木下見白書乃鑽火燭之讀其書未畢齊軍萬弩俱發魏軍大亂相失龐涓自知智窮兵敗乃自剄曰遂成豎子之名索隱曰豎子謂臏齊因乘勝盡破其軍虜魏太子申以歸孫臏以此名顯天下世傳其兵法

吳起者衛人也好用兵嘗學於曾子事魯君齊人攻魯魯欲將吳起吳起取齊女爲妻而魯疑之吳起於是欲就名遂殺其妻以明不與齊也魯卒以爲將將而攻齊大破之魯人或惡吳起曰起之爲人猜忍人也其少時家累千金游仕

三三之體待崔曙詩三晉雲山皆北向季昌復奉李唐國云云周安王時韓虔趙籍魏斯三大夫共滅

案不然則否二百四十二年之間大國若秦楚小國若越燕其行事不見於經傳者有矣何独武哉或曰風后握奇經實行兵之要其說實合乎伏羲氏之卦畫奇正相生變化不測諸葛亮得之以為八陣李靖得之以為六花陣而武為一代論兵之雄顧不及之何也曰兵勢篇不云乎戰者以正合以奇勝戰勢不過奇正奇正之變不可勝窮奇正相生如循環之無端九地篇又不云乎善用兵者譬如率然率然者常山之蛇也擊其首則尾至擊其尾則首至擊其中則首尾俱至斯固風后之遺説也曾謂其不及之可乎嗚呼古之談兵者有仁義有節制至武一趨於權術變詐流毒至於今未已也然則武者固兵家之祖亦兵家之禍首歟

蹶 トリヒサノ……義也

蹶 タヲス ……義也 フム クタク

軍半至者不及二軍

忌曰彼三晉之兵素悍勇而輕齊齊號爲怯善戰者因其勢而利導之兵法百里而趣利者蹶上將（魏武帝曰蹶猶挫也○索隱曰蹶音巨月反劉氏云蹶猶斃死）五十里而趣利者軍半至使齊軍入魏地爲十萬竈明日爲五萬竈又明日爲二萬竈龐涓行三日大喜曰我固知齊軍怯入吾地三日士卒亡者過半矣乃棄其步軍與其輕鋭倍日并行逐之孫子度其行暮當至馬陵馬陵道陜而旁多阻隘可伏兵乃斫大樹白而書之曰龐涓死于此樹之下於是令齊軍善射者萬弩夾道而伏期曰暮見火

舉火俱發龐涓果夜至斫木下見白書乃鑽火燭之讀其書未畢齊軍萬弩俱發魏軍大亂相失龐涓自知智窮兵敗乃自剄曰遂成豎子之名（索隱曰豎子謂臏）齊因乘勝盡破其軍虜魏太子申以歸孫臏以此名顯天下世傳其兵法

吳起者衛人也好用兵嘗學於曾子事魯君齊人攻魯魯欲將吳起吳起取齊女為妻而魯疑之吳起於是欲就名遂殺其妻以明不與齊也魯卒以為將將而攻齊大破之魯人或惡吳起曰起之為人猜忍人也其少時家累千金游仕

不遂遂破其家鄉黨笑之吳起殺其謗已者三十餘人而東出衛郭門與其母訣齧臂而盟曰起不為卿相不復入衛遂事曾子居頃之其母死起終不歸曾子薄之而與起絕起乃之魯學兵法以事魯君魯君疑之起殺妻以求將夫魯小國而有戰勝之名則諸侯圖魯矣且魯衛兄弟之國也而君用起則是棄衛魯君疑之謝吳起吳起於是聞魏文侯賢欲事之文侯問李克曰吳起何如人哉李克曰起貪而好色索隱曰王劭云此本克言吳起貪下文云魏文侯知起廉平盡能得士心又公叔之僕稱起為人節廉豈前貪而後廉何言之相反也今本無此言

貪者按起本家累千金破産求仕非實貪也蓋[illegible]名聲故母死不赴殺妻將[illegible]有貪迹乃其見用則盡廉能亦何異乎陳平之爲人也

然用兵司馬穰苴不能過也於是魏文侯以爲將擊秦拔五城起之爲將與士卒最下者同衣食卧不設席行不騎乘親裹贏糧與士卒分勞苦卒有病疽者起爲吮之索隱曰吮音弋軟反又才軟反卒母聞而哭之人曰子卒也而將軍自吮其疽何哭爲母曰非然也往年吳公吮其父其父戰不旋踵遂死於敵吳公今又吮其子妾不知其死所矣是以哭之文侯以吳起善用兵廉平盡能得士心乃以爲西河守以拒

孫子吳起傳第五

論語孔子曰魯衛之政兄弟也
集解包氏曰魯周公之封衛康叔之封

不遂遂破其家鄉黨笑之吳起殺其謗己者三十餘人而東出衛郭門與其母訣齧臂而盟曰起不為卿相不復入衛遂事曾子居頃之其母死起終不歸曾子薄之而與起絕起乃之魯學兵法以事魯君魯君疑之起殺妻以求將夫魯小國而有戰勝之名則諸侯圖魯矣且魯衛兄弟之國也而君用起則是棄衛魯君疑之謝吳起吳起於是聞魏文侯賢欲事之文侯問李克曰吳起何如人哉李克曰起貪而好色索隱曰王劭云此李克言吳起貪下文云魏文侯知起廉盡能得士心又公叔之僕稱起為人節廉豈前貪而後廉何言之相反也今李克言

[illegible]貪者起本家累千金破產求仕非實貪也蓋言貪者[illegible]名母故母死不赴殺妻將魯曾是也或者起未委質於魏時有貪惑及其見用則盡廉能亦何異乎陳平之為人也然用兵司馬穰苴不能過也。於是魏文侯以為將，擊秦，拔五城。起之為將，與士卒最下者同衣食，臥不設席，行不騎乘，親裹贏糧，與士卒分勞苦。卒有病疽者，起為吮之。索隱曰吮音弋軟反又才軟反卒母聞而哭之。人曰：「子卒也，而將軍自吮其疽，何哭為？」母曰：「非然也。往年吳公吮其父，其父戰不旋踵，遂死於敵。吳公今又吮其子，妾不知其死所矣。是以哭之。」文侯以吳起善用兵，廉平，盡能得士心，乃以為西河守，以拒

孫子吳起傳五

秦韓魏文侯既卒起事其子武侯武侯浮西河而下中流顧而謂吳起曰美哉乎山河之固此魏國之寶也起對曰在德不在險昔三苗氏左洞庭右彭蠡德義不脩禹滅之夏桀之居左河濟右泰華伊闕在其南羊腸在其北瓚曰今河南城爲直之阜皇甫謐曰壺關有羊腸阪在太原晉陽西北九十里脩政不仁湯放之殷紂之國左孟門索隱曰劉氏按紂都朝歌今孟山在其西今言左則東邊別有孟門也右太行常山在其北大河經其南脩政不德武王殺之由此觀之在德不在險若君不脩德舟中之人盡爲敵國也揚子法言曰美哉言乎使起之用兵每若斯則太公何以加諸武侯曰善

即封吳起爲西河守甚有聲名魏置相相田文

索隱曰呂氏春秋作商文

吳起不悅謂田文曰請與子論功可乎田文曰可起曰將三軍使士卒樂死敵國不敢謀子孰與起文曰不如子起曰治百官親萬民實府庫子孰與起文曰不如子起曰守西河而秦兵不敢東鄕韓趙賓從子孰與起文曰不如子起曰此子三者皆出吾下而位加吾上何也文曰主少國疑大臣未附百姓不信方是之時屬之於子乎屬之於我乎起默然良久曰屬之子矣文曰此乃吾所以居子之上也吳起乃

自知弗如田文田文既死公叔爲相索隱曰韓之公族尚
魏公主而害吳起公叔之僕曰起易去也公叔
曰奈何其僕曰吳起爲人節廉而自喜名也君
因先與武侯言曰夫吳起賢人也而侯之國小
又與彊秦壤界臣竊恐起之無留心也武侯即
曰奈何君因謂武侯曰試延以公主起有留心
則必受之無留心則必辭矣以此卜之君因召
吳起而與歸即令公主怒而輕君吳起見公主
之賤君也則必辭於是吳起見公主之賤魏相
果辭魏武侯武侯疑之而弗信也吳起懼得罪

遂去即之楚楚悼王素聞起賢至則相楚明法審令捐不急之官廢公族疏遠者以撫養戰鬭之士要在彊兵破馳說之言從横者於是南平百越北并陳蔡却三晉西伐秦諸侯患楚之彊故楚之貴戚盡欲害吳起及悼王死宗室大臣作亂而攻吳起吳起走之王尸而伏之擊起之徒因射刺吳起并中悼王（索隱曰楚系家悼王名疑）悼王既葬太子立（索隱曰肅王臧也）乃使令尹盡誅射吳起而并中王尸者坐射起而夷宗死者七十餘家

太史公曰世俗所稱師旅皆道孫子十三篇吳

起兵法世多有故弗論論其行事所施設者語曰能行之者未必能言能言之者未必能行孫子籌策龐涓明矣然不能蚤救患於被刑吳起説武侯以形勢不如德然行之於楚以刻暴少恩亡其軀悲夫

索隱述贊曰

孫子兵法　一十三篇　美人既斬（孫武斬吳王之美人隊長二人也）

良將得焉　刖孫臏脚　籌策龐涓

吳起相魏　西河稱賢　慘礉事楚

蓋此因抄[illegible]道之斬[illegible]孫子之斬二姬[illegible]嚴[illegible]吳起[illegible]將[illegible]妻[illegible]立少恩[illegible]

使之本末若於孫臏筭龐涓明矣然不能蚤救患於被刑吳起說武侯以形勢不如德

行於楚之以刻暴少恩亡其軀嗚呼不仁者美關兵亦爲有自全者哉

孫子吳起列傳第五　史記六十五

孫子吳起傳 八終

伍一

伍子胥列傳第六　史記六十六

伍子胥者楚人也名員父曰伍奢員兄曰伍尚其先曰伍舉以直諫事楚莊王（索隱曰舉直諫見左氏楚世家）有顯故其後世有名於楚楚平王有太子名曰建使伍奢爲太傅費無忌爲少傅（索隱曰左氏作費無極）無忌不忠於太子建平王使無忌爲太子取婦於秦秦女好無忌馳歸報平王曰秦女絶美王可自取而更爲太子取婦平王遂自取秦女而絶愛幸之生子軫更爲太子取婦無忌既以秦女自媚於平王因去太子而事平王無忌恐一旦平王

卒而太子立殺己乃因讒太子建建母蔡女也
無寵於平王平王稍益疏建使建守城父地理志頴
川有城父縣○索隱曰城父本陳邑楚伐陳而有之備邊兵頃之無忌又日夜
言太子短於王曰太子以秦女之故不能無怨
望願王少自備也自太子居城父將兵外交諸
侯且欲入為亂矣平王乃召其太傅伍奢考問
之伍奢知無忌讒太子於平王因曰王獨奈何
以讒賊小臣疏骨肉之親乎無忌曰王今不制
其事成矣王且見禽於是平王怒囚伍奢而使城
父司馬奮揚往殺太子索隱曰奮揚城父司馬之姓名也行未至

奮揚使人先告太子太子急去不然將誅太子
建亡奔宋無忌言於平王曰伍奢有二子皆賢
不誅且為楚憂可以其父質而召之不然且為
楚患王使使謂伍奢曰能致汝二子則生不能
則死伍奢曰尚為人仁呼必來員為人剛戾忍
訽（音大詬反索隱曰鄒氏作詬詬罵也音逅）能成大事彼見來之并禽
其勢必不來王不聽使人召二子曰來吾生汝
父不來今殺奢也伍尚欲往員曰楚之召我兄
弟非欲以生我父也恐有脫者後生患故以父
為質詐召二子二子到則父子俱死何益父之

死往而令讎不得報耳不如奔他國借力以雪父之恥俱滅無爲也伍尚曰我知往終不能全父命然恨父召我以求生而不往後不能雪恥終爲天下笑耳謂員可去矣汝能報殺父之讎我將歸死尚既就執使者捕伍胥伍胥貫（烏還反）弓執矢嚮使者（索隱曰劉氏貫音彎又音古患反謂滿張弓）使者不敢進伍胥遂亡聞太子建之在宋往從之奢聞子胥之亡也曰楚國君臣且苦兵矣伍尚至楚楚并殺奢與尚也伍胥既至宋宋有華氏之亂（索隱曰春秋昭二十年宋華亥向寧華定與君爭而出奔是也）乃與太子建俱奔於鄭

伍子胥傳　二

漢惠帝紀將軍四十金鄭氏曰四十金四十斤金也晉灼曰近上二千石賜錢二万此言四十金實金也下凡言黃金真金也不言黃謂錢也食貨志黃金一斤直萬錢師古曰諸賜言黃金者皆與之金不言黃者一金與萬錢錢者則紋曰序獨諸書言若干金則一金萬錢至於賜金若干斤則與金也

舊金臣瓚曰秦以一溢爲一金漢以一斤爲一金孟康曰漢律黃金一斤直萬錢遠曰漢一斤金四兩直二千五百文

太子建死于鄭

伍胥解劍

鄭人甚善之太子建又適晉晉頃公曰太子既善鄭鄭信太子太子能爲我內應而我攻其外滅鄭必矣滅鄭而封太子太子乃還鄭事未會會自私欲殺其從者從者知其謀乃告之於鄭鄭定公與子產誅殺太子建建有子名勝伍胥懼乃與勝俱奔吳到昭關（索隱曰其關在西江乃吳楚之境）昭關欲執之伍胥遂與勝獨身步走幾不得脫追者在後至江江上有一漁父乘船知伍胥之急乃渡伍胥伍胥既渡解其劍曰此劍直百金以與父父曰楚國之法得伍胥者賜粟五萬石爵

執珪豈徒百金劍邪不受伍子胥未至吳而疾止中道乞食（張勃曰子胥乞食處在丹陽溧陽縣○索隱曰張勃晉人吳鴻臚儼之子作吳錄故裴氏注引之溧音栗水名也）至於吳吳王僚方用事公子光爲將伍胥乃因公子光以求見吳王久之楚平王以其邊邑鍾離與吳邊邑卑梁氏俱蠶兩女子爭桑相攻乃大怒至於兩國舉兵相伐吳使公子光伐楚拔其鍾離居巢而歸（索隱曰二邑楚縣也鍾離在六安古鍾離子之國世本謂之終犂嬴姓之國居巢亦國也桀奔南巢其國蓋遠而尚書序巢伯來朝蓋因居之於淮南楚地）伍子胥說吳王僚曰楚可破也願復遣公子光公子光謂吳王曰彼伍胥父兄爲戮於楚而勸王伐楚

伍子胥傳 三

者欲以自報其讎耳伐楚未可破也伍胥知公子光有內志欲殺王而自立未可說以外事乃進專諸於公子光索隱曰左傳謂專設諸退而與太子建之子勝耕於野五年而楚平王卒初平王所奪太子建秦女生子軫及平王卒軫竟立爲後是爲昭王吳王僚因楚喪使二公子將兵往襲楚楚發兵絶吳兵之後不得歸吳國內空而公子光乃令專諸襲刺吳王僚而自立是爲吳王闔廬闔廬既立得志乃召伍員以爲行人而與謀國事楚誅其大臣郤宛伯州犂伯州犂之孫伯嚭

亡奔吳【徐廣曰伯州犁者晉伯宗之子[illegible] 郤宛郤宛之子曰伯嚭[illegible]】【案云殺郤宛宛之宗姓伯氏子曰嚭昇 世家云楚誅伯州犁其孫伯嚭奔吳也】吳亦以嚭為大夫前王僚所遣二公子將兵伐楚者道絕不得歸【索隱曰二公子燭庸及蓋餘也】後聞闔廬弒王僚自立遂以其兵降楚楚封之於舒闔廬立三年乃興師與伍胥伯嚭伐楚拔舒遂禽故吳反二將軍因欲至郢將軍孫武曰民勞未可且待之乃歸四年吳伐楚取六與灊【六古國皋陶之後所封灊縣有天柱山】五年伐越敗之六年楚昭王使公子囊瓦【案左傳楚公子貞字子囊其孫名瓦字子常此言公子囊瓦又兼稱囊瓦誤也】將兵伐吳吳使伍員迎擊大破

伍子胥傳 四

楚軍於豫章豫章在江南○索隱曰按杜預云昔豫章在江北蓋後徙之於江南也取楚之居巢九年吳王闔廬謂子胥孫武曰始子言郢未可入今果何如二子對曰楚將囊瓦貪而唐蔡皆怨之王必欲大伐之必先得唐蔡乃可闔廬聽之悉興師與唐蔡伐楚與楚夾漢水而陳吳王之弟夫概將兵請從索隱曰概音古齎反王不聽遂以其屬五千人擊楚將子常子常敗走奔鄭於是吳乘勝而前五戰遂至郢郢楚都○索隱曰郢音以正反又以讲反○己卯楚昭王出奔庚辰吳王入郢昭王出亡入雲夢盜擊王王走鄖音云國名○索隱曰走音奏鄖古之鄖國

鄖公弟懷曰平王殺我父我殺其子不亦可乎鄖公恐其弟殺王與王奔隨正義曰今有鄖昭王故城昭王奔隨之處宮之北城即是吳兵圍隨謂隨人曰周之子孫在漢川者楚盡滅之隨人欲殺王王子綦匿王已自為王以當之隨人卜與王於吳不吉乃謝吳不與王始伍員與申包胥為交員之亡也謂包胥曰我必覆楚包胥曰我必存之及吳兵入郢伍子胥求昭王既不得乃掘楚平王墓出其尸鞭之三百然後已申包胥亡於山中使人謂子胥曰子之報讎其以甚乎吾聞之人衆者勝天天定亦

伍子胥傳 五

能破人正義曰申包胥言聞人衆者雖一時凶暴勝天及天降其凶亦破於彊暴之人今子故平王之臣親北面而事之今至於僇死人此豈其無天道之極乎伍子胥曰爲我謝申包胥曰吾日莫途遠吾故倒行而逆施之索隱曰倒音丁老反施如字言志在復讎常恐且死不遂本心今幸而報豈論道理乎譬如人行前途尚遠而日勢已暮故其在顛倒疾行逆理施事何得責吾順理乎於是申包胥走秦告急求救於秦秦不許包胥立於秦廷晝夜哭七日七夜不絕其聲秦哀公憐之曰楚雖無道有臣若是可無存乎乃遣車五百乘救楚擊吳六月敗吳兵於稷稷地名在郊外○索隱左傳作稷丘會吳王久留楚求昭王而闔廬

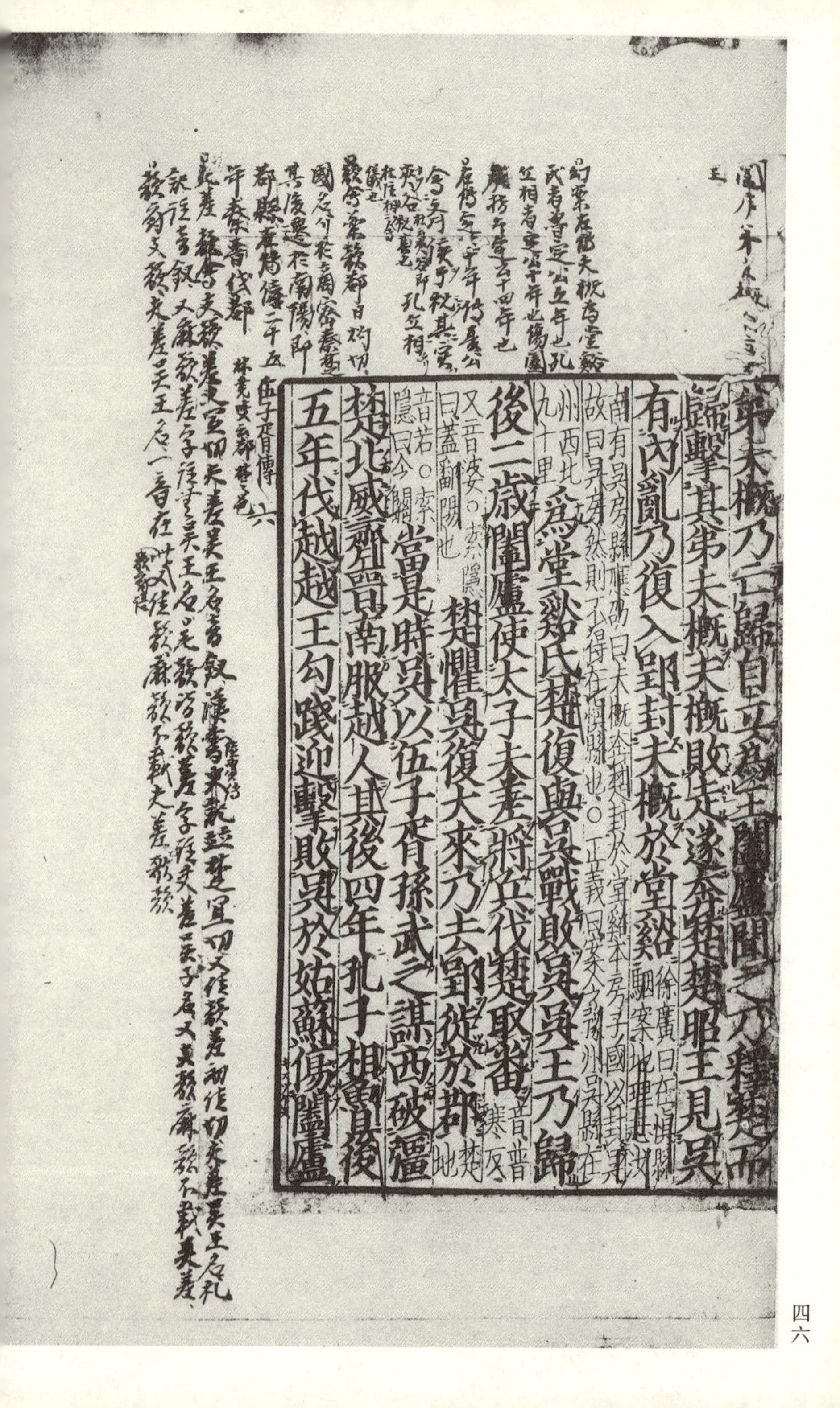

弟夫概乃亡歸自立爲王闔閭聞之乃釋楚而歸擊其弟夫概夫概敗走遂奔楚楚昭王見吳有內亂乃復入郢封夫概於堂谿（徐廣曰在吳房縣　駰案地理志汝南有吳房縣應劭曰夫概奔楚封於堂谿本房子國以封吳故曰吳房然則不得在吳房縣也○正義括地志云豫州吳房縣在州西北九十里）爲堂谿氏楚復與吳戰敗吳吳王乃歸

後二歲闔廬使太子夫差將兵伐楚取番（音普寒反又音婆○索隱曰蓋鄱陽也）楚懼吳復大來乃去郢徙於鄀（楚地音若○索隱曰今鄀）當是時吳以伍子胥孫武之謀西破彊楚北威齊晉南服越人其後四年孔子相魯後五年伐越越王勾踐迎擊敗吳於姑蘇傷闔廬

指正義曰姑蘇當作檇李乃文誤也左傳云戰檇李傷將指卒於陘是也解在吳世家軍卻闔廬病創楚良反將死謂太子夫差曰爾忘句踐殺爾父乎夫差對曰不敢忘是夕闔廬死夫差既立為王以伯嚭為太宰習戰射二年後伐越敗越於夫湫音椒○索隱曰又如字○正義曰太湖中椒山也解在吳世家越王句踐乃以餘兵五千人棲於會稽之上正義曰上地名在越州會稽縣東南十二里使大夫種厚幣遺吳索隱曰鄒氏云大夫姓種名非也按今吳南有文種碑則種姓文為大夫官也○正義曰高誘云大夫種姓文氏字子禽楚之郢人太宰嚭以請和求委國為臣妾吳王將許之伍子胥諫曰越王為人能辛苦今王不滅後必悔之吳王不聽用太

宰嚭計與越平其後五年而吳王聞齊景公死而大臣爭寵新君弱乃興師北伐齊伍子胥諫曰勾踐食不重味弔死問疾且欲有所用之也此人不死必爲吳患今吳之有越猶人之有腹心疾也而王不先越而乃務齊不亦謬乎吳王不聽伐齊大敗齊師於艾陵（正義曰括地志云艾山在兗州博城縣南百六十里本齊博邑）遂威鄒魯之君以歸（正義曰鄒君居兗州鄒縣魯曲阜縣）益疏子胥之謀其後四年吳王將北伐齊越王勾踐用子貢之謀乃率其衆以助吳而重寶以獻遺太宰嚭太宰嚭既數受越賂其愛信越殊甚

盤庚 盤庚五遷將治亳殷民咨胥怨作盤庚三篇盤庚殷王名 盤庚中ニ顛越不恭[illegible]
暫遇姦宄我乃劓殄滅之無遺育無俾易種于茲新邑 孔注顛隕越墜也不恭不奉上命暫遇人而劫奪之
之為姦於外為宄於內 左傳哀公十一年吳子胥懼曰云云盤庚之誥曰其有顛越不共則劓殄無遺育
無俾易種于茲邑是商所以興也今君易之將以求大不亦難乎 杜預云易種轉生種類

左傳作志於齊猶獲石田也無所用之杜預云石田不可耕

劓 六義 殄田典反

尚書注曰言不吉之人當割絶滅之無遺長其類無使易種於此新邑也

太宰嚭讒 吳為胥

深 式針

日夜為言於吳王吳王信用嚭之計伍子胥諫
曰夫越腹心之病今信其浮辭詐偽而貪齊破
齊譬猶石田無所用之且盤庚之誥曰有顛越
不恭劓殄滅之俾無遺育無使易種于茲邑此
商之所以興願王釋齊而先越若不然後將悔
之無及而吳王不聽使子胥於齊子胥臨行謂
其子曰吾數諫王王不用吾今見吳之亡矣汝
與吳俱亡無益也乃屬其子於齊鮑牧而還報
吳吳太宰嚭既與子胥有隙因讒曰子胥為人
剛暴少恩猜賊其怨望恐為深禍也前日王欲

破 本无

俾 本无 尚書有

臨行 一本无

無益 一作無解

愎 狠也 逼 筆力切 乏發

子胥諫吳王王不聽

故胥詳病不隨齊

之師矣

鈸今上亳蓋鈸鞅不服

鞅懟也廣韻鞅快恨也增

韻鞅不滿之也廣石韻

伯塞之快之心通作鞅

彩韓信傳居常鞅鞅

之周亞夫傳此鞅之非

伍子胥傳 史田忠往屬鏤音閭

步主臣

左傳哀公十一年傳子胥云云使於齊屬其子於鮑氏為王孫氏 杜預云私使人到齊屬其子改姓為王

孫欲以辟吳禍

句訳使於齊者杜預注文子胥傳無乎

伐齊子胥以為不可王卒伐之而有大功子胥

恥其計謀不用乃反怨望而今王又復伐齊子

胥專愎彊諫 索隱曰愎音皮逼反 沮毀用事 沮音自呂反 徒幸

吳之敗以自勝其計謀耳今王自行悉國中武

力以伐齊而子胥諫不用因輟謝詳病不行王

不可不備此起禍不難且使人微伺之其使嚭

於齊也乃屬其子於齊之鮑氏夫為人臣內不

得意外倚諸侯自以為先王之謀臣今不見用

常鞅鞅怨望願王早圖之吳王曰微子之言吾

亦疑之乃使使賜伍子胥屬鏤之劍 鏤録于反 曰子

初 本无

嚭 小板无

為 一本无

見 本无

鈸今慶長鈸、

鏤龍珠切屬

鏤劍名

縣吾東門之上正義我越軍開示浦云云家本作臣越至吳開示浦示浦蓋門名也 吳世家按五子胥 … 東門入滅吳兒

若指王夫差

父指王闔閭

望本作當

諛臣太宰嚭

長者子胥自言也

嚭今爲嚭櫝 … 下切 …

雅 檢 小而散曰檟

懸本作著

縣今 …

… 檟也一物四名

吳子胥兒

以此死。伍子胥仰天歎曰：嗟乎！讒臣嚭為亂矣，王乃反誅我。我令若父霸。自若未立時，諸公子爭立，我以死爭之於先王，幾不得立。若正義曰幾音祈既得立，欲分吳國予我，我顧不敢望也。然今若聽諛臣言以殺長者。乃告其舍人曰：必樹吾墓上以梓，令可以為器。正義曰器謂棺也以吳必亡也左傳云樹吾墓櫝櫝亦材也吳其亡乎而抉吾眼索隱曰抉音烏穴反抉亦決也縣吳東門之上，正義曰東門鱔門謂鱔門也今名葑門鱔音善葑音普佑反鱓音覆浮反越軍開示浦子胥濤盪羅城開此門有鱔隨濤入故以名門顧野王云鱔魚一名江豚欲風則涌也以觀越寇之入滅吳也。乃自剄死。吳王聞之大怒，乃取子胥尸盛以鴟夷革，應劭曰取

言以本先

哀公十一年傳作檟可材也

馬革為鴟夷。鴟夷，榼形。○正義曰：盛音成。榼音口曷反。浮之江中。徐廣曰：魯哀公十一年。○正義曰：案年表云吳王夫差十一年也。吳人憐之，為立祠於江上，正義曰：吳地記曰：越軍於蘇州東南三十里三江口，又向下三里臨江北岸立壇，殺白馬祭子胥，杯動酒盡，後因立廟於此江上。今其側有浦名上壇浦，至晉會稽太守麋豹移廟吳郭東門內道南，今廟見在。因命曰胥山。張晏曰：胥山在太湖邊，去江不遠百里，故云江上。○正義曰：吳地記云：胥山，太湖邊胥湖東岸山，西臨胥湖，山有古葬，是胥二王廟。按其廟不干子胥事，太史誤矣，張注又非。吳王既誅伍子胥，遂伐齊。齊鮑氏殺其君悼公而立陽生。吳王欲討其賊，不勝而去。其後二年，吳王召魯衛之君會之橐皋。索隱曰：音拓。皋，杜預云地名，在淮南逡遒縣東南。○正義曰：橐皋，故縣在廬州巢縣西北五十六里。其明年，因北大會諸侯於黃池，正義曰：在汴州封丘縣南七里。以令周室。越

而立 本无

吳世家今在橐皋某
索隱曰：橐音吐各反，皋音姑，逡音七巡反，遒音子秋反。一
橐六殺 正義曰：音拓

伍子胥傳 几

齊鮑氏殺其君悼公而立陽生云云。愚以世家考之，陽生者悼公之名也。☐☐殺悼公而立陽生五字未詳。又世家曰：齊人共立悼公子壬，是為簡公云云。若簡公壬為悼公陽生之子者，則立陽生下闕立壬之二字歟。若實闕二字者，可謂鮑氏殺其君悼公而立陽生子壬也。若又不然，改陽生二字作簡公，若可乎。以俟博聞。

蘇老 吳王之子 吳系家析的 藏 吳世家之第壽夢 吳王少子 悼公陽生 吳公之子 簡公壬 悼公之子

龍不殺吳太子。勾踐問范蠡曰吳已殺子胥，導諛者衆，可乎。對曰未可。至明年春，吳王北會諸侯於黃池，吳國精兵從王，惟獨老弱與太子留守。勾踐復問范蠡，蠡曰可矣。乃發習流二千，教士四萬人，君子六千人，諸御千人，伐吳。吳師敗，遂殺吳太子。吳告急於王，王方會諸侯於黃池，懼天下聞之，乃秘之。吳王已盟黃池，乃使人厚禮以請成越。越自度亦未能滅吳，乃與吳平。越王句踐世家

比周 論語為政篇子曰君子周而不比小人比而不周 孔安國曰忠信為周阿黨為比也

越滅吳 太宰嚭先受越之賂 重寶也

左傳 楚惠王 即葉公子高 沈諸梁

公子勝 遂殺之

白公勝 楚平王太子建 昭王太子軫也

王句踐襲敎吳太子[索隱曰左傳太子名友]破吳兵吳王聞之乃歸使使厚幣與越平後九年越王句踐遂滅吳殺王夫差而誅太宰嚭以不忠於其君而外受重賂與己比周也[正義曰紀卑二音]伍子胥初所與俱亡故楚太子建之子勝者在於吳吳王夫差之時楚惠王欲召勝歸楚葉公諫曰[正義曰上式涉反杜預云子高沈諸梁]勝好勇而陰求死士殆有私乎惠王不聽遂召勝使居楚之邊邑鄢[徐廣曰潁川鄢陵是○正義曰鄢音偃括地志云故鄢城在豫州郾城縣南五里與褒信白亭相近]號為白公[徐廣曰汝南褒信縣有白亭○正義曰括地志云白亭在豫州褒信縣南四十二里又有白公故城又許州扶溝縣北四十五里北又有白亭也]白公歸楚

會

還 本作哉

左傳曰子西曰勝如卵余翼而長之杜預曰以鳥為喻

三年而吳誅子胥。白公勝既歸楚，怨鄭之殺其父，乃陰養死士求報鄭。歸楚五年，請伐鄭，楚令尹子西許之。兵未發而晉伐鄭，鄭請救於楚。楚使子西往救，與盟而還。白公勝怒曰：非鄭之仇，乃子西也。勝自礪劍，人問曰（索隱曰左傳作子期之子平見曰王孫何自礪）何以為？勝曰：欲以殺子西。子西聞之，笑曰：勝如卵耳，何能為也。其後四歲，白公勝與石乞襲殺楚令尹子西、司馬子綦於朝。（索隱曰左傳作子期也）石乞曰：不殺王，不可。乃劫之王如高府。（索隱曰杜預云楚之別府）石乞從者屈固（徐廣曰一作惠王從者屈固。楚世家亦云王從者。○索隱曰蓋此本為得，而左傳云石乞尹門）

哀十六年

伍子胥傳曰附及屈固圉公陽一人乎兩人乎春秋左氏記不載之

左傳哀十六年傳曰白公欲以子閭為王，子閭不可，遂劫以兵。子閭曰：王孫若安靖楚國，匡正王室，而後庇焉，啟之願也，敢不聽從。若將專利以傾王室，不顧楚國，有死不能。遂殺之，而以王如高府。石乞尹門，圉公陽穴宮

楚世家曰惠王從者屈固負王亡走昭王夫人宮。白公自立為王月餘[illegible]

伍子胥傳十

杜預曰昭夫人王母越女

白公死 公子勝也
左傳白公奔山而縊云
従徴之云こ

貞曰二子到則父子俱死
盖于父々死不如奔他
國借力以雪父之恥俱
滅無為也
子胥乞止中道乞食云こ

門圉公陽穴宮負王以如昭夫人之宮則公陽負楚惠王亡是楚之大夫王之從者也走昭夫人之宮索隠曰昭王夫人即惠王母乃越女是也葉公聞白公為亂率其國人攻白公白公之徒敗亡走山中自殺正義曰左傳云白公奔而縊而虜石乞而問白公尸處不言將亨石乞曰事成為卿不成而亨固其職也終不肯告其尸處遂亨石乞而求惠王復立之

太史公曰怨毒之於人甚矣哉王者尚不能行之於臣下況同列乎向令伍子胥從奢俱死何異螻蟻棄小義雪大恥名垂於後世悲夫方子胥窘於江上索隠曰窘音求隕反道乞食志豈嘗須臾忘郢

注 縊 小殺下

父曰剛戾忍詢

邪故隱忍就功名非烈丈夫孰能致此哉白公

如不自立為君者其功謀亦不可勝道者哉

索隱述贊曰

讒人罔極　交亂四國　嗟彼伍氏

被茲凶慝　員独忍詬　志復冤毒

霸吳起師　伐楚逐北　鞭尸雪耻

抉眼棄德

伍子胥列傳第六　史記六十六

伍子胥傳　十一

吕黄武曰秒子胥諫吴殘荆而勸代越吴不用国遂亡然諫至再三弗聽矣讒人太宰嚭在王側又与之有隙矣不能去而之他又私託其子於齊之鮑牧而欲以取屬鏤之誅何謀吴之明若是而乃謀身之踳耶初子胥鞭平王尸申包胥責其已甚答以日暮途遠故倒行而逆施君子是以知其不終也

五子足日後十一時[illegible]

史記列傳

五十八

第七 仲尼弟子

第八 商鞅

此段見于論語先進篇也文有小異

仲尼弟子列傳第七　史記六十七

孔子曰受業身通者七十有七人（索隱曰孔子家語亦有七十七人唯文翁孔廟圖作七十二人）皆異能之士也德行顏淵閔子騫冉伯牛仲弓政事冉有季路言語宰我子貢（索隱曰論語一曰德行二曰言語三曰政事四曰文學今此文政事在言語上是其記有異也）文學子游子夏師也僻（鄭玄曰子張才過人失於邪僻文過之過○正義音僻）參也魯（孔安国曰魯鈍也曾子遲鈍）柴也愚（何晏曰愚直之愚）由也喭（鄭玄曰子路之行失於喭○正義曰喭音畔○索隱曰論語先言柴次參次師次由今此傳序之亦與論語不同不得輒言其誤也○正義音岸）回也屢空賜不受命而貨殖焉億則屢中（何晏曰言回庶幾於聖道雖數空匱而樂在其中賜不受教命唯財貨是殖億度是非蓋美回所以勵賜也一曰屢猶每也空猶虛中也以聖人之

善道教數子之庶幾猶不至於知道者各內有此害也其於庶幾每能虛中者唯回懷道深遠不虛心不能知道子貢無數子之病然亦不知道者雖不窮理而幸中雖非天命而偶富亦所以不虛心也

孔子之所嚴事於周則老子於衛蘧伯玉外寬而內直自娛於隱括之中直己而不直人汲汲於仁以善自終蓋蘧伯玉之行

於齊晏平仲於楚老萊子於鄭子產君擇臣而使之臣擇君而事之有道順命無道衡命蓋晏平仲之行也○索隱曰大戴記云蹈忠而行信終日言不在尤之內國無道處賤不悶貧而能樂蓋老萊子之行

於魯孟公綽數稱臧文仲柳下惠孝恭慈仁允德圖義約貨去怨蓋柳下惠之行銅鞮伯華介山子然孔子皆後之不並世

大戴禮曰孔子云國家有道其言足以興國家無道其默足以容蓋銅鞮伯華之所行觀於四方不忘其親苟思其親不盡其樂蓋介山子然之行也說苑曰孔子歎曰銅鞮伯華無死天下有定矣晉太康地記云銅鞮晉大夫羊舌赤之邑世號赤曰銅鞮伯華○索隱曰自臧文仲已下不孔子

仲尼弟子傳 一

後之不並世其所嚴事自老子及公綽已上皆孔子同時人也按戴德撰禮號曰大戴禮合八十五篇其四十七篇亡見今存者有三十八篇今裴氏所引在衛將軍篇孔子稱鄭子產對晉平公之辭唯舉銅鞮介山二人之行也家語又云不克不忌不念舊惡盖伯夷叔齊之行思天而敬人服義而行信盖趙文子之行事君不愛其死謀身不遺其友盖隨武子之行也 鞮者 銅鞮縣名屬上黨 ○正義曰鞮丁奚反按銅鞮潞州縣

顏回者魯人也字子淵少孔子三十歲 正義曰少成妙反

顏淵問仁孔子曰克己復禮天下歸仁焉 馬融曰克己約身也孔安國曰復反也身能反禮則為仁矣

孔子曰賢哉回也 衛瓘曰非大賢樂道不能若此故以稱之○索隱曰衛瓘字伯玉晉太保亦注論語故裴引之

一簞食一瓢飲 孔安國曰簞笥也

在陋巷人不堪其憂回也不改其樂 孔安國曰顏回樂道雖簞食在陋巷不改其所樂也

回也如愚 孔安國曰不違孔子之言默而識之如愚也

退

其明發如聖人也

藏

仲由索隱曰肇字
求初晉尚書郎〻

而省其私，亦足以發，回也不愚。孔安國曰察其退還與二三子說釋道義，發明大體，知其不愚。用之則行，舍之則藏，唯我與爾有是夫！孔安國曰言可行則行，可止則止，唯我與顏回同也。○欒肇曰用已而後行，不假隱以自高，不詭道以要名，時人無知其實者，唯我與爾有是行。○正義曰欒肇字永嗣，平人，晉尚書郎，作論語駮釋十卷及論語駮序二卷。回年二十九，髮盡白，蚤死。索隱曰家語亦云年二十九而髮白，三十二而死。王肅云此久遠之書，年數錯誤，未可詳也。校其年，則顏回死時孔子年六十一。然則伯魚年五十，先孔子卒，卒時孔子且七十也。今此爲顏回先伯魚死，而論語曰顏回死，顏路請子之車，孔子曰鯉也死，有棺而無槨，或爲設事之辭。按言回死在伯魚之前，故知以論語爲設詞。孔子哭之慟，曰：「自吾有回，門人益親。」王肅曰顏回爲孔子胥附之友，能使門人日親孔子。魯哀公問：「弟子孰爲好學？」孔子對曰：「有顏回者好學，不遷怒，不貳過，不幸短命死

述而第七曰
子謂顏淵
曰用之則〻

先進篇也

論語第三雍也篇曰
哀公問曰弟子孰〻〻

又先進篇曰季康子
問孔子答又如此今
本史公所記本雍
也篇也

雍也篇家本削不遷怒不貳過之六字故也

仲尼弟子傳

矣今也則亡 何晏曰凡人任情喜怒違理顔回任道怒不過分遷者移也怒當其理不移易也不貳過者有不善未嘗復行

閔損字子騫 鄭玄曰孔子弟子目録云魯人 少孔子十五歳 孔子曰孝哉閔子騫人不間於其父母昆弟之言 陳羣曰言子騫上事父母下順兄弟動静盡善故人不得有非間之言 不仕大夫不食汙君之禄 索隱曰論語季氏使閔子騫為費宰子騫曰善為我辭焉是不仕大夫不食汙君之禄也 如有復我者 孔安國曰復我者重來召我 必在汶上矣 孔安國曰去之汶水上欲北如齊

冉耕字伯牛 鄭玄曰魯人 孔子以為有德行伯牛有惡疾孔子往問之自牖執其手 鄭玄曰牛有惡疾不欲見人孔子從牖執其手 曰命也夫斯人也而有斯疾命也夫 包曰再言之者痛惜之甚也

内本 論語六顔淵篇曰仲弓問仁

無怨者言民歸於仁

故世[illegible]相[illegible]也

雍也 包氏曰可使南面者言任諸侯可治国政之者也

冉雍字仲弓 鄭玄曰魯人 家語云伯牛之宗族少孔子二十九歲 仲弓問政孔子曰出門如見大賓使民如承大祭 孔安國曰仁之道莫尚乎敬 在邦無怨在家無怨 包氏曰在邦爲諸侯在家爲卿大夫 孔子以仲弓爲有德行曰雍也可使南面 包氏曰可使南面言任諸侯之治 仲弓父賤人孔子曰犁牛之子騂且角雖欲勿用山川其舍諸 何晏曰犁雜文騂赤色也角者角周正中犧牲雖欲以其所生犁而不用山川寧肯舍之乎言父雖不善不害於子之美

冉求字子有 鄭玄曰魯人 少孔子二十九歲爲季氏宰季康子問孔子曰冉求仁乎曰千室之邑百乘之家 孔安國曰千室卿大夫之邑卿大夫稱家諸侯千乘大夫故曰百乘 求也可使治

孔安國曰宰家臣也

[illegible]

程嬰杵臼三孤雛

仲尼弟子傳第三

[illegible]

論語大祭下有己所不欲勿施於人文

論五三卷 雍也

犂利牛也

其賦仁則吾不知也孔安國曰賦兵賦也仁道至大不可全名也復問子路仁乎孔子對曰如求求問曰聞斯行諸包氏曰賑窮救乏之事也子曰行之子路問聞斯行諸子曰有父兄在如之何其聞斯行之孔安國曰當白父兄不可自專子華怪之敢問問同而答異孔子曰求也退故進之由也兼人故退之鄭玄曰言冉有性謙退子路務在勝尚人各因其人之失而正之仲由字子路卞人也徐廣曰尸子曰子路卞之野人索隱曰家語云一字季路亦云是卞人也少孔子九歲子路性鄙好勇力志伉直冠雄雞佩豭豚冠以雄雞佩以豭豚二物皆勇子路好勇故冠帶之陵暴孔子孔子設禮稍誘子路子路後儒服委質索隱曰服虔注左氏云古者始

事必先書其名於策委死之質於君然後爲臣示必死節於其君也因門人請爲弟子

子路問政孔子曰先之勞之孔安國曰先導之以德使民信之然後勞之易曰悦以使民民忘其勞請益曰無倦孔安國曰子路嫌其少故請益曰無倦者行此上事無倦則可

子路問君子尚勇乎孔子曰義之爲上君子好勇而無義則亂李充曰既稱君子又職爲亂階也若君親失道國家昏亂其於赴患致命而不知正止顧義者則亦陷乎爲亂而受不義之責也○索隱曰充字弘度晉中書侍郎亦作論語解小人好勇而無義則盜子路有聞未之能行唯恐有聞孔安國曰前所聞未及行故恐復有聞不得並行孔子曰片言可以折獄者其由也與孔安國曰片猶偏也聽訟必須兩辭以定是非偏信一言折獄者唯子路可也由也好勇過我無所取材樂肇曰適用曰材好勇過我用故云無所取○索隱曰肇字永初晉尚書

郎作論語義也若由也不得其死然孔安國曰不得以壽終也衣敝縕袍孔安國曰縕枲著也與衣狐貉者立而不耻者其由也與由也升堂矣未入於室也馬融曰升我堂矣未入於室耳季康子問仲由仁乎孔子曰千乘之國可使治其賦不知其仁子路喜從游遇長沮桀溺荷篠丈人子路爲季氏宰季孫問曰子路可謂大臣與孔子曰可謂具臣矣孔安國曰言備臣數而已子路爲蒲大夫索隱曰蒲衛邑子路爲之宰辭孔子孔子曰蒲多壯士又難治然吾語汝恭以敬可以執勇言恭謹謙敬勇猛不能害故曰執也寬以正可以比衆言寬大清正衆必歸近之恭正以靜可以報上物

蕢（立怪反）聵（牛怪反）

蕢字左傳作蒯

孔圉文子嫁蒯聵妹，生悝也

出公，太子蒯聵子也

已（本ナ）

衛靈公有寵姬曰南子。靈公太子蕢聵得過南子，懼誅出奔。及靈公卒而夫人欲立公子郢。郢不肯，曰：亡人太子之子輒在。於是衛立輒爲君，是爲出公。出公立十二年，其父蕢聵居外，不得入。子路爲衛大夫孔悝之邑宰。（索隱曰服虔云爲孔悝之邑宰）蕢聵乃與孔悝作亂，（索隱曰左傳蒯聵入孔悝家，悝母伯姬劫悝於廁，彊與之盟而立蒯聵，非悝本心自作亂也）謀入孔悝家，遂與其徒襲攻出公。出公奔魯，而蕢聵入立，是爲莊公。方孔悝作亂，子路在外，聞之而馳往，遇子羔出衛城門，謂子路曰：出公去矣，而門已閉，子可還矣，毋空受其禍。子

得過上六。違夫人之情也。

哀公十五年傳

仲尼弟子傳五

路曰食其食者不避其難子羔卒去有使者入城城門開子路隨而入造蕢聵蕢聵與孔悝登臺子路曰君焉用孔悝請得而殺之蕢聵弗聽於是子路欲燔臺蕢聵懼乃下石乞壺黶攻子路擊斷子路之纓子路曰君子死而冠不免遂結纓而死孔子聞衛亂曰嗟乎由死矣已而果死故孔子曰自吾得由惡言不聞於耳（王肅曰子路為孔子侍衛故侮慢之人不敢有惡言是以惡言不聞於孔子耳）是時子貢為魯使於齊（索隱曰左傳子貢為魯使齊在哀十五年蓋此文錯誤也聊亦記之）宰予字子我（鄭玄曰魯人）利口辯辭既受業問三年

之喪不已久乎君子三年不爲禮禮必壞三年不爲樂樂必崩舊穀既沒新穀既升鑽燧改火期可已矣（馬融曰周書月令有更火之文春取楡柳之火夏取棗杏之火季夏取桑柘之火秋取柞楢之火冬取槐檀之火一年之中鑽火各異木故曰改火也）子曰於女安乎曰安汝安則爲之君子居喪食旨不甘聞樂不樂故弗爲也（孔安國曰旨美也責其無仁於親故言汝安則爲之）宰我出子曰予之不仁也子生三年然後免於父母之懷（馬融曰子生未三歲爲父母所懷抱也）夫三年之喪天下之通義也（孔安國曰自天子達於庶人）宰我晝寢子曰朽木不可雕也（包氏曰朽腐也雕雕琢刻畫）糞土之牆不可杇也（王肅曰杇墁也二者喩雖施功猶不成也）宰我問五帝

疏引國語周書中月令之語有改火之文未爲證也

汝安則爲之其無孔子責之宰我無隱諱也

宰我廢學而晝寢糞土之牆可以喻者也以是譏其惰學而無節也

仲尼弟子傳六

爲臨菑大夫與田常作亂夷其族孔子恥之

滹南王論古史部遷之述宰我也曰宰我常從田常噫以宰我之智而爲僭逆之事乎藉公辯之宜矣遷之述子貢也曰子貢一出而變易五國噫以子貢之達而有變詐之謀乎藉公訂之當矣註云子由曰太史公宰我爲臨淄大夫與田常作亂夷其族孔子恥之余以爲宰我之賢列於四科不至於從叛逆也蓋田常之亂本與闞止爭政闞止亦曰子我也子由曰太史稱子貢一出而存魯亂齊破吳強晉伯越予觀左傳齊之伐魯本於悼公之怒季姬而非陳常吳之伐齊本怒悼公之反覆而非子貢凡太史公所紀皆非也蓋戰國說客設爲子貢之辭而太史公信之耳

之德予曰予非其人也王肅曰言不足以明五帝之德也宰我爲臨菑大夫索隱曰謂仕齊爲齊都臨菑大夫與田常作亂以夷其族孔子恥之索隱曰左氏無宰我與田常作亂之文然有闞止字子我而因爭寵子我爲陳恒所殺恐字與宰予相涉因誤云然

端木賜衛人字子貢少孔子三十一歲子貢利口巧辭孔子常黜其辯問曰汝與回也孰愈孔安國曰愈猶勝也對曰賜也何敢望回回也聞一以知十賜也聞一以知二子貢既已受業問曰賜何人也孔子曰汝器也孔安國曰言汝器用之人曰何器也曰瑚璉也包氏曰瑚璉黍稷器夏曰瑚殷曰璉周曰簠簋宗廟之貴器陳子禽問子貢曰仲尼

侃疏曰：孔子入人境，觀其民之五德，則知其君所行之政也。故梁冀云：夫子至其國，入其境，觀察風俗，以知其政教。其民溫良，則其君政教之溫良也；其民恭儉讓，則政教恭儉讓也。孔子但見其民，則知其君政教之得失也。

焉學？子貢曰：文武之道未墜於地，在人。賢者識其大者，不賢者識其小者，莫不有文武之道。夫子焉不學？孔安國曰：文武之道未墜落於地，賢與不賢各有所識，夫子無所不從學。而亦何常師之有？孔安國曰：無所不從學，故無常師。又問曰：孔子適是國，必聞其政，求之與？抑與之與？鄭玄曰：怪孔子所至之邦必與聞國政，求而得之耶？抑人君自願與之為治？子貢曰：夫子溫良恭儉讓以得之。夫子之求之也，其諸異乎人之求之也。鄭玄曰：言夫子行此五德而得之，與人求之異，明人君自與之。子貢問曰：富而無驕，貧而無諂，何如？孔子曰：可也。孔安國曰：未足多也。不如貧而樂道，富而好禮。鄭玄曰：樂謂志於道，不以貧為憂苦也。田常欲作亂於齊，憚

國惠子　高昭子

鮑牧　晏圉仲

子貢至齊

高國鮑晏故移其兵欲以伐魯孔子聞之謂門弟子曰夫魯墳墓所處父母之國國危如此二三子何爲莫出子路請出孔子止之子張子石索隱曰公孫龍也請行孔子弗許子貢請行孔子許之遂行至齊說田常曰君之伐魯過矣夫魯難伐之國其城薄以卑其地狹以泄索隱曰越絕書其泄字作淺其君愚而不仁大臣僞而無用其士民又惡甲兵之事此不可與戰君不如伐吳夫吳城高以厚地廣以深甲堅以新士選以飽重器精兵盡在其中又使明大夫守之此易伐也田常忿然作色

君ハ指田常ヲ

曰子之所難人之所易子之所易人之所難而
以教常何也子貢曰臣聞之憂在內者攻彊憂
在外者攻弱今君憂在內吾聞君三封而三不
成者大臣有不聽者也今君破魯以廣齊戰勝
以驕主破國以尊臣（王肅曰鮑晏等帥師若破國則臣尊矣）而君之功
不與焉則交日疏於主是君上驕主心下恣羣
臣求以成大事難矣夫上驕則恣臣驕則爭是
君上與主有郤下與大臣交爭也如此則君之
立於齊危矣故曰不如伐吳伐吳不勝民人外
死大臣內空是君上無彊臣之敵下無民人之

夫今齊ト呉ト者共ニ千鈞重也齊ノ若稱魯相和則加銖兩以增齊重也是彊敵也然則齊ト呉ト共ニ争強大事也不如救魯顯名ナニハ

呉王ハ夫差也
越王ハ句踐也

過孤主制齊者唯君也田常曰善雖然吾兵業已加魯矣去而之吳大臣疑我奈何子貢曰君按兵無伐臣請往使吳王令之救魯而伐齊君因以兵迎之田常許之使子貢南見吳王說曰臣聞之王者不絕世霸者無彊敵千鈞之重加銖兩而移今以萬乘之齊而私千乘之魯與吳爭彊竊爲王危之且夫救魯顯名也伐齊大利也以撫泗上諸侯誅暴齊以服彊晉利莫大焉名存亡魯實困彊齊智者不疑也吳王曰善雖然吾嘗與越戰棲之會稽越王苦身養士有報

子貢之越

我心子待我伐越而聽子子貢曰越之勁不過魯吳之彊不過齊王置齊而伐越則齊已平魯矣且王方以存亡繼絶爲名夫伐小越而畏彊齊非勇也夫勇者不避難仁者不窮約智者不失時王者不絶世以立其義今存越示諸侯以仁救魯伐齊威加晉國諸侯必相率而朝吳霸業成矣且王必惡越（索隱曰惡猶畏也）臣請東見越王令出兵以從此實空越名從諸侯以伐也吳王大説乃使子貢之越越王除道郊迎身御至舍而問曰此蠻夷之國大夫何以儼然辱而臨之子

貢曰今者吾說吳王以救魯伐齊其志欲之而畏越曰待我伐越乃可如此破越必矣且夫無報人之志而令人疑之拙也有報人之意使人知之殆也事未發而先聞危也三者舉事之大患句踐頓首再拜曰孤嘗不料力乃與吳戰困於會稽痛入於骨髓日夜焦脣乾舌徒欲與吳王接踵而死孤之願也遂問子貢子貢曰吳王為人猛暴羣臣不堪國家敝於數戰士卒弗忍百姓怨上大臣內變子胥以諫死（索隱曰王劭按家語越絕書並無此五字是子胥未死）太宰嚭用事順君之過以安其私是

齊晉相共攻吳則吳必弱カラン

殘國之治也今王誠發士卒佐之以徼其志徼音古堯反王肅曰徼射其志重寶以說其心卑辭以尊其禮其伐齊必也彼戰不勝王之福矣戰勝必以兵臨晉臣請北見晉君令共攻之弱吳必矣其銳兵盡於齊重甲困於晉而王制其敝此滅吳必矣越王大說許諾送子貢金百鎰劒一良矛二子貢不受遂行報吳王曰臣敬以大王之言告越王越王大恐曰孤不幸少失先人內不自量抵罪於吳軍敗身辱棲于會稽國為虛莽虛音墟莽音莫朗反○索隱曰有本作棘恐誤也賴大王之賜使得奉俎豆而修祭祀

仲尼弟子傳十

荊公詩集四十八注引鄭子子貢詩云一來齊境覺動奸臣去說驕王亦苦辛魯國存亡吳有命區區數語後來何人到須深評因信大於國身重於天下李壁箋注云奸臣謂齊田常也子貢雖說令其伐吳而意謂臣閑齊在外者攻弱云云如此是動奸也云云言國之廢興存亡自有天命乃飾詐設辭如儀秦之為雖純存魯國不足進也云云

昌國學伝創才之論語鄭玄孔門高弟唯顔曾子貢太史公稱子貢一出存魯亂齊破吳彊晉伯越是以戰國說客從子貢也又列于貨殖傳以論語一言而斷之後學可乎子貢閔一以貫之之傳云曾子同在貨殖何足以病之

與大義者欲攻齊也

鈇一作鈇

死不敢忘何謀之敢慮後五日越使大夫種頓首言於吳王曰東海役臣孤句踐使者臣種敢修下吏問於左右今竊聞大王將興大義誅彊救弱困暴齊而撫周室請悉起境內士卒三千人孤請自被堅執鋭以先受矢石因越賤臣種奉先人藏器甲二十領鈇屈盧之矛（索隱曰鈇音膚謂斧也劉氏云一本無此字屈盧矛名）步光之劍以賀軍吏吳王大說以告子貢曰越王欲身從寡人伐齊可乎子貢曰不可夫空人之國悉人之衆又從其君不義君受其幣許其師而辭其君吳王許諾乃謝越王

子貢之晉

越王伐吳

於是吳王乃遂發九郡兵伐齊子貢因去之晉謂晉君曰臣聞之慮不先定不可以應卒索隱曰卒謂急卒也言計慮不先定不可以應急卒有非常之事兵不先辨不可以勝敵今夫齊與吳將戰彼戰而不勝越亂之必矣與齊戰而勝必以其兵臨晉晉君大恐曰爲之奈何子貢曰脩兵休卒以待之晉君許諾子貢去而之魯吳王果與齊人戰於艾陵索隱曰左傳在哀十一年大破齊師獲七將軍之兵而不歸果以兵臨晉與晉人相遇黃池之上索隱曰左傳黃池之會在哀十三年越入吳吳與越平也吳晉爭彊晉人擊之大敗吳師越王聞之涉江襲吳

吳王夫差死
不守上亦有得字也

去城七里而軍吳王聞之去晉而歸與越戰於五湖三戰不勝城門不守越遂圍王宮殺夫差而戮其相索隱曰左傳越滅吳在哀二十二年則事並懸隔數年蓋此文欲終說其事故其辭相連也破吳三年東向而霸故子貢一出存魯亂齊破吳彊晉而霸越子貢一使使勢相破十年之中五國各有變索隱曰按左傳謂魯齊晉吳越也故云子貢一出存魯亂齊破吳彊晉而霸越子貢好廢舉與時轉貨貲廢舉謂停貯也與時謂逐時也夫物賤則買而停貯值貴即逐時轉易貨賣取資利也○索隱曰家語貨作化王肅云廢舉謂買賤賣貴也轉化謂隨時轉貨以殖其資也劉氏云廢謂物貴而賣之舉謂物賤而買之轉貨謂轉貴收賤也喜揚人之美不能匿人之過常相魯衛家累千金卒終于齊

年一本作居

言偃吳人索隱曰家語云魯人按偃仕魯爲武城宰耳今吳郡有言偃冢蓋吳郡人爲是也字子游少孔子四十五歲子游既已受業爲武城宰正義曰括地志云存兗州即南城也輿地志云南武城縣魯武邑城子游爲宰者也在泰山郡孔子過聞弦歌之聲孔子莞爾而笑何晏曰莞爾小笑貌曰割雞焉用牛刀孔安國曰言治小何須用大道子游曰昔者偃聞諸夫子曰君子學道則愛人小人學道則易使孔安國曰道謂禮樂也樂以和人人和則易使孔子曰二三子孔安國曰從行者偃之言是也前言戲之耳孔安國曰戲以治小而用大孔子以爲子游習於文學

卜商字子夏家語云衛人鄭玄曰溫國卜商○索隱曰溫國今河內溫縣元屬衛故少孔

仲尼弟子傳十三

子四十四歲子夏問巧笑倩兮美目盼兮素以爲絢兮何謂也馬融曰倩笑貌盼動目貌絢文貌此上二句在衛風碩人之二章其下一句逸詩子曰繪事後素鄭玄曰繪畫文也凡畫繪先布衆色然後以素分布其間以成其文喻美女雖有倩盼美質亦須禮以成也曰禮後乎何晏曰孔言繢事後素子夏聞而解知以素喻禮故曰禮後乎孔子曰商始可與言詩已矣包曰能發明我意可與言詩矣

子貢問師與商孰賢子曰師也過商也不及孔安國曰言俱不得中然則師愈與曰過猶不及子謂子夏曰汝爲君子儒無爲小人儒何晏曰君子之儒將以明道小人爲儒則矜其名

孔子既没子夏居西河教授索隱曰在河東郡之西界盖近龍門劉氏云今同州河西縣有子夏石室學堂在也○正義曰西河郡今汾州也爾雅云兩河間曰冀州禮記云自東河至於西河河東

故號龍門河爲西河漢因爲謂西河郡汾州也子夏所教處括地志云謁泉山一名隱泉山在汾州隰城縣北四十里注水經云其山崖壁立崖半有一石室去地五十丈頂上平地十許頃隨國集記云此爲子夏石室退老西河居此有卜商神祠今見在

爲魏文侯師 索隱曰子夏文學著於四科序詩傳禮志而此史並不論空記論語小事亦其疎也○正義曰文侯都安邑孔子卒後子夏教於西河之上文侯師事之咨問國政焉

其子死哭之失明

顓孫師陳人 索隱曰鄭玄目録陽城人陽城縣名亦屬陳郡也 字子張少孔子四十八歲

子張問干祿 鄭玄曰干求也祿祿位也 孔子曰多聞闕疑慎言其餘則寡尤 包氏曰尤過也疑則闕之其餘不疑猶慎言之則少過 多見闕殆慎行其餘則寡悔 包氏曰殆危也所見危者闕而不行則少悔 言寡尤行寡悔祿在其中矣 鄭玄曰言行如此雖不得

凡在祿位者非少事則多闕尚有所疑闕之不作慎行其餘則寡悔也是祿位之道也

禮記檀弓曰子夏喪其子而喪其明 曾子弔之曰吾聞之也朋友喪明則哭之 曾子哭子夏亦哭曰天乎予之無罪也 曾子怒曰商女何無罪也吾與女事夫子於洙泗之間退而老於西河之上使西河之民疑女於夫子爾罪一也喪爾親使民未有聞焉爾罪二也喪爾子喪爾明爾罪三也而曰女何無罪與 子夏投其杖而拜曰吾過矣吾過矣吾離群而索居亦已久矣

子四十四歲。子夏問：巧笑倩兮，美目盼兮，素以爲絢兮，何謂也。馬融曰：倩，笑貌；盼，動目貌；絢，文貌。此上二句在衛風碩人之二章，其下一句逸詩。子曰：繪事後素。鄭玄曰：繪，畫文也。凡繪畫先布衆色，然後以素分布其間以成其文，喻美女雖有倩盼美質，亦須禮以成也。曰：禮後乎。孔安國曰：孔子言繪事後素，子夏聞而解，知以素喻禮，故曰禮後乎。孔子曰：商始可與言詩已矣。包曰：能發明我意，可與言詩矣。

先進篇

子貢問師與商孰賢，子曰：師也過，商也不及。孔安國曰：言俱不得中。然則師愈與？子曰：過猶不及。子謂子夏曰：汝爲君子儒，無爲小人儒。[illegible]曰：君子爲儒將以明道，小人爲儒則矜其名。

孔子既没，子夏居西河教授。索隱曰：在河東郡之西界，蓋近龍門。劉氏云：今同州河西縣有子夏石室學堂在也。○正義曰：西河郡今汾州也。爾雅云：兩河間曰冀州。禮記云：自東河至於西河，河東

凡在祿位者事
好多聞有所疑闕
之不作慎行其餘則
寡悔也是祿位之道也
礼記檀弓曰子夏喪
其子而喪其明鄭氏注曰
明目精也曾子弔之曰吾
聞之也朋友喪其明仲尼弟子傳十三
則哭之也痛之曾子哭子夏亦哭曰天乎予之無罪也悲天而訴曾子怒曰商汝何無罪也吾与汝
事夫子於洙泗之間言其有師也洙泗魯水名也退而老西河之上西河龍門至華陰之地使西河之民疑汝於夫子尔罪一也言其
不称師也喪尔親使民未有聞焉尔罪二也言居親喪無異稱喪尔子喪尔明尔罪三也言隆於妻子也而曰汝何無
罪與子夏投其杖而拜曰吾過矣吾過矣吾離群而索居亦已久矣群謂同門朋友也索猶散也
疏始哭者疑女於夫子者疑不称其師自有為談說辯慧聰睿絶異於人使西河之民疑女道徳与夫子相似

山號龍門河為西河漢因為西河郡汾州也子夏所教處括地志云謁泉山一名隱泉山在汾州隰城縣北四十里注水經云其山崖壁立崖半有一石室去地五十丈頂上平地十許頃隨國集記云此為子夏石室退老西河居此有卜商神祠今見在**為魏文侯師**索隱曰子夏文學著於四科序詩傳易又孔子以春秋屬商又傳禮著在禮志而此史並不論空記論語小事亦其疎也○正義曰文侯都安邑孔子卒後子夏教於西河之上文侯師事之咨問國政焉**其子死哭之失明**

顓孫師陳人索隱曰鄭玄目錄陽城人陽城縣名亦屬陳郡也**字子張少孔子四十八歲子張問干祿**鄭玄曰干求也祿祿位也**孔子曰多聞闕疑慎言其餘則寡尤**包氏曰尤過也疑則闕之其餘不疑猶慎言之則少過**多見闕殆慎行其餘則寡悔**包氏曰殆危也所見危者闕而不行則少悔**言寡尤行寡悔祿在其中矣**鄭玄曰言行如此雖不得

祿得祿之道

他日從在陳蔡間行孔子曰言忠信行篤敬雖蠻貊之國行也言不忠信行不篤敬雖州里行乎哉 鄭玄曰二千五百家為州五家為鄰五鄰為里行乎哉言不可行 立則見其參於前也在輿則見其倚於衡夫然後行 包氏曰衡軛也言思念忠信立則常想見參然在目前在輿則若倚於車軛 子張書諸紳 孔安國曰紳大帶也

子張問士何如斯可謂之達矣孔子曰何哉爾所謂達者子張對曰在國必聞在家必聞 鄭玄曰言士之所在皆能有名譽 孔子曰是聞也非達也夫達者質直而好義察言而觀色慮以下人 馬融曰常有謙退之志察言語觀顏色知其所欲其念慮常欲以下於人 在國必達在家必達

尊而光卑而不可踰

夫聞也者，色取仁而行違，居之不疑，曰此言佞人也佞人假仁者之色行之則違安居其僞而不自疑在國及家必聞。馬融曰佞人黨多

曾參，南武城人，索隱曰武城屬魯當時魯更有北武城故言南也○正義曰括地志云南武城在兗州子游為宰者也地理志云定襄有武城清河有武城故此云南武城也字子輿。少孔子四十六歲。孔子以為能通孝道，正義曰韓詩外傳云曾子曰吾嘗仕為吏祿不過鍾釜尚猶欣欣而喜者非以為多也樂道養親也親沒之後吾嘗南游於越得尊官堂高九仞榱提三尺轉轂百乘然猶北向而泣者非為賤也悲不見吾親也故授之業。作孝經。死於魯。

澹臺滅明，包氏曰澹臺姓滅明名○正義曰括地志云延津在滑州靈昌縣東北里注水經云黃河水至此為之延津昔澹臺子羽齎千金之璧渡河陽侯波起兩蛟夾舟子羽曰吾可以義求不可以威劫操劍斬蛟蛟死乃投

夫聞者色取仁而行違居之不疑

在國及家必聞

禄得禄之道

他日從在陳蔡間絕問行孔子曰言忠信行篤敬雖蠻貊之國行也言不忠信行不篤敬雖州里行乎哉 鄭玄曰二千五百家爲州五家爲鄰五鄰爲里行乎哉言不可行 立則見其參於前也在輿則見其倚於衡夫然後行 包氏曰衡軛也言思念忠信立則常想見參然在目前在輿則若倚於車軛 子張書諸紳 孔安國曰紳大帶也 子張問士何如斯可謂之達矣孔子曰何哉爾所謂達者子張對曰在國必聞在家必聞 鄭玄曰言士之所在皆能有名譽 孔子曰是聞也非達也夫達者質直而好義察言而觀色慮以下人 馬融曰常有謙退之志察言語觀顏色知其所欲其念慮常欲以下於人 在國及家必達 [illegible]

尊而光卑而不可踰夫聞也者色取仁而行違居之不疑馬融曰此言佞人也佞人假仁者之色行之則違安居其僞而不自疑在國及家必聞馬融曰佞

人黨

參

曾參南武城人索隱曰武城屬魯當時魯更有北武城故言南也○正義曰括地志云南武城在兗州子游爲宰者地里志云定襄有武城清河有武城故此云南武城也字子輿少孔子

四十六歲孔子以爲能通孝道正義曰韓詩外傳云曾子曰吾嘗仕爲吏祿不過鍾釜尚猶欣欣而喜者非以爲多也樂道養親也親沒之後吾嘗南遊於越得尊官堂高九仞榱題三尺轂百乘然猶北向而泣者非爲賤也悲不見吾親也故授之業作孝經死於魯

澹臺滅明包氏曰澹臺姓滅明名○正義曰括地志云澹津在滑州靈昌縣東北里注水經云黃河水至亦爲之延津昔澹臺子羽齎千金之璧渡河陽侯波起兩蛟夾舟子羽曰吾可以義求不可以威劫操劍斬蛟蛟死乃投

仲尼弟子傳十四

璧於河三投而輒躍出乃毀璧而去示無悋意即此津也武城人正義曰括地志云武城在兗州字子羽少孔子三十九歲狀貌甚惡欲事孔子孔子以為材薄既已受業退而脩行行不由徑非公事不見卿大夫包氏曰言其公且方南游至江索隱曰今吳國東南有澹臺湖即其遺迹所在也從弟子三百人設取予去就名施乎諸侯孔子聞之曰吾以言取人失之宰予以貌取人失之子羽索隱曰家語子羽有君子之容而行不勝其貌宰我有文雅之辭而智不充其辯孔子曰以容取人則失之子羽以言取人則失之宰予今云滅明狀貌甚惡則以子羽形陋也正與家語相反○正義曰按澹子羽墓在兗州鄒城縣是也

宓不齊字子賤孔安國曰魯人○正義曰顏氏家訓云兗州永昌郡城舊單父縣也東有子賤[illegible]

世所行乃云濟南伏生即子賤之後是虙之與伏古來通字誤以為宓較可明矣虙字從虍音呼宓字從宀音綿下俱為宓世傳寫誤也

少孔子四十九歲索隱曰家語少孔子三十歲此云四十九不同孔子謂子賤君子哉魯無君子斯焉取斯無君子子賤安得此行而學行之子賤為單父宰正義曰宋州縣也說苑云宓子賤理單父彈琴身不下堂而單父理巫馬期以星出以星入而單父亦理巫馬期問其故宓子賤曰我之謂任人子之謂任力任力者勞任人者逸反命於孔子曰此國有賢不齊者五人索隱曰家語云不齊所父事者三人所兄事者五人所友者十一人與此不同教不齊所以治者孔子曰惜哉不齊所治者小所治者大則庶幾矣

原憲字子思鄭玄曰魯人○索隱曰家語宋人所記不同少孔子三十六歲子思問恥孔子曰國有道穀孔安國曰穀祿也邦有道當食祿國無道

疏曰公冶長從衛還魯行至二界上聞鳥相呼往清溪食死人肉須臾見一老嫗當道而哭冶長問之嫗曰兒前日出行于今不反當是已死未知所在冶長曰向聞鳥相呼往清溪食肉恐是嫗兒也往見即得其兒也已死嫗即告村司村司問嫗從何得知之嫗曰見冶長道如此村官曰冶長不殺人何緣知之因錄冶長付獄主問冶長何以殺人冶長曰解鳥語不殺人主曰當試之若必解鳥語便相放若不解當令償死駐冶長在獄六十日卒日有雀子緣獄柵上相呼嘖嘖唶唶冶長含笑吏啓主冶長笑雀語似是解鳥語主教問冶長雀何所道而笑冶長曰雀鳴嘖嘖唶唶白蓮水邊有車翻覆黍粟牡牛折角收斂不盡相呼往啄主未信遣人往看果如其言後又解豬及燕語屢驗於是得放然此語乃出雜書未必可信而亦古舊相傳云冶長解禽語故聊記之

穀恥也孔安國曰君無道而在其朝食其祿是恥辱也子思曰克伐怨欲不行焉可以爲仁乎馬融曰克好勝人也伐自伐其功怨忌也欲貪欲也孔子曰可以爲難矣仁則吾弗知也包氏曰四者行之難未知以爲仁孔子卒原憲亡在草澤中索隱曰家語云隱居衛子貢相衛而結駟連騎排藜藿入窮閻過謝原憲憲攝敝衣冠見子貢子貢恥之曰夫子豈病乎原憲曰吾聞之無財者謂之貧學道而不能行者謂之病若憲貧也非病也子貢慚不懌而去終身恥其言之過也

公冶長齊人字子長索隱曰家語云魯人名萇范寧云字子芝孔子曰

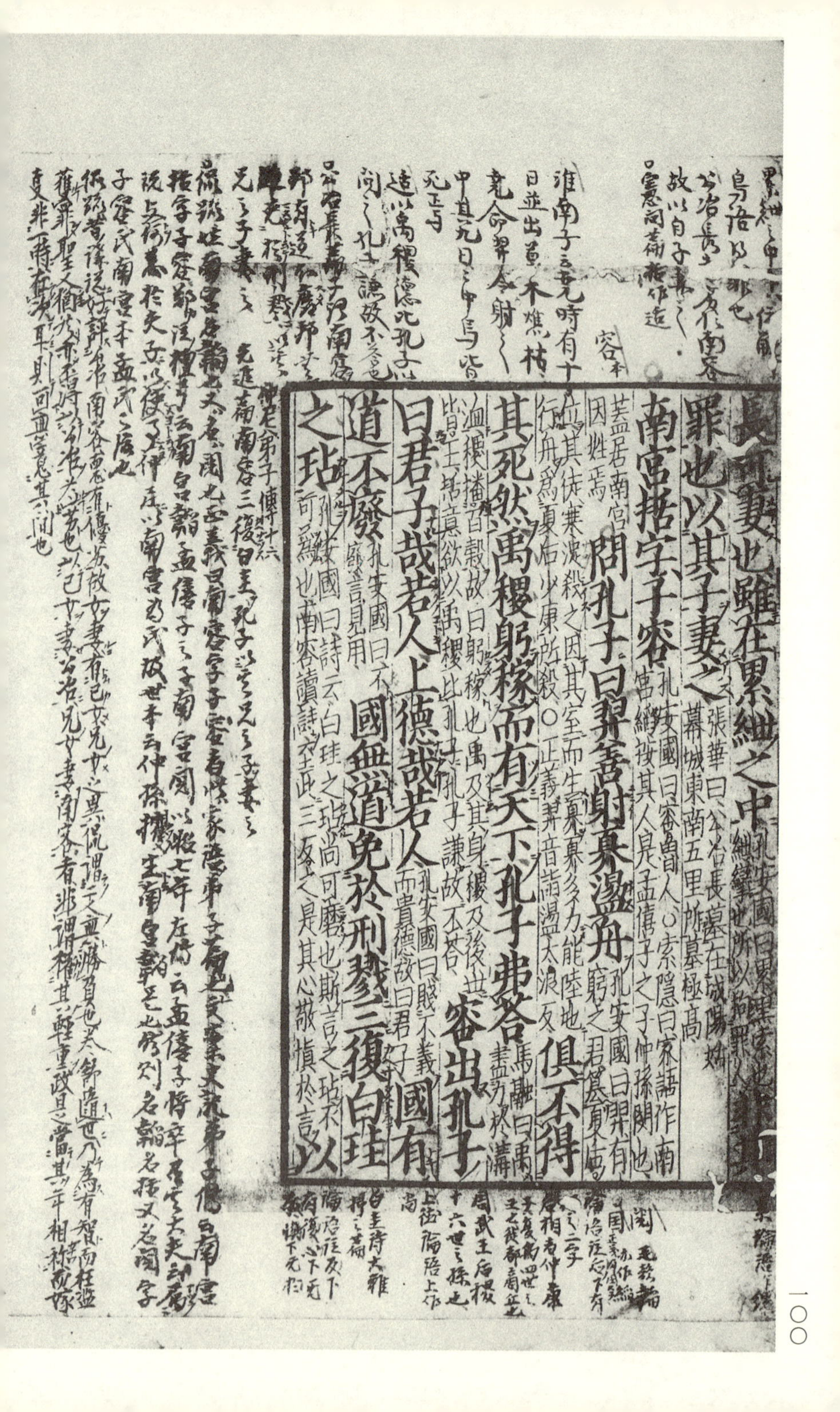

長可妻也雖在縲紲之中孔安國曰縲黑索也紲攣也所以拘罪人非其罪也以其子妻之張華曰公冶長墓在城陽姑幕城東南五里所墓極高

南宮括字子容孔安國曰容魯人○索隱曰家語作南宮縚按其人是孟僖子之子仲孫閱也蓋居南宮因姓焉問孔子曰羿善射奡盪舟孔安國曰羿有窮之君篡夏后相之位其徒寒浞殺之因其室而生奡奡多力能陸地行舟爲夏后少康所殺○正義羿音詣湯盪太浪反俱不得其死然禹稷躬稼而有天下孔子弗答馬融曰禹盡力於溝洫稷播百穀故曰躬稼也禹及其身稷及後世皆王适意欲以禹稷比孔子孔子謙故不答适出孔子曰君子哉若人上德哉若人孔安國曰賤不義而貴德故曰君子國有道不廢孔安國曰不廢言見用國無道免於刑戮三復白珪之玷孔安國曰詩云白珪之玷尚可磨也斯言之玷不可爲也南容讀詩至此三反之是其心敬愼於言以

游俠傳曰及若季次原憲閭巷人也讀書懷獨行君子之德義不苟合當世當世亦笑之故季次原憲終身空室蓬戶褐衣疏食不厭死而已四百餘年而弟子志之不倦

其兄之子妻之

公晳哀字季次孔子家語云齊人○索隱曰家語作公晳克孔子曰天下無行多為家臣仕於都唯季次未嘗仕索隱曰家語云未嘗屈節為人臣故孔子特歎貴之亦見游俠傳

曾蒧音點字晳孔安國曰晳曾參父侍孔子孔子曰言爾志蒧曰春服既成冠者五六人童子六七人浴乎沂風乎舞雩詠而歸徐廣曰一作饋駰案包氏曰暮春者季春三月也春服既成衣單袷之時我欲得冠者五六人童子六七人浴於沂水之上風涼於舞雩之下歌詠先王之道歸夫子之門孔子喟爾嘆曰吾與蒧也周氏曰善點之獨知時也

顏無繇音遙○正義繇音由字路路者顏回父索隱曰家語顏由字路回之父

此東子始教於闕里而受學焉少孔子六歲故
云父子異時事孔子故易稱顏氏之子也父子嘗各
異時事孔子顏回死顏路貧請孔子車以葬
國曰賣以作椁孔子曰材不材亦各言其子也鯉也死有
棺而無椁吾不徒行以爲之椁以吾從大夫之
後不可以徒行孔安國曰鯉孔子之子伯魚也孔子時爲大夫言從大夫之後不可徒行謙辭也
商瞿正義具俱反魯人字子木少孔子二十九歲孔
子傳易於瞿瞿傳楚人馯音寒徐廣曰臂子弘正義曰馯音汗
顏師古云馯姓也漢書及荀卿子皆云字子弓此作弘蓋誤也應劭云子弓子夏門人弘傳江東
人矯音橋子庸疵音自移反○正義曰漢書作橋庇云魯人顏師古云橋庇字子庸疵傳
燕人周子家竪字子家漢書作周醜也正義曰竪音時與反周竪竪傳淳于

仲尼弟子傳十七

人光子乘羽正義曰光乘字羽括地志云淳于國在密州安丘縣東三十里古之州國周武王封淳于國羽傳齊人田子莊何正義曰儒林傳云田何字子莊何傳東武人徐廣曰蠋琅邪王子中同正義曰括地志云東武縣今密州諸城縣是也漢作王同字子仲同傳菑川人楊何正義曰漢書云字叔元按商瞿至楊何凡八代何元朔中以治易為漢中大夫

高柴字子羔鄭玄曰衛人○正義曰家語云齊人少孔子三十歲子羔長不盈五尺受業孔子孔子以為愚子路使子羔為費郈宰正義曰括地志云鄆州宿縣二十三里郈亭孔子曰賊夫人之子包氏曰子羔學未熟習而使為政所以賊害人子路曰有民人焉有社稷焉何必讀書然後為學孔安國曰言治民事神於是而習亦學也

孔子曰是故惡夫佞者孔安國曰疾其以口給應遂己非而不知窮也

漆彫開字子開鄭玄曰魯人也○正義曰家語云蔡人字子若少孔子十一歲習尚書不樂仕

孔子使開仕對曰吾斯之未能信孔安國曰仕進之道未能信者未能究習

孔子說鄭玄曰善其志道深

公伯僚字子周馬融曰魯人○正義曰家語有申繚子周古史考云疑公伯僚是讒愬之人孔子不責而云命非弟子之流也

周愬子路於季孫子服景伯以告

孔子曰夫子固有惑志孔安國曰季孫信讒恚子路也

僚也吾力猶能肆諸市朝鄭玄曰吾勢猶能辨子路之无罪於季孫使之誅僚而肆之也有罪既刑陳其尸曰肆

孔子曰道之將行命也道之將廢命也公伯僚其如命何

司馬耕字子牛（孔安國曰宋人）牛多言而躁問仁於孔子孔子曰仁者其言也訒（孔安國曰訒難也）曰其言也訒斯可謂之仁乎子曰爲之難言之得無訒乎（孔安國曰行仁難言仁亦不得不訒也）問君子子曰君子不憂不懼（孔安國曰牛兄桓魋將爲亂牛自宋來學常憂懼故孔子解之也）曰不憂不懼斯可謂之君子乎子曰內省不疚夫何憂何懼（包氏曰疚病也自省無罪惡無可憂懼）

樊須字子遲（鄭玄曰魯人○正義曰家語云魯人）少孔子三十六歲樊遲請學稼孔子曰吾不如老農請學圃曰吾不如老圃（馬融曰樹五穀曰稼樹菜蔬曰圃）樊遲出孔子曰小人哉

樊須也上好禮則民莫敢不敬上好義則民莫敢不服上好信則民莫敢不用情孔安國曰情情實也言民化上各以實應夫如是則四方之民襁負其子而至矣焉用稼包氏曰禮義與信足以成德何用學稼以教民乎負子之器曰襁樊遲問仁子曰愛人問智曰知人

有若鄭玄曰魯人○正義曰家語云魯人字子有少孔子三十三歲不同少孔子十三歲有若曰禮之用和為貴先王之道斯為美小大由之有所不行知和而和不以禮節之亦不可行也馬融曰人知禮貴和而每事從和不以禮為節亦不可以行之信近於義言可復也何晏曰復猶覆也義不必信信非義也以其言可反覆故曰近義恭近於禮遠

仲尼弟子傳十九

諸弟子問有若也

俾 本作雨 毛傳作俾

六景行　丙子別作丙

恥辱也 何晏曰恭不合禮非禮也以其能遠恥辱故曰近禮 因不失其親亦可宗也 孔安國曰因親也言所親不失其親亦可宗敬 孔子既沒弟子思慕有若狀似孔子弟子相與共立爲師師之如夫子時也他日弟子進問曰昔夫子當行使弟子持雨具已而果雨弟子問曰夫子何以知之夫子曰詩不云乎月離于畢俾滂沱矣 毛傳曰畢濁也月離陰星則雨 昨暮月不宿畢乎他日月宿畢竟不雨商瞿年長無子其母爲取室 正義曰家語云瞿年三十八無子母欲更娶室孔子曰瞿年過四十當有五丈夫子果然中備云魯人商瞿使向齊國瞿年四十今後使行遠路畏慮恐絶無子夫子正月與瞿母筮告曰後有五丈夫子子貢曰何以知子曰卦遇大畜艮之二世九二甲寅木爲世六五景行水爲應世生外象生象來爻生互内

象艮別子雁有五子一子短命顔回云何以知之内象是艮子二艮變為離離二陽爻五於是五子一子短命何以知短命他以故也孔子使之齊瞿毋請之孔子曰無憂瞿年四十後當有五丈夫子五男也已而果然敢問夫子何以知此有若默然無以應弟子起曰有子避之此非子之座也

公西赤字子華鄭玄曰魯人少孔子四十二歲子華使於齊冉有為其母請粟孔子曰與之釜馬融曰六斗四升請益曰與之庾包氏曰十六斗曰庾冉子與之粟五秉馬融曰十六斛曰秉五秉合八十斛孔子曰赤之適齊也乘肥馬衣輕裘吾聞君子周急不繼富鄭玄曰非冉有與之太多

仲尼弟子傳卅

巫馬施字子旗鄭玄曰魯人　正義曰音其少孔子三十歲陳司敗孔安國曰司敗官名陳大夫也問孔子曰魯昭公知禮乎孔子曰知禮退而揖巫馬旗曰吾聞君子不黨君子亦黨乎魯君娶吳女爲夫人命之爲孟子孟子姓姬諱稱同姓故謂之孟子魯君而知禮孰不知禮孔安國曰相助匿非曰黨礼同姓不婚而君娶之當稱吳姬諱曰孟子施以告孔子孔子曰丘也幸苟有過人必知之臣不可言君親之惡爲諱者禮也孔安國曰以司敗之言告也諱國惡礼也聖人之道弘故受之爲過也

梁鱣一作鯉字叔魚少孔子二十九歲孔子家語曰齊人

顏幸字子柳少孔子四十六歲鄭玄曰魯人

冉孺字子魯，一作子曾。少孔子五十歲。家語曰：魯人，字子魚。

曹卹字子循，少孔子五十歲。

伯虔字子析，少孔子五十歲。正義曰：家語云子晳。

公孫龍字子石，少孔子五十三歲。鄭玄曰：楚人。○正義曰：家語云衛人，孟子云趙人，莊子云堅白之談也。

自子石已右三十五人，顯有年名及受業聞見于書傳。其四十有二人，無年及不見書傳者紀于左：索隱曰：家語此例皆有三十七人，其公良孺、秦商、顏亥、叔仲會四人，家語有事迹，史記闕，然自公伯遼、秦冉、鄡單三人，家語不載，而別有琴牢、陳亢、縣亶，當此三人之數，皆互有也。如文翁圖所記，又有林放、蘧伯玉、申棖、申棠，俱是後人以所見增益，今殆不可考。

冉季字子產。鄭玄曰：魯人。○正義曰：家語云冉季字子產。

仲尼弟子傳 廿一

正義作顏高字子驕

字季 季子

公祖句茲字子之 正義曰、[illegible]津之切 句音鉤、

秦祖字子南 鄭玄曰、秦人、

漆雕哆字子斂 音赤者反 鄭玄曰、魯人、 子本无

顏高字子驕 正義曰、孔子在衛南子招夫子爲次乘過市顏高爲御 字本无

漆雕徒父

壤駟赤字子徒 鄭玄曰、秦人

商澤 家語曰、字子季

石作蜀字子明 子本无

任不齊字選 鄭玄曰、楚人、

公良孺字子正 鄭玄曰、陳人、賢而有勇、正義曰、孔子周遊常以家車五乘從[illegible] 本无

家語在三十五人中今在三十五人數恐太史公誤也

后處字子里 鄭玄曰齊人

秦冉字開 正義曰家語云無此人王肅家語此等惟三十七人其公良孺秦商顏亥仲叔會四人家語有事迹而史記闕公伯寮秦冉鄡單家語不載而別有琴牢陳亢縣亶三人

公夏首字乘 鄭玄曰魯人

奚容蒧字子晳 正義曰衛人

公堅定字子中 鄭玄曰魯人或曰晉人

顏祖字襄 正義曰魯人

鄡 苦堯反 單 音善 字子家 徐廣曰一云鄔單鉅鹿有鄡縣太原有鄔縣

句井疆 鄭玄曰衛人 正義句作鈎

罕父黑字子索　家語曰、罕父黑字索、

秦商字子丕　鄭玄曰、楚人○正義曰、家語云魯人字丕茲、

申黨字周　正義曰、魯人、

顔之僕字叔　鄭玄曰、魯人、

榮旂字子祺

縣成字子祺　鄭玄曰、魯人、正義縣音玄、

左人郢字行　鄭玄曰、魯人、

燕伋字思

鄭國字子徒　正義曰、家語云薛邦字徒、史記作國者、避高祖諱、薛字與鄭字誤耳、

秦非字子之　鄭玄曰、魯人、

施之常字子恒

顏噲字子聲 鄭玄曰、魯人、

步叔乘字子車 鄭玄曰、齊人

原亢籍 家語曰名亢字籍、○正義曰亢作伉、仁勇反、

樂欬字子聲 魯人、正義曰、

廉絜字庸 鄭玄曰、衛人

叔仲會字子期 鄭玄曰魯人○索隱曰家語魯人以孔子五十四歲與孔旋年相比二孺子俱執筆迭侍於夫子、孟武伯見而訪之

顏何字冉 鄭玄曰魯人○索隱曰家語字稱

狄黑字皙 索隱曰家語載本各異、

仲尼弟子傳 廿三

邽巽字子歛　鄭玄曰魯人○索隱曰家語作選字子歛文翁圖作國選蓋亦避漢諱改之劉氏作邽巽邽音圭所見各異

孔忠　家語曰忠字子蔑孔子兄之子

公西輿如字子上　索隱曰家語載亦同此

公西蒧字子上　鄭玄曰魯人○索隱曰家語作子尚也

太史公曰學者多稱七十子之徒譽者或過其實毀者或損其眞鈞之未覩厥容貌則論言弟子籍出孔氏古文近是余以弟子名姓文字悉取論語弟子問并次為篇疑者闕焉

索隱述贊曰

林之今來子言曰王之使彼諸侯有如子貢者乎曰無有王之輔相有如顏回者乎曰無有王之官尹有如宰予者乎曰無有王之將率有如子路者乎曰無有

王聊不聽用師說妄言王若不聽我之言用耕之豈不悖哉師說訓悖為言悖亂矣

教興闕里　道在陬鄉　異能就列
秀士升堂　依仁遊藝　合志同方
將師宮尹 帥官　俎豆琳瑯　惜哉不霸
空臣素王

嘲龍

孔子生魯陬邑

孔子居陬邑昌平鄉之闕里

皆異之能之

是初蒿

於德於仁遊於藝

秦王欲封平邑陽慶襄周之秦王又

序仲尼素王王古往在

申刺者

王若不聽於師說耕者即可必殺之也聽用謂聽其言用其身也聽用二字連續也或說語者即殺之也宜讀王聊聽用耕者必殺之案二說是我理共通宜兩存之或說為後

逆也而負以為悖亂之亂也逆者文亂之義也然則師讀文假負之意也此言師并疾

仲尼弟子列傳第七　史記六十七

子貢一出存魯亂齊破吳強晉而霸越曰存魯不能甚欲其概辯儀秦不及也將史之言未必盡然欲結駟連騎謝原憲於蒿藿閭而終身恥

口黃氏日抄云受業身通者七十七人有年名見書傳者三十五人餘四十二人止存名氏

其言之過於是名教之樂為不可尚已

公皙哀字季次子曰天下無行多為家臣仕於都惟季次未嘗仕

商君列傳第八　　史記六十八

商君者正義曰秦封於商故號商君衛之諸庶孽公子也名鞅姓公孫氏其祖本姬姓也鞅少好刑名之學事魏相公叔座索隱曰公本侯氏座名也座音在戈反為中庶子索隱曰官名也魏已置之非自秦也周禮夏官謂之諸子禮記文王世子謂之庶子掌公族也公叔座知其賢未及進會座病魏惠王親往問病索隱曰即魏侯之子名罃後徙大梁而稱梁也曰公叔病有如不可諱將奈社稷何公叔曰座之中庶子索隱曰戰國策云衛庶子也公孫鞅年雖少有奇才願王舉國而聽之王嘿然王且去座屏人言曰王即不聽用鞅必殺之無令出境王許諾

而去公叔座召鞅謝曰今者王問可以爲相者
我言若王色不許我我方先君後臣因謂王即
弗用鞅當殺之王許我汝可疾去矣且見禽鞅
曰彼王不能用君之言任臣又安能用君之言
殺臣乎卒不去惠王既去而謂左右曰公叔病
甚悲乎欲令寡人以國聽公孫鞅也豈不悖哉
索隱曰疾重而悖亂也○正義曰悖音背公叔既死公孫鞅聞秦孝公下
令國中求賢者將脩繆公之業東復侵地廼遂
西入秦因孝公寵臣景監以求見孝公索隱曰景姓楚之族也監
音甲去聲平聲並通孝公既見衛鞅語事良久孝公時時

睡弗聽罷而孝公怒景監曰子之客妄人耳安
足用邪景監以讓衛鞅衛鞅曰吾說公以帝道
其志不開悟矣後五日復求見鞅鞅復見孝公
益愈然而未中旨罷而孝公復讓景監景監亦
讓鞅鞅曰吾說公以王道而未入也請復見鞅
鞅復見孝公孝公善之而未用也罷而去孝公
謂景監曰汝客善可與語矣鞅曰吾說公以霸
道其意欲用之矣誠復見我我知之矣衛鞅復
見孝公公與語不自知厀之前於席也語數日
不厭景監曰子何以中吾君吾君之驩甚也鞅

王本作業

曰吾說君以帝王之道比三代正義曰比以殷[illegible]說者以五帝三王之事

比至孝公以三代帝王之道方興孝公曰太久遠吾不能待而君曰久遠吾不能待

且賢君者各及其身顯名天下安能邑邑待數

十百年以成帝王乎故吾以彊國之術說君索隱

曰音稅君大說之耳索隱曰音悅然亦難以比德於殷

周矣孝公既用衛鞅鞅欲變法恐天下議己衛

鞅曰疑行無名疑事無功且夫有高人之行者

固見非於世索隱曰商君書非作負有獨知之慮者必見敖

於民索隱曰商君書作必見訾言於人也○正義敖五到反愚者闇於成事知

者見於未萌民不可與慮始而可與樂成論至

德者不和於俗成大功者不謀於衆是以聖人苟可以彊國不法其故索隱曰言拔敝爲政之術所爲苟可以彊國則不必要須法於故事也苟可以利民不循其禮孝公曰善甘龍曰索隱曰孝公之臣甘姓名龍也甘氏出春秋時甘昭公王子帶之後不然聖人不易民而教知者不變法而治因民而教不勞而成功緣法而治者吏習而民安之衞鞅曰龍之所言世俗之言也常人安於故俗學者溺於所聞以此兩者居官守法可也非所與論於法之外也三代不同禮而王五伯不同法而霸智者作法愚者制焉賢者更禮不肖者拘焉索隱曰言賢智之[illegible]

〔索隱〕衍尚者不可變通而輒改制不使之行斯亦信然矣

杜摯曰利不百不變法功不十不易器法古無過循禮無邪衛鞅曰治世不一道便國不法古故湯武不循古而王〔索隱〕曰商君書作脩古 夏殷不易禮而亡〔索隱〕曰指殷紂夏桀也 反古者不可非而循禮者不足多孝公曰善以衛鞅為左庶長卒定變法之令令民為什五〔索隱〕曰劉氏云五家為保十家相連也〇正義曰或為十保或為伍保 而相收司連坐〔索隱〕曰牧司謂相糾發也一家有罪而九家連舉發若不糾舉則十家連坐恐變令不行故設重禁 不告姦者腰斬告姦者與斬敵首同賞〔索隱〕曰謂告姦一人則得爵一級故云與斬敵首同賞也 匿姦者與降敵同罰〔索隱〕曰律降敵者誅其身沒其家今匿姦者言當與之同罰也 民有

曰集覽中一古文末利支離之末利王之屬也云云

曰正義引末利一舉以為收孥末乃工商也是滑而多者舉數并取妻子入官

曰義論不得為一僕役屬為族之家無籍書也宋之軍功者得除論之言之不得入公族籍

書也　知所以年論字違屬不得字列與役不子乎曰集覽論乎爲議之上

曰舊庶爲名以差次名田宅臣妾衣服以家次　此是古之私者也合字名字之新田舍字之名田宅

不用字也日本不得名田也

曰集覽第一名田宅臣妾衣服第之周君本得此句之下有以家次三字對上句以差次武功以爵秩之下上句

秩侯矣索隱注謂者隨其家爵秩之班次亦之使富貴者重有其農者甲

依通典注名田占田也各為立限不使富者過制貧弱者之無立也漢哀帝初立相孔光大司

空何武奏請諸侯王列侯得名田國中列侯在長安公主名田縣道及關內侯吏民

名田皆毋過三十頃諸侯王奴婢二百人列侯公主百人關內侯吏民三十人

曰通鑑令民為什伍一胡注索隱云三師古曰五人為伍二伍為什康曰司牧皆官也為什伍之法使

之相伺察有罪見知不告連坐者一家有罪九家連坐也見知乃

法曰監令民有軍功論胡注論議也有戰功之者論盡用爵盡見民功口不得為

屬籍胡注屬籍宗屬之籍也孔穎達曰漢之周宗正屬籍則周家親屬以姓是

也周禮小史之官掌定系世本一知天下世代昭穆之屬殊甚難

曰通鑑第二以衛鞅為左庶長胡注劉邵爵制曰春秋傳有庶長鮑商君為政備其法品

為十八級合關內侯列侯凡二十等其制因古義古者天子寄軍政於六卿居則以田獵則以戰

所謂入使治之出使長之素信者與衆相得也故啓伐有扈乃召六卿大夫之在軍為將者也啟

誓之六卿以居軍在國也則以比長閭胥族師黨正州長鄉大夫為稱其在軍也則以司馬

將軍卒伍為號所以異在國之名也秦依古制其在軍賜爵為等級其帥人皆更卒也有功賜

爵則在軍吏之例自一等以上至不更四等皆士也大夫以上至五大夫五等此大夫也九等依九命之義也

曰左庶長至大庶長此九卿也關內侯者依古畿內子男之義也秦都山西以關內為王畿故曰關內侯

也列侯者依古列國諸侯之義也然則卿大夫士下之品皆倣古比朝之制而異其名亦所以殊軍

國也古者以車戰兵車一乘步卒七十二人分翼左右車大夫在左御者處中勇士為右凡七十

五人一爵曰公士者步卒之有爵為公士者也二爵曰上造造成也古者成士升於司徒曰造士雖依此

名步卒也三爵曰簪褭御駟馬者要褭古之名馬也駕駟馬者其形似簪故以為爵名

爵曰不更〻〻者為車右不復與凡更卒同也五爵曰大夫〻〻在車左者也六爵官大夫七爵
為公大夫〻〻八爵為公乘〻〻九爵為五大夫〻〻皆軍吏也吏民爵不得過公乘者得貰與子若同產然則
公乘者軍吏之爵最高者也雖非臨戰得公乘車故曰公乘也十爵為左庶長十一爵為右庶長
十二爵為左更十三爵為中更十四爵為右更十五爵為少上造十六爵為大上造十七爵為駟車庶
長十八爵為大庶長十九爵為關內侯二十爵為列侯自左庶長至大庶長皆卿大夫皆軍將也所
將皆庶人更卒也故以庶更為名大庶長即大將軍也左右庶長即左右偏裨將軍也長如文賈
曰通鑑全卒受〻隱〻令〻民為什伍〻〻胡注家〻審收司謂相糾發也一家有罪則九家連
舉發若不糾舉〻則九家連坐即古曰五人為伍二伍為什康曰司猶管也為什伍之法使之相司相管
秦有見知連坐法余謂連坐者一家有罪什伍皆相連坐罪也見知乃漢法辛子恤翻
曰通鑑宗室非有軍功論胡注論議也有戰功之可論也論盧困翻摩盧昆切
曰通鑑不得為〻屬籍胡注屬籍宗屬之籍也孔穎達曰漢之同宗有屬籍則周家繫之以姓
是也周礼小史之官掌定帝繫世本知世代昭穆〻屬殊玉翻
曰通鑑明尊卑爵秩等級各以差次胡注白虎通曰爵者盡也所以盡人才也毛晃曰大夫以上
預燕饗食然後賜爵秩以章有德秩職也官也積也次也常也序也

或本復字……

復其身 勿案漢書高祖紀上蜀漢民給軍事勞苦復勿租稅二歲 師古曰復者除其賦役也音方

目反 又集覽第一復字爲復音福除也 復除免其役 ○集覽收孥 孥妻子也

僇力通 ○全明注僇力竹翻 古戮字 說文并力也 字林音遼 復方目翻 漢法除其賦稅役事

宗室非有軍功 師說 董氏曰言宗室非有軍功者不得為屬籍也 以論字屬下句也 然則云征伐有軍功乃論

為上等也 如是文者刑之意 以論字屬下明也 今案此說非也 刑之本載軍功論三字也 明知刑意無三字

可連讀也 凡云論者是有軍功而定其多少之稱也 多功者論而為上等之親也 而功少者論為次等也

更不得論定之也 論字本閑於無功之者也 猶宗室非軍功者不得為屬籍 然更加論字 有軍功者得論定

也 故軍之論也 良匠

兩家文若此說 今了……

用之

賦 董氏曰言名田宅

及其臣妾之衣服者

各以其家次也 今案

斯說非也 此言其名

田宅臣之數及家君之

衣服各以家次也 更

隆人爵 雖字異而

其說不異也

師說曰……

人

二男以上不分異者倍其賦（正義曰：民有二男不別為活者，一人出兩課。）有軍功者，各以率（音律）受上爵；為私鬬者，各以輕重被刑大小。僇力本業，耕織致粟帛多者復其身。事末利及怠而貧者，舉以為收孥。（索隱曰：末利謂工商也。蓋農桑為本，故上云本業耕織也。怠者，懈也。周禮謂之疲民。以言懈怠不事事之人而貧者，則糾舉而收錄其妻子，沒為官奴婢，蓋其法特重於古制也。孥音奴。）宗室非有軍功論，不得為屬籍。（索隱曰：謂宗室若無軍功，則不得入屬籍。謂除其籍，則雖無功不及爵秩也。）明尊卑爵秩等級，各以差次名田宅，臣妾衣服以家次。（索隱曰：謂各隨其家爵秩之班次，亦不使僭侈踰等。）有功者顯榮，無功者雖富無所芬華。令既具，未布，恐民之不信，已乃立三丈之木

活下 治 正義本作活

卒下 率

率 漢書音律……

於國都市南門募民有能徙置北門者予十金民怪之莫敢徙復曰能徙者予五十金有一人徙之輒予五十金以明不欺卒下令令行於民朞年秦民之國都言初令之不便者以千數曰謂歎新變之法人不爲初令於是太子犯法衛鞅曰法之不行自上犯之將法太子太子君嗣也不可施刑刑其傅公子虔黥其師公孫賈明日秦人皆趨令索隱曰趨音七喻反趨者向也附也行之十年秦民大說道不拾遺山無盜賊家給人足民勇於公戰怯於私鬬鄉邑大治秦民初言令不便者有來言令便者衛

商君傳四

左傳哀公三年命藏象魏正義曰周礼天官大宰云正月之吉始和布治于邦國都鄙乃縣治

象〻之法于象魏使萬民觀治象〻之法于象魏使万民觀治象挾日而斂之〻鄭玄

云正月周之正吉謂朔日大宰以正月朔日布王治之事於天下至正歲又書而縣于

象魏使万民觀焉凡治有故言始和者若改造云尔鄭衆云從甲至甲謂之挾日凡

十日〻官地官夏官秋官皆有此言地官云布教縣教象夏官云布政縣政象秋官云

布刑縣刑象各縣所掌政之事又為異其文悉同唯春官不縣者以礼法一須百事皆

是不可又縣故不縣之杜據彼意言縣教令之法彼所縣者皆是教令之事故以為時

于象魏故謂之書為象魏命藏其書也彼言朔日縣之十日即斂之則教之時之書

久已藏矣而此立象魏之外方始命藏此書者象魏是縣書之処見之処而念及之書

非始就縣処斂藏之

早金五千金[illegible]遂吾十金對武黃五百貫也五十金敵百貫也武陰位九列孩吾劉十金百貫也五十金伍百

[illegible]伍子胥月傳之上

封疆注正義疆言疆幻按正義封疆之疆作疆異故云疆〻言疆又疑[illegible]疆〻畺〻疆四字同正義疆畺

疆〻四字異也正義曰說新書衛侯名辟疆〻云〻一從辟疆又曰閼疆江陵日疆〻言開土地之

通鑑[illegible]安息云〻胡三省注息止也索隱安子兄弟同室居止〻言君臣更大[illegible]

息者先教民以人倫教之名學有別孝周西戎之俗至於男女無別長幼無序[illegible]

命〻之稱書道也為于倒言之白虎通曰父雉也以法度教子也子孳也孳〻無已也[illegible]

況也況父乃也帝得也心所行以為紀

通鑑二卷[illegible]闕宮庭胡注[illegible]云〻尔雅觀謂之闕郭璞曰宮門雙闕也釋名闕在門兩旁中

間闕然為道也三輔黃圖曰人臣至此必思其所闕少尔雅宮謂之室郭璞曰宮謂圍繞之也說文曰庭朝中

也蒼頡篇曰庭直也風俗通曰庭正也言縣庭郡庭朝庭皆取平均正直也三輔黃圖曰山南為陽水

北為陽始皇都在陽故曰咸陽漢高帝更名新城武帝更名渭城屬右扶風括地志咸陽故城在雍州咸

陽縣東十五里在長安城北四十五里秦白曰咸陽縣本周王季所都秦又都之三秦記秦都在九嵕山

南渭水北山水俱陽故名咸陽置十九年秦始封諸侯於此號之而考史以後所封[illegible]

通鑑[秦孝公十二年]集小鄉邑聚為一縣〻置令丞胡注周禮云鄉〻萬二千五百家又百家〻内〻鄉五鄙
為縣〻二千五百家此六遂之縣也四甸為縣此卅里之縣也周制天子地方千里分為百縣〻有四
郡〻左傳趙鞅所謂上大夫受縣下大夫受郡者也秦并天下置三十六郡以監天下之縣自是始統於郡矣
釋名曰縣〻也縣於郡也漢書音義所謂大曰鄉小曰聚亦秦制也廣雅曰聚〻居也音慈諭翻縣令丞
官皓此令音力正翻令〻命也丞〻也律〻法也長〻也使者一縣之長以行語令法律也丞翊也副貳也成周之
制田廿月里為井〻九百畝八家各耕百畝其中百畝八十畝為公田二十畝為廬舍史記正義曰南北曰阡東
西曰佰劉伯莊曰開田東道使不相干長知兩翻
通鑑[秦孝公十二年]平斗桶權衡丈尺胡注桶音統非也當作甬音勇斛也沈括曰予受詔考鐘
律及鑄渾儀求秦漢以来度量斗升計六斗當今之一斗七升九合秤三斤當今之十
三兩一斤當今四兩三分兩之一〻兩當今六銖半為升中方古尺二寸五分十分〻之三
三今尺一寸八分百分之四十五強
通鑑[秦孝公十年]以衛鞅為大良造伐魏胡注秦爵大良造即大上造余謂大良造大上造〻良者也按史記秦
紀孝公十年衛鞅為大良造將兵圍魏安邑降之又按六國年表秦孝公〻十年顯王〻十七年
所謂大良造伐魏即衛鞅將兵也是時魏都安邑其兵猶強龐涓太子申公子卬未敗安邑不應遽
降於秦至顯王三十九年秦軍既敗魏獻河西之地於秦始去安邑徙都大梁史記六國表不書徙
大梁而世家書之魏世家於是年不書安邑降秦而秦紀孝公十年書之通鑑從魏世家於顯王
二十九年書魏去安邑徙大梁而是年不書魏安邑降秦蓋亦疑而除去之但大良造之下當有衛
鞅二字意謂傳寫通鑑者逸之

鞅曰此皆亂化之民也盡遷之於邊城其後民
莫敢議令於是以鞅爲大良造索隱曰即太上造也秦之第十六爵
名也今云良造者或後變其名耳將兵圍魏安邑降之居三年作
爲築冀闕宮庭於咸陽索隱曰冀闕即魏闕也冀記也出列教令當記於此門闕
秦自雍徙都之而令民父子兄弟同室內息者
爲禁而集小都鄉邑聚爲縣置令丞凡三十一
縣爲田開阡陌封疆正義曰南北曰阡東西曰陌按謂驛塍也疆音彊封聚土也疆界也
謂界上封記也而賦稅平平斗桶鄭玄曰音勇今之斛也○索隱曰音統量器名也
權衡丈尺行之四年公子虔復犯約劓之居五
年秦人富彊天子致胙正義曰音左故反於孝公諸侯

歸賀其明年齊敗魏兵於馬陵虜其太子申殺將軍龐涓其明年衛鞅說孝公曰秦之與魏譬若人之有腹心疾非魏并秦秦即并魏何者魏居領阸之西都安邑索隱曰蓋安邑之東山領險阸之地即今蒲州之中條已東連汾晉之嶮嶝是也阸阻也與秦界河而獨擅山東之利利則西侵秦病則東收地今以君之賢聖國賴以盛而魏往年大破於齊諸侯畔之可因此時伐魏魏不支秦必東徙東徙秦據河山之固東鄉以制諸侯此帝王之業也孝公以為然使衛鞅將而伐魏魏使公子卬將而擊之軍既相距衛鞅遺魏

商君傳五

將公子卬書曰吾始與公子驩今俱爲兩國將不忍相攻可與公子面相見盟樂飲而罷兵以安秦魏魏公子卬以爲然會盟已飲而衛鞅伏甲士而襲虜魏公子卬因攻其軍盡破之以歸秦魏惠王兵數破於齊秦國内空日以削恐乃使使割河西之地獻於秦以和而魏遂去安邑徙都大梁索隱曰紀年曰梁惠王二十九年秦衛鞅伐梁西鄙則徙大梁在惠王之二十九年也○正義曰從蒲州安邑徙汴州浚儀也梁惠王曰寡人恨不用公叔座之言也衛鞅既破魏還秦封之於商徐廣曰弘農商縣也○索隱曰於商二縣名在弘農紀年云秦封商鞅在惠王三十年與此文不同○正義曰於商在鄧州内鄉縣[illegible]

於商十五邑号

即今商州之……

於商二縣之今屬 徐唯

解商也即以商為地名

也又不解於字知明

徐之意以商為地名

也以於商於之邑也

劉以為於是地名當辭

此於字而下更解於

之義也明知於商之

商於其意若異也然

則依徐及劉之意以

商為地名以於為辭也

更以為於商自是二縣

名也於商及商於字 商君傳六

是壹倒而其意不異也於商二字宜連音讀今為文通也或說以為徐劉雖不解於字於以於商為二

縣也然解商而不解於於從而可知然則徐劉更三家其意共同也無文通也今案此說皆非也何者

世家云於商之地也徐廣又以為二縣也此下云商於之富也劉又云二縣之富也今此獨解商而不解於於也知於商於之

義異……又聞於理合也或說失之遠也

……縣在商州東八十九里本商邑周之商國按十五邑近此二邑 十五邑號為商君

商君相秦十年 索隱曰戰國策云孝公行商君法十八年而死與此文不同者按此直云相秦十年耳而戰國策乃云行商君法十八年蓋連其未作相之年說也 宗室貴戚多怨望者

趙良見商君商君曰鞅之得見也從孟蘭皋 索隱曰孟蘭皋人姓名也言鞅前因孟蘭皋得與趙良相見也 今鞅請得交可乎趙良

曰僕弗敢願也孔丘有言曰推賢而戴者進聚

不肖而王者退僕不肖故不敢受命僕聞之曰

非其位而居之曰貪位非其名而有之曰貪名

僕聽君之義則恐僕貪位貪名也故不敢聞命

商君曰子不說吾治秦與 索隱曰說音悅與音余 趙良曰反

反 本作外　德 本ナ　侍 本ナ

正義曰言酷刑皆歲令自勝其法謂為彊

聽之謂聰內視之謂明自勝之謂彊

非是為自勝若是者乃為彊也若爭名得勝此非彊之道

虞舜有言曰自卑也尚矣君不若道虞舜之道無為問僕矣商君曰始秦戎翟之教父子無別同室而居今我更制其教而為其男女之別大築冀闕營如魯衛矣子觀我治秦也孰與五羖大夫賢趙良曰千羊之皮不如一狐之掖千人之諾諾不如一士之諤諤武王諤諤以昌殷紂墨墨以亡正義曰以殷紂比商君君若不非武王乎則僕請終日正言而無誅可乎

商君曰語有之矣貌言華也至言實也

也甘言疾也夫子果肯終日正言鞅之藥也鞅將事子子又何辭焉趙良曰夫五羖大夫荊之鄙人也正義曰百里奚本南陽宛人屬楚故云荊聞秦繆公之賢而願望見行而無資自粥於秦客被褐食牛期年繆公知之舉之牛口之下而加之百姓之上秦國莫敢望焉相秦六七年而東伐鄭三置晉國之君索隱曰謂立晉惠公懷公文公也一救荊國之禍索隱曰十二諸侯年表穆公二十八年會晉救楚朝周此云救荊未詳發教封內而巴人致貢施德諸侯而八戎來服由余聞之款關請見韋昭曰款叩也五羖大夫之相秦也勞不坐乘暑不張蓋行於國中

不從車乘不操干戈功名藏於府庫德行施於後世五羖大夫死秦國男女流涕正義音躰童子不歌謠舂者不相杵鄭玄曰相謂送杵聲以音聲自勸也此五羖大夫之德也今君之見秦王也因嬖人景監以為主非所以為名也相秦不以百姓為事而大築冀闕非所以為功也刑黥太子之師傅殘傷民以駿刑是積怨畜禍也教之化民也深於命索隱曰劉氏云教謂商鞅之令也命謂秦君之命也言人畏鞅甚於秦君民之效上也捷於令索隱曰上謂商鞅之處令謂秦君之教令今君又左建外易非所以為教也索隱曰左建謂以左道建立威權也外易謂在外革易君命也君又南

寡人曰繩秦之貴公子詩曰相鼠有體人而無禮人而無禮何不遄死以詩觀之非所以為壽也公子虔杜門不出已八年矣君又殺祝懽而黥公孫賈詩曰得人者興失人者崩此數事者非所以得人也君之出也後車十數從車載甲多力而駢脅者為驂乘持矛而操闟戟者徐廣曰一作奈鉏盧之矛干將之雄戟○索隱曰闟亦作鈒同所及反鄒誕音吐臘反大奈音遼又音九勿反按鉏盧干將並古良匠造矛戟者名○正義曰顏野王云鈒也方言云矛吳揚江淮南楚五湖之間謂之鈒其柄謂之殺釋名云戟格也旁有格旁車而趨此一物不具君固不出書曰恃德者昌恃力者亡索隱曰此是周書之言孔子所刪之餘君之危

若朝露尚將欲延年益壽乎則何不歸十五都索隱曰衛鞅所封商於二縣以爲國其中凡有十三都故趙良勸令歸之○正義曰都孫鞅封商於十五邑故云十五都灌園於鄙勸秦王顯巖穴之士養老存孤敬父兄序有功尊有德可以少安君尚將貪商於之富寵秦國之教畜百姓之怨秦王一旦捐賓客而不立朝秦國之所以收君者豈其微哉索隱曰謂鞅於秦無仁恩故秦國之所以將收錄鞅者其狀甚明故云豈其微哉亡可翹足而待商君弗從後五月而秦孝公卒太子立公子虔之徒告商君欲反發吏捕商君商君亡至關下欲舍客舍客人不知其是商君也曰商君之法舍

人與驗者坐之商君喟然歎曰嗟乎爲法之敝一至此哉去之魏魏人怨其欺公子卬而破魏師弗受商君欲之他國魏人曰商君秦之賊秦彊而賊入魏弗歸不可遂内秦商君既復入秦走商邑索隱曰走音奏走向也與其徒屬發邑兵北出擊鄭徐廣曰京兆鄭縣也○索隱曰地理志京兆有鄭縣秦本紀云初縣杜鄭按其地是鄭桓公友之所封秦發兵攻商君殺之於鄭黽池徐廣曰黽或作彭○索隱曰鄭黽池者時黽池屬鄭故也而徐廣云黽或作彭者按鹽鐵論云商君困於彭池故也黽音亡忍反○正義曰黽池去鄭三百里蓋秦兵至鄭破商邑兵而商君東走至黽乃擒殺之秦惠王車裂商君以徇曰莫如商鞅反者遂滅商君之家

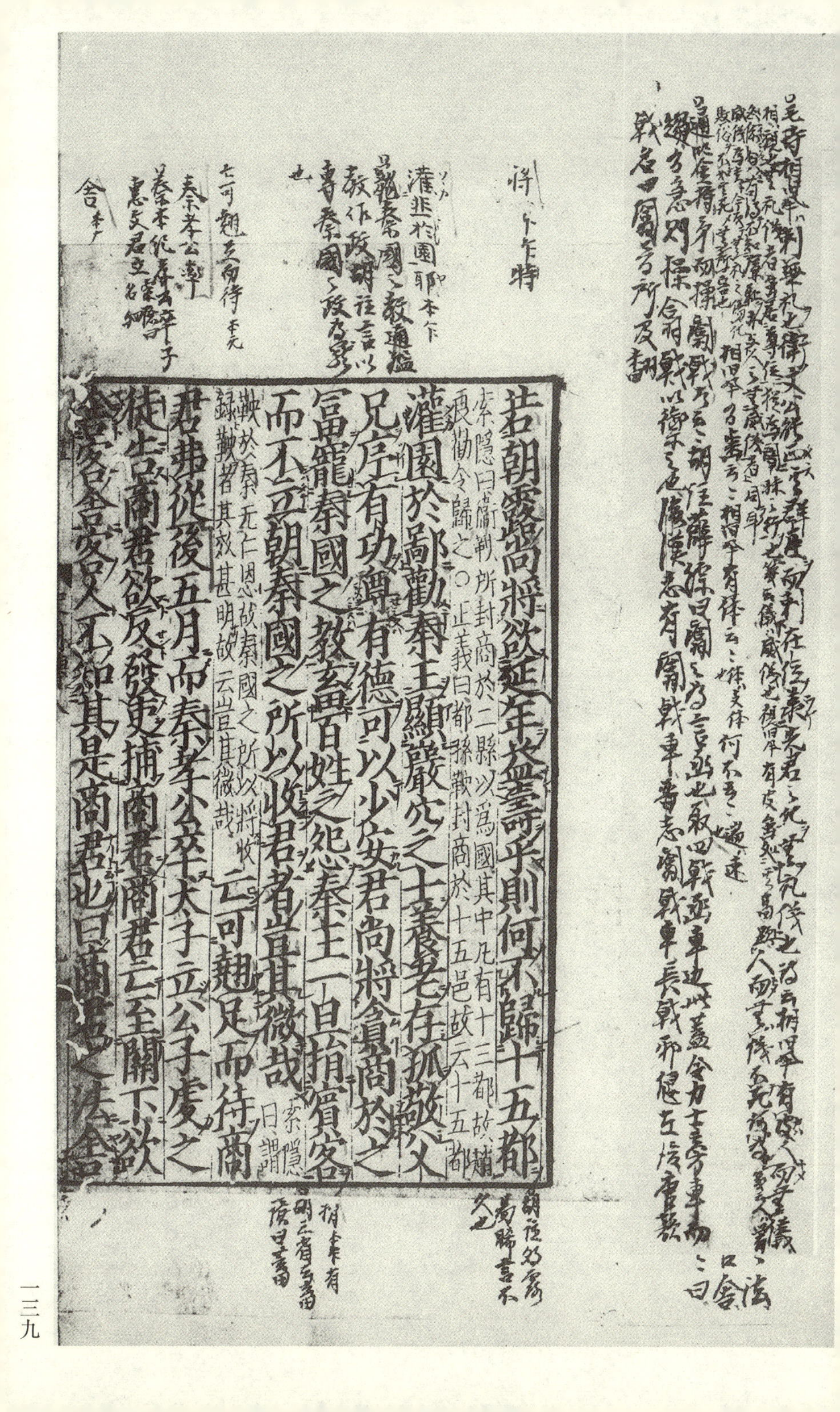

若朝露尚將欲延年益壽乎則何不歸十五都索隱曰衞鞅所封商於二縣以爲國其中凡有十三都故趙良勸令歸之○正義曰都謂猶封商於十五邑故云十五都灌園於鄙勸秦王顯巖穴之士養老存孤敬父兄序有功尊有德可以少安君尚將貪商於之富寵秦國之教畜百姓之怨秦王一旦捐賓客而不立朝秦國之所以收君者豈其微哉索隱曰謂鞅於秦无仁恩故秦國之所以將收錄鞅者其效甚明故云豈其微哉亡可翹足而待商君弗從後五月而秦孝公卒太子立公子虔之徒告商君欲反發吏捕商君商君亡至關下欲舍客舍客人不知其是商君也曰商君之法舍

人無驗者坐之。商君喟然歎曰：嗟乎，為法之敝一至此哉！去之魏。魏人怨其欺公子卬而破魏師，弗受。商君欲之他國。魏人曰：商君，秦之賊。秦彊而賊入魏，弗歸，不可。遂內秦。商君既復入秦，走商邑，索隱曰：走音奏。走，向也。與其徒屬發邑兵北出擊鄭。徐廣曰：京兆鄭縣也。○索隱曰：地理志京兆有鄭縣。秦本紀云初縣杜、鄭。按其地是鄭桓公友之所封。秦發兵攻商君，殺之於鄭黽池。徐廣曰：黽或作彭。○索隱曰：鄭黽池者，時黽池屬鄭故也。而徐廣云黽或作彭者，按鹽鐵論云商君困於彭池故也。黽音亡忍反。○正義曰：黽池去鄭三百里，蓋秦兵至鄭破商邑兵，而商君東走至黽，乃擒殺之。秦惠王車裂商君以徇，曰：莫如商鞅反者！遂滅商君之家。

太史公曰商君其天資刻薄人也索隱曰謂天資其人爲刻薄之行也刻謂用刑深刻薄謂弃仁義不悃誠也跡其欲干孝公以帝王術挾持浮說非其質矣索隱曰說音如字浮說即虛說也謂鞅得用刑政深刻欺魏將是其天資自有狙詐則初爲孝公論帝王之術是浮說耳非本性也且所因由嬖臣及得用刑公子虔欺魏將卬不師趙良之言亦足發明商君之少恩矣余嘗讀商君開塞耕戰書與其人行事相類索隱曰按商君書開謂刑嚴峻則政化開塞謂布恩賞則政化塞其意本於嚴刑少恩又爲田開阡陌及言斬敵首賜爵是耕戰書也卒受惡名於秦有以也夫

新序論曰秦孝公保崤函之固以廣雍州之地東并河西北收上郡國富兵彊長雄諸侯周室歸籍四方來賀爲戰國霸君秦遂以彊六世而并諸侯亦皆商君之謀也夫商君極身無二慮盡公不顧私使民內急耕織之業以富國[illegible]

賞以勸戒士法令必行内不私貴寵外不偏疏遠是以令
行而禁止法出而姦息故書云無偏無黨詩云周道如砥
其直如矢司馬法之勵戎士周后稷之勸農業無以易此此
所以并諸侯也故孫卿曰四世有勝非幸也數也然無信諸
侯畏而不親夫霸君若齊桓晉文者桓不倍柯之盟文不負
原之期而諸侯畏其彊而親信之存亡繼絕四方歸之此管
仲舅犯之謀也今商君倍公子卬之舊恩弃交魏之明信詐
取三軍之衆故諸侯畏其彊而不親信也藉使孝公遇齊桓
晉文得諸侯之統將合諸侯之君驅天下之兵以伐秦秦則
亡矣天下無桓文之君故秦得以兼諸侯衛鞅始自以爲知
霸王之德原其事不論也昔周召施善政及其死也後世思
之蔽芾甘棠之詩是也嘗舍於樹下後世思其德不忍伐其
樹況害其身乎管仲奪伯氏邑三百戶無怨言今衛鞅内刻
刀鋸之刑外深鈇鉞之誅步過六尺者有罰弃灰於道者被
刑一日臨渭而論囚七百餘人渭水盡赤號哭之聲動於天
地畜怨積讎比於丘山所逃莫之隱所歸莫之容身死車裂
滅族無姓其去霸王之佐亦遠矣然惠王殺之亦非也可輔
而用也使衛鞅施寬平之法加之以恩申之以信庶幾霸者
之佐哉○索隱曰新序是劉歆所撰其中論商君故裴氏引
之藉音胙字合作胙誤爲藉耳按本紀周歸文武胙於孝公

太史公曰商君其天資刻薄人也索隱曰謂天資其人爲刻薄之行刻謂用刑深刻薄謂弃仁義不悃誠也跡其欲干孝公以帝王術挾持浮說非其質矣索隱曰說音如字浮說即虛說也謂鞅得用刑政深刻又欺魏將是其天資自有狙詐則初爲孝公論帝王之術是浮說耳非本性也且所因由嬖臣及得用刑公子虔欺魏將卬不師趙良之言亦足發明商君之少恩矣余嘗讀商君開塞耕戰書與其人行事相類索隱曰按商君書開謂刑嚴峻則政化開塞謂布恩賞則政化塞其意本於嚴刑少恩又爲田開阡陌及言斬敵首賜爵是耕戰書也卒受惡名於秦有以也夫

新序論曰秦孝公保崤函之固以廣雍州之地東并河西北收上郡國富兵彊長雄諸侯周室歸籍四方來賀爲戰國霸君秦遂以彊六世而并諸侯亦皆商君之謀也夫商君極身無二慮盡公不顧私使民內急耕織之業以富國

正義商君書有五卷開謂刑嚴峻則政化開行也塞謂布恩賞則政化杜塞耕謂開阡陌封疆以爲農耕也戰謂斬敵首爵級賜爵或出勇於公戰也

注云世謂孝公惠文君武王昭襄王莊襄王始皇帝是爲六世也

本作其非實

之賞以勸戎士法令必行内不私貴寵外不偏疏遠是以令
行而禁止法出而姦息故書云無偏無黨詩云周道如砥
其直如矢司馬法之勵戎士周后稷之勸農業無以易此此
所以并諸侯也故孫卿曰四世有勝非幸也數也然無信諸
侯畏而不親夫覇君若齊桓晉文者桓不倍柯之盟文不貪
原之期而諸侯畏其彊而親信之存亡繼絶四方歸之此管
仲舅犯之謀也今商君倍公子卬之舊恩弃交魏之明信詐
取三軍之衆故諸侯畏其彊而不親信也藉使孝公遇齊桓
晉文得諸侯之統將合諸侯之君驅天下之兵以伐秦秦則
亡矣天下無桓文之君故秦得以兼諸侯衛鞅始自以爲知
覇王之德原其事不論也昔周召施善政及其死也後世思
之蔽芾甘棠之詩是也嘗舍於樹下後世思其德不忍伐其
樹況害其身乎管仲奪伯氏邑三百戸無怨言今衛鞅内刻
刀鋸之刑外深鈇鉞之誅步過六尺者有罰弃灰於道者被
刑一日臨渭而論囚七百餘人渭水盡赤號哭之聲動於天
地畜怨積讎比於丘山所逃莫之隱所歸莫之容身死車裂
滅族無姓其去覇王之佐亦遠矣然惠王殺之亦非也可輔
而用也使衛鞅施寛平之法加之以恩申之以信庶幾覇者
之佐哉○索隱曰新序是劉歆所撰其中論商君故裴氏引
之藉音胙字合作胙誤爲藉耳按本紀周歸文武胙於孝公

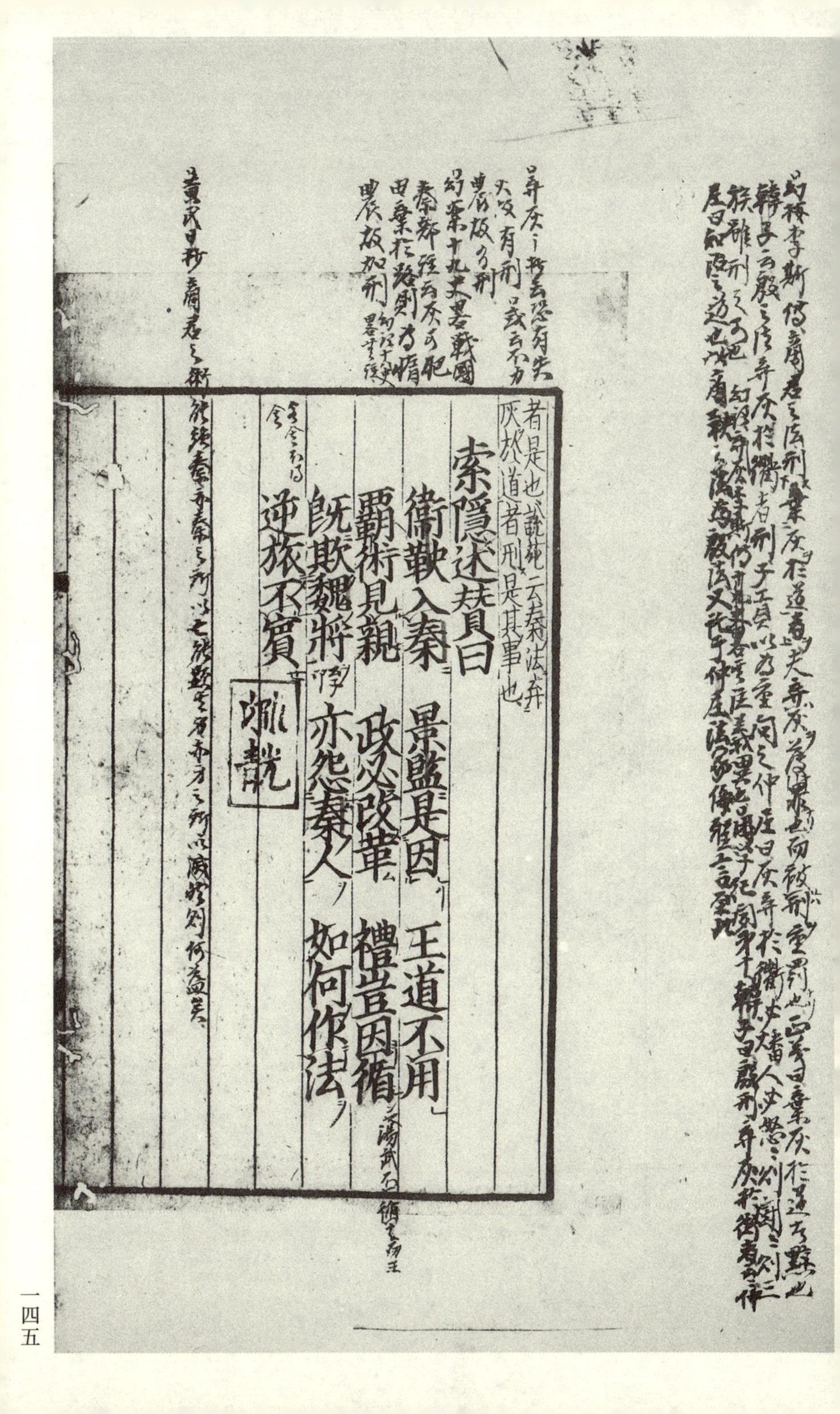

者是也。説苑云秦法棄灰於道者刑，是其事也。

索隱述贊曰

衛鞅入秦，景監是因。王道不用，霸術見親。政必改革，禮豈因循。既欺魏將，亦怨秦人。如何作法，逆旅不賓。

商君列傳第八　史記六十八

史記李斯傳商君之法刑棄灰於道者夫棄灰薄罪也而被刑重罰也 [illegible]
韓子云殷之法棄灰於衢者刑子貢以為重問之仲尼曰 [illegible]

論語憲問篇問管仲曰人也奪伯氏駢邑三百飯疏食沒齒無怨言孔安國曰伯氏齊大夫駢邑地名 [illegible]

[illegible]

索隱述贊曰

衛鞅入秦　景監是因　王道不用
霸術見親　政必改革　禮豈因循
既欺魏將　亦怨秦人　如何作法
逆旅不賓

[illegible]

商君列傳第八　史記六十八

困學紀聞十六 秦廢井田開阡陌 周顯王十九年 通典曰按周制步百為畝畝百給一夫商鞅佐
秦以一夫力餘地利不盡於是改制二百四十步為畝百畝給一夫又以秦地曠而人寡晉
地狹而人稠誘三晉人發秦地利優其田宅復及子孫而使秦人應敵於外大率
百人則五十人為農五十人習戰兵強國富職此之由朱文公所作開阡陌辨曰說者之意皆以開為開
置之開言秦廢井田而始置阡陌也按阡陌者舊說以為田間之道蓋因田之疆畔制其
廣狹辨其橫從以通人物之往來即周禮所謂遂上之徑溝上之畛洫上之涂澮上之道也
然風俗通云南北曰阡東西曰陌又云河南以東西為阡南北為陌二說不同今以遂人田畝夫家
之數考之則當以後說為正蓋陌之為言百也遂洫從而徑涂亦從則遂間百畝洫間百夫而徑
涂為陌矣阡之為言千也溝澮橫而畛道亦橫則溝間千畝澮間千夫而畛道為阡矣阡陌
之名由此而得至於萬夫有川而川上之路周於其外與夫匠人井田之制遂溝洫澮亦皆四周
則阡陌之名疑亦因其橫從而命之也然遂廣二尺溝四尺洫八尺澮二尋則丈有六尺矣徑容
牛馬畛容大車涂容乘車一軌道二軌路三軌則幾二丈矣此其水陸占地不得為田者頗多所以
正經界止侵爭時蓄泄備水旱為永久之計商君以急刻之心行苟且之政但見田為阡陌所束而
耕者限於百畝則病人力之不盡但見阡陌之占地太廣而不得為田者多則病其地利
之有遺又當世衰法壞之時歸授之際必有煩擾欺隱之姦而阡陌之地切近民田又必有
陰據以自私而稅不入於公上者是以盡開阡陌悉除禁限而聽民兼并買賣以盡人
力墾闢棄地悉為田疇不使有尺寸之遺以盡地利使民有田即為永業而不復歸
授以絕煩擾欺隱之姦使地皆為田田皆出稅以覈陰據自私之幸此其為計正猶楊炎疾浮戶之
弊而破租庸以為兩稅蓋一時之害雖除而千古聖賢傳授精微之意於此盡矣故秦紀鞅
傳皆云為田開阡陌封疆而賦稅平蔡澤亦曰決裂阡陌以靜生民之業而一其俗詳味其言則所謂開
者乃破壞剗削之意而非創置建立之名所謂阡陌乃三代井田之舊而非秦之所置矣所謂
賦稅平者以無欺隱竊據之姦也所謂靜生民之業者以無歸授取予之煩也大事記解題
曰決裂云者唐虞三代井田之制盡堅固封表深固非大用力以決裂之不能遽掃滅其跡
也秦始皇三十一年使黔首自實田使井田不廢何患田之不實乎

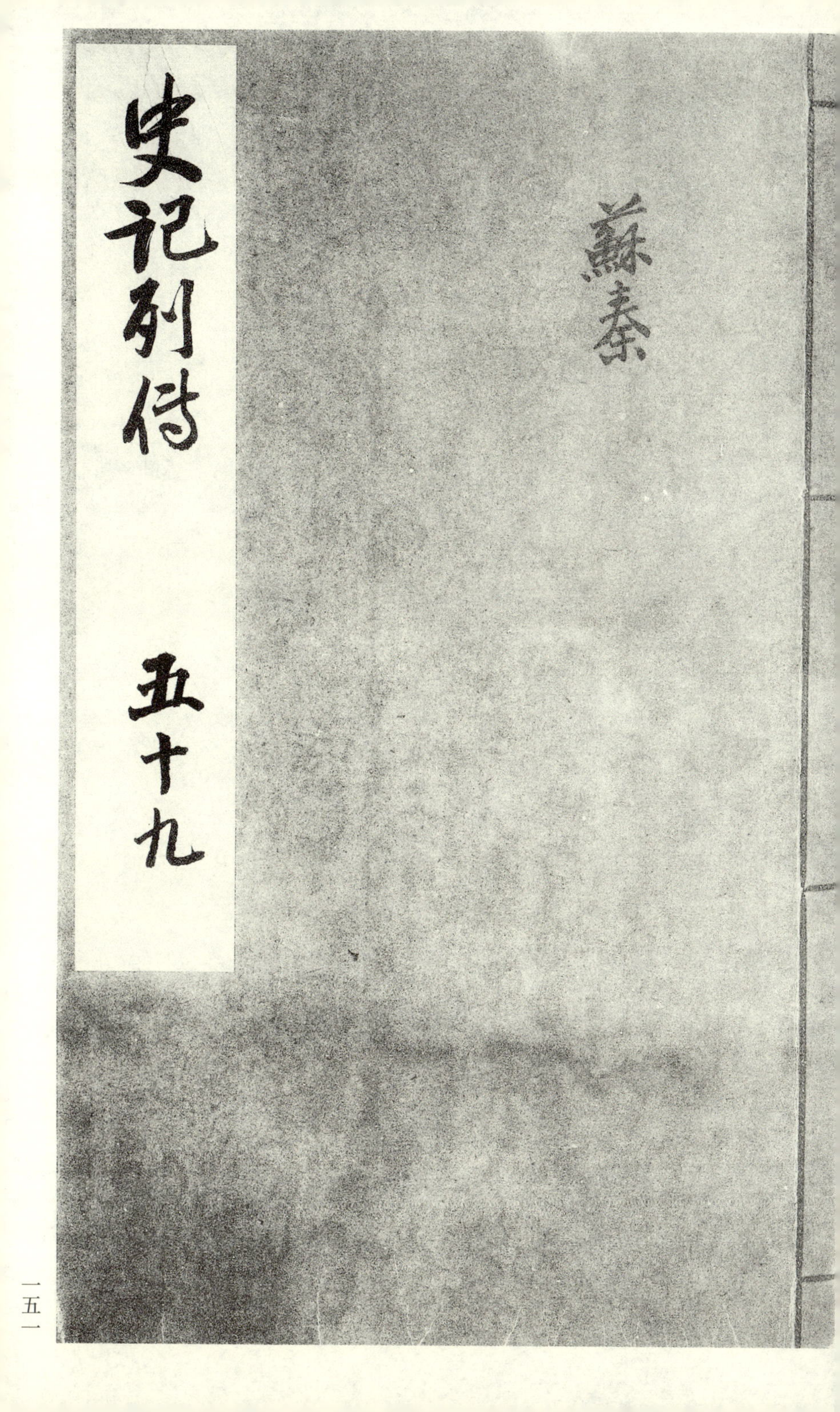

史記列傳　五十九

蘇秦

宋景濂諸子辯　鬼谷子三卷鬼谷子撰一名玄微子鬼谷子無姓名里居戰國時隱潁川
陽城之鬼谷故以為號或云王誗誗一作詡者妄也長於養性治身蘇秦張儀師之受
捭闔之術十三章又受轉圓胠箧及本經持樞中經三篇轉圓胠箧今亡梁陶弘景
注劉向班固錄書無鬼谷子隋志始有之列於縱橫家唐志以為蘇秦之書大氐其書
皆捭闔鉤箝揣摩之術其曰與人言之道或撥動之令有言以示其同或閉藏之使自
言以示其異捭闔也既內感之而得其情即外持之使不得移鉤箝也量天下之權度諸
侯之情而以其所欲動之揣摩也是皆匕夫蛇鼠之智家用之則家亡國用之則國偾天
下用之則失天下學士大夫宜唾去不道高氏獨謂其得於易老闔闢翕張之外不亦過
許矣哉其中雖有知性寡累知命不憂及中稽道德之祖散入神明之頤等言亦恒語尔
非甚高論也嗚呼曷不觀之儀秦乎儀秦用其術而最售者其後竟何如也高氏
之慕之則吾有以識高矣

史學提要 周 鄭注 武王作邑於鎬京 謂之宗周 是爲西都 幽王以前居之 称西周 成王營洛邑 謂
之王都 是爲東都 平王以後居之 称東周 ○史記周本紀 武王營周居于雒邑
而後去 正義曰 括地志云 故王城一名河南城 本郟鄏 周公新築 在洛州河南縣北九里苑内東北隅 自平
王以下十二王皆都此城 至敬王乃遷都成周 至赧王又居王城也 帝王世紀云 王城西有郟鄏陌 又太
史公曰 學者皆稱周伐紂 居洛邑 綜其實不然 武王營之 成王使召公卜居 居九鼎焉 而周復都豐
至犬戎敗幽王 周乃東徙于洛邑 所謂周公葬我畢 畢在鎬東南杜中 ○又周本紀 七年成王長
周公反政成王 北面就群臣之位 成王在豐 使召公復營洛邑 如武王之意 周公復卜申視 卒營築 居
九鼎焉 曰此天下之中 四方入貢道里均 云云 東伐淮夷殘奄 云云 成王自奄歸 在宗周 鎬京也 云云 晉
人攻子朝而立敬王 敬王元年 晉人入敬王 子朝自立 云云 四年 晉率諸侯入敬王于周 子朝爲臣
云云 十六年 子朝之徒復作亂 敬王奔于晉 云云 ○按周本紀并注 左傳宣三年 十八史略 史學提要 王見
周有大綱 云文王自岐下徙都豐 曰豐邑 云云 乃鎬京也 蓋鎬去豐二十五里 故云豐鎬 武王伴周公築雒
邑而後去不都焉 成王伴召公營雒邑 遂武王志 周公卜居而歸 成王東伐 在淮夷 至此自
宜國洛不都 猶爲鎬又都豐 二鎬京 云云 乃宗周也 西周也 西都也 雒邑乃周東都也 王都也 王城
也 河南郟鄏也 平王避犬戎亂 徙雒邑 是爲東周 平王以下十二王皆都 王子朝亂 徙鎬
京 至赧王又徙雒陽 秦侍注曰 敬王遷雒陽 東室 又王城東周也 於王城爲西周 東室又武
宗周爲西周 成周爲東周 然周本紀注 不可敬王都成周者 其注一 其義之故也 平王以
下都東周 則豈曰王城 王都東周 此中必有 後乎 又王見周云 周自平王号曰東周 至考王復
曰西周 而考王封其弟桓公於河南 後三代至惠公 復曰東周
代爲東周 則東王子朝王 徙西周 平 [illegible] 王以下都 [illegible] 敬王
復徙東周 至赧王復徙西周 平 [illegible] 城 [illegible] 西周也
又按 敬王之子元王 元王之子貞定王 [illegible] 考王 以下天子居西周 相 [illegible]
周 [illegible] 之弟 [illegible] 在京 [illegible] 又按 左傳宣三年 成王定鼎于郟鄏 卜世三十 卜年七百
天所命也 杜預云 郟鄏今河南也 武王遷之 成王定鼎 又十八史略 周公營洛邑 王城
東都 [illegible] 洛水云云 王城在 [illegible] 洛陽 云云 武王欲營都邑而未成 成王遂卒營 [illegible] 而營
郟鄏 即此也 幻 [illegible] 王城 云郟鄏 云河南 [illegible] 爲洛陽 爲東周 以 [illegible] 河南云
郟鄏 王城 爲西周也 又資治通鑑綱目 周慎靚王五年 秦 [illegible] 二周 [illegible] 東周者 成周也 西
周者 河王城也 [illegible] 西周王城 今河南也 東周成周 洛陽之地 [illegible] 西周考王封其弟於河南

蘇秦列傳第九　　史記六十九

蘇秦者東周雒陽人也索隱曰蘇秦字季子蓋蘇忿生之後巳姓也譙周云秦兄弟五人秦最少兄代代弟厲及辟鵠並爲游說之士此下云秦弟代代弟厲未詳○正義曰戰國策云蘇秦雒陽軒里之人也藝文志云蘇子三十一篇在縱橫流敬王以子朝之亂從王城東遷雒陽故城乃號東周以王城爲西周東事師於齊而習之於鬼谷先生徐廣曰潁川陽城有鬼谷蓋是其人所居因爲號駰案風俗通義曰鬼谷先生六國時從橫家○索隱曰鬼谷地名也扶風池陽潁川陽城並有鬼谷墟蓋是其人所居因爲號又樂壹注鬼谷子書云蘇秦欲神秘其道故假名鬼谷出游數歲大困而歸索隱曰戰國策此語在說秦王之後兄弟嫂妹妻妾竊皆笑之曰周人之俗治產業力工商逐什二以爲務今子釋本而事口舌困不亦宜乎蘇秦聞之而慚自傷

乃閉室不出出其書徧觀之索隱曰徧觀謂盡觀其書曰夫士業已屈首受書索隱曰謂士之立操業者素也本也言本已屈首低頭受書於師也而不能以取尊榮雖多亦奚以爲於是得周書陰符伏而讀之期年以出揣摩戰國策曰乃發書陳篋數十得太公陰符之謀伏而誦之簡練以爲揣摩讀書欲睡引錐自刺其股血流至踵曰安有說人主不能出其金玉錦繡取卿相之尊者乎期年揣摩成鬼谷子有揣摩篇也○索隱曰戰國策云得太公陰符之謀則陰符是太公之兵法揣音初委反摩音姥何反鄒誕本作揣靡靡讀亦爲摩王劭云揣情摩意是鬼谷之二章名非爲一篇也高誘曰揣定也摩合也定諸侯使雖其術以成六國之從也江邃曰揣人主之情摩而近之其意當矣曰此可以說當世之君矣求說周顯王顯王左右素習知蘇秦皆少之索隱曰謂王之左右素慣習知秦浮說多不中當世而以爲秦智識淺故少之劉氏云少謂輕之弗信乃

蘇秦傳一

正義曰鬼谷子三卷樂壹注字正㽞鄗人

嫂 六早

正義曰言工商十分中得二分利

蘇秦列傳第九　史記六十九

蘇秦者東周雒陽人也索隱曰蘇秦字季子蓋蘇忿生之後巳姓也譙周云秦兄弟五人秦最少兄代代弟厲及辟鵠並爲游說之士此下云秦弟代代弟厲未詳○正義曰戰國策云蘇秦雒陽軒里人也藝文志云蘇子三十一篇在縱橫流敬王以子朝之亂從王城東遷雒陽故城乃號東周以王城爲西周東事師於齊而習之於鬼谷先生徐廣曰潁川陽城有鬼谷蓋是其人所居因爲號駰案風俗通義曰鬼谷先生六國時從橫家○索隱曰鬼谷地名也扶風池陽潁川陽城並有鬼谷墟蓋是其人所居因爲號又樂壹注鬼谷子書云蘇秦欲神秘其道故假名鬼谷出游數歲大困而歸索隱曰戰國策此語在說秦王之後兄弟嫂妹妻妾竊皆笑之曰周人之俗治產業力工商逐什二以爲務今子釋本而事口舌困不亦宜乎蘇秦聞之而慙自傷

正義曰鬼谷子有陰符七術漢書藝文志注陰符者私志於內物應於外若合符契故云陰符本太公兵法也

正義曰鬼谷子有揣及摩二篇言[illegible]諸侯之情以其所欲切摩為揣之術也按鬼谷子乃蘇秦書明矣

正義曰言少之不信言顯王左右慣知蘇秦有少不信行故不用

乃閉室不出出其書徧觀之索隱曰[illegible]謂盡觀覽其書曰夫士業已屈首受書索隱曰謂士之立操業者素也本已屈首低頭受書於師也而不能以取尊榮雖多亦奚以為於是得周書陰符伏而讀之期年以出揣摩戰國策曰乃發書陳篋數十得太公陰符之謀伏而誦之簡練以為揣摩讀書欲睡引錐自刺其股血流至踵曰安有說人主不能出其金玉錦繡取卿相之尊者乎期年揣摩成鬼谷子有揣摩篇也○索隱曰戰國策云得太公陰符之謀則陰符是太公之兵法揣音初委反摩音莫何反鄒誕本作揣靡靡讀亦為摩王劭云揣情摩意是鬼谷之二章名非為一篇也高誘曰揣定也摩合也定諸侯使讎其術以成六國之從也江邃曰揣人主之情摩而近之其意當矣曰此可以說當世之君矣求說周顯王顯王左右素習知蘇秦皆少之索隱曰謂王之左右素慣習知秦浮說多不中當世而以為秦智識淺故少之劉氏云少謂輕之弗信

蘇秦傳一

集覽云四塞秦光代反高誘曰四面有山關之固故曰四塞

渭 一本作江
關 作江
南有 一本無
代馬 師說兩豆
未明 本作不明

西至秦。秦孝公卒。說惠王曰：秦四塞之國，正義曰：東
有黃河，有幽谷、蒲津、龍門、合河等關；南山及武關、嶢關；西有
大隴山及隴山關、大震、烏蘭等關；北有黃河南塞，是四塞之
國。被山
帶渭。被山帶渭，東有關河，正義曰：又為界地里江渭
涯江渭州隴山之西南流
入蜀，東至荊陽入海也。河謂黃河，從同州小積石山東北流，
至勝州即南流，至華州又東北流，經魏、滄等州入海，各是萬
里巳
下。西有漢中，南有巴蜀，北有代馬，索隱曰：謂代郡馬邑也。地
理志代郡又有馬城縣。一云代
馬謂代郡兼有胡馬之利也。此天府也。索隱曰：周礼春官有天府，鄭玄
曰：府，物所藏。言尊
此所藏若天府然。以秦士民之眾，兵法之教，可以吞
天下，稱帝而治。秦王曰：毛羽未成，不可以高蜚；
文理未明，不可以并兼。方誅商鞅，疾辯士，弗用。
乃東之趙。趙肅侯令其弟成為相，號奉陽君。奉

秦惠文王也

里作理
渭作謂
代字不清

蘇秦之趙游燕

嘑本作呼

陽君弗說之去游燕歲餘而後得見說燕文侯索隱曰說音稅燕文侯史失名曰燕東有朝鮮遼東索隱曰朝鮮音潮仙二水名北有林胡樓煩索隱曰地理志樓煩屬鴈門郡○正義曰二胡國名朔嵐已北西有雲中九原索隱曰地理志雲中九原二郡名秦曰九原漢武帝改曰五原郡○正義曰二郡並在勝州也雲中郡城在林榆縣東北四十里九原郡在林榆縣西界南有嘑沱易水周禮曰正北曰并州其川嘑沱鄭玄曰嘑沱出鹵城○索隱曰嘑沱水名并州之川也音呼池地理志鹵城縣名屬代郡嘑沱河自縣東至參合又東至文安入海也○正義曰呼沱出代州繁時縣東南流經五臺山北東南流過定州流入海易水出易州易縣東流過幽州歸義縣東與呼沱合入河也地方二千餘里帶甲數十萬車六百乘騎六千匹粟支數年索隱曰戰國策車七百乘粟支十年南有碣石鴈門之饒索隱曰戰國策碣石山在常山九門縣地理志大碣石山在右

北平驪城縣西南是也○正義曰鴈門山在代燕西門北有棗栗之利民雖不佃作而足於棗栗矣此所謂天府者也夫安樂無事不見覆軍殺將無過燕者大王知其所以然乎夫燕之所以不犯寇被甲兵者以趙之為蔽其南也秦趙五戰秦再勝而趙三勝秦趙相斃而王以全燕制其後此燕之所以不犯寇也且夫秦之攻燕也踰雲中九原過代上谷彌地數千里雖得燕城秦計固不能守也秦之不能害燕亦明矣今趙之攻燕也發號出令不至十日而數十萬之軍軍於東垣矣索隱曰[illegible]

邑在恒州真定縣南八里故常山城是也渡嘑沱涉易水不至四五日而距國都矣故曰秦之攻燕也戰於千里之外趙之攻燕也戰於百里之內夫不憂百里之患而重千里之外計無過於此者是故願大王與趙從親天下為一則燕國必無患矣文侯曰子言則可然吾國小西迫彊趙正義曰貝冀燕趙四州七國時屬趙即燕西界南近齊正義曰河北博滄德三州齊地北境與燕相接隔黃河齊趙彊國也子必欲合從以安燕寡人請以國從於是資蘇秦車馬金帛以至趙而奉陽君已死即因說趙肅侯索隱曰世本云肅侯名言曰天下卿相人臣及布衣之士皆高

蘇秦傳三

北平驪城縣西南是也○正義曰鴈門山在代燕西門北有棗栗之利民雖不佃作而足於棗栗矣此所謂天府者也夫安樂無事不見覆軍殺將無過燕者大王知其所以然乎夫燕之所以不犯寇被甲兵者以趙之為蔽其南也秦趙五戰秦再勝而趙三勝秦趙相斃而王以全燕制其後此燕之所以不犯寇也且夫秦之攻燕也踰雲中九原過代上谷彌地數千里雖得燕城秦計固不能守也秦之不能害燕亦明矣今趙之攻燕也發號令不至十日而數十萬之軍軍於東垣矣索隱曰[illegible]

（邑在恒州真定縣南八里故常山城是也）渡嘑沱涉易水不至四五日而距國都矣故曰秦之攻燕也戰於千里之外趙之攻燕也戰於百里之內夫不憂百里之患而重千里之外計無過於此者是故願大王與趙從親天下爲一則燕國必無患矣文侯曰子言則可然吾國小西迫彊趙（正義曰冀燕趙四州七國時屬趙即燕西界）南近齊（正義曰河北博滄德三州齊地也北境與燕相接隔黃河）齊趙彊國也子必欲合從以安燕寡人請以國從於是資蘇秦車馬金帛以至趙而奉陽君已死即因說趙肅侯（索隱曰世本云肅侯名語）曰天下卿相人臣及布衣之士皆高

卄蘇秦傳三

賢君之行義臣願奉教陳忠於前之日久矣雖然奉陽君妬君而不任事是以賓客游士莫敢自盡於前者今奉陽君捐館舍君乃今復與士民相親也臣故敢進其愚慮竊爲君計者莫若安民無事且無庸有事於民也安民之本在於擇交擇交而得則民安擇交而不得則民終身不安請言外患齊秦爲兩敵而民不得安倚秦攻齊而民不得安倚齊攻秦而民不得安故夫謀人之主伐人之國常苦出辭斷絶人之交也願君愼勿出於口請別白黑所以異

弒 式吏切
殷湯放夏桀於南巢 周武王弒殷紂也

陽而已矣索隱曰戰國策云請屏左右白言所以異陰陽其說異此然則別白黑者蘇秦言已今論趙國之利必使分明有如白黑分別陰陽殊異也君誠能聽臣燕必致旃裘狗馬之地齊必致魚鹽之海楚必致橘柚之園韓魏中山皆可使致湯沐之奉而貴戚父兄皆可以受封侯夫割地包利五伯之所以覆軍禽將而求也封侯貴戚湯武之所以放弒而爭也今君高拱而兩有之此臣之所以為君願也今大王與秦則秦必弱韓魏與齊則齊必弱趙魏正義曰趙東海洲之上與齊接境也魏弱則割河外韓弱則效宜陽宜陽效則上郡絕正義曰宜陽即韓城也在洛州西韓大郡也上郡在同州西北言韓弱與秦宜

陽城則上郡路絕矣**河外割則道不通**正義曰河外同華等地也言魏弱與秦河外地則道路不通上郡矣華山記云此山分秦晉之境謂之西鄙則曰陰晉秦之東邑則曰寧秦**魏弱則無援此三策者不可不孰計也夫秦下軹道**正義曰軹音止故亭在雍州萬年縣東北十六里苑中**則南陽危**正義曰南陽懷州河南也七國時屬韓言秦兵下軹道從東渭橋歷北道過蒲津攻韓即南陽危矣**劫韓包周**正義曰周都洛陽秦若劫取韓南陽是包裹周都也趙邯鄲故須危起兵自守**則趙氏自操兵**索隱曰戰國策作銷鑠**據衛取淇卷**兵權反○索隱曰地理志卷縣屬河南戰國策云據衛取淇無卷字○正義曰衛地濮陽也卷城在鄭州武原縣西北七里言秦守衛得卷則齊必來朝秦**則齊必入朝秦秦欲已得乎山東則必舉兵而嚮趙矣秦甲渡河踰漳據番吾**徐廣曰常山有蒲吾縣○索隱曰徐氏所引蓋據地理志而知也○正義曰番音婆又音蒲又音[illegible]

古番吾邑也括地志云蒲吾故城在鎮州常山縣東二十里漳水在潞州言秦兵渡河踰[illegible]南陽入羊腸經潞州度漳水守蒲吾城則與趙戰於邯鄲城下矣則兵必戰於邯鄲之下矣此臣之所爲君患也當今之時山東之建國莫彊於趙趙地方二千餘里帶甲數十萬車千乘騎萬匹粟支數年西有常山正義在鎮州西南有河漳正義曰河字一作淸即漳河也在潞州地理志濁漳出長子鹿谷山東至鄴入淸漳東有淸河正義曰淸河今貝州也北有燕國正義曰然三家分晉趙得晉陽襄子又伐戎取代既云西有常山者趙都邯鄲近北燕也燕固弱國不足畏也秦之所害於天下者莫如趙然而秦不敢舉兵伐趙者何也畏韓魏之議其後也然則韓魏趙之南蔽也秦之攻韓魏也

諸侯指六國也

無有名山大川之限稍蠶食之傳國都而止
韓魏不能支秦必入臣於秦秦無韓魏之規則
禍必中於趙矣此臣之所爲君患也臣聞堯無
三夫之分舜無咫尺之地以有天下禹無百人
之聚以王諸侯湯武之士不過三千車不過三
百乘卒不過三萬立爲天子誠得其道也是故
明主外料其敵之彊弱內度其士卒賢不肖不
待兩軍相當而勝敗存亡之機固已形於胸中
矣豈揜於衆人之言而以冥冥決事哉臣竊以
天下之地圖案之諸侯之地五倍於秦料度諸

矦之卒十倍於秦六國爲一并力西鄉而攻秦

秦必破矣今西面而事之見臣於秦夫破人之與見破於人也正義曰破人謂破前敵也破於人爲彼前敵破臣人之與見臣於人也正義曰臣人謂己得人爲臣也臣於人謂己事他人豈可同日而論哉索隱曰臣人謂己爲彼臣也臣於人者謂我爲主使彼臣己也夫衡人者正義上音横謂爲秦人皆欲割諸矦之地以予秦索隱曰按衡人即游說從横之士也東西爲横南北爲從秦地形東西横長故張儀相秦爲秦連横秦成則高臺榭美宮室聽竽瑟之音前有樓闕軒轅索隱曰戰國策云前有軒轅又史記俗本有作軒冕者非本文也後有長姣美人索隱曰姣音絞說文云姣美也國被秦患而不與其憂是故夫衡人日夜務以秦權恐愒諸

矣愒音呼曷反。○索隱曰恐音起拱反，愒音許曷反，謂相恐愒也。鄒氏愒音憩，義疏。以求割地，故願大王孰計之也。臣聞明主絕疑去讒，屏流言之迹，塞朋黨之門，故尊主廣地彊兵之計臣得陳忠於前矣。故竊為大王計，莫如一韓魏齊楚燕趙以從親，以畔秦。令天下之將相會於洹水之上，徐廣曰洹水出汲郡林慮縣。通質刳白馬而盟。索隱曰質如字，又音躓，以言通其交質之情也。要約曰秦攻楚，齊魏各出銳師以佐之，韓絕其糧道，索隱曰謂擁兵於嶠關之外，又守宜陽也。趙涉河漳，索隱曰謂趙亦涉河漳而西，欲與韓相援，以阻秦軍。燕守常山之北。秦攻韓魏，正義曰謂道蒲津之東戍也。則趙絕其後，索隱曰謂出[illegible]

鋭師而佐之趙涉河漳燕守雲中秦攻齊則楚絶其後韓守城皋正義曰在洛州汜水縣魏塞其道索隱曰其道即河内之道戰國策其作午趙涉河博關徐廣曰齊威王六年晉伐齊到博陵東郡有博平縣燕出鋭師以佐之秦攻燕則趙守常山楚軍武關齊涉勃海正義曰蘇從滄州渡河至瀛州韓魏皆出鋭師以佐之秦攻趙則韓軍宜陽楚軍武關魏軍河外索隱曰河外謂陝及曲沃等處也○正義謂同華州齊涉清河正義曰齊從貝州過河而西燕出鋭師以佐之諸侯有不如約者以五國之兵共伐之六國從親以賓秦索隱曰謂六國之軍共爲合從相親獨以秦爲賓而共伐之則秦甲必不敢出於函谷以害山東矣如此

其道正義云戰國策作午道

漳 本ナ

河博關 正義作河博關 案漳字正義涉屬州南河南正博陵今博州博平縣即博縣

正義曰六國爲從親相輔以秦爲賓秦兵必不敢出函谷關以害山東矣如此則霸業成

日集覽擯秦正義日擯斥也史記作賓秦

蘇秦傳七

從楊僕之請移關於新安縣文穎曰秦關在弘農縣衡嶺後移在河南穀成縣師古曰今桃林縣有洪溜澗水即古所謂函谷其水北流入河夾河之岸尚有舊關餘跡穀成即新安杜佑曰漢函谷關在漢新安縣東北一里其秦關在今靈寶縣

則霸王之業成矣趙王曰寡人年少立國日淺未嘗得聞社稷之長計也今上客有意存天下安諸侯寡人敬以國從乃飾車百乘黃金千鎰白璧百雙錦繡千純（純匹端名周禮曰純帛不過五兩○索隱曰按一鎰一金也鄭玄云一溢二十四分之一其說各異純音淳高誘注戰國策音屯屯束也又禮鄉射云某賢於某若干純純數也音旋）以約諸侯是時周天子致文武之胙於秦惠王惠王使犀首攻魏禽將龍賈取魏之雕陰（索隱曰魏地也劉氏云在龍門河之西北按地理志雕陰縣屬上郡○正義曰在鄜州洛交縣北二十四里）且欲東兵蘇秦恐秦兵之至趙也乃激怒張儀入之于秦於是說韓宣王（索隱曰世本韓宣王昭侯之子也）

鞏洛成皋之固索隱曰二邑本屬東周後屬韓邑地理志二縣並屬河南西有宜陽商阪之塞徐廣曰商一作常○索隱曰劉氏云商阪之塞蓋在商洛之間適秦楚之險塞也○正義曰宜陽在洛州福昌縣東十四里商阪即商山也在商洛縣南一里亦曰楚山武關在焉東有宛穰洧水宛於袁反洧于鬼反○索隱曰地理志宛穰二縣名並屬南陽洧水名出南方○正義曰在新鄭東南流入潁南有陘山徐廣曰召陵有陘亭密縣有陘山○正義曰在新鄭西南三十里地方九百餘里帶甲數十萬天下之彊弓勁弩皆從韓出谿子許慎云南方谿子蠻夷柘弩皆善材○索隱曰許慎注淮南子以爲南方蠻出柘弩及竹弩少府時力距來者韓有谿子弩又有少府所造二種之弩索時力者謂作之得時力倍於常故名時力也距來者謂弩勢勁利足以距來敵也○索隱曰韓又有少府所造時力距來二種之弩其名並具淮南子皆射六百步之外韓卒超足而射百發不暇止索隱

蘇秦傳八

黃金千鎰　幻案禮記[illegible]大記[illegible]士大夫[illegible]三日不食子大夫[illegible]

朝一溢米莫一溢米合[illegible]鄭氏注[illegible]數也二十兩曰溢於粟[illegible]一溢為米

一升二十四分升之一[illegible]云食[illegible]者言居喪困病不能飲食隨須則食故[illegible]

曰云一溢為米一升二十四分升之一者案律曆志云鍾之律其實一龠合龠為合則二十四銖合

重一兩十合為一升升重十兩二十兩則米二升與此不同者但古秤有二法說石者云百二十斤

為石則一斗十二斤為斗則一百九十二兩則一升為十九兩有二奇今一十兩為二十四銖則二十兩

為[illegible]十銖計一十九兩有二奇[illegible]一升則總有四百六十銖八[illegible]

二[illegible]是為米一升二十[illegible]銖之[illegible]

○注禮鄉射云其賢於其若干純　幻謂禮者周禮乎禮記乎[illegible]儀禮采周禮與此文禮記與鄉射禮

而檢畫篇遂以奇算言曰其賢於其若干純注為純音全下及注同鄭注儀禮以字為純全也疏云或

左或右不定故稱其賢[illegible]謂勝者也勝者若有奇數則云若干純假令十算則五純也正義曰此皆鄉射禮

文也由正義推之禮鄉射指儀禮鄉射次矣予家集鄭注儀禮偶得儀禮圖蓋謝子祥所刊儀禮本經十

七篇及朱文公門生秦溪信齋楊復圖也本經之下引朱氏經傳通解也其第五載鄉射禮其注云鄭目錄云州

長春秋以禮會民而射於州序之禮謂之鄉者州鄉之屬鄉大夫或在焉不改其禮○疏曰周禮五州為鄉是州屬鄉也

云不改其禮者雖鄉大夫在其禮仍依州長射禮也又鄉射禮取矢視算章云若右勝則曰右賢於左若左勝則曰

左賢於右以純數告若有奇者亦曰奇注云賢猶勝也言賢者射之以中為雋也假如右勝告曰右賢於左若干純

若干奇　幻謂其賢於其若干純者儀禮之文繁多故不舉其全文只用檢畫篇之語而取儀禮鄉射禮之意

而已又韻會先韻純字注禮記投壺二算為純音全又真韻史記蘇秦傳錦繡千純音淳又音屯純

於其若干純音旋

蘇秦說韓

○激怒張儀詳見張儀傳中（卷[illegible]）

兵蘇秦恐秦兵之至趙也乃激怒張儀入之于[illegible]　且欲東

地也劉氏云在龍門河之西北按地理志鄜陰縣屬上郡○正義曰在鄜州洛交縣北三十四里

秦於是說韓宣惠王　索隱曰世本韓宣王昭侯之子也

一段為一段

鞏洛成皐之固〔索隱曰二邑本屬東周後屬韓邑地理志二縣並屬河南〕西有宜陽商阪之塞〔徐廣曰商一作常○索隱曰劉氏云商阪之塞蓋在商洛之間適秦楚之險塞也○正義曰宜陽在洛州福昌縣東十四里商阪即商山也在商洛縣南一里亦曰楚山武關在焉〕東有宛穰洧水〔宛於袁反洧于鬼反○索隱曰地理志宛穰二縣名並屬南陽洧水名出密南方○正義曰在新鄭東南流入潁〕南有陘山〔徐廣曰召陵有陘亭密縣有陘山○正義曰在新鄭西南三十里〕地方九百餘里帶甲數十萬天下之彊弓勁弩皆從韓出谿子〔許慎云南方谿子蠻夷柘弩皆善材○索隱曰許慎注淮南子以爲南方谿蠻出柘弩及竹弩〕少府時力距來者〔韓有谿子弩又有少府所造二種之弩○索隱時力者謂作之得時力倍於常故名時力也距來者謂弩勢勁利足以距來敵也○索隱曰韓又有少府所造時力距來二種之弩其名並具淮南子〕皆射六百步之外韓卒超足而射百發不暇止〔索隱

蘇秦傳八

曰超足謂超騰用勢蓋起足蹋之而射也故下云蹠勁弩是也○正義曰超足齊足也夫欲放弩皆坐舉足踏弩材手引揍機然始發之遠者括蔽洞胷近者鏑弇心韓卒之劍戟皆出於冥山徐廣曰莊子曰南行至郢北面而不見冥山駰案司馬彪曰冥山在朔州北○索隱曰鄒象云冥山在平太極李軌云在韓國棠谿徐廣曰汝南吳房有棠谿亭○正義曰故城在豫州偃城縣西八十里鹽鐵論云有棠谿之劍是也墨陽淮南子曰墨陽之莫耶也合賻音附徐廣曰一作伯春秋後語作合相○索隱曰戰國策作合伯鄧師宛馮徐廣曰滎陽有馮池○索隱曰鄧國有工鑄劍因名鄧師宛人於馮池鑄劍故號宛馮龍淵太阿吳越春秋曰楚王召風胡子而告之曰寡人聞吳有干將越有歐冶寡人欲因子請此二人作劍可乎風胡子曰可乃往見二人作劍一曰龍淵二曰太阿○索隱曰案晉太康地理記曰汝南西平有龍泉水可以淬刀劍特堅利故有龍泉之劍楚之寶劍也以特堅利故有堅白之論云黃所以爲堅也白所以爲利也齊辯之曰白所以爲不堅黃所以爲不利也故天下之寶劍韓爲衆一曰棠谿二曰[illegible]

合伯四曰鄧師五曰宛馮六曰龍泉七曰大阿八
曰干將也然干將莫耶匠名也其劍皆出西平縣今有鐵官
令別領戶是古鑄劍之地皆陸斷牛馬水截鵠鴈當敵則斬堅

甲鐵幕徐廣曰陽城出鐵○索隱曰戰國策云當敵則斬堅甲盾鞮鍪鐵幕鄒誕云莫一作𥯱劉氏云謂以

鐵爲臂脛之衣言其劍皆能斬之革抉徐廣曰一作決○索隱曰謂以革爲射決決射韝也㕮芮

㕮音伐○索隱曰㕮與瞂同謂楯也芮音如字謂繫楯之紛綬也○正義曰方言云楯自關東謂之瞂關西謂之盾無

不畢具以韓卒之勇被堅甲蹠勁弩帶利劍一

人當百不足言也夫以韓之勁與大王之賢乃

西面事秦交臂而服羞社稷而爲天下笑無大

於此者矣是故願大王孰計之大王事秦秦必

求宜陽成皐今茲效之明年又復求割地索隱曰鄭

蘇秦傳九

玄注禮云效猶呈見也與則無地以給之不與則棄前功而受後禍且大王之地有盡而秦之求無已以有盡之地而逆無已之求此所謂市怨結禍者也不戰而地已削矣臣聞鄙諺曰寧爲雞口無爲牛後索隱曰戰國策云寧爲雞尸不爲牛從延篤注云尸雞中主也從謂牛子也言寧爲雞中之主不爲牛子之從後也○正義曰雞口雖小猶進食牛後雖大乃出糞也今西面交臂而臣事秦何異於牛後乎夫以大王之賢挾彊韓之兵而有牛後之名臣竊爲大王羞之於是韓王勃然作色攘臂瞋目按劍仰天太息曰索隱曰太息謂久蓄氣而大吁也寡人雖不肖必不能事秦今主君詔以趙王

蘇秦說

之教敬奉社稷以從索隱曰主君也指蘇秦[illegible]大夫稱王今嘉蘇子合從謂秦[illegible]稱美之故稱曰主君又說魏襄王索隱曰世本惠王子名嗣曰大王之地南有鴻溝徐廣曰在滎陽陳汝南許鄢徐廣曰在潁川於蔫切○索隱曰音偃又於建反戰國策作郾地理志潁川有許郾二縣又有鄢陵縣鄢郾不同必有二誤郾音焉○正義曰陳汝南今汝州豫州縣也昆陽召陵舞陽新都新郪地理志潁川有昆陽舞陽縣汝南有新郪縣南陽有新都縣○索隱曰地理志昆陽舞陽屬潁川召陵新郪屬汝南按新郪即捿丘章帝建初四年徙封殷後宋公於此更名宋新都屬南陽戰國策直云新郪無新都二字○正義曰召陵在豫州舞陽在許州東有淮潁正義曰淮陽潁川二郡煮棗徐廣曰在宛句○正義曰在宛朐按宛朐曹州縣也無胥索隱曰按其地闕西有長城之界北有河外正義曰謂河南地卷衍酸棗徐廣曰滎陽卷縣有長城經陽武到密衍地名○索隱曰徐廣云滎陽卷縣有長城蓋據地險爲說○正義曰卷在鄭州

原武縣北七里酸棗東在滑州衍徐云地名地方千里地名雖小然而田舍廬廡之數曾無所芻牧人民之衆車馬之多日夜行不絕輷輷殷殷正義曰輷呼宏反殷音隱若有三軍之衆臣竊量大王之國不下楚然衡人怵王正義衡音横怵音卹交彊虎狼之秦以侵天下卒有秦患正義卒子忽反不顧其禍夫挾彊秦之勢以內劫其主罪無過此者魏天下之彊國也王天下之賢王也今乃有意西面而事秦稱東藩築帝宮索隱曰謂爲秦築宮備其巡狩而舍之故謂之帝宮受冠帶祠春秋索隱曰謂冠帶制度皆受秦法春秋貢奉以助奉祭祀臣竊爲大王恥之臣聞越王句踐戰敝卒三千

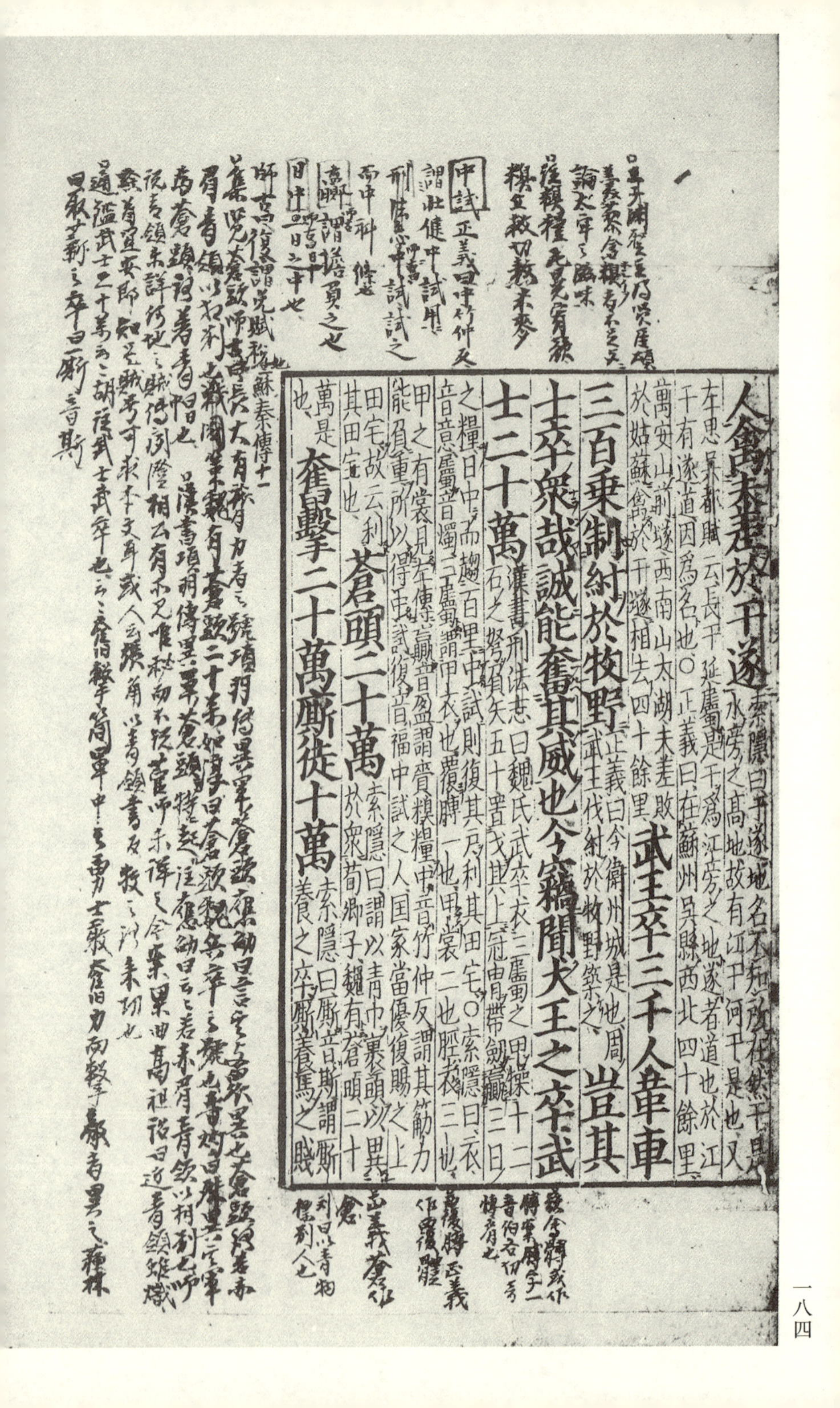

禽夫差於干遂索隱曰干遂地名不知所在然干是水旁之高地故有江干河干是也又左思吳都賦云長干延屬是干爲江旁之地遂者道也於江干有遂道因爲名也○正義曰在蘇州吳縣西北四十餘里萬安山前遂西南山太湖夫差敗於姑蘇禽於干遂相去四十餘里武王卒三千人革車三百乘制紂於牧野正義曰今衛州城是也周武王伐紂於牧野築之豈其士卒衆哉誠能奮其威也今竊聞大王之卒武士二十萬漢書刑法志曰魏氏武卒衣三屬之甲操十二石之弩負矢五十箇置戈其上冠冑帶劍贏三日之糧日中而趨百里中試則復其戶利其田宅○索隱曰衣音意屬音燭三屬謂甲衣也覆髀一也甲裳二也脛衣三也甲之有裳見左傳贏音盈謂齎糧中音竹仲反謂其筋力能負重所以得中試復音福中試之人國家當優復賜之上田宅故云利其田宅也蒼頭二十萬索隱曰謂以青巾裹頭以異於衆荀卿子魏有蒼頭二十萬是也奮擊二十萬廝徒十萬索隱曰廝音斯謂廝養之卒廝養馬之賤

者今起之爲兵卒○正義曰厮音斯謂炊烹供養雜役車六百乘騎五千匹此其過越王句踐武王遠矣今乃聽於羣臣之說而欲臣事秦夫事秦必割地以效實索隱曰謂割地獻于秦以效己之誠實故兵未用而國已虧矣凡羣臣之言事秦者皆姦人非忠臣也夫爲人臣割其主之地以求外交偷取一時之功而不顧其後破公家而成私門外挾彊秦之勢以內劫其主以求割地願大王孰察之周書曰緜緜不絕蔓蔓奈何毫氂不伐將用斧柯前慮不定後有大患將奈之何大王誠能聽臣六國從親專心并力壹意則必

無彊秦之患故敝邑趙王使臣効愚計【索隱曰此效猶呈見也】奉明約在大王之詔詔之魏王曰寡人不肖未嘗得聞明教今主君以趙王之詔詔之敬以國從因東說齊宣王【索隱曰世本名辟彊威王之子也】曰齊南有泰山東有琅邪西有清河【正義曰即貝州】北有勃海此所謂四塞之國也齊地方二千餘里帶甲數十萬粟如丘山三軍之良五家之兵【索隱曰高誘注戰國策云五家即五國】進如鋒矢【索隱曰戰國策作疾如錐矢高誘曰錐矢小矢喻徑疾也呂氏春秋曰所貴錐矢者為其應聲而至○正義曰齊君之進若鋒矢之刃良弓之矢用之有進而無退】戰如雷霆解如風雨即有軍役未嘗倍泰山絕清河涉勃海

周書曰緜緜不絕蔓蔓奈何……

通典六巻荀卿曰凡君賢者其國治……魏氏之武卒以度取之衣三屬之甲……操十二石之弩負矢五十箇置戈其上冠胄帶劍贏三日之糧日中而趨百里中試則復其戶利其田宅……

故兵未用而國已虧矣凡群臣之言事秦者
皆姦人非忠臣也夫爲人臣割其主之地以求
外交偷取一時之功而不顧其後破公家而成
私門外挾彊秦之勢以內劫其主以求割地願
大王孰察之周書曰緜緜不絕蔓蔓奈何毫氂
不伐將用斧柯前慮不定後有大患將奈之何
大王誠能聽臣六國從親專心并力壹意則必

使無彊秦之患故敝邑趙王使臣效愚計（索隱曰此效猶呈見也）奉明約在大王之詔詔之魏王曰寡人不肖未嘗得聞明教今主君以趙王之詔詔之敬以國從因東說齊宣王（索隱曰世本名辟彊威王之子也）曰齊南有泰山東有琅邪西有清河（正義曰即貝州）北有勃海此所謂四塞之國也齊地方二千餘里帶甲數十萬粟如丘山三軍之良五家之兵（索隱曰高誘注戰國策云五家即五國）進如鋒矢（索隱曰戰國策作疾如錐矢高誘曰錐小矢喻徑疾也呂氏春秋曰所貴錐矢者爲其應聲而至○正義曰齊君之進若鋒矢之刃良弓之矢用之有進而無退）戰如雷霆解如風雨即有軍役未嘗倍泰山絕清河涉勃海

蘇秦傳十二

六博胡注張文曰六博局戲也六箸十二棊烏曹所作楚辭箟蔽象棊有六博鮑宏博經曰琨……劉貢謂

東乃倍泰山云云胡注倍字從土旁音蒲妹翻鄃倍之倍也班志泰山郡博縣東北水經淇水自館陶清淵東北過廣宗縣東為清河漢因置清河郡清河又東過脩縣與大河張甲故瀆合又東過東光南皮等縣弁之北東也又斉東北皆阻海漢渤海郡亦其境也師古曰郡在渤海之濱因以為名直度曰絕由滕以上曰涉

會文穎淄水名出泰山梁父縣……云淄水出淄州淄川縣俗傳禹理水功畢土石黑數里之中波若……故理之淄水又州名漢屬濟南郡適作菑是君奇郡往淄淄蘇日縣屬益都五府都也

也[正義曰言臨淄自足也絕涉皆度也渤海滄州也齊有軍役不用度河取二部]臨菑之中七萬戶臣竊度之不下戶三男子三七二十一萬不待發於遠縣而臨菑之卒固已二十一萬矣臨菑甚富而實其民無不吹竽鼓瑟彈琴擊筑[正義曰筑似琴而大頭圓五弦擊之不鼓]鬬雞走狗六博蹋鞠者[劉向別錄曰就鞠者傳言黃帝所作或曰起戰國之時蹋鞠兵勢也所以練武士知有材也皆因嬉戲而講練之蹋徒臘反鞠求六反○索隱曰王逸注楚詞云博著也行六棊故云六博別錄云就鞠者就亦蹋也促六反崔豹云蹴鞠黃帝所習兵之勢也]臨菑之涂車轂擊人肩摩連衽成帷舉袂成幕揮汗成雨家殷人足志高氣揚夫以大王之賢與齊之彊天下莫能當今乃西面而事秦臣竊為

揚本作陽

高誘曰揚……陸曰氣……

陽言強盛

天下羞之且夫韓魏之所以重畏秦者爲與秦接境壤界也兵出而相當不出十日而戰勝存亡之機決矣韓魏戰而勝秦則兵半折四境不守戰而不勝則國已危亡隨其後是故韓魏之所以重與秦戰而輕爲之臣也今秦之攻齊則不然倍韓魏之地過衛陽晉之道徐廣曰魏哀王十六年秦拔魏蒲坂陽晉封陵○索隱曰陽晉魏邑也劉氏云陽晉地名蓋適齊之道在衛国之西南也○正義曰言秦伐齊背韓魏地而與齊戰徐說陽晉非也乃是晉陽耳衛地曹濮等州也杜預云曹魏下邑也陽晉故在曹州乘氏縣西北三十七里徑乎亢父之險索隱曰亢音剛又苦浪反地理志縣名屬東平国○正義曰故縣在兗州任城縣南五十一里車不得方軌正義曰言不得兩車並行騎不得比行百

通俗六博胡往說文曰博局戲也六箸十二棊烏曹所作楚辭箟蔽象棊有六博鮑宏博經曰琨
蔽玉箸也各投六箸行六棊故曰六博用十二棊六棊白六棊黑所擲頭謂之瓊瓊有五采刻為一畫者謂
之塞刻為兩畫者謂之白刻為三畫者謂之黑一邊不刻者五塞之間謂之五塞蹋鞠史記作蹋
鞠以皮為之實之以毛蹵蹋而戲劉向云蘭後蹴鞠

云淄水出淄州淄川縣俗傳爲澠水即爭土名其數里之中波若之濟故謂之淄水又州名漢屬濟南郡適作菑吳君壽郡後來淄藥縣屬益都壽衎都也

揚本作陽高誘曰揚發越陸曰氣陽言陸盛

萬戶臣竊度之不下戶三男子三七二十一萬不待發於遠縣而臨菑之卒固已二十一萬矣臨菑甚富而實其民無不吹竽鼓瑟彈琴擊筑正義曰筑似琴而大頭圓五弦擊之不鼓鬬雞走狗六博蹹鞠者集解劉向別錄曰蹴鞠者傳言黃帝所作或曰起戰国之時蹋鞠兵勢也所以練武士知有材也皆因嬉戲而講練之蹋徒獵反鞠求六反○索隱曰王逸注楚詞云博著也行六棊故云六博別錄云就蹵鞠者蹵亦蹋也促六反崔豹云起黃帝時習兵之勢也臨菑之涂車轂擊人肩摩連衽成帷舉袂成幕揮汗成雨家殷人足志高氣揚夫以大王之賢與齊之彊天下莫能當今乃西面而事秦臣竊為

大王羞之。且夫韓魏之所以重畏秦者，爲與秦接境壤界也。兵出而相當，不出十日而戰勝存亡之機決矣。韓魏戰而勝秦，則兵半折，四境不守；戰而不勝，則國已危亡隨其後。是故韓魏之所以重與秦戰而輕爲之臣也。今秦之攻齊則不然，倍韓魏之地，過衛陽晉之道，徐廣曰：魏哀王十六年，秦拔魏蒲坂、陽晉、封陵。○索隱曰：陽晉，魏邑也。劉氏云陽晉地名，蓋適齊之道在衛国之西南也。○正義曰：言秦伐齊，背韓魏地，而與齊戰。徐説陽晉非也，乃是晉陽耳。衛地曹濮等州也。杜預云：曹，魏下邑也。陽晉故在曹州乘氏縣西北三十七里。經乎亢父之險，索隱曰：亢音剛，又苦浪反。地理志縣名，屬東平国。○正義曰：故縣在兗州任城縣南五十一里。車不得方軌，正義曰：言不得兩車並行。騎不得比行，百人守險千人不敢過也秦雖欲深入則狼顧正義曰狼性怯走常還顧恐韓魏之議其後也是故恫疑虛猲呼葛反○索隱曰恫音通恫恐懼之心也猲本亦作猲並呼合反高誘曰虛猲喘息懼貌也劉氏云秦自疑懼不敢進兵虛作恐猲之詞以脅韓魏也驕矜而不敢進正義言秦雖至亢父猶恐懼狼顧虛作唱罵驕溢矜誇不敢進伐齊明矣則秦之不能害齊亦明矣夫不深料秦之無奈齊何而欲西面而事之是羣臣之計過也今無臣事秦之名而有彊國之實臣是故願大王少留意計之齊王曰寡人不敏僻遠守海窮道東境之國也未嘗得聞餘敎今足下以趙王詔詔之敬以國從乃西南說楚威王索隱曰楚威

王名商[illegible]王之子曰趙天下之彊國也王天下之賢主也西有黔中徐廣曰巫郡者南郡之西界○正義曰今朗州趙黔中郡其故城在辰州西二十里皆盤瓠後也巫郡徐廣曰巫郡者南郡之西界正義曰巫郡夔州巫山縣是東有夏州海陽徐廣曰趙孝烈王元年秦取夏州駰案左傳楚莊王伐陳鄉取一人焉以歸謂之夏州而注者不說夏州所在車胤撰桓溫集云夏口城上數里有洲名夏州東有夏州謂此也○索隱曰裴駰據左氏及車胤說夏州其文甚明而劉伯莊以爲夏州州侯之本國亦未之爲得地理志海陽地闕劉氏云趙之東境也○正義曰大江中州也夏水口在荊州江陵縣東南二十五里南有洞庭蒼梧索隱曰今青草湖是也在岳州界蒼梧地名地理志有蒼梧郡○正義曰蒼梧山在道州南北有陘塞郇陽徐廣曰春秋曰遂伐楚次于陘楚威王十一年魏敗楚陘山析縣有釣水或者郇陽今之順陽乎一本北有汾陘之塞也○索隱曰陘山在趙北境郇音荀郇陽地當在汝南潁川之界按地理志及太康地記北境並無郇邑郇邑在河東晉地計郇陽當是新陽聲相近字變耳汝

南有新陽縣應劭云在新水之陽猶酈邑變爲櫟邑圜陰亦變爲圜陰爾郇亦當然也徐氏云郇陽當是順陽蓋誤〇正義曰陘山在鄭州新鄭縣西南三十里即順故城在鄭州穰縣西百四十里地方五千餘里帶甲百萬車千乘騎萬匹粟支十年此霸王之資也夫以楚之彊與王之賢天下莫能當也今乃欲西面而事秦則諸侯莫不西面而朝於章臺之下矣秦之所害莫如楚楚彊則秦弱秦彊則楚弱其勢不兩立故爲大王計莫如從親以孤秦大王不從秦必起兩軍一軍出武關一軍下黔中則鄢郢動矣徐廣曰今南郡宜城〇正義曰鄢鄉故城在襄州率道縣南九里安郢城在荆州江陵縣東北六里秦兵出武關則臨鄢矣兵下黔中則臨郢矣臣聞治之其未亂

也爲之其未有也患至其後憂之則無及已故願大王早孰計之大王誠能聽臣臣請令山東之國奉四時之獻以承大王之明詔委社稷奉宗廟練士厲兵在大王之所用之大王誠能用臣之愚計則韓魏齊燕趙衛之妙音美人必充後宮燕代橐駝良馬必實外廄故從合則楚王衡成則秦帝今釋霸王之業而有事人之名臣竊爲大王不取也夫秦虎狼之國也有吞天下之心秦天下之仇讎也衡人皆欲割諸侯之地以事秦此所謂養仇而奉讎者也夫爲人臣割

舉猶拔也

其主之地以外交彊虎狼之秦以侵天下卒有秦患不顧其禍夫外挾彊秦之威以內劫其主以求割地大逆不忠無過此者故從親則諸侯割地以事楚衡合則楚割地以事秦此兩策者相去遠矣二者大王何居焉故敝邑趙王使臣效愚計奉明約在大王詔之楚王曰寡人之國西與秦接境秦有舉巴蜀并漢中之心秦虎狼之國不可親也而韓魏迫於秦患不可與深謀與深謀恐反人以入於秦故謀未發而國已危矣寡人自料以楚當秦不見勝也內與群臣謀

不足恃也寡人臥不安席食不甘味心搖搖然如縣旌而無所終薄白洛反今主君欲一天下收諸侯存危國寡人謹奉社稷以從於是六國從合而并力焉蘇秦爲從約長并相六國北報趙王乃行過雒陽車騎輜重諸侯各發使送之甚衆擬於王者索隱曰疑作擬讀周顯王聞之恐懼除道使人郊勞儀禮曰賓至近郊君使卿朝服用束帛勞蘇秦之昆弟妻嫂側目不敢仰視俯伏侍取食蘇秦笑謂其嫂曰何前倨而後恭也嫂委蛇蒲服以面掩地而謝索隱曰委蛇謂以面掩地而進若蛇行也蒲服即匍匐並音蒲仆曰見季子位高金多也

蘇秦傳十六

通鑑車騎輜重擬於王者胡注索隱曰輜重載物車也行者之資故曰輜重韻書曰輜䡽持翻庫車也重直用翻考異曰史記蘇秦傳秦兵不敢闚函谷關十五年又云秦使犀首欺齊魏與共伐趙蘇秦去趙而從約皆解齊魏伐趙敗從約止在明年耳秦本紀惠文王七年公子卬與魏戰虜其將龍賈後二年車耳烏在其不闚函谷十五年乎此出於游談之士誇大蘇秦而云爾今不取

正義負郭田負猶背也近城郭之田 [illegible]

（譙周曰蘇秦字季子○索隱曰按其嫂呼小叔爲季子耳未必即其字允南即以爲字未之得也）蘇秦喟然歎曰此一人之身富貴則親戚畏懼之貧賤則輕易之況衆人乎且使我有雒陽負郭田二頃（索隱曰負背也枕也近城之地沃潤流澤最爲膏腴故云負郭）吾豈能佩六國相印乎於是散千金以賜宗族朋友初蘇秦之燕貸百錢爲資及得富貴以百金償之徧報諸所嘗見德者其從者有一人獨未得報乃前自言蘇秦曰我非忘子子之與我至燕再三欲去我易水之上方是時我困故望子深是以後子子今亦得矣蘇秦既約六國從親歸趙趙肅侯封

明本作貧

德本十

蘓秦為武安君

為武安君乃投從約書於秦 索隱曰投當作報並作投言其說者謂宜作

其從約六國之事以告於秦若作投甚為易解 秦兵不敢闚函谷關十五年

其後秦使犀首欺齊魏與共伐趙欲敗從約齊

魏伐趙趙王讓蘇秦蘇秦恐請使燕必報齊蘇

秦去趙 徐廣曰自初說燕至此三年 而從約皆解秦惠王以其

女為燕太子婦是歲文侯卒太子立是為燕

王易王初立齊宣王因燕喪伐燕取十城易王

謂蘇秦曰往日先生至燕而先王資先生見趙

遂約六國從今齊先伐趙次至燕以先生之故

為天下笑先生能為燕得侵地乎蘇秦大慚曰

蘇秦傳 十七

通鑑車騎輜重擬於王者胡注釋名曰輜重載物車也行者之車揔曰輜重顔書曰輜莊持翻庫車也重直用翻

考異曰史記蘇秦傳秦兵不敢闚函谷關十五年又云秦使犀首欺齊魏與共伐趙蘇秦恐去趙而從約皆解齊魏伐趙敗從約止在明年耳秦本紀惠文王七年公子卬與魏戰虜其將龍賈後二年事耳烏得十五年

○首金按今金字莊叢書本作遠曰漢一斤金四兩重二千五百錢然則百金當二百五十萬錢乎 廣惠帝紀注

則致曰一金萬錢然則百金千萬錢乎

正義負郭田負背也近城郭之田膏澤肥沃也

按今所謂子人之所居者宅田必美也又曰蘇秦云有二頃田則豈為之而不復從云因佩相印今以美不隱為幸而已

一頃者百畝也

明本作資

德本十

蘇秦為武安君

譙周曰蘇秦字季子。○索隱曰按其嫂呼小叔爲季子耳未必即其字允南即以爲字未之得也　蘇秦喟

然嘆曰此一人之身富貴則親戚畏懼之貧賤

則輕易之況衆人乎且使我有雒陽負郭田二

頃〔索隱曰負背也枕也近城之地沃潤流澤最爲膏腴故云負郭〕吾豈能佩六國相

印乎於是散千金以賜宗族朋友初蘇秦之燕

貸百錢爲資及得富貴以百金償之徧報諸所

嘗見德者其從者有一人獨未得報乃前自言

蘇秦曰我非忘子子之與我至燕再三欲去我

易水之上方是時我困故望子深是以後子子

今亦得矣蘇秦既約六國從親歸趙趙肅侯封

允南譙周字也允南太史公注

隱膏腴史小板作膏腴

之本十

爲武安君乃投從約書於秦 索隱曰投當作設諸本並作投言以其設者謂宣布其從約六國之事以告於秦若作投甚爲易解 秦兵不敢闚函谷關十五年

其後秦使犀首欺齊魏與共伐趙欲敗從約齊

魏伐趙趙王讓蘇秦蘇秦恐請使燕必報齊蘇

秦去趙 徐廣曰自初說燕至此三年 而從約皆解秦惠王以其

女爲燕太子婦是歲文侯卒太子立是爲燕易

王易王初立齊宣王因燕喪伐燕取十城易王

謂蘇秦曰往日先生至燕而先王資先生見趙

遂約六國從今齊先伐趙次至燕以先生之故

爲天下笑先生能爲燕得侵地乎蘇秦大慙曰

蘇秦傳 十七

請爲王取之蘇秦見齊王再拜俯而慶仰而弔索隱曰劉氏云當時慶弔雖有其詞但史家不録耳齊王曰是何慶弔相隨之速也蘇秦曰臣聞飢人所以飢而不食烏喙者本草經曰烏頭一名烏喙○索隱曰音卓又許穢反今之毒藥烏頭是○正義曰廣雅云蘇奚毒附子也一歲爲萴子二歲爲烏喙三歲爲附子四歲爲烏頭五歲爲天雄爲其愈充腹而與餓死同患也索隱曰劉氏以愈猶暫非也按謂飢人食烏頭則愈充腹以時毒發而斃亦與餓死同患也斃音弊今燕雖弱小即秦王之少壻也大王利其十城而長與彊秦爲仇今使弱燕爲鴈行而彊秦敝其後以招天下之精兵是食烏喙之類也齊王愀然變色索隱曰愀音自酉反又七小反曰然則奈何蘇秦曰臣聞古

之意乎
取燕十城猶如食烏喙也
後日之毒之喩也
己之故 秦之女婿故
也

人指齊人也 曰狩人指燕人蓋蘇秦在齊來歸人伺其隙齊于燕王也

之善制事者轉禍爲福因敗爲功大王誠能聽臣計即歸燕之十城燕無故而得十城必喜秦王知以己之故而歸燕之十城亦必喜此所謂棄仇讎而得石交者也夫燕秦俱事齊則大王號令天下莫敢不聽是王以虚辭附秦以十城取天下此覇王之業也王曰善於是乃歸燕之十城人有毀蘇秦者曰左右賣國反覆之臣也將作亂蘇秦恐得罪歸而燕王不復官也蘇秦見燕王曰臣東周之鄙人也無有分寸之功而王親拜之於廟而禮之於廷今臣爲王却齊之

兵而攻得十城宜以益親今來而王不官臣者人必有以不信傷臣於王者臣之不信王之福也臣聞忠信者所以自爲也進取者所以爲人也且臣之說齊王曾非欺之也臣棄老母於東周固去自爲而行進取也今有孝如曾參廉如伯夷信如尾生得此三人者以事大王何若王曰足矣蘇秦曰孝如曾參義不離其親一宿於外王又安能使之步行千里而事弱燕之危王哉廉如伯夷義不爲孤竹君之嗣不肯爲武王臣不受封侯而餓死首陽山下有廉如此王又

安能使之步行千里而行進取於齊哉信如尾
生與女子期於梁下女子不來水至不去抱柱
而死有信如此王又安能使之步行千里卻齊
之彊兵哉臣所謂以忠信得罪於上者也燕王
曰若不忠信耳豈有以忠信而得罪者乎蘇秦
曰不然臣聞客有遠爲吏而其妻私於人者其
夫將來其私者憂之妻曰勿憂吾已作藥酒待
之矣居三日其夫果至妻使妾舉藥酒進之妾
欲言酒之有藥則恐其逐主母欲勿言乎則
恐其殺主父也於是乎詳僵而棄酒索隱曰詳音羊詳詐也僵

蘇秦傳 十九

仆也音富

主父大怒笞之五十故妾一僵而覆酒上存主父下存主母然而不免於笞惡在乎忠信之無罪也夫臣之過不幸而類是乎燕王曰先生復就故官益厚遇之易王母文侯夫人也與蘇秦私通燕王知之而事之加厚蘇秦恐誅乃說燕王曰臣居燕不能使燕重而在齊則燕必重燕王曰唯先生之所爲於是蘇秦詳爲得罪於燕而亡走齊齊宣王以爲客卿徐廣曰燕易王之十年時齊宣王卒湣王即位說湣王厚葬以明孝高宮室大苑囿以明得意欲破敝齊而爲燕燕易王卒

徐廣曰易王十二年卒燕噲立爲王其後齊大夫多與蘇秦爭寵者而使人刺蘇秦不死殊而走風俗通義稱漢令蠻夷戎狄有罪當殊殊者死也與誅同指而此云不死殊而走者蘇秦時雖不即死然是死創故云殊齊王使人求賊不得蘇秦且死乃謂齊王曰臣即死車裂臣以徇於市曰蘇秦爲燕作亂於齊如此則臣之賊必得矣於是如其言而殺蘇秦者果自出齊王因而誅之燕聞之曰甚矣齊之爲蘇生報仇也徐廣曰生一作先蘇秦既死其事大泄齊後聞之乃恨怒燕燕甚恐蘇秦之弟曰代代弟蘇厲見兄遂亦皆學及蘇秦死代乃求見燕王欲襲故

至於邯鄲一所以見者絀於〻〻東周 師說戰国策及後語云至於邯鄲者又高於所耆東周臣竊負其志也
春秋後語
盧注負恃也如此文者言至趙之所都之邯鄲而所見之物高於在東周而所耆耳臣竊負恃趙国也今至燕
廷見燕國之群臣燕王者天下之明主也即燕国盛強過於趙國也是即戰国策及後語之意也今史記
之文改高作絀也明知異彼意也言至於趙国〻邯鄲而所見〻者絀退於在東周所聞也臣故竊為燕国負
也趙者燕之所為讎也故見敵国〻微弱而乃為燕国負恃也盧之訓負為恃又合於史記之意也而江家
說如史記者不同盧
之說也今訓負為背
也言見趙国之絀退於所聞而乃背趙向而入燕
也今案此說非也今
亦不用也本或甚字
作其也其字下有志
字也今以為異本
最後今有鉏耨乃豆
切算參文曰耨如鏟柄
長三尺刃廣二寸以
刺地除草

事曰臣東周之鄙人也竊聞大王義甚高鄙人
不敏釋鉏耨而干大王至於邯鄲所見者絀於
所聞於東周臣竊負其志及至燕廷觀王之羣
臣下吏王天下之明主也燕王曰子所謂明王
者何如也對曰臣聞明王務聞其過不欲聞其
善臣請謁王之過夫齊趙者燕之仇讎也楚魏
者燕之援國也今王奉仇讎以伐援國非所以
利燕也王自慮之此則計過無以聞者非忠臣
也王曰夫齊者固寡人之讎所欲伐也直患國
敝力不足也子能以燕伐齊則寡人舉國委子

鉏 仕魚反
正義曰鉏耨
除草也
乃豆反
不欲我善也
者也
上無云奉字
助也

對曰凡天下戰國七燕處弱焉獨戰則不能有所附則無不重南附楚楚重西附秦秦重中附韓魏韓魏重且苟所附之國重此必使王重矣（正義曰言附諸國諸國重燕也燕附則燕尊重也或作齊彊故言長主）今夫齊長主而自用也（索隱曰謂齊王年長）南攻楚五年畜聚竭西困秦三年士卒罷敝北與燕人戰覆三軍得二將（徐廣曰齊覆三軍而獲燕二將○索隱曰戰國策云獲二將亦謂燕之二將是燕之失也）然而以其餘兵南面舉五千乘之大宋（正義曰齊表云齊湣王二十八年滅宋乃當田王擬二十九年此說乃燕噲之時當周慎王之時齊在前王二十餘年恐文誤矣）而包十二諸侯此其君欲得其民力竭惡足取乎且臣聞之數戰則民勞久

龍子師說作從子：於王子也子者從父之義也故謂子爲從子也非從第從兄之義也今本或作差字下有竊愛而字也言所竊愛之從子母弟也今爲異本之方也決之識案不是王人罷即上文五也

師則兵𡚁矣燕王曰吾聞齊有清濟濁河正義曰濟濼二水上承菑河北流入海菑河又一源從洛魏二州界北流入海亦齊西北界可以爲固長城鉅防徐廣曰濟北盧縣有防門又有長城東至海○正義曰長城西頭在濟州平陰縣界竹書紀年云梁惠王二十年齊閔王築防以爲長城太山記云太山西有長城緣河經太山餘一千里至琅邪臺入海足以爲塞誠有之乎對曰天時不與雖有清濟濁河惡足以爲固民力罷𡚁雖有長城鉅防惡足以爲塞且異日濟西不師正義曰齊州已西也所以備趙也河北不師正義曰謂滄博等州在濼河之北所以備燕也今濟西河北盡已役矣封內𡚁矣夫驕君必好利而亡國之臣必貪於財王誠能無羞從子母弟以爲質正義

書致寶珠玉帛以事左右彼將有德燕而輕亡宋則齊可亡已燕王曰吾終以子受命於天矣燕乃使一子質於齊而蘇厲因燕質子而求見齊王齊王怨蘇秦欲囚蘇厲燕質子爲謝已遂委質爲齊臣正義曰質真栗反燕相子之與蘇代婚而欲得燕權乃使蘇代侍質子於齊齊使代報燕燕王噲問曰齊王其霸乎曰不能曰何也曰不信其臣於是燕王專任子之已而讓位燕大亂齊伐燕殺王噲子之徐廣曰是周赧王之元年時也燕立昭王而蘇代蘇厲遂不敢入燕皆終歸齊齊善待之蘇代過

蘇廿二

魏魏爲燕執代齊使人謂魏王曰齊請以宋地封涇陽君（正義曰涇陽君秦王弟名悝也涇陽雍州縣也齊蘇子告秦共伐宋以射涇陽君然蘇代假設此策以救蘇代之）秦必不受秦非不利有齊而得宋地也（正義曰齊言秦相親共伐宋秦得宋地又得齊事秦然秦不信齊及蘇代恐爲不成也）不信齊王與蘇子也今齊魏不和如此其甚則齊不欺秦秦信齊齊秦合涇陽君有宋地非魏之利也故王不如東蘇子秦必疑齊而不信蘇子矣齊秦不合天下無變伐齊之形成矣於是出蘇代代之宋宋善待之齊伐宋宋急蘇代乃遺燕昭王書曰（正義曰此書爲宋說燕令莫助齊）夫列在萬乘而寄質於齊（正義曰燕

前有一質於齊名卑而權輕奉萬乘助齊伐宋民勞而實費夫破宋殘楚淮北肥大正義曰更以淮北之地加於齊都是強萬乘之國而齊并之是益一齊齊讎彊而國害此三者皆國之大敗也然且王行之者將以取信於齊也齊加不信於王而忌燕愈甚是王之計過矣夫以宋加之淮北彊萬乘之國也而齊并之是益一齊也北夷方七百里索隱曰謂山戎北狄附齊者○正義曰齊桓公伐山戎令支斬孤竹而南歸海濱諸侯莫不來服加之以魯衛彊萬乘之國也而齊并之是益二齊也夫一齊之彊燕猶狼顧而不能支今以三齊臨燕其禍必大矣雖然智者舉事因禍

日開字紀剣第五紫間色也孔子惡紫奪朱周襄諸侯皆此紫云字之冠此紫綾自
魯桓公始用之云齊桓公好服紫衣齊人尚之五素易一紫鄭康成以紫綾爲宗王者
之後服魯周襄遠祥發以紫衣爲君服皆周襄之制也　陸曰十素紀何曰五素不易

齊紫敗素也　師說菅氏依徐廣及剥之說宜讀齊之紫者敗素也言齊國之紫者自是敗壞之帛素也今案此
說非也徐以爲齊國取敗壞之白帛素染以爲紫色也剥又述徐之義而相向以說也然則依此二家之說宜讀齊紫於敗素也

而又或說此文宜讀齊
者紫而敗於素也今
案菅氏及或說並依
徐剥之說而其意相違
也兩說皆非今不用也

使盟於周室　師說盟
作明案言先挑而令
齊爲西霸主而乃又尊
顯之使周室明知其
爲西霸之事也後語明
作盟今史記作明
義亦通也

焚秦符　師言尊齊
爲西霸主而燕自聚集
六國之合於秦秦將欲
乃燒焚曰大上計者

爲福轉敗爲功齊紫敗素也徐廣曰取敗素染以爲紫○正義曰齊君好紫故齊俗尚之取惡素帛染爲紫其價十倍貴於餘喻齊雖有大名而國中以困敝也韓子云齊桓公好服紫一國盡服紫當時十素不得一紫公患之管仲曰君欲止之何不試勿衣紫也公謂左右曰惡紫臭公語三日境內莫有衣紫者而賈十倍索隱曰謂紫色價貴於帛十倍而本是敗素以喻齊雖有大名而其國中困弊也越王句踐棲於會稽復殘彊吳而霸天下此皆因禍爲福轉敗爲功者也今王若欲因禍爲福轉敗爲功則莫若挑霸齊而尊之正義曰挑田鳥反執持也使使盟於周室焚秦符曰正義曰符徵兆也其大上計破秦其次必長賓之索隱曰長如字賓音擯○正義曰大好上計破秦次計長擯弃關西秦挾賓以待破秦王必患之秦五世伐諸侯今爲齊下

自死与吳復讎同集發勢許救遂令殘說吳者吳也

使使盟下作使明　大上計一本作一計　也

秦王之志苟得窮齊不憚以國爲功然則王何不使辯士以此言説秦王曰燕趙破宋肥齊尊之爲之下者燕趙非利之也燕趙不利而勢爲之者以不信秦王也然則王何不使可信者接收燕趙令涇陽君高陵君徐廣曰馮翊高陵縣○索隱曰二人秦王母弟也高陵君名顯涇陽君名悝先於燕趙秦有變因以爲質則燕趙信秦秦爲西帝燕爲北帝趙爲中帝立三帝以令於天下韓魏不聽則秦伐之齊不聽則燕趙伐之天下孰敢不聽天下服聽因驅韓魏以伐齊曰必反宋地歸楚淮北反宋地歸楚淮北燕

蘇廿五

趙之所利也竝立三帝燕趙之所願也夫實得
所利尊得所願燕趙棄齊如脫躧矣今不收燕
趙齊霸必成諸侯贊齊而王不從是國伐也諸
侯贊齊而王從之是名卑也今收燕趙國安而
名尊不收燕趙國危而名卑夫去尊安而取危
卑智者不爲也秦王聞若說必若刺心然則王
何不使辯士以此若言說秦秦必取齊必伐矣
夫取秦厚交也伐齊正利也尊厚交務正利聖
王之事也燕昭王善其書曰先人嘗有德蘇氏
子之之亂而蘇氏去燕燕欲報仇於齊非蘇氏

莫可乃召蘇代復善待之與謀伐齊竟破齊湣王出走久之秦召燕王燕王欲往蘇代約燕王曰楚得枳徐廣曰巴郡有枳縣○正義曰枳支是反今涪州城在秦枳縣在江南而國亡徐廣曰燕昭王三十三年秦拔楚鄢○正義曰按西陵在黃州齊得宋而國亡正義曰年表云齊湣王三十八年滅宋三十年五國共擊湣王王走莒齊楚不得以有枳宋而事秦者何也則有功者秦之深讎也秦取天下非行義也暴也秦之行暴正告天下索隱曰正告謂顯然而告天下告楚曰蜀地之甲乘船浮於汶眉貧反○索隱曰即江所出之岷山乘夏水而下江索隱曰夏音暇謂夏汶涂之水盛漲時也五日而至郢漢中之甲乘船出於巴索隱曰巴水名與漢水相近○正義曰巴嶺山在梁州南

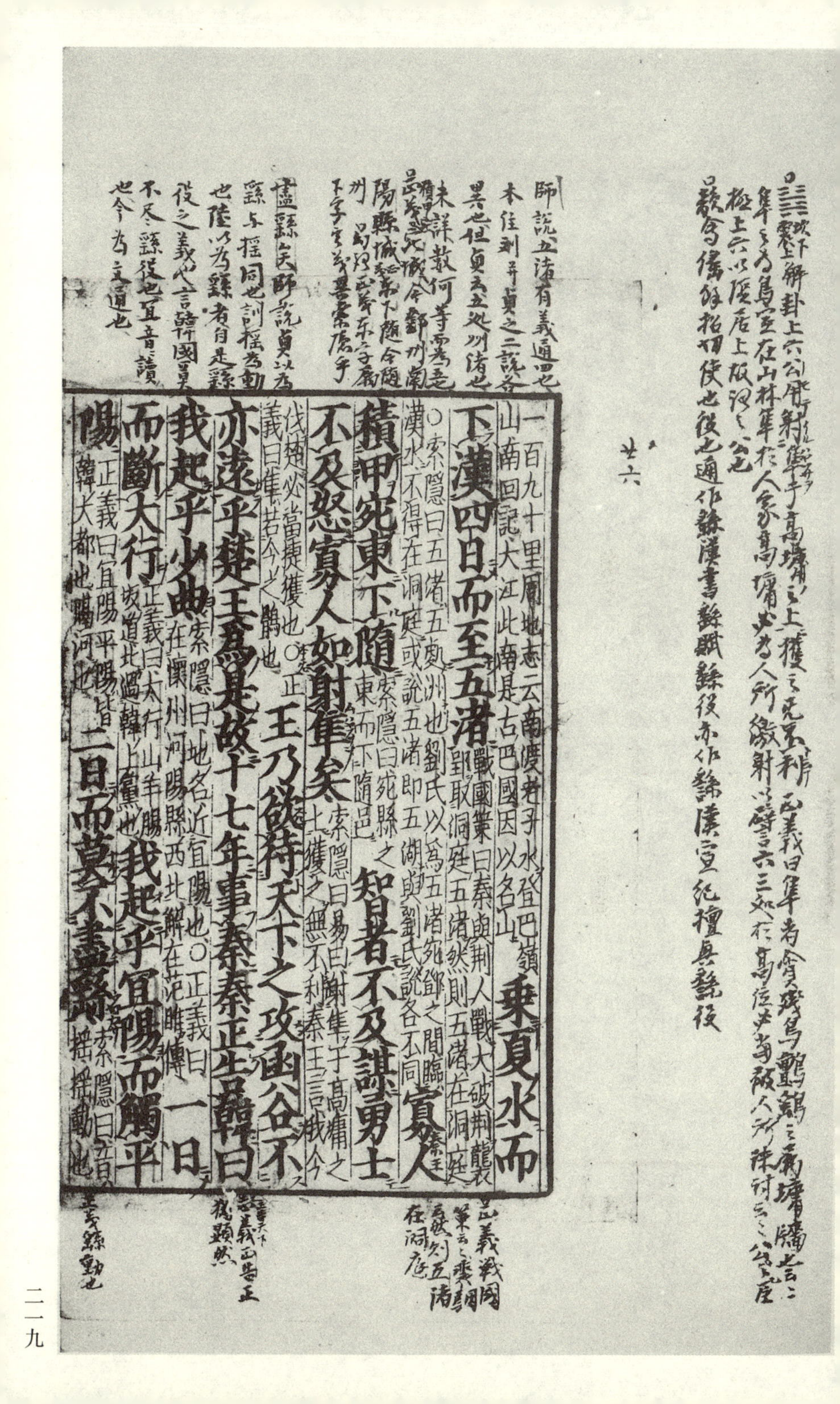

一百九十里周地志云南度老子水登巴嶺山南回記大江此南是古巴國因以名山 乘夏水而

下漢四日而至五渚戰國策曰秦與荊人戰大破荊襲郢取洞庭五渚然則五渚在洞庭

○索隱曰五渚五處洲也劉氏以爲五渚宛鄧之間臨漢水不得在洞庭或說五渚即五湖與劉氏說各不同寡人

積甲宛東下隨索隱曰宛縣之東而下隨邑智者不及謀勇士

不及怒寡人如射隼矣索隱曰易曰公用射隼于高墉之上獲之無不利秦王言我今

伐楚必當捷獲也○正義曰隼若今之鶻也王乃欲待天下之攻函谷不

亦遠乎楚王爲是故十七年事秦秦正告韓曰

我起乎少曲索隱曰地名近宜陽也○正義曰在懷州河陽縣西北解在范雎傳一日

而斷大行正義曰太行山羊腸坂道北過韓上黨也我起乎宜陽而觸平

陽正義曰宜陽平陽皆韓大都也觸河也二日而莫不盡繇索隱曰音搖搖動也

我離兩周正義曰離歷也歷二周而東解新鄭州韓國都拔矣而觸鄭五日而國舉索隱曰離如字謂屯兵以離二周也而乃觸擊於鄭故五日而國舉舉猶拔也韓氏以為然故事秦秦正告魏曰我舉安邑塞女戟韓氏太原卷正義曰卷軌免反劉伯莊云太原當為太行卷猶斷絕我下軹道南陽封冀徐廣曰軹縣有軹道亭河東皮氏有冀亭也○索隱曰女戟地名在太行山之西劉氏卷音軌免反又音丘權反按謂舉安邑塞女戟及至韓氏韓國宜陽也太原縣名魏地不至太原亦無別名太衍字原當為京京及卷皆屬滎陽是魏之境軹是河內軹縣言道者亦衍字徐廣引覇陵有軹道亭非魏之境蓋誤南陽即河內也封封陵也冀冀邑也皆在魏境故徐廣引河東皮氏有冀亭是也包兩周徐廣曰張儀曰下河東取成皋也○正義曰兩周王城及鞏乘夏水浮輕舟彊弩在前錟戈在後徐廣曰錟由冉反○正義曰劉伯莊云音四廉反利也決滎口魏無大梁索隱曰滎澤之口與今汴

蘇秦傳廿六

正義曰白馬津在滑州白馬縣北三十里

案濟之陸亦黃濟陽

淇之青小板作清

頓丘徐而兩地名也

宋刊切當兩字引也

寫本作象

河口通其水深可以灌大梁故云無大梁也

決白馬之口魏無外黃濟陽索隱曰白馬河津在東郡決其流以灌外黃濟陽也○正義曰故黃城在曹州考城縣東二十四里濟陽故城在曹州冤朐縣西南三十五里

決宿胥之口徐廣曰紀年曰魏救山塞集胥口○正義曰淇水出衛州淇縣界之淇水東至黎陽入河魏惠王帝於青溝口東因宿胥故瀆開白溝道清淇二水入焉○索隱曰紀年作宿胥盖亦津名今其地不知所在

魏無虛頓丘徐廣曰秦始皇五年取魏酸棗燕虛長平○索隱曰虛丘地名與酸棗相近○正義曰虛謂殷墟今相州所理是頓丘故城在魏州頓丘縣東北二十里括地志云二國地時屬魏

陸攻則擊河內水攻則滅大梁魏氏以為然故事秦秦欲攻安邑恐齊救之則以宋委於齊曰宋王無道為木人以寫寡人射其面寡人地絕兵遠不能攻也王茍能破宋有之寡人如自得之已得安邑塞女戟

索隱紀年作

胥幻泡字

恐集字

上文所謂有功者秦之深讎也是以正義言齊已得安邑塞女戟乃以破宋為齊之罪名也

因以破宋為齊罪。索隱曰秦令齊滅宋仍以破宋為齊之罪名秦欲攻韓，恐天下救之，則以齊委於天下，曰：「齊王四與寡人約，四欺寡人，必率天下以攻寡人者三。有齊無秦，有秦無齊，必伐之，必亡之。」已得宜陽、少曲，致藺、石，因以破齊為天下罪。秦欲攻魏重楚，索隱曰重猶附也尊也 正義曰畏楚救魏則以南陽委於楚，曰：正義曰南陽鄧州地本韓地也韓先事秦今楚取南陽故言與韓且絕矣「寡人固與韓且絕矣。殘均陵，塞鄳阨，徐廣曰鄳江夏鄳縣均一作灼鄳音盲索隱曰均陵在南陽今之均州鄳縣名在江夏正義曰均州故城在隨州西南五十里蓋均陵也又申州羅山縣本漢鄳縣申州有平靖關蓋古冥阨塞縣之阨塞苟利於楚，寡人如自有之。」魏棄與國

漢志江夏郡鄳縣古冥阨之塞今在史記正義曰鄳阨之塞在申州鄳音盲莫耕音非

而合於秦因以塞鄳阸爲楚罪兵困於林中徐廣曰河南苑陵有林鄉重燕趙以膠東委於燕以濟西委於趙趙得講於魏至公子延因犀首屬行而攻趙索隱曰講和也解也秦與魏和也至當爲質謂以公子延爲質也犀首者公孫衍也本魏將因之以屬軍行行音胡郎反謂連兵相續也兵傷於譙石遇敗於陽馬索隱曰譙石陽馬並趙之地邑也而重魏則以葉蔡委於魏已得講於趙則劫魏不爲割困則使太后弟穰侯爲和嬴則兼欺舅與母索隱曰嬴猶勝也舅謂穰侯魏冉也母謂太后也適燕者曰以膠東索隱曰適音宅適者責也下同適趙者曰以濟西適魏者曰以葉蔡適楚者曰以塞鄳阸適齊者曰以宋此必令言

如循環用兵如刺蜚母不能制舅不能約龍賈之戰魏襄王五年秦敗我龍賈軍岸門之戰韓宣惠王十九年秦大破我岸門封陵之戰魏哀王十六年秦敗我封陵高商之戰此戰事未見趙莊之戰趙肅侯二十二年趙莊與秦戰敗秦殺趙莊河西秦之所殺三晉之民數百萬今其生者皆死秦之孤也西河之外上雒之地三川晉國之禍三晉之半秦禍如此其大也索隱曰以言西河之外上雒之地及三川晉國皆是秦與魏戰之處秦兵禍敗我三晉之半其秦禍如此其大者而燕趙之秦者皆以爭事秦說其主索隱曰燕趙之人往秦者謂游說之士此臣之所大患也燕昭王不行蘇代復重於燕燕使約諸侯從親如蘇秦時或從或不而天下

由此宗蘇氏之從約代厲皆以壽死名顯諸侯

太史公曰蘇秦兄弟三人皆游說諸侯以顯名索隱曰譙允南以爲蘇氏兄弟五人更有蘇辟蘇鵠典略亦同其說蓋按蘇氏譜云然也其術長於權變而蘇秦被反閒以死天下共笑之諱學其術然世言蘇秦多異時事有類之者皆附之蘇秦夫蘇秦起閭閻連六國從親此其智有過人者吾故列其行事次其時序毋令獨蒙惡聲焉

索隱述贊曰

季子周人師事鬼谷揣摩既就陰符伏讀合從離衡佩印者六

周纂之天王除道家人扶服賢哉代厲

継榮當族

蘓秦列傳第九　史記六十九

黄氏日抄云秦約從六國忠於六國者也斉魏首敗從約代趙秦以利害忠告斉魏不
可而去之則身名始終矣乃請使燕以報斉食斉之祿而反誤之不忠孰甚焉又豈
約從之初意哉嗚呼茲其所以及與蘓代私於子之誤燕已甚復欲為燕約諸侯宜其
終不逮秦也

(漢)司馬遷 撰
(南朝宋)裴駰 集解
(唐)司馬貞 索隱
(唐)張守節 正義

宋本史記

第十八册

國家圖書館出版社

第十八册目録

張儀
陳軫
犀首

史記列傳

六十

張儀
陳平

張儀列傳第十　史記七十

張儀者魏人也 呂氏春秋曰儀魏氏餘子 有大夫張老又河東有西張城 索隱曰晉 張氏爲魏人必也而呂覽以爲魏氏餘子則蓋魏之支庶也又書略說以餘子謂之季子也 正義曰傳云晉有公族餘子公行 杜預云皆官卿之嫡以爲公族大夫餘子嫡子之母弟也公行庶子掌公戎行也藝文志云張子十篇在縱橫流 始嘗與蘇秦俱事鬼谷先生學術蘇秦自以不及張儀張儀已學而游說諸侯 索隱曰說音稅 嘗從楚相飲已而楚相亡璧門下意張儀曰儀貧無行必此盜相君之璧共執張儀掠笞數百不服醳之 醳音釋 索隱曰古釋字 其妻曰嘻 索隱曰音僖鄭玄曰嘻悲恨之聲 子毋讀書游說安得此辱乎張儀謂其妻曰視吾舌尚在

師說既即說相字列不音然則相讀依字言蘇秦已說趙王乃相共約結以從親也菅氏說先師之說似非也蘇秦傳秦說趙王而得相國位乃約六國之從其文甚明也然則此相音式亮反引之不音者是省略耳今案菅氏甚是說也今案先說先師之說可也

今案秦已當路之師說

按言蘇秦之所処之所當子[illegible]道之通路也何不暫往往遊乎欲感儀之來也或說當路猶當塗也言秦已得當仕進之塗也何不往遊乎按此說非也

不其妻笑曰舌在也儀曰足矣蘇秦已說趙王而得相約從親（索隱曰從音足容反）然恐秦之攻諸侯敗約後負念莫可使用於秦者乃使人微感張儀曰子始與蘇秦善今秦已當路子何不往游以求通子之願張儀於是之趙上謁求見蘇秦蘇秦乃誡門下人不爲通又使不得去者數日已而見之坐之堂下賜僕妾之食因而數讓之（索隱曰按謂數設詞而讓之）曰以子之材能乃自令困辱至此吾寧不能言而富貴子子不足收也謝去之張儀之來也自以爲故人求益反見辱怒念諸

侯莫可事獨秦能苦趙乃遂入秦蘇秦已而告
其舍人曰張儀天下賢士吾殆弗如也今吾幸
先用而能用秦柄者獨張儀可耳然貧無因以
進吾恐其樂小利而不遂故召辱之以激其意
子爲我陰奉之乃言趙王發金幣車馬使人微
隨張儀與同宿舍稍稍近就之奉以車馬金錢
所欲用爲取給而弗告張儀遂得以見秦惠王
惠王以爲客卿與謀伐諸侯蘇秦之舍人乃辭
去張儀曰賴子得顯方且報德何故去也舍人
曰臣非知君知君乃蘇君蘇君憂秦伐趙敗從

約以爲非君莫能得秦柄故感怒君使臣陰奉給君資盡蘇君之計謀今君已用請歸報張儀曰嗟乎此在吾術中而不悟吾不及蘇君明矣吾又新用安能謀趙乎爲吾謝蘇君蘇君之時儀何敢言且蘇君在儀寧渠能乎 渠音詎○索隱曰古字少假借耳

張儀既相秦爲文檄 徐廣曰一作咫尺之檄○索隱曰王劭按春秋後語云丈二尺檄許慎云檄二尺書也 告楚相曰始吾從若飲 索隱曰若汝也下文而亦訓汝 我不盜而璧若笞我若善守汝國我顧且盜而城

苴蜀相攻擊 徐廣曰譙周曰益州天苴讀爲包黎之包音與巴相近以爲今之巴郡○索隱曰苴音巴謂巴蜀之夷自相攻擊也今作苴者按巴苴草名今論巴遂誤作苴也或巴人巴郡本因芭苴得名所以

其字遂以苴爲巴也注引天苴即巴苴也譙周蜀人也知天苴之音讀爲巴黎之芭按芭黎即織木葺所以爲葦籬也今江南亦謂葦籬曰芭籬○正義曰華陽國志云昔蜀王封其弟于漢中號曰苴侯因命之邑曰葭萌苴侯與巴王爲好巴與蜀爲讎故蜀王怒伐苴苴奔巴求救於秦秦遣張儀從子午道伐蜀王自葭萌禦之敗績走至武陽爲秦軍所害秦遂滅蜀因滅巴蜀二郡括地志云苴侯都葭萌今利州益昌縣五十里葭萌故城是蜀侯都益州巴子城在合州石鏡縣南五里故墊江縣也巴子都江州在都之北又峽州界也

各來告急於秦秦惠王欲發兵以伐蜀以爲道險狹難至而韓又來侵秦秦惠王欲先伐韓後伐蜀恐不利欲先伐蜀恐韓襲秦之敝猶豫未能決司馬錯與張儀爭論於惠王之前索隱曰錯音七各反又音七故反司馬錯欲伐蜀張儀曰不如伐韓王曰請聞其說儀曰親魏善

楚下兵三川塞什谷之口徐廣曰一作尋成皋鞏縣有尋口○索隱曰尋什聲相近故其名惑也戰國策作轘轅緱氏之口亦其地相近也什谷地名○正義曰括地志云温泉水即尋源出洛州鞏縣西南四十里注水經云鄩城水出北山鄩溪又有故鄩城在鞏縣西南五十八里按洛州緱氏縣東南四十里與鄩溪相近之也當屯留之道正義曰屯留潞州縣也道即太行羊腸阪道也魏絶南陽正義曰南陽懷州也是當屯留之道今魏絶斷壞羊腸韓上黨之路也楚臨南鄭正義曰是塞什谷之口也令楚兵臨鄭南塞轘轅鄩口斷韓南陽之兵也秦攻新城宜陽索隱曰新城當在河南伊闕之左右○正義曰洛州福昌縣也以臨二周之郊誅周王之罪侵楚魏之地周自知不能救九鼎寶器必出據九鼎案圖籍挾天子以令於天下天下莫敢不聽此王業也今夫蜀西僻之國而戎翟之倫也敝

其字遂以苴爲巴也注引天苴即巴苴也譙周蜀人也知天苴之音讀爲巴苴之芭按芭黎即織木葺所以爲葦籬也今江南亦謂葦籬曰芭籬○正義曰華陽國志云昔蜀王封其弟於漢中號曰苴侯因命之邑曰葭萌苴侯與巴王爲好巴與蜀爲讎故蜀王怒伐苴苴奔巴求救於秦秦遣張儀從子午道伐蜀王自葭萌禦之敗績走至武陽爲秦軍所害秦遂滅蜀因滅巴蜀二郡括地志云苴侯都葭萌今利州益昌縣五十里葭萌故城是蜀侯都益州巴子城在合州石鏡縣南五里故墊江縣也巴子都江州在都之北又峽州界也

各來告急於秦秦惠王欲發兵以伐蜀以爲道險狹難至而韓又來侵秦秦惠王欲先伐韓後伐蜀恐不利欲先伐蜀恐韓襲秦之敝猶豫未能決司馬錯與張儀爭論於惠王之前索隱曰錯音七各反又音七故反司馬錯欲伐蜀張儀曰不如伐韓王曰請聞其說儀曰親魏善

楚下兵三川塞什谷之口徐廣曰一作尋成皐鞏縣有尋口○索隱曰尋什聲相近故其名惑也戰國策作轘轅緱氏之口亦其地相近也什谷地名○正義曰括地志云温泉水即尋源出洛州鞏縣西南四十里注水經云鄩城水出北山鄩溪又有故鄩城在鞏縣西南五十八里按洛州緱氏縣東南四十里與鄩溪相近之也當屯留之道正義曰屯留潞州縣也道即太行羊腸阪道也魏絕南陽正義曰南陽懷州也是當屯留之道今魏絕斷壞羊腸韓上黨之路也楚臨南鄭正義曰是塞什谷之口也今楚兵臨鄭南塞轘轅鄩口斷韓南陽之兵也秦攻新城宜陽索隱曰新城當在河南伊闕之左右○正義曰洛州福昌縣也以臨二周之郊誅周王之罪侵楚魏之地周自知不能救九鼎寶器必出據九鼎案圖籍挾天子以令於天下天下莫敢不聽此王業也今夫蜀西僻之國而戎翟之倫也敝

兵勞衆不足以成名得其地不足以爲利臣聞爭名者於朝爭利者於市今三川周室天下之朝市也而王不爭焉顧爭於戎翟去王業遠矣（索隱曰王音于放反）司馬錯曰不然臣聞之欲富國者務廣其地欲彊兵者務富其民欲王者務博其德三資者備而王隨之矣今王地小民貧故臣願先從事於易夫蜀西僻之國也而戎翟之長也有桀紂之亂以秦攻之譬如使豺狼逐羣羊得其地足以廣國取其財足以富民（索隱曰戰國策取作得）繕兵不傷衆而彼已服焉（正義曰繕音膳[illegible]具食也）拔一國而天

下不以爲暴利盡西海而天下不以爲貪索隱曰西海謂蜀川也海者珍藏所聚生猶謂秦中爲陸海然也其實西亦有海所以云西海○正義曰海之言晦也西夷晦昧無知故言海也言利盡西方羌戎是我一舉而名實附也索隱曰名謂撫其德也實謂得其地財寶也而又有禁暴止亂之名今攻韓劫天子惡名也而未必利也又有不義之名而攻天下所不欲危矣臣請論其故索隱曰論者告也陳也謂陳秦不宜伐之端由也周天下之宗室也齊韓之與國也周自知失九鼎韓自知亡三川正義曰韓自知亡三川周故與周并力合謀也將二國并力合謀以因乎齊趙而求解乎楚魏以鼎與楚以地與魏王弗能止也此臣之所謂危也不如

伐蜀完惠王曰善寡人請聽子卒起兵伐蜀十
月取之索隱曰六國年表在惠王二十二年十月也遂定蜀正義曰表云秦惠王後元九年十月擊滅之貶蜀王更號為侯而使陳莊相蜀蜀既屬
秦秦以益彊富厚輕諸侯秦惠王十年使公子
華徐廣曰一作華與張儀圍蒲陽索隱曰魏之邑名○正義曰在隰州隰川縣蒲邑故城是也降之儀因言秦復與魏而使公子繇質於
魏儀因說魏王曰秦王之遇魏甚厚魏不可以
無禮魏因入上郡少梁謝秦惠王惠王乃以張
儀為相更名少梁曰夏陽徐廣曰夏陽在梁山龍門○索隱曰夏音下山名亦曰大夏禹所都○正義曰少梁城同州韓城縣南二十三里夏陽城在縣南二十里梁山在縣東南十九里龍門山在縣

北五十里儀相秦四歲立惠王爲王正義曰表云惠王之十二年周顯王之三十四年也居一歲爲秦將取陜築上郡塞其後二年使與齊楚之相會齧桑東還而免相相魏以爲秦欲令魏先事秦而諸侯效之魏王不肯聽儀秦王怒伐取魏之曲沃平周復陰厚張儀益甚張儀慙無以歸報留魏四歲而魏襄王卒哀王立張儀復說哀王哀王不聽於是張儀陰令秦伐魏魏與秦戰敗明年齊又來敗魏於觀津觀音貫秦復欲攻魏先敗韓申差軍斬首八萬諸侯震恐而張儀復說魏王曰魏地方不至千里卒

不過三十萬地四平諸侯四通輻湊無名山大川之限從鄭至梁二百餘里車馳人走不待力而至梁南與楚境西與韓境北與趙境東與齊境卒戍四方守亭鄣者不下十萬梁之地勢固戰場也梁南與楚而不與齊則齊攻其東東與齊而不與趙則趙攻其北不合於韓則韓攻其西不親於楚則楚攻其南此所謂四分五裂之道也且夫諸侯之為從者將以安社稷尊主彊兵顯名也今從者一天下約為昆弟刑白馬以盟洹(音桓)水之上以相堅也而親昆弟同父母尚

有爭錢財而欲恃詐僞反覆蘇秦之餘謀其不可成亦明矣大王不事秦秦下兵攻河外索隱曰河外之西即曲沃平周之邑也○正義曰河外即卷衍燕酸棗據卷衍酸棗卷丘權反衍以善反○索隱曰卷在河南衍地名○正義曰卷衍屬鄭州燕滑州胙城縣酸棗屬滑州皆黃河南岸地劫衛取陽晉正義曰故城在曹州乘氏縣西北三十七里則趙不南趙不南而梁不北梁不北則從道絕從道絕則大王之國欲毋危不可得也秦折韓而攻梁索隱曰戰國策折作挾也韓怯於秦秦韓爲一梁之亡可立而須也此臣之所爲大王患也爲大王計莫如事秦事秦則楚韓必不敢動無楚韓之患則大王高枕而臥正義曰枕針鴆反國

境卒戍四方守亭鄣者不下十萬梁之地勢固
戰場也梁南與楚而不與齊則齊攻其東東與
齊而不與趙則趙攻其北不合於韓則韓攻其
西不親於楚則楚攻其南北所謂四分五裂之
道也且夫諸侯之爲從者將以安社稷尊主彊
兵顯名也今從者一天下約爲昆弟刑白馬以
盟洹水之上以相堅也而親昆弟同父母尚

有爭錢財而欲恃詐偽反覆蘇秦之餘謀其不可成亦明矣大王事秦秦下兵攻河外索隱曰河之西即曲沃平周之邑也○正義曰河外即卷衍燕酸棗據卷衍酸棗卷丘權反衍以善反○索隱曰卷在河南衍地名○正義曰卷衍屬鄭州燕滑州胙城縣酸棗屬滑州皆黃河南岸地劫衛取陽晉正義曰故城在曹州乘氏縣西北三十七里則趙不南趙不南而梁不北梁不北則從道絕從道絕則大王之國欲毋危不可得也秦折韓而攻梁索隱曰戰國策折作挾也韓怯於秦秦韓為一梁之亡可立而須也此臣之所為大王患也為大王計莫如事秦事秦則楚韓必不敢動無楚韓之患則大王高枕而臥正義曰枕針鴆反國

必無憂矣且夫秦之所欲弱者莫如楚而能弱楚者莫如梁楚雖有富大之名而實空虛其卒雖多然而輕走易北不能堅戰悉梁之兵南面而伐楚勝之必矣割楚而益梁虧楚而適秦嫁禍安國此善事也大王不聽臣秦下甲士而東伐雖欲事秦不可得矣且夫從人多奮辭而少可信說諸侯而成封侯是故天下之游談士莫不日夜搤腕瞋目切齒以言從之便以說人主人主賢其辯而牽其說豈得無眩哉臣聞之積羽沉舟羣輕折軸衆口鑠金積毀銷骨故願

大王審定計議且賜骸骨辟魏哀王於是乃倍從約而因儀請成於秦張儀歸復相秦三歲而魏復背秦為從秦攻魏取曲沃明年魏復事秦秦欲伐齊齊楚從親於是張儀往相楚楚懷王聞張儀來虛上舍而自館之曰此僻陋之國子何以教之儀說楚王曰大王誠能聽臣閉關絕約於齊臣請獻商於之地六百里（索隱曰劉氏云商即今之商州有古商城其西二百餘里有古於城）使秦女得為大王箕帚之妾秦楚娶婦嫁女長為兄弟之國此北弱齊而西益秦也計無便此者楚王大說而許之羣臣皆賀

必無憂矣且夫秦之所欲弱者莫如楚而能弱楚者莫如梁楚雖有富大之名而實空虛其卒雖多然而輕走易北不能堅戰悉梁之兵南面而伐楚勝之必矣割楚而益梁虧楚而適秦嫁禍安國此善事也大王不聽臣秦下甲士而東伐雖欲事秦不可得矣且夫從人多奮辭而少可信說一諸侯而成封侯是故天下之游談士莫不日夜搤腕瞋目切齒以言從之便以說人主人主賢其辯而牽其說豈得無眩哉臣聞之積羽沉舟羣輕折軸衆口鑠金積毀銷骨故願

大王審定計議且賜骸骨辟魏哀王於是乃倍從約而因儀請成於秦張儀歸復相秦三歲而魏復背秦爲從秦攻魏取曲沃明年魏復事秦秦欲伐齊齊楚從親於是張儀往相楚楚懷王聞張儀來虛上舍而自館之曰此僻陋之國子何以教之儀說楚王曰大王誠能聽臣閉關絕約於齊臣請獻商於之地六百里（索隱曰劉氏云商卽今之商州有古商城其西二百餘里有古於城）使秦女得爲大王箕帚之妾秦楚娶婦嫁女長爲兄弟之國此北弱齊而西益秦也計無便此者楚王大說而許之羣臣皆賀

陳軫獨弔之楚王怒曰寡人不興師發兵得六百里地羣臣皆賀子獨弔何也陳軫對曰不然以臣觀之商於之地不可得而齊秦合齊秦合則患必至矣楚王曰有說乎陳軫對曰夫秦之所以重楚者以其有齊也今閉關絕約於齊則楚孤秦奚貪夫孤國而與之商於之地六百里張儀至秦必負王是北絕齊交西生患於秦也而兩國之兵必俱至善爲王計者不若陰合而陽絕於齊使人隨張儀苟與吾地絕齊未晚也不與吾地陰合謀計也楚王曰願陳子閉口毋

復言以待寡人得地乃以相印授張儀厚賂之
於是遂閉關絕約於齊使一將軍隨張儀張儀
至秦詳失綏墮車不朝三月正義詳音羊楚王聞之曰
儀以寡人絕齊未甚邪乃使勇士至宋借宋之
符北罵齊王齊王大怒折節而下秦秦齊之交
合張儀乃朝謂楚使者曰臣有奉邑六里願以
獻大王左右楚使者曰臣受令於王以商於之
地六百里不聞六里還報楚王楚王大怒發兵
而攻秦陳軫曰軫可發口言乎攻之不如割地
反以賂秦與之并兵而攻齊是我出地於秦取

償於齊也王國尚可存楚王不聽卒發兵而使將軍屈匄擊秦秦齊共攻楚斬首八萬殺屈匄遂取丹陽[徐廣曰在枝江]漢中之地[正義曰今梁州也在漢水北]楚又復益發兵而襲秦至藍田大戰楚大敗於是楚割兩城以與秦平秦要楚欲得黔中地[正義要音腰]欲以武關外易之[正義曰即商於之地]楚王曰不願易地願得張儀而獻黔中地秦王欲遣之口弗忍言張儀乃請行惠王曰彼楚王怒子之負以商於之地是且甘心於子張儀曰秦彊楚弱臣善靳尚尚得事楚夫人鄭袖袖所言皆從且臣奉王之節使

楚楚何敢加誅假令誅臣而爲秦得黔中之地臣之上願遂使楚楚懷王至則囚張儀將殺之靳尚謂鄭袖曰子亦知子之賤於王乎鄭袖曰何也靳尚曰秦王甚愛張儀而不欲出之索隱曰不字當作必時張儀爲楚所囚故必欲出之也○正義曰秦王不欲出張儀使楚若欲自行今秦欲以上庸地及美人贖儀今將以上庸之地六縣正義曰今房州也賂楚以美人聘楚以宮中善歌謳者爲媵楚王重地尊秦秦女必貴而夫人斥矣不若爲言而出之於是鄭袖日夜言懷王曰人臣各爲其主用今地未入秦秦使張儀來至重王王未有禮而殺張儀秦必大

怒攻楚妾請子母俱遷江南毋爲秦所魚肉也懷王後悔赦張儀厚禮之如故張儀既出未去聞蘇秦死索隱曰此時當秦惠王之後元十四年乃説楚王曰秦地半天下兵敵四國被險帶河四塞以爲固虎賁之士百餘萬車千乘騎萬匹積粟如丘山法令既明士卒安難樂死主明以嚴將智以武雖無出甲席卷常山之險必折天下之脊索隱曰常山於天下在北有若人之背脊也○正義曰古之帝王多都河北河東故也天下有後服者先亡且夫爲從者無以異於驅羣羊而攻猛虎虎之與羊不格明矣今王不與猛虎而與羣羊臣竊以

為大王之計過也凡天下彊國非秦而楚非楚

而秦兩國交爭其勢不兩立大王不與秦秦下

甲據宜陽韓之上地不通下河東取成皐韓必

入臣梁則從風而動秦攻楚之西韓梁攻其北

社稷安得毋危且夫從者聚羣弱而攻至彊不

料敵而輕戰國貧而數舉兵危亡之術也臣聞

之兵不如者勿與挑戰〔正義挑田鳥反〕粟不如者勿與

持久夫從人飾辯虛辭高主之節言其利不言

其害卒有秦禍〔正義卒千忽勿反〕無及為已是故願大王

之孰計之秦西有巴蜀大船積粟起於汶山〔正義〕

汶音泯 浮江已下至楚三千餘里舫船載卒 索隱曰舫音方謂並兩船也 一舫載五十人與三月之食下水而浮一日行三百餘里里數雖多然而不費牛馬之力不至十日而距扞關 徐廣曰巴郡魚復有扞水扞關○索隱曰扞關在楚之西界復音伏地理志巴郡有魚復縣○正義曰在硤州巴山縣界 扞關驚則從境以東盡城守矣黔中巫郡非王之有秦舉甲出武關南面而伐則北地絕 正義曰楚之北境斷絕 秦兵之攻楚也危難在三月之內而楚待諸侯之救在半歲之外此其勢不相及也夫待弱國之救忘彊秦之禍此臣所以為大王患也大王嘗與吳人戰五

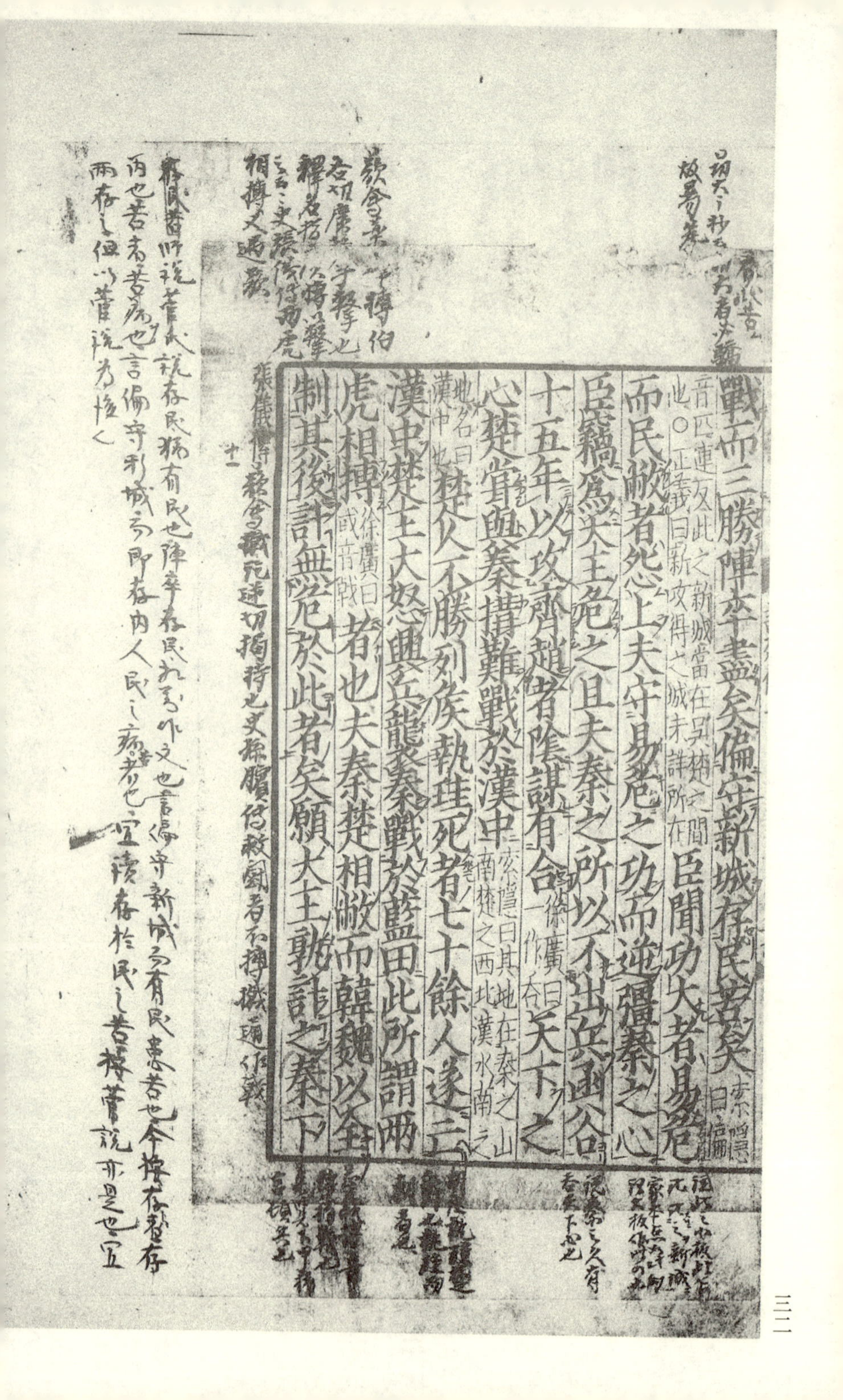

戰而三勝陣卒盡矣偏守新城存民苦矣（索隱曰偏音匹連反此之新城當在吳楚之閒也○正義曰新攻得之城未詳所在）臣聞功大者易危而民敝者怨上夫守易危之功而逆彊秦之心臣竊爲大王危之且夫秦之所以不出兵函谷十五年以攻齊趙者陰謀有合（徐廣曰一作吞）天下之心楚嘗與秦搆難戰於漢中（索隱曰其地在秦之山南楚之西北漢水南之地名曰漢中也）楚人不勝列侯執珪死者七十餘人遂亡漢中楚王大怒興兵襲秦戰於藍田此所謂兩虎相搏（徐廣曰戟音戰）者也夫秦楚相敝而韓魏以全制其後計無危於此者矣願大王孰計之秦下

甲攻衛陽晉必大關天下之匈。徐廣曰關一作開○索隱曰以常山爲天下脊則此衛及陽晉當天下之胷蓋其地是秦晉齊楚之交道也以言秦兵據衛陽晉是大關天下之胷則他國不得動也大王悉起兵以攻宋不至數月而宋可舉舉宋而東指則泗上十二諸侯盡王之有也索隱曰泗上近泗水之側當戰國之時有十二諸侯宋魯鄒莒之比也凡天下而以信約從親相堅者蘇秦封武安君相燕即陰與燕王謀伐破齊而分其地乃詳有罪出走入齊齊王因受而相之居二年而覺齊王大怒車裂蘇秦於市夫以一詐僞之蘇秦而欲經營天下混壹諸侯索隱曰混本一作棍同胡本反其不可成亦明矣今秦與楚接境壤界固

形親之國也大王誠能聽臣臣請使秦太子入
質於楚楚太子入質於秦請以秦女爲大王箕
箒之妾效萬室之都以爲湯沐之邑長爲昆弟
之國終身無相攻伐臣以爲計無便於此者於
是楚王已得張儀而重出黔中地與秦欲許之
屈原曰前大王見欺於張儀張儀至臣以爲大
王烹之今縱弗忍殺之又聽其邪說不可懷王
曰許儀而得黔中美利也後而倍之不可故卒
許張儀與秦親張儀去楚因遂之韓說韓王曰
韓地險惡山居五穀所生非菽而麥民之食大

張儀傳十二

抵飯菽藿羹。一歲不收，民不饜糟糠。地不過九百里，無二歲之食。料大王之卒，悉之不過三十萬，而廝徒負養在其中矣。索隱曰：廝徒謂雜役之賤者。負養謂負擔以給養公家，亦賤人也。除守徼亭鄣塞，見卒不過二十萬而已矣。秦帶甲百餘萬，車千乘，騎萬匹，虎賁之士跿跔科頭，跿跔音徒俱，跳躍也。又云偏舉一足曰跿跔。科頭謂不著兜鍪入敵。○索隱曰：跔又音劬。戰國策作「虎摯之士」。貫頤奮戟者，至不可勝計。言執戟奮怒而入陳也。○索隱曰：兩手捧頤而直入敵，言其勇也。又有執戟者奮怒而趨入陣也。秦馬之良，戎兵之衆，探前趹後蹄閒三尋者，索隱曰：謂馬前足探向前，後足趹於後。趹音烏穴反。趹謂後足抉地，言馬之走勢疾也。七尺曰尋，言馬走之疾，前後蹄閒一擲而過三尋也。騰者不可勝數。

山東之士被甲蒙胄以會戰秦人捐甲徒裼以趨敵（索隱曰徒跣也裼袒也謂袒而見肉也）左挈人頭右挾生虜夫秦卒與山東之卒猶孟賁之與怯夫以重力相壓猶烏獲之與嬰兒夫戰孟賁烏獲之士以攻不服之弱國無異垂千鈞之重於鳥卵之上必無幸矣夫羣臣諸侯不料地之寡而聽從人之甘言好辭比周以相飾也皆奮曰聽吾計可以彊霸天下夫不顧社稷之長利而聽須臾之說詿誤人主無過此者大王不事秦秦下甲據宜陽斷韓之上地東取成皋滎陽則鴻臺之宮桑

張儀傳十三

林之苑（徐廣曰桑一作栗○索隱曰此皆韓之宮苑亦見戰國策）非王之有也夫塞成皋絕上地則王之國分矣先事秦則安不事秦則危夫造禍而求其福報計淺而怨深逆秦而順楚雖無亡不可得也故為大王計莫如為（于僞反）秦秦之所欲莫如弱楚而能弱楚者莫如韓非以韓能彊於楚也其地勢然也今王西面而事秦以攻楚秦王必喜夫攻楚以利其地轉禍而說秦計無便於此者韓王聽儀計張儀歸報秦惠王封儀五邑號曰武信君使張儀東說齊湣王曰天下彊國無過齊者大臣父兄

殷衆富樂然而爲大王計者皆爲一時之說不顧百世之利從人說大王者必曰齊西有彊趙南有韓與梁齊負海之國也地廣民衆兵彊士勇雖有百秦將無柰齊何大王賢其說而不計其實夫從人朋黨比周莫不以從爲可臣聞之齊與魯三戰而魯三勝國以危亡隨其後雖有戰勝之名而有亡國之實是何也齊大而魯小也今秦之與齊也猶齊之與魯也秦趙戰於河漳之上再戰而趙再勝秦戰於番吾之下再戰又勝秦（索隱曰番音盤又音婆趙之邑也）四戰之後趙之亡卒數

十萬邯鄲僅存雖有戰勝之名而國已破矣是
何也秦彊而趙弱今秦楚嫁女娶婦爲昆弟之
國韓獻宜陽梁效河外（索隱曰河外河之南邑若曲沃平周等也○正義曰謂同華州地也）趙入朝澠（綿善反）池割河間以事秦（索隱曰河漳之間邑割以事秦耳○正義曰河間瀛州縣）大王不事秦秦驅韓梁攻齊之
南地悉趙兵渡清河指博關（正義曰博關在博州越兵從貝州度黃河指博關則漯河之南臨淄即墨危矣）臨菑即墨非王之有也國一日見
攻雖欲事秦不可得也是故願大王熟計之也
齊王曰齊僻陋隱居東海之上未嘗聞社稷之
長利也乃許張儀張儀去西說趙王曰敝邑秦

王使使臣効愚計於大王大王收率天下以賓
秦秦兵不敢出函谷關十五年大王之威行於
山東敝邑恐懼懾伏繕甲厲兵飾車騎正義飾音勑習
馳射力田積粟守四封之内愁居懾處不敢動
搖唯大王有意督過之也索隱曰督者正其事而責之督過是深責其過也
今以大王之力舉巴蜀并漢中包兩周遷九鼎
守白馬之津秦雖僻遠然而心忿含怒之日久
矣今秦有敝甲凋兵軍於澠池願渡河踰漳據
番吾會邯鄲之下願以甲子合戰以正殷紂之
事敬使使臣先聞左右凡大王之所信爲從者

恃蘇秦蘇秦熒惑諸侯以是爲非以非爲是欲反齊國而自令車裂於市夫天下之不可一亦明矣今楚與秦爲昆弟之國而韓梁稱爲東藩之臣齊獻魚鹽之地此斷趙之右臂也夫斷右臂而與人鬬失其黨而孤居求欲毋危豈可得乎今秦發三將軍其一軍塞午道索隱曰此午道當在趙之東齊之西也午道地名也鄭玄云一縱一橫爲午謂交道也告齊使興師渡清河軍於邯鄲之東一軍軍成皋驅韓梁軍於河外曰河外謂鄭滑州北臨河一軍軍於澠池約四國爲一以攻趙趙服必四分其地是故不敢匿意隱情先以聞

於左右臣竊爲大王計莫如與秦王遇於澠池
面相見而口相結請案兵無攻願大王之定計
趙王曰先王之時奉陽君專權擅勢蔽欺先王
獨擅綰事寡人居屬師傅不與國謀計先王棄
羣臣寡人年幼奉祀之日新心固竊疑焉以爲
一從不事秦非國之長利也乃且願變心易慮
割地謝前過以事秦方將約車趨行（正義趨音趨）適
聞使者之明詔趙王許張儀張儀乃去北之燕
說燕昭王曰大王之所親莫如趙昔趙襄子嘗
以其姊爲代王妻欲并代約與代王遇於句注

恃蘇秦蘇秦熒惑諸侯以是爲非以非爲是欲反齊國而自令車裂於市夫天下之不可一亦明矣今楚與秦爲昆弟之國而韓梁稱爲東藩之臣齊獻魚鹽之地此斷趙之右臂也夫斷右臂而與人鬭失其黨而孤居求欲毋危豈可得乎今秦發三將軍其一軍塞午道索隱曰此午道當在趙之東齊之西也午道地名也鄭玄云一縱一横爲午謂交道也告齊使興師渡清河軍於邯鄲之東一軍軍成皋驅韓梁軍於河外正義曰河外謂鄭滑州北臨河一軍軍於澠池約四國爲一以攻趙趙服必四分其地是故不敢匿意隱情先以聞

於左右臣竊爲大王計莫如與秦王遇於澠池面相見而口相結請案兵無攻願大王之定計趙王曰先王之時奉陽君專權擅勢蔽欺先王獨擅綰事寡人居屬師傅不與國謀計先王棄羣臣寡人年幼奉祀之日新心固竊疑焉以爲一從不事秦非國之長利也乃且願變心易慮割地謝前過以事秦方將約車趨行【正義趨音趣】適聞使者之明詔趙王許張儀張儀乃去北之燕說燕昭王曰大王之所親莫如趙昔趙襄子嘗以其姊爲代王妻欲并代約與代王遇於句注

張儀傳十六

之塞（正義曰句注山在代州也上音勾）乃令工人作為金斗長其尾（索隱曰斗音主凡方者為斗若安長柄則名為枓音主尾即斗之柄其形若刀者是也）令可以擊人與代王飲陰告廚人曰即酒酣樂進熱啜（索隱曰音昌悅反謂熱歠而啜之是羹也下云廚人進斟斟謂羹汁故名汁曰斟左氏傳公羊傳云羊羹不斟是也）反斗以擊之（正義曰反斗即倒柄擊也）於是酒酣樂進熱啜廚人進斟因反斗以擊代王殺之王腦塗地其姊聞之因摩笄以自刺故至今有摩笄之山（笄婦人之首飾也今象牙擿○正義曰笄今簪也摩笄山在蔚州飛狐縣東北百五十里）代王之亡天下莫不聞夫趙王之狠戾無親大王之所明見且以趙王為可親乎趙興兵攻燕再圍燕都而劫大王

大王割十城以謝今趙王已入朝澠池效河間以事秦今大王不事秦秦下甲雲中九原驅趙而攻燕則易水長城正義曰並在易州界非大王之有也且今時趙之於秦猶郡縣也不敢妄舉師以攻伐今王事秦秦王必喜趙不敢妄動是西有彊秦之援而南無齊趙之患是故願大王孰計之燕王曰寡人蠻夷僻處雖大男子裁音在如嬰兒言不足以采正計今上客幸教之請西面而事秦獻恒山之尾五城索隱曰尾猶末也謂獻恒山之東五城以與秦燕王聽儀儀歸報未至咸陽而秦惠王卒武王立武王自

張儀傳十七

通鑑不肖之身胡注不肖漢言無所肖似也魏都大梁以其梁兵交胡注言兵交不解各欲去而不能也
間胡注間居莧翻間隙也又居閑翻中間也

爲太子時不説張儀及即位羣臣多讒張儀曰無信左右賣國以取容秦必復用之恐爲天下笑諸侯聞張儀有郤武王皆畔衡復合從秦武王元年羣臣日夜惡張儀未已而齊讓又至張儀懼誅乃因謂秦武王曰儀有愚計願效之王曰柰何對曰爲秦社稷計者東方有大變然後王可以多割得地也今聞齊王甚憎儀儀之所在必興師伐之故儀願乞其不肖之身之梁齊必興師而伐梁梁齊之兵連於城下而不能相去王以其閒伐韓入三川出兵函谷而毋伐以

臨周祭器必出索隱曰凡王者大祭祀必陳設文物軒車彝器等因謂此爲祭器也挾
天子按圖籍此王業也秦王以爲然乃具革車
三十乘入儀之梁齊果興師伐之梁哀王恐張
儀曰王勿患也請令罷齊兵乃使其舍人馮喜
之楚索隱曰此與戰國策同舊本作憙誤也借使之齊謂齊王曰王
甚憎張儀雖然亦厚矣王之託儀於秦也齊王
曰寡人憎儀儀之所在必興師伐之何以託儀
對曰是乃王之託儀也夫儀之出也固與秦王
約曰爲王計者東方有大變然後王可以多割
得地今齊王甚憎儀儀之所在必興師伐之故

通鑑不肖之身胡注不肖謂言己無所肖似也魏都大梁曰之梁梁兵交胡注言兵交不解各欲去而不能去也

[illegible]獄常山之尾五城以和胡注常山即北嶽恒山也漢文帝諱恒改曰常山置常山郡 班志常山

郡上曲陽縣西北其尾則燕之西南東

通鑑不說張儀胡注說讀曰悅 [illegible]

通鑑畔衡復合從胡注衡讀曰橫從子容翻 [illegible]

爲太子時不說張儀及即位羣臣多讒張儀曰
無信左右賣國以取容秦必復用之恐爲天下
笑諸侯聞張儀有卻武王皆畔衡復合從秦武
王元年羣臣日夜惡張儀未已而齊讓又至張
儀懼誅乃因謂秦武王曰儀有愚計願效之王
曰柰何對曰爲秦社稷計者東方有大變然後
王可以多割得地也今聞齊王甚憎儀儀之所
在必興師伐之故儀願乞其不肖之身之梁齊
必興師而伐梁梁齊之兵連於城下而不能相
去王以其間伐韓入三川出兵函谷而毋伐以

[illegible]

臨周祭器必出索隱曰凡王者大祭祀必陳設文物軒車彝器等因謂此爲祭器也挾天子按圖籍此王業也秦王以爲然乃具革車三十乘入儀之梁齊果興師伐之梁哀王恐張儀曰王勿患也請令罷齊兵乃使其舍人馮喜之楚索隱曰此與戰國策同舊本作喜誤也借使之齊謂齊王曰王甚憎張儀雖然亦厚矣王之託儀於秦也齊王曰寡人憎儀儀之所在必興師伐之何以託儀對曰是乃王之託儀也夫儀之出也固與秦王約曰爲王計者東方有大變然後王可以多割得地今齊王甚憎儀儀之所在必興師伐之故

儀願乞其不肖之身之梁齊必興師伐之齊梁之兵連於城下而不能相去王以其間伐韓入三川出兵函谷而無伐以臨周祭器必出挾天子案圖籍此王業也秦王以爲然故具革車三十乘而入之梁也今儀入梁王果伐之是王內罷國而外伐與國（索隱曰謂齊之伐梁也梁之與齊先相許與約從爲鄰故云與國也）廣鄰敵以內自臨而信儀於秦王也此臣之所謂託儀也齊王曰善乃使解兵張儀相魏一歲卒於魏也（索隱曰年表張儀以哀王十年卒紀年云梁哀王九年五月卒）

陳軫者游說之士與張儀俱事秦惠王皆貴重

争寵張儀惡陳軫於秦王曰軫重幣輕使秦楚
之間將爲國交也今楚不加善於秦而善軫者
軫自爲厚而爲王薄也且軫欲去秦而之楚王
胡不聽乎王謂陳軫曰吾聞子欲去秦之楚有
之乎軫曰然王曰儀之言果信矣軫曰非獨儀
知之也行道之人盡知之矣昔子胥忠於其君
而天下爭以爲臣曾參孝於其親而天下願以
爲子故賣僕妾不出閭巷而售者良僕妾也出
婦嫁於鄉曲者良婦也今軫不忠其君楚亦何
以軫爲忠乎忠且見棄軫不之楚何歸乎王以

其言爲然遂善待之居秦期年秦惠王終相張儀而陳軫奔楚楚未之重也而使陳軫使於秦過梁欲見犀首犀首謝弗見軫曰吾爲事來公不見軫軫將行不得待索隱曰軫語犀首言我故來欲有教汝之事何不相見異日犀首見之陳軫曰公何好飲也犀首曰無事也曰吾請令公厭事可乎索隱曰厭音一豔反厭者飽也謂欲令其多事曰奈何曰田需約諸侯從親索隱曰需時爲魏相楚王疑之未信也公謂於王曰臣與燕趙之王有故數使人來曰無事何不相見願謁行於王王雖許公公請毋多車以車三十乘可陳之於庭明

言之燕趙燕趙客聞之馳車告其王使人迎犀首楚王聞之大怒曰田需與寡人約而犀首之燕趙是欺我也怒而不聽其事齊聞犀首之北使人以事委焉犀首遂行三國相事皆斷於犀首軫遂至秦韓魏相攻朞年不解秦惠王欲救之問於左右左右或曰救之便或曰勿救便惠王未能爲之決陳軫適至秦惠王曰子去寡人之楚亦思寡人不陳軫對曰王聞夫越人莊舄乎王曰不聞曰越人莊舄仕楚執珪有頃而病楚王曰舄故越之鄙細人也今仕楚執珪貴富

矣亦思越不中謝索隱曰謂侍御之官也對曰凡人之思故在其病也彼思越則越聲不思越則楚聲使人往聽之猶尚越聲也今臣雖棄逐之楚豈能無秦聲哉惠王曰善今韓魏相攻朞年不解或謂寡人救之便或曰勿救便索隱曰此張儀等計策寡人不能決願子為子主計之索隱曰子指陳軫也子主謂楚王也餘為寡人計之陳軫對曰亦嘗有以夫辨莊子刺虎聞於王者乎索隱曰戰國策作館莊子館謂逆旅舍其人字莊子或作辨莊子莊子欲刺虎館豎子止之曰兩虎方且食牛食甘必爭爭則必鬬鬬則大者傷小者死從傷而刺之一舉必

有雙虎之名雖莊子以爲然立須之有頃兩虎
果闘大者傷小者死莊子從傷者而刺之一舉
果有雙虎之功今韓魏相攻朞年不解是必大
國傷小國亡從傷而伐之一舉必有兩實此猶
莊子刺虎之類也臣主與王何異也（索隱曰臣主謂軫之主楚王也王秦惠王以言我主與王俱宜待韓魏之斃而擊之亦無以異也）惠王曰善卒弗救
大國果傷小國亡秦興兵而伐大尅之此陳軫
之計也
犀首者魏之陰晉人也（司馬彪曰犀首魏官名若今虎牙將軍）名衍
姓公孫氏與張儀不善張儀爲秦之魏魏王相

張儀犀首弗利故今又謂韓公叔曰張儀已合秦魏矣其言曰（正義曰此張儀合秦魏之辭）魏攻南陽秦攻三川魏王所以貴張子者欲得韓地也且韓之南陽已舉矣子何不少委焉以爲衍功則秦魏之交可錯矣（索隱曰錯音措錯停止也）然則魏必圖秦而棄儀收韓而相衍公叔以爲便因委之犀首以爲功果相魏張儀去（徐廣曰作復相秦）義渠君朝於魏犀首聞張儀復相秦害之犀首乃謂義渠君曰道遠不得復過（索隱曰音戈言義渠道遠今一日已後不復得更過相見）請謁事情（索隱曰謂欲以秦之緩急告語之也）曰中國無事（索隱曰謂山東諸侯齊魏之六國○正義曰中國謂關東六國）

無事不共攻秦秦得燒掇焚杅徐廣曰一孤切○索隱曰掇音都活反謂掇燒而侵掠也焚杅音煩烏謂焚蹂而牽制也戰國策云且燒爇獲君之國是說其事也君之國有事索隱曰謂山東諸國共伐秦也秦將輕使重幣事君之國索隱曰謂秦求親義渠君也○正義曰有事謂六國攻秦秦君被攻伐則必輕使重幣事義渠之國欲令相助犀首此言者令義渠君勿援秦也其後五國伐秦索隱曰按表秦惠王後元七年楚魏齊韓趙五國共攻秦是其事者也會陳軫謂秦王曰義渠君者蠻夷之賢君也不如賂之以撫其志秦王曰善乃以文繡千純索隱曰凡絲綿布帛等一段爲一純音屯婦女百人遺義渠君義渠君致羣臣而謀曰此公孫衍所謂邪索隱曰謂上文犀首云君之國有事秦將輕使重幣事君之國故云公孫衍之所謂因起兵襲秦以傷張儀也乃起兵襲秦大敗秦

人李伯之下。索隱曰：謂義渠破秦軍於李伯之下，則李伯人名或邑號。戰國策伯作帛。張儀已卒之後，犀首入相秦。嘗佩五國之相印，為約長。索隱曰：犀首後相五國，或從或横，常為約長。

太史公曰：三晉多權變之士，夫言從衡彊秦者，大抵皆三晉之人也。夫張儀之行事甚於蘇秦，然世惡蘇秦者，以其先死，而儀振暴其短以扶其說，索隱曰：暴音步卜反。振謂振揚而暴露其短。扶謂說彼之非，成我之是，扶會己之說辭也。成其衡道。索隱曰：張儀說六國使連衡而事秦，故云成其衡道。然山東地形從長，蘇秦相六國，令從親而賓秦也。關西地形衡長，張儀相六國，令破其從而連秦之衡，故蘇為合從，張為連衡也。要之此兩人真傾危之士哉。

索隱述贊曰
儀未遭時　頻被困辱　及相秦惠
先韓後蜀　連衡齊魏　傾危誑惑
陳軫挾權　犀首騁欲　如何三晉
繼有斯德

刪說

張儀列傳第十　史記七十

曰黄氏日抄云蘇秦之說六國為六國也張儀之說六國非為六國為秦也數詐諸侯
以海嬰兒雖均之擯滅而儀又秦之罪人矣然儀之入秦蘇秦實使之蓋欲止秦兵於
一時而卒以伐從約於異日智者不為也夫儀秦友也儀始謁蘇秦以故人求益也秦不以
情告儀使共謀六國以緩秦兵而直以權詭激之入秦自貽長秦何耶將儀之多詐
不可告以情抑秦自以不及儀恐之共謀六國慮軋己耶夫縱橫之士固不可以常情
[illegible]也
陳[illegible]衍皆惡於儀(軫)奔楚復從容於秦儀死而(衍)入相秦嘗佩五國相印為盟
約[illegible]變世窮之[illegible]

史記列傳　六十一

樗里子　甘茂　甘羅
穰侯　白起　王翦
孟軻　淳于髡　慎到
騶奭　荀卿

書キ入　拾八段

樗里子甘茂列傳第十一　史記七十一

樗里子者名疾秦惠王之弟也索隱曰樗木名也音攄高誘曰其里有樗樹故曰樗里然疾居渭南陰鄉之樗里故號曰樗里子又紀年則謂之褚里疾與惠王異母母韓女也樗里子滑稽多智索隱曰滑音骨稽音雞鄒誕解云滑亂也稽同也謂辯捷之人言非若是言是若非謂能亂同異也一云滑稽酒器可轉注吐酒不已以言俳優之人出口成章詞不窮竭如滑稽之吐酒不已也○正義曰滑讀爲淈水流自出稽計也言其智計宣吐如泉流出無盡故楊雄酒賦云鴟夷滑稽腹大如壺是也顏師古云滑稽轉利之稱也滑亂也稽礙也其變無留也一說稽考也言其滑亂不可考較秦人號曰智囊秦惠王八年爵樗里子右更索隱曰右更秦第十四爵名使將而伐曲沃正義曰故城在陝州縣西南三十二里盡出其人索隱曰年表云十一年拔魏曲沃歸其人秦本紀惠文王後元八年五國共圍秦使庶長疾與戰脩魚斬

首八萬十一年樗里疾攻魏焦降之則焦與曲沃同在十一年拔明矣而傳云八年拔之不同王劭按本紀年表及此傳三處記秦伐國並不同又與紀年不合今殆不可參考也取其城地入秦秦惠王二十五年使樗里子爲將伐趙虜趙將軍莊豹拔藺正義曰藺縣在石州明年助魏章攻楚敗楚將屈丐取漢中地秦封樗里子號爲嚴君索隱曰按嚴君是爵邑之號當是封之蜀郡嚴道也秦惠王卒太子武王立逐張儀魏章而以樗里子甘茂爲左右丞相秦使甘茂攻韓拔宜陽使樗里子以車百乘入周周以卒迎之意甚敬楚王怒讓周以其重秦客游騰爲周說楚王曰索隱曰游姓騰名智伯之伐仇猶許慎曰仇猶夷狄之國○索隱曰高誘注

戰國策以仇酋爲九公由韓子作仇由地理志臨淮有仇酋縣也○正義曰括地志云井州盂縣外城俗名原仇山亦名仇猶夷狄之國也韓子云智伯欲伐仇猶國道險難不通乃鑄大鍾遺之載以廣車仇猶大悦除塗内之赤章曼支諫曰不可此小所以事大而今大以遺小卒必隨不可不聽遂内之曼支因斷轂而馳至十九日而仇猶亡也遺之廣車戰國策曰智伯欲伐仇猶遺之大鍾載以廣車周禮曰廣車之萃鄭玄曰廣車橫陳之車因隨之兵仇猶遂亡何則無備故也齊桓公伐蔡號曰誅楚其實襲蔡今秦虎狼之國使樗里子以車百乘入周周以仇猶蔡觀焉故使長戟居前彊弩在後名曰衛疾正義曰防衛樗里子之而實囚之且夫周豈能無憂其社稷哉恐一旦亡國以憂大王楚王乃悦秦武王卒昭王立樗里子又益尊重昭王

元年樗里子將伐蒲索隱曰紀年云樗里疾圍蒲不克而秦惠王薨事與此合○正義曰蒲故城在滑州匡城縣北十五里即子路作宰也蒲守恐請胡衍索隱曰人姓名也胡衍爲蒲謂樗里子曰公之攻蒲爲秦乎爲魏乎爲魏則善矣爲秦則不爲賴矣賴利也夫衛之所以爲衛者以蒲也正義曰蒲足衛國之鄣衛今伐蒲入於魏衛必折而從之索隱曰戰國策云今蒲入於秦衛必折而入於魏與此文相反也魏亡西河之外正義曰謂同華等州而無以取者兵弱也今并衛於魏魏必彊魏強之日西河之外必危矣且秦王將觀公之事害秦而利魏王必罪公樗里子曰奈何胡衍曰公釋蒲勿攻臣試爲公

入言之以德衛君樗里子曰善胡衍入蒲謂其守曰樗里子知蒲之病矣其言曰必拔蒲衍能令釋蒲勿攻蒲守恐因再拜曰願以請因效金三百斤曰秦兵苟退請必言子於衛君使子爲南面故胡衍受金於蒲以自貴於衛於是遂解蒲而去還擊皮氏（正義曰故城在絳州龍門縣西百四十步魏邑）皮氏未降又去昭王七年樗里子卒葬于渭南章臺之東（索隱曰按黃圖在漢長安故城西）曰後百歲是當有天子之宮夾我墓樗里子疾室在於昭王廟西渭南陰鄉樗里故俗謂之樗里子至漢興長樂宮在其東未

樗里子傳

央宮在其西（正義曰漢長樂宮在長安縣西北十五里未央在縣西北十四里皆在長安故城中也）武庫正直其墓（索隱曰直如字讀直猶當也）秦人諺曰力則任鄙智則樗里子

甘茂者下蔡人也（索隱曰地理志下蔡縣屬汝南也○正義曰今潁州縣即州來國）事下蔡史舉先生（索隱曰戰國策及韓子皆云史舉上蔡監門者）學百家之說因張儀樗里子而求見秦惠王王見而說之使將而佐魏章略定漢中地惠王卒武王立張儀魏章去東之魏蜀侯輝相壯反（索隱曰煇音暉又音胡昆反秦之公子封蜀也華陽國志作煇壯音側狀反姓陳也）秦使甘茂定蜀還而以甘茂為左丞相以樗里子為右丞相秦武王三年

黃氏日抄云樗里子秦惠王弟名疾滑稽多智號曰智囊錯之名為惠王將多戰功為武王相使周周敬之其拔蒲為昭王伐蒲衛邑胡衍受蒲金說之而去豈智有時而窮歟此其言曰後百歲當有天子宮夾我墓至漢興長樂宮在其東未央宮在其西此豈智料之所能又或者改數字歟否則傳者妄也

入言之以德衛君樗里子曰善胡衍入蒲謂其
守曰樗里子知蒲之病矣其言曰必拔蒲衍能
令釋蒲勿攻蒲守恐因再拜曰願以請因效金
三百斤曰秦兵苟退請必言子於衛君使子為
南面故胡衍受金於蒲以自貴於衛於是遂解
蒲而去還擊皮氏正義曰故城在絳州龍門縣西百四十步魏邑皮氏未降
又去昭王七年樗里子卒葬于渭南章臺之東
索隱曰按黃圖在漢長安故城西曰後百歲是當有天子之宮夾
我墓樗里子疾室在於昭王廟西渭南陰鄉樗
里故俗謂之樗里子至漢興長樂宮在其東未

央宮在其西正義曰漢長樂宮在長安縣西北十五里未央在縣西北十四里皆在長安故城中也武庫正直其墓索隱曰直如字讀直猶當也秦人諺曰力則任鄙智則樗里子

甘茂者下蔡人也索隱曰地理志下蔡縣屬沛南也○正義曰今潁州縣即州萊國事下蔡史舉先生索隱曰戰國策及韓子皆云史舉上蔡監門者學百家之說因張儀樗里子而求見秦惠王王見而說之使將而佐魏章略定漢中地惠王卒武王立張儀魏章去東之魏蜀侯輝相壯反索隱曰煇音暉又音胡昆反秦之公子封蜀也華陽國志作暉壯音側狀反姓陳也秦使甘茂定蜀還而以甘茂為左丞相以樗里子為右丞相秦武王三年

謂甘茂曰寡人欲容車通三川以窺周室而寡人死不朽矣甘茂曰請之魏約以伐韓而令向壽輔行正義曰餉受二首人姓名甘茂至謂向壽曰子歸言之於王曰魏聽臣矣然願王勿伐事成盡以爲子功向壽歸以告王王迎甘茂於息壤索隱曰山海經啓筮云鯀竊帝之息壤以堙洪水或是此也○正義曰秦邑甘茂至王問其故對曰宜陽大縣也上黨南陽積之久矣索隱曰上黨南陽並積貯日久○正義曰韓之北三郡積貯在河南宜陽縣之日久矣名曰縣其實郡也今王倍數險行正義曰謂函谷及二崤五谷千里攻之難索隱曰數音率庚反昔曾參之處費音祕魯人有與曾參同姓名者殺

心其殘行千里之
外云間恐有隱其
殘者攷更沉宜也
通從金朝注參所
金朝一字之蘭朝
也矣之

又人告其母曰曾參殺人其母織自若也頃之
一人又告之曰曾參殺人其母尚織自若也頃
又一人告之曰曾參殺人其母投杼下機踰墻
而走夫以曾參之賢與其母信之也三人疑之
其母懼焉今臣之賢不若曾參王之信臣又不
如曾參之母信曾參也疑臣者非特三人臣恐
大王之投杼也始張儀西幷巴蜀之地北開西
河之外南取上庸天下不以多張子而以賢先
王魏文侯令樂羊將而攻中山三年而拔之樂
羊返而論功文侯示之謗書一篋樂羊再拜稽

之 一下欲

十九史略注自若 猶不驚不動 投棄

杼 杼梭也 杼之持緯者也

十九史略臣恐大王之投杼也 注恐武王信人言

惠文王

十九史略中山 中音仲

首 音頓反

樗里子傳

十九史略謗書一篋 注箱也 人多上書毀樂羊文侯不信 於在篋以示 十九史略无注

通從金第一使樂羊

伐中山 胡三省注 中山春秋鮮虞夷也

漢為中山郡 宋白曰唐定州春秋白狄鮮虞夷之地 隋圖經曰中山城在今唐昌縣東北三十一里

中山故城是也 杜佑曰城中有山故曰中山

首曰此非臣之功也主君之力也今臣羈旅之臣也樗里子公孫奭索隱曰戰國策作公孫衍○正義音釋二人者挾韓而議之王必聽之是王欺魏王而臣受公仲侈徐廣曰一作馮之怨也王曰寡人不聽也請與子盟卒使丞相甘茂將兵伐宜陽五月而不拔樗里子公孫奭果爭之武王召甘茂欲罷兵甘茂曰息壤在彼正義曰甘茂歸至息壤與秦王明盟恐後樗里子公孫奭伐韓今二子果爭之武王召甘茂欲罷兵故甘茂云息壤在彼邑也王曰有之因大悉起兵使甘茂擊之斬首六萬遂拔宜陽韓襄王使公仲侈入謝與秦平武王竟至周而卒於周其弟立爲昭王索隱

王母宣太后楚女也楚懷王怨前秦敗楚於丹陽而韓不救乃以兵圍韓雍氏索隱曰秦惠王二十六年楚圍雍氏至昭王七年又圍雍氏韓求救於秦是再圍也劉氏云此是前圍雍氏當赧王之七年戰國策及紀年與此並不同○正義曰敝城在洛州洛陽縣東北二十里韓使公仲侈告急於秦秦昭王新立太后楚人不肯救公仲因甘茂茂爲韓言於秦昭王曰公仲方有得秦救故敢扞楚也今雍氏圍秦師不下殽公仲且仰首而不朝公叔且以國南合於楚楚韓爲一魏氏不敢不聽然則伐秦之形成矣不識坐而待伐孰與伐人之利秦王曰善乃下師於殽以救

雍氏韓之地

公叔伯嬰者韓襄王之太子也

樗里子傳

禮記鸚鵡能言云云　正義曰爾雅云二足而羽謂之禽四足而毛謂之獸今鸚鵡是羽曰禽猩猩四足而毛正可是獸今並云禽獸者凡語有通別別而言之羽則曰禽毛則曰獸所以然者禽者擒也言鳥力小可擒捉而取之獸者守也言其力多不易可擒先須圍守然後乃獲故曰獸也通而爲說鳥不可曰獸獸亦可曰禽故鸚鵡不曰獸而猩猩通曰禽也故易云王用三驅失前禽則驅走者亦曰禽也又周禮司馬職云大獸公之小禽私之以此而言則禽未必皆鳥也又康成注周禮云凡鳥獸未孕曰禽周禮又云以禽作六摯卿羔大夫鴈白虎通云禽者鳥獸之總名以此諸經證禽名通獸者以其小獸可擒故得通名禽也

首曰此非臣之功也主君之力也今臣羈旅之臣也樗里子公孫奭索隱曰戰國策作公孫衍○正義音釋二人者挾韓而議之王必聽之是王欺魏王而臣受公仲侈徐廣曰一作馮之怨也王曰寡人不聽也請與子盟卒使丞相甘茂將兵伐宜陽五月而不拔樗里子公孫奭果爭之武王召甘茂欲罷兵甘茂曰息壤在彼正義曰甘茂歸至息壤與秦王明盟恐後樗里子公孫奭伐韓今二子果爭之武王乃召茂欲罷兵故甘茂云息壤在彼邑也王曰有之因大悉起兵使甘茂擊之斬首六萬遂拔宜陽韓襄王使公仲侈入謝與秦平武王竟至周而卒於周其弟立為昭王索隱

㡷氏韓之地

公叔伯嬰共韓之

王之太子也

樗里子傳

曰胡熊系家昭王名稷系本云名側王母宣太后楚女也楚懷王怨前秦敗楚於丹陽而韓不救乃以兵圍韓雍氏索隱曰秦東王二十六年楚圍雍氏至昭王七年又圍雍氏韓求救於秦是再圍也劉氏云此是前圍雍氏當赧王之七年戰國策及紀年與此並不同○正義曰檄城在洛州洛陽縣東北二十里韓使公仲侈告急於秦秦昭王新立太后楚人不肯救公仲因甘茂茂爲韓言於秦昭王曰公仲方有得秦救故敢扞楚也今雍氏圍秦師不下殽公仲且仰首而不朝公叔且以國南合於楚楚韓爲一魏氏不敢不聽然則伐秦之形成矣不識坐而待伐孰與伐人之利秦王曰善乃下師於殽以救

𦒱說鸚鵡能言云〻正義曰爾雅云二足而羽謂之禽四足而毛謂之獸今鸚鵡是羽曰禽猩〻四足而毛正可是獸今並云禽獸者凡語有通別〻而言之羽則曰禽毛則曰獸所以然者禽者擒也言鳥力小可擒捉而取之獸者守也言其力多不易可擒先須圍守然後乃獲故曰獸也通而為說鳥不可曰獸〻亦可曰禽故鸚鵡不曰獸而猩〻通曰禽也故易云王用三驅失前禽則獸走者亦曰禽也又周礼司馬職云大獸公之小禽私之以此而言則禽未必皆鳥也又康成注周礼云凡鳥獸未孕曰禽周礼又云以禽作六摯卿羔大夫鴈白虎通云禽者鳥獸之揔名以此諸經證禽名通獸者以其小獸可擒故得通名禽也

韓楚兵于秦。使向壽平宜陽，而使樗里子甘茂伐魏皮氏。向壽者，宣太后外族也，而與昭王少相長，故任用。向壽如楚，[徐廣曰：如，一作和。]楚聞秦之貴向壽，而厚事向壽。向壽為秦守宜陽，將以伐韓。韓公仲使蘇代謂向壽曰：「禽困覆車。[辟言禽獸得困急，猶能抵觸傾覆人車。]公破韓，辱公仲，公仲收國復事秦，自以為必可以封。[正義曰：公仲自以為必可得秦封。]今公與楚解口地，[索隱曰：解口，秦地名，近韓，今將與楚也。○正義曰：上紀買及公向壽也。解口猶開口，得言向壽於秦，開口則楚人必得封地也。]封小令尹以杜陽。[索隱曰：又封楚之小令尹以杜陽。杜陽，秦之地，今以封楚令尹，是秦楚相合也。]秦楚合，復攻韓，韓必亡。韓亡，公仲且躬率其私徒以

翕 雍遏也 塞也
猶拒扞

閼（烏曷反）於秦（正義曰公仲恐韓亡欲將私徒往耳陽閼向壽也）願公孰慮之也向壽曰吾合秦楚非以當韓也子爲壽謁之公仲（正義曰子蘇代也向壽恐公仲代謁報公仲云秦韓交可合）曰秦韓之交可合也蘇代對曰願有謁於公（正義曰公向壽也言向壽亦黨於楚與公孫奭甘茂黨韓魏同也）人曰貴其所以貴者貴王之愛習公也不如公孫奭其智能公也不如甘茂今二人者皆不得親於秦事而公獨與王主斷於國者何彼有以失之也（索隱曰彼謂公孫奭及甘茂也有以失之謂不見委任情有所失○正義曰言秦王雖愛習公孫奭甘茂秦事不親委者爲黨韓魏也今國事獨與公向壽斷者不知壽黨於楚以事秦王者以失之也）公孫奭黨於韓而甘茂黨於魏故王不信也今

樗里子傳

秦楚爭彊，而公黨於楚，是與公孫奭、甘茂同道也。公何以異之？正義曰：蘇氏云向壽與公孫奭、甘茂比日有黨，言無異也。又一云改異黨楚之意。人皆言楚之善變也，而公必亡之，是自爲責也。正義曰：楚善變改，不可信，若變改，向壽必亡，然是自爲責。公不如與王謀其變也，善韓以備楚，正義曰：令秦親韓而備楚之變改，則向壽無患矣。如此則無患矣。韓氏必先以國從公孫奭，而後委國於甘茂。韓，公之讎也。正義曰：韓氏必先委二人，故韓爲向壽之讎。今公言善韓以備楚，是外舉不辟讎也。向壽曰：然，吾甚欲韓合。對曰：甘茂許公仲以武遂，徐廣曰：秦昭王元年予韓武遂。反宜陽之民，正義曰：武遂、宜陽本韓邑也，秦伐取之，今欲還韓，令其民得反歸居之。今公徒收之甚難。正義曰蘇代言甘茂許公仲以武遂又歸宜陽之民今向壽徒擬收之甚難事也向壽曰：「然則奈何？武遂終不可得也。」對曰：「公奚不以秦為韓求潁川於楚。正義曰潁川許州也楚侵韓潁川蘇代令向壽以秦威重為韓就楚求索潁川是親向壽此韓之寄地也。公求而得之，是令行於楚而以其地德韓也。公求而不得，是韓楚之怨不解已買反而交走秦也。索隱曰韓楚怨不解二國交走向秦也秦楚爭彊，而公徐過楚，徐廣曰過一作適○正義曰君二國皆事秦公則漸說楚之過失以收韓此利於秦也以收韓，此利於秦。」向壽曰：「奈何？」對曰：「此善事也。甘茂欲以魏取齊，公孫奭欲以韓取齊。今公取宜陽以為功，收楚韓以安之，而誅齊魏之

樗里子傳

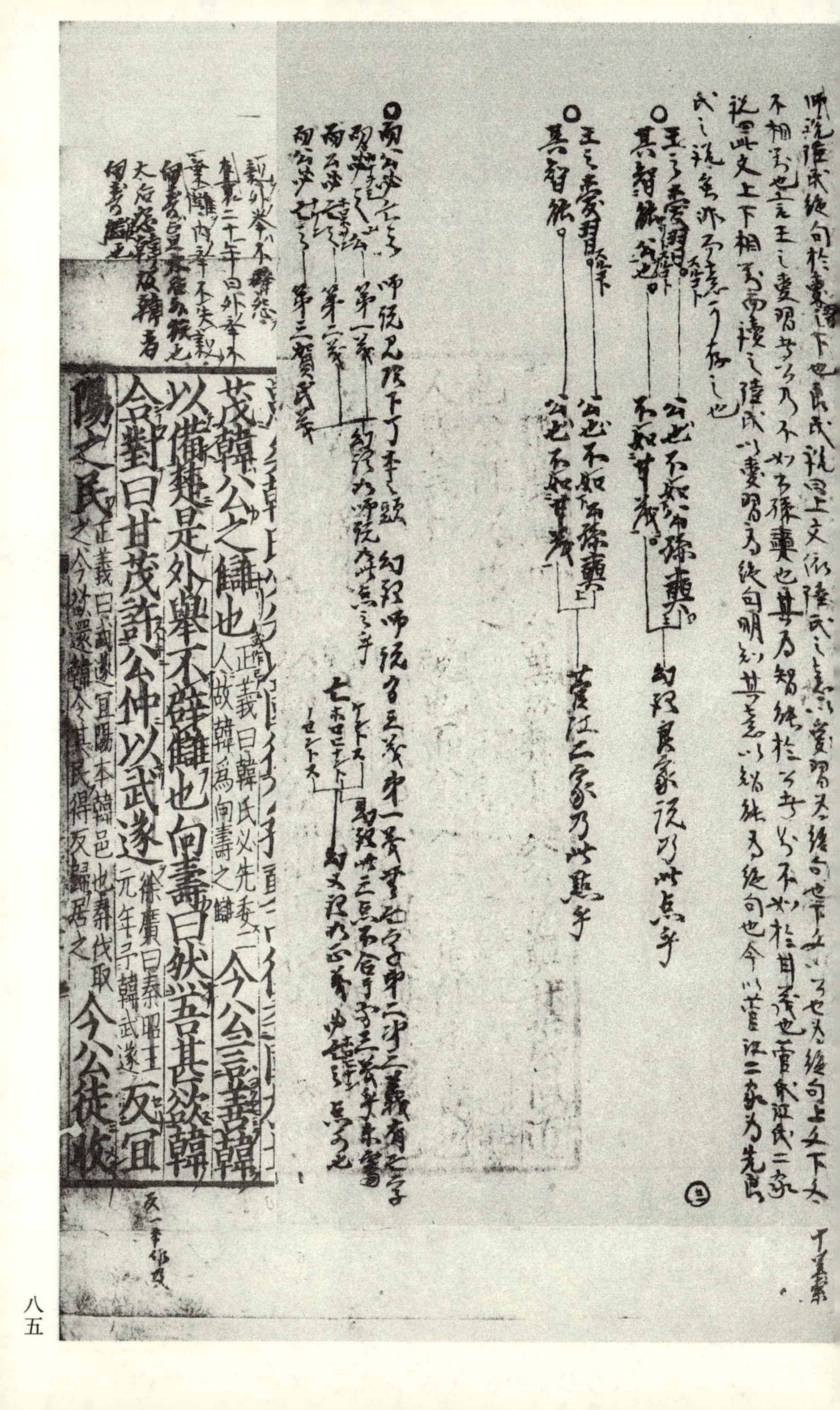

茂韓公之歸也正義曰韓氏必先委二人故韓爲向壽之歸今公言善韓以備楚是外舉不辟讎也向壽曰然吾甚欲韓合對曰甘茂許公仲以武遂徐廣曰秦昭王元年予韓武遂反宜陽之民正義曰武遂宜陽本韓邑也秦伐取之今欲還韓令其民得反歸居之今公徒收

之甚難正義曰蘇代言甘茂許公仲以武遂又歸宜陽之民今向壽徒擬收之甚難事也向壽曰然則奈何武遂終不可得也對曰公奚不以秦爲韓求潁川於楚正義曰潁川許州也楚侵韓潁川蘇代令向壽以秦威重爲韓就楚求索潁川是親向壽此韓之寄地也公求而得之是令行於楚而以其地德韓也公求而不得是韓楚之怨不解已買反而交走秦也索隱曰韓楚怨不解二國交走向秦也秦楚爭彊而公徐過楚徐廣曰過一作適○正義曰君二國皆事秦公則漸說楚之過失以收韓此利於秦也以收韓此利於秦向壽曰奈何對曰此善事也甘茂欲以魏取齊公孫奭欲以韓取齊今公取宜陽以爲功收楚韓以安之而誅齊魏之

樗里子傳

罪正義曰言以公孫奭甘茂皆欲以秦挾韓魏而取齊今向壽取宜陽爲功收趙韓安以事秦而責齊魏之罪是公孫奭甘茂不得同合韓魏於秦以伐齊也是以公孫奭甘茂無事也甘茂竟言秦昭王以武遂復歸之韓正義曰年表云秦昭王元年予韓武遂也向壽公孫奭爭之不能得向壽公孫奭由此怨讒甘茂茂懼輟伐魏蒲阪亡去徐廣曰昭王元年擊魏皮氏未拔去樗里子與魏講罷兵索隱曰鄒氏云講讀曰媾媾猶和甘茂之亡秦奔齊逢蘇代代爲齊使於秦甘茂曰臣得罪於秦懼而遯逃無所容跡臣聞貧人女與富人女會績貧人女曰我無以買燭而子之燭光幸有餘子可分我餘光無損子明而得一斯便

便本作使

焉今臣困而君方使秦而當路矣茂之妻子在焉願君以餘光振之蘇代許諾遂致使於秦已因說秦王曰甘茂非常士也其居於秦累世重矣自殽塞及至鬼谷徐廣曰在陽城○正義曰三殽在洛州永寧縣西北其地形險易皆明知之彼以齊約韓魏反以圖秦非秦之利也秦王曰然則奈何蘇代曰王不若重其贄厚其祿以迎之使彼來則置之鬼谷正義曰劉伯莊云此鬼谷關內雲陽非陽城者也按陽城谷時屬韓秦不得置之終身勿出秦王曰善即賜之上卿以相印迎之於齊甘茂不往蘇代謂齊湣王曰夫甘茂賢人也今秦賜之上卿

師説曰今案戰國策勢作贄盧曰贄人幣也有爵者之所執羔雁是也陵治作贄云云

以相印迎之甘茂德王之賜好爲王臣故辭而不往今王何以禮之齊王曰善即位之上卿而處之（索隱曰處猶留也）秦因復甘茂之家（正義復音福）以市於齊齊使甘茂於楚楚懷王新與秦合婚而驩（徐廣曰昭王二年時迎婦於楚）而秦聞甘茂在楚使人謂楚王曰願送甘茂於秦楚王問於范蜎（徐廣曰一作環○索隱曰休緣反又音休軟反戰國策一作蝝字○正義曰許緣反）曰寡人欲置相於秦孰可對曰臣不足以識之楚王曰寡人欲相甘茂可乎對曰不可夫史舉下蔡之監門也大不爲事君小不爲家室以苟賤不廉聞於世甘茂事之順

樗里子傳

焉故惠王之明武王之察張儀之辯而甘茂事之取十官而無罪茂誠賢者也然不可相於秦夫秦之有賢相非楚國之利也且王前嘗用召滑於越徐廣曰滑一作消而内行章義之難徐廣曰一云内句章昧之難○索隱曰召滑内心猜詐外則佯章恩義而卒包藏禍心攝難於楚戰國策云内句章昧之難也越國亂故楚南塞厲門徐廣曰一作瀨胡○正義曰劉伯莊云厲門度嶺南之要路而郡江東正義曰吳越之城皆爲楚之都邑計王之功所以能如此者越國亂而楚治也今王知用諸越而忘用諸秦臣以王爲鉅過矣然則王若欲置相於秦則莫若向壽者可夫向壽之於秦王親也少與之同衣

長與之同車以聽事王必相向壽於秦則楚國之利也於是使使請秦相向壽於秦秦卒相向壽而甘茂竟不得獲入秦卒於魏甘茂有孫曰甘羅

甘羅

甘羅者甘茂孫也茂既死後甘羅年十二事秦相文信侯呂不韋索隱曰戰國策甘羅事呂不韋爲庶子秦始皇帝使剛成君蔡澤於燕三年而燕王喜使太子丹入質於秦秦使張唐往相燕欲與燕共伐趙以廣河間之地張唐謂文信侯曰臣嘗爲秦昭王伐趙趙怨臣曰得唐者與百里之地今之燕必

黄氏日抄云甘茂相秦拔韓之宜陽其後勸秦予韓武遂懼向壽公孫奭之讒奔齊使楚卒於魏其孫甘羅年十二爲秦使趙廣河間之地秦封甘羅爲上卿復以甘茂田宅賜之

獲作復本

經趙臣不可以行文信侯不快未有以彊也甘羅曰君侯何不快之甚也文信侯曰吾令剛成君蔡澤事燕三年燕太子丹已入質矣吾自請張卿相燕而不肯行索隱曰即張唐也卿字也甘羅曰臣請行之文信侯叱曰去我身自請之而不肯汝焉能行之正義曰女音汝焉乙連反甘羅曰夫項槖生七歲爲孔子師索隱曰槖音託尊其道德故云項槖今臣生十二歲於茲矣君其試臣何遽叱乎於是甘羅見張卿曰卿之功孰與武安君卿曰武安君南挫彊楚北威燕趙戰勝攻取破城墮邑不知其數臣之功不如也

武安君白起傳曰秦王使王齕代王陵將八九月圍邯鄲不能拔秦軍多亡失武安君曰秦不聽臣計今
如何矣秦王聞之怒強起武安君武安君遂稱病篤應侯請之不起於是免武安君為士伍遷之陰密武安君
病未能行居三月諸侯攻秦軍急秦軍數卻使者日至秦王乃使人遣白起不得留咸陽中武安君既行出咸陽西門
十里至杜郵秦昭王與應侯群臣議曰白起之遷其意尚怏怏不服有餘言秦王乃使使者賜之劍自裁武安君引劍
將自剄曰我何罪于天而至此哉良久曰我固當死長平之戰趙卒降者數十萬人我詐而盡阬之是足以死遂自殺
死而非其罪秦人憐之鄉邑皆祭祀焉

按甘羅孺子也十二年也
故也

甘羅曰應侯之用於秦也孰與文信侯專索隱曰應
侯范睢也張卿曰應侯不如文信侯專甘羅曰卿明
知其不如文信侯專與曰知之甘羅曰應侯欲
攻趙武安君難之去咸陽七里而立死於杜郵
今文信侯自請卿相燕而不肯行臣不知卿所
死處矣張唐曰請因孺子行令裝治行有日
甘羅謂文信侯曰借臣車五乘請為張唐先報
趙文信侯乃入言之於始皇曰昔甘茂之孫甘
羅年少耳然名家之子孫諸侯皆聞之今者張
唐欲稱疾不肯行甘羅說而行之今願先報趙

睢也今字不校作
乙承也
十二
郵音尤
七里見紀傳下
十里
品義傳屢上
悸表夜

請許遣之始皇召見使甘羅於趙趙襄王郊迎
甘羅甘羅說趙王曰王聞燕太子丹入質秦與
曰聞之曰聞張唐相燕歟曰聞之燕太子丹入
秦者燕不欺秦也張唐相燕者秦不欺燕也燕
秦不相欺者伐趙危矣燕秦不相欺無異故欲
攻趙而廣河間王不如齎臣五城以廣河間索隱曰齎音側奚反一音賫並謂割五城與臣也請歸燕太子與彊趙攻弱燕
趙王立自割五城以廣河間秦歸燕太子趙攻
燕得上谷三十城索隱曰戰國策云得三十六縣○正義曰上谷今嬀州也在幽州西北
令秦有十一索隱曰謂以十一城與秦也甘羅還報秦乃封甘

正義曰齎即今各割五城廣河間說甘羅還報秦也

武安君白起傳曰秦王使王齕代王陵將八九月圍邯鄲不能拔之秦軍多亡失武安君曰秦不聽臣計今如何矣秦王聞之怒強起武安君武安君遂稱病篤應侯請之不起於是免武安君為士伍遷之陰密武安君病未能行居三月諸侯攻秦軍急秦軍數卻使者日至秦王乃使人遣白起不得留咸陽中武安君既行出咸陽西門十里至杜郵秦昭王與應侯群臣議曰白起之遷其意尚怏怏不服有餘言秦王乃使使者賜之劍自裁武安君引劍將自剄曰我何罪于天而至此哉良久曰我固當死長平之戰趙卒降者數十万人我詐而尽阬之是足以死遂自殺死而非其罪秦人憐之鄉邑皆祭祀焉

甘羅曰應侯之用於秦也孰與文信侯專索隱曰應侯范睢也張卿曰應侯不如文信侯專甘羅曰卿明知其不如文信侯專與曰知之甘羅曰應侯欲攻趙武安君難之去咸陽七里而立死於杜郵今文信侯自請卿相燕而不肯行臣不知卿所死處矣張唐曰請因孺子行令裝治行有日甘羅謂文信侯曰借臣車五乘請爲張唐先報趙文信侯乃入言之於始皇曰昔甘茂之孫甘羅年少耳然名家之子孫諸侯皆聞之今者張唐欲稱疾不肯行甘羅說而行之今願先報趙

謂也字和板作

乙亦也

郵六尤

世業白起傳下

十里

品蔵傳屋上

悍夜反

按以甘羅孺子也少年之故也

請許遣之始皇召見使甘羅於趙趙襄王郊迎甘羅甘羅說趙王曰王聞燕太子丹入質秦與曰聞之曰聞張唐相燕與曰聞之燕太子丹入秦者燕不欺秦也張唐相燕者秦不欺燕也燕秦不相欺者伐趙危矣燕秦不相欺無異故欲攻趙而廣河間王不如齎臣五城以廣河間索隱曰齎音側奚反一音賫並謂割五城與臣也請歸燕太子與彊趙攻弱燕趙王立自割五城以廣河間秦歸燕太子趙攻燕得上谷三十城索隱曰戰國策云得三十六縣○正義曰上谷今嬀州也在幽州西北令秦有十一索隱曰謂以十一城與秦也甘羅還報秦乃封甘

師說曰以見字為服以禁之字為語也按猶如行也或說曰此注唯欲明見字為也按古字者亦見字服為言也案此說甚非也 注

羅以爲上卿復以始甘茂田宅賜之

太史公曰樗里子以骨肉重固其理而秦人稱其智故頗采焉甘茂起下蔡閭閻顯名諸侯重彊齊楚徐廣曰恐或疑此當云見重彊齊誤脫二字○正義曰甘茂爲強齊楚所重甘羅年少然出一奇計聲稱後世雖非篤行之君子然亦戰國之策士也方秦之彊時天下尤趨謀詐哉

索隱述贊曰

嚴君名疾　厥號智囊　既親且重

稱兵外攘　甘茂並相　初佐魏章

始推向壽乃攻宜陽甘羅始歲

卒起張唐 吟訛

樗里子甘茂列傳第十一　史記七十一

穰侯列傳第十二　史記七十二

穰侯魏冉者秦昭王母宣太后弟也索隱曰宣太后之異父長弟也姓魏名冉封之穰地理志穰縣在南陽宣太后者惠王之妃姓芈氏曰芈八子也其先楚人姓芈氏正義曰芈亡爾反秦武王卒無子立其弟為昭王昭王母故號為芈八子及昭王即位芈八子號為宣太后宣太后非武王母武王母號曰惠文后先武王死索隱曰秦本紀云昭王二年庶長壯與大臣公子為逆皆誅及惠文后皆不得良死又按紀年云秦內亂殺其太后及公子雍公子壯是也宣太后二弟其異父長弟曰穰侯姓魏氏名冉同父弟曰芈戎為華陽君索隱曰華陽韓地後屬秦芈戎後又號新城君○正義曰彪云華陽亭名在洛州密縣又故華城在鄭州管城縣南三十里即

穰侯傳

（此城）而昭王同母弟曰高陵君（索隱曰名顯）涇陽君（索隱曰名悝）而魏冉最賢自惠王武王時任職用事武王卒諸弟爭立唯魏冉力爲能立昭王昭王即位以冉爲將軍衛咸陽誅季君之亂（徐廣曰年表曰季君爲亂誅本紀曰庶長壯與大臣公子謀反伏誅○索隱曰按季君即公子壯僭立而號曰季君穰侯力能立昭王爲將軍衛咸陽誅季君及惠文后故本紀言伏誅又云及惠文后皆不得良死蓋謂惠文后時黨公子壯欲立之及壯誅而太后憂死故云不得良死亦史諱之也又逐武王后出之魏亦事勢然也）而逐武王后出之魏昭王諸兄弟不善者皆滅之威振秦國昭王少宣太后自治任魏冉爲政昭王七年樗里子死而使涇陽君質於齊趙人樓緩來相秦趙不利

魏冉者宣太后弟昭王外叔父也　秦本紀曰涇陽君質於齊索隱曰名市今按……子市与悝兩人也本紀誤乃

乃使仇液之秦索隱曰戰國策作机郝蓋是一人而記別也○正義曰音亦姓名請以魏冄爲秦相仇液將行其客宋公索隱曰戰國策作宋突謂液曰秦不聽公樓緩必怨公公不若謂樓緩曰請爲公毋急秦秦王見趙請相魏冄之不急且不聽公公言而事不成以德樓子事成魏冄故德公矣於是仇液從之而秦果免樓緩而魏冄相秦欲誅呂禮禮出奔齊昭王十四年魏冄舉白起使代向壽將而攻韓魏敗之伊闕斬首二十四萬虜魏將公孫喜明年又取楚之宛葉魏冄謝病免相以客卿壽燭爲相其明年燭免復

相冉乃封魏冉於穰復益封陶徐廣曰一作陰○索隱曰陶即定陶也徐廣云作陰陶陰字本易惑也王劭按定陶見有魏冉冢作陰誤也號曰穰侯穰侯封四歲爲秦將攻魏魏獻河東方四百里拔魏之河内取城大小六十餘昭王十九年秦稱西帝齊稱東帝月餘呂禮來而齊秦各復歸帝爲王魏冉復相秦六歲而免免二歲復相秦四歲而使白起拔楚之郢秦置南郡乃封白起爲武安君白起者穰侯之所任舉也相善於是穰侯之富富於王室昭王三十二年穰侯爲相國將兵攻魏走芒卯上音莫卭反下陌飽反○入北宅徐廣曰魏惠王五年與韓會宅陽○正義曰竹書云

宅陽一名北宅括地志云宅陽故城在鄭州滎陽縣西南十七里遂圍大梁梁大夫須賈說穰侯曰臣聞魏之長吏謂魏王曰昔梁惠王伐趙戰勝三梁徐廣曰田完世家云魏伐趙趙不利戰於南梁○索隱曰三梁即南梁也拔邯鄲趙氏不割而邯鄲復歸齊人攻衛拔故國殺子良索隱曰衛之故國蓋楚丘也下文故地亦同謂楚丘也戰國策衛字皆作燕子良作子之恐非也衛人不割而故地復反衛趙之所以國全兵勁而地不并於諸侯者以其能忍難而重出地也宋中山數伐割地而國隨以亡臣以為衛趙可法而宋中山可為戒也秦貪戾之國也而毋親蠶食魏氏又盡晉國索隱曰河西河東河內並是魏地即故晉國今言秦蠶食

穰侯列傳

魏氏盡晉國之地也戰勝暴子徐廣曰韓將暴鳶割八縣地未畢入兵復出矣夫秦何厭之有哉今又走芒卯入北宅此非敢攻梁也且劫王以求多割地王必勿聽也今王背楚趙而講秦索隱曰講和也楚趙怒而去王與王爭事秦秦必受之秦挾楚趙之兵以復攻梁則國求無亡不可得也願王之必無講也王若欲講少割而有質不然必見欺索隱曰謂與秦欲講少割地而求秦質子恐不然必被秦欺也此臣之所聞於魏也索隱曰須賈其說穰侯言魏人謂梁王若少割而求質必是欺我即聞魏見欺於秦也願君王之以是慮事也周書曰惟命不于常此言幸之不可數也夫戰勝

暴子割八縣此非兵力之精也又非計之工也天幸爲多矣今又走芒卯入北宅以攻大梁是以天幸自爲常也智者不然臣聞魏氏悉其百縣勝甲以上戍大梁臣以爲不下三十萬以三十萬之衆守梁七仞之城爾雅曰四尺謂之仞倍仞謂之尋臣以爲湯武復生不易攻也夫輕背楚趙之兵陵七仞之城戰三十萬之衆而志必舉之臣以爲自天地始分以至于今未嘗有者也攻而不拔秦兵必罷陶邑必亡索隱曰陶一作魏言秦前攻得魏之城邑秦罷則亡而還於魏也○正義曰定陶近大梁穰侯攻梁兵疲定陶必爲魏伐則前功必棄矣今魏氏方疑

可以少割收也索隱曰貫引魏人之說不許王講於秦是言魏氏方疑可以少割地而收魏也願君逮楚趙之兵未至於梁亟以少割收魏魏方疑而得以少割爲利必欲之則君得所欲矣楚趙怒於魏之先已也必爭事秦從以此散索隱曰楚趙怒魏之與秦講皆爭事秦是東方從國於是解散也○正義從足松反而君後擇焉且君之得地豈必以兵哉割晉國秦兵不攻而魏必效絳安邑又爲陶開兩道索隱曰穰侯封陶魏效絳與安邑是得河東地言從秦適陶開河西河東之兩道○正義曰穰侯故封宋陶故宋及單父是陶之南道也魏之安邑及絳是陶北道幾盡故宋索隱曰上音祈此時宋已滅是秦將盡得宋地也衞必效單父秦兵可全而君制之何索而不得何爲而不成願君

穰侯傳

孰慮之而無行危（索隱曰言豈莫行 圍汾水之危事）穰侯曰善乃罷梁圍（正義曰表云魏安釐王二年秦軍大梁城韓來救與秦温以和也）明年魏背秦與齊從親秦使穰侯伐魏斬首四萬走魏將暴鳶得魏三縣穰侯益封明年穰侯與白起客卿胡陽復攻趙韓魏破芒卯於華陽下斬首十萬取魏之卷（丘權反）蔡陽長社趙氏觀津且與趙觀津益趙以兵伐齊（索隱曰既得觀津仍令趙伐齊而秦又以兵益助趙也）齊襄王懼使蘇代為齊陰遺穰侯書曰臣聞往來者言曰秦將益趙甲四萬以伐齊臣竊必之（索隱曰告齊王言秦必定不益兵以助趙○正義曰臣蘇代也以知秦與趙甲四萬以伐齊）敝邑之王

曰正義曰謂齊王也秦王明而熟於計穰侯智而習於事必不益趙甲四萬以伐齊是何也夫三晉之相與也秦之深讎也百相背也百相欺也不爲不信不爲無行今破齊以肥趙趙秦之深讎不利於秦此一也秦之謀者必曰破齊弊晉楚正義曰晉楚伐齊齊晉楚之國亦敝耳而後制晉楚之勝夫齊罷國也以天下攻齊如以千鈞之弩決潰癰也必死安能弊晉楚此二也秦少出兵則晉楚不信也多出兵則晉楚爲制於秦齊恐不走秦必走晉楚此三也秦割齊以啖晉楚晉楚案之以兵秦反受

敵此四也是晉楚以秦謀齊以齊謀秦也何晉楚之智而秦齊之愚此五也故得安邑以善事之亦必無患矣秦有安邑韓氏必無上黨矣取天下之腸胃與出兵而懼其不反也孰利臣故曰秦王明而孰於計穰侯智而習於事必不益趙甲四萬以伐齊矣於是穰侯不行引兵而歸

昭王三十六年相國穰侯言客卿竈欲伐齊取剛壽（徐廣曰齊地有剛縣○正義曰故剛城在兗州龔丘縣界壽張鄆州縣也）以廣其陶邑於是魏人范睢自謂張祿先生譏穰侯之伐齊乃越三晉以攻齊也以此時姦說秦昭王昭

王於是用范雎范雎言宣太后專制穰侯擅權於諸侯涇陽君高陵君之屬太侈富於王室於是秦王悟乃免相國令涇陽之屬皆出關就封邑穰侯出關輜車千乘有餘穰侯卒於陶而因葬焉秦復收陶爲郡

太史公曰穰侯昭王親舅也而秦所以東益地弱諸侯嘗稱帝於天下天下皆西鄉稽首者穰侯之功也及其貴極富溢一夫開說身折勢奪而以憂死況於羇旅之臣乎

索隱述贊曰

四登相位 初則一秦果免穰侯而魏冉相秦也 二云云然免後相冉也 三魏冉復相秦云云而免也 四免云云後相秦也

乾河 正義曰源出絳州絳縣東南穀山南流注河皇甫謐云孔夏所說曰

穰侯智識 應變無方 內倚太后

外輔昭王 四登相位 再列封疆

摧齊撓楚 破魏圍梁 一夫開說

憂憤而亡 述贊

穰侯 宣太后之弟也

封穰 益封陶

穰侯列傳第十二　史記七十二

曰黄氏日抄云穰侯魏冉者秦昭王舅也立昭王諸昭王兄弟之不善者滅之威震秦國握將相之權三十年歲伐三晉以廣地天下皆西鄉稽首其後越三晉以攻齊范睢譏其非遂以遠交近攻之策說昭王奪之位而穰侯亦笑。是遠交近攻之說范睢倡

曰方微通鑑第一條之壽曰六國之於秦其地則六倍之地其兵則六倍之兵其食則六倍之食所以卒并於秦者蓋秦知天下之勢而六國不知故也秦之所以知之者其謀出於范睢遠交近攻之策取韓魏以執天下之樞既在我矣則齊楚安得而不滅哉其遠交齊楚也故二十年不加兵於楚四十年不加兵於齊其近攻韓魏也故今年伐韓明年伐魏更出迭入殆無寧歲故韓魏不支終折而入於秦韓魏既折而入于秦此燕齊楚所以相繼而亡也秦之取六國譬之蚕食蓋蚕之食葉自近而及遠六國不知天下之樞在於韓魏秦人代之而齊楚不救是以天下之樞而委之於秦也六國安得而不亡哉大抵欲平天下者必先知其難易之勢自其易而攻之而後及其難故唐憲宗欲平藩鎮韓弘以為先淮蔡而後魏博周世宗欲平天下王朴以為先江南而後河東卒如其言

蕭學紀聞十一秦廢太后逐穰侯米文字曰徐世書只言秦奪太后穰侯權蓋實不曾廢

白起王翦列傳第十三　史記七十三

白起者郿人也正義曰郿音眉岐州縣善用兵事秦昭王昭王十三年而白起為左庶長將而擊韓之新城索隱曰在河南也○正義曰今洛州伊闕是歲穰侯相秦舉任鄙以為漢中守其明年白起為左更攻韓魏於伊闕正義曰今洛州南十九里伊闕山號曰龍門是斬首二十四萬又虜其將公孫喜拔五城起遷為國尉正義曰言太尉涉河取韓安邑以東到乾河徐廣曰音干駰案郭璞曰今河東聞喜縣東北有乾河口因名乾河里但有故溝處無復水也○索隱曰魏以安邑入秦然安邑以東至乾河皆韓故地故云取韓安邑明年白起為大良造攻魏拔之取城小大六十一明年起與

白起王翦傳

客卿錯攻垣城，拔之。徐廣曰河東垣縣 後五年，白起攻趙，拔光狼城。索隱曰地理志不載光狼城蓋屬趙國○正義曰光狼故城在澤州高平縣西二十五里也 後七年，白起攻楚，拔鄢鄧五城。徐廣曰昭王二十八年○正義曰鄢鄧二邑在襄州 其明年，攻楚，拔郢，燒夷陵，正義曰夷陵今硤州郭下縣 遂東至竟陵。正義曰故城在郢州長壽縣南百五十里今復州亦是其地也 楚王亡去郢，東走徙陳。秦以郢為南郡。白起遷為武安君。武安君因取楚，定巫黔中郡。昭王三十四年，白起攻魏，拔華陽，走芒卯，而虜三晉將，斬首十三萬。與趙將賈偃戰，沈其卒二萬人於河中。昭王四十三年，白起攻韓陘城，正義曰陘庭故城在曲沃縣西北二十里有絳州東[illegible]

北三十五里也拔五城斬首五萬四十四年白起攻南陽太行道絶之徐廣曰此南陽河内脩武是也○正義曰案南陽屬韓秦攻之則韓太行羊腸道絶矣四十五年伐韓之野王索隱曰地理志野王縣屬河内在太行東南孟康曰古邢國也野王降秦上黨道絶其守馮亭與民謀曰鄭道已絶徐廣曰河南新鄭韓之國都是也○索隱曰鄭國即韓之都在河南秦伐野王是上黨歸韓之道絶韓必不可得爲民秦兵日進韓不能應不也如以上黨歸趙趙若受我秦怒必攻趙趙被兵必親韓韓趙爲一則可以當秦因使人報趙趙孝成王與平陽君平原君計之索隱曰平陽君未詳何人平陽君曰不如勿受受之禍大於所得平原君曰無

通鑑卷四周赧王五十五年秦白起敗趙軍斬首二萬取代光狼城胡三省注索隱曰地志云云史記正義云云康曰本中山地趙武靈王取之其地在代余考史以代光狼城聯而書之秦以爲其地在代可也又云本中山地中山与代旧爲兩国代在山之陰中山在山之陽既云在代不當又云本中山地如康意抑以爲光狼本代地趙襄子滅代而中山侵有光狼地武靈王既滅中山始有光狼之地白起自上郡九原雲中下兵始能敗趙軍取光狼既不先序其兵行之蹤後又無考光狼城之所渊疑可也

表文 句注於司馬貞之胡三省序多本温公之子康

吕羕野王懷州河內縣野王春秋野王邑也太行山在縣北二十五里

吕羕鄭州新鄭縣本韓之國都秦攻韓南陽野王則鄭州上黨之道絶矣

通鑑五卷趙王以昔平陽君

太行 胡三

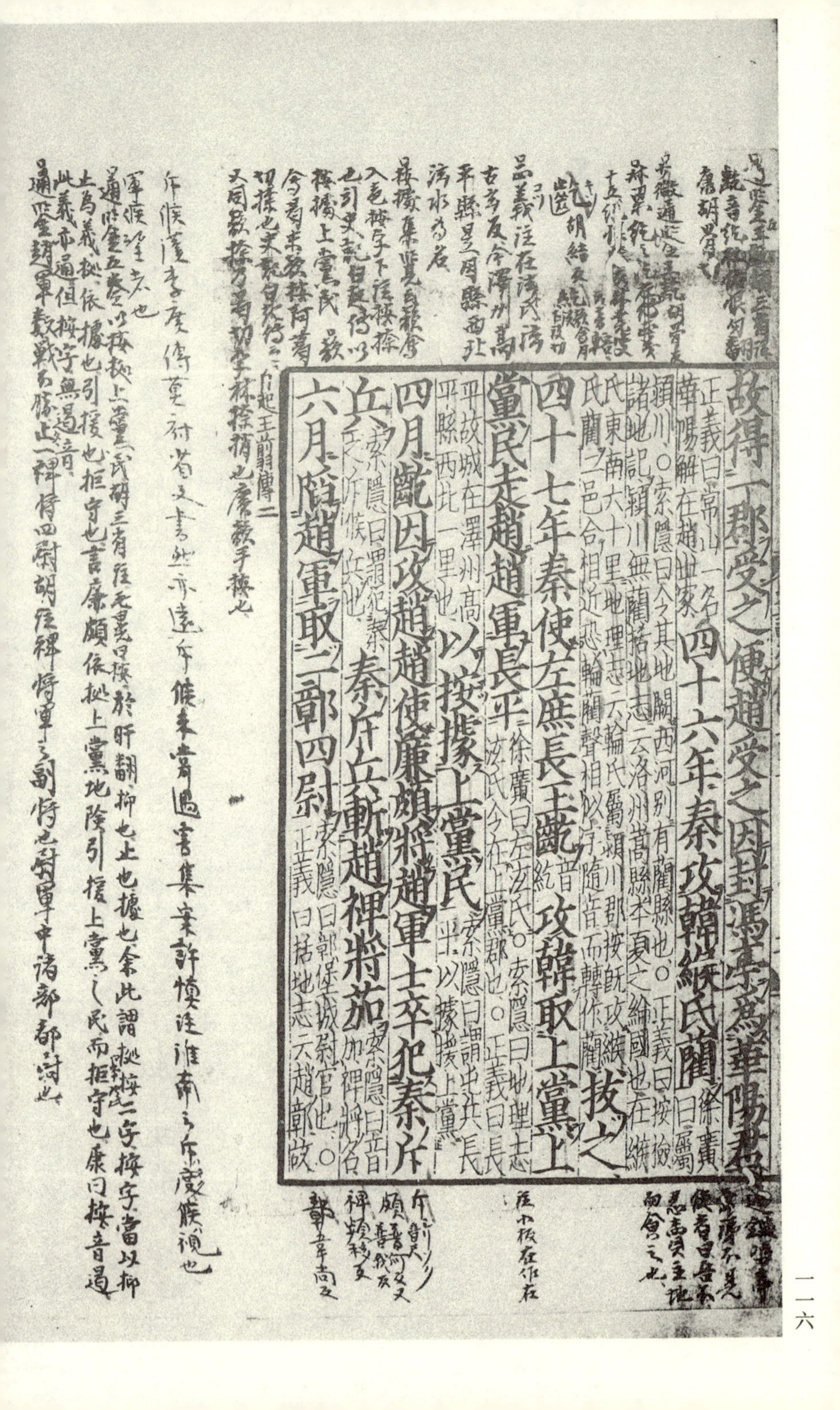

故得一郡受之便。趙受之，因封馮亭為華陽君。正義曰常山一名華陽解在趙世家四十六年，秦攻韓緱氏、藺。徐廣曰屬潁川。○索隱曰今其地闕西河別有藺縣也。○正義曰按撿諸地記潁川無藺括地志云洛州嵩縣本夏之綸國也在緱氏東南六十里地理志云綸氏屬潁川郡按既攻緱氏藺二邑合相近恐綸藺聲相似字隨音而轉作藺拔之。四十七年，秦使左庶長王齕音紇攻韓，取上黨。上黨民走趙。趙軍長平，徐廣曰在泫氏。○索隱曰地理志泫氏今在上黨郡也。○正義曰長平故城在澤州高平縣西北一里也以按據上黨民。索隱曰謂屯兵長平以按據上黨四月，齕因攻趙。趙使廉頗將。趙軍士卒犯秦斥兵，索隱曰謂犯秦斥候兵也秦斥兵斬趙裨將茄。索隱曰茄音加裨將名六月，陷趙軍，取二鄣四尉。索隱曰鄣堡城尉官也。○正義曰括地志云趙鄣故

北二十五里也拔五城斬首五萬四十四年白起攻南陽太行道絕之徐廣曰此南陽河內脩武是也○正義曰案南陽屬韓秦攻之則韓太行羊腸道絕矣四十五年伐韓之野王索隱曰地理志野王縣屬河內在太行東南子孟康曰古邢國也野王降秦上黨道絕其守馮亭與民謀曰鄭道已絕徐廣曰河南新鄭韓之國都是也○索隱曰鄭國即韓之都在河南秦伐野王是上黨歸韓之道絕也韓必不可得為民秦兵日進韓不能應不如以上黨歸趙趙若受我秦怒必攻趙趙被兵必親韓韓趙為一則可以當秦因使人報趙趙孝成王與平陽君平原君計之索隱曰平陽君未詳何人平陽君曰不如勿受受之禍大於所得平原君曰無

故得一郡受之便趙受之因封馮亭爲華陽君正義曰常山一名華陽解在趙世家四十六年秦攻韓緱氏藺徐廣曰屬潁川。○索隱曰今其地闕西河別有藺縣也。○正義曰按緱諸地記潁川無藺括地志云洛州嵩縣本夏之綸國也在緱氏東南六十里地理志云綸氏屬潁川郡按既攻緱氏藺二邑合相近恐輪藺聲相似字隨音而轉作藺拔之四十七年秦使左庶長王齕音紇攻韓取上黨上黨民走趙趙軍長平徐廣曰在泫氏。○索隱曰地理志泫氏今在上黨郡也。○正義曰長平故城在澤州高平縣西北一里也以按據上黨民索隱曰謂屯兵長平以按據上黨四月齕因攻趙趙使廉頗將趙軍士卒犯秦斥兵索隱曰謂犯秦斥候之兵也秦斥兵斬趙裨將茄索隱曰音加裨將名六月陷趙軍取二鄣四尉索隱曰鄣堡城尉官也。○正義曰括地志云趙鄣故

白起王翦列傳二

城一名都尉城今名趙東城在澤州高平縣西二十五里又有故穀城此二城即二郡也七月趙軍築壘壁而守之秦又攻其壘取二尉敗其陣徐廣曰一作秉奪西壘壁正義曰趙西壘在澤州高平縣北六里是也即廉頗堅壁以待秦王齕奪趙西壘壁者廉頗堅壁以待秦秦數挑戰正義曰數音朔挑田鳥反趙兵不出趙王數以為讓而秦相應侯又使人行千金於趙為反間正義紀莧反曰秦之所惡獨畏馬服子趙括將耳廉頗易與且降矣趙王既怒廉頗軍多失亡軍數敗又反堅壁不敢戰而又聞秦反間之言因使趙括代廉頗將以擊秦秦聞馬服子將乃陰使武安君白起為上將軍而王

䘏為尉裨將令軍中有敢泄武安君將者斬趙

括至則出兵擊秦軍秦軍詳敗而走 正義曰詳音羊 張二

奇兵以劫之趙軍逐勝追造秦壁 正義曰秦壁亦名秦壘今名古名白

壘 秦長 壁堅拒不得入而秦奇兵二萬五千人絕

趙軍後又一軍五千騎絕趙壁間趙軍分而為

二糧道絕而秦出輕兵擊之趙戰不利因築壁

堅守 正義曰趙壁今名趙東壘亦名趙東長壘在澤州高平縣北五里即趙括築壁自敗處 以待

救至秦王聞趙食道絕王自之河內 正義曰時已屬秦故發其

兵 賜民爵各一級發年十五以上悉詣長平

曰時已屬秦故發其兵 遮絕趙救及粮食……九月……不得

城一名都尉城今名趙東城在澤州高平縣西二十五里又有故穀城此二城鄉二郡地七月趙軍築壘壁而守之秦又攻其壘取二尉敗其陣徐廣曰一作乘奪西壘壁正義曰趙西壘在澤州高平縣北六里是也即廉頗堅壁以待秦王齕奪趙西壘壁者廉頗堅壁以待秦秦數挑戰正義曰數音朔挑田鳥反趙兵不出趙王數以為讓而秦相應侯又使人行千金於趙為反間正義紀莧反曰秦之所惡獨畏馬服子趙括將耳廉頗易與且降矣趙王既怒廉頗軍多失亡軍數敗又反堅壁不敢戰而又聞秦反間之言因使趙括代廉頗將以擊秦秦聞馬服子將乃陰使武安君白起為上將軍而王

齕為尉裨將令軍中有敢泄武安君將者斬趙括至則出兵擊秦軍秦軍詳敗而走【正義曰詳音羊】張二奇兵以劫之趙軍逐勝追造秦壁【正義曰秦壁名秦壘今古名】壁堅拒不得入而秦奇兵二萬五千人絶趙軍後又一軍五千騎絶趙壁間趙軍分而為二糧道絶而秦出輕兵擊之趙戰不利因築壁

胡三省通鑑辯誤一卷云又五千騎絶趙壁間趙軍分而為二史炤釋文曰間居莧切間隔之也余謂若從炤說當以間趙軍書句与下句分而為二意頗重複若以又五千騎絶趙壁間為句与上句奇兵二萬五千人絶趙軍之後句法文意殊為停當間讀如字每見為句讀之一句之間截而屬上下句求發先儒之所未發者以見聖賢深意若文意自來通順而於了字兩字或四三字之間割了句讀以為新奇似不必尔又按間隔之間本平聲上聲而史炤音居莧字書亦祇以字有平上二音蜀人土音以平上二聲從去聲者甚多此亦是以上聲從去聲書釋字有二音可以援從去聲其他則拘不通矣蓋古人已病之

食四十六日皆内陰相殺食來攻秦壘欲出爲四隊四五復之不能出其將軍趙括出鋭卒自搏戰秦軍射殺趙括括軍敗卒四十萬人降武安君武安君計曰前秦已拔上黨上黨民不樂爲秦而歸趙趙卒反覆非盡殺之恐爲亂乃挾詐而盡阬殺之遺其小者二百四十人歸趙前後斬首虜四十五萬人趙人大震四十八年十月秦復定上黨郡索隱曰秦前攻趙已破上黨今復定其郡其餘城猶屬趙秦分軍爲二王齕攻皮牢拔之正義曰故城在絳州龍門縣西一里司馬梗定太原正義曰太原趙地秦定取也韓趙恐使蘇代厚幣說

秦兵至上黨不應復回攻絳州之皮牢。宋白曰蒲州龍門縣秦爲皮氏縣今縣西一里八十步古皮氏城是也恐不可以皮氏爲皮牢 [illegible]太原郎漢太原郡地在上黨西北

鑑云秦王三之謂云秦之稱王自王其八國耳今破趙國則帝王天下也

正義爲趙上[illegible]

下同 [illegible]

鑑云圍邢丘期云四十九年通鑑書秦拔魏邢丘[illegible]其時邢丘之地固屬韓邪

白起王翦傳 四

秦相應侯曰武安君擒馬服子乎曰然又曰即圍邯鄲乎曰然趙亡則秦王王矣武安君爲三公武安君所爲秦戰勝攻取者七十餘城南定鄢郢漢中（正義曰鄢在襄州率道縣南九里郢在荆州江陵縣東六里漢中今梁州之地）北擒趙括之軍雖周邵吕望之功不益於此矣今趙亡秦王王則武安君必爲三公君能爲之下乎雖無欲爲之下固不得已矣秦嘗攻韓圍邢丘（徐廣曰平皐有邢丘○正義曰邢丘今懷州武陵縣東南二十里平皐縣城是也）困上黨上黨之民皆反爲趙天下不樂爲秦民之日久矣今亡趙北地入燕東地入齊南地入韓魏則君之

[illegible]

固不得已矣 [illegible]

通鑑五卷後亡五校胡三省云校者教數校猶部隊也立軍之法一人曰獨二人曰比三人曰參比參曰伍五人為列列有頭二列為火十人有長立火子五火為隊隊五十人有頭二隊為官官百人立長二官為曲曲二百人立侯二曲為部部四百人立司馬二部為校校八百人立尉二校為裨將千六百人立將軍二裨將軍三千二百人有將軍副將軍

通鑑五月齊發兵胡三省曰此則亦用十月為歲首蓋因秦記而書之也

所得民亡幾何人徐廣曰亡音無也故不如因而割之正義曰因白起之攻割取韓趙之地無以為武安君功也於是應侯言於秦王曰秦兵勞請許韓趙之割地以和且休士卒王聽之割韓垣雍徐廣曰卷縣有垣雍城正義曰釋地名云卷縣所理垣雍城按今在鄭州原武縣西北七里也趙六城以和正月皆罷兵武安君聞之由是與應侯有隙其九月秦復發兵使五大夫王陵攻趙邯鄲是時武安君病不任行正義曰入針反堪也四十九年正月陵攻邯鄲少利秦益發兵佐陵陵兵亡五校武安君病愈秦王欲使武安君代陵將武安君言曰邯鄲實未易攻也且

諸侯救日至彼諸侯怨秦之日以久矣今秦雖破長平軍而秦卒死者過半國內空遠絕河山而爭人國都趙應其內諸侯攻其外破秦軍必矣不可秦王自命不行乃使應侯請之武安君終辭不肯行遂稱病秦王使王齕代陵將八九月圍邯鄲不能拔楚使春申君及魏公子將兵數十萬攻秦軍秦軍多失亡武安君言曰秦不聽臣計今如何矣秦王聞之怒彊起武安君（正義曰彊其兩反）武安君遂稱病篤應侯請之不起於是免武安君為士伍遷之陰密（徐廣曰屬安定。正義曰故城在涇州鶉觚縣城西）

呂通鑑遠絕河山胡三自秦而攻邯鄲有大河及王屋太行諸山之阻橫度曰絕

日通鑑王自命不行胡三秦王親命之行而不肯行也

呂通鑑王不聽吾計今胡三日白起以為邯鄲未可攻而王數[illegible]果不利故以為言

呂覽士伍如淳曰嘗有爵而以罪奪爵者稱士伍

呂通鑑為士伍胡注如淳[illegible]師古曰謂奪其爵令為士伍言使從士卒之伍也　白起王翦傳五

五校周制凡立軍十二曲為部二部為校八百人為立尉二校為裨千六百人立將軍 御覽三百九十八卷

通鑑正月作四月 ……則亦用十月為歲首蓋因秦記而書之也

所得民亡幾何人徐廣曰亡音無也故不如因而割之正義曰因白起之攻割取韓趙之地無以為武安君功也於是應侯言於秦王曰秦兵勞請許韓趙之割地以和且休士卒王聽之割韓垣雍徐廣曰卷縣有垣雍城正義曰釋地名云卷縣所理垣雍城按今在鄭州原武縣西北七里也趙六城以和正月皆罷兵武安君聞之由是與應侯有隙其九月秦復發兵使五大夫王陵攻趙邯鄲是時武安君病不任行正義曰入針反堪也四十九年正月陵攻邯鄲少利秦益發兵佐陵陵兵亡五校武安君病愈秦王欲使武安君代陵將武安君言曰邯鄲實未易攻也且

通鑑遂絶河山胡三省曰自秦而攻邯鄲有大河及王屋太行諸山之阻權度曰絶

通鑑王自命不行胡三省曰秦王親命之行而不肯行也

通鑑王不聽臣計今胡三省曰白起以為邯鄲未易攻而王數軍果不利故以為言

通鑑武安君為士伍 如淳曰嘗有爵而以罪奪爵者稱士伍

通鑑為士伍胡三省注如淳曰……師古曰謂奪其爵令為士伍 言使從士卒之伍也 白起王翦列傳五

諸侯救日至彼諸侯怨秦之日久矣今秦雖破長平軍而秦卒死者過半國內空遠絕河山而爭人國都趙應其內諸侯攻其外破秦軍必矣不可秦王自命不行乃使應侯請之武安君終辭不肯行遂稱病秦王使王齕代陵將八九月圍邯鄲不能拔楚使春申君及魏公子將兵數十萬攻秦軍秦軍多失亡武安君言曰秦不聽臣計今如何矣秦王聞之怒彊起武安君正義曰彊其兩反武安君遂稱病篤應侯請之不起於是免武安君為士伍遷之陰密徐廣曰屬安定。正義曰故城在涇州鶉觚縣城西

王一

通鑑……胡三省注……陵翻

注彊……

即古陰密國密康公國也武安君病未能行居三月諸侯攻秦軍急秦軍數卻使者日至秦王乃使人遣白起不得留咸陽中武安君既行出咸陽西門十里至杜郵索隱曰按故咸陽城在渭北杜郵今在咸陽城中○正義曰說文云郵境上行舍道路所經過今咸陽縣城本秦之郵也在雍州西北三十五里秦昭王與應侯羣臣議曰白起之遷其意尚怏怏不服有餘言秦王乃使使者賜之劍自裁武安君引劍將自剄曰我何罪于天而至此哉良久曰我固當死長平之戰趙卒降者數十萬人我詐而盡阬之是足以死遂自殺武安君之死也以秦昭王五十年十一月死而非

馬服趙括也

其罪秦人憐之鄉邑皆祭祀焉何晏曰白起之降趙卒詐而阬其四十萬豈徒酷暴之謂乎後亦難以重得志矣向使衆人皆豫知降之必死則張虛捲猶可畏也況於四十萬被堅執銳哉天下見降秦之將頭顱似山歸秦之衆骸積成丘則後日之戰死當死耳何衆肯服何城肯下乎是為雖能裁四十萬之命而適足以彊天下之戰欲以要一朝之功而乃更堅諸侯之守故兵進而自伐其勢軍勝而還喪其計何者設使趙衆復合馬服更生則後日之戰必非前日之對也況今皆使天下為後日乎其所以終不敢復加兵於邯鄲者非但憂平原之補袒患諸侯之救至也徒諱之而不言耳若不悟而不諱則毋所以遠智也可謂善戰而拙勝長平之事秦民之十五以上者皆荷戟而向趙矣秦王又親自賜民爵於河內夫以秦之彊而十五以上死傷過半者此為破趙之功小傷秦之敗大又何稱奇哉若後之役戍不豫其論者則秦衆多矣降者可致也必不可致者本自當戰死不當受降詐也戰殺雖難降殺雖易然降殺之為害禍大於劇戰也○索隱曰捲音拳袒音濁莧反字亦作綻捄音救

當元年以一命也

衆不敢仰兵

王翦者頻陽東鄉人也索隱曰地理志頻陽縣屬左馮翊應劭曰在頻水之陽也

白起王翦傳

何晏曰白起之降趙卒 師說此論未詳出何書也可考之

後日之戰必非前日之對 隆謂知降必死皆堅戰也師說言天下見降於秦之將必死者後日之戰者當死者則可死耳言不顧其死命也

毋所以遠智 此本作毋師說之義或作念或作悔師說曰言皆悔而所以遠於知道也又或作悔也其義皆通今皆為異本也言白起徒知趙之雖攻而乃忌諱之以隱匿之也若不知悟其然而不匿者是毋所以違遠於智道也

若後日更戰云之師說此一句者何晏自設論為此論之由也言若後有役戍而豫不命也以則天下皆

白起 七

○正義曰故城在雍州東同官縣界也

少而好兵事秦始皇十一年翦將攻趙閼與(正義音預)破之拔九城十八年翦將攻趙歲餘遂拔趙趙王降盡定趙地爲郡明年燕使荆軻爲賊於秦秦王使王翦攻燕燕王喜走遼東翦遂定燕薊而還(正義薊音計)秦使翦子王賁擊荆(徐廣曰秦諱楚故云荆也○索隱曰賁音奔)荆兵敗還擊魏魏王降遂定魏地秦始皇既滅三晉走燕王而數破荆師秦將李信者年少壯勇嘗以兵數千逐燕太子丹至於衍水中卒破得丹始皇以爲賢勇於是始皇問李信吾欲攻取荆於將軍度用

閼 烏曷反

始皇之父莊襄王諱楚也

度 徒洛反

荆軻 若阿反

幾何人而足李信曰不過用二十萬人始皇問王翦王翦曰非六十萬人不可始皇曰王將軍老矣何怯也李將軍果勢壯勇徐廣曰勢一作執其言是也遂使李信及蒙恬將二十萬南伐荊王翦言不用因謝病歸老於頻陽李信攻平與音余○正義曰在頴東北五十四里蒙恬攻寢徐廣曰今固始寢丘○索隱曰固始縣屬淮陽寢丘地名也大破荊軍信又攻鄢郢破之於是引兵而西與蒙恬會城父索隱曰在汝南即應鄉○正義曰言引兵而會城父則是汝州郟城縣東父城者也括地志云汝州郟城縣東四十里有父城故城即服虔云城父楚北境者也又許州葉縣東北四十五里亦有父城故城即杜預云襄城城父縣者也此二城父城之名耳服虔城父是誤也在傳及注水經云楚大城城父是太子建居之十三州志云太

漢書曰李廣傳曰就善水草頓舍 師古曰頓止也舍息也

不知秦卒之多也則陸氏相向而為說也秦衆卒力役於長平而死傷之文後多數其注云卒也
不豫其論云則秦衆多矣陸言以後君有軍戎之事而不豫為其設論則不知秦衆之多也
師說傳而可致之四字不連上句也為下文之起句而為言也　此師說至文辭不可轉移如下
之寫置之也
頭顱僇山嶽骨肉蔽近下八字蔽殺而死者多也
戮四十萬之命者殺四十萬人之命也用殺大良傳藏下云故藏八殺也
注虛捲欲拿之見仙拳之拳弓拳也本作拳空拳蒙之司馬傳張空拳師古曰張弩之空弓也
前李陵傳連弩注三十弩共一弦張晏曰三十拳共一臂也揚氏曰司馬遷言李陵轉戰千里矢盡道窮士張空拳
漢書文穎注曰拳弓弩拳也師古曰與拳同言陵時矢盡故張弩之空弓非空拳也拳則屈指不當言張又李
善注文選援李登聲類云拳或作捲言兵已盡但張空捲以擊耳又援桓寬鹽鐵論曰陳勝奮空捲而破百
萬之軍今俗謂奮空拳蓋以為拳手之拳失之
發通關之通鑑五卷秦伐趙圍閼與胡三省注云閼烏葛反又上黨郡涅縣有閼與聚本經注上
黨沾縣有梁榆城即閼與故城盧諶征艱賦曰訪梁榆之虛郭乃閼與之舊平其記
正義曰閼與聚在潞州銅鞮縣西北二十里又儀州和順縣亦有閼與城儀潞相近二所未詳
又閼與山在潞州武安縣西南五十里趙奢拒秦軍於閼與即山北也河東閭遼州和順縣
晉大夫梁餘子養邑秦伐閼與趙奢救之是此遼州即唐之儀州閼河曷翻又於達翻康
音曷又音媽與音預又音余史記正義曰閼於連翻漢書音義涅乃結翻取永本喻翻沾
它兼翻鞮時壬翻鞮丁兮翻潞曽故翻
注頸顱似山通鑑五卷趙廉頗軍於長平胡三省注杜佑曰白起阬趙卒於長平有
頸顱山紀泉臺在田澤中因山為臺云云

破荊師秦將李信者年少壯勇嘗以兵數千逐
燕太子丹至於衍水中卒破得丹始皇以為賢
勇於是始皇問李信吾欲攻取荊於將軍度用

幾何人而足李信曰不過用二十萬人始皇問王翦王翦曰非六十萬人不可始皇曰王將軍老矣何怯也李將軍果勢壯勇徐廣曰勢一作執其言是也遂使李信及蒙恬將二十萬南伐荆王翦言不用因謝病歸老於頻陽李信攻平與音余○正義曰在頂東北五十四里蒙恬攻寢徐廣曰今固始寢丘○索隱曰固始縣屬淮陽寢丘地名也大破荆軍信又攻鄢郢破之於是引兵而西與蒙恬會城父索隱曰在汝南即應鄉○正義曰言引兵而會城父則是汝州郟城縣東父城者也括地志云汝州郟城縣東四十里有父城故城即服虔云城父楚北境者也又許州葉縣東北四十五里亦有父城故城即杜預云襄城城父縣者也此二城父城之名耳服虔城父是誤也左傳及注水經云楚大城城父是太子建居之十三州志云太

白起王翦傳七

漢書曰李廣傳曰就善水艸頓舍 師古曰頓止也舍息也

子建所居城父謂今亳州城父是也此三家之說是城父之名地理志云潁川父城縣沛郡城父縣據縣屬郡其名自古先儒多惑故使其名錯亂荆人因隨之三日三夜不頓舍大破李信軍入兩壁殺七都尉秦軍走始皇聞之大怒自馳如頻陽見謝王翦曰寡人以不用將軍計李信果辱秦軍今聞荆兵日進而西將軍雖病獨忍弃寡人乎王翦謝曰老臣罷病悖亂正義曰罷音皮悖音背唯大王更擇賢將始皇謝曰已矣將軍勿復言王翦曰大王必不得已用臣非六十萬人不可始皇曰爲聽將軍計耳於是王翦將兵六十萬人始皇自送至灞上王翦行請美田

宅園池甚衆始皇曰將軍行矣何憂貧乎王翦曰為大王將有功終不得封侯故及大王之嚮臣臣亦及時以請園池為子孫業耳始皇大笑王翦既至關使使還請善田者五輩（徐廣曰善一作菑○索隱曰謂使者五度又請也）或曰將軍之乞貸亦已甚矣王翦曰不然夫秦王怚（音麤　徐廣曰怚一作粗）而不信人今空秦國甲士而專委於我（徐廣曰專亦作摶又作剸）我不多請田宅為子孫業以自堅顧令秦王坐而疑我邪王翦果代李信擊荊荊聞王翦益軍而來乃悉國中兵以拒秦王翦至堅壁而守之不肯戰荊兵數出

挑戰終不出王翦日休士洗沐而善飲食撫循之親與士卒同食久之王翦使人問軍中戲乎對曰方投石超距徐廣曰超一作拔駰案漢書云甘延壽投石拔距絕於等倫張晏曰范蠡兵法飛石重十二斤爲機發行三百步延壽有力能以手投之拔距超距也○索隱曰超距猶跳躍也於是王翦曰士卒可用矣荊數挑戰而秦不出乃引而東翦因舉兵追之令壯士擊大破荊軍至蘄南正義曰徐州縣也殺其將軍項燕荊兵遂敗走秦因乘勝略定荊地城邑歲餘虜荊王負芻竟平荊地爲郡縣因南征百越之君而王翦子王賁與李信破定燕齊地秦始皇二十六年盡并天下王

氏蒙氏功為多名施於後世秦二世之時王翦及其子賁皆已死而又滅蒙氏陳勝之反秦秦使王翦之孫王離擊趙圍趙王及張耳鉅鹿城正義曰今邢州平鄉縣城本秦鉅鹿郡城也或曰王離秦之名將也今將彊秦之兵攻新造之趙舉之必矣客曰不然夫為將三世者必敗必敗者何也以其所殺伐多矣其後受其不祥今王離已三世將矣居無何項羽救趙擊秦軍果虜王離王離軍遂降諸侯太史公曰鄙語云尺有所短寸有所長白起料敵合變出奇無窮聲震天下然不能救患於應

通鑑七卷秦始皇二十六年王賁自燕南攻齊猝入臨淄莫敢格者秦使人誘齊王約以封五百里之地齊王遂降秦遷之共處之松柏之間餓而死

侯王翦為秦將夷六國當是時翦為宿將始皇師之然不能輔秦建德固其根本偷合取容以至圽身及孫王離為項羽所虜不亦宜乎彼各有所短也

索隱述贊曰

白起王翦　俱善用兵　遂為秦將

攘齊破荊　趙任馬服　長平遂坑

楚陷李信　翦上卒行　賁離繼出

三代無名

白起王翦列傳第十三　史記七十

○黄氏日抄云白起以穰侯薦為秦將其斬殺之數多而載於史者凡百萬不以數載者不預[illegible]長平
之復秦 八年十五以上皆詣之而死者過半以此類推秦之死於兵者又不可以數計也[illegible]代[illegible]
應侯同之起不復為秦用而賜之死自秦而言雖殺之非其罪自公理而言一死何以又其罪哉
○明 王翦亦為始皇伐楚而請美田宅既行使使請美田者五輩後有勸蕭何田宅自汙者其計無
乃出於此歟王翦羽諸人之輔秦蓋[illegible]徒之[illegible]會古今之極變不可復以常事論也太史公
譏翦不能輔秦建德而偷合取容嗚呼是何異責虎狼之不仁耶

○叢[illegible]自序傳於[illegible]梅夫子善教之[illegible]一變為[illegible]刑苟[illegible]以衛鞅之法第子[illegible]也
變為縱橫家者之說[illegible]張儀[illegible]之徒[illegible]君也三[illegible]以[illegible]為利以并吞為[illegible]諸侯之
不以經術說也[illegible]于數[illegible]之[illegible]說[illegible]舜周孔之道孟子之[illegible]以[illegible]魏曰王也
○[illegible]通鑑第一卷鄒人孟軻見魏惠王王曰叟不遠千里而來亦有以利吾國乎孟子曰君何
必曰利仁義而已矣初孟子師子思嘗問牧民之道何先子思曰先利之孟子曰君子所以教民亦仁義
而已矣何必利子思曰仁義固所以利之也上不仁則下不得其所上不義則下樂為詐也此為不利大矣故
易曰利者義之和也又曰利用安身以崇德也此皆利之大者也 溫公曰子思孟子之言一也夫唯仁者為知
仁義之利不仁者不知也故孟子之對梁王直以仁義而不及利者所與言之人異故也
○孟子第一卷孟子見梁惠王王曰叟不遠云云亦將有以利吾國乎孟子對曰王何必曰利亦有仁義而
已矣王曰何以利吾國大夫曰何以利吾家士庶人曰何以利吾身上下交征利而國危矣云云趙氏注論
語曰放於利而行多怨故不欲使王以利為名也又言交為[illegible]也
○玉海卷十三子思子八篇[illegible]一卷四庫書目[illegible]載孟軻問牧民之道何先子思曰先利之孟軻曰
云云 溫公采之通鑑
○叢[illegible]云秦之白王戰國四君子之中[illegible]孟荀[illegible]蓋以周四君子之[illegible]不[illegible]之不[illegible]
孟荀[illegible]來也[illegible]之[illegible]論[illegible]孟荀之徒不[illegible]而[illegible]君子[illegible]也

通鑑七巻秦始皇二十六年王賁自燕南攻齊猝入臨淄莫敢格者秦使人誘齊王約以封五百里之地齊王遂降秦遷之共處之松柏之間餓而死

偃王翦為秦將，夷六國，當是時，翦為宿將，始皇師之，然不能輔秦建德，固其根本，偷合取容，以至圽身。及孫王離為項羽所虜，不亦宜乎。彼各有所短也。

索隱述贊曰

白起王翦　俱善用兵　遂為秦將

接齊破荊　趙任馬服　長平遂坑

楚陷李信　翦上卒行　賁離繼出

三代無名

白起王翦列傳第十三　史記七十

惠注曰梁惠王者魏惠王也魏國名惠謚也時天下有七王皆僭号者也猶春秋之時吳
楚之君稱王也魏惠王居於大梁故号曰梁王 梁惠王魏武侯之子名瑩

周后稷 不窋 鞠 公劉 慶節 皇僕 差弗 毀隃 公非 高圉 亞圉
公叔祖類 古公亶父 太伯 虞仲 季歷 昌 為西伯 曰文王 自后稷至昌一十五世

顯王四年平
也蓋秦代說
天其罪哉
者其討無
遍也太史公

史記自序傳抄云撮夫子要指之數一變為當利 荀卿不以衛鞅之法弟子皆世秦
變為縱橫家者之説也從張儀之徒蘇秦也三晉或以戰勝為利以并吞為功請謀之
不以縱游說也義千數而受之經濟於説堯舜周孔之道孟子之不以接魏曰王也
通鑑第一卷 鄒人孟軻見魏惠王 王曰叟不遠千里而來亦有以利吾國乎 孟子曰君何
必曰利 亦有仁義而已矣 初孟子師子思 嘗問牧民之道何先 子思曰先利之 孟子曰君子所以教民亦仁義
而已矣何必利 子思曰仁義固所以利之也 上不仁則下不得其所 上不義則下樂為詐也 此為不利大矣 故
易曰利者義之和也 又曰利用安身以崇德也 此皆利之大者也 溫公曰子思孟子之言一也 夫唯仁者為知
仁義之利 不仁者不知也 故孟子之對梁王直以仁義而不及利者 所與言之人異故也
孟子第一卷 孟子見梁惠王 王曰叟不遠千里而來 亦將有以利吾國乎 孟子對曰王何必曰利 亦有仁義而已矣
已矣 王曰何以利吾國 大夫曰何以利吾家 士庶人曰何以利吾身 上下交征利而國危矣云云 趙氏注論
語曰放於利而行多怨 故不欲使王以利為名也 又言交為損也
曰孟子四十三 子思子八 晁氏志一卷 四庫書目云 載孟軻問牧民之道何先 子思曰先利之 孟軻曰
孔叢子載 牧民之節
云云 溫公采之 著于通鑑
史記傳云 秦宗之 白王戰國四君子之中 同立孟荀 傳於戰 蓋以周時也 四君子之中不知此不敢擇
孟荀 後也 傳之初 後論 孟荀之弦 不得此由來 而君子等為君子論也

孟子荀卿列傳第十四　史記七十四

索隱曰按序傳孟嘗君第十四而此傳爲第十五蓋後人差降之矣

太史公曰余讀孟子書至梁惠王問何以利吾國未嘗不廢書而歎也曰嗟乎利誠亂之始也夫子罕言利者常防其源也故曰放於利而行多怨自天子至於庶人好利之獘何以異哉

孟軻鄒人也索隱曰軻音苦何反又苦賀反鄒魯地名又云邾邾人徙鄒故也○正義曰軻字子輿爲齊卿鄒兗州縣受業子思之門人索隱曰王劭以人爲衍字則以軻親受業孔伋之門也今言門人者乃受業於子思之弟子也道既通游事齊宣王宣王不能用適梁梁惠王不果所言則見以爲迂遠而

孟子荀卿傳

闊於事情。當是之時，秦用商君，富國彊兵；楚魏用吳起，戰勝弱敵；齊威王、宣王用孫子、田忌之徒，而諸侯東面朝齊。天下方務於合從連衡，以攻伐為賢，而孟軻乃述唐虞三代之德，是以所如者不合。退而與萬章之徒索隱曰孟子有萬章公明高等並軻之門人也萬姓章名序詩書，述仲尼之意，作孟子七篇。其後有騶子之屬。齊有三騶子。其前鄒忌，以鼓琴干威王，因及國政，封為成侯而受相印，先孟子。其次騶衍，後孟子。騶衍睹有國者益淫侈，不能尚德，若大雅整之於身，施及黎庶矣。乃深觀陰陽

孟子荀卿列傳第十四　史記七十四

索隱曰按序傳孟嘗君第十四而此傳爲第十五蓋後人差降之矣

太史公曰余讀孟子書至梁惠王問何以利吾國未嘗不廢書而歎也曰嗟乎利誠亂之始也夫子罕言利者常防其原也故曰放於利而行多怨自天子至於庶人好利之獘何以異哉

孟軻鄒人也索隱曰軻音苦何反又苦賀反鄒魯地名又云邾邾人徙鄒故也○正義曰軻字子輿爲 齊鄒鄒兗州縣

受業子思之門人索隱曰王劭以人爲衍字則以軻親受業孔伋之門也今言門人者乃受業於子思之弟子也道既通游事齊宣王宣王不能用適梁梁惠王不果所言則見以爲迂遠而

孟子荀卿傳

闚於事情。當是之時，秦用商君，富國彊兵；楚、魏用吳起，戰勝弱敵；齊威王、宣王用孫子、田忌之徒，而諸侯東面朝齊。天下方務於合從連衡，以攻伐為賢，而孟軻乃述唐、虞、三代之德，是以所如者不合。退而與萬章之徒索隱曰孟子有萬章公明高等並軻之門人也萬姓章名序詩書，述仲尼之意，作孟子七篇。其後有騶子之屬。齊有三騶子。其前鄒忌，以鼓琴干威王，因及國政，封為成侯而受相印，先孟子。其次騶衍，後孟子。騶衍睹有國者益淫侈，不能尚德，若大雅整之於身，施及黎庶矣。乃深觀陰陽消息而作怪迂之變，終始大聖之篇十餘萬言。其語閎大不經，必先驗小物，推而大之，至於無垠。先序今以上至黃帝，學者所共術，大並世盛衰，並音蒲浪反。○索隱曰：言其大體隨代盛衰，觀時而說事。因載其機祥度制，推而遠之，至天地未生，窈冥不可考而原也。先列中國名山大川，通谷禽獸，水土所殖，物類所珍，因而推之，及海外人之所不能睹。稱引天地剖判以來，五德轉移，治各有宜，而符應若茲。以為儒者所謂中國者，於天下乃八十一分居其一分耳。索隱曰：桓寬、王充並以衍之所言迂怪虛妄，干惑六國之君，因納其異說，所謂匹夫而熒惑諸侯者也。

中國名曰赤縣神州赤縣神州內自有九州禹之序九州是也不得爲州數中國外如赤縣神州者九乃所謂九州也於是有裨海環之 索隱曰裨音脾裨海小海也九州之外更有大瀛海故知此裨是小海也且將有裨將裨是小義也 人民禽獸莫能相通者如一區中者乃爲一州如此者九乃有大瀛海環其外天地之際焉其術皆此類也然要其歸必止乎仁義節儉君臣上下六親之施始也濫耳 索隱曰濫即濫觴是江源之初始故此文意以濫爲初也謂衍之術言君臣上下六親之際行事之所施所治皆可以爲後代之宗本故云濫耳 王公大人初見其術懼然顧化 索隱曰懼音劬謂衍之術皆動人心見者莫不懼然駭想又內心留顧而已化之欲從其術也

正義曰言一州縣有裨海環遶之兄天下有九州有大瀛海環遶其外乃至天地之際矣

化者是易常聞而貴異術也其後不能行之是以騶子重於齊適梁惠王郊迎執賓主之禮適趙平原君側行襒席（索隱曰按字林云襒音疋結反韋昭音敷蔑反張揖三蒼訓詁云襒拂也謂側行而衣襒席爲敬不敢正坐當賓主之禮也）如燕昭王擁彗先驅（索隱曰彗帚也謂爲之埽地以衣袂擁帚而却行恐塵埃之及長者所以爲敬也）請列弟子之座而受業築碣石宮（正義曰碣石宮在幽州薊縣西三十里寧臺之東）身親往師之作主運（索隱曰劉向別錄云鄒子書有主運篇）其游諸侯見尊禮如此豈與仲尼菜色陳蔡孟軻困於齊梁同乎哉（索隱曰仲尼孟子法先王之道行仁義之化且菜色困窮而鄒衍執詭怪惑諸侯其見禮重如此可爲長太息哉）故武王以仁義伐紂而王伯夷餓不食周粟衛靈公問陳而

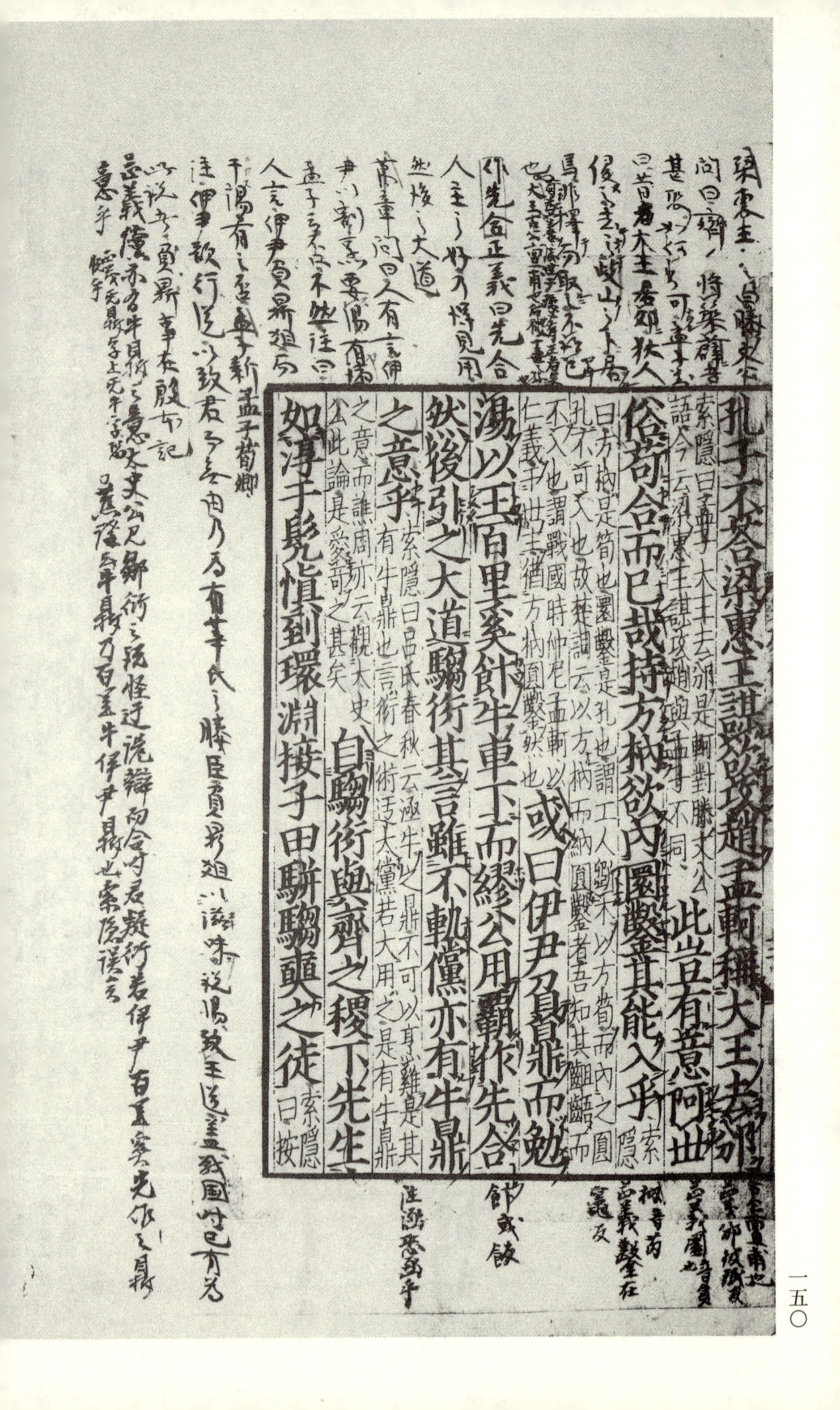

孔子不荅梁惠王謀欲攻趙孟軻稱大王去邠

索隱曰孟子大王去邠是軻對滕文公語今云梁惠王謀攻趙與孟子不同

此豈有意阿世俗苟合而已哉持方枘欲內圜鑿其能入乎

索隱曰方枘是筍也圜鑿是孔也謂工人斲木以方筍而內之圓孔不可入也故楚詞云以方枘而納圓鑿者吾知其鉏鋙而不入也謂戰國時仲尼孟軻以仁義干世主猶方枘圓鑿然也

或曰伊尹負鼎而勉湯以王百里奚飯牛車下而繆公用霸作先合然後引之大道騶衍其言雖不軌儻亦有牛鼎之意乎

索隱曰呂氏春秋云函牛之鼎不可以亨雞是其大也言衍之術迂大儻若大用之是有牛鼎之意而譙周亦云觀太史公此論是愛奇之甚矣

自騶衍與齊之稷下先生如淳于髡慎到環淵接子田駢騶奭之徒

索隱曰按

化者是易常聞而猶異術也其後不能行之是以騶子重於齊適梁惠王郊迎執賓主之禮適趙平原君側行襒席索隱曰按字林云襒音疋結反韋昭音敷蔑反張揖三蒼訓詁云襒拂也謂側行而衣襒席爲敬不敢正坐當賓主之礼也如燕昭王擁彗先驅索隱曰彗帚也謂爲之掃地以衣袂擁帚而卻行恐塵埃之及長者所以爲敬也請列弟子之座而受業築碣石宮正義曰碣石宮在幽州薊縣西三十里寧臺之東身親往師之作主運索隱曰劉向别録云騶子書有主運篇其游諸侯見尊禮如此豈與仲尼菜色陳蔡孟軻困於齊梁同乎哉索隱曰仲尼孟子法先王之道行仁義之化且菜色困窮而騶衍執詭怪惑諸侯其見禮重如此可爲長太息哉故武王以仁義伐紂而王伯夷餓不食周粟衛靈公問陳而

孔子不答梁惠王謀欲攻趙孟軻稱大王去邠

索隱曰孟子大王去邠是軻對滕文公語今云梁惠王謀攻趙與孟子不同

此豈有意阿世

俗苟合而已哉持方枘欲內圜鑿其能入乎

索隱曰方枘是筍也圜鑿是孔也謂工人斵木以方筍而內之圓孔不可入也故楚詞云以方枘而納圓鑿者吾知其鉏鋙而不入也謂戰國時仲尼孟軻以仁義干世主猶方枘圜鑿然也

或曰伊尹負鼎而勉

湯以王百里奚飯牛車下而繆公用霸作先合

然後引之大道騶衍其言雖不軌儻亦有牛鼎

之意乎

索隱曰呂氏春秋云函牛之鼎不可以烹雞是其有牛鼎也言衍之術迂大儻若大用之是有牛鼎之意而譙周亦云觀太史公此論是愛奇之甚矣

自騶衍與齊之稷下先生

如淳于髡慎到環淵接子田駢騶奭之徒

索隱曰按

稷齊之城門也或云稷山名謂齊之學士集於稷門之下也環淵接子古著書人之稱號也騶音步堅反又步經反○正義曰慎子十卷在法家則戰國時處士接子二篇田子二十五篇齊人游稷下號天口接田二人道家騶奭十二篇陰陽家

各著書言治亂之事以干世主豈可勝道哉

淳于髡齊人也博聞彊記學無所主其諫說慕晏嬰之為人也然而承意觀色為務客有見髡於梁惠王惠王屏左右獨坐而再見之終無言也惠王怪之以讓客曰子之稱淳于先生管晏不及及見寡人寡人未有得也豈寡人不足為言邪何故哉客以謂髡髡曰固也吾前見王王志在驅逐後復見王王志在音聲吾是以默然

孟子荀卿傳

客具以報王王大駭曰嗟乎淳于先生誠聖人也前淳于先生之來人有獻善馬者寡人未及視會先生至後先生之來人有獻謳者未及試亦會先生來寡人雖屏人然私心在彼有之

索隱曰謂私心實在彼馬與謳也有之謂我實有此二事也

後淳于髡見壹語連三日三夜無倦惠王欲以卿相位待之髡因謝去於是送以安車駕駟束帛加璧黃金百鎰終身不仕

慎到趙人田駢接子齊人環淵楚人皆學黃老道德之術因發明序其指意故慎到著十二論

之衢正義云言爲諸子起第宅於要路

中宗宣帝諱詢

（徐廣曰今愼子劉向所定有四十一篇）環淵著上下篇而田駢接子皆有所論焉

騶奭者齊諸騶子亦頗采騶衍之術以紀文於是齊王嘉之自如淳于髡以下皆命曰列大夫爲開第康莊之衢（爾雅曰四達謂之衢五達謂之康六達謂之莊）高門大屋尊寵之覽天下諸侯賓客言齊能致天下賢士也

荀卿趙人（索隱曰名況卿者時人相尊而號爲卿也仕齊爲祭酒仕楚爲蘭陵令後亦謂之孫卿子者避漢宣帝之諱也）年五十始來游學於齊騶衍之術迂大而閎辯奭也文具難施淳于髡久與處時有得

善言故齊人頌曰談天衍雕龍奭炙轂徐廣曰一作輠謂過髡劉向別錄曰騶衍之所言五德終始天地廣大盡言天事故曰談天騶奭脩衍之文飾若雕鏤龍文故曰雕龍別錄曰過字作輠輠者車之盛膏器也炙之雖盡猶有餘流者言淳于髡智不盡如炙輠也左思齊都賦注曰言其多智難盡如炙膏過之有潤澤也○索隱曰劉氏云轂衍字也今按文稱炙轂過過則是器名音如字謂盛脂之器名過與鍋字相近蓋即脂器也轂即車轂過爲潤轂之物則轂非衍字明矣田駢之屬皆已死齊襄王時索隱曰襄王名法章湣王子莒人所立者而荀卿最爲老師齊尚脩列大夫之缺而荀卿三爲祭酒焉索隱曰禮食必祭先飲酒亦然必以席中之尊者一人當祭耳後因以爲官名故吳王濞爲劉氏祭酒是也而卿三爲祭酒者謂荀卿出入前後三度處列大夫康莊之位而皆爲其師尊故云三爲祭酒齊人或讒荀卿荀卿乃適楚而春申君以爲蘭陵令正義曰蘭陵縣屬東海郡

孟子荀卿傳

春申君死而荀卿廢因家蘭陵今沂州承縣有蘭陵山李斯嘗爲弟子已而相秦荀卿嫉濁世之政亡國亂君相屬不遂大道而營於巫祝信禨祥鄙儒小拘如莊周等又猾稽亂俗於是推儒墨道德之行事興壞序列著數萬言而卒因葬蘭陵而趙亦有公孫龍爲堅白同異之辯集解晉太康地記云汝南西平縣有龍淵水可用淬刀劍特堅利故有堅白之論云黃所以爲堅也白所以爲利也或辯之曰白所以爲不堅黃所以爲不利○索隱曰龍卽仲尼弟子也此云趙人弟子傳作衛人鄭玄云楚人各不能知其眞也下文云並孔子同時或云在其後所以知非別人也○正義曰藝文志公孫龍子十四篇顏師古云卽爲堅白之辯按平原君傳鄒衍同時括地志云西平縣豫州西北百四十里有龍淵水也劇子之言徐廣曰按應劭氏姓注直云劇子也○索隱曰著書之人姓劇氏而

釐子也。劇子，史不記其名。故趙有劇孟及劇辛也。**魏有李悝盡地力之教**，正義曰：……文志李子三十二篇。李悝相魏文侯，富國強兵。**楚有尸子、長盧**，劉向別錄曰：楚有尸子，疑謂其在蜀。今案：尸子書，晉人也，名佼，秦相衛鞅客也。衛鞅商君謀事畫計，立法理民，未嘗不與佼規也。商君被刑，佼恐并誅，乃亡逃入蜀，自爲造此二十篇書，凡六萬餘言。卒，因葬蜀。○索隱曰：尸子名佼，音絞。長盧未詳。○正義曰：長盧九篇，楚人。**阿之吁子焉。**徐廣曰：阿者，今之東阿。○索隱曰：吁音芋，別錄作芋子，今吁亦如字。○正義曰：按東齊州也。藝文志云吁子十八篇，名嬰，齊人，七十子之後。顏師古云音弭。按是齊人，阿又屬齊，恐顏公誤也。**自如孟子至于吁子，世多有其書，故不論其傳云。蓋墨翟，宋之大夫，善守禦，爲節用。**墨子曰：公輸般爲雲梯之械成，將以攻宋。墨子聞之，至于郢，見公輸般。之攻械盡，墨子之守固有餘。公輸般詘而言曰：吾知所以距子矣，吾不言。墨子亦曰：吾知子之所以距我，吾不言。楚王問其故，墨子曰：公輸子之意不過欲殺臣，殺臣，宋莫能守，可攻也。然臣之弟子禽滑釐等三百人

孟子荀卿傳

一五八

亡已多矣龍趙人平原君客也能辯說傷明王之不興疾名器之乖實以假指物以混是非冀時君之有悟而正名實焉予嘗取而讀之白馬非馬之喻堅白同異之言終不可解後屢閱之見其如捕龍蛇奮迅騰騫蓋不可措手甚哉其辯也然而名實愈不可正何邪言弗醇也天下未有言弗醇而能正名實者苟欲名實之正亟焉之

黃氏日抄曰公孫龍者戰國時辯士[illegible]九流中所謂名家以正名為說者也其略有四白白馬非馬謂白所以名色馬所以名形色非形形非色也云云其三曰鷄三足謂鷄足一數足二而一故三也其四曰堅白石謂目見石之白而不見其堅手知石之堅而不知其白是堅與白為二物其言皆如此

今沂州承縣

春申君死而荀卿廢因家蘭陵李斯

黃氏日抄曰[illegible]堅白異同者注云汝南龍淵水可淬劍故有堅白之論云黃所以為堅白所以為利或辯之曰白所以為不堅黃所以為不利此其為異同嗚呼士論之無稽至此世道如之何而不壞

……亂……小……之

行事興壞序列著數萬言而卒因葬蘭陵而趙

亦有公孫龍為堅白同異之辯晉太康地記云汝南西平縣有龍淵水可用淬刀劒特堅利故有堅白之論云黃所以為堅也白所以為利也或辯之曰白所以為不堅黃所以為不利○索隱曰龍即仲尼弟子也此云趙人弟子傳作衛人鄭玄云楚人各不能知其真又下文云並孔子同時或云在其後所以知非別人也○正義曰藝文志公孫龍子十四篇顏師古云即為堅白之辯按平原君傳鄒衍同時括地志云西平縣豫州西北百四十里有龍淵水也劇子之言徐廣曰按應劭氏姓注直云處子也○索隱曰著書之人姓劇氏而

劇子也前史不記其名故趙有劇孟及劇辛也魏有李悝盡地力之教正義曰漢藝文志李子三十二篇李悝相魏文侯富國強兵楚有尸子長盧劉向別錄曰楚有尸子疑謂其在蜀今案尸子書晉人也名佼秦相衛鞅客也衛鞅商君謀事畫計立法理民未嘗不與佼規也商君被刑佼恐并誅乃亡逃入蜀自為造此二十篇書凡六万餘言卒因葬蜀○索隱曰尸子名佼音絞長盧未詳○正義曰長盧九篇楚人阿之吁子焉徐廣曰阿者今之東阿○索隱曰吁音芋別錄作芋子今吁亦如字○正義曰按東齊州也藝文志云吁子十八篇名嬰齊人七十子之後顏師古云音弭按是齊人阿又屬齊恐顏公誤也自如孟子至于吁子世多有其書故不論其傳云蓋墨翟宋之大夫善守禦為節用墨子曰公輸般為雲梯之械成將以攻宋墨子聞之至于郢見公輸般之攻械盡墨子之守固有餘公輸般詘而言曰吾知所以距子矣吾不言墨子亦曰吾知子之所以距我者吾不言楚王問其故墨子曰公輸子之意不過欲殺臣殺臣宋莫能守可攻也然臣之弟子禽滑釐等三百人

孟子荀卿傳

已持臣守圉之器在宋城上而待楚寇矣雖殺臣不能絕也楚王曰善哉吾請無攻宋城矣○索隱曰公輸為雲梯之械者按梯構木瞰高也雲者言其昇高入雲故曰雲梯械者器也謂攻城之樓櫓也與器械同墨子解帶為城者謂墨子於術解身上革帶以為城也以牒為械者牒小木札也械者樓櫓等公輸般之攻械盡者劉氏云械謂飛梯撞車飛石車弩之具也詘音屈謂般技已盡墨守有餘滑釐者墨子弟子之字也釐音貍或曰並孔子時或曰在其後索隱曰按別錄云墨子書有文子文子子夏之弟子問於墨子如此則墨子者在七十子之後也

索隱述贊曰六國之末戰勝相雄軻遊齊魏其說不通退而著述稱吾道窮蘭陵事楚騶衍談空康莊雖列

莫見收功
𨻳龍　騶奭傳曰命曰列大夫為開第康莊之衢

○黃氏日抄云太史公之傳孟子首舉不言利之對嘆息以先之然後為之傳而傳自受業子
思之外復無他語惟詳述一時富國強兵之流與騶衍迂怪不可究詰以取重當世之説形
孟子之守道不變与仲尼菜色陳蔡者同科音截遷之文卑辭遷之識卑蓋傳申韓
於老莊之後者所以譏老莊而傳淳于髡諸子於孟荀之間者所以表孟荀也
○明荀卿年五十始自趙學於齊三為祭酒後為楚蘭陵令春申君死而卿廢家于蘭
陵葬焉嫉世之濁而鄙儒小拘如莊周等又滑稽亂俗於是著書數萬言此亦能
守道不變者故太史公進之与孟子等
○明墨翟之智注称公輸子將為攻具將攻宋墨子至郢設拒攻之具九九屈之

孟子荀卿列傳第十四　史記七十四

口徐丞敎苟惡顧叡畜如如出之一力役切當也一其亮切錯也楊倞人名云之[?]則楊倞之倞其音亮切也

吳某讀荀子辨 荀子二十卷趙人荀卿撰卿名況漢志避宣帝諱作孫卿劉向校定除其重複
著三十二篇為十二卷題曰新書唐楊倞為之注且更新書為荀子易其篇第析為
二十卷卿以齊襄王時游稷下距孟子至齊五十年矣於列大夫三為祭酒去之楚春申
君以為蘭陵令以讒去之趙與臨武君議兵入秦見應侯昭王以聘反乎楚復為蘭
陵令既廢家蘭陵以終卿之先正唐仲友云向序卿事本司馬遷於遷書有三不
合春申君死當齊王建二十八年距宣王八十七年向言卿以宣王時來游學春申君
死而卿廢設以宣王末年游齊年已百三十七矣遷書記孟子以惠王三十五年至梁
當齊宣王七年惠王以叟稱孟子計亦五十餘後遷書二十三年子之亂燕孟子在齊若
卿來以宣王時不得如向言後孟子百餘歲田忌薦孫臏為軍師敗魏桂陵當齊
威王二十六年距趙孝成王七十八年臨武君與卿議兵於王前向以為孫臏臏信以敗魏馬陵
疑年馬陵去桂陵又十三年矣崇文總目言卿楚人楚禮為客與遷書向序駁
益難信其論殊精絕況之為人才甚高言卿不見道者也由其才甚高故立言或
帝悖於孔氏由其不見道故極言性惡及譏訕子思孟軻不少置學者其亦務言不知道
哉至若李斯雖師卿於卿之學懵乎未之有聞先儒遂以為病指卿為剛愎不遜
自許太過之人則失之矣 全
墨子十三卷戰國時宋大夫墨翟撰上卷親士修身所染法儀七患辭過三辯七篇號曰
經中卷尚賢三篇下卷尚同三篇皆號曰論共十三篇考之漢志七十一篇館閣書目
則六十一篇已亡節用節葬明鬼非樂非儒等九篇此今書則又亡多矣墨者強本
節用之術也予嘗愛其聖王作為宮室便於生不以為觀樂之言又嘗愛其聖人
為衣服適身體和肌膚非榮耳目而觀愚民之言又嘗愛其飲食增氣充虛
強體適腹之言墨子其甚儉者哉卑宮室菲飲食惡衣服大禹之薄於自奉者
孔子亦云奢則不遜儉則固然則儉固孔子之所不棄哉或曰如子之言則翟在所孔
取而孟子辭而闢之何也曰本二 全

孟嘗君　平原君　虞卿

信陵君　春申君

史記列傳　六十二

孟嘗君列傳第十五　史記七十五

孟嘗君名文姓田氏文之父曰靖郭君田嬰田嬰者齊威王少子而齊宣王庶弟也索隱曰戰國策及諸書並無此言蓋諸田之別子也故戰國策每稱嬰子盼子高誘注云田盼田嬰也王劭又按戰國策云齊貌辨謂宣王曰王方爲太子時辨謂靖郭君不若廢太子更立郊師靖郭君不忍宣王太息曰寡人少殊不知以此言之嬰非宣王弟明也

田嬰自威王時任職用事與成侯鄒忌及田忌將而救韓伐魏成侯與田忌爭寵成侯賣田忌田忌懼襲齊之邊邑不勝亡走會威王卒宣王立知成侯賣田忌乃復召田忌以爲將宣王二年田忌與孫臏田嬰俱伐魏敗之馬陵虜魏太

吕敬仲世家云宣王七年与魏王会于平阿南正義曰沛州平阿縣也

子申而殺魏將龐涓（索隱曰紀年當梁惠王二十八年至三十一年改爲後元也）宣王七年田嬰使於韓魏韓魏服於齊嬰與韓昭侯魏惠王會齊宣王東阿南（正義曰東阿齊州縣也）盟而去（索隱曰紀年當惠王之後元十一年作平阿又云十三年會齊威王于甄與此明年齊宣王與梁惠王會甄文同但齊之威宣二王文舛互不同也）明年復與梁惠王會甄（音絹）是歲梁惠王卒宣王九年田嬰相齊齊宣王與魏襄王會徐州而相王也（正義曰紀年云梁惠王三十一年下邳遷于薛改名徐州）楚威王聞之怒田嬰明年楚伐敗齊師於徐州而使人逐田嬰田嬰使張丑說楚威王威王乃止田嬰相齊十一年宣王卒湣王即位即位三年而封

正義曰俗說曰五月五日生子男害父女害母

田嬰於薛索隱曰紀年以爲梁惠王後元十二年四月齊威王封田嬰于薛十月齊城薛十四年薛子嬰來朝十五年齊威王薨嬰初封彭城皆與此文異○正義曰薛故城在今徐州滕縣南四十四里也初田嬰有子四十餘人其賤妾有子名文文以五月五日生嬰告其母曰勿舉也其母竊舉生之索隱曰上舉謂初誕而舉之下舉謂浴而乳之生謂長養之也及長其母因兄弟而見其子文於田嬰田嬰怒其母曰吾令若去此子而敢生之何也文頓首因曰君所以不舉五月子者何故嬰曰五月子者長與戶齊將不利其父母索隱曰風俗通云俗說五月五日生子男害父女害母也文曰人生受命於天乎將受命於戶邪嬰默然文曰必受命於天

君何憂焉必受命於戶則高其戶耳誰能至者嬰曰子休矣久之文承間問其父嬰曰子之子為何曰為孫孫之孫為何曰為玄孫玄孫之孫為何曰不能知也索隱曰爾雅云玄孫之子為來孫來孫之子為昆孫昆孫之子為仍孫仍孫之子為雲孫又有耳孫亦是玄孫之子也不同也文曰君用事相齊至今三王矣齊不加廣而君私家富累萬金門下不見一賢者文聞將門必有將相門必有相今君後宮蹈綺縠而士不得短褐索隱曰短亦音豎豎褐謂褐衣而豎裁之以其省而便事也僕妾餘粱肉而士不厭糟糠今君又尚厚積餘藏欲以遺所不知何人索隱曰遺音唯季反猶言不知欲遺與何人也而忘公

家之事日損文竊怪之於是嬰乃禮文使主家待賓客賓客日進名聲聞於諸侯諸侯皆使人請薛公田嬰以文爲太子嬰許之嬰卒謚爲靖郭君皇覽曰靖郭君冢在魯國薛城中東南陬○索隱曰謚爲靖郭君者謂死後別號之曰靖郭耳則靖郭或封邑號故漢齊王舅父駟鈞封靖郭侯是也陬音鄒亦音緅陬者城隅也而文果代立於薛是爲孟嘗君孟嘗君在薛招致諸侯賓客及亡人有罪者皆歸孟嘗君孟嘗君舍業厚遇之索隱曰舍業者捨其家業而厚事賓客也劉氏云舍音赦謂爲之築舍立居業也以故傾天下之士食客數千人無貴賤一與文等孟嘗君待客坐語而屏風後常有侍史主記君所與客語問親

戚居處客去孟嘗君已使使存問獻遺其親戚孟嘗君曾待客夜食有一人蔽火光客怒以飯不等輟食辭去孟嘗君起自持其飯比之客慚自剄士以此多歸孟嘗君孟嘗君客無所擇皆善遇之人人各自以為孟嘗君親己秦昭王聞其賢乃先使涇陽君為質於齊以求見孟嘗君孟嘗君將入秦賓客莫欲其行諫不聽蘇代謂曰今旦代從外來見木偶人與土偶人相與語索隱曰偶音遇謂以土木為之偶類於人也蘇代以土偶比涇陽君木偶比孟嘗君木偶人曰天雨子將敗矣土偶人曰我生於土敗則歸土今

天雨流子而行未知所止息也今秦虎狼之國也而君欲往如有不得還君得無為土偶人所笑乎孟嘗君乃止齊湣王二十五年復卒使孟嘗君入秦昭王即以孟嘗君為秦相人或説秦昭王曰孟嘗君賢而又齊族也今相秦必先齊而後秦秦其危矣於是秦昭王乃止囚孟嘗君謀欲殺之孟嘗君使人抵昭王幸姬求解索隱曰抵音丁禮反按抵謂觸冒而求之也幸姬曰妾願得君狐白裘韋昭曰以狐之白毛為裘謂集狐腋之毛言美而難得者此時孟嘗君有一狐白裘直千金天下無雙入秦獻之昭王更無他裘孟嘗

傳驛也正義

君患之徧問客莫能對最下坐有能爲狗盜者
曰臣能得狐白裘乃夜爲狗以入秦宮藏中正義
藏在浪反取所獻狐白裘至以獻秦王幸姬幸姬爲
言昭王昭王釋孟嘗君孟嘗君得出即馳去更
封傳變名姓以出關索隱曰更改也改前封傳而易姓名不言是孟嘗君封傳今之
驛券也夜半至函谷關正義曰關在陝州桃林縣西南十二里秦昭王
後悔出孟嘗君求之已去即使人馳傳逐之孟
嘗君至關關法雞鳴而出客孟嘗君恐追至客
之居下坐者有能爲雞鳴而雞盡鳴遂發傳出
出如食頃秦追果至關已後孟嘗君出乃還始

天雨流子而行未知所止息也今秦虎狼之國也而君欲往如有不得還君得無為土偶人所笑乎孟嘗君乃止齊湣王二十五年復卒使孟嘗君入秦昭王即以孟嘗君為秦相人或說秦昭王曰孟嘗君賢而又齊族也今相秦必先齊而後秦秦其危矣於是秦昭王乃止囚孟嘗君謀欲殺之孟嘗君使人抵昭王幸姬求解索隱曰抵音丁禮反按抵謂觸冒而求之也幸姬曰妾願得君狐白裘韋昭曰以狐之白毛為裘謂集狐腋之毛言美而難得者此時孟嘗君有一狐白裘直千金天下無雙入秦獻之昭王更無他裘孟嘗

傳驛也正義

君患之徧問客莫能對最下坐有能爲狗盜者曰臣能得狐白裘乃夜爲狗以入秦宮藏中（正義藏在浪反）取所獻狐白裘至以獻秦王幸姬幸姬爲言昭王昭王釋孟嘗君孟嘗君得出即馳去更封傳變名姓以出關（索隱曰更改也改前封傳而易姓名不言是孟嘗君封傳今之驛券也）夜半至函谷關（正義曰關在陝州桃林縣西南十二里）秦昭王後悔出孟嘗君求之已去即使人馳傳逐之孟嘗君至關關法雞鳴而出客孟嘗君恐追至客之居下坐者有能爲雞鳴而雞盡鳴遂發傳出出如食頃秦追果至關已後孟嘗君出乃還始

孟嘗君列此二人於賓客賓客盡羞之及孟嘗君有秦難卒此二人拔之自是之後客皆服孟嘗君過趙趙平原君客之趙人聞孟嘗君賢出觀之皆笑曰始以薛公爲魁然也今視之乃眇小丈夫耳孟嘗君聞之怒客與俱者下斫擊殺數百人遂滅一縣以去齊湣王不自得以其遣孟嘗君（索隱曰得一作德是湣王遣孟嘗君自言已無德故也）孟嘗君至則以爲齊相任政孟嘗君怨秦將以齊爲韓魏攻楚因與韓魏攻秦（徐廣曰年表曰韓魏齊共擊秦軍於函谷）而借兵食於西周蘇代爲西周謂曰（索隱曰戰國策作韓慶爲西周謂薛公也）君以

齊為韓魏攻楚九年取宛葉以北以彊韓魏正義曰宛在鄧州葉在許州二縣以北舊屬楚二國共没以入韓魏今復攻秦以益之韓魏南無楚憂西無秦患則齊危矣韓魏必輕齊畏秦臣為君危之君不如令敝邑深合於秦而君無攻又無借兵食君臨函谷而無攻令敝邑以君之情謂秦昭王曰薛公必不破秦以彊韓魏其攻秦也欲王之令楚王割東國以與齊正義曰東國齊徐夷而秦出楚懷王以為和君令敝邑以此惠秦秦得無破而以東國自免也秦必欲之楚王得出必德齊齊得東國益彊而薛世世無患

矣。秦不大弱，而處三晉之西，三晉必重齊。薛公曰：善。因令韓魏賀秦，使三國無攻，而不借兵食於西周矣。是時，楚懷王入秦，秦留之，故欲必出之。秦不果出楚懷王。孟嘗君相齊，其舍人魏子為孟嘗君收邑入，索隱曰舍人官微，記姓而略其名，故云魏子。收謂收其國之租稅。三反而不致一入。孟嘗君問之，對曰：有賢者，竊假與之，以故不致入。孟嘗君怒而退魏子。居數年，人或毀孟嘗君於齊湣王曰：孟嘗君將為亂。及田甲劫湣王，湣王意疑孟嘗君，孟嘗君乃奔。索隱曰湣王三十四年，田甲劫王，薛文走。魏子所與粟賢者聞之，乃上書

孟嘗君傳

言孟嘗君不作亂請以身爲盟遂自剄宮門以明孟嘗君湣王乃驚而蹤跡驗問孟嘗君果無反謀乃復召孟嘗君孟嘗君因謝病歸老於薛湣王許之其後秦亡將呂禮相齊欲困蘇代代乃謂孟嘗君曰周最於齊至厚也（正義曰周最周之公子）而齊王逐之而聽親弗（親弗人姓名○索隱曰戰國策作祝弗蓋祝爲得之）相呂禮者欲取秦也齊秦合則親弗與呂禮重矣有用齊秦必輕君君不如急北兵趨趙以和秦魏收周最以厚行且反齊王之信（索隱曰周最本厚於齊今欲逐之而相秦之亡將蘇代謂孟嘗君令齊收周最以自厚其行又且得反齊王之有信以不逐周最也）又禁天下

親弗少走　正義曰親弗相呂禮欲合齊秦若齊秦不合天下之從集於齊親弗少走去齊

之變（索隱曰變謂齊秦合則親弗呂禮用用則秦齊輕孟嘗也）齊無秦則天下集齊親弗必走則齊王孰與為其國也於是孟嘗君從其計而呂禮嫉害於孟嘗君孟嘗君懼乃遺秦相穰侯魏冉書曰吾聞秦欲以呂禮收齊齊天下之彊國也子必輕矣齊秦相取以臨三晉呂禮必并相矣是子通齊以重呂禮也若齊免於天下之兵其讎子必深矣子不如勸秦王伐齊齊破吾請以所得封子齊破秦畏晉之彊秦必重子以取晉晉國敝於齊而畏秦晉必重子以取秦是子破齊以為功挾晉以為重是子

破齊定封秦晉交重子若齊不破呂禮復用子必大窮於是穰侯言於秦昭王伐齊而呂禮亡後齊湣王滅宋益驕欲去孟嘗君孟嘗君恐乃如魏魏昭王以爲相西合於秦趙與燕共伐破齊齊湣王亡在莒遂死焉齊襄王立而孟嘗君中立爲諸侯無所屬齊襄王新立畏孟嘗君與連和復親薛文卒諡爲孟嘗君皇覽曰孟嘗君冢在魯國薛城中向門東向門出北邊門也詩云居常與許鄭玄曰常或作嘗在薛之南孟嘗邑於薛城○索隱曰孟嘗襲父封薛而號曰孟嘗君此云諡非也孟字嘗邑名嘗邑在薛之旁○正義曰括地志云孟嘗君墓在徐州滕縣五十二里卒在齊襄王之時也諸子爭立而齊魏共滅薛孟嘗絕嗣無後

正義傳舍下客所居

正義曰長鋏劍名

也初馮驩音歡復作煖音許袁反聞孟嘗君好客躡蹻而見之索隱曰屩音腳字亦作蹻又作僑孟嘗君曰先生遠辱何以教文也馮驩曰聞君好士以貧身歸於君孟嘗君置傳舍十日索隱曰傳音逐緣反按傳舍幸舍及代舍並當上中下三等之客所舍之名耳孟嘗君問傳舍長曰客何所為答曰馮先生甚貧猶有一劍耳又蒯緱蒯音苦怪反茅之類可為繩言其劍把無物可裝以小繩纏之也緱音侯亦作篌謂把劍之處○索隱曰蒯草名音蒯聵之蒯緱謂把劍之物言其劍無物可裝但以蒯繩纏之故云蒯緱也彈其劍而歌曰長鋏歸來乎食無魚孟嘗君遷之幸舍食有魚矣五日又問傳舍長答曰客復彈劍而歌曰長鋏歸來乎出無輿孟嘗君遷之

代舍出入乘輿車矣五日孟嘗君復問傳舍長舍長答曰先生又嘗彈劍而歌曰長鋏歸來乎無以為家孟嘗君不悅居朞年馮驩無所言孟嘗君時相齊封萬戶於薛其食客三千人邑入不足以奉客（正義曰奉符用反）使人出錢於薛歲餘不入貸錢者多不能與其息（索隱曰與猶還也息猶利也）客奉將不給孟嘗君憂之問左右何人可使收債於薛者傳舍長曰代舍客馮公形容狀貌甚辯長者無他伎（亦作技）能宜可令收債孟嘗君乃進馮驩而請之曰賓客不知文不肖幸臨文者三千餘人

邑入不足以奉賓客故出息錢於薛薛歲不入
民頗不與其息今客食恐不給願先生責之馮
驩曰諾辭行至薛召取孟嘗君錢者皆會得息
錢十萬乃多釀酒買肥牛召諸取錢者能與息
者皆來不能與息者亦來皆持取錢之券書合
之齊爲會日殺牛置酒酒酣乃持券如前合之
能與息者與爲期貧不能與息者取其券而燒
之曰孟嘗君所以貸錢者爲民之無者以爲本
業也所以求息者爲無以奉客也今富給者以
要期貧窮者燔券書以捐之諸君彊飲食有君

如此豈可負哉坐者皆起再拜孟嘗君聞馮驩燒券書怒而使使召驩驩至孟嘗君曰文食客三千人故貸錢於薛文奉邑少（索隱曰言文之奉邑少故人令出息於薛也）而民尚多不以時與其息客食恐不足故請先生收責之聞先生得錢即以多具牛酒而燒券書何馮驩曰然不多具牛酒即不能畢會無以知其有餘不足有餘者為要期不足者雖守而責之十年息愈多急即以逃亡自捐之若急終無以償上則為君好利不愛士民下則有離上抵負之名非所以厲士民彰君聲也焚無用虛

債之券捐不可得之虛計以薛民親君而彰君之善聲也君有何疑焉孟嘗君乃拊手而謝之齊王惑於秦楚之毀以為孟嘗君名高其主而擅齊國之權遂廢孟嘗君諸客見孟嘗君廢皆去馮驩曰借臣車一乘可以入秦者必令君重於國而奉邑益廣可乎孟嘗君乃約車幣而遣之馮驩乃西說秦王曰天下之游士馮軾結靷西入秦者無不欲彊秦而弱齊馮軾結靷東入齊者無不欲彊齊而弱秦此雄雌之國也勢不兩立為雄雄者得天下矣秦王跽而問之曰何

日裁字前異聲鎰注
國語二十四兩爲鎰
趙岐孟康皆曰二十
兩鄭玄曰二十兩

以彊秦無爲雌而可哉馮驩曰王亦知齊之廢孟嘗君乎秦王曰聞之馮驩曰使齊重於天下者孟嘗君也今齊王以毀廢之其心怨必背齊背齊入秦則齊國之情人事之誠盡委之秦齊地可得也豈直爲雄也君急使使載幣陰迎孟嘗君不可失時也如有齊覺悟復用孟嘗君則雌雄之所在未可知也秦王大悅乃遣車十乘黃金百鎰以迎孟嘗君馮驩辭以先行至齊說齊王曰天下之游士馮軾結靷東入齊者無不欲彊齊而弱秦者馮軾結靷西入秦者無不欲彊

此本十

秦而弱齊者矣夫秦齊雄雌之國秦強則齊弱矣
此勢不兩雄今臣竊聞秦遣使車十乘載黃金
百鎰以迎孟嘗君孟嘗君不西則已西入相秦
則天下歸之秦爲雄而齊爲雌雌則臨淄即墨
危矣王何不先秦使之未到復孟嘗君而益與
之邑以謝之孟嘗君必喜而受之秦雖彊國豈
可以請人相而迎之哉折秦之謀而絕其霸彊
之略哉齊王曰善乃使人至境候秦使秦使車適
入齊境使還馳告之王召孟嘗君而復其相位
而與其故邑之地又益以千戶秦之使者聞孟

孟嘗君傳

嘗君復相齊還車而去矣自齊王毀廢孟嘗君諸客皆去後召而復之馮驩迎之未到孟嘗君大息歎曰文常好客遇客無所敢失食客三千有餘人先生所知也客見文一日廢皆背文而去莫顧文者今賴先生得復其位客亦有何面目復見文乎如復見文者必唾其面而大辱之馮驩結轡下拜孟嘗君下車接之曰先生爲客謝乎馮驩曰非爲客謝也爲君之言失夫物有必至事有固然君知之乎孟嘗君曰愚不知所謂也曰生者必有死物之必至也富貴多士貧

賤寡矣事之固然也君獨不見夫朝趣市者乎索隱曰趣音娶趣向也又音趍明旦側肩爭門而入日暮之後過市朝者掉臂而不顧索隱曰過光卧反朝音潮市之行列有如朝位因言市朝云耳非好朝而惡暮所期物忘其中索隱曰期物謂入市心中所期之物利入平明側肩爭門而入至日暮所期忘其中云若無也其中市朝之中言日暮物盡故掉臂不顧也今君失位賓客皆去不足以怨士而徒絕賓客之路願君遇客如故孟嘗君再拜曰敬從命矣聞先生之言敢不奉教焉

太史公曰吾嘗過薛其俗閭里率多暴桀子弟與鄒魯殊問其故曰孟嘗君招致天下任俠姦

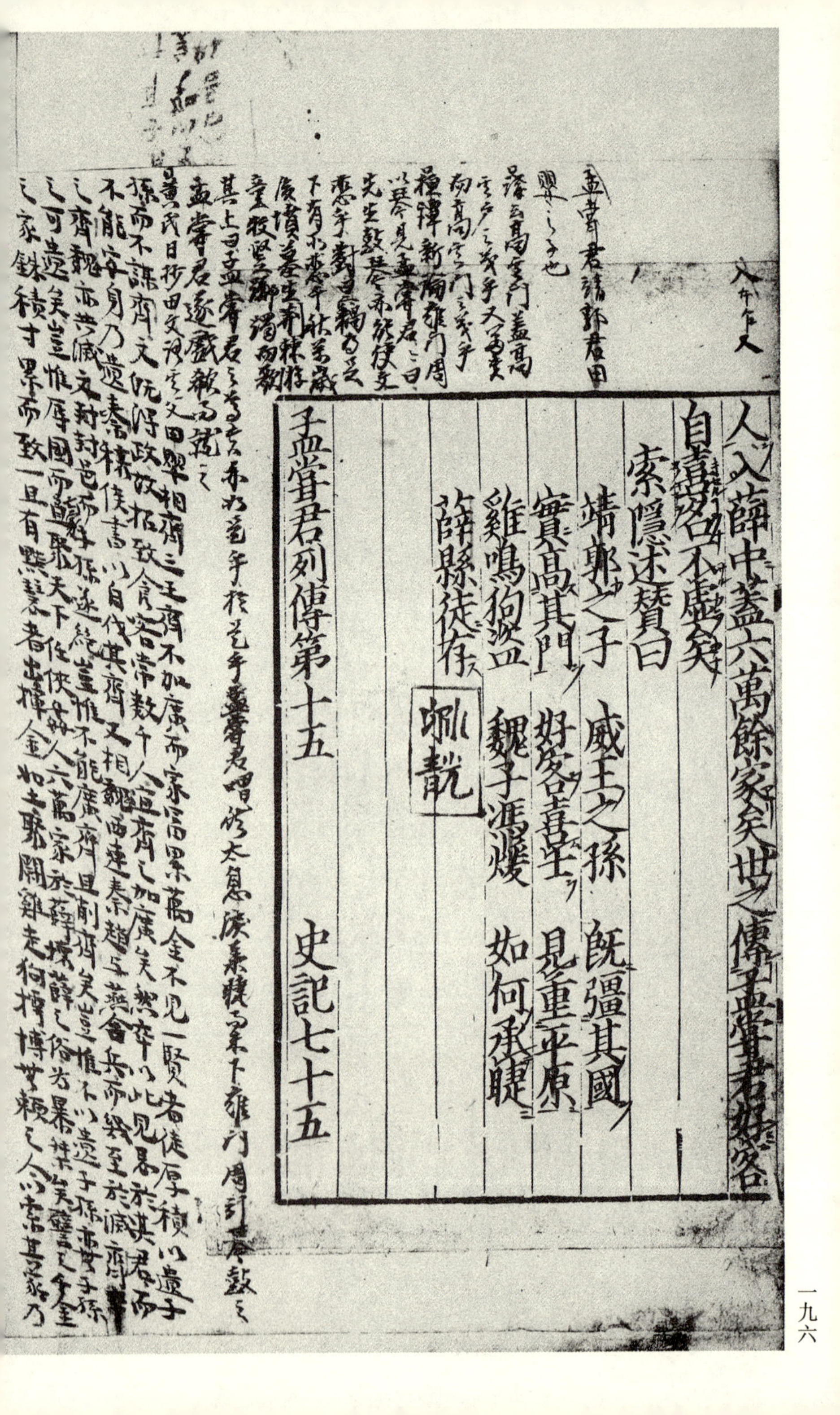

人入薛中蓋六萬餘家矣世之傳孟嘗君好客自喜名不虛矣

索隱述贊曰

靖郭之子　威王之孫　既彊其國

實高其門　好客喜士　見重平原

雞鳴狗盜　魏子馮煖　如何承睫

薛縣徒存

孟嘗君列傳第十五　史記七十五

賤實矣事之固然也君獨不見夫趣市者乎索隱曰趣音娶趣向也又音趨明旦側肩爭門而入日暮之後過市朝者掉臂而不顧索隱曰過光卧反朝音潮市之行列有如朝位因言市朝云耳非好朝而惡暮所期物忘其中索隱曰期物謂入市心中所期之物利以平明側肩爭門而入至日暮所期忘其中云者無也其中市朝之中言日暮物盡故掉臂不顧也今君失位賓客皆去不足以怨士而徒絕賓客之路願君遇客如故孟嘗君再拜曰敬從命矣聞先生之言敢不奉教焉

太史公曰吾嘗過薛其俗閭里率多暴桀子弟與鄒魯殊問其故曰孟嘗君招致天下任俠姦

人入薛中蓋六萬餘家矣世之傳孟嘗君好客自喜名不虛矣

索隱述贊曰

靖郭之子　威王之孫　既彊其國　實高其門　好客喜士　見重平原　雞鳴狗盜　魏子馮驩　如何承睫　薛縣徒存

孟嘗君列傳第十五　史記七十五

平原君虞卿列傳第十六　史記七十六

平原君趙勝者正義勝式證反趙之諸公子也徐廣曰魏公子傳曰趙惠文王弟諸子中勝最賢喜賓客賓客蓋至者數千人平原君相趙惠文王及孝成王三去相三復位封於東武城徐廣曰屬淸河○正義曰今貝州武城縣也平原君家樓臨民家民家有躄者槃散行汲散亦作跚○索隱曰上躄音壁下散音先寒反亦作姍音同○正義躄跛也平原君美人居樓上臨見大笑之明日躄者至平原君門請曰臣聞君之喜士士不遠千里而至者以君能貴士而賤妾也臣不幸有罷癃之病徐廣曰癃音隆癃病也○索隱曰罷音皮癃音呂宮反罷癃背疾言腰曲而背隆

癃高也而君之後宮臨而笑臣臣願得笑臣者頭平原君笑應曰諾躄者去平原君笑曰觀此豎子乃欲以一笑之故殺吾美人不亦甚乎終不殺居歲餘賓客門下舍人稍稍引去者過半平原君怪之曰勝所以待諸君者未嘗敢失禮而去者何多也門下一人前對曰以君之不殺笑躄者以君爲愛色而賤士士即去耳於是平原君乃斬笑躄者美人頭自造門進躄者因謝焉其後門下乃復稍稍來是時齊有孟嘗魏有信陵楚有春申故爭相傾以待士徐廣曰待一作得秦之圍

邯鄲[正義曰趙惠文王九年秦昭王十五年]趙使平原君求救合從於楚約與食客門下有勇力文武備具者二十人偕平原君曰使文能取勝則善矣文不能取勝則歃血於華屋之下必得定從而還士不外索取於食客門下足矣得十九人餘無可取者無以滿二十人門下有毛遂者前自贊於平原君曰遂聞君將合從於楚約與食客門下二十人偕不外索今少一人願君即以遂備員而行矣平原君曰先生處勝之門下幾年於此矣毛遂曰三年於此矣平原君曰夫賢士之處世也

譬若錐之處囊中其末立見今先生處勝之門下三年於此矣左右未有所稱誦勝未有所聞是先生無所有也先生不能先生留毛遂曰臣乃今日請處囊中耳使遂蚤得處囊中乃穎脫而出索隱曰鄭玄曰穎環也脫音吐活反非特其末見而已平原君竟與毛遂偕十九人相與目笑之而未發也索隱曰發一作廢鄭玄云皆目視而輕笑之未能即廢棄之也毛遂比至楚與十九人論議十九人皆服平原君與楚合從言其利害日出而言之日中不決十九人謂毛遂曰先生上毛遂按劍歷階而上謂平原君曰從之利害兩言

黄氏日抄平原君好客僅得一毛遂孟嘗君好客僅得一馮驩而二君者其始皆不能知之尚何以好客爲哉愚謂二君者不足以知二子而二子所以就之者以貧無聊如禄仕於亂世免一死而已其後因之而顯殆非二子初心所期也二君其亦幸而得此二子歟

而決耳今日出而言從日中不決何也楚王謂平原君曰客何爲者也平原君曰是勝之舍人也楚王叱曰胡不下吾乃與而君言汝何爲者也毛遂按劍而前曰王之所以叱遂者以楚國之衆也今十步之內王不得恃楚國之衆也王之命縣於遂手吾君在前叱者何也且遂聞湯以七十里之地王天下文王以百里之壤而臣諸侯豈其士卒衆多哉誠能據其勢而奮其威今楚地方五千里持戟百萬此霸王之資也以楚之彊天下弗能當白起小豎子耳率數萬之

平原君傳

衆興師以與楚戰一戰而舉鄢郢再戰而燒夷陵三戰而辱王之先人此百世之怨而趙之所羞而王弗知惡焉正義曰惡烏故反合從者爲楚非爲趙也吾君在前叱者何也楚王曰唯唯誠若先生之言謹奉社稷而以從毛遂曰從定乎楚王曰定矣毛遂謂楚王之左右曰取雞狗馬之血來索隱曰盟之所用牲貴賤不同天子用牛及馬諸侯以犬及豭大夫已下用雞今此總言盟之用血故云取雞狗馬之血來耳毛遂奉銅盤索隱曰奉音捧若周禮則用珠盤也而跪進之楚王曰王當歃血而定從次者吾君次者遂遂定從於殿上毛遂左手持盤血而右手招十九人曰

公相與歃此血於堂下索隱曰歃音所甲反公等錄錄音祿○索隱曰音六王劭云錄借字耳又說文云錄錄隨從之貌也所謂因人成事者也

平原君已定從而歸歸至於趙曰勝不敢復相士勝相士多者千人寡者百數自以爲不失天下之士今乃於毛先生而失之也毛先生一至楚而使趙重於九鼎大呂索隱曰九鼎大呂國之寶器言毛遂至楚使趙重於九鼎大呂謂爲天子所重也○正義曰大呂周廟大鍾毛先生以三寸之舌彊於百萬之師勝不敢復相士遂以爲上客平原君既返趙楚使春申君將兵赴救趙魏信陵君亦矯奪晉鄙軍往救趙皆未至秦急圍邯鄲邯

鄲急且降平原君甚患之邯鄲傳舍吏子李同說平原君曰君不憂趙亡邪平原

正義曰名談太史公諱改也

君曰趙亡則勝爲虜何爲不憂乎李同曰邯鄲之民炊骨易子而食可謂急矣而君之後宮以百數婢妾被綺縠餘粱肉而民褐衣不完糟糠不厭民困兵盡或剡木爲矛矢而君器物鍾磬自若使秦破趙君安得有此使趙得全君何患無有今君誠能令夫人以下編於士卒之閒分功而作家之所有盡散以饗士士方其危苦之時易德耳

正義曰言士方危苦之時易有恩德

於是平原君從之得

公相與歃此血於堂下索隱曰歃音所甲反公等録録音禄○索隱曰音六王劭云録借字耳又說文云録録隨從之貌也所謂因人成事者也平原君已定從而歸歸至於趙曰勝不敢復相士勝相士多者千人寡者百數自以爲不失天下之士今乃於毛先生而失之也毛先生一至楚而使趙重於九鼎大呂索隱曰九鼎大呂國之寶器言毛遂至楚使趙重於九鼎大呂謂爲天子所重也○正義曰大呂周廟大鍾毛先生以三寸之舌彊於百萬之師勝不敢復相士遂以爲上客平原君既返趙楚使春申君將兵赴救趙魏信陵君亦矯奪晉鄙軍往救趙皆未至秦急圍邯鄲邯

鄲急且降平原君甚患之邯鄲傳舍吏子李同正義曰名談太史公諱改也說平原君曰君不憂趙亡邪平原君曰趙亡則勝爲虜何爲不憂乎李同曰邯鄲之民炊骨易子而食可謂急矣而君之後宮以百數婢妾被綺縠餘粱肉而民褐衣不完糟糠不厭民困兵盡或剡木爲矛矢而君器物鐘磬自若使秦破趙君安得有此使趙得全君何患無有今君誠能令夫人以下編於士卒之間分功而作家之所有盡散以饗士士方其危苦之時易德耳正義曰言士方危苦之時易有恩德於是平原君從之得

平原君傳

趙用莊孫廣曰隱書作談字

後語作弓矢盧曰史記作矛矢按易曰弦木為弧剡木為矢剡制也弓矢不當称剡弓矛字相類矛為是也剡音弃冉也

且本作曰王趙王也

敢死之士三千人李同遂與三千人赴秦軍秦軍為之却三十里亦會楚魏救至秦兵遂罷邯鄲復存李同戰死封其父為李侯徐廣曰河内城皐有李城○正義曰懷州温縣本李城也李同父所封隋煬帝從故温城移縣於此虞卿欲以信陵君之存邯鄲為平原君請封公孫龍聞之夜駕見平原君曰龍聞虞卿欲以信陵君之存邯鄲為君請封有之乎平原君曰然龍曰此甚不可且王舉君而相趙者非以君之智能為趙國無有也割東武城而封君者非以君為有功也而以國人無勲乃以君為親戚故也君受相印不辭無

能割地一言無功者亦自以為親戚故也今信陵君存邯鄲而請封是親戚受城而國人計功也〔徐廣曰一本是親戚受城而以國許人〕此甚不可且虞卿操其兩權事成操右券以責〔索隱曰言虞卿論平原君取封事成則操其右券以責其報德也〕事不成以虛名德君君必勿聽也平原君遂不聽

虞卿平原君以趙孝成王十五年卒〔索隱曰六國年表及世家並云十四年卒與此不同〕子孫代後竟與趙俱亡平原君厚待公孫龍公孫龍善為堅白之辯及鄒衍過趙〔索隱曰過音戈〕言至道乃絀公孫龍〔劉向別錄曰齊使鄒衍過趙平原君見公孫龍及其徒綦毋子之屬論白馬非馬之辯以問鄒子鄒子曰不可彼天下之辯有五勝三至而辭正為下辯者別殊類使不相害〕

平原君傳

序異端使不相亂杼意通指明其所謂使人與知焉不務相迷也故勝者不失其所守不勝者得其所求若是故辯可爲也及至煩文以相假飾辭以相惇巧譬以相移引人聲使不得及其意如此害大道夫繳紛爭言而競後息不能無害君子坐皆稱善○索隱曰杼音墅杼者舒也繳音[illegible]糾謂繳繞紛亂爭言而競後息不能無害也

虞卿者游說之士也躡蹻檐簦徐廣曰蹻草履也簦長柄笠音登笠有柄者謂之簦索隱曰蹻音脚說趙孝成王一見賜黃金百鎰白璧一雙再見爲趙上卿故號爲虞卿譙周曰食邑於虞○索隱曰趙之虞在河東太陽縣今之虞鄉縣是也秦趙戰於長平趙不勝亡一都尉趙王召樓昌與虞卿曰軍戰不勝尉復死徐廣曰復一作係寡人使束甲而趨之何如樓昌曰無益也不如發重使爲媾古后反求和曰媾○索隱曰按媾亦講講亦和也虞

卿曰畢言媾者以為不媾軍必破也而制媾者在秦且王之論秦也欲破趙之軍乎不邪王曰秦不遺餘力矣必且欲破趙軍虞卿曰王聽臣發使出重寶以附楚魏楚魏欲得王之重寶必內吾使趙使入楚魏秦必疑天下之合從且必恐如此則媾乃可為也趙王不聽與平陽君為媾發鄭朱入秦秦內之趙王召虞卿曰寡人使平陽君為媾於秦秦已內鄭朱矣卿以為奚如虞卿對曰王不得媾軍必破矣天下賀戰勝者皆在秦矣鄭朱貴人也入秦秦王與應侯必顯

平陽君白起傳正義曰趙惠家之封趙豹為王平陽故城在相州臨漳縣西二十五里

通鑑云應侯果顯鄭朱而不與趙媾胡曰史言趙之喪師蹙國不特以趙括代廉頗之故亦由不用虞卿之計也

五六城一本无 私曰以五六城賂天下則無失利又攻秦得之則償其失也

重以示天下楚魏以趙爲媾必不救王秦知天下不救王則媾不可得成也應侯果顯鄭朱以示天下賀戰勝者終不肯媾長平大敗遂圍邯鄲爲天下笑秦既解邯鄲圍而趙王入朝使趙郝（音釋 徐廣曰一作赦）約事於秦割六縣而媾虞卿謂趙王曰秦之攻王也倦而歸乎王以其力尚能進愛王而弗攻乎王曰秦之攻我也不遺餘力矣必以倦而歸也虞卿曰秦以其力攻其所不能取倦而歸王又以其力之所不能取以送之是助秦自攻也來年秦復攻王王無救矣王以虞

王下 乙

卿之言𢇛趙郝趙郝曰虞卿誠能盡秦力之所
至乎誠知秦力之所不能進此彈丸之地弗予
令秦來年復攻王王得無割其內而媾乎王曰
請聽子割矣子能必使來年秦之不復攻我乎
趙郝對曰此非臣之所敢任也他日三晉之交
於秦相善也今秦善韓魏而攻王王之所以事
秦必不如韓魏也今臣爲足下解負親之攻
臣爲足下解其負擔而親自攻之也開關通幣齊交韓魏至來年而
王獨取攻於秦此王之所以事秦必在韓魏之
後也此非臣之所敢任也王以告虞卿虞卿對

曰郝言不媾來年秦復攻王王得無割其內而
媾乎今媾郝又以不能必秦之不復攻也今雖
割六城何益來年復攻又割其力之所不能取
而媾此自盡之術也不如無媾秦雖善攻不能
取六縣趙雖不能守終不失六城秦倦而歸兵
必罷我以六城收天下以攻罷秦是我失之於
天下而取償於秦也吾國尚利孰與坐而割地
自弱以彊秦哉今郝曰秦善韓魏而攻趙者必
以爲韓魏不救趙也而王之軍必孤有以王之
事秦不如韓魏也是使王歲以六城事秦也即

坐而城盡來年秦復求割地王將與之乎弗與是棄前功而挑秦禍也與之則無地而給之語曰彊者善攻弱者不能守今坐而聽秦秦兵不獘而多得地是彊秦而弱趙也以益彊之秦而割愈弱之趙其計故不止矣且王之地有盡而秦之求無已以有盡之地而給無已之求其勢必無趙矣趙王計未定樓緩從秦來趙王與樓緩計之曰予秦地何如毋予孰吉緩辭讓曰此非臣之所能知也王曰雖然試言公之私（索隱曰按私謂私心也）樓緩對曰王亦聞夫公甫文伯母乎（正義

盧曰相室助行礼者 盧曰使毋知子則爲賢母若人死有婦人爲自殺而妻不哭者亦知雖同則人謂之妬妻 師說秘本無上之二字 爲爲秦

公甫文伯歜歜音昌欲反於欲歜字母韻色極切人名戰國策有歜歜又歜韻又上色感歜歜徂感切

昌蒲菹左傳享之昌歜

左傳姆乳母上也姚穀梁切女師鄭康成曰婦人五十無子出不復嫁以婦道教人若今時乳母也

曰季康子從祖母文伯名歜康子從父昆弟

公甫文伯仕於魯病死女子爲自殺於房中者二人其母聞之弗哭也其相室曰正義曰謂傅姆之類也焉有子死而弗哭者乎其母曰孔子賢人也逐於魯而是人不隨也今死而婦人爲之自殺者二人若是者必其於長者薄而於婦人厚也故從母言之是爲賢母從妻言之是必不免爲妬妻故其言一也言出者異則人心變矣今臣新從秦來而言勿予則非計也言予之恐王以臣爲爲秦也故不敢對使臣得爲大王計不如予之王曰諾虞卿聞之入見王王曰

此飾說也王眘徐廣曰音愼勿予樓緩聞之往見王王又以虞卿之言告樓緩樓緩對曰不然虞卿得其一不得其二夫秦趙構難而天下皆說何也曰吾且因彊而乘弱矣今趙兵困於秦天下之賀戰勝者則必盡在於秦矣故不如亟割地爲和以疑天下而慰秦之心不然天下將因秦之彊怒乘趙之獘瓜分之趙且亡何秦之圖乎故曰虞卿得其一不得其二願王以此決之勿復計也虞卿聞之往見王曰危哉樓子之所以爲秦者是愈疑天下而何慰秦之心哉獨不言

口通鑑五卷注從秦為媾云云 胡三省注媾音候翻 說文媾重婚也 引易匪寇婚媾 媾夫已婚而夫妻反目而不和 既而復和者為媾 此言秦趙為寇讎而交兵 至今而復和 故以媾為言也 重直龍翻

通鑑卷言第一深讎也
胡云秦與齊容翻齊月
自燕滑以來親楚之
的讎秦宣嘗奇孝公
澤伯從伐秦者致
公滑從已同
通鑑王失之云云 胡云
言趙東既不賂齊
而能攻秦索取之地
以償所失
口通鑑王一舉云云 胡
注秦與韓魏使享
秦趙結韓魏使親
趙是與秦易道易
音知字

其示天下弱乎且臣言易勿予者非固勿予而已
也秦索六城於王而王以六城賂齊齊有秦之深
讎也得王之六城并力西擊秦齊之聽王不待
辭之畢也則是王失之於齊而取償於秦也而
齊趙之深讎可以報矣而示天下有能為也王
以此發聲兵未窺於境臣見秦之重賂至趙而
反媾於王也從秦為媾韓魏聞之必盡重王重
王必出重寶以先於王則是王一舉而結三國
之親而與秦易道也正義曰前取秦攻今得賂是易道也易音亦趙王曰
善則使虞卿東見齊王與之謀秦虞卿未返秦

通鑑卷六[illegible]趙矣
胡注求和於趙也

平原君傳

使者已在趙矣樓緩聞之亡去趙於是封虞卿以一城居頃之而魏請爲從趙孝成王召虞卿謀過平原君（索隱曰過音戈）平原君曰願卿之論從也虞卿入見王王曰魏請爲從對曰魏過（光卧反）王曰寡人固未之許對曰王過王曰魏請從卿曰魏過寡人未之許又曰寡人過然則從終不可乎對曰臣聞小國之與大國從事也有利則大國受其福有敗則小國受其禍今魏以小國請其禍而王以大國辭其福臣故曰王過魏亦過竊以爲從便王曰善乃合魏爲從虞卿既以魏

魏齊[illegible]
[illegible]

[illegible]
因利獨虞卿始終事趙專持從說觀其趙秦魏之急指相印去万戸而不顧此義俠之士非說客也太史公記
虞卿事趙謀事皆秦破長平後而卿為魏齊弃相走大梁則前此矣意者魏齊亞卿自梁還復相趙太史失不
之耳言

齊之故，不重萬戶侯卿相之印，與魏齊閒行，卒去趙，困於梁。魏齊已死，不得意，乃著書，索隱曰：魏齊魏相，與應侯有仇，秦求之急，乃抵虞卿，虞卿棄相印，乃與魏齊閒行，亡歸梁，以託信陵君，信陵君疑未決，魏齊自殺，故虞卿失相，乃窮愁而著書也。上採春秋，下觀近世，曰節義、稱號、揣摩、政謀，凡八篇。以刺譏國家得失，世傳之曰虞氏春秋。正義曰：藝文志云十五篇。

太史公曰：平原君，翩翩濁世之佳公子也，然未睹大體。鄙語曰「利令智昏」，平原君貪馮亭邪說，使趙陷長平兵四十餘萬衆，邯鄲幾亡。集解譙周曰：長平之陷，乃趙王信閒易將之咎，何必平原受馮亭哉。虞卿料事揣情，為趙畫策，

何其工也及不忍魏齊卒困於大梁庸夫且知其不可況賢人乎然虞卿非窮愁亦不能著書以自見於後世云

索隱述贊曰

翩翩公子　天下奇器　笑姬從戮

義士增氣　兵解李同　盟定毛遂

虞卿躡蹻　受賞料事　乃困魏齊

著書恧意

平原君虞卿列傳第十六　史記七十六

趙王封虞卿職一

平原君之美人也

太史公語也

黃氏日抄云徐氏乃遠色固尊賢之道也平原君以賓客稍引去乃斬笑躄者美人頭雖曰人情所難然已甚矣邯鄲之急得毛遂以合楚之從得李同首奮死士以須楚魏之救邯鄲之獲全固平原君力也然向使不受上黨之嫁禍則趙必無長平之敗亦必無邯鄲之圍平原之功於是不足贖誤國之罪矣太史公謂使趙陷長平兵四十餘萬邯鄲幾亡非欲而議圍乃啟長平之陷易將之咎何怨平原以感也秦攻長平虞卿勸趙附楚魏以和秦而後秦可和趙不聽故秦卒不和而趙大敗其後趙將割六城予秦虞卿使於齊以謀秦而秦反和趙及魏欲與趙約從則虞卿勸成之虞卿無言不效無謀不忠大略啟於結和邯鄲以自重而使秦反輕此豈當不易之說也與一時東西捭闔之士異矣卒棄趙卿相而與故交魏齊偕困大梁以著虞氏春秋其必有決烈之見而豈其愚也哉

齊之故不重萬戶侯卿相之印與魏齊閒行卒去趙困於梁魏齊已死不得意乃著書索隱曰魏齊魏相與應侯有仇秦求之急乃抵虞卿虞卿弃相印乃與魏齊閒行亡歸梁以託信陵君信陵君疑未決齊自殺故虞卿失相乃窮愁而著書也上採春秋下觀近世曰節義稱號揣摩政謀凡八篇以刺譏國家得失世傳之曰虞氏春秋正義曰藝文志云十五篇

太史公曰平原君翩翩濁世之佳公子也然未睹大體鄙語曰利令智昏平原君貪馮亭邪說使趙陷長平兵四十餘萬衆邯鄲幾亡譙周曰長平之陷乃趙王信閒易將之咎何怨平原受馮亭哉虞卿料事揣情爲趙畫策

何其工也。及不忍魏齊，卒困於大梁，庸夫且知其不可，況賢人乎？然虞卿非窮愁，亦不能著書以自見於後世云。

索隱述贊曰：翩翩公子，天下奇器。笑姬從戮，義士增氣。兵解李同，盟定毛遂。虞卿躡蹻，受賞料事。乃困魏齊，著書見意。

平原君虞卿列傳第十六　史記七十六

大史公語也
鬱武曰按云淺而遠
色固尊賢之道也
平原君以賓客稍
引去乃斬笑躄者
美人頭雖曰人情所
難然已甚矣邯鄲
之急得毛遂以合
楚之從得李同
募敢死士以須楚魏
之救邯鄲之獲全固平原君力也然向使不貪上黨之嫁禍則趙必無長平之敗亦必無邯
鄲之圍平原之功於是不足贖誤國之罪矣太史公謂使趙陷長平兵四十餘萬
邯鄲幾亡非狡而薄圍乃稱長平之陷易將之非何哉平原呼何感也
秦敗長平虞卿勸趙附楚魏以和秦而後秦可和趙不聽故秦卒不和而趙大
敗其後趙將割六城予秦虞卿使於齊以謀秦而秦反和趙及魏欲與趙約從
則卿亟勸成之卿無一言不効無一謀不忠大略啟於結和郡國以自重而使秦反韓
卅至當不易之說也與一時東西捭闔之士異矣至棄趙卿相而與故交魏齊偕困
大梁以著虞氏春秋其必有決烈之見而豈其思也哉

信陵君列傳第十七　史記七十七

魏公子無忌者魏昭王少子而魏安釐王異母弟也昭王薨安釐王即位封公子爲信陵君［索隱曰地理志無信陵或曰是鄉邑名］是時范雎亡魏相秦以怨魏齊故秦兵圍大梁破魏華陽下軍走芒卯魏王及公子患之公子爲人仁而下士士無賢不肖皆謙而禮交之不敢以其富貴驕士士以此方數千里爭往歸之致食客三千人當是時諸侯以公子賢多客不敢加兵謀魏十餘年公子與魏王博而北境傳舉烽言趙寇至且入界

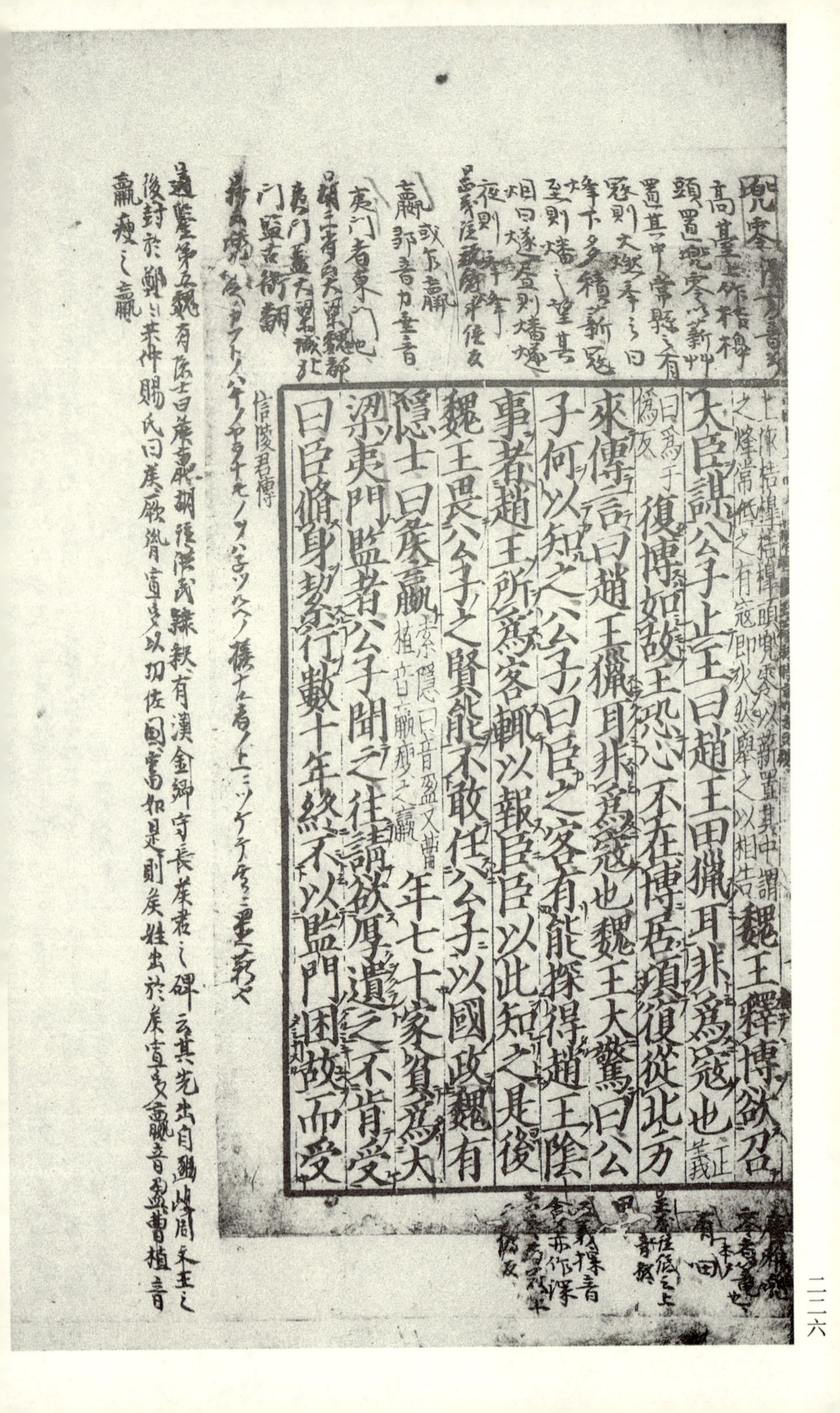

上傳桔槹桔槹頭兜零以薪置其中謂之烽常低之有寇卽火然舉之以相告

魏王釋博欲召大臣謀公子止王曰趙王田獵耳非爲寇也正義曰爲于僞反復博如故王恐心不在博居頃復從北方來傳言曰趙王獵耳非爲寇也魏王大驚曰公子何以知之公子曰臣之客有能探得趙王陰事者趙王所爲客輒以報臣臣以此知之是後魏王畏公子之賢能不敢任公子以國政魏有隱士曰侯嬴索隱嬴音盈又曹植音嬴瘦之嬴年七十家貧爲大梁夷門監者公子聞之往請欲厚遺之不肯受曰臣脩身絜行數十年終不以監門困故而受

信陵君傳

通鑑云家朱亥胡云姓譜朱本高陽周封其後於邾後為楚所滅子孫乃去邑氏朱

通鑑侯生攝敝衣冠直上載公子上坐不讓公子執轡愈恭胡注上坐尊坐

屢左虛左以待賢也

通鑑公子從車騎云云胡云古者乘車尊者在左虛左以迎尊賢

左曰車中上左為貴也

正義曰列士傳云秦召公子無忌不行使朱亥奉璧一雙詣秦秦王大怒將朱亥著虎圈中亥瞋目視虎眥裂血濺虎終不敢動

正義曰剕遁云殺人矣

公子財公子於是乃置酒大會賓客坐定公子從車騎虛左自迎夷門侯生侯生攝敝衣冠直上載公子上坐不讓欲以觀公子公子執轡愈恭侯生又謂公子曰臣有客在市屠中願枉車騎過之公子引車入市侯生下見其客朱亥俾倪索隱曰俾音普計反倪音五計反鄒誕生俾音丕未反倪音五弟反○正義曰不正視也故久立與其客語微察公子公子顏色愈和當是時魏將相宗室賓客滿堂待公子舉酒市人皆觀公子執轡從騎皆竊罵侯生侯生視公子色終不變乃謝客就車至家公子引侯生坐上坐徧贊賓

信陵君傳

客。〔索隱曰徧贊曰徧告也 謂以侯生徧告賓客〕賓客皆驚。酒酣，公子起為壽侯生前。侯生因謂公子曰：今日嬴之為公子亦足矣。〔徐廣曰為一作僅〕嬴乃夷門抱關者也，而公子親枉車騎，自迎嬴於衆人廣坐之中，不宜有所過。今公子故過之。然嬴欲就公子之名，故久立公子車騎市中，過客以觀公子，公子愈恭。市人皆以嬴為小人，而以公子為長者能下士也。於是罷酒，侯生遂為上客。侯生謂公子曰：臣所過屠者朱亥，此子賢者，世莫能知，故隱屠閒耳。公子往數請之，朱亥故不復謝，公子怪之。魏安釐王二十年秦昭王已破趙長平軍又進兵圍邯鄲公子姊爲趙惠文王弟平原君夫人數遺魏王及公子書請救於魏魏王使將軍晉鄙索隱曰魏將姓名將十萬衆救趙秦王使使者告魏王曰吾攻趙旦暮且下而諸侯敢救者已拔趙必移兵先擊之魏王恐使人止晉鄙留軍壁鄴名爲救趙實持兩端以觀望平原君使者冠蓋相屬於魏讓魏公子曰勝所以自附爲婚姻者以公子之高義爲能急人之困今邯鄲旦暮降秦而魏救不至安在公子能急人之困也且公子縱輕

勝棄之降秦獨不憐公子姊邪公子患之數請魏王及賓客辯士說王萬端魏王畏秦終不聽公子公子自度終不能得之於王計不獨生而令趙亡乃請賓客約車騎百餘乘欲以客往赴秦軍與趙俱死行過夷門見侯生具告所以欲死秦軍狀辭決而行侯生曰公子勉之矣老臣不能從公子行數里心不快曰吾所以待侯生者備矣天下莫不聞今吾且死而侯生曾無一言半辭送我我豈有所失哉復引車還問侯生侯生笑曰臣固知公子之還也曰公子喜士名

聞天下今有難無他端而欲赴秦軍譬若以肉投餒虎何功之有哉尚安事客然公子遇臣厚公子往而臣不送以是知公子恨之復返也公子再拜因問侯生乃屏人閒語（索隱曰閒音閑謂靜語也）曰嬴聞晉鄙之兵符常在王臥內而如姬最幸出入王臥內力能竊之嬴聞如姬父為人所殺如姬資之三年（索隱曰舊解資之三年謂服齊衰也今按資者畜也謂欲為父復讎之資畜於心已得三年也）自王以下欲求報其父仇莫能得如姬為公子泣公子使客斬其仇頭敬進如姬如姬之欲為公子死無所辭顧未有路耳公子誠一開口請

如姬。如姬必許諾，則得虎符奪晉鄙軍，北救趙而西卻秦，此五霸之伐也。公子從其計，請如姬。如姬果盜晉鄙兵符與公子。公子行，侯生曰：將在外，主令有所不受，以便國家。公子即合符，而晉鄙不授公子兵而復請之，事必危矣。臣客屠者朱亥可與俱，此人力士。晉鄙聽，大善；不聽，可使擊之。於是公子泣。侯生曰：公子畏死邪？何泣也？公子曰：晉鄙嚄唶（上音烏百反，下音莊白反。○索隱曰：嚄唶謂多詞句也。○正義曰：聲類云：嚄，大笑；唶，大呼。）宿將，往恐不聽，必當殺之，是臣泣耳，豈畏死哉？於是公子請朱亥。朱亥笑曰：臣乃市井

符信也，輔也，所以輔信。古者以竹為之，故字從竹。後世詐偽蜂起，以竹易得之物不足為之防，於是有銅鐵金銀鑄為物象而用之。漢文帝初与郡国為銅虎符、竹使符。應劭曰：銅虎符長六寸，第一至五，国家發兵遣使至郡合符，符合乃聽受之。竹使符以竹箭五枚，長五寸，亦鐫篆書，曰亦一至五，出入徵發用之。張晏曰：符以代古之珪璋，從簡易也。師古曰：与郡国為符，各分一半，右留京師，左以与之。此漢制也。唐高祖入長安，罷隋竹使符，班銀菟符，其後改為銅魚符、木契。朝廷徵發，下敕書曰契魚，都督郡府參驗皆合，然後遣之。

鼓刀屠者而公子親數存之所以不報謝者以
爲小禮無所用今公子有急此乃臣效命之秋
也遂與公子俱公子過謝侯生侯生曰臣宜從
老不能請數公子行日以至晉鄙軍之日北鄉
自剄以送公子公子遂行至鄴矯魏王令代晉
鄙晉鄙合符疑之舉手視公子曰今吾擁十萬
之衆屯於境上國之重任今單車來代之何如
哉欲無聽朱亥袖四十斤鐵椎椎殺晉鄙公子
遂將晉鄙軍勒兵下令軍中曰父子俱在軍中
父歸兄弟俱在軍中兄歸獨子無兄弟歸養得

選兵八萬人進兵擊秦軍秦軍解去遂救邯鄲存趙趙王及平原君自迎公子於界平原君負韊矢（呂忱曰韊盛弩矢○索隱曰韊音蘭謂以盛矢如今之胡簏而短也呂姓忱名作字林者）爲公子先引趙王再拜曰自古賢人未有及公子者也當此之時平原君不敢自比於人公子與侯生決至軍侯生果北鄉自剄魏王怒公子之盜其兵符矯殺晉鄙公子亦自知也已卻秦存趙使將將其軍歸魏而公子獨與客留趙趙孝成王德公子之矯奪晉鄙兵而存趙乃與平原君計以五城封公子公子聞之意驕矜而有自功

之色。客有說公子曰：物有不可忘，或有不可不忘。夫人有德於公子，公子不可忘也；公子有德於人，願公子忘之也。且矯魏王令，奪晉鄙兵以救趙，於趙則有功矣，於魏則未爲忠臣也。公子乃自驕而功之，竊爲公子不取也。於是公子立自責，似若無所容者。趙王埽除自迎，執主人之禮，引公子就西階。公子側行辭讓，從東階上。禮記曰：主人就東階，客就西階。客若降等，則就主人之階。自言辠過，以負於魏，索隱曰：負音佩。無功於趙。趙王侍酒至暮，口不忍獻五城，以公子退讓也。公子竟留趙。趙王以鄗爲公子湯沐邑〔索隱曰鄗音臛鄗趙邑名屬常山〕魏亦復以信陵奉公子公子留趙公子聞趙有處士毛公藏於博徒薛公藏於賣漿家〔徐廣曰漿或作醪○索隱曰徐按別錄云也〕公子欲見兩人兩人自匿不肯見公子公子聞所在乃閒步往從此兩人游甚歡平原君聞之謂其夫人曰始吾聞夫人弟公子天下無雙今吾聞之乃妄從博徒賣漿者游公子妄人耳夫人以告公子公子乃謝夫人去曰始吾聞平原君賢故負魏王而救趙以稱平原君平原君之游徒豪舉耳〔索隱曰謂豪家丹舉之舉亦音據也〕不求士也無忌自在大梁時常聞

信陵君傳

呂三、音通鑑韓揆一巻、公子所以重於諸侯者、以有魏也。又陸釋文曰：重直用切。以後本同。余按文義、此の輕重之重、音直隴翻。若音直用翻の乗、三之義考經典釋文可見。

呂通鑑一巻、公子所以重於諸侯者、徒以有魏也。胡注陳曰：重直用切。余按文義、當音輕重之重、呂發從實也、又作之。

此兩人賢，至趙，恐不得見。以無忌從之游，尚恐其不我欲也。今平原君乃以為羞，其不足從游。乃裝為去。夫人具以語平原君。平原君乃免冠謝，固留公子。平原君門下聞之，半去平原君歸公子，天下士復往歸公子，公子傾平原君客。公子留趙十年不歸。秦聞公子在趙，日夜出兵東伐魏。魏王患之，使使往請公子。公子恐其怒之，乃誡門下：有敢為魏王使通者，死。賓客皆背魏之趙，莫敢勸公子歸。毛公、薛公兩人（索隱曰：史失其名）往見公子曰：公子所以重於趙，名聞諸侯者，徒以

呂通鑑為裝、殺云胡注、為杜氏所為、行世衣也。

信陵君傳

有魏也今秦攻魏魏急而公子不恤使秦破大梁而夷先王之宗廟公子當何面目立天下乎語未及卒公子立變色告車趣駕歸救魏魏王見公子相與泣而以上將軍印授公子公子遂將魏安釐王三十年公子使使徧告諸侯諸侯聞公子將各遣將將兵救魏公子率五國之兵破秦軍於河外走蒙驁遂乘勝逐秦軍至函谷關抑秦兵索隱曰抑音憶謂以兵威逆之秦兵不敢出當是時公子威振天下諸侯之客進兵法公子皆名之故世俗稱魏公子兵法劉歆七略有魏公子兵法二十一篇圖七卷○索隱曰公子所得進

……不可取於鬼神……不可驗於度……必取於人

知敵之情者也故用間有五有因間有內間有反間有死間有生間五間俱起

莫知其道是謂神紀人君之寶也……因間者因其鄉人而用之內間者因其官人

而用之反間者因其敵間而用之死間者爲誑事於外令吾間知之而傳於敵間也

生間者反報也故三軍之事莫親於間賞莫厚於間事莫密於間非聖智不能用間非仁義不能使

間非微妙不能得間之實微哉微哉無所不用間也

晉鄙爲公子所殺故求其客以令毀公子也

反間太平御覽二百九十曰用間有五因間內間反間死間生間反間者因其敵間而用之者也……[illegible]曰言敵使人來候我佯不知而示以虛事……期會使歸相語是故曰反間也

兵法而必稱其名以信其好也

秦王患之乃行金萬斤於魏求晉鄙客令毀公子於魏王曰公子亡在外十年矣今爲魏將諸侯將皆屬諸侯徒聞魏公子不聞魏王公子亦欲因此時定南面而王諸侯畏公子之威方欲共立之秦數使反間僞賀公子得立爲魏王未也魏王日聞其毀不能不信後果使人代公子將公子自知再以毀廢乃謝病不朝與賓客爲長夜飲飲醇酒多近婦女日夜爲樂飲者四歲竟病酒而卒其歲魏安釐王亦薨秦聞公子死使蒙驁攻魏拔二十城初置東郡

將

昌蕃四年信陵君死當秦始皇四年

病酒而卒

正義曰魏安釐王……

其後秦稍蠶食魏十八歲而虜魏王屠大梁索隱曰魏王名假高祖始微少時數聞公子賢及即天子位每過大梁常祠公子高祖十二年從擊黥布還爲公子置守冢五家世世歲以四時奉祠公子

太史公曰吾過大梁之墟求問其所謂夷門夷門者城之東門也天下諸公子亦有喜士者矣然信陵君之接巖穴隱者不恥下交有以也名冠諸侯不虚耳高祖每過之而令民奉祠不絕也

索隱述贊曰

信陵下士，鄰國相傾。以公子故，不敢加兵。頗知朱亥，盡禮侯嬴。遂却晉鄙，終辭趙城。毛薛見重，萬古希聲。

信陵君列傳第十七　史記七十七

楚世家曰考烈王元索隱曰系本作完今是爲宗非也

秦昭王閉懷王於武関之事見于楚世家也

春申君列傳第十八　史記七十八

春申君者楚人也名歇姓黄氏游學博聞事楚頃襄王（索隱曰名横考烈王完之父）頃襄王以歇爲辯使於秦秦昭王使白起攻韓魏敗之於華陽禽魏將芒卯韓魏服而事秦秦昭王方令白起與韓魏共伐楚未行而楚使黄歇適至於秦聞秦之計當是之時秦已前使白起攻楚取巫黔中之郡拔鄢郢東至竟陵（正義曰竟陵屬江夏郡也）楚頃襄王東徙治於陳縣（正義曰今陳州也）黄歇見楚懷王之爲秦所誘而入朝遂見欺留死於秦頃襄王其子也秦輕之

恐壹舉兵而滅楚敵乃上書說秦昭王曰天下莫彊於秦楚今聞大王欲伐楚此猶兩虎相與鬬兩虎相與鬬而駑犬受其獘索隱曰謂兩虎閒乃受弊於駑犬劉氏云受猶承也不如善楚臣請言其說臣聞物至則反冬夏是也正義曰至極也極則反也冬至陰之極夏至陽之極致至則危徐廣曰至或作安累碁是也今大國之地徧天下有其二垂正義曰言極東西此從生民已來萬乘之地未嘗有也先帝文王莊王之身三世不忘接地於齊以絕從親之要索隱曰音腰以言山東從韓魏是其要脊今王使盛橋守事於韓索隱曰秦使盛橋守事於韓亦如楚使召滑相趙然也並內行章義之難盛橋以其地

楚之懷王—頃襄王—考烈王

葉歌書者所上秦昭王也然則先帝文王莊王指誰乎秦昭王之子楚之頃襄王同時者[illegible]

始皇時六十餘年葉歌書中及始皇弟之事未詳也

△秦惠文王元

	一	二	三	四	五	六	七	八
1	二	十四 四	廿五 十六	六 廿八	十八 十	三十 廿二	四十二 卅四	五十四 十[illegible]
2	三	十四 五	廿六 十七	七 廿九	十九 十一	三十一 廿三	四十三 卅五	五十五 十一
3	四	十五 六	廿七 十八	八 三十	二十 十二	三十二 廿四	四十四 卅六	五十六 十二
4	五	十六 七	武王元 十九	九 楚頃襄王元年	廿一 十三	三十三 廿五	四十五 楚考烈王元	孝文王元 [illegible]
5	六	十七 八	二 廿	十 二	廿二 十四	三十四 廿六	四十六 二	莊襄王元 [illegible]
6	七	十八 九	三 廿一	十一 三	廿三 十五	三十五 廿七	四十七 三	二 [illegible]
7	八	十九 十	四 廿二	十二 四	廿四 十六	三十六 廿八	四十八 四	三 十六
8	九	二十 十一	昭王元 廿三	十三 五	廿五 十七	三十七 廿九	四十九 五	始皇元 十七
9	十 楚懷王元年	二十一 十二	二 廿四	十四 六	廿六 十八	三十八 三十	五十 六	二
10	十一 二	廿二 十三	三 廿五	十五 七	廿七 十九	三十九 卅一	五十一 七	三
11	十二 三	廿三 十四	四 廿六	十六 八	廿八 廿	四十 卅二	五十二 八	四
12		廿四 十五	五 廿七	十七 九	廿九 廿一	四十一 卅三	五十三 九	五
13								六七八 [illegible]

上出長轂者是為切疆也張晏遠遍也漢武詔親宥遍禹元帝紀遍禹長[illegible]之子左從長劉

鞠也禹字亦作[illegible]隱曰鞠會隱字注又書東西禹注禹是遠邊之名今遍禹字亦作此隱

[illegible]見諸史[illegible]甚[illegible]取獨罷了物上也。晋霊公造九層臺左右曰

敢諫者斬。荀息求見。霊公張弩持矢見之。荀息曰臣不敢諫。臣能累十二博棊加九雞子

其上。公曰子試作之。荀息乃正顔色定志意為作之。左右懼慴息。霊公氣息不續。公曰

危哉。荀息曰不危也。復有危於此者。九層之臺三年不成。國用空虚。社稷將亡。

霊公即壊其臺。[illegible]

曰今王使盛橋[illegible]注[illegible]其[illegible]王[illegible]用召滑於越而內行章義之難越國

亂。注索隱曰召滑內心[illegible]作[illegible]

邵滑[illegible]八切

曰嬰城[illegible]

皐[illegible]論曰達武[illegible]

[illegible]

[illegible]

曰可謂範[illegible]

通鑑四王之功亦多矣魏氏服翻三省註徐廣云云索隱云云張晏曰魏郡有内黃故加外臣瓚曰縣有黃溝師古曰有傳尊惠公敗宋師於黃杜預以為外黃縣有黃城即此地也索隱又曰謂秦以兵臨仁平丘二縣則黃濟陽嬰城而自守也平丘句斷史記正義曰故黃城在曹州考城縣東按水經註黃溝名也河水旧於白馬南決通濮濟黃溝濟陽故城在曹州寃句縣西南康曰蒲在長垣之蒲鄉衍在河南与卷近首蓋牛首垣即長垣濟子禮翻垣于元翻瓚藏旱翻索山宕翻傳直戀翻

胡注信陵曰申陵底信之信若困音

内行章義之一叉見牙十一巻甘茂傳

始皇本紀曰燕虛二縣名也

捄居瑜反桴也黑也築墻者取壤土盛之以蔂而投諸板中韓詩累土

入秦是王不用甲不信威（索隱曰信音申）而得百里之地王可謂能矣王又舉甲而攻魏杜大梁之門舉河内拔燕酸棗虛（徐廣曰秦始皇五年取酸棗燕虛蓟代曰决宿胥之口魏無虛頓丘）桃（徐廣曰燕縣有桃城）入邢（徐廣曰平皐有邢丘○正義曰邢丘在懷州武德縣東南二十里）魏之兵雲翔而不敢捄王之功亦多矣王休甲息衆二年而後復之又并蒲衍首垣（徐廣曰蘇秦云北有河外卷衍長垣縣有蒲鄉○索隱曰此蒲在衛之長垣蒲鄉也衍在河南與卷近首蓋牛首垣即長垣非河東之垣也垣音圓）以臨仁平丘（徐廣曰屬陳留○索隱曰仁及平丘二縣名謂以兵臨此二縣則黃及濟陽等自嬰城而守也地理志平丘縣屬陳留仁闕）黃濟陽嬰城（徐廣曰蘇代云决白馬之口魏無黃濟陽○正義曰故黃城在曹州考城縣東濟陽故城在曹州宛句縣西南嬰城未詳）而魏氏服王又割濮

磨之北（徐廣曰濮水北[illegible]濟○索隱曰地名近濮）注齊秦之要絕楚趙之脊（正義曰劉伯莊云言秦得魏地楚趙之從絕）天下五合六聚而不敢救王之威亦單矣（徐廣曰單亦作殫○索隱曰按殫音丹單盡也言王之威盡行也）王若能持功守威絀攻取之心而肥仁義之地使無後患三王不足四五伯不足六也王若負人徒之衆仗兵革之彊乘毀魏之威而欲以力臣天下之主臣恐其有後患也詩曰靡不有初鮮克有終易曰狐涉水濡其尾（正義曰言狐惜其尾每涉水舉尾不令濕比至極困則濡之喻言不可力臣之）此言始之易終之難也何以知其然也昔智氏見伐趙之利而不知榆次之

春申君傳　二

禍索隱曰智伯敗於榆次也地理志屬太原有梗陽鄉是也○正義曰榆次并州縣也注水經云榆次縣南同遇水側有鑿臺

吳見伐齊之便而不知干隧之敗索隱曰干隧吳之敗處地名干水邊也隧道路也○正義曰干隧吳地名也出萬安山西南一里太湖邨吳王夫差自到處在蘇州西北四十里

此二國者非無大功也没利於前而易患於後也索隱曰謂智伯及吳王没伐趙及伐齊之利於前而自易其禍於後後即榆次干隧之難也

吳之信越也從而伐齊索隱曰從音絕用反劉氏云從猶領也

既勝齊人於艾陵正義曰艾山在兗州博縣南六十里也

還爲越王禽三渚之浦戰國策曰三江之浦○正義曰吳俗傳云越軍得子胥夢從東入伐吳越王即從三江北岸立壇殺白馬祭子胥杯動酒盡乃開渠曰示浦入破吳王於姑蘇敗干隧也

智氏之信韓魏也從而伐趙攻晉陽城正義曰并州城

勝有日矣韓魏叛之殺智伯瑶於

鑿臺之下 徐廣曰鑿一作臺在榆次 今王妬楚之不毀也而忘毀

釗曰以喻遠取地而不能守不如近故陸曰大有武之功求遠居而不能往涉喻遠攻得地無所用也詩也

楚之彊韓魏也臣爲王慮而不取也詩曰大武遠宅而不涉 正義曰言大軍不遠跋涉攻伐 從此觀之楚國援也鄰國敵也詩云趯趯毚兔遇犬獲之 韓嬰章句曰趯趯往來貌獲得也言趯趯之毚兔謂狡兔數往來逃匿其跡有時遇犬得之手傳曰毚兔狡兔也鄭玄曰遇犬犬之馴者謂田犬○索隱曰趯天歷反毚音讒 他人有心余忖度之今王中道而信韓魏之善王也此正吳之信越也臣聞之敵不可假時不可失臣恐韓魏卑辭除患而實欲欺大國也 索隱曰大國謂秦也 何則王無重世之德於韓魏而有累世之怨焉 索隱曰重世猶再世也 夫韓魏父子

兄弟接踵而死於秦者將十世矣本國殘社稷壞宗廟毀刳腹絶腸折頸摺頤（徐廣曰一作顛○索隱曰摺音拉頤音夷）首身分離暴骸骨於草澤頭顱僵仆相望於境父子老弱係脰束手為羣虜者相及於路鬼神孤傷無所血食人民不聊生族類離散流亡為僕妾者盈滿海内矣故韓魏之不亡秦社稷之憂也今王資之與攻楚不亦過乎且王攻楚將惡出兵（正義曰惡音烏）王將借路於仇讎之韓魏乎兵出之日而王憂其不返也是王以兵資於仇讎之韓魏也王若不借路於仇讎之韓魏必攻

隨水右壤隨水右壤此皆廣川大水山林谿谷不食之地也索隱曰楚都陳隨水之右壤蓋在隨之西今鄧州之西其地多山林者是王雖有之不爲得地是王有毀楚之名而無得地之實也且王攻楚之日四國必悉起兵以應王秦楚之兵構而不離魏氏將出而攻留方與銍湖陵碭蕭相故宋必盡正義曰徐州西宋州東兗州南並故宋地齊人南面攻楚泗上必舉正義曰此時徐泗屬齊也此皆平原四達膏腴之地而使獨攻索隱曰若秦楚搆兵不休則魏盡故宋齊取泗上是使齊魏獨攻伐而得其利者也王破楚以肥韓魏於中國而勁齊韓魏之彊足以校於秦索隱曰校音教謂足以與秦爲敵也一云校者報也

言力能報秦

齊南以泗水爲境東負海北倚河而無後患天下之國莫彊於齊魏齊魏得地葆利而詳事下吏一年之後爲帝未能其於楚王之爲帝有餘矣（索隱曰言齊一年之後未即能爲帝而能禁秦爲帝有餘力矣然禁字作楚者誤也）夫以王壤土之博人徒之衆兵革之彊一舉事而樹怨於楚遲令韓魏歸帝重於齊是王失計也（徐廣曰遲一作還○索隱曰遲音值值猶乃也令音力呈反韓魏重齊令歸帝號此秦之計失也）臣爲王慮莫若善楚秦楚合而爲一以臨韓韓必斂手王施以東山之險帶以曲河之利韓必爲關內之侯若是而王以十萬戍鄭梁氏寒心許鄢陵嬰

城而上蔡召陵不往來也如此而魏亦關內候矣王壹善楚而關內兩萬乘之主注地於齊[索隱]注謂以兵裁之齊右壤可拱手而取也[正義]曰右壤謂渭州之南北也王之地一經兩海[索隱]曰西海至東海皆是秦地[正義]曰萬言橫度中國東西也要約天下是燕趙無齊楚齊楚無燕趙也然後危動燕趙直搖齊楚此四國者不待痛而服矣昭王曰善於是乃止白起而謝韓魏發使賂楚約為與國黃歇受約歸楚楚使歇與太子完入質於秦秦留之數年楚頃襄王病太子不得歸而楚太子與秦相應侯善於是黃歇乃說應侯曰相國誠

列曰與猶親也

完頃襄王橫之子

應侯〻范雎也

善楚太子乎應侯曰然歟曰今楚王恐不起疾秦不如歸其太子太子得立其事秦必重而德相國無窮是親與國而得儲萬乘也若不歸則咸陽一布衣耳楚更立太子必不事秦夫失與國而絕萬乘之和非計也願相國孰慮之應侯以聞秦王秦王曰令楚太子之傅先往問楚王之疾返而後圖之黃歇爲楚太子計曰秦之留太子也欲以求利也今太子力未能有以利秦也歇憂之甚而陽文君子二人在中王若卒大命太子不在陽文君子必立爲後太子不得奉

宗廟矣不如亡秦與使者俱出臣請止以死當之楚太子因變衣服為楚使者御以出關而黃歇守舍常為謝病度太子已遠秦不能追歇乃自言秦昭王曰楚太子已歸出遠矣歇當死願賜死昭王大怒欲聽其自殺也應侯曰歇為人臣出身以徇其主太子立必用歇故不如無罪而歸之以親楚秦因遣黃歇歇至楚三月楚頃襄王卒(徐廣曰三十六年)太子完立是為考烈王考烈王元年以黃歇為相封為春申君(正義曰然四君封邑檢皆不獲唯平原有地又非趙境並盖號謚而孟嘗是謚)賜淮北地十二縣後十五歲黃

列曰傾奪他國
賓客之自歸輔
助國家推車君
公子可秦不敢
伐

歇言之楚王曰淮北地邊齊其事急請以為郡便因并獻淮北十二縣請封於江東考烈王許之春申君因城故吳墟（正義曰墟音墟闔閭今蘇州也於城內小城西北別築城居之今圯毀也又大內北瀆四從五橫至今猶存又攻破楚門為昌門）以自為都邑春申君既相楚是時齊有孟嘗君趙有平原君魏有信陵君方爭下士招致賓客以相傾奪輔國持權春申君為楚相四年秦破趙之長平軍四十餘萬五年圍邯鄲邯鄲告急於楚楚使春申君將兵往救之秦兵亦去春申君歸春申君相楚八年為楚北伐滅魯（索隱曰年表云八年取魯魯君封於莒又云十四年滅也）以荀

卿爲蘭陵令。當是時，楚復彊。趙平原君使人於春申君，春申君舍之於上舍。趙使欲夸楚，爲瑇瑁簪，刀劍室以珠玉飾之，請命春申君客。春申君客三千餘人，其上客皆躡珠履以見趙使，趙使大慙。春申君相十四年，秦莊襄王立，以呂不韋爲相，封爲文信侯，取東周。春申君相二十二年，諸侯患秦攻伐無已時，乃相與合從，西伐秦，徐廣曰始皇六年而楚王爲從長，春申君用事。至函谷關，秦出兵攻，諸侯兵皆敗走。楚考烈王以咎春申君，春申君以此益踈。客有觀津人朱英，正義曰觀音館今魏州觀城縣也謂春申君曰人皆以楚爲彊而君用之弱其於英不然先君時善秦二十年而不攻楚何也秦踰黽隘之塞正義曰黽隘之塞在申州黽音盲也而攻楚不便假道於兩周背韓魏而攻楚不可今則不然魏旦暮亡不能愛許鄢陵其許魏割以與秦秦兵去陳百六十里徐廣曰在許東南臣之所觀者見秦楚之日鬬也楚於是去陳徙壽春而秦徙衞野王作置東郡正義曰濮滑州兼河北置東郡濮州本衞都而徙野王也春申君由此就封於吳行相事楚考烈王無子春申君患之求婦人宜子者進之甚衆卒無子趙人李園持其

女弟欲進之楚王聞其不宜子恐久毋寵李園求事春申君爲舍人已而謁歸故失期還謁春申君問之狀對曰齊王使使求臣之女弟與其使者飲故失期春申君曰娉入乎對曰未也春申君曰可得見乎曰可於是李園乃進其女弟即幸於春申君知其有身李園乃與其女弟謀園女弟承間以說春申君曰楚王之貴幸君雖兄弟不如也今君相楚二十餘年而王無子即百歳後將更立兄弟則楚更立君後亦各貴其故所親君又安得長有寵乎非徒然也君

故所親者楚之王之兄弟自故所親使者也

通鑑又楚是更立君胡注更工衡翻

春申君傳 八

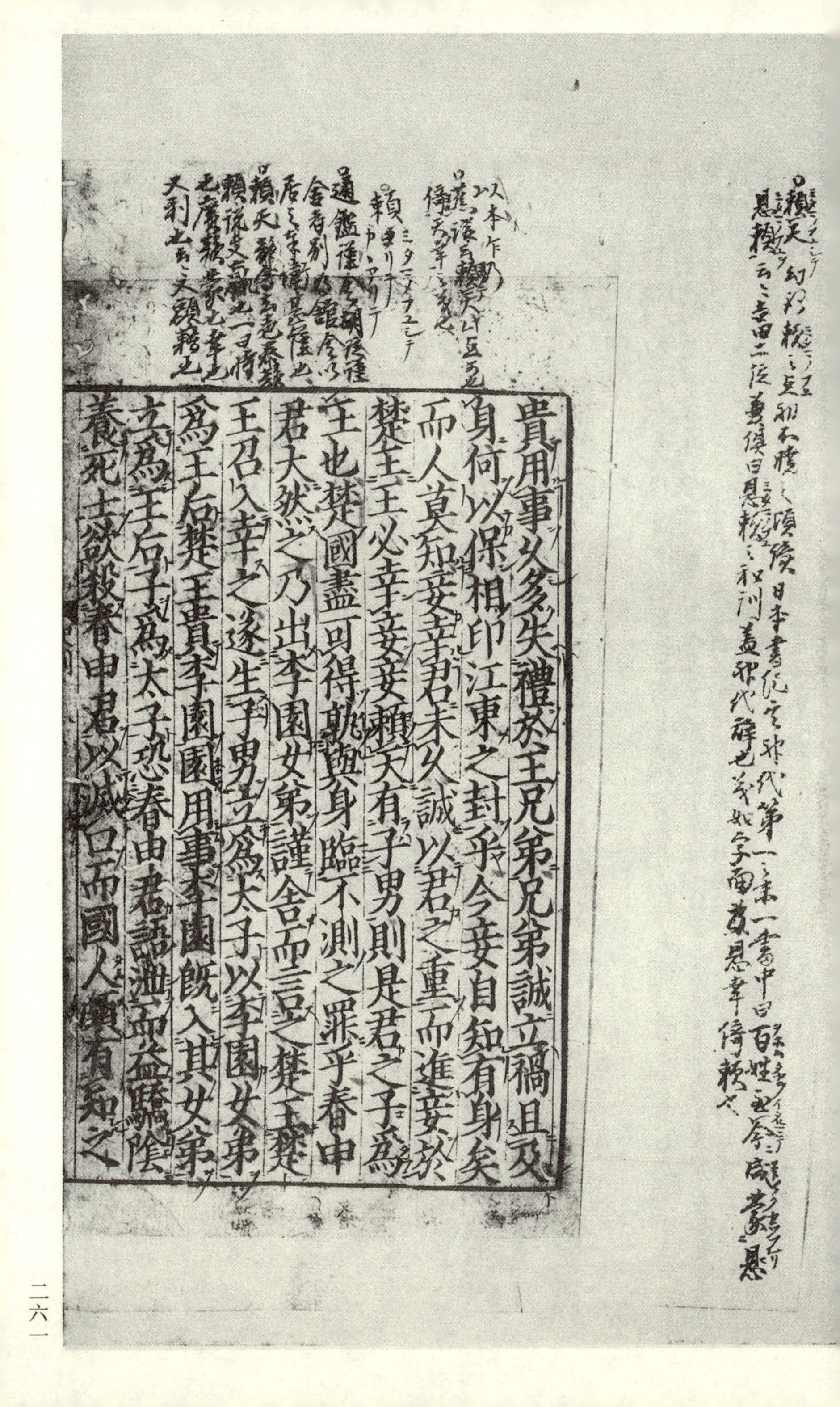

貴用事以多失禮於王兄弟兄弟誠立禍且及身何以保相印江東之封乎今妾自知有身矣而人莫知妾幸君未久誠以君之重而進妾於楚王王必幸妾妾賴天有子男則是君之子爲王也楚國盡可得孰與身臨不測之罪乎春申君大然之乃出李園女弟謹舍而言之楚王楚王召入幸之遂生子男立爲太子以李園女弟爲王后楚王貴李園園用事李園既入其女弟立爲王后子爲太子恐春申君語泄而益驕陰養死士欲殺春申君以滅口而國人頗有知之

若春申君相二十五年楚考烈王病朱英謂春申君曰世有毋望之福（正義曰无望猶不望而忽至）又有毋望之禍（索隱曰周易有无妄卦其義殊也）今君處毋望之世（正義曰謂生死无常）事毋望之主（正義曰謂喜怒不節也）安可以無毋望之人乎（正義曰謂吉凶忽然為）春申君曰何謂毋望之福曰君相楚二十餘年矣雖名相國實楚王也今楚王病旦暮且卒而君相少主因而代立當國如伊尹周公王長而反政不即遂南面稱孤而有楚國此所謂毋望之福也春申君曰何謂毋望之禍曰李園不治國而君之仇也（索隱曰言園是春申之仇也戰国策作君之舅謂為王之）

春申君傳九

舅意不爲兵而養死士之日久矣楚王卒李園必先入據權而殺君以滅口此所謂毋望之禍也春申君曰何謂毋望之人對曰君置臣郎中楚王卒李園必先入臣爲君殺李園此所謂毋望之人也春申君曰足下置之李園弱人也僕又善之且又何至此朱英知言不用恐禍及身乃亡去後十七日楚考烈王卒李園果先入伏死士於棘門之内正義曰壽州城門春申君入棘門園死士俠刺春申君斬其頭投之棘門外正義曰楚考烈王二十五年秦始皇九年於是遂使吏盡滅春申君之家而李園

女弟初幸春申君有身而入之王所生子者遂立是為楚幽王索隱曰按楚捍有母弟猶猶有庶兄負芻及昌平君是楚君完非無子而上文云考烈王無子誤也是歲也秦始皇帝立九年矣嫪毐亦為亂於秦覺夷其三族而呂不韋廢

太史公曰吾適楚觀春申君故城宮室盛矣哉初春申君之說秦昭王及出身遣太子歸何其智之明也後制於李園旄矣徐廣曰旄音耄語曰當斷不斷反受其亂春申君失朱英之謂邪

索隱述贊曰

黃歇辯智 權略秦楚 太子獲歸

不爲兵而養死士之日久矣楚王卒李園必先入據權而殺君以滅口此所謂毋望之禍也春申君曰何謂毋望之人對曰君置臣郎中楚王卒李園必先入臣爲君殺李園此所謂毋望之人也春申君曰足下置之李園弱人也僕又善之且又何至此朱英知言不用恐禍及身乃亡去後十七日楚考烈王卒李園果先入伏死士於棘門之内（正義曰壽州城門）春申君入棘門園死士俠刺春申君斬其頭投之棘門外（正義曰楚考烈王二十五年秦始皇九年）於是遂使吏盡滅春申君之家而李園

女弟初幸春申君有身而入之王所生子者遂立是爲楚幽王索隱曰按楚捍有母弟猶有庶兄負芻及昌平君是楚君完非無子而上文云考烈王無子誤也是歲也秦始皇帝立九年矣嫪毐亦爲亂於秦覺夷其三族而呂不韋廢

太史公曰吾適楚觀春申君故城宮室盛矣哉初春申君之說秦昭王及出身遣太子歸何其智之明也後制於李園旄矣徐廣曰旄音耄語曰當斷不斷反受其亂春申君失朱英之謂邪

索隱述贊曰

黃歇辯智　權略秦楚　太子獲歸

身作宰輔　珠炫趙客　邑開吳士
烈王寡胤　李園獻女　無妄成災
朱英徒語

咏說

春申君列傳第十八

史記七十八

黃氏日抄說秦昭王不伐楚爲出身脫楚之太子於秦可謂智能之士矣一節不謹而卒死李園之手與嫪毐同禍時史有朱英之謀而不能用何也殊[illegible]也

（漢）司馬遷　撰
（南朝宋）裴駰　集解
（唐）司馬貞　索隱
（唐）張守節　正義

宋本史記

第十九册

國家圖書館出版社

第十九册目録

十九

范雎　蔡澤

史記列傳

六十三

范睢蔡澤列傳第十九　史記七十九

范睢者魏人也字叔游說諸侯欲事魏王家貧無以自資乃先事魏中大夫須賈索隱曰漢書百官表中大夫秦官此魏有中大夫蓋古官也姓須名賈蓋密須氏之後須賈爲魏昭王使於齊索隱曰世本昭王名遬襄王之子范睢從留數月未得報齊襄王聞睢辯口索隱曰襄王名法章乃使人賜睢金十斤及牛酒睢辭謝不敢受須賈知之大怒以爲睢持魏國陰事告齊故得此饋令睢受其牛酒還其金既歸心怒睢以告魏相魏相魏之諸公子曰魏齊魏齊大怒使舍人笞擊睢折脅摺齒索隱曰摺音力合反謂打

折其脅而又拉折其齒也雎詳死即卷以簀索隱簀謂葦荻之薄也用之以裹其屍也置厠中賓客飲者醉更溺雎索隱曰更音羹溺即溲也溺音年弔反溲音所留反○正義曰溺古尿字故僇辱以懲後令無妄言者雎從簀中謂守者曰公能出我我必厚謝公守者乃請出棄簀中死人魏齊醉曰可矣范雎得出後魏齊悔復召求之魏人鄭安平聞之乃遂操范雎亡伏匿更名姓曰張祿當此時秦昭王使謁者王稽於魏鄭安平詐為卒侍王稽正義卒子忽反王稽問魏有賢人可與俱西游者乎鄭安平曰臣里中有張祿先生欲見君言天下事其人有仇不敢

書見王稽曰夜與俱來鄭安平夜與張祿見王
稽語未究王稽知范睢賢謂曰先生待我於三
亭之南索隱曰三亭亭名在魏境之邊道亭也今無其處一云魏之郊境揔有三亭皆祖餞之處如今與期
三亭之南蓋送餞已畢無人之處所也○正義曰括地志云三亭岡在汴州尉氏縣西南三十七里按三亭岡在山部中
名也蓋岡亭誤爲南與私約而去王稽辭魏去過載范睢入
秦至湖關索隱曰地理志京兆有湖縣本名胡武帝更名湖即今湖城也○正義曰今虢州湖城縣
也望見車騎從西來范睢曰彼來者爲誰王稽
曰秦相穰侯東行縣邑范睢曰吾聞穰侯專秦
權惡內諸侯客索隱曰內音納亦如字內猶入也此恐辱我我寧
且匿車中有頃穰侯果至勞王稽因立車而語

曰關東有何變曰無有又謂王稽曰謁君得無與諸侯客子俱來乎無益徒亂人國耳王稽曰不敢即別去范雎曰吾聞穰侯智士也其見事遲鄉者疑車中有人忘索之索隱曰索搜也先格反於是范雎下車走曰此必悔之行十餘里果使騎還索車中無客乃已王稽遂與范雎入咸陽已報使因言曰魏有張祿先生天下辯士也曰秦王之國危於累卵正義曰說苑云晉靈公造九層臺費用千金謂左右曰敢有諫者斬荀息聞之上書求見靈公張弩持矢見之曰臣不敢諫也臣能累十二博棋加九雞子其上公曰子為寡人作之荀息正顏色定志意以棋子置下加九雞子其上左右懼息靈公氣息不續公曰危哉危哉荀息曰不危也復有危於此者公曰願見之荀息

常作嘗。秦昭王自稱西帝而尊齊為東帝未幾復皆去帝號。

曰九層之臺三年不成男不耕女不織國用空虛隣國謀議將興社稷亡滅君欲何望靈公曰寡人之過也乃至於此即壞九層臺也得臣則安然不可以書傳也臣故載來秦王弗信使舍食草具索隱曰謂亦舍之而食以下客之具然草具謂麄食草菜之饌具也待命歲餘當是時昭王已立三十六年南拔楚之鄢郢楚懷王幽死於秦秦東破齊湣王嘗稱帝後去之數困三晉厭天下辯士無所信穰侯華陽君徐廣曰華一作葉○索隱曰穰侯謂冉宣太后之異父弟穰縣在南陽華陽君芈戎宣太后之同父弟亦號為新城君是也昭王母宣太后之弟也而涇陽君高陵君皆昭王同母弟也穰侯相三人者更將兵有封邑以太后故私家富重於王室及穰侯

乃上書 盧云戰國策載雎書

魏冉傳曰乃封魏冉於穰復益封陶

爲秦將因欲越韓魏而伐齊綱壽欲以廣其陶封范雎乃上書曰臣聞明主立政（索隱曰戰國策立作莅）有功者不得不賞有能者不得不官勞大者其祿厚功多者其爵尊能治衆者其官大故無能者不敢當職焉有能者亦不得蔽隱使以臣之言爲可願行而益利其道以臣之言爲不可久留臣無爲也語曰庸主賞所愛而罰所惡明主則不然賞必加於有功而刑必斷於有罪今臣之胷不足以當椹質（索隱曰椹音陟林反椹者坐椹也質謂腰斬者爲椹質也）而要不足以待斧鉞豈敢以疑事嘗試於王哉雖

范雎蔡澤傳三

以臣為賤人而輕厚獨不重任臣者者之無反復於王邪且臣聞周有砥厄宋有結綠梁有縣藜（薛綜曰縣藜美玉）楚有和朴（正義曰縣音玄劉伯莊云朴玉朴也）此四寶者土之所生良土之所失也而為天下名器然則聖王之所棄者獨不足以厚國家乎臣聞善厚家者取之於國善厚國者取之於諸侯天下有明主則諸侯不得擅厚者何也為其割榮也（索隱曰割榮即上擅厚謂擅權也）良醫知病人之死生而聖主明於成敗之事利則行之害則舍之疑則少嘗之雖舜禹復生弗能改已語之至者臣不敢載

正義曰至猶深也極也

之至者臣不敢載之於書其淺者又不足聽也意者臣愚而不概

於王心邪（徐廣曰一作瀕音同○索隱曰戰国策概作関謂関涉於王心也徐注音同非也）亡

其言臣者賤而不可用乎（索隱曰亡猶輕蔑也）自非然者臣

願得少賜游觀之間望見顏色一語無效請伏

斧質於是秦昭王大說乃謝王稽使以傳車（徐廣曰一云使持車○索隱曰徐按戰国策文也）

召范雎於是范雎乃得見於離

宮（正義曰長安故城本秦離宮在雍長安北十三里也）詳為不知永巷而入其中（正義曰永巷宮中獄也）

王來而宦者怒逐之曰王至范雎繆為曰秦

安得王秦獨有太后穰侯耳欲以感怒昭王

昭王至聞其與宦者爭言遂延迎謝曰寡

不概

之意者寡臣愚概事不經概於王之心耶已弃其言乎為以臣之賤而不可用乎

正義曰概猶平也雎秦政教不能例於王

曰謂壽者讀也

曰通鑑卷如淺薄

曰廣韻作越

顏氏或无

正義今按亡其言連於上句又亡臣作臣者賤

永巷

漢書四年夏少帝自知非皇后子出怨言皇太后幽之永巷

脫簪珥待罪永巷後為掖庭師古曰永長也本謂宮中之長巷也

人宜以身受命久矣會義渠之事急寡人日暮自請太后今義渠之事已寡人乃得受命竊閔然不敏（索隱曰鄒誕生本作惽然音昏又一作閔音愍閔猶昏闇也）敬執賓主之禮范睢辭讓是日觀范睢之見者羣臣莫不洒（徐廣曰洒先典反）然變色易容者（索隱曰鄒氏云洒然敬肅之貌）秦王屏左右宮中虛無人秦王跽而請（索隱曰跽其紀反跽者長跽兩膝被地）曰先生何以幸教寡人范睢曰唯唯有閒秦王復跽而請曰先生何以幸教寡人范睢曰唯唯若是者三秦王跽曰先生卒不幸教寡人邪范睢曰非敢然也臣聞昔者呂尚之遇文王也身為漁

父而釣於渭濱耳若是者交疏也已說而立為太師載與俱歸者其言深也故文王遂收功於呂尚而卒王天下鄉使文王疏呂尚而不與深言是周無天子之德而文武無與成其王業也今臣羇旅之臣也交疏於王而所願陳者皆匡君之事處人骨肉之間願效愚忠而未知王之心也此所以王三問而不敢對者也臣非有畏而不敢言也臣知今日言之於前而明日伏誅於後然臣不敢避也大王信行臣之言死不足以為臣患亡不足以為臣憂漆身為厲索隱曰厲音賴

范雎蔡澤傳五

正義曰括地志曰自泉水源出岐州岐山縣西南凡北流十二里注于渭太公釣此所謂磻磎

癩病也言漆塗身生瘡如病癩被髮爲狂不足以爲臣恥且以五帝之聖焉而死三王之仁焉而死五伯之賢焉而死烏獲任鄙之力焉而死成荊徐廣曰一作羌孟賁許慎曰成荊古勇士孟賁衛人王慶忌吳越春秋曰吳王僚子慶忌夏育之勇焉而死漢書音義曰或云夏育衛人力舉千鈞死者人之所必不免也處必然之勢可以少有補於秦此臣之所大願也臣又何患哉伍子胥橐載而出昭關夜行晝伏至於陵水無以餬其口索隱曰劉氏云陵水即栗水也陵栗聲相近故惑也膝行蒲伏稽首肉袒鼓腹吹篪徐廣曰篪一作簫乞食於吳市卒興吳國闔閭爲伯使臣得盡謀如伍子

胥加之以幽囚終身不復見是臣之說行也臣又何憂箕子接輿漆身為厲被髮為狂無益於主假使臣得同行於箕子可以有補所賢之主是臣之大榮也臣有何恥臣之所恐者獨恐臣死之後天下見臣之盡忠而身死因以是杜口裹足莫肯鄉秦耳足下上畏太后之嚴下惑於姦臣之態〔索隱曰態謂姦臣諂詐之志〕居深宮之中不離阿保之手終身迷惑無與照姦〔正義曰照明也無與明其姦惡〕大者宗廟滅覆小者身以孤危此臣之所恐耳若夫窮辱之事死亡之患臣不敢畏也臣死而秦治是

臣死賢於生。秦王跽曰：先生是何言也。夫秦國辟遠，寡人愚不肖，先生乃幸辱至於此，是天以寡人慁先生（徐廣曰：乱先生也，音溷。○索隱曰：二字並音胡困反。慁猶汩乱之意）而存先生之宗廟也。寡人得受命於先生，是天所以幸先生而不棄其孤也。先生奈何而言若是。事無小大，上及太后，下至大臣，願先生悉以教寡人，無疑寡人也。范雎拜，秦王亦拜。范雎曰：大王之國，四塞以為固，北有甘泉、谷口，（正義曰：括地志云：甘泉山一名鼓原，俗名磨石嶺，在雍州雲陽縣西北九十里。關中記云：甘泉宮在甘泉山上，年代永久，无復甘泉之名，失其實也。宮北云有連

[illegible]縣東北四十里南帶涇渭右隴蜀左關阪奮擊百萬

戰車千乘利則出攻不利則入守此王者之地

也民怯於私鬬而勇於公戰此王者之民也王

并此二者而有之夫以秦卒之勇車騎之衆以

治諸侯譬若馳韓盧而搏蹇兔也（索隱曰戰国策云韓盧者天下之壯犬也是韓盧為犬謂施韓盧而搏蹇兔以喻秦強言取諸侯之易也）霸王之業可致也而

羣臣莫當其位至今閉關十五年不敢窺兵於

山東者是穰侯為秦謀不忠而大王之計有所

失也秦王跽曰寡人願聞失計然左右多竊

聽者范雎恐未敢言內先言外事以觀秦王之

俯仰因進曰夫穰侯越韓魏而攻齊綱壽非計也少出師則不足以傷齊多出師則害於秦臣意王之計欲少出師而悉韓魏之兵也則不義矣今見與國之不親也越人之國而攻可乎其於計疎矣且昔齊湣王南攻楚破軍殺將再辟地千里（正義曰辟尺亦反）而齊尺寸之地無得焉者豈不欲得地哉形勢不能有也諸侯見齊之罷敝君臣之不和也興兵而伐齊大破之士辱兵頓皆咎其王曰誰爲此計者乎王曰文子爲之（索隱曰謂田文）大臣作亂文子出走故

齊所以大破者以其伐楚而肥韓魏也此所謂
借賊兵而齎盜糧者也索隱曰借音子夜反一作藉亦音同齎音側奚反言爲盜齎糧也
王不如遠交而近攻得寸則王之寸也得尺
亦王之尺也今釋此而遠攻不亦繆乎且昔者
中山之國地方五百里趙獨吞之功成名立而
利附焉天下莫之能害也今夫韓魏中國之處
而天下之樞也王其欲霸必親中國以爲天下
樞以盛楚趙楚彊則附趙趙彊則附楚楚趙皆
附齊必懼矣齊懼必卑辭重幣以事秦齊附而
韓魏因可虜也昭王曰吾欲親魏久矣而魏多

范雎蔡澤傳八

變之國也寡人不能親請問親魏奈何對曰王卑詞重幣以事之不可則割地而賂之不可因舉兵而伐之王曰寡人敬聞命矣乃拜范睢爲客卿謀兵事卒聽范睢謀使五大夫綰伐魏拔懷徐廣曰昭王三十九年後二歲拔邢丘客卿范睢復說昭王曰秦韓之地形相錯如繡秦之有韓也譬如木之有蠹也正義曰音妬石柱虫人之有心腹之病也天下無變則已天下有變其爲秦患者孰大於韓乎王不如收韓昭王曰吾固欲收韓韓不聽爲之奈何對曰韓安得無聽乎王下兵而攻滎陽

則鞏成皋之道不通，北斷太行之道，則上黨之師不下。正義曰：言澤潞之師不得下太行相救。王一舉兵而攻滎陽，則其國斷而為三。正義曰：新鄭已南一，宜陽令二，澤潞三。夫韓見必亡，安得不聽乎？若韓聽，而霸事因可慮矣。王曰：善。且欲發使於韓。范睢日益親，復說用數年矣，因請閒說曰：正義曰：閒音閑。臣居山東時，聞齊之有田文，不聞其有王也；聞秦之有太后、穰侯、華陽、高陵、涇陽，不聞其有王也。夫擅國之謂王，能利害之謂王，制殺生之威之謂王。今太后擅行不顧，穰侯出使不報，華陽、涇陽等擊斷

正義曰披析也

廛云淖或作悼

無諱諱畏也高陵進退不請四貴備而國不危者未之有也爲此四貴者下乃所謂無王也然則權安得不傾令安得從王出乎臣聞善治國者乃內固其威而外重其權穰侯使者操王之重決制於諸侯剖符於天下政適徐廣曰音征敵伐國莫敢不聽戰勝攻取則利歸於陶國獘御於諸侯索隱曰獘者斷也御者制也言穰侯執權以制御主斷於諸侯也戰敗則結怨於百姓而禍歸於社稷詩曰木實繁者披其枝正義曰披音片被反披其枝者傷其心大其都者危其國尊其臣者卑其主淖齒管齊之權索隱曰淖姓也音尼教反

[illegible]也言二人[illegible]射王股擢王筋索隱曰言

射王股誤也[illegible]射[illegible]之股

淖齒縮湣王之筋是說二君事縣之於廟梁宿昔而

死李兌管趙囚主父於沙丘正義曰沙丘臺在邢州平鄉縣東北二十里

百日而餓死今臣聞秦太后穰侯用事高陵華

陽涇陽佐之卒無秦王此亦淖齒李兌之類也

且夫三代所以亡國者君專授政縱酒馳騁弋

獵不聽政事其所授者妬賢嫉能御下蔽上以

成其私不爲主計而主不覺悟故失其國今自

有秩以上至諸大吏下及王左右無非相國之

人者見王獨立於朝臣竊爲王恐萬世之後有

無諱（諱畏也）高陵進退不請四貴備而國不危者未之有也爲此四貴者下乃所謂無王也然則權安得不傾令安得從王出乎臣聞善治國者乃内固其威而外重其權穰侯使者操王之重決制於諸侯剖符於天下政適（徐廣曰音征敵）伐國莫敢不聽戰勝攻取則利歸於陶國獘御於諸侯（索隱曰獘者斷也御者制也言穰侯執權以制御主斷於諸侯也）戰敗則結怨於百姓而禍歸於社稷詩曰木實繁者披其枝（正義曰披音片彼反）披其枝者傷其心大其都者危其國尊其臣者卑其主崔杼淖齒管齊（索隱曰淖姓也音尼校反）

典也言二人典擅權於行誅 ○正義曰……齊湣王臣 射王股，擢王筋，索隱曰言射王股誤也，按崔杼射莊公之股，淖齒縮湣王之筋，是說二君事 縣之於廟梁，宿昔而死。李兌管趙，囚主父於沙丘，正義曰沙丘臺在邢州平鄉縣東北二十里 百日而餓死。今臣聞秦太后、穰侯用事，高陵、華陽、涇陽佐之，卒無秦王，此亦淖齒、李兌之類也。且夫三代所以亡國者，君專授政，縱酒馳騁弋獵，不聽政事。其所授者，妒賢嫉能，御下蔽上，以成其私，不為主計，而主不覺悟，故失其國。今自有秩以上至諸大吏，下及王左右，無非相國之人者。見王獨立於朝，臣竊為王恐，萬世之後，有秦國者非王子孫也昭王聞之大懼曰善於是廢太后逐穰侯高陵華陽涇陽君於關外秦王乃拜范睢爲相收穰侯之印使歸陶因使縣官給車牛以徙千乘有餘到關關閱其寶器寶器珍怪多於王室秦封范睢以應號爲應侯（索隱曰劉氏云河東臨晋有應亭則秦地有應也又按本紀以應爲太后養地解者公在潁川之應鄉未知孰是○正義曰括地志云故應城古應鄉在汝州魯山縣東四十里也）當是時秦昭王四十一年也

范睢既相秦秦號曰張祿而魏不知以爲范睢已死久矣魏聞秦且東伐韓魏魏使須賈於秦范睢聞之爲微行敝衣閒步之邸（正義曰劉云諸國客館）

見須賈須賈見之而驚曰范叔固無恙乎范雎曰然須賈笑曰范叔有説於秦邪曰不也雎前日得過於魏相故亡逃至此安敢説乎須賈曰今叔何事范雎曰臣爲人庸賃須賈意哀之留與坐飲食曰范叔一寒如此哉乃取其一綈袍以賜之 索隱曰綈厚繒也音啼蓋今之絁也○正義曰今之麤袍 須賈因問曰秦相張君公知之乎吾聞幸於王天下之事皆決於相君今吾事之去留在張君孺子豈有客習於相君者哉 索隱曰劉氏云孺子蓋謂雎爲小子 范雎曰主人翁習知之唯雎亦得謁雎請爲君見於張君

須賈曰吾馬病車軸折非大車駟馬吾固不出范雎曰願爲君借大車駟馬於主人須范雎歸取大車駟馬爲須賈御之入秦相府府中望見有識者皆避匿須賈怪之至相舍門謂須賈曰待我我爲君先入通於相君須賈待門下持車良久問門下曰范叔不出何也門下曰無范叔須賈曰鄉者與我載而入者門下曰乃吾相張君也須賈大驚自知見賣乃肉袒膝行因門下人謝罪於是范雎盛帷帳侍者甚衆見之須賈頓首言死罪曰賈不意君能自致於青雲之上賈

盧云言擢髮相續以比罪不足當也

不敢復讀天下之書不敢復與天下之事賈有湯鑊之罪請自屏於胡貉之地唯君死生之范雎曰汝罪有幾曰擢賈之髮以續賈之罪尚未足范雎曰汝罪有三耳昔者楚昭王時而申包胥爲楚卻吳軍楚王封之以荊五千戶包胥辭不受爲丘墓之寄於荊也今雎之先人丘墓亦在魏公前以雎爲有外心於齊而惡雎於魏齊公之罪一也當魏齊辱我於廁中公不止罪二也更醉而溺我公其何忍乎罪三矣然公之所以得無死者以綈袍戀戀有故人之意故釋公

乃謝罷入言之昭王罷歸須賈須賈辭於范雎范雎大供具盡請諸侯使與坐堂上食飲甚設而坐須賈於堂下置莝豆其前令兩黥徒夾而馬食之數曰爲我告魏王急持魏齊頭來不然者我且屠大梁須賈歸以告魏齊魏齊恐亡走趙匿平原君所范雎既相王稽謂范雎曰事有不可知者三有不可奈何者亦三宮車一日晏駕應劭曰天子當晨起早作如方崩殞故稱晏駕韋昭曰凡初崩爲晏駕者臣子之心猶謂宮車當駕而晚出是事之不可知者一也君卒然捐館舍是事之不可知者二也使臣卒然塡溝壑是事之不可知者

三也宮車一日晏駕是臣雖恨於臣無可奈何君卒然捐館舍君雖恨於臣亦無可奈何使臣卒然塡溝壑君雖恨於臣亦無可奈何范雎不懌乃入言於王曰非王稽之忠莫能內臣於函谷關非大王之賢聖莫能貴臣今臣官至於相爵在列侯王稽之官尚止於謁者非其內臣之意也昭王召王稽拜爲河東守三歲不上計司馬彪曰凡郡長治民進賢勸功決訟撿姦常以春行所至縣勸民農桑振救乏絕秋冬遣無害吏案訊問諸囚平其罪法論課殿最歲盡遣吏上計又任鄭安平昭王以爲將軍范雎於是散家財物盡以報所嘗困戹者一飯之德必償

睚眦之怨必報索隱曰睚音崖賣反眦音士賣反睚眦謂相嗔怒而見齒也范睢相秦二年秦昭王之四十二年東伐韓少曲徐廣曰蘇代曰起少曲一日而斷太行索隱曰劉氏以爲蓋在太行西南高平拔之正義曰括地志云南韓王故城在懷州河陽縣西北四十里俗謂之韓王城非也秦時周桓王以與鄭紀年云鄭侯使辰歸晉陽向更名高平拔之則少曲當與高平相近秦昭王聞魏齊在平原君所欲爲范睢必報其仇乃詳爲好書遺平原君曰寡人聞君之高義願與君爲布衣之友君幸過寡人寡人願與君爲十日之飲平原君畏秦且以爲然而入秦見昭王昭王與平原君飲數日昭王謂平原君曰昔周文王得呂尚以爲太公齊桓公

[illegible]得管夷吾以爲仲父今范君亦寡人之叔父也范君之仇在君之家願使人歸取其頭來不然吾不出君於關平原君曰貴而爲友者爲賤也富而爲交者爲貧也（索隱曰上爲如字下爲音于僞反以言富貴而結交者爲有貧賤之時不可忘之也）夫魏齊者勝之友也在固不出也今又不在臣所昭王乃遺趙王書曰王之弟在秦范君之仇魏齊在平原君之家王使人疾持其頭來不然吾舉兵而伐趙又不出王之弟於關趙孝成王乃發卒圍平原君家急魏齊夜亡出見趙相虞卿虞卿度趙王終不可以說乃解其相印

與魏齊亡間行念諸侯莫可以急抵者乃復走大梁欲因信陵君以走楚信陵君聞之畏秦猶豫未肯見曰虞卿何如人也時侯嬴在旁曰人固未易知知人亦未易也夫虞卿躡屩擔簦一見趙王賜白璧一雙黄金百鎰再見拜爲上卿三見卒受相印封萬戶侯當此之時天下爭知之夫魏齊窮困過虞卿虞卿不敢重爵祿之尊解相印捐萬戶侯而間行急士之窮而歸公子公子曰何如人人固不易知知人亦未易也信陵君大慙駕如野迎之魏齊聞信陵君之初難

見之怒而自剄趙王聞之卒取其頭予秦秦昭王乃出平原君歸趙昭王四十三年秦攻韓汾陘拔之索隱曰陘音邢陘蓋在韓之西界與汾相近也○正義曰按陘庭故城在絳州曲沃縣西北二十里汾水之陽因城河上廣武索隱曰劉氏云此河上蓋近河北之地本屬韓今秦得而城後五年昭王用應侯謀縱反閒賣趙趙以其故令馬服子代廉頗將索隱曰馬服子趙括之號也虞喜志林云馬兵之首也號曰馬服者言能服馬也鄒氏頗音疋波反秦大破趙於長平遂圍邯鄲已而與武安君白起有隙言而殺之徐廣曰在五十年○索隱曰徐據秦本紀及表而知也任鄭安平使將擊趙鄭安平為趙所困急以兵二萬人降趙應侯席藁請罪秦之法任人

而所任不善者各以其罪罪之於是應侯罪當收三族秦昭王恐傷應侯之意乃下令國中有敢言鄭安平事者以其罪罪之而加賜相國應侯食物日益厚以順適其意後二歲王稽爲河東守與諸侯通坐法誅（徐廣曰五十二年）而應侯日益以不懌昭王臨朝歎息應侯進曰臣聞主憂臣辱主辱臣死今大王中朝而憂臣敢請其罪昭王曰吾聞楚之鐵劍利而倡優拙（正義曰論士能善語卒不戰）夫鐵劍利則士勇倡優拙則思慮遠夫以遠思慮而御勇士吾恐楚之圖秦也夫物不素具不可

以應卒今武安君既死而鄭安平等畔內無良將而外多敵國吾是以憂欲以激勵應侯（索隱曰激音擊）應侯懼不知所出蔡澤聞之往入秦也

蔡澤者燕人也游學干諸侯（正義曰不待禮曰干）小大甚眾不遇而從唐舉相（荀卿曰梁有唐舉○索隱曰荀卿書作唐莒）曰吾聞先生相李兌曰百日之內持國秉有之乎（索隱曰按左傳云國子實執齊秉服虔曰秉權柄也）曰有之曰若臣者何如唐舉孰視而笑曰先生曷鼻巨肩（徐廣曰曷一作偈偈一作仰巨一作渠○索隱曰曷鼻謂鼻如蝎虫也巨肩肩巨於項也並頂低而肩豎也偈其例反）魋顏蹙齃膝攣（攣音兩膝曲也徐廣曰一作率○索隱曰上魋音徒回反魋顏謂顏貌魋回若魋梧然也齃音烏曷反蹙齃謂鼻蹙眉膝攣謂膝）

又攣曲也吾聞聖人不相殆先生乎蔡澤知唐舉戲之乃曰富貴吾所自有吾所不知者壽也願聞之唐舉曰先生之壽從今以往者四十三歲蔡澤笑謝而去謂其御者曰吾持梁刺齒肥持梁作飯也刺齒二字當作齧齒又作齕也○索隱曰持梁謂作梁米飯而持其器以食也刺齒肥當為齧肥謂食肥肉也躍馬疾驅懷黃金之印結紫綬於要揖讓人主之前食肉富貴四十三年足矣去之趙見逐入韓魏遇奪釜鬲於塗爾雅曰款足者謂之鬲郭璞曰鼎曲脚○索隱曰釜音父鬲音歷款者空也言其足中空也而郭氏云鼎曲脚者以款訓曲故云曲脚也聞應侯任鄭安平王稽皆負重罪於秦應侯內慙蔡澤乃西入秦將

見昭王使人宣言以感怒應侯曰燕客蔡澤天下雄俊弘辯智士也彼一見秦王秦王必困君而奪君之位應侯聞曰五帝三代之事百家之說吾既知之衆口之辯吾皆摧之是惡能困我而奪我位乎使人召蔡澤蔡澤入則揖應侯應侯固不快及見之又倨應侯因讓之曰子常宣言欲代我相秦寧有之乎對曰然應侯曰請聞其說蔡澤曰吁君何見之晩也夫四時之序成功者去夫人生百體堅彊手足便利耳目聰明而心聖智豈非士之願與應侯曰然蔡澤曰質

又孿曲也吾聞聖人不相殆先生乎蔡澤知唐舉戲之乃曰富貴吾所自有吾所不知者壽也願聞之唐舉曰先生之壽從今以往者四十三歲蔡澤笑謝而去謂其御者曰吾持粱刺齒肥持粱作飯也刺齒二字當作齧齧又作齕也○索隱曰持粱謂作粱米飯而持其器以食也刺齒肥當為齧肥謂食肥肉也躍馬疾驅懷黃金之印結紫綬於要揖讓人主之前食肉富貴四十三年足矣去之趙見逐入韓魏遇奪釜鬲於塗爾雅曰鍑足者謂之鬲郭璞曰鼎曲脚○索隱曰釜音父鬲音歷鍑者空也言其足中空也○鄒氏云鼎曲脚者以鍑訓曲故云曲脚也聞應侯任鄭安平王稽皆負重罪於秦應侯内慙蔡澤乃西入秦將

見昭王使人宣言以感怒應侯曰燕客蔡澤天下雄俊弘辯智士也彼一見秦王秦王必困君而奪君之位應侯聞曰五帝三代之事百家之說吾既知之衆口之辯吾皆摧之是惡能困我而奪我位乎使人召蔡澤蔡澤入則揖應侯應侯固不快及見之又倨應侯因讓之曰子常宣言欲代我相秦寧有之乎對曰然應侯曰請聞其說蔡澤曰吁君何見之晚也夫四時之序成功者去夫人生百體堅彊手足便利耳目聰明而心聖智豈非士之願與應侯曰然蔡澤曰質

范雎蔡澤傳 十七

仁秉義行道施德得志於天下天下懷樂敬愛
而尊慕之皆願以爲君王豈不辯智之期與應
侯曰然蔡澤復曰富貴顯榮成理萬物使各得
其所性命壽長終其天年而不夭傷天下繼其
統守其業傳之無窮名實純粹澤流千里徐廣曰一作世
本無此字世世稱之而無絕與天地終始豈道德之
符而聖人所謂吉祥善事者與應侯曰然蔡澤
曰若夫秦之商君楚之吳起越之大夫種其卒
然亦可願與應侯知蔡澤之欲困已以說式銳反
復謬曰何爲不可夫公孫鞅之事孝公也極身

無貳慮盡公而不顧私設刀鋸以禁奸邪信
賞罰以致治披腹心示情素蒙怨咎欺舊友奪
魏公子卬安秦社稷利百姓卒爲秦禽將破敵
攘地千里吳起之事悼王也使私不得害公讒
不得蔽忠言不取苟合行不取苟容不爲危易
行行義不辟難徐廣曰一云不困毀此言然爲霸主強國不辭
禍凶大夫種之事越王也主雖困辱悉忠而不
解主雖絕亡盡能而弗離成功而弗矜貴富而
不驕怠若此三子者固義之至也忠之節也是
故君子以義死難視死如歸生而辱不如死而

范雎蔡澤傳　十八

攘地　師說曰周礼獄者誅之鄭攘却也　楚辭王逸曰攘排也　言見排逐也　方言　攘止也

攘地　旧点ヒラケル　今按詳義　以ト可讀

卬　小叔作卬

辟　作　離

西義　弗離　離力智反

商鞅使衛鞅將而伐魏魏使公子卬將而擊之軍既相距衛鞅遺魏將公子卬書曰吾始與公子驩今俱爲兩國將不忍相攻可與公子面相見盟樂飲而罷兵以安秦魏魏公子卬以爲然會盟已飲而衛鞅伏甲士而襲虜魏公子卬因攻其軍盡破之以歸秦

榮士固有殺身以成名唯義之所在雖死無所恨何爲不可哉蔡澤曰主聖臣賢天下之盛福也君明臣直國之福也父慈子孝夫信妻貞家之福也故比干忠而不能存殷子胥智而不能完吳申生孝而晉國亂是皆有忠臣孝子而國家滅亂者何也無明君賢父以聽之故天下以其君父爲僇辱而憐其臣子索隱曰言以比干子胥申生皆至忠孝而見誅放故今天下言爲其君父之所僇而憐其臣子也　今商君吳起大夫種之爲人臣是也其君非也故世稱三子致功而不見德豈慕不遇世死乎夫待死而後可以立忠成

申生者晉獻公太子申生也太子申生其母齊桓公女曰齊姜早死獻公子八人而太子申生重耳夷吾皆有賢行獻公及得驪姬乃遠此三子獻公時出獵置胙於宮中驪姬使人置毒藥於胙中居二日或謂太子曰爲此藥者乃驪姬也太子何不辭明之太子曰吾君老矣非驪姬寢不安食不甘即辭之君且怒之不可也或謂太子曰可奔他國太子曰被此惡名以出人誰內我我自殺耳十二月戊申申生自殺於新城

胙者太子申生祭其母齊姜於曲沃上其薦胙於獻公也詳晉世家今據之耳

名是微子不足仁孔子不足聖管仲不足大也夫人之立功豈不期於成全邪身與名俱全者上也名可法而身死者其次也名在僇辱而身全者下也於是應侯稱善蔡澤少得間因曰夫商君吳起大夫種其爲人臣盡忠致功則可願矣閎夭事文王周公輔成王也豈不亦聖乎以君臣論之商君吳起大夫種其可願孰與閎夭周公哉應侯曰商君吳起大夫種弗若也蔡澤曰然則君之主慈仁任忠惇厚舊故其賢智與有道之士爲膠漆義不倍功臣孰與秦孝公楚

悼王越王乎應侯曰未知何如也蔡澤曰今主親忠臣不過秦孝公楚悼王越王君之設智能為主安危修政治亂彊兵批患折難索隱曰批音白結反又音鼻結反批患謂擊而卻之折音之列反廣地殖穀富國足家彊主尊社稷顯宗廟天下莫敢欺犯其主主之威蓋震海內功彰萬里之外聲名光輝傳於千世君孰與商君吳起大夫種應侯曰不若蔡澤曰今主之親忠臣不忘舊故不若孝公悼王句踐而君之功績愛信親幸又不若商君吳起大夫種然而君之祿位貴盛私家之富過於三子而身不

退者恐患之及於王子竊爲君危之語曰日中
則移月滿則虧物盛則衰天地之常數也進退
盈縮與時變化聖人之常道也故國有道則仕
國無道則隱聖人曰飛龍在天利見大人不義
而富且貴於我如浮雲今君之怨已讎而德已
報意欲至矣而無變計竊爲君不取也且夫翠
鵠犀象其處勢非不遠死也而所以死者惑於
餌也蘇秦智伯之智非不足以辟辱遠死也而
所以死者惑於貪利不止也是以聖人制禮節
欲取於民有度使之以時用之有止故志不溢

行不驕常與道俱而不失故天下承而不絕昔者齊桓公九合諸侯一匡天下至於葵丘之會有驕矜之志畔者九國吳王夫差兵無敵於天下勇彊以輕諸侯陵齊晉故遂以殺身亡國夏育太史噭叱呼徐廣曰一作暗○索隱曰二人勇者夏育賁育也噭音皎○正義曰呼火故反駭三軍然而身死於庸夫索隱曰高誘云夏育爲田搏所殺然太史噭未知誰之所殺恐非齊襄王時太史也此皆乘至盛而不返道理不居卑退處儉約之患也夫商君爲秦孝公明法令禁姦本尊爵必賞有罪必罰平權衡正度量調輕重决列阡陌以靜生民之業而一其俗勸民耕

農利士一室無二事力田稸積習戰陳之事是以兵動而地廣兵休而國富故秦無敵於天下立威諸侯成秦國之業功已成矣而遂以車裂楚地方數千里持戟百萬白起率數萬之師以與楚戰一戰舉鄢郢以燒夷陵再戰南幷蜀漢又越韓魏而攻彊趙北坑馬服誅屠四十餘萬之衆盡之于長平之下流血成川沸聲若雷遂入圍邯鄲使秦有帝業楚趙天下之彊國而秦之仇敵也自是之後楚趙皆懾伏不敢攻秦者白起之勢也身所服者七十餘城功已成矣而

范雎蔡澤傳　廿一

遂賜劒死於杜郵吳起爲楚悼王立法卑減大臣之威重罷無能廢無用損不急之官塞私門之請一楚國之俗禁游客之民精耕戰之士南收楊越北并陳蔡破横散從使馳説之士無所開其口禁朋黨以厲百姓定楚國之政兵震天下威服諸侯功已成矣而卒枝解大夫種爲越王深謀遠計免會稽之危以亡爲存因辱爲榮墾草入邑索隱曰劉氏云入猶充也謂招携離散充滿城邑也辟地殖穀率四方之士專上下之力輔句踐之賢報夫差之讎卒擒勁吳令越成霸功已彰而信矣句踐終負

而殺之此四子者功成不去禍至於此此所謂信而不能詘往而不能返者也索隱曰信音申詘音屈謂志已展而不退范蠡知之超然辟世長爲陶朱公君獨不觀夫博者乎或欲大投或欲分功班固弈指曰博懸於投不必在行駰謂投投瓊也○索隱曰言夫博弈或欲大投其瓊以致勝或觀其勢弱小以大投也分而分功以遂救事具小爾雅方言云所以投博謂之枰枰局也此皆君之所明知也今君相秦計不下席謀不出廊廟坐制諸侯利施三川以實宜陽正義曰施猶展也言伐得三川之地以實宜陽言展開三川實宜陽決羊腸之險塞太行之道又斬范中行之塗六國不得合從棧道千里通於蜀漢使天下皆畏秦秦之欲得矣君之

范睢蔡澤傳　七二

功極矣此亦秦之分功之時也如是而不退則商君白公吳起大夫種是也吾聞之鑒於水者見面之容鑒於人者知吉與凶書曰成功之下不可久處四子之禍君何居焉君何不以此時歸相印讓賢者而授之退而巖居川觀必有伯夷之廉長為應侯世世稱孤而有許由延陵季子之讓喬松之壽孰與以禍終哉即君何居焉忍不能自離疑不能自決必有四子之禍矣易曰亢龍有悔此言上而不能下信而不能詘往而不能自返者也願君孰計之應侯曰善

吾聞欲而不知止失其所以欲有而不知足失其所以有先生幸教睢敬受命於是乃延入坐爲上客後數日入朝言於秦昭王曰客新有從山東來者曰蔡澤其人辯士明於三王之事五伯之業世俗之變足以寄秦國之政臣之見人甚衆莫及臣不如也臣敢以聞秦昭王召見與語大說之拜爲客卿應侯因謝病請歸相印昭王彊起應侯應侯遂稱病篤范睢免相昭王新說蔡澤計畫遂拜爲秦相東收周室蔡澤相秦數月人或惡之懼誅乃謝病歸相印號爲綱成

正義曰王子喬周靈王太子晉也赤松子神農時雨師也

功極矣此亦秦之分功之時也如是而不退則
商君白公（徐廣曰白起）吳起大夫種是也吾聞之鑒於
水者見面之容鑒於人者知吉與凶書曰成功
之下不可久處四子之禍君何居焉君何不以
此時歸相印讓賢者而授之退而巖居川觀必
有伯夷之廉長為應侯世世稱孤而有許由延
陵季子之讓喬松之壽孰與以禍終哉即君何
居焉忍不能自離疑不能自決必有四子之禍
矣易曰亢龍有悔此言上而不能下信而不能
詘往而不能自反者也願君孰計之應侯曰善

吾聞欲而不知止失其所以欲有而不知足失其所以有先生幸教睢敬受命於是乃延入坐爲上客後數日入朝言於秦昭王曰客新有從山東來者曰蔡澤其人辯士明於三王之事五伯之業世俗之變足以寄秦國之政臣之見人甚衆莫及臣不如也臣敢以聞秦昭王召見與語大說之拜爲客卿應侯因謝病請歸相印昭王彊起應侯應侯遂稱病篤范睢免相昭王新說蔡澤計畫遂拜爲秦相東收周室蔡澤相秦數月人或惡之懼誅乃謝病歸相印號爲綱成

范睢蔡澤傳　廿三

君居秦十餘年事昭王孝文王莊襄王卒事始皇帝爲秦使於燕三年而燕使太子丹入質於秦

太史公曰韓子稱長袖善舞多錢善賈信哉是言也范睢蔡澤世所謂一切辯士然游說諸侯至白首無所遇者非計策之拙所爲說力少也及二人羈旅入秦繼踵取卿相垂功於天下者固彊弱之勢異也然士亦有偶合賢者多如此二子不得盡意豈可勝道哉然二子不困戹惡能激乎 索隱曰二子范睢蔡澤也雖厄於郄所折脅摺蔡澤困於趙被逐奔其將是也惡音烏激音擊

索隱述贊曰

應侯始困　詭載而西　說行計立

貴平寵稽　倚秦市趙　卒報魏齊

綱成辯智　范雎招攜　勢利傾奪

一言成蹊

范雎蔡澤列傳第十九　史記七十九

呂曰此ノ范雎辱於魏齊須賈鄭安平王稽曰窮穡載入秦離昭王母子兄弟骨肉之親而居相
位以快一己之恩讎蓋亦甚矣然卒以任鄭安平王稽二人敗其又而羅夫爵附祿非酬恩之
具也顧材所堪耳況窮穡之君以私所恩耶范雎以口舌攘穰侯之位而蔡澤復以口舌
攘之唯所謂螳螂捕蟬黃雀在後也然穰侯以君臣骨肉之親則雎攘之也雖范
雎當君臣疑阻之際則澤攘之也易雎遠交近攻之策莫有益於秦澤特羈困
之餘窮穡富貴耳澤殆非雎比也惟雎以離間昭王母子兄弟而得之澤勸雎功成
身退不過如此而論則正矣○鬲者曲腳鼎○夏育衛人力舉千鈞此為賁育之育

曰倚秦無也 此ハ抄ニ云昭王ヲタノミテ魏齊ヲ趙ニ報タリノイヤナラハ唐土果トテ報タリアキナイ〔?〕
云タ人 [illegible]求之帝趙乃[illegible]也

曰太史公曰韓子稱以下十六字稱論也范雎〻范蔡以辯取卿相善舞善賈ヲ云乎於游說ニ
以下[illegible]二云范蔡世之所謂者但少ノ錢短袖之故也及之二人ニ及字如旧点別ニ似接上文ニ云雖
通及乎取卿相之義我乎於羇旅乎点為也彊弱之字ヲ涉范蔡初終也二云於游說ニ亦
則世之游說士所以遇者蓋乎世之所以遇者ナリ之点乎及此二人ニ及字之言世之游說士所遇者及点
范蔡二人也彊弱二字彊ニ言范蔡弱ニ言自有不遇者也

蓋云以游說相秦之國以彊范蔡[illegible]

史記列傳

六十四

廿 樂毅 廿一 廉頗 藺相如

趙奢 李牧 廿二 田單

舊云名為良將右為一國之力衆毅廣薗田單之所以繼齊宗社也

沙丘之亂云々惠文王惠后吳娃子也武靈王自號為主父云々成兌圍主父宮公子章死公子成李兌謀曰以章故圍主父即解兵吾屬夷矣乃遂圍主父令宮中人後出者夷宮中人悉出主父欲出不得又不得食探爵鷇而食之三月餘而餓死沙丘宮主父定死乃發喪赴諸侯是時王少成兌專政畏誅故圍主父主父初以長子章為太子後得吳娃愛之為不出者數歲生子何乃廢太子章而立何為王吳娃死愛弛憐故太子欲兩王之猶豫未決故亂起以至父子俱死為天下笑豈不痛乎

右武靈惠文王立云々詳見趙世家

樂毅列傳第二十　史記八十

樂毅者其先祖曰樂羊樂羊爲魏文侯將伐取中山（正義曰今定州）魏文侯封樂羊以靈壽（徐廣曰屬常山○索隱曰地理志常山有靈壽縣中山桓公所都之地○正義曰今鎮州靈壽）樂羊死葬於靈壽其後子孫因家焉中山復國至趙武靈王時復滅中山（索隱曰中山魏雖滅之尚不絕祀故後更復國至趙武靈王又滅之也）而樂氏後有樂毅樂毅賢好兵趙人舉之及武靈王有沙丘之亂（徐廣曰趙有沙丘宮近鉅鹿）乃去趙適魏聞燕昭王以子之之亂而齊大敗燕燕昭王怨齊未嘗一日而忘報齊也燕國小辟遠力不能制於是屈身

下士先禮郭隗正義曰說苑云燕昭王問於郭隗曰寡人地狹民寡齊人取薊八城匈奴驅馳樓煩之下以孤之不肖得承宗廟恐社稷危存之有道乎隗曰帝者之臣其名臣其實師王者之臣其名臣其實友霸者之臣其名臣其實賓危困國之臣其名臣其實虜今王將自東西面指氣使以求臣則廝役之才至矣南面聽朝不失揖讓之理以求臣則人臣之才至矣西面等禮不乘之以勢以求臣則朋友之才至矣北面逡巡以求臣則師傅之才至矣誠欲興王霸同道隗請爲天下之士開路於是常置隗爲上客以招賢者樂毅於是爲魏昭王使於燕燕王以客禮待之樂毅辭讓遂委質爲臣燕昭王以爲亞卿久之當是時齊湣王彊南敗楚相唐眜於重丘索隱曰眜音莫葛反地理志重丘縣名屬平原○正義曰在冀州城武縣界西摧三晉於觀津索隱曰地理志觀津縣名屬信都漢初屬清河也○正義曰在冀州武邑縣東南二十五里遂與三晉擊秦助趙滅

昭

中山破宋廣地千餘里與秦昭王爭重爲帝已而復歸之諸侯皆欲背秦而服於齊湣王自矜百姓弗堪於是燕昭王問伐齊之事樂毅對曰齊霸國之餘業也地大人衆未易獨攻也王必欲伐之莫如與趙及楚魏於是使樂毅約趙惠文王別使連楚魏令趙嚪秦〔徐廣曰嚪進說之意○索隱曰嚪音田濫反與啗同〕以伐齊之利諸侯害齊湣王之驕暴皆爭合從與燕伐齊樂毅還報燕昭王悉起兵使樂毅爲上將軍趙惠文王以相國印授樂毅樂毅於是并護趙楚韓魏燕之兵以伐齊〔索隱曰護謂總領之也〕

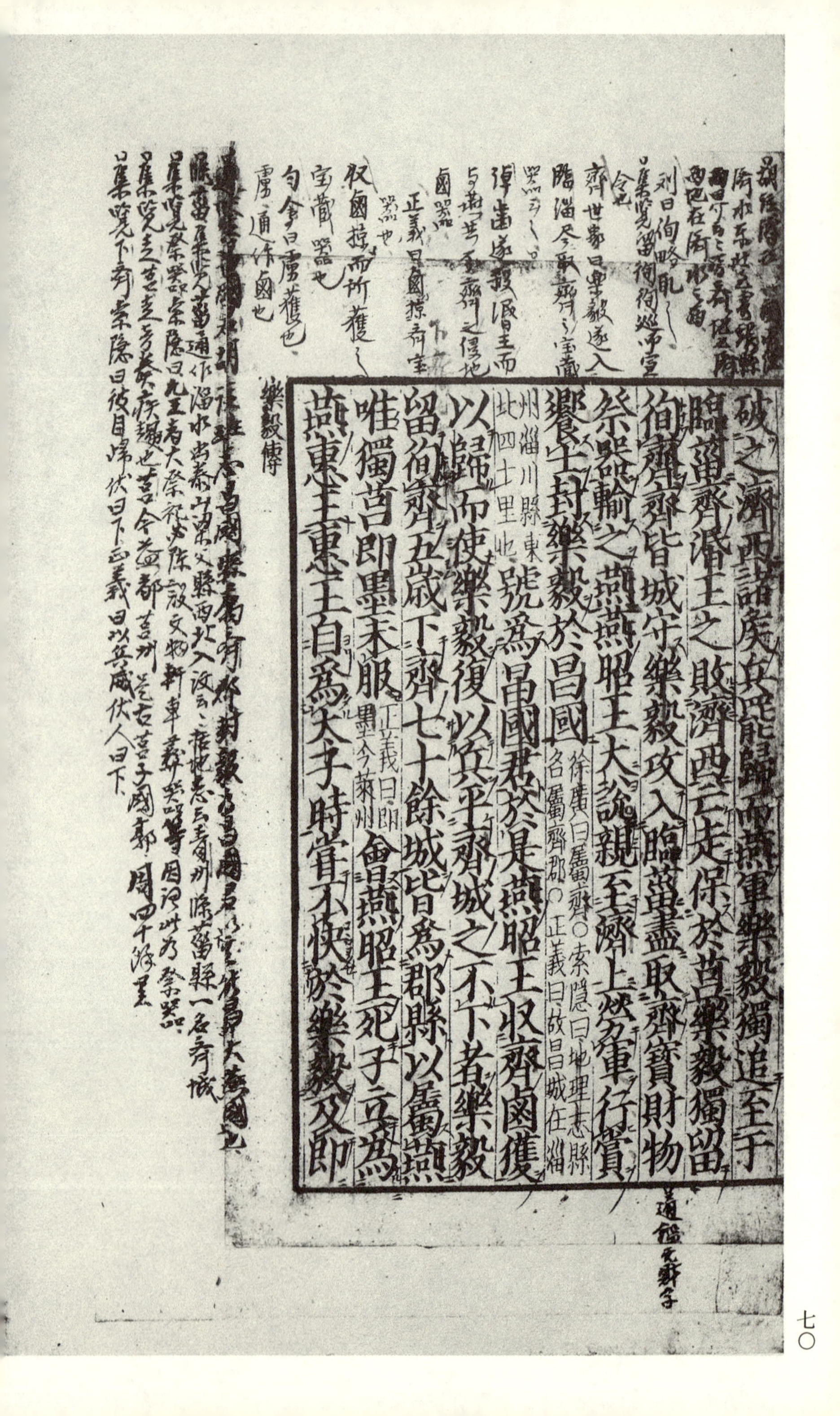

樂毅傳

破之濟西諸侯兵罷歸而燕軍樂毅獨追至于臨菑齊湣王之敗濟西亡走保於莒樂毅獨留徇齊齊皆城守樂毅攻入臨菑盡取齊寶財物祭器輸之燕燕昭王大說親至濟上勞軍行賞饗士封樂毅於昌國徐廣曰屬齊○索隱曰地理志縣名屬齊郡○正義曰故昌城在淄州淄川縣東北四十里也號為昌國君於是燕昭王收齊鹵獲以歸而使樂毅復以兵平齊城之不下者樂毅留徇齊五歲下齊七十餘城皆為郡縣以屬燕唯獨莒即墨未服正義曰即墨今萊州會燕昭王死子立為燕惠王惠王自為太子時嘗不快於樂毅及即

位齊之田單聞之乃縱反間於燕曰齊城不下者兩城耳然所以不早拔者聞樂毅與燕新王有隙欲連兵且留齊南面而王齊齊之所患唯恐他將之來於是燕惠王固已疑樂毅得齊反間乃使騎劫代將（索隱曰燕將姓名）而召樂毅樂毅知燕惠王之不善代之畏誅遂西降趙趙封樂毅於觀津號曰望諸君（索隱曰望諸澤名在齊蓋趙有之故號焉戰國策望作藍也）尊寵樂毅以警動於燕齊齊田單後與騎劫戰果設詐誑燕軍遂破騎劫於即墨下而轉戰逐燕北至河上（正義曰滄德二州之北河）盡復得齊城而迎襄王於莒入

于臨菑燕惠王後悔使騎劫代樂毅以故破軍亡將失齊又怨樂毅之降趙恐趙用樂毅而乘燕之獘以伐燕燕惠王乃使人讓樂毅且謝之曰先王舉國而委將軍將軍爲燕破齊報先王之讎天下莫不震動寡人豈敢一日而忘將軍之功哉會先王棄羣臣寡人新即位左右誤寡人寡人之使騎劫代將軍爲將軍久暴露於外故召將軍且休計事將軍過聽以與寡人有隙遂捐燕歸趙將軍自爲計則可矣而亦何以報先王之所以遇將軍之意乎樂毅報遺燕惠王

樂毅傳

暴音白

索隱曰不佞猶不才也

畜 許陸反 畜 養也

書曰臣不佞不能奉承王命以順左右之心恐傷先王之明有害足下之義故遁逃走趙今足下使人數之以罪臣恐侍御者不察先王之所以畜幸臣之理又不白臣之所以事先王之心故敢以書對臣聞賢聖之君不以祿私親其功多者賞之其能當者處之故察能而授官者成功之君也論行而結交者立名之士也臣竊觀先王之舉也見有高世主之心正義曰樂毅見燕昭王有自高尊世上人主之心故假魏節使燕故假節於魏以身得察於燕先王過舉厠之賓客之中立之羣臣之上不謀父兄正義

以爲亞卿臣竊不自知自以爲奉令
承教可幸無罪故受令而不辭先王命之曰我
有積怨深怒於齊不量輕弱而欲以齊爲事臣
曰夫齊霸國之餘業而最勝之遺事也練於兵
甲習於戰攻王若欲伐之必與天下圖之與天
下圖之莫若結於趙且又淮北宋地楚魏之所
欲也趙若許而約四國攻之齊可大破也先王
以爲然具符節南使臣於趙顧反命起兵擊齊
以天之道先王之靈河北之地隨先王而舉之
濟上正義曰濟水之上在齊上濟上之軍受命擊齊大敗齊人

輕卒銳兵長驅至國齊王遁而走莒僅以身免珠玉財寶車甲珍器盡收入于燕齊器設於寧臺索隱曰燕臺也○正義曰括地志云燕元英磨室二宮皆燕宮在幽州薊縣西四里寧臺之下大呂陳於元英索隱曰大呂齊鍾名元英燕宮殿名也故鼎反乎磨室徐廣曰磨石歷也○索隱曰燕鼎前輸於齊今反入於磨室磨室亦宮名戰國策作歷室也○正義曰括地志云歷室燕宮名也高誘云燕噲亂齊伐燕殺噲得鼎今反歸燕故鼎薊丘之植植於汶篁徐廣曰竹田曰篁謂燕之彊界移於齊之汶水○索隱曰薊丘燕所都之地也言燕之薊丘所植植齊王汶上之竹徐注非也○正義曰幽州薊地西北隅有薊丘又汶水源出兗州博城縣東北原山西南入泲自五伯已來功未有及先王者也先王以爲慊於志索隱曰慊音苦簟反亦作嗛嗛者常慊然而不慊其志也故裂地而封之使得比小國諸侯臣竊不

自知自以爲奉命承教可幸無罪是以受命不辭臣聞賢聖之君功立而不廢故著於春秋蚤知之士名成而不毀故稱於後世若先王之報怨雪恥夷萬乘之彊國收八百歲之蓄積及至棄羣臣之日餘教未衰執政任事之臣修法令慎庶孽施及乎萌隷皆可以教後世臣聞之善作者不必善成善始者不必善終昔伍子胥說聽於闔閭而吳王遠迹至郢夫差弗是也賜之鴟夷而浮之江吳王不寤先論之可以立功故沈子胥而不悔子胥不蚤見主之不同量是以

樂毅傳

沈子胥 正義曰吳王不悟合先論子胥功績可以封爵之卒不改故沈子胥而不悔也

至於入江而不化索隱曰言子胥怨恨故雖投江而神不化猶爲波濤之神也夫免身立功以明先王之迹臣之上計也離毀辱之誹謗音方味反索隱曰誹墮先王之名索隱曰墮音許規反臣之所大恐也臨不測之罪以幸爲利義之所不敢出也索隱曰謂既臨不測之罪以幸免爲利今我仍義先王之恩雖身託外國而心亦不敢出也臣聞古之君子交絕不出惡聲正義曰君子之人交絕不說己長而談彼短忠臣去國不絜其名索隱曰言忠臣去離本國不自絜其名云己無罪故禮曰大夫去國不說人以無罪是也○正義曰言不絜己名行而咎於君若箕子不忍言殷惡是也臣雖不佞索隱曰不佞猶不才也數奉教於君子矣索隱曰數音朔言我以數經奉教令於君子君子即識禮之人謂也在外猶云己罪不說王之有非故下云不察疏遠之行斯亦忠臣之節恐侍御者之

親左右之說不察疏遠之行故敢獻書以聞唯
君王之留意焉夏侯泰初曰觀樂生遺燕惠王書其殆庶
乎知機合道以禮始終者與又其喻昭
王曰伊尹放太甲而不疑太甲受放而不怨是存大業於至
公而以天下為心者也夫欲極道德之量務以天下為心者
必致其主於盛隆合其趣於先王苟君臣同符則大業定矣
于斯時也樂生之志千載一遇夫千載一遇之世亦將行千
載一隆之道豈其局迹當時止於兼并而已哉夫兼并者非
樂生之所屑彊燕而廢道又非樂生之所求不屑苟利心無
近事不求小成斯意兼天下者也則舉齊之事所以運其機
而動四海也夫討齊以明燕主之義此兵不興於為利矣圍
城而害不加於百姓此仁心著於遐邇矣舉國不謀其功除
暴不以威力此至德全於天下矣邁全德以率列國則幾於
湯武之事矣樂生方恢大綱以縱二城收民明信以待其弊
將使即墨莒人顧仇其上願釋干戈賴我猶親善守之智無
所施之然則求仁得仁即墨大夫之義任窮則從微子適周
之道開彌廣之路以待田單之徒長容善之風以申齊士之
志使夫忠者遂節勇者義著昭之東海屬之華裔我澤如春
民應如草道光宇宙賢智託心鄰國傾慕四海延頸思戴燕

燕以有代齊之事而以殺齊王者毅豈遠之是者爲之能用之乎並有實稱除暴不反政礼賢人數端不足以掩其
罪也故愚案朱子說併記之乎他日之論以見其不滿於毅然而取陳氏者特一時之見未為定論也

主仰望風聲二城必從則王業隆矣雖淹留於兩邑乃致速於天下也不幸之變世所不圖敗於垂成時運固然若乃逼之以威劫之以兵攻取之事求欲速之功使燕齊之士流血於二城之下縱殺傷之殘以示四海之人是縱暴易亂以成其私鄰國望之其猶豺虎既大墮稱兵之義而喪濟溺之仁且虧齊士之節廢兼善之風掩宏通之度棄王德之隆雖二城幾於可拔霸王之事逝其遠矣然則燕雖兼齊其與世主何以殊哉其與鄰國何以相傾樂生豈不知拔二城之速了哉顧城拔而業乖也豈不慮不速之致變哉顧業乖與變同歸是觀之樂生之不屠二城未可量也

於是燕王復以樂毅子樂間為昌國君索隱曰間音紀閑反**而樂毅往來復通燕燕趙以為客卿樂毅卒於趙**張華曰望諸君冢在邯鄲西數里**樂間居燕三十餘年燕王喜用其相栗腹之計**索隱曰栗姓腹名也漢有栗姬**欲攻趙而問昌國君樂間樂間曰趙四戰之國也**索隱曰言趙數距四方之敵故云四戰之國

通鑑六栗名腹胡注姓譜栗姓栗陸氏之後

通鑑四戰之國胡注言四面受敵

其民習兵伐之不可燕主不聽遂伐趙趙使廉頗擊之大破栗腹之軍於鄗卿秦栗腹樂乘樂乘者樂間之宗也於是樂間奔趙趙遂圍燕燕重割地以與趙和趙乃解而去燕王恨不用樂間樂間既在趙乃遺樂間書曰紂之時箕子不用犯諫不怠以冀其聽商容不達身祇辱焉以冀其變及民志不入獄囚自出索隱曰民志不入謂國亂而人離心向外故云不入獄囚自出是政亂而士師不爲之守法也然後二子退隱故紂負桀暴之累二子者不失忠聖之名何者其憂患之盡矣今寡人雖愚不若紂之

暴也燕民雖亂不若殷民之甚也室有語不相
盡以告鄰里（正義曰言民家室有忿爭不決必告憐里今故以書相告也）二者寡人
不爲君取也（正義曰二者謂燕君未如紂燕民未如殷民復相告子反燕以疑君民之惡是寡人不謂君取之）樂閒樂乘怨燕不聽其計二人卒留趙
趙封樂乘爲武襄君（索隱曰樂乘樂毅之宗人也）其明年樂
乘廉頗爲趙圍燕燕重禮以和乃解後五歲趙
孝成王卒襄王使樂乘代廉頗廉頗攻樂乘樂
乘走廉頗亡入魏其後十六年而秦滅趙其後
二十餘年高帝過趙問樂毅有後世乎對曰有
樂叔高帝封之樂鄉（徐廣曰在此新城○正義曰地理志云清郡有樂鄉縣）號曰

正義曰巨音詎本作臣字誤

蒯苦怪反

日本...安期生乃叙云每每...未嘗不廢書而歎

華成君華成君樂毅之孫也而樂氏之族有樂瑕公樂臣公趙且爲秦所滅亡之齊高密樂臣公善脩黃帝老子之言顯聞於齊稱賢師

太史公曰始齊之蒯通及主父偃讀樂毅之報燕王書未嘗不廢書而泣也樂臣公學黃帝老子其本師號曰河上丈人不知其所出河上丈人教安期生安期生教毛翕公毛翕公教樂瑕公樂瑕公教樂臣公 索隱曰本亦作巨公 樂臣公教蓋公 索隱曰蓋音古闔反蓋公史不記名 蓋公教於齊高密膠西爲曹相國師 正義曰蓋姓也史記不名梟乘梟間墓並在邯鄲縣南八里蓋音古盍反

按河上丈人不知何人河上公漢文帝時乃者[illegible]人也安期生[illegible]期字[illegible]

索隱述贊曰

昌國忠讜　人臣所無　連兵五國

濟西爲墟　燕王將受　空聞報書

義士慷慨　明君軾閭　閒乘繼將

芳規不渝

樂毅列傳第二十　　史記八十

黄氏日抄樂毅為燕報齊識師出有名矣乃盡取寶物祭器輸之燕仁義之師不為也徇齊五歲下七十餘城而莒即墨獨未下者齊王保於莒有困獸[illegible]後事之齊方憤[illegible]而毅之師已老[illegible]未下[illegible]曾[illegible]也[illegible]許以[illegible]何甚[illegible]毅以[illegible]適趙與父母國也[illegible]燕王書稱忠臣去國不絜其名不交戰國反[illegible]為趙而[illegible]燕去就[illegible]子樂間[illegible]帝之趙復封其孫樂叔者於樂鄉信義之文於人深矣然則樂毅非戰國之士也

廉頗藺相如列傳第二十一　史記八十一

廉頗者趙之良將也趙惠文王十六年廉頗爲趙將伐齊大破之取晉陽索隱曰陽晉衛地後屬齊今趙取之司馬彪郡國志曰今衛國陽晉城是也有本作晉陽非也晉陽在太原雖亦趙地非齊所取也○正義曰故城在曹州乘氏縣西北四十七里也拜爲上卿以勇氣聞於諸侯藺相如者趙人也爲趙宦者令繆賢舍人趙惠文王時得楚和氏璧秦昭王聞之使人遺趙王書願以十五城請易璧趙王與大將軍廉頗諸大臣謀欲予秦秦城恐不可得徒見欺欲勿予即患秦兵之來計未定求人可使報秦者未得宦者令繆賢

正義 繆亡又反 姓也

曰臣舍人藺相如可使王問何以知之對曰臣嘗有罪竊計欲亡走燕臣舍人相如止臣曰君何以知燕王臣語曰臣嘗從大王與燕王會境上燕王私握臣手曰願結友以此知之故欲往相如謂臣曰夫趙彊而燕弱而君幸於趙王故燕王欲結於君今君乃亡趙走燕燕畏趙其勢必不敢留君而束君歸趙矣君不如肉袒伏斧質請罪則幸得脫矣臣從其計大王亦幸赦臣臣竊以爲其人勇士有智謀宜可使於是王召見問藺相如曰秦王以十五城請易寡人之璧

可予不相如曰秦彊而趙弱不可不許王曰取吾璧不予我城奈何相如曰秦以城求璧而趙不許曲在趙趙予璧而秦不予趙城曲在秦均之二策寧許以負秦曲王曰誰可使者相如曰王必無人臣願奉璧往使城入趙而璧留秦城不入臣請完璧歸趙趙王於是遂遣相如奉璧西入秦秦王坐章臺見相如相如奉璧奏秦王秦王大喜傳以示美人及左右左右皆呼萬歲相如視秦王無意償趙城乃前曰璧有瑕請指示王王授璧相如因持璧却立倚柱怒髮上衝

冠謂秦王曰大王欲得璧使人發書至趙王趙王悉召羣臣議皆曰秦貪負其彊以空言求璧償城恐不可得議不欲予秦璧臣以爲布衣之交尚不相欺況大國乎且以一璧之故逆彊秦之驩不可於是趙王乃齋戒五日使臣奉璧拜送書於庭何者嚴大國之威以脩敬也今臣至大王見臣列觀禮節甚倨得璧傳之美人以戲弄臣臣觀大王無意償趙王城邑故臣復取璧大王必欲急臣臣頭今與璧俱碎於柱矣相如持其璧睨柱欲以擊柱秦王恐其破璧乃辭謝

廉頗藺相如

固請召有司案圖指從此以往十五都予趙相如度秦王特以詐佯爲予趙城實不可得乃謂秦王曰和氏璧天下所共傳寶也趙王恐不敢不獻趙王送璧時齋戒五日今大王亦宜齋戒五日設九賓於廷韋昭曰九賓則周禮九儀○索隱曰周禮大行人別九賓謂九服之賓客也列士傳云設九牢也○正義曰劉伯莊云九賓者周王備之禮天子臨軒九服同會秦趙何得九賓但亦陳設車輅文物耳臣乃敢上璧秦王度之終不可彊奪遂許齋五日舍相如廣成傳舍索隱曰廣成是傳舍之名傳音張戀反相如度秦王雖齋決負約不償城乃使其從者衣褐懷其璧從徑道亡歸璧于趙秦王齋五日後乃

設九賓禮於廷引趙使者藺相如相如至謂秦王曰秦自繆公以來二十餘君未嘗有堅明約束者也臣誠恐見欺於王而負趙故令人持璧歸間至趙矣且秦彊而趙弱大王遣一介之使至趙趙立奉璧來今以秦之彊而先割十五都予趙趙豈敢留璧而得罪於大王乎臣知欺大王之罪當誅臣請就湯鑊唯大王與羣臣孰計議之秦王與羣臣相視而嘻索隱曰音希嘻乃驚而怒之辭也左右或欲引相如去秦王因曰今殺相如終不能得璧也而絕秦趙之驩不如因而厚遇之使歸

趙趙王豈以一璧之故欺秦邪卒廷見相如畢禮而歸之相如既歸趙王以爲賢大夫使不辱於諸侯拜相如爲上大夫秦亦不以城予趙趙亦終不予秦璧其後秦伐趙拔石城（徐廣曰惠文王十八年○索隱曰劉氏云蓋謂石邑也○正義曰故石城在相州林慮縣南九十里也）明年復攻趙殺二萬人秦王使使者告趙王欲與王爲好會於西河外澠池（索隱曰在西河之南故云外按表在趙惠文王二十年）趙王畏秦欲毋行廉頗藺相如計曰王不行示趙弱且怯也趙王遂行相如從廉頗送至境與王訣曰王行度道里會遇之禮畢還不過三十日三十日

不還則請立太子爲王以絕秦望王許之遂與秦王會澠池徐廣曰二十年秦王飲酒酣曰寡人竊聞趙王好音請奏瑟趙王鼓瑟秦御史前書曰某年月日秦王與趙王會飲令趙王鼓瑟藺相如前曰趙王竊聞秦王善爲秦聲請奏盆缻秦王以相娛樂風俗通義曰缶者瓦器所以盛酒漿秦人鼓之以節歌也○索隱曰缻音缶○正義曰缻音缾秦王怒不許於是相如前進缻因跪請秦王秦王不肯擊缻相如曰五步之內相如請得以頸血濺大王矣正義曰濺音贊左右欲刃相如相如張目叱之左右皆靡於是秦王不懌爲一擊缻相如顧

召趙御史書曰某年月日秦王爲趙王擊缻秦之羣臣曰請以趙十五城爲秦王壽藺相如亦曰請以秦之咸陽爲趙王壽秦王竟酒終不能加勝於趙趙亦盛設兵以待秦秦不敢動旣罷歸國以相如功大拜爲上卿位在廉頗之右索隱曰王劭按董勛荅礼曰職高者名録在上於人爲右職卑者名録在下於人爲左是以謂下遷爲左○正義曰秦漢以前用右爲上廉頗曰我爲趙將有攻城野戰之大功而藺相如徒以口舌爲勞而位居我上且相如素賤人吾羞不忍爲之下宣言曰我見相如必辱之相如聞不肯與會相如每朝時常稱病不欲

與廉頗爭列已而相如出望見廉頗相如引車避匿於是舍人相與諫曰臣所以去親戚而事君者徒慕君之高義也今君與廉頗同列廉君宣惡言而君畏匿之恐懼殊甚且庸人尚羞之況於將相乎臣等不肖請辭去藺相如固止之曰公之視廉將軍孰與秦王曰不若也相如曰夫以秦王之威而相如廷叱之辱其羣臣相如雖駑獨畏廉將軍哉顧吾念之彊秦之所以不敢加兵於趙者徒以吾兩人在也今兩虎共鬭其勢不俱生吾所以為此者以先國家之急而

曰請以秦之咸陽爲趙王壽秦王竟酒終不能加勝於趙趙亦盛設兵以待秦秦不敢動既罷歸國以相如功大拜爲上卿位在廉頗之右索隱曰王劭按董勛荅礼曰職高者名録在上於人爲右職卑者名録在下於人爲左是以謂下遷爲左○正義曰秦漢以前用右爲上廉頗曰我爲趙將有攻城野戰之大功而藺相如徒以口舌爲勞而位居我上且相如素賤人吾羞不忍爲之下宣言曰我見相如必辱之相如聞不肯與會相如每朝時常稱病不欲

與廉頗爭列已而相如出望見廉頗相如引車避匿於是舍人相與諫曰臣所以去親戚而事君者徒慕君之高義也今君與廉頗同列廉君宣惡言而君畏匿之恐懼殊甚且庸人尚羞之況於將相乎臣等不肖請辭去藺相如固止之曰公之視廉將軍孰與秦王曰不若也相如曰夫以秦王之威而相如廷叱之辱其羣臣相如雖駑獨畏廉將軍哉顧吾念之彊秦之所以不敢加兵於趙者徒以吾兩人在也今兩虎共鬭其勢不俱生吾所以爲此者以先國家之急而

後私讎也廉頗聞之肉袒負荊索隱曰肉袒者謂袒衣而露肉也負荊者荊楚也可以爲鞭也因賓客至藺相如門謝罪曰鄙賤之人不知將軍寬之至此也卒相與驩爲刎頸之交索隱曰崔浩云要齊生死而刎頸無悔也是歲廉頗東攻齊破其一軍居二年廉頗復伐齊幾拔之徐廣曰幾邑名也索隱趙世家惠文王二十三年頗將攻魏之幾邑取之而齊世家及年表無伐齊幾拔之事疑幾是邑名而或屬齊或屬魏耳田單在齊不得至於拔也○索隱曰世家與此列傳合而戰国策云秦敗閼與反攻魏幾幾是幾亦屬魏故裴駰云或屬齊屬魏也○正義曰幾音祈在相潞之間後三年廉頗攻魏之防陵徐廣曰一作房子○索隱曰按防陵在楚之西屬漢中郡魏有房子蓋陵字誤也○正義曰城在相州安陽縣南二十里因防水爲名安陽拔之後四年藺相如將而攻齊至平邑而罷

正義曰故城在潞州銅鞮縣東北三十里　其明年趙奢破秦軍閼與下

趙奢者趙之田部吏也收租稅而平原君家不肯出租趙奢以法治之殺平原君用事者九人平原君怒將殺奢奢因說曰君於趙爲貴公子今縱君家而不奉公則法削法削則國弱國弱則諸侯加兵諸侯加兵是無趙也君安得有此富乎以君之貴奉公如法則上下平上下平則國彊國彊則趙固而君爲貴戚豈輕於天下邪平原君以爲賢言之於王王用之治國賦國賦太平民富而府庫實秦伐韓軍於閼與王召廉頗

平原君ハ趙惠文王之弟也

王ハ趙王也

而問曰可救不對曰道遠險狹難救又召樂乘而問焉樂乘對如廉頗言又召問趙奢奢對曰其道遠險狹譬之猶兩鼠鬬於穴中將勇者勝王乃令趙奢將救之兵去邯鄲三十里而令軍中曰有以軍事諫者死秦軍軍武安西徐廣曰屬魏郡在邯鄲西秦軍鼓譟勒兵武安屋瓦盡振軍中候有一人言急救武安趙奢立斬之堅壁留二十八日不行復益增壘秦間來入趙奢善食而遣之間以報秦將秦將大喜曰夫去國三十里正義我曰國謂邯鄲趙都也而軍不行乃增壘閼與非趙地也趙奢既已

遣秦閒卷甲而趨之二日一夜至令善射者去閼與五十里而軍軍壘成秦人聞之悉甲而至軍士許歷請以軍事諫趙奢曰內之許歷曰秦人不意趙師至此其來氣盛將軍必厚集其陣以待之不然必敗趙奢曰請受令許歷曰請就鈇質之誅趙奢曰胥後令索隱曰按胥須古人通用今者胥後令謂胥爲須須者待也待後令謂許歷之言更不擬誅之故更待後令也○正義曰胥猶須也軍去城都三十里而不斬未有過險陜恐人諫令急救武安乃出此令今垂戰須得謀策不用前令故云須後令也邯鄲許歷復請諫索隱曰邯鄲二字當爲欲戰謂臨戰之時許歷復諫也王粲詩云許歷爲完士一言猶敗秦者用其計遂破秦軍也江遂曰漢令稱完而不髡曰耐是完士未免從軍也曰先據北山上者

而問曰可救不對曰道遠險狹難救又召樂乘而問焉樂乘對如廉頗言又召問趙奢奢對曰其道遠險狹譬之猶兩鼠鬭於穴中將勇者勝王乃令趙奢將救之兵去邯鄲三十里而令軍中曰有以軍事諫者死秦軍軍武安西徐廣曰屬魏郡在邯鄲西秦軍鼓譟勒兵武安屋瓦盡振軍中候有一人言急救武安趙奢立斬之堅壁留二十八日不行復益增壘秦閒來入趙奢善食而遣之閒以報秦將秦將大喜曰夫去國三十里正義曰國謂邯鄲趙都也而軍不行乃增壘閼與非趙地也趙奢既已

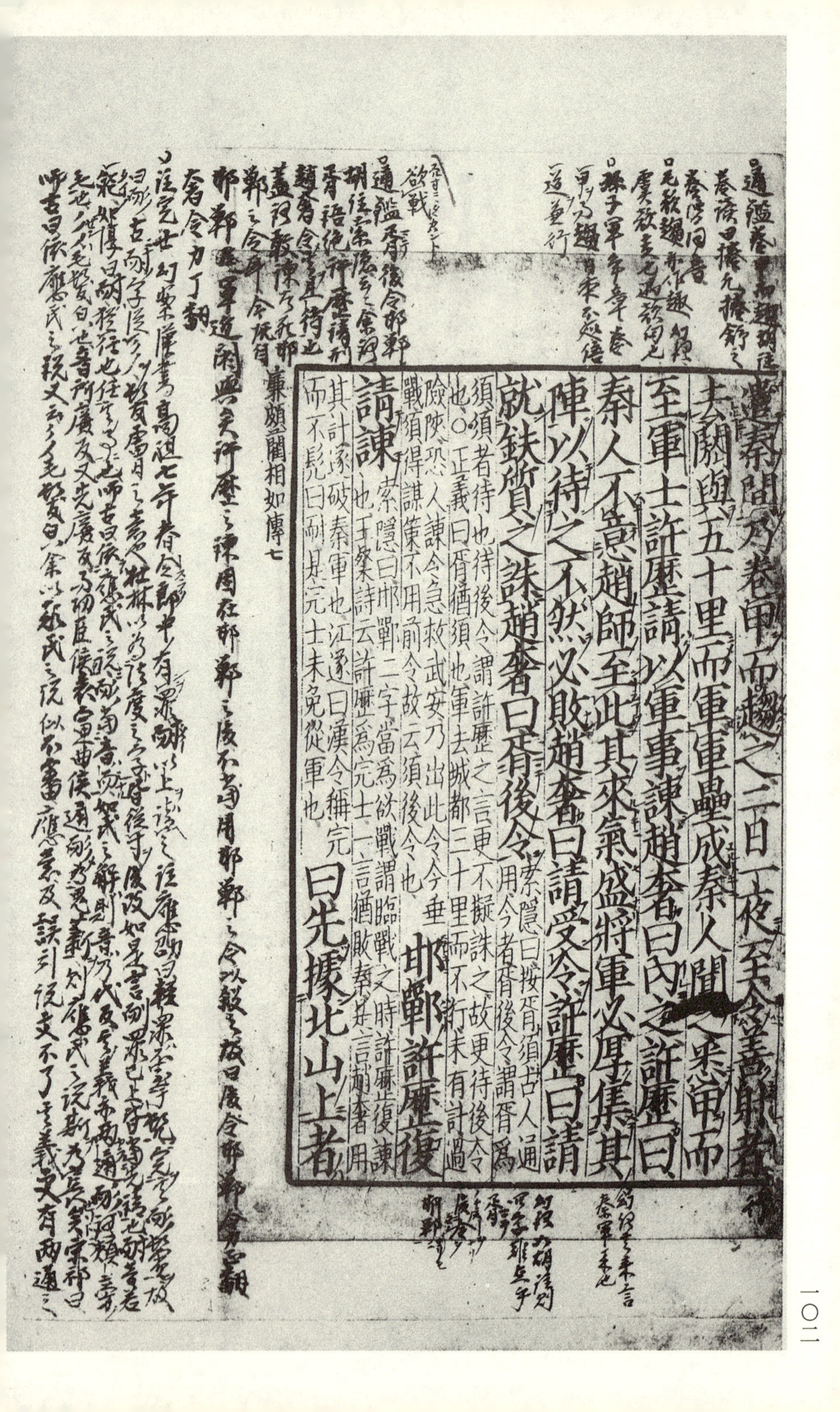

遣秦間乃卷甲而趨之二日一夜至令善射者去閼與五十里而軍軍壘成秦人聞之悉甲而至軍士許歷請以軍事諫趙奢曰內之許歷曰秦人不意趙師至此其來氣盛將軍必厚集其陣以待之不然必敗趙奢曰請受令許歷曰請就鈇質之誅趙奢曰胥後令索隱曰按胥須古人通用今者胥後令謂胥爲須須者待也待後令謂許歷之言更不擬誅之故更待後令也○正義曰胥猶須也軍去城都三十里而不行未有計過險陜恐人諫令急救武安乃出此令今垂戰須得謀策不用前令故云須後令也邯鄲許歷復請諫索隱曰邯鄲二字當爲欲戰謂臨戰之時許歷復諫也王粲詩云許歷爲完士一言猶敗秦是言趙奢用其計遂破秦軍也江遂曰漢令稱完而不髡曰耐是完士未免從軍也曰先據北山上者

廉頗藺相如傳七

勝 正義曰閼與山在洛州武安縣西南五十里趙奢距秦軍於閼與即此山也按括地志云言拒秦軍在此山疑其大近洛州既去邯鄲三十里而軍又云移之二日一夜至閼與五十里而軍壘城據今洛州去潞州三百里間而隔相州恐潞州閼與聚城是所拒據處 後至者敗趙奢許諾即發萬人趨之秦兵後至爭山不得上趙奢縱兵擊之大破秦軍秦軍解而走遂解閼與之圍而歸趙惠文王賜奢號為馬服君以許歷為國尉趙奢於是與廉頗藺相如同位後四年趙惠文王卒子孝成王立七年秦與趙兵相距長平時趙奢已死 張華曰趙奢冢在邯鄲界西山上謂之馬服山 而藺相如病篤趙使廉頗將攻秦秦數敗趙軍趙軍固壁不戰秦[illegible]

戰廉頗不肯趙王信秦之間秦之間言曰秦之所惡獨畏馬服君趙奢之子趙括爲將耳趙王因以括爲將代廉頗藺相如曰王以名使括若膠柱而鼓瑟耳括徒能讀其父書傳不知合變也趙王不聽遂將之趙括自少時學兵法言兵事以天下莫能當嘗與其父奢言兵事奢不能難然不謂善括母問奢其故奢曰兵死地也而括易言之使趙不將括即已若必將之破趙軍者必括也及括將行其母上書言於王曰括不可使將王曰何以對曰始妾事其父時爲將身

廉頗藺相如傳 八

日通鑑又以母置之胡三省辨誤一卷史炤釋文提起母置二字註其下曰句斷母者止之使置其事而無復言也余按炤謂母者止之也是讀母爲毋字又以母置爲句斷則以之字屬下句全不成文義母者謂括母也趙王使括母置其事不須復言言已決計使括爲將文意甚順何必妄爲穿鑿毋當讀母子之母通置之爲一句蓋頡篇曰母字其中有兩點象人乳形豎通者毋音無今諸家板行通鑑及史記皆作毋字而妄以母字爲説是又以字學誤後人矣

勝正義曰閼與山在洛州武安縣西南五十里趙奢距秦軍於閼與即此山也按括地志云言拒秦軍在此山疑其太近洛州既去邯鄲三十里而軍壘城又云移之二日一夜至閼與五十里而軍壘城據今洛州去潞州三百里間而隔相州恐潞州閼與聚城是所拒據處後至者敗趙奢許諾即發萬人趨之秦兵後至爭山不得上趙奢縱兵擊之大破秦軍秦軍解而走遂解閼與之圍而歸趙惠文王賜奢號為馬服君以許歷為國尉趙奢於是與廉頗藺相如同位後四年趙惠文王卒子孝成王立七年秦與趙兵相距長平時趙奢已死張華曰趙奢冢在邯鄲界西山上謂之馬服山而藺相如病篤趙使廉頗將攻秦秦數敗趙軍趙軍固壁不[illegible]

戰廉頗不肯趙王信秦之間秦之間言曰秦之所惡獨畏馬服君趙奢之子趙括為將耳趙王因以括為將代廉頗藺相如曰王以名使括若膠柱而鼓瑟耳括徒能讀其父書傳不知合變也趙王不聽遂將之趙括自少時學兵法言兵事以天下莫能當嘗與其父奢言兵事奢不能難然不謂善括母問奢其故奢曰兵死地也而括易言之使趙不將括即已若必將之破趙軍者必括也及括將行其母上書言於王曰括不可使將王曰何以對曰始妾事其父時為將身

廉頗藺相如傳 八

○通鑑五曰母置之胡三省辯誤一卷史炤釋文提起母置二字註其下曰句斷毋者止之辭其事而無復言也余按炤謂毋者止之也是讀毋為毋字又以毋置為句斷則以之字屬下句全不成文蓋母者謂括母也趙王使括母置其事不須復言吾已決計使括為將文意甚順何必妄為穿鑿毋當讀母子之母通鑑之為一句蓋顏篇曰母字其中有兩點象人乳形豎通者毋音無今監本板行通鑑及史記皆作毋字而妄以毋字為說是又以字學誤後人矣

所奉飯飲而進食者以十數（正義曰奉音捧）所友者以百數大王及宗室所賞賜者盡以予軍吏士大夫受命之日不問家事今括一旦爲將東向而朝軍吏無敢仰視之者王所賜金帛歸藏於家而日視便利田宅可買者買之王以爲何如其父父子異心願王勿遣王曰母置之吾已決矣括母因曰王終遣之即有如不稱妾得無隨坐乎王許諾趙括既代廉頗悉更約束易置軍吏秦將白起聞之縱奇兵佯敗走而絶其糧道分斷其軍爲二士卒離心四十餘日軍餓趙括出

燕王喜四年命相栗腹約歡趙以五百金爲趙王酒還報燕王曰趙王壯者皆死長平其孤未壯可伐也王召昌國君樂閒問之對曰趙四戰之國其民習兵不可伐也王曰吾以五而伐一對曰不可燕王怒群臣皆以爲可卒起二軍車二千乘栗腹將而攻鄗卿秦攻代唯獨大夫將渠謂燕王曰與人通關約交以五百金飲人之王使者報而反攻之不祥兵無成功燕王不聽自將偏軍隨之將渠引王綬止之曰王必無自往往無成功王蹴之以足將渠泣曰臣非以自爲爲王也燕軍至宋子趙使廉頗將擊破栗腹於鄗破卿秦樂乘於代 燕世家

廉頗藺相如九

括卒自搏戰秦軍射殺趙括括軍敗數十萬之衆遂降秦秦悉阬之趙前後所亡凡四十五萬明年秦兵遂圍邯鄲歲餘幾不得脫賴楚魏諸侯來救乃得解邯鄲之圍趙王亦以括母先言竟不誅也自邯鄲圍解五年而燕用栗腹之謀曰趙壯者盡於長平其孤未壯舉兵擊趙趙使廉頗將擊大破燕軍於鄗殺栗腹遂圍燕燕割五城請和乃聽之趙以尉文（徐廣曰邑名也）封廉頗爲信平君（索隱曰信平號也徐廣云尉文邑名按漢書表有尉文節侯云在南郡蓋尉官也文名也謂取尉文所食之邑復以封頗而號爲信平君也）爲假相國廉頗之免長平歸也

失勢之時故客盡去及復用爲將客又復至廉頗曰客退矣客曰吁君何見之晩也夫天下以市道交君有勢我則從君君無勢則去此固其理也有何怨乎居六年趙使廉頗伐魏之繁陽徐廣曰屬魏郡○正義曰在相州内黄縣東北也拔之趙孝成王卒子悼襄王立使樂乘代廉頗廉頗怒攻樂乘樂乘走廉頗遂奔魏之大梁其明年趙乃以李牧爲將而攻燕拔武遂方城索隱曰地理志武遂屬河間國方城屬廣陽也○正義曰武遂易州遂城也方城幽州固安縣南十里廉頗居梁久之魏不能信用趙以數困於秦兵趙王思復得廉頗廉頗亦思復用

得於趙趙王使使者視廉頗尚可用否廉頗之仇郭開多與使者金令毀之趙使者既見廉頗廉頗爲之一飯斗米肉十斤被甲上馬以示尚可用趙使還報王曰廉將軍雖老尚善飯然與臣坐頃之三遺矢矣〔索隱曰謂數起便也矢一作屎〕趙王以爲老遂不召楚聞廉頗在魏陰使人迎之廉頗一爲楚將無功曰我思用趙人廉頗卒死于壽春〔正義曰廉頗墓在壽州壽春縣北四里藺相如墓在邯鄲西南六里〕

李牧者趙之北邊良將也常居代鴈門備匈奴〔正義曰今鴈門縣在代地故云鴈門也〕以便宜置吏市租皆輸入莫府

廉頗藺相如 十

如淳曰將軍征行無常處所在爲治故言莫府莫大也索隱曰如淳解莫爲大非也崔浩云古者出征爲將帥軍還則罷理無常處以幕帟爲府署故曰莫府則莫當作幕字之訛也爲士卒費日擊數牛饗士習射騎謹烽火多間諜索隱曰上紀覘反下音牒厚遇戰士爲約曰匈奴即入盜急入收保有敢捕虜者斬匈奴每入烽火謹輒入收保不敢戰如是數歲亦不亡失然匈奴以李牧爲怯雖趙邊兵亦以爲吾將怯趙王讓李牧李牧如故趙王怒召之使他人代將歲餘匈奴每來出戰出戰數不利失亡多邊不得田畜正義曰許又反復請李牧牧杜門不出固稱疾趙王乃復彊起使將兵牧曰

王必用臣臣如前乃敢奉令王許之李牧至如故約匈奴數歲無所得終以爲怯邊士日得賞賜而不用皆願一戰於是乃具選車得千三百乘選騎得萬三千匹百金之士五萬人（管子曰能破敵擒將者賞百金）彀者十萬人（索隱曰彀音古候反彀謂能射也）悉勒習戰大縱畜牧人民滿野匈奴小入佯北不勝以數千人委之（索隱曰委謂弃之恣其殺略也）單于聞之大率衆來入李牧多爲奇陳張左右翼擊之大破殺匈奴十餘萬騎滅襜襤（襜都甘反襤路談反徐廣曰一作臨駟又案如淳曰胡名也在代地）破東胡降林胡單于奔走其後十餘歲匈奴不敢近趙邊

廉頗藺相如

如淳曰將軍征行無常處所在爲治故言莫府莫大也索隱曰如淳解莫爲大非也崔浩云古者出征爲將帥軍還則罷理無常處以幕帟爲府署故曰莫府則莫當作幕字之訛也爲士卒費日擊數牛饗士習射騎謹烽火多間諜索隱曰上紀莧反下音牒厚遇戰士爲約曰匈奴即入盜急入收保有敢捕虜者斬匈奴每入烽火謹輒入收保不敢戰如是數歲亦不亡失然匈奴以李牧爲怯雖趙邊兵亦以爲吾將怯趙王讓李牧李牧如故趙王怒召之使他人代將歲餘匈奴每來出戰出戰數不利失亡多邊不得田畜正義曰許又反復請李牧牧杜門不出固稱疾趙王乃復彊起使將兵牧曰

王必用臣臣如前乃敢奉令王許之李牧至如故約匈奴數歲無所得終以爲怯邊士日得賞賜而不用皆願一戰於是乃具選車得千三百乘選騎得萬三千匹百金之士五萬人管子曰能破敵擒將者賞百金彀者十萬人索隱曰彀音古候反彀謂能射也悉勒習戰大縱畜牧人民滿野匈奴小入佯北不勝以數千人委之索隱曰委謂棄之以其殺略也單于聞之大率衆來入李牧多爲奇陳張左右翼擊之大破殺匈奴十餘萬騎滅襜襤襜都甘反襤路談反徐廣曰一作臨駰又案如淳曰胡名也在代地破東胡降林胡單于奔走其後十餘歲匈奴不敢近趙邊

廉頗藺相如

城趙悼襄王元年廉頗既亡入魏趙使李牧攻燕拔武遂方城居二年龐煖破燕軍殺劇辛索隱曰煖即馮煖也龐音皮江反煖音況遠反又音喧劇辛本趙人仕燕者後七年秦破趙殺將扈輒於武遂城索隱曰扈氏輒名漢張耳時別有扈輒也劉氏云武遂本韓地在趙西恐非地理志河間武遂也斬首十萬趙乃以李牧為大將軍擊秦軍於宜安○正義曰在相州藁城縣西南二十里大破秦軍走秦將桓齮索隱曰齮音蟻封李牧為武安君居三年秦攻番吾索隱曰縣名地理志在常山音婆又音盤○正義曰在相州房山縣東二十里也李牧擊破秦軍南距韓魏趙王遷七年秦使王翦攻趙趙使李牧司馬尚禦之秦多與趙王寵臣郭開金

徵

始皇十九年虜趙王遷流於房陵

爲反閒言李牧司馬尚欲反趙王乃使趙葱及齊將顏聚代李牧李牧不受命趙使人微捕得李牧斬之廢司馬尚後三月王翦因急擊趙大破殺趙葱虜趙王遷及其將顏聚遂滅趙

太史公曰知死必勇非死者難也處死者難方藺相如引璧睨柱及叱秦王左右勢不過誅然士或怯懦（徐廣曰一作攝懦）而不敢發相如一奮其氣威信敵國（索隱曰信音申）退而讓頗名重太山其處智勇可謂兼之矣

索隱述贊曰

清風凜凜　壯氣熊熊　各竭誠義
遞爲雌雄　和璧聘返　澠池好通
負荊知懼　屈節推工　安邊定策
頗牧之功

廉頗藺相如列傳第二十一　史記八十一

田單列傳第二十二　　史記八十二

田單者齊諸田疏屬也索隱曰單音丹湣王時單爲臨菑市掾不見知及燕使樂毅伐破齊齊湣王出奔已而保莒城燕師長驅平齊而田單走安平徐廣曰今之東安平也在青州臨淄縣東十九里古紀之酅邑齊改爲安平秦滅齊改爲東安平縣屬齊郡以定州有安平故加東字○索隱曰地理志東安平屬菑川國令其宗人盡斷其車軸末而傅鐵籠徐廣曰傅音附○索隱曰斷音都緩反斷其軸恐長相撥也以鐵裹軸頭堅而易進也傅者截其軸與轂齊以鐵鍱附軸末施轄於鐵中以制轂也又方言曰車轊齊謂之籠郭璞云車軸也已而燕軍攻安平城壞齊人走爭塗以轊折車敗徐廣曰轊車軸頭也音衛爲燕所虜唯田單宗人以鐵籠故得脫

田單傳

東保即墨燕既盡降齊城唯獨莒即墨不下燕軍聞齊王在莒并兵攻之淖齒（徐廣曰多作悼齒也）既殺湣王於莒因堅守距燕軍數年不下燕引兵東圍即墨即墨大夫出與戰敗死城中相與推田單曰安平之戰田單宗人以鐵籠得全習兵立以爲將軍以即墨距燕頃之燕昭王卒惠王立與樂毅有隙田單聞之乃縱反間於燕宣言曰齊王已死城之不拔者二耳樂毅畏誅而不敢歸以伐齊爲名實欲連兵南面而王齊齊人未附故且緩攻即墨以待其事齊人所懼唯恐他

將之來即墨殘矣燕王以爲然使騎劫代樂毅樂毅因歸趙燕人士卒忿而田單乃令城中人食必祭其先祖於庭飛鳥悉翔舞城中下食燕人怪之田單因宣言曰神來下教我乃令城中人曰當有神人爲我師有一卒曰臣可以爲師乎因反走田單乃起引還東鄉坐師事之卒曰臣欺君誠無能也田單曰子勿言也因師之每出約束必稱神師乃宣言曰吾唯懼燕軍之劓所得齊卒置之前行〔正義曰故郎反〕與我戰即墨敗矣燕人聞之如其言城中人見齊諸降者盡劓

掘

靈藏用曰編在行伍之間……

遣使

集覽：版，鍤……

皆怒堅守唯恐見得單又縱反閒曰吾懼燕人
掘吾城外冢墓僇先人可爲寒心燕軍盡掘壟
墓燒死人即墨人從城上望見皆涕泣其欲出
戰怒自十倍田單知士卒之可用乃身操版插
索隱曰操音七高反插音初洽反 ○正義曰古之軍行常負板插也與士卒分功妻妾編
於行伍之閒盡散飲食饗士令甲卒皆伏使老
弱女子乘城遣使約降於燕燕軍皆呼萬歲田
單又收民金得千溢令即墨富豪遣燕將曰即
墨即降願無虜掠吾族家妻妾令安堵燕將大
喜許之燕軍由此益懈田單乃收城中得千餘

[illegible]

略從叉奪取也廣韻抄掠劫人財物也

牛為絳繒衣畫以五彩龍文束兵刃於其角而灌脂束葦於尾燒其端鑿城數十穴夜縱牛壯士五千人隨其後牛尾熱怒而奔燕軍燕軍夜大驚牛尾炬火光明炫燿燕軍視之皆龍文所觸盡死傷五千人因銜枚擊之而城中鼓譟從之老弱皆擊銅器為聲聲動天地燕軍大駭敗走齊人遂夷殺其將騎劫燕軍擾亂奔走齊人追亡逐北所過城邑皆畔燕而歸田單兵日益多乘勝燕日敗亡卒至河上索隱曰齊河之北界近河東蓋齊舊時地也而齊七十餘城皆復為齊乃迎襄王於莒入臨菑

而聽政襄王封田單號曰安平君索隱曰單初起安平故以爲號

太史公曰兵以正合以奇勝魏武帝曰先出合戰爲正後出爲奇也正者當敵奇兵擊不備○索隱曰奇謂權詐也注引魏武蓋亦軍令也善之者出奇無窮索隱曰兵不厭詐故云善之出奇無窮謂權變多也奇正還相生正義曰正當猶合也言正兵當陣張左右翼掩其不備則奇正合戰敵也如環之無端索隱曰言用兵之術或用奇計使前敵不可測量如尋環中不知端際也夫始如處女適人開戶徐廣曰適音敵○索隱曰言兵始如處女之軟弱則敵人輕侮開戶不爲備○正義曰敵人謂燕軍也言燕軍被田單反間易將及被卒燒壠墓而令齊卒甚怒是敵人爲單開門戶也後如脫兔適不及距魏武帝曰如女示弱脫兔往疾也○索隱曰克捷之後卷甲而趨有如兔之得脫而疾走也敵不及距者若脫兔忽過而敵忘其所距也其田單之謂邪初悼齒之殺湣王也莒人求湣王子法章

得之太史嬓之家正義嬓音皎為人灌園嬓女憐而善遇之後法章私以情告女女遂與通及莒人共立法章為齊王以莒距燕而太史氏女遂為后所謂君王后也燕之初入齊聞畫邑人劉熙曰齊西南近邑畫音獲○索隱曰音胡卦反○正義曰括地志云戟里城在臨淄西北三十里春秋時棘邑又云澅邑蠋所居即此邑因澅水為名也王蠋賢索隱曰蠋音觸亦音歜令軍中曰環畫邑三十里無入以王蠋之故已而使人謂蠋曰齊人多高子之義吾以子為將封子萬家蠋固謝燕人曰子不聽吾引三軍而屠畫邑王蠋曰忠臣不事二君貞女不更二夫齊王不聽吾諫故

退而耕於野國既破亡吾不能存今又劫之以兵爲君將是助桀爲暴也與其生而無義固不如烹遂經其頸於樹枝自奮絕脰而死索隱曰經猶繫也何休云脰頸也音豆齊亡大夫聞之曰王蠋布衣也義不北面於燕況在位食祿者乎乃相聚如莒求諸子立爲襄王

索隱述贊曰

軍法以正　實尚奇兵　斷軸自免

反間先行　羣鳥或衆　五牛揚旌

卒破騎劫　皆復齊城　襄王嗣位

得之太史嬓之家（正義嬓音皎）爲人灌園嬓女憐而善遇之後法章私以情告女女遂與通及莒人共立法章爲齊王以莒距燕而太史氏女遂爲后所謂君王后也燕之初入齊聞畫邑人（劉熙曰齊西南近邑畫音獲○索隱曰音胡卦反○正義曰括地志云戟里城在臨淄西北三十里春秋時棘邑又云澅邑蠋所居即此邑因澅水爲名也）王蠋賢（索隱曰蠋音蜀亦音歜）令軍中曰環畫邑三十里無入以王蠋之故已而使人謂蠋曰齊人多高子之義吾以子爲將封子萬家蠋固謝燕人曰子不聽吾引三軍而屠畫邑王蠋曰忠臣不事二君貞女不更二夫齊王不聽吾諫故

田單傳

退而耕於野國既破亡吾不能存今又劫之以兵爲君將是助桀爲暴也與其生而無義固不如烹遂經其頸於樹枝自奮絶脰而死索隱曰經猶繫也何休云脰頸也語也音豆齊亡大夫聞之曰王蠋布衣也義不北面於燕況在位食祿者乎乃相聚如莒求諸子立爲襄王

索隱述贊曰

軍法以正　實尚奇兵　斷軸自免

反間先行　羣鳥或衆　五牛揚旌五采龍文之牛也

卒破騎劫　皆復齊城　襄子嗣位

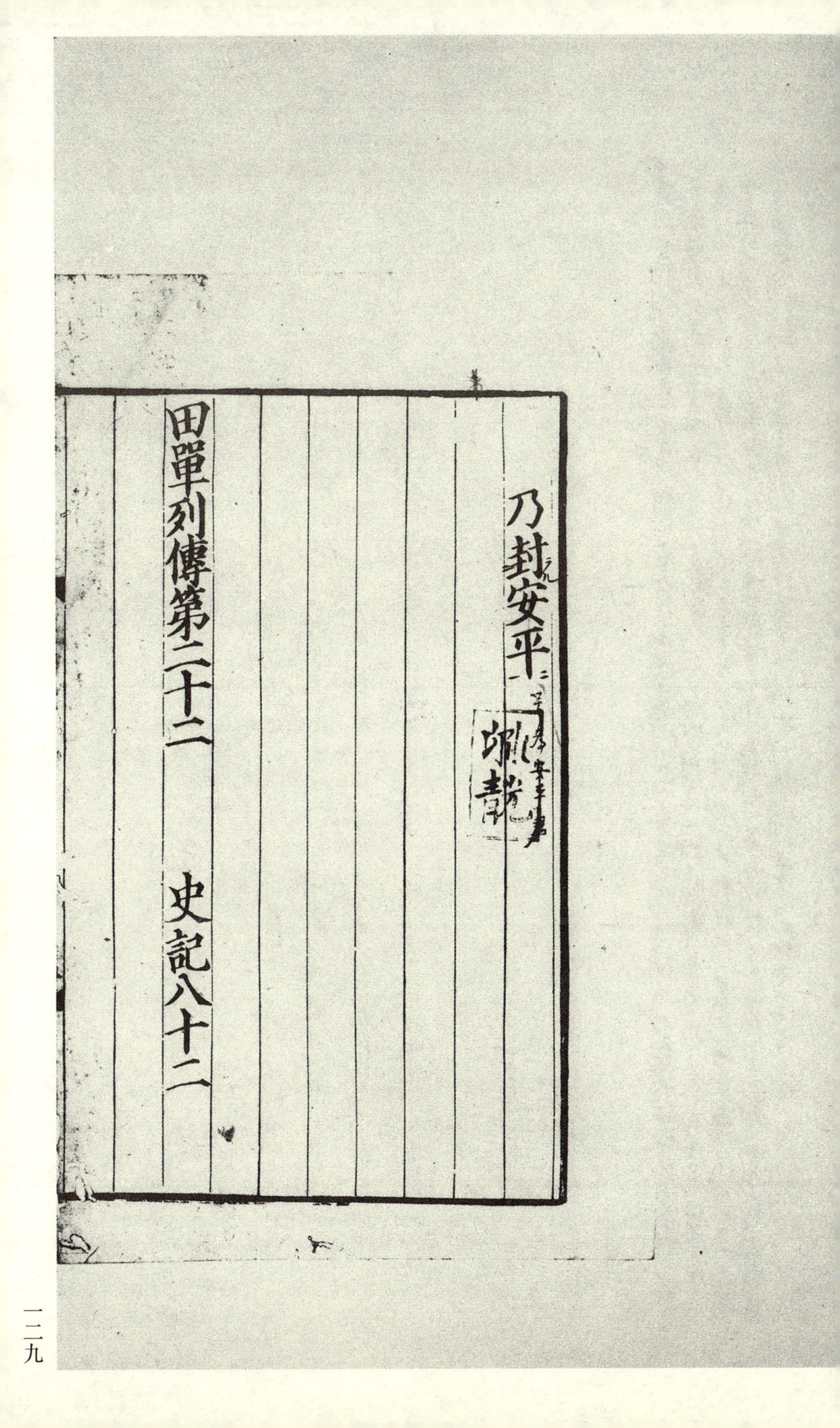

乃封安平

田單列傳第二十二　史記八十二

黄氏日抄 藺相如廷辱強秦之君而引車避廉頗以勇氣聞諸侯而因親附相如先公後私而卒

荊軻慷慨列丈夫之勇怯在所當所然於先之者相如也趙奢治賦不少貸平原君之家而平原君用薦之

至之用之君子不多奢之行法自近而多平原君[illegible]公滅私也括輕易取敗世之[illegible]道母言文子異

心之[illegible]親人之法李牧養威持重戰無不勝[illegible]名而致牧於讒人郭開之口趙之亡忽

至于[illegible]夫 田單守即墨使燕[illegible]編於行伍間此李同教平原君之族智也

史記列傳　六十五

二十三　魯仲連　鄒陽

二十四　屈原　賈生

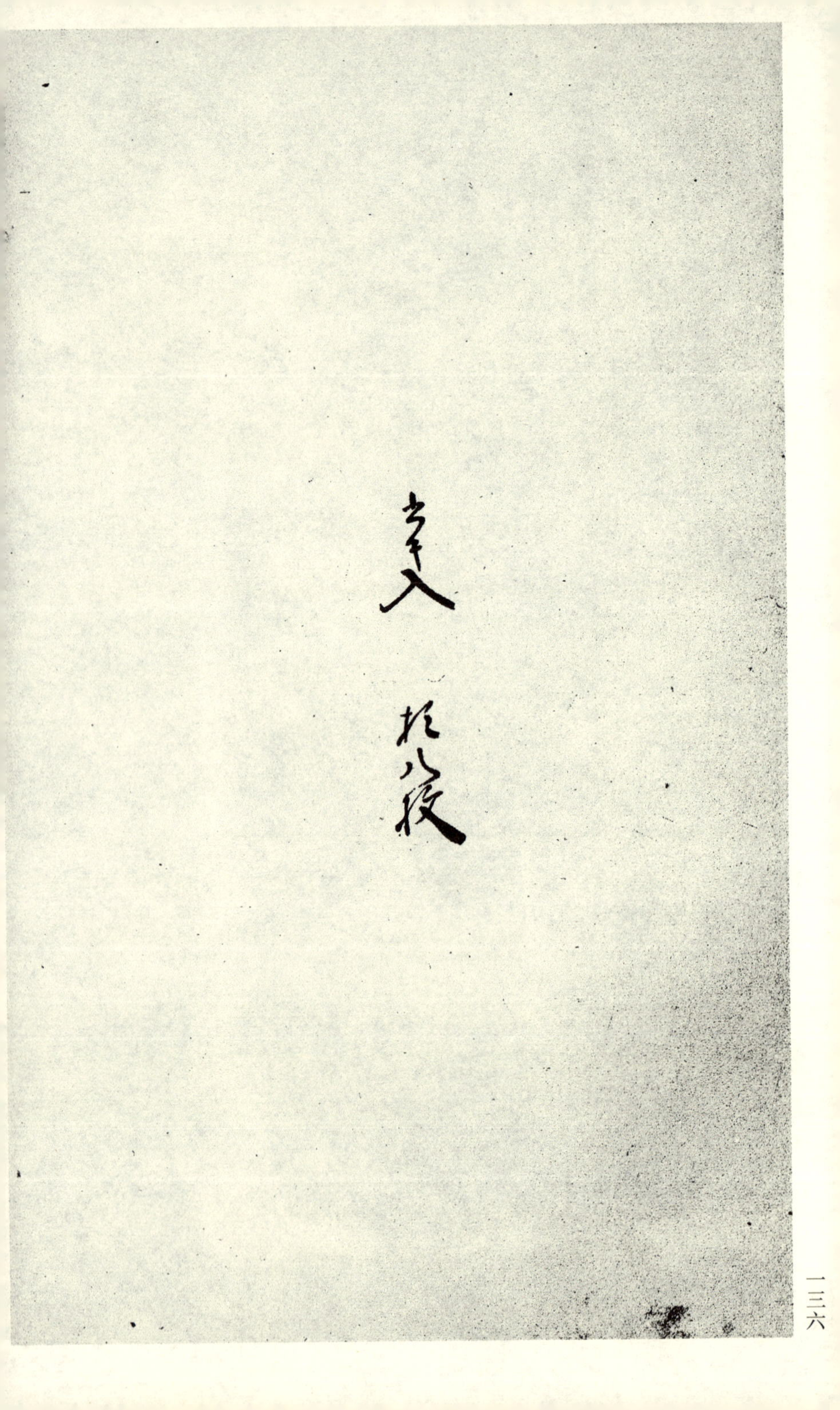

差入

拾八枚

□[illegible]第十六襄王 新燕攻齊取七十餘城 惟莒即墨未下 齊田單以即墨破燕殺騎劫 初燕

鮑彪注 史 攻下聊城 人或讒之燕 燕將懼誅 遂保守聊城 不敢歸 [illegible]故[illegible]

案不名 吳師道注 言史懷 齊公之圍之燕將 曰敬[illegible] 矣 因罷兵倒[illegible]

相救也 鮑名乃敬

[illegible]吳師承故解 齊國之圍 救百姓之死 仲連之說也 鮑彪曰 仲連何有感於此書以齊國為重

無[illegible]藉代為蘇秦[illegible]何不合如此者甚多[illegible]為後人偽[illegible]之謬[illegible]于此[illegible]

人[illegible]其事者[illegible]約矢之說 惜其書不存[illegible]以補之 而其人之意[illegible]

[illegible]其[illegible]千里而略其地 壯驕[illegible]至於[illegible]二千歲莫有知其非者也 又按燕昭王[illegible]八年[illegible]

即墨與聊城也 徐廣注此栗腹事 去長平十餘年 而不論其在聊城事後[illegible]

論之 吳師道曰 單與仲連說燕將下聊城 史不著年 其後引栗腹之敗 此又在其後[illegible]

孝元[illegible]年 當燕王喜五年 齊王建[illegible]年 自赧王三十一年 燕[illegible]合五國伐齊[illegible]

昭王二十八年 明年惠王立 [illegible]武成王 孝王 而至王喜 凡三十四年 此蓋二字誤乱為一 自燕攻齊止殺騎劫[illegible]

或他策脫簡 而初燕將止說之十一字 亦他本所無也 且單由即墨起[illegible]城即復為齊[illegible]

為燕[illegible]守以齊之事勢 豈有舍之三年餘[illegible]而不攻 單之兵力三十[illegible]

可見為此取燕將守聊城事也 史稱毅破齊不下者 獨莒即墨[illegible]縱[illegible]

墨[illegible]策亦有三城不下之言 果一時事 則聊城亦為齊守 而非燕將為燕守者[illegible]

莒[illegible]也[illegible]單待自救齊之後 無可書之事 齊襄王十九年[illegible]當趙孝成王元年[illegible]

次年[illegible]相趙 必不[illegible]齊矣 距聊城之役凡十六年[illegible]單豈得救為齊將[illegible]

墨之混而誤指以為單也 夫仲連之言[illegible]栗腹 燕國亂 聊城孤守 齊[illegible]

潛[illegible]襄聽東[illegible]楚攻[illegible]魏攻平陸 閔王[illegible]楚取淮北 單救[illegible]

城[illegible]齊[illegible]殺燕將惟騎劫爾 不聞其他[illegible]

二事必在[illegible]燕將被讒懼誅 連書[illegible]世因樂毅[illegible]

料事之明 勸以[illegible]燕降齊[illegible]其計之必可者耶 難解[illegible]

必[illegible]夫其勸之[illegible]以全聊城[illegible]而[illegible]坐視[illegible]我燕將[illegible]

事者[illegible]之仲連之書[illegible]史策之[illegible]毅[illegible]閔[illegible]說 惜其書[illegible]

究者何其[illegible]哉[illegible]因[illegible]通鑑大事記[illegible]單[illegible]因[illegible]

不可為訓[illegible]日[illegible]者也

[illegible]而[illegible]司馬史不可信也[illegible]此曰[illegible]大史記[illegible]不[illegible]策[illegible]

肖[illegible]何[illegible]不使[illegible]為帝[illegible]齊[illegible]書下[illegible]城[illegible]獄中上書[illegible]為上[illegible]魯連[illegible]

語將也

魯仲連鄒陽列傳第二十三　史記八十三

正義鄒亦作騶

索隱曰魯仲連屈原當六國之時賈誼鄒陽在文景之日事迹雖復相類年代甚爲乖絶其鄒陽不可上同魯連賈生亦不可下同屈平宜抽魯連同田單爲傳其屈原與宋玉等爲一傳其鄒陽與枚乘賈生等同傳也

魯仲連者齊人也好奇偉俶儻之畫策索隱曰廣雅云俶儻卓異也○正義曰俶天歷反魯連子云齊辯士田巴服狙丘議稷下毀五帝罪三王服五伯離堅白合同異一日服千人有徐劫者其弟子曰魯仲連年十二號千里駒往請田巴曰臣聞堂上不糞郊草不芸白刃交前不救流矢急不暇緩也今楚軍南陽趙伐高唐燕人十萬聊城不去國亡在旦夕先生奈之何若不能者先生之言有似梟鳴出城而人惡之願先生勿復言田巴曰謹聞命矣巴謂徐劫曰先生乃飛兔也豈直千里駒巴終身不談而不肯仕官任職好持高節游於趙趙孝成王時而秦王

使白起破趙長平之軍前後四十餘萬秦兵遂東圍邯鄲趙王恐諸侯之救兵莫敢擊秦軍魏安釐王使將軍晉鄙救趙畏秦止於湯陰不進地理志河內有蕩陰縣○正義曰蕩天郎反相州縣魏王使客將軍新垣衍間入邯鄲索隱曰新垣姓衍名也爲梁將故漢有新垣平因平原君謂趙王曰秦所爲急圍趙者前與齊湣王爭彊爲帝已而復歸帝今齊湣王已益弱方今唯秦雄天下此非必貪邯鄲其意欲復求爲帝趙誠發使尊秦昭王爲帝秦必喜罷兵去平原君猶豫未有所決此時魯仲連適游趙會秦圍趙聞魏將欲令

正義曰新垣姓衍名漢有新垣平

魏王居大梁故曰魏爲梁也

新垣衍魏君將軍也

趙尊秦爲帝乃見平原君曰事將奈何平原君曰勝也何敢言事前亡四十萬之衆於外今又內圍邯鄲而不能去魏王使客將軍新垣衍令趙帝秦（索隱曰新垣衍欲令趙尊秦爲帝）今其人在是勝也何敢言事魯仲連曰吾始以君爲天下之賢公子也吾乃今然後知君非天下之賢公子也梁客新垣衍安在吾請爲君責而歸之平原君曰勝請爲紹介（鄒誕曰紹介相佑助者○索隱曰紹介猶媒介也且禮賓至必因介以傳辭紹者繼也介不一人故禮云介紹而傳命）而見之於先生平原君遂見新垣衍曰東國有魯仲連先生者今其人在此勝請爲紹

介交之於將軍新垣衍曰吾聞魯仲連先生齊國之高士也衍人臣也使事有職吾不願見魯仲連先生平原君曰勝既已泄之矣新垣衍許諾魯連見新垣衍而無言新垣衍曰吾視居此圍城之中者皆有求於平原君者也今吾觀先生之玉貌非有求於平原君者也曷爲久居此圍城之中而不去魯仲連曰世以鮑焦爲無從頌而死者皆非也

鮑焦周之介士也見莊子○索隱曰從頌音從容言世人見鮑焦之死皆以爲不能自寬容而取死此言非也○正義曰韓詩外傳云姓鮑名焦周時隱者也飾行非世廉絜而守荷擔採樵拾橡充食故無子嗣不臣天子不友諸侯子貢遇之謂之曰吾聞非其政者不履其土汙其君者不受其利今子履其地食其

爲無從容而死者皆非師說剡言其不寬容故自取死此言者非是也

魯仲連鄒陽傳

衆人不知則爲一身
師說則言其恥居
濁代而死避之非
爲一身也

正義至過字句絶
索隱以過字連
下之句也

利其可乎鮑焦曰吾聞廉士重進而輕退賢人易愧而輕死遂抱木立枯焉按魯仲連留趙不去者非爲一身衆人不知則爲一身索隱曰言衆人不識鮑焦之意焦以恥居濁世而避之非是自爲一身而死彼秦者弃禮義而上首功之國也譙周曰秦用衛鞅計制爵二十等以戰獲首級者計而受爵是以秦人每戰勝老弱婦人皆死計功賞至万數天下謂之上首功之國皆以惡之也○索隱曰秦法斬首多爲上功謂斬一人首賜爵一級故謂秦爲首功之國也權使其士虜使其民索隱曰言秦人以權詐使其戰士以奴虜使其人民言無恩以恤下彼即肆然而爲帝過正義曰至過字爲絶句肆然其志意也言秦得肆忌爲帝恐有烝臨納斧編行天子之禮過失也而爲政於天下索隱曰謂以過惡而爲政也○正義曰若趙魏帝秦得行政教於天下魯連蹈東海而溺死不忍爲秦百姓則連有蹈東海而死耳吾不忍爲之民也所爲見將軍者欲以助趙也新垣衍曰

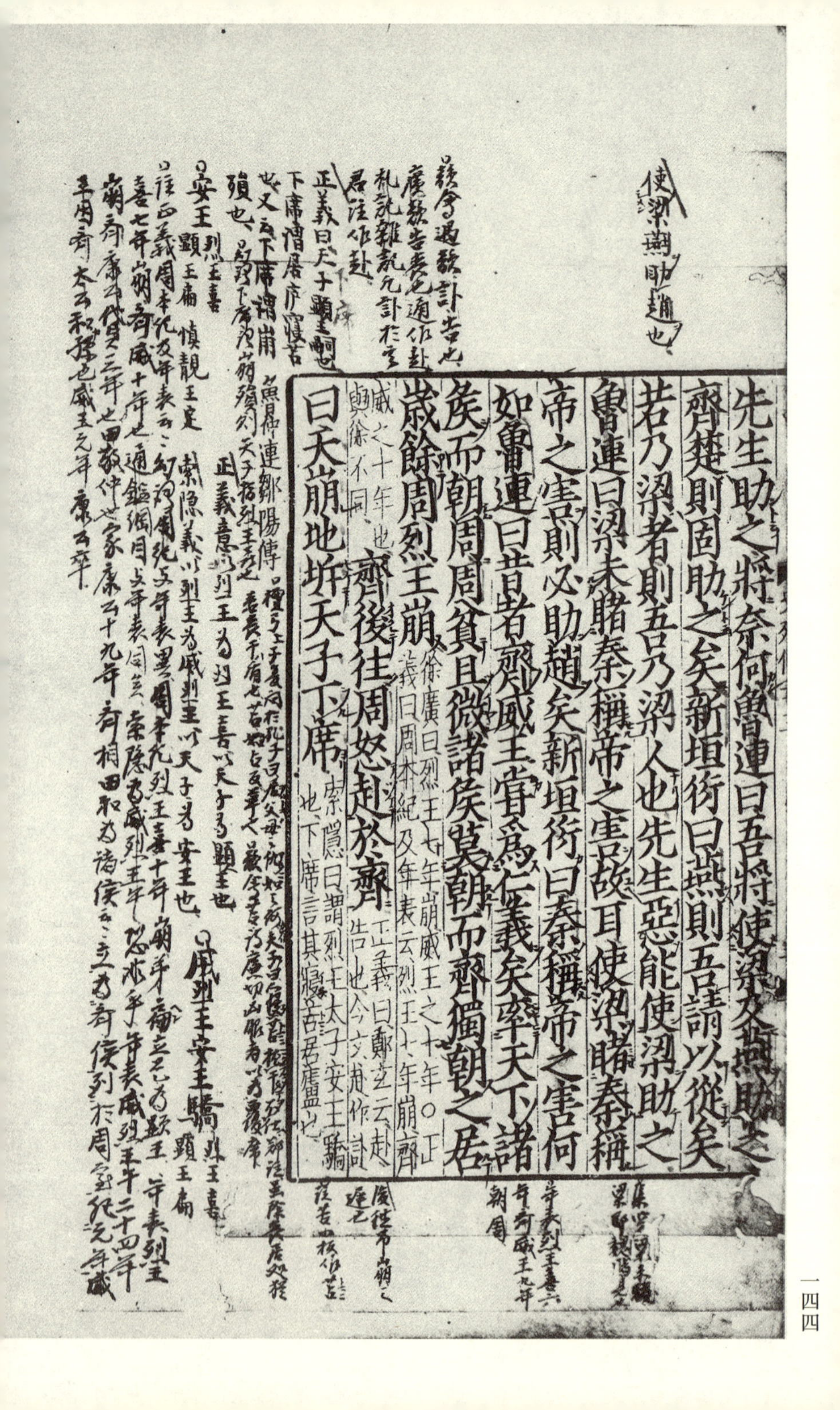

先生助之將奈何魯連曰吾將使梁及燕助之齊楚則固助之矣新垣衍曰燕則吾請以從矣若乃梁者則吾乃梁人也先生惡能使梁助之魯連曰梁未睹秦稱帝之害故耳使梁睹秦稱帝之害則必助趙矣新垣衍曰秦稱帝之害何如魯連曰昔者齊威王嘗為仁義矣率天下諸侯而朝周周貧且微諸侯莫朝而齊獨朝之居歲餘周烈王崩徐廣曰烈王七年崩威王之十年○正義曰周本紀及年表云烈王七年崩齊威之十年也與徐不同齊後往周怒赴於齊正義曰鄭玄云赴告也今文赴作訃曰天崩地坼天子下席索隱曰謂烈王太子安王驕也下席言其寢苫居廬也

東藩之臣因齊後至則斮（公羊傳曰欺三軍者其法斮何休曰斮斬也）齊威王勃然怒曰叱嗟而母婢也（正義曰罵烈王后也）卒爲天下笑故生則朝周死則叱之誠不忍其求也彼天子固然其無足怪新垣衍曰先生獨不見夫僕乎十人而從一人者寧力不勝而智不若邪畏之也（索隱曰言僕夫十人而從一人者寧是力不勝亦非智不如正是畏懼其主耳）魯仲連曰嗚呼梁之比於秦若僕邪新垣衍曰然魯仲連曰吾將使秦王烹醢梁王新垣衍怏然不悅曰（正義曰怏於尚反）噫嘻（索隱曰上音依噫者不平之聲下音希嘻者驚恨之歎也）亦太甚矣先生之言也先生又惡能使秦王烹醢梁王

魯仲連曰固也吾將言之昔者九侯鄂侯徐廣曰鄴縣有九侯城九一作鬼鄂一作邢○正義曰九侯城在相州滏陽縣西南五十里文王紂之三公也九侯有子而好獻之於紂紂以為惡醢九侯鄂侯爭之彊辨之疾故脯鄂侯文王聞之喟然而歎故拘之牖里之庫百日正義曰相州蕩陰縣北九里有羑城欲令之死曷為與人俱稱王卒就脯醢之地齊湣王將之魯夷維子為執策而從索隱曰維東萊之邑其居夷也號夷維子故晏子為萊之夷維人是也○正義曰密州高密縣古夷安城應劭云故萊夷維邑也蓋因邑為姓子者男子之美號又云子爵也謂魯人曰子將何以待吾君魯人曰吾將以十太牢待子之君夷維子曰子安取禮而

正義曰衽臥席也

枹抱也

孤指鄒太子也

群臣曰下所說之群臣曰必若此吾將伏劍而死判言二国臣

來吾君彼吾君者天子也天子巡狩諸侯辟舍索隱曰辟舍避正寢案礼天子適諸侯必舍於祖廟納筦籥索隱曰筦音管籥音藥攝衽抱机索隱曰机音几○正義曰衽音而甚反視膳於堂下天子已食乃退而聽朝也魯人投其籥不果納索隱曰謂閉外門不入齊君○正義曰籥即鑰匙也投鑰匙於地也不得入於魯將之薛正義曰薛侯故城在徐州滕縣界也假途於鄒當是時鄒君死湣王欲入弔夷維子謂鄒之孤曰天子弔主人必將倍殯棺設北面於南方然後天子南面弔也索隱曰倍音佩謂主人不在殯東將背其殯棺立西階上北面哭是倍也天子乃於阼階上南面而弔之也鄒之群臣曰必若此吾將伏劍而死固不敢入於鄒鄒魯之臣生則

得事養，死則不得賻襚，然（正義曰：衣服曰襚，貨財曰賻，皆助生送死之禮。）且欲行天子之禮於鄒魯，鄒魯之臣不果納。（索隱曰：謂時君弱臣彊，故鄒魯君生時臣並不得盡事養，死亦不得行賻襚之禮。然齊欲行天子禮於鄒魯，鄒魯之臣皆不果納之，是猶秉禮而存大體也。）今秦萬乘之國也，梁亦萬乘之國也。俱據萬乘之國，各有稱王之名，睹其一戰而勝，欲從而帝之，是使三晉之大臣不如鄒魯之僕妾也。且秦無已而帝，則且變易諸侯之大臣，彼將奪其所不肖而與其所賢，奪其所憎而與其所愛。彼又將使其子女讒妾為諸侯妃姬，處梁之宮，梁王安得晏然而已乎？而將軍又何以

魯仲連鄒陽傳

正義曰衽臥席也

抱ハ抱也

孤ハ指鄒太子也

群臣曰下吘說云群臣曰必若此吾將伏劍而死則云二国臣

來吾君彼吾君者天子也天子巡狩諸侯辟舍索隱曰辟舍避正寢案禮天子適諸侯必舍於祖廟納筦籥索隱曰音管藥攝衽抱机索隱曰机音几○正義曰衽音而甚反視膳於堂下天子已食乃退而聽朝也魯人投其籥不果納索隱曰謂閉外門不入齊君○正義曰籥即鑰匙也投鑰匙於地不得入於魯將之薛正義曰薛侯故城在徐州滕縣界也假途於鄒當是時鄒君死湣王欲入弔夷維子謂鄒之孤曰天子弔主人必將倍殯棺設北面於南方然後天子南面弔也索隱曰倍音佩謂主人不在殯東將背其殯棺立西階上北面哭是倍也天子乃於阼階上南面而弔之也鄒之羣臣曰必若此吾將伏劍而死固不敢入於鄒鄒魯之臣生則不

得事養死則不得賻襚正義曰衣服曰襚貨財曰賻皆助生送死之禮然且欲行天子之禮於鄒魯鄒魯之臣不果納曰謂時君弱臣彊故鄒魯君生時臣並不得盡事養死亦不得行賻襚之禮然齊欲行天子禮於鄒魯鄒魯之臣皆不果納之是猶秉禮而存大體也今秦萬乘之國也梁亦萬乘之國也俱據萬乘之國各有稱王之名睹其一戰而勝欲從而帝之是使三晉之大臣不如鄒魯之僕妾也且秦無已而帝則且變易諸侯之大臣彼將奪其所不肖而與其所賢奪其所憎而與其所愛彼又將使其子女讒妾爲諸侯妃姬處梁之宮梁王安得晏然而已乎而將軍又何以

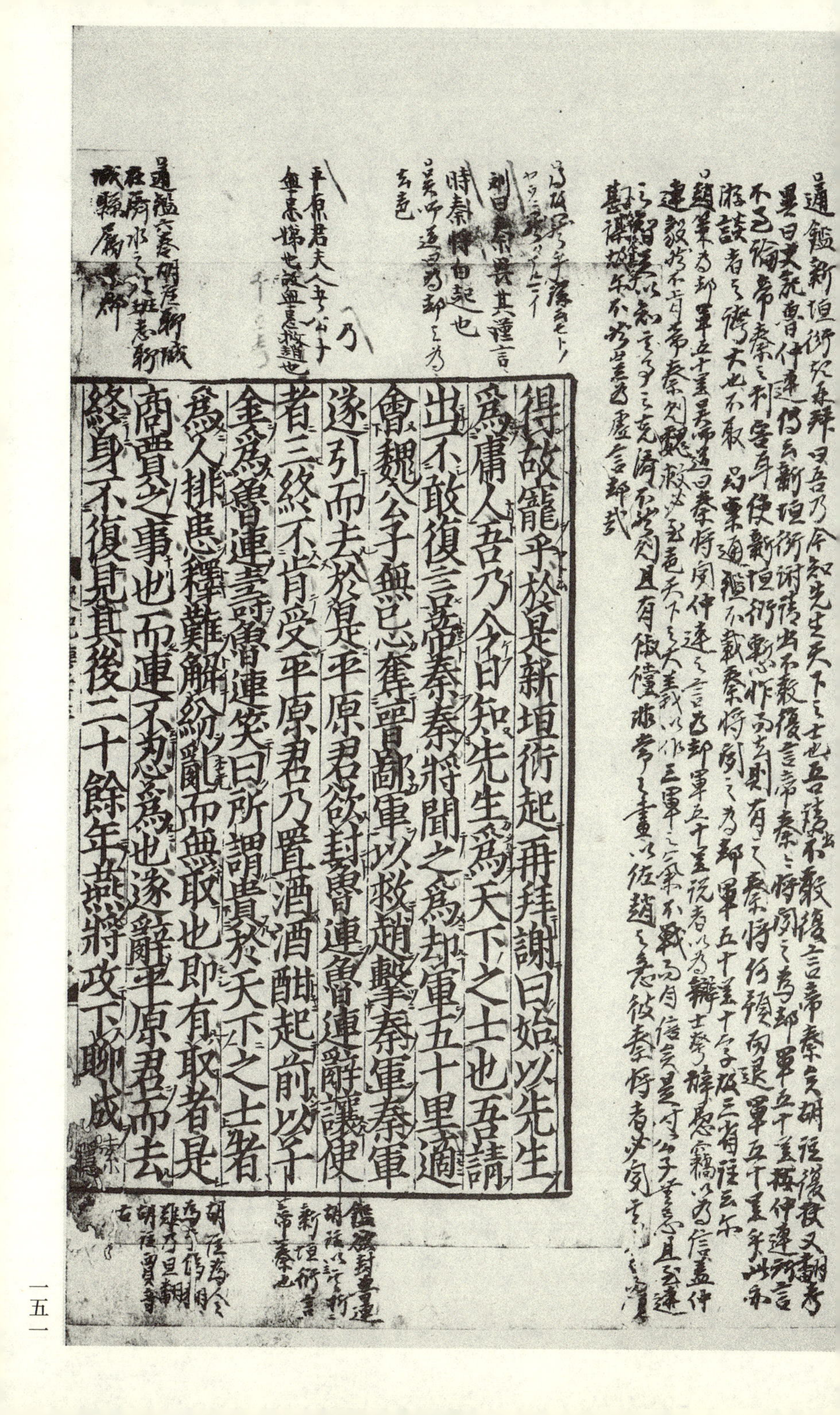

得故寵乎於是新垣衍起再拜謝曰始以先生爲庸人吾乃今日知先生爲天下之士也吾請出不敢復言帝秦秦將聞之爲却軍五十里適會魏公子無忌奪晉鄙軍以救趙擊秦軍秦軍遂引而去於是平原君欲封魯連魯連辭讓使者三終不肯受平原君乃置酒酒酣起前以千金爲魯連壽魯連笑曰所謂貴於天下之士者爲人排患釋難解紛亂而無取也即有取者是商賈之事也而連不忍爲也遂辭平原君而去終身不復見其後二十餘年燕將攻下聊城

曰徐廣云年表以田單攻聊城在長平後十餘年耳二十餘年誤也○正義曰今博州縣也

聊城人或讒之燕燕將懼誅因保守聊城不敢歸齊田單攻聊城徐廣曰案年表田單攻聊城在長平後十餘年也歲餘士卒多死而聊城不下魯連乃為書約之矢以射城中遺燕將書曰吾聞之智者不倍時而棄利勇士不怯死而滅名索隱曰怯死猶避死也忠臣不先身而後君今公行一朝之忿不顧燕王之無臣非忠也殺身亡聊城而威不信於齊非勇也功敗名滅後世無稱焉非智也三者世主不臣說士不載故知者不再計勇士不怯死今死生榮辱貴賤尊卑此

時不再至願公詳計而無與俗同且楚攻齊之南陽索隱曰即濟之淮北泗上之地也魏攻平陸索隱曰平陸邑名在西界○正義曰兗州縣也而齊無南面之心以為亡南陽之害小不如得濟北之利大索隱曰即聊城之地也○正義曰言齊無南面攻楚魏之心以為南陽平陸之害小不如聊城之利大言必攻之故定計審處之今秦人下兵魏不敢東面衡秦之勢成索隱曰此時秦與齊和故云衡秦之勢成也楚國之形危齊弃南陽斷右壤定濟北索隱曰謂弃楚所攻之泗上也又斷絕魏之所攻齊之右壤之地平陸是也言右壤斷弃而不能救志在攻聊城而定濟北也計猶且為之也且夫齊之必決於聊城公勿再計今楚魏交退於齊而燕救不至索隱曰交者俱也前時楚攻南陽魏攻平陸今二國

之兵俱退而燕救又不至是勢危也以全齊之兵無天下之規與聊城共據期年之敝則臣見公之不能得也且燕國大亂君臣失計上下迷惑栗腹以十萬之衆五折於外徐廣曰此事去長平十年以萬乘之國被圍於趙壤削主困爲天下僇笑國敝而禍多民無所歸心今公又以敝聊之民距全齊之兵是墨翟之守也正義曰如墨翟守宋却楚軍食人炊骨士無反外之心是孫臏之兵也正義曰言孫臏能撫士卒士卒無二心能見於天下雖然爲公計者不如全車甲以報於燕車甲全而歸燕燕王必喜身全而歸於國士民如見父母交游

時不再至願公詳計而無與俗同且楚攻齊之南陽索隱曰即濟之淮北泗上之地也魏攻平陸索隱曰平陸邑名在西界○正義曰兖州縣也而齊無南面之心以爲亡南陽之害小不如得濟北之利大索隱曰即聊城之地也○正義曰言齊無南面攻楚魏之心以爲南陽平陸之害小不如聊城之利大言必攻之故定計審處之今秦人下兵魏不敢東面衡秦之勢成索隱曰此時秦與齊和故云衡秦之勢成也楚國之形危齊弃南陽斷右壤定濟北索隱曰謂弃楚所攻之泗上也又斷絶魏之所攻齊右壤之地平陸是也言右壤斷弃而不能救志在攻聊城而定濟北也計猶且爲之也且夫齊之必決於聊城公勿再計今楚魏交退於齊而燕救不至索隱曰交者俱也前時楚攻南陽魏攻平陸今二國

之兵俱退而燕救又不至是勢危也以全齊之兵無天下之規與聊城共據期年之敝則臣見公之不能得也且燕國大亂君臣失計上下迷惑栗腹以十萬之衆五折於外徐廣曰此事去長平十年以萬乘之國被圍於趙壤削主困爲天下僇笑國敝而禍多民無所歸心今公又以敝聊之民距全齊之兵是墨翟之守也正義曰如墨翟守宋却楚軍食人炊骨士無反外之心是孫臏之兵也正義曰言孫臏能撫士卒士卒無二心能見於天下雖然爲公計者不如全車甲以報於燕車甲全而歸燕燕王必喜身全而歸於國士民如見父母交游

攘臂而議於世功業可明上輔孤主以制羣臣下養百姓以資說士索隱曰言既養百姓又資說士故擬強國也劉氏云讀說士為銳士意雖便不如依字也矯國更俗索隱曰欲令燕將歸燕矯正國事改更弊俗也功名可立也亡意亦捐燕棄世東游於齊乎索隱曰亡音無言若必無還燕意則捐燕而東游於齊乎裂地定封富比乎陶衛索隱曰延篤注戰國策云陶陶朱公也衛衛公子荆非也王劭云魏冉封陶商君姓衛富比陶衛謂此二人爾世世稱孤與齊久存又一計也此兩計者顯名厚實也願公詳計而審處一焉且吾聞之規小節者不能成榮名惡小恥者不能立大功昔者管夷吾射桓公中其鉤篡也遺公子糾不能死怯也索隱曰遺棄也謂棄子糾

鄭曰臧子桑文男而智婢生子曰臧女而婦奴生子曰獲

而事小白也○正義曰管仲傳子糾而魯殺之不能隨子糾死是怯懦畏死也　束縛桎梏辱身也若此三行者世主不臣而鄉里不通鄉使管子幽囚而不出身死而不反於齊則亦名不免為辱人賤行矣臧獲且羞與之同名矣方言曰荊淮海岱雜齊之閒罵奴曰臧罵婢曰獲況世俗乎故管子不恥身在縲紲之中而恥天下之不治不恥不死公子糾而恥威之不信於諸侯故兼三行之過而為五霸首正義曰按齊桓最初得周襄王賜文武胙彤弓矢大輅故為五伯首也名高天下而光燭鄰國曹子為魯將索隱曰曹昧三戰三北而亡地五百里鄉使曹子計不反顧議不還踵刎頸而死則

桎足械也梏手械

亦名不免為敗軍禽將矣曹子棄三北之恥而退與魯君計桓公朝天下會諸侯曹子以一劒之任枝桓公之心於壇坫之上索隱曰枝猶擬也顏色不變辭氣不悖三戰之所亡一朝而復之天下震動諸侯驚駭威加吳越若此二士者非不能成小廉而行小節也以為殺身亡軀絕世滅後功名不立非智也故去感忿之怨立終身之名棄忿悁之節正義曰分忿數紛反悁於緣反定累世之功是以業與三王爭流而名與天壤相敝也願公擇一而行之燕將見魯連書泣三日猶豫不能自决欲

魯仲連鄒陽傳

歸燕已有隙恐誅欲降齊所殺虜於齊甚衆恐已降而後見辱喟然歎曰與人刃我寧自刃乃自殺聊城亂田單遂屠聊城歸而言魯連欲爵之魯連逃隱於海上曰吾與富貴而詘於人寧貧賤而輕世肆志焉（索隱曰肆放縱也）

鄒陽者齊人也游於梁與故吳人莊忌夫子淮陰枚生之徒交上書（索隱曰忌會稽人姓莊氏字夫子後避漢明帝諱改姓曰嚴枚生名乘字叔其子皐漢書並有傳蓋以銜枚氏而得姓也）而介於羊勝公孫詭之間（索隱曰言鄒陽上書自達而游於二人之間或往彼或往此介者言有隔於其間故杜預曰介猶間也）勝等嫉鄒陽惡之梁孝王孝王怒下之吏將欲殺之

退與魯君計｜齊世家曰五年伐魯魯將師敗魯莊公請獻遂邑以平桓公許與魯會柯而盟魯將曹沫以匕首劫桓公於壇上曰反魯之侵地桓公許之已而曹沫去匕首北面就臣位桓公後悔欲無與魯地而殺曹沫管仲曰夫劫許之而倍信殺之愈一小快耳而棄信於諸侯失天下之援不可於是遂與曹沫三敗所亡地於魯

亦名不免爲敗軍禽將矣曹子棄三北之恥而退與魯君計桓公朝天下會諸侯曹子以一劍之任枝桓公之心於壇坫之上（索隱曰枝猶擬也）顔色不變辭氣不悖三戰之所亡一朝而復之天下震動諸侯驚駭威加吳越若此二士者非不能成小廉而行小節也以爲殺身亡軀絕世滅後功名不立非智也故去感忿之怨立終身之名棄忿悁之節（正義曰忿敷粉反悁於緣反）定累世之功是以業與三王爭流而名與天壤相獘也願公擇一而行之燕將見魯連書泣三日猶豫不能自決欲

正義[illegible]壇[illegible]坫下 都念反

齊桓公也

歸燕已有隙恐誅欲降齊所殺虜於齊甚眾恐已降而後見辱喟然歎曰與人刃我寧自刃乃自殺聊城亂田單遂屠聊城歸而言魯連欲爵之魯連逃隱於海上曰吾與富貴而詘於人寧貧賤而輕世肆志焉 索隱曰肆放縱也

鄒陽者齊人也游於梁與故吳人莊忌夫子淮陰枚生之徒交上書 索隱曰忌會稽人姓莊氏字夫子後避漢明帝諱改姓曰嚴枚生名乘字叔其子皋漢書並有傳蓋以銜枚氏而得姓也 而介於羊勝公孫詭之間 索隱曰言鄒陽上書自達而游於二人之間或往彼或往此介者言有構於其間故杜預曰介猶間也 勝等嫉鄒陽惡之梁孝王孝王怒下之吏將欲殺之

漢書云枚乘字叔

淮陰人為吳王濞郎中善辭賦也

魯仲連鄒陽傳

鄒陽客游以讒見禽恐死而負累正義曰諸不以罪死爲累乃從獄中上書曰臣聞忠無不報信不見疑臣常以爲然徒虛語耳昔者荆軻慕燕丹之義白虹貫日太子畏之應劭曰燕太子丹質於秦始皇遇之無禮丹亡去故厚養荆軻令西刺秦王精誠感天白虹爲之貫日也如淳曰白虹兵象日爲君烈士傳曰荆軻發後太子自相氣見虹貫日不徹曰吾事不成矣後聞軻死事不立曰吾知其然也○索隱曰王劭已云軻將入秦待其客未發太子丹疑其畏懼故曰畏之其解不如見虹貫日不徹也戰國策云聶政刺韓傀亦曰白虹貫日是也衛先生爲秦畫長平之事太白蝕昴而昭王疑之蘇林曰白起爲秦伐趙破長平軍欲遂滅趙遣衛先生說昭王益兵糧乃爲應侯所害事用不成其精誠上達於天故太白爲之蝕昴昴趙分也將有兵故太白食昴食玉歷之也如淳曰太白乃天之將軍也○索隱曰如淳云太白主西方秦在西敗趙之兆也又王充云夫言白虹貫日太

子食昴貫也言荆軻之謀衛先生之策感動皇天而貫日以喻良畢虛也夫精變天地而信不喻兩主豈不哀哉今臣盡忠竭誠畢議願知張晏曰盡其計議願王知之也左右不明索隱曰言左右之不明不欲斥主卒從吏訊爲世所疑是使荆軻衛先生復起而燕秦不悟也願大王孰察之昔卞和獻寶楚王刖之應劭曰卞和得玉璞獻之武王武王示玉人玉人曰石也刖右足武王沒復獻文王文王示玉人復曰石也刖其左足至成王時卞和抱璞哭於郊乃使玉尹攻之果得寶玉○索隱曰楚人卞和得玉璞事見國語及呂氏春秋案世家楚武王名熊通文王名貲成王名惲李斯竭忠胡亥極刑是以箕子佯狂索隱曰佯音陽謂詐爲狂司馬彪曰箕子名胥餘接輿辟世張晏曰楚賢人佯狂辟世也○索隱曰案高士傳曰楚人陸通字接輿是也恐遭此患也願大王孰察卞和李斯

鄒陽客游以讒見禽恐死而負累正義曰諸不以罪死爲累乃從獄中上書曰臣聞忠無不報信不見疑臣常以爲然徒虛語耳昔者荆軻慕燕丹之義白虹貫日太子畏之應劭曰燕太子丹質於秦始皇遇之無禮丹亡去故厚養荆軻令西刺秦王精誠感天白虹爲之貫日也如淳曰白虹兵象日爲君烈士傳曰荆軻發後太子自相氣見虹貫日不徹曰吾事不成矣後聞軻死事不立曰吾知其然也○索隱曰王劭巳云軻將入秦待其客未發太子丹疑其畏懼故曰畏之其解不如見虹貫日不徹也戰國策云聶政刺韓傀亦曰白虹貫日是也衛先生爲秦畫長平之事太白蝕昴而昭王疑之蘇林曰白起爲秦伐趙破長平軍欲遂滅趙遣衛先生說昭王益兵糧乃爲應侯所害事用不成其精誠上達於天故太白爲之蝕昴昴趙分也將有兵故太白食昴食干歷之也如淳曰太白天之將軍也○索隱曰如淳云太白主西方秦在西敗趙之兆也又王充云夫言白虹貫日太

（子食昴，貫也。言荆軻之謀，衛先生之策，感動皇天，而貫日食昴。昴，虛也。）夫精變天地而信不喻兩主，豈不哀哉。今臣盡忠竭誠，畢議願知，（張晏曰：盡其計議，願王知之也。）左右不明，（索隱曰：言左右之不明，不欲斥王。）卒從吏訊，為世所疑，是使荆軻、衛先生復起，而燕、秦不悟也。願大王孰察之。昔卞和獻寶，楚王刖之；（應劭曰：卞和得玉璞，獻之武王，武王示玉人，玉人曰石也，刖右足。武王沒，復獻文王，玉人復曰石也，刖其左足。至成王時，卞和抱璞哭於郊，乃使玉尹攻之，果得寶玉。○索隱曰：楚人卞和得玉璞事，見國語及呂氏春秋。案世家，楚武王名熊通，文王名貲，成王名惲。）李斯竭忠，胡亥極刑。是以箕子詳狂，（索隱曰：佯，音陽。謂詐為狂。司馬彪曰：箕子名胥餘。）接輿辟世，（張晏曰：楚賢人，佯狂避世也。○索隱曰：案高士傳曰：楚人陸通，字接輿是也。）恐遭此患也。願大王孰察卞和、李斯

以下鄒陽一書比諸本文雜甚複不覺殊味悉易重複讀者著眼 臣聞二字兩處有之

昔者二字三處有之 昔一字二處有之 昔卞和 昔樊於期 令一字七處有之 令臣 乃今 今人主 今欲使天下 今夫 今人主 何則二字九處有之

此二人三字二處有之 今人主三字三處有之 願大王孰察五字三處有之

之意而後楚王胡亥之聽索隱曰謂以楚王胡亥之聽爲譬故後之而不用讒僭下也無使臣爲箕子接輿所笑臣聞比干剖心子胥鴟夷索隱曰韋昭云以皮作鴟鳥形名曰鴟夷鴟夷皮榼也服虔云用馬革作囊以裹尸投之於江臣始不信乃今知之願大王孰察少加憐焉諺曰有白頭如新傾蓋如故桓譚新論曰言內有以相知與否不在新故也○索隱曰服虔云人不相知才能交至白頭猶如新也傾蓋如故如吳札鄭僑也家語孔子遇程子於途傾蓋而語又志林云傾蓋者道行相遇軿車對語兩蓋相切小欹之義故云傾蓋也何則知與不知也故昔樊於期逃秦之燕藉荊軻首以奉丹之事索隱曰藉音子夜反韋昭云謂於期逃秦之燕以頭與軻使持入秦以示信也王奢去齊之魏臨城自剄以卻齊而存魏漢書音義曰王奢齊臣也亡至魏其後齊伐魏奢登城

白頭如新 正義云人以才德相慕至老白頭若新相識

燕 漢書无燕字

樊於期秦將……

傾蓋如故 正義云人以才德相慕……車傾蓋……

齊將曰今君之來不過以奢之故也夫義不苟生以為魏累遂自剄也夫王奢樊於期非新於齊秦而故於燕魏也所以去二國死兩君者行合於志而慕義無窮也是以蘇秦不信於天下而為燕尾生索隱曰服虔云蘇秦於秦不出其信於燕則出尾生之信韋昭云尾生守信而死者案言蘇秦於燕獨守信如尾生故云為燕之尾生也白圭戰亡六城為魏取中山張晏曰白圭為中山將亡六城君欲殺之亡入魏文侯厚遇之還拔中山○索隱曰事見戰國策及呂氏春秋也何則誠有以相知也蘇秦相燕燕人惡之於王王按劍而怒食以駃騠漢書音義駃騠駿馬也生七日而超其母敬重蘇秦雖有讒謗而更膳以珍奇之味○索隱曰字林云馬父驘母也大之良馬也○正義曰食音寺駃騠音決鍉北狄良馬也白圭顯於中山中山人惡之魏文侯文侯

投之以夜光之璧何則兩主二臣剖心拆肝相信豈移於浮辭哉故女無美惡入宮見妬士無賢不肖入朝見嫉昔者司馬喜髕腳於宋卒相中山晉灼曰司馬喜三相中山蘇林曰六國時人被㓝刑也○索隱曰事見戰國策及呂氏春秋范睢摺脅折齒於魏卒爲應侯索隱曰摺應侯傳作拹摺音拉是也說文云拉摧也音力荅反此二人者皆信必然之畫捐朋黨之私挾孤獨之位故不能自免於嫉妬之人也是以申徒狄自沈於河漢書音義曰殷之末世人○索隱曰莊子云申徒狄諫而不用負石自投於河韋昭云六國時人漢書曰云自沈於雍河服虔云雍州之河也又新序作抱甕自沉於河不同也徐衍負石入海列士傳曰周之末世人不容於世義不苟取比周於

朝以移主上之心故百里奚乞食於路繆公委之以政甯戚飯牛車下而桓公任之以國集解應劭曰齊桓公夜出迎客而甯戚疾擊其牛角商歌曰南山矸白石爛生不遭堯與舜禪短布單衣適至骭從昏飯牛薄夜半長夜曼曼何時旦公召與語說之以為大夫○索隱曰事見呂氏春秋商歌者謂為商聲而歌也或云商旅人歌也二說並通矸音公旦反矸者白淨皃也顧野王音岸禪音善如字讀協韻失之也埤蒼云骭脛也字林音下諫反此二人者豈借宦於朝假譽於左右然後二主用之哉感於心合於行親於膠漆昆弟不能離豈惑於眾口哉故偏聽生姦獨任成亂昔者魯聽季孫之說而逐孔子索隱曰論語齊人歸女樂季桓子受之三日不朝孔子行也宋信子罕之計而囚墨翟索隱曰左氏司城子罕姓樂名喜乃宋之賢臣也漢書作

投之以夜光之璧何則兩主二臣剖心坼肝相
信豈移於浮辭哉故女無美惡入宮見妬士無
賢不肖入朝見嫉昔者司馬喜髕脚於宋卒相
中山晉灼曰司馬喜三相中山蘇林曰六國時人被此刑也○索隱曰事見戰國策及呂氏春秋范
雎摺脅折齒於魏卒爲應侯索隱曰應侯傳作拹脅摺齒是也說文云
拉摧也音力荅反此二人者皆信必然之畫捐朋黨之私
挾孤獨之位故不能自免於嫉妬之人也是以
申徒狄自沈於河漢書音義曰殷之末世人○索隱曰莊子申徒狄諫而不用負石自投於
河韋昭云六國時人漢書音云自沈於維河服虔云雍州之河也又新序作抱甕自沈於河不同也徐衍負
石入海列士傳曰周之末世人不容於世義不苟取比周於

朝以移主上之心故百里奚乞食於路繆公委之以政甯戚飯牛車下而桓公任之以國集解應劭曰齊桓公夜出迎客而甯戚疾擊其牛角商歌曰南山矸白石爛生不遭堯與舜禪短布單衣適至骭從昏飯牛薄夜半長夜曼曼何時旦公召與語說之以為大夫○索隱曰事見呂氏春秋商歌者謂為商聲而歌也或云商旅人歌也二說並通矸音公旦反矸者白淨皃也顧野王音岸禪音善如字讀協韻失之也骭音旰云骭脛也字林音下諫反此二人者豈借宦於朝假譽於左右然後二主用之哉感於心合於行親於膠漆昆弟不能離豈惑於衆口哉故偏聽生姦獨任成亂昔者魯聽季孫之說而逐孔子索隱曰論語齊人歸女樂季桓子受之三日不朝孔子行也宋信子罕之計而囚墨翟索隱曰左氏司城子罕姓樂名喜乃宋之賢臣也漢書作

冉也不知子冉是何人文穎曰子冉子罕也荀卿傳云宋子罕孔子時人或云在孔子後又襄二十九年左傳宋飢子罕請出粟時孔子適八歲則墨翟與子罕不得相輩或以子冉爲是不知何如也夫以孔墨之辯不能自免於讒諛而二國以危何則衆口鑠金索隱曰國語云衆心成城衆口鑠金賈逵云鑠消也衆口所惡雖金亦爲之消亡又風俗通云或說有美金於此衆人或共詆訿言其不純金賣者欲其必售因取鍛燒以見其真是爲衆口鑠金也積毀銷骨也索隱曰文穎云讒人積久者譖毀則父兄自相誅滅骨肉爲之消滅也是以秦用戎人由余而霸中國齊用越人蒙而彊威宣索隱曰越人蒙未見所出漢書作子臧又張晏云子臧或是越人蒙字也此二國豈拘於俗牽於世繫阿偏之辭哉公聽並觀垂名當世索隱曰小顏云公聽言不私並觀謂所見同也故意合則胡越爲昆弟由余越人蒙是矣

合則骨肉出逐之收朱象管蔡是矣今人主誠能用齊秦之義後宋魯之聽則五伯不足稱三王易爲也是以聖王覺寤捐子之之心（徐廣曰燕王讓國於其大臣子之也）而能不說於田常之賢（應劭曰田常事齊簡公簡公說之而殺簡公不使人君去此心則國家安全也）封比干之後修孕婦之墓（應劭曰紂刳妊者觀其胎產也○索隱曰案封比干之後後謂子也不見其文尚書作封比干之墓又唯云刳剔孕婦則武王雖修商政亦未必修孕婦之墓也）故功業復就於天下何則欲善無厭也夫晉文公親其讎彊霸諸侯齊桓公用其仇而一匡天下（謂晉寺人勃鞮齊管仲也）何則慈仁殷勤誠加於心不可以虛辭借也至夫秦用商鞅之法東

弱韓魏兵彊天下而卒車裂之越用大夫種之謀禽勁呉覇中國而卒誅其身是以孫叔敖三去相而不悔索隱曰三得相不喜知其才之自得也三去相不悔知非已之罪也於陵子仲辭三公爲人灌園列士傳曰楚於陵子仲楚王欲以爲相而不許爲人灌園○索隱曰孟子云陳仲子齊陳氏之族兄爲齊卿仲子以爲不義乃適楚居于於陵自謂於陵子仲楚王聘以爲相子仲遂夫妻相與逃爲人灌園列士傳字子終者是也今人主誠能去驕傲之心懷可報之意披心腹見情素墮肝膽施德厚終與之窮達無愛於士則桀之狗可使吠堯韋昭曰言恩厚無不使也而蹠之客可使刺由應劭曰蹠之客爲其人使刺由許由也蹠盜蹠也○索隱曰並見戰國策況因萬乘之權假聖王之資乎然則荊

蟠 六盤反 柢 都計反

正義曰言先為彫刻裝飾故得万乘之器也

軻之湛七族，要離之燒妻子，（應劭曰荊軻為燕刺秦始皇不成而死其族坐之湛沒吳王闔閭欲殺王子慶忌要離詐以罪亡令吳王燔其妻子要離走見慶忌以劍刺之張晏曰七族上至曽祖下至曽孫○索隱曰湛音沉七族父之姓一也姑之子二也姊妹之子三也女之子四也母之姓五也從子六也及妻父母凡七族也要離事見呂氏春秋）豈足道哉。臣聞明月之珠，夜光之璧，以闇投人於道路，人無不按劍相眄者，何則？無因而至前也。蟠木根柢，輪囷離詭，（張晏曰根柢下本也輪囷離詭委曲盤戾也○索隱曰孟康云蟠結之木也蟠音槃一云槃柢柢根也）而為萬乘器者，何則？以左右先為之容也。（索隱曰左右先加彫刻是為之容飾也）故無因至前，雖出隨侯之珠，夜光之璧，猶結怨而不見德；故有人先談，則以枯木朽株樹功而不忘。

今夫天下布衣窮居之士身在貧賤雖包堯舜之術【索隱曰言蒙被堯舜之道也】挾伊管之辯懷龍逢比干之意欲盡忠當世之君而素無根柢之容雖竭精思欲開忠信輔人主之治則人主必有按劍相眄之跡是使布衣不得為枯木朽株之資也是以聖王制世御俗獨化於陶鈞之上【漢書音義曰陶家名模下圓轉者為鈞以其能制器為大小比之於天○索隱曰張晏云陶冶鈞範也作器下所轉者名鈞韋昭曰陶燒瓦之竈鈞木長七尺有絃所以調為器具也崔浩云以鈞制器萬殊故如造化之運轉裁成也】而不牽於卑亂之語不奪於眾多之口故秦皇帝任中庶子蒙嘉之言以信荊軻之說而匕首竊發【索隱曰通俗文

正義曰顏云文王之得太公非因故舊若烏鳥之集也

師古曰匕首短劍也

云其頭類匕故曰匕首短而便用也周文王獵涇渭載呂尚而歸以王天下故秦信左右而殺周用烏集而王漢書音義曰太公望涂中蛾觀於十遇共成王功若烏鳥之集也索隱曰韋昭云呂尚適周如烏之集也何則以其能越攣拘之語馳域外之議獨觀於昭曠之道也今人主沈於諂諛之辭牽於帷裳之制漢書音義曰言為左右便辟侍帷裳臣妾所見牽制使不羈之士與牛驥同皂漢書音義曰食牛馬器以木作如槽也○索隱曰言駿足不可羈絆以比喻逸才之人應劭云皂櫪也韋昭云皂養馬之官下士也養馬之官其衣皂也又郭璞云皂養馬之器也○正義曰顏云不羈言才識高遠不可羈係皂在早反方言云梁宋齊楚燕之間謂櫪曰皂此鮑焦所以忿於世而不留富貴之樂也如淳曰莊子云鮑焦飾行非世抱木而死○索隱曰晉灼云列士傳鮑焦怨世不用己採蔬於道子貢難曰非其世而採其蔬

此焦之有哉弃其蹟乃立枯洛水之上案此事見莊子及說苑韓詩外傳小有不同也臣聞盛飾入朝者不以利汙義砥厲名號者不以欲傷行故縣名勝母漢書云里名勝母也○正義曰鹽鐵論皆云里名尸子及此傳云縣名未詳也而曾子不入索隱曰淮南子及鹽鐵論云里名勝母曾子不入蓋以名不順也尸子以為孔子至勝母縣暮而不宿其說不同邑號朝歌而墨子廻車晉灼曰朝歌者不時也○正義曰朝歌今衛州縣也今欲使天下寥廓之士攝於威重之權主於位勢之貴故回面汙行以事諂諛之人索隱曰杜預云回邪也而求親近於左右則士伏死堀穴巖巖之中耳詩云節彼南山維石巖巖安肯有盡忠信而趨闕下者哉書奏梁孝王孝王使人出之卒為上客

太史公曰魯連其指意雖不合大義然余多其在布衣之位蕩然肆志不詘於諸侯談說於當世折卿相之權鄒陽辭雖不遜然其比物連類有足悲者亦可謂抗直不橈矣吾是以附之列傳焉

索隱述贊曰

魯連達士　高才遠致　釋難解紛

辭祿肆志　齊將挫辯　燕軍沮氣（遺燕將書也）

鄒子遇讒　見詆獄吏　慷慨獻說（獄中之書也）

時王所器（羊勝等嫉鄒陽惡梁王　書奏梁孝王使人出自獄卒　為上客）

釋難　平原君欲封魯連々々辭曰所謂貴於天下之士者為人排患釋難解紛無取

辭祿　田單欲爵魯連々々逃隱於海上曰吾與富貴而詘於人寧貧賤而輕世肆志

魯仲連鄒陽列傳第二十三　史記八十三

屈原賈生列傳第二十四

屈原者名平楚之同姓也正義曰屈景昭皆楚之族王逸云楚王始都是生子瑕受屈爲卿因以爲氏爲楚懷王左徒正義曰若今左右拾遺之類博聞彊志明於治亂嫻於辭令嫻史記音閑切音閑入則與王圖議國事以出號令出則接遇賓客應對諸侯王甚任之上官大夫與之同列爭寵而心害其能懷王使屈原造爲憲令謂創制憲令之本漢書作草具崔浩謂發始造端也屈平屬草藁未定曰屬音燭藁音[illegible]上官大夫見而欲奪之正義曰王逸云上官靳尚屈平不與因讒之曰王使屈平爲令衆莫不知每一令出平伐其功曰以爲非我

莫能為也王怒而疏屈平屈平疾王聽之不聰也讒諂之蔽明也邪曲之害公也方正之不容也故憂愁幽思而作離騷（索隱曰騷音素刀反一音蕭　應劭曰離遭也騷憂也又離騷序云離別也騷愁也）離騷者猶離憂也夫天者人之始也父母者人之本也人窮則反本故勞苦倦極未嘗不呼天也疾痛慘怛（正義曰上千感反下丁達反慘毒也怛痛也）未嘗不呼父母也屈平正道直行（正義曰下孟反）竭忠盡智以事其君讒人間之可謂窮矣信而見疑忠而被謗能無怨乎屈平之作離騷蓋自怨生也國風好色而不淫小雅怨誹而不亂（正義曰誹方畏反）若

屈原賈生傳　一

屈原賈生列傳第二十四

屈原者名平，楚之同姓也。正義曰：屈、景、昭皆楚之族。王逸云：楚武王始都，是生子瑕，受屈爲卿，因以爲氏。爲楚懷王左徒。正義曰：蓋今左右拾遺之類。博聞彊志，明於治亂，嫺史記音隱 嫺 切音閑於辭令。入則與王圖議國事，以出號令；出則接遇賓客，應對諸侯。王甚任之。上官大夫與之同列，爭寵而心害其能。懷王使屈原造爲憲令，屈平屬草稾未定。屬音燭。稾音古老反。謂創制憲令之本。漢書作草具。崔浩謂發始造端也。上官大夫見而欲奪之，正義曰：王逸云上官靳尚。屈平不與，因讒之曰：「王使屈平爲令，衆莫不知，每一令出，平伐其功，曰以爲非我……

莫能爲也王怒而疏屈平屈平疾王聽之不聰也讒諂之蔽明也邪曲之害公也方正之不容也故憂愁幽思而作離騷（索隱曰音素忍反一音蕭應劭曰離遭也騷憂也又離騷序云離別也騷愁也）離騷者猶離憂也夫天者人之始也父母者人之本也人窮則反本故勞苦倦極未嘗不呼天也疾痛慘怛（正義曰上七感反下丁達反慘毒也怛痛也）未嘗不呼父母也屈平正道直行（正義曰行寒孟反）竭忠盡智以事其君讒人閒之可謂窮矣信而見疑忠而被謗能無怨乎屈平之作離騷蓋自怨生也國風好色而不淫小雅怨誹而不亂（正義曰誹方畏反）若

離騷者可謂兼之矣上稱帝嚳下道齊桓中述湯武以刺世事明道德之廣崇治亂之條貫靡不畢見其文約其辭微其志絜其行廉其稱文小而其指極大舉類邇而見義遠其志絜故其稱物芳其行廉故死而不容自疏濯淖汙泥之中索隱曰濯音濁淖音鬧汙音烏故反泥音奴計反蟬蛻於濁穢正義曰蛻音稅去皮也他臥反以浮游塵埃之外不獲世之滋垢皭然泥而不滓者也徐廣曰皭疏靜之貌○索隱曰皭音自若反泥音涅滓音淄又並如字推此志也雖與日月爭光可也正義曰言屈平之仕濁世去其汙垢在塵埃外推此志意雖與日月爭其光明斯亦可矣屈平既絀其後秦欲伐齊齊

與楚從親，【正義曰：上足松反】惠王患之，乃令張儀詳去秦，厚幣委質事楚，曰：「秦甚憎齊，齊與楚從親，楚誠能絕齊，秦願獻商於之地六百里。」楚懷王貪而信張儀，遂絕齊，使使如秦受地。張儀詐之曰：「儀與王約六里，不聞六百里。」楚使怒去，歸告懷王。懷王怒，大興師伐秦。秦發兵擊之，大破楚師於丹陽、淅，【索隱曰：丹、淅二水名也。謂於丹水之北，淅水之南，皆為縣名，在弘農，所謂丹陽淅是也。○正義曰：丹陽今歧江故城】斬首八萬，虜楚將屈匄，【索隱曰：屈，姓；匄，名，音蓋】遂取楚之漢中地。【徐廣曰：楚懷王十六年，張儀來相，十七年，秦敗屈匄。○正義曰：梁州】懷王乃悉發國中兵以深入擊秦，戰於藍田。魏聞之，襲楚至鄧索隱曰鄧在漢水北故鄧侯城也楚兵懼自秦歸而齊竟怒不救楚楚大困明年秦割漢中地與楚以和楚王曰不願得地願得張儀而甘心焉張儀聞乃曰以一儀而當漢中地臣請往如楚如楚又因厚幣用事者臣靳尚而設詭辯於懷王之寵姬鄭袖懷王竟聽鄭袖復釋去張儀是時屈平既疏不復在位使於齊顧反諫懷王曰何不殺張儀懷王悔追張儀不及索隱曰張儀傳無此語其後諸侯共擊楚大破之殺其將唐眛徐廣曰二十八年敗唐眛也○正義[illegible]眛音莫葛反時秦昭王與楚婚欲與懷王會懷王

欲行屈平曰秦虎狼之國不可信不如無行

（索隱曰趙世家昭睢有此言蓋二人同諫王故彼此各隨録之也）懷王稚子子蘭

勸王行奈何絶秦歡懷王卒行入武關秦伏

兵絶其後因留懷王（徐廣曰三十年入秦）以求割地懷

王怒不聽亡走趙趙不内復之秦竟死於秦

而歸葬長子頃襄王立（索隱曰名横）以其弟子蘭

爲令尹楚人既咎子蘭以勸懷王入秦而不反

也屈平既嫉之雖放流睠顧楚國繫心懷王不

忘欲反兾幸君之一悟俗之一改也其存君興國

而欲反覆之一篇之中三致志焉然終無可奈何

泄　劉作渫

故不可以反卒以此見懷王之終不悟也人君無愚智賢不肖（索隱曰此已下太史公傷楚懷王之不任賢信讒而不能反國之論也）莫不欲求忠以自為舉賢以自佐然亡國破家相隨屬而聖君治國累世而不見者其所謂忠者不忠而所謂賢者不賢也懷王以不知忠臣之分故內惑於鄭袖外欺於張儀疏屈平而信上官大夫令尹子蘭兵挫地削亡其六郡身客死於秦為天下笑此不知人之禍也易曰井泄不食（向秀曰泄者浚治去泥濁也○索隱曰向秀字子期晉人注周易）為我心惻（張璠曰可以為惻然傷道未行也○索隱曰張璠亦晉人注易也）可以汲王明並受其福（易象）

曰故王明受福也○索隱曰京房易章句言我之道可汲而用上有明主汲我道而用之天下並受其福故曰王明並受其福也王之不明豈足福哉徐廣曰一云不足福○正義曰言楚王不明忠臣豈是受福故屈原懷沙自沉令尹子蘭聞之大怒卒使上官大夫短屈原於頃襄王頃襄王怒而遷之離騷序曰屈原遷於江南屈原至於江濱被髮行吟澤畔顏色憔悴形容枯槁漁父見而問之索隱曰父音甫曰子非三閭大夫歟離騷序曰三閭之職掌王族三姓曰昭屈景屈原序其譜屬率其賢良以厲國士何故而至此屈原曰舉世混濁而我獨清衆人皆醉而我獨醒是以見放漁父曰夫聖人者不凝滯於物而能與世推移舉世混濁何不隨其流而揚其波索隱

故不可以反卒以此見懷王之終不悟也人君無愚智賢不肖索隱曰此已下太史公傷楚懷王之不任賢信讒而不能反國之論也莫不欲求忠以自爲舉賢以自佐然亡國破家相隨屬而聖君治國累世而不見者其所謂忠者不忠而所謂賢者不賢也懷王以不知忠臣之分故内惑於鄭袖外欺於張儀疏屈平而信上官大夫令尹子蘭兵挫地削亡其六郡身客死於秦爲天下笑此不知人之禍也易曰井泄不食向秀曰泄者浚治去泥濁也○索隱曰向秀字子期晉人注周易爲我心惻張璠曰可爲惻然傷道未行也○索隱曰張璠亦晉人注易也可以汲王明並受其福易象

王明受福也○索隱曰京房易章句言我之道可汲而用上有明主汲我道而用之天下並受其福故曰王明並受其福也

王之不明豈足福哉徐廣曰一云不足福○正義曰言楚王不明忠臣豈是受福故屈原懷沙自沈令尹子蘭聞之大怒卒使上官大夫短屈原於頃襄王頃襄王怒而遷之離騷序曰屈原遷於江南屈原至於江濱被髮行吟澤畔顏色憔悴形容枯槁漁父見而問之索隱曰父音甫曰子非三閭大夫歟離騷序曰三閭之職掌王族三姓曰昭屈景屈原序其譜屬率其賢良以厲國士何故而至此屈原曰舉世混濁而我獨清衆人皆醉而我獨醒是以見放漁父曰夫聖人者不凝滯於物而能與世推移舉世混濁何不隨其流而揚其波索隱

曰楚詞隨其流作滑其泥也衆人皆醉何不餔其糟而啜其醨何故懷瑾握瑜而自令見放爲索隱曰楚詞懷瑾握瑜作深思高舉也屈原曰吾聞之新沐者必彈冠新浴者必振衣人又誰能以身之察察王逸曰已靜潔受物之汶汶者乎王逸曰蒙垢濊○索隱曰汶汶音門門汶汶猶昏暗不明也寧赴常流而葬乎江魚腹中耳索隱曰常流猶長流也又安能以皓皓之白而蒙世之溫蠖乎索隱曰蠖音烏郭反溫蠖猶惛憒楚詞作蒙世之塵埃哉乃作懷沙之賦索隱曰楚詞九懷曰懷沙礫以沉此其義也其辭曰陶陶孟夏兮草木莽莽王逸曰陶陶盛陽貌莽莽盛茂貌索隱曰莽音姥○正義曰莫古反傷懷永哀兮汩徂南土王逸曰汩行貌○索隱曰方言曰汩謂疾行也眴兮窈窕

徐廣曰眴眩也○索隱曰眴音瞬窈音烏鳥反孔靜幽墨王逸曰孔甚也墨無聲也○正義曰孔甚墨無聲言江南山高澤深視之眴野甚清淨寂無人聲冤結紆軫兮離愍之長鞠王逸曰鞠窮紆屈也軫痛也愍病也撫情效志兮俛詘以自抑刓方以為圜兮常度未替王逸曰刓削也言人刓削方木欲以為圜其常法度尚未廢也○索隱曰刓音五官反易初本由兮君子所鄙王逸曰由道也○正義曰本常也鄙恥也言人遭世不遵道變易初行違離常道君子所鄙章畫職墨兮前度未改王逸曰章明也度法也言上明於所畫念其繩墨修前人之法不易其道則曲木直而惡木好○索隱曰畫計畫也楚詞職作志志念也余如注所解內直質重兮大人所盛王逸曰言人質性敦厚心志正直行無過失則大人君子所盛美也巧匠不斲兮孰察其揆正玄文幽處兮矇謂之不章王逸曰玄黑也矇盲者也詩云矇瞍奏公章明也離

陸曰幽墨皆冥所為而不得志

[illegible]

撫循也撫情効志之意有過失則屈志自抑而不得也

職墨 楚辭集注曰言譬之工人章明所畫之繩墨而念之不忘其亦以前人之法度未改法也

[illegible]

矇 楚詞有之

[illegible]

曰楚詞隨其流作滑其泥也衆人皆醉何不餔其糟而啜其醨何故懷瑾握瑜而自令見放爲索隱曰楚詞懷瑾握瑜作深思高舉也屈原曰吾聞之新沐者必彈冠新浴者必振衣人又誰能以身之察察王逸曰已靜潔受物之汶汶者乎王逸曰蒙垢濊○索隱曰汶汶音門門汶汶猶昏暗不明也寧赴常流而葬乎江魚腹中耳索隱曰常流猶長流也又安能以皓皓之白而蒙世之溫蠖乎索隱曰蠖音烏郭反溫蠖猶惛憒楚詞作蒙世之塵埃哉乃作懷沙之賦索隱曰楚詞九懷曰懷沙礫以沉此其義也其辭曰陶陶孟夏兮草木莽莽王逸曰陶陶盛陽貌莽莽茂盛貌○正義曰莽音姥索隱曰莽莫古反傷懷永哀兮汩徂南土王逸曰汩行貌○索隱曰方言曰汩謂疾行也眴兮窈

……曰眴眩也○索隱曰眴音瞬窈音烏鳥反孔靜幽墨王逸曰孔甚也墨無聲也○正義曰……

墨無聲言江南山高澤深視之眴野甚清淨寞無人聲冤結紆軫兮離愍之長鞠

王逸曰鞠窮紆屈也軫痛也愍病也撫情效志兮俛詘以自抑

刓方以為圜兮常度未替王逸曰刓削度法替廢也信人刓削方木欲以為圜其常法度尚未廢也○索隱曰刓音五官反

易初本由兮君子所鄙王逸曰由道也○正義曰本常也鄙恥也言人遭世不道變易初行違離常道君子所鄙

章畫職墨兮前度未改王逸曰章明也度法也言工明於所畫念其繩墨修前人之法不易其道則曲木直而惡木好○索隱曰畫計畫也楚詞職作志余如注所解

內直質重兮大人所盛王逸曰言人質性敦厚心志正直行無過失則大人君子所盛美也

巧匠不斲兮孰察其揆正

玄文幽處兮矇謂之不章王逸曰玄黑也矇盲者也詩云矇瞍奏公章明也

離

婁微睇兮瞽以爲無明王逸曰離婁古明視者也瞽盲也。○正義曰睇田帝反睇也

變白而爲黑兮倒上以爲下索隱曰下音戶鳳皇在

笯兮雞雉翔舞徐廣曰笯一作郊。駰案王逸曰笯籠落也。○索隱曰笯音奴，又音女加反。籠落謂藤蘿之相籠絡也。楚詞雉作鶩。○正義曰瑞圖云黃帝問天老曰鳳鳥何如。天老曰鳥鴻前而麟後，蛇頸而魚尾，龍文而龜身，燕頷而雞喙，首戴德，頸揭義，背負仁，心入信，翼俠順，膺正，尾繫武，小音金，大音鼓，延頸奮翼，五備舉。同糅

玉石兮一槩而相量王逸曰忠佞不異。夫黨人之鄙妒兮

羌不知吾所臧王逸曰莫照我之善意。○索隱曰按王師叔云羌楚人語辭，言卿何爲也。○正義曰羌音疆。任重載盛兮陷滯而不濟王逸曰言己才力盛壯，可任用重載，而身陷沒沉滯，不得成其本志也。

懷瑾握瑜兮窮不得余所示王逸曰示語也。

邑犬羣吠兮吠所怪也誹駿疑桀兮固庸

態也〇王逸曰千人才為俊一國高為桀也庸厮賤之人也索隱曰非駿云千人才曰俊萬人曰桀今乃誹駿疑桀固是庸人之態也文質疏內兮眾不知吾之異采徐廣曰異一作奥駰案王逸曰采文采也材樸委積兮莫知余之所有重仁襲義兮謹厚以為豐王逸曰重累也襲及也重華不可牾兮孰知余之從容王逸曰牾逢也〇索隱曰楚詞牾作遻並吾故反古固有不並兮豈知其故也索隱曰楚詞作莫知其何故湯禹久遠兮邈不可慕也懲違改忿兮抑心而自彊離湣而不遷兮願志之有象王逸曰象法也進路北次兮正義曰北次舍就日昧昧其將暮含憂虞哀兮限之以大故王逸曰娛樂也大故謂死亡也〇索隱曰楚詞含憂虞哀作舒憂娛哀不娛音虞娛若樂也亂曰索隱曰王師叔云亂者理也所以發

婁微睇兮瞽以爲無明 王逸曰離婁古明視者也瞽盲也○正義曰睇田帝反

也變白而爲黑兮倒上以爲下 索隱曰下音戶 鳳皇在

笯兮雞雉翔舞 徐廣曰笯一作郊駰案王逸曰笯籠落也○索隱曰笯音奴又音女加反籠落

謂藤蘿之相籠絡也楚詞雞作鶩○正義曰瑞應圖云黃帝問天老曰鳳鳥何如天老曰鳥鴻而麟後蛇頸而魚尾龍文

而龜身燕頷而鷄喙首戴德頸揭義背負仁心入信翼挾順膺負正尾繫武小音金大音鼓延頸奮翼五備舉 同糅

玉石兮一槩而相量 王逸曰忠佞不異 夫黨人之鄙妬兮

羌不知吾所臧 王逸曰莫昭我之善意○索隱曰按王師叔云羌楚人語辭言卿何爲也○正

義曰羌音疆 任重載盛兮陷滯而不濟 王逸曰言已才力盛壯可任用重載

而身陷沒沉滯不得成其本志也 懷瑾握瑜兮窮不得余所示 王逸

曰示告也 邑犬羣吠兮吠所怪也誹駿疑桀兮固庸

態也。○王逸曰千人才爲俊一國高爲桀也庸厮賤之人也索隱曰王逸云千人才曰俊萬人曰桀今乃誹駿疑桀固是庸人之態也文質疏內兮衆不知吾之異采徐廣曰異一作奧駰案王逸曰采文采也材樸委積兮莫知余之所有重仁襲義兮謹厚以爲豐王逸曰重累也襲及也重華不可牾兮孰知余之從容王逸曰牾逢也○索隱曰楚詞牾作遻並吾故反古固有不並兮豈知其故也索隱曰楚詞作莫知其何故湯禹久遠兮邈不可慕也懲違改忿兮抑心而自彊離湣而不遷兮願志之有象王逸曰象法也進路北次兮正義曰北次猶就日昧昧其將暮含憂虞哀兮限之以大故王逸曰娛樂也大故謂死亡也○索隱曰楚詞含憂虞哀作舒憂娛哀娛音虞娛樂也亂曰索隱曰王師叔云亂者理也所以發

理辭指總撮其要而重理前意也

浩浩沅湘兮索隱曰二水名地理志湘水出零陵海陽山北入江沅即湘之後流也。正義曰說文云沅水出牂牁東北流入江湘水出零陵縣海山北至〔入〕江按二水皆經岳州而入大江也分流汩兮王逸曰汩流也脩路幽拂兮索隱曰楚詞作幽蔽也道遠忽兮曾唫恒悲兮永歎慨兮世既莫吾知兮人心不可謂兮王逸曰謂猶說也。索隱曰楚詞無曾唫巳下二十一字懷情抱質兮獨無匹兮伯樂既歿兮驥將焉程兮王逸曰程量也人生有命兮各有所錯兮王逸曰錯安也定心廣志余何畏懼兮索隱曰楚詞餘並作余曾傷爰哀永歎喟兮王逸曰喟息也世溷濁不吾知心不可謂兮知死不可讓兮願勿愛兮王逸曰類法也。正義曰類例也以爲明以告君子兮吾將以為類兮

史臣不亭亂君之例

於是懷石遂自投汨羅以死應劭曰汨水在羅故曰汨羅也○索隱曰地理志長沙有羅縣羅子之所徙荊州記羅縣北帶汨水音覓○正義曰故羅縣城在岳州湘陰縣東北六十里春秋時羅子國秦置長沙郡而為縣也按縣北有汨水及屈原廟續齊諧記云屈原以五月五日投汨羅而死楚人哀之每於此日以竹筒貯米投水祭之漢建武中長沙區回白日忽見一人自稱三閭大夫謂回曰聞君常見祭甚善但常年所遺並為蛟龍所竊今若有惠可以楝樹葉塞上以五色絲轉縛之此物蛟龍所憚回依其言世人五月五日作糉并帶五色絲及楝葉皆汨羅之遺風也

屈原既死之後楚有宋玉唐勒景差徐廣曰或作慶○索隱曰揚子法言及漢書古今人表皆作景差今作差是字省耳以徐裴鄒三家皆無音是如字讀也之徒者皆好辭而以賦見稱然皆祖屈原之從容辭令終莫敢直諫其後楚日以削數十年竟為秦所滅自屈原沈汨羅後百有餘年漢

屈原賈生傳 七

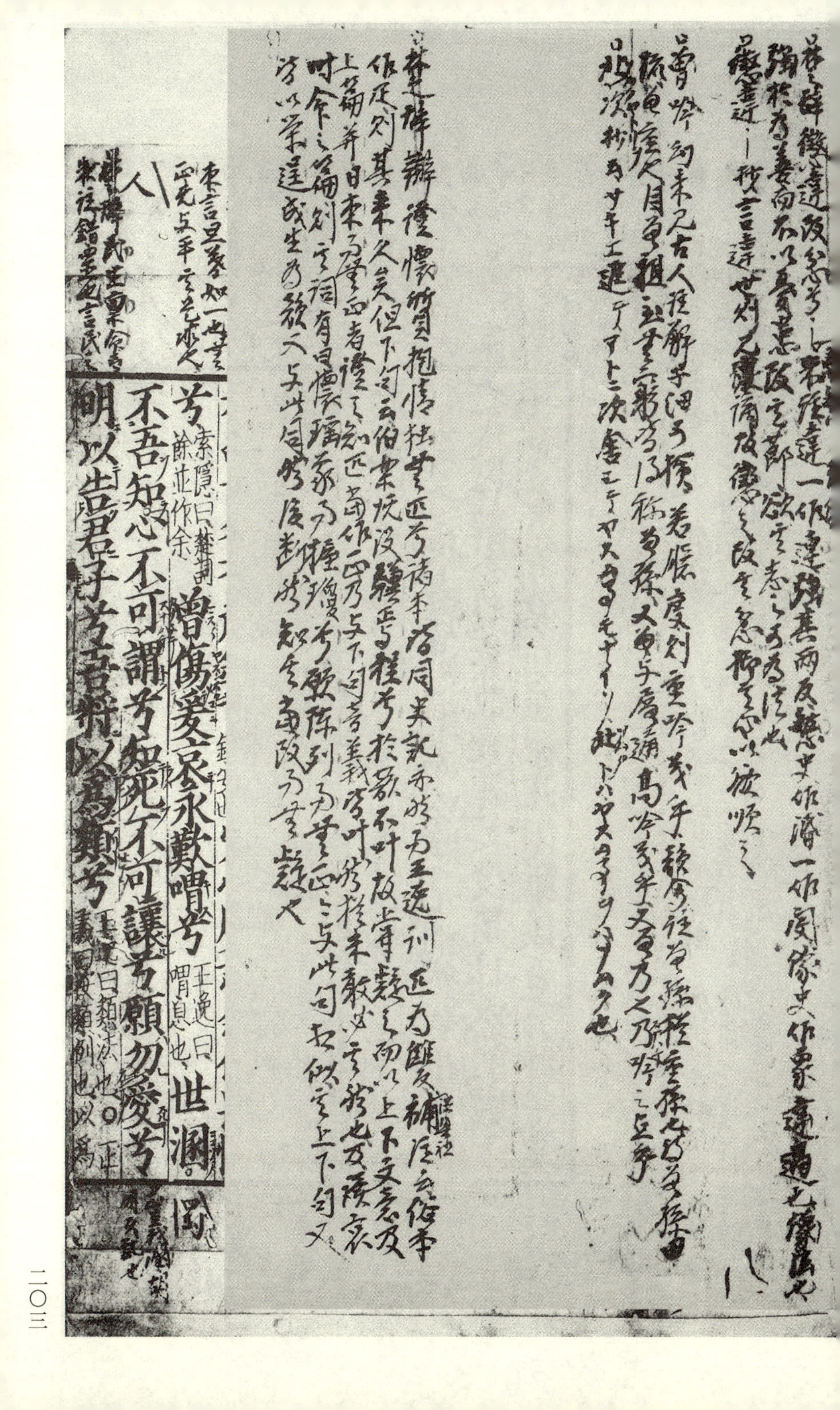

兮 索隱曰 鬱鬱，餘並作余 曾傷爰哀，永歎喟兮。王逸曰 喟，息也。世溷濁

不吾知，心不可謂兮。知死不可讓兮，願勿愛兮。

明以告君子兮，吾將以爲類兮。王逸曰 類，法也。○王亂君之例於是懷石遂自投汨羅以死。應劭曰汨水在羅故曰汨羅也。索隱曰地理志長沙有羅縣羅子之所徙荊州記羅縣北帶汨水音覓。正義曰故羅縣城在岳州湘陰縣東北六十里春秋時羅子國秦置長沙郡而為縣也按縣北有汨水及屈原廟續齊諧記云屈原以五月五日投汨羅而死楚人哀之每於此日以竹筒貯米投水祭之漢建武中長沙區回白日忽見一人自稱三閭大夫謂回曰聞君常見祭甚善但常年所遺並為蛟龍所竊今若有惠可以楝樹葉塞上以五色絲轉縛之此物蛟龍所憚回依其言世人五月五日作糉并帶五色絲及楝葉皆汨羅之遺風也

屈原既死之後，楚有宋玉、唐勒、景差徐廣曰或作慶。索隱曰揚子法言及漢書古今人表皆作景差今作差是字省耳以徐裴鄒三家皆無音是如字讀也之徒者，皆好辭而以賦見稱；然皆祖屈原之從容辭令，終莫敢直諫。其後楚日以削，數十年竟為秦所滅。自屈原沈汨羅後百有餘年，漢

有賈生爲長沙王太傅過湘水投書以弔屈原

賈生名誼雒陽人也年十八以能誦詩屬書聞於郡中吳廷尉爲河南守聞其秀才（正義曰顏云秀美也應劭云避光武諱改茂才也）召置門下甚幸愛孝文皇帝初立聞河南守吳公（索隱曰吳姓史失名故稱公）治平爲天下第一故與李斯同邑而常學事焉乃徵爲廷尉廷尉乃言賈生年少頗通諸子百家之書文帝召以爲博士是時賈生年二十餘最爲少每詔令議下諸老先生不能言賈生盡爲之對人人各如其意所欲出諸生於是乃以爲能不及也孝文帝

説之超遷一歳中至太中大夫賈生以爲漢興至孝文二十餘年天下和洽而固當改正朔易服色法制度定官名興禮樂乃悉草具其事儀法色尚黄數用五正義曰漢文帝時黄龍見成紀故改爲土德也爲官名悉更秦之法孝文帝初即位謙讓未遑也諸律令所更定及列侯悉就國其説皆自賈生發之於是天子議以爲賈生任公卿之位絳灌東陽侯馮敬之屬盡害之正義曰絳灌周勃灌嬰也東陽侯張相如馮敬時爲御史大夫乃短賈生曰雒陽之人年少初學專欲擅權紛亂諸事於是天子後亦疏之不用其議乃以賈生

漢書文帝紀曰十五年春黄龍見於成紀

成紀 謂曰成紀

有賈生爲長沙王太傅過湘水投書以弔屈原賈生名誼雒陽人也年十八以能誦詩屬書聞於郡中吳廷尉爲河南守聞其秀才（正義曰顏云秀美也）召置門下甚幸愛孝文皇帝初立聞（云避光武諱改茂才也）河南守吳公（索隱曰吳姓史失名故稱公）治平爲天下第一故與李斯同邑而常學事焉乃徵爲廷尉廷尉乃言賈生年少頗通諸子百家之書文帝召以爲博士是時賈生年二十餘最爲少每詔令議下諸老先生不能言賈生盡爲之對人人各如其意所欲出諸生於是乃以爲能不及也孝文帝

說之超遷一歲中至太中大夫賈生以爲漢興至孝文二十餘年天下和洽而固當改正朔易服色法制度定官名興禮樂乃悉草具其事儀法色尚黃數用五（正義曰漢文帝時黃龍見成紀故改爲土德也）爲官名悉更秦之法孝文帝初即位謙讓未遑也諸律令所更定及列侯悉就國其說皆自賈生發之於是天子議以爲賈生任公卿之位絳灌東陽侯馮敬之屬盡害之（正義曰絳灌周勃灌嬰也東陽侯張相如馮敬時爲御史大夫）乃短賈生曰雒陽之人年少初學專欲擅權紛亂諸事於是天子後亦疏之不用其議乃以賈生

爲長沙王太傅索隱曰誼爲傅是吳芮之玄孫産龍袁長沙王之時也非景帝之子長沙王發也荆州記長沙城西北隅有賈誼祠及誼坐石牀在也賈生既辭往行聞長沙卑溼自以壽不得長又以適去徐廣曰作華反韋昭曰謫譴也○索隱曰字林云謫音文厄反意不自得及渡湘水爲賦以弔屈原其辭曰共承嘉惠兮張晏曰恭敬也俟罪長沙側聞屈原兮自沈汨羅造託湘流兮敬弔先生索隱曰造詣音七到反遭世罔極兮乃隕厥身嗚呼哀哉逢時不祥鸞鳳伏竄兮鴟梟翺翔索隱曰竄音七外反闒茸尊顯兮讒諛得志索隱曰闒音天臘反茸音而隴反應劭胡廣云闒茸不才之人無六翮之用而反尊貴字林云闒茸不肖之人也賢聖逆曳兮方正倒植索隱曰胡廣云逆曳不得順而行也倒植

賢不肖顛倒而易位也世謂伯夷貪兮謂盜跖廉索隱曰漢書作隨夷溷兮跖蹻廉一句皆兼兩人隨卞隨夷伯夷跖盜跖蹻莊蹻也莫邪爲頓兮應劭曰莫邪吳大夫也作寶劍因以冠名瓚曰許慎曰莫邪大戟也○索隱曰吳越春秋曰吳王使干將造劍二枚一曰干將二曰莫耶莫耶干將劍名也頓讀爲鈍鈆刀爲銛徐廣曰思廉反駰案漢書音義曰銛謂利○索隱曰鈆者錫也銛利也音纖言其暗惑也于嗟嚜嚜兮生之無故應劭曰嚜嚜不自得意瓚曰生謂屈原也斡棄周鼎兮而寶康瓠如淳曰斡轉也爾雅曰康瓠謂之甈大瓠也應劭曰康容也斡音筦筦轉也康空也○索隱曰斡音烏活反甈音五列反李巡云康謂大瓠甈也騰駕罷牛兮驂蹇驢正義罷音皮驥垂兩耳兮服鹽車索隱曰戰國策曰夫驥服鹽車上太山中坂遷延負轅不能上伯樂下車哭之者也章甫薦屨兮應劭曰章甫殷冠也漸不可久劉向別錄曰因以自諭自恨也嗟苦先生兮獨離此咎應劭

屈原賈生傳九

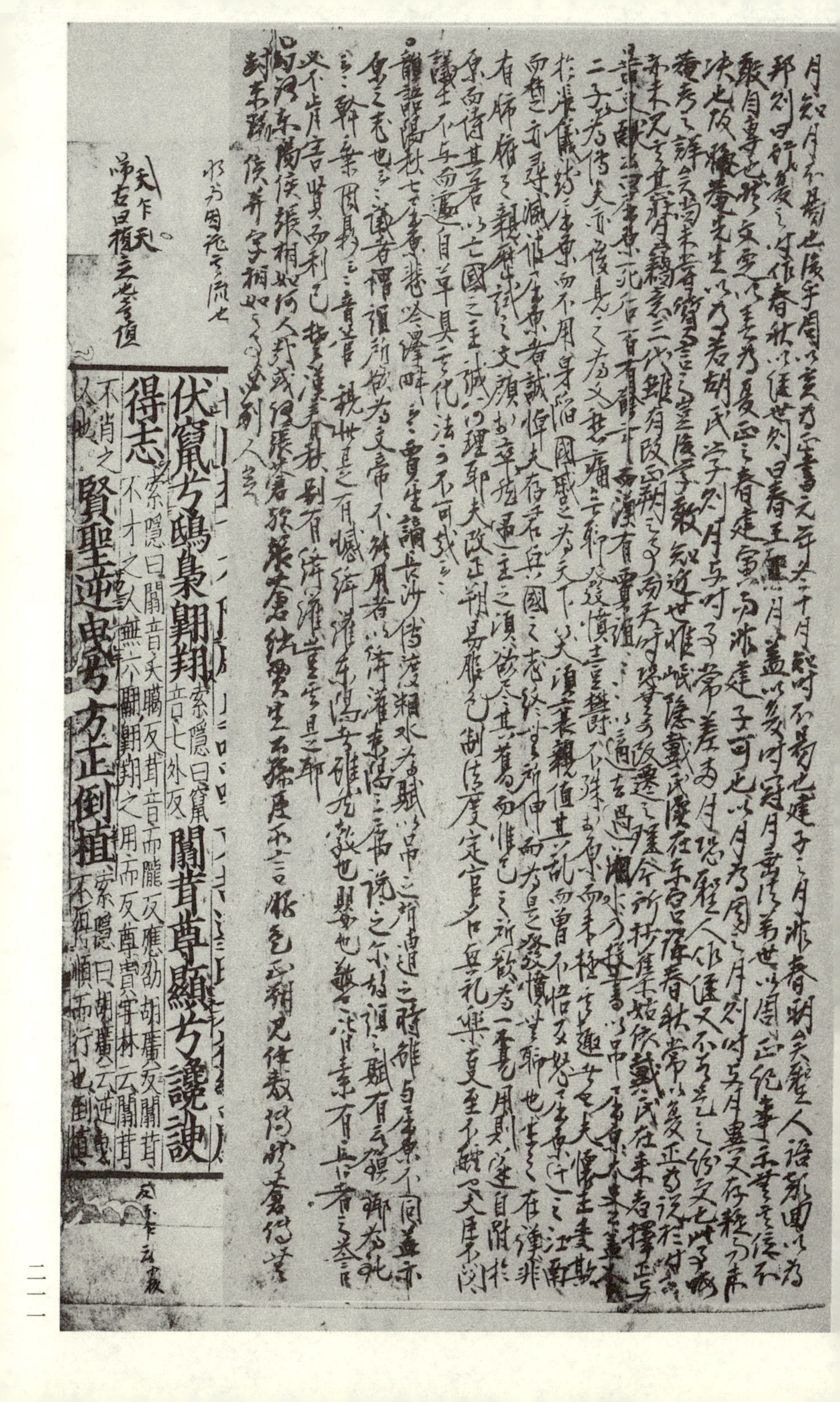

伏竄兮鴟梟翺翔索隱曰竄音七外反闒茸尊顯兮讒諛

得志索隱曰闒音吐臘反茸音而隴反應劭胡廣云闒茸不才之人無六翮翺翔之用而反尊貴字林云闒茸

不肖之賢聖逆曳兮方正倒植索隱曰胡廣云逆曳不得順而行也倒植

賢不肖顚倒而易位也。**世謂伯夷貪兮謂盜跖廉**索隱曰漢書作隨夷溷兮跖蹻廉一句皆兼兩人隨卞隨夷伯夷跖盜跖蹻莊蹻也**莫邪爲頓兮**應劭曰莫邪吳大夫也作寶劍因以冠名瓚曰許愼曰莫邪大戟也○索隱曰吳越春秋曰吳王使干將造劍二枚一曰干將二曰莫耶莫耶干將劍名也頓讀爲鈍**鉛刀爲銛**徐廣曰思廉反駰案漢書音義曰銛謂利○索隱曰鉛者錫也銛利也纖言其暗惑也**于嗟嚜嚜兮生之無故**應劭曰嚜嚜不自得意瓚曰生謂屈原也**斡棄周鼎兮寶康瓠**如淳曰斡轉也爾雅曰康瓠謂之甈大瓠也應劭曰康容也斡音筦筦轉也康空也○索隱曰斡音烏活反甈音五列反李巡云康謂大瓠瓢也**騰駕罷牛兮驂蹇驢**音[illegible]**驥垂兩耳兮服鹽車**索隱曰戰國策曰夫驥服鹽車上太山中坂遷延負轅不能上伯樂下車哭之者也**章甫薦屨兮**應劭曰章甫殷冠也**漸不可久**劉向別錄曰因以自諭自恨也**嗟苦先生兮獨離此咎**應劭

曰嗟咨嗟勞苦屈原遇此難也

訊曰李奇曰訊告也張晏曰訊離騷下章亂辭也○索隱曰訊音信劉伯莊音素對反訊猶宣也重宣其意周成解詁音碎也已矣國其莫我知獨堙鬱兮索隱曰漢書作誶亦通其誰語鳳漂漂其高遰兮索隱曰遰音逝夫固自縮而遠去襲九淵之神龍兮鄧展曰龍袞重也或曰龍襲復也猶言察也○索隱曰莊子曰千金之珠必在九重之淵而驪龍頷下故云九淵之神龍也沕徐廣曰亡筆反深潛以自珍徐廣曰沕潛藏也彌融爚徐廣曰一云偭蟂獺○正義曰顏野王云彌遠也融明也爚光也沒深藏以自彌遠明光以隱處也以隱處兮徐廣曰一本云彌蝸蝓以隱處也○索隱曰案徐所注蓋三本揔不同也蘇林云偭音面應劭云偭背也蟂獺水蟲害魚者以言背惡從善也郭璞注爾雅云似梟江東謂之魚鴞夫豈從螘與蛭螾漢書螘字作蝦韋昭曰蝦蝦蟇也蛭水蟲螾丘螾也○索隱曰螘音蟻漢書作蝦言偭然絕於蟂獺況從蝦與蛭螾也蛭音質螾音引○正義曰言[illegible][illegible]捨棄合神龍豈[illegible]從[illegible]與蛭蚓所

瞝 漢書作歷

漢書注增重也

貴聖人之神德兮遠濁世而自藏使騏驥可得係羈兮豈云異夫犬羊正義曰使騏驥可得係縛羈絆則與犬羊無異責屈原不去濁世以藏隱其才如羈索也驥千里馬也般紛紛其離此尤兮蘇林曰般音盤孟康曰般音班或曰盤桓不去紛紛構讒意也○索隱曰尤謂怨咎也亦夫子之辜也索隱曰漢書辜作故夫子謂屈原也李奇曰亦夫子不如麟鳳翔逝之故罹此咎也瞝九州而相君兮索隱曰瞝音丑知反謂歷觀也漢書作歷九州何必懷此都也鳳皇翔于千仞之上兮覽德輝焉下之索隱曰言鳳皇翔見人君有德乃下故禮曰德輝動乎內是也見細德之險徵兮搖增翮徐廣曰一云遙增擊也逝而去之正義曰搖動也增加也言見細德之人有險難徵起則合加動羽翮遠逝而去之彼尋常之汙瀆兮應劭曰八尺曰尋倍尋曰常○索隱曰汙潢也瀆小渠也豈能容吞舟

之魚橫江湖之鱣鱏兮如淳曰大魚也瓚曰鱏魚無鱗口近腹下固將制於螻蟻索隱曰莊子云庚桑楚謂弟子曰吞舟之魚蕩而失水則螻蟻能苦之戰國策東齊人說靖郭君亦同案以喻小國暗主不容忠臣而爲讒賊小臣之所見害也

賈生爲長沙王太傅正義曰漢文帝年表云吳芮之玄孫差龍爲長沙王也傅爲長沙靖王差之二年也括地志云吳芮故城在潭州長沙縣東南三百里賈誼宅在縣南三十步湘水記云誼宅中有一井誼所穿極小而深上斂下大其狀如壺傍有一局腳石床容一人坐形流古制相承云誼所坐三年有鴞飛入賈生舍止於坐隅楚人命鴞曰服晉灼曰異物志有山鴞體有文色土俗因形名之曰服不能遠飛行不出域索隱曰鄧展云似鵲而大荊州記云巫縣有鳥如雌雞其雄爲鴞楚人謂之服吳錄云服黑色也鳴自呼其名賈生既以適居長沙長沙卑溼自以爲壽不得長傷悼之乃爲賦以自廣索隱曰姚氏云廣猶寬也其辭曰單閼

之歲兮徐廣曰歲在卯曰單閼文帝六年歲在丁卯○索隱曰李巡云單閼起也陽氣推萬物而起故曰單閼孫炎本作蟬焉蟬猶伸也○正義閼烏曷反四月孟夏庚子日施兮服集予舍徐廣曰施一作斜○索隱曰施音失移反猶西斜也漢書作斜止于坐隅貌甚閒暇異物來集兮私怪其故發書占之兮䇲言其度索隱曰漢書作讖說文云讖驗言也此作䇲蓋讖䇲之辭○正義曰發䇲數之書占其度驗曰野鳥入處兮主人將去請問于服兮予去何之索隱曰予我也漢書作予服小顔云予加美之辭吉乎告我凶言其菑正義音災淹數之度兮語予其期徐廣曰數速也服乃歎息舉首奮翼口不能言請對以意正義曰協韻音憶萬物變化兮固無休息斡流而遷兮或推而還索隱曰斡音烏活反斡轉

之魚横江湖之鱣鱏兮如淳曰大魚也瓚曰鱏魚無鱗口近腹下固將制於螻蟻索隱曰莊子云庚桑楚謂弟子曰吞舟之魚蕩而失水則螻蟻能若之戰國策東齊人說靖郭君亦同案以喻小國暗主不容忠臣而爲讒賊小臣之所見害也賈生爲長沙王太傅正義曰漢文帝年表云吳芮之玄孫差襲長沙王也傅爲長沙靖王差之二年也括地志云吳芮故城在潭州長沙縣東南三百里賈誼宅在縣南三十步湘水記云誼宅中有一井誼所穿極小而深上斂下大其狀如壺傍有一局脚石牀容一人坐形流古制相承云誼所坐三年有鴞飛入賈生舍止於坐隅楚人命鴞曰服晉灼曰異物志有山鴞體有文色土俗因形名之曰服不能遠飛行不出域索隱曰鄧展云似鵲而大荊州記云巫縣有鳥如雌雞其雌爲鴞楚人謂之服吳錄云服黑色也鳴自呼其名賈生既以適居長沙長沙卑溼自以爲壽不得長傷悼之乃爲賦以自廣索隱曰姚氏云廣猶寬也其辭曰單閼

之歲兮（徐廣曰歲在卯曰單閼文帝六年歲在丁卯○索隱曰李巡云單閼起也陽氣推萬物而起故曰單閼孫炎本作蟬焉蟬猶伸也○正義閼烏曷反）四月孟夏庚子日施兮服集予舍（徐廣曰施一作斜○索隱曰施音失移反猶西斜也漢書作斜）止于坐隅貌甚閒暇異物來集兮私怪其故發書占之兮策言其度（索隱曰漢書作讖說文云讖驗言也此作策蓋讖策之辭○正義曰發策數之書占其度驗）曰野鳥入處兮主人將去請問于服兮予去何之（索隱曰予於也漢書作予服小顏云予加美之辭）吉乎告我凶言其菑（正義音災）淹數之度兮語予其期（徐廣曰數速也）服乃歎息舉首奮翼口不能言請對以意（正義曰協韻音憶）萬物變化兮固無休息斡流而遷兮或推而還（索隱曰斡音烏活反斡轉）

也、形氣轉續兮化變而嬗服虔曰嬗音如蟬反變蛻也或曰蟬蔓相連反○索隱曰韋昭云而如也如蟬之蛻化也蘇林云嬗音嬋謂其相傳之也沕穆無窮兮胡可勝言索隱曰漢書無窮作無閒沕音密又音昧沕穆深微皃必言其理深微不可尽言也○正義沕音勿禍兮福所倚正義曰於犠反依也福兮禍所伏索隱曰此老子之言然禍字古作旤案倚者立也伏六身也以言禍福遞來猶如伏立也憂喜聚門兮吉凶同域正義曰言禍福相因吉凶不定彼吳彊大兮夫差以敗越棲會稽兮句踐霸世斯游遂成兮卒被五刑韋昭曰斯李斯也傅說胥靡兮徐廣曰胥靡刑也○索隱曰晉灼云胥相也靡隨也古者相隨坐輕刑之名墨子云傅說衣褐帶索傭築於傅巖在河東太陽縣又夏靖書云傅氏十里河西岸吳坂下便得隱穴是說所潛身處也乃相武丁夫禍之與福兮何異糾纆應劭曰福禍相爲表裏如糾纆繩索相附會也瓚曰糾紱

胥靡 應劭曰詩曰若此無罪淪胥以鋪胥靡刑名也師古曰聯繫使相隨而服役也故謂之胥靡猶今之役囚徒

也纆索也○索隱曰韋昭云纆徽也又通俗文云合繩曰糾字林云纆三合繩也音墨糾音九命不可說兮孰知其極水激則旱兮矢激則遠索隱曰此淮南子及鶡冠子文也彼作水激則旱而呂氏春秋作疾以言水激則去疾不能浸潤矢激疾則去遠也說文旱與捍同音以言水失流飛本以無礙爲通利今遇有物觸之則激怒更勁疾而遠捍猶人或因禍致福倚伏無常也萬物回薄兮振蕩相轉雲蒸雨降兮錯繆相紛大專槃物兮鈞漢書專字作鈞如淳曰陶者作器於鈞上此以造化爲大鈞○索隱曰漢書云大鈞播物此專讀曰鈞槃猶轉也與播義同虞喜志林云大鈞造化之神鈞陶萬物品授羣形者也案上鄒陽傳注云陶家名模下圓轉者爲鈞言其能制器大小以比之於天坱軋無垠應劭曰其氣坱軋非有限齊也坱音若央軋音若乙○索隱曰案無垠謂無有涯畔也說文云垠圻也郭璞注方言云坱軋者不利也王逸注楚詞云坱軋霧氣昧也○正義曰坱烏朗反軋於黠反天不可與慮兮索隱曰與音預道不可與謀遲數有命

兮惡識其時且夫天地爲爐兮造化爲工 索隱曰此莊子文

陰陽爲炭兮萬物爲銅 索隱曰既以陶冶喻造化故以陰陽爲炭萬物爲銅

合散消息兮安有常則 索隱曰莊子云人之生也氣之聚也聚則爲生散則爲死

千變萬化兮未始有極 索隱曰莊子云人者萬化而未始有極

忽然爲人兮何足控摶 如淳曰控引也控摶玩弄愛生之意也○索隱曰摶音徒端反又本作控揣揣音初委反又音丁果反揣者量也故晉灼云或然爲人言此生甚輕耳何足引物揣度巳年命之長短而愛惜之也

化爲異物兮又何足患 索隱曰謂死而形化爲鬼是爲異物也患協韻音環

小知自私兮賤彼貴我 索隱曰莊子云以物觀之自貴而相賤也

通人大觀兮物無不可 索隱曰莊子物故有所然物固有所可無物不然無物不可

貪夫徇財兮烈士徇名 應劭曰徇營也瓚曰以身從物曰徇○索隱曰此語亦出莊子

李

者死權兮集解孟康曰夸毗也好榮死於權利瓚曰夸毗也莊子曰權勢不尤則夸者不悲也○索隱曰音好夸毗者死於權利是言貪勢以自矜夸者至死不休也尤甚也言勢不甚用則夸毗者可悲也品庶馮生孟康曰馮貪也○索隱曰漢書作每生音謀在反服虔云每念生也鄒誕本亦作每言唯念生而已今此作馮馮亦持念之意也然案方言每字合從手旁奇謀改反○正義曰馮音憑怵迫之徒兮或趨西東孟康曰怵為利所誘怵也迫迫貧賤東西趨利也○索隱曰漢書亦有作私東應劭云仕諸侯為私時天子居長安諸王悉在關東小人怵然內迫私家樂仕諸侯故云怵迫私東也李奇曰私多作西者言東西趨利也怵音黜又怵者誘也大人不曲兮億變齊同索隱曰張機云德無不包靈府弘曠故名大人拘士繫俗兮攌如囚拘徐廣曰攌音華板反又音睆○索隱曰說文云攌大木柵也漢書作僒音去隕反至人遺物兮獨與道俱索隱曰莊子云古之至人先存諸已後存諸人張機云躰盡於聖德美之極謂之至人衆人或或兮好惡積意李奇

兮焉識其時且夫天地為鑪兮造化為工 索隱曰此莊子文

陰陽為炭兮萬物為銅 索隱曰既以陶冶喻造化故以陰陽為炭萬物為銅

合散消息兮安有常則 索隱曰莊子云人之生也氣之聚也聚則為生散則為死

千變萬化兮未始有極 索隱曰莊子云人者萬化而未始有極

忽然為人兮何足控摶 如淳曰控引也控摶玩弄愛生之意也○索隱曰摶音徒端反又本作控揣揣音初委反又音丁果反揣者量也故晉灼云或然為人言此生甚輕耳何足引物量度已年命之長短而愛惜之也

化為異物兮又何足患 索隱曰謂死而形化為鬼是為異物也患協韻音環

小知自私兮賤彼貴我 索隱曰莊子云以物觀之自貴而相賤也

通人大觀兮物無不可 索隱曰莊子物故有所然物固有所可無物不然無物不可

貪夫徇財兮烈士徇名 集解[illegible]曰徇營也瓚曰以身從物曰徇○索隱曰此語亦出莊子

者死權兮集解[illegible]曰夸毗也好榮死於權利瓚曰夸泰也毋曰權勢不尤則夸者不悲也○索隱曰苦

夸毗者死於權利是言貪勢以自矜夸者至死不休也尤甚也言勢不甚用則夸毗者可悲也品庶馮生孟康曰馮貪也○索隱曰漢書作每生音謀在反服虔云每念生也鄒誕本亦作每言唯念生而已今此作馮馮亦持念之意也然案方言每字合從手旁音謀改反○正義曰馮音憑怵迫之徒兮或趨西東孟康曰怵爲利所誘怵也迫迫於貧賤東西趨利也○索隱曰漢書亦有作私東應劭云任諸侯爲私時天子居長安諸王悉在關東小人怵然內迫私家樂仕於諸侯故云怵迫私東也李奇曰私多作西者言東西趨利也怵音黜又休者誘也大人不曲兮億變齊同索隱曰張機云德無不包靈府弘曠故名大人拘士繫俗兮攌如囚拘徐廣曰攌音華板反又音晥索隱曰說文云攌大木柵也漢書作儶音去隕反至人遺物兮獨與道俱索隱曰莊子云古之至人先存諸己而後存諸人張機云躰盡於聖德美之極謂之至人衆人或或兮好惡積意

曰或或東西也所好所惡積之萬億也瓚曰言衆壞抱好惡積之心意○正義曰意合韻音憶**眞人淡漠**

兮獨與道息索隱曰莊子云古之眞人不知悅生不知惡死不以心捐死不以人助天呂氏春秋曰精氣曰新斜氣盡去反其天年謂之眞人也**釋知遺形兮超然自喪**服虔曰絕聖棄知而忘其身也○索隱曰遺形故可使如槁木也自喪者心若死灰也莊周云吾喪我汝知之乎**寥廓忽**

荒兮與道翺翔乘流則逝兮得坻則止徐廣曰坻一作坎駟案張晏曰坻水中小州也○索隱曰漢書坻作坎周易坎九二有險言君子見險則止**縱軀委命兮**

不私與己其生若浮兮其死若休索隱曰莊子云勞我以生休我以死也**澹乎若深淵之靜氾乎若不繫之舟**索隱曰出

不以生故自寶兮養空而游漢書音義曰如舟之空也○索隱曰鄧展云自寶自貴也養空而游言縣道之人但養空性而遊若浮舟也**德人無累兮知命**

不憂 索隱曰德人謂上德之人心中無物累是得道之士也 細故慸薊兮何足

以疑 韋昭曰慸音士介反○索隱曰薊音介漢書作介蔕揖云慸介鯁刺也以言細微事不足慸介我心故

此云何足以疑之者也○正義曰慸刃邁反薊如邁反

後歲餘賈生徵見孝文

帝方受釐 徐廣曰祭祀福胙也駰案如淳曰蘭唯祭天地五畤皇帝不自行祠還致福釐音僖 坐宣

室 蘇林曰未央前正室○索隱曰三輔故事云宣室在未央殿北應劭云釐祭余肉也 上因感鬼神

事而問鬼神之本賈生因具道所以然之狀至

夜半文帝前席既罷曰吾久不見賈生自以為

過之今不及也居頃之拜賈生為梁懷王太傅

索隱曰梁懷王名揖文帝子 梁懷王文帝之少子愛而好書故

令賈生傅之文帝復封淮南厲王子四人皆為

屈原賈生傳十四

曰或或東西也所好所惡積之萬億也瓚曰言眾擾抱好惡纍之心意○正義曰意合韻音憶

眞人淡漠兮獨與道息索隱曰莊子云古之眞人不知悅生不知惡死不以心捐死不以人助天鄧展曰精氣新斜氣盡去反其天年謂之眞人也

釋知遺形兮超然自喪服虔曰絕聖棄知而忘其身也○索隱曰遺形謂形故可使如槁木也自喪者心若死灰也莊周云今者吾喪我汝知之乎

寥廓忽荒兮與道翺翔乘流則逝兮得坻則止徐廣曰坻一作坎案張晏曰坻水中小州也○索隱曰漢書坻作坎周易坎九二有險言君子見險則止

縱軀委命兮不私與己其生若浮兮其死若休索隱曰莊子云勞我以生休我以死

澹乎若深淵之靜氾乎若不繫之舟索隱曰出莊子也

不以生故自寶兮養空而游漢書音義曰如舟之空也○索隱曰鄧展云自寶自貴也養空而游言縣道之本但養空性而游若浮舟也

德人無累兮知命

不受（索隱曰德人謂上德之人也中無物累是得道之士也）細故慸薊兮何足以疑（韋昭曰慸音士介反○索隱曰薊音介漢書作芥張揖云慸芥鯁刺也以言細微事不足慸芥我心故於此云何足以疑之者也○正義曰慸丑邁反薊如邁反）

後歲餘賈生徵見孝文帝方受釐（徐廣曰祭祀福胙也駰案如淳曰漢唯祭天地五畤皇帝不自行祠還致福釐音僖）坐宣室（蘇林曰未央前正室○索隱曰三輔故事云宣室在未央殿北應劭云釐祭余肉也）上因感鬼神事而問鬼神之本賈生因具道所以然之狀至夜半文帝前席既罷曰吾久不見賈生自以為過之今不及也居頃之拜賈生為梁懷王太傅梁懷王（索隱曰梁懷王名揖文帝子）文帝之少子愛而好書故令賈生傅之文帝復封淮南厲王子四人皆為

淮南厲王長高帝少子也

文帝八年夏也

賈生傳十四

列侯賈生諫以爲患之興自此起矣賈生數上疏言諸侯或連數郡非古之制可稍削之文帝不聽居數年懷王騎墮馬而死（徐廣曰文帝十一年）無後賈生自傷爲傅無狀哭泣歳餘亦死賈生之死時年三十三矣及孝文崩孝武皇帝立舉賈生之孫二人至郡守而賈嘉最好學世其家與余通書至孝昭時列爲九卿

太史公曰余讀離騷天問招魂哀郢悲其志適長沙觀屈原所自沈淵（索隱曰荊州記云長沙羅縣北帶汨水去縣四十里是原自沈處也北岸有廟也）未嘗不垂涕想見其爲人及見賈生弔

之又怪屈原以彼其材游諸侯何國不容而自令若是讀服鳥賦同死生輕去就又爽徐廣曰一本作奭然自失矣

索隱述贊曰

屈平行正　以事懷王　瑾瑜比潔
日月爭光　忠而見放　讒者益章
賦騷見志　懷沙自傷　百年之後
空悲弔湘

屈原賈生列傳第二十四　史記八十四

吳氏曰：秒張儀破縱惑楚，原勸殺張儀。秦昭王欲與懷王會，原諫無行，懷王竟不能

用，遂致兵挫，則荊先喪六郡，[illegible][illegible]死於秦，為天下笑。原之忠謀亦白矣。上官大夫令尹子

蘭交讒之，頃襄王怒而遷原江南。原江南，原悉憤，作懷沙之賦，自投汨羅以死。

同賈生年二十餘，仕漢，請律令所更定及列侯悉就國，其說皆自賈生發之。絳灌等短

其紛亂，出為長沙王太傅，意不自得，而市湘賦服。召見宣室，受釐，文帝常前席，帝正以頃之拜

梁懷王太傅數歲，懷王墮馬死，賈生自傷為傅無狀，哭泣歲餘亦死，年三十三。

(漢)司馬遷　撰　(南朝宋)裴駰　集解
(唐)司馬貞　索隱　(唐)張守節　正義

宋本史記

第二十册

國家圖書館出版社

第二十册目録

史记列传

六十六

二十五 吕不韋

二十六 曹沫 專諸

豫讓 聶政 荊軻

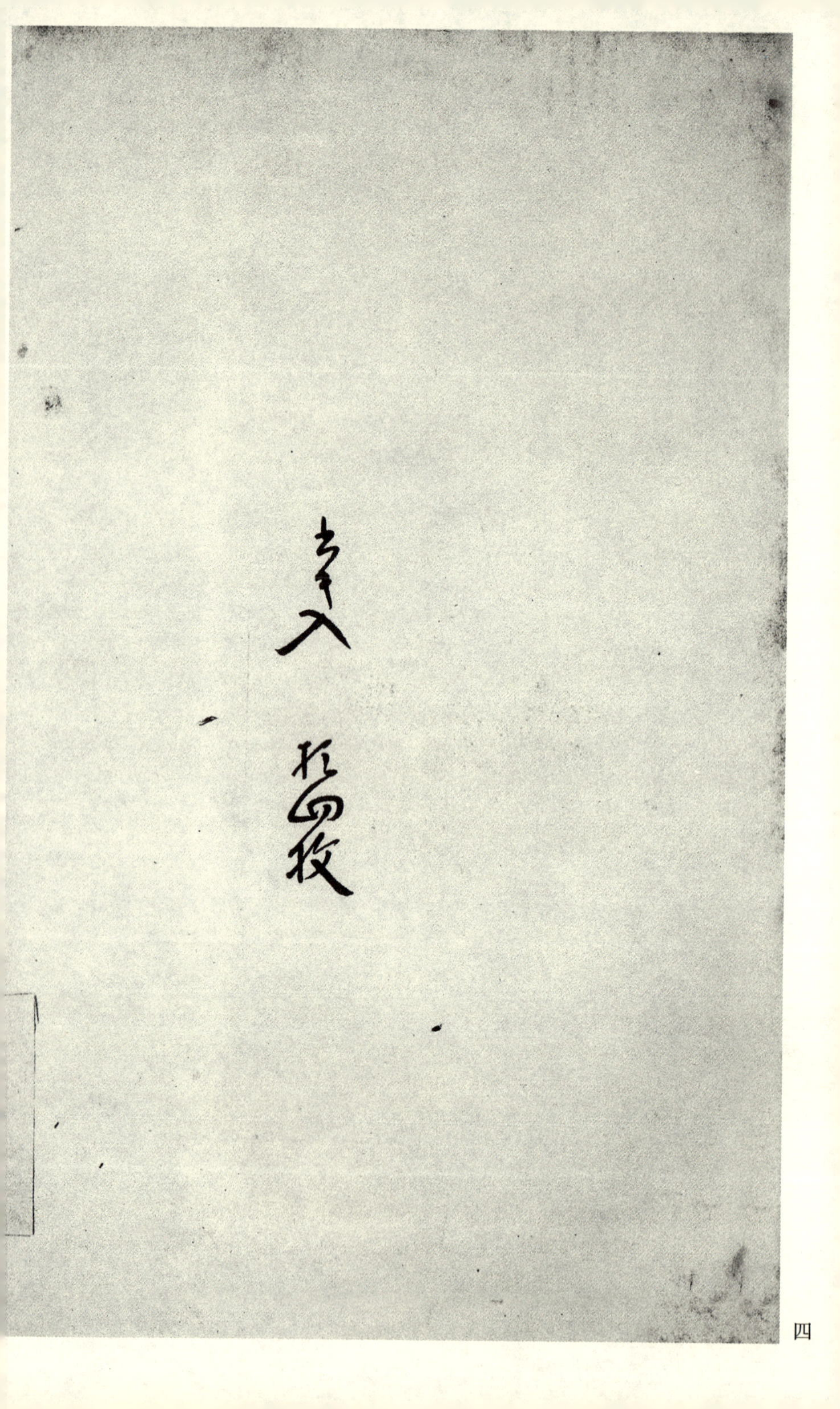

幸入

松岡校

日蕉南自序偁呂不韋從大賈乃起為秦相作呂覽月令是以次居賢乎刺客或致

或不敢於是義勇為堂臧而羽閔者或李斯為相蒙恬為將各有功于秦荊唯刺

客之亢也

曰戰國策 劉向所定之者三十二篇也後漢高誘注之宋曾鞏重校之紹興中尚書郎鮑
彪改高誘注移章次章條補正脫誤同時姚宏亦注之元泰定中吳師道注之
正鮑之誤補鮑之闕
曰漢書司馬遷傳贊曰司馬遷據左氏國語采世本戰國策述楚漢春秋接其後事訖于天漢
云云
曰陽翟注 韻會錫韻翟亭歷切山雉名又姓漢書翟方進說文徐曰姓本音狄後人姓乃音澤集
韻或作鸐通作狄
曰大賈人 韻會曰上聲麌韻賈果五切說文賈市也一曰坐賣售也行賣曰商坐販曰賈注主市曰賈
知物賈又馬韻賈舉下切說文賈市也又國名又姓 去聲禡韻價居訝切[illegible]
[illegible]價韻物所直或作賈論語求善賈而沽諸

呂不韋列傳第二十五　史記八十五

呂不韋者陽翟大賈人也索隱曰翟音狄俗又音宅地理志縣名屬潁川戰國策以不韋為濮陽人又記其事迹亦多與此傳不同班固雖云太史公採戰國策然為此傳當別有所聞見故不全依彼說或者劉向定戰國策時以己異聞改易彼書遂令不與史記合也賈音古鄭玄注周禮云行曰商處曰賈○正義曰陽翟今河南府也往來販賤賣貴徐廣曰一本云陽翟大賈也往來賤買貴賣也○索隱曰王劭賣音作育案育賣義同今如字讀家累千金秦昭王四十年太子死其四十二年以其次子安國君為太子索隱曰名柱後立是為孝文王也安國君有子二十餘人安國君有所甚愛姬立以為正夫人號曰華陽夫人華陽夫人無子安國君中男名子楚索隱曰即莊襄王也戰國策云本名子異

異人後從趙還不韋使以楚服見王后悅之曰吾楚人也而子字之乃變其名曰子楚子楚母曰夏姬毋愛子楚爲秦質子於趙索隱曰質音致今讀依此說穀梁傳曰交質子不及二伯左傳曰信不由中質無益也秦數攻趙趙不甚禮子楚

子楚秦諸庶孽孫索隱曰韓信傳亦曰韓信襄王之孽孫張晏曰孺子曰孽子何休注公羊孽子賤子也非嫡正之子曰孽質於諸侯車乘進用不饒索隱曰下文又云以五百金爲進用宜依小顏讀爲賮音才刃反進者財也古字假借之也居處困不得意呂不韋賈邯鄲見而憐之曰此奇貨可居以子楚方財貨也○正義曰戰國策云濮陽人呂不韋賈邯鄲見秦質子異人歸謂其父曰耕田之利幾倍曰十倍珠玉之贏幾倍曰百倍立主定國之贏幾倍曰無數不韋曰今力田疾作不得煖衣飽食今定國立君澤可遺後世願往事之秦子異人質於趙處於聊城故往說之乃說秦王后弟楊泉君曰君之罪至死君知之乎君門下無不居高官尊位太子門下無貴者而駿馬盈外廐

秦王昭王也
安國君子楚父

美女充後庭王之春秋高矣一日山陵崩太子用事君危於累卵而不壽於朝生今有計可以使君富千萬寧於太山必無危亡之患矣楊泉曰請聞其說不韋曰王年高矣王后無子子傒有承國之業士倉又輔之王一日山陵崩子傒立士倉用事王后之門必生蓬蒿子楚賢材也棄在於趙無母於內引領西望欲一得歸王后誠請而立之是異人無國而有國王后無子而有子楊泉曰諾入說王后爲請於趙而歸之

乃往見子楚說曰吾能大子之門子楚笑曰且自大君之門而乃大吾門呂不韋曰子不知也吾門待子門而大子楚心知所謂乃引與坐深語（索隱曰既解不韋所言之意遂與密謀深語也）呂不韋曰秦王老矣安國君得爲太子竊聞安國君愛幸華陽夫人華陽夫人無子能立適嗣者（正義曰適音嫡）獨華陽夫人耳今子兄弟二十餘人子又

正義曰親謂安國君及華陽夫人

居中不甚見幸子質於諸侯即大王薨安國君立爲王則子無幾得與長子（正義曰言子楚無望得頭嘗長爲太子）及諸子旦暮在前者爭爲太子矣（索隱曰幾音冀幾望也左傳曰日月以幾戰國策曰子傒承國之業又有母在中高誘注云子傒秦太子異人之異母兄弟也）子楚曰然爲之奈何呂不韋曰子貧客於此非有以奉獻於親及結賓客也不韋雖貧請以千金爲子西游事安國君及華陽夫人立子爲適嗣子楚乃頓首曰必如君策請得分秦國與君共之呂不韋乃以五百金與子楚爲進用結賓客而復以五百金買奇物玩好自奉而西游秦求見華陽夫人

美女充後庭王之春秋高矣一日山陵崩太子用事君危於累卵而不壽於朝生今有計可以使君富千萬寧於太山必無危亡之患矣楊泉曰請聞其說不韋曰王年高矣王后無子子傒有承國之業士倉又輔之王一日山陵崩子傒立士倉用事王后之門必生蓬蒿子楚異人賢材也棄在於趙無母引領西望欲一得歸王后誠請而立之是異人無國有國王后無子有子楊泉曰諾入說王后爲請於趙而歸之乃往見子楚說曰吾能大子之門子楚笑曰且自大君之門而乃大吾門呂不韋曰子不知也吾門待子門而大子楚心知所謂乃引與坐深語索隱曰既解不韋所言之意遂與密謀深語也呂不韋曰秦王老矣安國君得爲太子竊聞安國君愛幸華陽夫人華陽夫人無子能立適嗣者正義曰適音嫡獨華陽夫人耳今子兄弟二十餘人子又

正義曰親謂安国君及華陽夫人

居中不甚見幸久質諸侯即大王薨安國君立爲王則子無幾得與長子正義曰言子楚無望得頭嘗長爲太子及諸子旦暮在前者爭爲太子矣索隱曰幾音冀幾望也左傳曰日月以幾戰國策曰子傒承國之業又有母在中高誘注云子傒秦太子異人之異母兄弟也子楚曰然爲之柰何呂不韋曰子貧客於此非有以奉獻於親及結賓客也不韋雖貧請以千金爲子西游事安國君及華陽夫人立子爲適嗣子楚乃頓首曰必如君策請得分秦國與君共之呂不韋乃以五百金與子楚爲進用結賓客而復以五百金買奇物玩好自奉而西游秦求見華陽夫人

五百金 漢書高帝紀將軍四十金 鄭氏曰四十金四十斤金也 晉灼曰近上二千石賜錢二万 此言四十金實金也 下凡言黃金真金也 不言黃謂錢也 食貨志黃金一斤直萬錢 師古曰諸賜言黃金者皆與之金 不言黃者一金與万錢也 紋曰予以諸書言若干金 分一金爲錢 於賜金若干實則盡金也 錢金注史平準書秦以一鎰爲一金 漢以一斤爲一金 漢惠紀注師古曰 遠曰漢一斤金四兩五二千五百文 勺以一金爲錢 則十貫文也 十金即百貫 百金即千貫 五百金即五千貫也 千金即一萬貫也 又如遠義 則一金即二貫五百文 十金即二十五貫文 百金即二百五十貫 五百金即千二百五十貫也 今所以五百金即五千貫乎

正義曰言華陽夫人舉才建子爲安國君嫡嗣而又養之爲嗣也

舉立以爲適而子夫在則尊重

姊而皆以其物獻華陽夫人因言子楚賢智結
諸侯賓客徧天下常曰楚也以夫人爲天日夜
泣思太子及夫人夫人大喜不韋因使其姊說
夫人索隱曰戰國策作說秦王后弟陽泉君也曰吾聞之以色事人者
色衰而愛弛今夫人事太子甚愛而無子不以
此時蚤自結於諸子中賢孝者舉立以爲適而
子之索隱曰以此爲一句子謂養之爲子也然欲分立以爲適亦得而子之夫在則尊重作下句意亦通
夫在則重尊夫百歲之後所子者爲王終不失
勢此所謂一言而萬世之利也不以繁華時樹
本即色衰愛弛後雖欲開一語尚可得乎今子

楚賢而自知中男也次不得爲適其母又不得幸自附夫人夫人誠以此時拔以爲適夫人則竟世有寵於秦矣華陽夫人以爲然承太子閒從容言（索隱曰閒音閑　從音七恭反）子楚質於趙者絶賢來往者皆稱譽之乃因涕泣曰妾幸得充後宮不幸無子願得子楚立以爲適嗣以託妾身安國君許之乃與夫人刻玉符約以爲適嗣安國君及夫人因厚餽遺子楚而請呂不韋傅之子楚以此名譽益盛於諸侯呂不韋取邯鄲諸姬絶好善舞者與居（索隱曰言其姿容絶美而又善舞也）知有身子楚從不

呂不韋傳　三

韋飲見而說之因起爲壽請之呂不韋怒念業已破家爲子楚欲以釣奇索隱曰釣者以取魚喻也奇即上云此奇貨可居也乃遂獻其姬姬自匿有身至大期時徐廣曰期十二月也○索隱曰譙周云人十月生此過二月故云大期蓋當然也既云自匿有娠則生政固當踰常期也生子政子楚遂立姬爲夫人秦昭王五十年使王齮圍邯鄲急趙欲殺子楚子楚與呂不韋謀行金六百斤予守者吏得脫亡赴秦軍遂以得歸趙欲殺子楚妻子子楚夫人趙豪家女也得匿以故母子竟得活秦昭王五十六年薨太子安國君立爲王華陽夫人爲王后子楚爲太子趙亦奉子

一年薨 是安國君也

正義莊襄立丞相至始皇又改爲相國秦有左右丞相高帝置一丞相十一月更名相國孝惠高后置左右丞相文帝置一丞相有兩長父介哀帝更名大司徒也

太后ハ始皇母也 呂不韋旧姬也

楚夫人及子政歸秦秦王立一年薨謚爲孝文王太子子楚代立是爲莊襄王莊襄王所母養母華陽后爲華陽太后索隱曰劉氏本作所生母生衍字今檢諸本並無生字也眞母夏姬尊以爲夏太后莊襄王元年以呂不韋爲丞相封爲文信侯索隱曰下文尊爲相國案百官表云皆秦官金印紫綬掌丞天子助理萬機秦置左右高帝置一後又更名相國哀帝時更名大司徒食河南洛陽十萬戶索隱曰戰國策曰食藍田十二縣而秦本紀莊襄王元年初置三川郡地理志高祖更名河南此秦代而曰河南者史記後作據漢郡而言之耳莊襄王即位三年薨太子政立爲王徐廣曰時年十三尊呂不韋爲相國號稱仲父正義曰仲中也次父也蓋效齊桓公以管仲爲仲父秦王年少太后時時竊私通呂不韋

呂不韋傳四

正義十二紀記十二月令，禮記月令是也。而言語亦身見二十六卷二十餘萬言，名曰呂氏春秋。

不韋家僮萬人。當是時，魏有信陵君，（正義曰：年表云秦昭王五十六年平原君卒，始皇四年信陵君死，始皇九年李園殺春申君，孟嘗君當秦昭王二十四年已後而卒，最早。）楚有春申君，趙有平原君，齊有孟嘗君，（索隱曰：王劭云孟嘗、春申死已久。據表及傳，孟嘗、春申死稍在前，信陵將五國兵攻秦河外，正當在莊襄王時，不韋已爲相，又春申與不韋並時各相向十餘年，不得言死之久矣。）皆下士喜賓客以相傾。呂不韋以秦之彊，羞不如，亦招致士，厚遇之，至食客三千人。是時諸侯多辯士，如荀卿之徒，著書布天下。呂不韋乃使其客人人著所聞，集論以爲八覽、六論、十二紀，二十餘萬言。（索隱曰：八覽者，有始、孝行、慎大、先識、審分、審應、離俗、時君也。六論者，開春、慎行、貴直、不苟、以順、士容也。十二紀者，記十二月也。其書有孟春等紀，二十餘萬言，二十餘卷也。）以為備天地萬物古今之事號曰呂氏春秋布咸陽市門索隱曰地理志右扶風渭城縣故咸陽高帝更名新城武帝更名渭城案咸訓皆其地在渭水之北北阪之南水北曰陽山南亦曰陽皆在二者之陽也懸千金其上延諸侯游士賓客有能增損一字者予千金始皇帝益壯太后淫不止呂不韋恐覺禍及已乃私求大陰人嫪毐以為舍人時縱倡樂使毒以其陰關桐輪而行正義曰以桐木為小車輪令太后聞之以啗太后太后聞果欲私得之呂不韋乃進嫪毒詐令人以腐罪告之正義曰上音輔謂宮刑肖靡也不韋又陰謂太后曰可事詐腐則得給事中太后乃陰厚賜主腐者吏詐論

最夏太后ハ舊抄云孝文王与華陽太后會葬而夏太后ハ附葬之欤故葬孝文王与莊襄王中間也

孝文王ハ秦國君也華陽太后ハ莊襄王之養母也

正義曰漢宣帝元康元年以杜東原上為初陵更名韓為杜陵

之拔其鬚眉爲宦者遂得侍太后太后私與通絕愛之有身太后恐人知之詐卜當避時徙宮居雍正義曰雍故城在岐州雍縣南七里有秦都大鄭宮嫪毐常從賞賜甚厚事皆決於嫪毐嫪毐家僮數千人諸客求宦爲嫪毐舍人千餘人始皇七年莊襄王母夏太后薨孝文王后曰華陽太后與孝文王會葬壽陵正義曰秦孝文王陵在雍州萬年縣東北二十五里夏太后子莊襄王葬芷陽索隱曰芷音止地理志云京兆霸陵縣故芷陽案在長安東也○正義曰秦襄莊陵在雍州新豐縣西南三十五里始皇在北故俗亦謂之見子陵故夏太后獨別葬杜東索隱曰杜原之東也○正義曰夏太后陵在萬年縣東南二十五里曰東望吾子西望吾夫後百年

小板本夏太后 作襄莊 呈作莊言

在万年縣东南十九里從始皇七年更太后至宣帝元康元年一百七十四年今以年代記推之則自始皇七年辛酉至宣帝元康元年丙辰計一百七十六年也

通鑑考異三族胡注秦有夷三族之法張晏曰三族父母兄弟妻子也如淳曰父族母族妻族也師古曰如說是也

旁當有萬家邑索隱曰宣帝元康元年起杜陵[illegible]當三陵皆三萬戶計去此一百六十餘年也始皇九年有告嫪毐實非宦者常與太后私亂生子二人皆匿之與太后謀曰王即薨以子為後說苑曰毒與侍中左右貴臣博飲酒醉爭言而鬭瞋目大叱曰吾乃皇帝假父也窶人子何敢乃與我亢所與鬭者走行白始皇○索隱曰劉氏窶音其矩反今俗本多作寠字蓋相承錯耳不近詞義說苑作窶子言輕諸侍中以為窶窶家之子也於是秦王下吏治具得情實事連相國呂不韋九月夷嫪毐三族殺太后所生兩子而遂遷太后於雍索隱曰說苑云遷太后咸陽宮地理志雍縣有咸陽宮秦昭王所起也諸嫪毐舍人皆沒其家而遷之蜀索隱曰家謂家生資物並沒於官人口則遷之蜀也王欲誅相國為其奉先王功大及賓客

呂不韋傳 六

師古曰假父之言…

文信侯ハ呂不韋也

太后ハ始皇ノ母也

辯士爲游說者衆王不忍致法秦王十年十月免相國呂不韋及齊人茅焦說秦王秦王乃迎太后於雍歸復咸陽（徐廣曰入南宮）而出文信侯就國河南歲餘諸侯賓客使者相望於道請文信侯秦王恐其爲變乃賜文信侯書曰君何功於秦秦封君河南食十萬户君何親於秦號稱仲父其與家屬徙處蜀呂不韋自度稍侵恐誅乃飲酖而死（徐廣曰十二年駰案皇覽曰不韋冢在河南洛陽北邙道西大冢是也民傳言呂母冢不韋妻先葬故其冢名呂母也）秦王所加怒呂不韋嫪毐皆已死乃皆復歸嫪毐舍人遷蜀者始皇十九年太后薨謚

呂不韋及嫪毐貴……此未可……封文信侯……在嫪毐……

為帝太后（索隱曰王劭云秦不用謚法此蓋號耳其義非也始皇稱皇帝之後故其母號為帝太后豈謂謚列生時之行乎）與莊襄王會葬茝陽（徐廣曰一作芷陽）

太史公曰不韋及嫪毐貴封號文信侯（索隱曰文信侯不韋封也嫪毐封長信侯上文已言不韋封此贊中言嫪毐得寵貴由不韋耳合作長信侯）人之告嫪毐毐聞之秦王驗左右未發上之雍郊毐恐禍起乃與黨謀矯太后璽發卒以反蘄年宮（正義曰蘄年宮在岐州城西故城內）發吏攻毐毐敗亡走追斬之好畤（索隱曰地理志扶風有好畤縣）遂滅其宗而呂不韋由此絀矣孔子之所謂聞者其呂子乎（論語曰夫聞也者色取仁而行違居之不疑在邦必聞在家必聞馬融曰此言佞人也佞人假仁者之色行之則違安居其偽而不自疑者也）

論語子張問士何如斯可謂之達矣子曰何哉爾所謂達者子張曰在邦必聞在家必聞子曰是聞也非達也夫達也者質直而好義察言而觀色慮以下人在國必達在家必達夫聞也者云云

呂不韋傳七

集解列生時之行　綱目秦始皇帝二十六年除謚法制曰死而以行爲謚則是子議父臣議君也
甚無謂自今以來除謚法云云　集覽天以誄之說曾子問篇賤不誄貴幼不誄長禮也唯天子稱
天以誄之注誄累也累列生時行迹讀之以作謚謚當由尊者成天子稱天以其無尊者在天
子上者非天耳　春秋公羊說以爲讀誄制謚於南郊若云受之於天然

徙以罵君者之緣也

索隱述贊曰

不韋鈞奇　委質子楚　華陽立嗣

邯鄲獻女　及封河南　乃號仲父

徙蜀懲謗　懸金作語　籌策既成

富貴斯取

著者秋字重初也二句發例

呂不韋列傳第二十五　史記八十五

八

黄氏日抄和秦子楚為質於趙不當立呂不韋傾貲説華陽夫人立之是為莊襄王先嘗獻其姬於子楚生子政是為始皇帝遂得相秦專其權而亦卒以此見侵飲酖死

終

刺客列傳第二十六　史記八十六

曹沬者魯人也【索隱曰沬音亡葛反左氏穀梁並作曹劌然則沬宜音劌沬劌聲相近而字異耳】以勇力事魯莊公莊公好力曹沬爲魯將與齊戰三敗北魯莊公懼乃獻遂邑之地以和【索隱曰左傳齊人滅遂杜預云遂國在濟北蛇丘縣東北也○正義曰故城在兗州龍丘縣西北七十六里也】猶復以爲將齊桓公許與魯會于柯而盟【索隱曰杜預云濟北東阿齊之柯邑猶祝柯今爲祝阿也】桓公與莊公既盟於壇上曹沬執匕首劫齊桓公【索隱曰匕首劉氏云短劍也鹽鐵論以爲長尺八寸其頭類匕故云匕首也此事約公羊爲說然彼無其名直云曹子而已且左傳魯莊十年戰長勺用曹劌謀敗齊而無劫桓公之事十三年明盟于柯公羊始論曹子劫盟穀梁此年推云曹劌之盟信齊侯也又不記其行事之時也】桓公左右莫敢

動而問曰子將何欲索隱曰公羊傳曰管子進曰君何求何休注云桓公恐不能應管仲進爲言之也曹沫曰齊彊魯弱而大國侵魯亦以甚矣今魯城壞即壓齊境索隱曰齊魯封接今齊數侵魯魯削之城壞即壓近齊之境也君其圖之桓公乃許盡歸魯之侵地既已言曹沫投其匕首下壇北面就羣臣之位顏色不變辭令如故桓公怒欲倍其約索隱曰倍音佩管仲曰不可夫貪小利以自快棄信於諸侯失天下之援不如與之於是桓公乃遂割魯侵地曹沫三戰所亡地盡復予魯其後百六十有七年而吳有專諸之事

刺客列傳第二十六　史記八十六

曹沫者魯人也索隱曰沫音亡葛反左氏穀梁並作曹劌然則沫宜音劌沫劌聲相近而字異耳以勇力事魯莊公莊公好力曹沫爲魯將與齊戰三敗北魯莊公懼乃獻遂邑之地以和索隱曰左傳齊人滅遂杜預云遂國在濟北蛇丘縣東北也正義曰故城在兗州龔丘縣西北七十六里也猶復以爲將齊桓公許與魯會于柯而盟索隱曰杜預云濟北東阿齊之柯邑猶祝柯今爲祝阿也桓公與莊公既盟於壇上曹沫執匕首劫齊桓公索隱曰匕首劉氏云短劍也鹽鐵論以爲長尺八寸其頭類匕故云匕首也此事約公羊爲說然彼無其名直云曹子而已且左傳魯莊十年戰長勺用曹劌謀敗齊而無劫桓公之事十三年盟于柯公羊始論曹子穀梁此年唯云曹劌之盟信齊侯也又不記其行事之時地桓公左右莫敢

動而問曰子將何欲〔索隱曰公羊傳曰管子進曰君何求何休注云桓公卒不能應管仲進為言之也〕曹沫曰齊彊魯弱而大國侵魯亦以甚矣今魯城壞即壓齊境〔索隱曰齊魯隣接故齊數侵魯魯削之城壞即壓近齊之境也〕君其圖之桓公乃許盡歸魯之侵地既已言曹沫投其匕首下壇北面就羣臣之位顏色不變辭令如故桓公怒欲倍其約〔索隱曰倍音佩〕管仲曰不可夫貪小利以自快棄信於諸侯失天下之援不如與之於是桓公乃遂割魯侵地曹沫三戰所亡地盡復予魯其後百六十有七年而吳有專諸之事

王壽夢

吳王諸樊　公子光　吳王闔廬也

餘祭

夷眛　僚

季子札

公子光　正義曰諸樊之子也

專諸者吳堂邑人也索隱曰專字亦作剸音同左傳作鱄設諸地理志臨淮有堂邑縣也
伍子胥之亡楚而如吳也知專諸之能伍子胥
既見吳王僚說以伐楚之利吳公子光曰彼伍
員父兄皆死於楚而員言伐楚欲自爲報私讎
也非能爲吳吳王乃止伍子胥知公子光之欲
殺吳王僚乃曰彼光將有內志未可說以外事
索隱曰言其將有內難欲殺君之志且對外事生文又吳世家作知光有他志也乃進專諸於公
子光光之父曰吳王諸樊諸樊弟三人次曰餘
祭索隱曰祭音側界反次曰夷眛索隱曰眛音亡葛反公羊作餘昧次曰季子
札諸樊知季子札賢而不立太子以次傳三弟

欲卒致國于季子札。諸樊既死，傳餘祭。餘祭死，傳夷眛。夷眛死，當傳季子札。季子札逃不肯立。吳人乃立夷眛之子僚為王。公子光曰：使以兄弟次邪，季子當立。必以子乎，則光真適嗣，當立。故嘗陰養謀臣以求立。光既得專諸，善客待之。九年而楚平王死。索隱曰：春秋昭二十六年楚子居卒，是也。吳世家云十二年，此云九年，並誤。據表及左傳，合在僚之十一年也。春，吳王僚欲因楚喪，使其二弟公子蓋餘、屬庸將兵圍楚之潛。索隱曰：屬音燭。二子，僚之弟也。左傳作掩餘、屬庸。掩、蓋義同，屬、燭字相亂耳。事在魯昭二十七年。地理志廬江有潛縣，天柱山在南。杜預左傳注云：潛，楚邑，在廬江六縣西南。○正義曰：潛故城在壽州霍山縣東二百步。使延陵季子於晉，以觀諸侯之變楚發兵絕吳將蓋餘屬庸路吳兵不得還於是公子光謂專諸曰此時不可失不求何獲且光眞王嗣當立季子雖來不吾廢也專諸曰王僚可殺也母老子弱而兩弟將兵伐楚楚絕其後方今吳外困於楚而內空無骨鯁之臣是無如我何索隱曰左傳直云王可殺也母老子弱是無若我何則是專設諸變衛何殺言其必援助故云無奈我何太史公採其意且撮上文因復加以兩弟將兵外困之辭而服虔杜預見左氏下文云我爾身也以其事爲卿遂強解是無如我何猶言我無若是謂專諸欲以老弱託光言我非尒擬王肅之說亦依史記也公子光頓首曰光之身子之身也四月丙子光伏甲士於窟室中徐廣曰窟一作空○索隱曰僚之十二年夏也吳系家以爲十三年非也左

俗通文曰匕首其頭類匕故曰匕首短而便用也

經傳[illegible]無其文此與[illegible]皆稱丙子當有所據不知出何書[illegible]傳云伏甲士於窟室[illegible]頭謂掘地爲室也所以下文云出其伏甲以攻王而具酒請王僚王僚使兵陳自宮至光之家門戶階陛左右皆王僚之親戚也夾立侍皆持長鈹音披○索隱曰[illegible]也劉逵吳都賦注鈹兩刃小刀酒既酣公子光詳爲足疾入窟室中索隱曰詳音陽爲如字左傳曰光僞足疾此之詳即僞也或讀爲音僞非也豈詳僞重言耶使專諸置匕首魚炙之腹中徐廣曰炙一作炮○正義炙著夜反而進之既至王前專諸擘魚因以匕首刺王僚索隱曰刺音七賜反王僚立死左右亦殺專諸王人擾亂公子光出其伏甲以攻王僚之徒盡滅之遂自立爲王是爲闔閭闔閭乃封專

日左傳昭二十七年　正義曰吳世家云吳王壽夢有子四人長曰諸樊次曰餘祭次曰餘眛次曰季札季札賢而壽夢欲立之季札讓不可乃立諸樊諸樊卒有命授弟餘祭欲傳以次必致國於札兄弟皆欲致國令以漸至季札餘祭卒弟餘眛立餘眛卒欲授季札季札讓逃去於是吳人曰先王有命必致季子今逃位則餘眛後立今卒其子當代乃立餘眛之子僚爲王公子光者王諸樊之子也常以爲吾父兄弟四人當傳至季子季子不受光父先立若既不傳季子光當立遂殺王僚光代立爲王是史記以光爲諸樊之子僚爲夷昧之子也襄二十九年公羊傳曰謁也餘祭也夷昧也與季子同母者四季子弱而才兄弟皆愛之同欲立之以爲君兄弟迭爲君而致國乎季子故謁也死餘祭也立餘祭也死夷昧也立夷昧也死則國宜之季子者也季子使而亡焉僚者長庶也即之闔閭曰將從先君之命與則國宜之季子者也如不從先君之命與則我宜立者也僚惡得爲君乎於是使專諸刺僚世本云夷昧及僚夷昧生光服虔云夷昧生光而廢之僚者夷昧之庶兄夷昧卒僚代立故光曰我王嗣也是用公羊爲說也杜言光吳王諸樊子用史記爲說也班固云司馬遷采世本爲史記而今之世本與遷言不同世本多誤不足依馮故杜以史記爲正光言王嗣者言己之世適之長孫也

公羊傳

謁　餘祭　夷昧（子光）　季子　以上四人同母

僚長庶

世本

僚　庶兄

夷昧——光

夷昧卒庶兄僚立

注曰以其子爲卿者傳曰遂弑王闔廬以其子爲卿注曰以專諸子爲卿

殺言其必援助故云無奈我何太史公採其立意且據上文因復加以兩弟將兵外困之辭而服虔杜預見左氏下文云我爾身也以其子爲卿遂強解見無如我何猶言我無若是謂專諸欲以老弱託光光我非公愜王肅之說亦依史記也公子光頓首曰光之身子之身也四月丙子光伏甲士於窟室中徐廣曰窟一作空○索隱曰僚之十二年夏也系家以爲十二年非也

餘遵曰匕首其頭類匕故曰匕首短而便用也

經傳無之且夷四月丙子[illegible]無其文此與吳系家皆稱丙子當有所據不知出何書[illegible]傳云伏甲士於窟室杜預謂掘地為室也所以下文云出其伏甲以攻王而具酒請王僚王僚使兵陳自宮至光之家門戶階陛左右皆王僚之親戚也夾立侍皆持長鈹音披○索隱曰並兵器也劉逵吳都賦注鈹兩刃小刀酒既酣公子光詳為足疾入窟室中索隱曰詳音陽為如字左傳曰光偽足疾此之詳即偽也或讀為音偽非也豈詳偽重言耶使專諸置匕首魚炙之腹中徐廣曰炙一作炮○正義炙著夜反而進之既至王前專諸擘魚因以匕首刺王僚索隱曰刺音七賜反王僚立死左右亦殺專諸王人擾亂公子光出其伏甲以攻王僚之徒盡滅之遂自立為王是為闔閭闔閭乃封專

諸之子以爲上卿其後七十餘年而晉有豫讓之事（徐廣曰闔閭元年至三晉滅智伯六十二年豫讓一作襄）

豫讓者晉人也（索隱曰按此傳所說皆約戰國策文）故嘗事范中行氏而無所知名（索隱曰案左傳范氏謂昭子吉射也自士會食邑於范因爲范氏中行氏中行文子荀寅也自荀林父將中行後因以官爲氏）去而事智伯（索隱曰案智伯襄子荀瑤也荀林父弟荀首之後范中行智伯事已具趙系家）智伯甚尊寵之及智伯伐趙襄子趙襄子與韓魏合謀滅智伯滅智伯之後而三分其地趙襄子最怨智伯（索隱曰謂初以酒灌後又率韓魏水灌晉陽城不沒者三板故怨深也）漆其頭以爲飲器（索隱曰案大宛傳曰匈奴破月氏王以其頭爲飲器裴氏注彼引韋昭云飲器椑榼也晉灼曰飲器虎子也皆非椑榼所以盛酒耳非用飲者晉氏以爲

通鑑 挾音協 胡注挾持也劉向曰匕首短劍鹽鐵論曰匕首長尺八寸頭類匕故云匕首匕音比[illegible]知吏翻圖也長直亮翻

趙

藏器也以韓子呂氏春秋並云襄子漆智伯頭爲溲杯故也○正義曰劉云酒器也每賓會設之示恨深也按諸先儒說

豫讓遁逃山中曰嗟乎士爲知己者死女爲說己者容今智伯知我我必爲報讎而死以報智伯則吾魂魄不愧矣乃變名姓爲刑人入宮塗廁中挾匕首欲以刺襄子襄子如廁心動執問塗廁之刑人則豫讓內持刀兵曰欲爲智伯報仇左右欲誅之襄子曰彼義人也吾謹避之耳且智伯亡無後而其臣欲爲報仇此天下之賢人也卒釋去之索隱曰卒音足律反居頃之豫讓又漆身爲厲音賴○索隱曰賴惡瘡病也凡漆有毒近之多患瘡腫若賴病然故豫讓以漆塗身令其若癩耳然厲賴

釋 醳

日綱目第一卷委質服虔曰委身其形質於君也 委質注名書於所臣之策屈膝爲君也 日委質杜預曰質形体也屈膝

正義曰呂氏春秋云豫讓欲報趙襄子滅鬚去眉云云 通鑑委質爲臣胡注注曰釋文曰質職日翻委質委其體以事君也後漢書注委質屈膝

所以爲此者正義音爲極難云云令天下後代爲人臣懷二心者慚愧之故漆身呑炭所以不事二主也

聲相近古多假厲爲癩今之癩字從疒故楚有賴鄉亦作厲字也戰國策亦作厲呑炭爲啞索隱曰啞音烏雅反謂瘖病戰國策云漆身爲厲滅鬚去眉以變其容爲乞人其妻曰狀貌不似吾夫何其音之甚相類也豫遂呑炭以變其音也使形狀不可知行乞於市其妻不識也行見其友其友識之曰汝非豫讓邪曰我是也其友爲泣曰以子之才委質而臣事襄子襄子必近幸子近幸子乃爲所欲顧不易邪索隱曰顧猶謂因得殺襄子顧反也邪不定之辭反不易耶言其易也何乃殘身苦形欲以求報襄子不亦難乎豫讓曰既已委質臣事人而求殺之是懷二心以事其君也且吾所爲者極難耳索隱曰劉氏云請公今爲[illegible]爲啞也然所以爲此者將以愧天下

後世之爲人臣懷二心以事其君者也（索隱曰言寧爲厲而自刑不可求事襄子而行殺則恐傷人臣之義而近賊非忠也）既去頃之襄子當出豫讓伏於所當過之橋下（正義曰汾橋下架水在幷州晉陽縣東一里）襄子至橋馬驚襄子曰此必是豫讓也使人問之果豫讓也於是襄子乃數豫讓曰子不嘗事范中行氏乎智伯盡滅之而子不爲報讎而反委質臣於智伯智伯亦已死矣而子獨何以爲之報讎之深也豫讓曰臣事范中行氏范中行氏皆衆人遇我我故衆人報之至於智伯國士遇我我故國士報之襄子喟然歎息而泣曰嗟乎

豫子子之爲智伯名既成矣而寡人赦子亦已足矣子其自爲計寡人不復釋子使兵圍之豫讓曰臣聞明主不掩人之美而忠臣有死名之義前君已寬赦臣天下莫不稱君之賢今日之事臣固伏誅然願請君之衣而擊之焉以致報讎之意則雖死不恨非所敢望也敢布腹心於是襄子大義之乃使使持衣與豫讓豫讓拔劍三躍而擊之（索隱曰戰國策云衣盡出血襄子迴車車輪未周而亡此不言衣出血者太史公恐涉怪妄故略之耳）曰吾可以下報智伯矣遂伏劍自殺死之日趙國志士聞之皆爲涕泣其後四十餘年

正義曰年表云韓列侯三年盜殺韓相俠累又云哀侯六年韓嚴殺其君韓世家並同戰國策云傀走而抱哀侯聶政刺之兼中哀侯按世家及年表列侯後文侯文侯後哀侯凡三世也列侯三年至哀侯六年二十七年其驗闕未詳孰是蓋太史信傳信疑傳疑兩存之

通鑑第一卷叙韓相俠累與濮陽嚴仲子有惡仲子聞軹人聶政之勇以黃金百溢為政母壽欲因以報仇胡注相息亮翻俠戶頰翻累力追翻濮陽春秋之帝丘漢為濮陽縣屬東郡應劭曰濮水南入鉅野水北為陽濮博木翻惡如字不善也康烏故切非軹春秋原邑晉文公所圍者漢為軹縣屬河內郡音只八姓譜曰楚大夫食采於聶因以為氏聶尼輒翻溢夷質翻二十四兩為溢

而軹有聶政之事。自三晉滅智伯至殺俠累五十七年。

聶政者，軹深井里人也。索隱曰：地理志河內有軹縣，深井，軹縣之里名也。正義曰：在懷州濟源縣南三十里。殺人避仇，與母、姊如齊，以屠為事。

久之，濮陽嚴仲子事韓哀侯，索隱曰：高誘曰：不遂，字仲子。案表，聶政殺俠累在列侯三年，列侯生文侯，文侯生哀侯，凡更二代。哀侯六年，為韓嚴所殺。今言仲子事哀侯，恐非其實。且太史公聞疑傳疑，聞信傳信，事難的據，欲使兩存，故表傳各異也。與韓相俠累有郤。索隱曰：俠，音古挾反。累，音力追反。案戰國策，俠累名傀也。曰：相韓傀，嚴遂重於君，二人相害也。嚴遂舉韓傀之過，韓傀叱之於朝，嚴遂拔劍趨之，以救解，是有郤之由也。

嚴仲子恐誅，亡去，游求人可以報俠累者。至齊，齊人或言聶政勇敢士也，避仇隱於屠者之閒。嚴仲子至門請，數反，然後具酒自暢徐廣

曰一作賜○索隱曰案戰國策作觴近爲得也○正義曰數色吏反聶政母前酒酣嚴仲
子奉黃金百溢前爲聶政母壽聶政驚怪其厚
固謝嚴仲子嚴仲子固進而聶政謝曰臣幸有
老母家貧客游以爲狗屠可以旦夕得甘毳此芮
反○索隱曰鄒氏音脆二義相通也以養親親供養備不敢當仲子之
賜嚴仲子辟人因爲聶政言曰臣有仇而行游
諸侯衆矣然至齊竊聞足下義甚高故進百金
者將用爲大人麤糲之費正義曰糲麤米也脫粟也韋昭云古者名男子爲
丈夫尊其嫗亦爲夫人漢書宣元王傳王過美人益謂爲美人之嚴法按夫人憲王外祖母古詩云三日斷五疋夫人故言
進是得以交足下之驩豈敢以有求望邪聶政曰

臣所以降志辱身 索隱曰言其志與身本應高[illegible]乃卑下其志屈辱其身論語孔子謂柳下惠降志辱身是也 居市井屠者徒幸以養老母老母在政身未敢以許人也 索隱曰禮記云父母存不許友以死 嚴仲子固讓聶政竟不肯受也然嚴仲子卒備賓主之禮而去久之聶政母死既已葬除服聶政曰嗟乎政乃市井之人 正義曰古者相聚汲水有物便賣因成市故云市井 鼓刀以屠而嚴仲子乃諸侯之卿相也不遠千里枉車騎而交臣臣之所以待之至淺鮮矣未有大功可以稱者而嚴仲子奉百金為親壽我雖不受然是者徒深知政也夫賢者以感忿睚眦之意而親

刺客傳 七

徐廣曰一作賜○索隱曰案戰國策作觴近爲得也○正義曰數色角反聶政母前酒酣嚴仲子奉黃金百溢前爲聶政母壽聶政驚怪其厚固謝嚴仲子嚴仲子固進而聶政謝曰臣幸有老母家貧客游以爲狗屠可以旦夕得甘毳此芮反○索隱曰鄒氏音脆二義相通也以養親親供養備不敢當仲子之賜嚴仲子辟人因爲聶政言曰臣有仇而行游諸侯衆矣然至齊竊聞足下義甚高故進百金者將用爲大人麤糲之費正義曰糲酒麤糲米也脫粟也韋昭云古者名男子爲丈夫尊其嫗亦爲大人漢書宣元王傳王過其大人益謹爲美人之敬法按大人憲王外祖母古詩云三曰斷五匹大人故言是得以交足下之驩豈敢以有求望邪聶政曰

臣所以降志辱身（索隱曰言其心志與身本應高抗而乃卑下其志屈辱其身論語謂孔子謂柳下惠降志辱身是也）居市井屠者徒幸以養老母老母在政身未敢以許人也（索隱曰禮記云父母存不許友以死）嚴仲子固讓聶政竟不肯受也然嚴仲子卒備賓主之禮而去久之聶政母死既已葬除服聶政曰嗟乎政乃市井之人（正義曰古者相聚汲水有物便賣因成市故云市井）鼓刀以屠而嚴仲子乃諸侯之卿相也不遠千里枉車騎而交臣臣之所以待之至淺鮮矣未有大功可以稱者而嚴仲子奉百金為親壽我雖不受然是者徒深知政也夫賢者以感忿睚眦之意而親

刺客傳　七

信窮僻之人而政獨安得嘿然而已乎且前日要政政徒以老母老母今以天年終政將為知己者用乃遂西至濮陽見嚴仲子曰前日所以不許仲子者徒以親在今不幸而母以天年終仲子所欲報仇者為誰請得從事焉嚴仲子具告曰臣之仇韓相俠累俠累又韓君之季父也宗族盛多居處兵衛甚設臣欲使人刺之衆終莫能就今足下幸而不棄請益其車騎壯士可為足下輔翼者聶政曰韓之與衛相去中間不甚遠（索隱曰高誘曰韓都潁川陽翟衛都東郡濮陽故曰相去不甚遠也）今殺人之相

相又國君之親此其勢不可以多人多人不能無生得失（索隱曰戰國策作無生情言所將人多或生異情故語泄也云生得言將人多往殺俠累後有被生擒而事泄亦兩俱通也）生得失則語泄語泄是韓舉國而與仲子爲讎（徐廣曰一作難○索隱曰戰國策讎周亦同）豈不殆哉遂謝車騎人徒聶政乃辭獨行杖劍至韓韓相俠累方坐府上持兵戟而衛侍者甚衆聶政直入上階刺殺俠累（徐廣曰韓列侯三年三月盜殺韓相俠累俠累名傀戰國策曰有東孟之會又云聶政刺韓傀兼中哀侯○索隱曰戰國策曰政直入上階刺韓傀傀走而抱哀侯聶政刺之兼中哀侯高誘云東孟地名也）左右大亂聶政大呼所擊殺者數十人因自皮面決眼（索隱曰皮面謂以刀剺其面皮欲令人不識決眼謂出其眼睛戰國策作抉眼此決亦通音烏穴反）

自屠出腸遂以死韓取聶政屍暴於市正義暴蒲酷反

購問莫知誰子於是韓購縣之有能言殺相俠

累者予千金久之莫知也政姊榮一作嫈○索隱曰榮其姊名也

戰國策無榮字聞人有刺殺韓相者賊不得國不知其名

姓暴其尸而縣之千金乃於邑曰索隱曰劉氏云煩冤愁苦也

其是吾弟與嗟乎嚴仲子知吾弟立起如韓之

市而死者果政也伏尸哭極哀曰是軹深井里

所謂聶政者也市行者諸衆人皆曰此人暴虐

吾國相王縣購其名姓千金夫人不聞與何敢

來識之也榮應之曰聞之然政所以蒙污辱自

刺客傳九

棄於市販之閒者爲老母幸無恙索隱曰爾雅云恙憂也楚詞云還及吾君之無恙風俗通云恙病也凡人相見及通書皆云無恙又易傳云上古之時草居露宿恙齧虫也善食人心俗悉患之故相勞云無恙非病也妾未嫁也親既以天年下世妾已嫁夫嚴仲子乃察舉吾弟困汚之中索隱曰案察謂觀察有志行乃舉之劉氏云察猶選也而交之澤厚矣可奈何士固爲知己者死今乃以妾尚在之故重自刑以絕從徐廣曰恐其姊從坐而死○索隱曰重音持用反重猶復也爲人報讎死乃自以妾故復自刑其身令人不識也從音蹤古字少假借故無足旁而徐氏以爲從坐非也劉氏亦音足松反○正義曰重直龍反自刑作刑說文云刑剄也按重猶復措也本爲嚴仲子報仇訖愛惜其事不令漏泄以絕其蹤迹其姊妾云云爲已隱訣矣妾其奈何畏殁身之誅終滅賢弟之名大驚韓市人乃大呼

天者三卒於邑悲哀而死政之旁晉楚齊衛聞之皆曰非獨政能也乃其姊亦烈女也鄉使政誠知其姊無濡忍之志不重暴骸之難索隱曰濡潤也人性濕潤則能含忍故云濡忍若勇躁則必輕死也重難並如字重猶惜也言不惜暴骸之為難也必絕險千里以列其名姊弟俱僇於韓市者亦未必敢以身許嚴仲子也嚴仲子亦可謂知人能得士矣其後二百二十餘年秦有荆軻之事徐廣曰自聶政至荆軻百七十年索隱曰徐氏據六國年表而言則謂此傳率略而言二百餘年亦當時為不能細也○正義曰按年表從始皇二十三年至韓景侯三百七十年若至哀侯六年六百四十三年

荆軻者衛人也索隱曰案贊論稱公孫季功董生為余道之則此傳雖約戰國策而亦別記異

其先乃齊人徙於衛衛人謂之慶卿〔索隱軻先齊人齊有慶氏則或本姓慶春秋慶封其後改姓賀此亦至衛而改姓荊荊慶聲相近故隨在國而異其號也卿者時人尊重之號猶如相尊美而稱子然也〕而之燕燕人謂之荊卿荊卿好讀書擊劍〔呂氏劍技曰持短入長倏忽從橫〕以術說衛元君衛元君不用其後秦伐魏置東郡徙衛元君之支屬於野王〔正義曰懷州河內縣〕荊軻嘗游過榆次〔正義并州縣也〕與蓋聶論劍〔索隱曰蓋音古臘反蓋姓聶名〕蓋聶怒而目之荊軻出人或言復召荊卿蓋聶曰曩者吾與論劍有不稱者吾目之試往是宜去不敢留使使往之主人荊卿則已駕而去榆次矣使者還報蓋聶曰固

去也吾曩者目攝之索隱曰攝猶整也謂不稱己意因怒視以攝整之也○正義曰攝猶視也荊軻游於邯鄲魯句踐與荊軻博爭道索隱曰魯姓句踐名也與越王同或有意義俗本踐作賤非也魯句踐怒而叱之荊軻嘿而逃去遂不復會荊軻既至燕愛燕之狗屠及善擊筑者高漸離索隱曰筑似琴有絃用竹擊之取以爲名漸音如字正義音子廉反荊軻嗜酒日與狗屠及高漸離飲於燕市酒酣以往高漸離擊筑荊軻和而歌於市中相樂也已而相泣旁若無人者荊軻雖游於酒人乎徐廣曰飲酒之人然其爲人沈深好書其所游諸侯盡與其賢豪長者相結其之燕燕之處士田光先生亦善

待之知其非庸人也居頃之會燕太子丹質秦亡歸燕燕太子丹者故嘗質於趙而秦王政生於趙其少時與丹驩及政立爲秦王而丹質於秦秦王之遇燕太子丹不善故丹怨而亡歸歸而求爲報秦王者國小力不能其後秦日出兵山東以伐齊楚三晉稍蠶食諸侯且至於燕燕君臣皆恐禍之至太子丹患之問其傅鞠武索隱曰鞠音麴又如字入姓名也武對曰秦地徧天下威脅韓魏趙氏北有甘泉谷口之固南有涇渭之沃擅巴漢之饒右隴蜀之山左關殽之險民衆而士厲兵

刺客傳　十一

華有餘意有所出則長城之南易水以北（正義曰以北謂燕國也）未有所定也奈何以見陵之怨欲批其逆鱗哉（批音白結反○索隱曰批謂觸擊之）丹曰然則何由對曰請入圖之居有間秦將樊於期得罪於秦王亡之燕太子受而舍之鞠武諫曰不可夫以秦王之暴而積怒於燕足為寒心（索隱曰凡人寒甚則心戰恐懼亦戰今以懼譬寒言可為心戰）又況聞樊將軍之所在乎是謂委肉當餓虎之蹊也禍必不振矣（索隱曰振救也言禍大而不可救也）雖有管晏不能謂之謀也願太子疾遣樊將軍入匈奴以滅口請西約三晉南連齊楚北購於單于（索隱曰購[illegible]國策購作[illegible]）

正義購音……以財物求和於匈奴

且非獨於此也 言約三晉連齊楚購單于 謂其……

四道之 正義曰謂不須更言 正義下純句匈奴之意……

言秦……如燎鴻毛於爐炭之上有大事乎 謂其輕易也

正義言沈審也 勇沈

其後迺可圖也 講讀講和也今讀講與為燕媾同媾合也漢史媾講兩字常雜今言欲北與匈奴連和也陳軫傳亦曰西講於秦也 太子曰太傅之計曠日彌久心惛然 正義曰惛音昏 恐不能須臾且非獨於此也夫樊將軍窮困於天下歸身於丹丹終不以迫於彊秦而棄所哀憐之交置之匈奴是固丹命卒之時也願太傅更慮之鞫武曰夫行危欲求安造禍而求福計淺而怨深連結一人之後交不顧國家之大害此謂資怨而助禍矣夫以鴻毛燎於爐炭之上必無事矣且以鵰鷙之秦行怨暴之怒豈足道哉燕有田光先生其為人智深而勇

史イ无 通鑑无史字子

夫行以下至字二一本无 通鑑六十七

刺客傳十二

通鑑……心惛然……胡注……康曰惛音昏……

華有餘意有所出則長城之南易水以北正義曰以北謂燕國也未有所定也奈何以見陵之怨欲批其逆

鱗哉批音白結反○索隱曰批謂觸擊之丹曰然則何由對曰請入

圖之居有間秦將樊於期得罪於秦王亡之燕

太子受而舍之鞠武諫曰不可夫以秦王之暴

而積怒於燕足爲寒心索隱曰凡人寒甚則心戰恐懼亦戰今以懼譬寒言可爲心戰

又況聞樊將軍之所在乎是謂委肉當餓虎之

蹊也禍必不振矣索隱曰振救也言禍大而不可救也雖有管晏不

能謂之謀也願太子疾遣樊將軍入匈奴以滅

口請西約三晉南連齊楚北購於單于索隱曰戰國策購作

正義曰振動也言遣樊將軍禍必不動矣

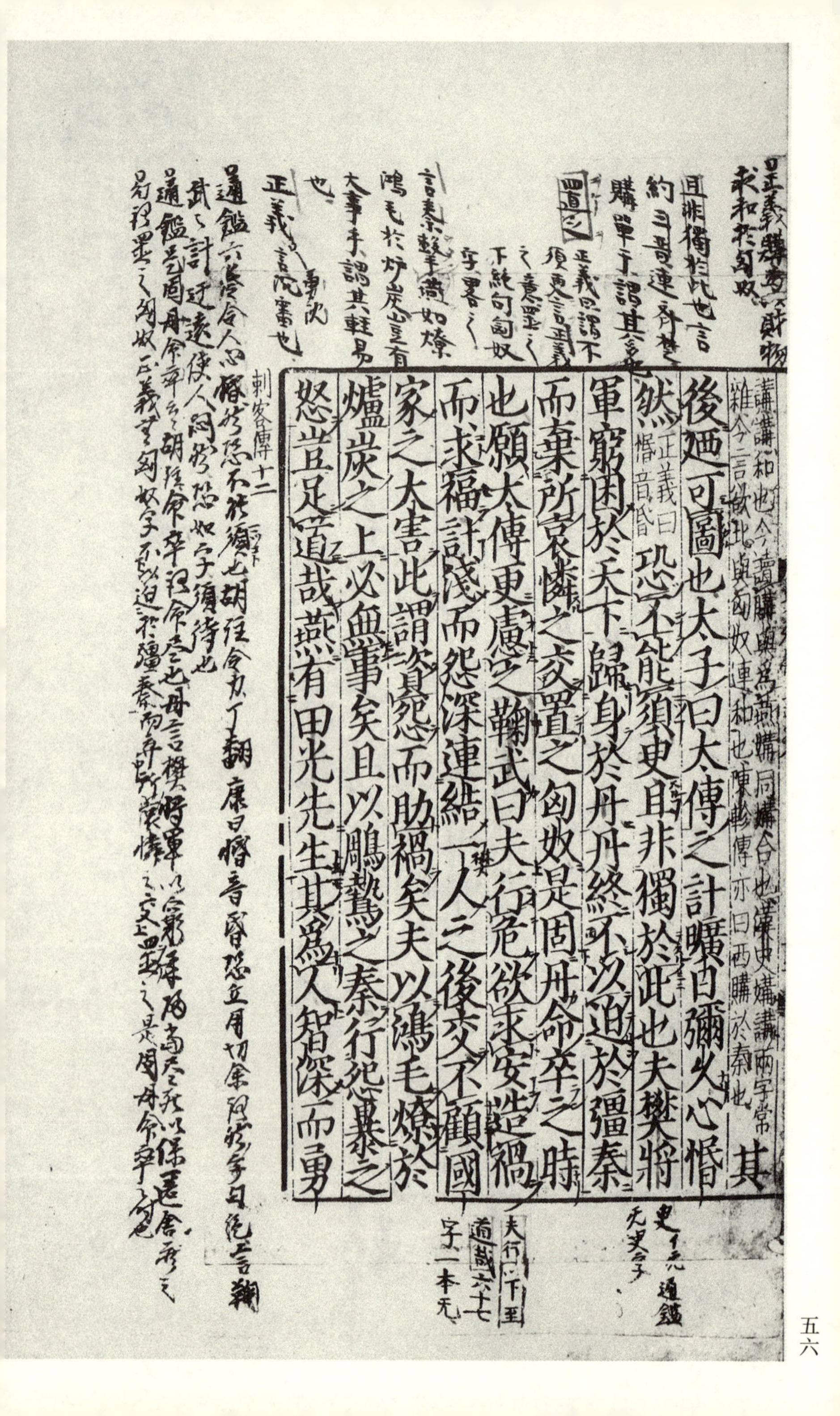

講講和也今讀購與爲燕購同購合也漢書講字常雜今言欲此與匈奴連和也陳軫傳亦曰西購於秦也其

後迺可圖也太子曰太傅之計曠日彌久心惛

然正義曰惛音昏恐不能須臾且非獨於此也夫樊將

軍窮困於天下歸身於丹丹終不以迫於彊秦

而棄所哀憐之交置之匈奴是固丹命卒之時

也願太傅更慮之鞠武曰夫行危欲求安造禍

而求福計淺而怨深連結一人之後交不顧國

家之大害此謂資怨而助禍矣夫以鴻毛燎於

爐炭之上必無事矣且以鵰鷙之秦行怨暴之

怒豈足道哉燕有田光先生其爲人智深而勇

刺客傳十二

沈可與謀太子曰願因太傅而得交於田先生可乎鞠武曰敬諾出見田先生道太子願圖國事於先生也田光曰敬奉教乃造焉太子逢迎却行爲導跪而蔽席（徐廣曰蔽一作撇一作拔索隱曰蔽音疋結反蔽猶拂也）田光坐定左右無人太子避席而請曰燕秦不兩立願先生留意也田光曰臣聞騏驥盛壯之時一日而馳千里至其衰老駑馬先之今太子聞光盛壯之時不知臣精已消亡矣雖然光不敢以圖國事所善荊卿可使也（正義曰燕丹子云田光答曰竊觀太子客無可用者夏扶血勇之人怒而面赤宋意脈勇之人怒而面青武陽骨勇之人怒而面白光所知荊軻神勇之人怒而色不變）

太子曰願因先生得結交於荊卿可乎田光曰敬諾即起趨出太子送至門戒曰丹所報先生所言者國之大事也願先生勿泄也田光俛而笑曰諾正義曰俛音俯僂行見荊卿曰光與子相善燕國莫不知今太子聞光壯盛之時不知吾形已不逮也幸而教之曰燕秦不兩立願先生留意也光竊不自外言足下於太子也願足下過太子於宮荊軻曰謹奉教田光曰吾聞之長者爲行不使人疑之今太子告光曰所言者國之大事也願先生勿泄是太子疑光也夫爲行而使

刺客傳 十三

須臾 俱舍世間品頌曰百二十刹那為怛刹那 六十怛刹那為一臘縛 三十臘縛為一牟呼栗多 三十牟呼栗多為一晝夜

刹那百二十為一怛刹那 六十怛刹那為一臘縛 三十臘縛為一牟呼栗多 三十牟呼栗多為三晝夜

正義曰謂引導

田光

衰老作老衰

圖一作 乏

況可與謀太子曰願因太傅而得交於田先生可乎鞠武曰敬諾出見田先生道太子願圖國事於先生也田光曰敬奉教乃造焉太子逢迎卻行為導跪而蔽席徐廣曰蔽一作撥一作拔索隱曰蔽音疋結反蔽猶拂也田光坐定左右無人太子避席而請曰燕秦不兩立願先生留意也田光曰臣聞騏驥盛壯之時一日而馳千里至其衰老駑馬先之今太子聞光盛壯之時不知臣精已消亡矣雖然光不敢以圖國事所善荊卿可使也正義曰燕丹子云田光答曰竊觀太子客無可用者夏扶血勇之人怒而面赤宋意脈勇之人怒而面青武陽骨勇之人怒而面白光所知荊軻神勇之人怒而色不變

蔽席者 [illegible]

[illegible]

太子曰願因先生得結交於荊卿可乎田光曰敬諾即起趨出太子送至門戒曰丹所報先生所言者國之大事也願先生勿泄也田光俛而笑曰諾正義曰俛音俯僂行見荊卿曰光與子相善燕國莫不知今太子聞光壯盛之時不知吾形已不逮也幸而教之曰燕秦不兩立願先生留意也光竊不自外言足下於太子也願足下過太子於宮荊軻曰謹奉教田光曰吾聞之長者爲行不使人疑之今太子告光曰所言者國之大事也願先生勿泄是太子疑光也夫爲行而使

人疑之非節俠也欲自殺以激荊卿曰願足下急過太子言光已死明不言也因遂自刎而死荊軻遂見太子言田光已死致光之言太子再拜而跪膝行流涕有頃而後言曰丹所以誡田先生毋言者欲以成大事之謀也今田先生以死明不言豈丹之心哉荊軻坐定太子避席頓首曰田先生不知丹之不肖使得至前敢有所道此天之所以哀燕而不棄其孤也索隱曰案無父稱孤時燕王尚在而丹稱孤者或記者失辭或諸侯嫡子時亦僭稱孤也又劉向云丹燕王喜之太子今秦有貪利之心而欲不可足也非盡天下之地臣海內

之王者其意不厭今秦已虜韓王盡納其地又舉兵南伐楚北臨趙王翦將數十萬之衆距漳鄴而李信出太原雲中趙不能支秦必入臣入臣則禍至燕燕小弱數困於兵今計舉國不足以當秦諸侯服秦莫敢合從丹之私計愚以爲誠得天下之勇士使於秦闚以重利索隱曰闚視也言以利誘之也秦王貪索隱曰絕句其勢必得所願矣誠得劫秦王使悉反諸侯侵地若曹沫之與齊桓公則大善矣則不可因而刺殺之彼秦大將擅兵於外而內有亂則君臣相疑以其閒諸侯得合從

其破秦必矣此丹之上願而不知所委命唯荆卿留意焉久之荆軻曰此國之大事也臣駑下恐不足任使太子前頓首固請毋讓然後許諾於是尊荆卿爲上卿舍上舍太子日造門下供大牢具異物閒進車騎美女恣荆軻所欲以順適其意（索隱曰燕丹子曰軻與太子遊東宮池軻拾瓦投鼃太子捧金丸進之又共乘千里馬軻曰馬肝美即殺馬進肝太子與樊將軍置酒於華陽臺出美人能鼓琴軻曰好手也斷以玉盤盛之軻曰太子遇軻甚厚是也）久之荆軻未有行意秦將王翦破趙虜趙王盡收入其地進兵北略地至燕南界太子丹恐懼乃請荆軻曰秦兵旦暮渡易水則雖欲長侍足下

正義曰所字下有欲字者非也

投鼃 作 投蛙 正義

正義任使上如字又堪也

豈可得哉荊軻曰微太子言臣願謁之今行而毋信則秦未可親也夫樊將軍秦王購之金千斤邑萬家誠得樊將軍首與燕督亢之地圖徐廣曰方城縣有督亢亭駰案劉向別錄曰督亢膏腴之地○索隱曰地理志廣陽國有薊縣司馬彪郡國志曰薊縣方城有督亢亭徐說是也○正義曰督亢坡在幽州范陽縣東南十里今固安縣南有督亢陌幽州南界奉獻秦王秦王必說見臣臣乃得有以報太子曰樊將軍窮困來歸丹丹不忍以己之私而傷長者之意願足下更慮之荊軻知太子不忍乃遂私見樊於期曰秦之遇將軍可謂深矣父母宗族皆爲戮沒今聞購將軍首金千斤邑萬家將奈何

集覽又揕知鴆反又𣪘
擊也
集會陌韻乙革切
說文捉也又不挩

於期仰天太息流涕曰於期每念之常痛於骨髓顧計不知所出耳荆軻曰今有一言可以解燕國之患報將軍之仇者何如於期乃前曰爲之奈何荆軻曰願得將軍之首以獻秦王秦王必喜而見臣臣左手把其袖右手揕其匈徐廣曰揕音張鴆切一作抗○索隱曰揕謂以劒刺其胷也抗音苦浪反言抗拒也其義非然則將軍之仇報而燕見陵之愧除矣將軍豈有意乎樊於期偏袒搤捥而進徐廣曰捥一作椀○索隱曰搤音烏革反捥音烏亂反捥古腕字書作掔掔掌後曰腕勇者奮厲必先以左手扼右捥也曰此臣之日夜切齒腐心也索隱曰切齒齒相磨切也爾雅曰骨曰切府音輔府亦爛也猶今人事不可忍云腐爛然皆奮怒之意乃今得聞

殺遂自剄太子聞之馳往伏屍而哭極哀既已不可奈何乃遂盛樊於期首函封之於是太子豫求天下之利匕首得趙人徐夫人匕首徐廣曰徐一作陳○索隱曰徐姓夫人名謂男子也取之百金使工以藥焠之索隱曰焠染也音忽潰反謂以毒藥染劍鍔也以試人血濡縷人無不立死者言以匕首試人人血出足以沾濡絲縷便立死也乃裝為遣荊卿燕國有勇士秦舞陽年十三殺人人不敢忤視索隱曰忤者逆也音五故反不敢逆視言人畏之甚也乃令秦舞陽為副荊軻有所待欲與俱其人居遠未來而為治行頃之未發太子遲之疑其改悔乃復請曰日已盡矣荊卿豈有意

哉丹請得先遣秦舞陽荊軻怒叱太子曰何太子之遣往而不反者豎子也且提一匕首入不測之彊秦僕所以留者待吾客與俱今太子遲之請辭決矣遂發太子及賓客知其事者皆白衣冠以送之至易水之上既祖取道正義曰易州在幽州歸義縣界高漸離擊筑荊軻和而歌為變徵之聲正義曰徵知雉反士皆垂淚涕泣又前而歌曰風蕭蕭兮易水寒壯士一去兮不復還復為羽聲忼慨士皆瞋目髮盡上指冠於是荊軻就車而去終已不顧遂至秦持千金之資幣物厚遺秦王寵臣中

庶子蒙嘉先言於秦王曰燕王誠振怖大王之威不敢舉兵以逆軍吏願舉國為內臣比諸侯之列給貢職如郡縣而得奉守先王之宗廟恐懼不敢自陳謹斬樊於期之頭及獻燕督亢之地圖函封燕王拜送于庭使使以聞大王唯大王命之秦王聞之大喜乃朝服設九賓正義曰劉云設文物大備即謂九賓不得以周禮九賓義為釋見燕使者咸陽宮正義曰三輔皇圖云秦始兼天下都咸陽因北陵營宮殿則紫宮象帝宮渭水貫都以象天漢橫橋南度以法牽牛也荊軻奉樊於期頭函而秦舞陽奉地圖匣以次進索隱曰匣音戶甲反匣亦函也至陛秦舞陽色變振恐羣臣怪之荊

軻顧笑舞陽前謝曰北蕃蠻夷之鄙人未嘗見天子故振慴願大王少假借之使得畢使於前秦王謂軻曰取舞陽所持地圖軻既取圖奏之秦王發圖圖窮而匕首見因左手把秦王之袖而右手持匕首揕之未至身秦王驚自引而起袖絶拔劍劍長操其室（索隱曰室謂鞘也○正義曰燕太子云左手揕其胷秦王曰今日之事從子計耳乞聽琴聲而死召姬人鼓琴琴聲曰羅縠單衣可裂而絶八尺屏風可超而越鹿盧之劍可負而拔王於是奮袖超屏風走之）時惶急劍堅故不可立拔荆軻逐秦王秦王環柱而走羣臣皆愕卒起不意盡失其度而秦法羣臣侍殿上者不得持尺寸之兵諸

郎中執兵皆陳殿下（索隱曰諸郎中若今宿衛之官）非有詔召不得上方急時不及召下兵以故荊軻乃逐秦王而卒惶急無以擊軻而以手共搏之是時侍醫夏無且（索隱曰且音即餘反）以其所奉藥囊提荊軻也（正義曰提姪帝反）秦王方環柱走卒惶急不知所爲左右乃曰王負劒（索隱曰王劭曰古者帶劒上長拔之不出室欲王推之於背令前短易拔故云王負劒）負劒遂拔以擊荊軻斷其左股荊軻廢乃引其匕首以擿秦王（索隱曰擿與擲同古字耳音持益反）不中中桐柱（正義曰燕丹太子云荊軻拔匕首擲秦王決耳入銅柱火出）秦王復擊軻軻被八創軻自知事不就倚柱而笑箕倨以罵曰事所以不成者

以欲生劫之必得約契以報太子也漢塩鐵論曰荆軻懷數年之謀而事不就者尺八匕首不足恃也秦王操於不意列斷貫匈者介七尺之利也於是左右既前殺軻秦王不怡者良久已而論功賞群臣及當坐者各有差而賜夏無且黄金二百溢曰無且愛我乃以藥囊提荆軻也於是秦王大怒益發兵詣趙詔王翦軍以伐燕十月而拔薊城燕王喜太子丹等盡率其精兵東保於遼東秦将李信追擊燕王急代王嘉乃遺燕王喜書曰秦所以尤追燕急者以太子丹故也今王誠殺丹獻之秦王秦王必解而社稷幸得血食其後李

漢書欒布傳曰、爲酒家保、孟康曰、酒家作保、保、庸也、可保信也、故謂之保、師古曰、謂庸作受顧也、爲保謂保可任使

信追丹、丹匿衍水中索隱曰水名在遼東燕王乃使使斬太子丹、欲獻之秦。秦復進兵攻之。後五年、秦卒滅燕、虜燕王喜。其明年、秦并天下、立號爲皇帝。於是秦逐太子丹、荊軻之客、皆亡。高漸離變名姓爲人庸保、匿作於宋子。徐廣曰縣名也今屬鉅鹿○索隱曰欒布傳曰賣庸於齊爲酒家人漢書作酒家保案謂庸作於酒家言可保信故曰庸保鶡冠子曰伊尹酒保也徐注云宋子縣名屬鉅鹿者據地理志而知也○正義曰宋子故城在趙州平棘縣北二十里久之、作苦、聞其家堂上客擊筑、傍偟不能去。每出言曰：「彼有善有不善。」從者以告其主索隱曰謂主人家之左右也曰：「彼庸乃知音、竊言是非。」家丈人召使前擊筑索隱曰劉氏云謂主人翁也又韋昭云古

正義曰言久結其約契逃避不敢出有何窮極時

赦本作殺

[illegible]孟子可使制梃以撻秦楚之堅甲利兵注梃杖也

者男子爲丈夫尊父嫗爲丈人故漢書宣元六王傳所云丈人謂淮陽憲王外王母即張博母也故古詩云三日斷五疋丈人故言遲是也一坐稱善賜酒而高漸離念久隱畏約無窮時索隱曰約謂貧賤儉約既爲庸保常畏人故云畏約所以論語云不可以久處約也乃退出其裝匣中筑與其善衣更容貌而前舉坐客皆驚下與抗禮以爲上客使擊筑而歌客無不流涕而去者宋子傳客之徐廣曰互以爲客聞於秦始皇秦始皇召見人有識者乃曰高漸離也秦皇帝惜其善擊筑重赦之乃矐其目矐音海各反○索隱曰一音角說者云以馬屎熏令失明使擊筑未嘗不稱善稍益近之高漸離乃以鉛置筑中索隱曰案劉氏云以鉛爲挺著筑中令重以擊人復進得近

魯句踐乎，嘗於邯鄲博，爭道，怒而叱荊軻者也

舉筑朴秦皇帝，索隱曰朴音普卜反，朴，擊也不中。於是遂誅高漸離，終身不復近諸侯之人。魯句踐已聞荊軻之刺秦王，私曰：嗟乎，惜哉其不講於刺劍之術也。索隱曰案不講謂不論習之甚矣吾不知人也。曩者吾叱之，彼乃以我為非人也。

太史公曰：世言荊軻，其稱太子丹之命，天雨粟，馬生角也，索隱曰燕丹求歸，秦王曰烏頭白，馬生角，乃許耳。丹乃仰天歎，烏頭即白，馬亦生角。風俗通及論衡皆有此說，仍云廏門木烏生肉足也太過。又言荊軻傷秦王，皆非也。始公孫季功、董生與夏無且游，具知其事，為余道之如是。自曹沫至荊軻五人，此其義或成或

正義曰太子丹質於秦，秦王遇之無禮，不得意，欲歸。秦王不聽，謬言曰：烏頭白，馬生角，乃可。丹仰天嘆，烏即為之烏頭白，馬生角，王不得已，遣之，為機發橋，欲陷丹，丹過之，橋為不發。風俗通曰燕太子丹天為雨粟，烏頭白，馬生角也

刺客傳二十二 或成或不成者曹沫專諸聶政 或不成者豫讓荊軻

源順云論古史郊荊軻刺客之靡兩遷史亓有不欺其志之美使古史之論不明則軻果為信義者乎註云
史記任俠傳荊軻義燕不欺其志等語古史皆卞之

不成然其立意較然（索隱曰較明也）不欺其志名垂後世

豈妄也哉

索隱述贊曰

曹沫盟柯　返魯侵地　專諸進炙

定吳篡位　彰弟哭市　報主塗廁（豫讓事）

刎頸申冤（樊於期自刎頸也）　操袖行事　暴秦奪魄

懦夫增氣

荊軻事也

專諸置匕首於魚炙之中刺吳王僚篡位而立公子光

刺客列傳第二十六　史記八十六

黃氏日抄太史公傳曹沫專諸豫讓聶政荆軻五人謂介然不欺其志愚謂惟豫讓爲君報仇之志爲可悲餘皆在愚殺身非人情也荆軻所交田光高漸離之流多慷慨輕生至今讀易水之歌使人悲惋輒視諸子材氣殆優焉雖然果何哉其所謂志而足稱道哉

批逆鱗之批白結一又出荆軻傳注

困學紀聞于太史公作刺客傳說虞氏曰諸侯棄甲兵之盟爲盟會之禮乃於登壇之後奮匕首而劫國君賊天下之禮者曹沫乎君臣之義有死無貳陰事公子光之豢養而殺其君於王僚賊天下之義者專諸乎父母全而生之子全而歸之聶政從終母之年遂殺身以爲仲子賊天下之仁者聶政乎燕丹傳卑以國寄燕丹軻從取首以詐入秦之詐賊天下之信者荆軻乎

私曰嗟惜哉ゝ不講刺劍之術甚矣ゝ我不知荊軻勇寔不知人也余以謂嗟

乎惜哉ゝ言荊軻不得殺秦皇乎為以荊軻不講刺劍之術故雖有勇不能刺秦

王惜哉句踐曰曩者叱荊軻此吾不知人也

專諸置匕首於魚炙之中刺吳王僚篡位而立公子光

不成然其立意較然（索隱曰較明也）不欺其志名垂後世

豈妄也哉

索隱述贊曰

曹沫盟柯　返魯侵地　專諸進炙

定吳篡位　彰弟哭市　報主塗廁（豫讓事）

（樊於期自刎頸也）刎頸申冤　操袖行事　暴秦奪魄

懦夫增氣

刺客（荊軻事也）

較然　六　角

黄氏日抄太史公傳曹沫專諸豫讓聶政荊軻五人謂介然不欺其志愚謂惟豫讓為君報仇之志為可悲餘皆在愚殺身非人情也荊軻所交田光高漸離之流多慷慨輕生至今讀易水之歌使人悲惋輒視諸子材氣殆優焉雖然果何哉其所謂志而足稱道者哉

批逆鱗之批白結又出荊軻傳注

國學紀聞[illegible]刺客傳說斎盧氏曰語侯桑甲丛之鏃為盟會之礼乃於壇之[illegible]而劫國君賊天下之禮者也謀乎人君臣之義有無愛隱專諸感公子光之養家養而親刺其君於王僚賊天下之義者也禍乎父母全而生之子全而歸之養絶絶母之年遂殺身以為仲子賊天下之仁者也政乎人荊軻傳宋以國家報燕丹軻從取首以獻入秦之詐賊天下之信者也[illegible]

刺客列傳第二十六　史記八十六

以賊孔賊義賊仁賊信之人並列於傳史後所嗤豈為考不可爲者雖存不甚稱君子
身而不悔抗節致忠行出乎列士乃引而寘諸四子之間不亦薰蕕之共器乎

史記列傳 六十七

二十七 李斯 趙高

二十八 蒙恬 蒙驁 蒙武 蒙毅

李斯列傳第二十七　史記八十七

李斯者楚上蔡人也索隱曰地理志汝南有上蔡縣云古蔡國周武王弟叔度所封至十八代平侯徙新蔡二蔡皆屬汝南後二代至昭侯徙上蔡屬沛六國時為楚地故曰楚上蔡也年少時為郡小吏索隱曰郡一作鄉劉氏云掌鄉內文書見吏舍廁中鼠食不絜近人犬數驚恐之斯入倉觀倉中鼠食積粟居大廡之下不見人犬之憂於是李斯乃歎曰人之賢不肖譬如鼠矣在所自處耳乃從荀卿學帝王之術學已成度楚王不足事而六國皆弱無可為建功者欲西入秦辭於荀卿曰斯聞得時無怠今万乘方爭時游者主事索隱曰言萬乘爭雄之時

游者可以立功成名當得典事務也劉氏歷諸侯當覓強主以事之於文紆迴非也今秦王欲吞天下稱帝而治此布衣馳騖之時而游說者之秋也正義曰言秋時萬物成熟今爭彊時亦說士成職時處卑賤之位而計不為者此禽鹿視肉人面而能彊行者耳索隱曰禽鹿猶禽獸也言禽獸但知視肉而食之莊子及蘇子曰人而不學譬之視肉而食揚子法言曰人而不學如禽何言不暇遊說取榮貴即如禽獸徒有人面而能彊行也故詬莫大於卑賤正義曰呼后反恥辱也而悲莫甚於窮困久處卑賤之位困苦之地非世而惡利正義曰言譏世富貴惡其榮利自託於無為者非士人之情實力不能致此也自託於無為此非士之情也索隱曰非者譏也所謂處士橫議之時也故斯將西說秦王矣至秦會莊襄王卒李斯乃求

正義云言処卑賤之人如禽獸終日食之觀視其肉徒有人面強行於地師說則曰禽獸雖有耳眼而無智終是庖厨之肉人無計略是同人亦似禽獸貞曰言禽獸但知視肉而即禽獸之類視之如肉

李斯傳

李斯列傳第二十七　史記八十七

李斯者楚上蔡人也索隱曰地理志汝南有上蔡縣云古蔡國周武王弟叔度所封至十八代平侯徙新蔡二蔡皆屬汝南後二代至昭侯徙上蔡屬沛六國時為楚地故曰楚上蔡也年少時為郡小吏索隱曰郡一作鄉劉氏云掌鄉內文書見吏舍廁中鼠食不絜近人犬數驚恐之斯入倉觀倉中鼠食積粟居大廡之下不見人犬之憂於是李斯乃歎曰人之賢不肖譬如鼠矣在所自處耳乃從荀卿學帝王之術學已成度楚王不足事而六國皆弱無可為建功者欲西入秦辭於荀卿曰斯聞得時無怠今萬乘方爭時游者主事索隱曰言萬乘爭雄之時

正義云言処卑賤之人如禽獸終日食之觀視其肉徒有人面強行於地師說刈曰禽獸雖有耳眼

李斯傳

吞天下稱帝而治此布衣馳騖之時而遊說者之秋也正義曰言秋時萬物成熟今爭彊時亦說士成熟時處卑賤之位而計不為者此禽鹿視肉人面而能彊行者耳索隱曰禽鹿猶禽獸也言禽獸但知視肉而食之莊子及蘇子曰人而不學譬之視肉而食揚子法言曰人而不學如禽何言不暇遊說取榮貴即如禽獸徒有以面而能彊行也故詬莫大於卑賤正義曰呼后反恥辱也而悲莫甚於窮困久處卑賤之位困苦之地非世而惡利正義曰言譏世富貴惡其榮利自託於無為者非士人之情實力不能致此也自託於無為此非士之情也索隱曰非者譏也所謂處士橫議之時也故斯將西說秦王矣至秦會莊襄王卒李斯乃求

爲秦相文信侯呂不韋舍人，不韋賢之，任以爲郎。李斯因以得說，說秦王曰：「胥人者，去其幾也。索隱曰：胥人猶胥吏，小人也。去猶失也。幾者動之微，以言君子見幾而作，不俟終日，小人不識動微之會，故每失時也。劉氏解幾爲疆，非也。○正義曰：胥，相也。幾謂察也。言關東六國與秦相敵者，君臣機密並有瑕釁，可成大功而遂忍之，故我將說秦以并天下也。成大功者，在因瑕釁而遂忍之。索隱曰：言因諸侯有瑕釁，則忍心而翦除。昔者秦穆公之霸，終不東并六國者，何也？諸侯尚衆，周德未衰，故五伯迭興，更尊周室。自秦孝公以來，周室卑微，諸侯相兼，關東爲六國，秦之乘勝役諸侯，蓋六世矣。正義曰：秦孝公東……今諸侯服秦……以秦之彊，大王

○之賢由竈上騷除徐廣曰騷音埽○索隱曰言秦欲并天下若炊婦埽除竈上之不淨不足為難也足以滅諸侯成帝業為天下一統此萬世之一時也今怠而不急就諸侯復彊相聚約從雖有黃帝之賢不能并也秦王乃拜斯為長史聽其計陰遣謀士齎持金玉以游說諸侯諸侯名士可下以財者厚遺結之不肯者利劍刺之離其君臣之計秦王乃使其良將隨其後秦王拜斯為客卿會韓人鄭國來間秦以作注溉渠正義曰鄭國渠首起雍州雲陽縣西南二十五里自山邸鄭口為渠傍北山東注洛三百餘里以溉田又曰韓苦秦兵而使水工鄭國間秦作注溉渠令費人工不東伐也已而覺秦宗室大臣皆

李斯傳 二

已而覺 正義曰韓苦秦兵而使水工鄭國間秦注溉渠令費人工下東伐也

通鑑第六始皇元年[illegible]欲疲秦人使無東伐乃使水工鄭國[illegible]

口河渠書韓聞秦之好興事欲罷之毋令東伐乃使水工鄭國間說秦令[illegible]

瓠口[illegible]小顏曰中音仲[illegible]瓠口[illegible]谷口

言秦王曰諸侯人來事秦者大抵爲其主游間於秦耳請一切逐客索隱曰一切猶一例言盡逐之也言切者譬若利刀之割一運斤無不斷者解漢書者以一切爲權時義亦未爲得也李斯議亦在逐中斯乃上書曰正義曰在始皇十年臣聞吏議逐客竊以爲過矣昔繆公求士西取由余於戎東得百里奚於宛索隱曰秦本紀云晉獻公以百里奚爲秦繆公夫人媵於秦奚亡走宛楚鄙人執之是也○正義曰新序云百里奚楚宛人仕於虞虞亡入秦號五羖大夫也迎蹇叔於宋索隱曰秦紀又云百里奚謂繆公曰臣不如臣友蹇叔蹇叔賢而世莫知繆公厚幣迎之以爲上大夫今云於宋未詳所出○正義曰括地志云蹇叔岐州人也時游宋故迎之求丕豹公孫支於晉索隱曰丕豹自晉奔秦左氏傳有明文公孫支所謂子桑也是秦大夫而云自晉以來亦未見其所出○正義曰括地志云公孫支岐州人遊晉後歸秦此五者不

媵 媵 謂從嫁之女者 釈文曰古者諸侯娶夫人則同姓二国媵之

産於秦而繆公用之并國二十遂霸西戎索隱曰秦本紀穆公用由余謀伐戎王益國十二開地千里遂霸西戎此都言五子之功故云并國二十或據爲二十誤也孝公
用商鞅之法移風易俗民以殷盛國以富彊百
姓樂用諸侯親服獲楚魏之師舉地千里至今
治彊惠王用張儀之計拔三川之地西并巴蜀
索隱曰案惠王時張儀爲相請伐韓下兵三川以臨二周司馬錯請伐蜀惠王從之果滅蜀儀死後武王欲通車三川令
甘茂拔宜陽今並云張儀者以儀爲秦相雖錯滅蜀甘茂通三川皆歸功於相又三川是儀先請伐故也北收
上郡正義曰惠王十年魏納上郡十五縣南取漢中正義曰惠王十三年攻楚漢中取地六百
里包九夷制鄢郢索隱曰九夷即屬楚之夷也地理志南郡江陵縣云故楚郢都又宜城縣
云故鄢也○正義曰夷謂并巴蜀收上郡取漢中伐義渠丹犂是也九夷本東夷九種此言者文體然也東據

言秦王曰諸侯人來事秦者大抵爲其主游間於秦耳請一切逐客索隱曰一切猶一例言盡逐之也言切者譬若利刀之割一運斤無不斷者解漢書者以一切爲權時義亦未爲得也李斯議亦在逐中斯乃上書曰正義曰在始皇十年臣聞吏議逐客竊以爲過矣昔繆公求士西取由余於戎東得百里奚於宛索隱曰秦本紀云晉獻公以百里奚爲秦穆公夫人媵於秦奚亡走宛楚鄙人執之是也○正義曰新序云百里奚楚宛人仕於虞虞亡入秦號五羖大夫也迎蹇叔於宋索隱曰秦紀又云百里奚謂繆公曰臣不如臣友蹇叔蹇叔賢而世莫知繆公厚幣迎之以爲上大夫今云於宋未詳所出○正義曰括地志云蹇叔岐州人也時游宋故迎之於宋來丕豹公孫支於晉索隱曰丕豹自晉奔秦左氏傳有明文公孫支所謂子桑也是秦大夫而云自晉以來亦未見其所出○正義曰括地志云公孫支岐州人也遊晉後歸秦此五者不

產於秦而繆公用之并國二十遂覇西戎索隱曰秦本紀穆公用由余謀伐戎王益國十二開地千里遂覇西戎此以都言五子之功故云并國二十或易爲十二誤也孝公用商鞅之法移風易俗民以殷盛國以富彊百姓樂用諸侯親服獲楚魏之師舉地千里至今治彊惠王用張儀之計拔三川之地西并巴蜀索隱曰案惠王時張儀爲相請伐韓下兵三川以臨二周司馬錯請伐蜀惠王從之果滅蜀儀死後武王欲通車三川以窺甘茂拔宜陽今並云張儀者以儀爲秦相雖錯滅蜀甘茂通三川皆歸功於相文三川是儀先請伐故也北收上郡正義曰惠王十年魏納上郡十五縣南取漢中正義曰惠王十三年攻楚漢中取地六百里包九夷制鄢郢索隱曰九夷即屬楚之夷也地理志南郡江陵縣云故楚郢都又宜城縣云故鄢也○正義曰夷謂并巴蜀收上郡取漢中伐義渠丹犂是也九夷本東夷九種此言者文體然也東據

成皐之險（正義曰河南府汜水縣也）割膏腴之壤遂散六國之從使之西面事秦功施到今昭王得范雎廢穰侯逐華陽（徐廣曰華一作葉）彊公室杜私門蠶食諸侯使秦成帝業（索隱曰高誘注淮南云蠶食盡無餘也）此四君者皆以客之功由此觀之客何負於秦哉向使四君却客而不內疏士而不用是使國無富利之實而秦無彊大之名也今陛下致昆山之玉（正義曰昆岡在于闐國東北四百里其岡出玉）有隨和之寶（正義曰括地志云濆山一名崑山一名斷蛇丘在隨州隨縣北二十五里說苑云昔隨侯行遇大蛇中斷疑其靈使人以藥封之蛇乃能去因號其處爲斷蛇丘歲餘蛇銜明珠徑寸絕白而有光因號隨珠卞和璧始皇以爲傳國璽也）垂明月之珠服太阿之

劒[見蘇秦傳]乘纖離之馬[徐廣曰纖離蒲稍皆駿馬名〇索隱曰徐氏據孫卿子而爲說]建翠鳳之旗樹靈鼉之鼓[鄭玄注月令云鼉皮可以冒鼓]此數寶者秦不生一焉而陛下說之何也必秦國之所生然後可則是夜光之璧不飾朝廷犀象之器不爲玩好鄭衛之女不充後宮而駿良駃騠不實外廄[索隱曰駃音決騠音提周書曰正北以駃騠爲獻廣雅曰馬屬也郭景純注上林賦云生三日而超其母也]江南金錫不爲用西蜀丹青不爲采所以飾後宮充下陳[索隱曰下陳猶後列也晏子曰有二女願得入身於下陳是也]娛心意說耳目者必出於秦然後可則是宛珠之簪傅璣之珥[索隱曰宛音於阮反傅音附即隨珠也宛者謂以珠宛轉而裝其簪傅者以璣附着於珥珥者瑱也璣是

珠之不圓者或云宛珠宛地之珠也隨在漢水之南宛亦近漢故曰宛珠璣者女飾也言女傅之珥以璣爲之並非秦所有物也阿縞之衣錦繡之飾徐廣曰齊之東阿縣繒帛所出不進於前而隨俗雅化徐廣曰隨俗一作脩使○索隱曰謂閑雅變化而能隨俗也佳冶窈窕趙女不立於側也夫擊甕叩缻彈箏搏髀而歌呼嗚嗚快耳目者眞秦之聲也索隱曰說文云甕汲缻也音於貢反缶瓦器也秦人鼓之以節樂缻音甫有反鄭衛桑間昭虞武象者索隱曰昭作韶異國之樂也今棄擊甕叩缻而就鄭衛退彈箏而取昭虞若是者何也快意當前適觀而已矣今取人則不然不問可否不論曲直非秦者去爲客者逐然則是所重者在乎色樂珠玉

而所輕者在乎人民也此非所以跨海內制諸侯之術也臣聞地廣者粟多國大者人衆兵彊則士勇是以太山不讓土壤故能成其大河海不擇細流故能就其深王者不卻衆庶故能明其德（索隱曰管子曰海不辭水故能成其大泰山不辭土石故能成其高文子曰聖人不讓負薪之言以廣其名也）是以地無四方民無異國四時充美鬼神降福此五帝三王之所以無敵也今乃棄黔首以資敵國（索隱曰資猶給也）卻賓客以業諸侯使天下之士退而不敢西向裹足不入秦此所謂藉寇兵而齎盜糧者也（索隱曰藉音積夜反齎音子奚反說文曰齎持遺也齎或爲資義亦通）夫

博士僕射　集覽云漢官儀云僕射秦官也古曰僕主也射主也射本如字讀古者重武事有
主射以督課之故名焉今射音夜蓋關中語轉爲此音耳漢獻帝分置左右僕射唐置左
右臣陵又設左右相

資敵國　…

物不産於秦可寶者多士不産於秦而願忠者
衆今逐客以資敵國損民以益讎内自虚而外
樹怨於諸侯求國無危不可得也秦王乃除逐
客之令復李斯官（新序曰斯在逐中道上上諫書達始皇始皇使人逐至驪邑得還）卒
用其計謀官至廷尉二十餘年竟并天下尊主
爲皇帝以斯爲丞相夷郡縣城銷其兵刃示不
復用使秦無尺土之封不立子弟爲王功臣爲
諸侯者使後無戰攻之患始皇三十四年置酒
咸陽宮博士僕射周青臣等頌稱始皇威德齊
人淳于越進諫曰臣聞之殷周之王千餘歲封

殷六百餘年周八百餘年千餘歲也

子弟功臣自爲支輔今陛下有海内而子弟爲匹夫卒有田常六卿之患臣無輔拂何以相救哉事不師古而能長久者非所聞也今臣青等又面諛以重陛下過非忠臣也索隱曰重音逐用反重者再也始皇下其議丞相丞相謬其説絀其辭乃上書曰古者天下散亂莫能相一是以諸侯並作語皆道古以害今飾虚言以亂實人善其所私學以非上所建立今陛下并有天下辨白黑而定一尊索隱曰劉氏云前時國異政家殊俗人造私語莫辨其真今乃分別白黑也秦始皇并六國定天下海内共尊立一帝故云定一尊而私學乃相與非法教之制聞令下即

李斯傳 六

趣　一本作取

各以其私學議之入則心非出則巷議非主以爲名異趣以爲高率群下以造謗如此不禁則主勢降乎上黨與成乎下禁之便臣請諸有文學詩書百家語者蠲除去之令到滿三十日弗去黥爲城旦所不去者醫藥卜筮種樹之書若有欲學者以吏爲師始皇可其議收去詩書百家之語以愚百姓使天下無以古非今明法度定律令皆以始皇起同文書（正義曰六國制令不同今令同之）治離宮别館周徧天下明年又巡狩外攘四夷斯皆有力焉斯長男由爲三川守諸男皆尚秦公

正義曰顧野王曰稅舍車也止也

李斯傳七

主女悉嫁秦諸公子三川守李由告歸咸陽李斯置酒於家百官長皆前爲壽門廷車騎以千數李斯喟然而歎曰嗟乎吾聞之荀卿曰物禁太盛夫斯乃上蔡布衣閭巷之黔首上不知其駑下遂擢至此當今人臣之位無居臣上者可謂富貴極矣物極則衰吾未知所稅駕也索隱曰稅駕猶解駕言休息也李斯言已今日富貴已極然未知向後吉凶止泊在何處也始皇三十七年十月行出游會稽並海上北抵琅邪正義曰今沂州丞相斯中車府令趙高兼行符璽令事皆從始皇有二十餘子長子扶蘇以數直諫上上使監兵

各以其私學議之入則心非出則巷議非主以
爲名異趣以爲高率群下以造謗如此不禁則
主勢降乎上黨與成乎下禁之便臣請諸有文
學詩書百家語者蠲除去之令到滿三十日弗
去黥爲城旦所不去者醫藥卜筮種樹之書若
有欲學者以吏爲師始皇可其議收去詩書百
家之語以愚百姓使天下無以古非今明法度
定律令皆以始皇起同文書〔正義曰六國制令不同今令同之〕治
離宮別館周徧天下明年又巡狩外攘四夷斯
皆有力焉斯長男由爲三川守諸男皆尚秦公

主女悉嫁秦諸公子三川守李由告歸咸陽李斯置酒於家百官長皆前爲壽門廷車騎以千數李斯喟然而歎曰嗟乎吾聞之荀卿曰物禁太盛夫斯乃上蔡布衣閭巷之黔首上不知其駑下遂擢至此當今人臣之位無居臣上者可謂富貴極矣物極則衰吾未知所稅駕也索隱曰稅駕猶解駕言休息也李斯言已今日富貴已極然未知向後吉凶止泊在何處也始皇三十七年十月行出游會稽並海上北抵琅邪正義曰今沂州丞相斯中車府令趙高兼行符璽令事皆從始皇有二十餘子長子扶蘇以數直諫上上使監兵

正義曰顔野王曰稅舍車也止也

並作傍

李斯傳七

始皇崩沙丘

上郡[正義曰上郡故城在綏州上縣東南五十里]蒙恬爲將少子胡亥愛請從上許之餘子莫從[辯士隱姓名遺秦將章邯書曰李斯爲秦王死廢十七兄而立今王也然則二世是秦始皇第十八子此書在善文中]其年七月始皇帝至沙丘[正義曰沙丘臺在邢州]病甚令趙高爲書賜公子扶蘇曰以兵屬蒙恬與喪會咸陽而葬書已封未授使者始皇崩書及璽皆在趙高所獨子胡亥丞相李斯趙高及幸宦者五六人知始皇崩餘羣臣皆莫知也李斯以爲上在外崩無眞太子故祕之置始皇居轀輬車中[徐廣曰一作轀車]百官奏事上食如故宦者輒從轀輬車中可諸奏事[文穎曰轀輬車

如今喪轜車也。孟康曰：如衣車有窻牖，閉之則温，開之則涼，故名之轀輬車也。如淳曰：轀輬車，其形廣大，有羽飾也。趙高因留所賜扶蘇璽書，而謂公子胡亥曰：上崩無詔封王諸子，而獨賜長子書。長子至，即立為皇帝，而子無尺寸之地，為之奈何。胡亥曰：固也。吾聞之，明君知臣，明父知子。父捐命，不封諸子，何可言者。趙高曰：不然。方今天下之權，存亡在子與高及丞相耳。願子圖之。且夫臣人與見臣於人，制人與見制於人，豈可同日道哉。胡亥曰：廢兄而立弟，是不義也。不奉父詔而畏死，是不孝也。能薄而材譾史記音隱：䇷顯反。○索隱曰：劉氏音䇷，淺反。則譾亦淺義，古人語自有重輕，所上郡（正義曰：上郡故城在綏州上縣東南五十里。）蒙恬爲將。少子胡亥愛，請從，上許之。餘子莫從。（辯士隱姓名，遺秦將章邯書曰：李斯爲秦王死，廢十七兄而立今王也。然則二世是秦始皇第十八子。此書在善文中。）其年七月，始皇帝至沙丘（正義曰：沙丘臺在邢州。）病甚，令趙高爲書賜公子扶蘇曰：以兵屬蒙恬，與喪會咸陽而葬。書已封，未授使者，始皇崩。書及璽皆在趙高所，獨子胡亥、丞相李斯、趙高及幸宦者五六人知始皇崩，餘羣臣皆莫知也。李斯以爲上在外崩，無眞太子，故祕之。置始皇居轀輬車中，（徐廣曰：一作轀車。）百官奏事上食如故，宦者輒從轀輬車中可諸奏事。（索隱曰：轀輬車如今喪轜車也孟康曰如衣車有窻牖閉之則温開之則涼故名之轀輬車也如淳曰轀輬車其形廣大有羽飾也趙高因留所賜扶蘇璽書而謂公子胡亥曰上崩無詔封王諸子而獨賜長子書長子至即立爲皇帝而子無尺寸之地爲之奈何胡亥曰固也吾聞之明君知臣明父知子父捐命不封諸子何可言者趙高曰不然方今天下之權存亡在子與高及丞相耳願子圖之且夫臣人與見臣於人制人與見制於人豈可同日道哉胡亥曰廢兄而立弟是不義也不奉父詔而畏死是不孝也能薄而材譾史記音隱竿顯反○索隱曰劉氏音翦淺反則譾亦淺義古人語自有重輕所

彊因人之功是不能也三者逆德天下不服身殆傾危社稷不血食高曰臣聞湯武殺其主天下稱義焉不爲不忠衛君殺其父而衛國載其德孔子著之不爲不孝夫大行不小謹盛德不辭讓鄉曲各有宜而百官不同功胡顧小而忘大後必有害狐疑猶豫後必有悔斷而敢行鬼神避之後有成功願子遂之胡亥喟然歎曰今大行未發喪禮未終豈宜以此事干丞相哉趙高曰時乎時乎間不及謀贏糧躍馬唯恐後時胡亥既然高之言高曰不與丞相謀恐事

不能成臣請爲子與丞相謀之高乃謂丞相斯
曰上崩賜長子書與喪會咸陽而立爲嗣書未
行今上崩未有知者也所賜長子書及符璽皆
在胡亥所定太子在君侯與高之口耳事將何
如斯曰安得亡國之言此非人臣所當議也高
曰君侯自料能孰與蒙恬功高孰與蒙恬謀遠
不失孰與蒙恬無怨於天下孰與蒙恬長子舊
而信之孰與蒙恬斯曰此五者皆不及蒙恬而
君責之何深也高曰高固內官之廝役也幸得
以刀筆之文進入秦宮管事二十餘年未嘗見

李斯傳　九

通鑑七巻通侯之印胡注通侯漢曰徹侯亦曰列侯應劭曰通亦徹也通者言功德通於王室也
張晏曰列侯者見序列也

奮士 或奮士

受作有教本无

正義曰詘猶訥也

秦免罷丞相功臣有封及二世者也卒皆以誅
亡皇帝二十餘子皆君之所知長子剛毅而武
勇信人而奮士即位必用蒙恬為丞相君侯終
不懷通侯之印歸於鄉里明矣高受詔教習胡
亥使學以法事數年矣未嘗見過失慈仁篤厚
輕財重士辯於心而詘於口盡禮敬士秦之諸
子未有及此者可以為嗣君計而定之斯曰君
其反位斯奉主之詔聽天之命何慮之可定也
高曰安可危也危可安也安危不定何以貴聖
斯曰斯上蔡閭巷布衣也上幸擢為丞相封為

通侯漢書注曰徹侯避武帝諱曰通侯後改為列侯……

通侯子孫皆至尊位重祿者故將以存亡安危屬臣也豈可負哉夫忠臣不避死而庶幾索隱曰斯言忠臣之節本不避死言已今日亦庶幾盡忠不避死也孝子不勤勞而見危人臣各守其職而已矣君其勿復言將令斯得罪高曰蓋聞聖人遷徙無常就變而從時見末而知本觀指而覩歸物固有之安得常法哉方今天下之權命懸於胡亥高能得志焉且夫從外制中謂之惑從下制上謂之賊故秋霜降者草花落水搖動者萬物作索隱曰水搖者謂水泮而搖動也是春時而萬物皆生也此必然之效也君何見之晚斯曰吾聞晉易太

李斯傳 十

通鑑七卷通侯下仰胡注通侯漢曰徹侯亦曰列侯應劭曰通亦徹也通者言功德通於王室也
張晏曰列侯者见序列也

奮旧士 何乃奮厲士卒也
或フルヒトス 奮旧士ヲ 或点
ーーアリ
受作有教本无
正義曰詘猶訥也

秦免罷丞相功臣有封及二世者也卒皆以誅亡皇帝二十餘子皆君之所知長子剛毅而武勇信人而奮士即位必用蒙恬爲丞相君侯終不懷通侯之印歸於鄉里明矣高受詔教習胡亥使學以法事數年矣未嘗見過失慈仁篤厚輕財重士辯於心而詘於口盡禮敬士秦之諸子未有及此者可以爲嗣君計而定之斯曰君其反位斯奉主之詔聽天之命何慮之可定也高曰安可危也危可安也安危不定何以貴聖斯曰斯上蔡閭巷布衣也上幸擢爲丞相封爲

通侯漢書注旧曰徹侯武帝諱避曰通侯後改爲列侯……一字退

通侯子孫皆至尊位重祿者故將以存亡安危屬臣也豈可負哉夫忠臣不避死而庶幾【索隱曰斯言忠臣之節本不避死言已今日亦庶幾盡忠不避死也】孝子不勤勞而見危人臣各守其職而已矣君其勿復言將令斯得罪

高曰蓋聞聖人遷徙無常就變而從時見末而知本觀指而覩歸物固有之安得常法哉方今天下之權命懸於胡亥高能得志焉且夫從外制中謂之惑從下制上謂之賊故秋霜降者草花落水搖動者萬物作【索隱曰水搖者謂水泮而搖動也是春時而萬物皆生也】此必然之效也君何見之晚斯曰吾聞晉易太

李斯傳 十

子（正義曰謂廢申生立奚齊也）三世不安齊桓兄弟爭位（正義曰謂小白與公子糾）身死爲戮紂殺親戚（正義曰謂殺比干囚箕子）不聽諫者國爲丘墟遂危社稷三者逆天宗廟不血食斯其猶人哉安足爲謀（索隱曰言我今日猶是人人道守順豈能爲逆謀故云安足爲謀也）高曰上下合同可以長久中外若一事無表裏君聽臣之計即長有封侯世世稱孤必有喬松之壽孔墨之智今釋此而不從禍及子孫足以爲寒心善者因禍爲福君何處焉斯乃仰天而歎垂淚太息曰嗟乎獨遭亂世既以不能死安託命哉於是斯乃聽高高乃報胡亥曰臣請

奉太子之明命以報丞相丞相斯敢不奉令於是乃相與謀詐爲受始皇詔丞相立子胡亥爲太子更爲書賜長子扶蘇曰朕巡天下禱祠名山諸神以延壽命今扶蘇與將軍蒙恬將師數十萬以屯邊十有餘年矣不能進而前士卒多耗無尺寸之功乃反數上書直言誹謗我所爲以不得罷歸爲太子日夜怨望扶蘇爲人子不孝其賜劒以自裁將軍恬與扶蘇居外不匡正宜知其謀爲人臣不忠其賜死以兵屬裨將王離封其書以皇帝璽遣胡亥客奉書賜扶蘇於

李斯傳十一

公子扶蘇自殺

請復 正義曰復扶富反復重也言再三重請必然而未晩至此爲絶句也

上郡使者至發書扶蘇泣入内舍欲自殺蒙恬止扶蘇曰陛下居外未立太子使臣將三十萬衆守邊公子爲監此天下重任也今一使者來即自殺安知其非詐請復請復請而後死未暮也使者數趣之扶蘇爲人仁謂蒙恬曰父而賜子死尚安復請即自殺蒙恬不肯死使者即以屬吏繫於陽周（徐廣曰屬上郡○正義曰陽周寧州羅川縣之邑也）使者還報胡亥斯高大喜至咸陽發喪太子立爲二世皇帝以趙高爲郎中令常侍中用事二世燕居乃召高與謀事謂曰夫人生居世間也譬猶騁六

驥過決隙也吾既已臨天下矣欲悉耳目之所好窮心志之所樂以安宗廟而樂萬姓長有天下終吾年壽其道可乎高曰此賢主之所能行也而昏亂主之所禁也臣請言之不敢避斧鉞之誅願陛下少留意焉夫沙丘之謀諸公子及大臣皆疑焉而諸公子盡帝兄大臣又先帝之所置也今陛下初立此其屬意怏怏皆不服恐爲變且蒙恬已死蒙毅將兵居外臣戰戰栗栗唯恐不終且陛下安得爲此樂乎二世曰爲之奈何趙高曰嚴法而刻刑令有罪者相坐誅至

收族滅大臣而遠骨肉貧者富之賤者貴之盡除去先帝之故臣更置陛下之所親信者近之此則陰德歸陛下害除而姦謀塞羣臣莫不被潤澤蒙厚德陛下則高枕肆志寵樂矣計莫出於此二世然高之言乃更爲法律於是羣臣諸公子有罪輒下高令鞫治之殺大臣蒙毅等公子十二人僇死咸陽市十公主矺死於杜○正義曰矺音貯格反○索隱曰矺音宅與磔同古今字異耳磔謂裂其支體而殺之財物入於縣官相連坐者不可勝數公子高欲奔恐收族乃上書曰先帝無恙時臣入則賜食出則乘輿御府之

李斯傳 十三

衣臣得賜之中廄之寳馬臣得賜之臣當從死
而不能爲人子不孝爲人臣不忠不忠者無名
以立於世臣請從死願葬酈山之足唯上幸哀
憐之書上胡亥大說召趙高而示之曰此可謂
急乎趙高曰人臣當憂死而不暇何變之得謀
胡亥可其書賜錢十萬以葬法令誅罰日益刻
深羣臣人人自危欲畔者衆又作阿房之宮治
直馳道賦斂愈重戍傜無已於是楚戍卒陳勝
吴廣等乃作亂起於山東傑俊相立自置爲侯
王叛秦兵至鴻門而却李斯數欲請閒諫二世

不許而二世責問李斯曰吾有私議而有所聞於韓子也曰堯之有天下也堂高三尺采椽不斲（徐廣曰采一名櫟一作柞○索隱曰采木名即今之櫟木也）茅茨不翦雖逆旅之宿不勤於此矣冬日鹿裘夏日葛衣粢糲之食（索隱曰粢音資糲音郎葛反粢者稷也糲者麄粟飯也）藜藿之羮飯土匭（徐廣曰一作熘）啜土鉶（音刑）雖監門之養不觳於此矣（徐廣曰觳音學觳一作穀推也○索隱曰爾雅云觳盡也言監門下人飯猶不盡此若徐氏云一作穀則字宜作穀鄒氏音角）禹鑿龍門通大夏疏九河曲九防（正義曰謂河之九曲皆為隄防）決渟水致之海（徐廣曰致一作放）而股無胈（胈膚毳皮）脛無毛手足胼胝面目黎黑遂以死于外葬於會稽臣虜之

勞不列於此矣然則夫所貴於有天下者豈欲苦形勞神身處逆旅之宿口食監門之養手持臣虜之作哉此不肖人之所勉也非賢者之所務也彼賢人之有天下也專用天下適己而已矣此所以貴於有天下也夫所謂賢人者必能安天下而治萬民今身且不能利將惡能治天下哉故吾願賜志廣欲長享天下而無害為之奈何李斯子由為三川守羣盜吳廣等西略地過去弗能禁章邯以破逐廣等兵使者覆案三川相屬誚讓斯居三公位如何令盜如此李斯

恐懼重爵祿不知所出乃阿二世意欲求容以書對曰夫賢主者必且能全道而行督責之術者也（索隱曰督者察也察其罪責之以刑罰也）督責之則臣不敢不竭能以徇其主矣此臣主之分定上下之義明則天下賢不肖莫敢不盡力竭任以徇其君矣是故主獨制於天下而無所制也能窮樂之極矣賢明之主也可不察焉故申子曰有天下而不恣睢（索隱曰恣音資二反睢音呼季反恣睢猶放縱也謂肆情縱恣也）命之曰以天下爲桎梏者（正義曰言有天下不能自縱恣督責乃勞身於天下若堯禹即以天下爲桎梏於身也）無他焉不能督責而顧以其身勞於天下之民

桎下脫梏字

若堯禹然故謂之桎梏也夫不能修申韓之明術行督責之道專以天下自適也而徒務苦形勞神以身徇百姓則是黔首之役非畜天下者也何足貴哉夫以人徇己則己貴而人賤以己徇人則己賤而人貴故徇人者賤而人所徇者貴自古及今未有不然者也凡古之所為尊賢者為其貴也而所為惡不肖者為其賤也而堯禹以身徇天下者也因隨而尊之則亦失所為尊賢之心矣夫可謂大繆矣謂之為桎不亦宜乎不能督責之過也故韓子曰慈母有敗子而

正義曰八尺曰尋倍尋曰常言其少也

嚴家無格虜者何也、索隱曰格彊扞也虜奴隷也言嚴整之家本無格悍奴僕也

則能罰之加焉必也故商君之法刑棄灰於道者正義曰棄灰於道者黥也韓子云殷之法棄灰於衢者刑子貢以為重問之仲尼曰灰棄於衢必燔人必怒怒則鬬鬬則三族雖刑之可也

夫棄灰薄罪也而被刑重罰也彼唯明主為能深督輕罪夫罪輕且督深而況有重罪乎故民不敢犯也是故韓子曰布帛尋常庸人不釋索隱曰尋常以言其少也庸人弗釋者謂庸人見則取之不釋以其罪輕也故下云罰不必行則庸人弗釋尋常是也

鑠金百鎰盜跖不搏者索隱曰爾雅云鑠美也言百鎰之美金在於地雖有盜跖之行亦不取者為其財多而罪重也故上云搏必隨手刑盜跖不搏也搏猶攫也取也況鳥翼擊物必轉足取攫故人取物亦云搏也

非庸人之心重尋常之利深而

盜跖之欲淺也又不以盜跖之行爲輕百鎰之重也搏必隨手刑則盜跖不搏百鎰而罰不必行也則庸人不釋尋常是故城高五丈而樓季不輕犯也許愼曰樓季魏文侯之弟王孫子曰樓季之兄也泰山之高百仞而跛牂牧其上詩云牂羊墳首毛傳曰牝曰牂夫樓季也而難五丈之限豈跛牂也而易百仞之高哉峭塹之勢異也索隱曰峭峻也高也音七笑反塹音漸以言峭峻則難登故樓季難五丈之限平塹則易涉故跛牂牧於泰山也明主聖王之所以能久處尊位長執重勢而獨擅天下之利者非有異道也能獨斷而審督責必深罰故天下不敢犯也今不務所以不

犯而事慈母之所以敗子也則亦不察於聖人之論矣夫不能行聖人之術則舍爲天下役何事哉可不哀邪索隱曰舍猶廢也止也言爲人主不能行聖人督責之術則已廢止何爲勤身苦心爲天下所役是何哉可不哀邪言其非也且夫儉節仁義之人立於朝則荒肆之樂輟矣諫說論理之臣閒於側則流漫之志詘矣列士死節之行顯於世則淫康之虞廢矣故明主能外此三者而獨操主術以制聽從之臣而脩其明法故身尊而勢重也凡賢主者必將能拂世摩俗而廢其所惡立其所欲索隱曰拂音扶弗反摩音莫何反拂世言與世情乖戾摩俗言矯於俗使從己也故生則有尊

重之勢死則有賢明之謚也是以明君獨斷故權不在臣也然後能滅仁義之塗掩馳說之口困烈士之行塞聰揜明内獨視聽故外不可傾以仁義烈士之行而内不可奪以諫説忿爭之辯故能犖然獨行恣睢之心而莫之敢逆若此然後可謂能明申韓之術而脩商君之法法脩術明而天下亂者未之聞也故曰王道約而易操也唯明主爲能行之若此則謂督責之誠則臣無邪臣無邪則天下安天下安則主嚴尊主嚴尊則督責必督責必則所求得所求得則國

爾雅曰朕我也蔡邕曰古者上下共稱咎繇與帝舜言稱朕屈原曰朕皇考曰伯庸伊尹曰惟朕以懌周公曰朕復子明辟至秦始皇二十六年始尊爲天子之自稱漢因之不改

通鑑八卷郎中令胡注班表郎中令秦官掌宮殿掖門戶臣瓚曰掌郎內諸臣故曰郎中令武帝改光祿勳

通鑑富於春秋胡注謂少年也春秋多也

家富國家富則君樂豐故督責之術設則所欲無不得矣羣臣百姓救過不給何變之敢圖若此則帝道備而可謂能明君臣之術矣雖申韓復生不能加也書奏二世悅於是行督責益嚴稅民深者爲明吏二世曰若此則可謂能督責矣刑者相半於道而死人日成積於市殺人衆者爲忠臣二世曰若此則可謂能督責矣初趙高爲郎中令所殺及報私怨衆多恐大臣入朝奏事毀惡之乃說二世曰天子所以貴者但以聞聲羣臣莫得見其面故號曰朕且陛下富於春

秋

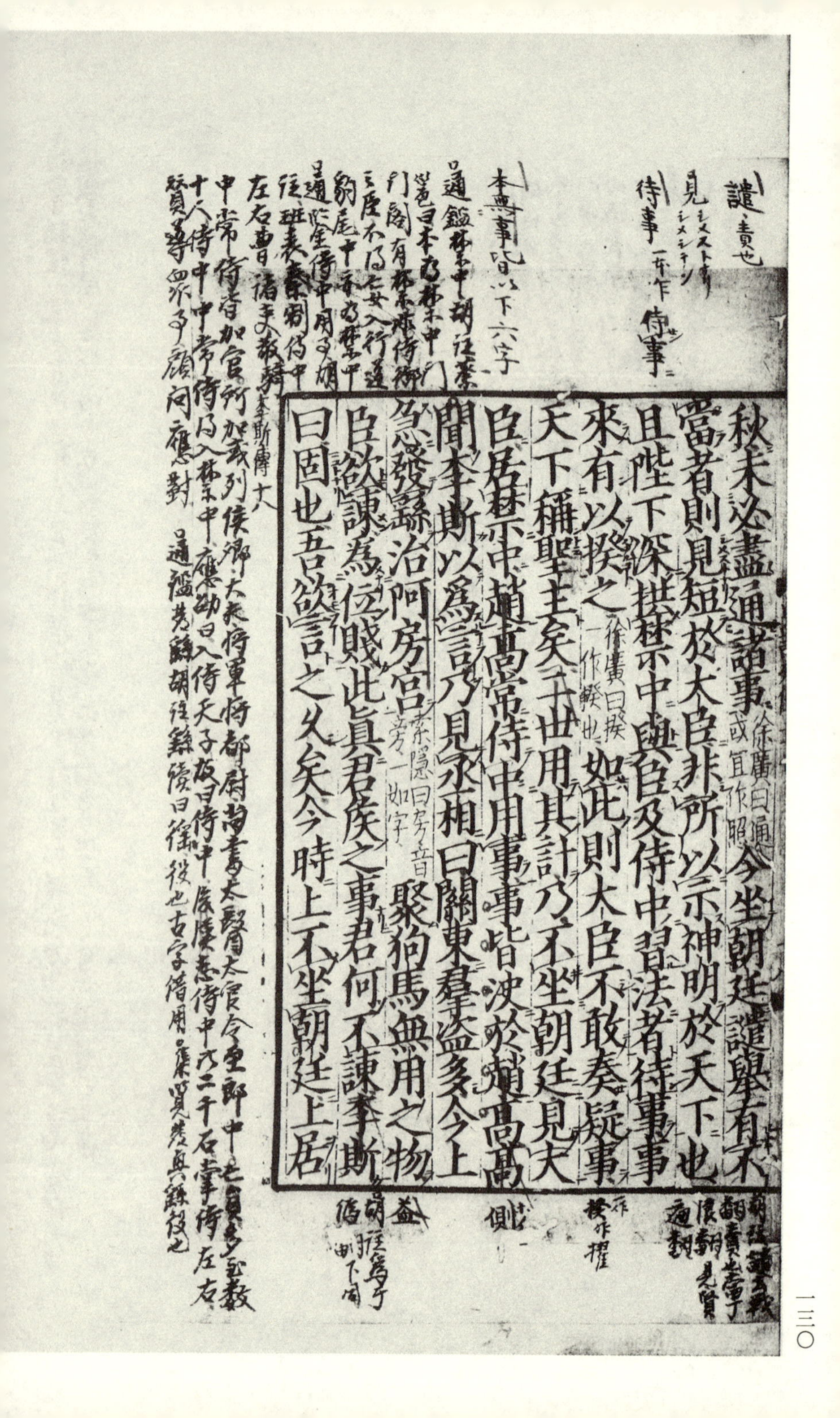

譴責也

待事一本作侍事

本無事皆以下六字

秋未必盡通諸事（徐廣曰通或宜作習）今坐朝廷譴舉有不當者則見短於大臣非所以示神明於天下也且陛下深拱禁中與臣及侍中習法者待事事來有以揆之（徐廣曰揆一作睽也）如此則大臣不敢奏疑事天下稱聖主矣二世用其計乃不坐朝廷見大臣居禁中趙高常侍中用事事皆決於趙高高聞李斯以為言乃見丞相曰關東羣盜多今上急益發繇治阿房宮（索隱曰房音旁一如字）聚狗馬無用之物臣欲諫為位賤此真君侯之事君何不諫李斯曰固也吾欲言之久矣今時上不坐朝廷上居

通鑑欲見無間胡注閒古莧切隙也文穎曰閒隙暇也

通鑑少我哉胡注少我謂輕我以爲幼少也固我謂輕我以爲固陋也

正義曰言丞相幼少且以我爲故陋我

師説曰殆近誘也

句云殆近也

深宮吾有所言者不可傳也欲見無閒趙高謂曰君誠能諫請爲君候上閒語君於是趙高待二世方燕樂婦女居前使人告丞相上方閒可奏事丞相至宮門上謁如此者三二世怒曰吾常多閒日丞相不來吾方燕私丞相輒來請事丞相豈少我哉且固我哉〔索隱曰謂以我幼故輕我也一云固我者以我爲短小且固陋也於義爲疎〕趙高因曰如此殆矣夫沙丘之謀丞相與焉今陛下已立爲帝而丞相貴不益此其意亦望裂地而王矣且陛下不問臣臣不敢言丞相長男李由爲三川守楚盜陳勝等皆丞相

通鑑傍縣[illegible]注傍縣近縣也李斯汝南上蔡人陳勝潁川陽城人汝南潁川相近也

傍縣之子以故楚盜公行徐廣曰公一作訟猶着私過三川城守不肯擊高聞其文書相往來未得其審故未敢以聞且丞相居外權重於陛下二世以爲然欲案丞相恐其不審乃使人案驗三川守與盜通狀李斯聞之是時二世在甘泉方作觳抵優俳之觀集解應劭曰戰國之時稍增講武之禮以爲戲樂用相夸示而秦更名曰角抵角者角材也抵者相抵觸也文穎曰案秦名此樂爲角抵兩兩相當角力角伎藝射御故曰角抵也駰案觳抵即角抵李斯不得見因上書言趙高之短曰臣聞之臣疑其君無不危國妾疑其夫無不危家今有大臣於陛下擅利擅害與陛下無異此甚不便昔者司城子

李斯傳 十九

罕相宋身行刑罰以威行之朞年遂劫其君由常為簡公臣爵列無敵於國私家之富與公家均布恵施徳下得百姓上得羣臣陰取齊國殺宰予於庭即弑簡公於朝遂有齊國此天下所明知也今高有邪佚之志危反之行如子罕相宋也私家之富若田氏之於齊也兼行田常子罕之逆道而劫陛下之威信其志若韓玘為韓安相也索隱曰玘亦作起並音怡韓大夫弑其君悼公者然韓無悼公或鄭之嗣君案表韓玘事昭侯昭侯已下四代至王安其説非也陛下不圖臣恐其為變也二世曰何哉夫高故宦人也然不為安肆志不以危易

以潔行脩善自使至此以忠得進以信守位朕實賢之而君疑之何也且朕少失先人無所識知不習治民而君又老恐與天下絕矣朕非屬趙君當誰任哉且趙君爲人精廉彊力下知人情上能適朕君其勿疑李斯曰不然夫高故賤人也無識於理貪欲無厭求利不止列勢次主求欲無窮臣故曰殆二世已前信趙高恐李斯殺之乃私告趙高高曰丞相所患者獨高高已死丞相即欲爲田常所爲於是二世曰其以李斯屬郎中令趙高案治李斯李斯拘執束縛居

殆ハ危也

乃私 本作 以告

人作民

曰殺

李斯傳 二十

闔閭中仰天而歎曰嗟乎悲夫不道之君何可爲計哉昔者桀殺關龍逢紂殺王子比干吳王夫差殺伍子胥此三臣者豈不忠哉然而不免於死身死而所忠者非也今吾智不及三子而二世之無道過於桀紂夫差吾以忠死宜矣且二世之治豈不亂哉日者夷其兄弟而自立也殺忠臣而貴賤人作爲阿房之宮賦斂天下吾非不諫也而不吾聽也凡古聖王飲食有節車器有數宮室有度出令造事加費而無益於民利者禁故能長久治安今行逆於昆弟不顧其

道 一作通

身

咎侵殺忠臣不思其殃大爲宮室厚賦天下不愛其費三者已行天下不聽今反者已有天下之半矣而心尚未寤也而以趙高爲佐吾必見寇至咸陽麋鹿游於朝也於是二世乃使高案丞相獄治罪責斯與子由謀反狀皆收捕宗族賓客趙高治斯榜掠千餘不勝痛自誣服斯所以不死者自負其辯有功實無反心幸得上書自陳幸二世之寤而赦之李斯乃從獄中上書曰臣爲丞相治民三十餘年矣逮秦地之陝隘先王之時秦地不過千里兵數十萬臣盡薄材

謹奉法令陰行謀臣資之金玉使游說諸侯陰脩甲兵飾政教官鬭士尊功臣盛其爵祿故終以脅韓弱魏破燕趙夷齊楚卒兼六國虜其王立秦爲天子罪一矣地非不廣又北逐胡貉南定百越以見秦之彊罪二矣尊大臣盛其爵位以固其親罪三矣立社稷脩宗廟以明主之賢罪四矣更剋畫平斗斛度量文章布之天下以樹秦之名罪五矣治馳道興游觀以見主之得意罪六矣緩刑罰薄賦斂以遂主得衆之心萬民戴王死而不忘罪七矣若斯之爲臣者罪足

以死固久矣上幸盡其能力乃得至今願陛下
察之書上趙高使吏棄去不奏曰囚安得上書
趙高使其客十餘輩詐爲御史謁者侍中更往
覆訊斯斯更以其實對輒使人復榜之後二世
使人驗斯斯以爲如前終不敢更言辭服奏當
上二世喜曰微趙君幾爲丞相所賣及二世所
使案三川之守至則項梁已擊殺之使者來會
丞相下吏趙高皆妄爲反辭二世二年七月具
斯五刑論要斬咸陽市斯出獄與其中子俱執
顧謂其中子曰吾欲與若復牽黃犬俱出上蔡

移上林　正義曰移牒勘問

東門逐狡兎豈可得乎遂父子相哭而夷三族李斯已死二世拜趙高爲中丞相事無大小輒決於高高自知權重乃獻鹿謂之馬二世問左右此乃鹿也左右皆曰馬也二世驚自以爲惑乃召太卜令卦之太卜曰陛下春秋郊祀奉宗廟鬼神齋戒不明故至于此可依盛德而明齋戒於是乃入上林齋戒日游弋獵有行人入上林中二世自射殺之趙高教其女壻咸陽令閻樂劾不知何人賊殺人移上林高乃諫二世曰天子無故賊殺不辜人此上帝之禁也鬼神不

享天且降殃當遠避宮以禳之二世乃出居望夷之宮留三日趙高詐詔衛士令士皆素服持兵內鄉入告二世曰山東羣盗兵大至二世上觀而見之恐懼高即因劫令自殺引璽而佩之左右百官莫從上殿殿欲壞者三高自知天弗與羣臣弗許乃召始皇弟授之璽徐廣曰一本曰召始皇弟子嬰授之璽秦本紀云子嬰者二世之兄子也○索隱曰劉氏云弟字誤當爲孫子嬰子嬰即位患之乃稱疾不聽事與宦者韓談及其子謀殺高高上謁請病因召入令韓談刺殺之夷其三族子嬰立三月沛公兵從武關入至咸陽羣臣百

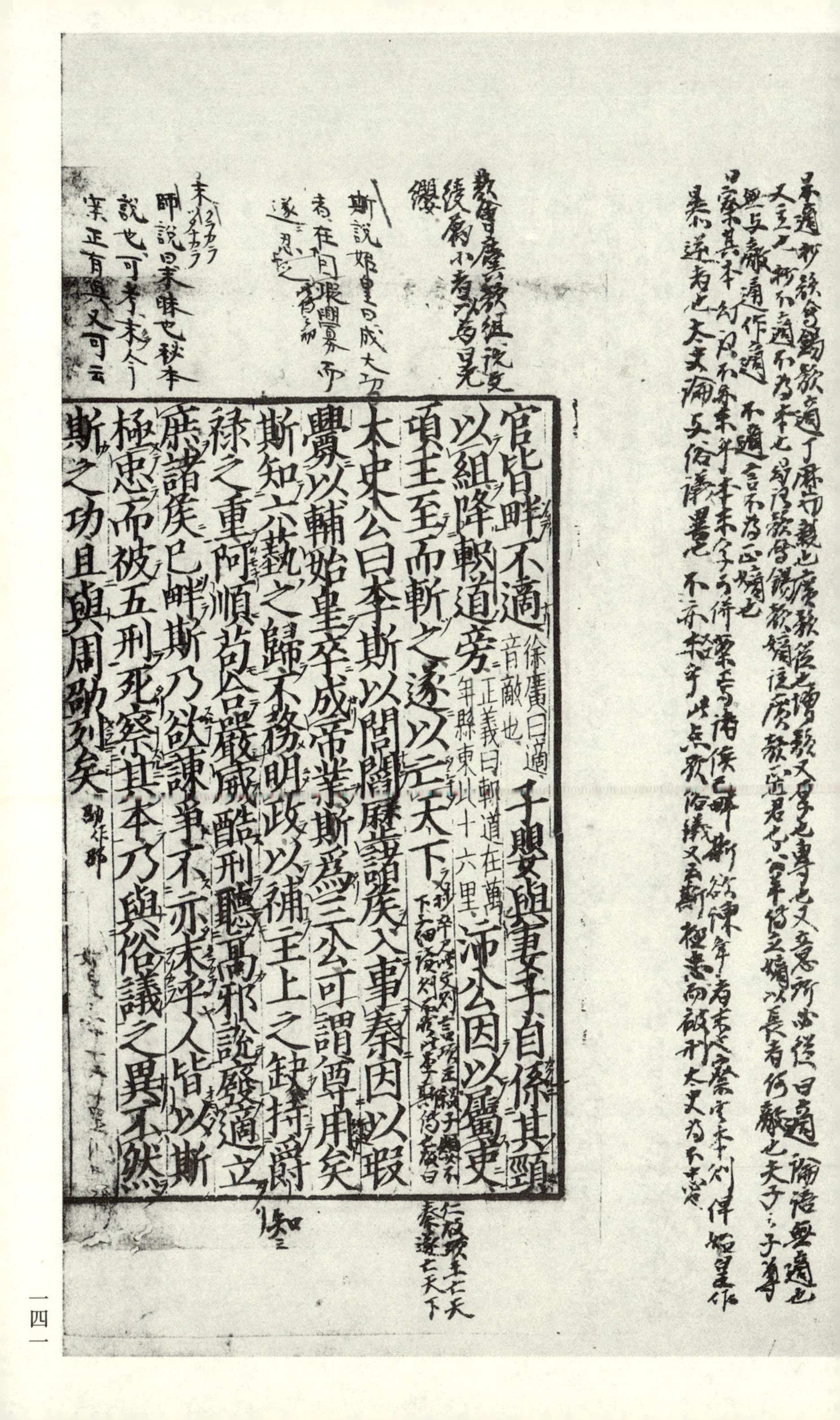

官皆畔不適徐廣曰適音敵也子嬰與妻子自係其頸以組降軹道旁正義曰軹道在萬年縣東北十六里沛公因以屬吏項王至而斬之遂以亡天下

太史公曰李斯以閭閻歷諸侯入事秦因以瑕釁以輔始皇卒成帝業斯爲三公可謂尊用矣斯知六蓺之歸不務明政以補主上之缺持爵祿之重阿順苟合嚴威酷刑聽高邪說廢適立庶諸侯已畔斯乃欲諫爭不亦末乎人皆以斯極忠而被五刑死察其本乃與俗議之異不然斯之功且與周召列矣

索隱述賛曰　鼠在所居　人固擇地　斯效智力

功立名遂　置酒咸陽　人臣極位

一夫誑惑　變易神器　國喪身誅

本同末異　嗚戯

李斯列傳第二十七　史記八十七

官皆畔不適[徐廣曰：適音敵也。]子嬰與妻子自係其頸以組，降軹道旁。[正義曰：軹道在萬年縣東北十六里。]沛公因以屬吏。項王至而斬之。遂以亡天下。

太史公曰：李斯以閭閻歷諸侯，入事秦，因以瑕釁，以輔始皇，卒成帝業，斯為三公，可謂尊用矣。斯知六藝之歸，不務明政以補主上之缺，持爵祿之重，阿順苟合，嚴威酷刑，聽高邪說，廢適立庶。諸侯已畔，斯乃欲諫爭，不亦末乎！人皆以斯極忠而被五刑死，察其本，乃與俗議之異。不然，斯之功且與周、召列矣。

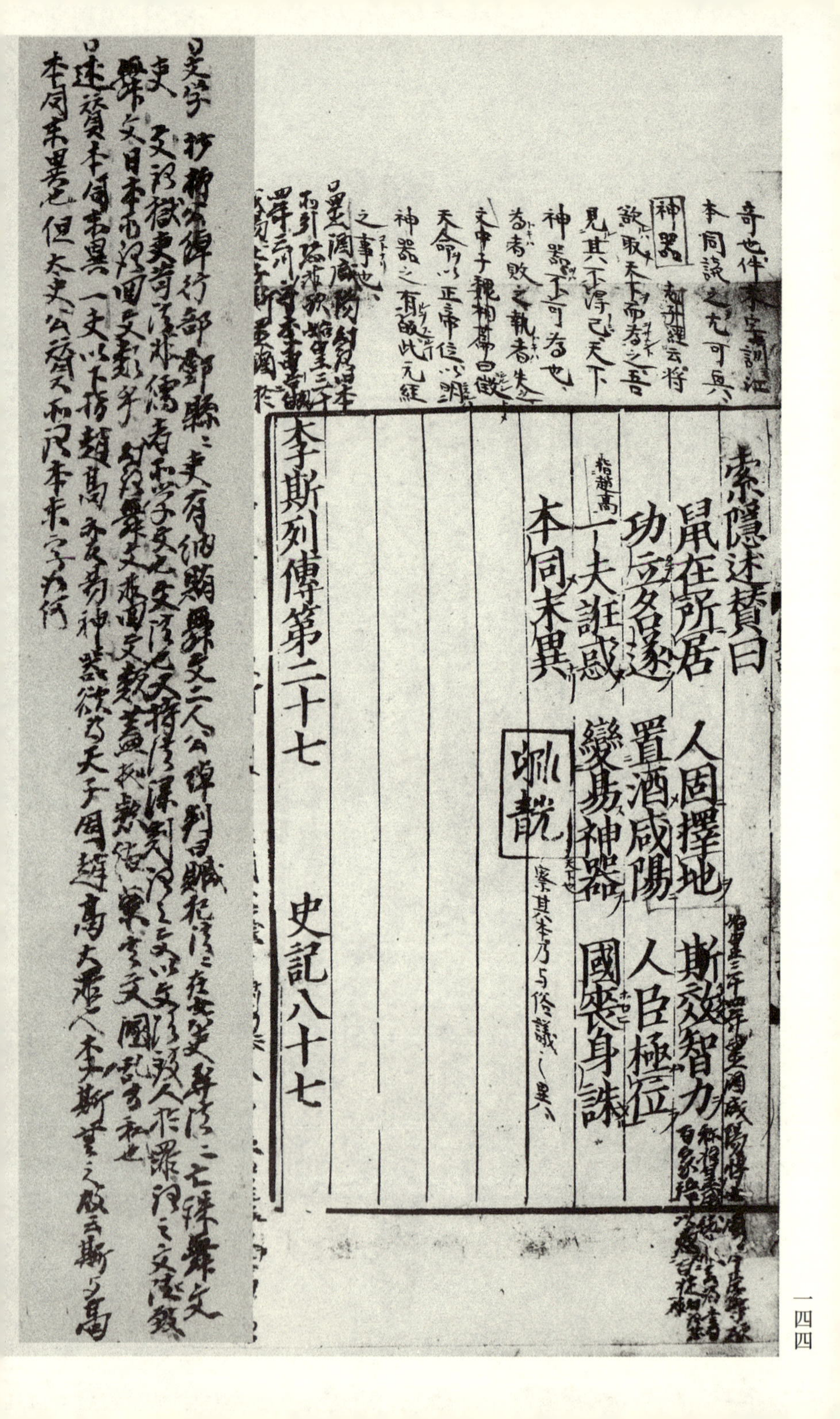

索隱述贊曰

鼠在所居　人固擇地　斯效智力

功立名遂　置酒咸陽　人臣極位

一夫誑惑　變易神器　國喪身誅

本同末異

史記八十七

李斯列傳第二十七

蒙恬列傳第二十八　史記八十八

蒙恬者其先齊人也恬大父蒙驁（索隱曰驁音敖又鄒氏音五到反）自齊事秦昭王官至上卿秦莊襄王元年蒙驁爲秦將伐韓取城皋滎陽作置三川郡二年蒙驁攻趙取三十七城始皇三年蒙驁攻韓取十三城五年蒙驁攻魏取二十城作置東郡始皇七年蒙驁卒驁子曰武武子曰恬恬嘗書獄典文學（索隱曰謂恬嘗學獄法遂作獄官文學）始皇二十三年蒙武爲秦裨將軍與王翦攻楚大破之殺項燕二十四年蒙武攻楚虜楚王蒙恬弟毅始皇二十六

蒙恬傳

年蒙恬因家世得爲秦將攻齊大破之拜爲内史秦已并天下乃使蒙恬將三十萬衆北逐戎狄收河南（正義曰謂靈及勝等州）築長城因地形用制險塞起臨洮（徐廣曰屬隴西）至遼東（正義曰遼東郡在遼水東始皇築長城東至遼水西南至海之上）延袤萬餘里於是渡河據陽山（徐廣曰五原西安陽縣北有陰山陰山在河南陽山在河北）逶蛇而北暴師於外十餘年居上郡是時蒙恬威振匈奴始皇甚尊寵蒙氏信任賢之而親近蒙毅位至上卿出則參乘入則御前恬任外事而毅常爲内謀名爲忠信故雖諸將相莫敢與之爭焉趙高者諸趙疏遠屬也趙

高昆弟數人皆生隱宮（徐廣曰為宦者。索隱曰劉氏云蓋其父犯宮刑妻子沒為奴婢妻後野合所生子皆承趙姓並宮之故云昆弟生於隱宮也）其母被刑僇世世卑賤秦王聞高彊力通於獄法舉以為中車府令高即私事公子胡亥喩之決獄高有大罪秦王令蒙毅法治之毅不敢阿法當高罪死除其宦籍帝以高之敦於事也（徐廣曰敦一作敏）赦之復其官爵始皇欲游天下道九原（正義曰九原郡今勝州連谷縣是）直抵甘泉（正義曰宮在雍州）乃使蒙恬通道自九原抵甘泉塹山堙谷千八百里道未就始皇三十七年冬行出游會稽並海上（索隱曰並音白浪反）北走琅邪（索隱曰走音奏走猶

向也鄒氏音趨趨亦向義於字則申

道病使蒙毅還禱山川未反始皇至沙丘崩秘之羣臣莫知是時丞相李斯少子胡亥中車府令趙高常從高雅得幸於胡亥欲立之又怨蒙毅法治之而不爲已也因有賊心乃與丞相李斯公子胡亥陰謀立胡亥爲太子太子已立遣使者以罪賜公子扶蘇蒙恬死扶蘇已死蒙恬疑而復請之使者以蒙恬屬吏更置胡亥以李斯舍人爲護軍使者還報胡亥已聞扶蘇死即欲釋蒙恬趙高恐蒙氏復貴而事怨之毅還至趙高因爲胡亥忠計欲以滅蒙

胡注雅素也

賊心謂欲殺也

還

菲音謂扶蘇之死

莫里里語矣舍也

蒙恬傳二

氏乃言曰臣聞先帝欲舉賢立太子久矣而臣敢諫曰不可若知賢而俞不立則是不忠而惑主也索隱曰俞一作俞俞即踰也音史謂知太子賢而踰次不立是不忠也以臣愚意不若誅之胡亥聽而繫蒙毅於代正義曰今代州也因禱山川至代而繫之前已囚蒙恬於陽周喪至咸陽已葬太子立為二世皇帝而趙高親近日夜毀惡蒙氏求其罪過舉劾之子嬰進諫曰臣聞故趙王遷殺其良臣李牧而用顏聚燕王喜陰用荊軻之謀而倍秦之約齊王建殺其故世忠臣而用后勝之議此三君者皆各以變古者失其國而殃及其

身今蒙氏秦之大臣謀士也而主欲一旦棄去之臣竊以為不可臣聞輕慮者不可以治國獨智者不可以存君徐廣曰一無此字誅殺忠臣而立無節行之人是內使羣臣不相信而外使鬬士之意離也臣竊以為不可胡亥不聽而遣御史曲宮乘傳之代索隱曰曲姓宮名令蒙毅曰先主欲立太子而卿難之今丞相以卿為不忠罪及其宗朕不忍乃賜卿死亦甚幸矣卿其圖之毅對曰以臣不能得先主之意則臣少宦順幸沒世可謂知意矣索隱曰蒙毅言已少事始皇順旨蒙因恩幸至始皇沒世可謂知上意也以臣不知太

旋本作遊

正義曰卒子兒律反

正義曰言諸侯皆書籍其事

子之能則太子獨從周旋天下去諸公子絕遠臣無所疑矣夫先主之舉用太子數年之積也臣乃何言之敢諫何慮之敢謀非敢飾辭以避死也為羞累先主之名願大夫為慮焉使臣得死情實且夫順成全者道之所貴也刑殺者道之所卒也昔者秦穆公殺三良而死罪百里奚而非其罪也故立號曰繆昭襄王殺武安君白起楚平王殺伍奢吳王夫差殺伍子胥此四君者皆為大失而天下非之以其君為不明以是籍於諸侯索隱曰言其惡聲狼籍布於諸國而劉氏云籍諸侯以其惡見於史籍非也故曰用

道治者不殺無罪而罰不加於無辜唯大夫留
心使者知胡亥之意不聽蒙毅之言遂殺之二世
又遣使者之陽周令蒙恬曰君之過多矣而卿
弟毅有大罪法及內史恬曰自吾先人及至子
孫積功信於秦三世矣今臣將兵三十餘萬身
雖囚繫其勢足以倍畔自知必死而守義者不
敢辱先人之教以不忘先主也昔周成王初立
未離襁緥周公旦負王以朝卒定天下及成王
有病甚殆公旦自揃其爪以沈於河曰王未有
識是旦執事有罪殃旦受其不祥乃書而藏之

記府可謂信矣及王能治國有賊臣言周公旦欲爲亂久矣王若不備必有大事王乃大怒周公旦走而奔於楚成王觀於記府得周公旦沈書乃流涕曰孰謂周公旦欲爲亂乎殺言之者而反周公旦故周書曰必參而伍之（索隱曰參謂三伍謂五即五大夫欲參伍更議）今恬之宗世無二心而事卒如此是必有孽臣逆亂（徐廣曰一作辭）內陵之道也夫成王失而復振則卒昌桀殺關龍逢紂殺王子比干而不悔身死則國亡臣故曰過可振而諫可覺也（索隱曰此故曰者乃先生有此言蒙恬引之以成說也今不知出何書耳振者救也然語亦倒以言前人受諫可覺則其過乃可救也）察

於參伍上聖之法也凡臣之言非以求免於咎也將以諫而死願陛下爲萬民思從道也使者曰臣受詔行法於將軍不敢以將軍言聞於上也蒙恬喟然太息曰我何罪於天無過而死乎良久徐曰恬罪固當死矣起臨洮屬之遼東城塹萬餘里此其中不能無絕地脈哉此乃恬之罪也乃吞藥自殺

太史公曰吾適北邊自直道歸行觀蒙恬所爲秦築長城亭障塹山堙谷通直道固輕百姓力矣夫秦之初滅諸侯天下之心未定痍傷者未

抄阿意謂阿始皇意

塞而怙焉名將不以此時彊諫振百姓之急養老存孤務修衆庶之和而阿意興功此其兄弟遇誅不亦宜乎何乃罪地脉哉

索隱述贊曰

恬攻齊大破之拜為內史

蒙氏秦將　內史忠賢　長城首築

萬里安邊　趙高矯制　扶蘇死焉

絶地何罪　勞人是愆　呼天欲訴

三代良然

積功信於秦三世

蒙恬列傳第二十八　史記八十八

六

通鑑七卷楊子法言曰或問蒙恬忠而被誅忠奚可為也曰塹山堙谷起臨洮擊遼水力不足而屍
有餘忠不足相也臣光曰始皇方毒天下而蒙恬為之使恬不仁可知矣然恬明於為人臣之義雖
無罪見誅能守死不貳斯亦足稱也

黄氏日抄：恬自蒙驁三世為秦將，殺天下而并之。秦天下既一，恬復暴秦師十餘年，城塹萬餘里，塹山堙谷以除直道，同惡相濟，凶德參會，死有餘罪矣。臨刑不自悟，乃歸罪於絕地脈。然則凶人吉其凶，被固安行之，不知罪之莫大於殺也。

史记列传 六十八

二十九 张耳陈馀张敖

三十 魏豹 彭越

三十一 黥布

張耳陳餘列傳第二十九　史記八十九

索隱曰張耳吳芮勢侔漢位埒齊韓俱懷從流之心咸享誓河之業爵在列侯之上系傳累代之基長沙既曰令終趙王亦謂善始並可列同世家焉

張耳者大梁人也索隱曰臣瓚云今陳留大梁城是也其少時及魏公子毋忌為客張耳嘗亡命游外黃索隱曰晉灼曰命者名也謂脫名籍而逃崔浩曰亡無也命名也逃匿則削除名籍故以逃為亡命地理志外黃屬陳留外黃富人女甚美嫁庸奴亡其夫徐廣曰一云其夫亡也去抵父客如淳曰父時故賓客○索隱曰如淳曰抵歸也音丁禮反父客素知張耳乃謂女曰必欲求賢夫從張耳女聽乃卒為請決嫁之張耳索隱曰謂女請父客為決絕其夫而嫁之張耳張耳是時脫身游

漢列傳第二
日部云赤字■子張耳
正義曰刎音武粉反顏
云刎斷也刎頸交者
言託契深重雖斷
頸絶頭無所顧也
刎音舞粉反
次云自食用與職以供
養也對吏里謂應
對也
師古曰監門卒之賤
者故為卒職以自隱

張耳陳餘傳

耳奉給張耳，張耳以故致千里客，乃宦魏為外黃令，名由此益賢。

陳餘者，亦大梁人也，好儒術，數游趙苦陘。張晏曰：苦陘，漢章帝改曰漢昌。○索隱曰：地理志屬中山。○正義曰：音邢，邢州唐昌縣。富人公乘氏以其女妻之，亦知陳餘非庸人也。餘年少，父事張耳，兩人相與為刎頸交。索隱曰：崔浩云，言要齊生死，斷頸無悔。秦之滅大梁也，張耳家外黃。高祖為布衣時，嘗數從張耳游，客數月。秦滅魏數歲，已聞此兩人魏之名士也，購求有得張耳千金，陳餘五百金。張耳陳餘乃變名姓，俱之陳，為里監門張晏曰：監門，里正衛也。以自

張耳陳餘列傳第二十九　史記八十九

索隱曰張耳吳芮勢侔韓漢位埒齊韓俱懷從流之心咸負拔河之業爵在列侯之上宗家傳累代之基長沙既曰令終趙王亦謂善始並可列同世家焉

張耳者大梁人也索隱曰呂甲云今陳留大梁城是也其少時及魏公子毋忌為客張耳嘗亡命游外黃索隱曰晉灼曰命者名也謂脫名籍而逃崔浩曰亡無也命名也逃匿則削除名籍故以逃為亡命地理志外黃屬陳留外黃富人女甚美嫁庸奴亡其夫徐廣曰一云其夫亡也去抵父客如淳曰父時故賓客○索隱曰如淳曰抵歸也音丁禮反父客素知張耳乃謂女曰必欲求賢夫從張耳女聽乃卒為請決嫁之張耳索隱曰謂女請父客為決絕其夫而嫁之張耳張耳是時脫身游

厚奉給張耳張耳以故致千里客乃宦魏為外黃令名由此益賢陳餘者亦大梁人也好儒術數游趙苦陘張晏曰苦陘漢章帝改曰漢昌○索隱曰地理志屬中山○正義曰音邢邢州唐昌縣富人公乘氏以其女妻之亦知陳餘非庸人也餘年少父事張耳兩人相與為刎頸交索隱曰崔浩云言要齊生死斷頸無悔秦之滅大梁也張耳家外黃高祖為布衣時嘗數從張耳游客數月秦滅魏數歲已聞此兩人魏之名士也購求有得張耳千金陳餘五百金張耳陳餘乃變名姓俱之陳為里監門張晏曰監門里正衛也以自

通鑑七卷除注欲起胡三省注欲起者不能受辱欲死也[illegible]

通鑑數之胡注數所具翻又所主翻 數之師古曰數責也音所具反

躡 正義曰安蹑反謂手足躡令受笞 漢書躡作攝 師古曰攝謂引持之也

蔵云其身自是餘耳詐稱掌之人向閭里号令求覓餘耳也 師古曰上其謁而見也 上謁若今之通名也

食兩人相對里吏嘗有過笞陳餘陳餘欲起張耳躡之徐廣曰一作攝使受笞吏去張耳乃引陳餘之桑下而數之曰始吾與公言何如今見小辱而欲死一吏乎陳餘然之秦詔書購求兩人兩人亦反用門者以令里中索隱曰案門者即餘耳也自以其名而號令里中詐更別求也陳涉起蘄至入陳兵數萬張耳陳餘上謁陳涉涉及左右生平數聞張耳陳餘賢未嘗見見即大喜陳中豪傑父老乃說陳涉曰將軍身被堅執銳率士卒以誅暴秦復立楚社稷存亡繼絕功德宜爲王且夫監臨天下諸將不爲王不

故之漢書

張耳陳餘傳

可願將軍立爲楚王也陳涉問此兩人兩人對曰夫秦爲無道破人國家滅人社稷絕人後世罷百姓之力盡百姓之財將軍瞋目張膽出萬死不顧一生之計爲天下除殘也今始至陳而王之示天下私願將軍毋王急引兵而西遣人立六國後自爲樹黨爲秦益敵也敵多則力分與衆則兵彊如此野無交兵縣無守城誅暴秦據咸陽以令諸侯諸侯亡而得立以德服之如此則帝業成矣今獨王陳恐天下解也（正義曰解紀賣反言天下諸侯見陳勝稱王王陳皆解墮不相從也）陳涉不聽遂立爲王陳餘乃

復說陳王曰大王舉梁楚而西務在入關未及收河北也臣嘗游趙知其豪桀及地形願請奇兵北略趙地於是陳王以故所善陳人武臣爲將軍邵騷爲護軍以張耳陳餘爲左右校尉予卒三千人北略趙地武臣等從白馬渡河索隱曰案酈食其云白馬之津則白馬津是渡處其地與黎陽對岸至諸縣說其豪桀曰鄧展曰至河北縣說之秦爲亂政虐刑以殘賊天下數十年矣北有長城之域南有五嶺之戍漢書音義曰嶺有五因以爲名在交阯界中也○索隱曰裴氏廣州記云大庾始安臨賀桂陽揭陽斯五嶺外內騷動百姓罷敝頭會箕斂漢書音義曰家家人頭數出穀以箕斂之以供軍費財匱

力盡民不聊生重之以苛法峻刑使天下父子不相安陳王奮臂為天下倡始王楚之地方二千里莫不響應家自為怒人自為鬬各報其怨而攻其讎縣殺其令丞郡殺其守尉今已張大楚王陳使吳廣周文將卒百萬西擊秦於此時而不成封侯之業者非人豪也諸君試相與計之夫天下同心而苦秦久矣因天下之力而攻無道之君報父兄之怨而成割地有土之業此士之一時也豪桀皆然其言乃行收兵得數萬人號武臣為武信君下趙十城餘皆城守莫肯

集解文行收兵句絶言周文就道上收兵也陳涉世家作西擊行收兵至關車千乘卒數十萬
公之腹中 幻雲注相連之字未詳傳刃下有徐廣注傳刃似有句人恐誤乎莫敢傳刃四字
與公之腹中ノ字文相連也

蒯徒說秦曰范陽縣屬涿郡顏師古曰在范水之陽
公云范陽令也

下乃引兵東北擊范陽范陽人蒯通說范陽令曰（漢書曰范陽令徐公）竊聞公之將死故弔雖然賀公得通而生范陽令曰何以弔之對曰秦法重足下爲范陽令十年矣殺人之父孤人之子斷人之足黥人之首不可勝數然而慈父孝子莫敢傳刃（徐廣曰傳音胾）公之腹中者（相連不音晉灼曰東方人以物插地皆爲傳）畏秦法耳今天下大亂秦法不施然則慈父孝子且傳刃公之腹中以成其名此臣之所以弔公也今諸侯畔秦矣武信君兵且至而君堅守范陽少年皆爭殺君下武信君君急遣臣見武信君可轉禍

集解[illegible]檄[illegible]書
云得檄書[illegible]所伐者
師古曰[illegible]得檄而定言
不足用兵也

范陽令徐公也

上文曰武信君下趙十城

爲福在今矣范陽令乃使蒯通見武信君曰足下必將戰勝然後略地攻得然後下城臣竊以爲過矣誠聽臣之計可不攻而降城不戰而略地傳檄而千里定可乎武信君曰何謂也蒯通曰今范陽令宜整頓其士卒以守戰者也怯而畏死貪而重富貴故欲先天下降畏君以爲秦所置吏誅殺如前十城也然今范陽少年亦方殺其令自以城距君君何不齎臣侯印拜范陽令范陽令則以城下君少年亦不敢殺其令令范陽令乘朱輪華轂使驅馳燕趙郊燕趙郊見

獨介 漢書曰三萊 劉氏瓚

漢書曰師古曰二說並

非也介隔也讀如本字也

獨介居

師古曰衡免也音正落反

之皆曰此范陽令先下者也即喜矣燕趙城可毋戰而降也此臣之所謂傳檄而千里定者也武信君從其計因使蒯通賜范陽令侯印趙地聞之不戰以城下者三十餘城至邯鄲張耳陳餘聞周章軍入關至戲却（蘇林曰戲地名却兵退也○正義曰戲音羲出驪山）又聞諸將為陳王徇地多以讒毀得罪誅怨陳王不用其筴不以為將而以為校尉乃說武臣曰陳王起蘄至陳而王非必立六國後將軍今以三千人下趙數十城獨介居河北（晉灼曰介音 瓚曰介猶 云介特也）不王無以填之且陳王聽讒還報恐不脫

填 鎮

正通陳令大將軍耕侯趙
表稱後至右將軍周
末官秦國之住上卿
漢大將軍為三公

武臣立為趙王

漢書陳勝傳以上蔡人房君蔡賜為上柱國也

趙

計賀 師古曰言力未能制且事姑換之為權

正通 …… 計

五

於禍。又不如立其兄弟。不即立趙後。將軍毋失時。時間不容息。〔索隱曰以言舉事不可失時時機之迅速其間不容一喘息須臾〕武臣乃聽之。遂立為趙王。以陳餘為大將軍。張耳為右丞相。邵騷為左丞相。使人報陳王。陳王大怒。欲盡族武臣等家。而發兵擊趙。陳王相國房君諫曰。秦未亡而誅武臣等家。此又生一秦也。不如因而賀之。使急引兵西擊秦。陳王然之。從其計。徙繫武臣等家宮中。封張耳子敖為成都君。陳王使使者賀趙。令趣發兵西入關。張耳陳餘說武臣曰。王王趙。非楚意。特以計賀王。楚已

趙

滅秦必加兵於趙願王毋西兵北徇燕代南收河内以自廣趙南據大河北有燕代楚雖勝秦必不敢制趙趙王以爲然因不西兵而使韓廣略燕李良略常山張黶略上黨韓廣至燕燕人因立廣爲燕王徐廣曰九月也趙王乃與張耳陳餘北略地燕界趙王閒出爲燕軍所得燕將囚之欲與分趙地半乃歸王使者往燕輒殺之以求地張耳陳餘患之有廝養卒謝其舍中曰如淳曰廝賤者也公羊傳曰廝役扈養韋昭曰析薪爲廝炊烹爲養晉灼曰以辭相告曰謝也○索隱曰謂其同舍中之人也漢書作舍人吾爲公說燕與趙王載歸舍中皆笑曰使者往

十餘輩輒死若何以能得王乃走燕壁燕將見
之問燕將曰知臣何欲燕將曰若欲得趙王耳
曰君知張耳陳餘何如人也燕將曰賢人也曰
知其志何欲曰欲得其王耳趙養卒乃笑曰君
未知此兩人所欲也夫武臣張耳陳餘杖馬箠
下趙數十城張晏曰言其不用兵革驅策而已○索隱曰杖音丈箠音之委反此亦
各欲南面而王豈欲為卿相終已邪夫臣與主
豈可同日而道哉顧其勢初定未敢參分而王
且以少長先立武臣為王以持趙心今趙地已
服此兩人亦欲分趙而王時未可耳今君乃囚

趙王此兩人名爲求趙王實欲燕殺之此兩人分趙自立夫以一趙尚易燕況以兩賢王左提右挈而責殺王之罪（徐廣曰平原君傳曰事成執右券以責也券契大義同耳）滅燕易矣燕將以爲然乃歸趙王養卒爲御而歸

李良已定常山還報趙王復使良略太原至石邑（索隱曰地理志屬常山）秦兵塞井陘未能前秦將詐稱二世使人遺李良書不封（張晏曰欲其漏泄君臣相疑）曰良嘗事我得顯幸良誠能反趙爲秦赦良罪貴良良得書疑不信乃還之邯鄲益請兵未至道逢趙王姊出飲從百餘騎李良望見以爲王伏謁道

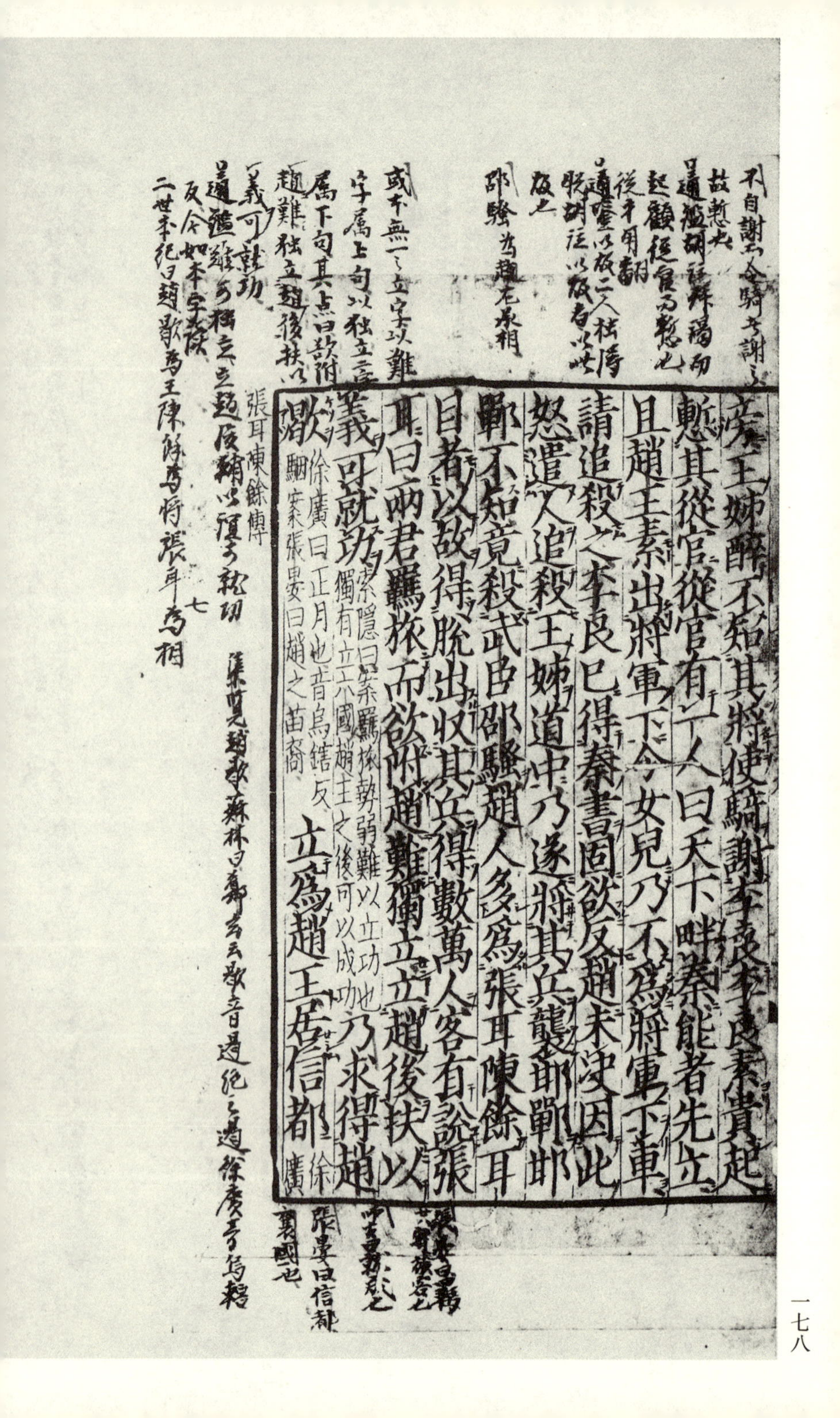

王姊醉不知其將使騎謝李良李良素貴起慙其從官從官有一人曰天下畔秦能者先立且趙王素出將軍下今女兒乃不爲將軍下車請追殺之李良已得秦書固欲反趙未決因此怒遣人追殺王姊道中乃遂將其兵襲邯鄲邯鄲不知竟殺武臣邵騷趙人多爲張耳陳餘耳目者以故得脫出收其兵得數萬人客有說張耳曰兩君羈旅而欲附趙難獨立立趙後扶以義可就功索隱曰案羈旅勢弱難以立功也獨有立六國趙王之後可以成功乃求得趙歇徐廣曰正月也音烏轄反騶案張晏曰趙之苗裔立爲趙王居信都徐廣

張耳陳餘傳　七

（曰後項羽改曰襄国）李良進兵擊陳餘，陳餘敗李良，李良走歸章邯。章邯引兵至邯鄲，皆徙其民河內，夷其城郭。張耳與趙王歇走入鉅鹿城，王離圍之。陳餘北收常山兵，得數萬人，軍鉅鹿北。章邯軍鉅鹿南棘原，築甬道屬河，餉王離。王離兵食多，急攻鉅鹿。鉅鹿城中食盡兵少，張耳數使人召前陳餘，陳餘自度兵少，不敵秦，不敢前。數月，張耳大怒，怨陳餘，使張黶、陳澤（正義 音釋）往讓陳餘曰：始吾與公為刎頸交，今王與耳旦暮且死，而公擁兵數萬，不肯相救，安在其相為死！苟必信，胡

不赴秦軍俱死且有十一二相全正義曰十中冀有一兩勝秦陳
餘曰吾度前終不能救趙徒盡亡軍且餘所以
不俱死欲為趙王張君報秦今必俱死如以肉
委餓虎何益張黶陳澤曰事已急要以俱死立
信安知後慮陳餘曰吾死顧以為無益必如公
言乃使五千人令張黶陳澤先嘗秦軍索隱曰崔浩云嘗猶
試至皆沒當是時燕齊楚聞趙急皆來救張敖亦北
收代兵得萬餘人來皆壁餘旁未敢擊秦項羽
兵數絶章邯甬道王離軍乏食項羽悉引兵渡
河遂破章邯徐廣曰三年十二月也章邯引兵解諸侯軍

通鑑有一百十一二句全胡注十分之中冀有一二分得以勝秦而俱保全也

委餓虎漢書委作餧師古曰餧飤也音於偽反

漢書先嘗師古曰嘗試也言若嘗食也

胡注度徒洛翻

胡注張敖張耳子也

通鑑八卷陳餘復請兵項羽乃悉引兵渡河皆沈船破釜甑燒廬舍持三日糧以示士卒必死無一還心於是至則圍王離與秦軍遇九戰大破之

曰後項羽改曰襄国

李良進兵擊陳餘陳餘敗李良李良走歸章邯章邯引兵至邯鄲皆徙其民河内夷其城郭張耳與趙王歇走入鉅鹿城王離圍之陳餘北收常山兵得數萬人軍鉅鹿北章邯軍鉅鹿南棘原築甬道屬河餉王離王離兵食多急攻鉅鹿鉅鹿城中食盡兵少張耳數使人召前陳餘陳餘自度兵少不敵秦不敢前數月張耳大怒怨陳餘使張黶陳澤（正義 音釋）往讓陳餘曰始吾與公爲刎頸交今王與耳旦暮且死而公擁兵數萬不肯相救安在其相爲死苟必信胡

不趙秦軍俱死且有十一二相全正義曰十中冀有兩勝秦陳餘曰吾度前終不能救趙徒盡亡軍且餘所以不俱死欲為趙王張君報秦今必俱死如以肉委餓虎何益張黶陳澤曰事已急要以俱死立信安知後慮陳餘曰吾死顧以為無益必如公言乃使五千人令張黶陳澤先嘗秦軍索隱曰嘗晉灼云嘗猶試至皆沒當是時燕齊楚聞趙急皆來救張敖亦北收代兵得萬餘人來皆壁餘旁未敢擊秦項羽兵數絕章邯甬道王離軍乏食項羽悉引兵渡河遂破章邯徐廣曰三年十二月也章邯引兵解諸侯軍

（眉批）漢書先嘗師古曰嘗試也言若嘗食也

（旁批）通鑑八卷陳餘後語兵曰項羽乃悉引兵渡河皆沈船破釜甑燒廬舍持三日糧以示士卒必死無一還心於是至則圍王離与秦軍遇九戰大破之

乃敢擊圍鉅鹿秦軍遂虜王離涉閒自殺卒存
鉅鹿者楚力也於是趙王歇張耳乃得出鉅鹿
謝諸侯張耳與陳餘相見責讓陳餘以不肯救
趙及問張黶陳澤所在陳餘怒曰張黶陳澤以
必死責臣臣使將五千人先嘗秦軍皆沒不出
張耳不信以爲殺之數問陳餘陳餘怒曰不意
君之望臣深也索隱曰望怨責也豈以臣爲重去將哉
索隱曰案重訓難也或云重惜也乃脫解印綬推予張耳張耳亦不
愕不受陳餘起如廁客有說張耳曰臣聞天與
不取反受其咎索隱曰此辭出國語今陳將軍與君印君

漢書無諸侯二字

不受反天不祥急取之張耳乃佩其印收其麾下而陳餘還亦望張耳不讓正義曰言陳餘如廁還亦怨望張耳不讓其印遂趨出張耳遂收其兵陳餘獨與麾下所善數百人之河上澤中漁獵由此陳餘張耳遂有郤趙王歇復居信都張耳從項羽諸侯入關漢元年二月項羽立諸侯王張耳雅游韋昭曰雅素也○索隱曰鄭氏云雅故也韋昭云雅素然素亦故也雅游言攢游從故多為人所稱譽人多為之言項羽亦素數聞張耳賢乃分趙立張耳為常山王治信都信都更名襄國陳餘客多說項羽曰陳餘張耳一體有功於趙項羽以陳餘不從入關聞

張耳陳餘傳　九

乃敢擊圍鉅鹿秦軍遂虜王離涉間自殺卒存鉅鹿者楚力也於是趙王歇張耳乃得出鉅鹿謝諸侯張耳與陳餘相見責讓陳餘以不肯救趙及問張黶陳澤所在陳餘怒曰張黶陳澤以必死責臣臣使將五千人先嘗秦軍皆沒不出張耳不信以爲殺之數問陳餘陳餘怒曰不意君之望臣深也索隱曰望怨責也豈以臣爲重去將哉索隱曰案重訓難也或云重惜也乃脫解印綬推予張耳張耳亦愕不受陳餘起如廁客有說張耳曰臣聞天與不敢反受其咎索隱曰此辭出國語今陳將軍與君印君

不受反受其殃急取之張耳乃佩其印收其麾下而陳餘還亦望張耳不讓(正義曰言陳餘如廁還亦怨望張耳不讓其印)遂趨出張耳遂收其兵陳餘獨與麾下所善數百人之河上澤中漁獵由此陳餘張耳遂有郤趙王歇復居信都張耳從項羽諸侯入關漢元年二月項羽立諸侯王張耳雅游(韋昭曰雅素也○索隱曰鄭氏云雅故也韋昭云雅素然素亦故也雅游言擯游從故多為人所稱譽)人多為之言項羽亦素數聞張耳賢乃分趙立張耳為常山王治信都信都更名襄國陳餘客多說項羽曰陳餘張耳一體有功於趙項羽以陳餘不從入關聞

正義曰扞蔽猶言藩屏也

師古曰悉盡也

其在南皮索隱曰地理志屬勃海○正義曰故城在滄州南皮縣北四里也即以南皮旁三縣以封之而徙趙王歇王代徐廣曰都代縣張耳之國陳餘愈益怒曰張耳與餘功等也今張耳王餘獨侯此項羽不平及齊王田榮畔楚陳餘乃使夏說說田榮曰正義曰上說音稅下式銳反項羽為天下宰不平盡王諸將善地徙故王王惡地今趙王乃居代願王假臣兵請以南皮為扞蔽田榮欲樹黨於趙以反楚乃遣兵從陳餘陳餘因悉三縣兵襲常山王張耳張耳敗走念諸侯無可歸者曰漢王與我有舊故張晏曰漢王為布衣時嘗從耳游而項羽

正義曰甘氏七録云甘德楚人戰國時作天文八巻也

故本作張

三サカリニ

三秦 項羽乃立章邯為雍王王咸陽以西都廢丘司馬欣為塞王王咸陽以東都櫟陽立董翳為翟王王上郡都高奴 塞王名欣 正義曰古塞國在長安之東 翟王名翳 音狄 戎音宅

又彊立義我欲之楚

曰 文穎曰善說星者甘氏也 文志云楚有甘公齊楚

漢王之入關五星聚東井東井者秦分也先

至必霸楚雖彊後必屬漢故耳走漢 徐廣曰二年十月也 漢

王亦還定三秦方圍章邯廢丘張耳謁漢王漢

王厚遇之陳餘已敗張耳皆復收趙地迎趙王

於代復為趙王趙王德陳餘立以為代王陳餘

為趙王弱國初定不之國留傅趙王而使夏說

以相國守代漢二年東擊楚使使告趙欲與俱

陳餘曰漢殺張耳乃從於是漢王求人類張耳

張耳陳餘傳ナ

五星聚東井 [illegible] 以歷推之從歲星也 李奇云歲星其正度其日日徙隨也常者徙也

孟康云歲星先至先至為主也 天官書云五星從歲星其下國可以義致天下五星從熒惑其下國可以禮致天下五星從鎮星其下國可以重致天下五星從太白其下國可以兵致天下五星從辰星其所在國可以法致天下

集解以史記云昔之知天數者齊甘公藝文志者以為楚有甘公齊楚及同求詳 書群云甘公名德本魯人 案劉歆七略云宋達有德天文數術也 非甘公也 漢書宋本首書有之

者斬之持其頭遺陳餘陳餘乃遣兵助漢漢之敗於彭城西陳餘亦復覺張耳不死即背漢漢三年韓信已定魏地遣張耳與韓信擊破趙井陘（徐廣曰三年十月）斬陳餘泜水上（徐廣曰在常山音遲一音丁禮反○索隱曰蘇林音祗晉灼音邸今俗呼此水則然案地理志音脂則蘇音爲得郭景純注山海經云泜水出常山中丘縣○正義曰在趙州贊皇縣界）追殺趙王歇襄國漢立張耳爲趙王（徐廣曰四年十一月　駰案漢書四年夏）漢五年張耳薨謚爲景王子敖嗣立爲趙王高祖長女魯元公主爲趙王敖后漢七年高祖從平城過趙趙王朝夕袒韝蔽（徐廣曰韝者臂捍也）自上食禮甚卑有子壻禮高祖箕倨詈

其慢易之（索隱曰崔浩云屈膝坐其形如箕）趙相貫高趙午等年六
十餘（徐廣曰田叔傳云趙相趙午等數十人皆怒然則或宜言六十餘人）故張耳客也
生平為氣乃怒曰吾王孱王也（孟康曰音如潺湲之潺冀州人謂懦弱為孱）
（孱孫韋昭曰仁謹貌○索隱曰案服虔音鉏閑反弱小貌也小顏音仕連反）說王曰夫天下豪
桀並起能者先立今王事高祖甚恭而高祖無
禮請為王殺之張敖齧其指出血（索隱曰案小顏云齧指以表至
誠為其約誓言）曰君何言之誤且先人亡國賴高祖得
復國德流子孫秋豪皆高祖力也願君無復出
口貫高趙午等十餘人皆相謂曰乃吾等非也
吾王長者不倍德且吾等義不辱今怨高祖辱

三年，韓信已定魏地，遣張耳與韓信擊破趙井陘，徐廣曰三年十月 斬陳餘泜水上，徐廣曰在常山音遲一音丁禮反○索隱曰蘇林音祇晉灼音邸今俗呼此水則然案地理志音脂則蘇音為得郭景純注山海經云泜水出常山中丘縣○正義曰在趙州贊皇縣界 追殺趙王歇襄國。漢立張耳為趙王。徐廣曰四年十一月○索隱曰案漢書四年夏 漢五年，張耳薨，謚為景王。子敖嗣立為趙王。高祖長女魯元公主為趙王敖后。漢七年，高祖從平城過趙，趙王朝夕袒韝蔽，徐廣曰韝者臂捍也 自上食，禮甚卑，有子壻禮。高祖箕踞詈，

甚慢易之（索隱曰崔浩云屈膝坐其形如箕）趙相貫高趙午等年六
十餘（徐廣曰甲辰傳云趙相趙午等數十人皆怒然則或宜言六十餘人）故張耳客也
生平爲氣乃怒曰吾王孱王也（孟康曰音如潺湲之潺冀州人謂懦弱爲
孱韋昭曰仁謹貌○索隱曰案服虔音鉏閑反弱小貌也小顏音仕連反）說王曰夫天下豪
桀並起能者先立今王事高祖甚恭而高祖無
禮請爲王殺之張敖齧其指出血（索隱曰案小顏云齧指以表至
誠爲其約誓言）曰君何言之誤且先人亡國賴高祖得
復國德流子孫秋豪皆高祖力也願君無復出
口貫高趙午等十餘人皆相謂曰乃吾等非也
吾王長者不倍德且吾等義不辱今怨高祖辱

我王故欲殺之何乃汚王爲乎索隱曰漢書作汙蕭該音一故反說文云汙穢也令事成歸王事敗獨身坐耳漢八年上從東垣還過趙貫高等乃壁人柏人索隱曰謂於柏人縣館舍壁中著人欲爲變也○正義曰柏人故城在邢州柏人縣西北十二里即高祖宿處也要之置廁韋昭曰爲供置也○索隱曰文穎云置人廁壁中以伺高祖也張晏云鑿壁空之令人止中也今按云置廁者置人於複壁中謂之置廁廁者之廁之處因以爲言也亦音側上過欲宿心動問曰縣名爲何曰柏人柏人者迫於人也不宿而去漢九年貫高怨家知其謀乃上變告之於是上皆并逮捕趙王貫高等十餘人皆爭自剄貫高獨怒罵曰誰令公爲之今王實無謀而并捕王公等皆死

誹白王不反者乃轞車膠致正義曰謂其車上著板四周如檻形膠密不得開送致京師也與王詣長安治張敖之罪上乃詔趙羣臣賓客有敢從王皆族貫高與客孟舒等十餘人皆自髡鉗爲王家奴從來貫高至對獄曰獨吾屬爲之王實不知吏治榜笞數千刺剟徐廣曰丁劣反○索隱曰案擬亦刺也漢書作刺爇張晏云爇灼也說文云捷也應劭云以鐵刺之身無可擊者終不復言呂后數言張王以魯元公主故不宜有此上怒曰使張敖據天下豈少而女乎不聽廷尉以貫高事辭聞上曰壯士誰知者以私問之瓚曰以私情相問中大夫泄公曰正義曰泄姓也史有泄私臣之

邑子素知之此固趙國立名義不侵爲然諾者也上使泄公持節問之箯輿前徐廣曰箯音鞭騙案韋昭曰輿如今輿牀人輿以行○索隱曰服虔云音編編竹木如今峻可以崔除也何休注公羊筍音峻筍者竹箯一名編齊魯巳北名爲筍耶漢三秦注云箯轝土器仰視曰泄公邪泄公勞苦如生平驩與語問張王果有計謀不高曰人情寧不各愛其父母妻子乎今吾三族皆以論死豈以王易吾親哉顧爲王實不反獨吾等爲之具道本指所以爲者王不知狀於是泄公入具以報上乃赦趙王上賢貫高爲人能立然諾使泄公具告之曰張王已出因赦貫高貫高喜曰吾王審

出乎泄公曰然泄公曰上多足下故赦足下貫高曰所以不死一身無餘者白張王不反也今王已出吾責已塞死不恨矣且人臣有篡殺之名何面目復事上哉縱上不殺我我不愧於心乎乃仰絶肮遂死韋昭曰肮咽也○索隱曰蘇林云肮頸大脈也俗所謂胡脈音下郎反蕭該或音下浪反當此之時名聞天下張敖已出以尚魯元故封爲宣平侯索隱曰韋昭曰尚奉也不敢言取崔浩云奉事公主小顏云尚配也易得尚于中行王弼亦以尚爲配恐非其義於是上賢張王諸客以鉗奴從張王入關無不爲諸侯相郡守者及孝惠高后文帝孝景時張王客子孫皆得爲二千石張敖

高后六年薨。關中記曰：張敖冢在安陵東。○正義曰：魯元公主墓在咸陽縣西北二十五里，次東有張敖冢，與公主同域。又張敖墓在咸陽縣東三十三里。子偃為魯元王。以母呂后女故，呂后封為魯元王。索隱曰：案謂偃以其母號而封也。元王弱，兄弟少，乃封張敖他姬子二人：壽為樂昌侯，徐廣曰：漢紀張酺傳曰張敖之子壽封樂昌侯，食細陽之池陽鄉也。侈為信都侯。高后崩，諸呂無道，大臣誅之，而廢魯元王及樂昌侯、信都侯。孝文帝即位，復封故魯元王偃為南宮侯，續張氏。張敖謚武侯，張偃之孫有罪，絕。信都侯名侈，樂昌侯名壽。

太史公曰：張耳、陳餘，世傳所稱賢者；其賓客廝役，莫非天下俊桀，所居國無不取卿相者。然張

宣二年傳

晋灼曰始交貧賤約之時也

抄吾善太伯延陵季札有揖讓之礼今

抄云二子忘年之交陵夷於張耳

耳陳餘始居約時，漢書音義曰在貧賤時也相然信以死，豈顧問哉。索隱曰莫洪要用字苑云然猶爾也謂相和同諾者何也謂然諾相信雖死不顧也及據國爭權，卒相滅亡，何鄉者相慕用之誠，後相倍之戾也！豈非以利哉？索隱曰有本作私利交漢書作勢利交故廉頗傳云天下以市道交君有勢則從君無勢則去此固其理也名譽雖高，賓客雖盛，所由殆與太伯延陵季子異矣。

索隱述贊曰：張耳陳餘，天下豪俊。忘年羈旅，刎頸相信。耳圍鉅鹿，餘兵不進。張既望深，陳乃去印。勢利傾奪，隙末成舋。

張耳陳餘列傳第二十九　史記八十九

黄氏日抄：耳餘少為刎頸交，起從武臣北略趙地。武臣敗，立趙王歇。秦攻趙，張耳與歇保鉅鹿，陳餘軍其北，不救。後張耳貴讓陳餘，陳餘解軍印去，張耳將之，同入關。羽封耳常山王，而封陳餘三縣。餘反楚，襲常山，耳歸漢。漢遣耳同韓侯下趙，斬餘，而耳為趙王。

頭會箕斂者，以人頭數出穀，而以箕斂之。僤音戰，以物揷之也。泜水之泜，音遲。

魏豹彭越列傳第三十　史記九十

魏豹者故魏諸公子也其兄魏咎故魏時封爲甯陵君索隱曰案彭越傳云魏豹魏王咎從弟真魏後也晉灼云甯陵陳留國縣也即今甯陵是秦滅魏遷咎爲家人陳勝之起王也正義王于放反咎往從之陳王使魏人周市徇魏地魏地已下欲相與立周市爲魏王周市曰天下昏亂忠臣乃見索隱曰老子曰國家昏亂有忠臣此取以爲說也今天下共畔秦其義必立魏王後乃可齊趙使車各五十乘立周市爲魏王市辭不受迎魏咎於陳五反陳王乃遣立咎爲魏王徐廣曰元年十二月也章邯已破陳王乃進兵擊魏

王於臨濟正義曰故城在淄州高苑縣北二里本漢縣魏王乃使周市出請救於齊楚齊楚遣項它田巴將兵隨市救魏索隱曰案項它楚將田巴齊將也○正義它徒多反章邯遂擊破殺周市等軍圍臨濟咎爲其民約降約定咎自燒殺魏豹亡走楚徐廣曰二年六月楚懷王予魏豹數千人復徇魏地項羽已破秦降章邯豹下魏二十餘城立豹爲魏王豹引精兵從項羽入關漢元年項羽封諸侯欲有梁地乃徙魏王豹於河東都平陽正義曰今晉州爲西魏王漢王還定三秦渡臨晉正義曰臨晉在同州朝邑縣界魏王豹以國屬焉遂從擊楚於彭城漢

敗還至滎陽豹請歸視親病至國即絕河津畔漢漢王聞魏豹反方東憂楚未及擊謂酈生曰緩頰往說魏豹能下之吾以萬戶封若酈生說豹豹謝曰人生一世閒如白駒過隙耳索隱曰莊子云無異騏驥之馳過隙則謂馬也小顏云白駒謂日影也隙壁隙也以言速疾若日影過壁隙也今漢王慢而侮人罵詈諸侯羣臣如罵奴耳非有上下禮節也吾不忍復見也於是漢王遣韓信擊虜豹於河東徐廣曰二年九月也傳詣滎陽以豹國為郡高祖本紀曰置三郡河東太原上黨漢王令豹守滎陽楚圍之急周苛遂殺魏豹

正義曰緩言頰舌說不限急期

漢書曰楚圍之急周苛曰反國之王難與共守遂殺豹也

漢書師古曰兩龍謂秦与陳勝也

師古曰校長一校之長也

彭越者昌邑人也正義曰漢武更山陽爲昌邑國有梁丘鄉梁丘故城在曹州城武縣東北三十三里字仲常漁鉅野澤中爲羣盜陳勝項梁之起少年或謂越曰諸豪桀相立畔秦仲可以來亦效之彭越曰兩龍方鬭且待之居歲餘澤閒少年相聚百餘人往從彭越曰請仲爲長越謝曰臣不願與諸君少年彊請乃許與期旦日日出會後期者斬索隱曰旦日謂明日之朝日出時也旦日日出十餘人後後者至日中於是越謝曰臣老諸君彊以爲長今期而多後不可盡誅誅最後者一人令校長斬之皆笑曰何至是請後不敢於是越乃

引人斬之設壇祭乃令徒屬徒屬皆大驚畏
越莫敢仰視乃行略地收諸侯散卒得千餘人
沛公之從碭北（正義碭音唐郎反宋州碭山縣）擊昌邑彭越助之
昌邑未下沛公引兵西彭越亦將其衆居鉅野
中收魏散卒項籍入關王諸侯還歸彭越衆萬
餘人毋所屬漢元年秋齊王田榮畔項王漢乃
使人賜彭越將軍印使下濟陰以擊楚楚命蕭
公角（正義曰蕭縣令楚縣令稱公角名）將兵擊越越大破楚軍漢
王二年春與魏王豹及諸侯東擊楚彭越將其
兵三萬餘人歸漢於外黃漢王曰彭將軍收魏

地得十餘城。欲急立魏後。今西魏王豹亦魏王咎從弟也。眞魏後。乃拜彭越爲魏相國。擅將其兵。略定梁地。[索隱曰：擅猶專也。]漢王之敗彭城解而西也。彭越皆復亡其所下城。獨將其兵北居河上。[正義曰：滑州河上。]漢王三年。彭越常往來爲漢游兵。擊楚。絕其後糧於梁地。漢四年冬。項王與漢王相距滎陽。彭越攻下睢陽、外黃十七城。[正義曰：睢陽，宋州宋城也。外黃在汴州雍丘縣東。]項王聞之。乃使曹咎守城皋。[正義曰：河南府汜水是。]自東收彭越所下城邑。皆復爲楚。[正義：爲，于僞反。]越將其兵北走穀城。[正義曰：在濟州東阿縣東二十六里是。]漢五年秋。項

九千十八

留侯者張良也

王之南走陽夏正義曰夏古雅反陳州太康縣也彭越復下昌邑旁二十餘城得穀十餘萬斛以給漢王食漢王敗使使召彭越并力擊楚越曰魏地初定尚畏楚未可去漢王追楚為項籍所敗固陵正義曰固陵名在陳州宛丘縣西北三十二里乃謂留侯曰諸侯兵不從為之奈何留侯曰齊王信之立非君王之意信亦不自堅彭越本定梁地功多始君王以魏豹故拜彭越為魏相國今豹死毋後且越亦欲王而君王不蚤定與此兩國約即勝楚睢陽以北至穀城正義曰從宋州已北至鄆州以西曹濮汴滑並與彭越皆以王彭相國從陳以東

彭越遂為梁王

傅音附海正義曰從陳潁州北以東至泗徐淮北之地東至海并淮南淮陰之邑盡與韓信韓信又先有郯鄅舊地與齊王信齊王信家在楚此其意欲復得故邑君王能出捐此地許二人二人今可致即不能事未可知也於是漢王乃發使使彭越如留侯策使者至彭越乃悉引兵會垓下正義曰在亳州也遂破楚五年項籍已死春立彭越為梁王都定陶正義曹州六年朝陳九年十年皆來朝長安十年秋陳豨反代地高帝自往擊至邯鄲徵兵梁王梁王稱病使將將兵詣邯鄲高帝怒使人讓梁王梁王恐欲自往謝其將扈輒曰王始不往見讓

而往往則爲禽矣不如遂發兵反梁王不聽稱病梁王怒其太僕欲斬之太僕亡走漢告梁王與扈輒謀反於是上使使掩梁王梁王不覺捕梁王囚之雒陽有司治反形已具（張晏曰扈輒勸越反不聽而云反形已具有司非也瓚曰扈輒勸越反而越不誅輒是反形已具）請論如法上赦以爲庶人傳處蜀青衣（文穎曰青衣縣名在蜀瓚曰今漢嘉是也○索隱曰蘇林云縣名今爲臨邛瓚說爲是）西至鄭（索隱曰地理志鄭屬京兆○正義曰華州）逢呂后從長安來欲之雒陽道見彭王彭王爲呂后泣涕自言無罪願處故昌邑呂后許諾與俱東至雒陽呂后白上曰彭王壯士今徙之蜀此自遺患（正義曰上誰）

反。不如遂誅之。妾謹與俱來。於是呂后乃令其舍人告彭越復謀反。廷尉王恬開奏請族之。上乃可。遂夷越宗族。國除。

太史公曰。魏豹彭越雖故賤。然已席卷千里。正義曰言魏地闊千里如席卷舒南面稱孤。喋血乘勝日有聞矣。徐廣曰一作啑漢書亦有喋血語也○索隱曰音牒喋猶踐也殺敵踐血而行若本紀喋血京師是也懷畔逆之意。及敗不死。而虜囚身被刑戮。何哉。中材已上且羞其行。況王者乎。彼無異故。智略絕人。獨患無身耳。得攝尺寸之柄。其雲蒸龍變。欲有所會其度。以故幽囚而不辭云。

新云為王者不羞[illegible]因者[illegible]有[illegible]全身計[illegible]天[illegible]欲為天子[illegible]
[illegible]因之後第一[illegible]韓信[illegible]喋血[illegible]索隱曰喋旧音[illegible]陳[illegible]喋血[illegible]
[illegible]韓信傳[illegible]殺人血流[illegible]昭音[illegible]反

新邑援言不忠屬齊
下在遠战援

索隱述贊曰

魏豹兄弟（魏咎魏豹）因時而王（兄弟皆為魏王）豹後屬楚（彭越字仲）其國遂亡（漢王以豹國為郡）仲起昌邑歸漢外黃往來聲援再續軍糧徵兵不往葅醢何傷（漢三年越往來為漢游兵擊楚絕其糧於梁地）

㓹龍

徵兵六十一 陳豨反代地高帝自往擊之至邯鄲徵兵梁王梁王稱病

黥布列傳漢十一年夏誅梁王彭越醢之盛其醢徧賜諸侯

黄氏日抄彭越有大功無反意徒以疑罔掩捕論罪赦遷蜀青衣矣呂氏又詐使告其反族之何忍哉

魏豹彭越列傳第三十　史記九十

漢書列傳第四

黥布列傳第三十一　史記九十一

黥布者六人也姓英氏索隱曰地理志廬江有六縣蘇林曰今爲六安也布本姓英英國名也咎繇之後布以時有人相云當刑而王故漢雜事云布改姓黥以厭當之也○正義曰故六城在壽州安豐縣西南百三十三里按黥布封淮南王都六即此城又春秋傳云與蓼咎繇之後或封於英六蓋英後改爲蓼也秦時爲布衣少年有客相之曰當刑而王及壯坐法黥布欣然笑曰人相我當刑而王幾是乎徐廣曰幾一作豈駰謂幾近也○索隱曰幾音機漢春秋作豈是乎故徐廣云一作豈劉氏音祈祈者語辭也義亦通人有聞者共俳笑之索隱曰謂衆共以俳優輩笑之布已論輸麗山正義曰言布論決受黥竟輸麗山作陵也時會稽郡輸身徒麗山之徒數十萬人布皆與其徒長豪桀交通迺率其曹偶亡之江

中為羣盜【索隱曰曹輩也偶類也謂徒之輩類】陳勝之起也布迺見番君與其衆叛秦聚兵數千人番君以其女妻之章邯之滅陳勝破呂臣軍布乃引兵北擊秦左右校破之清波引兵而東聞項梁定江東會稽【正義曰時會稽郡所理在吳闔閭城中】涉江而西陳嬰以項氏世為楚將迺以兵屬項梁渡淮南英布蒲將軍亦以兵屬項梁項梁涉淮而西擊景駒秦嘉等布常冠軍項梁至薛【正義曰薛古城在徐州滕縣界也】聞陳王定死迺立楚懷王項梁號為武信君英布為當陽君【正義曰南郡當陽縣也】項梁敗死定陶懷王徙都彭城諸將英

黥布列傳第三十一　史記九十一

黥布者六人也姓英氏索隱曰地理志廬江有六縣蘇林曰今爲六安也布本姓英英國名也咎繇之後布以少時有人相云當刑而王故藁雜事云布改姓黥以厭當之也○正義曰故六城在壽州安豐縣西南百三十三里按黥布封淮南王都六即此城又春秋傳云與蓼咎繇之後或封於英六蓋英後改爲蓼繇秦時爲布衣少年有客相之曰當刑而王及壯坐法黥布欣然笑曰人相我當刑而王幾是乎徐廣曰幾一作豈駰謂幾近也○索隱曰晉灼音機蔡謨漢書春秋作豈是乎故徐廣云一作豈劉氏音祈祈者語辭也義亦通人有聞者共俳笑之索隱曰謂衆共以俳優輩笑之布已論輸麗山正義曰言布論決受黥竟輸麗山山作陵也時會稽郡輸身作徙麗山之徒數十萬人布皆與其徒長豪桀交通迺率其曹偶亡之江

中爲羣盜索隱曰曹輩也偶類也謂徒之輩類陳勝之起也布迺見番君與其衆叛秦聚兵數千人番君以其女妻之章邯之滅陳勝破呂臣軍布乃引兵北擊秦左右校破之清波引兵而東聞項梁定江東會稽正義曰時會稽郡所理在吳閶闔城中涉江而西陳嬰以項氏世爲楚將迺以兵屬項梁渡淮南英布蒲將軍亦以兵屬項梁項梁涉淮而西擊景駒秦嘉等布常冠軍項梁至薛正義曰薛古城在徐州滕縣界也聞陳王定死迺立楚懷王項梁號爲武信君英布爲當陽君正義曰南郡當陽縣也項梁敗死定陶懷王徙都彭城諸將英

呂蒲將軍　張晏曰英布起於蒲地因以爲號　如淳曰史記項羽紀言當陽君蒲將軍皆爲項羽別將此更有蒲將軍也　師古曰此二人也張說失之若是一人不當先言姓名後乃稱將軍也

通鑑二世二年

布亦皆保聚彭城。當是時秦急圍趙。趙數使人請救。懷王使宋義爲上將。范曾爲末將。項籍爲次將。英布蒲將軍皆爲將。軍悉屬宋義。北救趙。及項籍殺宋義於河上。懷王因立籍爲上將軍。諸將皆屬項籍。項籍使布先涉渡河擊秦。布數有利。籍迺悉引兵涉河從之。遂破秦軍。降章邯等。楚兵常勝。功冠諸侯。諸侯兵皆以服屬楚者以布數以少敗眾也。項籍之引兵西至新安（正義曰新安故城在河南府澠池縣東二十二里）又使布等夜擊坑章邯秦卒二十餘萬人。至關不得入。又使布等先從間道

通鑑二世三年項籍矯殺宋義　漢書曰籍殺宋義於河上自立爲上將軍　漢書使布先涉河　師古曰涉謂無舟楫而渡也

大コレキナルヲ

正義曰間隙之道

通鑑二世三年項籍詐阬秦降卒二十餘萬人於新安

破關下軍索隱曰鄒氏云閒音閑閒謂私也今以閒音紀莧反閒道即他道也猶若反閒之義遂得入至咸陽布常為軍鋒索隱曰案漢書作楚軍前簿簿者圖簿項王封諸將立布為九江王都六漢元年四月諸侯皆罷戲下各就國項氏立懷王為義帝徙都長沙迺陰令九江王布等行擊之其八月布使將擊義帝追殺之郴縣正義曰上丑林反今郴州有義帝冢及祠漢二年齊王田榮畔楚項王往擊齊徵兵九江九江王布稱病不往遣將將數千人行漢之敗楚彭城布又稱病不佐楚項王由此怨布數使使者誚讓漢書音義曰誚責也召布布愈恐不敢往項王方北

出梁地至虞

重史曰上文云漢之敗楚彭城此文又云漢与楚大戰彭城不利出梁接隨何說前後殊差云漢王大戰彭城不利出梁地至虞是則項王已去齊矣安得復言留項王於齊及隨何自明己功亦云去陛下攻彭城楚王未去齊也然則漢王使隨何在未至彭城之前明矣實說項王伐齊召兵黥布漢王度期得布共伐齊西方有變必留布而調自至故欲使人說布叛楚叛楚則項王必自絶齊未故必數月留而漢可取天下矣及隨何說布歸漢果乃以入彭城也然則說詞差錯或楚漢初記事方各不同[illegible]能無誤亦又稽高紀二年敗彭城三年布方歸漢此時漢与楚相持滎陽矣[illegible]云項王留[illegible]攻下邑耶事理也及隨何說詞亦自不倫疑漢之辯士寓言如此非本語也

通鑑隨何至九江[illegible]九江太宰主之胡注[illegible]此太宰[illegible]周官[illegible]太宰[illegible]漢[illegible]官有太宰[illegible]漢書又[illegible]古[illegible]

所以爲使

漢弱[illegible]臣之所以使九江[illegible]

百人全

夏說趙西與漢所與者獨九江王又多布材欲親用之以故未擊漢三年漢王擊楚大戰彭城不利出梁地至虞（正義曰今宋州虞城也）謂左右曰（索隱曰案謂隨何）如彼等者無足與計天下事謁者隨何進曰不審陛下所謂漢王曰孰能爲我使淮南令之發兵倍楚留項王於齊數月我之取天下可以百全隨何曰臣請使之廼與二十人俱使淮南至因太宰主之（漢書音義曰淮南太宰作內主也韋昭曰主舍也○索隱曰太宰掌膳食之官）三日不得見隨何因說太宰曰王之不見何必以楚爲彊以漢爲弱此臣之所以爲使使何得見

言之而是邪是大王所欲聞也言之而非邪使何等二十人伏斧質淮南市以明王倍漢而與楚也太宰迺言之王王見之隨何曰漢王使臣敬進書大王御者竊怪大王與楚何親也淮南王曰寡人北鄉而臣事之隨何曰大王與項王俱列為諸侯北鄉而臣事之必以楚為彊可以託國也項王伐齊身負板築李奇曰板牆板也築杵也以為士卒先大王宜悉淮南之衆身自將之為楚軍前鋒今迺發四千人以助楚夫北面而臣事人者固若是乎夫漢王戰於彭城項王未出齊也大

憂齊趙西東漢所與者獨九江王又多布材欲親用之以故未擊漢三年漢王擊楚大戰彭城不利出梁地至虞［正義曰今宋州虞城也］謂左右曰［索隱曰案謂隨何］如彼等者無足與計天下事謁者隨何進曰不審陛下所謂漢王曰孰能為我使淮南令之發兵倍楚留項王於齊數月我之取天下可以百全隨何曰臣請使之廼與二十人俱使淮南至因太宰主之［漢書音義曰淮南太宰作內主也韋昭曰主舍也○索隱曰太宰掌膳食之官］三日不得見隨何因說太宰曰王之不見何必以楚為彊以漢為弱此臣之所以為使使何得見

言之而是邪是大王所欲聞也言之而非邪使
何等二十人伏斧質淮南市以明王倍漢而與
楚也太宰迺言之王王見之隨何曰漢王使臣
敬進書大王御者竊怪大王與楚何親也淮南
王曰寡人北鄉而臣事之隨何曰大王與項王
俱列爲諸侯北鄉而臣事之必以楚爲彊可以
託國也項王伐齊身負板築（李奇曰板牆版也築杵也）以爲士
卒先大王宜悉淮南之衆身自將之爲楚軍前
鋒今迺發四千人以助楚夫北面而臣事人者
固若是乎夫漢王戰於彭城項王未出齊也大

王宜騷（音掃）淮南之兵渡淮日夜會戰彭城下大王撫萬人之衆無一人渡淮者垂拱而觀其孰勝夫託國於人者固若是乎大王提空名以鄉楚而欲厚自託臣竊爲大王不取也然而大王不背楚者以漢爲弱也夫楚兵雖彊天下負之以不義之名（索隱曰負猶被也以不義被其身）以其背盟約而殺義帝也然而楚王恃戰勝自彊漢王收諸侯還守成皋滎陽下蜀漢之粟深溝壁壘分卒守徼乘塞（索隱曰徼謂邊境亭鄣以徼繞邊陲常守之也乘者登也登塞垣而守之）楚人還兵閒以梁地深入敵國八九百里（張晏曰羽從齊還當經梁地八九百里而得至）

地　索隱曰案服虔曰滎在楚漢之中央欲戰則不得攻城則力不能老弱轉糧千里之外楚兵至滎陽成皋漢堅守而不動進則不得攻退則不能解故曰楚兵不足恃也徐廣曰恃一作罷言其已困不足復苦也索隱曰案漢書作罷罷音皮使楚勝漢則諸侯自危懼而相救夫楚之彊適足以致天下之兵耳故楚不如漢其勢易見也今大王不與萬全之漢而自託於危亡之楚臣竊爲大王惑之臣非以淮南之兵足以亡楚也夫大王發兵而倍楚項王必留留數月漢之取天下可以萬全臣請與大王提劒而歸漢漢王必裂地而封

正義曰構結也言構楚之事已結成

大王又況淮南淮南必大王有也故漢王敬使使臣進愚計願大王之留意也淮南王曰請奉命陰許畔楚與漢未敢泄也楚使者在（文頴曰在淮南王所）方急責英布發兵舍傳舍隨何直入坐楚使者上坐曰九江王已歸漢楚何以得發兵布愕然楚使者起何因說布曰事以構（索隱曰構成也）可遂殺楚使者無使歸而疾走漢并力（索隱曰走音奏向也）布曰如使者教因起兵而擊之耳於是殺使者因起兵而攻楚楚使項聲龍且攻淮南項王留而攻下邑（正義曰宋州碭山縣）數月龍且擊淮南破布軍布欲引兵

黥布傳

恐楚王殺之故間行與何俱歸漢淮南王
至（徐廣曰三年十二月）上方踞牀洗召布入見布甚大怒悔
來欲自殺出就舍帳御飲食從官如漢王居布
又大喜過望（正義曰高祖以布先久為王恐其自尊大故峻禮令布折服已而美其帷帳厚其飲食多其從官以悅其心權道也）於是廼使人入九江楚已使項伯
收九江兵盡殺布妻子布使者頗得故人幸臣
將衆數千人歸漢漢益分布兵而與俱北收兵
至成皋四年七月立布為淮南王與擊項籍漢
五年布使人入九江得數縣六年布與劉賈入
九江誘大司馬周殷周殷反楚遂舉九江兵與

布為淮南王

劉賈 漢書高帝從父兄也

四下三一 五下四

六下五

楚大司馬也

正義曰腐者爛敗之物言無所堪用

師古曰高帝意欲褒賞隨何恐群臣不服故對衆折辱令其自敷功狀也

漢擊楚破之垓下項籍死天下定上置酒上折隨何之功謂何爲腐儒爲天下安用腐儒索隱曰腐音輔謂之腐儒者言如腐敗之物不任用也隨何跪曰夫陛下引兵攻彭城楚王未去齊也陛下發步卒五萬人騎五千能以取淮南乎上曰不能隨何曰陛下使何與二十人使淮南至如陛下之意是何之功賢於步卒五萬人騎五千也然而陛下謂何腐儒爲天下安用腐儒何也上曰吾方圖子之功迺以隨何爲護軍中尉布遂剖符爲淮南王都六九江廬江衡山豫章郡皆屬布七年朝陳八年朝

雒陽九年朝長安十一年高后誅淮陰侯布因心恐夏漢誅梁王彭越醢之盛其醢徧賜諸侯至淮南淮南王方獵見醢因大恐陰令人部聚兵候伺旁郡警急張晏曰欲有所會布所幸姬疾請就醫醫家與中大夫賁赫對門徐廣曰賁音肥○索隱曰人姓名也姬數如醫家賁赫自以為侍中迺厚餽遺從姬飲醫家姬侍王從容語次譽赫長者也王怒曰汝安從知之具說狀王疑其與亂赫恐稱病王愈怒欲捕赫赫言變事乘傳詣長安布使人追不及赫至上變言布謀反有端可先未發誅也上讀

其書語蕭相國相國曰布不宜有此恐仇怨妄
誣之請繫赫使人微（一作徵）驗淮南王淮南王布
見赫以罪亡上變固巳疑其言國陰事漢使又
來頗有所驗遂族赫家發兵反反書聞上迺赦
賁赫以爲將軍上召諸將問曰布反爲之奈何
皆曰發兵擊之坑豎子耳何能爲乎汝陰侯滕
公召故楚令尹問之令尹曰是固當反滕公曰
上裂地而王之疏爵而貴之（漢書音義曰疏分也禹決江疏河是也○索隱曰尚書曰列爵惟五分土惟三按裂地是對文故知疏即分也）南面而立萬乘之主其
反何也令尹曰往年殺彭越前年殺韓信（張晏曰往年前）

年同耳使文相辟也言此三人者同功一體之人也自疑禍及身故反耳滕公言之上曰臣客故楚令尹薛公者其人有籌筴之計可問上迺召見問薛公薛公對曰布反不足怪也使布出於上計山東非漢之有也出於中計勝敗之數未可知也出於下計陛下安枕而臥矣上曰何謂上計令尹對曰東取吳正義曰荊王劉賈都吳蘇州闔閭城也西取楚正義曰楚王劉交都徐州下邳并齊取魯傳檄燕趙固守其所山東非漢之有也何謂中計東取吳西取楚并韓取魏據敖倉之粟索隱曰案太康地記云秦建敖倉於成皐又立庾故亦云敖庾也塞成皐

之口勝敗之數未可知也何謂下計東取吳西取下蔡正義古州來國歸重於越身歸長沙正義曰今潭州陛下安枕而臥漢無事矣桓譚新論曰世有圍碁之戲或兵是兵法之類也及爲之上者遠碁踈張置以會圍因而成多得道之勝中者則務相絶遮要以爭便求利故勝負狐疑須計數而定下者則守邊隅趨作罫以自生於小地然亦以不如察薛公之言上計云取吳楚并齊魯及燕趙者此廣道地之謂中計云取吳楚并韓魏塞成皐據敖倉此趨遮要爭利者也下計云取吳下蔡據長沙以臨越此守邊隅趨作罫者也○索隱曰罫音烏卦反上曰是計將安出令尹對曰出下計上曰何謂廢上中計而出下計令尹曰布故麗山之徒也自致萬乘之主此皆爲身不顧後爲百姓萬世慮者也故曰出下計上曰善封薛公千戶索隱曰劉氏云薛公

得封千戶蓋關內侯也遂立皇子長爲淮南王上遂發兵自將東擊布布之初反謂其將曰上老矣厭兵必不能來使諸將諸將獨患淮陰彭越今皆已死餘不足畏也故遂反果如薛公籌之東擊荊荊王劉賈走死富陵正義曰故城在楚州盱眙縣東北六十里盡劫其兵渡淮擊楚楚發兵與戰徐僮間如淳曰地名也○索隱曰案地理志臨淮有徐縣僮縣○正義曰杜預云徐在下邳僮縣東括地志云大徐城在泗州徐城縣北四十里古徐國也爲三軍欲以相救爲奇或說楚將曰布善用兵民素畏之且兵法諸侯戰其地爲散地漢書音義曰謂散滅之地○正義曰魏武帝注孫子曰卒戀土地道近而易敗散今別爲三彼敗吾一軍餘

皆走安能相救不聽布果破其一軍其二軍散走遂西與上兵遇蘄西會甀索隱曰上古外反下持瑞反韋昭云蘄之鄉名漢書作甀𤮕音墜劭音保非也○正義曰蘄音機沛郡蘄城也甀逐瑞反布兵精甚上迺壁庸城鄒氏曰地名也望布軍置陳如項籍軍上惡之與布相望見遥謂布曰何苦而反布曰欲為帝耳上怒罵之遂大戰布軍敗走渡淮數止戰不利與百餘人走江南布故與番君婚以故長沙哀王徐廣曰衰一云成王臣呉芮之子也駰案晉灼曰芮之孫回或曰是成王非哀王也傳誤也使人紿布偽與亡誘走越故信而隨之番陽索隱曰番陽鄱縣之鄉番陽人殺布茲鄉民田舍正義曰英布冢在饒州鄱陽縣北百五十二里十三步

遂滅黥布。立皇子長為淮南王。封賁赫為期思侯。正義曰：期思故城在光州固始縣界。諸將率多以功封者。漢書曰：將封者六人。

太史公曰：英布者，其先豈春秋所見楚滅英六皋陶之後哉？身被刑法，何其拔興之暴也！索隱曰：拔，音白昌反，疾也。項氏之所阬殺人以千萬數，而布常為首虐。功冠諸侯，用此得王，亦不免於身為世大僇。禍之興自愛姬殖，妒媢生患，竟以滅國。媢音冒。媢亦妒也。○索隱曰：漢書外戚傳亦云成結寵妾妒媢之誅。又論衡云：妬夫媢婦。則媢是妬之別名。今原英布之誅為賁赫與其姬妃有亂，故至滅國。所以不得言妬媢是媢也。一云男妬曰媢。

索隱述贊曰

皆走安能相救。不聽。布果破其一軍，其二軍散走。遂西與上兵遇蘄西會甀。索隱曰上古外反下持瑞反韓昭云蘄之鄉名漢書作䔿甀應劭音保非也○正義曰蘄音機沛郡蘄城也甀遂瑞反布兵精甚，上乃壁庸城，鄧展曰地名也望布軍置陳如項籍軍，上惡之。與布相望見，遙謂布曰：何苦而反？布曰：欲為帝耳。上怒罵之，遂大戰。布軍敗走，渡淮，數止戰，不利，與百餘人走江南。布故與番君婚，以故長沙哀王徐廣曰表云成王臣吳芮之子也駰案番君芮曰芮之孫回或曰是成王非哀王也傳誤也使人紿布，偽與亡，誘走越，故信而隨之番陽。索隱曰番陽鄱縣之鄉番陽人殺布茲鄉民田舍。正義曰英布冢在饒州鄱陽縣北百五十二里十三步

遂滅黥布。立皇子長爲淮南王，封賁赫爲期思

侯。正義曰：期思故城在光州固始縣界。諸將率多以功封者。漢書曰：將封者六人。

太史公曰：英布者，其先豈春秋所見楚滅英、六，

皋陶之後哉？身被刑法，何其拔興之暴也！索隱曰：拔音白昌反，疾也。

項氏之所坑殺人以千萬數，而布常爲

首虐。功冠諸侯，用此得王，亦不免於身爲世大

僇。禍之興自愛姬殖，妒媢生患，竟以滅國。媢音冒，媢亦妒也。○索隱曰：漢書外戚傳亦云成結寵妾妒媢之誅。又論衡云：妒夫媢婦。則媢是妒之別名。今原英布之誅，爲驗賁赫與其姬妃有亂，故至滅國，所以不得言妒媢是媢也。一云男妒曰媢。

索隱述贊曰

九江初筮　當刑而王　既免徒中
聚盜江上　每雄楚卒　頻破秦將
病為猜疑　歸受漢杖　熏赫見毀
卒致無妄

有客相曰當刑而王

亡之江中為群盜

麗山之徒也

下　拔凌虞之秋

黥布列傳第三十一　史記九十一

黃氏日抄布起麗山之徒以兵屬項氏嘗為軍鋒得國九江南面稱孤矣漢使隨何說之歸漢遂滅楚垓下王淮南及信越誅而布大恐幸姬啓釁賁赫以反誅愚謂布非反漢漢非少恩勢使然耳夫越於漢非蕭曹素臣服者比也羣起逐鹿成者帝敗者族方雌雄未决不得已資之以濟吾事吾事濟矣同起事者猶在則此心不能一日安故其勢不盡族之不止也故夫衆時

(漢)司馬遷 撰
(南朝宋)裴駰 集解
(唐)司馬貞 索隱
(唐)張守節 正義

宋本史記

第二十一册

國家圖書館出版社

第二十一册目録

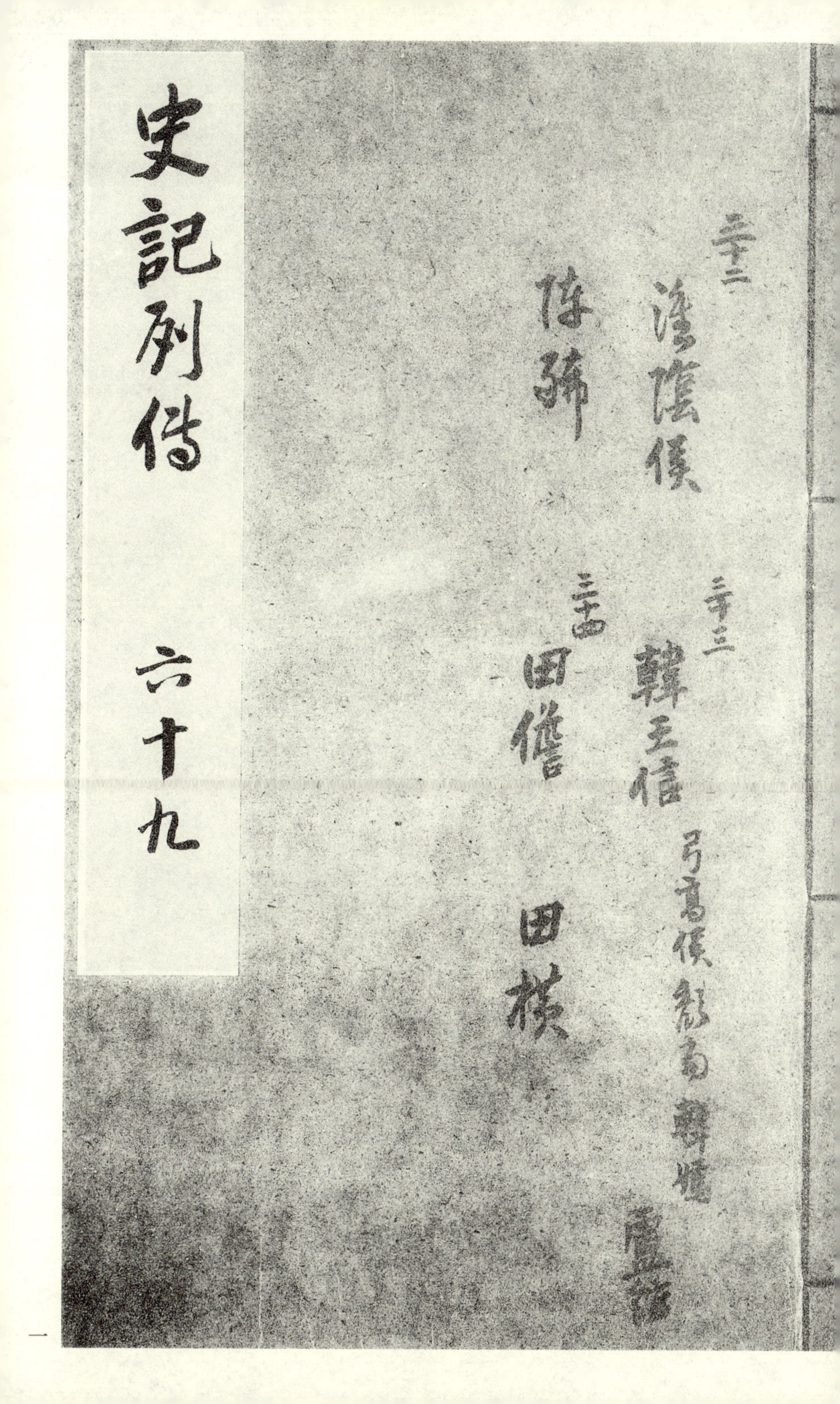

史記列傳

六十九

三十二 淮陰侯

三十三 韓王信 弓高侯頹當 韓嫣 盧綰 陳豨

三十四 田儋 田横

蓋兩擬文公自言余讀陳涉以下諸山東豪傑相從起事聊漢亡其列於漢家諸侯而致見疑而

叛不免誅戮而以繼秦之相將也邪諸侯從三項王嗚呼秦子羽城陽之奇

寄食漂母拜為每慕其背羅壽者也

淮陰侯列傳第三十二　史記九十二

淮陰侯韓信者淮陰人也（正義曰楚州淮陰縣也）始爲布衣時貧無行不得推擇爲吏（李奇曰無善行可推舉選擇）又不能治生商賈常從人寄食飲人多厭之者常數從其下鄉南昌亭長寄食（張晏曰下鄉縣屬淮陰也○索隱曰案楚漢春秋南昌作新昌亭長者主亭之吏也）數月亭長妻患之乃晨炊蓐食（張晏曰未起而牀蓐中食）食時信往不爲具食信亦知其意怒竟絕去信釣於城下（正義曰淮陰城北臨淮水昔信去下鄉而釣於此）諸母漂（韋昭曰以水擊絮爲漂故曰漂母）有一母見信飢飯信竟漂數十日信喜謂漂母曰吾必有以重報母母怒曰大

丈夫不能自食吾哀王孫而進食 蘇林曰如言公子也

○索隱曰劉德曰秦末多失國言王孫公子尊之也張晏云字王孫非也 豈望報乎淮陰屠

中少年有侮信者曰若雖長大好帶刀劍中情

怯耳衆辱之曰信能死刺我不能死出我袴下 徐廣曰袴一作胯胯股也音同又云漢書作跨同耳○索隱曰胯音枯化反然尋此文作袴欲依字讀何爲不通袴下即胯下也何必須要作胯下

於是信孰視之俛出袴下蒲伏 正義俛音免俯伏蒲北反

一市人皆笑信以爲怯及項梁渡淮信杖

劍從之居戲下 徐廣曰戲一作麾 無所知名項梁敗又

屬項羽羽以爲郎中數以策干項羽羽不用漢

王之入蜀信亡楚歸漢未得知名爲連敖 徐廣曰典

淮陰侯傳

客也○索隱曰李奇云、楚官名張晏曰司馬也、坐法當斬其輩十三人皆已斬次至信信乃仰視適見滕公曰上不欲就天下乎何爲斬壯士滕公奇其言壯其貌釋而不斬與語大説之言於上上拜以爲治粟都尉上未之奇也信數與蕭何語何奇之至南鄭諸將行道亡者數十人信度何等已數言上上不我用即亡何聞信亡不及以聞自追之人有言上曰丞相何亡上大怒如失左右手居一二日何來謁上上且怒且喜罵何曰若亡何也何曰臣不敢亡也臣追亡者上曰若所追者誰何曰韓

信也上復罵曰諸將亡者以十數公無所追追
信詐也何曰諸將易得耳至如信者國士無雙
王必欲長王漢中無所事信（文穎曰事猶業也 張晏曰無事用信）必
欲爭天下非信無所與計事者顧王策安所決
耳王曰吾亦欲東耳安能鬱鬱久居此乎何曰
王計必欲東能用信信即留不能用信信終亡耳
王曰吾爲公以爲將何曰雖爲將信必不留王
曰以爲大將何曰幸甚於是王欲召信拜之何
曰王素慢無禮今拜大將如呼小兒耳此乃信
所以去也王必欲拜之擇良日齋戒設壇場具

禮乃可耳王許之諸將皆喜人人各自以爲得大將至拜大將乃韓信也一軍皆驚信拜禮畢上坐王曰丞相數言將軍將軍何以教寡人計策信謝因問王曰今東鄉爭權天下豈非項王邪漢王曰然曰大王自料勇悍仁彊孰與項王漢王默然良久曰不如也信再拜賀曰惟信亦爲大王不如也然臣嘗事之請言項王之爲人也項王喑噁叱咤千人皆廢晉灼曰廢不收也○索隱曰喑於鴆反噁烏路反叱昌栗反咤卓嫁反叱或作咄喑噁懷怒氣叱咤發怒聲孟康曰廢伏也張晏曰廢偃也然不能任屬賢將此特匹夫之勇耳項王見人恭敬慈

愛言語嘔嘔（音凶于反○索隱曰嘔音吁嘔嘔猶區區也漢書作姁姁鄧展曰姁姁和好貌也）人有疾病涕泣分食飲至使人有功當封爵者印刓敝忍不能予（漢書音義曰不忍授）此所謂婦人之仁也項王雖霸天下而臣諸侯不居關中而都彭城有背義帝之約而以親愛王諸侯不平諸侯之見項王遷逐義帝置江南亦皆歸逐其主而自王善地項王所過無不殘滅者天下多怨百姓不親附特劫於威彊耳名雖爲霸實失天下心故曰其彊易弱今大王誠能反其道任天下武勇何所不誅以天下城邑封功臣何所不服以

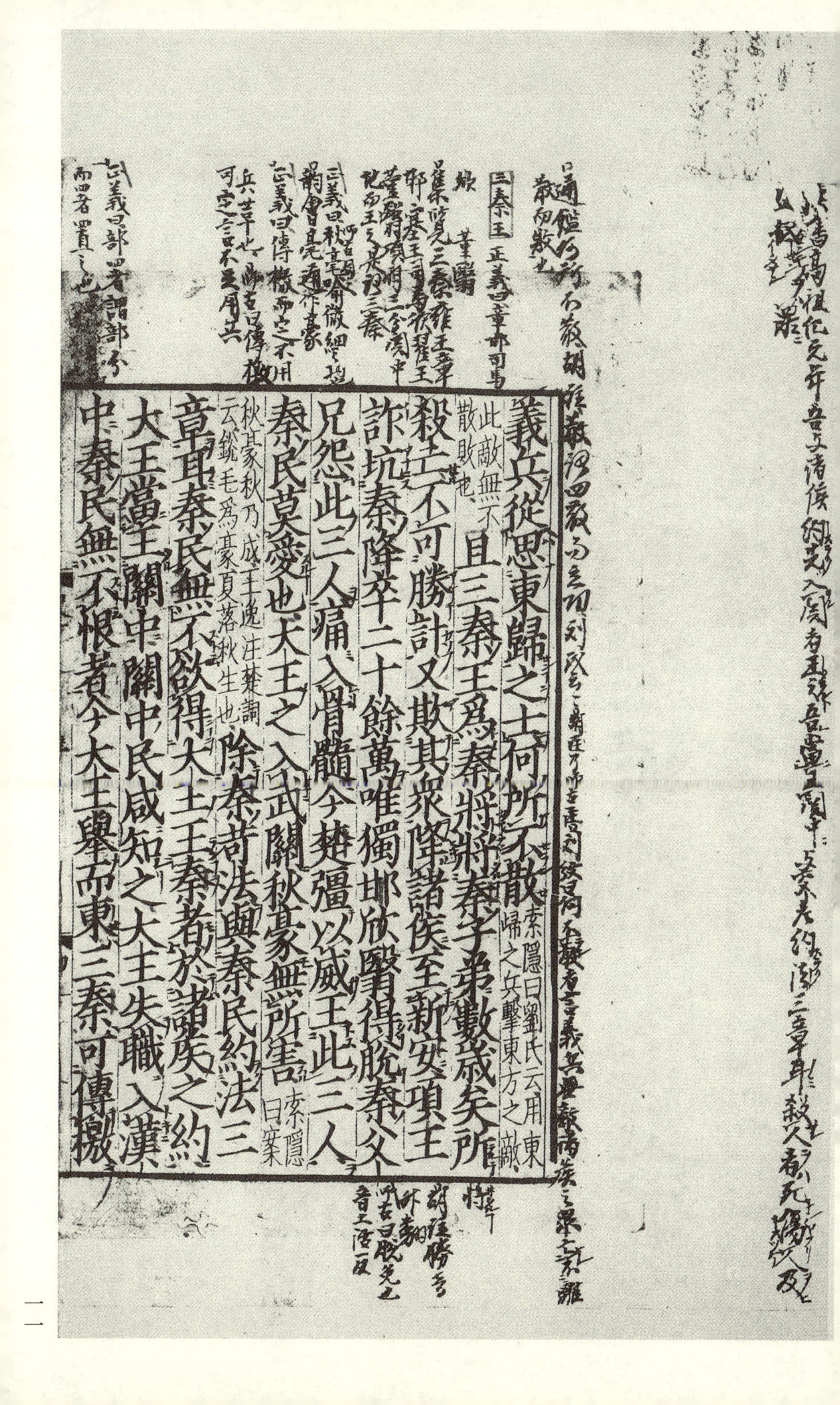

義兵從思東歸之士何所不散索隱曰劉氏云用東歸之兵擊東方之敵此敵無不散敗也且三秦王爲秦將將秦子弟數歲矣所殺亡不可勝計又欺其衆降諸侯至新安項王詐坑秦降卒二十餘萬唯獨邯欣翳得脫秦父兄怨此三人痛入骨髓今楚彊以威王此三人秦民莫愛也大王之入武關秋豪無所害索隱曰案秋豪秋乃成王逸注楚詞云鋭毛爲豪夏落秋生也除秦苛法與秦民約法三章耳秦民無不欲得大王王秦者於諸侯之約大王當王關中關中民咸知之大王失職入漢中秦民無不恨者今大王舉而東三秦可傳檄

此時楚在彭城

而定也。索隱曰案說文云檄二尺書也此云傳檄謂爲檄書以責所伐者 於是漢王大喜，自以爲得信晚，遂聽信計，部署諸將所擊。八月，漢王舉兵東出陳倉，正義曰漢王從關北出岐州陳倉縣 定三秦。漢二年，出關，正義曰出函谷關 收魏、河南，韓、殷王皆降。合齊、趙共擊楚。四月，至彭城，漢兵敗散而還。信復收兵與漢王會滎陽，復擊破楚京、索之閒，以故楚兵卒不能西。漢之敗卻彭城，正義曰兵敗散彭城而却退 塞王欣、翟王翳亡漢降楚，齊、趙亦反漢與楚和。六月，魏王豹謁歸視親疾，至國，即絕河關索隱曰今蒲津關反漢，與楚約和。漢王使酈生說豹，不下。其八月，義兵從思東歸之士何所不散索隱曰劉氏云用東歸之兵擊東方之敵此敵無不散敗也且三秦王爲秦將將秦子弟數歲矣所殺亡不可勝計又欺其衆降諸侯至新安項王詐坑秦降卒二十餘萬唯獨邯欣翳得脫秦父兄怨此三人痛入骨髓今楚彊以威王此三人秦民莫愛也大王之入武關秋豪無所害索隱曰案秋豪秋乃成王逸注楚詞云鋭毛爲豪夏落秋生也除秦苛法與秦民約法三章耳秦民無不欲得大王王秦者於諸侯之約大王當王關中關中民咸知之大王失職入漢中秦民無不恨者今大王舉而東三秦可傳檄

而定也。（索隱曰案説文云檄二尺書也此云傳檄謂爲檄書以責所伐者）於是漢王大喜，自以爲得信晩，遂聽信計，部署諸將所擊。八月，漢王舉兵東出陳倉，（正義曰漢王從關北出岐州陳倉縣）定三秦。漢二年，出關，（正義曰出函谷關）收魏、河南，韓、殷王皆降。合齊、趙共擊楚。四月，至彭城，漢兵敗散而還。信復收兵與漢王會滎陽，復擊破楚京、索之閒，以故楚兵卒不能西。漢之敗卻彭城，（正義曰兵敗散彭城而却退）塞王欣、翟王翳亡漢降楚，齊、趙亦反漢與楚和。六月，魏王豹謁歸視親疾，至國，即絶河關（索隱曰今蒲津關）反漢，與楚約和。漢王使酈生説豹，不下。其八月

塞臨晉 集案言塞河津也

後九月 今案呂后紀後九月晦日己酉 又顏曰即閏九月也時曆以十月爲歲首至九月則歲終後九月是閏九月也

通鑑擊趙代 胡注 時趙王歇王趙 陳餘王代

以信爲左丞相擊魏。魏王盛兵蒲坂，塞臨晉。索隱曰塞音先得反臨晉縣名在河東之東岸對舊關也信乃益爲疑兵，漢書音義曰益張旍旗以疑敵者陳船欲渡臨晉，索隱曰劉氏云陳船地名在舊關西今之朝邑非也案京兆有船司空縣不名陳船陳船者陳列船艘欲渡河也而伏兵從夏陽以木罌缻渡軍，徐廣曰缻一作缶服虔曰以木柙縛罌缻以渡韋昭曰以木爲器如罌缻以渡軍無船且尚密也○正義曰按韓信詐陳列船艘於臨晉欲渡河即此從夏陽木押罌缻度軍襲安邑臨晉同州東朝邑界夏陽在同州北渭城界襲安邑。正義曰安邑故城在絳州夏縣東北十五里魏王豹驚，引兵迎信，信遂虜豹，索隱曰劉氏云夏陽雖舊無船豹不備之而防臨晉耳今安邑被襲故豹遂降也定魏爲河東郡。正義曰理安邑縣故城漢王遣張耳與信俱引兵，東北擊趙、代。後九月，破代兵，禽夏說閼與。徐廣曰音余駰案李奇曰夏說代相也。○索隱曰司馬彪郡國志上黨沾縣有閼與聚閼音曷又音焉與音余又音預沾音他廉反。○正義曰閼與聚城在潞州銅鞮縣西北二十里。信之下魏破代漢輒使人收其精兵詣滎陽以距楚信與張耳以兵數萬欲東下井陘擊趙索隱曰案地理志常山石邑縣井陘山在西又穆天子傳云至于陘山之隧升于三道之磴是也。趙王成安君陳餘聞漢且襲之也聚兵井陘口正義曰井陘故關在并州石艾縣陘東十八里即井陘口號稱二十萬廣武君李左車說成安君曰聞漢將韓信涉西河虜魏王禽夏說新喋血閼與索隱曰喋舊音牃非也案陳湯傳喋血萬里之外如淳云殺人血流滂沲也韋昭音徒協反今乃輔以張耳議欲下趙此乘勝而去國遠鬬其鋒不可當臣聞千里以信爲左丞相擊魏魏王盛兵蒲坂塞臨晉 索隱曰塞音先得反臨晉縣名在河東之東岸對舊關也 信乃益爲疑兵 漢書音義曰益張旗幟以疑敵者 陳船欲渡臨晉 索隱曰劉氏云陳船地名在舊關西今之朝邑非也案京兆有船司空縣不名陳船陳船者陳列船艘欲渡河也 而伏兵從夏陽以木罌缻渡軍 徐廣曰缻一作缶服虔曰以木柙縛罌缻以渡韋昭曰以木爲器如罌缻以渡軍無船且尚密也○正義曰按韓信詐陳列船艘於臨晉欲渡河即此從夏陽木押罌缶缻度又軍襲安邑臨晉同州東朝邑界夏陽在同州北渭城界 襲安邑 正義曰安邑故城在絳州夏縣東北十五里 魏王豹驚引兵迎信 信遂虜豹 索隱曰劉氏云夏陽舊自無船豹不備之而防臨晉耳今安邑被襲故豹遂降也 定魏 爲河東郡 正義曰理安邑縣故城 漢王遣張耳與信俱引兵東北擊趙代後九月破代兵禽夏說閼與 徐廣曰音

【喋】漢書文帝紀曰今誅諸呂新喋血京師注服虔曰喋音蹀屣履之蹀如淳曰殺人流血滂沱為喋血師古曰喋音大頰反本字當作蹀蹀謂履涉之耳

喋 テフ ダフ

余驅安案李奇曰夏說代相也。○索隱曰司馬彪郡國志上黨沾縣有閼與聚閼音曷又音焉與音余又音預沾音他廉反。○正義曰閼與聚城在潞州銅鞮縣西北二十里。信之下魏破代漢輒使人收其精兵詣滎陽以距楚信與張耳以兵數萬欲東下井陘擊趙索隱曰案地理志常山石邑縣井陘山在西又穆天子傳云至于陘山之隧升于三道之磴是也。趙王成安君陳餘聞漢且襲之也聚兵井陘口正義曰井陘故關在并州石艾縣陘東十八里即井陘口。號稱二十萬廣武君李左車說成安君曰聞漢將韓信涉西河虜魏王禽夏說新喋血閼與索隱曰喋舊音牒非也案陳湯傳喋血萬里之外如淳云殺人血流滂沱也韋昭音徒協反。今乃輔以張耳議欲下趙此乘勝而去國遠鬭其鋒不可當臣聞千里餽糧，士有飢色，樵蘇後爨，漢書音義曰：樵，取薪也；蘇，取草也。師不宿飽。今井陘之道，車不得方軌，騎不得成列，行數百里，其勢糧食必在其後。願足下假臣奇兵三萬人，從閒路絕其輜重；足下深溝高壘，堅營勿與戰。彼前不得鬭，退不得還，吾奇兵絕其後，使野無所掠，不至十日，而兩將之頭可致於戲下。願君留意臣之計。不，必爲二子所禽矣。」成安君，儒者也，常稱義兵不用詐謀奇計，曰：「吾聞兵法十則圍之，倍則戰。今韓信兵號數萬，其實不過數千，能千里而襲我，亦已罷極。今如此避而不擊後有大者何以加之則諸侯謂吾怯而輕來伐我不聽廣武君策廣武君策不用韓信使人閒視知其不用還報則大喜乃敢引兵遂下（正義曰引兵入井陘狹道出趙）未至井陘口三十里止舍夜半傳發（漢書音義曰傳令軍中使發）選輕騎二千人人持一赤幟從閒道萆山而望趙軍（如淳曰萆音蔽依山自覆蔽○索隱曰案謂令從閒道小路向前望見陳餘軍營即住仍須隱山自蔽勿令趙軍知也蔽者蓋覆也按楚漢春秋作卑山漢書作箄說文云萆蔽也從艸卑聲）誡曰趙見我走必空壁逐我若疾入趙壁拔趙幟立漢赤幟令其裨將傳飧（徐廣曰音飡也○索隱曰如淳曰小飯曰飧言謂立駐傳飧待破趙乃大食也）曰今日破趙會食（服虔曰立駐傳飧食也如）

淮陰侯傳 六

有飢色 師古曰言雖餽

師古曰間路，微路也

兩將，韓信、張耳也

師古曰戲讀曰麾，又音許宜反

師古曰言多十倍者可以圍敵，多一倍者戰則有勝也

餽糧，士有飢色；樵蘇後爨，漢書音義曰：樵，取薪也；蘇，取草也。師不宿飽。今井陘之道，車不得方軌，騎不得成列，行數百里，其勢糧食必在其後。願足下假臣奇兵三萬人，從間路絕其輜重；足下深溝高壘，堅營勿與戰。彼前不得鬬，退不得還，吾奇兵絕其後，使野無所掠，不至十日，而兩將之頭可致於戲下。願君留意臣之計，不必為二子所禽矣。成安君，儒者也，常稱義兵不用詐謀奇計，曰：吾聞兵法，十則圍之，倍則戰。今韓信兵號數萬，其實不過數千，能千里而襲我，亦已罷極。今如此避

而不擊後有大者何以加之則諸侯謂吾怯而輕來伐我不聽廣武君策廣武君策不用韓信使人閒視知其不用還報則大喜乃敢引兵遂下正義曰引兵入井陘狹道出趙未至井陘口三十里止舍夜半傳發漢書音義曰傳令軍中使發選輕騎二千人人持一赤幟從閒道革山而望趙軍如淳曰革音蔽依山自覆蔽○索隱曰案謂令從閒道小路向前望見陳餘軍營即住仍須隱山自蔽勿令趙軍知也蔽者蓋覆也楚漢春秋作卑山漢書作革鄭氏云革蔽也從卑竹聲誡曰趙見我走必空壁逐我若疾入趙壁拔趙幟立漢赤幟令其裨將傳飱徐廣曰音飡食也○索隱曰如淳曰小飯曰飱謂立駐傳飱待破趙乃大食也曰今日破趙會食服虔曰立駐傳飱食也如

淮陰侯傳六

濞曰小飯曰餐言破趙後乃當共飽食也諸將皆莫信詳應曰諾謂軍吏曰趙已先據便地爲壁且彼未見吾大將旗鼓未肯擊前行恐吾至阻險而還信乃使萬人先行出背水陳正義曰綿蔓水一名阜將一名洄星自并州流入井陘界即信背水陣陷之死地即此水也趙軍望見而大笑平旦信建大將之旗鼓鼓行出井陘口趙開壁擊之正義曰恒州鹿泉縣即六國時趙壁也大戰良久於是信張耳詳棄鼓旗走水上軍水上軍開入之復疾戰趙果空壁爭漢鼓旗逐韓信張耳韓信張耳已入水上軍軍皆殊死戰不可敗信所出奇兵二千騎共候趙空壁逐利則馳

泜 徐廣曰音遲

入趙壁皆拔趙旗立漢赤幟二千趙軍已不勝不能得信等欲還歸壁壁皆漢赤幟而大驚以爲漢皆已得趙王將矣兵遂亂遁走趙將雖斬之不能禁也於是漢兵夾擊大破虜趙軍斬成安君泜水上禽趙王歇信乃令軍中毋殺廣武君有能生得者購千金於是有縛廣武君而致戲下者信乃解其縛東鄉坐西鄉對師事之諸將效首虜（索隱曰如淳云效致也孟康曰效數也鄭玄注禮效猶呈見也）休畢賀因問信曰兵法右倍山陵前左水澤今者將軍令臣等反背水陳曰破趙會食臣等不服然竟以勝

淳曰小飯曰飡言破趙後乃當共飽食也諸將皆莫信詳應曰諾謂軍吏曰趙已先據便地為壁且彼未見吾大將旗鼓未肯擊前行恐吾至阻險而還信乃使萬人先行出背水陳正義曰綿蔓水一名阜將一名洄星自并州流入井陘界即信背水陣陷之死地即此水也趙軍望見而大笑平旦信建大將之旗鼓鼓行出井陘口趙開壁擊之正義曰恒州鹿泉縣即六國時趙壁也大戰良久於是信張耳詳棄鼓旗走水上軍水上軍開入之復疾戰趙果空壁爭漢鼓旗逐韓信張耳韓信張耳已入水上軍軍皆殊死戰不可敗信所出奇兵二千騎共候趙空壁逐利則馳

泜　徐廣曰音遲

入趙壁皆拔趙旗立漢赤幟二千趙軍已不勝
不能得信等欲還歸壁壁皆漢赤幟而大驚以
爲漢皆已得趙王將矣兵遂亂遁走趙將雖斬
之不能禁也於是漢兵夾擊大破虜趙軍斬成
安君泜水上禽趙王歇信乃令軍中毋殺廣武
君有能生得者購千金於是有縛廣武君而致
戲下者信乃解其縛東鄉坐西鄉對師事之諸
將効首虜（索隱曰如淳云効致也晉灼曰効數也鄭玄注禮効猶呈見也）畢賀因問
信曰兵法右倍山陵前左水澤今者將軍令臣
等反背水陳曰破趙會食臣等不服然竟以勝

淮陰侯傳七

此何術也信曰此在兵法顧諸君不察耳兵法不曰陷之死地而後生置之亡地而後存且信非得素拊循士大夫也此所謂驅市人而戰之其勢非置之死地使人人自為戰今予之生地皆走寧尚可得而用之乎諸將皆服曰善非臣所及也於是信問廣武君曰僕欲北攻燕東伐齊何若而有功廣武君辭謝曰臣聞敗軍之將不可以言勇亡國之大夫不可以圖存今臣敗亡之虜何足以權大事乎信曰僕聞之百里奚居虞而虞亡在秦而秦霸非愚於虞而智於秦

師古曰顧念也

漢書此字下有經字 師古曰經亦謂兵法也忽入市之人而驅取其人合戰言非素所練習也

師古曰何若猶言何如

也用與不用聽與不聽也誠令成安君聽足下計若信者亦已為禽矣以不用足下故信得侍耳因固問曰僕委心歸計願足下勿辭廣武君曰臣聞智者千慮必有一失愚者千慮必有一得故曰狂夫之言聖人擇焉顧恐臣計未必足用願效愚忠夫成安君有百戰百勝之計一旦而失之軍敗鄗下（李音曰鄗音臛今高邑是）身死泜上今將軍涉西河（索隱曰此之西河當馮翊也○正義曰即同州龍門河從夏陽度者）虜魏王禽夏說閼與一舉而下井陘不終朝破趙二十萬衆誅成安君名聞海內威震天下農夫莫不輟

師古曰顔念也

生イキ

漢書此字下有經字 師古曰經亦謂兵法也忽入市廛而驅取其人令戰言非素所練習也

師古曰何若猶言何如也

此何術也信曰此在兵法顧諸君不察耳兵法不曰陷之死地而後生置之亡地而後存且信非得素拊循士大夫也此所謂驅市人而戰之其勢非置之死地使人人自為戰今予之生地皆走寧尚可得而用之乎諸將皆服曰善非臣所及也於是信問廣武君曰僕欲北攻燕東伐齊何若而有功廣武君辭謝曰臣聞敗軍之將不可以言勇亡國之大夫不可以圖存今臣敗亡之虜何足以權大事乎信曰僕聞之百里奚居虞而虞亡在秦而秦霸非愚於虞而智於秦

也用與不用聽與不聽也誠令成安君聽足下計若信者亦已爲禽矣以不用足下故信得侍耳因固問曰僕委心歸計願足下勿辭廣武君曰臣聞智者千慮必有一失愚者千慮必有一得故曰狂夫之言聖人擇焉顧恐臣計未必足用願効愚忠夫成安君有百戰百勝之計一旦而失之軍敗鄗下（李奇曰鄗音臛今高邑是）身死泜上今將軍涉西河（索隱曰此之西河當馮翊也○正義曰即同州龍門河從夏陽度者）虜魏王禽夏說閼與一舉而下井陘不終朝破趙二十萬衆誅成安君名聞海内威震天下農夫莫不輟

耕釋耒褕衣甘食索隱曰褕鄭氏音踰美也恐滅亡不此故廢止作業而事美衣甘食日褕苟且也慮不圖久故也漢書作美衣褕食傾耳以待命者如淳曰恐滅亡不久故也若此將軍之所長也然而衆勞卒罷其實難用今將軍欲舉倦敝之兵頓之燕堅城之下欲戰恐以力不能拔情見勢屈曠日糧竭而弱燕不服齊必竟以自彊也燕齊相持而不下則劉項之權未有所分也若此者將軍所短也臣愚竊以爲亦過矣故善用兵者不以短擊長而以長擊短韓信曰然則何由廣武君對曰方今爲將軍計莫如案甲休兵鎮趙撫其孤百里之內牛酒

日至以饗士大夫醳兵〔魏都賦曰肴醳順時劉逵曰醳酒也○索隱曰劉氏依劉逵作醳酒謂以酒食養兵士也案史記古釋字皆如此豈亦謂以酒食醳兵士故字從酉乎〕北首燕路〔正義曰首音狩向也〕而後遣辯士奉咫尺之書〔正義曰咫尺八寸言其簡牘或長尺也〕暴其所長於燕〔正義曰暴音僕〕燕必不敢不聽從燕已從使諠言者東告齊齊必從風而服雖有智者亦不知為齊計矣如是則天下事皆可圖也兵固有先聲而後實者此之謂也韓信曰善從其策發使使燕燕從風而靡乃遣使報漢因請立張耳為趙王以鎮撫其國漢王許之乃立張耳為趙王楚數奇兵渡河擊趙趙王耳韓信往

來救趙因行定趙城邑發兵詣漢楚方急圍漢王於滎陽漢王南出之宛葉間（正義曰宛在鄧州葉在許州）得黥布走入城皋楚又復急圍之六月漢王出城皋東渡河獨與滕公俱從張耳軍脩武至宿傳舍晨自稱漢使馳入趙壁張耳韓信未起即其臥內上奪其印符以麾召諸將易置之信耳起乃知漢王來大驚漢王奪兩人軍即令張耳備守趙地拜韓信為相國收趙兵未發者擊齊（顔師古曰謂趙人未嘗見發者）信引兵東未渡平原（正義曰懷州有平原津）聞漢王使酈食其已說下齊韓信欲止范陽辯士蒯

通說信曰將軍受詔擊齊而漢獨發間使下齊寧有詔止將軍乎何以得毋行也且酈生一士伏軾（韋昭曰軾今小車中隆起者）掉三寸之舌下齊七十餘城將軍將數萬衆歲餘乃下趙五十餘城爲將數歲反不如一豎儒之功乎於是信然之從其計遂渡河齊已聽生即留縱酒罷備漢守禦信因襲齊歷下軍（徐廣曰齊南歷城縣）遂至臨菑齊王田廣以酈生賣己乃亨之而走高密使使之楚請救韓信已定臨菑遂東追廣至高密西楚亦使龍且將號稱二十萬救齊齊王廣龍且并軍與信戰未

來救趙因行定趙城邑發兵詣漢楚方急圍漢王於滎陽漢王南出之宛葉間正義曰宛在鄧州葉在許州得黥布走入城皐楚又復急圍之六月漢王出城皐東渡河獨與滕公俱從張耳軍脩武至宿傳舍晨自稱漢使馳入趙壁張耳韓信未起即其卧內上奪其印符以麾召諸將易置之信耳起乃知漢王來大驚漢王奪兩人軍即令張耳備守趙地拜韓信爲相國收趙兵未發者擊齊顔曰謂趙人未嘗見發者信引兵東未渡平原正義曰懷州有平原津聞漢王使酈食其已說下齊韓信欲止范陽辯士蒯

通鑑信曰將軍受詔擊齊而漢獨發間使下齊寧有詔止將軍乎何以得毋行也且酈生一士伏軾（韋昭曰軾今小車中隆起者）掉三寸之舌下齊七十餘城將軍將數萬衆歲餘乃下趙五十餘城爲將數歲反不如一竪儒之功乎於是信然之從其計遂渡河齊已聽生即留縱酒罷備漢守禦信因襲齊歷下軍（徐廣曰濟南歷城縣）遂至臨菑齊王田廣以酈生賣己乃亨之而走高密使使之楚請救韓信已定臨菑遂東追廣至高密西楚亦使龍且將號稱二十萬救齊齊王廣龍且并軍與信戰未

食人或說龍且曰漢兵遠鬭窮戰其鋒不可當齊楚自居其地戰兵易敗散正義曰近其室家懷顧離散也不如深壁令齊王使其信臣招所亡城亡城聞其王在楚來救必反漢漢兵二千里客居齊城皆反之其勢無所得食可無戰而降也龍且曰吾平生知韓信爲人易與耳且夫救齊不戰而降之吾何功今戰而勝之齊之半可得何爲止遂戰與信夾濰水陳徐廣曰出東莞而東北流至北海都昌縣入海○索隱曰濰音維地理志濰水出琅邪箕縣東北至都昌入海徐所引蓋據水經與此小不同韓信乃夜令人爲萬餘囊滿盛沙壅水上流引軍半渡擊龍且佯不

勝遂走龍且果喜曰固知信怯也遂追渡水信使人決壅囊水大至龍且軍大半不得渡即急擊殺龍且龍且水東軍散走齊王廣亡去信遂追北至城陽正義曰城陽雷澤縣是也在濮州東南九十一里皆虜楚卒漢四年遂皆降平齊使人言漢王曰齊偽詐多變反覆之國也南邊楚不為假王以鎮之其勢不定願為假王便當是時楚方急圍漢王於滎陽韓信使者至發書張晏曰發信使者所齎書漢王大怒罵曰吾困於此旦暮望若來佐我乃欲自立為王張良陳平躡漢王足因附耳語曰漢方不利寧能禁

淮陰侯傳十一

信之。王乎不如因而立善遇之使自為守不然變生漢王亦悟因復罵曰大丈夫定諸侯即為眞王耳何以假為乃遣張良往立信為齊王。徐廣曰四年二月徵其兵擊楚。楚已亡龍且項王恐使盱眙人武涉張華曰武涉墓在盱眙城東十五里往說齊王信曰天下共苦秦久矣相與戮力擊秦秦已破計功割地分土而王之以休士卒今漢王復興兵而東侵人之分奪人之地已破三秦引兵出關收諸侯之兵以東擊楚其意非盡吞天下者不休其不知厭足如是甚也且漢王不可必身居項王掌握中數矣正義曰數色角反項王憐而活之然得脫輒倍約復擊項王其不可親信如此今足下雖自以與漢王爲厚交爲之盡力用兵終爲之所禽矣足下所以得須臾至今者以項王尚存也當今二王之事權在足下足下右投則漢王勝左投則項王勝項王今日亡則次取足下足下與項王有故何不反漢與楚連和參分天下王之今釋此時而自必於漢以擊楚且爲智者固若此乎

韓信謝曰臣事項王官不過郎中位不過執戟張晏曰郎中宿衛執戟之人也言不聽畫不用故倍楚而歸漢漢

王授我上將軍印予我數萬衆解衣衣我推食食我言聽計用故吾得以至於此夫人深親信我我倍之不祥雖死不易幸為信謝項王武涉已去齊人蒯通知天下權在韓信欲為奇策而感動之以相人說韓信曰僕嘗受相人之術韓信曰先生相人何如對曰貴賤在於骨法憂喜在於容色成敗在於決斷以此參之萬不失一矣韓信曰善先生相寡人何如對曰願少間信曰左右去矣通曰相君之面不過封侯又危不安相君之背貴乃不可言張晏曰背畔則大貴韓信曰何謂

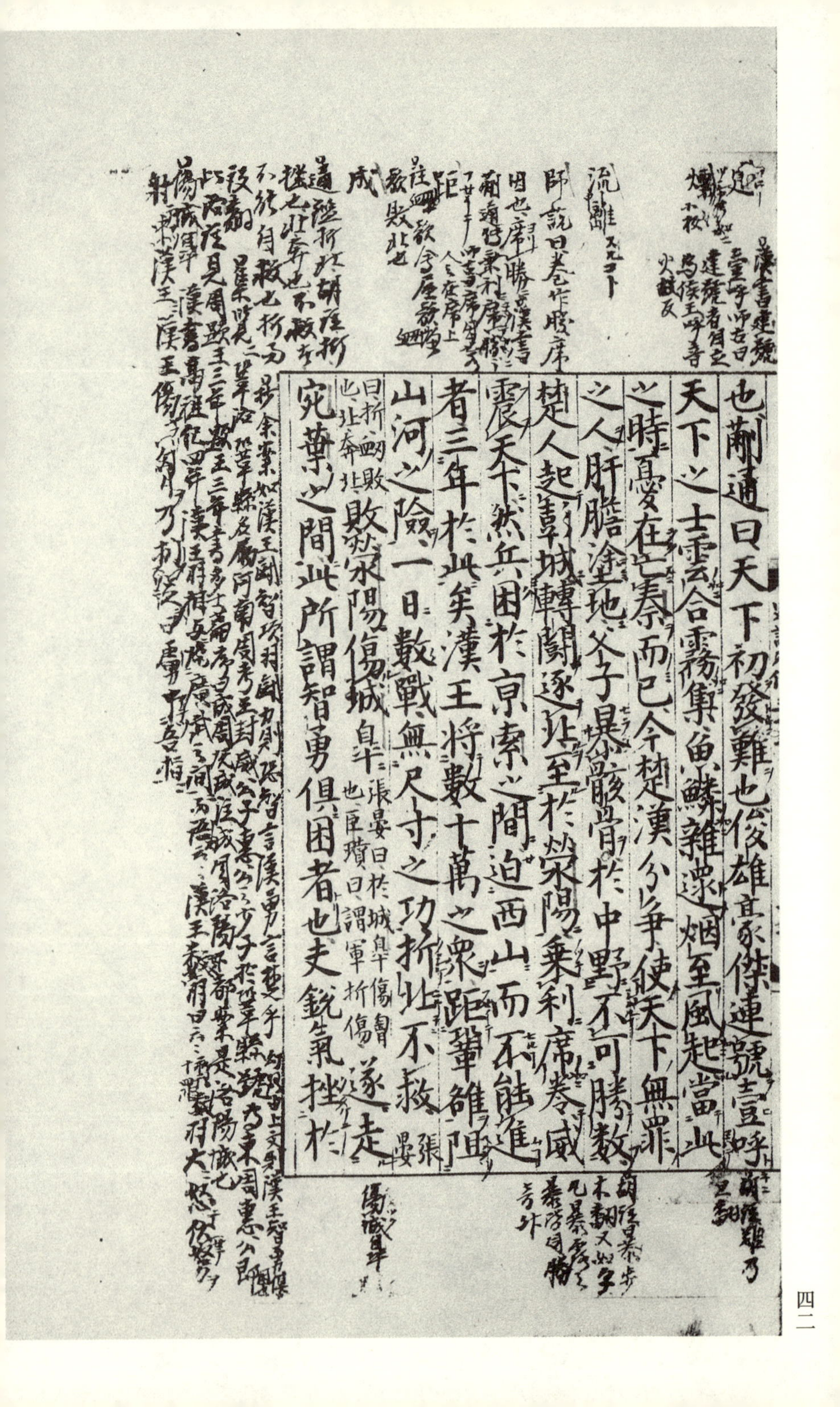

也蒯通曰天下初發難也俊雄豪傑建號壹呼

天下之士雲合霧集魚鱗雜遝熛至風起當此

之時憂在亡秦而已今楚漢分爭使天下無罪

之人肝膽塗地父子暴骸骨於中野不可勝數

楚人起彭城轉鬭逐北至於滎陽乘利席卷威

震天下然兵困於京索之間迫西山而不能進

者三年於此矣漢王將數十萬之衆距鞏雒阻

山河之險一日數戰無尺寸之功折北不救

日折衄敗也北奔北 敗滎陽傷城皋 張晏曰於城皋傷創也臣瓚曰謂軍折傷 遂走

宛葉之間此所謂智勇俱困者也夫銳氣挫於

蒯通集覽二蒯徹姓名也後避武帝諱更改徹曰通

與ハ通鑑元與ノ字 蒯注云漢書ニ下於既翻推食當翻食ニ下祥吏翻 師古曰下衣音於既反下食讀曰飼也

通鑑並ニ胡注以微言動信言背陽則大貴也相息亮翻

少ト讀

去一ト讀サカレ

王授我上將軍印予我數萬衆解衣衣我推食
食我言聽計用故吾得以至於此夫人深親信
我我倍之不祥雖死不易幸為信謝項王武涉
已去齊人蒯通知天下權在韓信欲為奇策而
感動之以相人說韓信曰僕嘗受相人之術韓
信曰先生相人何如對曰貴賤在於骨法憂喜
在於容色成敗在於決斷以此參之萬不失一
韓信曰善先生相寡人何如對曰願少間信曰
左右去矣通曰相君之面不過封侯又危不安
相君之背貴乃不可言 張晏曰背畔則大貴 韓信曰何謂

以下三丁漢書蒯通傳載之

也蒯通曰天下初發難也俊雄豪傑建號壹呼天下之士雲合霧集魚鱗雜遝熛至風起當此之時憂在亡秦而已今楚漢分爭使天下無罪之人肝膽塗地父子暴骸骨於中野不可勝數楚人起彭城轉鬭逐北至於滎陽乘利席卷威震天下然兵困於京索之間迫西山而不能進者三年於此矣漢王將數十萬之衆距鞏雒阻山河之險一日數戰無尺寸之功折北不救（張晏曰折衄敗也北奔北）敗滎陽傷城皐（張晏曰於城皐傷也臣瓚曰謂軍折傷）遂走宛葉之間此所謂智勇俱困者也夫銳氣挫於

府 本作腑

縣 本作懸

一作起

險塞而糧食竭於內府百姓罷極怨望容容無
所倚以臣料之其勢非天下之賢聖固不能息
天下之禍當今兩主之命縣於足下足下為漢
則漢勝與楚則楚勝臣願披腹心輸肝膽效愚
計恐足下不能用也誠能聽臣之計莫若兩利
而俱存之參分天下鼎足而居其勢莫敢先動
夫以足下之賢聖有甲兵之眾據彊齊從燕趙
出空虛之地而制其後因民之欲西鄉（正義曰鄉音向齊國在東故曰西向也）為百姓請命（正義曰止楚漢之戰闘士卒亡故云請命）則天下風
走而響應矣孰敢不聽割大弱彊以立諸侯諸

常山王 張耳

成安君 陳餘

師古曰黶音一點反

淮陰侯十四

侯已立天下服聽而歸德於齊案齊之故有膠
泗之地懷諸侯之德深拱揖讓則天下之君王
相率而朝於齊矣蓋聞天與弗取反受其咎時
至不行反受其殃願足下孰慮之韓信曰漢王
遇我甚厚載我以其車衣我以其衣食我以其
食吾聞之乘人之車者載人之患衣人之衣者
懷人之憂食人之食者死人之事吾豈可以鄉
利倍義乎蒯生曰足下自以為善漢王欲建萬
世之業臣竊以為誤矣始常山王成安君為布
衣時相與為刎頸之交後爭張黶陳澤之事二

此

膠 徑膠泗 二水名 師古曰[illegible] 高拱

大夫種范蠡 越世家句踐乃令大夫種行成於呉索隱曰大夫官種名也[illegible]
也[illegible]正義曰吴越春秋云大夫種姓文名種字子禽[illegible]句踐[illegible]
[illegible]
[illegible]
[illegible]種遂自殺

人相怨常山王背項王奉項嬰頭而竄逃歸於
漢王漢王借兵而東下殺成安君泜水之南頭
足異處卒為天下笑此二人相與天下至驩也
然而卒相禽者何也患生於多欲而人心難測
也今足下欲行忠信以交於漢王必不能固於
二君之相與也而事多大於張黶陳澤故臣以
為足下必漢王之不危己亦誤矣大夫種范蠡
存亡越霸句踐立功成名而身死亡野獸已盡
而獵狗亨夫以交友言之則不如張耳之與成
安君者也以忠信言之則不過大夫種范蠡之

徇趙 漢書高祖紀張良徇韓地蘇林曰徇巡也撫其民人也孟康曰徇略也師古曰孟説是音似峻反

正義曰言世之大功不能出於韓信

東坡詩十春司馬君實異獨樂園詩見意謂君實才卒空司馬持此欲安歸

蒯不我於後數日以下 漢書蒯通何義之

於句践也此二人者足以観矣願足下深慮之
且臣聞勇略震主者身危而功蓋天下者不賞
臣請言大王功略足下渉西河虜魏王禽夏説
引兵下井陘誅成安君徇趙脅燕定齊南摧楚
人之兵二十萬東殺龍且西郷以報此所謂功無
二於天下而略不世出者也今足下戴震主
之威挾不賞之功帰楚楚人不信帰漢漢人震
恐足下欲持是安帰乎夫勢在人臣之位而有
震主之威名高天下竊為足下危之韓信謝曰
先生且休矣吾将念之後数日蒯通復説曰夫

略不世出 師古曰言其計略奇異世所希有

師古曰念思也

廝養之役發食是炊廝相支切養与之蘓林曰廝取薪者廣韻役人之賤秦仍廝徒十萬張耳傳
廝養卒昔師古曰析薪為廝炊烹為養張耳傳注如淳曰廝賤者也

聽者事之候也計者事之機也聽過計失而能久安者鮮矣聽不失一二者不可亂以言計不失本末者不可紛以辭夫隨厮養之役者失萬乘之權守儋石之祿者晋灼曰揚雄方言海岱之間名甖為儋石斗石也蘓林曰齊人名小甖為儋石如今受鮐魚石甖不過一二石耳一說儋與一斛之餘○索隱曰儋音都濫反石斗也蘓林解為一得之鮐音胎闕卿相之位故知者決之斷也疑者事之害也審豪氂之小計遺天下之大數智誠知之決弗敢行者百事之禍也故曰猛虎之猶豫不若蜂蠆之致螫正義音適騏驥之跼躅徐廣曰跼一作蹢也不如駑馬之安步孟賁之狐疑不如庸夫之必至也

雖有舜禹之智，吟而不言，不如瘖聾之指麾也。索隱曰：鄒氏吟音巨蔭反，又音琴。此言貴能行之。夫功者難成而易敗，時者難得而易失也。時乎時，不再來。願足下詳察之。」韓信猶豫不忍倍漢，又自以為功多，漢終不奪我齊，遂謝蒯通。蒯通說不聽，已詳狂為巫。徐廣曰：一本遂不用蒯通，蒯通曰夫迫於細苛者不可與圖大事，拘於臣虜者固無君王之意，說不聽，因去詳狂也。○索隱曰：案漢書及戰國策皆有此文。

漢王之困固陵，用張良計，召齊王信，遂將兵會垓下。項羽已破，高祖襲奪齊王軍。徐廣曰：以齊為平原、千乘、東萊、齊郡。漢五年正月，徙齊王信為楚王，都下邳。信至國，召所從食漂母，賜千金。

陳平曰項王骨鯁之臣亞父鍾離眜龍且周殷之屬不過數人耳

眜　師古曰眜音莫葛反

張華曰漂母冢在泗口南岸及下鄉南昌亭長賜百錢曰公小人也爲德不卒召辱己之少年令出胯下者以爲楚中尉告諸將相曰此壯士也方辱我時我寧不能殺之邪殺之無名故忍而就於此項王亡將鍾離眜家在伊廬徐廣曰東海朐縣有伊廬鄉駰案韋昭曰今中廬縣〇索隱曰徐注出司馬彪郡國志〇正義曰括地志云中廬在義淸縣北二十里本春秋時廬戎國也秦謂之伊廬漢爲中廬縣項羽之將鍾離眜家在韋昭及括地志云皆說之也素與信善項王死後亡歸信漢王怨眜聞其在楚詔楚捕眜信初之國行縣邑陳兵出入漢六年人有上書告楚王信反高帝以陳平計天子巡狩會諸侯南方有雲

師古曰行音下更反

夢發使告諸侯會陳吾將遊雲夢實欲襲信信弗知高祖且至楚信欲發兵反自度無罪欲謁上恐見禽人或說信曰斬眛謁上上必喜無患信見眛計事眛曰漢所以不擊取楚以眛在公所若欲捕我以自媚於漢吾今日死公亦隨手亡矣乃罵信曰公非長者卒自剄信持其首謁高祖於陳上令武士縛信載後車信曰果若人言狡兎死良狗亨（張晏曰狡猶猾 索隱曰吳越春秋作郊兎 戰國策曰東郭逡海內狡兎也）高鳥盡良弓藏敵國破謀臣亡天下已定我固當亨上曰人告公反遂械繫信至雒陽赦信

索隱荀悅曰人或說龍且此曰人或說信此傳文誤也

吁古反 度音大各反

通鑑良作走 漢書作良

狡兎ノ 郭安曰此黄石公三略之言 亨作烹

藏ヨリ外メヲル

通鑑十一胡注械者加以桎梏繫者加以徽索

困学紀聞第十程子曰韓信多多益辨是分數明按孫子治衆如治寡分數是也杜牧注引韓信多多益辨

通鑑唐帝鞅鞅之朝廷鞅鞅之志不満之意於而翻縦侯周勃灌嬰將軍灌嬰

朝從謂從朝更遙翻然見也從才用翻從遊也

常作嘗

漢書爲伍師古曰言俱爲列侯

罷以爲淮陰侯信知漢王畏惡其能常稱病不朝從信由此日怨望居常鞅鞅羞與絳灌等列信常過樊將軍噲噲跪拜送迎言稱臣曰大王乃肯臨臣信出門笑曰生乃與噲等爲伍上常從容與信言諸將能不各有差上問曰如我能將幾何信曰陛下不過能將十萬上曰於君何如曰臣多多而益善耳上笑曰多多益善何爲爲我禽信曰陛下不能將兵而善將將此乃信之所以爲陛下禽也且陛下所謂天授非人力也陳豨拜爲鉅鹿守徐廣曰表云爲趙相國將兵守代也辭於淮陰侯

淮陰侯挈其手辟左右與之步於庭仰天歎曰子可與言乎欲與子有言也豨曰唯將軍令之淮陰侯曰公所居天下精兵處也而公陛下之信幸臣也人言公之畔陛下必不信再至陛下乃疑矣三至必怒而自將吾爲公從中起天下可圖也陳豨素知其能也信之曰謹奉教漢十一年陳豨果反上自將而往信病不從陰使人至豨所曰第舉兵吾從此助公信乃謀與家臣夜詐詔赦諸官徒奴欲發以襲呂后太子部署已定待豨報其舍人得罪於信索隱曰案甯灼曰楚漢春秋云謝公

仲馮曰按功臣表告信反者舍人樂說也宋祁曰功臣侯表云愼陽侯樂說為淮陰侯舍人告淮陰侯信反侯二千石、

也姚氏案功臣表云愼陽侯樂說淮陰舍人告信反者未知孰是信因欲殺之舍人弟上變告信欲反狀於呂后呂后欲召恐其黨不就乃與蕭相國謀詐令人從上所來言豨已得死列侯羣臣皆賀相國紿信曰雖疾彊入賀信入呂后使武士縛信斬之長樂鍾室正義曰長樂宮懸鍾之室信方斬之曰吾悔不用蒯通之計乃爲兒女子所詐豈非天哉遂夷信三族高祖已從豨軍來至見信死且喜且憐之問信死亦何言呂后曰信言恨不用蒯通計高祖曰是齊辯士也乃詔齊捕蒯通蒯通至上曰若教淮陰侯反乎對曰

然臣固教之豎子不用臣之策故令自夷於此如彼豎子用臣之計陛下安得而夷之乎上怒曰亨之通曰嗟乎寃哉亨也上曰若教韓信反何寃對曰秦之綱絶而維弛山東大擾異姓並起英俊烏集秦失其鹿天下共逐之張晏曰以鹿喻帝位也於是高材疾足者先得焉蹠之狗吠堯堯非不仁狗固吠非其主當是時臣唯獨知韓信非知陛下也且天下鋭精持鋒欲爲陛下所爲者甚衆顧力不能耳又可盡亨之邪高帝曰置之乃釋通之罪

太史公曰吾如淮陰淮陰人爲余言韓信雖爲布衣時其志與衆異其母死貧無以葬然乃行營高敞地令其旁可置萬家余視其母冢良然假令韓信學道謙讓不伐己功不矜其能則庶幾哉於漢家勳可以比周召太公之徒後世血食矣不務出此而天下已集乃謀畔逆夷滅宗族不亦宜乎

索隱述贊曰

君臣一體　自古所難　相國深薦

策拜登壇　沉沙決水　拔幟傳飡

與漢漢重　歸楚楚安　三分不議

蒯聯人武涉曰何不反漢与楚連和三分天下王之

偽遊可歎

高帝偽遊雲夢縛之

通鑑十二臣光曰世或以韓信首建大策与高祖起漢中定三秦遂分兵以北禽魏取代仆趙脅燕東擊齊而有之南滅楚垓下漢之所以得天下者大抵皆信之功也觀其距蒯徹之說迎高祖於陳豈有反心哉良由失職怏怏遂陷悖逆夫以盧綰里閈舊恩猶南面王燕信乃以列侯奉朝請豈非高祖亦有負於信哉臣以為高祖用詐謀禽信於陳言負則有之雖然信亦有以取之也始漢与楚相距滎陽信滅齊不還報而自王其後漢追楚至固陵与信期共攻楚而信不至當是之時高祖固有取信之心矣顧力不能耳及天下已定信復何恃哉夫乘時以徼利者市井之志也酬功而報德者士君子之心也信以市井之志利其身而以士君子之心望於人不亦難哉是故太史公論之曰假令韓信學道謙讓不伐己功不矜其能則庶幾哉於漢家勳可以比周召太公之徒後世血食矣不務出此而天下已集乃謀畔逆夷滅宗族不亦宜乎

淮陰侯列傳第三十二　史記九十二

黃氏日抄信虜魏破代禽趙下燕定齊南摧楚兵二十萬殺龍且而楚隨滅漢并天下皆信力也武涉蒯通說信背漢而信終不忍自以功多漢終不奪我齊也不知功之多者忌之尤今日破楚明日襲奪齊王軍方信為漢取天下漢之心已未嘗一日不在取信也高帝平生親信無過蕭何者矣而且疑之況信耶信有必誅之勢而無人教之以蕭何避禍之策張良為帝謀臣使其為之畫善後計猶庶幾焉而躡足之諫召信令兵垓下之策皆所以甚帝之疑而置信於死者也失職怏怏謀反見誅信之罪而夷三族嗚呼甚矣

師古曰孽子謂庶耳張晏說非也

韓王信盧綰列傳第三十三　史記九十三

韓王信者，徐廣曰一云信都。○索隱曰楚漢春秋云韓王信都，恐誤也。諸書不言有韓信都，案韓王信初為韓司徒，後訛云申徒，因誤以為韓王名耳。故韓襄王孽孫也。張晏曰孺子為孽。○索隱曰何休注公羊以為孽，賤子，猶樹之有孽生也。漢書朝錯云孽子悼惠王是也。長八尺五寸。及項梁之立楚後懷王也，燕、齊、趙、魏皆已前王，唯韓無有後，故立韓諸公子橫陽君成正義曰故橫城在宋州宋城縣西南三十里為韓王，徐廣曰二年六月也，都陽翟。欲以撫定韓故地。項梁敗死定陶，成犇懷王。沛公引兵擊陽城，正義曰河南縣也。使張良以韓司徒徐廣曰他本多作申徒，申與司聲相近字，由此雜乱耳。今有申徒云是司徒之後，言司寇轉為申。降下韓故地，得信，以為韓將，將其兵從沛公入武關沛公立爲漢王韓信從入漢中迺說漢王曰項王王諸將近地而王獨遠居此此左遷也士卒皆山東人跂而望歸及其鋒東鄉文穎曰鋒銳欲東向○索隱曰跂音企起踵也鄭氏云鋒軍中將士氣鋒韋昭曰其氣鋒銳欲東也跂音岐○正義曰可以爭天下漢王還定三秦迺許信爲韓王先拜信爲韓太尉將兵略韓地項籍之封諸王皆就國韓王成以不從無功不遣就國更以爲列侯徐廣曰元年十一月誅成駰案漢書曰封爲穰侯○索隱曰地理志穰縣屬南陽及聞漢遣韓信略韓地迺令故項籍游吳時吳令鄭昌正義曰項籍在吳時昌爲吳縣令爲韓王以距漢漢二年韓信略

韓信盧綰傳一

通鑑十一上以韓王信材武所王云云胡注韓之分晉也南有潁川南有淮陽之地後分其地則及漢定天下韓王信剖符王潁川東有淮陽所謂北近鞏洛南迫宛葉……

明年春而言也 正義曰徐廣云即五年之二月也漢書韓信傳云六年春史記高紀並云六年徙信都晉陽未審徐何據

上以爲

師古曰被猶帶也

師古曰治爲治也

定韓十餘城漢王至河南韓信急擊韓王昌陽城昌降漢王乃立韓信爲韓王徐廣曰二年十一月常將韓兵從三年漢王出滎陽韓王信周苛等守滎陽及楚敗滎陽信降楚已而得亡復歸漢漢復立以爲韓王竟從擊破項籍天下定五年春遂與剖符爲韓王王潁川明年春徐廣曰即五年之二月駰案漢書曰六年春上以韓信材武所王北近鞏洛南迫宛葉東有淮陽皆天下勁兵處迺詔徙韓王信王太原以北備禦胡都晉陽信上書曰國被邊李奇曰被音被也匈奴數入晉陽正義曰并州去塞遠請治馬邑正義

間使 師古曰間私也

匈奴傳曰單于有太子名曰冒頓

冒音墨

匈奴傳曰匈奴謂天為撐犁謂子為孤塗

左右賢王左右谷蠡左右大將左右都尉左右大當戶左右骨都侯匈奴謂賢曰屠耆故常以太子為左屠耆王自左右賢王以下至當戶大者萬餘騎小者數千凡二十四長

[illegible]

州。上許之。信乃徙治馬邑。秋，匈奴冒頓大圍信，索隱曰冒音墨，又音莫報反。信數使使胡求和解。漢發兵救之，疑信數間使，有二心，使人責讓信。信恐誅，因與匈奴約共攻漢，反，以馬邑降胡，擊太原。七年冬，上自往擊，破信軍銅鞮，正義曰潞州縣。斬其將王喜。信亡走匈奴。與其將白土人張晏曰白土縣名屬上郡。曼丘臣、王黃等立趙苗裔趙利為王，復收信敗散兵，而與信及冒頓謀攻漢。匈奴使左右賢王將萬餘騎與王黃等屯廣武正義曰廣武故城在代州鴈門縣界也。以南，至晉陽，與漢兵戰，漢大破之，追至于離石，正義曰石通鑑上居晉陽汲冒頓居代谷胡注史記正義曰代谷今嬀州余按唐嬀州在幽州西北代谷在句注之北後魏都平城建為代都蓋因代谷之名也唐屬雲州界○歎會嬀僕為切是兵章衡曰季注非是使胡有雜伏則隱其分鄉之從不出行取是奇何以知匈奴無雜伏匈奴[illegible]壁鬥身全兵者言匈奴自戴其説也○歎會康歎伏兵器五刃總名兵人所執曰伏通作杖○集覽陳平秘計應劭曰平使畫工圖美女閒遣人遺閼氏云漢有美女如此今皇帝困厄欲獻之閼氏畏其奪己寵因謂單于曰漢天子亦有神靈得其土地非能有之於是匈奴開其一角得突出[illegible]古曰應説出桓譚新論蓋譚以意測之非記傳所載

白登師古曰在平城東山上去平城十餘里今其處猶存張説非之

師古曰閼氏匈奴皇后也

貳文匈奴單于之號其妻為閼氏不猶便以皇后稱之大俚俗也

州縣後復破之匈奴復聚兵樓煩正義曰鴈門郡樓煩縣西北漢令車騎擊破匈奴匈奴常敗走漢乘勝追北聞冒頓居代上谷正義曰今嬀州高皇帝居晉陽使人視冒頓還報曰可擊上遂至平城正義曰朔州定襄縣是也上出白登服虔曰白登臺名去平城七里如淳曰平城旁之高地若丘陵也○索隱曰姚氏案北彊記桑乾河北有白登山冒頓圍漢高帝於此今猶有壘壁匈奴騎圍上上乃使人厚遺閼氏正義曰於連反又音燕氏音支單于嫡妻號若皇后閼氏乃謂冒頓曰今得漢地猶不能居且兩主不相厄居七日胡騎稍引去時天大霧漢使人往來胡不覺護軍中尉陳平言上曰胡者全兵漢書音義曰言雖弓弩無雜杖也請令

遂字在壁 小板

作壘壁

兩矢　師古曰每一弩而加兩矢…御示敵也

陛下指高帝也

彊弩傅兩矢外鄉【索隱曰傅音附】徐行出圍入平城漢救兵亦到胡騎遂解去漢亦罷兵歸韓信為匈奴將兵往來擊邊漢十年信令王黃等說誤陳豨十一年春故韓王信復與胡騎入居參合【蘇林曰代地也○正義曰故城在朔州定襄縣北】距漢漢使柴將軍擊之【鄧展曰柴奇也○索隱曰應劭曰柴武鄧展云柴奇晉灼云奇武之子應劭說為得此奇奇未為將】遺信書曰陛下寬仁諸侯雖有畔亡而復歸輒復故位號不誅也大王所知今王以敗亡走胡非有大罪急自歸韓王信報曰陛下擢僕起閭巷南面稱孤此僕之幸也滎陽之事僕不能死囚於項籍

州縣

後復破之匈奴復聚兵樓煩正義曰鴈門郡樓煩縣西北漢令車騎擊破匈奴匈奴常敗走漢乘勝追北聞冒頓居代上谷正義曰今嬀州高皇帝居晉陽使人視冒頓還報曰可擊上遂至平城正義曰朔州定襄縣是也上出白登服虔曰白登臺名去平城七里如淳曰平城旁之高地若丘陵也○索隱曰姚氏案北疆記桑乾河北有白登山冒頓圍漢高處今猶有壘壁匈奴騎圍上上乃使人厚遺閼氏正義曰於連反又音燕氏音支單于嫡妻號若皇后閼氏乃說冒頓曰今得漢地猶不能居且兩主不相厄居七日胡騎稍引去時天大霧漢使人往來胡不覺護軍中尉陳平言上曰胡者全兵漢書音義曰言唯弓矛無雜仗也請令

吳楚七國

高帝之從弟二人孫五人合七國也

劉仲 — 吳王濞一

高帝 — 趙幽王 — 趙王遂三

齊悼惠王 — 膠西王卬

濟南王辟光五

菑川王賢

膠東王雄渠

楚元王交 — 夷王郢 — 楚王戊二

吳楚軍特（謂吳楚七國之亂也）

漢將弓高侯頽當遺膠西王卬書曰奉詔誅不義降者赦其罪復故不降者滅之王何處須以從事王肉袒叩頭漢軍壁謁曰臣卬奉法不謹驚駭百姓乃苦將軍遠道至于窮國敢請菹醢之罪云云王曰如卬等死有餘罪遂自殺太后太子皆死膠東菑川濟南王皆死國除納于漢云云見吳王濞傳弓高侯之功頽當將兵之是也

按言行錄後集卷五王荆公傳云公嘗云自議新法從之……者……

司馬光也錄皆前數后附或出或入

此一罪也及寇攻鄗邑僕不能堅守以城降之此二罪也今反爲寇將兵與將軍爭一旦之命此三罪也夫種蠡無一罪身死亡文穎曰夫大夫種范蠡也今僕有三罪於陛下而欲求活於世此伍子胥所以僨於吳也索隱曰蘇林曰僨音奮張晏曰僨僵仆也正義曰信知歸漢必死故引子胥以爲辭○今僕亡匿山谷閒日暮乞貸蠻夷僕之思歸如痿人不忘起索隱曰痿音耳誰反又音耳睡反於義爲疎張揖云痿不能行蔡邕云帝即位痿痺是也盲者不忘視也勢不可耳遂戰柴將軍屠參合斬韓王信信之入匈奴與太子俱及至穨當城漢書音義曰縣名韋昭曰在匈奴地生子因名曰穨當韓太子亦生

子命曰嬰至孝文十四年頹當及嬰率其衆降漢漢封頹當爲弓高侯索隱曰漢書功臣表屬營陵、地理志河間有弓高縣也○正義曰滄州縣、嬰爲襄城侯索隱曰案服虔云縣名、功臣表屬魏都、吳楚軍時弓高侯功冠諸將徐廣曰謚曰壯傳子至孫孫無子失侯嬰孫以不敬失侯徐廣曰表云嬰子澤之、元朔四年不敬國除、頹當孽孫韓嫣漢書音義曰音鄢陵之鄢○索隱曰音偃又一言反又休延反並通貴幸名富顯於當世其弟說再封數稱將軍卒爲案道侯子代徐廣曰名長君歲餘坐法死後歲餘說孫曾徐廣曰長君之子也○索隱曰案博物志字季君也拜爲龍雒侯續說後索隱曰頟五格反作雒音洛龍頟縣名○正義曰史記表衞青傳及漢書表云韓說元朔五年從大將軍有功封龍頟侯以酎金

西京雜記曰韓嫣字王孫以金爲丸一日失十餘語曰苦飢寒逐金丸見每聞嫣出輒隨之

雒或作頟

孫曾名曾祖 韓嫣以金彈丸 漢書曰嬰曾孚 師古曰說讀曰悅

注酎金 漢書武紀元鼎五年九月列侯坐獻黃金酎祭宗廟不如法奪爵者百六人 服虔曰因八月獻酎祭宗廟時使諸侯各獻金來助祭也 如淳曰漢儀注諸侯王歲以戶口酎黃金於漢廟皇帝臨受獻金 金少不如斤兩色惡王削縣侯免國

漢書列傳第四

晉灼曰親父與高祖父太上皇相愛也

師古曰避吏謂不居其家潛匿東西也

免元封元年擊東越有功封按道侯征和二年孫子曾復封爲龍頟侯漢書功臣表云武後元年説孫曽紹封龍頟侯漢表是也

盧綰者豐人也與高祖同里盧綰親與高祖太上皇相愛如淳曰親謂父也及生男高祖盧綰同日生里中持羊酒賀兩家及高祖盧綰壯俱學書又相愛也里中嘉兩家親相愛生子同日壯又相愛復賀兩家羊酒高祖爲布衣時有吏事辟匿盧綰常隨出入上下及高祖初起沛盧綰以客從入漢中爲將軍常侍中從東擊項籍以太尉常從出入卧内衣被飲食賞賜羣臣莫敢望雖蕭

曹等將以事見禮至其親幸莫及盧綰綰封爲長安侯長安故咸陽也正義曰秦咸陽在渭北長安在渭南蕭何起未央宮處也漢五年冬以破項籍迺使盧綰別將與劉賈擊臨江王共尉破之李奇曰共敖子七月還從擊燕王臧荼臧荼降高祖已定天下諸侯非劉氏而王者七人欲王盧綰爲羣臣觖望如淳曰觖音辭別之觖望猶怨也瓚曰觖謂相觖而怨望也韋昭曰觖猶冀也○索隱曰觖望猶怨望也又音冀企韋昭音冀及虜臧荼迺下詔諸將相列侯擇羣臣有功者以爲燕王羣臣知上欲王盧綰皆言曰太尉長安侯盧綰常從平定天下功最多可王燕詔許之漢五年八

免元封元年擊東越有功封按道侯征和二年孫子曽復封爲龍額侯漢書功臣表云武後元年説孫曽紹封龍額侯漢表是也

盧綰者豐人也與高祖同里盧綰親與高祖太上皇相愛姁淳曰親謂父也及生男高祖盧綰同日生里中持羊酒賀兩家及高祖盧綰壯俱學書又相愛也里中嘉兩家親相愛生子同日壯又相愛復賀兩家羊酒高祖爲布衣時有吏事辟匿盧綰常隨出入上下及高祖初起沛盧綰以客從入漢中爲將軍常侍中從東擊項籍以太尉常從出入卧内衣被飲食賞賜羣臣莫敢望雖蕭

曹等，特以事見禮，至其親幸，莫及盧綰。綰封為長安侯。長安，故咸陽也。正義曰：秦咸陽在渭北，長安在渭南，蕭何起未央宮處也。

漢五年冬，以破項籍，迺使盧綰別將，與劉賈擊臨江王共尉，破之。李奇曰：共敖子。七月還，從擊燕王臧荼，臧荼降。高祖已定天下，諸侯非劉氏而王者七人。欲王盧綰，為羣臣觖望。如淳曰：觖音辭別之決。觖望猶怨也。瓚曰：觖謂相觖而怨望也。韋昭曰：觖猶冀也。○索隱曰：觖望猶怨望也。又音企，韋昭音冀。及虜臧荼，迺下詔諸將相列侯，擇羣臣有功者以為燕王。羣臣知上欲王盧綰，皆言曰：「太尉長安侯盧綰常從平定天下，功最多，可王燕。」詔許之。漢五年八

月迺立盧綰爲燕王諸侯王得幸莫如燕王漢
十一年秋陳豨反代地高祖如邯鄲擊豨兵燕
王綰亦擊其東北當是時陳豨使王黃求救匈
奴燕王綰亦使其臣張勝於匈奴言豨等軍破
張勝至胡故燕王臧荼子衍出亡在胡見張勝
曰公所以重於燕者以習胡事也燕所以久存
者以諸侯數反兵連不決也今公爲燕欲急滅
豨等豨已盡次亦至燕公等亦且爲虜矣公何不
令燕且緩陳豨而與胡和事寬得長王燕即有
漢急可以安國張勝以爲然迺私令匈奴助豨

韓信盧綰傳六

等擊燕王綰疑張勝與胡反上書請族張勝
勝還具道所以爲者燕王寤迺詐論他人脫勝
家屬使得爲匈奴間而陰使范齊之陳豨所欲
令久亡晉灼曰使陳豨久亡畔連兵勿決漢十二年東擊黥
布豨常將兵居代漢使樊噲擊斬豨其裨將降
言燕王綰使范齊通計謀於豨所高祖使使召
盧綰綰稱病上又使辟陽侯審食其御史大夫趙
堯往迎燕王因驗問左右綰愈恐閉匿謂其幸
臣曰非劉氏而王獨我與長沙耳往年春漢族
淮陰夏誅彭越皆呂后計今上病屬任呂后呂

漢書顏本呂后婦人專欲以誅異姓王者及大功臣

益怒 案益字味猶云高祖怒如鄉鄭擊歸

舍燕邸 師古曰舍止也諸侯王及諸郎朝宿之館在京師者謂之邸 匈奴

案 欲見高后置

后婦人專欲以事誅異姓王者及大功臣延遂
稱病不行其左右皆亡匿語頗泄辟陽侯聞之
帰具報上上益怒又得匈奴降者言張勝亡在降者
匈奴為燕使於是上曰盧綰果反矣使樊噲
擊燕燕王綰悉將其宮人家屬騎數千居長城下
候伺幸上病愈自入謝四月高祖崩盧綰遂將
其衆亡入匈奴匈奴以為東胡盧王綰為蠻夷所侵
奪常思復帰居歳餘死胡中高后時盧綰妻子
亡降漢會高后病不能見舍燕邸為欲置酒見
之高后竟崩不得見盧綰妻亦病死孝景中六年

年表作他父

正義音亞谷侯 功臣表注索隱曰豨音虛豈反

集解陳豨許豈反

不知始所以得從

盧綰孫他之以東胡王降如淳曰、爲東胡王、來降也。漢紀、東胡烏丸

封爲亞谷侯徐廣曰、亞一作惡。正義、漢表在河內

陳豨者宛朐人也索隱曰、地理志屬濟陰。正義曰、宛朐曹州縣也。大史公云、陳梁人、是褚先生之說異也。按宛朐六國時屬梁。

師古曰宛音於元反朐音劬

不知始所以得從及高祖七年冬韓王信反入匈奴上至平城還乃封豨爲列侯徐廣曰、功臣表曰、陳豨以特將將卒五百人、前元年從宛朐至霸上爲侯、以游擊將軍別定代、已破臧荼、封豨爲陽夏侯以趙相國將監趙代邊兵邊兵皆屬焉豨常告歸過趙趙相周昌見豨賓客隨之者千餘乘邯鄲官舍皆滿豨所以待賓客如布衣交皆出客下正義曰、言屈己

師古曰因休告之假而過趙也

師古本作常 漢書作嘗 常 常同

通鑑十二初上以陽夏侯陳豨爲相國監趙代邊兵……

韓信盧綰傳八

禮之不用 貴自尊大 豨還之代周昌廼求入見見上具言豨賓客盛甚擅兵於外數歲恐有變上乃令人覆案豨客居代者財物諸不如法事多連引豨豨恐陰令客通使王黃曼丘臣所（正義曰二人韓王信將）及高祖七年七月太上皇崩使人召豨豨稱病甚九月遂與王黃等反自立為代王劫略趙代上聞廼赦趙代吏人為豨所詿誤劫略者皆赦之上自往至邯鄲喜曰豨不南據漳水北守邯鄲吾知其無能為也趙相奏斬常山守尉曰常山二十五城豨反亡其二十城上問曰守尉反

漢書高祖紀 秋七月癸卯太上皇崩

手對曰不反上曰是力不足也赦之復以爲常山守尉上問周昌曰趙亦有壯士可令將者乎對曰有四人四人謁上慢罵曰豎子能爲將乎四人慙伏上封之各千戶以爲將左右諫曰從入蜀漢伐楚功未徧行今此何功而封上曰非若所知陳豨反邯鄲以北皆豨有吾以羽檄徵天下兵魏武帝奏事曰今邊有小警輒露檄插羽飛羽檄之意也駰案推此言則以鳥羽插檄書謂之羽檄取其急速若飛鳥也未有至者今唯獨邯鄲中兵耳吾胡愛四千戶不封此四人以慰趙子弟皆曰善於是上曰陳豨將誰曰王黃曼丘臣皆故賈人

上曰吾知之矣廼各以千金購黄臣等十一年冬漢兵擊斬陳豨將侯敞王黄於曲逆下正義曰定州北平縣東南十五里蒲陰故城是也破豨將張春於聊城正義曰博州縣斬首萬餘太尉勃入定太原代地十二月上自擊東垣東垣不下卒罵上東垣降卒罵者斬之不罵者黥之更命東垣爲眞定王黄曼丘臣其麾下受購賞之皆生得以故陳豨軍遂敗上還至洛陽上曰代居常山北趙廼從山南有之遠廼立子恒爲代王徐廣曰十一年正月都中都正義曰中都故城在汾州平遥縣西南十二里代鴈門皆屬代高祖十二年冬樊噲軍卒追斬

豨於靈丘

太史公曰：韓信、盧綰非素積德累善之世，徼一時權變，以詐力成功，遭漢初定，故得列地，南面稱孤。內見疑彊大，外倚蠻貊以為援，是以日疏自危。事窮智困，卒赴匈奴，豈不哀哉！陳豨，梁人，其少時數稱慕魏公子；及將軍守邊，招致賓客而下士，名聲過實。周昌疑之，疵瑕頗起，懼禍及身，邪人進說，遂陷無道。於戲悲夫！夫計之生孰成敗於人也深矣！

索隱述贊曰

韓信十

韓王信韓襄王遺孽、

盧綰親与高祖親

太上皇相愛、

沛公立為漢王徙入漢中、五年春遂与信剖符為漢王、

韓王信子穎當率其衆降漢、韓說孫曾拜為龍頟侯、

從入漢中、信從入漢中、

韓襄遺孽　始從漢中　剖符南面

乃徙治馬邑

徙邑北通　穎當歸國　龍頟有功

盧綰親愛　羣臣莫同　舊燕是王

諸侯王得幸莫如燕王、

悉將其宮人家屬數千人居城下

候伺幸上病愈自入謝

東胡計窮

四月高祖崩遂將其衆亡入匈奴、匈奴以為東胡盧王、居歲餘死胡中

此其員不述陳豨事

韓王信盧綰列傳第三十三　史記九十三

注三齊集覽三齊漢書音義曰齊與濟北膠東也三齊即墨中臨淄左平陸得之三齊

曰自序傳於田氏後齊之後而亦与劉項俱起不与漢而与楚遂敗在同気系之下也

黃氏日抄信以韓王庶孽從漢漢復封韓徙而使漢疑之徙王太原數被匈奴兵遂使求和解漢又責

讓遂走匈奴高帝之走以有白登之圍疑之者甚如此盧綰與帝同里同日生學同師平生相

得非有大功而王之燕帝之於綰厚矣亦以貳心自成疑懼而走匈奴此則綰之罪也然以信稱旦孝

乞貸亦出其陳豨亦為寇亂所使常思復歸二人者皆非有大惡而終遂取疑以身殞死不亦悲矣

此信之子穨當信之孫嬰之孫他之皆脫身匈奴而後列侯漢廷也陳豨慕魏公子之為人監趙

代邊兵而賓客之餘千乘卒於見疑而以反誅此尤痛者可為戒矣

田儋列傳第三十四　史記九十四

田儋者狄人也徐廣曰今樂安臨濟縣也○正義曰淄州高苑縣西北北狄故縣城故齊王田氏族也儋從弟田榮榮弟田横皆豪宗彊能得人索隱曰儋子市從弟榮榮子廣榮弟横各遞為王榮并王三齊陳涉之初起王楚也使周市略定魏地北至狄狄城守田儋詳為縛其奴從少年之廷欲謁殺奴服虔曰古殺奴婢皆當告官儋欲殺令故詐縛奴而以謁也見狄令因擊殺令而召豪吏子弟曰諸侯皆反秦自立齊古之建國儋田氏當王遂自立為齊王徐廣曰二世元年九月也發兵以擊周市周市軍還去田儋因率兵東略定齊地秦將章邯圍

七國時齊襄王子建也

此時齊分爲三
齊王田假 齊人及田角田閒佐之
齊王田市 田榮及趙救之

魏王咎於臨濟急魏王請救於齊齊王田儋將兵救魏徐廣曰二年六月章邯夜銜枚擊大破齊魏軍殺田儋於臨濟下儋弟田榮收儋餘兵走東阿齊人聞王田儋死乃立故齊王建之弟田假爲齊王田角爲相田閒爲將以距諸侯田榮之走東阿章邯追圍之項梁聞田榮之急乃引兵擊破章邯軍東阿下章邯走而西項梁因追之而田榮怒齊之立假乃引兵歸擊逐齊王假假亡走楚齊相角亡走趙角弟田閒前求救趙因留不敢歸田榮乃立田儋子市爲齊王徐廣曰二年八月榮相之

田儋傳一

田橫爲將平齊地項梁既追章邯章邯兵益盛項梁使使告趙齊發兵共擊章邯田榮曰使楚殺田假趙殺田角田閒乃肯出兵楚懷王曰田假與國之王窮而歸我殺之不義趙亦不殺田角田閒以市於齊齊曰蝮螫手則斬手螫足則斬足何者爲害於身也應劭曰蝮一名虺螫人手足則割去其肉不然則致死○索隱曰蝮音芳伏反螫音釋又音釋○正義曰按蝮毒蛇長二三丈嶺南有之虺長一二尺頭腹皆一遍說文云虺博三寸首大如擘擘手大指也音步歷反今田假田角田閒於楚趙非直手足戚也文穎曰言將亡身非手足憂也瓚曰於楚趙非手足之親何故不殺且秦復得志於天下則齮齕用事者墳墓矣

曰齮齕猶齚齧也○索隱曰齮音蟻齕音紇齮側齒齧也○正義曰按秦重得志非但夷身墳墓亦發掘矣若字滑轍削平王墓一云墳墓言死也

楚趙不聽齊亦怒終不肯出兵章邯果敗殺項梁破楚兵楚兵東走而章邯渡河圍趙於鉅鹿項羽往救趙由此怨田榮項羽既存趙降章邯等西屠咸陽滅秦而立侯王也廼徙齊王田市更王膠東治即墨齊將田都從共救趙因入關故立都為齊王治臨淄故齊王建孫田安項羽方渡河救趙田安下濟北數城引兵降項羽項羽立田安為濟北王治博陽田榮以負項梁不肯出兵助楚趙攻秦故不得王趙將

膠東萊州即墨是也

〇集覽三鉅鹿地理志并州有鉅鹿郡 括地志云邢州平鄉縣鉅鹿故城也 案邢州今順德府是

下齊

漢書無下之字作往說齊王廣及其相橫連和楷然

如此則文順也

陳餘亦失職不得王二人俱怨項王項王既歸諸侯各就國田榮使人將兵助陳餘令反趙地而榮亦發兵以距擊田都田都亡走楚田榮留齊王市無令之膠東市之左右曰項王彊暴而王當之膠東不就國必危市懼迺亡就國田榮怒追擊殺齊王市於即墨還攻殺濟北王安於是田榮迺自立爲齊王盡并三齊之地（索隱曰田市王膠東田都王齊田安王濟北）項王聞之大怒迺北伐齊齊王田榮兵敗走平原（徐廣曰三年正月〇正義曰平原德州也）平原人殺榮項王遂燒夷齊城郭所過者盡屠之（徐廣曰立故齊王田假也）齊

人本作民

項羽殺榮立田假為齊王

人相聚畔之。榮弟橫收齊散兵，得數萬人，反擊項羽於城陽。徐廣曰：假走楚，楚殺之。○正義曰：城陽，濮州雷澤是。而漢王率諸侯敗楚，入彭城。項羽聞之，迺醳齊而歸，擊漢於彭城，因連與漢戰，相距滎陽。以故田橫復得收齊城邑，徐廣曰：四月。立田榮子廣為齊王，而橫相之，專國政，政無巨細皆斷於相。橫定齊三年，漢王使酈生往說下齊王廣及其相國橫。橫以為然，解其歷下軍。漢將韓信引兵且東擊齊。齊初使華無傷、田解軍於歷下以距漢，漢使至，迺罷守戰備，縱酒，且遣使與漢平。漢將韓信已平趙、燕，用蒯通計度平原襲破齊歷下軍因入臨淄齊王廣相橫怒以酈生賣己而亨酈生齊王廣東走高密〔徐廣曰高一作假〕相橫走博陽守相田光走城陽將軍田既軍於膠東楚使龍且救齊齊王與合軍高密漢將韓信與曹參破殺龍且〔徐廣曰四年十一月〕虜齊王廣漢將灌嬰追得齊守相田光至博陽而橫聞齊王死自立為齊王還擊嬰嬰敗橫之軍於嬴下〔晉灼曰泰山嬴縣也○正義曰故嬴城在兖州博城縣東北百里〕田橫亡走梁歸彭越彭越是時居梁地中立且為漢且為楚韓信已殺龍且因令曹參進兵破殺田既於膠

東使灌嬰破殺齊將田吸於千乘正義曰千乘故城在淄州高苑縣北二十五里韓信遂平齊乞自立爲齊假王徐廣曰二月也漢因而立之後歲餘漢滅項籍漢王立爲皇帝以彭越爲梁王田橫懼誅而與其徒屬五百餘人入海居島中韋昭曰海中山曰島○正義曰按海州東海縣有島山去岸八十里高帝聞之以爲田橫兄弟本定齊齊人賢者多附焉今在海中不收後恐爲亂迺使使赦田橫罪而召之田橫因謝曰臣亨陛下之使酈生今聞其弟酈商爲漢將而賢臣恐懼不敢奉詔請爲庶人守海島中使還報高皇帝迺詔衛尉酈商曰齊

王田横即至人馬從者敢動揺者致族夷廼復使使持節具告以詔商状曰田横來大者王小者廼侯耳不來且擧兵加誅焉田横廼與其客二人乘傳詣雒陽（如淳曰四馬下足爲乘傳）未至三十里至尸鄉廐置（應劭曰尸鄉在偃師　瓚曰廐置置馬以傳驛也）横謝使者曰人臣見天子當洗沐止留謂其客曰横始與漢王俱南面稱孤今漢王爲天子而横廼爲亡虜而北面事之其耻固已甚矣且吾亨人之兄與其弟併肩而事其主縱彼畏天子之詔不敢動我我獨不媿於心乎且陛下所以欲見我者不過欲一

見吾面貌耳今陛下在洛陽今斬吾頭馳三十里閒形容尚未能敗猶可觀也遂自剄令客奉其頭（正義曰奉音捧）從使者馳奏之高帝高帝曰嗟乎有以也夫起自布衣兄弟三人更王豈不賢乎哉爲之流涕而拜其二客爲都尉發卒二千人以王者禮葬田横（正義曰齊田横墓在偃師西十五里崔豹古今注云薤露蒿里送哀歌也出田横門人横自殺門人傷之而作悲歌言人命如薤上露易晞滅至李延年乃分爲二曲薤露送王公貴人蒿里送士大夫庶人使挽柩者歌之俗呼爲挽歌）既葬二客穿其冢旁孔皆自剄下從之高帝聞之廼大驚以田横之客皆賢吾聞其餘尚五百人在海中使使召之至則聞田

田儋傳　五

王田横即至人馬從者敢動揺者致族夷迺復使使持節具告以詔商狀曰田横來大者王小者迺侯耳不來且舉兵加誅焉田横迺與其客二人乘傳詣雒陽如淳曰四馬下足爲乘傳未至三十里至尸鄉廄置應劭曰尸鄉在偃師瓚曰廄置置馬以傳驛也横謝使者曰人臣見天子當洗沐止留謂其客曰横始與漢王俱南面稱孤今漢王爲天子而横迺爲亡虜而北面事之其恥固已甚矣且吾亨人之兄與其弟併肩而事其主縱彼畏天子之詔不敢動我我獨不媿於心乎且陛下所以欲見我者不過欲一

見吾面貌耳今陛下在洛陽今斬吾頭馳三十里間形容尚未能敗猶可觀也遂自剄令客奉其頭正義曰奉音捧從使者馳奏之高帝高帝曰嗟乎有以也夫起自布衣兄弟三人更王豈不賢乎哉爲之流涕而拜其二客爲都尉發卒二千人以王者禮葬田橫正義曰齊田橫墓在偃師西十五里崔豹古今注云薤露蒿里並送哀歌也出田橫門人橫自殺門人傷之而作悲歌言人命如薤上露易晞滅至李延年乃分爲二曲薤露送王公貴人蒿里送士大夫庶人使挽柩者歌之俗呼爲挽歌既葬二客穿其冢旁孔皆自剄下從之高帝聞之廼大驚以田橫之客皆賢吾聞其餘尚五百人在海中使使召之至則聞田

雋永 漢書蒯通傳云通論戰國時說士權變亦自序其說八十一首号曰雋永 師古曰雋音字兗反雋肥肉也永長也言其所論甘美而義深長也

劉歆言此事長則說長以讓之歆言此短則說之懼之

劉向戰國策序曰中書本號或曰國策或曰國事或曰短長或曰事語或曰長書或曰脩書臣向以為戰國時游士輔所用之國為之策謀宜為戰國策

橫死亦皆自殺於是迺知田橫兄弟能得士也

太史公曰甚矣蒯通之謀亂齊驕淮陰其卒亡此兩人韓信田橫蒯通者善爲長短說索隱曰言欲令此事長則長說之短則短說之故戰國策亦名曰短長書是也漢書曰號爲雋永永一作求索隱曰書名也雋音松兗反論戰國之權變爲八十一首通善齊人安期生安期生嘗干項羽項羽不能用其筴已而項羽欲封此兩人兩人終不肯受亡去田橫之高節賓客慕義而從橫死豈非至賢余因而列焉無不善畫者莫能圖何哉索隱曰言天下非無善畫之人而不知圖畫田橫及其黨慕義死節之事

何故哉歎畫人不能畫此也

自置豪英、儋從弟田榮、榮弟田橫、皆豪宗彊族、

楚別立齊王建弟田假爲齊王也、

索隱述贊曰 殺令自立爲齊王、

秦項之際 天下交兵 六國樹黨 儋見殺于臨濟下、田榮立儋子市爲齊王、

自置豪英 田儋殞寇 立市相榮

楚封王假 齊破酈生 兄弟更王

海島傳聲 入海居島中、

[illegible]龍 齊王廣烹酈食其

六

田儋列傳第三十四　史記九十四

黃氏日抄、田儋自立爲齊王、秦殺之、而儋之弟田榮逐田假、立田市、然楚之不殺田假、不從入關、不得王、榮乃并楚之所立之三王、曰田都、田安、及田市、而自王、兵敗見殺、榮之弟田橫、又立田廣爲王、爲漢所滅、橫與其徒保海島、越之歸漢、橫未至而自殺、其客二人亦自殺、從留海島者五百人、亦自殺、田氏兄弟之有人、及得人如此、異哉、然死傷勇矣

走筆謝ヽヽヽ年譜云王朴字厚隱居士蘇列至樂山此詩當是自青神迴舟
經途所作詩有六年流落放歸時之語

投我茶瓜ヽヽ陶隱居云俗人拄木瓜杖云利筋脛見于摭注

史記列傳 七十

三十五 樊噲 酈商 夏侯嬰
灌嬰 三十六 張蒼 周昌 趙堯
任敖 申屠嘉 鄧通 韋賢
魏相 邴吉 黃霸
韋玄成 匡衡

三十五

樊噲　酈商　夏侯嬰

灌嬰　三十六　[illegible]

任敖　申屠嘉　鄧通　韋賢

魏相　邴吉　黃霸

韋玄成　匡衡

文　[illegible]　川　[illegible]

寶鄭勝蔭　自序傍考世以下爲蔭家大臣也云兌陰之序　文于觀音耳

范文正公鄱陽遺事錄　室福侯乃漢之吳芮也，旧廟于芝山之頂，曰底頭大王。公守饒，凡民間旱雨禱於此神，頗有有驗應。今之廟地，今之廟地，公之所作也。且州之民部都院着卜其地墨生壙，公一日入院詰其故，乃曰：五十年後當出侯伯，不得驚鬧於人。於是令移底頭廟屋於此，復移文于僧寺。造至元四年庚申，太守馬淵以久不雨，因禱於神，而雲陽雨沛，洽足人意，遂狀其感應而奏之，乞加旌奬。朝廷下太常，封為室福侯。淵又之奏，陳且道公之請，兩有功。修飾廟貌，迄今血食。以景祐迄元豐，恰五十年，公之先知，誠可尚也。後之人凡入寺見其廟，必指之曰：范文正公之迁而五十年生侯伯処也。

全庵　幻□遠孫鄉錄　真乙亥天台陳□□而序也

樊酈滕灌列傳第三十五　史記九十五

舞陽侯[正義曰舞陽在許州葉縣東十里]樊噲者[正義曰音快又古外反]沛人也[正義曰徐州縣]以屠狗爲事[正義曰時人食狗亦與羊豕同故噲專屠以賣之]與高祖俱隱初從高祖起豐攻下沛高祖爲沛公以噲爲舍人從攻胡陵方與[正義曰房預二音]還守豐擊泗水監豐下[索隱曰案監者秦時御史監郡也豐下豐縣之下也○正義曰泗水郡名]破之復東定沛破泗水守薛西[索隱曰謂破其守於薛縣之西也]與司馬尼戰碭東[張晏曰秦司馬○正義曰秦將章邯司馬尼又碭宋州縣也]郤敵斬首十五級賜爵國大夫[索隱曰即官大夫也○正義曰爵第六級也]常從沛公擊章邯軍濮陽攻城先登斬首二十三級

李由李斯子也見李斯傳

師說或本註有二說也張意得徑自上聞於天子晉意名通達於天子者也此先師說也集注如淳曰聞或作閭昭云晉解作閭是也安何求夫其秦文云上聞爵名也

漢書杠師古曰杠音江

日斬候又師古曰候斬候一人又更斬完有六十八

賜爵列大夫文穎曰即公大夫爵第七復常從從攻城陽徐廣曰年表二年七月破秦軍濮陽東屠城陽也○正義曰按城陽近濮陽而漢書作陽城大錯誤先登下戶牖正義曰戶牖汴州東陳留縣東北九十一里東昏故城是破李由軍斬首十六級賜上聞爵瓚曰不在二十爵中如韓主執帛比也如淳曰聞或作閭呂氏春秋曰魏文侯東勝齊於長城天子賞文侯以上聞爵○索隱曰張晏云得徑上聞晉灼曰名通於天子也如淳引呂氏春秋證上聞皆中間之閭從攻圍東郡守尉於成武正義曰曹州縣卻敵斬首十四級捕虜十一人賜爵五大夫從擊秦軍出亳南索隱曰案亳湯所都今河南偃師有湯亳是○正義亳故城在宋州穀熟縣西南四十里河間守軍於扛里正義曰地名近城陽破之擊破趙賁軍開封正義曰汴州縣北以卻敵先登斬候一人首六十八級捕虜二

樊酈滕灌傳一

從攻圍漢書作攻圍都尉東郡守尉於成武師古曰圍即陳留圍縣名有尉無

都尉又郡都尉郡守乃方置郡尉行郡字

漢書云亳從攻秦軍出亳南河間守軍於杠里

日圍縣集解索隱曰陳留圍縣有高陽鄉司馬彪曰圍有高陽亭括地志云圍城在汴州雍丘西南

漢書列傳十一

樊酈滕灌列傳第三十五　史記九十五

舞陽侯（正義曰舞陽在許州葉縣東十里）樊噲者（正義曰噲音快又古外反）沛人也（正義曰徐州縣）以屠狗為事（正義曰時人食狗亦與羊豕同故噲專屠以賣之）與高祖俱隱初從高祖起豐攻下沛高祖為沛公以噲為舍人從攻胡陵方與（正義曰房預二音）還守豐擊泗水監豐下（索隱曰案監者秦時御史監郡也豐下豐縣之下也○正義曰泗水郡名）破之復東定沛破泗水守薛西（索隱曰謂破其守於薛縣之西也）與司馬𡰥戰碭東（張晏曰秦司馬○正義曰秦將章邯司馬𡰥又碭宋州縣也）卻敵斬首十五級賜爵國大夫（文穎曰即官大夫也○正義曰爵第六級也）常從沛公擊章邯軍濮陽攻城先登斬首二十三級

賜爵列大夫（文穎曰即公大夫爵第七）復常從從攻城陽（徐廣曰年表二年七月破秦軍濮陽東屠城陽也○正義曰按城陽近濮陽而漢書作陽城大錯誤）先登下戶牖（正義曰戶牖汴州東陳留縣東北九十一里東昏故城是）破李由軍斬首十六級賜上聞爵（孟康曰不在二十爵中如趙主執帛比也如淳曰聞或作閭呂氏春秋曰魏文侯東勝齊於長城天子賞文侯以上聞爵○索隱曰張晏云得徑上聞晉灼曰名通於天子也如淳引呂氏春秋證上聞音中間之間）從攻圉東郡守尉於成武（正義曰曹州縣）卻敵斬首十四級捕虜十一人賜爵五大夫從擊秦軍出亳南（索隱曰案亳湯所都今河南偃師有湯亳是○正義曰亳故城在宋州穀熟縣西南四十里）河間守軍於杠里（正義曰地名近城陽）破之擊破趙賁軍開封（正義曰汴州縣）北以卻敵先登斬候一人首六十八級捕虜二

樊酈滕灌傳一

李由、李斯子也見李斯傳
師說或本註有二說也張晏得徑自上聞於天子晉意名通達於天子者也此先師說也集注如淳曰聞或作閭昭云晉辭作聞是也安何求夫某秦文云上聞爵名也、
漢書杠師古曰杠音江
曰斬候一人師古曰候斬候一人又更斬完有六十八、

曰集解見曲遇漢書樊酈音雅云臣文遇戴侯士衛侯高功祖臣蚡曲遇定齋遇好孫旅注曲遇句反遇音禺遇程大昌演繁露云陳平封曲遇侯戴侯曲遇如字遇誅之案張湛志中山國曲逆縣因濡水至城北曲而西流因名曲逆章帝醜其名改曰蒲陰則曲逆當如字讀不當借音見

十七人賜爵卿從攻破楊熊軍於曲遇索隱曰音齲顒邑名也○正義曰曲丘雨反遇牛恭反鄭州中牟縣有曲遇聚攻宛陵索隱曰地理志屬河南○正義曰宛陵故城在鄭州新鄭縣東北三十八里先登斬首八級捕虜四十四人賜爵封號賢成君徐廣曰時賜爵有執帛執圭又有賜爵封而加美名以爲號也又有功則賜封列侯駰案張晏曰食祿比封君而無邑瓚曰秦制列侯乃有封爵也○索隱曰小顏云楚漢之際權設寵榮假其位號或得邑地或空受爵此例多矣約以秦制於義不通從攻長社轘轅正義曰許州理縣也轘轅門在緱氏縣東南三十里絕河津正義曰古平陰津在河南府東北五十里也東攻秦軍於尸南正義曰在偃師南攻秦軍於犨正義曰在汝州魯山縣東南破南陽守齮於陽城東攻宛城先登西至酈正義曰酈音擲在鄧州新城縣西北四十里以郤敵斬首二十四級捕虜四

戲下 索隱曰戲音羲水名羽本紀有戲水戲西之文然則依宜可讀之於文並通義多作麾 大旗也 私義

中酒 師古曰飲酒之中也不醉不醒故謂之中

亞父 項羽本紀曰沛公北飲項王項伯東嚮坐亞父南嚮坐亞父者范增也

如淳注曰亞次也尊敬之次父猶管仲爲仲父

撞入 師古曰謂以盾撞擊人也

[illegible]

十人賜重封（張晏曰益祿也如淳曰加爵名也瓚曰增封也○索隱曰張晏臣瓚義亦近是如淳非也小顏以爲重封者兼二號蓋爲得也）攻武關至霸上斬都尉一人首十級捕虜百四十六人降卒二千九百人項羽在戲下欲攻沛公沛公從百餘騎因項伯面見項羽謝無有閉關事項羽既饗軍士中酒（張晏曰酒酣也）亞父謀欲殺沛公令項莊拔劍舞坐中欲擊沛公項伯常肩蔽之時獨沛公與張良得入坐樊噲在營外聞事急乃持鐵盾入到營營衛止噲噲直撞入（漢書音義曰言以盾撞也○正義曰撞直江反）立帳下（徐廣曰一本立帷下）（瞋目而視眥皆血出）項羽目之問爲誰張良曰沛公參乘樊

噲項羽曰壯士賜之卮酒彘肩噲既飲酒拔劍切肉食盡之項羽曰能復飲乎噲曰臣死且不辭豈特卮酒乎且沛公先入定咸陽暴師霸上以待大王正義曰時羽未為王史追書大王今日至聽小人之言與沛公有隙臣恐天下解正義曰紀買反至此為絕句心疑大王也項羽默然沛公如廁麾樊噲去既出沛公留車騎獨騎一馬與樊噲等四人步從從間道山下歸走霸上軍而使張良謝項羽項羽亦因遂已無誅沛公之心矣是日微樊噲奔入營誚讓項羽沛公事幾殆索隱曰誚責也亦或……正義曰幾音祈明日

項羽入屠咸陽，立沛公爲漢王。漢王賜噲爵爲列侯，號臨武侯。〔正義曰：桂陽臨武縣。〕遷爲郎中，從入漢中。還定三秦，別擊西丞白水北，〔徐廣曰：隴西有西縣，白水在武都。駰案：如淳曰：皆地名也。瓚曰：白水今屬廣魏縣也。地理志無西丞，似秦將名。○索隱曰：案西謂隴西之西縣，白水，水名，出武都，經西縣東南流。言噲擊西縣之丞在白水之北耳。徐廣等說皆非也。○正義曰：括地志云：白馬水源出文州曲水縣西南曾徑孫山下。〕雍輕車騎於雍南，破之。〔正義曰：上雍，於拱反。〕從攻雍、斄城，先登。擊章平軍好畤，〔斄音胎。○索隱曰：案雍即扶風雍昌縣。斄音台，即后稷所封，今之武功故斄城是。章平即章邯子也。〕攻城，先登陷陣，斬縣令丞各一人，首十一級，虜二十人，遷郎中騎將。從擊秦車騎壤東，〔索隱曰：小顏亦以爲今之地名。○正義曰：壤鄉在武功縣東南二十里。〕卻敵，遷爲將軍攻趙賁下郿正義曰郿岐州縣槐里柳中咸陽灌廢丘最李奇曰以水灌廢丘也張晏曰最功第一也晉灼曰京輔治華陰灌北也○索隱曰案柳中即細柳也在長安西也灌謂以水灌廢丘城陷其功最上也李奇曰廢丘即槐里也上有槐里此又言者疑此是小槐里非也案文云攻趙賁下郿槐里柳中咸陽惣言所攻陷之邑別言以水灌廢丘其功特最也何者初云槐里稱其新名後言功最是重舉不欲再見其文故因舊稱廢丘也至櫟陽正義曰雍州縣賜食邑杜之樊鄉索隱曰案杜陵有樊鄉三秦記曰長安正南山名秦嶺谷名子午一名樊川一名御宿樊鄉即樊川也從攻項籍屠煮棗索隱曰晉灼云檢地理志無煮棗功臣表則有煮棗侯清河有煮棗城小顏以爲攻項籍屠煮棗合在河南非清河之城明矣○今案續漢書郡國志在濟陰冤朐也○正義曰按其時項羽未度河北冀州信都縣東北五十里有煮棗非矣擊破王武程處軍於外黃攻鄒魯瑕丘薛正義曰兖州縣在兖州東南六十二里瑕丘兖州曲阜縣瑕丘兖州縣薛在徐州滕縣界項羽

師古曰周將軍周殷也

敗漢王於彭城盡復取魯梁地噲還至滎陽益食平陰二千戶（正義曰平陰故城在滎陽東北五里）以將軍守廣武一歲項羽引而東從高祖擊項籍下陽夏（正義曰夏）虜楚周將軍卒四千人圍項籍於陳（音假陳州大康縣）（正義曰陳州）大破之屠胡陵（正義曰在兗州南）項籍既死漢王爲帝以噲堅守戰有功益食八百戶從高帝攻反燕王臧荼虜荼定燕地楚王韓信反噲從至陳取信定楚（正義曰徐州）更賜爵列侯與諸侯剖符世世勿絕食舞陽號爲舞陽侯除前所食以將軍從高祖攻反韓王信於代自霍人以往（正義曰先）

豨音許豈反 一本有此五字

累反又蘇果反又山寡反杜預云霍人晉邑也霍人當作葰地理志云葰人縣屬太原郡括地志云葰人故城在代州繁時縣界也**至雲中**正義曰雲中郡縣皆朔州善陽縣北三百八十里定襄故城是也**與絳侯等共定之益食千五百戶因擊陳豨與曼丘臣軍**徐廣曰曼一作蔓字**戰襄國**正義曰邢州城**破柏人**正義曰邢州縣**先登降定清河常山凡二十七縣殘東垣**張晏曰殘有所毀也瓚曰殘謂多所殺傷也孟子曰害義謂之殘**遷為左丞相破得綦毋卬尹潘軍於無終廣昌**正義曰在蔚州飛狐縣北七里**破豨別將胡人王黃軍於代南因擊韓信軍於參合**正義曰在朔州定襄縣界**軍所將卒斬韓信破豨胡騎橫谷**正義曰谷在日欲蓋在代**斬將軍趙既虜代丞相馮梁守孫奮大將王黃將軍**

軍太卜太僕解福正義曰人姓名等十人與諸將共定代鄉邑七十三其後燕王盧綰反噲以相國擊盧綰破其丞相抵薊南索隱曰抵音丁禮反抵訓至 一云抵者丞相之名定燕地凡縣十八鄉邑五十一益食邑千三百戶定食舞陽五千四百戶從斬首百七十六級虜二百八十八人別破軍七下城五定郡六縣五十二得丞相一人將軍十二人二千石已下至三百石十一人噲以呂后女弟呂須為婦生子伉故其比諸將最親先黥布反時高祖嘗病甚惡見人臥禁中詔戶者無得入羣臣羣臣絳灌

師古曰伉音抗又音剛

先黥布反時 師古曰黥布未反之前也

通鑑十二胡注戶者謂守門戶者也

等莫敢入十餘日噲乃排闥直入正義宮中小門大臣隨之上獨枕一宦者臥噲等見上流涕曰始陛下與臣等起豐沛定天下何其壯也今天下已定又何憊也且陛下病甚大臣震恐不見臣等計事顧獨與一宦者絶乎且陛下獨不見趙高之事乎高帝笑而起其後盧綰反高帝使噲以相國擊燕是時高帝病甚人有惡噲黨於呂氏即上一日宮車晏駕則噲欲以兵盡誅滅戚氏趙王如意之屬高帝聞之大怒乃使陳平載絳侯代將而即軍中斬噲陳平畏呂后執噲詣長

安至則高祖已崩呂后釋噲復爵邑孝惠六年樊噲卒謚爲武侯子伉代侯而伉母呂須亦爲臨光侯高后時用事專權大臣盡畏之伉代侯九歲高后崩大臣誅諸呂呂須婘屬（索隱曰婘音眷）因誅伉舞陽侯中絕數月孝文帝既立乃復封噲他庶子市人爲舞陽侯復故爵邑市人立二十九歲卒謚爲荒侯子他廣代侯六歲侯家舍人得罪他廣怨之乃上書曰荒侯市人病不能爲人（正義曰言不能行人道）令其夫人與其弟亂而生他廣他廣實非荒侯子不當代後詔下吏孝景中六

年他廣奪侯爲庶人國除索隱曰案漢書平帝元始二年封曾玄孫之子章爲舞陽侯邑千户

曲周侯正義曰故城在洛州曲周西南十五里酈商者高陽人索隱曰酈音歷高陽聚名屬陳留○正義曰雍州西南聚邑人也陳勝起時商聚少年東西略人得數千沛公略地至陳留六月餘徐廣曰月表曰二世元年九月沛公起兵二世三年二月襲陳留用酈食其策起兵至此十九月矣食其傳曰既說高帝已乃言其弟商使從沛公也○索隱曰惠與酈生傳及年表小不同蓋史官意異也○正義曰徐注非也言商先東西略得数千人及沛公略地至陳留商起兵乃六月餘得四千人以將軍從高祖也商以將卒四千人屬沛公於岐索隱曰此地名闕蓋在河南陳鄭之界○正義曰高紀云酈食其說沛公襲陳留乃以食其爲廣野君酈商爲將將陳留兵與偕攻開封酈生傳云沛公引兵隨之下陳留爲廣陽君言其弟酈商使將數千人從沛

漢書酈商傳曰沛公為漢王賜商爵信成君以將軍為隴西都尉別定北地郡破章邯別將於烏氏栒邑泥陽賜食邑武城六千戶

十七一作七十

烏一作焉

破雍將軍烏氏周類軍栒邑蘇駔軍於泥陽賜食邑武成六千戶

史記旧点誤致漢書傳考讀則如此可讀也

漢書別定北地郡破章邯別將於烏氏栒邑泥陽

公西南略地此傳未屬沛公未從攻長社按紀傳此說歧當與陳留高陽相近也從攻長社先登賜爵封信成君從沛公攻緱氏絕河津破秦軍洛陽東從攻下宛穰定十七縣別將攻旬關漢書音義曰漢中旬陽縣音詢○索隱曰案在漢中旬陽縣旬水上之關定漢中項羽滅秦立沛公為漢王漢王賜商爵信成君以將軍為隴西都尉別將定北地正義曰寧州上郡正義曰鄜州破雍將軍烏氏音支○索隱曰烏音於然反氏音支縣名屬安定漢書云破章邯別將也○正義曰縣在涇州安定縣東四十里周類軍栒邑索隱曰栒邑在豳州地里志屬右扶風栒音荀蘇駔軍於泥陽徐廣曰駔一作駬○索隱曰北地縣名駬者龍馬也○正義曰故城在寧州羅川縣北三十一里泥谷水源出羅川縣東北泥陽源側有泉於泥中潛流二十餘步而流入泥谷又有泥陽狱在縣東北四十里賜

樊酈滕灌傳七 上

食邑武成六千戶正義曰縣在華州鄭縣東十三里以隴西都尉從擊項籍軍五月出鉅野與鍾離眛戰疾鬬受梁相國印益食邑四千戶以梁相國將從擊項羽二歲三月攻胡陵項羽既已死漢王爲帝其秋燕王臧荼反商以將軍從擊荼戰龍脫徐廣曰在燕趙之界駰案漢書音義曰地名○索隱曰其地闕先登陷陣破荼軍易下正義易州易縣卻敵遷爲右丞相賜爵列侯與諸侯剖符世世勿絕食邑涿五千戶正義曰涿郡涿州號曰涿侯以右丞相別定上谷正義曰嬀州因攻代受趙相國印以右丞相趙相國別與絳侯等定代鴈門得代丞

樊酈滕灌傳 八

相程縱守相鄭同將軍已下至六百石十九人還以將軍爲太上皇衛一歲七月以右丞相擊陳豨殘東垣又以右丞相從高帝擊黥布攻其前拒（徐廣曰一作和駰謂拒方陳拒音矩○索隱曰拒音巨鄒氏引左傳有左拒右拒徐云一作和和軍門也漢書作前垣小顏以爲攻其壁壘之垣也李奇以爲前鋒堅敵若垣牆非也）陷兩陳得以破布軍更食曲周五千一百戸除前所食凡別破軍三降定郡六縣七十三得丞相守相大將各一人小將二人二千石已下至六百石十九人

商事孝惠高后時商病不治（索隱曰不能治官事）其子寄字況（索隱曰酈寄字也鄒氏本作兄亦音況）與呂祿善及高后崩大臣欲

誅諸呂呂祿爲將軍軍於北軍太尉勃不得入北軍於是乃使人劫酈商令其子況紿呂祿（索隱曰紿欺也許也音待）呂祿信之故與出游而太尉勃乃得入據北軍遂誅諸呂是歲商卒謚爲景侯子寄代侯天下稱酈況賣交也（班固曰夫賣交者謂見利而忘義也若寄父爲功臣而又執劫雖權呂祿以安社稷誼存君親可也）孝景前三年吳楚齊趙反上以寄爲將軍圍趙城十月不能下得俞侯欒布（俞音紆○索隱曰俞音歈縣名又音輸在河東）自平齊來乃下趙城滅趙王自殺除國孝景中二年寄欲取平原君爲夫人（蘇林曰景帝王皇后母臧兒也）景帝怒下寄吏有罪奪侯景帝乃

正義曰繆地未詳

靖

以商他子堅封爲繆侯徐廣曰繆一作有字封邑名謚曰靖。索隱曰繆音穆邑也漢書無謚續酇氏後繆靖侯卒子康侯遂成立遂成卒子懷侯世宗立徐廣曰世一作他世宗卒子侯終根立爲太常坐法國除

汝陰侯正義曰汝陰即今陽城夏侯嬰沛人也爲沛廄司御索隱曰案楚漢春秋云滕公爲御也每送使客還過沛泗上亭與高祖語未嘗不移日也嬰已而試補縣吏與高祖相愛高祖戲而傷嬰人有告高祖韋昭曰告白也白高祖傷人高祖時爲亭長重坐傷人如淳曰爲吏傷人其罪重也告故不傷嬰鄧展曰律有故乞鞫高祖自告不傷人○索隱曰案晉灼云獄結竟呼囚鞫語罪狀囚若稱枉欲乞鞫者

許之也嬰證之後獄覆索隱曰案韋昭曰高帝自言不傷嬰嬰證之是獄辭翻覆也嬰坐高祖繫歲餘掠笞數百終以是脫高祖高祖之初與徒屬欲攻沛也嬰時以縣令史爲高祖使上降沛一日正義曰上爲于僞反使所吏反又曰謂以老開城門迎高祖高祖爲沛公賜嬰爵七大夫以爲太僕從攻胡陵嬰與蕭何降泗水監平張晏曰胡陵平所止縣何肯給之故與降也平以胡陵降賜嬰爵五大夫從擊秦軍碭東攻濟陽下户牖破李由軍雍丘下以兵車趣攻戰疾賜爵執帛常以太僕奉車從擊章邯軍東阿濮陽下以兵車趣攻戰疾破之賜爵執珪復常奉車從

破之

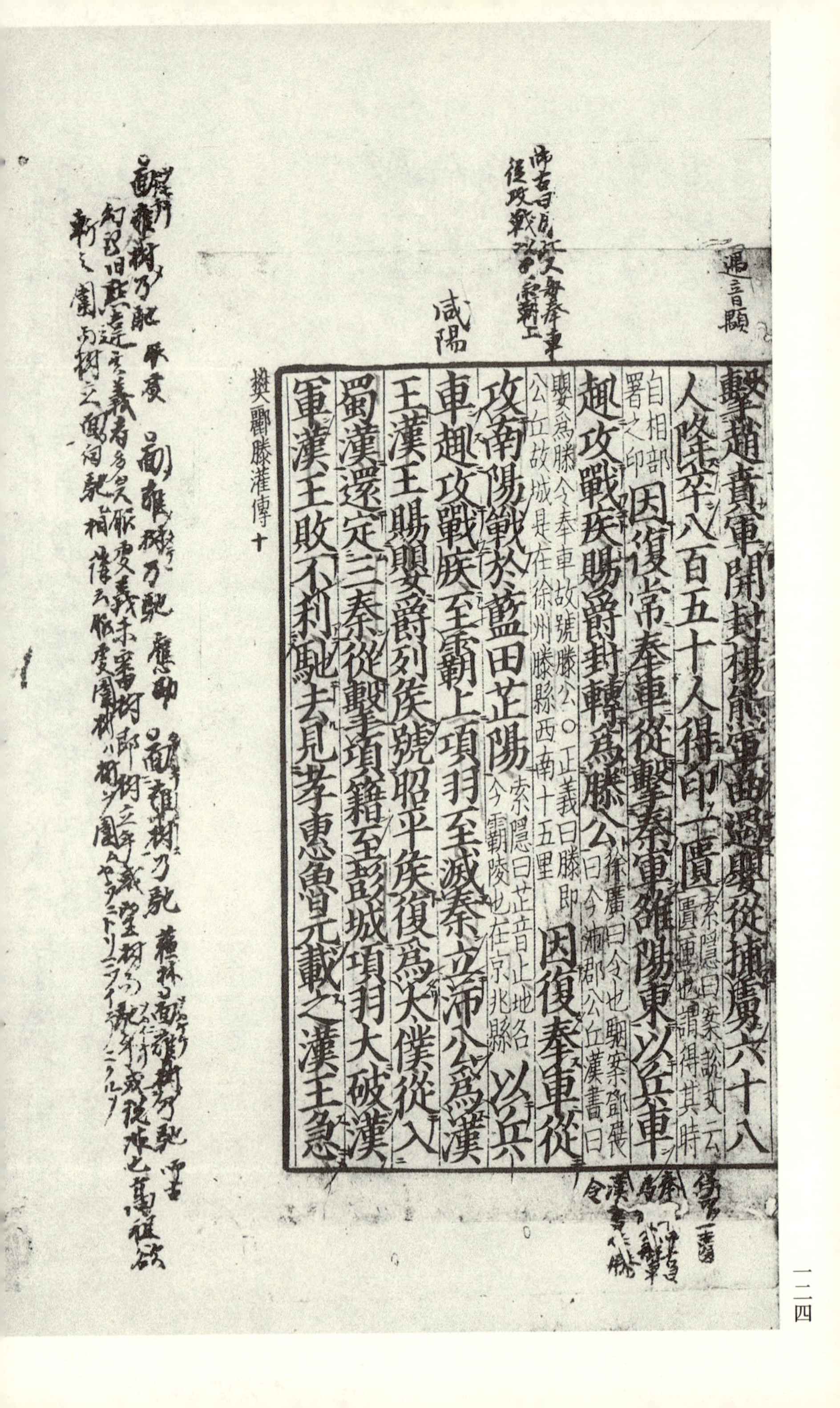

擊趙賁軍開封楊熊軍曲遇嬰從捕虜六十八人降卒八百五十人得印一匱（索隱曰案說文云匱匣也謂得其時自相部署之印）因復常奉車從擊秦軍雒陽東以兵車趣攻戰疾賜爵封轉為滕公（徐廣曰令也駰案鄧展曰今沛郡公丘漢書曰嬰為滕令奉車故號滕公○正義曰滕即公丘故城是在徐州滕縣西南十五里）因復奉車從攻南陽戰於藍田芷陽（索隱曰芷音止地名今霸陵也在京兆縣）以兵車趣攻戰疾至霸上項羽至滅秦立沛公為漢王漢王賜嬰爵列侯號昭平侯復為太僕從入蜀漢還定三秦從擊項籍至彭城項羽大破漢軍漢王敗不利馳去見孝惠魯元載之漢王急

馬罷虜在後常蹶兩兒欲棄之索隱曰蹶音厥又音巨月反一音居衛反漢書作蹳音撥嬰常收竟載之徐行面雍樹乃馳服虔曰高祖欲斬之故嬰圍樹走也面向樹也應劭云古者皆立乘嬰恐小兒隊故令置二面雍持之樹立也蘇林曰南陽人謂抱小兒為雍樹面者大人以面自向臨之小兒抱大人頸似縣於樹也○索隱曰蘇林與晉灼皆同今則無其言或當時有此說其應服之說蓋疏也漢王怒行欲斬嬰者十餘卒得脫而致孝惠魯元於豐漢王既至滎陽收散兵復振賜嬰食祈陽徐廣曰祈一作沂○索隱曰蓋鄉名也漢書作沂陽無其縣復常奉車從擊項籍追至陳卒定楚至魯益食茲氏索隱曰縣名也地理志屬太原漢王立為帝其秋燕王臧荼反嬰以太僕從擊荼明年從[illegible]取楚王信更食汝陰

高帝果爲胡所圍也

師古曰句音章句之句

樊酈滕灌　十一

剖符世世勿絶以太僕從擊代至武泉雲中（索隱曰地理志武泉屬雲中○正義曰二縣在朔州善陽縣界）益食千戶因從擊韓信軍胡騎晉陽旁大破之追北至平城爲胡所圍七日不得通高帝使使厚遺閼氏冒頓開圍一角高帝出欲馳嬰固徐行弩皆持滿外向卒得脫益食嬰細陽千戶（索隱曰地理志屬汝南）復以太僕從擊胡騎句注北大破之以太僕擊胡騎平城南三陷陳功爲多賜所奪邑五百戶（漢書音義曰時有罪過奪邑者以賜之）以太僕擊陳豨騎布軍陷陳卻敵益食千戶定食汝陰六千九百戶除前所食嬰自上初

少帝　惠帝即位，尊呂后為太后，立帝姊魯元公主女為皇后，無子，取後宮美人子名之以為太子。惠帝崩，太子立為皇帝，年幼，太后臨朝稱制。

漢書無縣字，為北第。師古曰：北第者，近北闕之第，嬰最第一也。故張衡西京賦云「北闕甲第，當道直啟」。

以少帝非惠帝真子，群臣議廢之，語在高后紀也。

起沛，常爲太僕，竟高祖崩。以太僕事孝惠。孝惠帝及高后德嬰之脫孝惠、魯元於下邑之閒也，正義曰：宋州碭山縣。乃賜嬰縣北第第一，曰「近我」，以尊異之。孝惠帝崩，以太僕事高后。高后崩，代王之來，嬰以太僕與東牟侯入清宮，廢少帝，以天子法駕迎代王代邸，與大臣共立爲孝文皇帝，復爲太僕。八歲卒，謚爲文侯。索隱曰：案姚氏云三輔故事曰滕文公墓在飲馬橋東大道南，俗謂之馬冢。博物志曰：公卿送嬰葬，至東都門外，馬不行，掊地悲鳴，得石槨，有銘曰「佳城鬱鬱，三千年見白日，吁嗟滕公居此室」，乃葬之。子夷侯竈立，七年卒。子共侯賜立，三十一年卒。子侯頗尚平陽公主，立十九歲，元鼎二

年坐與父御婢姦罪自殺國除

潁陰侯（正義曰今陳州[illegible][illegible]縣西北十三里潁陰故城是）灌嬰者睢陽販繒者也（正義曰宋州宋城縣）高祖之為沛公略地至雍丘下章邯敗殺項梁而沛公還軍於碭嬰初以中涓從擊破東郡尉於成武及秦軍於杠里疾鬬賜爵七大夫從攻秦軍亳南開封曲遇戰疾力（服虔曰疾攻之）賜爵執帛號宣陵君從攻陽武以西至雒陽破秦軍尸北北絕河津南破南陽守齮陽城東遂定南陽郡西入武關戰於藍田疾力至霸上賜爵執珪號昌文君（索隱曰亦稱宣陵君皆非爵土加美號耳）沛公

集覽云謁者百官表謁者掌賓讚受事員七十人秩比六百石有僕射秩比千石師古曰謁者…

項羽本紀趙將司馬卬定河內數有功故立卬爲殷王 卬五郎反 集覽云項它字音湯何反項羽從兄之子

申徒 漢書家本首書集安索庄云魏司徒史記云魏公申徒也 又韓王信傳曰信初爲韓司徒後說云申徒當此觀之此申徒恐司徒歟

立爲漢王拜嬰爲郎中從入漢中十月拜爲中謁者從還定三秦下櫟陽降塞王還圍章邯於廢丘未拔從東出臨晉關擊降殷王定其地擊項羽將龍且魏相項他軍走陶南疾戰破之賜嬰爵列侯號昌文侯食杜平鄉索隱曰謂食杜縣之平鄉復以中謁者從降下碭以至彭城項羽擊大破漢王漢王遁而西嬰從還軍於雍丘王武魏公申徒反張晏曰秦將降爲公今反從擊破之攻下黃正義曰故城在曹州考城縣東二十四里西收兵軍於滎陽楚騎來衆漢王乃擇軍中可爲車騎將者皆推故秦騎士重泉人徐廣曰重

泉屬馮翊○正義曰故城在同州蒲城縣東南四十五里李必駱甲習騎兵今為

校尉可為騎將索隱曰必甲二人名也姚氏案漢紀桓帝延熹二年追錄高祖功臣李必後黃門丞李遂為晉陽關內侯也漢王欲拜之必甲曰臣故秦民恐

軍不信臣臣願得大王左右善騎者傅之如淳曰傅音附猶言隨從者灌嬰雖少然數力戰乃拜灌嬰為中大

夫令李必駱甲為左右校尉將郎中騎兵擊楚

騎於滎陽東大破之受詔別擊楚軍後絕其餉

道起陽武至襄邑擊項羽之將項冠於魯下破

之所將卒斬右司馬騎將各一人張晏曰主右方之馬左亦如之擊

破柘公王武軍於燕西徐廣曰柘屬陳○索隱曰案武柘縣令也○正義曰柘屬

淮陽國按滑州胙城本南燕國也所將卒斬樓煩將伍人李奇曰樓煩縣名其人善騎射故以名射士爲樓煩取其美稱未必樓煩人也張晏曰樓煩胡國名連尹一人張晏曰大夫楚官○索隱曰案左傳莫敖連尹宮廏尹是擊王武別將桓嬰白馬下破之所將卒斬都尉一人以騎渡河南送漢王到雒陽使北迎相國韓信軍於邯鄲還至敖倉嬰遷爲御史大夫三年以列侯食邑杜平鄉以御史大夫受詔將郎中騎兵東屬相國韓信擊破齊軍於歷下所將卒虜車騎將軍華毋傷及將吏四十六人降下臨菑得齊守相田光追齊相田橫至嬴博破其騎所將卒斬騎將一人生得

騎將四人攻下嬴博破齊將軍田吸於千乘所將卒斬吸東從韓信攻龍且留公於高密索隱曰留縣令稱公旋其名高密縣名在北海漢書作假密假密地名何不知所在未知孰是耳。正義曰留縣在沛郡公其令卒斬龍且文穎曰所將卒生得右司馬連尹各一人樓煩將十人身生得亞將周蘭齊地已定韓信自立爲齊王使嬰別將擊楚將公杲於魯北破之轉南破薛郡長身虜騎將一人攻博陽前至下相以東南僮取慮徐索隱曰取音秋慮音閭取又音趣僮徐是二縣取慮是一縣名度淮盡降其城邑至廣陵漢書音義曰住廣陵以禦敵。正義曰謂從下相以東南盡降城邑乃至廣陵皆平定也項羽使項聲薛公郯公復定淮北

師古曰允六縣也酇音才何反

師古曰苦譙二縣名也

嬰度淮北擊破項聲郯公下邳（正義曰郯音談東海縣）斬薛公下下邳擊破楚騎於平陽（索隱曰小顏云此平陽在東郡地理志太山有東平陽縣○正義曰南平陽縣城今兖州鄒縣也在兖州東南六十二里按鄒縣去徐州滕縣界四十餘里也）遂降彭城虜柱國項佗降留薛沛酇蕭相攻苦譙（正義曰戶焦二音）復得亞將周蘭與漢王會頤鄉（徐廣曰苦縣有頤鄉○索隱曰頤音以之反）從擊項籍軍於陳下破之所將卒斬樓煩將二人虜騎將八人賜益食邑二千五百戶項籍敗垓下去也嬰以御史大夫受詔將車騎別追項籍至東城（正義曰縣在濠州定遠縣東南五十五里）破之所將卒五人共斬項籍皆賜爵列侯降左右司馬各

師[illegible]曰佗音徒何反[illegible]師古曰二[illegible]也

一人卒萬二千人盡得其軍將吏下東城歷陽正義曰和州歷陽縣即今州城是也渡江破吳郡長吳下如淳曰雄長之長也○索隱曰下有郡守此長即令也如淳以為雄長非也○正義曰今蘇州也按如說非也吳郡長即吳郡守也一破吳郡長兵於吳城下而得吳郡守身也得吳守遂定吳豫章會稽郡還定淮北凡五十二縣漢王立為皇帝賜益嬰邑三千戶其秋以車騎將軍從擊破燕王臧荼明年從至陳取楚王信還剖符世世勿絕食潁陰二千五百戶號曰潁陰侯以車騎將軍從擊反韓王信於代至馬邑受詔別降樓煩以北六縣斬代左相破胡騎於武泉北正義曰縣名在朔州北二百二十里復從

泉或作原

師古曰卒謂所將之卒也特独也各独為將也

硰一作沙

擊韓信胡騎晉陽下所將卒斬胡白題將一人服虔曰胡名也受詔并將燕趙齊梁楚車騎擊破胡騎於硰石服虔曰硰石音沙○索隱曰劉氏音千肖反至平城爲胡所圍從還軍東垣從擊陳豨受詔別攻豨丞相侯敞軍曲逆下破之卒斬敞及特將五人文穎曰特一之特也降曲逆盧奴上曲陽安國安平正義曰盧奴定州安喜縣是曲陽定州曲陽縣是安平定州安平縣攻下東垣黥布反以車騎將軍先出攻布別將於相破之斬亞將樓煩將三人又進擊破布上柱國軍及大司馬軍又進破布別將肥誅徐廣曰一作銖○索隱曰案漢書作肥銖嬰身生得左司馬一人所將

布已破高帝歸定

齊哀王者悼惠王之子襄也

欲

聞

風 正義曰方鳳反

卒斬其小將十人追北至淮上益食二千五百戶布已破高帝歸定令嬰食潁陰五千戶除前所食邑凡從得二千石二人別破軍十六降城四十六定國一郡二縣五十二得將軍二人柱國相國各一人二千石十人嬰自破布歸高帝崩嬰以列侯事孝惠帝及呂太后太后崩呂祿等以趙王自置爲將軍軍長安爲亂齊哀王聞之舉兵西且入誅不當爲王者上將軍呂祿聞之乃遣嬰爲大將將軍往擊之嬰行至滎陽乃與絳侯等謀因屯兵滎陽風齊王以誅呂氏事

師古曰風讀曰諷

濟北王東牟侯
悼惠王之子也

十二歲下有三
漢書後字下文有
後字

正義曰風方鳳反

齊兵止不前絳侯等既誅諸呂齊王罷兵歸嬰亦罷兵自滎陽歸與絳侯陳平共立代王為孝文皇帝孝文皇帝於是益封嬰三千戶賜黃金千斤拜為太尉三歲絳侯勃免相就國嬰為丞相罷太尉官是歲匈奴大入北地上郡令丞相嬰將騎八萬五千往擊匈奴匈奴去濟北王反詔乃罷嬰之兵後歲餘嬰以丞相卒謚曰懿侯子平侯阿代侯二十八年卒子彊代侯十二年彊有罪絕二歲元光三年天子封灌嬰孫賢為臨汝侯續灌氏後八歲坐行賕有罪國

高祖六年悼惠王初王于齊，廿三而薨，子襄立，襄立十年而薨，子文王立，是歲孝文元年也。始以齊之城陽郡立朱虚侯為城陽王，以齊之濟北郡立東牟侯為濟北王。二年而反，漢誅滅之。是時分齊為七國，皆以悼惠之子為王。濟北王誅滅之後也

日新殺義言功臣各從
高祖殺義帝入關也然
天下稱酈況賣交也
新云内援書吟嫁
顏故云内援

除

太史公曰吾適豐沛問其遺老觀故蕭曹樊噲滕公之家及其素異哉所聞方其鼓刀屠狗賣繒之時豈自知附驥之尾垂名漢庭德流子孫哉余與他廣通為言高祖功臣之興時若此云

索隱曰案他廣樊噲之孫後失封蓋嘗訝太史公序蕭曹樊滕之功悉具則從他廣而得其事故備也

索隱述贊曰

聖賢影響　雲蒸龍變　屠狗販繒

樊噲以屠狗為事　灌嬰販繒者也

攻城野戰　扶義西上　受封南面

酈況賣交　舞陽內援　滕灌更王

余

齊七國齊孝王將閭　濟北王志　膠西王卬　濟南王辟光　菑川王賢　城陽王章

膠東王雄渠

此中不與吳楚反者二人　志章　將閭見于悼惠王傳

亦枝葉繁衍

喇說

蓋會日飲致衍出手之盛也不盛之延也

樊酈滕灌列傳第三十五　史記九十五

黃氏日抄 樊噲起自狗屠從高祖多戰功諫止秦宮脫難鴻門功尤偉然人有惡其黨呂氏高帝立命斬之軍中斯亦烈矣 酈商聚兵四千從高帝於沛積戰功為曲周侯其子酈寄紿呂祿而太尉遂得入北軍安劉氏預有力焉夏侯嬰脫高祖於亭長時脫孝惠魯元於彭城大敗時間關兵戰功自高帝初起歷孝惠高后文帝嘗為太僕終其身蓋謹信可親之人與灌嬰起自販繒從高祖騎射戰功居多其後不為諸呂擊齊而共立文帝遂致位宰相蓋武健而有定識云

[illegible]

漢書列傳十二

陳餘擊走常山王張

張丞相列傳第三十六　史記九十六

張丞相蒼者陽武人也索隱曰案縣名屬陳留正義曰鄭州陽武縣也好書律曆秦時為御史主柱下方書如淳曰方版也謂書事在版上者也秦以上置柱下史蒼為御史主其事或曰四方文書。索隱曰周秦皆有柱下史謂御史也所掌及侍立恒在殿柱之下故老聃為周柱下史今蒼在秦代亦居斯職方書者方板謂小事書之於板也或曰主四方文書也姚氏以為下云明習天下圖書計籍主郡上計則方為四方文書是也有罪亡歸及沛公略地過陽武蒼以客從攻南陽蒼坐法當斬解衣伏質索隱曰小顏云質鍖也身長大肥白如瓠時王陵見而怪其美士乃言沛公赦勿斬遂從西入武關至咸陽沛公立為漢王入漢中還定三秦陳餘擊

陳餘傳曰漢三年韓信已定魏地遣張耳與韓信擊破趙井陘斬陳餘泜水上追殺趙王歇襄國漢立張耳爲趙王

漢六年正月壬子立兄宜信侯喜爲代王

師古曰專主計籍故號曰計相

走常山王張耳耳歸漢漢乃以張蒼爲常山守從淮陰侯擊趙蒼得陳餘趙地已平漢王以蒼爲代相備邊寇已而徙爲趙相相趙王耳耳卒相趙王敖復徙相代王燕王臧荼反高祖往擊之蒼以代相從攻臧荼有功以六年中封爲北平侯食邑千二百戸遷爲計相（文穎曰能計故號曰計相）一月更以列侯爲主計四歳（張晏曰以列侯典校郡國簿書如淳曰以其所主因以爲官號與計相同時所卒立非久施也○索隱曰謂改計相之名更名主計並此蓋權時立號也）是時蕭何爲相國而張蒼乃自秦時爲柱下史明習天下圖書計籍蒼又善用筭律曆故令蒼以列侯居相

府領主郡國上計者。黥布反，亡漢，立皇子長爲淮南王，而張蒼相之。十四年，遷爲御史大夫。

周昌者，沛人也。其從兄曰周苛，秦時皆爲泗水卒史。及高祖起沛，擊破泗水守監，於是周昌、周苛自卒史從沛公，沛公以周昌爲職志，徐廣曰：主旗幟之屬。○索隱曰：官名也。職，主也。志，旗幟也。謂掌旗幟之官也。音昌志反。周苛爲客。張晏曰：爲帳下賓客，不掌官。從入關，破秦。沛公立爲漢王，以周苛爲御史大夫，周昌爲中尉。漢王四年，楚圍漢王滎陽急，漢王遁出去，而使周苛守滎陽城。楚破滎陽城，欲令周苛將。苛罵曰：「若趣降漢王！不然，今爲虜矣項羽怒亨周苛徐廣曰四年三月也於是乃拜周昌為御史大夫常從擊破項籍以六年中與蕭曹等俱封封周昌為汾陰侯周苛子周成以父死事封為高景侯徐廣曰元年封三十九年文帝後元四年謀反死國除昌為人彊力敢直言自蕭曹等皆卑下之昌嘗燕時入奏事漢書音義曰以上宴時入奏事高帝方擁戚姬昌還走高帝逐得騎周昌項問曰我何如主也昌仰曰陛下即桀紂之主也於是上笑之然尤憚周昌及帝欲廢太子而立戚姬子如意為太子大臣固爭之莫能得上以留侯策即止而周昌廷爭之

張丞相傳　一

正義曰燕若安閒之暑

師古曰擁抱也

高

呂后紀云三月中呂后祓還過軹道見物如蒼犬據高后掖忽弗復見卜之云趙王如意為祟高后遂病掖傷云云

彊上問其說昌爲人吃又盛怒曰臣口不能言然臣期期知其不可正義曰期以口吃每語故重言期期也陛下雖欲廢太子臣期期不奉詔上欣然而笑旣罷呂后側耳於東廂聽韋昭曰殿東堂也○索隱曰小顏云正寢之東西室皆號曰箱言似箱篋之形見周昌爲跪謝曰微君太子幾廢索隱曰幾鉅依反是後戚姬子如意爲趙王年十歲高祖憂即萬歲之後不全也趙堯年少爲符璽御史趙人方與公孟康曰方與縣名公其號瓚曰方與縣令也謂御史大夫周昌曰君之史趙堯年雖少然奇才也君必異之是且代君之位周昌笑曰堯年少刀筆吏耳正義曰古用簡牘書有錯謬以刀削之故

曰刀筆吏何能至是乎居頃之趙堯侍高祖高祖獨
心不樂悲歌羣臣不知上之所以然趙堯進請
問曰陛下所爲不樂非爲趙王年少而戚夫人
與吕后有郤邪備萬歲之後而趙王不能自全
乎高祖曰然吾私憂之不知所出索隱曰謂不知其計所出也
堯曰陛下獨宜爲趙王置貴彊相及吕后太子
羣臣素所敬憚乃可高祖曰然吾念之欲如是
而羣臣誰可者堯曰御史大夫周昌其人有堅
忍質直且自吕后太子及大臣皆素敬憚之獨
昌可高祖曰善於是乃召周昌謂曰吾欲固煩

公彊爲我相趙王（正義曰桓譚新論云使周相趙不如使取呂后家女爲妃令戚夫人善事呂后則如意無殺死也）周昌泣曰臣初起從陛下陛下獨奈何中道而棄之於諸侯乎高祖曰吾極知其左遷（索隱曰諸侯王表有左官之律韋昭以爲左猶下也禁不得下仕於諸王也然地道尊右右貴左賤故謂貶秩爲左遷他皆此類）然吾私憂趙王念非公無可者公不得已彊行於是徙御史大夫周昌爲趙相既行久之高祖持御史大夫印弄之曰誰可以爲御史大夫者孰視趙堯曰無以易堯遂拜趙堯爲御史大夫（徐廣曰十年也）堯亦前有軍功食邑及以御史大夫從擊陳豨有功封爲江邑侯（徐廣曰十一年）高祖

索隱曰是時尊右而卑左故謂貶秩位爲左遷他皆類此

正義曰易改也言無以改易於堯也

索隱曰已止也

崩呂太后使使召趙王其相周昌令王稱疾不行使者三反周昌固爲不遣趙王於是高后患之乃使使召周昌周昌至謁高后高后怒而罵周昌曰爾不知我之怨戚氏乎而不遣趙王何昌既徵高后使使召趙王趙王果來至長安月餘飲藥而死周昌因謝病不朝見三歲而死徐廣曰謚悼也○索隱曰漢書傳及表咸言周昌謚悼韋昭云或謚惠非也漢書又曰傳子至孫意有罪國除景帝復封昌孫左車爲安陽侯有罪國除後五歲正義曰高后之年高后聞御史大夫江邑侯趙堯高祖時定趙王如意之畫乃抵堯罪徐廣曰呂后元年國除以廣阿侯任敖爲御史大夫

張丞相傳三

任敖者，故沛獄史。高祖嘗辟吏，正義曰：上音避。吏繫呂后，遇之不謹。任敖素善高祖，怒，擊傷主呂后吏。及高祖初起，敖以客從為御史，守豐二歲。高祖立為漢王，東擊項籍，敖遷為上黨守。陳豨反時，敖堅守，封為廣阿侯，食千八百戶。高后時為御史大夫，三歲免。徐廣曰：孝文帝二年任敖卒，諡懿侯。曾孫越人，元鼎二年為太常，坐酒酸國除。○案漢書任敖孝文元年薨，徐誤以也。○索隱曰：皆依此據漢書為說而誤，云二年。裴駰又引任安書諡為得其實。○正義曰：按史記書表云孝文二年卒，漢表又云封九十年。孝文十年計高祖十一年封到孝文帝二年，則十九年矣，而漢書誤，裴氏不考，乃云徐說誤，何其二過也。以平陽侯曹窋為御史大夫。高后崩，不與大臣共誅呂祿等，免。以淮南相張蒼為御史大夫爲蒼與絳侯等尊立代王爲孝文皇帝四年丞相灌嬰卒張蒼爲丞相自漢興至孝文二十餘年會天下初定將相公卿皆軍吏張蒼爲計相時緒正律曆（索隱曰緒尋也或曰緒業也）以高祖十月始至霸上因故秦時本以十月爲歲首弗革推五德之運以爲漢當水德之時尚黑如故（正義曰姚察云蒼是秦人循用推五勝之法以周赤烏爲火漢勝火以水也）吹律調樂入之音聲及以比定律令（如淳曰比謂五音清濁各有所比也以定十二月律之法令於樂官使長行之瓚曰調以比故取類以定法律與條令也○正義曰比音鼻或音必復反謂比方也）若百工天下作程品（如淳曰若順也百工爲器物皆有尺寸斤兩皆使得宜此之謂順[illegible]劉曰若預及之辭○索隱曰[illegible]劉說爲得）至

漢書注中顏曰以救其
死刑极也
蒼當斬解衣伏質
身長大肥白如瓠時王
陵見而怪其美士乃言
沛公救勿斬

於爲丞相卒就之故漢家言律曆者本之張蒼

蒼本好書無所不觀無所不通而尤善律曆

因著書十八篇言陰陽律曆事張蒼德王陵王陵者安國侯也及

蒼貴常父事王陵陵死後蒼爲丞相洗沐常先

朝陵夫人上食然後敢歸家蒼爲丞相十餘年

魯人公孫臣上書言漢土德時其符有黃龍當

見詔下其議張蒼張蒼以爲非是罷之其後黃

龍見成紀於是文帝召公孫臣以爲博士草土

德之曆制度更元年張丞相由此自絀謝病稱

老蒼任人爲中候張晏曰所舉保任者也蘇林曰中候官名大爲姦利

上以讓蒼蒼遂病免蒼爲丞相十五歲而免孝景前五年蒼卒謚爲文侯子康代侯八年卒子類徐廣曰一作䫉音蹟代爲侯八年坐臨諸侯喪後就位不敬國除索隱曰案漢書云傳子至孫類有罪國除今此云康代八年卒子類代侯則類即類與漢書略同也初張蒼父長不滿五尺及生蒼蒼長八尺餘爲侯丞相蒼子復長漢書曰云長八尺及孫類長六尺餘坐法失侯蒼之免相後老口中無齒食乳女子爲乳母妻妾以百數嘗孕者不復幸蒼年百有餘歲而卒

申屠丞相嘉者梁人以材官蹶張徐廣曰勇建有材力開張駰案

張丞相傳　五

通鑑十五[illegible]
河水徙推[illegible]
金從容[illegible]

漢書注中[illegible]
死刑[illegible]也
蒼當斬[illegible]
身長大肥白[illegible]
張見而怪其[illegible]
沛公赦勿斬
通鑑[illegible]
注班志[illegible]
北鄰[illegible]
見[illegible]
真定[illegible]
正義[illegible]
任[illegible]中[illegible]

漢律歷志上卷十五丁云三王一代既沒五伯之末史官喪紀疇人子弟分散或在夷狄[illegible]
秋故其所記有黃帝顓頊夏殷周及魯曆 戰國擾攘秦兼天下未皇暇也亦頗推
五勝[illegible]而自以為獲水德乃以十月為正色上黑[illegible]
方綱紀大基庶事草創襲秦正朔以北平侯張蒼言用顓頊[illegible]
五勝 金尅木 水尅火 火尅金 土尅水 木尅土
漢當水德之瑞焉 如故
[illegible]
[illegible]
[illegible]
[illegible]
[illegible]
[illegible]
五行

通鑑[illegible]天下[illegible]命蕭何次律令韓信申軍法張蒼定章程叔孫通定禮儀[illegible]高帝十二年
[illegible]次律令[illegible]
[illegible]章程[illegible]
[illegible]
漢書[illegible]
[illegible]
下作程[illegible]
律[illegible]
[illegible]
民[illegible]

[illegible]蒼任以為中侯 張晏曰[illegible]所[illegible]任者也[illegible]中侯官名
大為[illegible]

上以讓責蒼蒼遂病免蒼爲丞相十五歲而免孝景前五年蒼卒謚爲文侯子康侯代八年卒子類徐廣曰一作顒音牘代爲侯八年坐臨諸侯喪後就位不敬國除索隱曰案漢書云傳子至孫類有罪國除今此文康代八年卒子類代侯則康即類與漢書略同也初張蒼父長不滿五尺及生蒼蒼長八尺餘爲侯丞相蒼子復長漢書云長八尺及孫類長六尺餘坐法失侯蒼之免相後老口中無齒食乳女子爲乳母妻妾以百數嘗孕者不復幸蒼年百有餘歲而卒

申屠丞相嘉者梁人以材官蹶張徐廣曰勇健有材力開張駰案

如淳曰材官之多力能腳蹋強弩張之故曰蹶張律有蹶張士○索隱曰孟康曰主張強弩蹶音其月反漢令曰蹶張士百人從高帝擊項籍遷為隊率索隱曰率音所類反從擊黥布軍為都尉孝惠時為淮陽守孝文帝元年舉故吏士二千石從高皇帝者悉以為關內侯食邑二十四人而申屠嘉食邑五百戶張蒼已為丞相嘉遷為御史大夫張蒼免相徐廣曰後二年八月孝文帝欲用皇后弟竇廣國為丞相曰恐天下以吾私廣國廣國賢有行故欲相之念久之不可而高帝時大臣又皆多死餘見無可者乃以御史大夫嘉為丞相因故邑封為故安侯正義括地志云

丞相、申屠嘉也

富貴 本作 貴富

師古曰設私戒敕之

陽城中東南隅故城是也

嘉爲人廉直門不受私謁是時太中
大夫鄧通方隆愛幸賞賜累巨萬文帝嘗燕飲
通家其寵如是是時丞相入朝而通居上傍有
怠慢之禮丞相奏事畢因言曰陛下愛幸臣則
富貴之至於朝廷之禮不可以不肅上曰君勿
言吾私之罷朝坐府中嘉爲檄召鄧通詣丞相
府不來且斬通通恐入言文帝文帝曰汝第往
吾今使人召若通至丞相府免冠徒跣頓首謝
嘉坐自如故不爲禮責曰夫朝廷者高皇帝之
朝廷也通小臣戲殿上大不敬當斬吏今行斬

師古曰今之弩以手張者曰擘張以足蹋者曰蹶張 蹶音厥 擘音布麥反 ○擘音擘

如淳曰材官之多力能脚蹋強弩張之故曰蹶張律有蹶張士○索隱曰孟康曰主張強弩蹶音其月反漢令曰蹶張士百人也從高帝擊項籍遷為隊率索隱曰所類反從擊黥布軍為都尉孝惠時為淮陽守孝文帝元年舉故吏士二千石從高皇帝者悉以為關內侯食邑二十四人而申屠嘉食邑五百戶張蒼已為丞相嘉遷為御史大夫張蒼免相徐廣曰後二年八月孝文帝欲用皇后弟竇廣國為丞相曰恐天下以吾私廣國廣國賢有行故欲相之念久之不可而高帝時大臣又皆多死餘見無可者乃以御史大夫嘉為丞相因故邑封為故安侯正義……易州……

通鑑十五高帝時大臣餘見無可者 胡注餘見謂高帝大臣之見存者……

師古曰見謂見在之人

陽城中東南隅故城是也

嘉爲人廉直門不受私謁是時太中大夫鄧通方隆愛幸賞賜累巨萬文帝嘗燕飲通家其寵如是是時丞相入朝而通居上傍有怠慢之禮丞相奏事畢因言曰陛下愛幸臣則富貴之至於朝廷之禮不可以不肅上曰君勿言吾私之罷朝坐府中嘉爲檄召鄧通詣丞相府不來且斬通通恐入言文帝文帝曰汝第往吾今使人召若通至丞相府免冠徒跣頓首謝嘉坐自如故不爲禮責曰夫朝廷者高皇帝之朝廷也通小臣戲殿上大不敬當斬吏今行斬

通鑑寔中大夫鼂錯為左内史胡注内史掌治京師武帝建元六年始分左右内史錯左字衍

師古曰幾音巨依反

師古曰鼂古朝字

之如淳曰盡語其吏曰今便行斬之通頓首首盡出血不解文帝度丞相已困通使使者持節召通而謝丞相曰此吾弄臣君釋之鄧通既至為文帝泣曰丞相幾殺臣嘉為丞相五歲孝文帝崩孝景帝即位二年鼂錯為內史貴幸用事諸法令多所請變更議以適罰侵削諸侯而丞相嘉自絀所言不用疾錯錯為內史門東出不便更穿一門南出南出者太上皇廟堧垣服虔曰宮外垣也如淳曰堧音畏慄之慄○索隱曰堧音乃喚反韋昭音而緣反又音軟嘉聞之欲因此以法錯擅穿宗廟垣為門奏請誅錯錯客有語錯錯恐夜入宮上

謁自歸景帝[正義曰自歸帝首罪也]至朝丞相奏請誅内史錯景帝曰錯所穿非眞廟垣乃外堧垣故他官居其中[索隱曰漢書作冗官謂散官]且又我使爲之錯無罪罷朝嘉謂長史曰吾悔不先斬錯乃先請之爲錯所賣至舍因歐血而死謚爲節侯子共侯蔑代三年卒子侯去病代三十一年卒[徐廣曰一本無此去病而云共侯蔑三十二年子臾代臾改封靖安侯]子侯臾代六歲坐爲九江太守受故官送有罪國除自申屠嘉死之後景帝時開封侯陶青桃侯劉舍爲丞相[徐廣曰陶青高祖功臣陶舍之子也謚夷劉舍本項氏親也賜姓劉氏父襄佐高祖有功舍謚哀侯]及今上時柏至侯許

漢書作剡舍

今上武帝也

之如淳曰嚇語其吏曰今便行斬之通頓首首盡出血不解文帝度丞相已困通使使者持節召通而謝丞相曰此吾弄臣君釋之鄧通既至為文帝泣曰丞相幾殺臣嘉為丞相五歲孝文帝崩孝景帝即位二年鼂錯為內史貴幸用事諸法令多所請變更議以謫罰侵削諸侯而丞相嘉自絀所言不用疾錯錯為內史門東出不便更穿一門南出南出者太上皇廟堧垣服虔曰宮外垣也如淳曰堧音畏煗而煗○索隱曰堧音乃喚反韋昭音而緣反又音軟嘉聞之欲因此以法錯擅穿宗廟垣為門奏請誅錯錯客有語錯錯恐夜入宮上

師古曰幾音巨依反

正義曰壖廟內院外餘地垣壖外院之牆

師古曰堧音如掾反

文穎左字衍

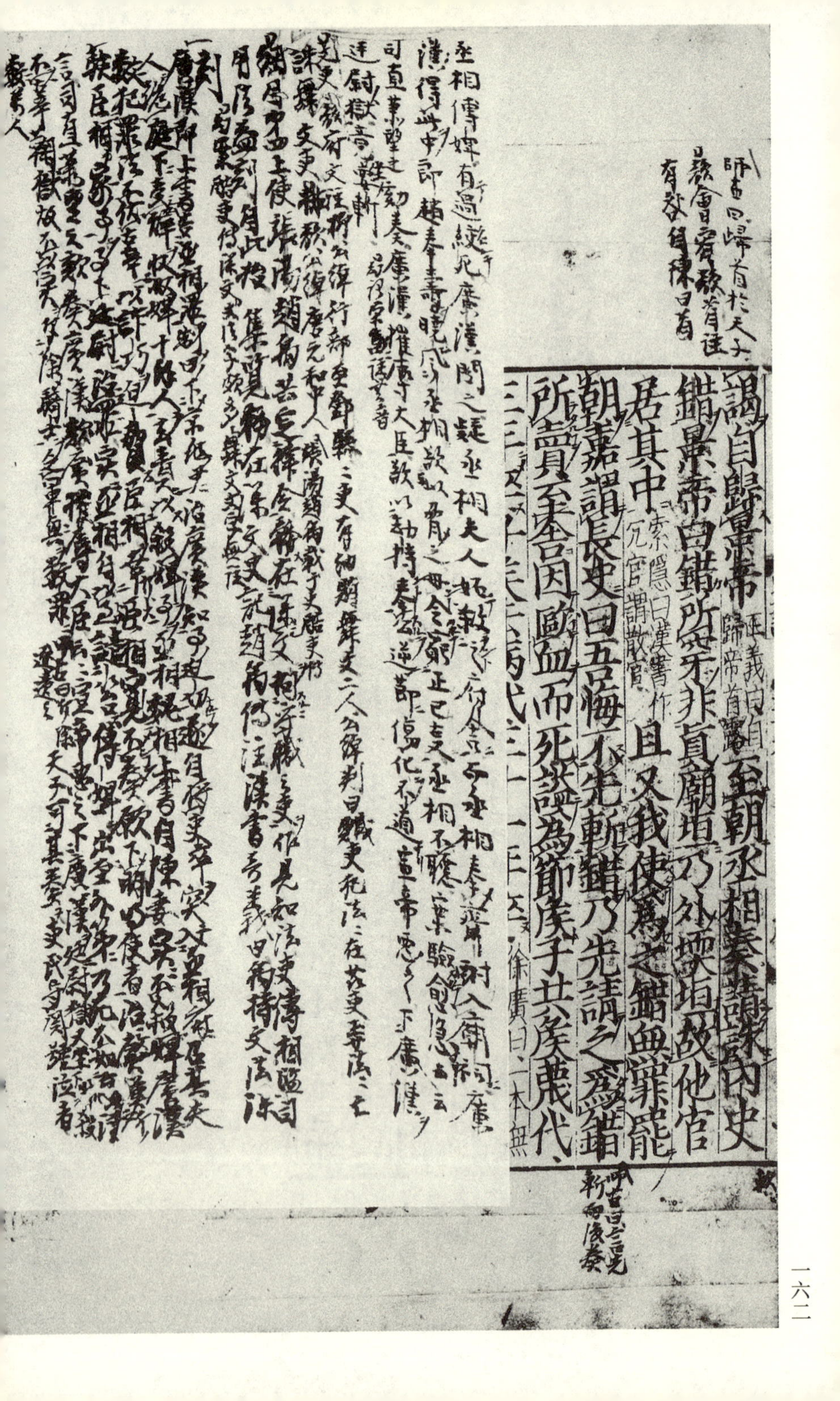

謁自歸皇帝正義曰自歸帝首罪至朝丞相奏請誅内史
錯景帝曰錯所穿非真廟垣乃外壖垣故他官
居其中索隱曰漢書作冗官謂散官且又我使為之錯無罪罷
朝嘉謂長史曰吾悔不先斬錯乃先請之為錯
所賣至舍因歐血而死謚為節侯子共侯蔑代
三三文二十二年后元二二一一三 徐廣曰一本無

蟲（徐廣曰高祖功臣許溫之孫謚哀侯）平棘侯薛澤（徐廣曰高祖功臣廣平侯薛歐之孫）

（平棘節侯薛澤）武彊侯莊青翟（徐廣曰高祖功臣莊不識之孫）高陵侯趙

周（徐廣曰周人父東吾爲楚王戊太傅諫爭而死）等爲丞相皆以列侯繼

嗣娖娖（徐廣曰娖音七角反一作斷一作齪○索隱曰娖音側角反小顏云持整之皃漢書作齪齪音初角反斷音都亂反義如尚書斷斷猗無他技）廉謹爲丞相備員而已無所

能發明功名有著於當世者

太史公曰張蒼文學律曆爲漢名相而絀賈生

公孫臣等言正朔服色事而不遵明用秦之顓

頊曆何哉（張晏曰不考經典專用顓頊曆何哉）周昌木彊人也（正義曰言其質直倔強如木石焉）

任敖以舊德用（張晏曰擊傷呂后吏）申屠嘉可

謂剛毅守節矣然無術學殆與蕭曹陳平異矣孝武時丞相多甚不記莫錄其行起居狀略且紀征和以來有車丞相長陵人也名千秋卒而有韋丞相代索隱曰自車千秋已下皆褚先生等所記然丞相傳都省略漢書則備韋丞相賢者魯人也以讀書術為吏至大鴻臚有相工相之當至丞相有男四人使相工相之至第二子其名玄成相工曰此子貴當封韋丞相言曰我即為丞相有長子是安從得之後竟為丞相病死而長子有罪論不得嗣而立玄成玄成時佯狂不肯立竟立之有讓國之名後坐

師說魏丞相傳以後至篇末後人續之

漢書列傳四十四

騎至廟不敬有詔奪爵一級爲關内侯失列侯得食其故國邑韋丞相六年有魏丞相代魏丞相相者濟陰人也以文吏至丞相其人好武皆令諸吏帶劍帶劍前奏事或有不帶劍者當入奏事至乃借劍而敢入奏事其時京兆尹趙君（漢名廣）丞相奏以免罪使人執魏丞相欲求脫罪而不聽復使人脅恐魏丞相以夫人賊殺侍婢事而私獨奏請驗之發吏卒至丞相舍捕奴婢笞擊問之實不以兵刃殺也而丞相司直繁君（索隱曰繁姓也音婆）奏京兆尹趙君迫脅丞相誣以

夫人賊殺婢發吏卒圍捕丞相舍不道又得擅
屛騎士事趙京兆坐要斬又有使掾陳平等劾
中尚書疑以獨擅劾事而坐之大不敬長史以
下皆坐死或下蠶室而魏丞相竟以丞相病死
子嗣後坐騎至廟不敬有詔奪爵一級爲關内
侯失列侯得食其故國邑魏丞相卒以御史大
夫邴吉代　正義曰視事九年二年死諡曰定侯
邴丞相吉者魯國人也以讀書好法令至御史
大夫孝宣帝時以有舊故封爲列侯而因爲丞
相明於事有大智後世稱之以丞相病死子顯

傳 屛騎士ヲ擅ニ除 騎士之罪無ク

後漢光武紀曰死罪繫囚皆一切募下蠶室注曰蠶室宮刑者畏風須暖作窨室蓄火如蠶室因以名焉 窨音一禁反

漢書列傳第四

正義曰字少卿

封爲列侯 正義曰以孩童侍養宣帝及振給使洛宣帝之故復封爲博陽侯邑千三百戸

張丞相傳十二 孝元帝爲太子之時 太子之孫 …

後世稱之 漢書吉道上見殺人不問見牛喘吐舌使吏問之或譏吉曹民鬬相傷殺長安令京兆尹職所當禁備逐捕歳竟丞相課其殿最奏行賞罰而已宰相不親小事非所當於道路問也方春少陽用事未可以熱恐牛近行用暑故喘此時氣失節恐有所傷害也三公典調和陰陽職所當憂是以問之以吉知大體故世稱之

以丞相病死 正義曰諡曰定侯 漢書本傳諡曰定侯

子顯爲庶人 正義曰漢書曰上曰故丞相吉有舊恩朕不忍絶 免官奪邑四百戸後復以爲城門校尉

漢書黄霸字次公云云霸爲潁川太守云云令民咸知上意使郵亭鄉官皆畜雞豚以贍鰥寡

漢書丙吉傳吉子顯[illegible]

嗣後坐騎至廟不敬有詔奪爵一級失列侯得
食故國邑顯爲吏至大僕坐官耗亂身及子男
有姦贓免爲庶人邴丞相卒黄丞相代長安中
有善相工田文者與韋丞相魏丞相邴丞相微
賤時會於客家田文言曰今此三君者皆丞相
也其後三人竟更相代爲丞相何見之明也
黄丞相霸者淮陽人也以讀書爲吏至潁川太
守治潁川以禮義條教喻告化之犯法者風曉
令自殺化大行名聲聞孝宣帝下制曰潁川太
守霸以宣布詔令治民道不拾遺男女異路獄

顯會號韵 耗亂不明

師古曰風謂

漢書列傳五十九在于循吏傳

正義曰霸字次公淮陽陽夏人以豪桀役使徙雲陽

重因 礼月令仲夏小暑至……注按寬也

正義曰代而嗇為丞相封建成侯食邑六百戶

漢書列傳四十三 附于定國賢傳

中無重因賜爵關內侯黃金百斤徵爲京兆尹
而至丞相復以禮義爲治以丞相病死子嗣後
爲列侯黃丞相卒以御史大夫于定國代于丞
相已有廷尉傳在張廷尉語中于丞相去御史
大夫韋玄成代（漢書列傳廿三……甘露三年薨謚曰定侯）
韋丞相玄成者即前韋丞相子也代父後失列
侯其人少時好讀書明於詩論語爲吏至衛尉
徙爲太子太傅御史大夫薛君免（名廣德也）爲御史
大夫于丞相乞骸骨免而爲丞相因封故邑爲
扶陽侯數年病死孝元帝親臨喪賜賞甚厚子

正義曰子黃輔

正義曰謚曰定侯

張丞相傳 十一

于定國 正義曰定國字曼倩東海郯人也為縣獄吏及廷尉史歷位超為廷尉乃迎師學春秋北面備弟子禮為廷尉民自以不冤定國飲酒至數石不亂甘露中代黃霸為丞相封西平侯九年薨死謚安侯子永嗣始定國父于公為縣獄吏決曹獄平其閭門壞父老方共治之于公謂曰少高大閭門令容駟馬高蓋車我治獄多陰德未嘗有所冤子孫必有興者至永國為丞相封侯傳世也

正義曰韋玄成字少翁以父任為郎歷位至御史大夫永光中代于定國為丞相封故國扶陽為相七年守正持重不及父賢父彰過之薨死謚曰共侯初賢後平陵……

平子累嗣，壽爵關内侯，成帝鴻嘉元年以吉旧恩封吉孫中郎將關内侯昌爲博陽侯

奉吉後，國絕三十三歲復續云，昌傳子孫至王莽時乃絕

漢書列傳五十九在于循吏傳

正義曰霸字次公淮陽陽夏人以豪桀役使徙雲陽

嗣後坐騎至廟不敬有詔奪爵一級失列侯得食故國邑顯爲吏至大僕坐官耗亂身及子男有姦贓免爲庶人邴丞相卒黄丞相代長安中有善相工田文者與韋丞相魏丞相邴丞相微賤時會於客家田文言曰今此三君者皆丞相也其後三人竟更相代爲丞相何見之明也

黄丞相霸者淮陽人也以讀書爲吏至潁川太守治潁川以禮義條教喻告化之犯法者風曉令自殺化大行名聲聞孝宣帝下制曰潁川太守霸以宣布詔令治民道不拾遺男女異路獄

重囚 礼月令仲夏小暑至挺重囚益其食 注挺寬也

正義曰代丙吉為丞相封建成侯食邑六百戶

漢書列傳四十一 付于定國傳

中無重囚賜爵關內侯黃金百斤徵爲京兆尹而至丞相復以禮義爲治以丞相病死子嗣後爲列侯黃丞相卒以御史大夫于定國代于丞相巳有廷尉傳在張廷尉語中于丞相去御史大夫韋玄成代

韋丞相玄成者即前韋丞相子也代父後失列侯其人少時好讀書明於詩論語爲吏至衛尉徙爲太子太傅御史大夫薛君免（名廣德也）爲御史大夫于丞相乞骸骨免而爲丞相因封故邑爲扶陽侯數年病死孝元帝親臨喪賜賞甚厚子

正義曰子嗣

張丞相傳 十一

于定國 正義曰定國字曼倩東海郯人也為縣獄史及廷尉史歷位超為廷尉乃迎師學春秋北面備弟子禮為廷尉民自以不冤定國飲酒至數石不亂甘露中代黃霸為丞相封西平侯九年薨諡安侯子永嗣

嗣後其治容容隨世俗浮沉而見謂諂巧而相
工本謂之當塗爲侯代父而後失之復自游宦而
起至丞相父子俱爲丞相世間美之豈不命哉
相工其先知之韋丞相卒御史大夫匡衡代
丞相匡衡者東海人也好讀書從博士受詩家
貧衡傭作以給食飲才下數射策不中至九乃
中丙科其經以不中科故明習補平原文學卒
史數年郡不尊敬御史徵之以補百石屬薦爲
郎而補博士拜爲太子少傅而事孝元帝孝元
好詩而遷爲光祿勳居殿中爲師授教左右而

縣官 天子也 漢書東平王宇傳曰縣官年少 張晏曰不敢指斥成帝謂之縣官

縣官坐其旁聽其善言之日以尊貴御史大夫鄭
弘坐事免而匡君爲御史大夫歲餘韋丞相死
匡君代爲丞相封樂安侯以十年之間不出長
安城門而至丞相豈非遇時而命也哉深惟士
之游宦所以至封侯者微甚徐廣曰微一作徵然多至御
史大夫即去者諸爲大夫而丞相次也其心冀
幸丞相物故也高堂隆荅魏朝訪曰物無也故事也言無復所能於事或乃陰
私相毀害欲代之然守之日以不得或爲之日
少而得之至于封侯眞命也夫御史大夫鄭君
守之數年不得匡君居之未滿歲而韋丞相死

張丞相傳十二

丞相匡衡者東海人也好讀書從博士受詩家
貧衡傭作以給食飲才下數射策不中至九乃
中丙科其經以不中科故明習補平原文學卒
史數年郡不尊敬御史徵之以補百石屬薦爲
郎而補博士拜爲太子少傅而事孝元帝孝元
好詩而遷爲光祿勳居殿中爲師授教左右而

縣官坐其旁聽其善之日以尊貴御史大夫鄭弘坐事免而匡君爲御史大夫歲餘韋丞相死匡君代爲丞相封樂安侯以十年之間不出長安城門而至丞相豈非遇時而命也哉深惟士之游宦所以至封侯者微甚（徐廣曰微一作徵）然多至御史大夫即去者諸爲大夫而丞相次也其心冀幸丞相物故也（高堂隆荅魏朝訪曰物無也故事也言無復所能於事）或乃陰私相毀害欲代之然守之日以不得或爲之日少而得之至于封侯眞命也夫御史大夫鄭君守之數年不得匡君居之未滿歲而韋丞相死

縣官 天子也 漢書東平王宇傳曰縣官年少 張晏曰不敢指斥成帝謂之縣官

張丞相傳十二

即代之矣豈可以智巧得哉多有賢聖之才困戹不得者衆甚也索隱曰案此論匡衡已來事則後人所述也或亦稱太史公其序述淺陋

索隱述贊曰

張蒼主計　天下作程　孫臣始絀
秦曆尚行　御史亞相　相國阿衡
申屠面折　周子廷爭　其他娖娖
無所發明

張丞相列傳第三十六　史記九十六

十三

黄氏日抄傳右張蒼作也至漢末位丞相者皆附之蓋漢初丞相皆功臣自灌嬰死而張蒼繼始以文学好律呂至申屠嘉自御史大夫叙遷然能剛毅守正景帝之世丞相備位僅存名氏太史公不復為傳而褚先生直取韋賢以下繼之於魏相稱好武於邴吉稱有大智於黄霸稱以禮義為治其後韋元成父子相繼康衡十年至丞相皆歸之命有慨嘆不滿之意矣

物故注云物無也故事也言無復所能於事然則士馬物故者亦以死則無能於事故以為死之稱而此傳稱冀幸丞相物故者以御史大夫望丞相之死而遞遷言非以材德

選也